Ganong's
Review of
Medical
Physiology
26th Edition

Kim E. Barrett, Susan M. Barman, Heddwen L. Brooks, Jason X.-J. Yuan

Lange Textbookシリーズ

ギャノング生理学

原書26版

岡田　泰伸［監修］
佐久間康夫［監訳］
岡村　康司

稲田　仁	黒澤美枝子	真鍋　俊也
井上　真澄	桑木　共之	三木　隆司
上田　陽一	鯉淵　典之	水村　和枝
岡田　泰昌	酒井　秀紀	籾山　俊彦
越久　仁敬	志水　泰武	八尾　寛
金田　誠	勢井　宏義	矢田　俊彦
河原　克雅	多久和　陽	山口　正洋
久場　博司	照井　直人	山本　哲朗
久保亜抄子	林　由起子	吉村　昭彦
久保川　学	古谷　和春	
倉智　嘉久	本間　生夫	

丸善出版

Ganong's Review of Medical Physiology
26th Edition

By

Kim E. Barrett
Susan M. Barman
Heddwen L. Brooks
Jason X.-J. Yuan

注　意

医学は絶えず変化し続けている科学の一分野である．新しい研究や臨床の経験により我々の知識が広がると，診療や薬物療法にも変化が求められる．本書の著者と出版社は，完全な，そして出版時での標準に一般的に適合している情報を提供するために努力し，信頼できると考えられる情報源によりその内容を確かめている．しかしながら，人の過誤は避けられないことや医科学の変化の可能性から，著者，出版社そして本書の準備と発行に関わっている様々な団体は，本書に収載された情報がすべての点で正確ないし完全であるとは保証しないし，過誤ないし遺漏，そして本書に掲載されている情報を使用したことから生じる結果についての責任は負わない．読者の皆様には本書の情報について他の情報源によって確かめることをお勧めする．とくに，服用する際の薬の添付文書を確認し，本書の情報が正しいかどうか，そして推奨用量や投与の禁忌に変更がないかを確かめることをお勧めする．この勧告は新薬や使用頻度の少ない薬についてはとくに重要である．

Original edition copyright © 2019 by McGraw-Hill Education. All rights reserved.

Japanese edition copyright © 2022 by Maruzen Publishing Co., Ltd. All rights reserved.
Japanese translation rights arranged with McGraw-Hill Education INC.
through Japan UNI Agency, Inc., Tokyo.

Printed in Japan

原書 26 版,翻訳まえがき

「Physiology(生理学)」は,その和訳漢字が示す通り「Logic of Life(生命の論理)」を究めるものであり,生体のすべての機能とそのメカニズム(機構)を解明する学問です.そもそも生理学は,人類史において自然(ギリシャ語で「Physis」フュシス)を取り扱う学問として開始された「Physiologie(自然科学)」が,物質を扱う「Physics(物理学)」と生命を扱う「Physiology(生理学)」とに分化したことに始まります.その後,生理学から解剖学や薬理学,生化学などが分枝し,さらに分子生物学や脳科学なども分かれてそれぞれが発展してきました.しかし,分子・遺伝子レベルと脳・情報レベルの研究が深化した現在では,生理学はそれらすべてを統合した学問(統合生物学)として再確立され始めています.さらには,ヒトの疾患は人体の機能とその機構の異常として捉えることができるので,臨床医学・医療の基礎は生理学によって与えられるものであります.これこそが,生命科学全般を授賞対象とするノーベル賞が「ノーベル生理学・医学賞」と称されている所以であります.また,今後の発展が期待される再生医学・再生医療においても,「再生細胞・組織・器官・臓器の機能が,まさにシステム全体の中でしかるべき機構のもとに正しく発揮されているのか?」という点がこれから特に問われることになりますので,生理学研究の果たす役割が今後さらに強く求められていくに違いありません.

本書『ギャノング生理学』は,『Ganong's Review of Medical Physiology』の原書 26 版の翻訳書です.1963年の初版から 22 版までの『Review of Medical Physiology』をたった一人で著され,46年間もの間絶やすことなく 2 年ごとの改訂作業をされた William F. Ganong 博士が 2007年暮に亡くなられました.そして,その 3 年後から Kim E. Barrett 博士ら 4 名の執筆者が改訂を行った 23 版より,本書は『Ganong's Review of Medical Physiology』として新たな装いで再出発し,その後 3 年ごとに改訂されてきました.

本書の第一の特徴は,「臨床医学・医療の基礎としての生理学」の教科書を体現すべく,「クリニカルボックス」と「治療上のハイライト」を随所に配して臨床医学・医療との関連性を強めていることです.第二の特徴は,最新の生理学を分子レベルから個体レベルにまで統合した形で鳥瞰しつつ,わかりやすく書かれていることです.それがゆえに,本書はこれまで実際に多数の医学生のみならずすべての医系学生の教科書として,また臨床医師や医療スタッフの方々の参考書として,広く親しまれてきました.加えて,本書の第三の特徴は,いわば「原書を超える内容」が付加されている点にあります.それは,我が国を代表するトップ生理学研究者に各章の翻訳をご担当いただくことにより,原書の誤りや不十分な点の訂正・補足,さらには現代生理学に必要な最新情報を「訳注」として加えていただくことにしたからです.また,これらの原書の要改訂点は原著者にフィードバックして,次版原書の改善にも貢献しています.

前版より,監訳者の責は私から佐久間康夫先生と岡村康司先生のお二人にお譲りし,私は監修者としての務めに回りました.そして各章訳者としては,今回,北川 誠一,小西 真人,(故)泰羅 雅登,(故)中村 一芳,渡辺 修一の各先生が退かれ,新たに稲田 仁,金田 誠,林 由起子,吉村 昭彦の各先生に加わっていただきました.

すでに 55 年以上も前の学生時代に,私は『Review of Medical Physiology』原書をテキストとして学び,以来生理学研究の道を歩んでからも,学生や同僚との輪読会にもしばしば用いて親し

んできました．また当時，京大・医・生理の大先輩であり，本年2月に他界された田代 裕先生（元関西医大学長）が日本で最初に本書初版を，そして多くの全国の先生方も初期版を，教材に講義をされていました．そのような本書に，2000年出版の19版から訳者の一人として，20版からは訳者代表，23版からは監訳者，そして25版からは監修者として関わらせていただき，本書との深い縁に感慨深いものを感じております．2017年3月末に学長職を退いて，2020年3月までの3年間，再び全生活を生理学研究・教育に傾けることができるようになり，改めて本書の果たす役割の大きさを感じました．また，2020年4月より医科系3大学の客員教授として教育・研究に関わり続けるとともに，介護老人保健施設での入所者・通所者の健康維持・病気治療・介護サポートにも関わるようになり，臨床サイドからも生理学と本書の重要性を益々体感しています．今回も，すべての訳文を原文と対照しつつチェック・校正する過程を踏み，それが結果として本原書を隅から隅まで読み直して大いに楽しむ機会ともなりました．読者の皆様も，それぞれの立場で本訳書を繙き，生理学の魅力を，たとえその一端でも感じていただければ，それは翻訳に関わった者一同の喜びであります．そして，読者の皆様方から，ご意見・ご教示・ご批判をいただければ，さらにありがたく存じます．

　このたびの改訂版の編集・校正・刊行にあたり，丸善出版株式会社企画・編集部第一グループの岡田三佳氏のご苦労と，寛容と熱意あるご対応に深謝いたします．

　最後に，他の教科書には見られない優れた特徴をもつ，この原書26版訳書『ギャノング生理学』が，広く読者の皆様のお役に立つとともに，より一層愛されることによって，現代生理学の果たす役割の一角を担えることを念願する次第です．

2021年12月

監修者　岡　田　泰　伸

翻訳に当って

　故松田幸次郎先生がW. F. Ganongの「Review of Medical Physiology, 3rd. ed.」を『医科生理学展望』と題して初めて邦訳されたとき(1969年)，「翻訳に当って」と題して原書を紹介されました．その紹介は極めて簡潔，かつ適確であり，いま拝見してみても正にその通りであるとしか言いようがありません．そこでこの度，翻訳を続けるに当たり，ここにその全文を再録させて頂きたいと思います．

「本書は極めて特色のある新しい生理学教科書です．その特徴をあげてみますと
　(1) 生理学全般にわたって最新の進歩を丹念に取り入れてある．これは2年ごとに実質的改訂をやるという思い切った措置の成果であって本書の最も著しい特徴である．
　(2) 医学および関連学科の学生を対象としている．つまり人体生理学が中心であり，応用生理学，臨床生理学的事項にとくに留意している．しかもそれらの根底となる一般生理学，分子生物学，免疫学，分子遺伝学，栄養生理学等の新知見を巧みに取り入れてある．
　(3) 内容がわかりやすい．これは抽象的な数式をなるべく避けた簡潔平明な叙述にもよるが，本書独特の模式図がいたるところにあり，理解を助けているためである．挿図と表は本文に劣らぬ価値がある．
　(4) 大冊ではないが内容は極めて充実している．現時点の医学の基礎として必要な生理学の知識は，本書を理解すればまず十分であろう．これ以上は各分野の専門的知識となる．
　現在生理学の内容はあまりに広くかつ深くなったので，学生に限らず専門家でもその詳細に通ずることはもちろん，個々の事柄を調べることすら容易ではありません．そこで必要なのは，原著者のまえがきにもあるように，現時点の生理学の成果を大観しておくことです．そのうえで初めて個々の問題にさらに深く入ることができます．本書はそのような展望を可能にするものであります．ゆえに学生はもとより，生理学の趨勢に通じたいと考える実地医家やコメディカルの方々にも役立つと信じます．個々の事柄を，より深く知るための文献も単なる羅列ではなくて，改版ごとに新しくされた適切なものが注意深く選択されて各編の終わりにまとめられています．挿図の出所として引用されてある文献も有益です．」

　原書はこれからも何年かごとの改訂によって常にup-to-dateのものとされていきますが，翻訳もそれに応じて新しくしていくつもりであります．

訳　者　一　同

William Francis Ganong 博士に捧ぐ

　William Francis Ganong 博士は，すばらしい科学者，教育者であり，かつすぐれた書き手でもあった．博士は生理学教育と医学教育の分野に献身的に尽くした．長年カリフォルニア大学サンフランシスコ校(UCSF)の生理学教室の主任教授を務め，多数の教育に関する賞を授与され，また，好んで医学生と一緒に仕事をされた．

　Ganong 博士はベストセラー"Review of Medical Physiology"の著者としてたった1人で40年間以上，およそ22回の改訂を行った．臨床医学の入門書"Pathophysiology of Disease"では5版にわたって著者の1人であった．博士は，簡潔な医学教科書，Lange シリーズの著者のなかでも最長老の一人であり，このシリーズは，紙の書籍とさらに今では電子版で，非常に多くの人に読まれている．博士は数え切れないほどの医学生と臨床家の教育に携わり，多大なる影響を及ぼしてきた．

　Ganong 博士は非常に優秀な一般生理学者であり，下位専門分野は神経内分泌であった．博士は，類稀なまでに生理学の全分野に対する理解を発展・維持させ続けていた．それによって，博士は"Review of Medical Physiology"の改訂を，たった一人で，しかも2年ごとに続けることができたのである．そして，改訂版は刊行されるごとに生理学者の間で注目を浴び，賞賛を受けてきた．彼は書き手としても優れ，複雑な事柄を抽出して簡潔に示すことができ，時代の先端を行っていた．Lange シリーズの創設者で親友でもある Jack Lange 博士と同様，Ganong 博士は"Review of Medical Physiology"が多くの言語に翻訳されていることに大変誇りをもっており，新しく翻訳された本を受け取るたびに喜びを覚えていた．

　Ganong 博士は著者として模範的であり，几帳面で献身的，また熱心でもあった．自らの本に誇りと喜びを感じ，他のベストセラーの本の著者と同じく，常日頃から改訂の準備を怠らず，参考文献をアップデートし，必要に応じて書き直し，次の版の刊行に備えていた．もう一つの著作"Pathophysiology of Disease：An Introduction to Clinical Medicine"（退官して UCSF の名誉教授となった後，長年にわたって心を尽くして執筆を続けていた臨床医学の入門書）でも同様だった．

　Ganong 博士は，医学教育および医学コミュニケーション分野における偉人の一人に必ず加えられる人物である．博士は2007年12月23日に83歳で亡くなった．博士の知遇を得た人はみなその死を惜しみ悼んでいる．

原 書 序 文

　この序文が，今回，私たち著者陣が担当した"Ganong's Review of Medical Physiology"の第4版と，医学およびその他の医療に従事する学生を対象としたこの重要な参考書の第26版全体を語りつくしているとは信じがたい．私たちは，原作者であるFrancis Ganong博士が46年間にわたって単独で執筆し，知らしめてきた卓越した最高水準を維持しようと常に努めてきた．

　この新版では，各章や編での教育学的アプローチに新たな視点を加え，特に学習効果の高い資料を収載することに焦点を当てた．各章の学習目標を全面的に改訂し，すべての目標が論理的な順序で明確に取り上げられるようにテキストを再編成して刷新し，各章のまとめを整理して重要事項が各学習目標にそれぞれすぐに対応できるようにし，そして，すべての項目の理解度と定着度を確認できるように復習問題の数を増やした．ある分野が進化して新しい情報が明らかになるにつれて，これらの概念を単純にまとめがちとなり，時間の経過とともにこれまでの章立ての変更が必要となる．著者陣で綿密に議論し，大幅な「すす払い」を行うことによって，重要な新しい進展も確実に取り入れつつ，分量を新しくし，簡略にできたと信じている．私たちは，ミシガン州立大学生理学の准教授で受賞歴のある教員であるErica Wehrwein博士に心から感謝する．彼女は本書を見直し，各章で具体的かつ詳細なフィードバックを提供してくれた．

　この新版はまた，著者陣に新しいメンバーを迎えた．アリゾナ大学の医学生理学教授でトランスレーショナル医学・再生医学部門の責任者であり，トランスレーショナル・ヘルス・サイエンス担当副学長であるJason X.-J. Yuan博士を迎え入れたことを嬉しく思う．彼は細胞生理学および心血管の一部のトピックと，呼吸生理学の編を責任担当している．著者陣に研究医（フィジシャン・サイエンティスト）がいることを特に嬉しく思う．研究医は，全般において，患者の治療に携わる仕事を目指す人にとって最も有益な資料に焦点を当てるように私たちを導いてくれる．Scott Boitano博士のこれまでの貢献に最も感謝している．彼は他の職務により繁忙となり著者として参加できなくなった．

　私たちは，世界中から多くの同僚や学生が連絡してきてくれて，本書の資料の説明を求められたり，誤りや脱落を指摘されたりすることを引き続き嬉しく思っている．ネパール医科大学の生理学講師であるRajan Pandit氏には特に感謝している．彼は，何十年にもわたって労を惜しまずに，多数の改訂の提案を提供してくれた．彼の努力や，私たちが名前を挙げていない他の多くの方々の努力により，私たちは継続的な改善プロセスに従事できている．一方で，毎回のことだが，本に残った誤り（このような複雑なプロジェクトでは避けられない）は，著者陣の責任であり，読者の皆様からのどんなご意見，ご感想もお待ちしている．そのようなフィードバックと，この新版へのご支援に，予め感謝申し上げる．

　——この版は，Francis Ganong博士の原著を改訂したものである．

原書 26 版 著者について

KIM E. BARRETT

　Kim E. Barret は，1982 年にロンドン大学ユニバーシティカレッジで生化学の博士号を取得した．米国国立衛生研究所で博士研究員として過ごした後，1985年にカリフォルニア大学サンディエゴ校医学部で教員となり，1996 年に現職である医学部の教授になった．2015 年には卓越教授の称号を得ている．2006 年から 2016 年まで，大学院研究科長も務めている．研究テーマは腸上皮の生理学と病態生理学で，腸内環境を改善し，整腸作用や免疫調節作用などをもたらす片利共生やよい細菌の機能，一方では炎症性腸疾患のような病原菌による特異的疾患における腸上皮の機能の変化に注目している．およそ 250 以上の論文，書籍の分担執筆，総説を発表しており，研究業績に対して，米国生理学会（APS）の Bowditch and Davenport Lectureships をはじめとする多数の賞を受けている．APS，英国およびアイルランドの生理学会から Bayliss-Starling Lectureship を，クイーンズ大学ベルファストからは栄誉を称え，名誉医学博士の称号を授かった．専門書籍や学術雑誌の編集にも長年精力的に取り組んでおり，現在は *Journal of Physiology* の副編集長を務めている．医学部，薬学部および大学院でも熱心に指導を行い，それを称えて賞も受けており，30 年以上にわたって医学とシステム生理学の色々なトピックスを教えてきた．また，教員・指導者としての尽力が評価され，2012 年に APS より Bodil M. Schmidt-Nielsen Distinguished Mentor and Scientist Award を授与された．2013〜2014 年には APS の第 86 代会長を務めた．長年の教育経験から "Gastrointestinal Physiology"（McGraw-Hill，2005；第 2 版は 2014）を著しており，さらに，2007 年刊行の第 23 版から Ganong の後継者として，本書の舵取りを任されたことを光栄に思っている．

SUSAN M. BARMAN

　Susan M. Barman は，イリノイ州メイウッドのロヨラ大学ストリッチ医学校から生理学の博士号を授与された．その後，ミシガン州立大学（MSU）に移り，現在は薬理学・毒物学教室および神経科学プログラムで教授を務めている．また，施設内動物実験委員会の委員長であり，医学部教育のための College of Human Medicine（CHM）カリキュラム開発グループに所属している．交感神経と横隔神経の自発放電の性質と発生メカニズムの解析に重点を置いた，心肺機能の神経性調節を長年の研究テーマとしている．彼女は約 150 の研究論文，招待総説，書籍の分担執筆を発表している．有名な米国国立衛生研究所 MERIT（Method to Extend Research in Time）賞も受賞している．また，MSU Outstanding University Woman Faculty Award，CHM Distinguished Faculty Award，生理学部門の議長の協会から功労賞，米国生理学会（APS）の自律神経調節の神経制御部門から Carl Ludwig Distinguished Lecture Award を受賞している．彼女は APS のフェローでもあり，第 85 代会長を務めた．APS の女性生理学者の会および全セクションの諮問委員会の委員長を務めた．APS の地方会の 1 つ，ミシガン生理学会でも活躍している．

HEDDWEN L. BROOKS

　Heddwen L. Brooks はロンドン大学のインペリアル・カレッジで博士号を取得し，現在アリゾナ大学（UA）で生理学・薬理学の教授を務めている．腎生理学者で，腎機能の内分泌的制御に関わる細胞内シグナル伝達経路を明らかにしたマイクロアレイ技術の開発で有名である．上皮生理学または腎生理学において先々著明な成果が期待されるとして，米国生理学会（APS）の Lazaro J. Mandel Young Investigator Award を授与された．2009 年には米国実験生物学学会連合（FASEB）の席上で，APS の腎若手研究者賞を得た．また，APS の腎セクションの運営委員会において委員長を務めた（2011〜2014 年）．現在，*American Journal of Physiology-Regulatory, Integrative and Comparative Physiology* の副編集長であり，2001 年以来 *American Journal of Physiology-Renal Physiology* の編集委員である．米国国立衛生研究所と米国心臓協会の研究評価部門でも活動している．また，米国退役軍人省の研究評価部門にもメンバーとして迎えられた．

JASON X.-J. YUAN

Jason Yuan は，1983年に蘇州大学医学部（中国，蘇州）で医学の学位を取得し，北京協和医学院（中国，北京）で心臓血管生理学の博士号を取得，メリーランド大学ボルチモア校で博士研究員として過ごした．1993年にメリーランド大学医学部で教員となり，1999年にカリフォルニア大学サンディエゴ校に移り，2013年に教授になった．研究テーマは肺血管疾患における膜受容体とイオンチャネルの病原性の役割が中心である．300以上の論文，総説，論説，書籍の分担執筆を発表し，9冊の書籍を編集または共同編集している．米国心臓協会から Cournand and Comroe Young Investigator Award, Established Investigator Award, Kenneth D. Bloch 記念講演会を，John Simon Guggenheim 記念財団から Guggenheim 奨学金賞を，米国胸部学会から Estelle Grover Lectureship を，米国生理学会から Robert M. Berne 記念講演会など，研究成果に対して栄誉を受けている．米国科学振興協会のフェロー，the American Society for Clinical Investigation および the Association of American Physicians のメンバーに選出されている．米国国立衛生研究所の呼吸統合生物学およびトランスレーショナル・リサーチ研究セクションの議長および米国胸部学会の肺循環会議の議長を含む多くの諮問委員会に参加してきた．また，現在，雑誌 *Pulmonary Circulation* の編集長および *American Journal of Physiology-Cell Physiology* の副編集長を務め，学術編集にも非常に積極的に取り組んでいる．"Textbook of Pulmonary Vascular Disease" (Springer, 2011)の主要な編集者である．

訳 者 一 覧

- **監修者** 　岡田　泰伸　　自然科学研究機構生理学研究所名誉教授
　　　　　　　　　　　　　　総合研究大学院大学名誉教授
　　　　　　　　　　　　　　京都府立医科大学客員教授・愛知医科大学客員教授・
　　　　　　　　　　　　　　横浜市立大学大学院医学研究科客員教授

- **監訳者** 　佐久間　康夫　日本医科大学名誉教授
　　　　　　　　　　　　　　東京医療学院大学名誉学長
　　　　　　　岡村　康司　　大阪大学大学院医学系研究科教授

- **訳　者** 　稲田　　仁　　東北大学大学院医工学研究科特任准教授
　　　　　　　井上　真澄　　産業医科大学名誉教授
　　　　　　　上田　陽一　　産業医科大学医学部教授
　　　　　　　岡田　泰昌　　国立病院機構村山医療センター臨床研究部客員研究員
　　　　　　　越久　仁敬　　兵庫医科大学医学部教授
　　　　　　　金田　　誠　　日本医科大学感覚情報科学分野大学院教授
　　　　　　　河原　克雅　　北里大学名誉教授
　　　　　　　　　　　　　　仙台白百合女子大学人間学部特任教授
　　　　　　　久場　博司　　名古屋大学大学院医学系研究科教授
　　　　　　　久保　亜抄子　日本大学歯学部兼任講師
　　　　　　　久保川　学　　岩手医科大学名誉教授
　　　　　　　倉智　嘉久　　大阪大学名誉教授
　　　　　　　　　　　　　　大阪大学国際医工情報センター招へい教授
　　　　　　　黒澤　美枝子　国際科学振興財団特任研究員
　　　　　　　桑木　共之　　鹿児島大学大学院医歯学総合研究科教授
　　　　　　　鯉淵　典之　　群馬大学大学院医学系研究科教授
　　　　　　　酒井　秀紀　　富山大学学術研究部薬学・和漢系教授
　　　　　　　志水　泰武　　岐阜大学応用生物科学部教授
　　　　　　　勢井　宏義　　徳島大学大学院医歯薬学研究部教授
　　　　　　　多久和　陽　　金沢大学名誉教授
　　　　　　　照井　直人　　東京保健医療専門職大学リハビリテーション学部教授
　　　　　　　林　由起子　　東京医科大学学長・東京医科大学病態生理学分野教授
　　　　　　　古谷　和春　　徳島文理大学薬学部准教授
　　　　　　　　　　　　　　カリフォルニア大学デービス校生理学講座助教授
　　　　　　　本間　生夫　　昭和大学名誉教授
　　　　　　　真鍋　俊也　　東京大学医科学研究所教授
　　　　　　　三木　隆司　　千葉大学大学院医学研究院教授
　　　　　　　水村　和枝　　名古屋大学名誉教授
　　　　　　　　　　　　　　日本大学歯学部兼任講師

訳者一覧

籾山 俊彦	東京慈恵会医科大学医学部教授
八尾 寛	東北大学名誉教授
矢田 俊彦	自治医科大学名誉教授 関西電力医学研究所統合生理学研究センター長
山口 正洋	高知大学医学部教授
山本 哲朗	三重大学名誉教授 鈴鹿医療科学大学客員教授
吉村 昭彦	慶應義塾大学医学部教授

(五十音順,2021年12月現在)

Review of Medical Physiology
歴代訳者一覧

原書 3 版(1969)，4 版(1971)
松田幸次郎　　市岡　正道　　八木　欽治

原書 6 版(1975)，7 版(1977)
松田幸次郎　　市岡　正道　　東　健彦　　菅野　富夫　　佐藤　昭夫

原書 8 版(1978)，9 版(1980)，10 版(1982)，11 版(1984)，12 版(1986)，13 版(1988)
松田幸次郎　　市岡　正道　　東　健彦　　林　秀生　　菅野　富夫　　佐藤　昭夫
中村　嘉男

原書 14 版(1990)
松田幸次郎　　市岡　正道　　星　猛　　林　秀生　　菅野　富夫　　中村　嘉男
佐藤　昭夫

原書 15 版(1992)
松田幸次郎　　市岡　正道　　星　猛　　林　秀生　　菅野　富夫　　中村　嘉男
佐藤　昭夫　　入澤　宏

原書 16 版(1994)
市岡　正道　　星　猛　　林　秀生　　菅野　富夫　　中村　嘉男　　佐藤　昭夫
熊田　衛

原書 17 版(1996)，18 版(1998)
星　猛　　林　秀生　　菅野　富夫　　中村　嘉男　　佐藤　昭夫　　熊田　衛
佐藤　俊英

原書 19 版(2000)
星　猛　　岡田　泰伸　　河原　克雅　　菅野　富夫　　熊田　衛　　黒澤美枝子
佐久間康夫　　佐藤　俊英　　鈴木　裕一　　多久和　陽　　中村　嘉男　　福田康一郎

原書 20 版(2002)
岡田　泰伸　　赤須　崇　　上田　陽一　　河原　克雅　　菅野　富夫　　倉智　嘉久
黒澤美枝子　　桑木　共之　　小西　真人　　佐久間康夫　　佐藤　俊英　　鈴木　裕一
多久和　陽　　照井　直人　　中村　嘉男　　福田康一郎　　前田　信治　　宮本　賢一
八尾　寛　　矢田　俊彦　　山本　哲朗

原書 21 版 (2004)

岡田　泰伸	赤須　　崇	上田　陽一	岡田　幸雄	河原　克雅	菅野　富夫
倉智　嘉久	黒澤美枝子	桑木　共之	小西　真人	佐久間康夫	佐藤　俊英
鈴木　裕一	泰羅　雅登	多久和　陽	照井　直人	福田康一郎	前田　信治
宮本　賢一	八尾　　寛	矢田　俊彦	山本　哲朗		

原書 22 版 (2006)

岡田　泰伸	赤須　　崇	上田　陽一	岡田　幸雄	河原　克雅	菅野　富夫
倉智　嘉久	黒澤美枝子	桑木　共之	小西　真人	佐久間康夫	鈴木　裕一
泰羅　雅登	多久和　陽	照井　直人	福田康一郎	前田　信治	宮本　賢一
八尾　　寛	矢田　俊彦	山本　哲朗	渡辺　修一		

原書 23 版 (2011)

岡田　泰伸	井上　真澄	上田　陽一	岡田　泰昌	岡田　幸雄	岡村　康司
越久　仁敬	河原　克雅	北川　誠一	久保川　学	倉智　嘉久	黒澤美枝子
桑木　共之	鯉淵　典之	小西　真人	佐久間康夫	鈴木　裕一	勢井　宏義
泰羅　雅登	高木　　都	多久和　陽	照井　直人	古谷　和春	本間　生夫
真鍋　俊也	三木　隆司	水村　和枝	籾山　俊彦	八尾　　寛	矢田　俊彦
山本　哲朗	吉田　　薫	渡辺　修一			

原書 24 版 (2014)

岡田　泰伸	井上　真澄	上田　陽一	岡田　泰昌	岡田　幸雄	岡村　康司
越久　仁敬	河原　克雅	北川　誠一	久場　博司	久保川　学	倉智　嘉久
黒澤美枝子	桑木　共之	鯉淵　典之	小西　真人	酒井　秀紀	佐久間康夫
勢井　宏義	泰羅　雅登	高木　　都	多久和　陽	照井　直人	古谷　和春
本間　生夫	真鍋　俊也	三木　隆司	水村　和枝	籾山　俊彦	八尾　　寛
矢田　俊彦	山本　哲朗	渡辺　修一			

原書 25 版 (2017)

岡田　泰伸	井上　真澄	上田　陽一	岡田　泰昌	岡村　康司	越久　仁敬
河原　克雅	北川　誠一	久場　博司	久保亜抄子	久保川　学	倉智　嘉久
黒澤美枝子	桑木　共之	鯉淵　典之	小西　真人	酒井　秀紀	佐久間康夫
志水　泰武	勢井　宏義	泰羅　雅登	多久和　陽	照井　直人	中村　一芳
古谷　和春	本間　生夫	真鍋　俊也	三木　隆司	水村　和枝	籾山　俊彦
八尾　　寛	矢田　俊彦	山口　正洋	山本　哲朗	渡辺　修一	

凡　　例

1. 学術用語について：生理学用語の訳語は原則として「改訂第5版　生理学用語集」（1998年，南江堂）に従いました．医学用語については「日本医学会　医学用語辞典　WEB版」（2014年一般公開，jams.med.or.jp/dic/mdic.html），生化学用語は「生化学辞典　第4版」（2007年，東京化学同人），一部「分子細胞生物学辞典　第2版」（2008年，東京化学同人）にできるだけ準拠するよう努めました．ただしこれらに採録されていない学術用語（化学物質名その他新しい用語など）は慣用に従った訳語あるいは原語のままとしました．また，人名はすべて原綴で示しました．なお，上記用語集，用語辞典で異なった日本語訳が採用されている場合は，生理学的事象は「生理学用語集」，物質名については「生化学辞典」「分子細胞生物学辞典」，臨床的事項については「医学用語辞典」採録の用語を優先して採用することにいたしました．同じ意味のもので異なる表現がある場合は索引で参照できるようにしました．

   原書で使われている epinephrine（および norepinephrine）は，欧日で用いられている adrenaline（および noradrenaline）と同一のものです．本訳書では，2006年改正の日本薬局方に従い，その発見者である高峰譲吉と上中啓三の業績と命名を尊重して，アドレナリン（およびノルアドレナリン）と訳しました．なお，noradrenergic neuron の訳語は，単にアドレナリン作動性またはノルアドレナリン作動性とし，必ずしも統一できませんでしたが，意味は同じで，伝達物質としてノルアドレナリンを放出するニューロンをさします．

2. 訳は正確を期しましたが，理解の便を考え，または硬さを避けるため必ずしも逐語訳でない場合もあります．また内容にふさわしくするため見出し項目を少し改めた箇所もあります．訳者が特に加えた注釈は（訳注）と付記してあります．

目　次

第 I 編　医科生理学のための細胞と分子の基礎

概　論 ……………………………………………………………………………（林　由起子）　1

1．医科生理学の一般原理とエネルギー産生 ………………………………（林　由起子）　3
　　はじめに　3　　　　　　　　　　　　　アミノ酸とタンパク質　18
　　一般原理　3　　　　　　　　　　　　　炭水化物　23
　　エネルギー産生　11　　　　　　　　　　脂肪酸と脂質　29
　　構成単位となる分子　13

2．細胞生理学の概要 …………………………………………………………（岡村　康司）　39
　　はじめに　39　　　　　　　　　　　　　細胞膜を横切る輸送　54
　　細胞の機能的形態学とホメオスタシス　39　細胞間コミュニケーション　63

3．免疫，感染，炎症 …………………………………………………………（吉村　昭彦）　81
　　はじめに　81　　　　　　　　　　　　　その他の免疫担当細胞　95
　　免　疫　81　　　　　　　　　　　　　　炎症と創傷治癒　99
　　免疫の可溶性調節因子　90

4．興奮性組織：神経 …………………………………………………………（真鍋　俊也）　103
　　はじめに　103　　　　　　　　　　　　　神経線維の種類とその機能　110
　　ニューロン：神経系における基本的な動作単位　軸索輸送　111
　　　　103　　　　　　　　　　　　　　　　グリア細胞　113
　　興奮と伝導　104　　　　　　　　　　　　神経栄養因子：その機能と受容体　115

5．興奮性組織：筋肉 …………………………………………………………（林　由起子）　121
　　はじめに　121　　　　　　　　　　　　　心筋の形態　136
　　骨格筋の形態　121　　　　　　　　　　　電気的性質　136
　　電気的現象とイオンの流れ　125　　　　　機械的性質　136
　　収　縮　126　　　　　　　　　　　　　　代　謝　139
　　エネルギー源と代謝　132　　　　　　　　平滑筋の形態　140
　　生体内での骨格筋の性質　133

6. シナプス伝達と接合部伝達 ……………………………………………………（八尾　寛）145
　　　はじめに　145
　　　シナプス伝達：機能的解剖学　145
　　　シナプス後ニューロンの電気現象　148
　　　シナプスの抑制と促通　153
　　　神経筋伝達　154
　　　平滑筋と心筋における神経終末　156
　　　軸索損傷と除神経性過敏　159

7. 神経伝達物質と神経修飾物質 …………………………………………………（籾山　俊彦）163
　　　はじめに　163

第Ⅱ編　中枢および末梢神経生理学

概論 ………………………………………………………………………（久保　亜抄子・水村　和枝）189

8. 体性感覚の神経伝達：触，痛み，温度の感覚 ………………………（久保　亜抄子・水村　和枝）191
　　　はじめに　191
　　　感覚受容器　192
　　　皮膚受容器におけるインパルスの発生　195
　　　感覚のコーディング　195
　　　痛み　198
　　　体性感覚の経路　201
　　　痛み情報伝達の修飾　205

9. 嗅覚と味覚 ………………………………………………………………………（山口　正洋）213
　　　はじめに　213
　　　嗅覚　213
　　　味覚　217

10. 視覚 ……………………………………………………………………………（金田　誠）225
　　　はじめに　225
　　　眼の構造　225
　　　結像機構　226
　　　光受容機構　230
　　　色覚　238
　　　視覚経路と大脳皮質における応答　239
　　　眼球運動　243

11. 聴覚と平衡感覚 …………………………………………………………………（久場　博司）247
　　　はじめに　247
　　　耳の構造と機能　248
　　　聴覚　253
　　　前庭系　257

12. 姿勢と運動の反射と随意制御 …………………………………………………（山本　哲朗）265
　　　はじめに　265
　　　反射の一般的性質　266
　　　単シナプス反射：伸張反射　267
　　　逆伸張反射　271
　　　引っ込め反射　272
　　　反射の脊髄での統合機構　273
　　　運動制御経路の中枢構造の一般原則　273
　　　運動皮質と随意運動　276
　　　体幹と四肢の遠位筋の制御　277
　　　姿勢と随意運動に関わる脳幹下行路　278
　　　姿勢制御系　281
　　　大脳基底核　281
　　　小脳　287

13. 自律神経系 ……（黒澤　美枝子）297
- はじめに　297
- 自律神経遠心路の解剖学的構成　298
- 自律神経接合部における化学伝達　301
- 自律神経インパルスに対する効果器の反応　306
- 自律神経節前ニューロンに対する下行性入力　309
- 腸神経系　310

14. 脳の電気的活動，睡眠-覚醒状態，サーカディアンリズム ……（勢井　宏義）313
- はじめに　313
- 視床-大脳皮質経路と上行性覚醒系　314
- 脳波　317
- 睡眠-覚醒サイクル：脳波の変化　318
- サーカディアンリズム　323

15. 学習，記憶，言語，発話 ……（稲田　仁）329
- はじめに　329
- 学習と記憶　330
- 言語と発話　337

第Ⅲ編　内分泌と生殖生理学

概論 ……（佐久間　康夫）345

16. 内分泌調節の基本概念 ……（上田　陽一）347
- はじめに　347
- ホルモンの標的細胞に対する特異的作用　347
- ホルモンの分泌　348
- 血中でのホルモンの運搬　349
- ホルモンの作用　350
- フィードバック制御の原則　351
- 内分泌疾患の分類　352

17. ホルモン機能の視床下部性調節 ……（上田　陽一）357
- はじめに　357
- 視床下部：形態と構造　357
- 下垂体後葉からの分泌の制御　361
- 下垂体前葉からの分泌の制御　364
- 体温調節　367

18. 下垂体 ……（鯉淵　典之）375
- はじめに　375
- 下垂体の発生，形態，および細胞の種類　376
- プロオピオメラノコルチンと誘導体の合成と機能　377
- 成長ホルモンの分泌　378
- 成長の時間的経過と調節因子　383
- 下垂体のゴナドトロピンとプロラクチン　386
- 下垂体機能低下症の影響　389

19. 副腎髄質と副腎皮質 ……（井上　真澄）393

- はじめに　393
- 副腎の形態学　394
- 副腎髄質：髄質ホルモンの構造と機能　395
- 副腎髄質の分泌制御　399
- 副腎皮質：副腎皮質ホルモンの構造と生合成　399
- 副腎皮質ホルモンの輸送，代謝，排泄　405
- 副腎のアンドロゲンとエストロゲンの効果　407
- グルココルチコイドの生理的効果　408
- グルココルチコイドの薬理的効果と病的効果　410
- グルココルチコイド分泌の調節　411
- ミネラルコルチコイドの効果　414
- アルドステロン分泌の調節　416
- ミネラルコルチコイドの塩分均衡における調節作用　419
- ヒトの副腎機能亢進症と機能低下症についての要約　419

20. 甲状腺 ……（鯉淵　典之）423

- はじめに　423
- 甲状腺の発生，形態および細胞の種類　424
- 甲状腺ホルモンの合成および分泌　424
- 甲状腺ホルモンの輸送および代謝　428
- 甲状腺ホルモン分泌の調節　430
- 甲状腺ホルモンの作用　431
- 甲状腺機能の異常　434

21. カルシウムとリン酸代謝の内分泌性制御と骨の生理学 ……（多久和　陽）441

- はじめに　441
- カルシウムとリンの体内におけるバランス　442
- ビタミンDとヒドロキシコレカルシフェロール類　444
- 副甲状腺（上皮小体）　446
- カルシトニン　450
- 他のホルモンや液性因子のカルシウム代謝への効果　451
- 骨の生理学　452

22. 女性生殖器系の発達と機能 ……（佐久間　康夫）459

- はじめに　459
- 性の分化と発達　460
- 女性生殖器系　470

23. 男性生殖器系の機能 ……（佐久間　康夫）493

- はじめに　493
- 男性生殖器系　493

24. 膵臓の内分泌機能と炭水化物代謝の調節 ……（矢田　俊彦）507

- はじめに　507
- 膵島細胞の構造　508
- インスリンの構造，生合成および分泌　509
- 分泌されたインスリンの変化過程　510
- 作用機構　512
- インスリン欠乏の徴候　514
- インスリン過剰　518
- インスリン分泌の調節　519
- グルカゴン　522
- その他の膵島ホルモン　525
- 他のホルモンと運動の炭水化物代謝に及ぼす効果　526
- ヒトの低血糖症と糖尿病　528

第IV編　消化器生理学

概　論 ……………………………………………………………………………（志水　泰武）533

25. 消化器のはたらきとその調節の全体像 ……………………………………（酒井　秀紀）535
- はじめに　535
- 消化液の分泌　537
- 消化管機能の調節　547
- ホルモン／傍分泌　547
- 腸神経系　551
- 消化管粘膜の免疫システム　552
- 消化管の血液循環（内臓循環）　552

26. 消化と吸収，および栄養素 ………………………………………………（酒井　秀紀）559
- はじめに　559
- 栄養学の基礎　560
- 消化と吸収：炭水化物　560
- タンパク質および核酸　563
- 脂　質　567
- ミネラルおよびビタミンの吸収　570
- 食物摂取の調節　575

27. 消化管運動 ……………………………………………………………………（志水　泰武）579
- はじめに　579
- 消化管運動の一般的様式　579
- 部位特異的運動様式　582
- 胃　583
- 小　腸　586
- 結　腸　587

28. 肝臓の輸送機能と代謝機能 …………………………………………………（三木　隆司）593
- はじめに　593
- 肝　臓　593
- 肝臓の機能　595
- 胆道系　599

第V編　心血管の生理学

概　論 ……………………………………………………………………（古谷　和春・倉智　嘉久）605

29. 心臓の自動性と電気的活動 ………………………………………（古谷　和春・倉智　嘉久）607
- はじめに　607
- 心臓興奮の発生源と伝播　607
- 心電図　611
- 臨床への応用：心臓不整脈　616
- その他の心臓および全身的疾患の心電図所見　623

30. ポンプとしての心臓 …………………………………………………………（桑木　共之）629
- はじめに　629
- 心臓の機械的活動と心周期　629
- 心拍出量　635

31. 体液の循環成分としての血液，血液とリンパの循環力学　　　（桑木　共之）645

はじめに　645	血液型　654
体液の循環成分としての血液　646	止血　658
骨髄　646	循環系の機能形態学　662
白血球　646	生物物理学的考察　666
血小板　647	動脈と細動脈での循環　670
赤血球　647	毛細血管循環　673
血漿　652	静脈循環　676
リンパ　654	リンパ循環と間質液量　677

32. 循環の調節機序　　　（照井　直人）681

はじめに　681	血管内皮細胞から分泌される物質　690
心血管系の神経性調節　682	ホルモンや神経分泌物質による全身的調節機序　692
局所調節　689	

33. 特殊部位の循環　　　（照井　直人）697

はじめに　697	脳の代謝と酸素需要　706
脳の循環：脳血管の形態　697	冠状循環　708
脳脊髄液　699	皮膚の循環　711
血液脳関門　701	胎盤の血行，胎児の循環　712
脳血流量とその調節　704	

第VI編　呼吸生理学

概論　　　（本間　生夫）719

34. 肺の構造と機能　序論　　　（岡田　泰昌）721

はじめに　721	肺内ガス交換　736
肺の解剖　721	肺循環　738
呼吸のメカニクス　729	

35. ガス輸送とpH　　　（越久　仁敬）745

はじめに　745	低酸素血症　755
酸素輸送　745	低酸素血症を来す疾患　757
二酸化炭素輸送　749	他の低酸素症の病型　758
アシドーシスとアルカローシス　751	高炭酸ガス血症と低炭酸ガス血症　760
低酸素症　753	

36. 呼吸の調節　　　（本間　生夫）763

はじめに　763	呼吸に影響する非化学的因子　771
呼吸の神経性調節　763	呼吸異常　773
呼吸活動の制御　766	運動の効果　774
呼吸の化学性調節　766	

第VII編 腎生理学

概　論 ……………………………………………………………………………………（河原　克雅）　779

37. 腎機能と排尿 ………………………………………………………………………（河原　克雅）　781
機能的構造　781
腎循環　785
糸球体濾過　787
尿細管の機能　790
ナトリウム排出の調節　801
水排泄の調節　802
カリウム排泄の調節　802
利尿薬　803
腎機能障害　803
膀　胱　805

38. 細胞外液の組成と量の調節 ………………………………………………………（河原　克雅）　809
はじめに　809
有効浸透圧濃度変動に対する防衛　809
細胞外液量変動に対する防御　813
レニン–アンジオテンシン系　815
心筋その他に由来するナトリウム利尿ペプチド　819
特定のイオン組成変動に対する防衛　821
エリスロポエチン　822

39. 尿の酸性化と重炭酸イオン排泄 …………………………………………………（久保川　学）　825
はじめに　825
腎臓のH^+分泌　825
H^+濃度変動に対する防御　830

多肢選択式問題　解答 ……………………………………………………………………………………　837

索　引 ……………………………………………………………………………………………………　839

第Ⅰ編　医科生理学のための細胞と分子の基礎

　生理学的なシステムの構造と機能，ならびに病態生理学的変化を学習する上で基礎となるのは，物理学や化学の法則であり，各組織や器官における分子や細胞の構成を知ることである．本書「ギャノング生理学」は全Ⅶ編から構成されている．第Ⅰ編では，人体生理学の枠組みを構成する基本要素について概説する．第Ⅰ編は7章で構成されているが，ここで重要なのは生物物理学，生化学，細胞・分子生理学について詳細に学習することではなく，これらの領域の基本原理が後に述べる各器官系の生理機能とどのように関わっているかを理解することである．

　第Ⅰ編の初めの2章では，基本構成要素である電解質，炭水化物，脂質と脂肪酸，アミノ酸とタンパク質，核酸について述べる．生物物理学や生化学の基本原理・構成要素がどのような生理学的環境にあてはまるかを示している．基本原理とヒトの細胞，組織，臓器の機能とを結びつけられるように，臨床に直結する事例をクリニカルボックスに提示した．基本原理に続いて，一般的な細胞とその構成要素について述べる．重要なのは，細胞は人体の基本的な機能単位であり，細胞集団や細胞間の精巧な相互作用によって組織，器官，個体が正しく機能するということである．

　第Ⅰ編の第3章から第7章では，第Ⅱ編以降に登場するいろいろな器官系に作用する細胞群に注目し，細胞学的な観点から基礎を理解する．最初に，身体の炎症反応に関わる細胞群について紹介する．個々の細胞が組み合わさり，調和してはたらき，それが全体にどのような影響を与えるかを詳しく述べる．続いて，人体の生理機能に重要な興奮性の反応を作り出す神経細胞と筋細胞について述べる．これらの細胞内でどのようなことが起きているか，隣接する細胞によってどのように調節されているか，その基本を理解することが，第Ⅱ編以降で扱う器官系へのそれらの最終的統合を理解する上で重要である．

　第Ⅰ編は，第Ⅱ編以降で扱う各器官系の生理機能の理解のための導入であると同時に，復習資料であり，クイックガイドでもある．

医科生理学の一般原理とエネルギー産生

CHAPTER 1

学習目標 本章習得のポイント

- 生理学的な性質を表す測定値の単位を定義できる
- pHと緩衝作用を定義できる
- 電解質を理解し，拡散，浸透，浸透張力を定義できる
- 静止膜電位を定義し，その意義を説明できる
- 細胞の基本構成要素（ヌクレオチド，アミノ酸，炭水化物，脂肪酸など）と細胞の代謝，増殖，機能についてを理解する
- 基本構成要素（DNA，RNA，タンパク質，脂質など）の高次構造を理解する
- これらの基本構成要素がどのように細胞を形作り，機能し，エネルギーバランスに寄与しているかを理解する

■ はじめに

単細胞生物では，あらゆる生命過程が1個の細胞内で進行する．しかし進化により多細胞生物が現れると，多種の細胞群が組織を構成し，器官がそれぞれ特殊な機能を受けもつようになった．ヒトおよび他の脊椎動物においては特殊なはたらきを営むように分化した細胞群が器官系を構築する．たとえば食物を消化し吸収する消化器系，O_2を取り込みCO_2を排出する呼吸器系，老廃物を排泄する泌尿器系，栄養素やO_2，代謝産物を運搬する循環器系，種の保存のための生殖器系，全身の様々な器官系のはたらきを調節し統合する神経系および内分泌系などである．本書では，これらのシステムがどのようにはたらき，個体としての身体活動にどのように関与しているかについて述べる．1章では，基本的な生物物理学や生化学の原理を細胞レベルで復習し，細胞の生理機能に寄与する基本構成分子を紹介することで，様々な器官系についての議論の基礎とする．

一般原理

有機的な"溶液"としての体

健康な青壮年男性では，体重の18%はタンパク質とその関連物質，7%はミネラル，15%は脂肪である．残り60%は水である．この水の分布と量を図1・1Aに示す．

水生，陸生を問わず多細胞動物では（最下等なものを除き），いずれも体細胞は動物の皮膚に包まれた"体内の海"ともいうべき**細胞外液 extracellular fluid**（ECF）の中に浸っている．細胞は細胞外液からO_2および栄養素を取り入れ，代謝老廃物を細胞外液中に放出している．細胞外液は今日の海水に比べて塩類濃度が低いが，組成は原始海水に似ており，おそらくすべての生命は，原始海水の中で発生したと考えられる．

閉鎖的な血管系をもつ動物では，細胞外液は**間質液 interstitial fluid**，**循環血漿 circulating blood plasma**と両者をつなぐ**リンパ液 lymph fluid**に大別される．間質液は細胞外液の一部で，血管系とリンパ管系の外にあって細胞を浸している．血漿と血球（主に赤血球）は血管系を満たし，その両者が**全血量 total blood volume**を構成する．**体内総水分量 total body water**（**TBW**）の約1/3は細胞外液であり，残り2/3は

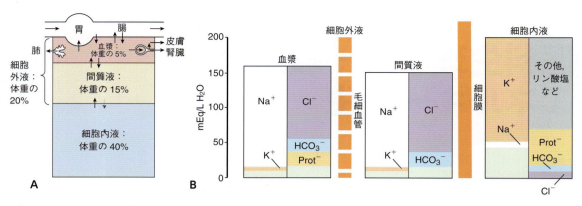

図 1・1 体液の組成と各コンパートメントの電解質組成．A：体液は，細胞内液と細胞外液のコンパートメントに分けられる．体液の体重に対する割合(％)を見ると，体の中で体液の占める割合が大きいことがわかる(数字は健康な青壮年男性での値である．年齢と性別によって多少の違いはある)．非常にわずかな細胞通過液は示していない．矢印はコンパートメント間の液の移動を示す．**B**：電解質やタンパク質は，体液中に不均一に分布している．この不均一な分布は，生理学的に非常に重要である．Prot⁻はタンパク質である(ほとんどのタンパク質は，生理的pHにおいてはマイナスに荷電している)．

細胞内にある(**細胞内液 intracellular fluid**)．体液の両区画への配分が不適切になると，浮腫 edema が起こる(クリニカルボックス 1・1)．

細胞内液は体重の約 40％，細胞外液は体重の約 20％を占める．細胞外液の約 25％ は血管内に，75％ は血管外にある．したがって血漿量は体重の 5％，間質液量は体重の 15％ にあたる．全血量は体重の約 8％ である．これらの液の間の流れは厳密に制御されている．

溶質の濃度を示す単位

生理的に重要な各種物質の効果や相互作用を考える際に，物質の溶液中の濃度を単位体積中の重量で示すよりも，単位体積中の分子数，荷電量または粒子数で示した方が合理的なことが多い．そこで多くの場合，生理的な濃度はモル(mol)，当量(Eq)またはオスモル(Osm)で表される．

モ ル

モル(mol)は物質のグラム分子量，すなわち物質の分子量[M/W]にグラムをつけた物質量である．1 mol は約 6×10^{23} 個の分子よりなる．ミリモル mmol は 10^{-3} mol，マイクロモル μmol は 10^{-6} mol のことである．たとえばNaCl 1 mol は 23 g + 35.5 g = 58.5 g，1 mmol は 58.5 mg である．モルはSI単位で，物質の量を表す標準単位である．

ある物質の分子量は，^{12}C 原子の質量の 1/12 に対するその物質 1 分子の質量の割合である．分子量は割合であるので，ディメンションをもたない．ダルトン(Da)は ^{12}C 原子 1 個の 1/12 の質量に等しい単位である．キロダルトン(1 kDa = 1000 Da)はタンパク質の分子質量を表すのに便利である．たとえば，「64 kDa タンパク質」または「そのタンパク質の**分子質量 molecular mass** は 64 000 Da である」ということができる．しかし，分子量はディメンションをもたないので，「タンパク質の分子量が 64 kDa である」という

クリニカルボックス 1・1

浮　腫

浮腫は，細胞外または組織の間質の体液が過剰になった状態である．血管から組織への漏出が増大するか，リンパ管系による除去が減少することによる．足や踝や下腿によく見られるが，心，肺，肝，腎，甲状腺などの疾患の際にはその他の部位でも起こる．

治療上のハイライト

浮腫の最善の治療は，もとになっている病態を改善することである．したがって，浮腫の原因を適切に診断することが治療の重要な第一歩となる．一般的な治療法としては，食塩摂取を減らして体液の貯留を防ぐこと，適切な利尿薬を使用することである．

のは正しくない．

当量

体液中の溶質成分の多くは荷電粒子（イオン）として存在するため，電気的に見たモルに相当する量（電気当量）equivalent(Eq)の概念は生理学では重要である．1当量(Eq)はイオン化した物質1 molをそのイオン価valenceで割った値である．Na^+は1価だからNa^+の1当量＝23 gである．1 molのNaClは解離して1当量のNa^+と1当量のCl^-となる．しかしCa^{2+}の1当量は40 g÷2＝20 gとなる．ミリ当量(mEq)は1当量の1/1000を指す．

化学当量は電気当量とは必ずしも一致するとは限らない．ある物質の1グラム当量は，化学的に酸素8.0 gと等量の重量のことである．溶液の規定度normality(N)とは，溶液の濃度を表す単位の1つで，酸が供給できる，あるいは塩基が受け取ることができるプロトン(H^+)を反応単位とする．溶液1リットル(L)中に1反応単位の物質が含まれる場合，1規定(N)となる．たとえば塩酸(HCl)の1 N溶液とは，1 L中にHCl(1.0＋35.5)gが含まれているものをいう[*1]．

水，電解質，酸/塩基

水分子(H_2O)は生理反応にとって理想的な溶媒である．酸素原子が水素原子から電子を引き抜くので，それによって水分子は**双極子モーメント dipole moment**をもつ**極性 polar**物質になっている．この性質によって，水は荷電をもつ様々な原子や分子を溶かすことができる．また他の水分子と水素結合を作って相互作用することができる．水素結合のネットワークは，(1)高い表面張力，(2)高い気化熱と熱容量，(3)高い誘電率といった生理学上の重要な性質を与える．わかりやすくいうと，H_2Oは溶媒として非常によくできた液体であり，熱の移動や電流の伝導に最適である．

電解質 electrolyte（たとえばNaCl）は水の中でカチオン（陽イオン）cation(Na^+)とアニオン（陰イオン）anion(Cl^-)に解離する分子である．水分子が荷電しているので，電解質は水中では再会合しにくい．Na^+，K^+，Ca^{2+}，Mg^{2+}，Cl^-，HCO_3^-は生理学的に重要な電解質である．電解質や他の電荷をもった化合物（たとえばタンパク質）は，体液中に不均一に分布している（図1・1B）．このような局在は，膜電位や活動電位の発生など生体機能にとって極めて重要な役割を果たしている．

pHと緩衝

体液の水素イオン濃度($[H^+]$)を一定に保つことは生命の維持に極めて大切である．溶液のpHは，$-\log[H^+]$または$\log(1/[H^+])$で定義される．25℃の純水中では，H^+とOH^-の濃度が等しく，pHは7.0である（図1・2）．pHが1だけ増加することは$[H^+]$が1/10になることを，pHが1だけ減少することは$[H^+]$が10倍になることを意味する．健康なヒトでは，血漿のpHはややアルカリ性で，7.35～7.45の狭い範囲に維持されている（クリニカルボックス1・2）．一方，胃液のpHは強い酸性（おおよそ3.0），膵液のpHはアルカリ性（おおよそ8.0）である．多くの酵素活性やタンパク質の構造は，pHによって変動する．体内（あるいは細胞内）のどの場所においても，pHは酵素やタンパク質のはたらきを最大にするように維持されている．

H^+を供与する分子を酸，H^+を受け取る分子を塩基という．強酸（たとえばHCl）や強塩基（たとえばNaOH）は水中で完全に解離するので，溶液の$[H^+]$を大きく変える．生理的に重要な酸，塩基はほとんど弱酸，弱塩基である．つまり，溶液に比較的少ないH^+を与える，またはH^+を奪うという性質をもっている．体液のpHが安定しているのは，体液が**緩衝能 buffering capacity**（または緩衝作用 buffering action）をもっているからである．緩衝能をもつ物質を**緩衝物質**（または**バッファー buffer**）という．大量の酸や塩基が溶液に加わっても，緩衝物質がH^+を結合したり解離したりすることによって，溶液のpH変化は小さく抑えられ

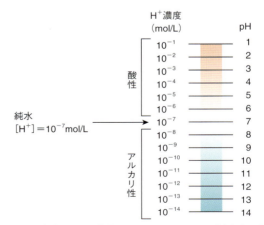

図1・2 水素イオン濃度とpH. pHスケール（右側）に対応した溶液の水素イオン(H^+)濃度を示す．

[*1] 訳注：学習指導要領に従い，一部原著と異なる記載とした．

クリニカルボックス 1・2

酸-塩基平衡異常

過剰な酸(アシドーシス)またはアルカリ(アルカローシス)により,血液または血清のpHは正常範囲(7.35〜7.45)を逸脱し,組織へのO_2供給,組織からのCO_2除去を低下させる.多くの疾病や病態により体のpH調節が阻害され,血液のpH異常が起こる.呼吸に原因があって,CO_2濃度が変化して起こる酸-塩基平衡異常を,呼吸性アシドーシスまたは呼吸性アルカローシスという.呼吸性アシドーシスは,しばしば呼吸不全や人工呼吸器の不具合で生じ,一方,呼吸性アルカローシスは過換気や慢性肝疾患の患者で認められる.呼吸以外の原因で,HCO_3^-濃度が変化して起こる異常を代謝性アシドーシスまたは代謝性アルカローシスと呼ぶ.代謝性アシドーシス/アルカローシスは,電解質異常,激しい嘔吐や下痢,薬物や毒物の摂取,腎疾患,代謝疾患(糖尿病など)により起こる.

治療上のハイライト

酸-塩基平衡異常を適切に治療するためには(特に複数の酸-塩基平衡異常が混在している場合には),原因を正しく特定する必要がある.呼吸性アシドーシスの治療には,まず換気の改善を目指すべきである.呼吸性アルカローシスに対しては,原因(頭部外傷や精神的な不安に伴う過換気,低酸素血症による末梢の化学受容器の刺激,肺塞栓症や肺浮腫など)の除去を重点的に行う.静脈への重炭酸投与は,急性代謝性アシドーシスの治療に用いられる.クロライド感受性代謝性アルカローシスの患者には,適切な量のクロライド塩を投与することにより,酸-塩基平衡を何日間にもわたって正常化することができる.一方,クロライド非感受性代謝性アルカローシスの場合には,原因疾患を治療する必要がある.

れば,体液中のすべての緩衝物質系について多くを知ることができる.

溶液中では,酸(HA)の一部は次式のようにH^+と遊離酸(A^-)に解離する.

$$HA \rightleftharpoons H^+ + A^-$$

質量作用の法則により,H^+の解離は次のように定義される.

$$K_a = [H^+][A^-]/[HA]$$

ここでK_aは定数,[ ]はそれぞれの濃度を示す.つまり,水素イオン濃度$[H^+]$と遊離酸濃度$[A^-]$を掛けたものを,解離していない酸の濃度[HA]で割った値を定数K_aとする.上の式を変形すると次のようになる.

$$[H^+] = K_a[HA]/[A^-]$$

両辺の対数(常用対数)を取ると,

$$\log[H^+] = \log K_a + \log([HA]/[A^-])$$

両辺に−1を掛けて,

$$-\log[H^+] = -\log K_a + \log([A^-]/[HA])$$

これを書き換えると **Henderson-Hasselbalch〔ヘンダーソン・ハッセルバルヒ〕の式**が導かれる.

$$pH = pK_a + \log([A^-]/[HA])$$

比較的簡単な形のHenderson-Hasselbalchの式は非常に有用である.まずわかることは,「ある弱酸の緩衝能はpK_aが溶液のpHに等しい時に最大になる」ということである.つまり,以下の式が成り立つ時である.

$$[A^-] = [HA], \quad pH = pK_a$$

弱塩基についても同様な式が成り立つ.生体内で重要な緩衝物質は炭酸(H_2CO_3)である.炭酸は弱酸であり,一部が解離して次式のようにH^+と重炭酸イオンになる.

$$H_2CO_3 \rightleftharpoons H^+ + HCO_3^-$$

炭酸の溶液にH^+が加わると,上の式の平衡が左にシフトし,加わったH^+のほとんどは溶液から除去される.一方OH^-が加わった場合は,溶液中のH^+と結合するので溶液からH^+が除去されることになる.しかし,H^+が除去された分をH_2CO_3が解離して埋め合わせるのでH^+濃度の減少は最小限にとどまる.こ

る.体液中では多くの緩衝物質が絶えずはたらいていることはいうまでもない.均一な溶液中では,すべての緩衝物質対は同じ$[H^+]$で平衡になっている.これを**等水素イオン濃度の原理 isohydric principle**という.この原理により,ある1つの緩衝物質系について調

の系が特に重要なのは，その緩衝能と肺からのCO_2排出がリンクしている点にある．他の体液中の緩衝物質として重要なのはリン酸とタンパク質である．

拡　散

　溶媒中に溶けている物質の粒子(分子または原子)は絶えずランダムに運動している．**拡散 diffusion** とは，気体や溶液中の物質がその粒子の運動によって移動し，溶液全体に広がっていく現象である．ある1つの溶質粒子は高濃度の領域から低濃度の領域に移動するだけでなく，逆方向にも同様に移動する．しかし高濃度の領域にはより多くの粒子が存在するので，高濃度の領域から出る量は入ってくる量より多い．すなわち，その分子の**正味の流れ** net flux は，高濃度の領域から低濃度の領域に向かうことになる．拡散によって平衡に達するのに要する時間は拡散距離の2乗に比例する．拡散速度は，(細胞膜や血液空気関門のような)拡散が起こっている境界の断面積と領域間の濃度勾配に比例する．**濃度勾配 concentration gradient**(**化学的勾配 chemical gradient**)は，拡散する物質の濃度差を境界層の厚さで割った値である．このことから **Fick〔フィック〕の拡散法則**が導かれる．

$$J = -DA \frac{\Delta c}{\Delta x}$$

ここでJが正味の拡散速度，Dはその物質の拡散係数，Aは断面積，$\Delta c/\Delta x$は濃度勾配である．負の符号は，拡散の方向を示す．もし粒子の移動が高濃度から低濃度に向かう場合は，$\Delta c/\Delta x$ は負となり，$-DA$ を掛けるとJは正の値となる．体内で拡散が起こる境界の透過性は様々である．しかし，それでも拡散は水や溶質の分布に影響を与える主要な力となっている．

浸　透

　ある物質が水に溶けると，その物質が加わった分だけ溶液の体積は大きくなるので，溶液中の水分子の濃度は純水中の濃度より低くなる．溶質は通さないが水は通すような膜[*2]の片側に溶液を，もう一方の側に等量の水を置くと，水分子はその濃度勾配(化学的勾配)に従って溶液側に拡散していく(図1・3)．このように，膜を透過しない**溶質 solute** の濃度の低い方から高い方へ**溶媒 solvent** 分子が移動する現象を，**浸透**

[*2]訳注：半透膜(semipermeable membrane)．

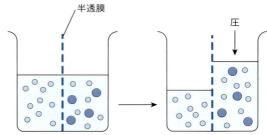

図1・3　浸透の模式図．水分子を小さい薄い丸，溶質分子を大きい濃い丸で示す．膜は水は通すが溶質は通さない．左側の図では，膜の片側には純水が，もう片側には等しい体積の溶質溶液が入っている．水分子は，その濃度勾配(化学的勾配)に従って溶液側に移動し，右の図に示すように，溶液の容積は増加する．右の図の矢印に示すように，浸透圧は水分子の移動を打ち消すために必要な圧である．

osmosis と呼ぶ．これは生理的に重要なプロセスである．このような浸透現象による溶媒の移動は，溶質濃度の高い側に圧をかけることによって阻止することができる．溶媒の移動を阻止するのに必要な圧力を溶液の**浸透圧 osmotic pressure** と呼ぶ．

　溶液の浸透圧は蒸気圧降下，凝固点降下，沸点上昇と同様に，溶質の性質ではなく，溶質粒子の数によって決まる．すなわち，溶液の基本的な**束一性 colligative property** の1つである．**理想溶液 ideal solution** においては，浸透圧Pは(気体の圧力と同様)温度と体積と次のような関係にある．

$$P = \frac{nRT}{V}$$

ここでnは溶質粒子の数，Rは気体定数 gas constant，Tは絶対温度，Vは溶液の体積である．Tが一定であれば，浸透圧は単位体積中の溶質粒子の数に比例する．そのため浸透圧を発生させるのに有効な粒子の濃度は通常**オスモル osmole**(Osm)で表される．1 Osm はある物質のグラム分子量を，それぞれの物質分子から遊離される粒子の数で割った値に等しい．生物の領域でよく使われるミリオスモル(mOsm)は1 Osmの1/1000である．

　もし溶質がグルコースのようにイオン化しない物質であれば，浸透圧は溶けているグルコース分子の数に比例する．もし溶質が電解質であってイオンに解離する場合は，各イオン粒子が浸透圧を発生させる．たとえばNaClはNa^+とCl^-に解離するので，溶液中のNaCl 1 mol は2 Osmとなる．Na_2SO_4 が$2Na^+$とSO_4^{2-}に解離するならば，1 molのNa_2SO_4は3 Osmの浸透圧を生じさせることになる．しかし，実際には

体液は理想溶液ではない．強電解質（たとえばNaCl）は水に溶けて完全に（Na^+とCl^-に）解離はするが，溶液中のイオン同士が互いに干渉するので，溶液中を自由に動きまわって浸透圧を発生させる粒子の数は減少してしまう．つまり実際の浸透圧を決めるのは，イオン粒子の全濃度というよりも，実効濃度 effective concentration（活動度 activity）である．このため，たとえばNaClの1 mmol/Lの溶液は，浸透圧活性粒子2 mOsm/Lの溶液よりいくぶん低い浸透圧を示す．溶液の濃度が高くなるに従って，理想溶液とのずれは大きくなる．

溶液中の浸透圧活性を示す物質の濃度[*3]は，その溶液の凝固点降下度で測定できる．理想溶液では，1 mol/Lの粒子により1.86℃の凝固点降下が起こる．溶液1L当たりのミリオスモル数(mOsm/L)は，その溶液の凝固点降下度を0.00186で割った値となる．**容積モル浸透圧濃度 osmolarity**は，溶液（たとえば血漿）1L当たりのオスモル数(Osm/L)である．一方，**重量モル浸透圧濃度 osmolality**は，溶媒1 kg当たりのオスモル数(Osm/kg)である．容積モル浸透圧濃度は溶質の容積や温度の影響を受けるが，重量モル浸透圧濃度は影響を受けない．生体内では，浸透圧活性をもつ物質は水に溶けており，水の比重は1であるので，重量モル浸透圧濃度(Osm/kg)は水1L当たりのオスモル数(Osm/L)で表すことができる．本書では容積モル浸透圧濃度ではなく，重量モル浸透圧濃度を用いるが，重量モル浸透圧濃度は水1L当たりのミリオスモル数(mOsm/L)で表記する．

ある溶液が浸透圧活性をもつ粒子を均質に含んでいる場合，一定の浸透圧を有するといえる．しかし，実際の浸透圧は，溶媒を通すが溶質を通さないような膜をはさんで他の溶液と接した時にのみ，圧として作用する．

血漿の浸透圧濃度と浸透張力

正常なヒトの血漿の凝固点は−0.54℃である．これは浸透圧濃度にして290 mOsm/Lであり，純水に対する浸透圧7.3気圧に相当する．血漿中のカチオンとアニオンの濃度の和から見て300 mOsm/L以上のはずなのに，そうでないのは，血漿が理想溶液でなくイオン相互の干渉によって自由に動いて浸透圧に関与する粒子数が減少するからである．体液の一部の組成が急に変化した後の過渡期を除いて，全身の体液区分の浸透圧はほぼ完全に平衡状態にあると考えてよい．溶液の（重量モル）浸透圧を血漿の浸透圧と比較する場合，**浸透張力 tonicity**[*4]という言葉を用いる．血漿と浸透圧が等しい溶液は，**等張 isotonic**，血漿より浸透圧が高い溶液は**高張 hypertonic**，血漿より浸透圧が低い溶液は**低張 hypotonic**である．等張の（すなわち凝固点降下度が等しい）溶液中に含まれる溶質が細胞内に入るか，代謝分解されるということがなければ，溶液は等張であり続ける．0.9%食塩水はその例である．というのは，浸透圧活性のある溶質粒子（Na^+とCl^-）の細胞内への正味の移動はないし，代謝されることもないからである．それに対して，5%グルコース水溶液は，静脈内に注射された当初は等張であるが，グルコースは代謝されるので，最終的には低張液を注入したのと同じことになる．

血漿の全浸透圧濃度に対する各血漿成分の相対的な寄与を考えることは重要である．正常血漿浸透圧290 mOsm/Lのうち270 mOsm/LはNa^+とその対になるアニオン（主にCl^-とHCO_3^-）による．他のカチオンとアニオンの寄与は比較的小さい．血漿タンパク質の濃度はg/L単位で表すと高いが，タンパク質の分子量は非常に大きいので，浸透圧濃度としては2 mOsm/L以下の寄与しかない．血漿中の主な非電解質はグルコースと尿素であり，定常的な状態では血漿中濃度は細胞内濃度と平衡している．グルコースと尿素の浸透圧に対する寄与はそれぞれ約5 mOsm/Lであるが，高血糖や尿毒症ではかなり高くなることがある．血漿の全浸透圧濃度は，脱水，水分過剰その他の体液・電解質異常を評価するのに重要である（クリニカルボックス1・3）．

非イオン性拡散

弱酸や弱塩基のあるものは，電荷をもったイオンの形，すなわち解離型では細胞膜を透過できないが，非解離型（電荷をもたない型）は細胞膜に溶けやすく透過できる．非解離型の物質が膜を透過して，その後にそこで解離すると，細胞内の非解離型の濃度は高くならないので非解離型の正味の移動が続くことになる．このような現象は**非イオン性拡散 nonionic diffusion**と呼ばれる．

[*3] 訳注：浸透圧濃度．

[*4] 訳注：tonicityは張度または有効浸透圧とも訳される．

クリニカルボックス 1・3

血漿浸透圧と疾患

硬い細胞壁をもっている植物細胞と異なり，動物細胞の膜は自由に変形しうる．したがって動物細胞は低張の細胞外液に曝されると膨張し，高張液に曝されると萎縮する．細胞容積が変わると，細胞のイオンチャネルやポンプが活性化され，浸透圧活性粒子の移動によって細胞容積をもとに戻そうとする（訳注：調節性容積減少あるいは調節性容積増加）．しかし病的状況下では，このような調節では間に合わないことがある．高浸透圧では重篤な意識障害が遷延する状態である昏睡をきたすことがある（高浸透圧昏睡）．血漿中の主な溶質が浸透圧をもっぱら左右することと，血漿は理想溶液よりずれていることから，血漿の重量モル浸透圧濃度は以下の式によって数 mmol/L 以内の誤差で近似的に求めることができる．式中の定数は臨床で用いられる単位を mmol/L に換算する値である．

重量モル浸透圧濃度(mOsm/L) ＝
2[Na$^+$](mEq/L) + 0.055[グルコース](mg/dL)
+ 0.36[BUN](mg/dL)

BUN は血中の尿素窒素である．この式は他の溶質濃度が異常に高いことに注意を喚起する上で有用である．凝固点降下により測定した血漿の重量モル浸透圧濃度が上の式で計算した推定値より著しく高い場合は，エタノール，マンニトール（浸透圧的に膨張した細胞をもとに戻すために注射されることがある），あるいはエチレングリコール（不凍液の成分）やメタノールなどの毒物（自動車の代替燃料）のような外来性物質の存在を示している．

Donnan 効果

膜の片側に存在するある 1 つのイオンが膜を透過できない場合には，自由に膜を透過できる他のイオンも影響を受けて，膜の両側に不均等に分布するようになる．たとえば，膜を透過できないアニオンがあると，膜を透過できるカチオンの移動を妨げ，アニオンの移動を促進する．図 1・4 に示すような状態を考えてみよう．M は X と Y の 2 相の間にある膜で，タンパク

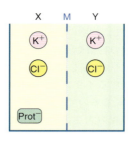

図 1・4　細胞膜を介した平衡． X と Y の 2 相の間に膜(M) がある．荷電した K$^+$ と Cl$^-$ は X と Y の両相にあるが，X 相にのみ荷電したタンパク質(Prot$^-$)がある．

質イオン Prot$^-$ を通さないが，K$^+$，Cl$^-$ は自由に透過する．

初期状態では，膜の両側のカチオン(K$^+$)とアニオン(Cl$^-$)の全濃度が等しいと仮定しよう．X 側の Cl$^-$ 濃度は Prot$^-$ の分だけ Y 側より低いので，Cl$^-$ は濃度勾配に従って Y から X へ拡散する．陰電荷をもつ Cl$^-$ の移動に伴って陽電荷をもつ K$^+$ も Y から X へ移動する．したがって平衡時には，

$$[K^+]_X > [K^+]_Y$$

となる．さらに

$$[K^+]_X + [Cl^-]_X + [Prot^-]_X > [K^+]_Y + [Cl^-]_Y$$

が成立することになるので，浸透圧活性をもつ粒子が Y 側より X 側により多く存在することになる．

Donnan と Gibbs は，上のように膜を透過できないイオンが存在する条件下では，膜を透過できるイオンは膜の両側の濃度比が等しくなるように分布することを示した．

$$\frac{[K^+]_X}{[K^+]_Y} = \frac{[Cl^-]_Y}{[Cl^-]_X}$$

両辺に $[K^+]_Y[Cl^-]_X$ を掛けて，

$$[K^+]_X[Cl^-]_X = [K^+]_Y[Cl^-]_Y$$

これが，**Gibbs-Donnan〔ギブス・ドナン〕の式**である．この式は，電荷の等しいカチオンとアニオンのどんな組合せにも成立する．

イオンの分布に関する Donnan 効果 Donnan effect は，体内で 3 つの作用を示す．第一に，細胞内にタンパク質(Prot$^-$)があるため，浸透圧活性粒子は間質液に比べて細胞内により多く分布することになる．その結果，浸透によって水が浸入して細胞は膨れ，そのままにしておけば細胞は破裂する．しかし，細胞膜に

あるNa⁺, K⁺-ATPaseがイオンを細胞内から外に汲み出すことによって，細胞の破裂を防いでいる．このように正常な細胞の容積や圧はNa⁺, K⁺-ATPase，またはNa⁺/K⁺ポンプに依存している．第二に，平衡状態では，膜を透過するイオンの分布は膜（図1・4のM）の両側で非対称になるので，膜をはさんで電位差が生じる．この電位差の大きさはNernst〔ネルンスト〕の式で求めることができる．図1・4で示した例では，X側はY側に対して負になる．それを打ち消すようにCl⁻の濃度勾配が形成され，また同様にK⁺の濃度勾配も形成されて，膜に沿って電荷が配列することになる．第三に，血漿が間質液より多くのタンパク質を含むために，毛細血管壁を通してのイオンの移動にDonnan効果が起こることである．

イオンを移動させる力

イオンにはたらいて膜を透過させる力は数学的に解析することができる．細胞外液のCl⁻濃度は細胞内液より高い．Cl⁻はこの**濃度勾配 concentration gradient**に従って細胞外から細胞内へ拡散しようとする．一方，細胞内は細胞外に対して負に帯電しており，**電気的勾配 electrical gradient**によってCl⁻を細胞外に押し出そうとする．Cl⁻の内向きの流れinfluxと外向きの流れeffluxが釣り合うと平衡状態になる．平衡状態での膜電位を**平衡電位 equilibrium potential**という．平衡電位の大きさはNernstの式によって決まる．

$$E_{Cl} = \frac{RT}{FZ_{Cl}} \ln \frac{[Cl^-]_o}{[Cl^-]_i}$$

ここで

E_{Cl} = Cl⁻の平衡電位
R = 気体定数
T = 絶対温度
F = Faraday〔ファラデー〕定数：1価の荷電粒子1 molがもつ電気量（クーロン/mol）
Z_{Cl} = Cl⁻の電荷（−1）
$[Cl^-]_o$ = Cl⁻の細胞外濃度
$[Cl^-]_i$ = Cl⁻の細胞内濃度

自然対数を常用対数（底が10である対数）に変換し，定数を37℃における数値で置き換えると，

$$E_{Cl} = 61.5 \log \frac{[Cl^-]_i}{[Cl^-]_o}$$

となる．この式に変換するにあたって分母と分子が逆になっているのは，Cl⁻の電荷（−1）を代入したためである．

表1・1にあげた哺乳類脊髄運動ニューロンの標準的Cl⁻濃度値を用いて計算したCl⁻の平衡電位（E_{Cl}）は−70 mVで，実験的に測定した値とよく一致する．したがって，この場合，膜内外のCl⁻の分布を説明するのに濃度勾配と電気的勾配以外の力は何ら考える必要はない．

K⁺についても同様に以下の式によって平衡電位E_Kを計算することができる．

$$E_K = \frac{RT}{FZ_K} \ln \frac{[K^+]_o}{[K^+]_i} = 61.5 \log \frac{[K^+]_o}{[K^+]_i}$$

ここで

E_K = K⁺の平衡電位
Z_K = K⁺の電荷（+1）
$[K^+]_o$ = K⁺の細胞外濃度
$[K^+]_i$ = K⁺の細胞内濃度
R, T, FはCl⁻についての式と同じ

この場合，濃度勾配はK⁺を外に出す方向に，電気的勾配はK⁺を細胞内に入れる方向にはたらく．哺乳類の脊髄運動ニューロンでは，計算によって求めたE_Kは−90 mVである（表1・1）．実験で求めた静止膜電位は−70 mVなので，K⁺は電気的および化学的勾配によって説明できるよりも少し余分に細胞内に存在することになる．

Na⁺については（哺乳類の脊髄運動ニューロンでは），K⁺やCl⁻とまったく事情が異なる．$[Na^+]_i$は$[Na^+]_o$より低く，細胞内は負電位であるため，濃度勾配も電気的勾配もともにNa⁺を細胞内に移動させようとしている．E_{Na}は+60 mVである（表1・1）．E_KもE_{Na}も静止膜電位と等しくないので，もし濃度勾配と電気的勾配によってのみ受動的に起こるとすると，次に細胞内

表1・1 哺乳類脊髄運動ニューロンの細胞内，細胞外イオン濃度

イオン	濃度(mmol/L H₂O)		平衡電位(mV)
	細胞内	細胞外	
Na⁺	15.0	150.0	+60
K⁺	150.0	5.5	−90
Cl⁻	9.0	125.0	−70

静止膜電位＝−70 mV

Na⁺濃度は増加し，K⁺は減少していくことが予想される．しかしNa⁺とK⁺の細胞内濃度は一定に維持されている．これは**Na⁺, K⁺-ATPase**がはたらいて，それぞれの電気化学的勾配に逆らって能動的にNa⁺を細胞外に，K⁺を細胞内に輸送しているためである．

膜電位の発生メカニズム

細胞膜内外のイオン分布と細胞膜の性質から膜電位の成因を説明することができる．K⁺の濃度勾配はK⁺を細胞内から外へK⁺チャネルを通って出すようにはたらいている．しかし電気的勾配は逆向きにはたらいている．その結果，K⁺が細胞外に出ようとする傾向と細胞内に入ろうとする傾向が釣り合う平衡状態となる．この平衡状態では，細胞膜の外側ではカチオンがわずかに多く，内側ではアニオンがわずかに多くなっているので，膜電位が形成される．このような状態を維持しているのは，ATPのエネルギーを使ってK⁺を細胞内に汲み入れ，細胞内Na⁺を低く維持するNa⁺, K⁺-ATPaseのはたらきによる．Na⁺, K⁺-ATPaseは[*5] 3分子のNa⁺を細胞外に汲み出すのと交換に2分子のK⁺を細胞内に汲み入れる**起電性ポンプ electrogenic pump**であり，膜電位の形成にも寄与している．不均等に分布して膜電位の形成に関与するイオンの数は，存在する全イオン数の中で極めてわずかであり，カチオン，アニオンの総濃度は膜に沿った微小領域を除いてどこでも等しい．

エネルギー産生

エネルギーの移動

細胞の活動に使われるエネルギーは，主にリン酸基と有機化合物との間の結合に蓄積されている．いくつかのリン酸塩では結合のエネルギーが極めて高いため，結合の加水分解により大きなエネルギー（10〜12 kcal/mol）が放出される．そのような結合をもつ化合物を，**高エネルギーリン酸化合物 high-energy phosphate compound**と呼ぶ．すべての有機リン酸塩が高エネルギー化合物というわけではない．多くはグルコース6-リン酸のように低エネルギー化合物であり，1 molの加水分解によって2〜3 kcalしか放出しない．炭水化物の代謝過程で生成される中間体のあるものは高エネルギーリン酸塩であるが，最も重要な高エネルギーリン酸化合物は**アデノシン三リン酸 adenosine triphosphate（ATP）**である．全身のどの細胞にも含まれるATP分子（図1・5）は，体のエネルギー貯蔵庫である．ATPが加水分解によりアデノシン二リン酸 adenosine diphosphate（ADP）になる時，筋収縮，能動輸送，多くの化学物質の生合成などのプロセスに直接エネルギーを供給する．さらにリン酸基が1つはずれてアデノシン一リン酸 adenosine monophosphate（AMP）になる時にもエネルギーを放出する．

他の高エネルギーリン酸化合物としてメルカプタンのアシル誘導体であるチオエステルがある．**補酵素A coenzyme A（CoA）**はアデニン，リボース，パントテン酸，チオエタノールアミンを含むメルカプタン（図1・6）で，全身に広く分布する．還元型CoA（HS-CoAと略記されることが多い）がアシル基（R-CO-）と反応すると，R-CO-S-CoA誘導体ができる．たとえば，HS-CoAと酢酸が反応してアセチルCoA（acetyl CoA）ができるのがよい例である．アセチルCoAは中間代謝において極めて重要な役割を果たす．アセチルCoAは酢酸と比べてはるかに大きなエネルギーを有しているので，基質と結合して，外からエネルギーを供給しなくても反応を進めることができる．それゆえ，アセチルCoAはしばしば"活性型酢酸"と呼ばれる．エネルギー論の観点からすると，1 molのアセチルCoAの形成は，1 molのATPの形成に相当する．

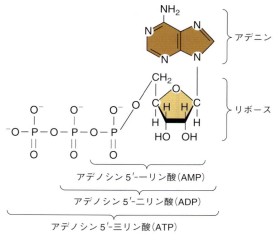

図1・5 高エネルギーアデノシン誘導体．アデノシン三リン酸（ATP）は，プリン塩基（右上），糖（右下）やその高エネルギーリン酸誘導体（ADP，AMP）に分解される（Murray RK, et al: *Harper's Biochemistry*, 28th ed. New York, NY: McGraw-Hill; 2009 より許可を得て複製）．

[*5] 訳注：ATP 1分子を加水分解するごとに．

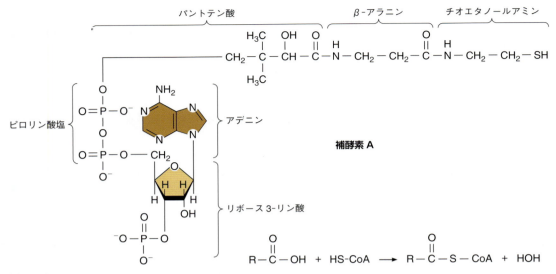

図 1・6 補酵素 A (CoA) およびその誘導体. 左：還元型補酵素 A (HS-CoA) の構造式とその構成要素. 右下：CoA が生体の重要な化合物と反応してチオエステルを形成する反応式. R は分子の残りの部分を示す.

生体における酸化

酸化 oxidation とは，"酸素との結合"あるいは"水素の解離"あるいは"電子の喪失"を意味する．対応する逆反応は**還元 reduction** である．生物の体内での酸化は特異的な酵素によって触媒される．補因子（単純なイオン）あるいは補酵素（タンパク質以外の有機物質）は通常反応生成物の担体として，補助的な役割を果たす．酵素と違って，補酵素は多種の反応を触媒することができる．

多くの補酵素は水素を受け取る役割を果たしている．生体における酸化では，しばしば R-OH 基から水素を除去して R=O 基になる．そのような脱水素反応において，NAD$^+$ と NADP$^+$ が水素を受け取り，NADH と NADPH になる*6（図 1・7）．この水素はさらにフラビンタンパク質-シトクロム系に渡され，再び NAD$^+$ と NADP$^+$ を酸化するのに使われる．フラビンアデニンジヌクレオチド flavin adenine dinucleotide (FAD) は，リボフラビンがリン酸化されてフラビンモノヌクレオチド (FMN) が形成され，それが AMP と結合して形成される．FAD は，水素を 1 分子受け取って FADH に，2 分子受け取って FADH$_2$ になる．

ミトコンドリアのフラビンタンパク質-シトクロム系は水素を受け渡す酵素反応の連鎖で，最終的に酸素に水素が結合して水ができる．水素イオンが手渡されていく過程で，それぞれの酵素は最初に還元され，次いで再び酸化される．これらの酵素は，非タンパク質性補綴分子がついたタンパク質である．連鎖の最後の酵素，シトクロム c オキシダーゼ cytochrome c oxidase は水素を酸素に手渡し，水を産生する．シトクロム c オキシダーゼは 13 のサブユニットからなり，分子内に 2 原子の鉄，3 原子の銅を含む．

体内で ATP が合成されるプロセスとして最も重要なのは**酸化的リン酸化 oxidative phosphorylation** である．この過程は，ミトコンドリア膜の両側に発生する水素イオン (H$^+$) 濃度勾配を利用して，ATP の高エネルギー結合を形成する（詳細は図 2・4 を参照）．基礎状態にある生体内で 1 分間に使われる酸素の 90% はミトコンドリアで消費される．ミトコンドリアでの酸素消費の 80% は ATP の合成に関連している．

合成された ATP の大部分は，いくつかの少数の過程で消費される．約 27% がタンパク質の合成，24% が Na$^+$, K$^+$-ATPase（膜電位の維持を助けるため），9% が糖新生，6% が Ca^{2+}-ATPase（細胞内 Ca^{2+} を低濃度に維持するため），5% がミオシン ATPase，3% が尿

---

*6 訳注：略語について
NAD$^+$ (nicotinamide adenine dinucleotide)
　ニコチンアミドアデニンジヌクレオチド
NADP$^+$ (nicotinamide adenine dinucleotide phosphate)
　ニコチンアミドアデニンジヌクレオチドリン酸
NADH (dihydronicotinamide adenine dinucleotide)
　ジヒドロニコチンアミドアデニンジヌクレオチド
NADPH (dihydronicotinamide adenine dinucleotide phosphate)
　ジヒドロニコチンアミドアデニンジヌクレオチドリン酸

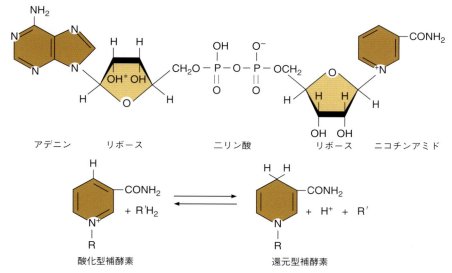

図 1・7　エネルギーを産生する酸化還元反応に重要な分子の構造．上：酸化型ニコチンアミドアデニンジヌクレオチド（NAD$^+$）の構造式．ニコチンアミドアデニンジヌクレオチドリン酸（NADP$^+$）は，アステリスク（*）の位置にリン酸が付く．下：NAD$^+$ および NADP$^+$ が還元型（NADH，NADPH）になる反応．R：分子の残りの部分，R′：水素供与体．

素生成である．

構成単位となる分子

ヌクレオシド，ヌクレオチド，核酸

ヌクレオシド nucleoside は，窒素を含有した塩基と糖とが結合したものである．生理的に重要な塩基である**プリン** purine と**ピリミジン** pyrimidine は，環状構造をもっている（図 1・8）．これらの塩基がリボース ribose あるいは 2-デオキシリボース 2-deoxyribose といった糖と結合してヌクレオシドとなる．ヌクレオシドにさらに無機リン酸が付加されたものが，**ヌクレオチド** nucleotide である（図 1・9）．ヌクレオシドとヌクレオチドは RNA や DNA をはじめ，生理的に重要な様々な補酵素や調節分子（たとえば NAD$^+$，NADP$^+$，ATP）の基本骨格である（表 1・2）．食物中の核酸は消化され，構成成分であるプリンやピリミジンが吸収される．しかし，ほとんどのプリンやピリミジンは，主として肝臓でアミノ酸から合成される．さらにヌクレオチド，RNA，DNA が合成される．RNA は常に合成と分解を繰り返していて，アミノ酸プールと動的平衡状態にあるが，DNA はいったん合成されると一生を通じて安定である．ヌクレオチドの分解によって放出されたプリンやピリミジンは再利用されるか，分解される．わずかな量はそのまま尿中に排泄される．

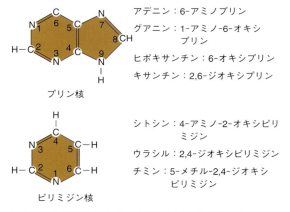

図 1・8　生理学的に非常に重要なプリン塩基とピリミジン塩基．プリンとピリミジンの構造（**左**）と代表的な分子（**右**）．オキシプリンやオキシピリミジンは，酸素置換基に水素が付くことにより，それらのエノール誘導体であるヒドロキシプリンやヒドロキシピリミジンになる．

ピリミジンが分解されると**β-アミノ酸** β-amino acid，β-アラニン，β-アミノイソ酪酸などになる．生理活性をもつアミノ酸の多くがα炭素位にアミノ基をもつのに対し，これらのアミノ酸はβ炭素位にアミノ基があるのが特徴である．β-アミノイソ酪酸はチミンの分解産物なので，DNA の代謝回転の指標として用いられる．β-アミノ酸はさらに CO_2 と NH_3 に分解される．

I 医科生理学のための細胞と分子の基礎

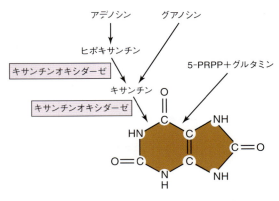

図 1・9 尿酸の合成と分解. アデノシンはヒポキサンチンに，さらにキサンチンに変換され，キサンチンから尿酸に変換される．最後の 2 つの反応はキサンチンオキシダーゼにより触媒される．グアノシンは直接キサンチンに変換される．5-PRPP とグルタミンは尿酸に変換される．

尿酸 uric acid はプリンの分解によって生じるとともに 5-ホスホリボシルピロリン酸 5-phosphoribosyl pyrophosphate（5-PRPP）とグルタミン glutamine から直接合成される（図 1・9）．ヒトでは尿酸は尿中に排泄されるが，一部の哺乳類では，尿酸はさらに酸化されてアラントイン allantoin になって排泄される．ヒ

表 1・2 プリン，ピリミジンを含む化合物

化合物の種類	構成要素
ヌクレオシド	プリンまたはピリミジン＋リボースまたはデオキシリボース
ヌクレオチド（モノヌクレオチド）	ヌクレオシド＋リン酸基
核酸	多くのヌクレオチドは，2 本のポリヌクレオチド鎖の二重らせん構造を形成する
核タンパク質	核酸＋（1 つまたはそれ以上の）塩基性タンパク質
リボースを含む化合物	RNA
2-デオキシリボースを含む化合物	DNA

トの血中尿酸レベルの正常値はおおよそ 4 mg/dL（0.24 mmol/L）である．腎臓では，尿酸は濾過された後，再吸収と分泌が起こる．通常，糸球体で濾過された尿酸の 98 % は再吸収され，残り 2 % は尿中排泄量の 20 % を占める．尿中排泄量の 80 % は尿細管で分泌されたものである．尿酸の尿中排泄量は，通常食では約 1 g/24 時間，無プリン食では約 0.5 g/24 時間である．血中，または尿中の尿酸の過剰は，痛風 gout の特徴の 1 つである（クリニカルボックス 1・4）．

クリニカルボックス 1・4

痛　風

痛風は，繰り返す関節炎の発作を特徴とする疾患である．血中，尿中の尿酸濃度が高く，尿酸塩が関節，腎臓やその他の組織に沈着する．関節炎の初発部位として最も多いのは，足の親指のつけ根（中足指節関節）である．"原発性"痛風には 2 つの型がある．1 つは，様々な酵素の異常により，尿酸の産生量が過多な場合．もう 1 つは，腎尿細管の尿酸輸送が不十分な場合である（訳注：尿酸の体外への排泄が不十分になる）．"二次性"痛風は，他の疾患によって二次的に尿酸の排泄が減少したり，産生が増加する結果，体液中尿酸レベルが上昇するものである．たとえば，セイアザイド系利尿薬の投与や腎臓疾患では，尿酸の排泄は減少する．白血病や肺炎では，尿酸を豊富に含む白血球が破壊されるため，尿酸の産生が増加する．

治療上のハイライト

痛風の治療は，コルヒチンや非ステロイド性抗炎症薬によって急性関節炎を軽減するとともに，血中尿酸レベルを下げることを目標とする．コルヒチンは尿酸代謝には影響しない．コルヒチンが痛風の発作に効くのは，白血球による尿酸結晶の貪食作用（これが何らかのメカニズムで関節痛を起こす）を抑制することによると考えられる．フェニルブタゾン phenylbutazone やプロベネシド probenecid は腎尿細管での尿酸の再吸収を抑制する．アロプリノールは，プリン体の分解経路のキサンチンオキシダーゼを直接抑制することによって，尿酸の産生を抑制する．

DNA

DNAは，細菌にも，真核生物の核とミトコンドリアにも存在する．DNAは2本の非常に長いヌクレオチド鎖からなっており，塩基として**アデニン** adenine (A)，**グアニン** guanine (G)，**チミン** thymine (T)，**シトシン** cytosine (C) を含む（図1・10）．アデニンとチミンの間，グアニンとシトシンの間に水素結合があり，これらの塩基間の安定した水素結合により2本の鎖で束ねられ，二重らせん構造（図1・11）をとっている．DNAの二重らせんは**ヒストン** histone と結合することによりコンパクトになり，**染色体** chromosome の中に圧縮されて押し込まれている．ヒトの二倍体の細胞は46個の染色体をもっている．

DNAの基本ユニット，すなわち**遺伝子** gene とは，DNAヌクレオチドの配列である．遺伝子は単一のポリペプチド鎖のアミノ酸配列を産成する情報を含んでいる．興味深いことに，単一の遺伝子によってコードされるタンパク質が，生理的活性をもつ数種類の異なるタンパク質に分かれることがある．遺伝子の構造とその制御に関する情報は加速度的に蓄積されてきている．典型的な真核細胞の遺伝子の基本構造を図1・12に示した．遺伝子は，コード領域および非コード領域を含むDNAの鎖からなっている．真核生物では，原核生物と異なり，タンパク質合成に関わる領域はいくつかのセグメント（**エクソン** exon）に分割されている．エクソンの間には翻訳されない領域（**イントロン** intron）がはさまっている．遺伝子の転写開始部位の近くには**プロモーター** promoter があり，そこにRNAポリメラーゼとその補因子が結合する．多くの場合，プロモーターにはチミン-アデニン-チミン-アデニン (TATA) の配列（**TATA ボックス**）があり，転写が確実に正しい部位から開始されるようにしている．プロモーターからさらに5′末端には**発現調節領域** regulatory element があり，エンハンサー enhancer[*7] とサイレ

---

*7 訳注：転写を活性化する．

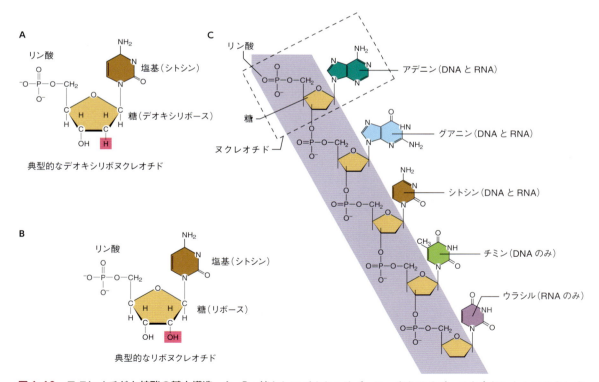

図1・10　ヌクレオチドと核酸の基本構造．A, B：糖としてデオキシリボース，またはリボースを含むシトシンヌクレオチド．**C**：プリン塩基（アデニンとグアニン）またはピリミジン塩基（シトシンとチミンまたはウラシル）が糖と N-グリコシド結合したヌクレオチドは，ホスホジエステル結合で結ばれて，鎖を形成する．ヌクレオチドの鎖には極性がある（5′末端と3′末端）ことに注意．チミンはDNAのみに，ウラシルはRNAのみに含まれる（訳注：したがって，この図のようにチミンとウラシルが同じ核酸分子の中に存在することはない）．

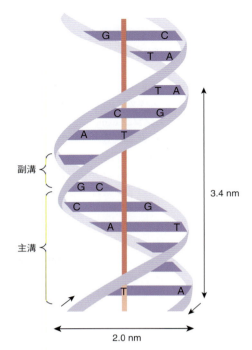

図1・11 DNAの二重らせん構造. このコンパクトな構造は幅2.0 nm, らせんの周期3.4 nmで, 大小の溝(主溝と副溝)がある. DNAの二重らせん構造は, 2本の鎖がプリンとピリミジン間の水素結合によって結ばれることにより維持されている. アデニン(A)はチミン(T)と, シトシン(C)はグアニン(G)と結合する(Murray RK, et al: *Harper's Biochemistry*, 28th ed. New York, NY: McGraw-Hill; 2009 より許可を得て複製).

ンサー silencer[*8] の配列を含んでいる. それぞれの遺伝子には, 平均すると5つの制御部位がある. 時には調節塩基配列が, 3′非翻訳領域[*9] にも見られることがある. 二倍体の細胞では, 各遺伝子は2つの**対立遺伝子(アレル)allele**[*10] をもつ. それぞれの対立遺伝子は, 相同染色体の同じ位置にある. 個々の対立遺伝子が完全に転写されると, その遺伝子のもつ性質が少し異なった形で現れる. これに関連して, 遺伝子のコード領域内外の1個のヌクレオチドが変わっただけでも[**1塩基多型 single nucleotide polymorphism(SNP)**], 遺伝子の機能に大きな影響を与えることがある. ヒトの疾患のSNPの研究は, 急速に発展し活況を呈している研究領域である.

遺伝子変異 gene mutation は, DNAの塩基配列がもとのものと変わってしまうことにより起こる. 挿入や欠失, 重複はタンパク質の構造に影響を与えるだけでなく, 変異は細胞分裂後にできる娘細胞にも受け継がれる. **点変異 point mutation** は, 1つの塩基が置き換わったものである. 様々な化学的修飾(アルキル化剤, インターカレート剤[*11], 電離放射線など)により, DNAの配列が変わり, 変異が起きる. 個体に含まれる全DNA配列に含まれる遺伝子の集合を**ゲノム genome** と呼ぶ. ヒトのハプロイド(一倍体)ゲノムに含まれる全DNAは 3×10^9 塩基対もあり, おおよそ3万の遺伝子をコードすることができる. 遺伝情報は, 細胞の遺伝性の特性の青写真であり, 親細胞から娘細胞へと受け継がれていく. DNAの青写真によって合成されるタンパク質にはすべての酵素が含まれ, それらは次々と細胞の代謝を調節する.

体内の有核体細胞はそれぞれすべての遺伝情報をもっている. しかし成長した細胞では, 機能的に著しい分化と特化が見られる. つまり細胞がもっている遺伝情報のうち, ほんの一部のみが翻訳され, ほとんど

[*8] 訳注:転写を抑制する.
[*9] 訳注:コード配列の3′末端に隣接してそれに影響を及ぼす非コード領域.
[*10] 訳注:同じ遺伝子座における父親由来の遺伝子と母親由来の遺伝子のセット.
[*11] 訳注:インターカレート剤は, DNAの塩基間に分子を挿入する物質. アクチノマイシンDなど.

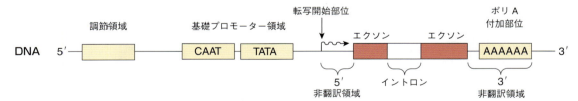

図1・12 典型的な真核細胞の遺伝子を形成するコンポーネント. イントロンとエクソンは非翻訳領域にはさまれている. 5′非翻訳領域には, タンパク質との相互作用によって転写を活性化したり抑制したりする配列がある. 3′非翻訳領域には, ポリ(A)付加部位がある(Murray RK, et al: *Harper's Biochemistry*, 28th ed. New York, NY: McGraw-Hill; 2009 より許可を得て改変).

の遺伝情報は抑制された状態にある．遺伝子は空間的，時間的に制御されている．二重らせん構造をほどいて**複製 replication**，**転写 transcription** を行うには高度に制御されたタンパク質との相互作用が必要である．

複製：有糸分裂と減数分裂

体細胞分裂(**有糸分裂 mitosis**)では，DNAの2本鎖が分かれ，それぞれを鋳型(テンプレート)として新しい相補DNA鎖が合成される．DNAポリメラーゼ DNA polymerase がこの反応を触媒する．このようにしてできた2つの2本鎖DNAは，1つずつ娘細胞に分配されるので，それぞれの娘細胞のDNA含有量は親細胞と同じである．有糸分裂に続く細胞のライフサイクルは高度に制御されており，**細胞周期 cell cycle**(図1・13)と呼ばれる．G_1 期(gap 1)は，有糸分裂が終了してからDNA合成期(S期)が始まるまでの間の時期で，この時期に細胞は成長する．DNAの複製に続いて，細胞は再び成長の時期[G_2 期(gap 2)]に入る．G_2 期の終わりに染色体の凝縮が起こり，有糸分裂が始まる(M期)[*12]．

[*12] 訳注：G_1 期，G_2 期のGは間 gap，S期のSは合成 synthesis，M期のMは有糸分裂 mitosis の意味である．

生殖細胞では，**減数分裂 meiosis** が成熟の過程で起こる．最終的には，染色体の対(相同染色体)の片方が1つの生殖細胞に，もう片方が別の生殖細胞に分配される．結果として成熟した生殖細胞の染色体は，体細胞の半分になる．精子と卵子が合体すると，接合子は父親と母親から半分ずつDNAを受け継ぐので，DNA含有量は体細胞と同じになる．細胞の染色体の数を表すのに，"倍数性 ploidy"という言葉が使われることがある．静止状態にある二倍体の正常細胞は**正倍数性 euploid** であるが，分裂の直前には**四倍体 tetraploid** になる．**異数性 aneuploidy** は，細胞の染色体量が一倍体の整数倍でない場合を指す．異数性は癌細胞でよく見られる．

RNA

2本鎖のDNAは，自身を複製するだけではなく，それぞれの塩基に対応する相補的塩基が並ぶことにより**RNA**合成の鋳型にもなる．RNAはDNAと異なり，1本鎖であり，塩基としてチミン(T)の代わりに**ウラシル uracil**(U)を含み，糖として 2′-デオキシリボースの代わりにリボースを含む(図1・10)．DNAからRNAができる過程を**転写 transcription** という．転写によってできるRNAには，**メッセンジャーRNA**

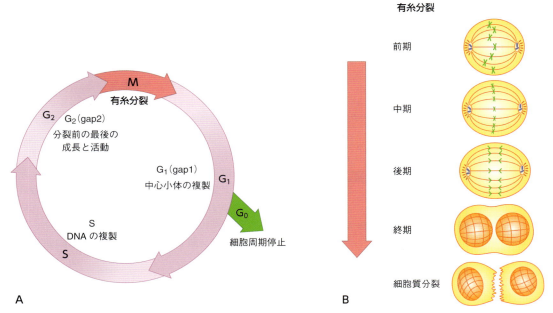

図1・13　細胞周期中に起きる一連の事象． A：有糸分裂(M)と細胞質分裂に続いて，細胞はギャップ期(G_1)に入る．この時点で，多くの細胞は細胞周期が停止する(G_0)．G_1 に続いて，DNA合成期(S)，第2のギャップ期(G_2)を経て，再び有糸分裂に入る．B：有糸分裂の過程を示す．

messenger RNA (mRNA), **転移 RNA transfer RNA (tRNA)**, リボソーム RNA ribosomal RNA (rRNA) やその他のRNAがある．いろいろな型の**RNAポリメラーゼ RNA polymerase** が転写を触媒する．

典型的な転写過程を図1・14に示す．転写が活性化されると，遺伝子をpre-mRNAに写し取る過程が**キャップ部位 cap site** から始まり，AATAAA配列を20塩基ほど過ぎたところで止まる．転写によってできたRNAの5′末端には，7-メチルグアノシン三リン酸が結合してキャップとなる．このキャップはリボソームに結合するのに必要である[*13]．3′末端の非翻訳領域には約100塩基の**ポリ(A)尾部 poly(A) tail** が付加され，mRNAを安定して維持するのに寄与する．5′キャップとポリ(A)尾部を付加されたpre-mRNAからイントロンが除去されて[*14]転写後修飾が終了すると，完成したmRNAは核から細胞質へと出ていく．pre-mRNAの転写後修飾においてスプライシングを制御することによって，1つのpre-mRNAから複数のmRNAを形成することができる．**スプライセオソーム spliceosome**（小さなRNAとタンパク質からなる複合体単位）によっていくつかの遺伝子のイントロンが除去される．他のイントロンは自分自身に含まれるRNAによって除去される（**自己スプライシング self-splicing**）．複数のイントロンのスプライシングによって，同じ遺伝子から複数の異なるmRNAを形成することができる．

細胞に含まれるRNAのほとんどは**翻訳 translation**，つまりタンパク質合成に関わっている．図1・15は転写-翻訳過程の概要を図示したものである．細胞質リボソームは，tRNAに対する鋳型を提供して，tRNAが特定のアミノ酸を運ぶことによって，mRNAの配列に従ってポリペプチド鎖を延長させる役割を果たしている．mRNAはDNA鎖のごく一部分を転写したものであり，DNAよりずっと小さい．1分子に含まれる窒素性塩基[*15]の数で比較すると，tRNAでは70～80個，mRNAでは数百個，DNAでは30億個である．**マイクロRNA microRNA(miRNA)** は，約21～25個のヌクレオチドからなる小分子RNAで，転写後の遺伝子発現を抑制的に制御することが知られている[*16]．

アミノ酸とタンパク質

アミノ酸

タンパク質の基本構成要素であるアミノ酸を表1・3に示す．これらのアミノ酸は，しばしばアルファベット3文字または1文字の略号で表記される（アラニンはAlaまたはAなど）．体内に存在する他の重要なアミノ酸としてオルニチン ornithine，5-ヒドロキシトリプトファン 5-hydroxytryptophan，L-ドーパ L-dopa，タウリン taurine，サイロキシン thyroxine などがあるが，これらはタンパク質の構成要素ではない．高等動物では，L異性体 L isomer のみが天然に存在するタンパク質に含まれている．サイロキシンのようなホルモンのL異性体はD異性体 D isomer よりはるかに活性が高い．アミノ酸は，その中に含まれる酸性基(-COOH)と塩基性基($-NH_2$)の比率によって，酸性，中性，塩基性を示す．体内で合成できず，食物から摂取しなければならないアミノ酸もあり，**栄養学的必須アミノ酸 nutritionally essential amino acid** という[*17]．アルギニンとヒスチジンは，成長期と病気からの回復期には食物から摂取する必要があり，**条件付き必須アミノ酸 conditionally essential amino acid** と呼

[*13]訳注：キャップの機能として，RNAの安定化とともに翻訳の促進がある．
[*14]訳注：この過程をスプライシング splicing という．

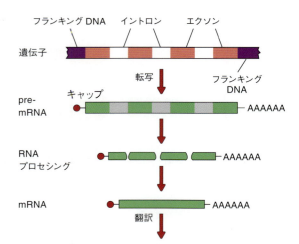

図1・14 典型的なmRNAの転写．典型的な遺伝子からプロセシングを受けたmRNA．キャップはキャップ部位，AAAAAAはポリA部位を示す．

[*15]訳注：アデニン，グアニン，シトシン，チミン，ウラシル．
[*16]訳注：さらに，エピジェネティクスの制御など多彩な機能を有する長鎖ノンコーディングRNAなど，タンパク質に翻訳されずに機能するRNAも見出され，その多彩な機能に注目が集まっている．
[*17]訳注：単に必須アミノ酸ともいう．

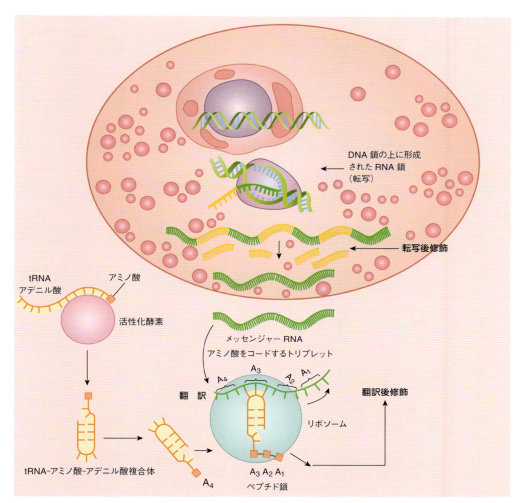

図1・15　転写から翻訳までの概要．核の中で，DNA分子からmRNAが作られる．mRNAはプロセシングの後，細胞質に出て，リボソームに提示される．リボソームでは，tRNAがmRNAのコドンと対応したアミノ酸を運び，ポリペプチド鎖が伸長する．DNAとRNAの多数の短い突起は個々の塩基を，Aと表示してある小さいボックスは個々のアミノ酸を表している．

ばれる．他のアミノ酸はすべて**非必須アミノ酸 nonessential amino acid**である．これは，代謝に必要な量を生体内で合成できるという意味である．

アミノ酸プール

　消化管ではタンパク質やペプチドもわずかに吸収されるが，食物中のほとんどのタンパク質は消化され，アミノ酸となって吸収される．伝統的に2〜100アミノ酸から構成されるものをペプチド，100個以上のアミノ酸から構成されるものをタンパク質と呼んでいる．身体を形作るタンパク質は常にアミノ酸に分解され，再合成される．その代謝回転速度は平均80〜100 g/日であるが，腸管粘膜で最も速く，細胞外構造タンパク質であるコラーゲンではゼロに近い．身体のタンパク質の分解によって生じたアミノ酸と消化管から吸収されたアミノ酸は共通の**アミノ酸プール amino acid pool**を形成し，体の必要に応じてアミノ酸を供給する（図1・16）．

タンパク質

　タンパク質は，多数のアミノ酸が**ペプチド結合 peptide bond**によって連結したものである．ペプチド結合は，隣り合うアミノ酸のアミノ基とカルボキシル基が結合したものである（図1・17）．それに加えて，

表 1・3 タンパク質に含まれるアミノ酸

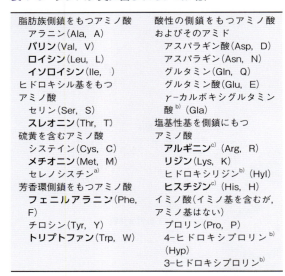

脂肪族側鎖をもつアミノ酸	酸性の側鎖をもつアミノ酸
アラニン(Ala, A)	およびそのアミド
バリン(Val, V)	アスパラギン酸(Asp, D)
ロイシン(Leu, L)	アスパラギン(Asn, N)
イソロイシン(Ile,)	グルタミン(Gln, Q)
ヒドロキシル基をもつ	グルタミン酸(Glu, E)
アミノ酸	γ-カルボキシグルタミン
セリン(Ser, S)	酸[b] (Gla)
スレオニン(Thr, T)	塩基性基を側鎖にもつ
硫黄を含むアミノ酸	アミノ酸
システイン(Cys, C)	アルギニン[c] (Arg, R)
メチオニン(Met, M)	**リジン**(Lys, K)
セレノシスチン[a]	ヒドロキシリジン[b] (Hyl)
芳香環側鎖をもつアミノ酸	**ヒスチジン**[c] (His, H)
フェニルアラニン(Phe, F)	イミノ酸(イミノ基を含むが、アミノ基はない)
チロシン(Tyr, Y)	プロリン(Pro, P)
トリプトファン(Trp, W)	4-ヒドロキシプロリン[b] (Hyp)
	3-ヒドロキシプロリン[b]

太字は栄養学的必須アミノ酸または条件付き必須アミノ酸である。（ ）内は、一般的に通用しているアミノ酸名の略号（3文字または1文字）である.

a) セレノシスチンは、システインの硫黄がセレニウムに置換された希少アミノ酸である．このアミノ酸のコドン UGA は通常は停止コドンである．しかし、特定の条件下では、このコードはセレノシスチンを意味する．

b) これら4つのアミノ酸に対応する tRNA はない．これらはペプチド鎖中のもとのアミノ酸から翻訳後修飾により生成される．他の20のアミノ酸には対応する tRNA があり、遺伝子によって直接コントロールされて、ペプチドやタンパク質に組み込まれる．

c) アルギニンとヒスチジンは、"条件付き必須アミノ酸"と呼ばれることがある．これらのアミノ酸は、窒素バランスを維持するのには必要ではないが、特に小児期では正常な成長に必要である．

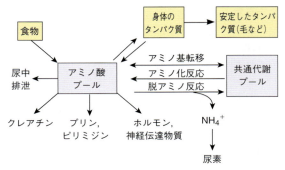

図 1・16 体内のアミノ酸. 体内にはアミノ酸の代謝回転を支える広大なネットワークが張り巡らされている．図は、主なアミノ酸プール（四角で囲んだ部分）とその間の交換（矢印）を示す．ほとんどのアミノ酸は食物から摂取され、タンパク質となる．一方、アミノ酸は共通代謝プールとつながっており、脱アミノ反応によって共通代謝プールに入ったり、アミノ化反応によって共通代謝プールからアミノ酸が形成されて出てきたりする．

タンパク質の中には炭水化物を含むもの（糖タンパク質 glycoprotein）や脂質を含むもの（リポタンパク質 lipoprotein）もある．比較的短いアミノ酸鎖を**ペプチド peptide** あるいは**ポリペプチド polypeptide** という．ペプチド、ポリペプチド、タンパク質の境界ははっきり決まっていないが、本書では、含まれるアミノ酸の数が2～10個のものをペプチド、10個より多く100個より少ないものをポリペプチド、100個以上のものをタンパク質と呼ぶことにする．

ペプチド鎖の中でアミノ酸が配列する順序をタンパク質の**一次構造 primary structure** という．ペプチド鎖は複雑にねじれたり、折りたたまれたりする．その結果生じる空間的配置のことをタンパク質の**二次構造 secondary structure** と呼ぶ．一般的に見られる二次構造として、αヘリックス α-helix という3.6アミノ酸周期のらせん構造がある．この他にβシート β-sheet もよく知られた二次構造である．逆平行βシート antiparallel β-sheet では、長い鎖が折りたたまれて、同じ平面内で行ったり来たりする構造をとり、隣

図 1・17 アミノ酸の構造とペプチド結合の形成. 破線は、2つのアミノ酸の間にペプチド結合が形成される部位を示す．色が付いている部分の OH と H が H_2O として放出される．R はアミノ酸の側鎖を示す．たとえばグリシンでは R = H で、グルタミン酸では R = $-(CH_2)_2-COO^-$ である．

り合う鎖の間には水素結合が形成される．平行βシート parallel β-sheet もある*18．タンパク質の**三次構造 tertiary structure** は，ねじれた鎖の配置によって形成される層，結晶や線維などの立体構造を指す．多くのタンパク質分子は，いくつかのサブユニットと呼ばれるタンパク質から構成されている（ヘモグロビンなど）．タンパク質としての機能を果たすように配置された複数のサブユニットによる編成をタンパク質の**四次構造 quaternary structure** という．

タンパク質合成

　タンパク質の合成のプロセス（**翻訳 translation**）は，mRNAにコードされた情報からタンパク質への変換である（図1・15参照）．前述したように，完成したmRNAは細胞質に入ってリボソームに達し，ポリペプチド鎖の合成を指令する．細胞質のアミノ酸は酵素とAMP（アデニル酸）によって活性化され，その**活性化アミノ酸 activated amino acid** の一つひとつは特異的なtRNA分子と結合する．動物のタンパク質を構成する20種類のアミノ酸それぞれに対して，少なくとも1種類のtRNAが対応する．対応するtRNAが複数あるアミノ酸もある．tRNA-アミノ酸-アデニル酸複合体はmRNAの鋳型に付着する．この過程はリボソームの上で起きる．tRNAは，自身のもつ3塩基と相補的な配列をもつmRNAの部位を認識し，そこに結合する．遺伝コードは，mRNAの3つの塩基であり，**コドン codon** と呼ばれる．コドンは3つ連続した塩基（プリン塩基，ピリミジン塩基または両者の混在）からなり，それぞれのコドンは特定のアミノ酸を意味する．

　翻訳は，リボソーム上でmRNAのAUG配列（転写前の遺伝子としてはATG配列）から開始される．続いてアミノ酸が1つずつ加わり，鎖が伸長していく．タンパク質が合成されている間，mRNAはリボソームの40Sサブユニットに付着している．一方，作成中のアミノ酸鎖はリボソームの60Sサブユニットに，tRNAは40Sサブユニットと60Sサブユニットの両方に付着している．アミノ酸がコドンの指令に従って伸びていくと，リボソームはmRNA分子に沿って（ビーズが糸の上を動くように）移動する．mRNAに3つの終止コドン（UGA，UAA，UAG）のどれかがあると，そこで翻訳は終了し，ポリペプチド鎖はリボソームからはずれる．tRNA分子は再利用される．mRNA分子は大体10回くらい利用された後，新しいmRNAと交換される．通常，1つのmRNAの上には，同時に複数のリボソームが付いている．このようなmRNAと多くのリボソームが結合した状態を，リボソームの集団（**ポリリボソーム polyribosome**）として電子顕微鏡で観察することができる．

翻訳後修飾

　合成されたポリペプチド鎖は折りたたまれ，アミノ酸残基のヒドロキシル化（水酸化），カルボキシル化，グリコシル化，リン酸化などの反応により修飾を受ける．ペプチド結合の開裂によりポリペプチドは短くなる．タンパク質はさらに折りたたまれて密な構造となり，最終的な，多くの場合より複雑な立体構造となる．タンパク質の折りたたみは，主としてそのポリペプチド鎖のアミノ酸配列によって決定される複雑なプロセスであるが，**シャペロン chaperone** という別のタンパク質の助けを必要とすることがある．シャペロンは，そのタンパク質が間違った相手と結合することを防ぎ，確実に正しい立体構造をとるように助けている．

　タンパク質には，その行き先を決める情報も含まれている．分泌されるタンパク質や細胞小器官に貯蔵されるタンパク質の多くや膜貫通型タンパク質のほとんどはアミノ末端に**シグナルペプチド signal peptide** をもつ．この配列は，15〜30の主として疎水性のアミノ酸からなり，それらのタンパク質を小胞体へと誘導する．シグナルペプチドが合成されると，小分子RNA（7S RNA）と6個のポリペプチドからなる**シグナル認識粒子 signal recognition particle**（SRP）がすぐ結合する．SRPは翻訳を停止させるが，SRP-シグナルペプチド複合体が小胞体膜の孔（**トランスロコン translocon** と呼ばれるSec 61タンパク質の三量体）に結合すると，タンパク質合成は再開され，タンパク質は合成されながら小胞体内腔に取り込まれる（図1・18）．途中でシグナルペプチドはシグナルペプチダーゼによって切り離されるが，タンパク質合成は続く．タンパク質を細胞内外の正しい行き先に誘導するシグナルはSRPだけではない．他のシグナル配列，翻訳後修飾や両者の組合せ（グルコシル化など）にも同様な機能がある．

ユビキチン化とタンパク質の分解

　タンパク質の合成と同様，分解も注意深く制御された複雑なプロセスである．新たに合成されたタンパク

---

*18 訳注：隣り合う鎖が同じ方向を向いている場合を平行βシート，逆方向を向いている場合を逆平行βシートという．

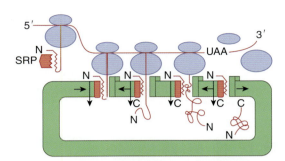

図1・18　タンパク質を翻訳しながら小胞体内に取り込む過程のシグナル仮説． リボソームはタンパク質を合成しながら、mRNA 上を 5′末端から 3′末端へと移動する．分泌されるタンパク質、細胞膜のタンパク質、リソソームのタンパク質などのシグナルペプチドがリボソームから出てくると、シグナル認識粒子（SRP）が結合する．SRP の結合によりタンパク質合成は止まる．SRP−シグナルペプチド複合体が、小胞体膜の孔を形成するトランスロコンと結合するとタンパク質合成は再開され、タンパク質は合成されながら小胞体内腔に取り込まれる．N はタンパク質のアミノ末端、C はカルボキシル末端である（Perara E, Lingappa VR: Transport of proteins into and across endoplasmic reticulum membrane. In: *Protein Transfer and Organelle Biogenesis*. Das RC, Robbins PW（editors）. Academic Press; 1988 より許可を得て複製）．

質の 30% には何らかの異常（たとえば折りたたみの異常）があるといわれている．正常なタンパク質でも古くなったものは入れ替える必要がある．**ユビキチン ubiquitin** は 74 個のアミノ酸からなるポリペプチドで、これらのタンパク質と結合して分解の目印となる．このポリペプチドは進化の過程でよく保存され、細菌からヒトまで幅広く存在している．ユビキチンが結合することを**ユビキチン化 ubiquitination** という．時には多数のユビキチンが 1 つの分子に結合することもある（**ポリユビキチン化 polyubiquitination**）．細胞質のタンパク質（小胞体の内在性タンパク質を含む）がユビキチン化されると、**プロテアソーム proteasome**（多数のサブユニットからなるタンパク質分解酵素複合体）で分解される．ユビキチン化は成長ホルモン受容体などの膜タンパク質の分解の目印となるが、この場合はプロテアソームだけでなく、リソソームでも分解される．ユビキチンあるいは **SUMO（small ubiquitin-related modifier）**タンパク質によるタンパク質の修飾は、常に分解に至るとは限らない．最近では、これらの翻訳後修飾は、タンパク質同士の相互作用や様々な細胞内情報伝達に重要な役割を果たしていることがわかってきた．

タンパク質の合成と分解の速度は釣り合っており、したがってユビキチンの結合は細胞生理学上の重要なテーマである．分解される速度は個々のタンパク質によって大きく異なる．また生体は異常なタンパク質を認識し、正常タンパク質より速く分解する機構をもっている．たとえば、先天性異常ヘモグロビン症では、異常ヘモグロビンは正常ヘモグロビンより速く分解される（31 章参照）．

アミノ酸の異化

アミノ酸、炭水化物、脂肪の異化によって生じた断片は非常に似ている（後述）．これらの中間体の**共通代謝プール common metabolic pool** から炭水化物やタンパク質や脂肪が合成される（図 1・16）．一方、これらの断片は、異化の最終共通経路であるクエン酸回路 citric acid cycle[*19]［トリカルボン酸（TCA）回路またはクレブス回路］に入り、H 原子と CO_2 に分解される．アミノ酸に関しては、アミノ基の転移、除去、形成などの反応が起きる．**アミノ基転移 transamination** は多くの組織で起こる反応で、アミノ酸からケト酸にアミノ基を移すことにより、アミノ酸をケト酸に変換すると同時に、ケト酸をアミノ酸に変換する．

アラニン ＋ α-ケトグルタル酸 ⇌
　　　　　　　　ピルビン酸 ＋ グルタミン酸

アミノ酸の**酸化的脱アミノ反応 oxidative deamination** は肝臓で行われる．アミノ酸の脱水素反応によりできたイミノ酸は加水分解されてケト酸と NH_4^+ になる．

アミノ酸 ＋ NAD^+ → イミノ酸 ＋ NADH ＋ H^+
イミノ酸 ＋ H_2O → ケト酸 ＋ NH_4^+

アミノ酸プールと共通代謝プールの相互関係を図 1・19 に要約して示す．ロイシン、イソロイシン、フェニルアラニン、チロシンは、ケトン体であるアセト酢酸（後述）に変換されるので、**ケト原性 ketogenic** アミノ酸と呼ばれる．アラニンや他の多くのアミノ酸は、グルコースに変換されうるので、**糖原性 glucogenic** アミノ酸あるいは**糖新生性 gluconeogenic** アミノ酸と呼ばれる．

尿素の形成

アミノ酸の脱アミノ反応によって生じた NH_4^+ の大部分は肝臓で尿素に変換され、尿素は尿中に排泄される．NH_4^+ はカルバモイルリン酸になり、カルバモイルリン酸がミトコンドリアでオルニチンと反応してシ

[*19] 訳注：p.25 参照．

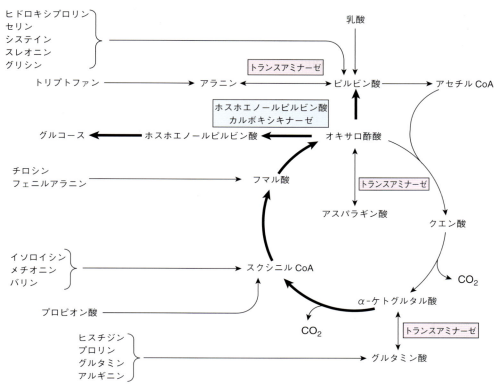

図1・19 脱アミノ反応および糖新生とクエン酸回路の関係．太い矢印は糖新生の主経路を示す．アミノ酸は多くの入口からクエン酸回路に入る(Murray RK, et al: *Harper's Biochemistry*, 28th ed. New York, NY: McGraw-Hill; 2009 より許可を得て複製).

トルリンになる．この反応を触媒するのはオルニチンカルバモイルトランスフェラーゼである．シトルリンはアルギニンに変換され，アルギニンから尿素が分離してオルニチンに戻る(尿素回路，図1・20)．尿素回路を一周すると3分子のATPが消費されるので，かなりのエネルギーを必要とする．尿素のほとんどは肝臓で形成されるので，重症の肝疾患では血液尿素窒素blood urea nitrogen(BUN)が低下し，血液中アンモニア(NH_3)濃度が上昇する(28章参照)．オルニチンカルバモイルトランスフェラーゼを先天的に欠損している場合も，アンモニア中毒が起こる．

アミノ酸の代謝機能

アミノ酸には，タンパク質の基本構成要素というだけでなく，代謝機能もある．甲状腺ホルモン，カテコールアミン，ヒスタミン，セロトニン，メラトニンや尿素回路の中間体は，特異的なアミノ酸から作られる．メチオニンとシステインはタンパク質，CoA，タウリンなどに含まれる硫黄を供給する．メチオニンは，S-アデノシルメチオニンに変換される．S-アデノシルメ

チオニンは，アドレナリンなどの化合物を合成する際にメチル化剤としてはたらく．

炭水化物

炭水化物は，等量の炭素と水からなる有機分子である．単純な糖である**単糖 monosaccharide**には**五炭糖 pentose**(たとえばリボース)や**六炭糖 hexose**(たとえばグルコース)などがあり，構造的な役割(たとえば，前述のようにヌクレオチドの一部として)と機能的な役割(たとえば，イノシトール三リン酸(p.70参照)は細胞のシグナル分子として機能する)の両方を果たしている．単糖2つが結合すると**二糖 disaccharide**(スクロースなど)になり，さらに多数重合すると**多糖 polysaccharide**(グリコーゲンなど)になる．糖鎖をタンパク質に付加する(グリコシル化)ことにより，細胞を識別しやすくなるし，受容体の場合にはシグナル分子を認識しやすくなる．この項では，炭水化物の重要な役割であるエネルギーの産生と貯蔵について見ていくことにする．

食物中の炭水化物は主に六炭糖の重合体である．六

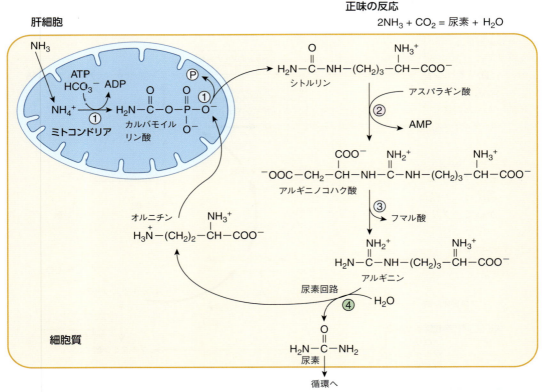

① カルバモイルリン酸シンターゼ　② アルギニノコハク酸シンターゼ　③ アルギニノコハク酸リアーゼ　④ アルギナーゼ

図 1・20　尿素回路. NH_3 を尿素に変換する過程では，肝細胞内の細胞質での反応とミトコンドリアでの反応が協調している．カルバモイルリン酸の形成とそのシトルリンへの変換はミトコンドリアで起こるが，その他のプロセスは細胞質内で進行する．

炭糖のうち最も重要なものは，グルコース，ガラクトース，フルクトースである．生体内の単糖類のほとんどすべてはD異性体である．グルコースは炭水化物消化の主な産物であるとともに循環血中の主要な糖成分でもある．末梢静脈血中の空腹時のグルコース濃度は70〜110 mg/dL（3.9〜6.1 mmol/L）である．動脈の血漿中のグルコース濃度は，静脈血中の値より15〜30 mg/dL 高い．

グルコースが細胞内に入ると，リン酸化されてグルコース 6-リン酸 glucose 6-phosphate になる．この反応を触媒する酵素は**ヘキソキナーゼ** hexokinase である[20]．肝臓の**グルコキナーゼ** glucokinase は，その4つのアイソザイムの1つであり（図 24・11 参照），グルコースに対して一番特異性が低い[21]．グルコキナーゼはインスリンによって発現が増加し，飢餓や糖尿病で減少する．グルコース 6-リン酸は，重合してグリコーゲンになるか，分解される．グリコーゲンの合成過程を**グリコーゲン合成** glycogenesis，グリコーゲンの分解過程を**グリコーゲン分解** glycogenolysis という．貯蔵型グルコースともいえるグリコーゲンはほとんどの組織に存在するが，大量の供給源は肝臓と骨格筋である．グルコースが分解してピルビン酸や乳酸になる過程を**解糖** glycolysis という．解糖は，フルクトースを三炭糖に分解してピルビン酸を生成する経路（Embden-Meyerhof〔エムデン・マイヤーホフ〕経路）と，グルコース 6-リン酸を酸化から脱炭酸を経て五炭糖に分解する**直接酸化経路** direct oxidative pathway（**ヘキソース-リン酸経路** hexose monophosphate shunt[22]）のいずれかで進行する．ピルビン酸はアセチ

---

[20] 訳注：この 2 文には原書に誤りがあり訂正した．
[21] 訳注：これによって生理的血中グルコース濃度(4-10 mM)領域の変化に対して大きな感受性を示すことができる．

[22] 訳注：ペントースリン酸経路 pentose phosphate pathway ともいう．

ル CoA に変換される．炭水化物と脂肪とタンパク質の間での相互変換が起こる．脂肪中のグリセロールをジヒドロキシアセトンリン酸に変えたり，炭素骨格をもつ多くのアミノ酸を脱アミノ反応により Embden-Meyerhof 経路やクエン酸回路の中間体に変換することなどがその例である．このような相互変換と乳酸からグルコースへの変換によって，糖以外の物質をグルコースに変換することができる(**糖新生 gluconeogenesis**)．グルコースはアセチル CoA 経由で脂肪に変換される．しかし，解糖系のほとんどの反応と異なり，ピルビン酸からアセチル CoA の変換反応が不可逆であるため，脂肪はこの経路ではグルコースに変換できない．したがって，グリセロールからわずかに変換される以外には変換の経路がなく，脂肪から炭水化物への変換は体内ではほとんど起こらない．

クエン酸回路

ATP を産生する**クエン酸回路 citric acid cycle**[Krebs〔クレブス〕回路，トリカルボン酸回路 tricarboxylic acid(TCA) cycle]は，アセチル CoA を CO_2 と H 原子に代謝する．最初にアセチル CoA は炭素数 4 の酸であるオキサロ酢酸 oxaloacetate と反応して，クエン酸 citrate と HS-CoA が生成される．続く 7 つの一連の反応で，2 分子の CO_2 がはずれ，オキサロ酢酸に戻る(図 1・21)．4 対の H 原子がフラビンタンパク質-シトクロム系に渡され，12 分子の ATP と 4 分子の H_2O が生成される(4 分子の H_2O のうち 2 分子はこの回路の反応で消費される)．クエン酸回路は，炭水化物，脂肪，多くのアミノ酸を酸化して CO_2 と H_2O に分解する共通の経路である．クエン酸回路の主な入口はアセチル CoA であるが，多くのアミノ酸は，脱アミノ反応によりクエン酸回路の中間体に変換される．クエ

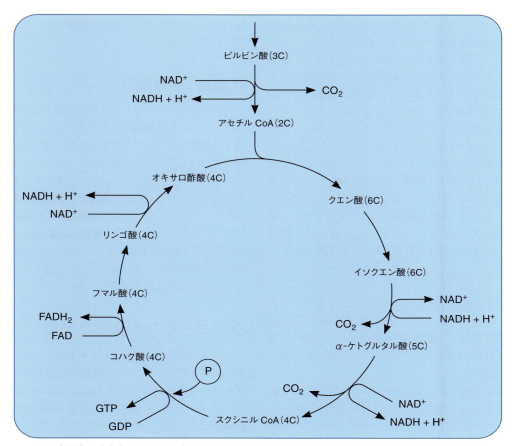

図 1・21　クエン酸回路．数字(6C，5C など)は，それぞれの中間体に含まれる炭素の数を表す．ピルビン酸からアセチル CoA への変換およびクエン酸回路を一周するごとに 4 分子の NADH と 1 分子の $FADH_2$(フラビンタンパク質-シトクロム系に渡される)および 1 分子の GTP(ATP に変換される)が形成される．

ン酸回路は O_2 を必要とするので，無酸素条件下では機能しない．

エネルギー産生

グルコースとグリコーゲンの代謝過程で高エネルギーリン酸化合物がどの程度産生されるかは，代謝経路が Embden-Meyerhof 経路かヘキソース一リン酸経路であるかによる．基質レベルの酸化では，1分子のホスホグリセルアルデヒドからホスホグリセリン酸への反応で1分子のATPが生成される．さらに1分子のホスホエノールピルビン酸からピルビン酸への反応でATPが1分子生成される．Embden-Meyerhof 経路では1分子のグルコース6-リン酸から2分子のホスホグリセルアルデヒドができるので，1分子のグルコースがピルビン酸になるまでの間に合計で4分子のATPが産生される．これらの反応は，すべて O_2 非存在下でも進行するので，無酸素的（嫌気的）エネルギー産生経路である．しかし，フルクトース1,6-ビスリン酸からフルクトース6-リン酸ができる時にATPが1分子消費され，さらに細胞内に入ったグルコースをリン酸化する時にATPを1分子使う．結果として，グリコーゲンから嫌気的にピルビン酸ができる場合には1分子のグルコース6-リン酸から3分子のATPが作られる．しかし，1分子の血中グルコースから嫌気的にピルビン酸ができる場合には，差し引き2分子のATPしか産生されないことになる．

ホスホグリセルアルデヒドからホスホグリセリン酸への変換には NAD^+ の供給が必要である．無酸素条件下では（嫌気的解糖），NAD^+ がNADHに変換されて失われるので，解糖経路はこのステップで止まってしまうことが予想される．しかし，ピルビン酸はNADHから H^+ を受け取って，NAD^+ と乳酸になる．

$$\text{ピルビン酸} + NADH \rightleftharpoons \text{乳酸} + NAD^+$$

この反応によって，グルコースの代謝とエネルギー産生は，O_2 がなくても，しばらくの間は続く．O_2 供給が再開されると，蓄積した乳酸がピルビン酸に変換され，NADH は水素をフラビンタンパク質-シトクロム系に供給する．

有酸素的解糖において産生されるATPは，無酸素条件で産生されるATP（2分子）に比べて19倍も多い．2分子のホスホグリセルアルデヒドがホスホグリセリン酸に変換される時に産生される2分子のNADHがフラビンタンパク質-シトクロム系に入ると6分子のATPが産生される．ピルビン酸がアセチルCoAに変換される時にできる2分子のNADHからも同様に6分子のATPが産生される（図1・21）．続いてクエン酸回路を2周することにより，24分子のATPが生成される．24分子の内訳は，6分子のNADHの酸化により18分子，2分子の $FADH_2$ の酸化により4分子，スクシニルCoAがコハク酸に変換される時に基質レベルでの酸化により2分子である．実際には，スクシニルCoAをコハク酸に変換する反応でグアノシン三リン酸 guanosine triphosphate (GTP) が生じるが，GTPはATPに変換される．最終的に，1分子の血液中グルコースが Embden-Meyerhof 経路とクエン酸回路を通ることにより有酸素条件下で産生されるATPは，$2+(2\times3)+(2\times3)+(2\times12)=38$ 分子となる．

ヘキソース一リン酸経路を通ってグルコースが酸化されると，大量のNADPHが産生される．この還元型補酵素であるNADPHの供給は多くの代謝経路に必要である．また，ここで形成される五炭糖は，ヌクレオチドの構成要素となる（後述）．ヘキソース一リン酸経路を通ることによるATPの産生量については，NADPHがどの程度NADHに変換され，さらに酸化されるかによる．

代謝の"一方向弁"

代謝は様々なホルモンやその他の因子により調節されている．ある代謝経路を変化させるためには，調節因子は化学反応を一方向に進めなければならない．中間代謝のほとんどの反応は可逆的であるが，多数の"一方向弁"がある．すなわち，ある酵素または輸送系の影響下では反応は一方向に進むが，別の酵素や輸送系の影響下では逆方向に進む．炭水化物の中間代謝における5つの例をあげる（図1・22）．脂肪酸の合成や異化経路にも，このような例を見ることができる（後述）．調節因子は直接，あるいは間接的にこれらの一方向弁にはたらいて，代謝に影響を与える．

グリコーゲンの合成と分解

グリコーゲンは枝分かれしたグルコースの多量体であり，2種類のグリコシド結合（$1:4\alpha$ と $1:6\alpha$）でグルコースを連結している（図1・23）．グリコーゲンは，タンパク質プライマーである**グリコゲニン glycogenin** の上で，グルコース1-リン酸からウリジン二リン酸グルコース（UDPG）を経て合成される．この最後の合成ステップは，**グリコーゲンシンターゼ glycogen synthase** が触媒する．グリコゲニンの可用性

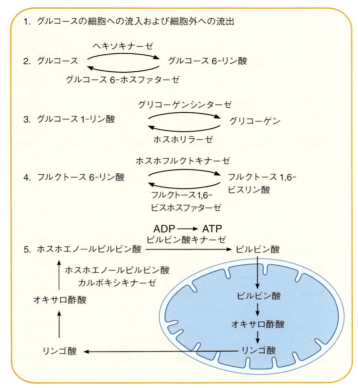

図 1・22　エネルギー産生における一方向弁．炭水化物の代謝においては，数カ所に"一方向弁"がある．一方向弁では，あるメカニズムでは一方向にしか反応が進まず，逆方向の反応は別のメカニズムによって進む．5 つの例を(左側に番号をつけて)示す．5 番の図の二重線はミトコンドリア膜を表している．ピルビン酸はミトコンドリア内でリンゴ酸に変換され，リンゴ酸は，拡散によって細胞質に出て，そこでホスホエノールピルビン酸に変換される．

availability がグリコーゲン合成量の決定因子の 1 つである．グリコーゲンの 1：4α結合での分解は，ホスホリラーゼが触媒し，1：6α結合における分解は別の酵素が触媒する．

血漿グルコースレベルを決める因子

　血漿グルコースレベルは，血流に入る量と血流から出る量のバランスで成り立っている．したがって，最も重要な決定因子は食物からの摂取量，骨格筋や脂肪組織やその他の臓器の細胞への取込み，および肝臓の恒糖活性[*23]である(図 1・24)．吸収されたグルコースのうち，5％が速やかに肝臓でグリコーゲンに変換され，30～40％は脂肪に変換される．残りは筋肉や他の組織で代謝される．絶食中には，肝臓のグリコーゲンは分解され，グルコースを血流に供給する．より長期の絶食では，グリコーゲンは枯渇し，肝臓でのアミ

ノ酸やグリセロールからの糖新生が促進される．長期の絶食中，健常人では血漿グルコースは 60 mg/dL 程度まで低下するが，糖新生によりそれ以上に低下しないので，低血糖の症候は現れない．

グルコース以外の六炭糖の代謝

　グルコース以外の六炭糖で腸管から吸収されるのは，ガラクトース(ラクトースの消化によって生じ，体内でグルコースに変換される)とフルクトース(食物中に含まれるか，スクロースの加水分解により生じる)である．ガラクトースはリン酸化されて(訳注：ガラクトース 1-リン酸となった後)，ウリジン二リン酸グルコース(ウリジンジホスホグルコース uridine diphosphate glucose, UDPG)と反応して(訳注：グルコース 1-リン酸と)ウリジン二リン酸ガラクトースが形成される．食物からのガラクトース摂取が十分でない時にはウリジン二リン酸ガラクトースは，糖脂質やムコタンパク質の合成に必要なガラクトースの供給

[*23] 訳注：血漿グルコースレベルを一定に保つはたらき．

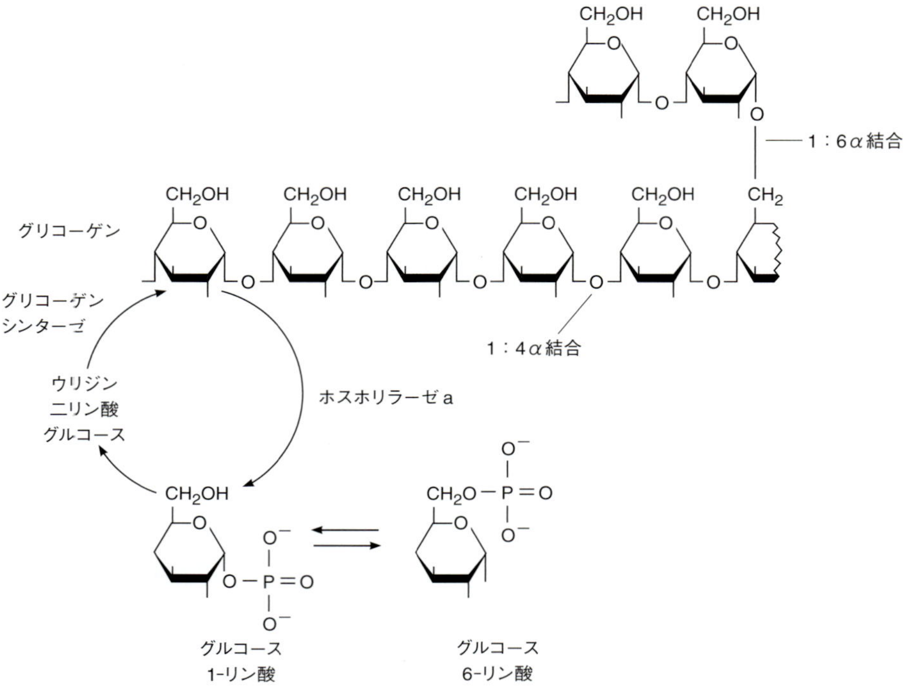

図1・23　グリコーゲンの合成と分解. グリコーゲンは，細胞の主要な貯蔵グルコースである．エネルギーを貯蔵する時にはグルコース6-リン酸から合成され，エネルギーが必要な時にはグルコース6-リン酸に分解される．中間体であるグルコース1-リン酸との変換反応は，ホスホリラーゼaとグリコーゲンシンターゼによって調節されている．

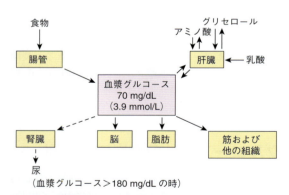

図1・24　血漿グルコースのホメオスタシス. 肝臓は糖のレベルを一定にする機能をもっている．腎臓の閾値を超えると，グルコースは尿中に排泄される（破線）．

源となる．UDPGとウリジン二リン酸ガラクトースは，可逆的に相互変換しているので，ウリジン二リン酸ガラクトースの一部は変換されてUDPGに戻り，グリコーゲン合成に活用される．ガラクトースの利用には，グルコースと同様，インスリンが必要である．UDPGの合成障害は，重大な健康上の問題を引き起こす（クリニカルボックス1・5）．

フルクトースの一部はフルクトース6-リン酸に変換され，フルクトース1,6-ビスリン酸を経て代謝経路に入る．フルクトース6-リン酸への変換反応を触媒するのはヘキソキナーゼ（グルコースからグルコース6-リン酸への変換反応も触媒する）である．しかし，大部分のフルクトースは，フルクトキナーゼという酵素により，フルクトース1-リン酸に変換される．ほとんどのフルクトース1-リン酸は，さらにジヒドロキシアセトンリン酸とグリセルアルデヒドに分かれる．グリセルアルデヒドはリン酸化され，ジヒドロキシアセトンリン酸とともにグルコース代謝経路に入る．フルクトース1-リン酸を経由する経路はインスリンがなくても正常にはたらくので，糖尿病患者に（炭水化物の貯蔵を補給する目的で）フルクトースを投与することが推奨されてきた．しかし，ほとんどのフルクトースは腸管と肝臓で代謝されるので，その他の部位での有用性は限られている．

フルクトース6-リン酸は，さらに2の位置でリン酸化されてフルクトース2,6-ビスリン酸になることもある．この化合物は肝臓での糖新生の重要な調節因

クリニカルボックス 1・5

ガラクトース血症

ガラクトース血症 galactosemia はガラクトース代謝の先天異常で，ガラクトース 1-リン酸ウリジルトランスフェラーゼ（ガラクトース 1-リン酸とUDPGの反応を触媒する）が先天的に欠損しており，摂取したガラクトースが血液中に蓄積する結果，成長発達が著しく障害される．

治療上のハイライト

無ガラクトース食を摂取することにより，症状を改善することができる．無ガラクトース食を摂取していてもガラクトース欠乏になることはない．UDPGをウリジン二リン酸ガラクトースに変換する酵素が存在するからである．

子である．フルクトース 2,6-ビスリン酸が多いとフルクトース 6-リン酸からフルクトース 1,6-ビスリン酸への変換が促進され，したがってグルコースからピルビン酸への分解が促進する．フルクトース 2,6-ビスリン酸の濃度が低ければ逆の反応が促進され，その結果，糖新生が助長される．

脂肪酸と脂質

生体にとって重要な脂質は脂肪酸とその誘導体（中性脂肪，リン脂質とその関連物質，ステロール）である．中性脂肪であるトリグリセリドはグリセロールに 3 つの脂肪酸が結合したものである（表1・4）．自然界に存在する脂肪酸は偶数個の炭素原子を含んでいる．炭素間に二重結合をもたないものを飽和脂肪酸，脱水素されて二重結合があるものを不飽和脂肪酸という．リン脂質は細胞膜を構築する構成成分であると同時に，細胞内および細胞間シグナル分子の重要な原料となる．脂肪酸は生体にとって重要なエネルギー源である．

脂肪酸の酸化と合成

体内では，脂肪酸はアセチル CoA に分解されて，クエン酸回路に入る．脂肪酸は，主にミトコンドリアで β 酸化によって分解される．脂肪酸酸化の最初のス

表1・4 脂質

典型的な脂肪酸

パルミチン酸：$CH_3(CH_2)_{14}-COOH$

ステアリン酸：$CH_3(CH_2)_{16}-COOH$

オレイン酸：$CH_3(CH_2)_7CH=CH(CH_2)_7-COOH$
（不飽和）

トリグリセリド（トリアシルグリセロール）：グリセロールと 3 つの脂肪酸のエステル

トリグリセリド + 3H₂O ⇌ グリセロール + 3 HO-CO-R

R＝様々な長さと飽和度の脂肪族鎖

リン脂質
- A．グリセロールと 2 つの脂肪酸と次のもののエステル
  1．リン酸＝ホスファチジン酸
  2．リン酸＋イノシトール＝ホスファチジルイノシトール
  3．リン酸＋コリン＝ホスファチジルコリン（レシチン）
  4．リン酸＋エタノールアミン＝ホスファチジルエタノールアミン（セファリン）
  5．リン酸＋セリン＝ホスファチジルセリン
- B．他のリン酸を含むグリセロール誘導体
- C．スフィンゴミエリン：脂肪酸，リン酸，コリン，スフィンゴシン（アミノアルコールの一種）のエステル

セレブロシド：ガラクトース，脂肪酸，スフィンゴシンを含む化合物

ステロール：コレステロールとその誘導体（ステロイドホルモン，胆汁酸，種々のビタミンなど）

テップは，脂肪酸の活性化（すなわち CoA 誘導体の形成）である．この反応はミトコンドリア内でも外でも進行する．中鎖および短鎖脂肪酸は容易にミトコンドリアに入ることができるが，長鎖脂肪酸はカルニチンとエステル結合して初めてミトコンドリア内膜を通過できる．**カルニチン** carnitine（β-ヒドロキシ-γ-メチルアンモニウム酪酸）は体内でリジンとメチオニンから合成される．脂肪酸とカルニチンのエステルはトランスロカーゼによってミトコンドリアのマトリックス内に運び入れられた後，加水分解されて再び脂肪酸とカルニチンに分かれる．カルニチンはリサイクルされる．脂肪酸の β 酸化は，炭素が 2 つずつ順々には

ずれていくことによって進行する（図1・25）。このプロセスで得られるエネルギーは大きい。たとえば、炭素数6の脂肪酸1分子がクエン酸回路によって CO_2 と H_2O まで異化されると44分子のATPが産生される。この量は、炭素数6の炭水化物であるグルコース1分子の異化で得られるATP38分子より多い。

ケトン体

多くの組織では、アセチルCoAは2分子が縮合してアセトアセチルCoAの形で存在する（図1・26）。肝臓にはデアシラーゼがあり、（訳注：アセトアセチルCoAを脱アシル化して）アセト酢酸を遊離する。この β-ケト酸はβ-ヒドロキシ酪酸とアセトンに変換され、これらは肝臓で代謝されにくいので、そのまま循環血液中に入る。肝臓には、3-ヒドロキシ-3-メチルグルタリルCoAの形成を経由してアセト酢酸を形成する経路もある。この経路は、量的には脱アシル化の経路より重要である。アセト酢酸、β-ヒドロキシ酪酸とアセトンを総称して**ケトン体 ketone body** という。肝臓以外の組織ではスクシニルCoAからCoAを除去してアセト酢酸を形成し、この"活性"アセト酢酸がクエン酸回路に入って CO_2 と H_2O に代謝される。ケトン体は他の経路でも代謝される。アセトンは、尿と呼気中に排泄される。ケトン体のバランスのくずれは、重大な健康障害を引き起こす（クリニカルボックス1・6）。

クリニカルボックス 1・6

脂肪酸のβ酸化のアンバランスによる疾患

ケトアシドーシス

ケトンは形成されると同時に速やかに分解されるため、ヒトの血液中のケトン濃度は正常では低く（約1 mg/cL）、尿中排泄量は24時間で1 mg以下である。もしグルコースの代謝産物が減少してクエン酸回路に入るアセチルCoAが減少したり、アセチルCoAの供給が増加して、この回路に入るアセチルCoAが増えなかった時には、アセチルCoAが蓄積する。その結果、アセトアセチルCoAへの変換が増加するので、肝臓で形成されるアセト酢酸が増加する。組織がケトンを酸化する能力には限りがあるので、ケトンは血中に出て蓄積する（ケトーシス、クリニカルボックス24・2参照）。3つのケトン体のうちの2つ、アセト酢酸とβ-ヒドロキシ酪酸は、中程度の強酸でありアニオンである。それらがもつプロトンの多くは緩衝されるので、pHの減少は緩和されるが、糖尿病によるケトーシスのような場合には、緩衝能が追いつかなくなって、重症の代謝性アシドーシスが発症して致死的になることもある。飢餓、糖尿病、高脂肪-低炭水化物食の摂取などの条件下では、細胞へのグルコースの供給が減少し、ケトアシドーシスになりうる。嘔吐している子供の呼気にアセトン臭があるのは、飢餓によるケトーシスのためである。両親が少量のグルコースを与えれば、ケトーシスは改善する。炭水化物がケトン生成阻止性であるといわれるのは、このためである。

カルニチン欠乏

カルニチンの欠乏、または長鎖脂肪酸をミトコンドリアに運び入れるプロセスの酵素（トランスロカーゼなど）の遺伝的欠損によって、脂肪酸のβ酸化が進行しなくなる。これによって心筋症や昏睡を伴う**低ケトン性低血糖 hypoketonemic hypoglycemia** がもたらされる。この低ケトン性低血糖は重症であり、絶食によってしばしば死に至る。というのは、脂肪酸の酸化が欠失しているので、絶食によってグルコース貯蔵がエネルギー産生のために枯渇するためである。そして、肝臓のCoAが欠乏しているため、正常な量のケトン体は形成されない。

治療上のハイライト

糖尿病性ケトアシドーシスの治療は、まず十分な補液と電解質の補正であり、糖尿病性ケトアシドーシスをもたらす反応を逆にはたらかせるために必要なインスリンを適切に投与する。原発性カルニチン欠損症の主な治療法は、細胞のエネルギー産生と有害な老廃物の除去を補助する天然物であるL-カルニチンの内服を生涯継続することである。L-カルニチンはカルニチン欠損症による心障害や筋力低下を回復させることもできる。カルニチン欠損症の小児では、低脂肪・高炭水化物食と水分補給も有用である。

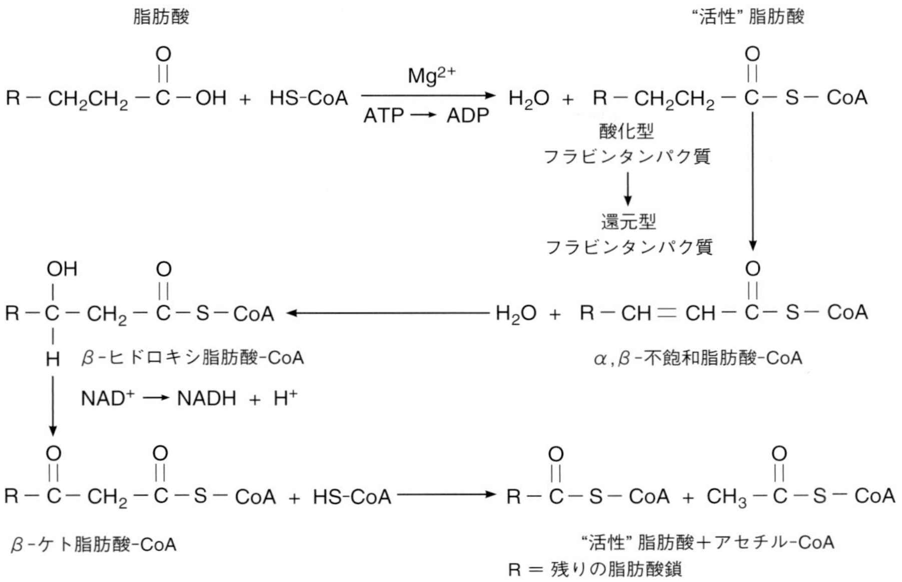

1. 医科生理学の一般原理とエネルギー産生

$$R-CH_2CH_2-\underset{\underset{O}{\|}}{C}-OH + HS\text{-}CoA \xrightarrow[ATP \rightarrow ADP]{Mg^{2+}} H_2O + R-CH_2CH_2-\underset{\underset{O}{\|}}{C}-S\text{-}CoA$$

脂肪酸 "活性"脂肪酸

酸化型
フラビンタンパク質
↓
還元型
フラビンタンパク質

$$R-\underset{\underset{H}{|}}{\overset{OH}{\underset{|}{C}}}-CH_2-\underset{\underset{O}{\|}}{C}-S\text{-}CoA \leftarrow H_2O + R-CH=CH-\underset{\underset{O}{\|}}{C}-S\text{-}CoA$$

β-ヒドロキシ脂肪酸-CoA　　　　　　　α,β-不飽和脂肪酸-CoA

$NAD^+ \rightarrow NADH + H^+$
↓

$$R-\underset{\underset{O}{\|}}{C}-CH_2-\underset{\underset{O}{\|}}{C}-S\text{-}CoA + HS\text{-}CoA \rightarrow R-\underset{\underset{O}{\|}}{C}-S\text{-}CoA + CH_3-\underset{\underset{O}{\|}}{C}-S\text{-}CoA$$

β-ケト脂肪酸-CoA　　　　　　　　　　　"活性"脂肪酸＋アセチル-CoA
R＝残りの脂肪酸鎖

図 1·25　脂肪酸のβ酸化. この2つの炭素断片に分かれるという反応は炭素鎖の最後まで繰り返される.

$$CH_3-\underset{\underset{O}{\|}}{C}-S\text{-}CoA + CH_3-\underset{\underset{O}{\|}}{C}-S\text{-}CoA \underset{}{\overset{\beta\text{-}ケトチオラーゼ}{\rightleftarrows}} CH_3-\underset{\underset{O}{\|}}{C}-CH_2-\underset{\underset{O}{\|}}{C}-S\text{-}CoA + HS\text{-}CoA$$

2 アセチル CoA　　　　　　　　　　　　　　　アセトアセチル CoA

$$CH_3-\underset{\underset{O}{\|}}{C}-CH_2-\underset{\underset{O}{\|}}{C}-S\text{-}CoA + H_2O \xrightarrow[(肝臓のみ)]{デアシラーゼ} CH_3-\underset{\underset{O}{\|}}{C}-CH_2-\underset{\underset{O}{\|}}{C}-O^- + H^+ + HS\text{-}CoA$$

アセトアセチル CoA　　　　　　　　　　　　　　　　アセト酢酸

- -

$$\text{アセチル CoA} + \text{アセトアセチル CoA} \rightarrow CH_3-\underset{\underset{CH_2-COO^-}{|}}{\overset{OH}{\underset{|}{C}}}-CH_2-\underset{\underset{O}{\|}}{C}-S\text{-}CoA + H^+$$

3-ヒドロキシ-3-メチルグルタリル CoA
(HMG-CoA)

$$HMG\text{-}CoA \rightarrow アセト酢酸 + H^+ + アセチル CoA$$

- -

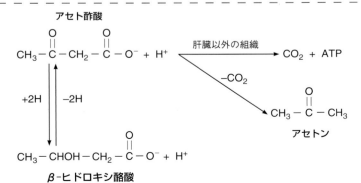

図 1·26　ケトン体の形成と代謝. アセト酢酸の形成には2つの経路がある(訳注：本文参照).

細胞の脂質

　細胞の脂質は2種類に大別できる．細胞の膜を形成し，細胞内情報伝達分子の前駆物質となる**構造脂質** structural lipid と脂肪細胞に脂肪滴として貯蔵されている**中性脂肪** neutral fat である．飢餓の時には，中性脂肪は動員されるが，構造脂質は維持される．貯蔵脂肪の量は個人差が大きいが，肥満でない男性では体重の約15%，女性では体重の約21%を占める．貯蔵脂肪はかつて考えられていたような不活性な構造体ではなく，ダイナミックに常に分解と再合成を繰り返している組織である．貯蔵脂肪においては，グルコースが脂肪酸に代謝され，中性脂肪が合成される．一方で中性脂肪は分解され，生じた**遊離脂肪酸** free fatty acid (FFA)は循環血液中に放出される．

　第三の特別なタイプの脂質は**褐色脂肪** brown fat である．全身の脂肪の中で褐色脂肪の占める割合は小さい．乳児でやや豊富であるが，成人にも存在する．場所は肩甲骨の間，首の項部(うなじ)，胸腹部の大血管の周囲の他，全身に散在する．褐色脂肪組織では，脂肪細胞は(血管と同様)交感神経系の神経支配を強く受けている．これと対照的に，白色脂肪組織では交感神経系の神経支配を受けているのはほとんど血管のみであり，交感神経支配を受けている脂肪細胞は(あるとしても)ごくわずかである．加えて，通常の白色脂肪細胞が大きな脂肪滴を1つ含有しているのに対して，褐色脂肪細胞は数個の小さな脂肪滴を含んでいる．また褐色脂肪細胞にはミトコンドリアが豊富に存在する．これらのミトコンドリアでは，通常のミトコンドリアと同様，H^+が内向きに流れることによりATPが合成される．褐色脂肪細胞のミトコンドリアでは，これに加えて，ATPを産生しない第二のプロトンコンダクタンスとして32 kDaの脱共役タンパク質(UCP1)によるH^+の短絡路がある．H^+の短絡により，代謝経路とATP合成の間の共役がはずれ(脱共役)，熱が生じる．

血漿脂質と脂質輸送

　高分子の脂質は比較的水に溶けにくく，血液中では遊離した型で存在しにくい．**遊離脂肪酸**(FFA)はアルブミンに結合して循環血液中を移動する．コレステロール，トリグリセリド，リン脂質は，**リポタンパク質** lipoprotein 複合体の形で輸送される．その複合体形成により，脂質の水への溶解度は著しく高くなる．6つのリポタンパク質群(表1・5)は，大きさも脂質含有量も少しずつ異なる．これらのリポタンパク質の比重は，その脂質含有量に反比例している．一般にリン脂質は，トリグリセリドとコレステロールエステル(エステル型コレステロール)からなる疎水性のコア部分と，それを包むリン脂質とタンパク質で構成されている．このようなリポタンパク質は**外因性経路** exogenous pathway により腸管から肝臓まで輸送される．さらに他の組織間では**内因性経路** endogenous pathway により運ばれる．

　食物中の脂質は小腸で膵液リパーゼによって消化され，主にFFA，**2-モノアシルグリセロール** 2-monoacyl-glycerol，コレステロール誘導体からなる混合ミセルを形成する(26章参照)．混合ミセルには，さらに**ビタミン** vitamin A，D，E，Kなどの重要な非水溶性分

表1・5　主なリポタンパク質 [a]

リポタンパク質	サイズ(nm)	組成(%)					供給源
		タンパク質	遊離コレステロール	コレステロールエステル	トリグリセリド	リン脂質	
キロミクロン	75〜1000	2	2	3	90	3	腸管
キロミクロンレムナント	30〜80	…	…	…	…	…	毛細血管
超低比重リポタンパク質(VLDL)	30〜80	8	4	16	55	17	肝臓と腸管
中間比重リポタンパク質(IDL)	25〜40	10	5	25	40	20	VLDL
低比重リポタンパク質(LDL)	20	20	7	46	6	21	IDL
高比重リポタンパク質(HDL)	7.5〜10	50	4	16	5	25	肝臓と腸管

a)血漿の脂質には，この他に脂肪組織から放出される脂肪酸(血液中ではアルブミンと結合している)がある．

子が加わる．混合ミセルは小腸粘膜細胞に取り込まれ，そこで大きなリポタンパク質複合体である**キロミクロン** chylomicron が形成される．キロミクロンならびにキロミクロンレムナントは摂取した外因性脂質の輸送系である（外因性経路）．キロミクロンはリンパ管を通って循環血中に入る．キロミクロンを血中から除去するのは，毛細血管の内皮の表面にある**リポタンパク質リパーゼ** lipoprotein lipase の作用である．リポタンパク質リパーゼは，キロミクロン中のトリグリセリドを FFA とグリセロールに分解する反応を触媒する．FFA とグリセロールは，脂肪細胞の中に入って，トリグリセリドに再エステル化される．一部の FFA はアルブミンと結合して血中に残る．リポタンパク質リパーゼは，ヘパリンを補助因子として必要とし，循環血中の**超低比重リポタンパク質** very low density lipoprotein（**VLDL**）からもトリグリセリドを除去する．トリグリセリドが枯渇したキロミクロンは**キロミクロンレムナント** chylomicron remnant と呼ばれる．キロミクロンレムナントは，コレステロールを豊富に含むリポタンパク質であり，直径が 30～80 nm である．キロミクロンレムナントは，肝臓に運ばれて，そこで取り込まれて分解される．

内因性経路は，VLDL，**中間比重リポタンパク質** intermediate-density lipoprotein（**IDL**），**低比重リポタンパク質** low-density lipoprotein（**LDL**），**高比重リポタンパク質** high-density lipoprotein（**HDL**）からなり，トリグリセリドやコレステロールを全身に輸送する．VLDL は肝臓で合成され，肝臓で脂肪酸や炭水化物から合成されたトリグリセリドを他の臓器へと運ぶ．VLDL のトリグリセリドがリポタンパク質リパーゼによって除去されると IDL になる．IDL はリン脂質を放出し，血漿の酵素**レシチン-コレステロールアシルトランスフェラーゼ** lecithin-cholesterol acyltransferase（**LCAT**）の作用によって，HDL 中のコレステロールから形成されたコレステロールエステルを取り込む．IDL の一部は肝臓に取り込まれる．残りの IDL は（おそらく肝臓の類洞で）トリグリセリドやタンパク質を放出して，LDL になる．LDL はコレステロールを末梢組織に供給する．コレステロールは細胞膜の重要な構成成分であり，内分泌腺細胞でステロイドホルモンを合成する原料となる．

遊離脂肪酸の代謝

外因性，内因性経路に加えて，FFA は貯蔵脂肪の中でも合成される．FFA はアルブミンと結合したリポタンパク質として循環し，多くの臓器の重要なエネルギー源となる．特に心臓で多く利用されるが，それ以外にも FFA を CO_2 と H_2O に酸化できるすべての組織で使われる．

組織への FFA の供給は 2 つのリパーゼによって調節されている．毛細血管の内皮の表面にあるリポタンパク質リパーゼは（上述のように）キロミクロンや VLDL 中のトリグリセリドを FFA とグリセロールに加水分解し，これらは脂肪細胞内で新たに中性脂肪に合成される．もう 1 つは脂肪細胞に含まれる細胞内**ホルモン感受性リパーゼ** hormone-sensitive lipase で，この酵素脂肪細胞に貯蔵されているトリグリセリドを FFA とグリセロールに分解し，血中へ放出する．ホルモン感受性リパーゼの活性は絶食やストレスにより上昇し，摂食やインスリンによって低下する．反対にリポタンパク質リパーゼの活性は，摂食によって上昇し，絶食やストレスによって低下する．

コレステロールの代謝

コレステロール cholesterol はステロイドホルモンや胆汁酸の前駆体であり，細胞膜の必須構成成分である．動物にしか存在しない．コレステロールに似たステロールは植物にも存在するが，植物のステロールは消化管でほとんど吸収されない．食物中のコレステロールの大部分は卵黄と動物脂肪に含まれる．

コレステロールは腸で吸収され，腸粘膜でキロミクロンに組み入れられる．キロミクロンが脂肪組織でトリグリセリドを放出すると，コレステロールはキロミクロンレムナントによって肝臓へと運ばれる．さらに，コレステロールは肝臓や他の組織で合成される．肝臓のコレステロールの一部は（遊離コレステロールと胆汁酸の形で）胆汁中に排出される．胆汁中のコレステロールの一部は腸管で再吸収される．肝臓のコレステロールの大部分は VLDL に組み入れられ，リポタンパク質複合体に含まれて循環血液中に入る．

酢酸塩からコレステロールへの生合成過程の概要を図 1・27 に示す．コレステロールの合成は負のフィードバックによって調節されている．すなわち，コレステロールは 3-ヒドロキシ-3-メチルグルタリル CoA（HMG-CoA）をメバロン酸に変換する **HMG-CoA レダクターゼ** HMG-CoA reductase を抑制することにより，自身の合成を抑制する．もし食物からのコレステロール摂取が多ければ，肝臓でのコレステロール合成は抑制される．逆にコレステロール摂取が少なければ，コレステロール合成は促進される．しかし，このフィー

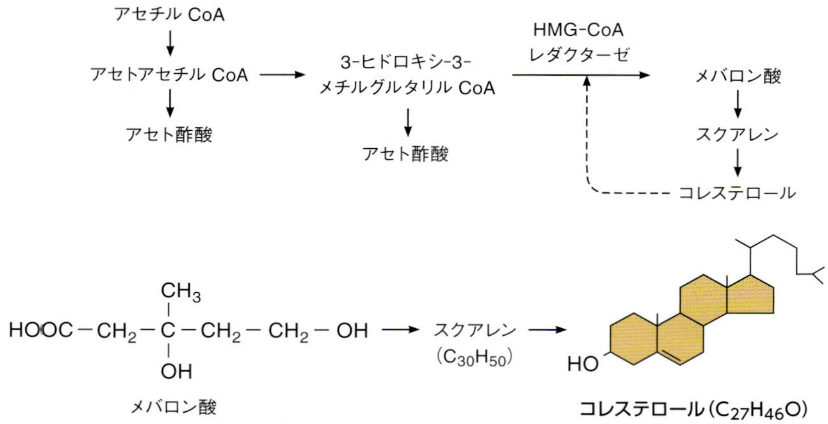

図1・27　コレステロールの生合成．6分子のメバロン酸が縮合してスクアレンとなり，さらにヒドロキシル化されてコレステロールとなる．破線の矢印は，コレステロールによるHMG-CoAレダクターゼ（メバロン酸の形成を触媒する）の負のフィードバック制御を示す．

ドバック制御は不完全であり，コレステロールと飽和脂肪酸の含有量が低い食事を摂っても，血中コレステロールは顕著には低下しない．最も効果的でよく使われているコレステロール降下薬に**スタチン statin**（たとえばロバスタチン lovastatin）がある．スタチンは，HMG-CoAレダクターゼを抑制することにより，コレステロールの合成を抑制する．コレステロールと血管病変の関係については，クリニカルボックス1・7で述べる．

必須脂肪酸

脂肪欠乏食で動物を飼育すると，成長は阻害され，皮膚や腎臓に障害が生じ，不妊になる．リノレン酸，リノール酸，アラキドン酸を飼料に加えると欠乏症状は消失するので，これら3つの多価不飽和脂肪酸を**必須脂肪酸 essential fatty acid**という．このような欠乏症状はヒトでは明確に示されてはいないが，特に小児においては，いくつかの不飽和脂肪酸が食物中の成分として必須であると考えられる．脂肪の脱水素反応が体内で起こることは知られているが，必須脂肪酸の二重結合を含む炭素鎖を体内で合成することはできないようである．

エイコサノイド

健康のために必須脂肪酸が必要である理由は，1つには，必須脂肪酸を前駆体としてプロスタサイクリン，トロンボキサンなどのプロスタグランジン，リポキシン，ロイコトリエンなどの化合物が合成されるからである．これらの物質は**エイコサノイド eicosanoid**と呼ばれる．名称の由来は，リノール酸，リノレン酸の誘導体や**アラキドン酸 arachidonic acid**などの炭素数20の(eicosa-)不飽和脂肪酸が基になっていることによる．

プロスタグランジン prostaglandinは，シクロペンタン環をもつ炭素数20の不飽和脂肪酸である．最初に精液から発見されたが，ほとんどの（おそらくすべての）組織で合成される．プロスタグランジンH_2（PGH_2）は他のプロスタグランジンやトロンボキサン，プロスタサイクリンの前駆体となる．**ホスホリパーゼA_2 phospholipase A_2** が触媒する反応によって，組織のリン脂質からアラキドン酸が産生される．アラキドン酸は，**プロスタグランジンG/Hシンターゼ prostaglandin G/H synthase** 1および2によって，プロスタグランジンH_2（PGH_2）に変換される．プロスタグランジンG/Hシンターゼ1と2は，シクロオキシゲナーゼとペルオキシダーゼの2つの機能をもつ酵素で，より一般的にはシクロオキシゲナーゼ1 cyclooxygenase 1（**COX1**）とシクロオキシゲナーゼ2 cyclooxygenase 2（**COX2**）という名称で知られている．COX1とCOX2の構造は類似しているが，COX1は常に発現しているのに対し，COX2は成長因子，サイトカイン，腫瘍プロモーターなどに誘導されて発現する．PGH_2は，様々な組織でイソメラーゼによって，プロスタサイクリン，トロンボキサンや他のプロスタグランジン（PGE_2，$PGF_{2\alpha}$，PGD_2など）に変換される．プロスタグランジンの作用は非常に多様であるが，特に女性の

クリニカルボックス 1・7

コレステロールとアテローム性動脈硬化

　コレステロール降下薬に対する関心が高まっているのは，**アテローム性動脈硬化 atherosclerosis** の発生と進行にコレステロールが関与しているためである．この非常に一般的な疾患が基礎にあると，心筋梗塞，脳血栓，四肢の虚血性壊死や他の重大な疾患に罹患しやすくなる．アテローム性動脈硬化では，マクロファージの中にコレステロールと酸化型コレステロールが入り込むことによって泡沫細胞に変わり，それが動脈壁に蓄積して病変部を形成する．さらに血小板，マクロファージと平滑筋細胞，ならびに成長因子や炎症介在物質が複雑に関与した一連の変化が起こって増殖性病変となり，ついには潰瘍化したり石灰化したりする．病変によって，血管はゆがみ，硬くなる．血漿コレステロール濃度が高いと，アテローム性動脈硬化とその合併症を発生する率が高くなる．血漿コレステロールの正常値は120〜200 mg/dLとされている．しかし男性では，180 mg/dLを超える血漿コレステロール値と虚血性心疾患での死亡率との間に，明確な正の相関がある．さらに，ダイエットや薬物によってコレステロール値を下げることによって，アテローム性動脈硬化やその合併症の進行を食い止め，場合によっては改善しうることが明らかになっている．

　アテローム性動脈硬化との関連で血漿コレステロール値を評価する際に重要なのは，LDLとHDLのレベルを解析することである．LDLはコレステロールを末梢組織(アテローム性動脈硬化の病変部も含めて)に運ぶ．血漿LDL濃度は，心筋梗塞および虚血性心臓発作の発生と正の相関がある．それに対して，HDLはコレステロールを末梢組織から肝臓に運ぶので，血漿コレステロールは低下する．興味深いことに，心筋梗塞の発生率は女性の方が男性より低く，血漿HDL濃度は女性の方が高い．さらに，血漿HDL濃度は運動や少量の飲酒で高くなり，喫煙，肥満，運動不足で低くなる．適度な飲酒は心筋梗塞の発生率を低下させるが，肥満や喫煙は心筋梗塞の発生率を高めるリスクファクターである．**家族性高コレステロール血症 familial hypercholesterolemia** では，LDL受容体の遺伝子の様々な機能喪失型変異により，血漿コレステロールと心血管疾患の発生率が高くなる．

治療上のハイライト

　アテローム性動脈硬化は進行性の疾患であるが，健康的なダイエットや運動により"悪玉"コレステロールを減らすなど，リスクファクターを減らすことにより予防可能である．高コレステロール血症に対する薬物療法(スタチンやその他の薬物による)は，健康的なダイエットや運動の効果を補完し，増強する．進行してしまったアテローム性動脈硬化に対しては，動脈の閉塞を取り除くために，血管形成術やステント挿入などの侵襲的な方法が用いられる．

性周期や分娩，心血管系の機能，炎症反応，痛みの原因として重要である．プロスタグランジンの産生に効く薬は，家庭用医薬品として最も一般的なものである(クリニカルボックス 1・8)．

　またアラキドン酸からは，多くの生理学的に重要な**ロイコトリエン leukotriene** や**リポキシン lipoxin** が産生される．ロイコトリエン，トロンボキサン，リポキシンやプロスタグランジンは局所ホルモンと呼ばれる．これらの局所ホルモンは半減期が短く，様々な組織で不活性化される．局所ホルモンという名称の通り，主として産生された組織で作用を発揮していることは疑いない．ロイコトリエンはアレルギー反応と炎症のメディエーターである．特異的な抗原が肥満細胞(マスト細胞)の表面にあるIgE抗体に結合すると，ロイコトリエンの分泌が起こり(3章参照)，気管支の収縮，細動脈の収縮，血管透過性の亢進，好中球や好酸球の炎症部位への遊走などの反応を引き起こす．ロイコトリエンが関与している疾患としては，喘息，乾癬，急性呼吸窮迫症候群，アレルギー性鼻炎，関節リウマチ，Crohn〔クローン〕病，潰瘍性大腸炎がある．

クリニカルボックス 1・8

プロスタグランジンの薬理学

　プロスタグランジンは痛みの発生，炎症や発熱に主要な役割を果たすので，薬理学者たちはプロスタグランジンの合成を阻止する薬物を長い間探し求めてきた．グルココルチコイドはホスホリパーゼ A_2 を抑制し，その結果すべてのエイコサノイドの合成を抑制する．様々な非ステロイド性抗炎症薬（NSAIDs）はシクロオキシゲナーゼ 1 と 2（COX1 と COX2）を両方とも抑制し，プロスタグランジン H_2（PGH_2）とその誘導体の合成を抑制する．NSAIDs としてはアスピリン aspirin が最もよく知られているが，他にイブプロフェン ibuprofen やインドメタシン indomethacin などが使われている．しかし，COX2 によって合成されるプロスタグランジンは主に痛みと炎症に関わり，COX1 によって合成されるプロスタグランジンは主に胃腸管粘膜に作用して，潰瘍形成を抑制することが明らかになってきた．特異的に COX1，COX2 に作用するいくつかの新しい NSAIDs が登場してきたが，多くの場合，脳卒中や心臓発作のリスクが上昇するなどの副作用が明らかになり，販売が中止された．現在，COX の作用，生成される物質，阻害薬について，さらに理解を深めるための研究が行われている．一方，一部のプロスタグランジンは血管拡張作用と抗増殖作用によって心血管系の治療薬として用いられている．たとえば，プロスタサイクリンの静注は，若年女性に好発する進行性で予後不良の特発性肺動脈性肺高血圧症に効果的である．

章のまとめ

- 細胞内には体液のおおよそ 2/3 が含まれている．残りの 1/3 は組織間液（間質液）と循環リンパ液および血漿である
- 溶液中の物質の分子数，電荷の数，粒子数は生理学的に重要である．
- 生体の緩衝剤である重炭酸塩，タンパク質，リン酸塩は溶液中の水素イオン（H^+）と結合したり解離したりして，pH を維持している．弱酸や弱塩基の緩衝能は，その緩衝剤の $pK_a = pH$ の時に最も大きい．
- 細胞内液と細胞外液の浸透圧濃度はほぼ等しい［訳注：細胞内の浸透圧濃度は膠質の存在による Donnan 効果（p.9）によって，細胞外よりもやや高い．］が，個々の分子や電荷の分布は細胞膜の内外でかなり異なる．電荷をもった物質の濃度差は，細胞内外の電気的勾配によって生じる（細胞内が負電位）．電気化学的勾配は，主として Na^+, K^+-ATPase によって維持されている．これらの不均等な分布は Gibbs-Donnan の式によって表される効果であり，Nernst の式で計算することができる．
- 細胞のエネルギーは，アデノシン三リン酸（ATP）などの高エネルギーリン酸化合物の形で貯蔵されている．一連の酸化-還元反応によりミトコンドリアの内膜をはさんで H^+ の濃度勾配が形成され，これが最終的には ATP の合成につながる．
- 塩基（プリン，ピリミジン）と糖（リボースまたは 2-デオキシリボース）と無機リン酸が結合したヌクレオチドは，核酸（DNA，RNA）の基本構成要素である．DNA の基本単位は遺伝子である．遺伝子は細胞のタンパク質を作るための情報をコードしている．遺伝子はメッセンジャー RNA に転写され，リボソーム RNA と転移 RNA の助けによってタンパク質に翻訳される．
- アミノ酸は細胞を構築するタンパク質の基本構成要素であると同時に，多くの生体活性分子の原料となる．翻訳はタンパク質を合成するプロセスである．合成された後，タンパク質は様々な翻訳後修飾を受けて，その機能を発揮できる状態になる．
- 炭水化物は等量の炭素と水を含む有機分子である．炭水化物は，タンパク質に付加されたり（糖タンパク質），脂質に付加されたり（糖脂質），細胞や生体のエネルギー産生および貯蔵にとって非常に重要な役割を果たす．グルコースの分解によるエネルギー産生（解糖）は酸素がある時（有酸素条件）でもない時（無酸素条件）でも起こる．有酸素条件下では，無酸素（嫌気的）条件下の 19 倍の ATP が産生される．
- 脂肪酸は，炭化水素が鎖状に結合したカルボン酸である．脂肪酸は細胞のエネルギー源として重要

である．また脂肪酸の誘導体(トリグリセリド，リン脂質，ステロール)は細胞に対して重要な効果をもつ．

多肢選択式問題

正しい答えを1つ選びなさい．

1. ある細胞の膜電位は K^+ の平衡電位にある．細胞内 K^+ 濃度は 150 mmol/L，細胞外 K^+ 濃度は 5.5 mmol/L である．静止膜電位はどれか．
   A．-70 mV
   B．-90 mV
   C．$+70$ mV
   D．$+90$ mV

2. pH 7.0 の溶液に比べて，pH 2.0 の溶液の H^+ 濃度は何倍か．
   A．5 倍
   B．1/5 倍
   C．10^5 倍
   D．$1/10^5$ 倍

3. 転写について正しいのはどれか．
   A．mRNA がタンパク質合成の鋳型となる過程
   B．遺伝子の発現のために，DNA の配列が RNA にコピーされる過程
   C．DNA がヒストンに巻きついてヌクレオソームを形成する過程
   D．細胞分裂に先立って DNA が複製される過程

4. タンパク質の一次構造について正しいのはどれか．
   A．タンパク質内のアミノ酸鎖のねじれや折りたたみなどの空間的配置(すなわち，αヘリックスやβシート)
   B．タンパク質としての機能を果たすようなサブユニットの配置
   C．タンパク質のアミノ酸配列
   D．タンパク質内のねじれたり，折りたたまれたりした鎖の配置によって形成される安定構造

5. 空欄に入るのはどれか．
   グリコーゲンはグルコースの貯蔵型である．＿＿＿＿＿＿＿はグリコーゲンを生成する過程であり，＿＿＿＿＿＿＿はグリコーゲンの分解を指す．
   A．Glycogenolysis, glycogenesis
   B．Glycolysis, glycogenolysis
   C．Glycogenesis, glycogenolysis
   D．Glycogenolysis, glycolysis

6. 細胞内で使われるコレステロールを供給する主たるリポタンパク質はどれか．
   A．キロミクロン
   B．中間比重リポタンパク質(IDL)
   C．アルブミンに結合した遊離脂肪酸
   D．低比重リポタンパク質(LDL)
   E．高比重リポタンパク質(HDL)

7. エネルギーの高いリン酸化合物を最も多く産生するのはどれか．
   A．1 mol グルコースの有酸素条件下での代謝
   B．1 mol グルコースの無酸素条件下での代謝
   C．1 mol ガラクトースの代謝
   D．1 mol アミノ酸の代謝
   E．1 mol 長鎖脂肪酸の代謝

8. LDL が受容体介在性エンドサイトーシスによって細胞内に取り込まれる時に起こる事象として，誤りはどれか．
   A．メバロン酸から産生されるコレステロール量の減少
   B．細胞内コレステリルエステル濃度の増加
   C．細胞から HDL に渡されるコレステロール量の増加
   D．LDL 受容体の合成速度の低下
   E．エンドソーム中のコレステロール量の減少

CHAPTER 2

細胞生理学の概要

学習目標
本章習得のポイント

- 主要な細胞内小器官の名称をあげ，その細胞中での機能を述べることができる
- 細胞骨格の構築要素の名称をあげ，その細胞の形態や機能での役割を述べることができる
- 細胞間連結，細胞内外連絡の要素の名称をあげることができる
- エキソサイトーシス，エンドサイトーシスの過程を定義でき，正常な細胞機能におけるそれぞれの役割を説明することができる
- 膜透過性と膜輸送に関わるタンパク質を定義できる
- 様々な形の細胞間情報伝達を認識し，（セカンドメッセンジャーを含む）化学的メッセンジャーが細胞の機能に影響を及ぼす様式を説明できる

■ はじめに

　細胞はすべての生物において基本的な動作単位である．人体では，細胞は構造と機能の両方において高度に特殊化されている．その一方，異なる器官の間で，細胞は共通の特徴と機能をもっている．前章では，生物物理の基礎的原則，細胞の構成要素の異化と代謝について見てきた．これらの記述の中で，どのように構成要素が基礎的な細胞機能(DNA 複製，転写，翻訳など)に貢献するかを述べた．この章では，細胞と分子の生理機能のさらなる基本的な側面について概観する．さらに詳しい細胞と分子の機能の特殊化に関しては，次の免疫機能と興奮性細胞についての章で，またそれぞれの生理的システムを取り上げた各章の中で取り上げる．

細胞の機能的形態学とホメオスタシス

ホメオスタシス

　体内における実際の細胞外環境は，細胞外液(ECF)の間質液空間である．正常な細胞機能はこの体液の恒常性に依存しているので，多細胞生物において，間質液の恒常性を保つための多数の調節機構を発達させたことは，不思議ではない．Walter B. Cannon は"常態が乱される時に，もとの状態に戻すようにはたらく種々の生理的しくみ"に対して**ホメオスタシス homeostasis** という言葉を作った[*1]．酸やアルカリが過剰に存在する場合の体液の緩衝作用，腎臓や呼吸による調節は，このホメオスタシスの例である．この他にも例は無数にあり，生理学の大部分は，このような生体の内部環境 internal environment を恒常に保つための調節機構に関するものである．これらの調節機構の多くは負のフィードバックと呼ばれる原理に立っている．すなわち，正常での設定レベルからのずれをセンサーが感知して，センサーからのシグナルがずれを補正するような変化を引き起こす．この補正は正常の設定レベルに戻るまで続く．

---

*1 訳注：この概念に最初に到達したのは，フランスの Claude Bernard で，"内部環境の恒常性"という表現を用いた．

細胞の機能と形態の基礎的な知識は，体内のホメオスタシスや器官系やその機能のしくみを理解するうえで不可欠である．細胞構成物を調べるための鍵となる道具は顕微鏡である．光学顕微鏡の分解能は約 0.2 μm，電子顕微鏡のそれは約 0.002 μm である．細胞の大きさは様々ではあるが，光学顕微鏡の分解能があれば細胞内部のはたらきがよく見える．静的，動的な細胞内構造を可視化するための特別なプローブを組合せた位相差顕微鏡，蛍光顕微鏡，共焦点顕微鏡などの顕微鏡技術は，細胞の構造と機能の研究を発展させた．同様に，現代の生物物理，生化学，分子生物学の技術の革新的な進歩もまた細胞に対する我々の知識に大きく貢献した．

様々な器官において，細胞は著しく特殊化しており，どの細胞も"典型的な"細胞と呼ぶことはできない．しかしながら，多くの細胞内の構造[**細胞内小器官（オルガネラ）**organelle]はほとんどの細胞に共通である．これらの構造物を図 2·1 に示す．構造物の多くは，超遠心分離法と他の手法を組合せることによって単離することができる．細胞がホモゲナイズ（均質化）され，その懸濁液が遠心された時，初めに核が沈殿し，続いてミトコンドリアが沈殿する．10 万倍かそれ以上の重力を発生する高速遠心によって，**ミクロソーム** microsome と呼ばれる顆粒からなる画分を沈殿させることができる．この画分は，**リボソーム** ribosome や **ペルオキシソーム** peroxisome のようなオルガネラを含んでいる．

細 胞 膜

細胞を取り囲む膜は，脂質とタンパク質からなり，半透過的であり，ある物質を透過させたり，排除したりすることができる．その透過性は多様性に富んでいる．というのも，この膜は，多数の調節性イオンチャネルやトランスポータを含んでおり，膜を通り抜ける物質の量を変えることができるからである．この膜のことを一般的に **形質膜** plasma membrane と呼んでいる．細胞内の核や他の細胞内小器官も，似たような膜

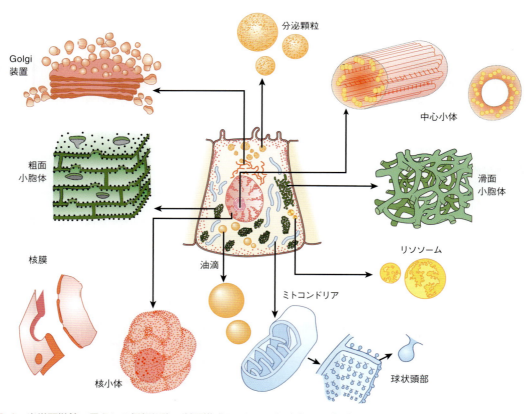

図 2·1 光学顕微鏡で見られる仮想細胞の断面模式図．個々の細胞内小器官は拡大してある（Bloom and Fawcett より許可を得て転載．Junqueira LC, Carneiro J, Kelley RO: *Basic Histology*, 9th ed. New York, NY: McGraw-Hill; 1998 より許可を得て複製）．

構造物によって仕切られている．

　膜の化学構造とその性質は場所によって実に様々であるが，一定の共通の特徴をもっている．厚さは一般的に 7.5 nm (75 Å) である．脂質の主要成分は，ホスファチジルコリンやホスファチジルセリン，ホスファチジルエタノールアミンのようなリン脂質である．リン脂質分子の形は，その溶解度の性質を反映する．リン脂質の頭はリン酸を含み，水の中では比較的溶けやすく（極性，**親水性** hydrophilic），尻尾の部分は比較的溶けにくい（非極性，**疎水性** hydrophobic）．親水性と疎水性の両方の性質をもつことによって，脂質は**両親媒性** amphipathic 分子になる．膜では，リン脂質分子の親水性側が細胞の外側を満たす水性環境と水性細胞質に面しており，疎水性部分は水の少ない膜の内側に配位している（図 2·2）．**原核生物** prokaryote（核をもたない細菌など）では，膜は比較的単純であるが，**真核生物** eukaryote（核をもつ細胞）の細胞膜は，リン脂質やホスファチジルコリンに加えて，様々なスフィンゴ糖脂質，スフィンゴミエリン，コレステロールを含んでいる．

　膜には，多くの様々なタンパク質が埋め込まれている．膜タンパク質は，**膜内在性タンパク質** integral protein と **周辺タンパク質** peripheral protein の 2 種に分類される．それらは個々の球状単位として存在し，その多くが膜を貫通しているか，片側の膜にのみ埋まっているが（膜内在性タンパク質），他のもの（周辺タンパク質）は膜の内側と外側に分布している（図 2·2）．その膜タンパク質の量は，細胞の機能によってかなり変わってくるが，膜重量の平均 50 ％を占める．つまり，非常に小さいリン脂質分子 50 個当たり約 1 個のタンパク質が含まれる．膜にあるタンパク質は多くの機能を果たしている．あるものは，隣接する細胞や基底膜と細胞をつなぐ**細胞接着分子** cell adhesion molecule（CAM）である．またあるものは，イオンを能動的に輸送する**ポンプ** pump として機能する．さらに別のものは，電気化学的勾配に従い促進拡散によって物質を輸送する**キャリア（担体）** carrier として機能する．まだ他にもあり，**イオンチャネル** ion channel は活性化時に細胞内外へイオンを透過させる．細胞膜を通る輸送に関与するポンプ，キャリア，イオンチャネルの役割については後述する．もう 1 つ別のグループのタンパク質は，細胞内の生理的変化を先導し，**リガンド** ligand やメッセンジャー分子と結合する**受容体** receptor である．膜タンパク質の中には，膜表面での反応を触媒する**酵素** enzyme として機能するものもある．これらそれぞれのグループの例についても後述する．

　タンパク質の疎水性部分はたいてい膜の内部に存在するが，電荷をもった親水性部分は膜表面に位置する．周辺タンパク質は，様々な方法で膜表面に接着する．1 つの共通した方法は，ホスファチジルイノシトールのグリコシル化した形に接着する方法である．これら**グリコシルホスファチジルイノシトールアンカー** glycosylphosphatidylinositol（GPI）anchor によって保持されているタンパク質には，アルカリホスファターゼなどの酵素，様々な抗原，多くの細胞接着分子，そして補体による細胞溶解に対抗するタンパク質などがある（図 2·3）．現在，ヒトにおいて 250 を超える GPI と結合した細胞表面タンパク質が知られている．他のタンパク質には，**リピド化** lipidated されている，つまり，それらは自身に結合した特別なリン脂質をもっているものがある（図 2·3）．それらは，**ミリストイル化** myristoylated，**パルミトイル化** palmitoylated，あるいは**プレニル化** prenylated（すなわち，ゲラニルゲラニル基あるいはファルネシル基が結合）されている．

　生体膜のタンパク質，特に酵素は細胞ごとに異なり，また同一細胞内においても多彩である．たとえば，細

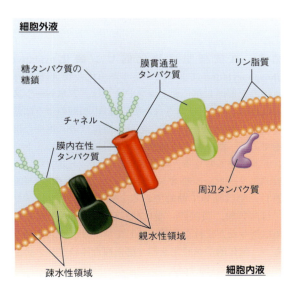

図 2·2　生体膜におけるリン脂質二重膜と関連タンパク質の構成． 膜の成分であるリン脂質分子は，1 つの親水性のリン酸の頭部と 2 つの疎水的な脂肪酸鎖からなる．それぞれのタンパク質は異なる形と位置を取っている．多くは膜内在性タンパク質で，膜に貫入しているが，周辺タンパク質は膜の内側あるいは外側（掲載していない）に接着している．タンパク質は修飾されることもある（糖鎖など）．多くの特異的なタンパク質の接着と，二重膜に共通して見られるコレステロールは図を明瞭にするために省いた．

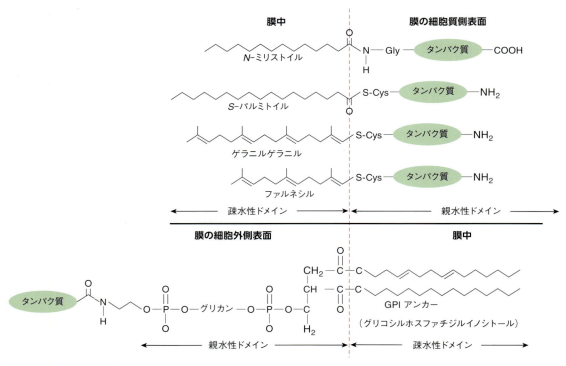

図 2・3　タンパク質の膜脂質への連結．様々な脂質修飾が，細胞膜の細胞質側に付くタンパク質のアミノ基末端や，カルボキシル基末端に起こる．また細胞膜の外側に付いているタンパク質の多くのものは，グリコシル化されたホスファチジルイノシトール（GPI アンカー）を介して結合する．

胞膜に埋められたいくつかの酵素はミトコンドリア膜の酵素とは異なる．上皮細胞では，粘膜表面上の膜の酵素は基底側壁膜の酵素とは異なる，つまり，その細胞は **分極 polarize** している．このような分極は，方向性のある上皮輸送を可能としている．その膜は動的な構造を示し，構成物質は常に様々な速度で新生されている．一部のタンパク質は，細胞骨格に固定されているが，他のものは膜中を横方向に移動する．

多くの細胞の下には，細胞を支えている薄いフワフワした層とある種の小線維があり，これらが集まって **基底膜 basement membrane**，より正しくは **基底板 basal lamina** を形成している．基底板やより一般的な細胞外マトリックスは細胞同士を固定し，発達を制御し，成長を決定する多くのタンパク質からなる．それらには，コラーゲン，ラミニン，フィブロネクチン，テネイシン，そして様々なプロテオグリカンなどがある．

ミトコンドリア

約 10 億年以上前，好気性細菌は真核細胞に貪食され **ミトコンドリア mitochondria** へと進化した．この結果，真核細胞は **酸化的リン酸化 oxidative phosphorylation** により高エネルギー化合物 ATP を作る能力を獲得した．ミトコンドリアは，**アポトーシス apoptosis**（プログラムされた細胞死）の制御のように他の機能も併せもつが，酸化的リン酸化は最も重要な機能である．個々の真核細胞は，数百から数千のミトコンドリアをもちうる．哺乳類のミトコンドリアは，一般的にソーセージ型オルガネラとして描かれるが（図 2・1），形は極めて動的である．個々のミトコンドリアは，外膜，膜間腔，棚（**クリステ cristae**）を作るために折りたたまれた内膜，そしてマトリックス空間をもつ．酸化的リン酸化を担う酵素複合体はクリステ上に並んでいる（図 2・4）．

ミトコンドリアが自身のゲノムをもつという事実は，それらの起源が好気性細菌であるという考えに合致している．ミトコンドリアゲノムは核ゲノムほどの DNA 量はなく，ミトコンドリア中のタンパク質の 99% は核由来の遺伝子産物であるが，ミトコンドリア DNA は酸化的リン酸化経路のある種の重要な構成要素をコードする．ヒトのミトコンドリア DNA は，ほぼ 16 500 塩基（核 DNA は 10 億を超える）からな

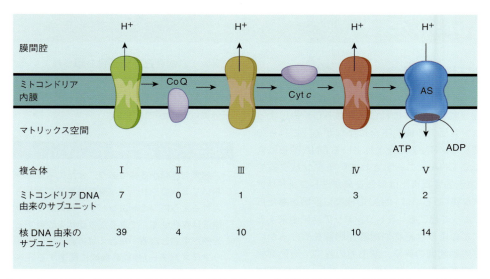

図 2・4　ミトコンドリアにおける酸化的リン酸化に関与するタンパク質とその由来．酵素複合体 I〜IVが，2 炭素代謝物を CO_2 と H_2O に変換する時に，プロトン(H^+)は膜間腔に汲み出される．プロトンは ADP を ATP に変換する ATP 合成酵素(AS)である酵素複合体 V を経由して，拡散してマトリックス区画に戻る．酵素複合体はミトコンドリア DNA(mDNA)および核 DNA(nDNA)によってコードされるサブユニットで構成されている．図は，複合体それぞれに対する DNA の由来を記している．

る二重らせん環状 DNA である．これは，4 種類の酵素を作るために核遺伝子によってコードされるタンパク質と共に 4 種類の酵素複合体を形成する 13 個のタンパク質，ミトコンドリア内リボソームでのタンパク質合成に必要な 2 個のリボソーム RNA と 22 個の転移 RNA をコードしている．

　酸化的リン酸化を担う酵素複合体は，ミトコンドリアゲノムと核ゲノムの産物間の相互作用の存在を示している．たとえば，複合体 I である還元型ニコチンアミドアデニンジヌクレオチド(NADH)デヒドロゲナーゼはミトコンドリア DNA によってコードされる 7 個のタンパク質サブユニットと核 DNA によってコードされる 39 個のサブユニットで構成されている．その他の複合体のサブユニット構成は図 2・4 に示す．複合体 II (コハク酸デヒドロゲナーゼ-ユビキノン酸化還元酵素)，複合体 III (ユビキノン-シトクロム c 酸化還元酵素) および複合体 IV (シトクロム c 酸化酵素) は複合体 I，コエンザイム Q，シトクロム c とともにはたらき，代謝産物を CO_2 と H_2O に変換する．複合体 I，III，IV は電子を伝達する間に，プロトン(H^+)を膜間腔に汲み出す．膜間腔に汲み出されたプロトンは，その後，電気化学的勾配に従い，複合体 V である ATP 合成酵素を通過する．このプロトン濃度勾配のエネルギーが ATP 合成に利用される．

　接合子のミトコンドリアが卵子に由来するので，ミトコンドリア DNA は母性遺伝である．この母性遺伝は，進化の過程を追跡する道具として使われてきた．ミトコンドリアは非効率な DNA 修復システムをもち，その変異速度は核 DNA の 10 倍以上である．多くの比較的まれな病気が，現在ではミトコンドリア DNA の変異に由来することがわかってきた．これらの病気は，ATP 合成異常によりエネルギーを産生できないため，たいがいは高い代謝速度をもつ組織での異常，そしてまた他の組織の異常を示す(クリニカルボックス 2・1)．

リソソーム

　細胞質には，膜に囲まれた大きくやや不揃いな構造体がある(図 2・1)．それは，**リソソーム lysosome** と呼ばれ，その内部は他の細胞質よりも酸性であり，エンドサイトーシスによって取り込まれた細菌などの外来物質や古くなった細胞内容物がこの構造体内で消化される．内部は**プロトンポンプ proton pump** すなわち H^+-**ATPase** のはたらきによって酸性に保たれている．この膜内在性タンパク質は，電気化学的勾配に逆らって細胞質からプロトンを移動させるために ATP のエネルギーを使い，リソソームを pH 5.0 付近の酸性に保つ．リソソームは 40 種を超える加水分解酵素を含み，そのうちいくつかを表 2・1 に示す．したがって，

クリニカルボックス 2・1

ミトコンドリア病

　ミトコンドリア病には，少なくとも40もの多様な病態が含まれており，これらは異なるしくみによってミトコンドリアの機能不全につながる．これらの病気はミトコンドリアに含まれているDNAや核に含まれているDNAにコードされているタンパク質やRNAの遺伝的変異または突然変異がミトコンドリアのタンパク質（あるいはRNA）の機能に変調をもたらすことによって起こる．ミトコンドリア病に由来する症状は，どのような細胞や組織が影響を受けるかによって，運動制御の異常，筋出力の異常，消化管機能不全，成長の異常，糖尿病，てんかん，視覚/聴覚不全，乳酸アシドーシス，発達遅延，易感染性，心臓病，肝臓病，呼吸器疾患など，多様である．ミトコンドリアのタンパク質の中には組織特異的なアイソフォームが存在する場合も知られているが，これだけでは，なぜミトコンドリア病で多様な症状が出たり，特定の器官での異常が見られるかについては十分には説明ができない．

治療上のハイライト

　病気の種類が多様であり，またエネルギー産生においてミトコンドリアが重要であることからも予測されるように，ミトコンドリア病に対する単独の治療法は存在せず，できるだけ症状を改善するための治療が中心となる．たとえば，ある種のミトコンドリアミオパチー（神経筋機能に関連するミトコンドリア病）では，物理療法によって筋の可動範囲を広げたり，微細な動きができるように訓練することが行われている．

表2・1　リソソームに見られる酵素とその基質となる細胞構成物

酵　素	基　質
リボヌクレアーゼ	RNA
デオキシリボヌクレアーゼ	DNA
ホスファターゼ	リン酸エステル
グリコシダーゼ	複合糖鎖：グリコシドと多糖
アリルスルファターゼ	硫酸エステル
コラゲナーゼ	コラーゲン
カテプシン	タンパク質

　これらの酵素はすべて酸性加水分解酵素で，リソソーム内の酸性pH下で最も機能を発揮する．これによって細胞は安全に保たれている．もしリソソームが破れ内容物が放出されたとしても，これらの酵素は細胞質の中性近くのpH(7.2)では効果を発揮しないだろうし，これらの酵素が出合うかもしれない細胞質の酵素を分解することはできないだろう．リソソームの機能障害に伴う病気については，クリニカルボックス2・2を参照．

ペルオキシソーム

　ペルオキシソーム peroxisome は直径 $0.5\,\mu m$ の大きさで，膜に囲まれており，H_2O_2を作る（**オキシダーゼ oxidase**）あるいはH_2O_2を分解する（**カタラーゼ catalase**）ことができる両方の酵素を含んでいる．タンパク質はタンパク質シャペロン[*2]である**ペルオキシン peroxin** の助けとユニークなシグナル配列によってペルオキシソームへと運ばれる．ペルオキシソーム膜には，ペルオキシソームマトリックス内外への物質の輸送に関係するたくさんのペルオキシソームに特異的なタンパク質がある．マトリックスは40種以上の酵素を含み，それらは様々な同化反応，異化反応（脂質の分解など）を触媒するために，ペルオキシソーム外の酵素と協調してはたらく．ペルオキシソームは小胞体の出芽によって，あるいは分裂によって形成される．多くの合成化学物質が，細胞の核内受容体にはたらくことによってペルオキシソームの増殖を引き起こすことがわかった．これらの**ペルオキシソーム増殖活性化受容体** peroxisome proliferator-activated receptor（**PPAR**）は，核内受容体スーパーファミリーのメン

[*2] 訳注：タンパク質シャペロン：タンパク質分子の折りたたみ（フォールディング）を助け，タンパク質の機能を獲得するのを援助するタンパク質のこと．

クリニカルボックス 2・2

リソソーム病

リソソームの酵素が遺伝的に欠損している場合，リソソームは通常，分解されずに残る物質でいっぱいになる．これによって，最終的には**リソソーム病 lysosomal disease**（もしくはリソソーム蓄積病）になる．現在 50 以上の病気が知られている．たとえば，α-ガラクトシダーゼ A の欠損は Fabry〔ファブリー〕病を，β-ガラクトセレブロシダーゼの欠損は Gaucher〔ゴーシェ〕病を引き起こす．Tay-Sachs〔テイ・サックス〕病と呼ばれるリソソーム病は精神遅滞や盲目を引き起こす．これはガングリオシド（脂肪酸誘導体）の生体内分解を触媒するリソソーム酵素であるヘキソサミニダーゼ A の欠失によって引き起こされる．これらの病気はまれであるが，重篤であり致命的である．

治療上のハイライト

リソソーム病には多くの種類があり，治療法は様々でありほとんどの病気において治癒は難しい．治療としては対症療法に重点が置かれている．Gaucher 病や Fabry 病を含むリソソーム病には，酵素置換療法が有効であることが示されている．しかし，この手法は長期にわたる有効性や組織特異的な効果の点ではいまだに不十分である．最近の他の治療法として骨髄移植や幹細胞移植があるが，この種の病気を克服するにはさらなる医学の進歩が必要である．

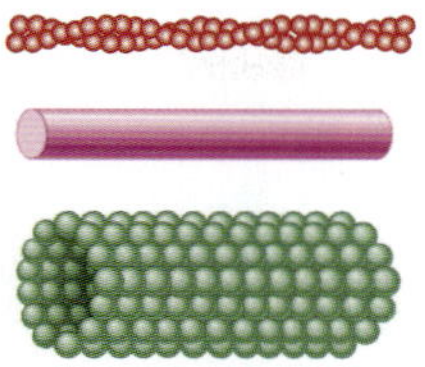

細胞骨格	径(nm)	タンパク質サブユニット
ミクロフィラメント	7	アクチン
中間径フィラメント	10	数種のタンパク質
微小管	25	チューブリン

図 2・5 細胞の細胞骨格要素． 主要な細胞骨格要素のイラストを左に，概径とタンパク質サブユニットを右に示す (Widmaier EP, Raff H, Strang KT: *Vander's Human Physiology: The Mechanism of Body Function*, 11th ed. New York, NY: McGraw-Hill; 2008 より許可を得て複製)．

分子モーターの推進力で，微小管やミクロフィラメントに沿って，細胞のある部位から他の部位まで移動する．

微小管 microtubule（図 2・5，図 2・6）は，厚さ 5 nm の壁が直径 15 nm の空洞を囲んだ長い中空の構造体である．それらは 2 つの球状タンパク質のサブユニット（α チューブリンと β チューブリン）で構成されている．3 番目のサブユニットである γ チューブリンは中心体の近くで微小管の生成に関わっている．α と β サブユニットはヘテロ二量体を形成し，それらが重合して積み重なったリングでできた長いチューブを形成する．個々のリングは，たいてい 13 個のサブユニットからなる．微小管はグアノシン三リン酸（GTP）と結合し，集合を促進する．微小管サブユニットはどちらの端にも結合できるが，プラス（"+"）端で優位を占める集合とマイナス（"−"）端で優位を占める分解により極性をもつ．試験管内では，両プロセスが同時に起こる．微小管の成長は温度感受性であり（解離は低温状態で起こりやすい），微小管と直接相互作用する様々な細胞内因子によっても制御されている．

集合と解離は絶え間なく起こっているため，微小管は細胞骨格の動的な部分といえる．微小管は，いくつかの異なる分子モーターが小胞，分泌顆粒，ミトコンドリアのような小器官を細胞のある部位からある部位まで移動させるための軌道となる．有糸分裂時に染色体を動かすための紡錘体は微小管によって形成される．積み荷は微小管上を両方向性に輸送される．

微小管との相互作用を介して細胞機能を阻害することが可能ないくつかの薬剤がある．微小管集合は，コルヒチン colchicine やビンブラスチン vinblastine によって阻害される．抗癌剤である**パクリタキセル paclitaxel**（商品名**タキソール Taxol**）は，微小管に結合

バーである．活性化すると，それらは DNA に結合し，mRNA 産生を変化させる．PPAR の効果は広範囲にわたり，多くの組織や器官に影響を与える．

細 胞 骨 格

すべての細胞は，**細胞骨格 cytoskeleton** をもっている．細胞の骨格を維持するだけでなく形態変化や移動を可能にする．細胞骨格は，主として微小管，中間径フィラメント，ミクロフィラメント，これらに固定されたタンパク質やつながれたタンパク質からできている（図 2・5）．さらに，タンパク質や細胞内小器官は，

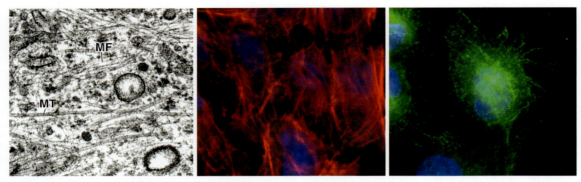

図 2・6　ミクロフィラメントと微小管． 線維芽細胞の細胞質の電子顕微鏡像（**左**）．アクチンミクロフィラメント（MF）と微小管（MT）を示す．ファロイジンで染色されたアクチンミクロフィラメント（**中央**）とβチューブリンに対する抗体で可視化した微小管（**右**）を示す気道上皮細胞の蛍光顕微鏡像．両蛍光顕微鏡像は核を可視化するために，Hoechst色素（**青**）で対比染色 counterstain されている．細胞骨格構造の差異に注意（左図の電子顕微鏡写真は E. Katchburian の，また蛍光写真は Stephanie Manberg より許可を得てそれぞれ転載）．

し，安定化させるため，細胞内小器官は動くことができない．分裂時に紡錘体が形成できなくなり，細胞は死ぬ．

中間径フィラメント intermediate filament（図 2・5）は，直径 8〜14 nm の大きさで，様々なサブユニットで構成されている．これらフィラメントのいくつかは核膜と細胞膜をつなぐ．中間径フィラメントは自由度の高い足場を形成し，外圧からの抵抗を助ける．これらがない場合，細胞はごく簡単に破裂してしまうため，ヒトで異常になると皮膚に水疱ができることが多い．中間径フィラメントを形成するタンパク質は細胞特異的であるため，よく細胞マーカーとして使われる．たとえば，ビメンチンは線維芽細胞において主要な中間径フィラメントであり，一方サイトケラチンは上皮細胞で発現する．

ミクロフィラメント microfilament（図 2・5，図 2・6）は，**アクチン actin** で構成される直径 5〜9 nm の長く固い線維である．アクチンは筋収縮との関連性が最も強いが，すべての細胞種に存在する．アクチンは哺乳類細胞で最も豊富なタンパク質で，時には細胞の総タンパク質の 15% も占める．その構造は，高度に保存されている．たとえば，酵母とウサギアクチンにおいて，アミノ酸配列の 88% が一致する．アクチンフィラメントは生体内で重合・脱重合し，線維の一端で重合が起こる一方で，もう一端で脱重合が起こっていることもよく観察される．**線維状アクチン filamentous (F) actin** はミクロフィラメントそのもののことをいい，**球状アクチン globular (G) actin** は未重合のアクチンサブユニットのことをいう．Fアクチンフィラメントは，細胞骨格の様々な部分に接着し，膜結合タンパク質と直接あるいは間接的に相互作用することができる．また，消化管粘膜の上皮細胞の微絨毛の先端にまで届く．それらはまた基質表面上を這う時に細胞が出す葉状仮足 lamellipodia 中にも豊富に存在する．アクチンフィラメントはインテグリン受容体と相互作用し，**接着斑複合体 focal adhesion complex** を形成する．これは，細胞が自身を引っぱる際に基質表面との牽引点として機能する．そして，いくつかの分子モーターはミクロフィラメントを軌道として使う．

分子モーター

タンパク質，細胞内小器官，他の細胞成分（総称して "積み荷 cargo" という）を細胞のあらゆる場所へ移動させる分子モーターは，100〜500 kDa の ATPase である．ある一端で積み荷と接着し，もう一端（"頭部" ともいわれる部分）で微小管あるいはアクチンポリマーに接着する．分子モーターは ATP のエネルギーを，細胞骨格上を移動する際の運動エネルギーに変換し，積み荷を搬送する．分子モーターは，キネシン，ダイニン，ミオシンの，3 つのスーパーファミリーからなる．それぞれのスーパーファミリーの個々のタンパク質の例を図 2・7 に示す．スーパーファミリーメンバー間の広範囲にわたる多様性は重要で，メンバーごとに（積み荷の選択，細胞骨格線維の種類，あるいは運動の方向性など）機能の特殊化が可能になっている．

従来型キネシン kinesin は，積み荷を微小管のプラス（"＋"）端へ移動する傾向がある 2 つの頭部をもつ．一方の頭部は微小管に結合し，その首を曲げる間，もう一方の頭部が前方にスイングして結合することで，

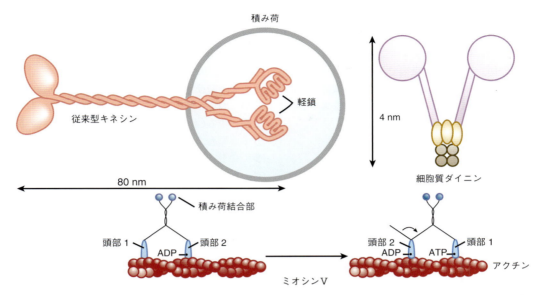

図 2・7　3つの分子モーターの例. "積み荷" に接着した従来型キネシンを示す. ここに示すのは膜結合した細胞内小器官である(水色). 細胞質ダイニンを別に示す. ミオシンVがミクロフィラメントに沿って「歩く」様子を2つの図で示す. それぞれのモーター頭部がATPを加水分解し, そのエネルギーを運動に使うことに注意.

ほぼ連続した運動を作り出す. ある種のキネシンは, 有糸分裂と減数分裂に関連する. 他の種のキネシンは, たとえば微小管のマイナス("−")端への積み荷の移動に関わるような異なる機能をもっている. **ダイニン dynein** は, タンパク質複合体中に埋まった首部分と2つの頭部をもつ. **細胞質ダイニン cytoplasmic dynein** は従来型キネシンと似た機能をもつが, 粒子や膜を微小管の "−" 端に移動させる機能をもつ点が異なる. 複数の形態をもつ**ミオシン myosin** は18のクラスに分類される. ミオシン分子(二量体)の2つの頭部は, アクチンと結合して首領域(ミオシンⅡ)を曲げることに因って(訳注：p.126, 127参照), あるいはミクロフィラメントに沿って両方の頭(ミオシンV)を交互に連続歩行させることによって(図2・7参照), 動きを作り出す. これらの方法で, 筋肉の収縮や細胞移動と同じくらいの多様性のある機能を生み出す.

中　心　体

動物細胞の細胞質の核付近に**中心体 centrosome** がある. 中心体は, 2つの**中心小体 centriole** で構成され, 不定形の**中心小体周辺物質 pericentriolar material** に囲まれている. 中心小体は短い円筒型で, 互いに直角になるように配置されている. その壁の中には, 微小管が3本ずつ組をなして縦に走っており(図2・1), このような3本組が9個規則正しく配列して, 中心小体の円筒状の壁を作っている.

中心体は, γチューブリンを含む**微小管オーガナイジングセンター microtubule-organizing center (MTOC)** である. 微小管は, 中心小体周辺物質の中のγチューブリンから成長する. 細胞が分裂する時, 中心体は自身を2個に分け, それぞれが紡錘体の極へと移動する. そこで, 中心体は細胞分裂の各ステップを監視している. 多核細胞では, 中心体はそれぞれの核付近にある.

線　　毛

線毛 cilium は, 単細胞生物では液体中で自身を前進させるために使われ, 多細胞生物では様々な上皮表面を覆う粘液や他の物質の移動を推進させるために使われる特殊化した細胞突起である. また, 人体のほとんどすべての細胞には表面から伸びる一次線毛がある. 一次線毛は他の細胞や環境からの機械的信号と化学的信号を受け取る感覚オルガネラとして機能する. 線毛は, 真核生物の精子の鞭毛と機能的な違いはない. 線毛内には, 外側に9つの2連微小管と内側に2つの微小管("9+2" 配列)というユニークな配置からなる**軸糸 axoneme** がある. この細胞骨格に沿って**軸糸ダイニン axonemal dynein** が存在する. 軸糸内での協調したダイニンと微小管の相互作用は線毛と精子運動

の基本である．軸糸の基部のすぐ内側に**基底小体 basal body** が横たわっている．基底小体は，中心体のように，周囲を取り巻く9つの3連微小管をもち，基底小体と中心小体は相互交換できる，ということが明らかになっている．多様な病気や異常が機能不全になった線毛によって生じる（クリニカルボックス 2・3）．

細胞接着分子

細胞は**細胞接着分子 cell adhesion molecule（CAM）**によって基底板に接着し，また，互いに接着している．これは以下に述べるように，細胞間結合において重要である．これらの接着タンパク質のユニークな構造とシグナル機能は，胚発生，神経系や他の組織の形成，成体において組織を互いに保持する機能，炎症と創傷治癒，癌転移において重要であることがわかっている．多くの細胞接着分子は細胞膜を貫通し，細胞内の細胞骨格に固定される．あるものは他の細胞上の似た分子と結合する（ホモフィリック結合）一方で，他の種類の分子と結合するものもある（ヘテロフィリック結合）．多くの分子は，細胞外マトリックスで複数のレセプター（受容体）ドメインをもつ大きな十字架型をしたファミリー，**ラミニン laminin** に結合する．

細胞接着分子の命名法は，やや混沌としている．この分野が急速に広がったからでもあり，多数の頭文字が使用されているためでもある．しかし，細胞接着分子は以下の4つの広いファミリーに分類することができる．(1) **インテグリン integrin**：様々な受容体に結合するヘテロ二量体，(2) 免疫グロブリン **IgG スーパーファミリー**に属する接着分子，(3) **カドヘリン cadherin**：ホモフィリック（同種親和性）結合による細胞同士の接着を仲介する Ca^{2+} 依存性分子，(4) **セレチン selectin**：糖鎖に結合するレクチン様ドメインをもつ．

細胞接着分子は隣接する細胞をつなぎ止めるだけでなく，シグナルを細胞内外に伝達する．たとえば，インテグリンを介した細胞外マトリックスとの接着が弱くなると，接着した細胞よりもアポトーシスの割合が高くなる．インテグリンと細胞骨格との間の相互作用は細胞運動にも関与している．

細胞間結合

組織において細胞の間を形成する細胞間結合は大雑把に2つのグループに分けることができる．1つは細胞同士や組織の周りに細胞を固定する結合，もう1つは細胞同士でイオンや他の分子の移動を可能にするための結合である．細胞同士をつなぎ，強度と安定性を与える種類の結合には，**タイトジャンクション（密着結合）tight junction** があり，**閉鎖帯 zonula occludens** としても知られている（図 2・8）．**デスモソーム desmosome** と**接着帯 zonula adherens** は細胞同士の固定を助け，**ヘミデスモソーム hemidesmosome** や**細胞接着斑（焦点接着）focal adhesion** は細胞を基底板に接着させる．**ギャップ結合 gap junction** は2つの隣接した細胞間で小分子（＜1000 Da）を拡散させるための細胞質トンネルを形成する．

タイトジャンクションは，腸粘膜，尿細管，脈絡叢

クリニカルボックス 2・3

線毛病

一次線毛運動異常 primary ciliary dyskinesia とは，線毛の構造や機能が制限されることに起因する一群の遺伝病のことを指す．線毛の障害を示す病態は，これまで呼吸器の気道での異常として知られてきた．気道における線毛の異常により，気道上皮での線毛運動による粘液の移動（粘液線毛エスカレータ）が遅くなり，気道の閉塞や感染が起こりやすくなる．精子の線毛の異常は運動性の消失や不妊の原因としてもよく知られてきた．一次線毛の機能や構造の異常は，様々な組織や器官に影響を与えることがわかってきた．予想されるように，これらの異常は，影響を受ける組織によって，精神遅滞，視力喪失，肥満，多嚢胞腎，肝硬変，運動失調，ある種の癌といった，極めて多彩な形で現れる．

治療上のハイライト

線毛異常の重篤度は大きくばらつき，また個々の器官を対象とする治療法も大きく異なってくる．気道における線毛運動不全の治療においては，気道が詰まらないようにし，感染を防ぐことに主眼が置かれる．実際の治療法としては，副鼻腔や耳管の洗浄・吸引，および抗生物質の大量使用などが含まれる．気道が閉塞しないようにするための他の治療（気管支拡張薬，粘液の分解薬，ステロイドなど）もよく用いられる．

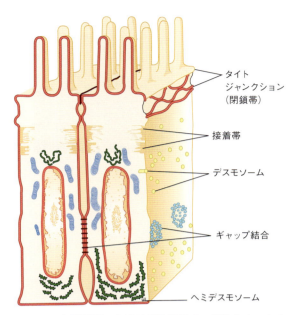

図 2・8 小腸粘膜における細胞間結合. 極性をもった上皮細胞に, タイトジャンクション(閉鎖帯), 接着結合(接着帯), デスモソーム, ギャップ結合, ヘミデスモソームの相対的位置が示されている.

のような上皮細胞の頂部辺縁を特有の方法で取り囲む. タイトジャンクションは, また, 内皮のバリア機能と内皮に依存する血管拡張に重要である. 一方の細胞から半分, もう一方の細胞から半分を使って棟を作り, これらが細胞接合部で強く接着するため, 細胞間の空間はほとんどなくなる. タイトジャンクションに関わる3つの主要な膜タンパク質ファミリーとして, **オクルディン occludin**, **結合接着分子 junction adhesion molecule (JAM)**, **クローディン claudin** がある. さらに, 細胞質側からこれらと相互作用するいくつかのタンパク質がある. タイトジャンクションは, ある種のイオンや溶質や細胞内シグナル分子の細胞間隙(**傍細胞経路 paracellular pathway**)での透過を可能とし, その"漏れの度合い"は様々で, 部分的にはタイトジャンクションの構成タンパク質に依存する. これらタイトジャンクションを通るイオンや溶質の上皮を横切る細胞外流量は, 上皮を介するイオンと溶質の流量全体のうち, かなりの部分を占める. 加えて, タイトジャンクションは膜におけるタンパク質の側方移動を防ぐ. これにより, トランスポータやチャネルが頂部膜と基底側壁膜で異なる分布を維持することができ, 経上皮輸送を可能にしている.

上皮細胞では, 個々の接着帯は, 通常, タイトジャンクション(閉鎖帯)の基底側に続く構造で, 細胞内のミクロフィラメントの主要な接着面になっている. 接着帯はカドヘリンを含んでいる.

デスモソームは, 2つの隣り合う細胞の膜が向かい合って厚くなった細胞接着構造である. 個々の細胞の厚くなった部分に中間径フィラメントが接着しており, あるものは膜に平行に走行し, 他のものは膜から放射状に伸びる. 2つの膜の厚みの間の細胞間スペースにはフィラメント状物質があり, カドヘリンや他の数種類の膜タンパク質の細胞外部分を含んでいる.

ヘミデスモソームは, 半デスモソームのようなもので, 細胞を基底部に敷かれた基底板に接着させ, 細胞内では中間径フィラメントと結合している. しかし, それらはカドヘリンではなくインテグリンを含んでいる. 焦点接着もまた, 基底板に細胞を接着させる. 上述したように, それらは細胞内のアクチン線維と相互作用する変わりやすい構造で, 細胞移動において重要な役割を担う.

ギャップ結合

ギャップ結合では, 細胞間間隙が4 nmと狭い. 相対する細胞膜にある**コネクソン connexon** と呼ばれる単位同士が結合して12量体のチャネル構造を作る構造(図 2・9)を指す. 個々のコネクソンは, **コネキシン connexin** と呼ばれる6つのタンパク質サブユニットで構成されている. 1つのコネクソンが隣り合う細胞の別のコネクソンとぴったり合って並んだ時, 物質は細胞外液を経ることなく細胞間を通ることができる. このチャネルの直径は通常約0.8〜1.4 nmで, イオン, 糖, アミノ酸, 分子量約1000 Daまでの分子などの溶質を通す. ギャップ結合は, 様々な化学伝達物質や細胞内シグナル分子を交換するだけでなく, 細胞同士の電気的活動を素早く伝達することを可能にする. しかし, このギャップ結合を形成するチャネルは, 単純な受動的, 非特異的な導管ではない. 少なくとも, ヒトでは, コネキシンをコードする20個の異なる遺伝子があり, その変異は, その分子が関与する特定の組織や, 特定の細胞間コミュニケーションでの病態につながる(クリニカルボックス 2・4). 特定のコネキシンを遺伝子操作で欠失させる, あるいは, 他のコネキシンに置き換える実験で, コネクソンを構成する特定のコネキシンが透過性と選択性を決めることが確認された. 最近では, コネクソンが, 小分子を細胞質から細胞外液へと放出するチャネル(コネキシンのヘミチャネル connexin hemichannel)として機能しうることも示されている. このような物質の移動は組織中での

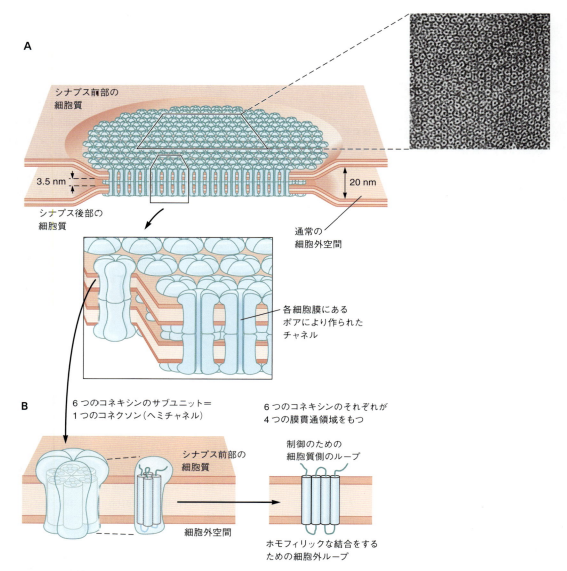

図 2・9　2つの細胞の細胞質をつなぐギャップ結合．**A**：ギャップ結合帯，あるいは個々のギャップ結合の集合体は，小分子を輸送する多数のポアを形成する．挿入図は，ラット肝臓の電子顕微鏡写真である．**B**：膜に埋め込まれたコネクソンと6つのコネキシンタンパク質の図．個々のコネキシンは，膜を4回貫通する（Kandel ER, Schwartz JH, Jessell TM, Siegelbaum SA, Hudspeth AJ(editors): *Principles of Neural Science*, 5th ed. New York, NY: McGraw-Hill; 2013 より許可を得て複製）（訳注：この図はギャップ結合が形成する神経シナプスの一種の電気シナプス(6章参照)を示したものである）．

細胞間での信号経路として役に立っている．

核と関連構造

核は分裂するすべての真核細胞に存在する（図2・1）．核は大部分が**染色体 chromosome**であり，染色体はその動物の種と個体の遺伝形質の青写真をすべて担う核内の構造物である．生殖細胞を例外として，染色体は対をなし，それぞれの親から受け継がれる．それぞれの染色体は巨大な分子 DNA からなり，DNA 鎖は約2mもの長さがあるが核内に収まっている．ある間隔でヒストンタンパク質のコアに巻きつけられ，**ヌクレオソーム nucleosome** を形成しているからである．個々の核には 2500 万個のヌクレオソームがある．

クリニカルボックス 2・4

コネキシンの異常

近年，ノックアウトマウスの研究や，ヒトでの変異の解析により，コネキシンの生体内での機能に関しての知見が急速に得られてきた．ノックアウトマウスではコネキシンの欠失によって，心臓の電気生理学的な障害を示したり，心臓突然死が起こりやすくなったり，女性不妊，骨発達の異常，肝臓の成長異常，白内障，難聴など，様々な異常を呈する．これらの解析や他の研究から，20 もの異なるヒトの病気の原因となる，複数のコネキシンの変異が同定されている．これらの病気には，Clouston（クルーストン）症候群（有汗性外胚葉形成異常症）（Cx30 の異常，訳注：Cx は，コネキシンサブユニットの略称）などのいくつかの皮膚の病気，変異性紅斑角皮症（Cx30.3 と Cx31），遺伝性難聴（Cx26，Cx30，Cx31），ミオクローヌスてんかん素因（Cx36），動脈硬化素因（Cx37），白内障（Cx46，Cx50），特発性心房細動（Cx40），X 連鎖性 Charcot-Marie-Tooth（シャルコー・マリー・トゥース）病（Cx32）が含まれる．これらの病気の原因となっている組織においては，他の種類のコネキシンも発現しているが，これらは，変異により機能を失ったコネキシンの機能を完全には代償することができず，病気が発症してしまうと考えられる．どのように個々のコネキシンの異常が細胞の生理機能を変化させて病態へ至るかを理解するべく，盛んな研究が行われている．

こうして，染色体の構造は糸に通したビーズに例えられている．ビーズはヌクレオソームで，ビーズの間を結ぶ DNA は糸である．このような DNA とタンパク質の全複合体は**クロマチン chromatin** と呼ばれている．分裂時に，おそらくヒストンのアセチル化により，ヒストン周辺のコイルが緩くなり，一対の染色体が見えるようになるが，分裂と分裂の間の時期ではクロマチンの塊が見えるだけである．遺伝の最終的な単位は，染色体上の**遺伝子 gene** である．1 章で述べたように，個々の遺伝子は DNA 分子の一部分なのである．

ほとんどの細胞の核には，**核小体 nucleolus** がある（図 2・1）．これは，**RNA** を豊富に含む顆粒の集まりである．細胞によっては，核に数個の核小体を含んでいるものもある．成長が盛んな細胞では，核小体は顕著で数も多い．核小体は，細胞質でタンパク質合成を行う構造物であるリボソームを合成する場である．

核の内部には，核を取り囲む**核膜 nuclear membrane** あるいは**核被覆 nuclear envelope** に接着した細いフィラメントの骨格がある（図 2・1）．この膜は二重膜で，その 2 層の間隙は，**核周囲腔 perinuclear cistern** と呼ばれる．核膜は，小分子のみを透過するが，しかし核膜には**核膜孔複合体 nuclear pore complex** が存在する．個々の複合体は 8 面対称構造をもち，タンパク質や mRNA を輸送するトンネルを形成するために組織化された約 100 個のタンパク質で構成される．そこには多くの輸送経路が存在し，**インポーチン importin** や**エクスポーチン exportin** などのタンパク質が単離され，その性質が調べられてきた．多くの最近の研究は核内外への輸送機構に焦点があてられており，近い将来にはこれらの経路についてのより詳細な理解が得られるだろう．

小 胞 体

小胞体 endoplasmic reticulum は，細胞質内にある複雑な小管系である（図 2・1，図 2・10，図 2・11）．小胞体膜の内縁は核膜の一部とつながっているため，事実上，核膜のこの部分は小胞体の槽を成し，小管系の壁を形成している．**粗面小胞体 rough endoplasmic reticulum**（**顆粒小胞体 granular endoplasmic reticulum**）では，リボソームが膜の細胞質側に接着し，一方で**滑面小胞体 smooth endoplasmic reticulum**（**無顆粒小胞体 agranular endoplasmic reticulum**）では，リボソームが欠失している．細胞質には遊離リボソームがある．粗面小胞体は，タンパク質合成とジスルフィド結合の形成によるポリペプチド鎖の初期の折りたたみに関与している．滑面小胞体は，ステロイド分泌細胞ではステロイド合成の場であり，他の細胞では解毒過程の場である．変形した小胞体である筋小胞体は，骨格筋や心筋や平滑筋で重要な役割を演じる．特に，小胞体や筋小胞体は，Ca^{2+} を隔離して蓄えることができ，そののちに Ca^{2+} を細胞の収縮や増殖，および移動を引き起こすシグナル分子として細胞質内に放出することができる．

リボソーム

真核生物のリボソームは，ほぼ 22×32 nm の大きさである．超遠心分離による沈降速度に基づいて，そ

Golgi 装置と小胞輸送

Golgi 装置は，食器皿のように積み重ねられた，膜に包まれた貯蔵庫（槽 cisterna）の集合体である（図2・1）．1つあるいはそれ以上の Golgi 装置がすべての真核生物に存在し，通常，核付近にある．Golgi 装置の主要な役割は，タンパク質や脂質の正しいグリコシル化である．Golgi 装置には，タンパク質や脂質に糖を付加する，取り除く，あるいは修飾する酵素が200以上ある．

Golgi 装置は，シス cis 側とトランス trans 側という極性をもった構造である（図2・1，図2・10，図2・11）．シス側は小胞体に近く反対側のトランス面は細胞膜に近い（図2・11）．新しく合成されたタンパク質を含む膜小胞は，粗面小胞体から出芽し，Golgi 装置のシス側の槽に融合する．これらタンパク質は，その後，中間槽にある別の小胞を経由し，最終的に，トランス側の槽に進み，そこから小胞は細胞質中に分岐する．小胞は，Golgi 装置のトランス側の部分からリソソームに，そして，構成性または非構成性経路[*3]を経由して細胞外へ輸送される．両経路ともに**エキソサイトーシス（開口分泌）exocytosis** に関与する．逆に，小胞は，**エンドサイトーシス endocytosis** によって細胞膜から摘み取られ，エンドソームに送られ，再利用される．

Golgi 装置や他の膜区画の間で行われる小胞輸送は，小胞の細胞内での行き先を決定する特別な機構と，行き先にかかわらず共通する輸送機構との組合せによって制御されている．1つの際立った機構は，小胞の集合と離散は GTP あるいはグアノシン二リン酸（GDP）に結合する一連の制御タンパク質（**低分子量 G タンパク質 small G protein**）により制御されるものである．2つ目は，**SNARE**（可溶性 N-エチルマレイミド感受性因子接着受容体 soluble N-ethylmaleimide-sensitive factor attachment protein receptor の略称）と呼ばれるタンパク質の存在である．小胞膜上の v-SNARE（v は小胞を意味する）は，t-SNARE（t はターゲットを意味する）と鍵と鍵穴の関係で相互作用する．

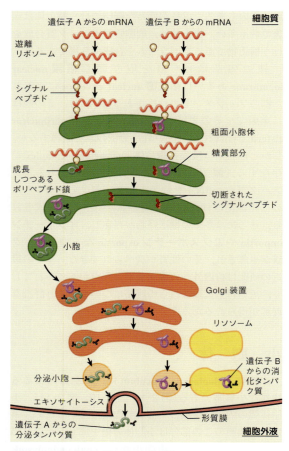

図 2・10　粗面小胞体とタンパク質の翻訳．翻訳のために，メッセンジャー RNA（mRNA）とリボソームが細胞質で出合う．適切なシグナルペプチドをもつタンパク質が翻訳され，翻訳を完成させるために小胞体（ER）と結合する．リボソームの結合によって，小胞体は"粗い"姿を示すことになる（Widmaier EP, Raff H, Strang KT: *Vander's Human Physiology: The Mechanisms of Body Function*, 11th ed. New York, NY: McGraw-Hill; 2008 より許可を得て複製）．

ドリアで見られるタンパク質のような細胞質タンパク質を合成する．

それぞれ 60 S と 40 S サブユニットと呼ばれる大サブユニットと小サブユニットで構成される．リボソームは，複雑な構造で，多くの種類のタンパク質と少なくとも3つのリボソーム RNA からなる．小胞体に付着したリボソームは，すべての膜貫通型タンパク質，ほとんどの分泌タンパク質，また，Golgi〔ゴルジ〕装置，リソソーム，エンドソームに貯蔵されるほとんどのタンパク質を合成する．これらタンパク質はたいてい一方の端に疎水性の**シグナルペプチド signal peptide** をもっている（図2・10）．これらタンパク質を形成するポリペプチド鎖は小胞体中に押し出される．一方，遊離リボソームは，ヘモグロビンや，ペルオキシソームやミトコン

[*3] 訳注：図2・11 に示したように，常時膜の輸送が起こるしくみを"構成性 constitutive 分泌経路"と呼び，細胞外基質などの分泌などが該当する．"非構成性 non-constitutive 分泌経路（調節性分泌）"とは，シナプス伝達や消化管分泌細胞など，刺激が来た時のみ起こるものをいう．

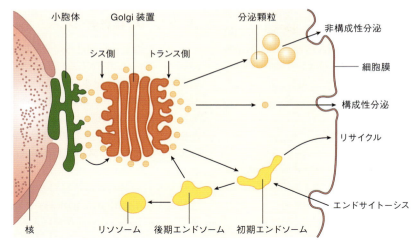

図 2・11　タンパク質のプロセッシング過程に関与する細胞構成物. 転写から分泌までの過程に関係する構造を示す．詳細は本文を参照．

また，個々の小胞は，特別な膜区画(Golgi 装置，細胞膜)に自身を到達させるために，それら自身の膜に構造タンパク質あるいは脂質を含んでいる．

品質管理

タンパク質合成，折りたたみ，細胞のいろいろな場所への移送に関与する過程はとても複雑であるにも関わらず間違いや異常が起こらないことは注目すべき点である．これらの過程がきちんとはたらくのは，個々のレベルで品質管理 quality control という責任をもった機構があるからである．損傷した DNA はチェックされて修復されるか回避される．様々な RNA もまた，翻訳過程でチェックされる．最終的には，タンパク質鎖が小胞体や Golgi 装置にある時に，欠陥のあるタンパク質は検出され，異常タンパク質はリソソームやプロテアソームで分解される．その結果，正常な細胞機能に必要とされるタンパク質が驚くべき正確さで産生されるのである．

アポトーシス

細胞は，遺伝的制御のもとで分裂したり成長するだけでなく，遺伝的制御のもとで死んで吸収される．この過程を**プログラムされた細胞死 programmed cell death** あるいは**アポトーシス apoptosis** と呼ぶ(ギリシャ語で apo は"離れる away"，ptosis は"落ちる fall"を意味する)．細胞自身の遺伝子が死に際に活性化することから，細胞の自殺 cell suicide と呼ぶことができる．これはネクローシス(壊死) necrosis (細胞の他殺 cell murder) と区別されなければならない．ネクローシスは健康な細胞が炎症のような外的な過程によって破壊されるものである．

アポトーシスは，発生時にも成体にも見られる一般的な過程である．中枢神経系 central nervous system (CNS) では，発生の過程やシナプス形成の過程で起こる再構築において，非常にたくさんの神経細胞が作られ，死ぬ．免疫システムでは，アポトーシスは不適切な免疫細胞を除去し，グルココルチコイドによるリンパ球の融解もアポトーシスによる．アポトーシスはまた胎生期における指間皮膜の除去や生殖器の発達で見られる管系の退化といった過程に重要な機能をもっている．成人では，月経をもたらす子宮内膜の周期的な脱落に関与している．上皮では，基底膜や隣接した細胞への接着能が失われた細胞はアポトーシスにより除去される．これは，腸絨毛先端から剝がれ落ちた腸上皮細胞が死ぬ原因ともなっている．異常なアポトーシスはおそらく，自己免疫疾患，神経変性疾患，癌で起こっている．アポトーシスが線虫や昆虫などの無脊椎動物でも起こることは興味深い．しかし，その分子メカニズムは脊椎動物に比べてはるかに複雑である．

アポトーシスを誘導する１つの最終共通経路は，システインプロテアーゼグループに属する**カスパーゼ caspase** の活性化である．現在までに多くのカスパーゼが哺乳類において明らかにされてきた．ヒトでは 14 種類発見されている．カスパーゼは，細胞内機序

によって活性化されるまで，不活性化型のプロ酵素 proenzyme（プロカスパーゼ procaspase）として細胞内に存在する．最終的には，DNAの断片化，細胞質とクロマチンの凝集，膜のブレブ形成から細胞の崩壊，そして貪食細胞による残骸の除去に至る（クリニカルボックス 2·5）．

細胞膜を横切る輸送

細胞膜を横切る輸送には，エキソサイトーシス，エンドサイトーシス，膜の透過性，イオンチャネル，一次性能動輸送，二次性能動輸送などがある．それぞれについて以下に説明する．

エキソサイトーシス

分泌顆粒などの細胞外への分泌物を含む小胞は，細胞膜へ向かって移動する（図 2·11）．移動後，Golgi層間の小胞輸送で記述したのと同様の v-SNARE/t-SNARE 配置により，細胞膜と融合する．融合した部分に孔が開き，細胞膜自体は破れずに小胞の中身だけが細胞外へ出される．これが Ca^{2+} 依存的なプロセスの**エキソサイトーシス（開口分泌）exocytosis** である（図 2·12）．

細胞からの分泌には2経路ある（図 2·11）．**非構成性経路 non-constitutive pathway** では，タンパク質がまず Golgi 装置から分泌顆粒に入る．そして，プロホルモンが成熟ホルモンへとプロセッシング処理された後にエキソサイトーシスされる．もう1つの経路である**構成性経路 constitutive pathway** では，小胞の中

クリニカルボックス 2·5

細胞分子医学

遺伝学や遺伝子発現制御，タンパク質合成に関する分子論的な基礎研究は，臨床医学に対して加速的に利益を与えてきた．

初期に与えた成果として，抗生物質の作用メカニズムの解明がある．ほとんどすべての抗生物質は，前述したタンパク質合成のステップの1つを抑制することによって作用する．抗ウイルス薬も同様である．たとえば，アシクロビル acyclovir やガンシクロビル ganciclovir は DNA ポリメラーゼを抑制することによって作用する．これらの薬のうち，細菌にのみ作用するものもあれば，哺乳類など動物のタンパク質合成をも阻害するものもある．このことから，感染症の治療と同様に研究面でも抗生物質は非常に重要なものとなっている．

ヒトの疾患の原因となる遺伝子の異常が 600 以上も明らかにされてきている．それら疾患の多くはまれであるが，よく見られるものもあり，重篤で死に至るものもある．たとえば，嚢胞性線維症における Cl^- チャネルの欠損や調節異常や，Huntington（ハンチントン）病や脆弱性X症候群などの神経疾患の原因となる遺伝子上の不安定な**トリヌクレオチド反復 trinucleotide repeat** がある．ミトコンドリア DNA の異常で Leber（レーバー）遺伝性視神経異常症やある種の心筋症を起こすものもある．癌の遺伝子の問題はおそらく最大の関心事であることは想像に難くない．ある種の癌は**癌遺伝子 oncogene** によって起こるが，その遺伝子は癌細胞の染色体の中にあり，それが悪性の形質発現に関与している．これら癌遺伝子は，増殖を調節している正常の遺伝子である**癌原遺伝子 proto-oncogene** の体細胞突然変異によってできてくる．現在では 100 以上の癌遺伝子が発見されている．一方，腫瘍を抑制するタンパク質を作る遺伝子グループがあり，この**癌抑制遺伝子 tumor suppressor gene** については 10 個以上のものが発見されている．この中で最もよく研究されているのは，ヒトの第 17 染色体にある *p53* 遺伝子である．この遺伝子で作られる p53 タンパク質はアポトーシスを引き起こす．この p53 タンパク質はまた，核にある転写因子の1つであり，21 kDa のタンパク質の生成を高め，そのタンパク質が2つの細胞周期の酵素の活性を阻害し，サイクルを遅延させ，突然変異の修復やその他の DNA 損傷の修復を起こりやすくするものである．この *p53* 遺伝子は癌患者の 50% までに変異が見られ，細胞周期を遅延させることのできない p53 タンパク質を作り，DNA の変異が永続するようになる．突然変異の蓄積が結局は癌を引き起こす．

2. 細胞生理学の概要　55

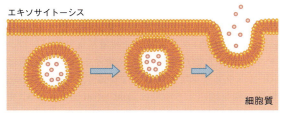

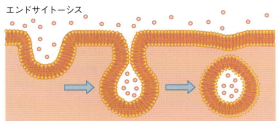

図2・12　エキソサイトーシスとエンドサイトーシス．エキソサイトーシスの時は2つの膜の細胞質側が融合し，エンドサイトーシスの時は2つの細胞外側の膜が融合することに注意(Alberts B et al: *Molecular Biology of the Cell*, 4th ed. Garland Science, 2002 より許可を得て複製)．

のタンパク質はすぐに細胞膜へ輸送され，プロセッシング処理されたり貯蔵されたりすることはほとんどない．非構成経路のことを時に**調節性経路 regulated pathway** と呼ぶことがあるが，構成性経路によるタンパク質の放出も調節を受けているので，この用語は誤解されやすい．

エンドサイトーシス

　エンドサイトーシス endocytosis はエキソサイトーシスの逆である．エンドサイトーシスは取り込む粒子のサイズやその調節に必要とするものによっていろいろと異なる呼ばれ方をする．細胞の**食作用 phagocytosis**，細胞の**飲作用 pinocytosis**，**クラスリン介在性エンドサイトーシス clathrin-mediated endocytosis**，**カベオラ依存性取込み caveola-dependent uptake**，クラスリン非介在性・カベオラ非依存性エンドサイトーシス nonclathrin/noncaveola endocytosis などである．

　細胞の**食作用**は，細菌，死んだ組織，顕微鏡レベルの大きさの小片を，多核白血球のような細胞が取り込んで食べる現象をいう．取り込まれる物質が細胞膜に接触すると膜にへこみが生じ，このへこみが細胞膜から分離し，物質を取り囲む形で小胞となる．この際に細胞膜は破れない．細胞の**飲作用**も同様の現象であるが，小胞のサイズがとても小さく，取り込む物質は溶液状のものである．膜小胞が小さいからといって，取り込む膜が少ないものと誤解してはいけない．たとえば，積極的に細胞の飲作用を行っている細胞(マクロファージなど)では，ちょうど1時間で全細胞膜に等しい量を取り込む[*4]．

　クラスリン介在性エンドサイトーシスはタンパク質である**クラスリン clathrin** が集まっている膜のへこみで発生する．クラスリン分子は中心から3本の脚が放射した"三脚ともえ紋"様の形状をしている(図2・13)．エンドサイトーシスが進行する時に，クラスリン分子はエンドサイトーシス小胞を取り囲むような幾何学的配列をとる．小胞が分離するメカニズムには小胞の頸部で**ダイナミン dynamin** と呼ばれるGタンパク質が直接的，もしくは間接的に関係して小胞を切り落とす．いったん完全な小胞が形成されるとクラスリンは剥がれ落ち，この三脚のタンパク質はリサイクルされて他の小胞を形成する．小胞は互いに融合してその内容物を集合させて**初期エンドソーム early endosome** となる(図2・11)．この初期エンドソームはここから新しい小胞が芽を出して細胞膜へと戻るか，あるいは**後期エンドソーム late endosome** となってリソソームと融合して(図2・11)，リソソーム内のプロテアーゼによってその中身が消化分解される．クラスリン介在性エンドサイトーシスは，多くの受容体やそれと結合した基質[たとえば神経成長因子(NGF)や低比重リポタンパク質]の細胞内取込みを行うという役

[*4] 訳注：食作用は細胞外から取り込んだものだけでなく，細胞自身の一部に対しても行われる場合がある．細胞が飢餓状態になったり，ミトコンドリアが正常にはたらかなくなったりすると，細胞内の一部を膜で取り囲み，リソソームが最終的に融合して分解が生じる．これを自食作用(オートファジー autophagy)と呼ぶ．

図2・13　エンドサイトーシス小胞の表面のクラスリン分子．"三脚ともえ紋"様の特徴的な形と，他のクラスリン分子と一緒になって小胞を支える網を形成していることに注意．

割をもっている．またシナプス機能にも重要な役割を果たしている．

エキソサイトーシスの結果，細胞膜の全量が増加することは明らかであり，同程度に膜がどこかで取り除かれない限り，細胞は膨張する．しかし，エンドサイトーシスでこの余分な膜は取り除かれる．このようなエキソサイトーシス・エンドサイトーシスの組合せにより細胞の大きさが正常に保たれているのである．

ラフトとカベオラ

細胞膜のある領域は，特にコレステロールやスフィンゴ脂質を多く含み，**ラフト raft** と呼ばれている．これらのラフトは，**カベオラ caveola**（"小さな洞窟"の意味）と呼ばれるクラスリンに似たタンパク質である**カベオリン caveolin** が集まった時に形成されるフラスコ状の膜のへこみの前駆体であると考えられている（図2・14）．ラフトやカベオラの機能については議論のあるところであるが，コレステロール調節やトランスサイトーシス（後述：細胞内にエンドサイトーシスで取り込まれて，細胞の反対側の細胞外へエキソサイトーシスによって出されること）に関与しているという証拠はある．コレステロールはカベオリンと直接相互作用することができ，膜中でタンパク質が動き回るのを効果的に抑制できることが明らかとなっている．カベオラによる取込みは，輸送物質がカベオリンに結合し，ダイナミンによって制御されることが必要である．また，カベオリンは血管内皮細胞に多く見られ，血液から栄養を取り込むのを助けるはたらきがある．

被覆と小胞輸送

すべての輸送性の小胞はタンパク質で覆われていることが現在ではわかっている．ヒトでは50以上の被覆複合体を構成するサブユニットが同定されている．

トランス側 Golgi 装置からリソソームへとタンパク質を輸送する小胞は**アダプタータンパク質1 adaptor protein 1（AP–1）**クラスリンで被覆されており，エンドソームへと輸送するエンドサイトーシス小胞はAP-2 クラスリンで被覆されている．小胞体と Golgi 装置の間を輸送する小胞は coat protein I と II（COP I と COP II）で覆われている．輸送されるタンパク質上にある特定のアミノ酸配列や修飾基がそのタンパク質を特定の場所へと誘導する荷札の役割をする．たとえば，Asn-Pro-X-Tyr という配列は細胞表面からエンドソームへ，マンノース6-リン酸は Golgi 装置からリソソーム上のマンノース6-リン酸受容体（MPR）mannose-6-phosphate receptor へとタンパク質を誘導する（X は任意のアミノ酸）．

Rab ファミリーに属する様々な G タンパク質は小胞輸送において重要な役割を果たす．それらは小胞に順序よく結合するのを導いたり，促進したりすると考えられている．小胞輸送の複雑さは，ヒトには60種類の Rab タンパク質と 35 種類の SNARE タンパク質が存在することからもわかる．

膜の透過性と膜輸送タンパク質

O_2 や N_2 のような小さな非極性分子や，CO_2 のような電荷をもたない極性分子は，細胞の脂質膜中を拡散する．しかし，その他の物質は脂質膜を透過することがほとんどできない．その代わりに，エンドサイトーシスやエキソサイトーシスによって輸送されたり，イオンの通路を形成するか，グルコース，尿素，アミノ酸などの物質を輸送する膜貫通タンパク質である特異性の高い**輸送タンパク質 transport protein** を通して細胞膜を透過する．水の透過性でさえ脂質膜でごく限られたものでしかなく，その脂質膜での単純拡散は，全身に分布する多種の水チャネル（**アクアポリン aquaporin**）による輸送によって補われる．参考のためにイ

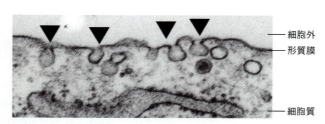

図2・14　血管平滑筋のカベオラ．ヒト肺動脈の平滑筋の形質膜の微細構造を電子顕微鏡で調べたもの．矢頭は個々のカベオラを示す．

オンやその他の生体に重要な物質の大きさを表2·2に示す[*5].

ある種の輸送タンパク質は単純な水性の**イオンチャネル ion channel** であるが，これらの多くはCa^{2+}のような特定のイオンのみを通す性質をもっており，アクアポリンの場合では水のみが通過する性質を備えている．また，これらの膜貫通性タンパク質には，局所的な変化に応じて，開閉を**ゲート gate** することができる細孔（ポア）があり（図2·15），それらには，膜電位によってゲートされるもの（**電位作動性 voltage-gated**）や，リガンドに応答してゲートされるもの（**リガンド作動性 ligand-gated**）などがある．リガンドは神経伝達物質やホルモンやアゴニストのように外来性のものであることが多い．しかし，細胞内在性のものもあり，細胞内Ca^{2+}，環状アデノシン一リン酸（サイクリックAMP cAMP），脂質，細胞内で合成されるGタンパク質の一部もすべてチャネルに直接結合して活性化させる．また，機械的伸展によって開くチャネルも存在しており，これらの機械的刺激感受性のチャネルは細胞運動に重要な役割を果たしている．

その他の膜輸送タンパク質には**キャリア（担体）carrier** がある．これは，イオンやその他の分子と結合すると，コンフォメーション（立体構造）が変化することによって結合した分子を膜の一方から他方へと動かすタンパク質である．分子は濃度の高い方から低い方へと移動し（**化学的勾配 chemical gradient** に従う），カチオン（陽イオン）は電気的に負になっている方へ，アニオン（陰イオン）は正になっている方に動く（**電気的勾配 electrical gradient** に従う）．キャリアタンパク質がこれら結合物質を化学的または電気的勾配に従った方向に輸送する場合は特にエネルギーを必要とせず，**促通（促進）拡散 facilitated diffusion** と呼ばれる．典型的な例としてグルコースをその濃度勾配に従って細胞外液から細胞質内に輸送するグルコーストランス

[*5] 訳注：輸送タンパク質に関する記載は，やや曖昧であるので，ここで整理しておきたい．膜輸送タンパク質は，大きくチャネルとトランスポータに分類される．チャネルには，イオンチャネルと水チャネルが含まれ，トランスポータには，キャリアとポンプなどが含まれる．

表 2·2 水和イオンとその他の生物学的に重要な物質の大きさ

物　質	原子量または分子量	半径(nm)
Cl^-	35	0.12
K^+	39	0.12
H_2O	18	0.12
Ca^{2+}	40	0.15
Na^+	23	0.18
尿素	60	0.23
Li^+	7	0.24
グルコース	180	0.38
スクロース	342	0.48
イヌリン	5000	0.75
アルブミン	69 000	7.50

Moore EW: *Physiology of Intestinal Water and Electrolyte Absorption*. American Gastroenterological Association, 1976 のデータより．

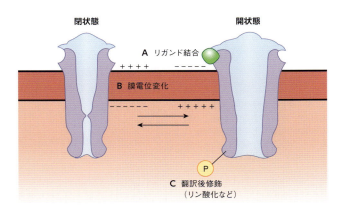

図 2·15　イオンチャネルのゲート開閉制御． イオンチャネルは様々な環境の信号に応じて開いたり閉じたりする．いくつかの典型的な例を示す．様々な作動のしくみ．A：リガンド作動性：リガンドが結合することで開く．B：電位作動性：膜電位が変化するとチャネルが開く．C：翻訳後修飾：リン酸化などの修飾に応じて開閉する．

ポータがある．他には電気的，化学的勾配に逆らって物質を輸送するトランスポータもあり，エネルギーの供給を必要とするので**能動輸送 active transport**と呼ばれている[*6]．動物細胞では，このエネルギーはもっぱらATPの加水分解によって得られる．したがってこのトランスポータ分子[*7]がATPの分解を触媒するATPaseであることはもっともなことである．これらのATPaseの1つに**Na^+, K^+-ATPase**があり，**Na^+, K^+ポンプ Na^+, K^+ pump**の名で知られている．その他にも胃粘膜および腎尿細管にはH^+, K^+-ATPase[*8]，Ca^{2+}を細胞外へと汲み出すCa^{2+}-ATPase[*9]，Golgi装置の一部やリソソームを含む多くの細胞内小器官を酸性化するH^+-ATPase[*10]などが存在する．

輸送タンパク質のあるものは1種の物質だけを輸送するので**ユニポータ（単輸送体）uniporter**と呼ばれる．他には**シンポータ（共輸送体）symporter**と呼ばれるものがあり，これは輸送に際して，2種以上の物質の結合を必要とするもので，その後結合した物質はともに膜を横切って輸送される．例としては，腸の粘膜において管腔から粘膜細胞内へNa^+とグルコースを共輸送するものである．その他に**アンチポータ（交換輸送体）antiporter**と呼ばれるトランスポータがあり，これはある物質を他の物質と交換するようにして運ぶ．

イオンチャネル

イオンチャネルにはK^+，Na^+，Ca^{2+}，Cl^-を選択的に通すものや非選択的にカチオンやアニオンを通すものがある．それぞれのチャネルはそのタイプごとに様々な性質をもつ多様な形がある．それらのほとんどは，同一もしくはとてもよく似たサブユニットによって構成されている．図2・16は様々なイオンチャネルの多ユニット構造の断面図を模式的に示した．

ほとんどのK^+チャネルは四量体であり，4つのサブユニットが取り囲む形でK^+を通すポア（細孔）を形

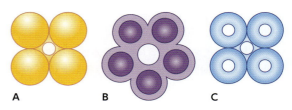

図2・16 イオンチャネルのポア形成の様々なタイプ．A：典型的なK^+チャネルでは4つのサブユニットが集まり中央に孔を形成する．B：アセチルコリン受容体チャネルのようなリガンド作動性カチオンチャネルや，リガンド作動性アニオンチャネル（訳注：グリシン受容体チャネルやGABA$_A$受容体チャネルなど）のポアは五量体で形成される（訳注：ただし，グルタミン酸受容体チャネルや，環状ヌクレオチド作動性チャネルは四量体である）．C：水チャネルであるアクアポリンは四量体ではあるが，それぞれのサブユニットにポアが存在し水が通る．またこれらのサブユニットは中央にも孔を作りイオンを通す．他にも別のタイプのポア形成がある．

成する（図2・16A）．細菌の電位作動性K^+チャネルの構造解析から，電位作動性K^+チャネルには，4つのそれぞれのサブユニットに電荷をもつ櫂のような伸長部位があることがわかっている．チャネルが閉じている時は，この伸長部位は細胞内側の負電荷の近くに存在する．そして脱分極した時に，この部位が細胞外側を向くように曲がり，チャネルが開く[*11]．細菌の電位作動性K^+チャネルは，ヒトなどの哺乳類を含む多くの生物種の電位作動性K^+チャネルとよく似ている．アセチルコリン作動性チャネルや，他のリガンド作動性のカチオンもしくはアニオンチャネルは5つのサブユニットでポアを構成している．Cl^-チャネルであるClCファミリーも二量体であるが，それぞれのサブユニットが1つずつポアをもち，計2つのポアをもつ．アクアポリンは四量体で，それぞれのサブユニットに1つずつ水を通すポアがある．現在，多くのイオンチャネルがクローニングされてきている．この30以上の異なる電位作動性あるいは環状ヌクレオチド作動性のNa^+およびCa^{2+}チャネルがこれまでに知られている．代表的なNa^+，Ca^{2+}，K^+チャネルの模式図を図2・17で示した．

Na^+チャネルには構造の異なる別のファミリーがあ

[*6] 訳注：後述するように，シンポータやアンチポータによる輸送では，輸送される2種の物質の一方に対する受動輸送の駆動力を利用しながら，他方の物質が，電気化学的濃度勾配に逆らって輸送される場合がある．このような輸送は二次性能動輸送 secondary active transportと呼ばれ，Na^+, K^+-ATPaseなどに代表されるポンプによる一次性能動輸送 primary active transportと区別されることに注意．

[*7] 訳注：ATPの加水分解エネルギーを利用して能動輸送を行うこのトランスポータは，ポンプと呼ばれる．

[*8] 訳注：H^+, K^+ポンプとも呼ぶ．

[*9] 訳注：Ca^{2+}ポンプとも呼ぶ．

[*10] 訳注：プロトンポンプとも呼ぶ．

[*11] 訳注：S1～S4までの4つの膜貫通部位からなる構造は電位センサードメインと呼ばれる．電位センサーの4番目の膜貫通領域S4にアミノ酸3つおきに存在するアルギニンなどのアミノ酸の陽電荷の残基が，膜電位変化の感受を行う．ここに記されている細菌の電位作動性K^+チャネルの櫂のような伸長部位のモデルは，現在は受け入れられていない．

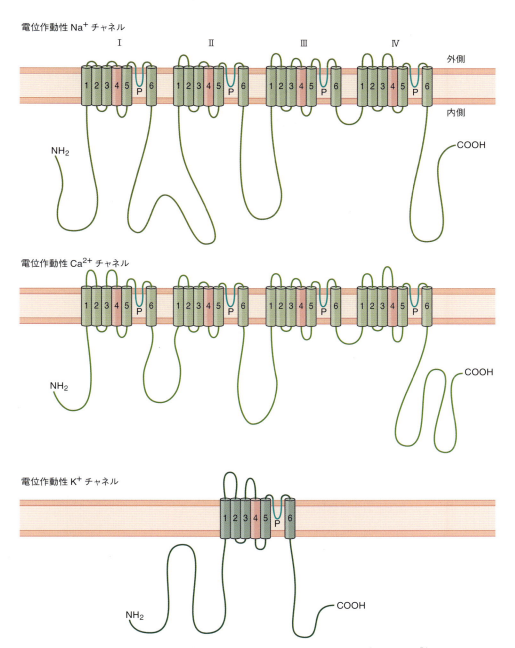

図 2・17　電位作動性イオンチャネルのポア形成サブユニットの構造．電位作動性 Na^+ および Ca^{2+} チャネルの α サブユニットは 6 回膜貫通ユニットを 4 回繰り返し，24 回膜貫通の構造になる．それぞれの繰返しには，膜を貫通しない "P" ループと呼ばれる領域が 5 番と 6 番の膜貫通領域の間に存在する．これら "P" ループは（訳注：イオン通過路である）ポアを形成していると考えられている．赤い 4 番目の膜貫通領域は "+" の電荷を帯びていることを示している．電位作動性 K^+ チャネルは 6 回膜貫通ユニットと "P" ループの繰返しは 1 回だけであるので，4 つのサブユニットが集合して K^+ チャネルとして機能する（訳注：原書には「電位作動性」とは記されていないが，誤解を招かないよう明記した）（Kandel ER, Schwartz JH, Jessell TM, Siegelbaum SA, Hudspeth AJ (editors): *Principles of Neural Science*, 5th ed. New York, NY: McGraw-Hill; 2013 より許可を得て複製）．

り，これらは腎臓，大腸，肺や脳などの上皮細胞の頂部側(管腔側膜)の細胞膜に存在する．**上皮型 Na$^+$ チャネル epithelial sodium channel(ENaC)** と呼ばれるこのチャネルは，3 つの異なる遺伝子によってコードされている 3 つのサブユニットから構成されている．それぞれのサブユニットは膜を 2 回貫通すると考えられており，N 末端と C 末端の両方とも細胞内側に位置している．Na$^+$ を輸送しているのは α サブユニットであり，β や γ サブユニットは輸送しない．しかし，β と γ サブユニットを加えることで，α サブユニットによる Na$^+$ 輸送の効率が高まる．ENaC は，その α サブユニットと結合する利尿薬アミロライド amiloride で抑制されるので，**アミロライド抑制性 Na$^+$ チャネル amiloride-inhibitable Na$^+$ channel** とも呼ばれ，腎臓でアルドステロンによる体液量調節に重要な役割を果たす．ENaC のノックアウトマウスは生きて生まれてくるが，肺から Na$^+$ とそれに伴って水を汲み出せないので，すぐに死亡する．

ヒトでは多くのタイプの Cl$^-$ チャネルが存在している．前述した ClC 二量体チャネルは，植物，細菌，そして動物においても見られ，ヒトには 9 つの異なる遺伝子がある．他にアセチルコリン受容体チャネルと，同様に五量体を形成するリガンド作動性 Cl$^-$ チャネルがあり，これらには中枢神経系にある GABA$_A$ 受容体やグリシン受容体が含まれる．その突然変異によって囊胞性線維症を発症させる囊胞性線維症膜コンダクタンス制御因子 cystic fibrosis transmembrane conductance regulator(CFTR)もまた Cl$^-$ チャネル[*12]である．イオンチャネル遺伝子の突然変異は多様な**チャネル病 channelopathy** の原因となる．骨格筋や脳におけるそれらの異常は，発作性の麻痺や痙攣をもたらす．非興奮性組織の異常を呈するチャネル病も知られている(クリニカルボックス 2・6)．

パッチクランプ法

形質膜上のイオンチャネルとトランスポータは細胞の興奮性，筋収縮，細胞増殖，移動，アポトーシスの制御に重要な役割を果たす．イオン輸送タンパク質(チャネルとトランスポータ)の知識を飛躍的にもたらした重要な技術が，**パッチクランプ法 patch clamp technique** である．この手法は，単離した細胞や組織の薄片などから，イオンチャネルや起電性のトランスポータを通過するイオン電流を計測するために用いられる．研究の目的に応じて 4 つの形式のパッチクランプ法がある．微小ピペット(ガラスピペット)を細胞膜上に押し当てると膜にしっかりしたシールを形成することができる．ピペットの先端のパッチ膜は通常は数個，または単一の，チャネルタンパク質(K$^+$ チャネルなど)を含んでいる．この**細胞接着(セルアタッチ)パッチ cell-attached patch** 状態では細胞を生かしたまま単一チャネル電流を測ることができる．あるいは，cell-attached patch 状態からピペットの先に閉じたパッチ膜を細胞からゆるく引き離すことで**インサイドアウトパッチ inside-out patch**(細胞内側がパッチピ

[*12] 訳注：サイクリック AMP 依存性リン酸化酵素(PKA)により活性化される Cl$^-$ チャネル．

クリニカルボックス 2・6

チャネル病

チャネル病には，神経や筋などの興奮性細胞と，非興奮性細胞の両方で，異常が生じる，様々な病気が含まれている．分子遺伝学的方法によって，単一種のイオンチャネルの変異によって生じる，多くの病理的異常が明らかにされてきた．興奮性細胞におけるチャネル病の例としては，周期性四肢麻痺(K$^+$ チャネル Kir2.6/KCNJ18，Ca^{2+} チャネル Ca$_v$1.1/CACNA1S や，Na$^+$ チャネル Na$_v$1.4/SCN4A など)，重症筋無力症(リガンド作動性非選択的カチオンチャネルである，ニコチン性アセチルコリン受容体)，悪性高熱症(内膜 Ca^{2+} チャネルであるリアノジン受容体 RYR1)，QT 延長症候群(Na$^+$ チャネルと K$^+$ チャネルの異常の場合があり，K$_v$7.1/KCNQ1，K$_v$11.1/KCNH2/hERG，Kir2.1/KCNJ2，Na$_v$1.5/SCN5A)などの病気が知られている．非興奮性細胞でのチャネル病としては，囊胞性線維症(Cl$^-$ チャネルである CFTR/ABCC7)，Bartter(バーター)症候群(K$^+$ チャネル Kir1.1/KCNJ1)などが知られている．基本的な異常のしくみを理解し，異常になったチャネルの性質を変えるような薬剤を作り出すことで，これらの病気の治療が進んでいくであろう．

ペットの外側を向く)を形成し(細胞から切り離した状態で)単一チャネル電流を測ることができる．ピペットを細胞に押し当てた状態でパッチ膜を短時間強く吸引して破ることで，ピペットの内側が細胞質とつながる．この**全細胞(ホールセル)記録 whole-cell recording** 状態では細胞全体から膜電流を測ったり膜電位(静止膜電位や活動電位など)を計測できる(図2・18)．さらにホールセル記録状態からピペットを引き離すと，膜は破れるが，すぐに閉じて**アウトサイドアウトパッチ outside-out patch** を形成する(細胞外側がピペットの外側を向く)．この状態では単一チャネル電流への細胞外のアゴニストの影響を調べることができる[*13]．

Na$^+$, K$^+$-ATPase

前述したように，Na$^+$, K$^+$-ATPase は ATP の ADP への加水分解を触媒し，その際のエネルギーを用いて1分子の ATP 加水分解当たり3個の Na$^+$ を細胞外に出し，2個の K$^+$ を細胞内に取り込む．これは，3個の正電荷を細胞外に，2個の正電荷を細胞内に運び入れるので，**起電性ポンプ electrogenic pump** である．したがって，3：2の**連結比 coupling ratio** をもつこととなる．これは生体のすべての部分に存在する．ウアバイン ouabain やその関連化学物質であり心不全の治療に用いられるジギタリス配糖体により，この活性は抑制される．このポンプは α サブユニット(分子量約10万)と β サブユニット(分子量約55000)からなるヘテロ二量体であり，ともに膜を貫通している(図2・19)．これらのサブユニットは分離すると活性がなくなる．β サブユニットは糖タンパク質で，Na$^+$, K$^+$ の輸送は α サブユニットを通って行われる．β サブユニットは単一の膜貫通領域と，糖鎖修飾されていると考えられるグリコシル化される部位を3つ細胞外に有している．その糖鎖部分は分子量の1/3を占める．α サブユニットは10回膜貫通型で，その N 末端およ

[*13] 訳注：inside-out patch(図2・18B)と，outside-out patch では膜が反転していることに注意．

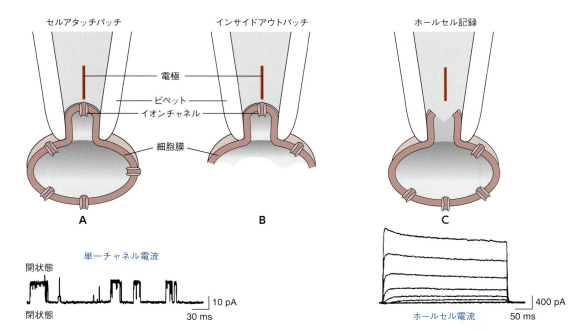

図2・18　イオン輸送を研究するためのパッチクランプ法．パッチクランプ実験では，細胞外溶液，または細胞内溶液で満たした微小ガラスピペットを注意深く操作して，細胞膜の一部をピペットの先端に，円周上にぴったりと接着させる(シールする)(セルアタッチパッチ，A)．適切な溶液で満たしたピペットの内部にはパッチ膜にあるチャネルのポアを通る電流を記録するための電極が入っている．セルアタッチパッチ中の典型的な Ca^{2+} 活性化型 K$^+$ 電流の単一チャネル記録が，パネル A に示されている．インサイドアウトパッチは，シールを壊すことなく密着した細胞からピペットをすばやく引き上げることで形成される(B)．ピペットにシールしたパッチ膜は短時間の陰圧をかけることで破ることができ，ホールセル状態になる(C)．この状態だと細胞全体のイオン電流を記録することができる．パネル C に，電位作動性 K$^+$ チャネルの典型的なホールセル電流の記録を重ね書きしたものを示す．

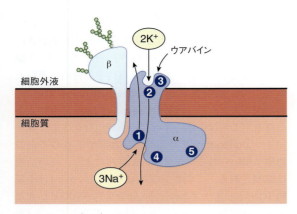

図 2・19 Na⁺, K⁺-ATPase. αサブユニットの細胞質側に ① Na⁺結合部位, ④ リン酸化部位, ⑤ ATP結合部位がある. 細胞外側に② K⁺結合部位と③ ウアバイン結合部位がある (Horisberger JD, Lemas V, Kraehenbühl JP et al: Structure-function relationship of Na⁺, K⁺-ATPase. Annu Rev Physiol 1991; 53: 565-584 より許可を得て複製).

びC末端はともに細胞内にある。このサブユニットは細胞内にNa⁺とATPの結合部位, リン酸化される部位があり, 細胞外にK⁺とウアバインの結合部位がある。このウアバイン結合部位に対する内因性のリガンド（すなわち内因性ウアバイン）が本態性高血圧の患者などの血漿や様々な器官や組織から同定された。Na⁺がαサブユニットに結合するとATPも結合し, ATPは分解されてADPになる。この時, リン酸はリン酸化部位であるAsp 376に結合する。これによりタンパク質分子の構造が変化し, Na⁺を細胞外に汲み出す。すると, K⁺が細胞外側に結合し, αサブユニットを脱リン酸化し, 構造が初期状態に戻り, K⁺は細胞質内に遊離される。

αおよびβサブユニットは異種メンバーで構成され, αについてはα₁, α₂, α₃が, βについてはβ₁, β₂, β₃が知られている。α₁はほとんどの細胞の膜に, α₂は筋, 心臓, 脂肪組織および脳に, α₃は心臓と脳に見られる。β₁サブユニットはかなり普遍的に見られるが, ある種のアストロサイト, 内耳の前庭細胞, 解糖性の速筋にはない。速筋はβ₂サブユニットだけをもっている。種々の組織で異なったα, βサブユニットをもつことは, おそらく組織に固有の機能と関係しているものと思われる。

Na⁺, K⁺-ATPase の調節

細胞内のNa⁺量が通常であるとポンプの機能にはまだ余裕がある。そのため, もし細胞内のNa⁺量が増えるとポンプ活性は上昇し, 細胞から汲み出されるNa⁺量が増加する。ポンプ活性は細胞内で作られるセカンドメッセンジャー [cAMP, ジアシルグリセロール (DAG：後述) など] が影響する。その影響の強さや方向は実験条件によって変わる。甲状腺ホルモンは遺伝子を通じてNa⁺, K⁺-ATPase分子の生成を促進することでポンプ活性を高める。アルドステロンもポンプ数を増加させるが, その作用は二次的なものだろうと考えられている。腎臓ではドーパミンはポンプをリン酸化することによって抑制し, ナトリウム利尿を引き起こす。インスリンもポンプ活性を高めるが, それには様々なメカニズムが関与する。

二次性能動輸送

多くの状況で, Na⁺の能動輸送が他の物質の輸送と共役している（**二次性能動輸送** secondary active transport）。たとえば, 小腸粘膜細胞の管腔側細胞膜は, Na⁺がこのタンパク質に結合される場合に限って, グルコースをNa⁺と同時に細胞内へと輸送するようなシンポータ[*14]をもっている。細胞内に入ったグルコースは細胞から血中に出ていく[*15]。小腸粘膜細胞のNa⁺に対する電気化学的勾配は細胞内から細胞外にNa⁺が能動輸送されることにより保たれている。他の例を図2・20に示している。心臓ではNa⁺, K⁺-ATPaseは間接的にCa²⁺輸送に影響を与える。心筋細胞膜にあるアンチポータ[*16]が細胞内Ca²⁺と細胞外Na⁺を交換するからである。

Na⁺とK⁺の能動輸送は, 生体内で主なエネルギー要求性反応の1つであり, 平均すると全細胞の利用するエネルギーの24%に相当し, ニューロンではその値は70%に達する。したがって, 基礎代謝の大部分はこれに費やされている。このように大量のエネルギーを使って, 細胞の電気化学的勾配は保たれている。

上皮輸送

消化管, 肺気道, 腎尿細管など極性を示す上皮細胞が列をなして構築している上皮組織においては, 物質が細胞の一方から入り他方から出ていく（図2・8）。その結果, 上皮の一方から他方への物質輸送を生み出し

[*14] 訳注：Na⁺-グルコースシンポータでSGLT1と呼ばれる.
[*15] 訳注：ユニポータとして分類されるグルコーストランスポータ (GULT と呼ばれる。表24・3 参照) による.
[*16] 訳注：Na⁺-Ca²⁺アンチポータでNCXと呼ばれる.

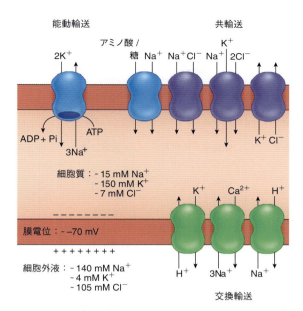

図 2・20 Na^+ と K^+ の能動輸送の主な二次的作用．Na^+，K^+-ATPase は ATP 加水分解による化学的エネルギーを Na^+ の内向き勾配の維持と K^+ の外向き勾配の維持に変換する．これらの勾配のエネルギーはアンチポート，シンポートおよび膜電位の維持に用いられる．これらの濃度勾配を利用するいくつかのアンチポートとシンポートの例を示してある．

ている．このような経上皮輸送をもたらすためには細胞は互いにタイトジャンクションで接着されていなければならないし，膜上の異なった部位に異なったイオンチャネルやトランスポータを配置していなければならない．上記の二次性能動輸送のほとんどの例が経上皮的なイオンや他の分子の輸送に関与している．

血管壁を介する特殊化した輸送

毛細血管壁は，血漿と間質液を隔絶している膜であるが，それを隔てての圧力差が**濾過 filtration** によって水や溶質の移動を起こすという点で，間質液と細胞内液を隔絶している細胞膜とは異なっている．濾過とは膜または他の隔壁を通して，隔絶されている2液間の圧力差で液体が押し出される過程と定義される．

毛細血管壁の構造は血管床によって異なる．骨格筋および他の多くの器官では，毛細血管壁を容易に透過するのは水および粒子の比較的小さい溶質のみである．内皮細胞間接合部の通路（細孔）はあまりにも小さいので，血漿中のタンパク質やその他のコロイド粒子はほとんど通さない．これらのコロイドは分子量が大きくその濃度もかなり高い．その少量は毛細血管壁を小胞性輸送によって透過するがその効果はわずかである．したがって毛細血管壁はコロイドに不透過な膜のようにはたらき，コロイドは約 25 mmHg の浸透圧を示すことになる．これを**コロイド浸透圧 oncotic pressure** という．このコロイド浸透圧の作用は毛細血管内外の静水圧 hydrostatic pressure による濾過と拮抗している．毛細血管内の静水圧と血漿コロイド浸透圧とのバランスが毛細血管壁を通っての物質交換をいかに制御するかについては31章で詳しく述べる．

トランスサイトーシス

内皮細胞の細胞質中には多くの小胞が存在し，血中に入った標識タンパク質分子は，この小胞および間質中に見出される．このことは，少量の血漿タンパク質は毛細血管からまずエンドサイトーシスによって内皮細胞毛細血管側細胞膜から入り，次いで間質側でのエキソサイトーシスによって出ることを示している．このような輸送機序はカベオリンでコートされている被覆小胞 coated vesicle を利用するもので**トランスサイトーシス transcytosis，小胞性輸送 vesicular transport** あるいは**サイトペンプシス cytopempsis** と呼ばれる．

細胞間コミュニケーション

細胞は互いに化学的メッセンジャー chemical messenger によって連絡し合っている．ある組織内では，情報伝達物質が細胞外液を通らずに，ギャップ結合を通って細胞から細胞へと移動する．その一方で，細胞は細胞外液に分泌された化学的メッセンジャーや細胞間接着によっても影響を受ける．化学的メッセンジャーは，細胞膜表面や細胞質内や核内にある受容体タンパク質と結合して細胞内の一連の変化を次々と引き起こし，生理的効果をもたらす．細胞外液を介して行われる細胞間のコミュニケーションは3種類に大別できる．(1) **神経性コミュニケーション neural communication**：シナプス接合部で神経細胞から神経伝達物質 neurotransmitter が分泌され，狭いシナプス間隙を経て，後シナプス細胞に作用する．(2) **内分泌性コミュニケーション endocrine communication**：ホルモンや成長因子が循環血流やリンパ液によって細胞に到達する．(3) **傍分泌性（パラクリン）コミュニケーション paracrine communication**：細胞から産生される物質が細胞外液中に放出されて，ある程度離れた近隣の細胞まで拡散して作用する（図 2・21）．さらに細胞が分泌した化学的メッセンジャーがその細胞自

	ギャップ結合	シナプス性	パラクリン性および オートクリン性	内分泌性
情報伝達の方法	直接，細胞から細胞へ	シナプス間隙を経由	間質液中の拡散	循環血液
局所か全身的か	局所	局所	局所に拡散	全身的
特異性の基盤	所在位置	所在位置と受容体	受容体	受容体

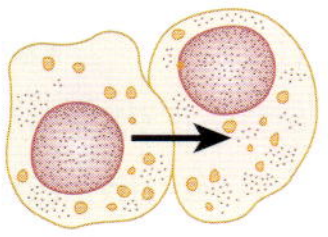

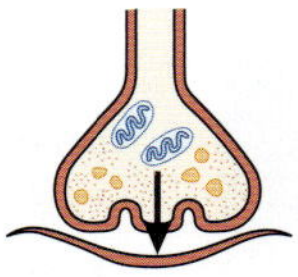

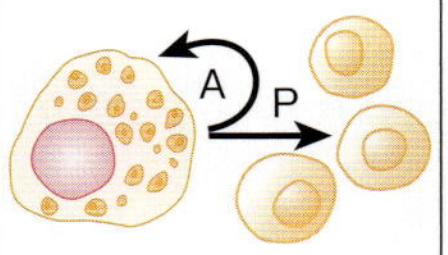

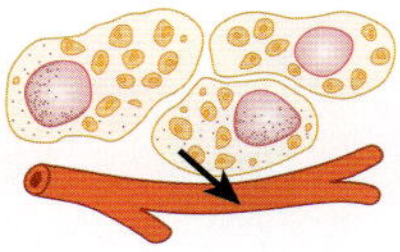

図 2・21 化学的メッセンジャーによる細胞間コミュニケーション． 細胞間コミュニケーションの種類を示す．A：オートクリン（自己分泌）性，P：パラクリン（傍分泌）性．

身の受容体に結合する場合もある[**自己分泌性（オートクリン）コミュニケーション** autocrine communication]．化学的メッセンジャーには，アミン，アミノ酸，ステロイド，ポリペプチドなどがあるが，脂質やプリンヌクレオチド，ピリミジンヌクレオチドの場合もある．注目すべきことに，同一の化学的メッセンジャーが体内の様々な場所において，神経伝達物質，パラクリン伝達物質，ニューロンから血中に分泌されるホルモン（神経性ホルモン），腺細胞から血中に分泌されるホルモンとしてはたらくことができる．

細胞間コミュニケーションのもう1つの形として，**近接分泌性コミュニケーション** juxtacrine communication と呼ばれるものがある．いくつかの細胞は**トランスフォーミング成長（増殖）因子α** transforming growth factor alpha （TGF-α）のような成長因子を繰り返しつなげた形で膜貫通性タンパク質の細胞外部分に発現する（ここで膜貫通性タンパク質は成長因子を細胞表面にとどめるはたらきがある）．近くの細胞がTGF-α受容体をもっていれば，TGF-αを細胞表面にもっている細胞はTGF-α受容体と結合することで，その細胞と接着することができる．これは組織での局所的な成長の拠点を作るのに重要である．Notchを介する隣接する細胞間での近接分泌性信号は，近接分泌性コミュニケーションのもう1つのよい例である．信号を送る側の細胞のJagged（Jag1/2）やDelta-like（DLL1/3/4）などのNotchリガンドは，まず，信号を受け取る側の細胞に発現するNotch 1-4などのNotch受容体に，細胞間相互作用により結合する．この結合によって活性化したNotch受容体は，細胞運命決定，細胞増殖，細胞分化，組織や器官の発生などの制御に関わる，一連の信号伝達カスケードをもたらす．

化学的メッセンジャーの受容体

細胞の化学的メッセンジャーの認識は，多くの場合受容体との相互作用から始まる．これまで20以上の化学的メッセンジャーの受容体の特性が明らかにされてきた．これらの受容体タンパク質は動的であり，その数は様々な刺激に応じて増減し，その特性も生理条件の変化に伴って変化する．あるホルモンや神経伝達物質が過剰に存在すると，結合活性のある受容体の数が減るのが常である（**ダウンレギュレーション** down-regulation）．逆に化学的メッセンジャーが不足すると受容体の数が増加する（**アップレギュレーション** up-regulation）．アンジオテンシンIIが副腎皮質に作用する場合は例外である．アンジオテンシンIIは副腎皮質の受容体を減少させず，むしろ増加させる．細胞膜に存在する受容体の場合は受容体依存性のエンドサイトーシスがダウンレギュレーションに関わっていることがある．リガンドが受容体に結合し，リガンド-受容体複合体が膜の中を側方に移動して被膜小胞に集まり，エンドサイトーシスによってリガンド-受容体複合体が細胞内に取り込まれる（**インターナリゼーション** internalization）．この結果，細胞膜上の受容体の数が減少する．取り込まれた後，受容体のうちあるものは再利用されるが，細胞内で新たに合成された受容体に置き換わっていく場合もある．ダウンレギュレーションのもう1つのタイプは**脱感作** desensitization と呼ばれるもので，受容体が化学的に変化して反応性が

低下する．

化学的メッセンジャーの作用機構

多くの場合，リガンドと受容体の相互作用は細胞応答の始まりにすぎない．リガンドと受容体の相互作用がもたらす細胞内二次反応は，大きく4つのカテゴリーに分類され，(1)イオンチャネルの活性化，(2)Gタンパク質 G protein の活性化，(3)酵素の活性化，(4)直接的な転写の活性化，を引き起こす．応答は各カテゴリーでかなり異なる．化学的メッセンジャーによって細胞内現象が引き起こされるいくつかの共通の機序は表2・3に要約した．アセチルコリンのようなリガンドは細胞膜上のイオンチャネルに直接結合して膜のコンダクタンスを変える．甲状腺ホルモン，ステロイドホルモン，1,25-ジヒドロキシコレカルシフェロール(活性ビタミン D_3)やレチノイドは細胞内に入り，細胞内または核内にある構造的に関連した様々な受容体ファミリーにはたらく．活性化された受容体はDNAと結合し，特定のmRNAの転写を増加させる．細胞外液に存在する他の多くのリガンドは，細胞表面にある受容体と結合し，cAMPやイノシトール三リン酸(IP_3)，ジアシルグリセロール(DAG)など細胞内メッセンジャーの遊離を引き起こし，細胞の機能変化を引き起こす．したがって細胞外のリガンドは**一次性情報伝達物質(ファーストメッセンジャー) first messenger** と呼ばれ，細胞内の仲介体を**二次性情報伝達物質(セカンドメッセンジャー) second messenger** と呼ぶ．セカンドメッセンジャーは酵素の機能を変えたり，エキソサイトーシスを誘起したりすることで細胞機能を短期的に変化させる一方，様々な遺伝子の転写も変化させる．ファーストメッセンジャーを受容体が認識すると，細胞内において様々な酵素の変化やタンパク質間の相互作用の活性化，もしくはセカンドメッセンジャーの変化が順番に起こる．結果として生じる**細胞内シグナル伝達経路 cell signaling pathway** は最初のシグナルを増幅し，細胞内の適切な場所にシグナルを伝達する．また広範な細胞内シグナル伝達経路によって，細胞が正しく生理的に応答するためのシグナルを微細に調整するためのフィードバックや制御の機会が与えられる．

リン酸化は最も重要なタンパク質の翻訳後修飾であり，細胞内シグナル伝達経路全体において共通の過程である．リン酸化は2種類のタンパク質が制御を行っている．1つは**キナーゼ kinase** であり，タンパク質(脂質である場合もあるが)のチロシンやセリン，スレオニンのリン酸化を触媒する酵素である．もう1つは**ホスファターゼ phosphatase** であり，タンパク質(もしくは脂質)からリン酸を取り除く酵素である．いくつかの受容体では受容体自身がキナーゼの活性をもつ．**受容体型チロシンキナーゼ tyrosine kinase receptor** は複数のサブユニットからなり，リガンドが結合した後，互いのサブユニットにあるチロシン残基を相互にリン酸化する．セリン・スレオニンキナーゼ受容体は，リガンドの結合の後に，受容体タンパク質のセリンまたはスレオニン残基をリン酸化する．**サイトカイン受容体 cytokine receptor** はある種のキナーゼに直接結合しており，サイトカインが受容体に結合するとキナーゼが活性化する．またセカンドメッセンジャーの変化が細胞内情報伝達経路のずっと下流のリン酸化を誘導することもある．現在キナーゼは500種類以上存在することが知られている．哺乳類の

表2・3 細胞外液中の化学的メッセンジャーによって細胞機能変化がもたらされる主な機序

機序	例
細胞膜上のイオンチャネルの開閉	ニコチン性アセチルコリン受容体に対するアセチルコリン；心臓のK^+チャネルに対するノルアドレナリン；TRPV1カチオンチャネルに対するカプサイシン
細胞質内または核内受容体を介して特定のmRNAの転写を増大	甲状腺ホルモン，レチノイン酸，ステロイドホルモン
細胞内DAG，IP_3およびその他のイノシトールリン酸化合物産生を伴うホスホリパーゼCの活性化	アンジオテンシンII，α_1受容体を介するノルアドレナリン，V_1受容体を介するバソプレシン
アデニル酸シクラーゼの活性化または抑制による細胞内cAMP産生の上昇または減少	β_1受容体を介するノルアドレナリン(cAMPの上昇)；α_2受容体を介するノルアドレナリン(cAMPの減少)
細胞内cGMPの上昇	心房性ナトリウム利尿ペプチド(ANP)；NO(一酸化窒素)
膜貫通受容体の細胞質側のチロシンキナーゼ活性の上昇	インスリン，上皮成長因子(EGF)，血小板由来成長因子(PDGF)，マクロファージコロニー刺激因子(M-CSF)
セリン・スレオニンキナーゼ活性の上昇	TGF-β，アクチビン，インヒビン

cAMP：環状アデノシン3′,5′-一リン酸，cGMP：環状グアノシン3′,5′-一リン酸，DAG：ジアシルグリセロール，IP_3：イノシトール三リン酸，TGF-β：トランスフォーミング増殖因子β．

細胞に重要なキナーゼを表2・4にあげた．一般に，リン酸基が付加するとタンパク質の構造と機能が変わり，その結果，細胞の機能が変わる．リン酸化と脱リン酸化の密接な関係が，細胞内シグナル伝達経路の一時的な活性化を可能にしている．これを指して"**リン酸タイマー phosphate timer**"と呼ぶことがある．リン酸タイマーとその下流の細胞内シグナルの異常は病気につながる（**クリニカルボックス 2・7**）．

転写に対する刺激

転写の活性化，およびその後の翻訳は，細胞内シグナル伝達の共通の最終結果である．主要なメッセンジャーが転写を制御する経路は3つある．第一は，ステロイドホルモンや甲状腺ホルモンが細胞膜を透過し，核にある受容体に結合する場合である．受容体はDNAに直接相互作用し，遺伝子発現を制御する．第二は，細胞質に存在するキナーゼを活性化し，これが潜伏していた（latent）転写因子をリン酸化して活性化する場合である．この過程は **MAP キナーゼ（分裂促進因子活性化タンパク質キナーゼ） mitogen activated protein（MAP）kinase** を経由するシグナルカスケードにおける共通の終着点である．MAP キナーゼは様々な受容体とリガンドの相互作用の後，セカンドメッセンジャーを通じて活性化される．MAP キナーゼは3種類存在し，細胞質内でそれぞれのMAP キナーゼが

表2・4　タンパク質キナーゼの例

セリン，スレオニン残基をリン酸化するもの
カルモジュリン依存性
ミオシン軽鎖キナーゼ
ホスホリラーゼキナーゼ
Ca^{2+}/カルモジュリンキナーゼ I
Ca^{2+}/カルモジュリンキナーゼ II
Ca^{2+}/カルモジュリンキナーゼ III
カルシウム・リン脂質依存性
プロテインキナーゼC（10以上のサブタイプあり）
環状ヌクレオチド依存性
cAMP 依存性キナーゼ
（プロテインキナーゼA：2つのアイソフォームあり）
cGMP 依存性キナーゼ
チロシン残基をリン酸化するもの
インスリン受容体　EGF 受容体，PDGF 受容体，
M-CSF 受容体

cAMP：環状アデノシン 3′,5′—リン酸，cGMP：環状グアノシン 3′,5′—リン酸，EGF：上皮成長因子，PDGF：血小板由来成長因子，M-CSF：マクロファージコロニー刺激因子．

クリニカルボックス 2・7

癌におけるキナーゼ：慢性骨髄性白血病

キナーゼは，細胞増殖や細胞死などの細胞の生理機能の最終結果を制御する重要な役割を果たすことが多い．細胞増殖や細胞死の異常は，癌の指標となる特徴である．癌には様々な原因があるが，キナーゼの異常は，慢性骨髄性白血病 chronic myeloid leukemia（CML）においてよく知られている．CMLは，フィラデルフィア（Ph）染色体の転座を特徴とする，全能性血球幹細胞の病気である．第9番染色体と第22番染色体の転座が起こり，第22番染色体は短くなる（Ph 染色体）．Ph 染色体では，融合した部分において，第9番染色体にある，活性型チロシンキナーゼドメインをコードする遺伝子 Abelson tyrosine kinase（c-Abl）が，第22番染色体の上にある，別の遺伝子の制御領域に融合され，新規の遺伝子として BCR-ABL が生じる．この新規の融合遺伝子 BCR-ABL がコードするタンパク質は，恒常的にチロシンキナーゼ活性を示す．BCR-ABL タンパク質の，調節不能のキナーゼ活性は，細胞増殖や，遺伝的な不安定さを促進する一方で，白血球の細胞死のシグナル経路を制限してしまう．動物実験モデルによって，融合遺伝子 BCR-ABL タンパク質を作るような転座だけで CML を生むのに充分であることが示されている．

治療上のハイライト

BCR-ABL は，慢性骨髄性白血病の最初に生じる形質転換によって形成されるため，創薬の理想的な標的となっている．イマチニブ imatinib（商品名グリベック Glivec）という薬が，BCR-ABL のチロシンキナーゼ活性を特異的に抑制する薬剤として開発された．イマチニブは慢性期の CML を治療するのに有効な薬剤であることが示されている．

順にリン酸化される．最後の MAP キナーゼがリン酸化を受けると核内に移行し，潜伏していた転写因子をリン酸化する．第三の共通の経路は，潜伏していた転写因子が細胞質において活性化され，核内に移行することである．これは NF-κB（**核内因子κB** nuclear factor-kappa B：腫瘍壊死因子受容体 tumor necrosis family receptor へのリガンド結合や，その他の方法により活性化される因子）や，**STAT**（**signal transducers and activator of transcription**：サイトカイン受容体にリガンドが結合した後に活性化される因子）などの多様な転写因子に共通したシステムである．活性化されたすべての転写因子は DNA に結合することで mRNA の転写を増加（場合によっては減少）させる．mRNA はリボソームで翻訳されて，細胞機能を変えるタンパク質の量が増加する．

セカンドメッセンジャーとしての細胞内 Ca^{2+}

Ca^{2+} は細胞増殖，神経シグナル，学習，収縮，分泌，受精などの多様な生理的な過程の多くを調節している．したがって細胞内 Ca^{2+} の調節は非常に重要である．細胞内の遊離 Ca^{2+} の濃度は通常約 100 nmol/L に維持されている．間質液中の Ca^{2+} 濃度はその約 12 000～18 000 倍（約 1 200 000～1 800 000 nmol/L）であるので，極めて大きな内向きの電気化学勾配が存在する．細胞内 Ca^{2+} の多くは小胞体や他の細胞内小器官に比較的高濃度で貯蔵されている（図 2・22）．これらの細胞内小器官は Ca^{2+} の貯蔵部位（Ca ストア）となり，そこから小胞体にあるリガンド作動性チャネル（リアノジン受容体とイノシトール三リン酸受容体など）を介して Ca^{2+} を放出し，細胞質中の遊離 Ca^{2+} の濃度を増加させる．増加した細胞内 Ca^{2+} はカルシウム結合タンパク質に結合し，これを活性化する．これらのタンパク質は，直接細胞の生理的現象に影響を与えたり，細胞内シグナル伝達を増進するために，他のタンパク質，一般にはタンパク質キナーゼを活性化する．

細胞内への Ca^{2+} の流入は，電気化学的勾配に従って起こり，様々な Ca^{2+} チャネルを介してもたらされる．Ca^{2+} チャネルには，リガンド作動性チャネルや電位作動性チャネルがある．細胞によっては機械的ス

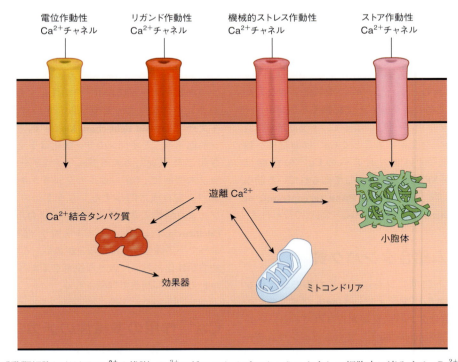

図 2・22 哺乳類細胞における Ca^{2+} の代謝．Ca^{2+} は種々のタイプのチャネルを介して細胞内に流入する．Ca^{2+} は小胞体と，小胞体より少量であるがミトコンドリアに貯蔵されており，そこから放出されて細胞質内の遊離 Ca^{2+} 濃度を変化させる．Ca^{2+} 結合タンパク質（CaBP）は細胞質の Ca^{2+} と結合して活性化されると，様々な生理効果を示す．細胞質の Ca^{2+} は小胞体や細胞膜の ATPase や Na^+-Ca^{2+} アンチポータ（図には示していない）によって細胞外に運び出される．

トレス作動性のチャネルもある．

多くのセカンドメッセンジャーは細胞内 Ca^{2+} 濃度が高まることによってはたらく．細胞内 Ca^{2+} 濃度の上昇は，主に，小胞体に貯蔵されている Ca^{2+} の放出，または細胞内への Ca^{2+} の流入の増加，もしくはそれら両方の機序による．IP_3 は，小胞体膜上に存在するリガンド作動性 Ca^{2+} チャネルである IP_3 受容体を直接活性化して，小胞体からの Ca^{2+} 放出を引き起こす．つまり，セカンドメッセンジャーである IP_3 の産生が，もう1つのセカンドメッセンジャーである Ca^{2+} の放出を誘導する．多くの組織において細胞内 Ca ストアから細胞質への一過性の Ca^{2+} 放出が，細胞膜に存在するある種の Ca^{2+} チャネル［**ストア作動性 Ca^{2+} チャネル store-operated Ca^{2+} channel（SOCC）**］の開口を引き起こす．この流入より小胞体をはじめとする細胞内の Ca ストアに Ca^{2+} が補充される．最近の研究により，SOCC（Orai チャネルなど）と小胞体に存在する調節因子（STIM1，STIM2 など）との相互作用によって Orai からの SOCC の形成が促進されることが明らかにされた．

他のセカンドメッセンジャーとしてはたらく分子と同様に，細胞内 Ca^{2+} 濃度の上昇は素早く，その後の減少も速い．細胞質から外への Ca^{2+} の移動，つまり細胞膜もしくは細胞内 Ca ストアとしてはたらく器官の膜を通過する Ca^{2+} の移動は，電気化学的な勾配に逆らった移動なのでエネルギーを必要とする．細胞外への Ca^{2+} の移動は，細胞膜に存在する Ca^{2+}-ATPase によって行われる．または Na^+ の電気化学的な勾配によって蓄えられたエネルギーで駆動するアンチポート（Na^+/Ca^{2+} アンチポータ）によって，3つの Na^+ に対して1つの Ca^{2+} を交換することで Ca^{2+} は細胞外へ輸送される．細胞内 Ca ストアへの Ca^{2+} の移動は **SERCA ポンプ SERCA pump** として知られている**筋小胞体／小胞体 Ca^{2+}-ATPase sarcoplasmic or endoplasmic reticulum Ca^{2+}-ATPase** を通じて行われる．

カルシウム結合タンパク質

これまで，**トロポニン troponin** や**カルモジュリン calmodulin** や**カルビンディン calbindin** など，多くの様々な Ca^{2+} 結合タンパク質が報告されている．トロポニンは骨格筋の収縮に関係しているカルシウム結合タンパク質である（5章参照）．カルモジュリンは148個のアミノ酸残基で構成され（図2·23），4つの Ca^{2+} 結合領域をもっている．115番目のアミノ酸残基がトリメチルリジンである点が特有であり，広く動物細胞

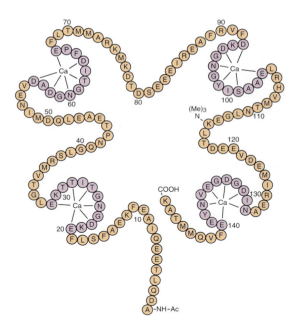

図 2・23　牛脳由来カルモジュリンの二次構造． 各アミノ酸残基は1文字略記で示している．四次構造において α ヘリックスを形成するアミノ酸配列の部分にはさまれて4個の Ca^{2+} 結合領域（図中紫色で表示した部分）がある（Cheung WY: Calmodulin: An overview. Fed Proc 1982; May; 41(7): 2253-2257 より許可を得て複製）．

だけでなく植物細胞にも存在する．カルモジュリンは Ca^{2+} に結合すると5種類のカルモジュリン依存性タンパク質キナーゼ（CaMK）を活性化する（表2·4）．このタンパク質キナーゼのうちの1つは**ミオシン軽鎖キナーゼ myosin light-chain kinase** で，ミオシンをリン酸化する．ミオシンのリン酸化は平滑筋の収縮を引き起こす．Ca^{2+}/カルモジュリンキナーゼ I，II はシナプス機能に，Ca^{2+}/カルモジュリンキナーゼ III はタンパク質合成に関与する．もう1つのカルモジュリンにより活性化されるタンパク質は**カルシニューリン calcineurin** で，Ca^{2+} チャネルを脱リン酸化することによって不活性化するはたらきがある．これはまた T 細胞の活性化において大きな役割を果たしており，いくつかの免疫抑制薬で抑制される．

Ca^{2+} 作用の多様性のメカニズム

どのようにして細胞内 Ca^{2+} がセカンドメッセンジャーとして多様な効果を発揮するか，理解に苦しむかもしれない．それは Ca^{2+} が低濃度と高濃度では異なった効果を示すことによって部分的には説明され

る．Ca^{2+} が放出される細胞内小器官やチャネルの周囲では高濃度となる（**Ca^{2+} スパーク Ca^{2+} spark**）であろうが，細胞全体に拡散した後には低濃度となる*17．Ca^{2+} が生み出す効果は，Ca^{2+} 濃度の増加より長続きするが，それは Ca^{2+} 結合タンパク質と結合するという方法で実現されている．また，いったん放出されると細胞内 Ca^{2+} 濃度はしばしば規則正しい振動を示す．その振動の周期や，あるいはまれには振幅が効果器（エフェクター effector）メカニズムの情報を与えるという証拠もある．さらには，細胞内 Ca^{2+} 濃度の増加は細胞から細胞へと波状的に広がり，気道上皮細胞の線毛の律動的な運動（beating）のような協同的な機能を生み出す．

G タンパク質

細胞においてシグナルを生物学的な作用に翻訳する一般的な方法は，ヌクレオチドの一種である GTP との結合により活性化されるタンパク質（**G タンパク質 G protein**）を介するものである．活性化シグナルが G タンパク質に到達すると，結合していた GDP が GTP に交換される．GTP との複合体は G タンパク質の活性化効果をもたらす．G タンパク質は自身の GTPase 活性により GTP を GDP に変換し，不活性化状態に戻る（図 2·24）．G タンパク質は 2 つのグループに大別され，どちらも細胞内シグナル伝達系ではたらいている．1 つは**低分子量 G タンパク質**（small G protein もしくは small GTPase）で，もう 1 つは**ヘテロ三量体 G タンパク質** heterotrimeric G protein である．その他，似たような制御をもち，細胞の生理的現象に重要なタンパク質には，伸長因子 elongation factor，ダイナミン dynamin，トランスロケーション GTPase translocation GTPase がある．

低分子量 G タンパク質には数種類あり，どれも高度に制御されている．**GTPase 活性化タンパク質 GTPase activating protein**（**GAP**）は，その結合部位において G タンパク質が GTP を GDP に加水分解するのを助けることで，G タンパク質を不活性化する．**グアニン交換因子 guanine exchange factor**（**GEF**）は GDP を GTP に交換することを促すことで低分子量 G タンパク質を活性化する．低分子量 G タンパク質には脂質修飾を受けることによって膜にとどまりやすく

---

*17 訳注：Ca^{2+} チャネル直下など，局所に Ca^{2+} 濃度の増加が見られる部位を，Ca microdomain（ミクロドメイン）や Ca nanodomain（ナノドメイン）と呼ぶことがある．

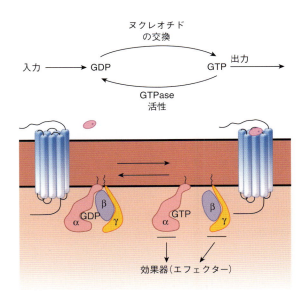

図 2·24 ヘテロ三量体 G タンパク質．上：G α サブユニットの反応の全体図．下：細胞膜上の G タンパク質共役型受容体にリガンド（赤い楕円）が結合すると，α サブユニットの GDP が GTP に置き換えられる．GTP-α は β γ サブユニットから離れ，GTP-α，β γ の両者は各作用体（エフェクター）を活性化し，生理的作用を引き起こす．GTP-α の内在性の GTPase 活性により GTP は GDP に変換され，α，β，γ の各サブユニットは再び結合する．

なるものがあるが，その他のものは細胞質を自由に拡散する．低分子量 G タンパク質は多くの細胞内機能に関わっている．G タンパク質の一員である Rab ファミリーは小胞体および Golgi 複合体，リソソーム，エンドソーム，細胞膜の間の小胞輸送の輸送率を制御している．もう 1 つの低分子量 G タンパク質のファミリーは Rho/Rac ファミリーで，細胞骨格と細胞膜との間の相互作用を仲介している．Ras ファミリーは細胞膜から核へシグナルを伝達することで成長を制御する．

ヘテロ三量体 G タンパク質は，低分子量 G タンパク質より大きなタンパク質複合体で，細胞表面の受容体を，細胞内でセカンドメッセンジャーを作る酵素に共役させたり，直接イオンチャネルに共役させる．低分子量 G タンパク質よりも先に見つかったのでしばしば"G タンパク質"と呼ばれる．ヘテロ三量体 G タンパク質は α，β，γ の 3 つのサブユニットからなる（図 2·24）．α および γ サブユニットは脂質修飾を受けることによって，細胞膜に固着しうる．α サブユニットは GDP を結合する．G タンパク質共役型受容体 G protein-coupled receptor（GPCR，後述）にリガンドが結合し，GDP が GTP に交換されると α サブユニッ

トがβ，γサブユニットの複合体から離れる．解離したαサブユニットは多くの生物学的な作用をもたらす．βおよびγサブユニットは細胞内で強固に結合していて，ともに多くの効果器を活性化するシグナル分子としてもはたらく．αサブユニットがもっているGTPase活性はGTPをGDPに変え，これによってαサブユニットとβγサブユニットが再会合し，エフェクターの活性化を終える．αサブユニットの活性化は**Gタンパク質シグナリング制御因子 regulator of G protein signaling（RGS）**によって加速される．

ヘテロ三量体Gタンパク質は1000以上のGPCR受容体からのシグナルを中継し，細胞にあるそれらの効果器にはイオンチャネルや酵素が含まれる．α，β，γの各サブユニットにはそれぞれ20，6，12の遺伝子が存在し，α，β，γの組合せは1400通り存在する．細胞内ではすべての組合せが起こりうるわけではないが，20種類以上の異なるヘテロ三量体Gタンパク質が細胞内シグナル伝達に関わっていることが実証されている．ヘテロ三量体Gタンパク質は5つのファミリーに分けられ，それぞれ固有の効果器群を制御している．

Gタンパク質共役型受容体

今日まで同定された**Gタンパク質共役型受容体 G protein-coupled receptor（GPCR）**はすべて細胞膜を7回貫通しているタンパク質である．この構造から**7ヘリックス受容体 seven-helix receptor**または**セルペンチン受容体 serpentine receptor**とも呼ばれる．非常に多くのものがクローン化されているが，それらの機能は多種多様である．GPCRに対するリガンドの種類の多さによってさらにその機能の多様性が増大する（表2・5）．その内の4種の構造は図2・25に示すとおりである．これらの受容体は集合し円筒状の構造を形成する．リガンドが結合すると受容体は構造変化を起こし，細胞膜の細胞質側と会合していて静的な状態にあるヘテロ三量体Gタンパク質が活性化される．活性化した単一の受容体は1つまたは10，もしくはそれ以上のヘテロ三量体Gタンパク質を活性化し，ファーストメッセンジャーによるシグナルを伝達するだけでなく，これを増幅する．リガンドが結合した受容体は細胞内シグナル量を制限するために不活性化する．これはしばしば受容体の細胞質領域のリン酸化によって起こる．その細胞内シグナリングにおける多様性と重要性から，GPCRは創薬の主要なターゲットとなっている．（クリニカルボックス2・8）．

表2・5 Gタンパク質共役型受容体に対するリガンドの例

分類	リガンド
神経伝達物質	アドレナリン ノルアドレナリン ドーパミン 5-ヒドロオキシトリプタミン ヒスタミン アセチルコリン アデノシン オピオイド
タキキニン	サブスタンスP ニューロキニンA ニューロペプチドK
その他のペプチド	アンジオテンシンⅡ アルギニンバソプレシン オキシトシン VIP, GRP, TRH, PTH
糖タンパク質ホルモン	TSH, FSH, LH, hCG
アラキドン酸誘導体	トロンボキサンA_2
その他	嗅物質 味物質 エンドセリン 血小板活性化因子 カンナビノイド 光 カチオン（Ca^{2+}, Mg^{2+} など）

FSH：卵胞刺激ホルモン，GRP：ガストリン放出ペプチド，hCG：ヒト絨毛性ゴナドトロピン，LH：黄体形成ホルモン，PTH：副甲状腺ホルモン，TRH：甲状腺刺激ホルモン放出ホルモン，TSH：甲状腺刺激ホルモン，VIP：血管作動性腸管ポリペプチド．

セカンドメッセンジャーとしてのイノシトール三リン酸（IP$_3$），ジアシルグリセロール（DAG）

Ca^{2+}を介してはたらくリガンドの膜結合と細胞質Ca^{2+}の速やかな増加を仲介しているのは，しばしば**イノシトール三リン酸 inositol 1,4,5-trisphosphate（IP$_3$）**である．リガンドの1つがその受容体に結合すると，活性化した受容体は細胞膜の内側に存在するホスホリパーゼC phospholipase C（PLC）を活性化する．リガンドがGPCRに結合するとG_qヘテロ三量体Gタンパク質を通して，PLCを活性化する．一方，リガンドが受容体型チロシンキナーゼに結合すると異なった細胞内シグナル伝達系を通じてPLCを活性化する．PLCは少なくとも8種類のアイソフォームがある．PLC$_\beta$はヘテロ三量体Gタンパク質により活性

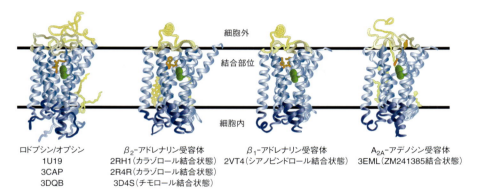

図 2・25　結晶構造解析から得られた 4 種類の G タンパク質共役型受容体の典型的な構造． それぞれの受容体は代表的な 1 つの構造が示されている．すべて，同じ配向と色分けで示してあり，膜貫通ヘリックスは空色，細胞内領域は濃い青，細胞外領域は茶色，それぞれのリガンド分子はオレンジ色の棒状，結合した脂質は黄色，保存性の高いトリプトファンは楕円状の球の緑で示した．この図では，4 つの GPCR に結合する様々なリガンドごとの，リガンドの結合する配向の微妙な違いと，細胞外領域と細胞内領域に見られる構造の違いを強調してある(Hanson MA, Stevens RC: Discovery of new GPCR biology: one receptor structure at a time. Structure 1988 Jan 14; 17(1): 8-14 より許可を得て複製)．（訳注：受容体名の下に記されている 4 文字記号は，タンパク質構造データベース(PDB)の ID 番号を示す．ちなみに，1U19 は 11-cis 型レチナール結合型の不活性化状態にあるロドプシン，3CAP はリガンドフリーのオプシン，3DQB は G タンパク質結合型の活性化状態にあるオプシンの構造を指している．）

クリニカルボックス 2・8

創薬：G タンパク質共役型受容体（GPCR）

GPCR は，製薬業界で市場の約 40% を占める，最も盛んに研究されている創薬ターゲットである．これらのタンパク質はすべての器官ではたらいており，癌，心血管系の異常，糖尿病，中枢神経系の病気，肥満，炎症，疼痛を含む分野の幅広い創薬ターゲットとなっている．創薬ターゲットとしての GPCR の特徴は，細胞応答を引き起こす細胞外信号の認識が特異的であること，リガンドや薬物が到達しやすい細胞表面に存在していること，ヒトの病理や病気との関連が強いことがあげられる．

具体的な GPCR 創薬の成功例を，2 種類の**ヒスタミン受容体** histamine receptor に見ることができる．

1 型ヒスタミン受容体（H_1 受容体）拮抗薬 histamine-1 receptor（H_1-receptor）antagonist：アレルギーの治療．アレルゲンは，気道の局所に存在する肥満細胞や好塩基球を刺激してヒスタミン遊離を引き起こす．ヒスタミンの一次的な標的は，気道に存在するいくつかの細胞種であり，一過性の搔痒感，嚏（くしゃみ），鼻漏，鼻の充血などを引き起こす．末梢の H_1 受容体のみでヒスタミンの作用を抑えるように選択性を向上させた薬剤があり，上気道でのアレルゲンの効果を抑えることができる．現在，市場において H_1 受容体拮抗薬として使われているものには，ロラタジン loratadine，フェキソフェナジン fexofenadine，セチリジン cetirizine，デスロラタジン desloratadine などがある．これらの，第二世代，第三世代の H_1 受容体薬は，特異性が向上し，1930 年代後半に最初に導入され，続く 40 年間に開発されていった，第一世代のいくつかの薬に見られた不都合な副作用（眠気や中枢神経系障害作用）が少ない．

2 型ヒスタミン受容体（H_2 受容体）拮抗薬 histamine-2 receptor（H_2-receptor）antagonist：胃酸過多の治療．過剰な胃酸分泌が，胃食道逆流症を来したり胃潰瘍へつながる場合がある．胃の壁細胞は，H_2 受容体でのヒスタミン作用によって酸を分泌するように刺激を受ける．胃酸分泌が過剰になると，胸やけが起こる．H_2 受容体拮抗薬または遮断薬は，胃酸産生につながる H_2 受容体信号を阻害することで，胃酸を減少させる．H_2 受容体を特異的に阻害し，胃酸の過剰産生を低下させるいくつかの薬剤（ラニチジン ranitidine，ファモチジン famotidine，シメチジン cimetidine，ニザチジン nizatidine）がある．

化されるが，PLC_γ は受容体型チロシンキナーゼによって活性化される．PLC のアイソフォームは，膜脂質であるホスファチジルイノシトール 4,5-ビスリン酸 phosphatidylinositol 4,5-bisphoshate（PIP_2）を加水分解して IP_3 と**ジアシルグリセロール diacylglycerol（DAG）**を生じる反応を触媒する（図 2・26）．IP_3 は拡散して小胞体に向かい，リガンド作動性 Ca^{2+} チャネルである IP_3 受容体に結合して細胞質への Ca^{2+} の放出を引き起こす（図 2・27）．DAG もまたセカンドメッセンジャーであり，細胞膜にとどまり，そこで**プロテインキナーゼ C protein kinase C** のいくつかのアイソフォームの 1 つを活性化したり，細胞膜の受容体作動型 Ca^{2+} チャネル[*18] を活性化して細胞内 Ca^{2+} 濃度をさらに増加させる．

*18 訳注：原文では receptor-operated Ca^{2+} channels（ROCCs）と一般名として記載しているが血管平滑筋細胞などの TRPC チャネルなどがこれらに相当する．

サイクリック AMP

もう 1 つの重要なセカンドメッセンジャーは環状アデノシン 3′,5′-一リン酸 [**サイクリック AMP cyclic AMP（cAMP）**，図 2・28] である．cAMP は**アデニル酸シクラーゼ adenylyl cyclase** という酵素によって ATP から生成され，**ホスホジエステラーゼ phosphodiesterase** という酵素によって生理活性のない 5′-AMP に変えられる．cAMP を分解するホスホジエステラーゼのいくつかはカフェインやテオフィリンといったメチルキサンチンによって活性が阻害される．結果的にこれらの化合物は cAMP によって仲介されるホルモンや伝達物質の効果を増長する．cAMP は環状ヌクレオチド依存性タンパク質キナーゼの 1 つ [**プロテインキナーゼ A protein kinase A（PKA）**] を活性化する．プロテインキナーゼ A はプロテインキナーゼ C のようにタンパク質のリン酸化を触媒してタンパク質の立体構造を変えて活性を変化させる．加えて PKA の触媒サブユニットは核に移動して，**cAMP 応答配列結合タンパ**

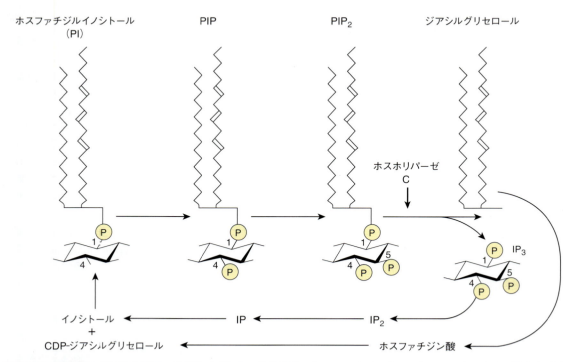

図 2・26 細胞膜におけるホスファチジルイノシトールの代謝．ホスファチジルイノシトールは次々とリン酸化を受け，まずホスファチジルイノシトール一リン酸（PIP）となり，次いでホスファチジルイノシトール 4,5-ビスリン酸（PIP_2）となる．ホスホリパーゼ $C_β$ および $C_γ$ は PIP_2 をイノシトール 1,4,5-三リン酸（IP_3）とジアシルグリセロールに分解する反応を触媒する．他のイノシトールリン酸やホスファチジルイノシトール誘導体も形成される．IP_3 は脱リン酸化を受けてイノシトールになり，ジアシルグリセロールは代謝されてシチジン二リン酸（CDP）-ジアシルグリセロールとなる．CDP-ジアシルグリセロールとイノシトールは結合してホスファチジルイノシトールとなり反応サイクルは終了する（Berridge MJ: Inositol trisphosphate and diacylglycerol as second messengers, Biochem J 1984; June1; 220(2): 345-360 より許可を得て改変）．

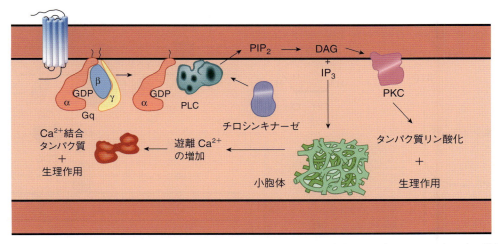

図 2·27 セカンドメッセンジャーとしてのイノシトール三リン酸（IP₃）およびジアシルグリセロール（DAG）の遊離を示す模式図．リガンドがGタンパク質共役型受容体と結合するとホスホリパーゼC（PLC）$_\beta$ が活性化される．また別に細胞内にチロシンキナーゼ領域をもつ受容体が活性化されると，PLC$_\gamma$ が活性化される．その結果ホスファチジルイノシトールビスリン酸（PIP₂）の加水分解が起こりIP₃とDAGが生成される．IP₃が小胞体からCa²⁺を放出させ，DAGがプロテインキナーゼC（PKC）を活性化する．

ク質 cAMP-responsive element-binding protein（CREB）をリン酸化する．この転写因子はDNAと結合して遺伝子の転写活性を変える．

アデニル酸シクラーゼによる cAMP の産生

アデニル酸シクラーゼは12個の膜貫通部位を有する膜結合型タンパク質である．10種類のアイソフォームが知られており，それぞれがcAMP経路を各組織の特異的な要求に応えられるように調節できる性質をもっている．とりわけ促進性ヘテロ三量体Gタンパク質 stimulatory heterotrimeric G protein（G$_s$）はアデニル酸シクラーゼを活性化するが，抑制性ヘテロ三量体Gタンパク質 inhibitory heterotrimeric G protein（G$_i$）は逆に不活性化する（図2·29）．促進性の受容体に適切なリガンドが結合すると，G$_s$ のαサブユニットがアデニル酸シクラーゼの1つを活性化する．反対に抑制性の受容体にリガンドが結合すると，G$_i$ のαサブユニットがアデニル酸シクラーゼを抑制する．この2つの受容体の特異性は高く，関連リガンドの1つにのみ，または1つの選択的グループにのみ低濃度で反応する．しかしヘテロ三量体Gタンパク質は，多くの異なったリガンドによって引き起こされる促進性作用，抑制性作用を仲介する．ホスホリパーゼCのシステムとアデニル酸シクラーゼのシステムは互いに関係しあっており（クロストーク），アデニル酸シクラーゼのいくつかのアイソフォームはカルモジュリンによっても刺激される．最後に，プロテインキナーゼAとプロテインキナーゼCの効果は非常に広範であり，直接的もしくは間接的にアデニル酸シクラーゼの活性に影響を与える．Gタンパク質とアデニル酸シクラーゼの活性化の密接な関連はcAMP産生の空間的な制御も可能にする．こうした現象はcAMPに対する応答を調整して細胞が特定の生理的な効果を生み出せるようにしている．

2つの細菌毒素がGタンパク質を介してはたらくアデニル酸シクラーゼに重要な作用をもっている．**コレラ毒素 cholera toxin** のAサブユニットは，ADP-リボースをG$_s$ のαサブユニットの真ん中にあるアルギニン残基への移動を触媒する．これによりGTPase活性が阻害されて，アデニル酸シクラーゼの活性が長時間続くようになる．**百日咳毒素 pertussis toxin** はG$_i$ のαサブユニットのC末端に近いシステイン残基のADP-リボシル化を触媒し，これによりG$_i$ の機能は阻害される．疾患におけるこれらの変化の意義に加えて，これらの毒素はGタンパク質の機能の基礎研究にも用いられる．フォルスコリン forskolin という化合物はアデニル酸シクラーゼ自体に直接はたらいて，これを刺激する．この化合物はアデニル酸シクラーゼやcAMPが細胞機能に関わるかどうかを調べる時に用いられる．

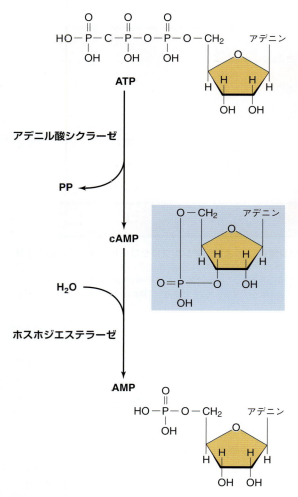

図 2・28　cAMP の生成と代謝． セカンドメッセンジャーである cAMP はアデニル酸シクラーゼにより ATP から生成され，ホスホジエステラーゼにより AMP に分解される．

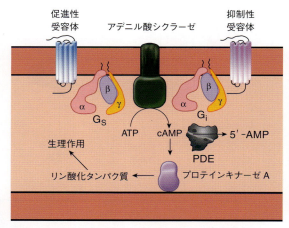

図 2・29　cAMP システム． アデニル酸シクラーゼの活性化は ATP の cAMP への変換を触媒する．cAMP はプロテインキナーゼ A を活性化し，それがタンパク質をリン酸化して生理的作用を引き起こす．促進性のリガンドは促進性受容体に結合して Gs を介してアデニル酸シクラーゼを活性化する．抑制性のリガンドは抑制性受容体と Gi を介してアデニル酸シクラーゼを抑制する．

グアニル酸シクラーゼ

生理学的に重要なもう 1 つの環状ヌクレオチドは**環状グアノシン一リン酸 cyclic guanosine monophosphate [サイクリック GMP (cGMP)]** である．cGMP は視覚における杆体細胞と錐体細胞の両方で重要である．加えて cGMP に制御されるイオンチャネルや cGMP 依存的なキナーゼがあり多くの生理的な作用を生み出す．

グアニル酸シクラーゼ (GC) は cGMP の産生を触媒する酵素の一群であり，2 つのタイプが存在する (図 2・30)．第 1 群は細胞外に N 末端領域があり，そこが受容体で，1 回膜貫通型であり細胞内部分がグアニル酸シクラーゼ活性をもつ．このようなグアニル酸シクラーゼがいくつか同定されており，そのうち 2 つは**心房性ナトリウム利尿ペプチド atrial natriuretic peptide (ANP)** (心房性ナトリウム利尿因子 atrial natriuretic factor としても知られている) の受容体[*19]で，もう 1 つは大腸菌 Escherichia coli のエンテロトキシンや胃腸ポリペプチドのグアリニンが結合する受容体[*20]である．第 2 群は可溶性 (Soluble) でヘムを有し，膜に結合しないものである (sGC)．この細胞内の酵素はいくつかアイソフォームをもつようである．それらは一酸化窒素 (NO) または NO 含有化合物で活性化される．

成長因子

成長因子 growth factor は生理学の各方面でその重要性が増大しつつある．これらはポリペプチドまたはタンパク質であり，便宜上 3 つのグループに分けられる．第一のグループは各種の細胞の増殖と発生を促すもので，神経成長因子 nerve growth factor (NGF)，インスリン様成長因子 insulin-like growth factor I (IGF-I)，アクチビンやインヒビンおよび上皮成長因子 epidermal growth factor (EGF) などがその例であるが，20 種類以上のものが報告されている．第二

---

*19 訳注：GC-A と GC-B．
*20 訳注：GC-C．

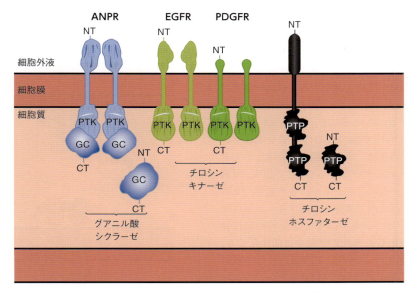

図 2·30 グアニル酸シクラーゼ，チロシンキナーゼ，チロシンホスファターゼの模式図．NT はアミノ末端を，CT はカルボキシル末端を意味する．ANPR：心房性ナトリウム利尿ペプチドの受容体，GC：グアニル酸シクラーゼ領域，EGFR：上皮成長因子受容体，PDGFR：血小板由来成長因子受容体，PTK：チロシンキナーゼ領域(PTK はグアニル酸キナーゼ活性はない)，PTP：チロシンホスファターゼ領域．

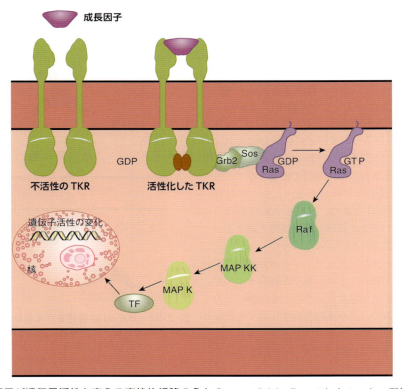

図 2·31 成長因子が遺伝子活性を変える直接的経路のうちの 1 つ．Grb2：Ras アクチベーター調節因子，MAP K：MAP キナーゼ，MAP KK：MAP キナーゼキナーゼ，Ras：*ras* 遺伝子産物，Sos：Ras アクチベーター，TF：転写因子，TKR：チロシンキナーゼ領域．この経路と cAMP 経路や IP$_3$-DAG 経路の間にはクロストークが存在する．

のグループはサイトカインである．これらの因子はマクロファージやリンパ球やその他の細胞で作られ，免疫系の調節に重要である(3章参照)．これにも20種類以上のものが報告されている．第三のグループは赤血球や白血球の増殖や成熟を調節するコロニー刺激因子である．

　EGF，血小板由来成長因子 platelet-derived growth factor (PDGF) や他の細胞の増殖や成長を促す因子に対する受容体は，単一の膜貫通領域をもち細胞内領域にチロシンキナーゼをもつ(図2・30)．受容体型チロシンキナーゼにリガンドが結合すると，まずチロシンキナーゼ同士が二量体を形成する．二量体化は細胞内領域のチロシンキナーゼを部分的に活性化し，互いをリン酸化しあうことで完全に活性化する．リン酸化で活性化される経路の1つは，低分子量Gタンパク質であるRasを介してMAPキナーゼを活性化し，最終的に遺伝子発現を変える転写因子を誘導する(図2・31)．

　サイトカインとコロニー刺激因子に対する受容体は，細胞内領域にチロシンキナーゼをもたなかったり，ほとんど細胞内領域が存在しなかったりする点で，他の成長因子に対する受容体と異なる．しかしこれらは細胞内でチロシンキナーゼ活性を発揮させる．ある場合には，Janusチロシンキナーゼ(**JAK**)と呼ばれるチロシンキナーゼを活性化させる(図2・32)．これらは次いで **STAT** (signal transducers and activators of transcription) タンパク質をリン酸化する．リン酸化されたSTATはホモまたはヘテロ二量体[*21]を形成して核に移動し，そこで転写因子としてはたらく．哺乳類では4つのJAKと7つのSTATの存在が知られている．興味深いことにJAK-STAT経路は成長ホルモンによっても活性化され，細胞表面と核をつなぐ，もう1つの重要な直接的な経路である．しかしRas経路とJAK-STAT経路は複雑で，それらの間のみならず前に論じた他のシグナル経路との間にもクロストークがあることは強調されなければならない．

　最後にすべてのセカンドメッセンジャーと細胞内シグナル経路の全体を扱うことは，多くの経路との相互作用が存在して非常に複雑になったことを指摘しておく．そのため，本書では読み手の生理学に対する理解を助けるような主要なものをリストアップしたり，一般的な論題を提示するまでにとどめておく(クリニカルボックス2・9)．

---

*21 訳注：ホモ二量体は同じ分子が2つ会合したもので，ヘテロ二量体は近縁の異なる分子が2つ会合したものである．

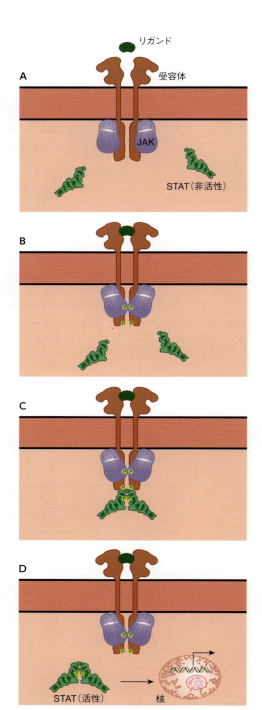

図2・32　JAK-STAT経路を介するシグナル伝達．A：非活性のJAKは個々の受容体と結合している．**B**：リガンドの結合は受容体を二量体化し，活性化したJAKは反対側の受容体のチロシン残基を相互にリン酸化する．**C**：STATがリン酸化された受容体と結合し，JAKがSTATをリン酸化する．**D**：リン酸化されたSTATは二量体化して，核へ移動し，DNA上の応答配列と結合する．

クリニカルボックス 2・9

受容体とGタンパク質の疾患

多くの疾病の原因が受容体の遺伝子の変異によることが明らかになっている．たとえば疾病を起こす機能欠失タイプの受容体突然変異は，1,25-ジヒドロキシコレカルシフェロール受容体とインスリン受容体について報告されている．他に受容体に対する抗体の産生によって生じる疾患もある．このため甲状腺刺激ホルモン thyroid-stimulating hormone（TSH）受容体に対する抗体は Graves（グレーヴス）病（Basedow（バセドウ）病）をもたらし，ニコチン性アセチルコリン受容体の抗体は重症筋無力症 myasthenia gravis の原因となる．

受容体の機能欠失の例は**腎（原発）性尿崩症 nephrogenic diabetes insipidus** で，これは尿濃縮を仲介する V_2 バソプレシン受容体の変異による機能の欠失によるものである．受容体は変異により機能を失うこともあるが（機能欠失性の変異），獲得することもある（機能獲得性の変異）．機能獲得性の Ca^{2+} 受容体（CaSR）の変異は副甲状腺ホルモン分泌の抑制を引き起こし，**家族性高カルシウム尿性低カルシウム血症 familial hypercalciuric hypocalcemia** となる．Gタンパク質も機能欠失性および機能獲得性の変異を受け，疾病を引き起こす（表2・6）．偽性副甲状腺機能低下症の1つの型では変異を起こした $G_s\alpha$ が副甲状腺ホルモンに反応できず，循環血中の副甲状腺ホルモンレベルの低下が起こらないにもかかわらず副甲状腺機能低下症の症状を呈する．**テストトキシコーシス testotoxicosis** は興味ある疾患で，機能の欠失と獲得の両方を合併している．すなわち $G_s\alpha$ を活性化する変異は過剰のテストステロンの分泌を引き起こし思春期前性成熟をもたらす．しかしこの変異には温度依存性があり，比較的低温（33℃）の精巣でのみ $G_s\alpha$ は活性化され，体の他の部位の正常体温である 37℃ では機能欠失に置き換わり，副甲状腺機能低下や TSH に対する反応性低下が起こる．$G_s\alpha$ の他の活性化変異は McCune-Albright（マッキューン・オールブライト）症候群における境界の明瞭でない皮膚の色素沈着と高コルチゾル血症と関係がある．この変異は胎児発育期に起こり，正常細胞と異常細胞のモザイクを作る．$G_s\alpha$ の第三の変異はGタンパク質内の GTPase 活性の低下を引き起こす．その結果，$G_s\alpha$ を介する信号が正常以上に活性化され過剰の cAMP が産生される．こうして下垂体前葉の成長ホルモン細胞の過形成とついには新生物形成（腫瘍化）を引き起こす．末端巨大症をもたらす成長ホルモン細胞腺腫の 40% はこの種の体細胞の変異によるものである．

表 2・6　ヘテロ三量体Gタンパク質共役型受容体およびGタンパク質の機能欠失性，機能獲得性変異によって起こる疾病

部　位	変異のタイプ	疾　病
受容体		
錐体オプシン	欠失性	色盲
ロドプシン	欠失性	先天性夜盲症/2種の色素性網膜炎
バソプレシン受容体2（V2R）すなわちアルギニンバソプレシン受容体2	欠失性	X連鎖腎性尿崩症
副腎皮質刺激ホルモン（ACTH）受容体またはメラノコルチン受容体2	欠失性	家族性グルココルチコイド欠乏
LH 受容体	獲得性	家族性男性思春期早発症
TSH 受容体	獲得性	家族性非自己免疫性甲状腺機能亢進症
TSH 受容体	欠失性	家族性甲状腺機能低下症
Ca^{2+} 受容体	獲得性	家族性高カルシウム尿性低カルシウム血症
トロンボキサン A_2 受容体（TP）すなわちプロスタノイド TP 受容体	欠失性	先天性出血
エンドセリン受容体 B（ET_B）	欠失性	Hirschsprung 病
Gタンパク質		
$G_s\alpha$	欠失性	偽性副甲状腺機能低下症，Ⅰa型
$G_s\alpha$	獲得/欠失	テストトキシコーシス
$G_s\alpha$	獲得性（モザイク）	McCune-Albright 症候群
$G_s\alpha$	獲得性	末端巨大症を伴う成長ホルモン細胞腺腫
$G_i\alpha$	獲得性	卵巣および副腎皮質の腫瘍

LH：黄体形成ホルモン，TSH：甲状腺刺激ホルモン．

章のまとめ

- 細胞と細胞内小器官は，半透過性を示す膜で囲まれている．生体膜は，疎水性芯部と親水性外域をもつ脂質二重膜をもち，この膜には，構造タンパク質または機能タンパク質が入っている．これらのタンパク質は，生体膜の透過性に大きく貢献している．

- 細胞には特殊化した細胞機能を果たす様々な細胞内小器官（オルガネラ）が含まれている．核はDNAをもつ細胞内小器官であり，遺伝子転写の場である．小胞体とGolgi装置は，タンパク質のプロセッシングを行ったり，正しい区画へ向かわせるために重要である．リソソームとペルオキシソームは，膜で囲まれた細胞内小器官であり，タンパク質や脂質の代謝に関わる．ミトコンドリアは，真核細胞において，酸化的リン酸化を行う細胞内小器官である．ミトコンドリアは，また，特殊化した細胞シグナル伝達にも重要である．

- 細胞骨格は，細胞内小器官や他の構造物の輸送だけでなく，細胞の形態を保証する3種類のフィラメントからなる編み目のことである．アクチンフィラメントは，細胞の収縮，移動，シグナル伝達に重要である．また，筋収縮の重要要素としてもはたらく．中間径フィラメントは，構造を作ることが一義的な役割のタンパク質である．微小管は，細胞の構成成分の移動を可能にする細胞内の動的構造を形作る．

- 細胞には，3群のモーター分子があり，ATPのエネルギーを使って，力，運動，または，その両方を作り出す．ミオシンは，筋細胞の収縮の力を作り出す．また，細胞内成分の運動や収縮を担う非筋ミオシン cellular myosin も存在し，細胞骨格（主に，アクチンフィラメント）と相互作用する．キネシン kinesin や細胞質ダイニン cellular dynein は，微小管と相互作用して細胞周辺部の積み荷（cargo）を動かすモータータンパク質である．

- 細胞接着分子は，細胞を互いにつなげたり，細胞外マトリックスにつなげるはたらきをしており，その上に細胞シグナル伝達の開始を引き起こす．これらには，4つの主要なファミリーがある．すなわちインテグリン，免疫グロブリン，カドヘリン，セレクチンである．

- 細胞には，細胞同士や細胞外基質との接着の足場を提供する様々なタンパク質複合体が含まれている．タイトジャンクション（密着結合 tight junction）は，細胞間結合をもたらして調節能をもった組織バリア（訳注：上皮）を形作る．また，タイトジャンクションは，細胞膜中のタンパク質の移動への障壁にもなる．ギャップ結合は，2つの細胞間で小分子を直接やりとりすることを可能にする細胞間の接着である．デスモソーム desmosome と接着帯 adherens junction は，細胞同士を束ねる特殊な構造である．ヘミデスモソームや接着斑 focal adhesion は，細胞を基底板へ接着させる．

- エキソサイトーシスとエンドサイトーシスは，細胞内，細胞膜，細胞外の間で，タンパク質や脂質を移動させる膜融合事象である．エキソサイトーシスは，構成性経路と，非構成性経路があり，どちらも膜融合に特化されたタンパク質を必要とする，制御された過程である．エンドサイトーシスは，細胞外空間から細胞内へ物質を取り込むために，細胞膜で小胞が形成される，という過程である．

- 細胞は，化学的メッセンジャーにより互いの情報交換が可能である．個々のメッセンジャー（あるいはリガンド）は，典型的には，細胞膜の受容体に結合して，細胞内の変化を開始させ，生理作用へ至る．形質膜の受容体には，イオンチャネル，Gタンパク質共役型受容体，様々な酵素連結型受容体（チロシンキナーゼ型受容体など）がある．また，膜透過性化合物を結合することができる細胞質の受容体（ステロイド受容体など）もある．受容体の活性化により，膜電位変化，ヘテロ三量体型Gタンパク質活性化，セカンドメッセンジャー分子の増加，転写の開始などの，細胞レベルの変化が生じる．

- セカンドメッセンジャーは，ファーストメッセンジャーの認識後に，細胞において素早い濃度変化を示す分子のことである．一般的なセカンドメッセンジャーとしては，Ca^{2+}，環状アデノシンーリン酸（cAMP），環状グアノシンーリン酸（cGMP），イノシトール三リン酸（IP_3）がある．

多肢選択式問題

正しい答えを1つ選びなさい．

1. 起電性 Na^+, K^+-ATPase は，どのしくみにより，細胞生理機能を担っているか．
    A．ATP を使って，2つの K^+ を細胞内へ取り込むことと引き換えにして，細胞の外へ3つの Na^+ を汲み出す
    B．ATP を使って，2つの Na^+ を細胞内へ取り込むことと引き換えにして，細胞外へ3つの K^+ を汲み出す
    C．細胞内への Na^+ の流入や，細胞外への K^+ の流出に伴うエネルギーを使って ATP を作る
    D．細胞外への Na^+ の流出や，K^+ の細胞内への流入のエネルギーを使って ATP を作る

2. 細胞膜について，あてはまるのはどれか．
    A．比較的少数のタンパク質分子を含む
    B．多くの炭水化物分子を含む
    C．自由に荷電分子を通すがタンパク質は通さない
    D．細胞の部位によって様々なタンパク質や脂質成分を有する
    E．細胞の生存を通じて安定した成分からなる

3. セカンドメッセンジャーについて，あてはまるのはどれか．
    A．細胞外でファーストメッセンジャーと相互作用する物質である
    B．細胞膜のファーストメッセンジャーに結合する物質である
    C．他のホルモンによって刺激されて細胞から分泌されるホルモンである
    D．多くの異なるホルモンや神経伝達物質に応じて細胞内応答を仲介する
    E．脳では形成されない

4. Golgi 装置について，あてはまるのはどれか．
    A．タンパク質や脂質の分解に関わる細胞内小器官である
    B．タンパク質の翻訳後プロセッシングに関わる細胞内小器官である
    C．エネルギー産生を担う細胞内小器官である
    D．転写と翻訳を担う細胞内小器官である
    E．タンパク質を貯蔵したり核へ移動するための細胞内区画である

5. エンドサイトーシスについて，あてはまるのはどれか．
    A．ファゴサイトーシス（食作用）とピノサイトーシス（飲作用）を含むが，クラスリンやカベオリン依存性の細胞外物質の取込みは含まない
    B．細胞内小胞を細胞膜と融合させて，細胞内物質を細胞外環境へ運ぶ過程を指す
    C．細胞外物質を細胞内へ取り込む細胞膜の陥入のことをいう
    D．Golgi 装置間での小胞輸送のことをいう

6. G タンパク質共役型受容体（GPCR）について，あてはまるのはどれか．
    A．細胞内での移動を制御する細胞内膜タンパク質である
    B．主要なシグナル分子の細胞外の結合を，エキソサイトーシスへ共役させる，細胞膜のタンパク質である
    C．主要なシグナル分子の細胞外の結合を，ヘテロ三量体 G タンパク質の活性化へ共役させる細胞膜のタンパク質である
    D．ファーストメッセンジャー分子の結合を転写と共役させる細胞内タンパク質である

7. ギャップ結合は細胞間接着であり，また，次のどのような機能があるか．
    A．細胞を分離させて，組織障壁を越えて輸送することを可能にする
    B．細胞間で小分子を共有するための，調節された細胞質ブリッジとして機能する
    C．細胞膜内のタンパク質の移動を阻止する障壁として機能する
    D．隣り合った細胞間で起こる，構成性エキソサイトーシスのための，細胞成分である

8. F アクチンについて正しいものを選べ．
    A．細胞運動のための構築要素となる
    B．F は "functional" form の f である
    C．細胞中に見られる線維状のアクチン分子を形成するアクチンサブユニットのことをいう
    D．細胞間の情報交換のための分子構築である

CHAPTER 3

免疫，感染，炎症

学習目標
本章習得のポイント

- 免疫，特に微生物の侵入に対する生体防御の意義を理解する
- 自然免疫の意義とメカニズムを説明できる
- 獲得免疫における体液性免疫および細胞性免疫の役割と，それらの反応を仲介する細胞因子および幅広い抗原を認識できる分子基盤を理解する
- サイトカイン，ケモカイン，増血因子などの液性因子および補体系による免疫制御の原理を理解する
- 顆粒球，マスト細胞，単球，血小板などの循環血液中や組織内に存在する細胞がどのように免疫や炎症に寄与するか，そして食細胞が浸入した細菌をいかにして殺すかを理解する
- 炎症反応と創傷治癒の基礎を理解する

■ はじめに

　生体は外部環境に曝されているため，細菌やウイルス，その他の有害な侵入微生物から常に自身を防御しなければならない．この生体防御には免疫系が関与しており，免疫系は自然免疫と獲得(＝適応)免疫に大別できる．免疫系は特殊化した細胞から構成されており，これらの細胞は外来抗原や自己組織に存在しない分子構造を認識して反応する．またサイトカインと呼ばれる多種類の液性因子にも応答する．また免疫系は老化した細胞や癌細胞などの異常な自己細胞も排除している．さらに，正常な自己組織もしばしば不適切な免疫反応の標的となって傷害される．自己免疫疾患や侵入微生物に対する炎症反応によって正常細胞が傷害される場合などである．本章で現代免疫学のすべての分野を網羅することはできない．しかし，免疫系が様々な組織の正常な生理的調節にも関与していることが明らかになってきており，また病態生理にも免疫応答が深く関与しているので，生理学を学ぶに際しても免疫系の機能とその制御機構に関する知識が必要である．

免　疫

概　説

　無脊椎動物や植物を含むすべての多細胞生物は**自然免疫 innate immunity**と呼ばれる進化的に古い防御機構をもつ．このシステムは，細菌や他の微生物で共通に認められるが真核細胞には存在しない糖，脂質，アミノ酸，または核酸の特定の構造に結合する受容体によって活性化され，様々な防御反応を誘導する．これらの受容体の遺伝子は染色体にコードされており，その基本構造は抗原への曝露によって変化することはない．様々な種において活性化される防御系には，インターフェロン interferon(IFN)の放出，食作用，抗菌ペプチドの産生，補体系の活性化，およびタンパク質分解のカスケードなどが含まれる．この原始的な免疫系は，脊椎動物において特に感染に対する初期応答において重要である．しかし，脊椎動物においては自然免疫に加え，さらに**適応免疫 adaptive immunity**または**獲得免疫 acquired immunity**により補強されている．獲得免疫では，T細胞(Tリンパ球)およびB細胞(Bリンパ球)が特異的な抗原によって活性化される．活

性化されたB細胞はクローンを形成し，異種タンパク質を攻撃する抗体を産生・分泌する．T細胞は抗体分子に似た受容体を細胞膜上に発現している．これらの受容体に抗原が結合すると，T細胞は増殖し，様々なサイトカインを産生する．これらのサイトカインによって，B細胞の応答を含む免疫応答が惹起される．侵入微生物を撃退した後には少数の記憶細胞が残り，同じ抗原に再度曝されると増強された免疫応答が速やかに起こる．獲得免疫に関わる遺伝子の変化は4億5000万年前に生じ，おそらくトランスポゾンがゲノムに挿入されることによって，我々の身体に存在する膨大なT細胞受容体のレパートリー（レパトワ repertoire [*1]）の形成と抗体の産生を可能にしていると考えられる．

ヒトを含む脊椎動物では，自然免疫が感染に対する生体防御の最前線を形成している．さらに自然免疫は，遅れて生じる特異性の高い獲得免疫反応も誘導する（図3・1）．脊椎動物では，自然免疫と獲得免疫によって，腫瘍や他人から移植された組織を攻撃する．

免疫細胞は，活性化されると，サイトカインやケモカインを放出して，互いの細胞機能を制御する．これらの細胞は，サイトカインの分泌や補体系の活性化を介して，ウイルス，細菌，異種細胞などを殺す．

自然免疫

多種多様な自然免疫細胞は，細菌によって生成される分子パターンや，ウイルス，腫瘍，および移植細胞に特徴的な物質に応答する．内皮細胞や上皮細胞などの免疫細胞ではない多くの細胞も自然免疫応答に貢献している．すなわち活性化されたそれらの細胞は，サイトカインの放出を介して，あるいは場合によっては補体などを介してその効果を生み出す．

ショウジョウバエ *Drosophila* における自然免疫の中心は，**toll** と呼ばれる受容体タンパク質である．この受容体は真菌の抗原に結合して，抗真菌タンパク質をコードする遺伝子を活性化する．今では，多くの toll 様受容体 toll-like receptor（TLR）がヒトおよび他の脊椎動物においても同定されている．その1つである TLR4 は細菌のリポポリサッカライド（リポ多糖）と CD14 と呼ばれるタンパク質に結合する．この結合によって細胞内応答が誘導され，自然免疫に関わる

[*1] 訳注：抗原受容体のレパートリー，すなわち多様な集団のこと．

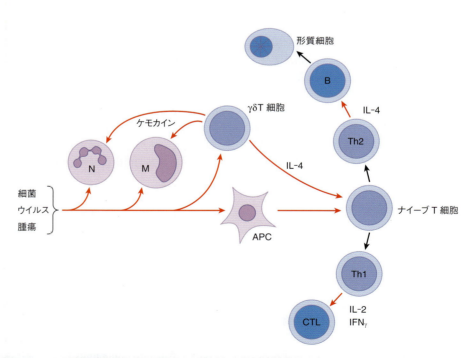

図3・1　細菌，ウイルス，腫瘍が自然免疫を活性化し，獲得免疫応答を誘導する機序． 赤色矢印は標的細胞に作用するメディエーター／サイトカインを示し，黒色矢印は分化の経路を示す．APC：抗原提示細胞，B：B細胞，M：単球，N：好中球，Th1：1型ヘルパーT細胞，Th2：2型ヘルパーT細胞，CTL：細胞傷害性T細胞．

様々なタンパク質の遺伝子の転写が活性化される．グラム陰性菌が産生するリポポリサッカライドは敗血症性ショックの原因となるので，これらの応答は重要である．TLR2は微生物のリポタンパク質に反応し，TLR6はTLR2と協調して特定のペプチドグリカンを認識する．TLR5は細菌の鞭毛に存在するフラジェリンと呼ばれる分子を認識し，TLR9は細菌のDNAを認識する．TLRは病原体が発現する分子パターンを認識して反応することから**パターン認識受容体 pattern recognition receptor（PRR）**と呼ばれる．他のPRRはNODタンパク質のように細胞内に存在するものもある．NODタンパク質の1つであるNOD2は炎症性腸疾患であるCrohn〔クローン〕病の原因遺伝子産物として注目されている（クリニカルボックス3・1）．

獲得免疫

すでに述べたように，T，B，2種類のリンパ球が抗体（B細胞の場合）と細胞球表面の受容体（T細胞の場合）を産生する能力が獲得免疫の鍵となる．抗体やT細胞受容体は生体に侵入してくる数限りない異物のうちの1つに特異的に反応する．T細胞受容体や抗体の産生を刺激する抗原は，通常，タンパク質やポリペプチドである．しかし，抗体の場合は核タンパク質やリポタンパク質として提示されると，核酸や脂質に対しても抗体が産生される．さらに実験的には，低分子がタンパク質に結合していれば，低分子に対する抗体も産生される．獲得免疫には2つのタイプがある．体液性免疫と細胞性免疫である．**体液性免疫 humoral immunity** は，血漿タンパク質のγグロブリン分画に存在する免疫グロブリン（＝抗体）に担われる．免疫グロブリンは，B細胞が分化成熟した**形質細胞 plasma cell** と呼ばれる細胞によって産生される．免疫グロブリンは補体系を活性化し，また抗原を攻撃して中和する（図3・1）．体液性免疫は細菌感染に対する主要な防御機構である．**細胞性免疫 cellular immunity** はT細胞に担われている．細胞性免疫は遅延型アレルギー反応や移植された外来組織に対する拒絶反応に関与する．細胞傷害性T細胞は自身のT細胞受容体に対応した抗原をもつ標的細胞を攻撃して破壊する．細胞傷害性T細胞は標的細胞の細胞膜に穴を開ける**パーフォリン perforin** を挿入したり，アポトーシスを誘導することによって標的細胞を殺す．細胞性免疫はウイルス，真菌，および結核菌のような特定の細菌感染に対する主要な防御機構であり，また腫瘍に対する防御にも関与する．

リンパ球

リンパ球，特にB細胞とT細胞は獲得免疫において中心的な役割を果たしている．出生後，リンパ球の前駆細胞は骨髄に由来し，胸腺（T細胞）または骨髄（B細胞）内で分化成熟する．さらに両者はリンパ節（図3・2）や脾臓で抗原と出合い活性化される．通常リンパ球は，血液中を循環し，多くの場合，血管からリンパ管を通してリンパ節に入り胸管を介して循環血液中に戻る[*2]．末梢血液中に存在するリンパ球は成熟リンパ

クリニカルボックス 3・1

Crohn病

Crohn病は寛解と再発を繰り返す腸管壁の慢性の炎症性疾患である．消化管のどの部位でも生じうるが，一般的には小腸遠位部と結腸に多く見られる．患者には便通の異常，血便，下痢，激しい腹痛，体重減少および栄養失調が認められる．腸管内に共生する正常細菌叢に対する炎症反応を負に制御できないために発症すると考えられている．自然免疫を制御する遺伝子（たとえば*NOD2*）や獲得免疫の制御因子に変異があると，細菌叢の変化やストレスなど特定の環境因子に曝された時に本症を発症しやすい．

治療上のハイライト

Crohn病の炎症が強い時は，炎症を非特異的に抑制するために大量の副腎皮質ステロイドを使用するのが治療の基本である．狭窄，瘻，膿瘍などの合併症に対してはしばしば外科的治療が必要である．一部の重症患者では，免疫抑制薬や腫瘍壊死因子α（TNF-α）に対する抗体医薬が奏功する．"健康"な細菌叢を回復させるための治療用微生物であるプロバイオティクスには予防効果が認められる．関連の炎症性腸疾患である潰瘍性大腸炎同様，Crohn病の病因の解明には，今後のさらなる研究が必要である．異なる遺伝的背景をもつ個々の患者に特異的な炎症反応に焦点を当てた選択的治療法も開発中である．

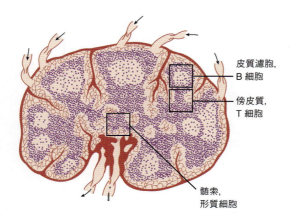

図 3・2 正常なリンパ節の構造. (Chandrasoma および McPhee SJ, Lingappa VR, Ganong WF(editors): *Pathophysiology of Disease*, 4th ed. New York, NY: McGraw-Hill; 2003 より許可を得て複製).

球全体のわずか 2% であり,残りのリンパ球のほとんどは二次リンパ器官(リンパ節,脾臓)に存在する.

T リンパ球前駆細胞は胎生期および成体において骨髄で生まれ,胸腺に移住し,胸腺内の環境によって T 細胞に分化成熟する(図 3・3).NKT 細胞も胸腺で作られるもう 1 つのリンパ球であり,T 細胞と**ナチュラルキラー(NK)細胞** natural killer (NK) cell の性質を兼ね備えている[*3].一方,B 細胞への分化成熟は胎生期は胎児肝臓で行われ,出生後は骨髄で行われる.NK 細胞への分化成熟もこれらの部位で行われる.T 細胞と B 細胞は胸腺,肝臓または骨髄にとどまった後に

[*2] 訳注(前頁):原書のこのパラグラフは不正確・不十分な部分があり,訳者により一部加筆・改訂した.

[*3] 訳注:NK 細胞は感染細胞や癌細胞を殺傷する細胞であるが抗原受容体はもたない.リンパ球前駆細胞から発生するのでリンパ球の一種であるが自然免疫系の細胞に分類される.特に断りなくリンパ球と表記されている時は T 細胞と B 細胞と考えてよい.

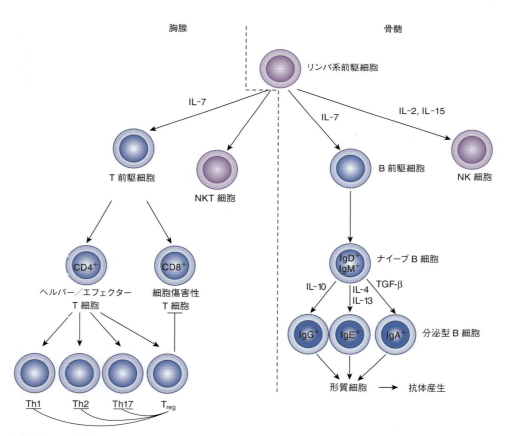

図 3・3 獲得免疫系の発達. リンパ系前駆細胞は骨髄で発生する.B 細胞と NK 細胞への分化成熟は骨髄で行われ,T 細胞と NKT 細胞への分化成熟は,その前駆細胞が胸腺に移動して,胸腺内で行われる.NK:ナチュラルキラー細胞(訳注:T_{reg} は細胞傷害性 T 細胞の他,TH1 などのエフェクター T 細胞を抑制する).(訳注:図の一部を訳者改変)

リンパ節へと移動することになる．

T細胞とB細胞を形態学的に区別することはできないが，細胞膜上に存在するマーカーで同定することが可能である．B細胞は様々なクラスの免疫グロブリンを産生する細胞に分化し，さらに成熟して**形質細胞 plasma cell** になる．T細胞には2つの主要なタイプ，すなわち**細胞傷害性T細胞 cytotoxic T cell** と**ヘルパー/エフェクターT細胞 helper/effector T cell** がある[*4]．ヘルパーT細胞には少なくとも4つの亜型（サブタイプ）が存在する．Tヘルパー1（Th1）はIL-2とインターフェロンγを分泌し，主として細胞性免疫に関与しており，Tヘルパー2（Th2）はIL-4とIL-5を分泌し，B細胞と相互作用することによって主として体液性免疫に関与している．Tヘルパー17（Th17）細胞は細菌感染に反応して誘導され，IL-6とIL-17を産生し，また好中球の動員を助ける[*5]．Th17細胞は自己免疫疾患における有害な炎症反応にも関与している．制御性T細胞 Treg cell はIL-10を産生して，T細胞の応答を抑制する[*6]．細胞傷害性T細胞は移植された細胞や異種抗原を発現している細胞（たとえば，ウイルスに感染した細胞）を破壊するが，細胞傷害性T細胞の産生と機能にはヘルパーT細胞の助けが必要である．

リンパ球表面のマーカーは，一連のモノクローナル抗体に対する反応性からCD（分化抗原クラスター）ナンバーで表記される．ほとんどの細胞傷害性T細胞は糖タンパク質，$CD8^+$ を発現しており，ヘルパーT細胞は糖タンパク質，$CD4^+$ を発現している．これらの分子はT細胞受容体と密接な関係にあり，補助受容体として機能している．細胞傷害性T細胞はその受容体と機能の相違から $αβ$ と $γδ$ 型に分けられる（後述）．NK細胞とNKT細胞（前述）も細胞傷害性を示す．したがって，生体には4種類の主要な細胞傷害性リンパ球，すなわち，$αβ$ T細胞，$γδ$ T細胞，NK細胞およびNKT細胞が存在する．

記憶B細胞と記憶T細胞

特定の抗原に曝された後，少数の活性化B細胞と活性化T細胞が，記憶B細胞と記憶T細胞として残る．これらの細胞は後に同じ抗原に出合うと容易にエフェクター細胞になる．抗原に再度曝された時に反応が促進されることが獲得免疫の1つの特徴である．この能力は長期間持続し，時には生涯持続する（麻疹に対する免疫など）．

リンパ節で活性化された後，リンパ球は生体内に広く分散するが，特に抗原となる微生物が生体に侵入した部位（気道や消化管の粘膜など）に多く集まる．このように再感染しやすい部位に記憶細胞が存在することによっても速やかで強い反応が誘導される．このような活性化リンパ球の局在化には**ケモカイン chemokine**（後述）と呼ばれる走化性を誘導するサイトカインが関与している．

抗原の認識

生体内でリンパ球が認識する抗原の種類と数は膨大である．リンパ球の発生初期にはレパトワは抗原に接触することなく発達する．幹細胞は膨大な数のT細胞およびB細胞に分化する．これら個々の細胞はそれぞれ1個の特定の抗原に反応する．抗原が初めて生体内に侵入した時，抗原はB細胞上の適切な受容体に直接結合することができる．しかし，抗体産生応答が十分に起こるためには，このB細胞がヘルパーT細胞と接触することが必要である．T細胞の場合には，抗原はまず抗原提示細胞に取り込まれ，部分的に消化される．抗原となるペプチド断片[*7]がT細胞の適切なT細胞受容体に認識される．T細胞，B細胞どちらの場合にも，細胞は抗原刺激を受けて分裂し，それぞれの抗原に反応する細胞の**クローン clone** を形成する（**クローン選択 clonal selection**）．T細胞およびB細胞は発達の過程で**負の選択 negative selection** も受ける．負の選択においては，自己の抗原と反応するリンパ球の前駆細胞は通常は除去される．このことによって**免疫寛容 immune tolerance** が生じる．自己免疫疾患の一部では，この過程に誤りが生じ，自己反応性のリンパ球が正常なタンパク質を発現している細胞に反応して破壊し，さらに炎症を起こして組織を破壊する．

抗原の提示

抗原提示細胞 antigen-presenting cell（APC）には，リンパ節や脾臓に存在する**樹状細胞 dendritic cell** と呼ばれる特殊化した細胞や皮膚のLangerhans〔ランゲ

[*4] 訳注：エフェクターT細胞は免疫を正に推進するT細胞であり，細胞傷害性T細胞を含む場合もある．また，ヘルパーT細胞には制御性T細胞Tregも含まれるので，この2つは区別すべきである．

[*5] 訳注：Th17が主に産生するサイトカインはIL-17とIL-22であり，IL-6はあまり一般的ではない．

[*6] 訳注：IL-10以外にもTGF-βを産生し免疫抑制にはたらく．

[*7] 訳注：ペプチドとMHCの複合体（後述）．

ルハンス〕樹状細胞が含まれる．マクロファージやB細胞，さらに他の多くの細胞も抗原提示細胞として機能しうる．たとえば，腸においては，腸管の上皮細胞が共生する細菌由来の抗原提示に重要である．抗原提示細胞は抗原を消化することによって得られたポリペプチド分子を，**主要組織適合遺伝子複合体 major histocompatibility complex（MHC）**遺伝子産物〔ヒトの場合はヒト白血球抗原 human leukocyte antigen（HLA）と呼ぶ〕タンパク質に結合させて細胞表面に発現する．

MHC遺伝子は糖タンパク質をコードしており，その構造と機能から2つのクラスに分けられる．MHCクラスⅠ分子は45 kDaの重鎖とβ_2ミクログロブリンが非共有結合したもので，β_2ミクログロブリンはMHC遺伝子とは異なる遺伝子にコードされている（図3・4）．MHCクラスⅠ分子はすべての有核細胞に発現している．MHCクラスⅡ分子は29～34 kDaのα鎖と25～28 kDaのβ鎖が非共有結合したヘテロ二量体であり，B細胞を含む"プロフェッショナル"抗原提示細胞と活性化T細胞に発現している[*8]．

MHCクラスⅠ分子は，主として細胞内で合成されたタンパク質由来のペプチド断片と結合する．T細胞はMHC上に提示されたペプチドを認識するが，この場合のペプチドは変異タンパク質やウイルスタンパク質由来のペプチドなど，宿主にとって異物となるべきものである．これらのタンパク質の分解は**プロテアソーム proteasome** として知られるタンパク質分解酵素複合体によって行われ，ペプチド断片は小胞体でMHCクラスⅠ分子に結合する．MHCクラスⅡ分子は主として細菌など細胞外抗原由来のペプチド断片と結合する．これらの抗原はエンドサイトーシスによって細胞内に取り込まれ，後期エンドソームでプロテアーゼによってペプチド断片に分解された後にMHCクラスⅡ分子に結合し提示される．

T細胞受容体

抗原提示細胞の表面に発現したMHC分子-ペプチド複合体は適切なT細胞に認識される．そのため，T細胞上の受容体（T細胞受容体）は極めて多様な複合体を認識しなければならない．循環血液中のT細胞に発現しているT細胞受容体の多くは，αとβの2つのポリペプチドからなっている．αとβはヘテロ二量体を形成し，MHC分子とこの分子に結合している抗原断片ペプチドを認識する（図3・5）．これらの細胞は$\alpha\beta$T細胞と呼ばれる．一方，循環血液中のT細胞の約10％はα，βとは異なる2つのポリペプチド，すなわちγおよびδからなるT細胞受容体をもっており，これらの細胞は$\gamma\delta$T細胞と呼ばれる[*9]．$\gamma\delta$T細胞は消化管粘膜に優位に存在し，サイトカインを分泌することによって自然免疫と獲得免疫の橋渡しをしている（図3・3）．

$CD8^+$はMHCクラスⅠ分子に結合する細胞傷害性T細胞の表面に発現しており，$CD4^+$はMHCクラスⅡ分子に結合するヘルパーT細胞の表面に発現している（図3・6）．$CD8^+$と$CD4^+$分子はMHC分子とT細胞受容体の結合を促進し，またリンパ球の成熟を促す．活性化した$CD8^+$細胞傷害性T細胞はその標的細胞を直接殺す．一方，活性化した$CD4^+$ヘルパーT細胞はサイトカインを産生し，他のリンパ球や免疫細胞を活性化する．

T細胞と抗原提示細胞が一過性に接触すると，T細胞受容体はMHC-ペプチド複合体と結合するが，そ

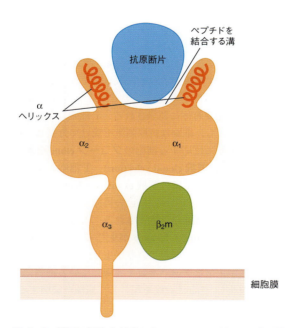

図 3・4　抗原の断片を結合した MHC クラスⅠタンパク質の模式図．ヒト組織適合抗原 HLA-A2 の構造を基に作成．抗原結合ポケットは分子上部にあり，このポケットはα_1とα_2部分から構成されている．α_3部分とβ_2ミクログロブリン（β_2m）は細胞膜に近接している．MHC：主要組織適合遺伝子複合体(Bjorkman PJ, et al: Structure of the human histocompatibility antigen HLA-A2, Nature 1987; Oct 8-14; 329(6139): 506-512 より許可を得て複製)．

[*8] 訳注：MHCクラスⅡ分子の発現は一部の活性化T細胞で観察されるが，その意義はよくわかっていない．

[*9] 訳注：γ，δとα，βは構造的に類似している．

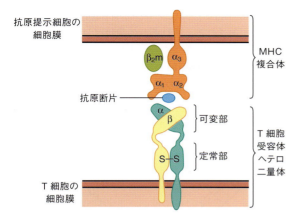

図 3・5 抗原提示細胞（上部）とαβT細胞（下部）との相互作用．MHC タンパク質（この場合は，MHC クラス I）と抗原のペプチド断片が T 細胞受容体を構成する α 鎖と β 鎖に結合している．これらのタンパク質の相互作用領域を"免疫シナプス"と呼ぶことがある．MHC：主要組織適合遺伝子複合体．

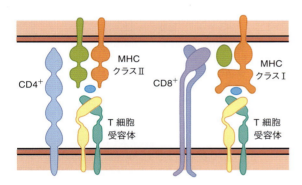

図 3・6 $CD4^+$ と $CD8^+$，およびこれらの分子と MHC クラス I または MHC クラス II タンパク質との関係を示す構造模式図．CD4$^+$ は 1 個のタンパク質であり，CD8$^+$ はヘテロ二量体であることに注意．MHC：主要組織適合遺伝子複合体．

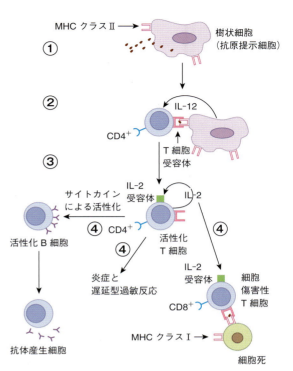

図 3・7 獲得免疫のまとめ．①抗原提示細胞（初回免疫の場合，ナイーブ T 細胞を活性化，成熟させるのは樹状細胞である．記憶 T 細胞の場合は広くマクロファージを含む抗原提示細胞により活性化される）が抗原を貪食し，部分的に消化する．続いて，抗原の一部を MHC 分子とともに提示する（訳注：この場合はヘルパー T 細胞を活性化する MHC クラス II 分子を示す）．②免疫シナプスが形成されて，ナイーブ $CD4^+$ T 細胞は活性化され，IL-2 を産生する．（訳注：樹状細胞は IL-12 などのサイトカインを産生してヘルパー T 細胞の分化を誘導する．）③ IL-2 はオートクリン的に作用して T 細胞の増殖を刺激し，クローンを形成する．④活性化された $CD4^+$ T 細胞は B 細胞の活性化と形質細胞への分化を促進し，形質細胞は抗体を産生する．（訳注：あるいは，$CD4^+$ T 細胞はマクロファージなどを活性化することで炎症の促進や遅延型過敏反応を誘導する．）また $CD4^+$ T 細胞は細胞傷害性 $CD8^+$ T 細胞を活性化する（訳注：IL-2 を介して細胞傷害性 $CD8^+$ T 細胞の増殖を促進する他，IFN-γ などのサイトカインで活性化する）．$CD8^+$ T 細胞は標的細胞の MHC クラス I 分子と免疫シナプスを形成することによっても活性化され攻撃する．MHC：主要組織適合遺伝子複合体．（訳注：原書に記載の IL-1 は誤りで，IL-12 と訂正した）(McPhee SJ, Lingappa VR, Ganong WF(editors): *Pathophysiology of Disease*, 6th ed. New York, NY: McGraw-Hill; 2010 より許可を得て複製)．

の接着面には"免疫シナプス"と呼ばれる大きな構造体が形成される．これは MHC-ペプチド複合体を中心に抗原提示細胞表面の補助分子に結合する接着分子や受容体の活性化に関わるタンパク質が取り囲む大きな複合体で，この結果 T 細胞の活性化が誘導され獲得免疫が発動される（図 3・7）．T 細胞の活性化には 2 つのシグナルが必要であることが今では広く受け入れられている．第一のシグナルは MHC-ペプチド抗原が T 細胞受容体に結合することによって生じる．第二のシグナルは"免疫シナプス"において周りのタンパク質（補助分子）が結合することによって生じる．もし第一

のシグナルが生じても第二のシグナルが生じなければ，そのT細胞は不活化され，不応答になる[*10].

B 細 胞

前に述べたように，B細胞はB細胞受容体(抗原受容体)を介して抗原に直接結合する．しかし，十分に活性化して抗体を産生するためには，ヘルパーT細胞に接触しなければならない．主として関与するのはTh2である．ヘルパーT細胞はIL-4に反応してTh2に分化する(後述)．一方，IL-12はTh1への分化を促進する．IL-2はオートクリン的に作用して，活性化T細胞の増殖を誘導する．B細胞とT細胞の活性化と獲得免疫における役割を図3・7にまとめた．

活性化したB細胞は増殖して**記憶B細胞 memory B cell**(前述)と**形質細胞 plasma cell**になる．形質細胞は循環血液中に大量の抗体を分泌する．抗体は血漿タンパク質のグロブリン分画にあり，他部位における抗体同様，**免疫グロブリン immunoglobulin** と呼ばれる．免疫グロブリンは，実際には，抗原に結合するB細胞表面の抗原受容体の分泌型である．

免疫グロブリン

血液中の抗体は毒素タンパク質に結合して中和したり，ウイルスや細菌が細胞に接着することを阻止したり，細菌をオプソニン化したり(後述)，また補体を活性化すること(後述)によって生体を防御する．表3・1

[*10] 訳注：これをアナジー状態という．

のように5種類の免疫グロブリン抗体が形質細胞によって産生される．それぞれの免疫グロブリン抗体の基本単位は左右対称であり，4個のポリペプチド鎖からなっている(図3・8)．2個の長い鎖は**重鎖 heavy chain** と呼ばれ，2個の短い鎖は**軽鎖 light chain** と呼ばれる．軽鎖には2つのタイプ(κとλ)があり，重鎖には9つのタイプがある(訳注：表3・1参照)．そ

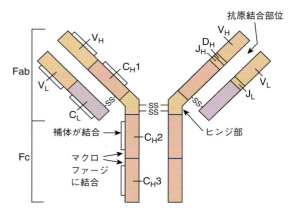

図 3・8　典型的なIgG分子． Fab：抗原との結合に関与する部分，Fc：抗体の生物学的効果に関与する部分．定常部は桃色と紫色で示し，可変部はオレンジ色で示している．重鎖の定常部はC_H1，C_H2，C_H3に分けることができる．SSは鎖間のS-S結合を示す．右側では，J_H，D_H，J_L部を示すために，Cなどのラベルを除いている(訳注：図3・8の右と左にV_H，V_Lがあり，右にはD_H，J_H，J_Lがあり混乱することと思う．左のV_H，V_Lは可変領域全体であり，これらがそれぞれ右に示すV_H，D_H，J_HおよびV_L，J_L遺伝子由来のセグメントで構成されるという意味である．分子のFc部分は抗体の機能部位であり，抗体によって誘導される反応，特に補体の結合とマクロファージや肥満細胞上のFc受容体との結合を仲介する)．

表3・1　ヒト免疫グロブリン[a]

免疫グロブリン	主な機能	重鎖	付加的鎖	構造	血漿濃度 (mg/dL)
IgG	補体の活性化，中和[*]，オプソニン化[*]	γ_1, γ_2, γ_3, γ_4	なし	単量体	1000
IgA	体外への分泌による局所での防御(涙，消化管への分泌など)	α_1, α_2	J, SC	単量体，JまたはSC鎖をもつ二量体，J鎖をもつ三量体	200
IgM	補体の活性化	μ	J	J鎖をもつ五量体	120
IgD	B細胞による抗原認識(不明)[*]	δ	なし	単量体	3
IgE	アレルギー反応活性化；好塩基球や肥満細胞からヒスタミンを放出させる	ε	なし	単量体	0.05

[a] すべての免疫グロブリンにおいて，軽鎖はκまたはλ．J：J鎖，SC：分泌成分．[*]訳注：最新の知見を追加．

れぞれの鎖はS-S結合で結合しており，そのために可動性がある．また，鎖内にもS-S結合がある．さらに，重鎖はヒンジ部と呼ばれる部位で曲がりやすい．それぞれの重鎖は，アミノ酸配列が極めて変化に富む可変部(V)，アミノ酸配列が同様に多様性に富む多様性部(D)，アミノ酸配列がいくぶん変化に富む結合部(J)，アミノ酸配列が一定である定常部(C)からなっている．それぞれの軽鎖はV，JおよびC部からなっている．V部は抗原結合部の一部を形成している(分子のFab部分，図3・8)．分子のFc部分は抗体の機能部位であり，抗体によって誘導される反応を仲介する．

IgMとIgA，2つのクラスの免疫グロブリンには，ポリペプチド成分がさらに加わっている(表3・1)．IgMでは，免疫グロブリンの基本単位がJ鎖と呼ばれるポリペプチドを介して5分子結合し，五量体を形成している．IgA(**分泌型免疫グロブリン secretory immunoglobulin**)では，J鎖(表3・1)を介し通常二量体(一部三量体)を形成し，その複合体にさらに上皮細胞に由来するポリペプチド[分泌成分 secretory component(SC)]が結合している．

腸管においては，細菌やウイルス抗原はM細胞に取り込まれ(26章参照)，粘膜の下部に存在するリンパ組織の集合体(**Peyer[パイエル]板**)に運ばれる．このリンパ組織でナイーブT細胞が活性化され，さらには消化管，気道，泌尿生殖器および女性生殖器の粘膜や乳腺に浸潤するB細胞を誘導する．これらのB細胞はそれぞれの組織で再び同一の抗原に出合うと大量のIgAを分泌する．粘膜上皮細胞が産生する分泌成分(SC)はIgA(訳注：および一部のIgM)に対する受容体として機能し，これら分泌型免疫グロブリンは粘膜上皮細胞内を通過し，エキソサイトーシス(2章参照)によって腸管内腔に分泌される．この**分泌免疫 secretory immunity**の系はすべての粘膜表面において効果的な防御機構を形成している．乳児は免疫系が未発達であるが，IgAは母乳中にも分泌されるので，母乳を与えることは乳児を免疫的に保護することになる[*11]．

免疫系における多様性の遺伝的基礎

ヒトB細胞は膨大な数の異なる組成の免疫グロブリンを産生し，T細胞も同様に膨大なT細胞受容体の多様性を有する．この多様性の遺伝的基礎は魅惑的な生物学的問題である．免疫グロブリン分子には2種類の軽鎖と9種類の重鎖が存在するという事実によって，多様性は一部説明可能である．それぞれの鎖のV領域には極めて可変性に富む部位(**超可変部 hypervariable region**)がある．可変性のある重鎖の部位はV_H，D_H，J_H部(図3・8右)で，これらの部位を構成する遺伝子群においては，ヒトではV_H部に対して約50個，D_H部に対して約20個，J_H部に対して6個の異なるコーディング領域が存在する[*12]．B細胞の分化成熟過程において，1個のV_Hコーディング領域，1個のD_Hコーディング領域，1個のJ_Hコーディング領域がランダムに選択されて組み換えられ，特定の可変部を形成する遺伝子を作る．同様に，様々な組換えが軽鎖の2つの可変部位(V_LとJ_L)に対するコーディング領域でも起こる．さらにJ部には遺伝子が結合する際の切れ目に不確定性(結合部位多様性)が存在し，また接合部に新たにヌクレオチドが付加される(結合部挿入多様性)が存在することによって多様性がさらに増す[*13]．これらの機序によって約10^{15}個の異なる免疫グロブリン分子の産生が可能になると計算されている．また抗体遺伝子では抗原に出合ってから体細胞突然変異によってさらなる多様性が得られる．

同様な遺伝子の再編と結合によってT細胞受容体の多様性が得られる．ヒトでは，αサブユニットは，異なる約70個の遺伝子の中から1つ選ばれたV_α領域と別の異なる60個の遺伝子の中から1つ選ばれたJ_α領域からなっている[*12]．βサブユニットは，異なる約50個の遺伝子の中から1つ選ばれたV_β領域，2個の遺伝子の中から1つ選ばれたD_β領域，13個の遺伝子の中から1つ選ばれたJ_β領域からなっている．さらに結合部多様性もあり，結果的に10^{15}個もの異なるT細胞受容体の産生が可能になると計算されている(クリニカルボックス3・2，3・3)．

300種類以上の原発性免疫不全症がB細胞とT細胞の様々な分化成熟段階における異常によって生じることが知られている(クリニカルボックス3・4)．いくつかの重要な原発性免疫不全症を図3・9に示した．

[*11] 訳注：SCは，実際にはpoly-Ig受容体の細胞外部分であり，まずIgAやIgMのJ鎖と結合して内腔側まで運ばれて，そこでプロテアーゼで切断されてIgA-SC複合体が管腔内に放出される．SCで運ばれる抗体は圧倒的にIgAが多いが，IgMも少ないながら輸送される．IgGも管腔内に放出されるが，別の受容体を介してエキソサイトーシスされる．

[*12] 訳注：原書の数と異なるがおおむね多くの教科書で採用されている数に変更した．

[*13] 訳注：重鎖の場合はD部でも起きる．

クリニカルボックス 3・2

自己免疫

　自己抗原に対する抗体を排除する過程に障害が起こると，様々な**自己免疫疾患 autoimmune disease**が発症する．これらの疾患にはB細胞またはT細胞が関与しており，また器官特異的な疾患もあれば，全身性疾患もある．たとえば，1型糖尿病(膵島のB細胞に対する抗体)，重症筋無力症(ニコチン性アセチルコリン受容体に対する抗体)，多発性硬化症(ミエリン塩基性タンパク質およびミエリンの他のいくつかの成分に対する抗体やT細胞*)などがある．受容体に対する抗体がその受容体を活性化する場合もある．たとえば，TSH受容体に対する抗体は甲状腺機能を亢進し，Graves〔グレーヴス〕病(Basedow〔バセドウ〕病)を起こす(20章参照)．侵入微生物に対する抗体が正常な生体成分と交差反応する(**分子擬態 molecular mimicry**)ことによっても疾患が発症する．連鎖球菌感染症に続発するリウマチ熱がその例である．心筋のミオシンの一部が連鎖球菌のMタンパク質の一部に類似している．連鎖球菌Mタンパク質により誘導された抗体が心筋ミオシンを攻撃し，心臓を傷害する．また、通常は免疫反応でしか活性化されないにもかかわらず，炎症によって傍にいるT細胞が感作され，活性化されてしまうという**バイスタンダー効果 bystander effect**による場合もある．(*訳注：最新の知見を追加した)

治療上のハイライト

　自己免疫疾患の治療においては，たとえば副腎皮質ステロイドを用いて炎症や免疫を非特異的に抑制することもあれば，1型糖尿病における外来性インスリンの投与のように障害を受けた機能の代替または修復を行うこともある．B細胞の機能を枯渇または減弱させる薬剤が，おそらく病因に関わる自己抗体の産生を阻害することによって，関節リウマチを含む多くの自己免疫疾患において有効であることが最近示されている．

免疫の可溶性調節因子

サイトカイン

　サイトカインは，一般にパラクリンの形で免疫反応を制御するホルモン様分子であり，リンパ球やマクロファージから分泌されるばかりでなく，内皮細胞，ニューロン，グリア細胞などの細胞からも分泌される．初期には，サイトカインのほとんどはその作用に基づき，たとえばB細胞分化因子，B細胞刺激因子2のように命名された．しかし，後に国際的な合意によって**インターロイキン interleukin**として統一され，たとえば，B細胞分化因子はインターロイキン4(IL-4)と名称が変更された．生物学的および臨床的観点から重要と思われるいくつかのサイトカインを表3・2に示す．今では100種類以上にもなるすべてのサイトカインをここに列記するのは本書の範囲を超えている．

　サイトカインや造血因子(後述)受容体の多くは，プロラクチン(22章参照)や成長ホルモン(18章参照)受容体同様，サイトカイン受容体スーパーファミリーに属する．サイトカイン受容体スーパーファミリーには3つのサブファミリーが存在する(図3・10)．たとえばエリスロポエチン(EPO)や顆粒球コロニー刺激因子(G-CSF)受容体はサブファミリー1に属し，ホモ2量体である．IL-3，IL-5，IL-6受容体などはサブファミリー2に属し，共通β鎖もしくはgp130と特異的α鎖からなるヘテロ二量体である．IL-4，IL-7，IL-9受容体などサブファミリー3に属する受容体は通常ヘテロ二量体でIL-2受容体γ鎖(共通γ鎖と呼ぶ)を共通のサブユニットとしてもつ．ただしIL-2受容体とIL-15受容体はヘテロ二量体に加えて，IL-2受容体α鎖(CD25とも呼ばれる)もしくはIL-15受容体α鎖を第三のサブユニットとするヘテロ三量体である．ホモ二量体およびヘテロ二量体サブユニットの細胞外ドメインには4個のシステイン残基とTrp-Ser-X-Trp-Serモチーフが保存されている(訳注：Xは任意のアミノ酸)．細胞質内部分にはJAKと呼ばれる非受容体型チロシンキナーゼが非共有結合しており，リガンドがこれらの受容体に結合すると活性化される[*14]．

[*14] 訳注：このパラグラフは最近の知見により一部加筆，修正した．

クリニカルボックス 3・3

組織移植

T細胞系が移植組織の拒絶に関与している．皮膚や腎臓などの組織をドナーから同種のレシピエントに移植すると，移植片は"生着"し，しばらくは機能する．しかし，レシピエントが移植組織に対して免疫反応を起こすと，やがて壊死に陥り"拒絶"される．ドナーとレシピエントが密接な血縁関係にあっても，この現象は一般的に起こる．決して拒絶されることがないのは一卵性双生児からの移植片だけである．しかしながら臓器移植は多くの末期の疾患において唯一の生存手段である．

治療上のハイライト

ヒトにおける移植臓器の拒絶を克服するために多くの治療法が開発された．治療のゴールは患者を多くの感染に曝すことなく拒絶を阻止することである．1つの方法は，アザチオプリン azathioprine（プリン代謝拮抗薬）のような薬剤で盛んに分裂しているすべての細胞を殺すことにより，T細胞も殺すことである．しかし，この方法は患者を感染症や癌に罹患しやすくする．別の方法として，副腎皮質ステロイドの投与がある．副腎皮質ステロイドはIL-2の産生を阻害することなどによって細胞傷害性T細胞の増殖を阻害する．しかし，副腎皮質ステロイドは骨粗鬆症，精神症状，Cushing（クッシング）症候群などの症状を引き起こす（19章参照）．最近では，**シクロスポリン cyclosporine** や**タクロリムス tacrolimus（FK-506）**などの免疫抑制薬がより優れていることが明らかになっている．T細胞受容体の活性化は細胞内 Ca^{2+} を増加させる．Ca^{2+} はカルモジュリンを介してカルシニューリンを活性化し，カルシニューリンは転写因子NF-ATを脱リン酸化する．脱リン酸化されたNF-ATは核に移行して，IL-2や関連するサイトカインをコードする遺伝子を活性化する．シクロスポリンとタクロリムスはNF-ATの脱リン酸化を阻害する．しかし，これらの薬剤はT細胞を介するすべての免疫応答を阻害する．また，シクロスポリンには腎毒性があり，癌を誘発する可能性もある．移植片の拒絶に対する新しい有望な治療法の1つは，正常な活性化に必要な共刺激を阻止する薬剤を用いて，T細胞の不応答性を誘導することである（本文参照）．このような作用機序をもつ臨床的に有効な薬剤が開発されれば，移植外科医にとって大きな価値をもつことになるだろう．

クリニカルボックス 3・4

原発性免疫不全症

獲得免疫または自然免疫に関わる酵素，転写因子，受容体およびその他の制御因子の変異によって原発性免疫不全症が生じる．典型的には，患者はしばしば感染症に罹患する．それも，普段ならばかからない感染症（日和見感染症）に罹患しやすい．また，自己免疫疾患，自然炎症（自己炎症性疾患）および悪性疾患にも罹患しやすい．どのレベルで免疫系が障害されているかによって病態が異なり，多くのリンパ系細胞の分化成熟に障害が生じる変異であれば，最も重篤な病態を示す（図3・9）．

治療上のハイライト

軽度の免疫不全症であれば最小限の治療または支持療法で十分であるが，極めて重度の免疫不全症であれば病態は重篤であり，早期に死亡することもある．したがって，後者の場合には早期に決定的な治療が必要である．患者がその治療に耐えることができ，また適当なドナーが見つかれば，同種造血幹細胞移植の適応となる．一方，多くの重篤な原発性免疫不全症は単一遺伝子異常なので遺伝子治療の魅力的な対象となる．レトロウイルスまたはレンチウイルスベクターを用いて，正常な遺伝子を組み込んだ造血幹細胞を移植することによって，たとえば，IL-2受容体γ鎖に変異があるX連鎖重症複合免疫不全症（SCID）の場合のように，多くの注目すべき成功例が報告されている．

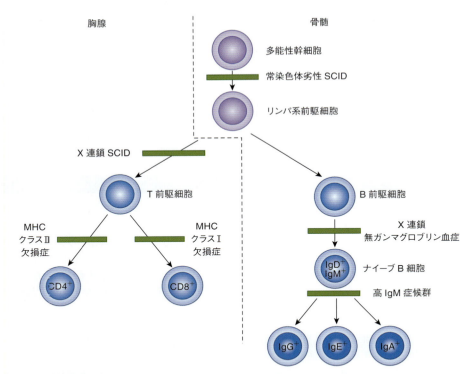

図 3・9 様々な原発性免疫不全症における B および T 細胞分化成熟の先天的異常の部位．SCID：重症複合免疫不全症．

　主なサイトカインの作用を表 3・2 に示した．いくつかのサイトカインは局所的なパラクリン効果とともに全身的な作用も示す．たとえば，IL-1, IL-6 および TNF-α は発熱の原因となり，IL-1 は徐波睡眠を増加させ，また食欲を減退させる．

　ケモカインファミリー chemokine family はもう 1 つのサイトカインスーパーファミリーである．ケモカインは，好中球などの白血球を炎症局所や免疫反応箇所に引き寄せる物質である．現在では 40 種以上のケモカインが同定されている．ケモカインは細胞増殖や血管新生の制御にも関与している．ケモカイン受容体は G タンパク質に共役した受容体であり，中でもケモカインが放出されている炎症部位に向かう細胞移動の際の偽足の伸展に関与している．

造血因子（造血系増殖因子）

　健常人では白血球の産生は極めて厳密に制御されている．感染があると顆粒球の産生は速やかに，そして劇的に増加する．多くのサイトカインはコロニー刺激因子 colony-stimulating factor(CSF) と呼ばれる他の可溶性メディエーターとともにこの制御に関わっている．CSF はこれらの因子が各白血球の前駆細胞の増殖を刺激し，軟寒天培地でコロニーを形成させることに由来している．造血幹細胞の増殖と自己複製は**幹細胞因子 stem cell factor**(SCF)によって制御されている．骨髄から循環血液中に入ってくる細胞の増殖と成熟は他の増殖因子によって制御されている．これらの増殖因子は，分化が方向付けられた細胞系列に作用して増殖と成熟を促す（表 3・3）．様々なサイトカインや造血因子は分化方向が決定されていない多能性造血幹細胞を分化方向が決定された前駆細胞に分化させる[*15]．IL-3 は**多能性コロニー刺激因子 multi-CSF** とも呼ばれる．前駆細胞を単球や好中球に分化を方向付ける因子としては**顆粒球マクロファージコロニー刺激因子 granulocyte-macrophage CSF**(GM-CSF)，顆粒球コロ

[*15]訳注：原書では"前駆細胞の産生を刺激する因子として，顆粒球／マクロファージ(GM)-CSF，顆粒球 CSF(G-CSF)，マクロファージ CSF(M-CSF)などがある．"となっているが，不正確なため割愛した．また，原書では IL-1, IL-6, IL-3 が造血幹細胞に作用すると書かれているが，IL-1 や IL-6 は試験管内ではそのような作用はあるが，現在では生理的には通常の造血で重要とは考えられていない．炎症時に他の造血因子を介して間接的に造血を制御すると考えられている．

表 3·2 サイトカインとその臨床的関連性

サイトカイン	産生細胞	主な作用	臨床的関連性
IL-1	マクロファージ	T細胞，マクロファージ，内皮細胞などの*活性化；炎症の促進	敗血症性ショック，関節リウマチ，アテローム性動脈硬化症の病因に関与．阻害薬が痛風やクリオピリン関連周期性発熱症候群などへ臨床応用されている*
IL-2	1型ヘルパーT細胞(Th1)	リンパ球，NK細胞，マクロファージの活性化	リンホカイン活性化キラー細胞の誘導に使用する；腫瘍免疫を増強するために転移した腎細胞癌，黒色腫や様々な腫瘍の治療に使用される
IL-4	2型ヘルパーT細胞(Th2)，肥満細胞，好塩基球，好酸球	リンパ球，IgEクラススイッチの活性化，修復型マクロファージへの分化*寄生虫感染防御*	IgE産生を促進する結果として肥満細胞の感作とアレルギー，線虫感染に対する防御に関与．抗IL-4受容体抗体はアレルギー性疾患治療に臨床応用されている*
IL-5	2型ヘルパーT細胞(Th2)，肥満細胞，好酸球	好酸球の分化	抗原により誘導される後期の好酸球増加を阻害する目的で，IL-5に対するモノクローナル抗体を使用(訳注：すでに臨床応用されている)
IL-6	2型ヘルパーT細胞(Th2)，マクロファージ	リンパ球の活性化；B細胞の分化；急性期タンパク質の産生刺激	Castleman〔キャッスルマン〕病では過剰産生；骨髄腫やメサンギウム増殖性糸球体腎炎ではオートクリン増殖因子として作用(訳注：中和抗体は関節リウマチの治療に使用されている)
IL-8	T細胞，マクロファージ	好中球，好塩基球，T細胞の走化	好中球増加を伴う疾患で増加しており，疾患の活動性の指標として有用
IL-11	骨髄ストローマ細胞	急性期タンパク質の産生刺激	化学療法に伴う血小板減少の軽減に使用
IL-12	マクロファージ，B細胞	1型ヘルパーT細胞(Th1)とNK細胞によるIFN-γの産生刺激；Th1細胞の誘導	ワクチンのアジュバントとして有用な可能性抗腫瘍免疫の誘導*
IL-17	T細胞	細胞外細菌や真菌除去*．好中球の産生促進*．炎症細胞の走化と炎症の促進	抗体などの阻害薬が乾癬などの自己免疫疾患の治療に使用されている*
腫瘍壊死因子α(TNF-α)	マクロファージ，NK細胞，T細胞，B細胞，肥満細胞	T細胞，マクロファージ，内皮細胞などの活性化*；炎症の促進*	TNF-αに対する抗体は関節リウマチとCrohn病の治療に有用
トランスフォーミング増殖因子(TGF-β)	T細胞，マクロファージ，B細胞，肥満細胞ほか	免疫抑制線維化促進*	自己免疫疾患の治療薬剤として有用な可能性．阻害剤は抗腫瘍免疫を増強する可能性が高い*
顆粒球マクロファージコロニー刺激因子(GM-CSF)	T細胞，マクロファージ，NK細胞，B細胞	顆粒球と単球の増殖促進	腫瘍に対する化学療法後やガンシクロビルganciclovirによる治療を行っているAIDS患者の好中球減少症を軽減するために使用；骨髄移植後の白血球増殖*を刺激するために使用
顆粒球コロニー刺激因子(G-CSF)*	骨髄ストローマ細胞	好中球増殖	化学療法に伴う好中球減少を回復させる
インターフェロンα(IFN-α)	ウイルス感染細胞	ウイルス感染に対する細胞の抵抗性を誘導	AIDS関連Kaposi〔カポジ〕肉腫，黒色腫，B型慢性肝炎，C型慢性肝炎の治療に使用(訳注：現在ではほとんど使用されない)
インターフェロンβ(IFN-β)	ウイルス感染細胞	ウイルス感染に対する細胞の抵抗性を誘導	多発性硬化症における再発の頻度と重症度を軽減するために使用
インターフェロンγ(IFN-γ)	1型ヘルパーT細胞(Th1)，NK細胞	細胞内寄生細菌除去*．マクロファージの活性化，2型ヘルパーT細胞(Th2)の抑制，細胞傷害性T細胞の活性化*	慢性肉芽腫症において，貪食した細菌の殺菌を増強するために使用抗腫瘍免疫増強*

Delves PJ, Roitt IM: The immune system. First of two parts. N Engl J Med 2000; July 6: 343(1): 37-49 より許可を得て複製(訳者改変)．
*訳注：最新の情報に基づき改訂した．

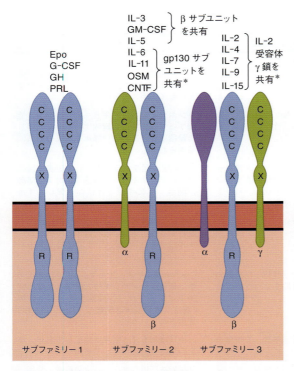

図 3・10　重要なサイトカイン受容体スーパーファミリーとそれらが共有している構造．原書ではサブファミリー1にIL-4, IL-7も記載されていたが誤りである．サブファミリー3のαサブユニットを除き，すべてのサブユニットには4個の保存されたシステイン残基（C）とTrp-Ser-X-Try-Serモチーフ（X）があることに注意．多くのサブユニットは細胞質内部分にJAK型チロシンキナーゼとの会合に重要な制御ドメイン（R）を有している．CNTF：毛様体神経栄養因子，Epo：エリスロポエチン，GH：成長ホルモン，OSM：オンコスタチンM，PRL：プロラクチン（訳注：実際にはサブファミリー2は2つのグループに分けるべきである．IL-3, IL-5, GM-CSF受容体はサブファミリー2に属し共通β鎖を共有し，IL-6, IL-11, OSM, CNTF受容体はgp130サブユニットを共有するヘテロ二量体である．IL-4, IL-7, IL-9受容体などサブファミリー3に属する受容体は通常ヘテロ二量体でIL-2受容体γ鎖（共通γ鎖と呼ぶ）を共通のサブユニットとしてもつ．共通γ鎖もチロシンキナーゼが会合するRドメインをもつ．ただしIL-2受容体とIL-15受容体はヘテロ二量体に加えて，IL-2受容体α鎖（CD25とも呼ばれる）もしくはIL-15受容体α鎖を第三のサブユニットとするヘテロ三量体である．）
＊訳注：訳者により加筆した（図中）．

ニー刺激因子 granulocyte CSF（G-CSF），マクロファージコロニー刺激因子 macrophage CSF（M-CSF）がある．それぞれのコロニー刺激因子やインターロイキンは主な作用を1つもっているが，重複する他の作用ももっている．加えて，成熟した血液細胞を活性化し，またその寿命を延長する作用ももっている．実際，

表 3・3　造血因子

サイトカイン	標的細胞	産生細胞
インターロイキン1（IL-1）	赤血球 顆粒球 巨核球 単球	主にマクロファージ＊
インターロイキン3（IL-3）	赤血球 顆粒球 巨核球 単球	T細胞
インターロイキン4（IL-4）	好塩基球	T細胞
インターロイキン5（IL-5）	好酸球	T細胞
インターロイキン6（IL-6）	赤血球 内皮細胞＊ 線維芽細胞＊ マクロファージ＊ 顆粒球 巨核球 単球	主にマクロファージ，線維芽細胞，内皮細胞
インターロイキン11（IL-11）	赤血球 顆粒球 巨核球	線維芽細胞，骨芽細胞
エリスロポエチン（EPO）	赤血球	腎臓 肝臓（少量）＊
幹細胞因子（SCF）	赤血球 顆粒球 巨核球 単球	骨髄ストローマ細胞＊ 様々な細胞
顆粒球コロニー刺激因子（G-CSF）	顆粒球	内皮細胞，線維芽細胞，単球
顆粒球マクロファージコロニー刺激因子（GM-CSF）	赤血球 顆粒球 巨核球	内皮細胞，線維芽細胞，単球，T細胞
マクロファージコロニー刺激因子（M-CSF）	単球	内皮細胞，線維芽細胞，単球
トロンボポエチン（TPO）	巨核球	肝臓，腎臓

McPhee SJ, Lingappa VR, Ganong WF (editors): *Pathophysiology of Disease*, 6th ed. New York, NY: McGraw-Hill; 2010 より許可を得て複製．

訳注：IL-1とIL-6は炎症時などにおいて間接的に造血を制御する因子で現在では造血因子の範疇に入れないことが多い．EPOは肝臓で少量作られるが原書で明記のKupffer細胞が産生源とする強い根拠はない．なお，＊は最新の情報に基づき改訂した．

GM-CSF 遺伝子を破壊したマウスでは，基礎的な造血能力は正常であり，1つの因子が失われても，他の因子によって代償されることを示している．しかし，GM-CSF が失われると，肺にサーファクタントが蓄積する(34章参照)．（訳注：このことから GM-CSF は肺胞マクロファージの産生に特異的な役割を担うと考えられている．）

他の因子はマクロファージ，活性化 T 細胞，線維芽細胞，内皮細胞によって産生される．多くの場合，これらの因子は骨髄内で局所的に作用する．

補体系

自然免疫と獲得免疫による殺細胞作用には，30種以上の血漿タンパク質からなる**補体系 complement system** と呼ばれるシステムが関与している．もともとはこの系は抗体の作用を"補う"ことから補体系と命名された（この経路は古典経路と呼ばれる）．補体系は3つの異なる経路または酵素のカスケードによって活性化される．この**古典経路 classic pathway** は免疫複合体によって活性化され，**マンノース結合レクチン経路 mannose-binding lectin pathway** はレクチンが細菌のマンノースに結合することによって活性化され，**代替経路（第二経路）alternative pathway** または**プロペルジン経路 properdin pathway** は様々なウイルス，細菌，真菌および腫瘍細胞との接触によって活性化される．生成されたタンパク質には3つの機能がある．(1) オプソニン化（細菌表面のコーティング），走化性の誘導，および細胞の最終的な融解によって侵入微生物の殺菌を助ける．(2) B 細胞を活性化し，免疫学的記憶を助けることによって自然免疫から獲得免疫への橋渡しに部分的に関与する．(3) アポトーシスを起こした細胞や老廃物の廃棄処理を助ける．補体系が細菌などを殺す主たる方法の1つは，細胞膜に膜攻撃複合体 membrane attack complex (MAC) と呼ばれる孔を形成してイオンなどを自由に通過させることにより，膜の極性を破壊するとともに，浸透圧で細菌を破裂させることである．なお，抗体や補体受容体を介して NK 細胞が感染細胞や癌細胞を破壊する時はパーフォリン perforin と呼ばれるタンパク質を細胞膜に挿入して孔を形成する（細胞傷害性 T 細胞の場合と同じ）．

その他の免疫担当細胞

血液中には免疫担当細胞である多くの白血球が循環している．さらに組織において免疫担当細胞に分化，成熟する前駆細胞も血液を通って運ばれる．血液中を循環している免疫担当細胞には，**顆粒球 granulocyte [多形核白血球 polymorphonuclearleukocyte (PMN)]**，リンパ球 lymphocyte（前述），**単球 monocyte** があり，顆粒球には，**好中球 neutrophil，好酸球 eosinophil，好塩基球 basophil** が含まれる．組織内の免疫反応は，循環血液中に存在するこれらの免疫担当細胞が血管から遊出してくること，および組織**マクロファージ macrophage**（単球に由来）や**肥満細胞 mast cell**（好塩基球に類似した細胞）のような組織に常在する免疫細胞によって増強される．これらの細胞は互いに協力してウイルス，細菌および寄生虫による感染や腫瘍に対して強力な防御機構を構成している．

顆粒球

すべての顆粒球は細胞質に顆粒をもっている．これらの顆粒には生理活性物質が含まれており，これらの物質は炎症やアレルギー反応に関与している．

循環血液中における好中球の半減期は6時間である．したがって，血液中の好中球数を正常に維持するためには，1日に1000億個あまりの好中球を産生する必要がある．多くの好中球は，特に感染や炎症性サイトカインの作用によって組織に浸潤する．好中球はセレクチンと呼ばれる接着分子によって内皮細胞表面に引き寄せられ，内皮細胞表面を転がりながら移動する．好中球はさらに接着分子であるインテグリンを介して内皮細胞表面に強く接着する．次に，好中球はケモカインに誘引されて内皮細胞の間隙から毛細血管の壁を通って血管外に出ていく．この過程を**血管外遊出 diapedesis** と呼ぶ．血管外に出た好中球の多くは，最終的にたとえば消化管内腔に入っていき身体から消失する．

細菌が生体に侵入すると**炎症反応 inflammatory response** が起こる．炎症性サイトカインによって骨髄が刺激されて，好中球が大量に産生され，その放出が促進される．細菌由来の産物が血漿成分（主に補体系）や細胞と反応して，好中球を感染巣に引き寄せる（**走化性 chemotaxis**）作用をもつ多数のケモカイン（前述）や走化性因子が産生される．それらには補体成分 (C5a)，ロイコトリエン，およびリンパ球，肥満細胞，好塩基球由来のポリペプチドが含まれる．また血漿成

分の一部は細菌を"味付け"することによって食細胞による貪食を助ける(**オプソニン化 opsonization**)．細菌に結合する主なオプソニンは，特定のクラスの免疫グロブリン(IgG)と補体タンパク質である．オプソニン化された細菌は好中球の細胞膜上に存在するGタンパク共役型受容体(GPCR)に結合する．この結合により細胞運動の亢進やエキソサイトーシス(細胞外放出)および"呼吸バースト"(後述)の活性化が生じる．細胞運動の亢進が，エンドサイトーシス(**貪食または食作用 phagocytosis**)による細菌の貪食を速める．好中球の顆粒内容物は**エキソサイトーシス exocytosis** によって細菌を包み込んだ貪食空胞内や間質に放出される．これは**脱顆粒 degranulation** と同じプロセスである．顆粒には様々なプロテアーゼや**デフェンシン defensin** と呼ばれる抗菌物質が含まれている．さらに，細胞膜結合酵素である**還元型ニコチンアミドアデニンジヌクレオチドリン酸(NADPH)オキシダーゼ nicotinamide adeninedinucleotide phosphate (NADPH) oxidase** が活性化され，毒性のある酸素代謝産物が産生される．好中球の強い殺菌能は，これら毒性のある酸素代謝産物と顆粒に含まれるタンパク質分解酵素に依存している．このような好中球の殺菌作用に障害があると易感染性となる(クリニカルボックス 3・5)．

NADPHオキシダーゼの活性化は，好中球における酸素(O_2)の消費と代謝の急激な増加(**呼吸バースト respiratory burst**)および次式の反応によるスーパーオキシド(O_2^-)産生と関連している．

$$NADPH + H^+ + 2O_2 \rightarrow NADP^+ + 2H^+ + 2O_2^-$$

O_2^- は O_2 に電子が1個加わることによって生成される**フリーラジカル free radical** である．2分子の O_2^- と2分子の H^+ が反応して過酸化水素(H_2O_2)が生成される．細胞質型スーパーオキシドジスムターゼ(SOD-1)がこの反応を触媒する．

$$2O_2^- + 2H^+ \xrightarrow{SOD-1} H_2O_2 + O_2$$

O_2^- と H_2O_2 はともに殺菌作用を示すオキシダントである．H_2O_2 は酵素である**カタラーゼ catalase** によって H_2O と O_2 に変換される．細胞質型SOD-1にはZnとCuが含まれており，身体の様々な細胞に存在する．家族性**筋萎縮性側索硬化症 amyotrophic lateral sclerosis**(ALS，15章参照)では，遺伝子変異によりSODが欠損している．進行性の致死的疾患であるALSの少なくとも1つの型では，O_2^- が運動ニューロンに蓄積し，これらの細胞を死に至らしめる．ヒトには異なる遺伝子によってコードされたSODが他に2

クリニカルボックス 3・5

食細胞機能異常症

一次性好中球機能異常症として15以上の疾患が知られており，また少なくとも30の病態において好中球機能に二次性の異常が見られる．これらの病態においては，患者は感染症に罹患しやすい．好中球系のみが障害されている場合は比較的軽い感染症ですむが，単球−組織マクロファージ系も障害されていると重篤になる．好中球の運動能低下では，アクチンが正常に重合せず，好中球の運動が遅くなる．白血球のインテグリンが先天的に欠損している疾患もある．さらに重篤な慢性肉芽腫症では，好中球と単球がともに O_2^- を産生することができず，その結果，貪食した多くの細菌を殺すことができない．重篤な先天性グルコース6-リン酸デヒドロゲナーゼ欠損症では，O_2^- 産生に必要なNADPHを生成することができないために多重感染を引き起こす．先天性ミエロペルオキシダーゼ欠損症では，次亜塩素酸を生成できないために殺菌能が低下する．

治療上のハイライト

食細胞機能異常症に対する治療の基本は，病原菌に曝露されることを慎重に避けることと抗菌薬および抗真菌薬の予防投与である．感染症に罹患した時には抗菌薬を用いた強力な治療を行わなければならない．しばしば膿瘍の切開・排膿および閉塞除去のために外科的治療も必要である．慢性肉芽腫症などの重篤な疾患では，造血幹細胞移植を行うことによって治癒する可能性がある．慢性肉芽腫症の患者は繰り返す感染症とその合併症のために生命予後は不良である．それゆえに，骨髄移植のリスクも許容できると考えられる．遺伝子治療も可能性はあるがまだ先の目標である．

つ存在する．

好中球は酵素である**ミエロペルオキシダーゼ myeloperoxidase** を産生する．ミエロペルオキシダーゼは Cl^-，Br^-，I^- および SCN^- からそれぞれに対応する酸($HOCl$，$HOBr$ など)への変換を触媒する．これらの酸も酸化剤として作用する．体液中には Cl^- が最

も多く存在するので，主な生成物は次亜塩素酸（HOCl）である．

ミエロペルオキシダーゼやデフェンシンに加えて，好中球の顆粒にはエラスターゼ，コラーゲンを分解するメタロプロテアーゼ，および侵入してきた微生物の破壊を助ける他の様々なプロテアーゼが含まれている．これらの酵素は，O_2^-，H_2O_2 および HOCl とともに，活性化された好中球の周りに殺菌領域を形成する．この領域を形成することによって侵入してきた微生物を効率よく殺菌することができる．しかし，特定の疾患（関節リウマチなど）では，好中球によって局所的に生体組織が破壊される．

好中球と同様，循環血液中における**好酸球**の半減期は短い．また，好酸球もセレクチンによって内皮細胞の表面に引き寄せられ，インテグリンを介して血管壁に接着し，血管外に遊出して組織に出ていく．好中球同様，好酸球は炎症を惹起するタンパク質，サイトカインおよびケモカインを放出し，また侵入した微生物を殺すことができる．しかし，好酸球に特徴的な反応様式や分泌する殺菌物質も存在する．組織における好酸球の成熟および活性化は，特に IL-3，IL-5 および GM-CSF によって促進される．好酸球は消化管の粘膜，気道や尿路の粘膜に多く存在する．消化管の粘膜では寄生虫に対する防御を担っている．循環血液中の好酸球は，喘息などのアレルギー疾患や様々な呼吸器および消化器疾患で増加する．

好塩基球も組織に浸潤し，感染防御に関わるタンパク質やサイトカインを放出する．好塩基球は肥満細胞に似ているが，同一ではない．しかし好塩基球は肥満細胞と同様にヒスタミンを含んでいる（後述）．好塩基球は細胞膜に結合している IgE 分子に特定の抗原が結合することによって活性化され，ヒスタミンやその他の炎症性メディエーターを放出する．好塩基球は即時型過敏性応答（即時型アレルギー反応）に関与している．これらの反応には，軽度の蕁麻疹や鼻炎から重篤なアナフィラキシーショックまで含まれる．IgE の産生や好塩基球（そして肥満細胞）の活性化を誘導する抗原は食物やダニ，花粉など通常はヒトにとっては無害であるが感受性のあるヒトにとってはアレルゲンと呼ばれる．

肥満細胞

肥満細胞（マスト細胞）は上皮表面下など外部環境と接触する結合組織に豊富に存在する，顆粒を多く含む細胞である．顆粒にはプロテオグリカン，ヒスタミン，多くのプロテアーゼなどが含まれる．好塩基球と同様，肥満細胞の表面に結合している特異的な IgE 分子にアレルゲンが結合すると，肥満細胞は脱顆粒を起こす．肥満細胞は免疫グロブリンである IgE と一部の IgG によって惹起される炎症反応に関与し，この炎症反応によって寄生虫の侵入を防いでいる[*16]．このような獲得免疫における関与に加え，肥満細胞は細菌の生成物に反応して，抗体非依存性機序によって腫瘍壊死因子α（TNF-α）を放出し，獲得免疫反応が起こる前に感染を防御する非特異的な**自然免疫 innate immunity**にも関与している（自然免疫については前述した）．肥満細胞の脱顆粒が激しく起こると，アレルギーの臨床的症状が生じ，アナフィラキシーを起こすこともある．

単　　球

単球は骨髄から血液中に入り，循環血液中に約 72 時間存在する．単球は組織に浸潤した場合，**組織マクロファージ tissue macrophage** になる（図 3・11）．組織におけるその寿命は明らかではないが，ヒトにおける骨髄移植のデータは，これらの細胞が少なくとも約 3 カ月間組織に存在することを示している．これらの細胞が循環血液中に再び戻ることはないと考えられている．一部の単球は結核などの慢性炎症性疾患に見られる多核巨細胞になる．組織マクロファージには肝臓の Kupffer 細胞，肺の肺胞マクロファージ（34 章参照），脳のミクログリアが含まれ，これらの細胞はすべて循環血液に由来する．

マクロファージはサイトカイン，中でも T 細胞から放出されるサイトカインによって活性化される．活性化されたマクロファージは走化性因子の刺激に反応して移動し，好中球の場合と同様な機序で細菌を貪食，殺菌する．マクロファージは自然免疫において中心的な役割を果たしており（前述），また，リンパ球や他の細胞に作用する因子，プロスタグランジン E，凝固促進因子など 100 種類にものぼる物質を分泌する[*17]．

[*16] 訳注：肥満細胞表面には IgE と IgG に対する Fc 受容体を発現しているが，通常，肥満細胞の機能や病理に重要なのは IgE であり，教科書レベルでは IgG は無視してよい．

[*17] 訳注：炎症時には血液を循環する単球も走化性因子によって炎症部位に引き寄せられて炎症性マクロファージに分化する．どちらかというと組織マクロファージより単球由来の炎症性マクロファージの方が自然免疫を惹起する能力は高い．本書では「単球」という記述が多いが多くはマクロファージと解釈すべきである．

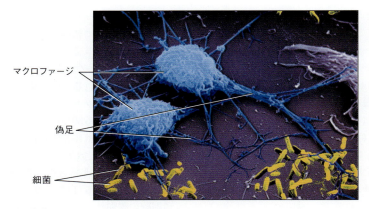

図 3・11　細菌に接触し，貪食しようとしているマクロファージ．図は走査電子顕微鏡像に色をほどこしている．

血小板

　血小板は循環血液中に存在する核をもたない細胞成分であり，止血の際に重要な役割を果たしている．血小板自身は免疫担当細胞ではないが，炎症細胞と協調して組織傷害に対する応答にしばしば関与する．血小板は，巨核球として知られる前駆細胞の一部を切り取ったものとして骨髄で産生される．**トロンボポエチン thrombopoietin** は肝臓と腎臓で構成的に産生され，巨核球の成熟を促進する（図 31・3 参照）．血小板表面にもトロンボポエチン受容体が存在し血小板産生のフィードバック制御の一端を担っている．血小板の数が少ない場合は，トロンボポエチンは血小板への吸着で失われる量が減るので，結果的に血中濃度が上がって巨核球の増殖が促されて血小板の産生が刺激される．逆に，血小板の数が多いと，より多くの血小板にトロンボポエチンが奪われることにより血小板の産生が減る．

　血小板は辺縁部には微小管が環状に存在し，細胞膜が広範に細胞内に入り込んで複雑な小管系（開放小管系）を形成しており，これらは細胞外液と接している．血小板の細胞膜にはコラーゲン，ADP，von Willebrand〔フォン・ヴィレブランド〕因子（後述），フィブリノーゲンに対する受容体がある．細胞質にはアクチン，ミオシン，グリコーゲン，リソソーム，および 2 種類の顆粒がある．1 つは，血小板の活性化に反応して分泌されるセロトニン，ADP，その他のアデニンヌクレオチドなどの非タンパク質物質を含む濃染顆粒で，もう 1 つは分泌されたタンパク質を含む α 顆粒である．これらのタンパク質には凝固因子や**血小板由来成長因子 platelet-derived growth factor（PDGF）**が含まれる．PDGF は創傷治癒を促し，また血管平滑筋細胞の分裂を刺激する．血小板および血管壁に von Willebrand 因子が含まれており，これは血小板の粘着に関与するばかりでなく，第Ⅷ因子の血中レベルも制御している（後述）．

　血管壁が損傷を受けると，血小板は血小板膜上の受容体を介して壁に露出したコラーゲンと **von Willebrand 因子** に付着する（31 章も参照）．von Willebrand 因子は極めて大きな分子であり，内皮細胞によって産生される．von Willebrand 因子は血小板に結合して血小板を活性化させ，顆粒の内容物を放出させる．放出された ADP は，血小板膜の ADP 受容体に作用して，より多くの血小板のさらなる凝集（**血小板凝集 platelet aggregation**）をもたらす．ヒトには，少なくとも 3 種類の血小板 ADP 受容体，$P2Y_1$，$P2Y_2$，$P2X_1$ が存在する．これらの受容体は薬剤開発の魅力的な標的であり，いくつかの新しい阻害薬が心筋梗塞や脳卒中の予防に有望であることが示されている．血小板凝集はまた，血小板，好中球および単球（マクロファージ）によって分泌される脂質メディエーターである**血小板活性化因子 platelet-activating factor（PAF）**によって促進される．PAF は炎症促進作用ももつ．PAF は細胞膜の脂質から生成されるエーテル型リン脂質の 1-アルキル-2-アセチルグリセリル-3-ホスホリルコリンである．PAF は G タンパク質共役型受容体を介して，トロンボキサン A_2 などのアラキドン酸代謝産物の産生を増加させる．この化合物の血管

＊15 訳注：炎症時にに血液を循環する単球も走化性因子によって炎症部位に引き寄せられて炎症性マクロファージに分化する．どちらかというと組織マクロファージより単球由来の炎症性マクロファージの方が自然免疫を惹起する能力は高い．本書では「単球」という記述が多いが多くはマクロファージと解釈すべきである．

損傷部位における凝固活性と抗凝固活性のバランスにおける役割については，31章で議論する．

血小板数が少ないと，血液凝固物（血餅）の退縮が障害され，破裂した血管の収縮が弱くなる．その結果として生じる**血小板減少性紫斑病** thrombocytopenic purpura は，特徴的な易出血性と多発性の皮下出血を示す．紫斑病は，血小板数が正常な場合にも起こることがあり，その中には血小板機能異常症（**血小板無力症性紫斑病** thrombasthenic purpura）も含まれる．一方，血小板増加症では血栓を生じやすい．

炎症と創傷治癒

局所の傷害

炎症は細菌などの外来性異物や，場合によっては，生体内で生じた物質に対する複雑な局所性反応である．初期にはサイトカイン，好中球，接着分子，補体，IgGが関与する一連の反応からなる．先ほど述べた炎症作用を有するPAFも関与する．後期には単球（由来のマクロファージ）とリンパ球が関与する．炎症巣では細動脈が拡張し，毛細血管の透過性が亢進する（32, 33章参照）．炎症が皮膚または皮膚のすぐ下で起こると（図3・12），発赤，腫脹，圧痛，疼痛が見られる．その他，炎症は，喘息，潰瘍性大腸炎，Crohn病（クリニカルボックス3・1），関節リウマチおよびその他の多くの疾患における重要な要素である．

炎症反応においては，転写因子である nuclear factor-κB（NF-κB）が極めて重要な役割を果たしている．NF-κB は通常はヘテロ二量体として存在し，別のタンパク質IκBαと結合して不活性な状態で細胞質に局在している．サイトカイン，ウイルス，オキシダントなどのシグナルによってNF-κBとIκBαが離れるとIκBαはユビキチン化されて分解される．IκBαと離れたNF-κBは核に移行し，多くの炎症メディエーター遺伝子のDNA（プロモーターやエンハンサー）に結合して，それらの産生・分泌を増加させる．副腎皮質ステロイドはIκBαの産生を増加させてNF-κBの活性化を阻害する．この作用は副腎皮質ステロイドの抗炎症作用の主要な作用機序の一部である（19章参照）[*18]．

[*18] 訳注：副腎皮質ステロイド受容体（GR）がどのようにNF-κBを抑制するかはまだ完全に理解されていない．GRとNF-κBとの直接の結合やクロマチン構造の変化など複雑な反応が起こっている．

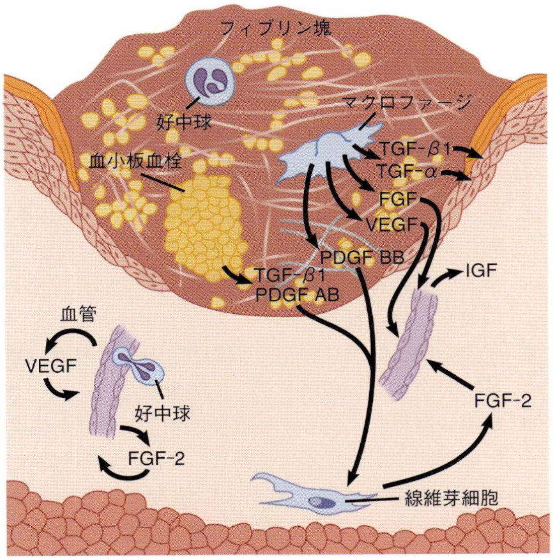

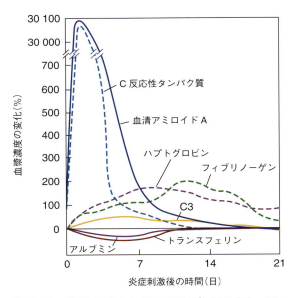

図 3・12 傷害3日後の皮膚の創傷． 修復過程に関与する多くのサイトカインと増殖因子を示す．FGF：線維芽細胞増殖因子，IGF：インスリン様増殖因子，PDGF：血小板由来増殖因子，TGF：トランスフォーミング増殖因子，VEGF：血管内皮増殖因子．表皮がフィブリン塊の下で増殖し，皮膚の連続性が回復していることに注意（Singer AJ, Clark RAF: Cutaneous wound healing. N Engl J Med 1999; Sep 2; 341(10): 738-746 より改変）．

図 3・13 炎症に伴う主な急性期タンパク質の変化． C3：補体 C3 成分（McAdam KP, Elin RJ, Sipe JD, Wolff SM: Changes in human serum amyloid A and C-reactive protein after etiocholanolone-induced inflammation. J Clin Invest 1978; Feb; 61(2): 390-394 より許可を得て改変）．

傷害に対する全身反応

　播種性の感染同様，炎症やその他の傷害に反応して産生されたサイトカインによって全身反応も生じる．全身反応には血漿の**急性期タンパク質 acute phase protein** の変化も含まれる．急性期タンパク質は，傷害の発生後，その濃度が少なくとも 25％増加または減少するタンパク質として定義される．これらのタンパク質の多くは肝臓で産生される．いくつかの急性期タンパク質を図3·13に示す．これらのタンパク質の濃度が変化する原因は完全には明らかになっていないが，変化の多くはホメオスタシスを維持するためと思われる．たとえば，C反応性タンパク質（CRP）の増加は，単球（由来のマクロファージ）を活性化してサイトカインのさらなる産生を誘導する．傷害に反応して起こる他の変化として，傾眠，窒素バランスの低下，発熱などがある[*19]．

[*19]訳注：急性期タンパク質の多くは炎症性サイトカイン，特にIL-6の作用によって産生が増加することが知られている．CRPは細菌をオプソニン化する他，補体系も活性化する．発熱は，視床下部に炎症性サイトカインが作用しプロスタグランジン E_2（PGE_2）が産生されることで起きる．

創傷治癒

　組織が傷害されると，血小板がインテグリンを介してコラーゲンやラミニンに結合することで露出した基質（マトリックス）に粘着する（図3·12）．血液凝固によりトロンビンが産生され，トロンビンは血小板の凝集と脱顆粒を促進する．血小板の顆粒は炎症反応を惹起する．白血球はセレクチンを介して引き寄せられ，インテグリンを介して内皮細胞に接着し，血管壁を通過して血管外に遊出する．白血球や血小板から放出されたサイトカインはマクロファージ，線維芽細胞および上皮細胞のインテグリン（場合によってはインテグリンリガンド）の発現を増加させる．マクロファージは傷害部位に向かって移動し，線維芽細胞と上皮細胞は創傷治癒および瘢痕形成に関与する．プラスミンは過剰のフィブリンを除去することによって治癒を助ける．すなわち創傷部へのケラチノサイトの移動を助け，痂皮の下での上皮の回復を助ける．コラーゲンの生成が増加して瘢痕を形成する．創傷は3週間で（完全に治癒した場合の）最終的な強度の20％になり，その後さらにその強度は強くなるが，正常な皮膚の強度の約70％以上になることはない．

章のまとめ

- 免疫とは，外来の侵入者や腫瘍細胞などの宿主細胞から体を守るための手段である．
- 自然免疫は，典型的な微生物成分に対する進化的に保存された比較的原始的な反応である．
- 獲得免疫の成立は自然免疫より遅いが，長期間にわたって持続し，特異性が高いためにしばしばより効果的である．
- 遺伝子の再構成によって，B細胞とT細胞は膨大な数の受容体を発現し，莫大な数の外来抗原を認識することができる．
- 自己抗原に反応するリンパ球は正常では除去される．この過程に障害があると自己免疫疾患になる．
- 様々な可溶性メディエーターが，免疫学的エフェクター細胞の発生，移動，その後の免疫反応や炎症反応を調整している．
- 免疫・炎症反応は，顆粒球，単球，肥満細胞，組織マクロファージ，抗原提示細胞など，いくつかの種類の細胞が関与するが，これらの細胞は主として骨髄に由来し，循環血液中や結合組織に存在する．
- 顆粒球は食作用を示し，細菌を貪食して殺菌する．食作用に伴って活性酸素種やその他のメディエーターが周辺組織に放出され，組織傷害が生じる．顆粒球の機能異常や発生異常によっても疾患が生じる．その多くは微生物の脅威に対する免疫応答の障害が見られる．
- 肥満細胞と好塩基球が，通常のヒトには無害な物質に対するアレルギー反応に関与する．
- 感染や傷害に応答して炎症反応が生じ，これらの生体侵襲を解決する．しかし，炎症反応は健常な組織を傷害することもある．侵襲がいったん治まっても過剰な炎症反応が持続したり，健常なヒトでは反応しないような刺激により過剰な炎症反応が惹起されることによって多くの慢性疾患が生じる．

多肢選択式問題

正しい答えを1つ選びなさい．

1．最も一般的に自然免疫を担う細胞を活性化するものはどれか．
   A．グルココルチコイド
   B．花粉
   C．細菌細胞壁の炭水化物配列
   D．好酸球
   E．トロンボポエチン

2．あるバイオテクノロジー企業が，癌の新しい治療戦略を練っている．これには癌化によって変異した細胞タンパク質に対する免疫応答を増強することが含まれる．次の免疫細胞またはプロセスのうち，治療を成功させるために必要とされない可能性が高いのはどれか．
   A．細胞傷害性T細胞
   B．B細胞受容体
   C．プロテアソームによる分解
   D．T細胞受容体を生む遺伝子再配列
   E．免疫シナプス

3．進行性の過剰な喉の渇き，排尿量の増加，体重減少，重度の疲労感を訴える6歳の男児が小児科を受診した．耐糖能検査の結果，1型糖尿病と診断され，患者はインスリン注射で治療されている．この患者の急性期の症状は，どの免疫プロセスの障害を反映しているか．
   A．抗体合成
   B．好中球の走化性
   C．抗原提示
   D．免疫寛容
   E．補体活性化

4．4月，20歳の大学生が学生ヘルスセンターを訪れ，鼻汁，鼻閉，眼の痒み，喘鳴を訴えた．毎年この季節になると同様の症状に悩まされ，薬局で購入した抗ヒスタミン薬を服用するといくぶんよくなるが，眠くなって勉強に支障が出ると彼女は訴えた．彼女の症状は花粉に対する次のどの抗体が不適切に産生された結果と考えられるか．
   A．IgA
   B．IgD
   C．IgE
   D．IgG
   E．IgM

5．病原微生物を貪食して呼吸バーストを起こす血液の能力を増加させるのは次のどれか．
   A．インターロイキン2（IL-2）
   B．顆粒球コロニー刺激因子（G-CSF）
   C．エリスロポエチン
   D．インターロイキン4（IL-4）
   E．インターロイキン5（IL-5）

6．循環血液中の好中球数を十分に枯渇させるある抗体をマウスに投与した．細菌を接種すると，無処置のコントロールマウスに比べ，好中球数が減少したマウスの死亡率は有意に高かった．好中球数減少によって引き起こされる感染後の死亡率の原因は次のどの欠損によるか．
   A．獲得免疫
   B．オキシダント（活性酸素）
   C．血小板
   D．顆粒球マクロファージコロニー刺激因子（GM-CSF）
   E．インテグリン

7．もし上記（問題4）の花粉症患者の鼻粘膜の生検を症状が出ている時に行えば，組織学的に次のどのタイプの細胞に脱顆粒が認められるか．
   A．樹状細胞
   B．リンパ球
   C．好中球
   D．単球
   E．肥満（マスト）細胞

8．急性炎症を起こしている男性の関節リウマチ患者から，炎症を起こし，腫脹した膝関節から関節液を吸引，採取した．関節液に含まれる炎症細胞の生化学的解析で減少していると考えられるタンパク質は次のどれか．
   A．インターロイキン1（IL-1）
   B．腫瘍壊死因子α（TNF-α）
   C．nuclear factor-κB（NF-κB）
   D．IκBα
   E．von Willebrand因子

興奮性組織：神経

4

学習目標
本章習得のポイント

- 典型的なニューロンを描き，活動電位の発生と伝導における細胞体，樹状突起，軸索や軸索小丘が果たす役割を説明できる
- ニューロンの静止膜電位の基盤や高カリウム血症や低カリウム血症の静止膜電位に対する効果を説明できる
- 活動電位発生の際に起こるイオン電流を説明できる
- 無髄神経と有髄神経がどのように活動電位を伝搬するかを比較し，その違いを説明できる
- 異なるタイプの感覚神経線維と運動神経線維の伝導速度やそれ以外の特性の違いを比較できる
- 順行性軸索輸送と逆行性軸索輸送の重要性を説明できる
- 神経系に存在するいろいろなタイプのグリア細胞の機能の違いを比較できる
- ミエリンタンパク質の機能異常やミエリンの欠損に関連した神経病理を説明できる
- 神経栄養因子の機能を説明することができる

■ はじめに

中枢神経系と末梢神経系における基本的な動作単位は，神経細胞，すなわち，**ニューロン neuron** である．ニューロンは，電気的に興奮して活動電位を発生するため，興奮性細胞と呼ばれている．その他の興奮性細胞としては，骨格筋，平滑筋，心筋（5章）や膵臓の分泌細胞などがある．ニューロンは様々な形や大きさをしているが，そのどれもが，外界や体内からの情報を受け取り，処理し，統合し，伝達して，いろいろな生理的現象を引き起こすための能力を共通して有している．この章では，ニューロンが活動電位を発生し，伝導することを可能にしているイオン機構について記載し，6章では，ニューロンが，他のニューロンや効果器とどのように交信しているか（シナプス伝達）について説明する．この章では，神経系に存在するグリア細胞や神経栄養因子が，生理的および病態生理的過程において果たす役割についても記載する．

ニューロン：神経系における基本的な動作単位

図4・1は，典型的なニューロンである脊髄運動ニューロンの基本的な構成要素を示している．**細胞体 soma** には核が存在し，ニューロンでの代謝の中心部位となっており，遺伝物質であるDNAを貯蔵している．ニューロンには**樹状突起 dendrite** と呼ばれる突起構造物があり，それは細胞体から伸び出ており，盛んに枝分かれすることにより，入力を受容し，情報を処理し，さらに，ニューロンの細胞体に情報を伝えることに役立っている．典型的なニューロンは，細胞体上のやや厚くなった**軸索小丘 axon hillock** と呼ばれる部分から伸び出している長い線維状の**軸索 axon** を有している．軸索のうち，細胞体に最も近い部分は**軸索初節**

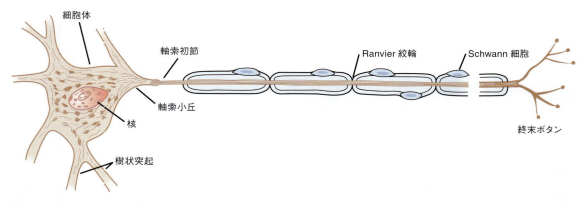

図 4・1　有髄の軸索を有する脊髄運動ニューロン．脊髄運動ニューロンは，核が存在する細胞体，樹状突起と呼ばれる何本かの突起，および軸索小丘から伸長する線維状の軸索からなる．軸索の最初の部分は軸索初節と呼ばれる．ミエリン鞘は Schwann 細胞により形成され，軸索の終末部と Ranvier 絞輪を除いて，軸索の周囲を取り囲んでいる．終末ボタン（ブートン）は，神経終末部に存在する．

initial segment と呼ばれている．軸索はいくつかの**シナプス前終末** presynaptic terminal に分かれ，その先端は多くの**シナプス小頭** synaptic knob を形成する．シナプス小頭は，**終末ボタン** terminal button，あるいは，**ブートン** bouton とも呼ばれる．シナプス前終末内には顆粒状の小胞が存在し，その中には神経から分泌される神経伝達物質が蓄えられている．ニューロンは，細胞体から出る突起の数によって，**単極性** unipolar，**双極性** bipolar，**偽単極性** pseudounipolar，**多極性** multipolar に分類される（図 4・2）．

機能的な面から見れば，ニューロンは，一般的には，次の4つの重要な領域からなる．(1) シナプス結合部において発生するいくつもの局所電位の変化が統合される樹状突起領域，(2) 伝搬する活動電位が発生する領域（運動ニューロンにおける軸索初節や皮膚の感覚ニューロンにおける最初の Ranvier〔ランビエ〕絞輪），(3) 活動電位を神経終末に伝導させる軸索突起，(4) 活動電位により神経伝達物質が放出される神経終末である．

多くのニューロンでは，その軸索は周りをタンパク質・脂質複合体である**ミエリン鞘（髄鞘）** myelin sheath によって包まれている．末梢神経系においては，Schwann〔シュワン〕細胞（一種のグリア細胞）が軸索周囲に巻きついてミエリンを形成しており，多い場合には，100回くらい巻いている場合もある（図 4・1）．ミエリン鞘は，周期的に存在する 1 μm 程度の無髄の狭窄部である **Ranvier〔ランビエ〕絞輪** node of Ranvier を除いた部分に巻きついている（図 4・1）．ミエリンの絶縁体としての機能や軸索伝導における役割については，この章の後の部分で述べる．

興奮と伝導

神経細胞を特徴付けるのは，その興奮膜特性である．ニューロンは，電気的，化学的，あるいは，機械的刺激に反応して，細胞膜間のイオンの透過性の変化を反映した局所（非伝導性）電位，あるいは，伝導性電位を生じる．非伝導性電位は，その発生場所によって，**シナプス電位** synaptic potential，**起動電位** generator potential，あるいは，**電気緊張電位** electrotonic potential と呼ばれる．伝導性電位である**活動電位** action potential（インパルス）は，ニューロンの最も重要な電気応答である．これは，神経系の主要な情報通信手段である．ニューロンにおける電気応答は時間経過が速く，ミリ秒（ms）単位であり，電位変化は小さく，ミリボルト（mV）単位である．

インパルスは，通常，軸索に沿って神経終末に向かって伝導する．伝導は能動的であり，インパルスは一定の振幅と速度で神経線維に沿って自らの活動により次々に伝搬していく．この過程は，線状に置かれた火薬の端の部分にマッチの火を付けた際に見られる光景によくたとえられる．つまり，マッチの火を近づけた端の部分から炎が上がり，それがもう一方の端に向かって一定速度で進んでいくと同時に，今まで燃えていた部分が次々に消え跡を残していくというような光景である．

静止膜電位

ニューロンの細胞膜を隔てた電位差を**膜電位** membrane potential と呼ぶ．つまり，細胞質内の電位

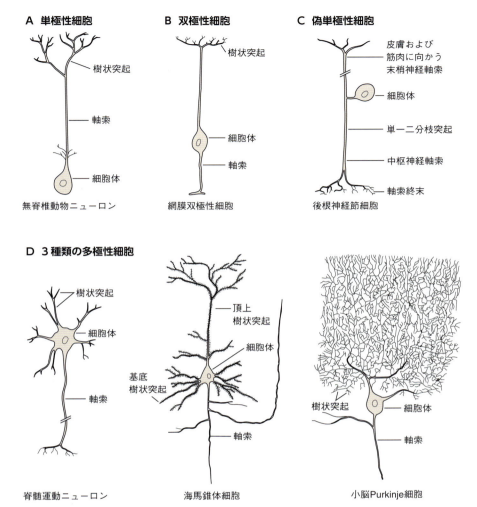

図4・2 哺乳類神経系におけるニューロンの代表的なタイプ. A:単極性ニューロンは突起を1つだけ有し,その突起には神経伝達物質を受容する部分と放出する部分が存在する. B:双極性ニューロンは特殊化した2つの突起を有する.1つは樹状突起で,情報を細胞体に伝える.もう1つは軸索で,細胞体からの情報を伝える. C:感覚ニューロンのあるものは,偽単極性細胞という双極性細胞の一亜種に属する.細胞が発達するにつれ,1つの突起が2つに分かれ,いずれもが軸索として機能するが,1つは皮膚あるいは筋肉に向かい,もう1つは脊髄に向かう. D:多極性細胞は,1本の軸索と多くの樹状突起からなる.脊髄運動ニューロン,頂上部と基底部に樹状突起を有する海馬錐体細胞,1つの平面に木のように極めて多くの樹状突起を有する小脳Purkinje細胞などがこれに含まれる(Kandel ER, Schwartz JH, Jessell TM, Siegelbaum SA, Hudspeth AJ(editors): *Principles of Neural Science*, 5th ed. New York, NY: McGraw-Hill; 2013 より許可を得て複製).

と細胞外の電位との差である.膜電位は,細胞膜を隔てて負および正の電荷が分離することにより発生する(図4・3).脂質二重膜を隔てて電位差が生じるためには,2つの条件を満たさなければならない.1つ目は,膜を隔てて1つあるいはそれ以上のイオン種が非均等に分布しなければならない(すなわち**濃度勾配 concentration gradient**).2つ目は,これらのイオンが膜を透過できなければならない.透過性は,脂質二重膜内に存在するチャネルやポアによりもたらされる.そのようなチャネルは,通常,1種類のイオンのみを透過させる.

静止膜電位 resting membrane potential は,濃度勾配に従って膜透過イオンに対して生じる駆動力と**電気的勾配 electrical gradient** により生じる駆動力とが,逆向きに同じ強さで釣り合った平衡状態を意味する.ニューロンでは,細胞外に比べて細胞内にはるかに高い濃度のK^+が存在し,Na^+はその逆である.この濃度の違いはNa^+, K^+依存性 ATP 加水分解酵素($Na^+,$

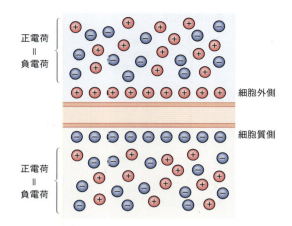

図4・3　膜電位は細胞膜を介した正電荷と負電荷の分離によりもたらされる． 静止状態での細胞外の過剰な正電荷（赤丸）と細胞内の過剰な負電荷（青丸）は，存在するイオン全体からすればごくわずかである(Kandel ER, Schwartz JH, Jessell TM, Siegelbaum SA, Hudspeth AJ(editors): *Principles of Neural Science*, 5th ed. New York, NY: McGraw-Hill; 2013 より許可を得て複製)．

K^+-ATPase）（2章参照）によりもたらされる．K^+選択性イオンチャネルが開口すると，K^+の濃度勾配は細胞の外が低くなっているため，K^+は受動的に細胞外に流出する．同様に，Na^+の濃度勾配は細胞内が低くなっているので，Na^+選択性イオンチャネルが開口すると，Na^+は細胞内に受動的に流入する．

　ニューロンの静止膜電位は，通常，-70 mV 程度である（図4・4，ステップ1）．静止状態では，Na^+チャネルよりK^+チャネルの方がより多く開口しているため，K^+の膜透過性がより大きくなっている．その結果，細胞内外のK^+濃度が静止膜電位を決定する主要な要素となり，静止膜電位はK^+の平衡電位に近い値をとることになる．このようにK^+が定常的に漏れ出していればイオン濃度勾配は維持できないが，Na^+,K^+-ATPaseが電気化学ポテンシャルに逆らってNa^+とK^+を能動的に輸送することによりそれを阻止している．

活動電位におけるイオン輸送

　神経細胞の細胞膜には，リガンド作動性イオンチャネルや電位作動性イオンチャネルなどの多くのタイプのイオンチャネルが存在する．**リガンド作動性イオンチャネル ligand-gated ion channel** はリガンド（たとえば，神経伝達物質など）が結合すると開口し，**電位作動性イオンチャネル voltage-gated ion channel** は細胞膜を介した電位勾配が変化すると開口する．これらのチャネルの動態，特にNa^+チャネルとK^+チャネルの動態が神経における電気的な現象を引き起こす．

　活動電位発生の際に生じるNa^+とK^+の膜コンダクタンスの変化を図4・4にステップ1から7として示す．イオンのコンダクタンスは，そのイオンの電気的な膜抵抗の逆数であり，そのイオンの膜透過性の指標となる．脱分極刺激に対応して電位作動性Na^+チャネルの一部が開口し，Na^+が細胞内に流入して脱分極が**閾値電位 threshold potential**（ステップ2）に到達すると，Na^+チャネルの寄与がK^+チャネルやその他のチャネルよりも優位となる．Na^+の流入がより多くの電位作動性Na^+チャネルを開口することにより，さらに脱分極を引き起こして，**正のフィードバックループ positive feedback loop** が発生する．これらに引き続いて膜電位の急激な上昇が起こる（ステップ3）．活動電位が発生しているときに膜電位はNa^+の平衡電位（約+60 mV）に向かって脱分極するが，Na^+のコンダクタンスの上昇は短期間で終了するため平衡電位にまでは到達しない（ステップ4）．活性化したNa^+チャネルは，**不活性化状態 inactivated state** と呼ばれる閉口状態に急速に移行し，数ミリ秒間その状態にとどまるが，静止状態に戻ると再び活性化できるようになる．膜電位が**オーバーシュート overshoot** している間は膜電位の極性が反転するためNa^+の電気的勾配の方向が逆転し，Na^+の流入が制限される．それとともに，電位作動性K^+チャネルが開口する．これらの要素が膜電位の**再分極 repolarization** に寄与する．電位作動性K^+チャネルの開口は，Na^+チャネルに比べて，ゆっくり起こり，かつ，より長く持続するため，K^+コンダクタンスの上昇はNa^+コンダクタンスの上昇よりかなり遅れて出現する（ステップ5）．この時点では，K^+が細胞外に排出されるため全体として正電荷が細胞外に動くことになり，再分極過程が促進される．K^+チャネルの閉口状態への移行はかなり遅いために，膜電位が過分極する**後過分極 after-hyperpolarization** という現象が起こり（ステップ6），それに引き続いて膜電位は静止膜電位に戻る（ステップ7）．つまり，電位作動性K^+チャネルは活動電位を終了させるとともに，**負のフィードバック過程 negative feedback process** により，自らのチャネルを閉口させる．図4・5に，活動電位の際に順番に起こる電位作動性のK^+チャネルとNa^+チャネルのフィードバック制御を図示した．

　細胞外液のNa^+濃度を減少させると，活動電位の振幅は減少するが，静止膜電位にはほとんど影響はない．これは，静止膜電位ではNa^+の膜透過性が比較

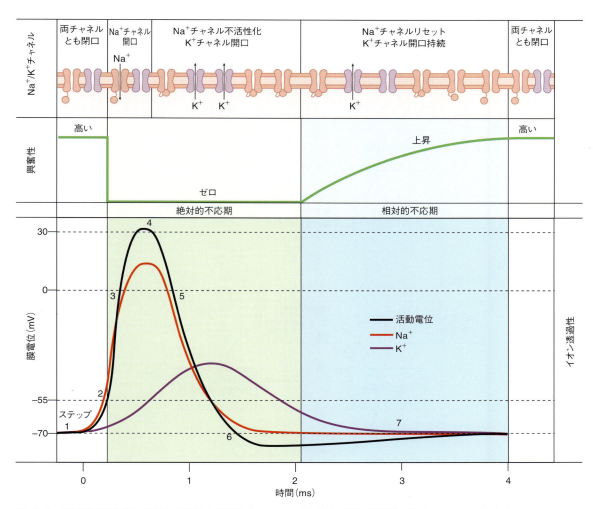

図 4・4　活動電位発生時における膜電位と相対的な Na⁺ と K⁺ に対する膜の透過性の変化. ステップ 1 から 7 については，本文中で詳しく説明している．このような活性化閾値（興奮性）の変化は，各相と相関している（Silverthorn DU: *Human Physiology: An Integrated Approach*, 5th ed. Pearson, 2010 より許可を得て改変）．

的低いことから予想できる．それとは対照的に，静止膜電位は K⁺ の平衡電位に近いことから，細胞外のこのイオンの濃度が変化すると，静止膜電位に大きな影響を与えることになる．細胞外の K⁺ が高度に上昇した場合（**高カリウム血症 hyperkalemia**）には，平衡電位は活動電位の閾値電位により近づき，そのニューロンの興奮性はより高まる．細胞外の K⁺ の濃度が低下した場合（**低カリウム血症 hypokalemia**）には，膜電位はよりマイナスとなり，そのニューロンは過分極する．クリニカルボックス 4・1 では，興奮性細胞（ニューロン，心筋，骨格筋，平滑筋など）に着目して，正常な血漿の K⁺ 濃度である 3.5〜5.0 mEq/L から逸脱する主な原因や逸脱した場合によく見られる徴候や治療法について記載する．

他のイオン，とりわけ Ca²⁺ は，チャネルを透過したり，細胞膜と相互作用したりすることで，膜電位に影響を与えうる．細胞外液の Ca²⁺ 濃度を下げると，神経細胞や筋肉細胞の興奮性が増大するが，これは，活動電位を発生させる Na⁺ および K⁺ のコンダクタンスの変化を引き起こすのに必要な脱分極の程度が減少するためである．逆に，細胞外液の Ca²⁺ 濃度を上昇させると，興奮性が減少し膜が安定化する*¹．

---

*¹ 訳注：Ca²⁺ が細胞膜表面の陰電荷を遮蔽して，表面電位を変化させ，実効的に過分極させるためである．

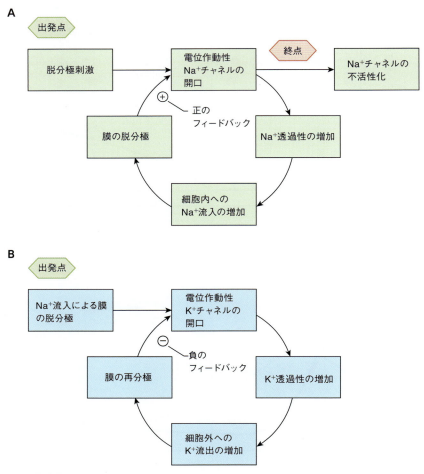

図 4・5　細胞膜内の電位作動性イオンチャネルのフィードバック制御．**A**：正のフィードバックによるNa^+チャネルの制御．**B**：負のフィードバックによるK^+チャネルの制御（Widmaier EP, Raff H, Strang KT: *Vander's Human Physiology*. New York, NY: McGraw-Hill; 2008 より許可を得て複製）．

"全か無"の活動電位

　活動電位を発生させるのに必要な刺激電流の最低強度を**閾値強度 threshold intensity** と呼ぶが，閾値強度は刺激時間に応じて変化する．つまり，弱い刺激ではより長い時間刺激することが必要で，強い刺激ではより短い時間の刺激で十分である．閾値刺激の強度と時間の関係を**強さ-時間曲線 strength-duration curve** と呼ぶ．刺激電流がゆっくりと大きくなる場合には，**順応 adaptation** と呼ばれる状態になるため，神経は活動電位を発生させることができなくなる．したがって，活動電位は**全か無 all-or-none** という特性をもっていることになる．すなわち，刺激が閾値を超えなければ活動電位は発生しないし，閾値を超えた場合には，どのような強さの刺激であっても，振幅や形状が一定の活動電位が発生する[*2]．

電気緊張電位，局所応答，および閾値電位

　閾値下の刺激では伝導する活動電位は生じないが，その刺激は膜電位に対して一定の効果を表す．一定時間持続する閾値下の刺激を与えると，急峻な時間経過で立ち上がり，指数関数的に減少する局所的な脱分極性電位が生じる（図 4・6）．刺激電極と記録電極の距離が増すに従って，この局所応答の大きさは急激に減少

[*2] 訳注：全か無の法則と呼ばれる．

クリニカルボックス 4・1

高カリウム血症と低カリウム血症

K^+のホメオスタシスは，神経，骨格筋，平滑筋，心臓が正常にはたらくために極めて重要である．高カリウム血症の主な原因は，進行した腎不全，副腎機能不全，遠位尿細管アシドーシス，1型糖尿病，脱水などによる腎臓のK^+排出能力の障害である．薬物誘導性高カリウム血症は，アンジオテンシンII受容体阻害薬，アンジオテンシン変換酵素(ACE)抑制薬，非ステロイド性抗炎症薬(NSAID)，K^+保持性利尿薬の服用により引き起こされる．高カリウム血症の症状としては，筋肉痛，筋力低下，無感覚，不整脈，吐き気などがある．血漿のK^+濃度が極度に上昇すると，心停止を引き起こし死に至ることがある．高カリウム性周期性四肢麻痺はまれな遺伝的疾患であり（発症率は10万人に1人），高カリウム血症による一過性の筋肉麻痺を呈する．患者の骨格筋の静止膜電位は，正常値である$-90\,mV$から，Na^+チャネルが不活性化され活動電位の発生が抑制される$-60\,mV$に変位する．

低カリウム血症の最も主要な原因は，K^+の排泄の増加であるが，K^+の細胞外領域から細胞内領域への移動によっても引き起こされる．低カリウム血症は，まれな腎臓の遺伝性疾患［Bartter〔バーター〕症候群（37章参照）やGitelman〔ギッテルマン〕症候群〕，Cushing〔クッシング〕症候群，K^+排出性利尿薬の服用，糖尿病性ケトアシドーシス ketoacidosis，尿細管アシドーシス，家族性低カリウム血症に随伴して起こることもある．症状はやや非特異的であり，筋力低下や筋肉疲労，便秘，筋痙攣，動悸，うつや神経症などの精神的症状などが起こりうる．強度の低カリウム血症(2.5 mEq/L以下)では，不整脈などの問題が起きることが多く，徐脈，頻脈，期外収縮，心房細動，心室細動などを呈することがある．

治療上のハイライト

高カリウム血症の典型的な治療は，その原因を除去することである．低カリウム食を摂らせたり，心臓や筋肉を保護するためにカルシウムを静脈内注射したり，細胞外領域から細胞内へのK^+の移動を促進させるために炭酸水素ナトリウムを静脈注射したりする．低カリウム血症の治療としては，K^+の喪失の減少（利尿薬の使用の中止あるいはK^+保持性利尿薬を使用）を図ったり，K^+貯蔵庫を再補充（経口あるいは静脈注射によるK^+の投与）したり，低カリウム血症の原因を突き止め，その治療を行ったりすることに焦点があてられる．

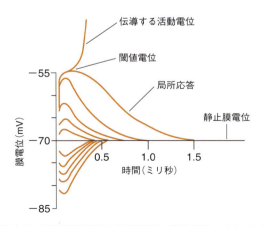

図 4・6　電気緊張電位と局所応答． 閾値刺激の0.2, 0.4, 0.6, 0.8, 1.0倍の刺激を与えた時に観察されたニューロンの膜電位の脱分極を同じ時間目盛で示している．横軸($-70\,mV$)より下の応答は，陽極の近傍で記録されたもので，横軸より上の応答は，陰極の近傍で記録されたものである．閾値強度での刺激は2回繰り返されており，1回は伝導する活動電位を発生し（上の線），もう1回は発生しなかった．

する．逆に，陰性の電流を与えると，同じ持続時間の過分極性の電位変化が生じる．このような電位変化は**電気緊張電位 electrotonic potential**と呼ばれる．電流の大きさが増大すると，細胞膜での局所応答が加算されることにより，この応答は増大する．膜電位が7〜15 mV脱分極すると（膜電位として$-55\,mV$に到達すると），最終的には，閾値電位に到達し，活動電位が発生する．

不応期

活動電位および電気緊張電位や局所応答が発生している最中は，刺激に対するニューロンの閾値が変化する（図4・4）．過分極性の応答が発現している場合には閾値が上昇し，脱分極性の応答の場合は膜電位が閾値電位に近づくため閾値が低下する．局所応答が発現している場合には閾値が低下するのに対し，活動電位の

上昇相と下降相の大半の時間ではニューロンは刺激に対して応答できない状態にある．この時期を**不応期** refractory period と呼ぶが，これは2つに分類される．つまり，閾値電位に到達してから再分極が約1/3完了するまでの時期を**絶対的不応期 absolute refractory period** と呼び，この時点から後過分極が始まるまでの時期を**相対的不応期 relative refractory period** と呼ぶ．絶対的不応期では，どのような強い刺激を与えても神経を興奮させることはできない．しかし，相対的不応期では，通常よりも強い刺激を与えれば神経を興奮させることができる．このような閾値の変化は，図4・4に示すように，活動電位の各相と相関している．

活動電位の伝導

神経細胞膜は静止時には分極しており，正電荷が細胞膜の外側に沿って分布するとともに，負電荷が細胞膜の内側に沿って分布する．活動電位の発生中は，この分極が解消され，実際には，短時間だが逆転する(図4・7)．正電荷が，活動電位が発生している前後の膜から細胞内の負電荷が帯電している部位に向かって流入する("電流シンク")．このような陽電流が生じること

で，活動電位が発生している部位の先の部分の細胞外の正電荷が剥ぎ取られ，その部分の膜の極性が減少する．このようにして，電気緊張性電位が局所応答を引き起こし，脱分極が閾値電位に到達した場合に活動電位が発生して伝導する．伝導してきた活動電位がさらにそれよりも先の膜に電気緊張性の脱分極を引き起こす．

軸索に沿ったイオンチャネルの空間的分布は活動電位の発生および制御に重要な役割を果たす．有髄神経では，Ranvier絞輪と軸索初節に電位作動性Na^+チャネルが豊富に存在している．髄鞘化されたニューロンの細胞膜$1\,\mu m^2$当たりのNa^+チャネルの数は，細胞体で50〜70，軸索初節で350〜500[*3]，ミエリンに接する軸索表面で25未満，Ranvier絞輪で2000〜12000，軸索終末で20〜75である．無髄神経の軸索では，その数は110程度である．多くの有髄神経では，Na^+チャネルは，再分極に関与するK^+チャネルに両側を挟まれた形で存在する[*4]．

有髄の軸索においても，上で述べたのと同様の回路電流が流れて興奮の伝導が引き起こされる．しかしながら，ミエリンは高度な絶縁作用を有していることから，これを透過する電流は無視できるほど小さい．そのため，有髄線維での脱分極は1つのRanvier絞輪から次のRanvier絞輪に跳躍して伝わる．つまり，活動電位が発生して活動しているRanvier絞輪での電流シンクが，その先のRanvier絞輪に電気緊張性の脱分極を引き起こし，閾値電位まで脱分極させることにより活動電位が伝導する(図4・7)．このようなRanvier絞輪からRanvier絞輪へ脱分極が"跳躍"する様式を**跳躍伝導 saltatory conduction** と呼ぶ．この過程は，最も伝導速度の速い無髄線維に比べて，有髄線維での伝導を50倍程度まで速くすることができる．

神経線維の種類とその機能

哺乳類の神経線維はA，B，Cの3群に分類され，A群はさらにα，β，γ，δ線維に分類される．表4・1に，これらのタイプの神経線維の直径，電気的特性，機能を記載した．神経に刺激を与えてから活動電位が観察されるまでには潜時が存在する．この間隔は，刺激部位から軸索に沿ってインパルスが記録電極にまで到達するのにかかる時間に相当する．この時間は刺激

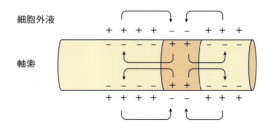

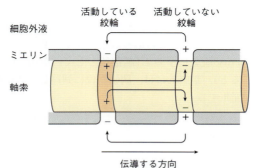

図 4・7 軸索における活動電位発生部位周辺の局所電流 (正電荷の移動)．上：無髄の軸索．下：有髄の軸索．活動電位の進行方向の前の部位および後ろの部位の膜から正電荷が細胞内の負電荷で帯電している部位に流入する(電流シンク)．有髄の軸索の場合は，脱分極が1つのRanvier絞輪から次のRanvier絞輪に跳躍するように見える(跳躍伝導)．

[*3] 訳注：最近の知見では，軸索初節のNa^+チャネルの密度はRanvier絞輪での密度と同程度とされている．

[*4] 訳注：最近の知見では，有髄神経のNa^+チャネル(主としてNav1.6)の分布とK^+チャネル(Kv7.2/7.3ヘテロマー)の分布はほぼ同じとされている．

表4・1 哺乳類の神経における神経線維のタイプ

線維の タイプ	機能	線維の直径 （μm）	伝導速度 （m/秒）	スパイクの持続時間 （ミリ秒）	絶対不応期 （ミリ秒）
Aα	固有感覚，体性運動	12〜20	70〜120	0.4〜0.5	0.4〜1
Aβ	触覚，圧覚	5〜12	30〜70		
Aγ	運動ニューロンからの筋紡錘への出力	3〜6	15〜30		
Aδ	痛覚，温度覚	2〜5	12〜30		
B	自律神経節前線維	<3	3〜15	1.2	1.2
C，後根	痛覚，温度覚	0.4〜1.2	0.5〜2	2	2
C，交感神経系	自律神経節後線維	0.3〜1.3	0.7〜2.3	2	2

電極と記録電極の間の距離に比例し，伝導速度に反比例する．潜時の長さと刺激電極と記録電極の間の距離がわかれば，**軸索伝導速度 axonal conduction velocity** を計算することができる．一般的に，神経線維の直径が大きければ大きいほど，伝導速度はより速い．直径が大きい軸索は，主に，固有感覚，体性運動機能，触覚，圧覚などに関与している．一方，直径が小さい軸索は，痛覚，温度感覚，自律神経機能などに関与している．

文字のシステムを用いた分類による運動神経線維の分類法が多く使われてきたが，数字のシステム（Ia，Ib，II，III，IV）を用いた，軸索の直径や伝導速度に基づいた感覚神経線維の分類法も頻繁に用いられるようになった．表4・2に，数字のシステムと文字のシステムがどのように対応するかを示した．

末梢神経では，伝導速度や線維の直径の多様性だけでなく，低酸素や麻酔薬に対する感受性も線維の種類により異なる（表4・3）．この事実は，生理学的な意義だけでなく，臨床医学的な意義も有する．局所麻酔薬は，A群の有髄神経線維に影響を与える前に，C群の無髄神経線維による伝達を抑制する（クリニカルボックス4・2）．逆に，神経への圧迫は，直径の長い運動神経や圧・痛覚を担う神経線維の伝導を消失させるが，痛覚は比較的正常に保たれる．このような状況は，人が腕を頭の下に入れて長時間寝ている時に時々見られ，腕の神経が圧迫されるために起こる．アルコールを摂取して深く眠っている時に起こりやすく，週末によく見られることから，"土曜の夜の麻痺"あるいは"日曜の朝の麻痺"という興味深い呼び名が付いている．

軸索輸送

ニューロンにおけるタンパク質合成のための装置は

表4・2 感覚ニューロンの数字システムによる分類

数字	起始部位	線維のタイプ
Ia	筋紡錘環らせん終末（一次終末）	Aα
Ib	Golgi 腱器官	Aα
II	筋紡錘散形終末（二次終末），触覚，圧覚	Aβ
III	痛覚および冷感覚受容器，触覚受容器の一部	Aδ
IV	痛覚，温度覚，その他の受容器	C

表4・3 様々な要因により引き起こされる伝導ブロックに対する哺乳類のA，B，C群線維の相対的感受性

動因	感受性		
	最も高い	中等度	最も低い
低酸素	B	A	C
圧力	A	B	C
局所麻酔薬	C	B	A

ほとんどが細胞体にあるため，タンパク質やポリペプチドは**軸索流 axoplasmic flow** により軸索終末まで輸送される．したがって，細胞体により軸索が機能的および構造的に維持されていることになる．**軸索輸送 axonal transport** は，軸索の全長にわたって並行する微小管に沿って行われ，それにはダイニン dynein とキネシン kinesin という2つのモータータンパク質が必要である（図4・8）．細胞体から軸索終末方向への（訳注：主にキネシンによる）輸送を**順行性輸送 orthograde**

クリニカルボックス 4・2

局所麻酔

感覚神経線維や運動神経線維の活動電位の伝導を遮断するために局所麻酔や部分麻酔が行われる．これは，通常，神経細胞膜に存在する電位作動性Na^+チャネルの遮断によってもたらされる．これにより，神経の電気的興奮性の閾値が徐々に増大し，活動電位の立ち上がりが遅くなり，軸索での伝導速度が減少する．局所麻酔薬は，大きく2つのカテゴリーに分けられる．つまり，**エステル結合型** ester-linked（たとえば，**コカイン** cocaine，**プロカイン** procaine，**テトラカイン** tetracaine など）と**アミド結合型** amid-linked（たとえば，**リドカイン** lidocaine，**ブピバカイン** bupivacaine など）である．エステル，あるいは，アミドに加え，すべての局所麻酔薬は，芳香族基とアミン基を有している．芳香族基の構造がその局所麻酔薬の疎水性の特性を決定し，アミン基が作用発現までの時間や効力を決定する．これらの薬物を中枢神経（たとえば，**脊髄硬膜外麻酔** epidural, spinal anesthesia），あるいは，末梢神経の近傍に投与すると，一時的ではあるが，急激に神経伝導がほぼ完全に遮断される．それにより，手術などの侵襲的な操作を痛みなしに行うことができる．コカイン［灌木のコカ（*Erythroxylan coca*）から得られる］は，局所麻酔薬としての効果をもつ最初の薬物として同定され，現在でも天然植物由来では唯一の局所麻酔薬である．コカインには習慣性や毒性があることから，他の局所麻酔薬の開発が急がれた．痛覚を伝導する神経線維（無髄C線維）が局所麻酔薬による遮断効果には最も敏感である．痛覚に続き，温度覚，触覚，深部圧覚の順に局所麻酔薬に対する感受性が低くなる．運動神経が局所麻酔薬の作用に最も抵抗性がある．

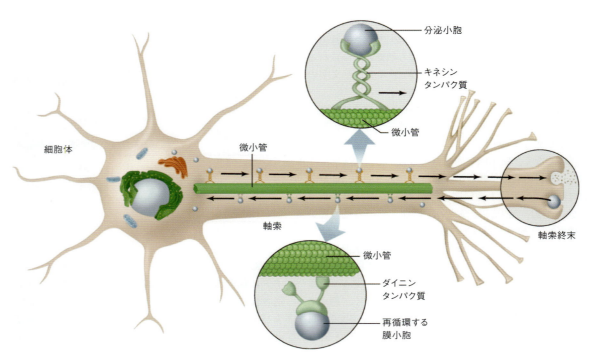

図 4・8　ダイニンとキネシンによる微小管に沿った軸索輸送． 速い順行性輸送（400 mm/日）および遅い順行性輸送（0.5〜10 mm/日）は，細胞体から終末部に向かって，軸索の全長にわたり行われる．逆行性輸送（200 mm/日）は，終末部から細胞体に向かって行われる（Widmaier EP, Raff H, Strang KT: *Vander's Human Physiology*. New York, NY: McGraw-Hill; 2008 より許可を得て複製）．

transport という．それには速い輸送と遅い輸送の2つの様式があり，**速い軸索輸送 fast axonal transport** では約 400 mm/日，**遅い軸索輸送 slow axonal transport** では 0.5〜10 mm/日の速さで輸送が行われる．**逆行性輸送 retrograde transport** では，逆に神経終末から細胞体へ（訳注：主にダイニンによって）輸送され，約 200 mm/日の速さで輸送が行われる．シナプス小胞は細胞膜へとリサイクルされるが，放出されたシナプス小胞の一部は細胞体に逆行輸送され，リソソーム内で処理される．**神経成長因子 nerve growth factor（NGF）**やある種のウイルスのように，エンドサイトーシスにより神経終末から取り込まれ，細胞体へと逆行輸送されるものもある．

グリア細胞

"グリア"という用語は，ギリシャ語で"接着剤"を意味する．発見以来，長年にわたって神経グリア細胞は中枢神経系における単なる結合組織であるとみなされてきたが，今日では，グリア細胞はニューロンと協調して中枢神経系の情報伝達に寄与していると考えられている．グリア細胞はニューロンとは異なり，成体の脳でも細胞分裂を続けており，その増殖能は脳が損傷（脳卒中など）を受けた際に特に顕著となる．

グリア細胞は，その大きさに応じて，**ミクログリア（小膠細胞）microglia** と**マクログリア（大膠細胞）macroglia** の2つに分類される．ミクログリアは免疫系細胞であり，体組織のマクロファージに類似した機能を果たし，損傷や感染，あるいは，疾病[多発性硬化症（MS），AIDS 関連認知症，Parkinson〔パーキンソン〕病，Alzheimer〔アルツハイマー〕病など]により生じた残骸を取り除く掃除屋細胞である．ミクログリアは，神経系外の単球系・マクロファージ系細胞がその起源であり，生理学的にも，発生学的にも，神経系の他の細胞とは異なっている．

マクログリアは，オリゴデンドロサイト，Schwann 細胞，アストロサイトの3種類からなる（図 4・9）．**オリゴデンドロサイト（希突起膠細胞）oligodendrocyte** と **Schwann 細胞** は，それぞれ，中枢神経系および末梢神経系における軸索周囲のミエリン形成に関与している．1本の軸索の周りにミエリンを形成する Schwann 細胞とは異なり（図 4・1），オリゴデンドロサイトは多数の突起を出して，近傍の多くの軸索にミエリンを形成する．多発性硬化症では，中枢神経系においてミエリンの脱落が散在する（クリニカルボックス 4・3）．ミエリンが脱落した軸索では，伝導が遅延したり遮断されたりする．ミエリンタンパク質 0（P0）と疎水性のタンパク質である PMP22 は，末梢神経系におけるミエリン鞘の構成成分である．これらのタンパク質に対する自己免疫性の反応が，末梢性の脱髄性

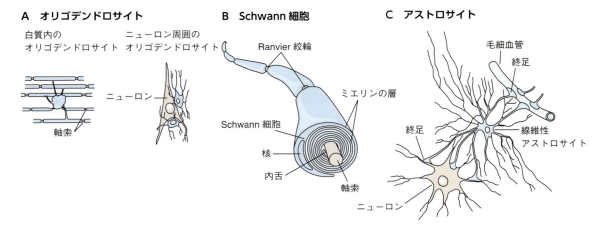

図 4・9　神経系におけるマクログリアの主要なタイプ．A：オリゴデンドロサイトは，比較的突起が少ない小さな細胞である．白質ではミエリンを供給し，灰白質ではニューロンを支持する．**B**：Schwann 細胞は，末梢神経系でミエリンを供給する．1つの Schwann 細胞が，1 mm 程度の長さのミエリン鞘の1つの分節を形成する．ミエリン鞘は，Schwann 細胞の内舌が軸索の周囲を何重にも巻きついて同心円状の層を作ることにより形成されている．ミエリンの分節と分節の間隙が Ranvier 絞輪である．**C**：アストロサイトは，中枢神経系で最も多く観察されるグリア細胞で，星状の形態が特徴である．アストロサイトは，毛細血管と神経細胞の両方と接触し，栄養を供給すると考えられている．アストロサイトは，血液脳関門の形成にも関与している（Kandel ER, Schwartz JH, Jessell TM, Siegelbaum SA, Hudspeth AJ (editors): *Principles of Neural Science*, 5th ed. New York, NY: McGraw-Hill; 2013 より許可を得て複製）．

クリニカルボックス 4・3

脱髄性疾患 demyelinating disease

活動電位が正常に伝導するためには，ミエリンの絶縁特性が必須である．したがって，ミエリンに異常が起これば，神経学的に深刻な障害をもたらす．1つの例は，世界的に300万人以上の人を侵す自己免疫疾患である**多発性硬化症 multiple sclerosis（MS）**であり，通常，20～50歳で発症し，発症率は男性よりも女性の方が2倍くらい高い．MSの発症には，遺伝的要因と環境的要因のいずれもが関与している．MSは，欧州，カナダ南部，米国北部，オーストラリア南東部などの温暖性気候の国々に住む白人に最も多く見られる．環境的要因としては，若い時期にEpstein-Barr（エプスタイン・バー）ウイルスに感染したり，麻疹，ヘルペス，水痘，あるいは，インフルエンザを引き起こすようなウイルスに感染したりすることがあげられる．MSでは，免疫系の抗体や白血球がミエリンを攻撃し，炎症やミエリン鞘の損傷を引き起こして，最終的には，それが包んでいる神経に障害を与える．ミエリンが消失することにより，電位作動性チャネルを介したK^+の漏出や過分極を引き起こし，活動電位の伝導を阻害する．最初の自覚的な徴候としては，場合によっては軽度の痙攣や反射亢進を伴う**不全麻痺 paraparesis**（下肢の筋力低下）や**知覚異常 paresthesia**，感覚鈍麻，尿失禁，熱に対する不耐性などの訴えが一般的である．臨床的な所見としては，視野のぼやけ，色彩知覚の変化，視野欠損（**中心暗点 central scotoma**）や目を動かす際の痛みなどの炎症を引き起こす**視神経炎 optic neuritis**，**構音障害 dysarthria** や**嚥下障害 dysphagia** などが見られる．症状は体温や周囲の気温が上昇すると増悪する．病状の進行は人により多様である．最も一般的な**再発寛解型多発性硬化症 relapsing-remitting multiple sclerosis** と呼ばれる病型では，症状が突然出現するがそれは一時的で，数週間から数カ月持続した後，徐々に消退する．数年後に再び症状が現れることがあり，最終的には，完全に回復することはなくなる．このような患者の多くは，寛解の期間がわずかしか見られず，症状が着実に悪化していく経過をとる（**二次性進行型多発性硬化症 secondary-progressive multiple sclerosis**）．これとは異なる経過としては，病状は常に進行性で，寛解する期間がないこともある（**一次性進行型多発性硬化症 primary-progressive multiple sclerosis**）．MSであると診断することは極めて難しく，一般的には，異なる時期に異なる部位の症状が出て，多くの障害が出現して初めて診断されることが多い．**神経伝導検査 nerve conduction test** によって，運動神経や感覚神経の伝導速度の低下を検出することができる．脳脊髄液の検査では，ミエリンに対する異常な免疫応答を示唆する**オリゴクローナル oligoclonal** バンドの存在を同定することができる．**磁気共鳴画像法 magnetic resonance imaging（MRI）**で脳内の多くの部位に硬化像 sclerotic area や斑点状の構造物が存在することを見出すのが最も確実な診断方法である．これらの硬化像は，多くの場合，大脳皮質の脳室周囲の領域に見られる．

治療上のハイライト

多発性硬化症の根治療法はないものの，**コルチコステロイド corticosteroid**（たとえば，**プレドニゾン prednisone** など）が，再発時により悪化する炎症を抑えるために一般的に処方される．病状の進行を遅らせるための薬物療法も考案されている．たとえば，**βインターフェロン β-interferon** を毎日注射すると，免疫応答が抑制され，病状の重症度や進行の速度を低下させる．**酢酸グラチラマー glatiramer acetate** は，ミエリンに対する免疫系による侵襲を阻止するとされる．**ナタリズマブ natalizumab** は，神経系を障害すると思われる免疫細胞が血流から中枢神経系に侵入する能力を阻害する．CD20に対するモノクローナル抗体である**リツキシマブ rituximab** によってB細胞を激減させると，51歳以下の一次性進行型多発性硬化症と診断された患者で病気の進行を遅らせることができることが臨床試験で示されている．別の臨床試験では，**フィンゴリモド fingolimod** の経口投与により，再発寛解型多発性硬化症の進行が遅くなることが示されている．この免疫抑制薬はリンパ球をリンパ節の中に留めておくことにより，それらを中枢神経系に侵入させないことで効果を表す．2017年に，米国食品医薬品局は，一次性進行型多発性硬化症の治療薬として，**オクレリズマブ ocrelizumab** の使用を承認した．これはBリンパ球の表面に発現するCD20マーカーを標的とした免疫抑制薬である．

ニューロパチーであるGuillan-Barré〔ギラン・バレー〕症候群 Guillan-Barré syndrome を引き起こす．ミエリンタンパク質の遺伝子変異が，ミエリンを破壊し軸索の変性をもたらす末梢性のニューロパチーを引き起こす（Charcot-Marie-Tooth〔シャルコー・マリー・トゥース〕病 Charcot-Marie-Tooth disease など）．

アストロサイト（星状膠細胞）astrocyte は脳全体に見られ，さらに以下の2つの群に分類される．**線維性アストロサイト fibrous astrocyte** は主に白質に存在し，中間径フィラメントを豊富に含む．**原型質性アストロサイト protoplasmic astrocyte** は灰白質に見られ，その細胞質は顆粒状に見える．どちらのタイプのアストロサイトも，その突起を血管に伸ばして毛細血管との間でタイトジャンクションを形成することで**血液脳関門 blood-brain barrier** として機能している．また，同様に突起を伸ばして，シナプスや神経細胞の表面を包み込んでいる．原型質性アストロサイトは，細胞外のK^+濃度に依存してその膜電位を変化させるが，伝導する活動電位は発生しない．また，このタイプのアストロサイトは，神経の維持を司る栄養因子を合成したり，K^+や神経伝達物質であるグルタミン酸やγ-アミノ酪酸(GABA)などを取り込むことにより，イオンや神経伝達物質を適切な濃度に維持したりする．

神経栄養因子：その機能と受容体

神経栄養因子 neurotrophin は，ニューロンの生存と成長に必要である．神経栄養因子のあるものは，筋肉やそのニューロンが神経支配している組織などで産生されるが，中枢神経系では多くがアストロサイトで産生される．これらのタンパク質はニューロンの末端に存在する受容体に結合する．結合した神経栄養因子は細胞内に取り込まれ，そこから逆行性輸送によりニューロンの細胞体に運ばれる．そこでは，輸送された神経栄養因子がニューロンの発達，成長，生存に関わるタンパク質の合成を促進する．神経栄養因子によっては，細胞体で産生され，神経終末に輸送されるものもあり，その神経のシナプス後ニューロンの完全性の維持に関与する．

最初に同定された神経栄養因子はNGFで，交感神経系ニューロンやある種の感覚ニューロンの成長や維持に必要な成長因子タンパク質である．NGFは，2つのαサブユニット，2つのβサブユニット，2つのγサブユニットからなる．分子量13 200 Daのβサブユニットが成長促進作用のすべてを担っており，αサブユニットはトリプシン様の活性を有し，また，γサブユニットはセリンタンパク質分解酵素としての作用を有する．ただし，タンパク質分解酵素の機能については不明である．また，NGFのβサブユニットの構造はインシュリンに類似している．

NGFはニューロンに取り込まれ，神経終末から逆行性輸送により細胞体に運ばれる．NGFは，前脳の基底部や線状体におけるコリン作動性ニューロンの成長や維持に必要であると考えられている．NGFによるニューロンの生存は，細胞の代謝の促進によるというよりも，むしろアポトーシスの抑制による．

NGFの他に，**脳由来神経栄養因子 brain-derived neurotrophic factor(BDNF)**，**ニューロトロフィン3(NT-3)**，**ニューロトロフィン4/5(NT-4/5)** などの神経栄養因子が数種類存在する．それぞれは異なった種類のニューロンを維持するが，一部には重なる部分も見られる．NT-3は筋紡錘を支配する固有感覚ニューロンや皮膚の機械受容器の維持に重要であり，NT-4/5は毛包を支配するニューロンの維持に重要である．NGFは皮膚の痛覚ニューロンに重要であり，交感神経系ニューロンはNGFとNT-3の両方に依存している．BDNFの作用は急速に現れ，実際，ニューロンを脱分極させることができる．BDNF欠損マウスでは，末梢神経系の感覚ニューロンが消失し，前庭神経節が顕著に変性し，また，シナプス伝達の長期増強が減弱している．

これら4つの確立した神経栄養因子とそれらに対する高親和性受容体である3種類の**チロシンキナーゼ共役(Trk)受容体 tyrosine kinase-associated receptor** を表4・4に示す．これらの受容体はそれぞれ二量体を形成し，それにより受容体の細胞内チロシンキナーゼドメインがリン酸化される．これらに加え，**p75受容体 p75 receptor** と呼ばれる低親和性の75 kDaのNGF受容体が存在する．この受容体は表に示した4種類の神経栄養因子すべてと同じ親和性で結合する．興味深いことに，神経栄養因子が存在しない状態でp75受容体が活性化されると，神経栄養因子の通常の作用である成長促進や栄養効果とは逆に，アポトーシ

表4・4 神経栄養因子

神経栄養因子	受容体
神経成長因子(NGF)	Trk A
脳由来神経栄養因子(BDNF)	Trk B
ニューロトロフィン3 (NT-3)	Trk C, Trk B
ニューロトロフィン4/5 (NT-4/5)	Trk B

スや細胞死を引き起こす．p75受容体やTrk受容体の特徴的な役割やニューロンにおけるこれらの受容体の発現に影響を及ぼす因子を解明するための研究が現在も推進されている．

ニューロンの成長に影響を与える他の因子

ニューロンの成長の制御は複雑な過程である．Schwann細胞とアストロサイトは，**毛様体神経栄養因子 ciliary neurotrophic factor（CNTF）**を産生する．この因子は，損傷を受けた脊髄ニューロンや胎生期の脊髄ニューロンの生存を促進し，運動ニューロンが変性するヒトの神経疾患の治療に有用である可能性がある．**グリア細胞株由来神経栄養因子 glial cell line-derived neurotrophic factor（GCNF）**は，中脳のドーパミン作動性ニューロンを維持し，脊髄運動ニューロンのアポトーシスを阻止する．ニューロンの成長を促進するもう1つの因子として，**白血病阻害因子 leukemia inhibitory factor（LIF）**がある．さらに，ニューロンだけでなく他の種類の細胞も応答するものとして，**インスリン様成長因子Ⅰ insulin-like growth factor I（IGF-Ⅰ）**や**トランスフォーミング成長因子 transforming growth factor（TGF）**，**線維芽細胞成長因子 fibroblast growth factor（FGF）**，**血小板由来成長因子 platelet-derived growth factor（PDGF）**のような種々の因子が存在する．

クリニカルボックス4・4では，中枢神経および末梢神経における損傷後のニューロンを再生させる能力を比較した．

クリニカルボックス 4・4

軸索再生 axonal regeneration

末梢神経の障害は，多くの場合，修復可能である．障害部位よりも遠位の軸索は変性するが，いわゆる**遠位断端部 distal stump**と呼ばれる再結合に関与する要素に生存する．近位断端部から**軸索発芽 axonal sprouting**が起こり，神経終末に向かって成長していくが，これはSchwann細胞から分泌される**成長促進因子 growth-promoting factor**により引き起こされ，軸索が遠位断端部に誘引される．免疫グロブリンスーパーファミリーに属する細胞接着分子（たとえば，ニューロン-グリア細胞接着分子であるNgCAM/L1など）は，細胞膜や細胞外マトリックスに沿って軸索が伸長するのを促進する．神経周膜 perineurium に抑制性分子が発現することで，再生する軸索が適切な経路をとることができる．除神経された遠位断端部は**神経栄養因子**の産生を亢進させることで，軸索の成長を促進する．再生した軸索がいったんその標的に到達すると，新たな機能的結合（たとえば，神経筋接合部）が形成され，完全ではないが，かなりの回復が見られる．たとえば，運動ニューロンのあるものは不適当な筋線維へ誘導されるため，繊細な運動制御は永久に障害されるが，中枢神経系の神経線維に比べれば，末梢神経系の神経線維の障害からの回復ははるかに優れている．中枢神経系では，障害を受けた軸索の近位断端部は短い発芽を出すが，遠位断端部の回復はほとんど見られず，障害を受けた軸索が新たなシナプスを形成することはまれである．これは，中枢神経系のニューロンには，再生に必要な成長を促進する化学物質が存在しないことが一因である．実際，中枢神経系のミエリンは軸索の成長を強力に抑制する．さらに，中枢神経系の損傷後に，**アストロサイトの増殖 astrocytic proliferation**，**ミクログリアの活性化 activation of microglia**，**瘢痕形成 scar formation**，**炎症 inflammation**，**免疫細胞の浸潤 invasion of immune cell**が再生には不適切な環境を作ってしまう．したがって，脳や脊髄の損傷の治療は，神経損傷の回復よりも，リハビリテーションに焦点をあてられがちである．最新の研究では，軸索成長を開始させ促進する方法や，再生する軸索を標的と再結合させる方法，もともとの神経回路を再構成させる方法を見出すことが試みられている．

治療上のハイライト

イブプロフェン ibuprofen のようなNSAIDが，障害後の軸索成長を抑制する因子を阻害するという証拠が示されている．この効果は，通常は神経経路や軸索の補修を阻害する低分子量GタンパクであるRhoAをNSAIDが抑制することによりもたらされると考えられている．神経障害後にミエリンに関連する阻害因子により引き起こされる成長円錐の崩壊は，三量体Gタンパク質のシグナル伝達を阻害する**百日咳毒素 pertussis toxin**のような物質により抑制される．実験的に**PI3キナーゼ経路 phosphoinositide 3-kinase pathway**や**イノシトール三リン酸（IP$_3$）受容体 inositol trisphosphate（IP$_3$）receptor**を抑制する薬物も，神経障害後の再生を促進することが示されている．

章のまとめ

- ニューロンは，その代謝の中心である細胞体，細胞体から出て大きく広がって，そのニューロンへの入力を統合的に受け入れる樹状突起，活動電位が起こり始める軸索初節，および，活動電位を伝導する長い軸索からなる．

- ニューロンの静止膜電位は約 -70 mV であり，それは K^+ の平衡電位に近い．高カリウム血症では，静止膜電位が活動電位を発生する閾値に近くなり，ニューロンの興奮性は上昇している．低カリウム血症では，静止膜電位はより深くなり，ニューロンは過分極する．

- 脱分極性電流に反応して電位作動性 Na^+ チャネルが活性化されて，膜電位が閾値に到達すると，活動電位が発生する．その際，膜電位は Na^+ の平衡電位に近づく．Na^+ チャネルは，もとの静止状態に戻る前に急速に不活性化する．

- オーバーシュートの際には膜電位が逆転するため，Na^+ の電気的勾配の方向が反転し，Na^+ の流入は制限される．電位作動性 K^+ チャネルが開口し，再分極の過程が完了する．K^+ チャネルが閉口状態にゆっくり戻ることから後過分極が起こり，その後，静止膜電位に戻る．

- 多くのニューロンの軸索はミエリンと呼ばれる高度な絶縁作用を有したタンパク質・脂質複合体で被覆されている．有髄神経線維では，脱分極が1つの Ranvier 絞輪から次の Ranvier 絞輪に跳躍し，活動している Ranvier 絞輪での電流シンクが，活動電位をまだ発生していない次の Ranvier 絞輪を電気緊張的に閾値電位まで脱分極させる．

- 神経線維は，軸索の直径，伝導速度，機能によって，いくつかのグループ（A，B，C）に分類される．感覚性の求心性入力については，数字のシステム（Ⅰa，Ⅰb，Ⅱ，Ⅲ，Ⅳ）による分類も行われる．これらの種類の神経線維は，低酸素や麻酔薬に対する感受性が異なる．

- 軸索輸送は，軸索の全長にわたって存在する微小管に沿って起こり，分子モーターであるダイニンとキネシンが必要である．順行性輸送は細胞体から軸索終末への輸送であり，速い成分（400 mm/日）と遅い成分（0.5～10 mm/日）の2つの成分からなる．逆行性輸送は，逆方向（神経終末から細胞体へ）の輸送であり，その速度は約 200 mm/日である．

- グリア細胞は，主にミクログリアとマクログリアの2つの種類からなる．ミクログリアは掃除屋細胞である．マクログリアは，オリゴデンドロサイト，Schwann 細胞，アストロサイトの3種類からなる．オリゴデンドロサイトと Schwann 細胞は，ミエリンの形成に関与し，アストロサイトはニューロンを栄養する物質を産生するとともに，イオンや神経伝達物質の濃度を適切な水準に保つのに役立つ．

- 多発性硬化症に見られる中枢神経系におけるミエリンの散在的破壊は，軸索の伝導を遅延させる．ミエリンタンパク質である P0 や PMP22 に対する自己免疫性反応は，末梢性脱髄ニューロパチーである Guillan-Barré 症候群を引き起こす．ミエリンタンパク質の遺伝子変異は，末梢性ニューロパチー（Charcot-Marie-Tooth 病など）を引き起こす．

- 神経栄養因子（NGF など）は逆行性輸送により細胞体に運ばれ，ニューロンの発達，成長，生存を促進し，アポトーシスを抑制するタンパク質を産生する．

多肢選択式問題

正しい答えを1つ選びなさい．

1. グリアは神経系の発達に重要であるとともに，ある種の神経変性疾患において重要な役割を果たす．各種のグリアの特性を正しく記載しているのは以下のうちどれか．
    A．ミクログリアは神経系外のマクロファージが起源であり，生理学的，および，発生学的には他の神経細胞と同じ種類に属する
    B．線維性アストロサイトは主に灰白質に存在し，血管脳関門を構成するタイトジャンクションを形成するための毛細血管を誘導する
    C．原形質性アストロサイトは，ニューロンに対して栄養因子として作用する物質を産生し，K^+ や神経伝達物質であるグルタミン酸や GABA を取り込むことにより，イオンや神経伝達物質を適切な濃度に保つ
    D．オリゴデンドロサイトと Schwann 細胞は，

それぞれ，末梢神経系と中枢神経系における軸索周囲の髄鞘の形成に関与する
    E．マクログリアは，組織マクロファージに類似した掃除屋細胞であり，損傷，感染，疾病などで生じた残骸を取り除く

2. 末梢神経の Na^+ チャネル病により引き起こされる原発性肢端紅痛症と診断された13歳の少女は，四肢の発赤，痛み，熱感をしばしば経験していた．細胞膜 1 mm^2 当たりの Na^+ チャネルの密度が最も高いニューロンの部位は次のどれか．
    A．樹状突起
    B．樹状突起近傍の細胞体
    C．軸索小丘
    D．ミエリン下の軸索膜
    E．Ranvier絞輪

3. 事務所ではたらく45歳の女性は右腕の人差指，中指，親指にチクチクするような痛みを感じていた．最近になって，腕と手首の脱力を感じるようになり，彼女の主治医は神経伝導検査を依頼し，手根管症候群である可能性を検討した．伝導速度が最も遅い神経線維は次のどれか．
    A．A群α線維
    B．A群β線維
    C．A群γ線維
    D．B群線維
    E．C群線維

4. 軸索流は，ニューロン内でタンパク質やポリペプチドなどの移動を担う細胞過程である．順行性軸索輸送，あるいは，逆行性軸索輸送の特性に関する以下の記載のうち，正しいものはどれか．
    A．シナプス伝達；逆行性伝導
    B．順行性輸送と逆行性輸送に関与する分子モーターは，それぞれダイニンとキネシンである
    C．速い逆行性軸索輸送の速度は，約 400 mm/日である
    D．遅い順行性軸索輸送の速度は，約 200 mm/日である
    E．あるウイルスは，神経終末から細胞体へ移動するのに，逆行性輸送を利用している

5. 夏季の研究プロジェクトで，2年次の医学生が神経生理学の研究室でパッチクランプの技術の初歩を学んだ．実習の一部として，その学生は，膜電位と各種のイオンチャネルの機能の両方を観察した．以下のイオンに関する変化とその活動電位の成分の間で正しく対応しているものはどれか．
    A．電位作動性 K^+ チャネルの開口；後過分極
    B．細胞外 Ca^{2+} の減少；再分極
    C．電位作動性 Na^+ チャネルの開口；脱分極
    D．電位作動性 Na^+ チャネルの急速な閉口；静止膜電位
    E．電位作動性 K^+ チャネルの急速な閉口；相対的不応期

6. ある男性が腕を頭の下に入れたまま深く眠り込んでしまった．この男性が起きた時に，この腕は麻痺していて動かせなかったが，ヒリヒリとした痛みを感じ，痛覚は正常であった．痛覚は欠如せず，運動機能のみが障害されていた理由は次のどれか．
    A．A群線維がB群線維よりも，より低酸素に感受性があったため
    B．A群線維がC群線維よりも，より圧迫に感受性があったため
    C．C群線維がA群線維よりも，より圧迫に感受性があったため
    D．運動神経が感覚神経よりも，より強く睡眠の影響を受けたため
    E．感覚神経が運動神経よりもより骨に近く，そのためにより圧力の影響を受けにくいため

7. 神経栄養因子は，神経細胞の発達，成長，生存に関与するタンパク質の産生を促進する．神経成長因子（NGF）に関する以下の記述のうち，正しいものはどれか．
    A．NGFは，1つのαサブユニット，2つのβサブユニット，1つのγサブユニットのポリペプチドからなる
    B．NGFは，前頭基底部と線条体のアドレナリン性ニューロンの成長と維持に必須である
    C．NGFは，ニューロンの細胞体から神経終末への移動に，順行性輸送を使っている
    D．NGFは，筋紡錘を支配する感覚ニューロンの成長に重要な役割を果たす
    E．NGFは，p75受容体とTrk A受容体の両方に結合する

8. 20歳の女生徒が，ある朝目覚めたところ，左目に強い痛みと視野のぼやけを感じたが，これらの症状は数日で治まった．その6カ月後，朝に友

人とバレーボールをした後に，右足の脱力を感じたが，痛みはなかった．しかし，これらの症状は熱いシャワーを浴びると増悪した．この症例について，以下のうち最も可能性が高いと考えられるのはどれか．

A．記載されている2つの出来事には関連性がない可能性が強い
B．一次性進行型多発性硬化症と考えられる
C．再発寛解型多発性硬化症と考えられる
D．腰椎椎間板ヘルニアと考えられる
E．Guillan-Barré症候群であると考えられる

9．神経生理学の研究室で実習を受けている医学生が，ニューロンの静止膜電位を決定する要素について学んでいた．ニューロンの内側，あるいは，外側のイオン濃度の変化が，いかに静止膜電位を変化させるかに関する以下の記述のうち，正しいものはどれか．

A．細胞外のCa^{2+}濃度の減少は，細胞膜を安定化し，その興奮性を減少させる
B．細胞外のNa^+濃度の減少は，静止膜電位の大きさを減少させる
C．細胞外のK^+濃度の増加は，静止膜電位の正常値である-90 mVから-70 mVへと変動させる
D．細胞外のK^+濃度の減少は，ニューロンから外に出ようとするK^+の勾配を増加し，細胞を過分極させる
E．細胞内のNa^+濃度の減少は，静止膜電位をより陰性にする

10．おませな6歳の少女が，地域の医学校の神経学者である叔母に，ニューロンはどのようにはたらくのか尋ねた．叔母は，活動電位を発生し伝導させる際の，ニューロンのそれぞれの部位の特異的な役割について説明し，ニューロンで，活動電位が発生する部位，他のニューロンからの入力を受け取る部位，活動電位が伝導する部位の名称をあげた．それらの部位は，以下の組み合わせのうちどれか．

A．細胞体，樹状突起，軸索
B．軸索小丘，細胞体，ミエリン鞘
C．細胞膜，細胞体，樹状突起
D．軸索初節，樹状突起，軸索
E．軸索小丘，細胞体，ミエリン鞘

CHAPTER 5

興奮性組織：筋肉

学習目標
本章習得のポイント

- 体内の主な筋肉を分類することができる
- 筋肉の興奮-収縮連関の分子的，電気的事象を説明することができる
- 横紋筋の収縮を支える筋節の構成要素をあげることができる
- 骨格筋，心筋，平滑筋における Ca^{2+} の役割の違いを区別することができる
- 筋細胞の多様性と機能を正しく理解できる

■ はじめに

　筋細胞はニューロンと同じように，化学的，電気的，機械的刺激によって興奮して活動電位を発生する．活動電位は細胞膜に沿って伝導する．ニューロンとは違って筋細胞には収縮装置があり，この収縮装置は活動電位によって活性化される．筋細胞には，収縮タンパク質のミオシンと細胞骨格タンパク質のアクチンが豊富に含まれており，筋収縮の中心的な役割を果たしている．

　筋細胞は一般に3種類に分類される．**骨格筋 skeletal muscle，心筋 cardiac muscle，平滑筋 smooth muscle** である．しかし平滑筋は多種多様であり，単一の組織として論じることはできない．骨格筋は体の筋組織の大部分を構成している．骨格筋は横紋がよく発達し，正常な状態では神経からの刺激がなければ収縮しない．また，個々の筋線維間には形態的にも機能的にも連絡がなく，一般には随意性制御を受けている．心筋にも横紋があるが，心筋は機能的にはシンシチウム（合胞体）syncytium である．心臓の収縮は自律神経によって調節されているが，心臓外からの神経支配がなくても心臓は律動的に収縮する．心筋層の中に自発的に活動電位を発生するペースメーカー細胞 pacemaker cell があるからである（29章参照）．平滑筋には横紋がない．平滑筋は単一ユニット平滑筋（または内臓平滑筋）と多ユニット平滑筋の2つの群に大きく分けることができる．大多数の中空性内臓器官を作っている内臓平滑筋は，機能的には合胞体であり，不規則に活動電位を発生するペースメーカー細胞がある．眼などに見られる多ユニット平滑筋は自発的に収縮することはなく，段階的な収縮ができる点では骨格筋に似ている．平滑筋はまた，その機能あるいは筋活動様式により，律動性平滑筋 phasic smooth muscle と持続性平滑筋 tonic smooth muscle に分類することもできる．

骨格筋の形態

構　　成

　骨格筋は筋線維から構成されている．筋線維はニューロンが神経系の構成単位であるのと同じ意味で，筋系の"構成単位"である．ほとんどの骨格筋は腱に始まり腱に終わっている．筋線維は腱と腱の間に平行に配列されているから，各線維の収縮力は加算されることになる．それぞれの筋線維は1個の多核細胞であり，形は長く円筒形で，1枚の細胞膜［**筋細胞膜（筋鞘膜）sarcolemma**[*1]］で包まれている（図5・1）．筋線維間には，細胞質の連絡はない．筋線維は筋原線維 myofibril からできている．そしてこの筋原線維は筋

[*1] 訳注：筋線維（＝筋細胞）の細胞膜のことを筋鞘膜とも呼ぶ．

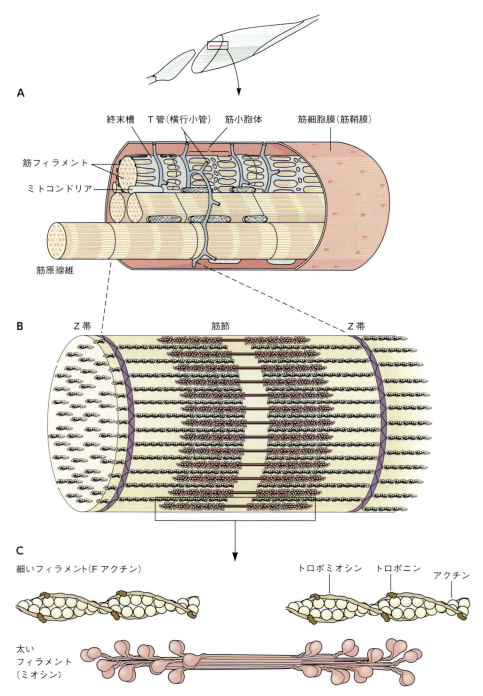

図 5・1　哺乳類の骨格筋．A：筋細胞膜に囲まれた 1 本の筋線維を切って，1 本 1 本の筋原線維を示す．筋原線維の断面には，太いフィラメントと細いフィラメントの整然とした配列が見える．筋小胞体とその終末槽とが T 管（横行小管）とともに各筋原線維を取り囲んでいる．T 管は筋細胞膜から嵌入し，各筋節の 2 カ所で筋原線維と接している．ミトコンドリアは筋原線維の間にあり，基底膜が筋細胞膜を覆っている．B，C：筋原線維を構築する要素を示す（図 5・2 も参照）．

フィラメントからなる．筋原線維に含まれる数種類のタンパク質が収縮装置を形成している．

骨格筋の収縮は**ミオシンⅡ myosin-Ⅱ**，**アクチン actin**，**トロポミオシン tropomyosin** と**トロポニン troponin** などのタンパク質による．トロポニンは，**トロポニンⅠ troponin I**，**トロポニンT troponin T**，**トロポニンC troponin C** の3つのサブユニットからできている．筋細胞にはこの他に，筋の構造（収縮タンパク質同士の相互関係や，収縮タンパク質と細胞外基質との間の関係）を維持するタンパク質が含まれている．

横　　紋

筋線維の部位によって屈折率が違うために，骨格筋を顕微鏡で観察すると特有の横紋 striation が見える．図5・2のように，横紋の各部分はA, H, I, M, Zといったアルファベット付きの名称で呼ばれることが多い．明るいI帯 I band の中央には暗いZ帯 Z-line[*2]があり，暗いA帯 A band の中央にはいくらか明るいH帯 H band がある．さらにH帯の中央にはM線 M-line が横切っている．M線とその両側の狭い明るい部分を偽H域 pseudo-H zone と呼ぶこともある．2つの隣り合ったZ帯の間を**筋節 sarcomere** という．アクチン，ミオシンやその他の関連タンパク質の整然とした配列がこのようなパターンを作っている（図5・1, 図5・2）．太いフィラメント thick filament（直径が細いフィラメントの約2倍ある）はミオシンからなり，細いフィラメント thin filament はアクチン，トロポミオシン，トロポニンで構成されている．太いフィラメントが並列してA帯を作っているのに対して，細いフィラメントの配列が密度の低いI帯を作っている．A帯の中央の明るいH帯は，筋が弛緩している時に細いフィラメントと太いフィラメントが重なり合わない部位である．Z帯は細いフィラメントを固定している．A帯の横断面を電子顕微鏡で観察すると，1本の太いフィラメントは規則正しく六角形に配列した6本の細いフィラメントに囲まれている．

筋細胞に含まれるミオシンの型はミオシンⅡで，2つの球状の頭部と1本の長い尾部をもっている．ミオシン分子の頭部はアクチン分子と結合しクロスブリッジを形成する．ミオシン分子は重鎖と軽鎖から構成されるが，頭部は重鎖のN末端と軽鎖が結合したものである．この頭部には，アクチンを結合する部位と，アデノシン三リン酸（ATP）を加水分解する触媒部位がある．ミオシン分子は筋節の中央（M線）を中心として両側に対称的に配置されていて，このような配置のため偽H域に明るい部分ができている．ミオシン分子の向きはM線で逆転する．M線の部位にはフィラメント同士をつなぐ細い連結構造があり，太いフィラメントの正しい配列を維持している．1本の太いフィラメントは数百のミオシン分子からできている．

細いフィラメントはアクチン重合体の2本の鎖からできており，この2本鎖は長い二重らせんを作っている．トロポミオシン分子は長いフィラメントで，アクチン2本鎖の間の溝に存在する．1本の細いフィラメントには300〜400個のアクチン分子と40〜60個のトロポミオシン分子とが含まれている．トロポニンは小さな球状の分子で，トロポミオシン分子に沿って間隔を置いて並んでいる．トロポニンの3つのサ

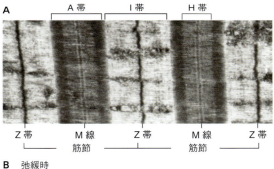

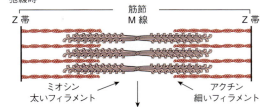

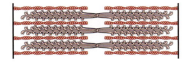

図5・2　骨格筋の筋節．A：ヒト腓腹筋の電子顕微鏡写真（×11300）．筋節，帯や線の名称を示す（Walker SM, Schrodt GR より許可を得て転載）．**B**：弛緩状態の骨格筋における細い（アクチン）フィラメント，太い（ミオシン）フィラメント，Z帯の配列．**C**：収縮状態の骨格筋における細いフィラメント，太いフィラメント，Z帯の配列．収縮時には，太いフィラメントと細いフィラメントが互いに滑ることにより，Z帯の間隔が狭くなっていることに注意．太いフィラメントと細いフィラメントの長さは変わらない．

[*2] 訳注：原書のZ-lineはZ線と訳されるが，日本ではZ帯 Z band という呼び方の方が一般的である．

ブユニットは，それぞれ特有の機能をもっている．トロポニンTは，トロポニンIとトロポニンCとをトロポミオシンに結合させている．トロポニンIはミオシンとアクチンの相互作用を抑制する．トロポニンCには，収縮を引き起こすCa^{2+}の結合部位がある．

骨格筋の機能に重要な構造タンパク質として，他に**アクチニン actinin**，**タイチン titin**[*3]，**デスミン desmin** などがある．アクチニンは，アクチンをZ帯に結合する．巨大なタンパク質タイチンはZ帯とM線を結び，筋節形成のための足場を提供する．タイチンは，分子質量が300万 Da に近く，知られている限りでは最も大きなタンパク質である．タイチンには2種類の折りたたまれたドメインがあり，これらは筋に弾性を与える．筋が伸長される時，初めはこれらの折りたたまれたドメインが開いていくので，比較的わずかな抵抗しかない．しかしさらに伸長を加えると，抵抗が急に強くなる．この抵抗が筋節の構造を保護している．デスミンは，Z帯を細胞膜に結合して固定する．構造タンパク質に関連した筋疾患の例をクリニカルボックス5・1で紹介する．これらのタンパク質は筋肉の構造や機能に重要ではあるが，代表的な筋タンパク質というわけではない．

筋小管系

筋原線維の周囲は膜でできた構造物に囲まれている．電子顕微鏡で見ると小胞と細い管からできているように見えるこの構造物は，**T管系 T system**[*4] と**筋小胞体 sarcoplasmic reticulum** とからなる**筋小管系 sarcotubular system** である．T管系は筋細胞膜と連続しており，その網目を個々の筋原線維が貫通している（図5・1）．T管系内の空間は細胞外空間の延長である．筋小胞体は各筋原線維を不規則に取り囲むカーテンになっていて，その膨らんだ**終末槽 terminal cistern** はA帯とI帯の境目にあるT管系にぴったり接している．T管系を中心にして，その両側に1つずつ筋小胞体終末槽が配置されていることから，この部分を**三連構造 triad** と呼ぶようになった．T管系は筋細胞膜の続きであるので，細胞表面に発生した活動電位は速やかにすべての筋原線維に伝わる．筋小胞体は重要な細胞内Ca^{2+}貯蔵部位であり，また筋細胞の代謝にも関係している．

ジストロフィン-糖タンパク質複合体

ジストロフィン dystrophin と呼ばれる大きなタンパク質（分子質量 427 000 Da）は棒状の構造をしていて，細いアクチンフィラメントや細胞膜貫通タンパク質**β-ジストログリカン β-dystroglycan**，細胞質にある小さなタンパク質**シントロフィン syntrophin** と結合している．β-ジストログリカンは**α-ジストログリカン α-dystroglycan** を介して，細胞外基質の中のラミニン laminin と結合する（図5・3）．これらのジストログリカンは，4つの膜貫通糖タンパク質**α-，β-，γ-，δ-サルコグリカン α-，β-，γ-，δ-sarcoglycan** の複合体と結合している．この**ジストロフィン-糖タンパク質複合体 dystrophin-glycoprotein complex** は，筋原線維と細胞の外側をつなぐ支柱となっており，筋の構造を補強している．このような重要な構造が崩壊すると，様々な筋ジストロフィーを発症する（クリニカルボックス5・1）．

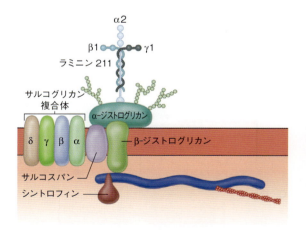

図 5・3　ジストロフィン-糖タンパク質複合体． ジストロフィンはFアクチンをジストログリカン（DG）複合体の2つの構成要素（α-，β-ジストログリカン）に結合している．これらのジストログリカンは，細胞外マトリックスのラミニン211のメロシンと呼ばれるサブユニットに結合している．4種類の糖タンパク質（α-，β-，γ-，δ-サルコグリカン）からなるサルコグリカン（SG）複合体，サルコスパンそしてシントロフィンはジストログリカン複合体と結合している．サルコグリカンやメロシンの異常によって引き起こされる筋の障害が知られている（Fallon J, Campbell K より許可を得て転載）．

[*3] 訳注：日本ではコネクチン connectin ともいう．
[*4] 訳注：横行小管系 transverse tubular system．

クリニカルボックス 5・1

筋疾患における構造および代謝の異常

筋ジストロフィー muscular dystrophy とは，進行性に筋力が低下する約50もの疾患の総称である．骨格筋だけでなく，心筋も侵される場合がある．病変は比較的軽微なものから重篤なものまで多様であり，最終的には死に至るものもある．原因は様々であるが，ジストロフィン−糖タンパク質複合体のどれか一部の遺伝子に突然変異が起きていることが多い．ジストロフィン遺伝子はサイズが最も大きな部類に属する遺伝子なので，突然変異はその中の様々な部位で起こりうる．**Duchenne〔デュシェンヌ〕型筋ジストロフィー**は筋ジストロフィーの中でも重篤な型で，ジストロフィンが欠損する．X染色体性の疾患であり，患者は通常30歳までに死亡する（訳注：我が国では50歳代の患者が少なくない．）．より軽度な **Becker〔ベッカー〕型筋ジストロフィー**は，ジストロフィンは存在するものの，不完全であったり，量が減っていたりする．肢帯型筋ジストロフィーには多種あり，サルコグリカンやジストロフィン−糖タンパク質複合体の他の構成因子をコードする遺伝子の突然変異によるものがある．

タイチンは，その巨大なサイズと構造上の重要性のため，突然変異により様々な筋疾患を引き起こす．タイチンの短いアイソフォームの突然変異は拡張型心筋症の原因となるが，その他の突然変異は肥大型心筋症を引き起こす．骨格筋に異常が起こる前脛骨筋型ジストロフィーは，タイチンの折りたたみ構造が不安定化する遺伝性疾患である．興味深いことに，今まで見つかっているタイチンの突然変異の多くは，すべての骨格筋に共通して発現する部分にある．それにもかかわらず，すべての骨格筋が同様に障害されるわけではない．このように表現型が筋タイプによって異なるため，異なる筋タイプでのタイチンの多様な機能を生理的および病的条件下で研究することが重要である．

デスミンに関連した筋疾患は非常にまれで，様々な病態を呈する疾患群であるが，通常デスミンの凝集体が筋細胞内に形成される．共通の症候としては，初めに下肢の遠位筋群の筋力低下と筋萎縮が現れ，後に他の部位にも及ぶ．デスミンノックアウトマウスを使った実験では，骨格筋，心筋，平滑筋の異常が明らかになっており，特に横隔膜と心臓で顕著である．

代謝性ミオパチー

筋細胞において，炭水化物，脂肪，タンパク質を CO_2 と H_2O に代謝してATPを産生する過程に関わる酵素の遺伝子が突然変異を起こすと，**代謝性ミオパチー** metabolic myopathy（たとえば McArdle〔マッカードル〕病）となる．すべての代謝性ミオパチーに共通するのは，運動耐容能が低いことと，有害な代謝産物の蓄積により筋崩壊が起こりやすいことである．

治療上のハイライト

急性の筋痛は抗炎症薬と安静によって治療することができるが，上に述べたような遺伝的な機能不全に対処するのは容易ではない．治療の目標は，筋の機能や構造の損失を遅らせることと，可能ならば症状を軽減することである．注意深く経過観察し，理学療法や適切な薬物（コルチコステロイドなど）を用いることにより，病気の進行を遅らせることができる．病気が進行すれば，補助具を使用したり，手術を行うこともある．

電気的現象とイオンの流れ

骨格筋の電気的特性

骨格筋に見られる電気的現象と，その基礎となるイオンの流れは，神経の場合とよく似ている．ただ時間経過と大きさに量的な違いがあるにすぎない．骨格筋の静止膜電位は約 $-90\ mV$ である．活動電位の持続時間は2〜4ミリ秒であり，伝導速度は約 $5\ m/秒$ である．絶対不応期は1〜3ミリ秒であり，電気刺激に対する閾値の変動を伴う後分極は比較的長い．神経筋接合部におけるインパルスの発生については6章で述べる．

イオンの分布と流れ

筋細胞膜の内外のイオン分布は，神経細胞膜の場合と同様である．各種イオンの濃度と平衡電位の概算値を表5・1に示す．神経と同じく，脱分極はNa^+の内向き流によるものであり，再分極はK^+の外向き流による．

収　縮

筋では電気的現象と機械的現象を区別することが重要である．機械的現象はふつうは電気的現象なしには起こらないが，両現象の生理学的機構および特徴は異なる．筋細胞膜の脱分極は，通常は運動神経終末に面している特殊な構造である終板で始まる．そして活動電位は筋線維を伝導してCa^{2+}の流入と放出による収縮を引き起こす．

単　収　縮

1回の活動電位は，短時間の収縮と，それに続く弛緩を引き起こす．この収縮-弛緩の応答を**筋の単収縮 muscle twitch**という．図5・4に活動電位と単収縮とを同一時間軸上に並べて示す．単収縮は膜の脱分極開始後約2ミリ秒で(再分極が完了しないうちに)始まる．単収縮の持続時間は筋線維型によって違う．速筋線維(主として細かい，素早い，精密な運動に関係する筋)の収縮持続時間は7.5ミリ秒ほどである．これに対し遅筋線維(主として強い，大ざっぱな，持続的な運動に関与する筋)では単収縮の持続時間は100ミ

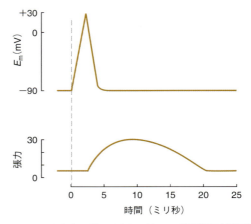

図 5・4　最大強度の単一刺激に対する哺乳類骨格筋線維の電気的ならびに機械的応答．電気的応答(mVで表した膜電位変化)と機械的応答(任意の単位で表した張力)とを同一の横軸(時間)上にプロットしてある．機械的応答は，電気的応答に比べて，長く持続する．

リ秒にも達する．

筋収縮の分子的基礎

筋の収縮要素が短縮する過程は，細いフィラメントが太いフィラメント上を滑走することによって起こる．つまり，筋の短縮はフィラメントの長さが変わることによるのではなく，太いフィラメントと細いフィラメントの重なりが増えることによるものである．A帯の幅は一定であるのに対し，筋が収縮する時にはZ帯同士が接近し，筋が弛緩する時には逆にZ帯同士が遠ざかる(図5・2)．

筋収縮中の滑走は，ミオシン頭部がアクチンと強く結合し，頭部と頸部のつなぎ目で折れ曲がり，次いで解離することによって起こる．この"パワーストローク power stroke"は同時に起こるATPの加水分解によって支えられている．ミオシンII分子は二量体であり，2つの頭部をもっている．しかし2つの頭部が同時にアクチンと結合することはなく，一度にどちらか一方しかアクチンと結合しない．パワーストロークは図5・5のように起こると考えられている．静止している筋では，トロポニンIはアクチンとトロポミオシンに結合しており，アクチンのミオシン結合部位を覆っている．静止筋では，ミオシン頭部はアデノシン二リン酸(ADP)と無機リン酸(Pi)を結合した状態にある．活動電位に続いて筋小胞体からのCa^{2+}の放出と電位作動性Ca^{2+}チャネルからのCa^{2+}の流入により

表5・1　定常状態における哺乳類骨格筋の細胞内，細胞外イオン分布と各イオンの平衡電位

イオン[a]	濃度(mmol/L) 細胞内液	濃度(mmol/L) 細胞外液	平衡電位(mV)
Na^+	12	145	+65
K^+	155	4	-95
H^+	13×10^{-5}	3.8×10^{-5}	-32
Cl^-	3.8	120	-90
HCO_3^-	8	27	-32
A^-	155	0	…
膜電位＝-90 mV			

a) A^-は有機アニオン(陰イオン)を示す．細胞内Cl^-の値はNernstの式を用いて膜電位より算出した．

Pi と ADP は放出され，ミオシン頭部の構造変化が起きる．ミオシン頭部が首を振るように回転することにより細いフィラメントは太いフィラメントに沿って動く（パワーストローク）．続いて ATP がミオシンに結合すると，ミオシン頭部はアクチンからはずれる．ミオシンに結合した ATP が加水分解されると，ミオシン頭部は静止時の構造に戻り 1 サイクルが完了する．細胞内 Ca^{2+} 濃度が高く，ATP が供給される限り，このサイクルは繰り返される．多くのミオシン頭部がほぼ同時に，繰り返し回転することにより，筋肉全体が収縮する．1 回のパワーストロークにより筋節が約 10 nm 短縮する．1 本の太いフィラメントは約 500 個のミオシン頭部をもち，速い収縮時には各頭部は毎秒 5 回のパワーストロークを行う．

筋細胞膜の脱分極が収縮を起こす過程を**興奮−収縮連関 excitation-contraction coupling** という．活動電位は T 管系を介して筋線維中のすべての筋原線維に伝わる（図 5・6）．活動電位は，T 管系に隣接した筋小胞体の終末槽（筋小胞体末端の囊）から Ca^{2+} を放出させる．活動電位により T 管膜が脱分極すると，**ジヒドロピリジン受容体 dihydropyridine receptor（DHPR）** を仲介として筋小胞体が活性化される．ジヒドロピリジン受容体という名称は，ジヒドロピリジンという薬物によってその機能が抑制されることによる（図 5・7）．DHPR は T 管膜にある電位作動性 Ca^{2+} チャネル[*6]である．心筋では，これらのチャネルを通って細胞外から流入した Ca^{2+} が **リアノジン受容体 ryanodine receptor（RyR）** を活性化し，筋小胞体に貯蔵されていた Ca^{2+} が放出される．リアノジン受容体は，Ca^{2+} が結合することにより活性化されるリガンド作動性 Ca^{2+} チャネルである．植物アルカロイドであるリアノジンが結合することを利用して，このチャネルが発見されたことから，リアノジン受容体と呼ばれている．骨格筋では，DHPR を通る細胞外からの Ca^{2+} 流入は，筋小胞体からの Ca^{2+} 放出に必要ではない．DHPR は膜電位センサーとしてはたらき，直接 RyR に作用して構造変化を引き起こすことによって，筋小胞体からの Ca^{2+} 放出を引き起こす．放出された Ca^{2+} は，Ca^{2+} 誘発性 Ca^{2+} 放出 Ca^{2+}-induced Ca^{2+} release によって Ca^{2+} 放出を増幅する[*7]．一方，筋小胞体 Ca^{2+}-

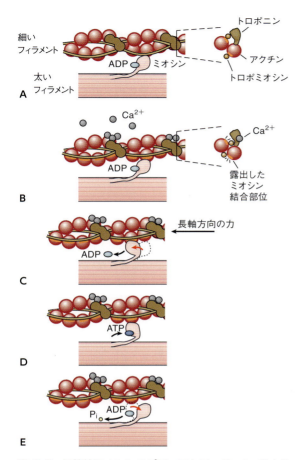

図 5・5　骨格筋ミオシンのパワーストローク．A：静止状態では，ミオシン頭部は ADP を結合しており，細いフィラメントに対して"起立した"位置にある．一方，細いフィラメント上のトロポニン−トロポミオシン複合体は Ca^{2+} が結合していない状態にある．**B**：Ca^{2+} がトロポニンに結合するとトロポニン−トロポミオシン複合体の構造変化が起こり，ミオシン頭部がアクチンに結合できるようになる（クロスブリッジの形成）．**C**：ミオシン頭部が回転して，結合したアクチンを動かし，筋線維を短縮させる（パワーストローク）．**D**：パワーストロークの最後に，ミオシンの空いた ATP 結合部位に新たな ATP が結合し，ミオシン頭部はアクチンから離れる．**E**：ATP は ADP と無機リン酸（P_i）に加水分解され，化学エネルギーはミオシン頭部を再び"起立した"位置に戻すのに使われる（Huxley AF, Simmons RM: Proposed mechanism of force generation in striated muscle. Nature 1971; 233(5321): 533-538 および Squire JM: Molecular mechanisms in muscular contraction. Trends Neurosci 1983; 6: 409-413 のデータより）．

細胞質の Ca^{2+} 濃度は上昇し，Ca^{2+} がトロポニン C に結合すると，トロポニン I とアクチンの結合が弱まり，アクチンのミオシン結合部位が露出する[*5]．ミオシンがアクチンと結合しクロスブリッジが形成されると，

[*5] 訳注：骨格筋では，トロポニン C に 2 分子の Ca^{2+} が結合することによって収縮が起こる．心筋のトロポニン C は，1 分子の Ca^{2+} 結合によって収縮を制御する．
[*6] 訳注：心筋にあるのと類似の L 型 Ca^{2+} チャネル（p.136 参照）．
[*7] 訳注：骨格筋での Ca^{2+} 誘発性 Ca^{2+} 放出の役割については，議論が分かれている（心筋については p.136 を参照）．

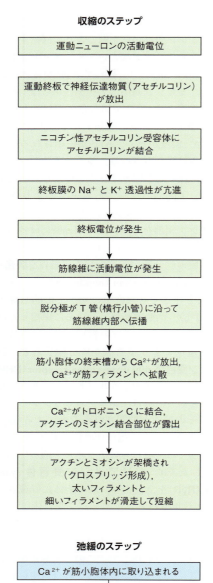

図 5・6 筋収縮が起こるまでの情報の流れ.

ATPase sarcoplasmic or endoplasmic reticulum Ca^{2+}-ATPase (SERCA) は, ATP を加水分解したエネルギーを使って, 細胞質に出た Ca^{2+} を再び能動的に筋小胞体内に取り込む[*8]. これにより細胞質の Ca^{2+} 濃度は低下し, Ca^{2+} は次の活動電位により放出されるまで筋小胞体に貯蔵される. 細胞質の Ca^{2+} 濃度が低下すると, アクチンとミオシンの相互作用が止まり, 筋は弛緩する. ATP が, 収縮(ミオシン頭部)と弛緩(SERCA)の両方にエネルギーを供給していることに注意してほしい. もし筋小胞体内への Ca^{2+} の能動輸送が抑制されると, 活動電位の発生が止まっても筋は弛緩しなくなる. このようにして起こる持続的収縮を**拘縮 contracture** という. 筋の興奮性の変化は多くの異なる病態を引き起こす(クリニカルボックス 5・2).

収縮の型

筋の収縮は筋節(サルコメア)長の短縮を伴うが, 筋には弾性要素と粘性要素が収縮機構と直列につながっているから, 筋全体の長さが短縮しないで収縮することが可能である(図 5・8). このような収縮を**等尺性 isometric**("等しい長さ"の意味)収縮という. これに対して, 一定の負荷に抗して収縮し, 筋の両端が接近する場合を**等張性 isotonic**("等しい張力"の意味)収縮という. 仕事は力と距離の積であるから, 等張性収縮は実際に仕事をするのに対して, 等尺性収縮は仕事をしない. また重い負荷によって筋が引き伸ばされるような場合には, 筋は収縮中に負の仕事をすることになる.

収縮の加重

反復刺激に対する筋線維の電気的応答は, 神経の応答に似ている. 筋線維が電気的に不応期にあるのは, 活動電位の上昇期と下降期の一部までである. この時期は, ちょうど最初の刺激によって起こった収縮が始まっている時である. しかし収縮機構には不応期がないから, 弛緩が始まる前に反復刺激すると収縮機構がさらに活性化され, すでに起こっている収縮にさらに収縮が積み重なることになる. この現象は**収縮の加重 summation of contraction** として知られている. 加重によって発生する張力は単収縮で発生する張力よりかなり大きい. 高頻度で反復刺激すると, 弛緩しないうちに収縮が反復して起こり, 一つひとつの収縮が融合して単一の連続した収縮になる. このような収縮を**強縮 tetanus(強縮性収縮 tetanic contraction)** という. 刺激と刺激の間に弛緩が起こらない時, **完全強縮**

[*8] 訳注:筋小胞体は T 管に近接した終末槽と, 終末槽から筋原線維に沿って走る縦走部からなる. 終末槽にはリアノジン受容体があり, Ca^{2+} を放出する. 縦走部には Ca^{2+} ポンプがあり, Ca^{2+} を能動的に取り込む.

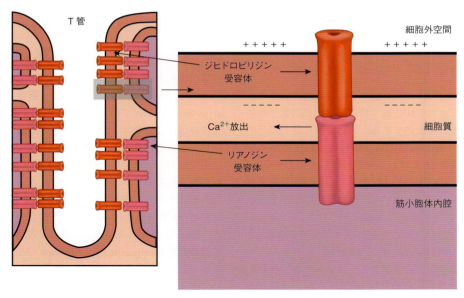

図 5・7 Ca^{2+} 輸送における T 管と筋小胞体の関係. 骨格筋では，T 管の電位作動性ジヒドロピリジン受容体が，リアノジン受容体を介して，筋小胞体(SR)からの Ca^{2+} 放出を引き起こす．電位変化を感知して，T 管膜(細胞膜)のジヒドロピリジン受容体が筋小胞体膜のリアノジン受容体に物理的に作用する．このように，ジヒドロピリジン受容体との相互作用によりリアノジン受容体のゲートが開き，筋小胞体から Ca^{2+} が放出される．

complete tetanus といい，収縮の加重の間に不完全ながら弛緩する時は**不完全強縮 incomplete tetanus** という．完全強縮の時に発生する張力は，単収縮の張力の約4倍である．刺激頻度を増していって不完全強縮と完全強縮が起こる様子を図5・9に示す．

収縮の加重が起こる刺激頻度は，その筋の単収縮の持続時間によって決まる．たとえば，単収縮の持続時間が10ミリ秒ならば，10ミリ秒に1回(すなわち100/秒の頻度)未満の反復刺激では，完全な弛緩が間に入った個別の収縮が起こり，100/秒を超える頻度の刺激では加重を起こす．

筋長と張力と収縮速度との関係

等尺性収縮で発生する張力(**全張力 total tension**)も無刺激の筋で発生する張力(**受動張力 passive tension**)も，両方とも筋線維の長さによって変化する．この関係は図5・8に示すような筋標本で調べることができる．筋を固定している2カ所の固定器の間の距離を変えることによって，筋長を様々に変える．各々の長さでまず受動張力を測り，次いで筋を電気的に刺激して全張力を測る．ある筋長での全張力と受動張力の差は，収縮の過程で実際に発生した張力である．これを**活動張力 active tension** という[*9]．図5・10は，筋長に対して受動張力と全張力をプロットしたグラフである．同様の曲線は個々の筋線維でも得られる．通常，最大の活動張力を発生する筋の長さを**静止長 resting length** と呼ぶ．これは生体内の多くの筋において，静止時の筋長で活動張力が最大になることが実験的に示されているからである．

骨格筋で観察される長さ-張力関係は筋収縮の滑走フィラメント機構によって説明できる．筋線維が等尺性に収縮する時，発生する張力はアクチン-ミオシン間に形成されるクロスブリッジの数に比例する．筋が伸長されると，アクチンとミオシンの重なりが減り，したがってクロスブリッジの数は減少する．逆に筋が静止長よりかなり短い時は，細いフィラメントの移動できる距離が減少する．

筋の短縮速度は，筋に加わる負荷が大きいほど低下する．負荷が一定ならば，静止長にある時に短縮速度は最大である．筋がこの長さより短くても長くても，短縮速度は低くなる．

線維の型

一つひとつの骨格筋線維は，大雑把には似ているけ

[*9] 訳注：発生張力 developed tension ともいう．

クリニカルボックス 5・2

筋のチャネル病

チャネル病は，イオンチャネルの突然変異または調節不全によって起こる，特に筋などの興奮性細胞に多く見られる疾患である．いろいろな型の臨床的**ミオトニア** myotonia では，随意性収縮後の筋弛緩時間が延長する．ミオトニアを分子レベルで見ると，活動電位を形成するイオンチャネルの機能障害である．筋強直性ジストロフィーは常染色体優性遺伝による疾患で，Cl^-チャネルのスプライシング異常が起きる（しかし，Cl^-チャネルの突然変異ではない）（訳注：筋強直性ジストロフィーはCl^-チャネルを含む様々な遺伝子のスプライシング異常を引き起こす全身病である．原著ではK^+チャネルの過剰発現とされているが誤りである）．様々なミオトニアは，Na^+チャネル（たとえば高カリウム性周期性四肢麻痺，先天性パラミオトニア，Na^+チャネルミオトニア）や（訳注：骨格筋に発現していてその静止膜電位の形成に関与するClC-1という）Cl^-チャネルの突然変異（常染色体優性または常染色体劣性の先天性ミオトニア，訳注：それぞれThomsen（トムセン）病とBecker（ベッカー）病という）が原因となる[*10]．筋の異常な脱力をきたす**筋無力症候群** myasthenia は，神経筋接合部のイオンチャネルが機能を喪失することによって起こる．**先天性筋無力症候群** congenital myasthenia（訳注：近年は congenital myasthenic syndrome という名称を使用する．）は，神経から筋への信号伝達に関わるイオンチャネル関連タンパク質の遺伝的障害による自己免疫疾患によっても，チャネルの機能障害が起きる．**重症筋無力症** myasthenia gravis では，ニコチン性アセチルコリン受容体（訳注：カチオンチャネルの一種，p.174参照）に対する自己抗体により，チャネル機能が高度に（重症例では80%）低下し，神経伝達物質に対する筋の反応が減弱する．

チャネル病は，筋細胞内 Ca^{2+} シグナルを増幅する Ca^{2+} 放出チャネル（リアノジン受容体）でも起こる．Ca^{2+} 放出チャネルの突然変異は**悪性高熱症（悪性高体温症）** malignant hyperthermia の原因となる．患者の筋機能は，通常の状態では正常である．しかし，ある種の全身麻酔薬（まれには高温環境への曝露や激しい運動）が引き金となり，筋小胞体から持続的に Ca^{2+} が異常放出される．その結果，筋収縮と熱の発生が持続的に起こり，場合によっては死に至る．

治療上のハイライト

たとえ様々なチャネル病の症候は類似していても，個々のチャネル病に対する治療は，原因となっているイオンチャネル（またはイオンチャネルに結合しているタンパク質）を標的とした薬物による．適切な薬物治療により，症候を改善し，筋機能をある程度維持することができる．さらに，疾患を悪化させる筋の動きを抑える処置がとられることがある．

れども，骨格筋はミオシンATPase活性，収縮速度その他の特性が異なる線維から構成されている不均一な組織である．筋組織は"遅筋"と"速筋"の2つに大別され，3つのタイプの筋線維（Ⅰ型，ⅡA型，ⅡB型）を含んでいる．Ⅰ型[遅筋-酸化型 slow-oxidative(SO)]，ⅡA型[速筋-酸化型-解糖型 fast-oxidative-glycolytic(FOG)]，ⅡB型[速筋-解糖型 fast-glycolytic(FG)]筋線維の特性を表5・2に要約して示す．このようなタイプごとの筋線維の特性は，多くの哺乳類の筋にあてはまるが，異なる筋の間で，あるいは同じ筋内でもバラツキが大きい．たとえば，ある筋のⅠ型筋線維は，同じ動物の他の筋のⅡA型筋線維より直径が大きいことがある．筋を構成する筋線維の違いは，筋線維に含まれるタンパク質の相違に由来する．これらの筋タンパク質のほとんどすべては，多重遺伝子族によってコードされている．ミオシン重鎖 myosin heavy chain (MHC)には10種類の異なる**アイソフォーム** isoform が明らかになっている．2種類のミオシン軽鎖[*10]は，それぞれ複数のアイソフォームをもつ．アクチンにはただ1つのアイソフォームしかないようであるが，トロポミオシンやトロポニンの3つのサブユニットには複数のアイソフォームがある．

[*10] 訳注：2種類のミオシン軽鎖＝必須軽鎖と調節軽鎖．1分子のミオシンは2つの重鎖と4つの軽鎖（2つの必須軽鎖と2つの調節軽鎖）からなる．重鎖は頭部，頸部，尾部の構造を形作る．軽鎖は頸部に結合している．必須軽鎖は頭部を安定化するために必須であり，調節軽鎖はリン酸化されることによりATP活性を調節する．

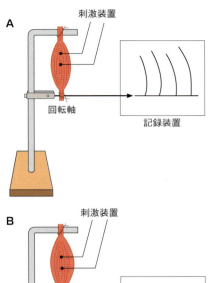

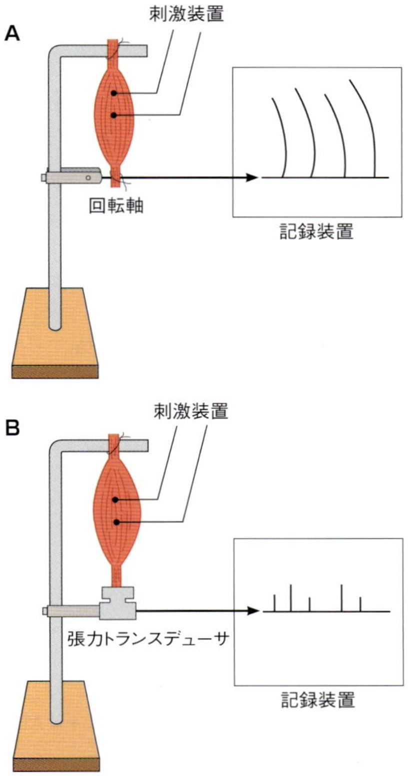

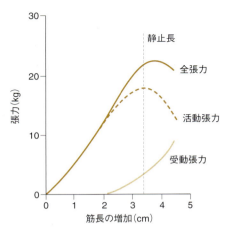

図 5·10 ヒトの上腕三頭筋の長さ－張力関係．受動張力曲線はそれぞれの筋長における無刺激時の張力を表し，全張力曲線は最大刺激に対して筋が等尺性に収縮した時の張力を表す．活動張力は，この2つの張力の差である．

表 5·2 骨格筋線維の型の分類

	Ⅰ型	ⅡA型	ⅡB型
他の名称	遅筋－酸化型 (SO)	速筋－酸化型－解糖型 (FOG)	速筋－解糖型 (FG)
色	赤	赤	白
ミオシン ATPase 活性	遅い	速い	速い
筋小胞体の Ca^{2+} 取込み能	中等度	高い	高い
直径	細い	太い	太い
解糖能	中等度	高い	高い
酸化的代謝能	高い	中等度	低い
運動単位	遅い(S)	速い，疲労しにくい(FR)	速い，疲労しやすい(FF)
膜電位 = −90 mV			

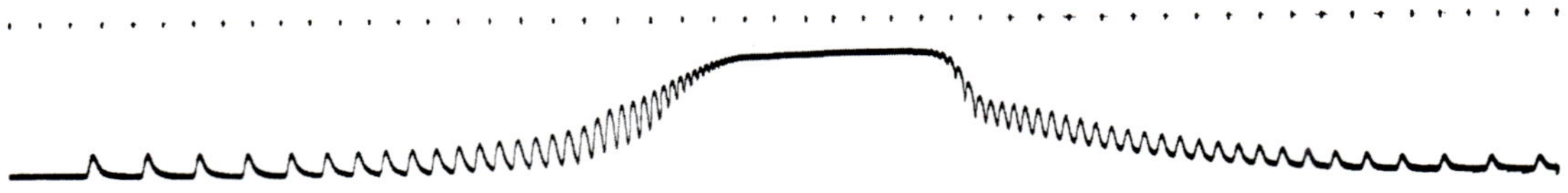

図 5·8 等張性収縮と等尺性収縮．A：筋標本の等張性収縮を記録するための装置．B：等尺性収縮を記録するための装置．Aでは，回転軸を中心として回転する描記用てこに筋が結び付けられている．Bでは，電子トランスデューサに連結される．このトランスデューサは筋を短縮させないままで，発生した力を計測する．

図 5·9 強縮．持続的に刺激頻度を増加し，減少させていく時の単一筋線維の等尺性張力を表す．上の点は時標で，0.2秒間隔を表す．刺激頻度が増加するに従い，単収縮が不完全強縮に，さらに完全強縮になる．刺激頻度が減少すると不完全強縮から単収縮に戻っていく．

エネルギー源と代謝

筋収縮はエネルギーを必要とする．筋は"化学的エネルギーを機械的仕事に変換する機械である"といわれてきた．このエネルギーの直接の源は ATP である．ATP は炭水化物と脂質の代謝により合成される（1, 2 章参照）．

クレアチンリン酸

ATP は，ADP にリン酸基を付加することによって再合成される．この吸熱反応のエネルギーの一部は，グルコースが CO_2 と H_2O に分解される時に供給されるが，筋内にはこのエネルギーを短時間供給することができる別の高エネルギーリン酸化合物が存在する．これは**クレアチンリン酸 creatine phosphate**[*11]で，加水分解されてクレアチンとリン酸基になる時，かなりの量のエネルギーを遊離する（図 5・11）．静止時には，ミトコンドリアの中の ATP の一部はそのリン酸基をクレアチンに移してクレアチンリン酸の貯蔵を増やす．運動中には，このクレアチンリン酸がミオシン頭部とアクチンとの結合部で加水分解され，ADP から ATP を合成して収縮を持続させる．

炭水化物と脂質の分解

静止時と軽作業時には，筋はエネルギー源として脂質を遊離脂肪酸の形で利用する．筋作業が強くなると，脂質だけではエネルギーの供給が間に合わなくなり，炭水化物が筋燃料の主成分となる．このように，運動中はクレアチンリン酸と ATP の再合成のためのエネルギーの多くは，グルコースを CO_2 と H_2O に分解する過程で得られる．血流中のグルコースは細胞内に入り，一連の化学反応を経てピルビン酸となる．細胞内グルコースの他の供給源は，肝臓や骨格筋に特に多量に含まれるグリコーゲン（炭水化物の重合体）である．酸素が十分にあると，ピルビン酸はクエン酸回路（TCA 回路）に入り，いわゆる呼吸酵素経路を経て CO_2 と H_2O に分解される．この過程を**好気的解糖 aerobic glycolysis** という．グルコースあるいはグリコーゲンが CO_2 と H_2O に分解されると，ADP から多量の

[*11] 訳注：原書ではホスホリルクレアチン phsophorylcreatine としているが，クレアチンリン酸 creatine phosphate またはホスホクレアチン phsophocreatine という方がより一般的である．

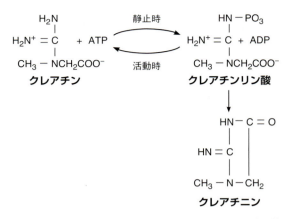

図 5・11 筋線維中のクレアチン，クレアチンリン酸の代謝回転．活動時には，クレアチンリン酸の代謝によって ATP が素早く産生され，筋の活動が維持される．

リン酸結合のエネルギー
$ATP + H_2O \rightarrow ADP + H_3PO_4 + 7.3$ kcal

クレアチンによる筋 ATP の "貯蔵"
クレアチンリン酸 + ADP $\rightleftharpoons$ クレアチン + ATP

嫌気的過程
グルコース + 2 ATP ⟶ 2 乳酸 + 4 ATP
（またはグリコーゲン + 1 ATP）

好気的過程
グルコース + 2 ATP ⟶ 6 CO_2 + 6 H_2O + 40 ATP
（またはグリコーゲン + 1 ATP）
FFA ⟶ CO_2 + H_2O + ATP

図 5・12 筋線維中の ATP 代謝回転．1 mol の ATP の加水分解によって放出されるエネルギーと ATP 再合成の反応．1 mol の遊離脂肪酸(FFA)の酸化で作られる ATP の量は多いが，その量は FFA 分子の大きさによる．たとえば，1 mol のパルミチン酸を完全に酸化すると 140 mol の ATP が生じる．

ATP が作られる．もし酸素の供給が不十分であると，グルコースから作られたピルビン酸はクエン酸回路に入らないで，乳酸に還元される．この**嫌気的解糖 anaerobic glycolysis** の過程では，はるかに少量の高エネルギーリン酸化合物しか産生されない．しかしこの過程は酸素を必要としない．骨格筋にエネルギーを供給する様々な反応を図 5・12 に要約して示す．

酸素負債の機構

筋活動中には，筋血管が拡張して血流が増加するので，酸素の供給は増加する．酸素消費は，あるレベルまでは消費エネルギーに比例して増加し，必要なエネルギーはすべて好気的過程で賄われる．しかし，筋活

動が非常に激しい時には，エネルギー源の好気的再合成がエネルギー源の消費に追いつかなくなる．このような場合には，クレアチンリン酸がATPの再合成に使われるが，一部のATPの合成はグルコースから乳酸への嫌気的解糖で生じるエネルギーによって行われる．この嫌気的解糖の利用は，やがては自身の利用を制約してしまうことになる．というのは，乳酸が筋中に蓄積しすぎて組織の緩衝能力を超えてしまい，pHが低下して酵素活性が抑制されるからである．しかし短時間ならば，嫌気的解糖過程によって筋活動を行うことができる．たとえば10秒かかる100m走では，消費されるエネルギーの85%は嫌気的に得られるが，10分かかる2マイル（約3200m）レースでは，消費エネルギーの20%が嫌気的に得られる．60分かかる長距離レースでは，消費エネルギーのわずか5%が嫌気的代謝で得られるにすぎない．

筋活動が終わると，過剰に生じた乳酸を除去し，ATPとクレアチンリン酸を補充し，ミオグロビンが遊離した少量の酸素を返却するために，さらに酸素が消費される．ATPが補充されないと，筋は硬直状態になってしまう（クリニカルボックス 5・3）．この追加の酸素消費量は，運動時にエネルギー需要が好気的蓄積能力をどのくらい上回っていたか，すなわち**酸素負債 oxygen debt** の程度に比例する．酸素負債は実験的に測定することができる．筋活動後の酸素消費量が一定の基礎消費量に戻るまでの全酸素消費量を測定し，これから全基礎消費量を差し引いたものが酸素負債である．酸素負債の量は基礎消費量の6倍にもなりうる．このことは，酸素負債がない時の6倍もの筋活動が可能であることを意味する．

筋 の 熱 産 生

熱力学的にいえば，筋に供給されたエネルギーはエネルギー出力に等しくなければならない．このエネルギー出力は，筋によってなされる仕事，後の筋活動のエネルギー源として合成される高エネルギーリン酸結合，そして熱という形になる．骨格筋の機械的効率（なされた仕事/消費された全エネルギー）は，等張性収縮で重りを持ち上げる時には50%にも達するが，等尺性収縮時ではほとんど0%である．リン酸結合のエネルギー貯蔵分はそれほど多くないので，筋活動時の熱産生はエネルギー出力のかなりの部分を占める．筋の熱産生は熱電対で正確に測定できる．

静止時に産生される熱，すなわち**静止熱 resting heat** は基礎代謝過程を反映している．筋収縮によって静止熱より余分に産生される熱を**初期熱 initial heat** という．初期熱は，筋が収縮する時に常に産生される**活動化熱 activation heat** と，筋の短縮距離に比例する**短縮熱 shortening heat** の2つよりなる．短縮熱は短縮中に起こる何らかの構造変化によるらしい．

筋収縮の後，静止熱以上の熱の産生は30分間も続く．これを**回復熱 recovery heat** というが，これは筋を収縮前の状態に戻す代謝過程によって産生されるものである．筋の回復熱は初期熱にほぼ等しい．すなわち，回復中に産生される熱は収縮中に産生される熱に等しい．

等張性収縮をした筋がもとの長さに戻る時は，回復熱以外に余分な熱が産生される（**弛緩熱 relaxation heat**）．筋がもとの長さに戻るには，筋に対して外からの仕事がなされなければならない．弛緩熱は主としてこの仕事の現れである．

生体内での骨格筋の性質

運 動 単 位

筋線維の神経支配は，筋の機能を規定する（クリニカルボックス 5・4）．骨格筋を支配する脊髄運動ニューロンの軸索は，その各々の枝が数本の筋線維を支配しているので，1個の運動ニューロンの興奮によって生じる筋収縮の最小単位は1本の筋線維ではなく，そのニューロンによって支配されているすべての線維である．1個の運動ニューロンとそれが支配する筋線維

クリニカルボックス 5・3

筋 硬 直

筋線維からATPとクレアチンリン酸が完全になくなると，筋線維はぎゅっと収縮したままの**硬直 rigor** といわれる状態になる（訳注：ミオシン頭部がアクチンから解離するためには，ATPがミオシンに結合する必要がある．硬直はCa^{2+}がなくても起こるので，Ca^{2+}による収縮とは区別すべきである）．死後にこの状態が起こると，**死後硬直 rigor mortis** という．硬直では，ほとんどすべてのミオシン頭部はアクチンと結合しているが，生理的な結合ではなく，固定された，はずれにくい結合である．筋肉は固まった状態となり，触ると極めて固い．

クリニカルボックス 5・4

筋の除神経

無傷の動物では，健全な骨格筋はその支配運動神経が興奮する時にだけ収縮する．この神経支配を破壊すると筋の萎縮が起こる．しかし，そればかりでなく，筋の興奮性が異常に高まり，血流中のアセチルコリンに対する筋の感受性が上昇する（**除神経性過敏** denervation hypersensitivity，6 章参照）．その結果，個々の筋線維の細かな，不規則な収縮（**細動** fibrillation）が起こる．これは**下位運動ニューロン損傷** lower motor neuron lesion の古典的症状である．運動神経が再生すると，細動は消失する．細動は通常肉眼では見えない．この点で，細動は**線維束性収縮** fasciculation と異なる．線維束性収縮は，筋線維群の肉眼で見える痙攣様の収縮であって，脊髄運動ニューロンの病的発射の結果として出現する．

群とを合わせて**運動単位** motor unit という．1 つの運動単位中の筋線維の数は様々である．手の筋や眼球運動の筋などのように細かく調節された精密な運動に関与する筋では，1 つの運動単位に属している筋線維は大変少なく，たかだか 3～6 本である．これに対して，ヒトの脚の筋では 1 つの運動単位に 600 もの筋線維が含まれることがある．同じ運動単位に属する筋線維は筋中に散在している．つまり，隣り合う筋線維が同じ運動ニューロンにつながっているわけではない．

各脊髄運動ニューロンはただ 1 種類の筋線維だけを支配している．したがって，1 つの運動単位に属している筋線維は同一の型である．運動単位は，その運動ニューロンが支配している筋線維の型，つまり筋線維の単収縮の持続時間に基づいて，遅い単位（S＝slow），速く疲労しにくい単位（FR＝fast, resistant to fatigue），速く疲労しやすい単位（FF＝fast, fatigable）に分けられる．これらの筋線維の型と運動単位に含まれる筋線維数には相関があり，運動単位中の筋線維は，S 型では少なく（小さな運動単位），FF 型では多い（大きな運動単位）．筋収縮中には運動単位が次々と動員されるが，その順序は決して無秩序ではなく，**サイズの原理** size principle に従っている．一般的に，筋運動は，まず S 型運動単位によって始まり，よく制御され比較的ゆっくりとした収縮が起こる．次いで FR 型の運動単位が動員され，より強力な収縮が短時間続く．これよりも大きな力が要求される場合には，最終的に FF 型の運動単位が参加する．脚の筋の例をあげると，立ち上がる時には小さな S 型運動単位が活動する．歩き始めると，FR 型運動単位の活動が増加する．さらに走ったり，跳んだりする場合には，大きな FF 型運動単位が動員される．もちろん S 型，FR 型，FF 型運動単位の活動は重なり合っているが，一般的にこの原理は成立する[*12]．

筋線維の型の違いは遺伝的に決まっているものではなく，何よりも運動単位の活動の程度によって決定されている．遅い筋を支配する神経を切断し，速い筋を支配する神経につなぎ換えると，神経は再生し，遅い筋を支配するようになる．この結果，速い運動ニューロンに支配されることになったこの筋肉は速い筋になり，それに対応して筋タンパク質のアイソフォームとミオシン ATPase 活性に変化が起きる．この変化は筋の活動パターンが変わったことによるものである．実験的には，筋への電気刺激のパターンを変えることによって，*MHC*（訳注：ミオシン重鎖）遺伝子発現の変化，すなわち MHC アイソフォームの変化を起こすことができる．より通常の条件下では，運動によって（あるいは運動をしないことによって），筋に変化が起きる．筋活動が増加すると，筋線維は肥大し，収縮力は増強する．このような変化は，ⅡA および ⅡB 型の筋線維で最も顕著に見られる．一方，筋が活動しないと，筋線維は萎縮し収縮力は減弱する．このような萎縮性の変化は，最も使用される頻度の高い Ⅰ 型筋線維で特に顕著である．

筋電図

運動単位の活動は筋電図法 electromyography によって調べることができる．筋電図法は，筋の電気活動を記録する方法である．無麻酔のヒトでは被験筋上の皮膚に金属の小円盤を密着させるか，針または細いワイヤーを皮下に刺入して導出電極とする．このような電極を用いて得られた記録を**筋電図** electromyo-

---

[*12] 訳注：S 型運動単位の運動ニューロンは細胞体が小さく，神経の伝導速度が遅い．FF 型運動単位の運動ニューロンは細胞体が大きく，興奮神経の伝導速度が速い．サイズの原理をいい換えると，小さな運動ニューロンの動員閾値は低く，大きな運動ニューロンの動員閾値は高い．筋が収縮力を強めていく時，その筋を支配する α 運動ニューロン集団の中では興奮の順序が定まっていて，小さな運動ニューロンから大きな運動ニューロンへという順番で興奮していく．

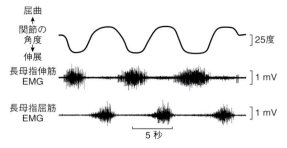

図 5・13 親指の遠位関節〔訳注：母指の指節間関節（IP 関節）〕を交互に屈曲，伸展させた時の関節の角度と長母指伸筋および長母指屈筋の筋電図．親指の関節は，長母指伸筋により伸展し，長母指屈筋により屈曲する．関節の角度（**上**），長母指伸筋の筋電図（**中**），長母指屈筋の筋電図（**下**）の時間変化を示した．筋電図の活動と静止の時相が長母指伸筋と長母指屈筋で交互にずれていることに注意 (Fuglevand AJ より許可を得て転載)．

gram（EMG）という．細い針（ワイヤー）電極を用いると，単一運動単位の筋活動を検出することができる．2 つの電極の間にある筋線維の活動が変化すると，電極間に電位差が生じる．この電位差を記録したのが EMG である．典型的な EMG を図 5・13 に示す．

安静にしている正常なヒトでは，骨格筋の自発性活動はほとんど起こらないことが，筋電図からわかっている．わずかな随意活動時には少数の運動単位が興奮し，随意活動が増すにつれて興奮する運動単位の数が次第に増えていく（**運動単位の動員 recruitment of motor unit**）．したがって筋活動が細かく段階的に増減するのは，一部は活動する運動単位の数の増減による．加えて，個々の単収縮張力より強縮張力の方が大きいことから，筋活動の細かい調節には各神経線維の興奮の頻度も一役買っていることになる．さらに筋の長さも 1 つの要因である．最後に，各運動単位の興奮はタイミングがずれている（すなわち互いに同時に興奮していない）．このように非同期的に興奮しているので，個々の筋線維の収縮が融合して筋全体としての円滑な収縮となる．まとめると，EMG は異常な電気活動（とそれに伴う筋収縮）を，（大まかだが）素早く検査するのに適している．

骨格筋の強さ

ヒトの骨格筋は断面積 1 cm² につき 3～4 kg の張力を発生することができる．この値はいろいろな実験動物で得られた値とほぼ同じであり，すべての哺乳類で一定であると思われる．ヒトの筋の多くは断面積が比較的大きいので，筋の張力は非常に大きい．たとえば腓腹筋は，山を登る時に全身の体重を支えるだけではなく，走ったり跳んだりして足で大地を蹴る時には体重の数倍の力に拮抗する．さらに顕著な例は大臀筋で，この筋は 1200 kg の張力を出すことができる．成人の骨格筋全体が一緒に張力を出すとすれば，発生しうる全張力は約 22 000 kg（22 t）にも達する．

身体の力学

身体の運動は，上に概説した生理学的諸原理を最大限に利用するような形で組み立てられている．たとえば，多くの筋では，収縮を開始する時の長さは静止長に近い．複数の関節にまたがっている筋では，1 つの関節の動きを他の関節の動きで相殺することによって，収縮中に比較的わずかな短縮しか起きないようにする．このような収縮は，等尺性収縮に近いので，収縮の経過中を通じて最大張力を発生することができる．ハムストリング（膝屈曲筋）は，骨盤から股関節と膝関節を越えて脛骨と腓骨に付着している．ハムストリングが収縮すると，膝関節が屈曲して下腿が大腿と重なる．もし大腿が同時に骨盤に対して屈曲すると，股関節ではハムストリングは伸長され，膝関節での短縮を代償することになる．いろいろな筋活動に際して，身体はこのようなしくみを利用しながら動く．慣性や平衡などの因子は，最小限の筋活動で最大の運動ができるように身体の運動に組み込まれている．その結果，腱や骨を破壊する力の 50% を超えるストレスがかかることはほとんどなく，腱や骨が損傷しないようになっている．

歩行する時，それぞれの脚は，足が地についている支持相 support phase（または着地相 stance phase）と，足が地を離れる遊脚相 swing phase とをリズミカルに繰り返す．2 本の脚の支持相は重なるので，歩行の 1 サイクル中には，両脚の支持相が 2 回あることになる．歩行の一歩の開始時に，脚の屈筋の短い急激な収縮が起こる．次いでその脚は，それ以上の筋収縮を伴わずに，前方へ振り出される．したがって，脚の筋は一歩一歩のうちのごく短時間しか活動しないので，長時間歩いてもあまり疲労しないのである．

快適なペースで歩いている青年の歩行速度は約 80 m/分で，出力は一歩ごとに 150～175 ワットである．青年の集団に最も快適な速度で歩くよう指示したところ，彼らは 80 m/分に近い速度を選んだ．そしてこの速度は，エネルギー出力が最小になる速度であることがわかった．これより速くても遅くても，歩行のエネルギー消費は増加するのである．

心筋の形態

　心筋には骨格筋同様の横紋があり，Z帯もある．多数の細長いミトコンドリアが筋原線維と接して存在している．筋線維は枝分かれして絡み合っているが，各線維は細胞膜に包まれた，れっきとした1個の細胞である．1本の筋線維の端が他の筋線維に接するところでは，両線維の細胞膜は何回となく折れ曲がりながら平行して走っている．このような部分は常にZ帯のところにあり，**介在板 intercalated disk** という（図5・14）．介在板は線維と線維とを強く結合させ，細胞間のつながりを維持している．そのため，1つの筋線維の収縮がその長軸方向に沿って隣の細胞に伝達される．介在板の部分では，隣り合う筋線維の細胞膜同士がかなりの長さにわたって融合して，ギャップ結合 gap junction を形成している．ギャップ結合は電気抵抗が低く，1本の筋線維から別の筋線維へと興奮が広がる通路になっている．心筋線維の細胞質同士が融合しているわけではないが，ギャップ結合があることによって，心筋組織はあたかも1つのシンシチウムのようにはたらくことができる．T管系は，哺乳類の骨格筋ではA帯とI帯の境目にあるが，心筋ではZ帯のところに存在する．

電気的性質

静止膜電位と活動電位

　哺乳類の心筋細胞の静止膜電位は約 -90 mV（細胞内部が外部に対して負）である．刺激により伝導性の活動電位が生じ，これが収縮を引き起こす．心臓の部位によって活動電位は異なるが（29章参照），典型的な心室筋細胞の活動電位を例にとる（図5・15）．骨格筋や神経と同じように，脱分極は急速に進行し，オーバーシュートがある．しかし，膜電位が基線に戻る前にプラトー plateau が存在する．哺乳類の心臓ではこの速い脱分極の持続時間は約2ミリ秒であるが，プラトー相と再分極は200ミリ秒かそれ以上も続く．そのため，収縮がピークの半分まで弛緩する頃になってようやく再分極が終わる．

　他の興奮性組織と同じように，外液の K^+ 濃度が心筋の静止膜電位に影響を与えるのに対して，外液の Na^+ 濃度は活動電位の大きさに影響を及ぼす．最初の速い脱分極およびオーバーシュート（第0相）は，神経や骨格筋の場合と似て電位作動性 Na^+ チャネルが開くことによる（図5・16）．最初の速い再分極（第1相）は Na^+ チャネルの閉鎖[*13]とある型の K^+ チャネル（$K_v4.2$/KCND2, $K_v4.3$/CCND2, $K_v1.4$/KCNA4）[*14]の開口による．これに続く長いプラトー（第2相）は，電位作動性 Ca^{2+} チャネルがゆっくりと，より持続的に開くことによる．静止膜電位（第4相）への最後の再分極（第3相）は，Ca^{2+} チャネルの閉鎖といろいろな型の K^+ チャネルを通る K^+ の流出による．心筋細胞には少なくとも2つの型の電位作動性 Ca^{2+} チャネル（T型とL型）があるが，Ca^{2+} 電流（Ca^{2+} の流入）は主として遅いL型 Ca^{2+} チャネルが開口することによる．これらのチャネルのどれか1つに突然変異や機能不全が生じると，心臓は病的な状態に陥る（クリニカルボックス5・5）．

機械的性質

収　　縮

　心筋の収縮は脱分極開始直後より始まり，活動電位の約1.5倍長く続く（図5・15）．心筋の興奮-収縮連関における Ca^{2+} の役割は，骨格筋の場合と似ている（前述）．しかし骨格筋と異なるのは，T管の電位作動性ジヒドロピリジン受容体（L型 Ca^{2+} チャネル）を通って流入する Ca^{2+} が筋小胞体のリアノジン受容体に結合し，Ca^{2+} 放出を引き起こす（Ca^{2+} 誘発性 Ca^{2+} 放出）ことである．収縮中に細胞外から Ca^{2+} が流入するので，増えた細胞内 Ca^{2+} をもとに戻すために細胞膜の Ca^{2+}-ATPase（Ca^{2+} ポンプ）や Na^+-Ca^{2+} 交換輸送が重要な役割を果たす．細胞内 Ca^{2+} 濃度を間接的に変化させる薬物の作用については，クリニカルボックス5・6に述べる．

　活動電位の第0相〜第2相と第3相の半分まで（膜電位が再分極して -50 mVに達するまで）の間は，心筋は再び興奮しない．すなわち，この期間は**絶対不応期 absolute refractory period**（ARP）である．この後，第4相が始まるまでの間（第3相の後半部分）は静止時に比べて興奮しにくい［相対不応期 relative refractory period（RRP）］．したがって，骨格筋で見られるような強縮は心筋では起こらない．どんなに短時間でも，心筋が強縮に陥れば死を招くことになりかねない．この意味で，心筋が強縮しないのは生命の安全を保証するうえで重要な特徴である．

[*13] 訳注：Na^+ チャネルの不活性化．
[*14] 訳注：一過性外向き電流を担うので I_{To} と呼ばれる．

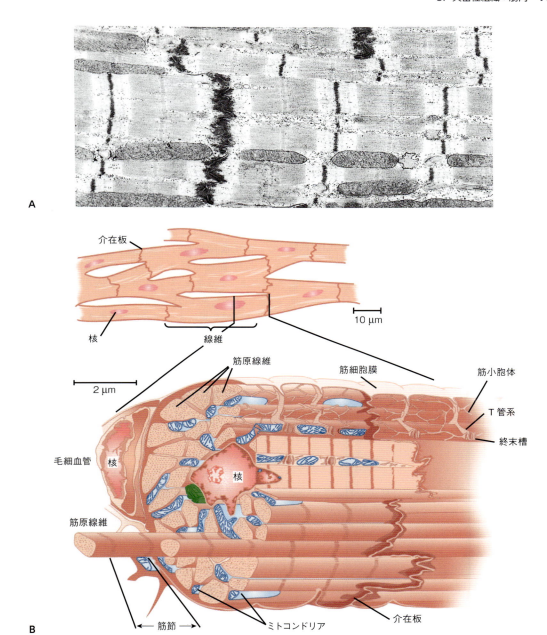

図 5・14 心筋. A：心筋の電子顕微鏡写真. A 帯, I 帯は図 5・2 の骨格筋とよく似ている. 境界のぼやけた太い線は介在板である. 介在板の機能は Z 帯と同様であるが, 細胞膜にあるというところが異なる (×12 000) (Bloom W, Fawcett DW: *A Textbook of Histology*, 10th ed. Saunders; 1975 より許可を得て複製). **B**：光学顕微鏡（**上**）と電子顕微鏡（**下**）で見た心筋の模式図. ここでも骨格筋の構造との類似に注目してほしい (Braunwald E, Ross J, Sonnenblick EH: Mechanisms of contraction of the normal and failing heart. N Engl J Med 1967 Oct 12; 277(15): 794-800 より許可を得て複製).

アイソフォーム

心筋は一般に収縮が遅く, ATPase 活性が比較的低い. 心筋線維の活動は酸化的代謝に依存しており, したがって, 酸素の持続的供給が必要である. ヒトの心臓には, ミオシン重鎖の α および β アイソフォーム（α MHC と β MHC）の両方が存在する. β MHC は α MHC よりミオシン ATPase 活性が低い. 心房には両

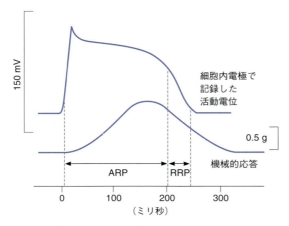

図 5・15　哺乳類心筋細胞の活動電位と収縮の比較（典型的な心室筋細胞）．上：細胞内電極で記録した活動電位には，速い脱分極とゆっくりした再分極が見られる．**下**：細胞内（上）活動電位記録と時相をそろえて，収縮反応を示す．絶対不応期 absolute refractory period（ARP）には心筋細胞は興奮しないが，相対不応期 relative refractory period（RRP）には弱い興奮を起こすことができる．

クリニカルボックス 5・5

QT 延長症候群

　QT 延長症候群 long QT syndrome（LQTS）は，心電図上で QT 間隔の延長を呈する病態である（p.621 参照）．LQTS では，不整脈により失神，心臓発作，心停止などが起こり，死に至ることもある．薬物によって LQTS が起こることもあるが，多くは心臓に発現している様々なイオンチャネル遺伝子の突然変異である．突然変異の大部分（90％ 程度）は電位作動性 K^+ チャネル（*KCNQ1* または *KCNH2*）の突然変異である．この他，電位作動性 Na^+ チャネル（たとえば *SCN5A*）や Ca^{2+} チャネル（たとえば *CACNA1C*）の突然変異によっても LQTS が起こる[*15]．様々なチャネルの突然変異によって QT 間隔の延長とそれによる病態が引き起こされうるのは，これらのチャネルが複雑に相互作用して心臓の電気活動を形成しているからである．

治療上のハイライト

　LQTS 患者は，QT 間隔を延長させる薬物，血清 K^+ や Mg^{2+} レベルを低下させる薬物は避けるべきである．血清 K^+ や Mg^{2+} レベルが低下しているなら，是正すべきである．症状が現れていない患者に対する薬物投与については，賛否が分かれている．しかし，先天性チャネル異常のある患者に対しては，症状のあるなしにかかわらず薬物投与を考慮する．一般的に，不整脈のリスクを軽減するために，β 遮断薬が使用される．LQTS の原因がはっきりすれば，もっと狙いを絞った効果的な治療法が選択できる．

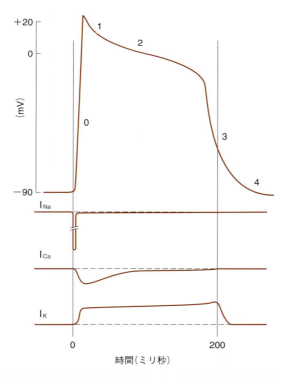

図 5・16　心筋活動電位の解析．上：心筋線維の活動電位はいくつかの相に分けられる．第 0 相：急速脱分極，第 1 相：初期急速再分極，第 2 相：プラトー相，第 3 相：後期急速再分極，第 4 相：静止電位．**下**：活動電位中の Na^+ 電流（I_{Na}），Ca^{2+} 電流（I_{Ca}），K^+ 電流（I_K）の模式図．慣例に従って，内向き電流を下向き，外向き電流を上向きに示す．

アイソフォームとも存在するが，α MHC が主である．一方，心室では β MHC が主である．このような心臓の部位によるアイソフォーム発現の違いは，心臓全体の協同的な収縮を可能にしている．

[*15] 訳注：*KCNQ1*，*KCNH2*，*SCN5A* および *CACNA1C* の突然変異はそれぞれ QT 延長症候群 1 型（LQT1），2 型（LQT2），3 型（LQT3）および 8 型（LQT8）と呼ばれる．

クリニカルボックス 5・6

配糖体薬と心筋の収縮

ウアバインや他のジギタリス配糖体は，心不全の治療によく用いられる．これらの薬物には，心臓の収縮を強めるはたらきがある．作用機序についてはまだ議論があるが，作業仮説として，これらの薬物が心筋細胞膜の Na^+, K^+-ATPase を抑制することで説明されている．心筋の Na^+, K^+-ATPase が抑制されると，細胞内 Na^+ 濃度は上昇する．細胞内 Na^+ 濃度が上昇すると，弛緩期に Na^+-Ca^{2+} 交換輸送による Na^+ 流入が減少し，Ca^{2+} 流出が減少する．その結果，細胞内 Ca^{2+} 濃度が上昇するので，心筋の収縮は増強される．このような作用メカニズムを考えると，これらの薬物は中毒を引き起こす可能性があることがわかる．Na^+, K^+-ATPase が過剰に抑制されると，細胞膜の脱分極が起こり，興奮伝導が遅くなる．場合によっては自発収縮（不整脈）が起こる．細胞内 Ca^{2+} の過剰な上昇も，心筋細胞の生理機能に悪い影響を及ぼす．

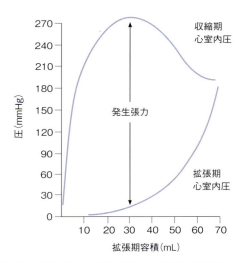

図 5・17　心筋の長さ－張力関係．収縮期心室内圧（上の曲線）と拡張期心室内圧（下の曲線）の差が心筋細胞の発生張力である．数値はイヌの心臓で得られたものである．

筋の長さと張力との関係

心筋の初期長と収縮張力の関係は骨格筋の場合と似ている．すなわち，刺激に応じて発生する活動張力（ここでは発生張力と呼ぶ）が最大になる静止長がある．生体内では拡張期における心臓の充満度によって心筋線維の初期長が決められ，収縮期に発生する心室内圧は拡張期末の心室容積に比例する（**Starling**〔スターリング〕**の心臓の法則**）．すなわち，発生張力（図 5・17）は拡張期容積の増加とともに上昇し，最大に達した後，低下する傾向を示す．しかし骨格筋と違って，高度に伸長した時の発生張力の低下はアクチン-ミオシン間のクロスブリッジの数が減ることによるものではない．なぜならば，たとえ心室が極端に拡張したとしても，筋線維がそこまで伸長されることはないからである．発生張力の低下は，心筋線維が断裂し始めることによるものである．

心筋の収縮はカテコールアミンによっても増大する．この収縮力増大は筋線維の長さが変化しなくても起こる．カテコールアミンによる収縮力増大（正の変力作用 positive ionotropic effect）は，神経支配を受けているアドレナリン β_1 受容体と cAMP が Ca^{2+} ホメオスタシスに影響を与えることによる．心臓にはまた，神経支配を受けていないアドレナリン β_2 受容体もある．これも cAMP を介してはたらいているが，その変力作用は小さく，心房に対する効果が主である．cAMP はプロテインキナーゼ A を活性化し，電位作動性 Ca^{2+} チャネルをリン酸化することによって Ca^{2+} チャネルの開口時間を延長する．cAMP はまた筋小胞体内への Ca^{2+} の能動輸送を促進し，心筋の弛緩を速くする結果，収縮期を短縮する．この効果は，心拍数が増えた時に重要な意味をもつ．拡張期が短縮されずにすむために，心室が十分に充満されるからである（30 章参照）．

代　　謝

哺乳類の心臓は多量の血液の供給を受け，多数のミトコンドリアをもち，酸素貯蔵機構としてはたらく筋色素であるミオグロビンを多量に含んでいる．通常の状態では，嫌気的代謝によって供給されているエネルギーは，全エネルギーの 1％ 未満である．低酸素状態ではこの数値は 10％ 近くまで増加するようである．しかし完全な無酸素状態では，嫌気的代謝によって得られるエネルギーは心室の収縮を維持するには不十分である．基礎状態にあるヒトの心臓では，必要とするカロリーの 35％ は炭水化物で，5％ はケトンとアミノ酸で，残りの 60％ は脂肪で賄われている．しかしな

がら，利用される基質の割合は栄養条件によって著しく変わる．大量のグルコースを摂取した後では乳酸とピルビン酸が利用され，長期にわたる飢餓状態ではより多くの脂肪が利用される．通常，利用される脂肪のほぼ半分は循環血液中の遊離脂肪酸である．未治療の糖尿病患者では，心筋の炭水化物の利用量が減少し，脂肪の利用量が増加する．

平滑筋の形態

平滑筋には目に見える横紋がないので，解剖学的に骨格筋や心筋と区別される．アクチンとミオシンIIは平滑筋にもあり，互いに滑走して収縮を起こす．しかし，筋フィラメントが骨格筋や心筋のように規則正しく並んでいないので，横紋は見られない．Z帯の代わりに**デンスボディ dense body** と呼ばれる構造が細胞質に存在し，細胞膜に付着している．デンスボディは，αアクチニンを介してアクチンフィラメントと結合している．平滑筋にもトロポミオシンはあるが，トロポニンはないようである．アクチンとミオシンのアイソフォームは骨格筋のものとは異なる．筋小胞体はあるが，発達が悪い．一般に，平滑筋はミトコンドリアが少なく，代謝は解糖に大きく依存している．

型

身体の異なる部分に存在する平滑筋の構造と機能にはかなりの相違がある．一般的に，平滑筋は**単一ユニット平滑筋 unitary smooth muscle**（**内臓平滑筋 visceral smooth muscle**）と**多ユニット平滑筋 multiunit smooth muscle** に分けることができる．単一ユニット平滑筋は大きな層状構造をなし，個々の筋細胞の間は多くの抵抗の低いギャップ結合で連絡されていて，シンシチウムとして機能する．単一ユニット平滑筋は，主に中空臓器の壁に見られる．腸管，子宮，尿管などの筋がその例である．多ユニット平滑筋にはギャップ結合がほとんどなく，独立した単位から構成されている．たとえば眼の虹彩のように，微細で段階的な収縮を行うところに見られる．多ユニット平滑筋は随意的に制御できないが，機能的には骨格筋によく似た点が多い．多ユニット平滑筋の個々の細胞は，神経終末とシナプスを形成している（シナプス・アン・パサン）．これに対して単一ユニット平滑筋では，神経終末とシナプスを形成している平滑筋細胞は少数で，興奮はギャップ結合を通じて他の細胞に広がる．また単一ユニット平滑筋は，循環血液中のホルモンやその他の物質に反応する．血管壁には，多ユニット平滑筋と単一ユニット平滑筋の両方が存在する．

電気的活動と機械的活動

単一ユニット平滑筋は膜電位が不安定であり，また神経支配とは無関係に絶えず不規則に収縮する．このような持続する部分的な収縮を**トーヌス tonus** または **tone** という．膜電位には真の意味の"静止"電位は存在せず，活動している時には比較的脱分極しており，活動が抑制されている時には比較的過分極している．比較的静止時の膜電位はおおよそ−20〜−65 mV 程度である．平滑筋細胞の電気的活動は多様である（たとえば図5・18）．数 mV のゆっくりした正弦波様のゆらぎが見られ，0電位を超えてオーバーシュートしたりしなかったりする活動電位が現れる．多くの内臓組織の平滑筋では，活動電位の持続は約50ミリ秒である．しかし，活動電位に心筋のような長いプラトーをもつ内臓平滑筋もある．骨格筋や心筋と同様，電気的活動には K^+ チャネル，Na^+ チャネル，Ca^{2+} チャネルや Na^+，K^+-ATPase が重要な役割を果たしている．しかし，個々の平滑筋でこれらがどのように関与しているかは，本書では扱わない．

単一ユニット平滑筋は絶えず活動しているため，電気的現象と機械的現象との関係を研究するのは難しい．しかし比較的不活発な内臓組織では，活動電位が1回だけ発生することがある．そのような単一平滑筋では，活動電位から500ミリ秒も遅れて収縮が発生することがある．このように単一平滑筋の興奮-収縮連関は，脱分極の開始から収縮の開始までの時間が10ミリ秒以下である骨格筋や心筋に比べて，非常にゆっくりした過程である．単一ユニット平滑筋と異な

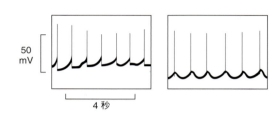

図 5・18 モルモット結腸紐の単一平滑筋細胞に見られる自発性電気活動．**左**：ペースメーカー電位のような膜電位変化に引き続いて活動電位が発生するもの．**右**：正弦波のような膜電位変動の上昇相に活動電位が発生するもの．この他，正弦波の下降相に活動電位が発生する場合もあるし，1つの細胞にペースメーカー電位と正弦波が混在する場合もある．

り，多ユニット平滑筋はシンシチウムではなく，収縮は平滑筋組織全体に広がらない．このため，多ユニット平滑筋の収縮は細かく段階的に調節され，また局所的である．

収縮の分子的基礎

骨格筋や心筋と同じく，平滑筋の収縮の開始には細胞内 Ca^{2+} 濃度の上昇が重要である．しかし Ca^{2+} がどこから供給されるか，という点では単一ユニット平滑筋は大きく異なっている．活動を引き起こす刺激により，細胞内 Ca^{2+} は細胞膜の電位作動性またはリガンド作動性 Ca^{2+} チャネルを通して細胞外から流入したり，リアノジン受容体 ryanodine receptor (RyR) や筋小胞体の Ca^{2+} 放出チャネルである**イノシトール三リン酸受容体** inositol trisphosphate receptor (IP_3R) を通して細胞内 Ca^{2+} 貯蔵部位（筋小胞体など）から放出されたりする．トロポニンがないので，Ca^{2+} がトロポニンに結合することによる収縮の制御はない．代わりに，平滑筋のミオシン ATPase はミオシンのリン酸化によって活性化される．ミオシンのリン酸化と脱リン酸化は骨格筋でも起こるが，骨格筋ミオシンのリン酸化は ATPase の活性化に必要ではない．平滑筋では，Ca^{2+} はカルモジュリン calmodulin と結合する．その結果できる Ca^{2+}-カルモジュリン複合体は**カルモジュリン依存性ミオシン軽鎖キナーゼ** calmodulin-dependent myosin light chain kinase を活性化する．この酵素は，ミオシン軽鎖の 19 番目の位置にあるセリンをリン酸化し，ミオシン軽鎖の ATPase 活性を高める．

ミオシンは細胞内の**ミオシン軽鎖ホスファターゼ** myosin light chain phosphatase によって脱リン酸化される．しかしミオシン軽鎖の脱リン酸化は，必ずしも平滑筋を弛緩させるとは限らない．平滑筋の収縮，弛緩には様々な機構が関与している．その1つとして，平滑筋にはラッチブリッジ latch bridge 機構がある．ミオシンのクロスブリッジは，一度形成されると，細胞質中の Ca^{2+} 濃度が低下してもしばらくはアクチンに結合したままである．これにより，ほとんどエネルギーを消費することなく，収縮を持続することができる．ラッチブリッジ機構は，特に血管平滑筋で重要な意味をもつ．筋の弛緩は，Ca^{2+}-カルモジュリン複合体が解離することによって，あるいは何らかの別の機構がはたらくことによって起こる．単一ユニット平滑筋の収縮と弛緩に関与する事象を図 5・19 に要約する．多ユニット平滑筋でも大きな違いはない．

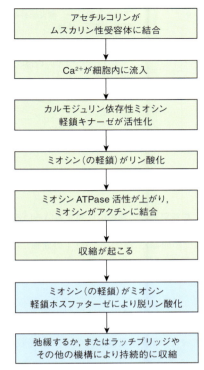

図 5・19 平滑筋の収縮-弛緩過程で起こる事象．収縮の開始から弛緩までの間に起こる分子的変化をフローチャートで示した．骨格筋や心筋の興奮-収縮連関との違いに注目．

単一ユニット平滑筋は，他の筋と異なり，外部からの神経支配がなくても引き伸ばされると収縮するという特徴をもっている．単一ユニット平滑筋を伸長すると脱分極が起こり，活動電位の頻度が増加し，トーヌスが全般に増大する．

細胞内電位を記録するようにセットした腸管平滑筋標本にアドレナリンまたはノルアドレナリンを投与すると，過分極が起こり，活動電位の発生頻度は減少し，筋は弛緩する（図 5・20）．ノルアドレナリンはノルアドレナリン作動性神経終末から放出される化学伝達物質であるので，腸管平滑筋標本を支配するノルアドレナリン神経を刺激すると抑制性電位が発生する．アセチルコリンは腸管平滑筋の膜電位と収縮に対してノルアドレナリンと逆の効果をもっている．摘出した腸管平滑筋標本を浸している溶液中にアセチルコリンを加えると，脱分極が起こり，活動電位は頻繁に発生するようになる．持続性収縮張力は大きくなり，律動性収縮の頻度が増加して筋活動が活発になる．この効果はホスホリパーゼ C が IP_3 を産生し，その IP_3 が IP_3 受

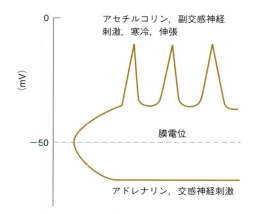

図 5・20 腸管平滑筋の膜電位に対するいろいろな因子の影響. 様々な薬物やホルモンは，平滑筋の静止膜電位を浅くしたり（上の曲線），深くしたり（下の曲線）することによって，活動電位の発生頻度を変える．

容体を介して Ca^{2+} を放出するためである．動物の体内でも，コリン作動性神経を刺激するとアセチルコリンが放出され，興奮性電位が発生し，腸管収縮は強くなる．

単一ユニット平滑筋と同様，多ユニット平滑筋は周囲の化学物質に対して非常に強い感受性をもち，通常は遠心性神経の終末から放出される化学伝達物質（アセチルコリンとノルアドレナリン）によって活性化される．特にノルアドレナリンは筋組織中に長く残存し，1回の刺激に対して反復興奮を引き起こしやすい．したがって，この場合の収縮は1回の単収縮ではなく，不規則な強縮である．多ユニット平滑筋の1回の単収縮は，骨格筋の単収縮に似ているが，持続時間が10倍も長い．

弛 緩

平滑筋の収縮を増強する機構に加えて，平滑筋を弛緩させる機構がある（**クリニカルボックス 5・7**）．血管壁の平滑筋が弛緩すると血流が増加するので，このような弛緩機構は特に血管平滑筋（動脈）で重要である．動脈壁は3層構造をとっている．内膜は主として内皮細胞で，中膜は主に平滑筋，外膜は結合組織，細胞外マトリックスと線維芽細胞で構成されている．血管内膜に並んでいる血管内皮細胞が平滑筋を弛緩させる因子[**内皮細胞由来弛緩因子** endothelium-derived relaxing factor（EDRF）]を出すことは古くから知られていたが，EDRF の実体が気体セカンドメッセンジャーの**一酸化窒素** nitric oxide（NO）であることが後

クリニカルボックス 5・7

平滑筋に作用する一般的な薬物

喘息の発作時に見られるように，気道の平滑筋が過剰に興奮すると，気管支の狭窄や攣縮が生じる．平滑筋の収縮や他の気管支喘息の症状を緩和するために，気道に薬物を噴霧する吸入器が広く使われている．多くの薬物（たとえばサルブタモール salbutamol など）は，気道平滑筋のアドレナリンβ受容体にはたらいて，速やかに弛緩させる．これらのアドレナリンβ受容体作動薬は喘息に伴う症状（たとえば炎症や粘液の分泌亢進）をすべて緩和するわけではないが，薬物は即効的に気道を広げて空気の流れを回復させ，気道狭窄をさらに改善する他の治療を可能にする．

平滑筋に効く薬物は，血流を増加させ血圧を下げる目的にも使われる．本文中にも述べたように，NO は環状グアノシン一リン酸（cGMP）の増加を通して血管平滑筋を弛緩させるシグナル分子である．通常は，この信号伝達経路は，cGMP を GMP に分解する**ホスホジエステラーゼ** phosphodiesterase（PDE）によって抑制されている．シルデナフィル sildenafil，タダラフィル tadalafil や，バルデナフィル vardenafil といった薬物は，PDE の中でも陰茎の海綿体の平滑筋（25，32章参照）や肺血管に主に存在するアイソフォーム PDE5（5型 PDE）の特異的阻害薬である．したがって，これらの薬物を経口服用すると PDE5 の作用が阻害され，身体のごく限られた部分の血流が増加することにより，勃起障害や肺高血圧症を改善することができる．

にわかった．内皮細胞で産生される NO は，拡散して平滑筋細胞内に入り，作用を発揮する．NO は，平滑筋細胞内で可溶性グアニル酸シクラーゼを直接活性化し，セカンドメッセンジャーである**環状グアノシン一リン酸** cyclic guanosine monophosphate（cGMP）が産生される．この分子は cGMP 依存性プロテインキナーゼを活性化し，イオンチャネル，Ca^{2+} ホメオスタシス，ホスファターゼなどを調節して，平滑筋の弛緩を引き起こす（32章参照）．

平滑筋支配神経の機能

単一ユニット平滑筋に対するアセチルコリンとノルアドレナリンの効果から，平滑筋の2つの重要な特性がよくわかる．すなわち，(1)神経刺激がなくても自発性活動があること，(2)神経から局所的に放出される化学物質や，血液循環を介して筋に到来する化学物質に対して感受性があること，の2つである．哺乳類の単一ユニット平滑筋は，ふつう自律神経系の2つの系から二重の神経支配を受けている．支配神経の役割は筋の収縮を起こすことにあるのではなく，収縮を修飾することにある．一般に，自律神経系の一方を刺激すると平滑筋の活動が増強するが，他方を刺激すると活動が減弱する．ある臓器では，ノルアドレナリン作動性神経の刺激は平滑筋の活動を強め，コリン作動性神経の刺激は活動を弱くする．一方，他の臓器ではこれと逆の効果が現れる．

収縮張力の発生と可塑性

平滑筋は，骨格筋と比べて経済的である．骨格筋と比較するとミオシン含有量は約20％しかなく，消費ATP量は100倍も少ないにもかかわらず，単位断面積当たり骨格筋と同等の収縮張力を発生する．収縮張力が大きいかわりに，収縮速度はずっと遅い．このような平滑筋の特徴(収縮張力と収縮速度)を生む原因としては，平滑筋特有のミオシンのアイソフォーム，発現している収縮関連タンパク質，収縮の制御メカニズムなどがある．平滑筋細胞の特有の構造や，それらが調和的なユニットとしてはたらくことなども要因としてあげられる．

平滑筋の他の特性として，ある一定の筋の長さで発生する張力が変動することがあげられる．単一ユニット平滑筋の組織片を伸長すると，筋の張力はまず増加する．しかし筋の長さを伸長したままの状態に保つと，張力は徐々に低下し，時には伸長前の張力にまで，あるいはそれ以下にまで低下する．したがって，長さと発生張力を正確に関係付けることは不可能であり，静止長を決めることもできない．このように，いろいろな点で平滑筋は剛体構造をとる組織ではなく，粘性体のような振舞いをする．この性質を平滑筋の**可塑性 plasticity** という．

可塑性による影響は正常なヒトで実際に示すことができる．たとえば，カテーテルを通して膀胱に液体を注入して，いろいろな膨張度にした時に膀胱壁の平滑筋により発生する張力を測定する．膀胱壁がもっている可塑性のために，液体を注入し始めた当初は体積は増えても張力はあまり増えない．しかし，ある体積に達すると膀胱は強く収縮する(37章参照)．

章のまとめ

- 筋には3種類ある．骨格筋，心筋，平滑筋である．
- 骨格筋線維は，真のシンシチウムであり，随意的に制御できる．骨格筋線維は，神経からの電気刺激により収縮する(興奮–収縮連関)．活動電位は，Na^+チャネル，K^+チャネルの協調によって発生する．収縮は，アクチン–ミオシン系(顕微鏡下で見える横紋構造を作る)のCa^{2+}による制御の結果起こる．
- 骨格筋線維は，タンパク質の構成と収縮特性が異なる，いくつかの型に分類される(Ⅰ，ⅡA，ⅡB)．1つの運動単位は，その筋肉中の同じ型の骨格筋線維からなっている．より大きな力が必要となるにつれて，より多くの運動単位が決まった順序で動員される．
- 心筋は，ギャップ結合でつながった個々の細胞(心筋細胞)の集合体である．心筋細胞も興奮–収縮連関過程を経て収縮する．心臓のペースメーカー細胞で最初に発生した活動電位は心臓全体に伝播する．心筋細胞にも横紋を形成するアクチン–ミオシン系があり，収縮を引き起こす．
- 平滑筋は個々の平滑筋細胞からなり，主として自律神経系の支配下にある．
- 平滑筋は大きく2つに分類される．単一ユニット平滑筋と多ユニット平滑筋である．単一ユニット平滑筋では，ギャップ結合の連絡によって多数の細胞が同期して収縮する．多ユニット平滑筋の収縮は，骨格筋の運動単位とよく似た機構によって調節されている．
- 平滑筋細胞はアクチン–ミオシン系によって収縮するが，きれいに整列した横紋はない．骨格筋や心筋と異なり，Ca^{2+}による収縮制御は主としてリン酸化–脱リン酸化反応による．

多肢選択式問題

正しい答えを1つ選びなさい.

1. 骨格筋の活動電位についてあてはまるのは次のどれか.
    A．長いプラトー相をもつ
    B．T管を経てすべての部分に広がる
    C．筋小胞体の終末槽の中にCa^{2+}を直ちに取り込ませる
    D．心筋の活動電位より持続時間が長い
    E．収縮には必要ではない

2. 骨格筋のトロポミオシンの機能は次のどれか.
    A．アクチンの上を滑走して短縮を起こす
    B．収縮発生後にCa^{2+}を放出する
    C．収縮中にミオシンと結合する
    D．ミオシンがアクチンに結合する部位を覆って、静止時に"弛緩タンパク質"としてはたらく
    E．ATPを作り，これを収縮機構に渡す

3. 骨格筋のクロスブリッジを作るのは次のどれか.
    A．アクチン
    B．ミオシン
    C．トロポニン
    D．トロポミオシン
    E．ミエリン

4. 骨格筋の収縮応答についてあてはまるのは次のどれか.
    A．活動電位が終わった後に始まる
    B．活動電位ほど長く続かない
    C．等尺性収縮の方が等張性収縮より大きな張力を発生する
    D．等尺性収縮の方が等張性収縮より大きな仕事をする
    E．繰り返し刺激すると大きさが減少する

5. ギャップ結合についてあてはまるのは次のどれか.
    A．心筋にはない
    B．心筋にあるが機能は重要ではない
    C．心筋にあり，1つの心筋線維から他の心筋線維へ興奮が速く広がる経路となる
    D．平滑筋にはない
    E．筋小管系を個々の骨格筋線維につなげる

CHAPTER 6

シナプス伝達と接合部伝達

学習目標
本章習得のポイント

- ニューロン間に形成されるシナプスの主要な構成要素の構造と機能について理解する
- 速い EPSP（興奮性シナプス後電位），遅い EPSP，IPSP（抑制性シナプス後電位），それぞれの電位発生に関わるイオン機序を理解する
- シナプス後細胞におけるシナプス後電位の時間的加重と空間的加重の相違，ならびにそれらが活動電位の発生をどのように制御しているかを理解する
- シナプス後抑制，シナプス前抑制，シナプス前促通とは，それぞれどのようなものか，説明する
- 神経筋接合部の構造を理解し，運動ニューロンの活動電位が接合部に到達した時から骨格筋の活動に至るプロセスを理解する
- 神経効果器接合部において，自律神経の情報伝達がいかに行われるかを説明する
- 除神経性過敏について説明できる
- 神経筋接合部機能不全の病態生理学を理解する

■ はじめに

軸索や骨格筋に見られる，"全か無か"様式の伝導については 4 章と 5 章において記述した．1 つの神経細胞から別の神経細胞へのインパルスの伝達 transmission は**シナプス synapse** で行われる．シナプスとは，あるニューロン（**シナプス前細胞 presynaptic neuron**）の軸索，その他の部分が，別のニューロン（**シナプス後細胞 postsynaptic neuron**）の細胞体や樹状突起や軸索に終止する場のことである．ニューロンからニューロンへの交信は，**化学シナプス chemical synapse** もしくは**電気シナプス electrical synapse** を介して行われている．多くのシナプスにおいて，伝達は化学的なので，本章では特別に明示しない限り化学的伝達に関してのみ述べる．

厳密には，ニューロンが筋に終止する部位は，**神経筋接合部 neuromuscular junction** と呼ばれ，シナプスと区別されている．神経から筋への伝達はニューロンからニューロンへの化学シナプスの伝達に似ている．自律神経系ニューロンが平滑筋，心筋，分泌腺などに接合する構造は，シナプスや神経筋接合部に比べ，特殊化しておらず，空間的・時間的により広範囲に及ぶ信号伝達を行っている．ニューロンがその効果器官に情報伝達する場は，**神経効果器接合部 neuroeffector junction** と呼ばれている．本章においては，これらの伝達様式についても概説する．

シナプス伝達：機能的解剖学

哺乳類神経系の種々の部位において，シナプスの組織学的構造は非常に多様である．シナプス前線維の末端は一般には膨大し，**終末ボタン terminal button**（または**シナプス小頭 synaptic knob** といわれる）を形成している（図 6・1）．大脳および小脳の皮質において，これらの終末部の多くは樹状突起，特に樹状突起から突き出ている棘状構造物（**樹状突起棘 dendritic spine**）に終止している（**軸索-樹状突起シナプス axodendritic synapse**，図 6・2）．ある場合にはシナプス前ニューロンの軸索の終末枝は，シナプス後細胞の細胞体や軸索

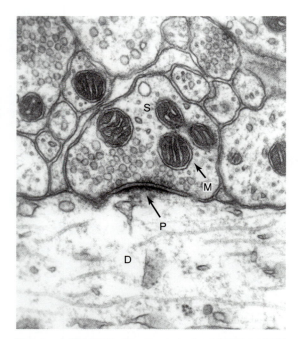

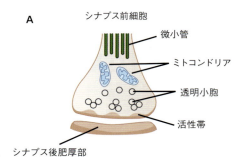

図6・1 中枢神経系において，シナプス小頭部(S)が樹状突起主軸(D)に接合している様子を示した電子顕微鏡写真．(×56 000)．M：ミトコンドリア，P：シナプス後肥厚部．

に終止している．それぞれ，**軸索-細胞体シナプス axosomatic synapse**，**軸索-軸索シナプス axoaxonal synapse** と呼ばれている．平均して，各ニューロンは2000個以上のシナプス終末部に分岐している．したがって，ニューロン間の情報伝達は極めて複雑である．シナプスは，動的な構造であり，使用頻度や経験により複雑性や数が増減する．

シナプス構成要素の機能

樹状突起は，他のニューロンに由来する信号を受容し，演算し，細胞体に伝達する主要な場としての機能を有している．複雑に分岐し，多数のシナプス前終末が付着している樹状突起においては，抑制性と興奮性の活動が活発に相互作用している．樹状突起棘は，(日から月ではなく) 分から時間のスケールで，新たに出現し，形を変え，また消失する．さらに，タンパク質合成の大部分は核を有する細胞体において行われているが，mRNA鎖のあるものは樹状突起へ輸送され，樹状突起棘において単一リボソームと複合体を形成し，タンパク質が局所的に合成される．これらのタンパク質には，個々のシナプスにおける伝達効率に影響を及ぼすものがある．樹状突起棘の分子，形態，機能の変

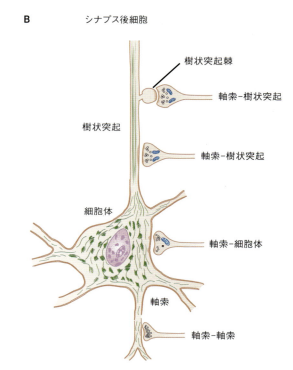

図6・2 シナプスの構造(A)と種類：軸索-樹状突起間，軸索-軸索間，軸索-細胞体間のシナプス(B)．シナプス前ニューロンは樹状突起棘に終わるものが多い．しかし直接に樹状突起の幹に終わるものがある(B)．透明小胞と有芯小胞が神経線維終末端にあり，透明小胞が活性帯に集まっていることに注意(A)．

化が，動機づけ，学習，記憶の基盤になっていると考えられる(15章参照)．

化学シナプスにおいて，それぞれのシナプス前終末は幅20〜40 nmの**シナプス間隙 synaptic cleft** によって，シナプス後部構造と隔てられている．シナプス間隙の真向かいのシナプス後膜には神経伝達物質の受容体が高密度で存在している．また，シナプス後膜は電

子顕微鏡下で肥厚して見えることが多い．この部位は**シナプス後肥厚部 postsynaptic density**と呼ばれている(図6・2)．シナプス後肥厚部は，受容体およびシナプス後膜反応によって活性化される酵素群が足場タンパク質[*1]により整然と構成されている複合体である．

シナプス前終末の内部にはミトコンドリアが多数認められている．また，そこには神経伝達物質を含有する小胞様構造物が多数存在している(7章参照)．このような**シナプス小胞 synaptic vesicle**は，大きく3種類に分類されている．(1)小型の透明小胞：アセチルコリン，グリシン，GABAまたはグルタミン酸が含まれている．(2)小型の有芯小胞：カテコールアミン類が含まれている．(3)大型の有芯小胞：神経ペプチドが含まれている．シナプス小胞と小胞膜タンパク質[*2]は神経細胞体で合成され，**速い軸索輸送メカニズム fast axoplasmic transport**によって軸索中を終末に向けて輸送されている．大型の有芯小胞中の神経ペプチドは，細胞体のタンパク質合成装置で合成されている．しかし，小型の透明小胞と小型の有芯小胞は終末でリサイクルされている(図6・3)．それらは，形質膜と融合し，エキソサイトーシス(開口放出．p.54参照)で神経伝達物質を放出し，そしてエンドサイトーシス(p.55参照)で回収され，終末部において神経伝達物質が再充填される．回収された小胞のあるものは，エンドソームに入り，そしてエンドソームから出芽する．その後，神経伝達物質を再充填し，再び小胞サイクルに入る．また，シナプス小胞の内容物は形質膜との間に形成される小さな穴を通して放出される可能性がある．その穴は速やかに閉じられ，完全な融合は起こらない(**キス・アンド・ラン放出 kiss-and-run discharge**)．したがって，エンドサイトーシスの過程が省略されている[*3]．

大型の有芯小胞は，それを有するシナプス前終末の全域にわたり分布しており，エキソサイトーシスによって神経ペプチドの内容物を遊離する．この場合，エキソサイトーシスの起こる部位は特殊化していない．これと異なり，小型のシナプス小胞はシナプス間隙の近くに局在し，膜に融合した後，内容物は**活性帯**

[*1] 訳注：原書にはbinding proteinsとあるがscaffold proteinsと呼ぶのが一般的である．

[*2] 訳注：原書では小胞内タンパク質とあるが小胞膜タンパク質の方がより一般的なので，旧版の訳を採用した．

[*3] 訳注：キス・アンド・ラン放出が，一般的なメカニズムか否かに関しては，議論があるため，旧版の訳を採用した．

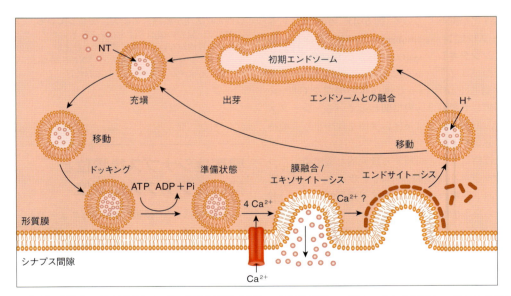

図6・3　シナプス前終末での小型のシナプス小胞のリサイクル．小胞は初期エンドソームから出芽し，そこから分離する．その後，神経伝達物質(NT：左上)を充填する．分離した小胞は形質膜の放出部位に移動し，そこにドッキングされ準備状態になる．活動電位が神経終末に到達すると，Ca^{2+}流入が引き金となり，膜の融合および小胞内容物のシナプス間隙へのエキソサイトーシスが引き起こされる．小胞膜はその後クラスリンに被われることにより，エンドサイトーシスが促進される．細胞質に取り込まれるとクラスリンが離れ，リサイクルする(訳注：図中に経路を増やし，原書の記述を補った)．一部は初期エンドソームと融合した後リサイクルする．

active zone という膜の肥厚部位から急速にシナプス間隙に放出される（図6·2）．活性帯においては，電位作動性 Ca^{2+} チャネルが放出部位の近傍に分布している．

シナプス前終末における神経伝達物質のエキソサイトーシスは，Ca^{2+} の流入により引き起こされ，そのプロセスに要する時間は，200 マイクロ秒以下である．したがって，シナプス後細胞の受容体の近傍で遊離されることにより，神経伝達物質が効率よく作用する．このようなシナプスの規則正しい構成の一部は，**ニューレキシン neurexin** に依存している．ニューレキシンは，シナプス前終末に分布する細胞接着分子であり，シナプス後部膜に分布する**ニューロリギン neuroligin** と結合する．ニューレキシン-ニューロリギン相互作用は，シナプスの前部と後部をつないでいるだけではなく，シナプスの特異性を作り出しているメカニズムの1つである．

2章で述べたように，小胞の出芽，融合，内容物の放出，およびその後の小胞膜の回収は，ほとんどあらゆる細胞で起こる基本過程である．したがって，シナプスにおける神経伝達物質の放出およびその後の膜の回収は，一般的なエキソサイトーシスとエンドサイトーシスの過程が特殊化したものである．シナプス小胞と細胞膜との融合には，N-エチルマレイミド感受性融合タンパク質（NSF），SNAP（可溶性 NSF 接着タンパク質），**SNARE**（SNAP 受容体）など種々のタンパク質の活性化が関与している（図6·4）．小胞膜にある**シナプトブレビン synaptobrevin**（VAMP *[*4]）は，細胞膜にある**シンタキシン syntaxin** および **SNAP-25** *[*5] と複合体を形成する*[*6]．さらに Rab，Sec1/Munc18 様タンパク質などが加わった複合体の形成を GTPase 活性が制御して膜融合過程に関わっている．シナプスにおける一方向性伝達は神経の機能を秩序正しく維持するのに必要である．

神経伝達物質放出を遮断する致死的な毒素のいくつかは，シナプス小胞の融合-エキソサイトーシスに関わるタンパク質複合体の構成要素を選択的に加水分解し，それらを不活性化する亜鉛エンドペプチダーゼである．破傷風菌やボツリヌス菌に由来する神経毒素が，中枢神経系（CNS）や神経筋接合部における神経伝達物質放出を遮断するしくみについて，クリニカルボックス6·1で概説する．

＊4 訳注：vesicle-associated membrane protein の略．
＊5 訳注：原書では SNAPs とあるが，SNAP-25 のことである．
＊6 訳注：シナプトブレビンの細胞質ドメインヘリックス，シンタキシンの細胞質ドメインヘリックス，SNAP-25 の2つのヘリックスが coiled-coil 複合体構造を形成する．

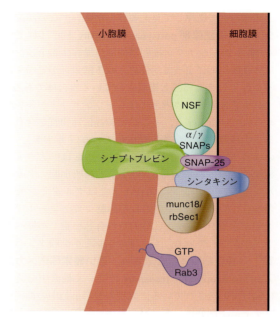

図6·4 神経終末においてシナプス小胞のドッキングおよび融合の際に，相互に作用する主要なタンパク質．シナプス小胞のドッキングや膜融合のプロセスには，数多くのタンパク質が関与している．その中には，N-エチルマレイミド感受性融合タンパク質（NSF），SNAP（可溶性 NSF 接着タンパク質），SNARE（SNAP 受容体）などが含まれる．小胞膜にあるシナプトブレビンは，細胞膜にあるシンタキシンおよび SNAP-25 と複合体を形成する．さらに Rab，Sec1/Munc18 様タンパク質などが加わった複合体が形成され，GTPase 活性が膜融合の制御に関わっている．（訳注：図は訳者改変．原書の図からは SNAP-25 とシナプトブレビンの分子間相互作用がないようにも受け取れるが，最近の研究から，シナプトブレビン，シンタキシン，SNAP-25 が SNARE 複合体の骨格を形成することが明らかにされた）．

シナプス後ニューロンの電気現象

興奮性シナプス後電位と抑制性シナプス後電位

脊髄において，後根線維（感覚ニューロン）を刺激すると，α 運動ニューロンにおいて，興奮性あるいは抑制性の応答が引き起こされる（図6·5）．この時，1つのインパルスがシナプス前ニューロンの末端に達し，シナプス後ニューロンに応答が現れるまでに要する時間を**シナプス遅延 synaptic delay** という．これは，神経伝達物質が放出されシナプス後ニューロン膜に作用するのに必要な時間である．シナプス遅延のために，ニューロン連鎖に沿ってインパルスが伝導される時，介在するシナプスが多いほど時間がかかる．また1

クリニカルボックス 6・1

ボツリヌス毒素と破傷風毒素

クロストリジウム菌類 Clostridia は，グラム陽性の細菌である．これに属する破傷風菌 Chlostridium tetani やボツリヌス菌 Chlostridium botulinum の作り出す毒素(**破傷風毒素 tetanus toxin** および**ボツリヌス毒素 botulinum toxin**)は，ヒトに作用するものとしては，最も毒性の高い生物毒素である．これらの神経毒素には，CNS や神経筋接合部における神経伝達物質放出を阻害するはたらきがある．破傷風毒素は，神経筋接合部のシナプス前終末膜に強く結合し，逆行性に軸索内を輸送され，脊髄運動ニューロンの細胞体に到達する．そこからさらに，抑制性介在ニューロンのシナプス前終末に取り込まれる．これらの終末において，破傷風毒素は，膜の**ガングリオシド ganglioside** に結合し，グリシンや GABA の放出を阻害する．その結果，運動ニューロンの活動性が著明に亢進する．臨床的には，破傷風毒素により，**痙性麻痺 spastic paralysis** が起こる．たとえば，咬筋の痙攣による"**牙関緊急(開口障害)lockjaw**"を特徴とする．ボツリヌス中毒は，食中毒，乳幼児消化管における保菌，創傷感染などに伴って発症する．ボツリヌス毒素には 7 種類あるが，そのうちヒトに症状を引き起こすものは，主に A 型，B 型，E 型の 3 種類である．A 型と E 型は，SNAP-25 を加水分解する．SNAP-25 は，シナプス前終末の膜タンパク質の 1 つで，アセチルコリンなどの神経伝達物質を含有するシナプス小胞の形質膜へのドッキング(神経伝達物質放出の基本過程の 1 つ)に必要なタンパク質である．B 型は，**シナプトブレビン synaptobrevin(VAMP)**を加水分解する．神経筋接合部におけるアセチルコリンの放出が抑制されるため，これらの毒素により眼瞼下垂 ptosis，複視 diplopia，構音障害 dysarthria，発声障害 dysphonia，嚥下困難 dysphagia などを特徴とする**弛緩性麻痺 flaccid paralysis** が引き起こされる．

治療上のハイライト

破傷風は，**破傷風毒素ワクチン tetanus toxoid vaccine** の接種により予防することができる．米国においては，1940 年代中頃から，このワクチンの接種が広く行きわたり，破傷風毒素中毒の発生が著明に減少した．ボツリヌス中毒の発生頻度は低い(米国においては年間約 100 例)が，患者の症状は重篤なことが多く，致死率は 5〜10% である．治療としては，抗毒素抗体が有効である．また，呼吸困難のおそれがあるケースでは，人工呼吸装置の適用になる．しかし，一方では，少量のボツリヌス毒素("**ボトックス Botox**")を局所的に投与することが，筋肉の興奮過多を伴う様々な疾患の治療に有効であることがわかってきた．たとえば，食道下部括約筋に対する投与は食道無弛緩症(アカラシア achalasia)の治療に有効である．また，顔筋に対する投与はしわを取り除く効果が，下肢筋への投与は脳性麻痺患者の痙攣を軽減する効果がある．

つのシナプスを通過する最小時間が 0.5 ミリ秒であることから，シナプス遅延を計測することにより，ある反射が**単シナプス性 monosynaptic** のものか，**多シナプス性 polysynaptic**(シナプスが 2 個以上含まれているもの)のものかを判別することができる．

　前述のような実験条件で，感覚神経に刺激を与えても，それが単一である場合，シナプス後ニューロンの細胞体に伝導性活動電位を生じない．この場合，小さな脱分極または過分極のいずれかが，一過性に引き起こされる．最初の脱分極は，単一刺激インプットによる求心性インパルスが脊髄に入ってから約 0.5 ミリ秒後に始まる[*7]．この脱分極は 1〜1.5 ミリ秒後にピークに達し，その後，指数関数的に減少する(図 6・5)．

この電位の発生中はニューロンの他の刺激に対する興奮性は高まっている．ゆえに，この電位は速い**興奮性シナプス後電位 excitatory postsynaptic potential (EPSP)**と呼ばれている．

　速い EPSP は，シナプス前終末直下のシナプス後細胞膜の脱分極によって発生する．興奮性神経伝達物質はシナプス後膜のチャネルを開口することにより，Na^+ または Ca^{2+} に対する透過性が亢進し，内向き電流を誘発する．このようにして生じた電流発生部位の面積は非常に小さいので，ニューロンの全細胞膜を脱分極するのに十分な陽電荷を流入させることができ

[*7] 訳注：この EPSP の潜時は，シナプス遅延による．

A 伸張反射（膝蓋腱反射）

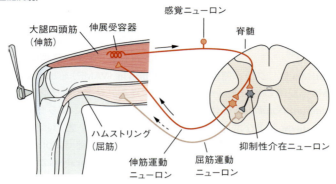

B 神経回路におけるニューロン活動計測実験

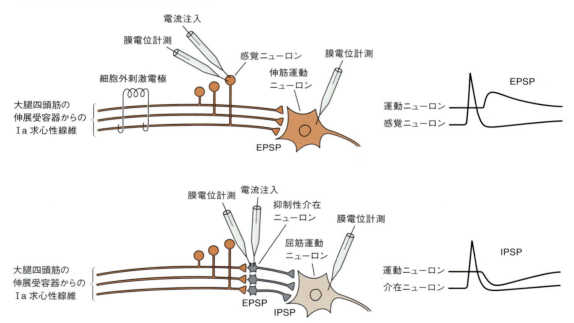

図 6・5　伸張反射に関わる興奮性および抑制性のニューロン結合は，中枢神経回路の好例である． A：大腿四頭筋の筋紡錘中にある伸展受容器に由来する感覚神経は，同一の筋を支配する伸筋運動ニューロンに興奮性シナプス結合する．また，抑制性介在ニューロンを介して，拮抗性のハムストリング筋群を支配する屈筋運動ニューロンを抑制する．B：運動ニューロンの興奮または抑制を研究する実験．（上）伸筋運動ニューロンの（脱分極性の）EPSPは，細胞外電極によるIa求心性線維の電気刺激および感覚ニューロンに挿入した電極からの細胞内通電の2種類の方法で引き起こされる．（下）抑制性介在ニューロンに挿入した電極からの細胞内通電により，屈筋運動ニューロンに（過分極性の）IPSPが引き起こされる．EPSP：興奮性シナプス後電位，IPSP：抑制性シナプス後電位(Kandel ER, Schwartz JH, Jessell TM(editors): *Principles of Neural Science*, 4th ed. New York, NY: McGraw-Hill; 2000 より許可を得て複製)．

ず，ただ1つの小さな脱分極が細胞体にもたらされるにすぎない．しかし，1つのシナプス小頭部の興奮によるEPSPは小さいが，興奮した多くの小頭部それぞれによって発生した脱分極は加重する．

刺激によってEPSPを発生する入力もあるが，過分極性応答を生じる入力もある．この過分極性応答は，EPSPと同様に刺激後1〜1.5ミリ秒でピークに達し，指数関数的に減衰する（図6・5）．この電位の発生中はニューロンの興奮性は低下するので，この電位は速い**抑制性シナプス後電位** inhibitory postsynaptic potential(IPSP)と呼ばれる.

　速いIPSPは，Cl⁻に対する膜の透過性が局所的に亢進するために発生する.抑制性シナプス小頭部が活性化すると，放出された神経伝達物質によって，小頭部直下のシナプス後膜にあるCl⁻チャネルが開口し，Cl⁻は電気化学的勾配に従って動く.これらのイオンの出入りの差し引きされた結果によって負電荷が細胞内に移動して，膜電位は過分極側にシフトする[*8].

　IPSPで神経細胞の興奮性が低下する原因の一部は，膜電位が発火閾値レベルから遠ざかることにある.その結果，より大きな脱分極が得られなければ，発火レベルに到達できなくなる.IPSPがCl⁻の透過性に依存していることは，シナプス後細胞の静止膜電位を変えながら，反復刺激することにより確かめられる.Cl⁻平衡電位(E_{Cl})付近の膜電位において，IPSPは見えなくなり，膜電位をさらに過分極すると，IPSPの極性が反転し，脱分極性になる(図6·6).極性の反転する膜電位を**反転電位 reversal potential**という.

　神経伝達物質により引き起こされたイオンの出入りの差し引きによる過分極がIPSPなので，IPSPは，Cl⁻にのみ依存しているとは限らない.たとえば，K⁺

＊8 訳注：電気化学的勾配によっては過分極するとは限らない（細胞Cl⁻濃度が低い場合のみ過分極が起こる）.

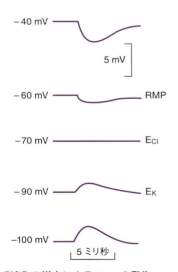

図6·6　Cl⁻流入の増大によるIPSPの発生.この実験では，ニューロンの静止膜電位(RMP)を様々なレベルに変動させながら，入力刺激を与えている.　膜電位がE_{Cl}に等しい時にはIPSPは消え，膜電位をこれより過分極するとIPSPは正となる(例，E_K付近).極性の反転する膜電位を反転電位という.

チャネルが開口して，シナプス後細胞からK⁺が流出することによっても，あるいは，Na⁺チャネルやCa²⁺チャネルが閉じることによっても，IPSPが発生する.

遅いシナプス後電位

　上述の速いEPSPとIPSPに加えて，自律神経節，心筋，平滑筋，皮質ニューロンに時間経過の遅い(slow)EPSPとIPSPとが存在する.これらのシナプス後電位はシナプス遅延が100〜500ミリ秒であり，数秒間持続する.遅いEPSPは一般にはK⁺コンダクタンスの減少によるのに対して，遅いIPSPはK⁺コンダクタンスの増加による.

電気的伝達

　電気シナプスにおいては，シナプス前ニューロンとシナプス後ニューロンの膜が近接し，ギャップ結合 gap junction(2章参照)を形成している.他の組織において形成される細胞間結合と同様に，ギャップ結合により形成される低抵抗の架橋を介してイオンが比較的容易に移動する.その結果，シナプス前終末に到達したインパルスは，化学的伝達が行われるシナプスに比べ，格段に短い潜時でEPSPをシナプス後ニューロンに発生させる.

シナプス後ニューロンにおける活動電位の発生

　シナプス後ニューロンに対して，興奮性および抑制性活動が常に影響を及ぼしているので，過分極性と脱分極性応答との統合[*9]として膜電位が絶えず変動している.その結果，神経細胞体は積分装置として機能する.神経細胞体の脱分極が活動電位閾値に達すると，伝導性スパイクが発生する.しかし，ニューロンの発火はこれより少し複雑である.運動ニューロンでは，活動電位を発生させる最も閾値の低い部位は**初節 initial segment**，すなわち，軸索小丘のやや下流にある軸索部に存在する(4章参照).この部分は，髄鞘(ミエリン鞘)に被われておらず，興奮性および抑制性シナプス小頭部直下の膜に発生する電流の吸込口 sinkか吹出口 sourceになり，電気緊張性に脱分極または過分極が引き起こされる.この部位が最初に活動電位を発生する部位である.活動電位は2方向に伝導し，

＊9 訳注：単純な代数和ではないので統合とした.

1つは軸索を下行するのに対し，他の1つは細胞体へと逆行性に伝導する．このような細胞体への逆行性活動電位は，細胞のその後の興奮性および抑制性活動の相互作用を回復させるために，細胞膜の状態を"リセット"するという意味があるのだろう．

シナプス後電位の時間的加重と空間的加重

シナプス後電位が加算され，活動電位が引き起こされるプロセスにおいて，ニューロンの2つの受動的な膜特性が重要である（図6・7）．その1つはニューロン**時定数** time constant であり，シナプス電位の持続時間の決定因子である．他の1つはニューロン**長さ定数**（空間定数）length constant であり，脱分極性電流が受動的に拡散するにつれ，距離とともに減弱する度合いの決定因子である．図6・7には，単一のシナプス前ニューロンの活動によるEPSPが連続して発生した際の脱分極の大きさに対する時定数の効果を示している．時定数が大きくなるに従い，連続する2つのEPSPが加算され，活動電位を発生する確率が増大する．先行のEPSPが減衰する前に第二のEPSPが加わると，両者が加算され，ここに示す例のように，シナプス後ニューロンに活動電位を引き起こすのに十分な効果が得られる（**時間的加重** temporal summation）．図6・7には，また，異なるシナプス前ニューロンの活動による2つのEPSPが加算されるプロセス（**空間的加重** spatial summation）において，脱分極の大きさに対する空間定数の効果を示している．シナプス後ニューロンの空間定数に十分な大きさがあれば，2カ所の入力により引き起こされた膜の脱分極が，ほとんど減衰することなく，初節にまで及ぶ．ここにおいて，2つの入力が加算され，活動電位が引き起こされる．

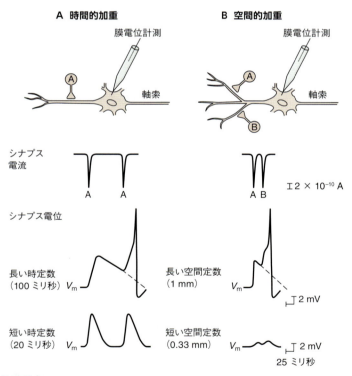

図6・7 空間的加重と時間的加重によるシナプス入力の統合． A：単一のシナプス前ニューロンの反復活動に応答するEPSPの大きさは，シナプス後細胞の時定数に依存している．"長い時定数"の場合，先行のEPSPが減衰する前に第二のEPSPが加わると，両者が加算され，活動電位が引き起こされる．B：別々のシナプス前ニューロンA, Bの入力によるEPSPの加算は，シナプス後細胞の空間定数に依存している．"長い空間定数"の場合，ニューロンの2カ所に引き起こされた脱分極が，ほとんど減衰することなく，初節にまで伝わり，加算され，活動電位が引き起こされる．EPSP：興奮性シナプス後電位(Kandel ER, Schwartz JH, Jessell TM(editors): *Principles of Neural Science*, 4th ed. New York, NY: McGraw-Hill; 2000 より許可を得て複製)．

シナプスの抑制と促通

中枢神経系(CNS)においては，シナプス後性またはシナプス前性に伝達抑制が起こりうる．図6・8は**シナプス前抑制 presynaptic inhibition** と**シナプス後抑制 postsynaptic inhibition** を引き起こすニューロン間結合様式を比較した例である．IPSPを伴うシナプス後抑制は，**直接抑制 direct inhibition** ともいわれる．というのはこの型の抑制は，シナプス後ニューロンの先行発火を前提としないからである．シナプス後ニューロンの発火効果に由来する抑制，いわゆる**間接抑制 indirect inhibition** もいろいろな形式で起こる．たとえば，シナプス後細胞の興奮の直後でその不応期にあるために興奮できないこともありうる．後過分極期間中もシナプス後細胞は興奮性が低下している．脊髄ニューロンにおいては，特に反復発火後に後過分極が大きくかつ長くなるようである．

シナプス後抑制

シナプス前終末から放出されたグリシン，GABAなどの抑制性神経伝達物質がシナプス後ニューロンに作用し，IPSPを引き起こすことにより，シナプス後抑制が生じる(図6・8B)．シナプス後抑制は，中枢神経系の様々な経路を介して引き起こされる．ここでは1つの典型的な例をあげておく．すなわち，骨格筋中の筋紡錘にある伸張受容器からの求心性線維は，その筋を支配する脊髄運動ニューロンに直接投射している(図6・5)．この求心性線維のインパルスはシナプス後運動ニューロンにEPSPを生じさせ，これが加重することにより，このニューロンに伝導性の活動電位を発生させる．これと同時に拮抗筋を支配する運動ニューロンにはIPSPが発生する．これは，求心性線維の側枝とこの運動ニューロンの間にある抑制性の介在ニューロンのはたらきによる．その結果，伸張受容器からの求心性線維は当該筋を支配する運動ニューロンを興奮させ，その拮抗筋を支配する運動ニューロンを抑制する(**相反神経支配 reciprocal innervation**)．この反射については12章において詳述する．

シナプス前抑制と促通

シナプス前ニューロンに対する様々な作用が神経伝達物質の放出に影響し，これを低下させ(シナプス前抑制)あるいは亢進させる(シナプス前促通)．これは，シナプス伝達効率を微調整するメカニズムになってい

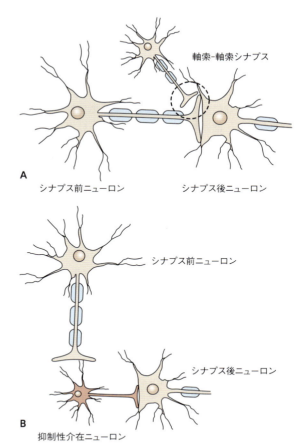

図6・8 シナプス前抑制とシナプス後抑制を起こすニューロン間結合の比較． A：シナプス前抑制は，興奮性終末に終止して軸索-軸索シナプスを作るニューロンにより引き起こされるプロセスであり，興奮性終末からの神経伝達物質放出を減少させる．B：シナプス後抑制は，抑制性介在ニューロン(濃い赤色)の神経終末から放出されるGABAなどの抑制性神経伝達物質がシナプス後ニューロンに作用することにより引き起こされる(訳注：よりわかりやすくするために，図中に説明を補足した)．

る．シナプス前抑制は，興奮性終末に終止して軸索-軸索シナプス axoaxonal synapse(図6・2，図6・8A)を作るニューロンによって引き起こされる．シナプス前終末の受容体の活性化がCl^-コンダクタンスを増大させ，興奮性シナプス前終末の活動電位の大きさを減少させる結果，Ca^{2+}の流入が減少する(図6・9)．あるいは，シナプス前終末において，電位作動性K^+チャネルの開口が引き起こされ，K^+流出の結果，膜電位は過分極し，Ca^{2+}の流入を減少させる．

シナプス前抑制を起こす神経伝達物質として最初に知られたのはGABAである．GABAは，$GABA_A$受

容体を介して，Cl⁻コンダクタンスを増大する．脊髄には，GABA_B受容体も分布し，Gタンパク質を介してK⁺コンダクタンスを増大し*10，シナプス前抑制も起こす．埋込みポンプを介して，バクロフェンbaclofen（GABA_B受容体作動薬）を硬膜下に注入する方法は，脊髄損傷や多発性硬化症による痙縮の治療に効果がある．他の神経伝達物質もまた，Gタンパク質を介したCa^{2+}チャネルやK^+チャネルの修飾により，シナプス前抑制を引き起こす．

反対に，活動電位の持続が長引き，Ca^{2+}チャネルが長い時間活動している場合，**シナプス前促通** presynaptic facilitation が引き起こされる（図6・9）．アメフラシでは，セロトニンによって仲介されるシナプス前促通の分子メカニズムが詳しく解明されている．軸索-軸索シナプスで遊離されるセロトニンはニューロン内の環状アデノシン一リン酸（cAMP）を増加させ，ある種のK^+チャネルのリン酸化を促進する．その結果，K^+チャネルが閉じ，再分極が遅れ，活動電位の持続時間が延長する．

抑制系の構成

ニューロンは，一般に，回路を構成する他のニューロンから，シナプス前性およびシナプス後性の抑制を受けている．多くのニューロンは，また，負のフィードバックの様式で自分自身を抑制している（負のフィードバック抑制 negative feedback inhibition）．たとえば，脊髄運動ニューロンにおいては，自身の反回性側枝が抑制性の介在ニューロン（**Renshaw**〔レンショウ〕**細胞**）にシナプスを形成している．そしてこの介在ニューロンは，側枝を出した運動ニューロン自身および他の脊髄運動ニューロンにシナプスを形成する（図6・10）．Renshaw細胞は，抑制性神経伝達物質の**グリシン** glycine を分泌し，運動ニューロン自身のインパルス発射を緩徐にするか停止させる．反回性側枝による同様の抑制が大脳皮質や辺縁系にも見られる．後角求心路に終止する下行路によるシナプス前抑制は，おそらく，痛みの伝達における"ゲーティング gating"に関係していると考えられる．

他の抑制として，Purkinje〔プルキンエ〕細胞にIPSPを発生する小脳バスケット細胞 basket cell が例にあげられる．バスケット細胞とPurkinje細胞は，ともに，平行線維の興奮性入力を受け取っている（12章参照）．**フィード・フォワード抑制 feed-forward inhibition** といわれているこのしくみは，おそらく，ある求心性インパルス群によって引き起こされた興奮の持続時間を制限しているのであろう．

*10 訳注：Ca^{2+}チャネルの抑制もありうる．

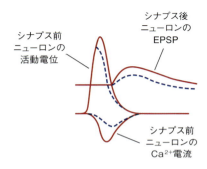

シナプス前抑制

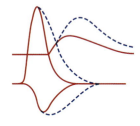

シナプス前促通

図6・9 シナプス前抑制とシナプス前促通がシナプス前ニューロンの活動電位，シナプス前終末におけるCa^{2+}電流，およびシナプス後ニューロンのEPSPに及ぼす影響．いずれの場合も，実線は対照実験，破線は抑制と促通の時に見られる変化．ここでは，シナプス前抑制の例として，シナプス前終末の受容体が活性化されることにより，Cl⁻のコンダクタンスが増大したケースを示す．その結果，シナプス前終末の活動電位の大きさが減少し，Ca^{2+}の流入が減少し，興奮性神経伝達物質の放出が減少する．活動電位の持続が長引き，Ca^{2+}チャネルの活動時間が延長されることにより，シナプス前促通が引き起こされる．EPSP：興奮性シナプス後電位（Kandel ER, Schwartz JH, Jessell TM(editors): *Principles of Neural Science*, 4th ed. New York, NY: McGraw-Hill; 2000より許可を得て複製）．

神経筋伝達

神経筋接合部

図6・11は，神経筋接合部の各要素を示している．神経筋接合部は運動神経が骨格筋に終止する際に形成される特殊な場である．骨格筋線維を支配する運動神経軸索は，末端部に近づくに従い髄鞘（ミエリン鞘）を失い，多数の終末ボタン，あるいは終末足に分枝して

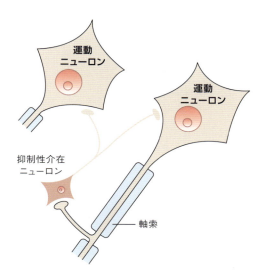

図6·10 抑制性介在ニューロン（Renshaw細胞）を介する脊髄運動ニューロンのフィードバック抑制．脊髄運動ニューロンの反回性側枝は，抑制性介在ニューロンにシナプスを形成する．この介在ニューロンは，その運動ニューロン自身や他の運動ニューロンの細胞体にシナプスを形成する．この介在ニューロンはRenshaw細胞と呼ばれ，グリシンを神経伝達物質としている．

いく．軸索終末足には，神経筋接合部における神経伝達物質のアセチルコリンを含有する小型の透明小胞が集積している．軸索終末は，**運動終板 motor endplate**のくぼみにある筋細胞膜肥厚部，すなわち**接合部ひだ junctional fold**にはまり込んでいる．神経終末と筋細胞膜肥厚部との間隙（接合部間隙）は，ニューロン間のシナプスにおけるシナプス間隙に相当する．この全構造を**神経筋接合部 neuromuscular junction**という．

伝達における連鎖現象

運動神経から筋へインパルスが伝達される時に起こる現象はシナプスで起こる現象とほとんど同様である（図6·12）．すなわち，まず運動神経線維終末に到達したインパルスは終末部におけるCa^{2+}の透過性を増大させる．その結果，Ca^{2+}が神経終末に流入し，アセチルコリンを含有するシナプス小胞のエキソサイトーシスを著しく増加させる．アセチルコリンは接合部間隙を拡散し，運動終板の接合部ひだの外縁に高密度で局在するニコチン性アセチルコリン（N_M）受容体に到達する．アセチルコリンが受容体に結合すると，Na^+とK^+に対する膜のコンダクタンスが増大し[11]，（Na^+の流入により）脱分極性の**終板電位 endplate**

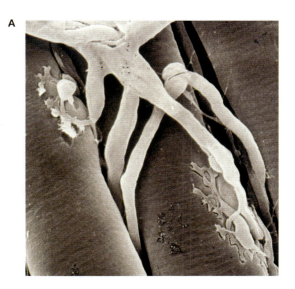

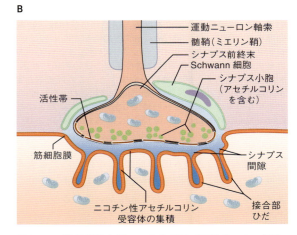

図6·11 神経筋接合部．**A**：走査型電子顕微鏡による観察．運動ニューロン軸索が分岐し，筋線維表面のくぼみに終止している．**B**：神経筋接合部の微細構造（Widmaier EP, Raff H, Strang KT: *Vanders Human Physiology*. New York, NY: McGraw-Hill; 2008 より許可を得て改変）．

potentialが発生する．これは局所電位ではあるが，終板部が電流の吸込口となり，近接した筋線維膜をその発火レベルまで脱分極させる[12]．その結果，終板の両側に活動電位が発生し，これは終板から筋線維に沿って両方向に伝導する．このように生じた筋の活動電位

---

*11 訳注：ニコチン性アセチルコリン受容体自身がNa^+やK^+を透過するイオンチャネルである．

*12 訳注：終板部には，電位作動性Na^+チャネルが分布していないので，活動電位を発生しない．

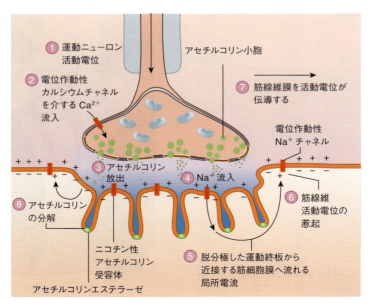

図 6・12　神経筋接合部における，伝達から筋線維活動電位発生に至るプロセス．運動ニューロンの終端にインパルスが到達することにより，終末の Ca^{2+} 透過性が亢進する．その結果，流入した Ca^{2+} により，アセチルコリン(ACh)を含んだシナプス小胞のエキソサイトーシスが引き起こされる．AChは，シナプス間隙を拡散し，運動終板に分布するニコチン性アセチルコリン(N_{M})受容体に結合する．その結果，非選択的カチオン(陽イオン)チャネル(＊11 訳注参照)を介し，Na^+ が細胞内へ流入し，終板電位を形成する．この局所的な電流の流れ込みにより，終板近傍の形質膜が脱分極し，発火レベルに達する．ここにおいて活動電位が誘起され，筋線維に沿って両側へ伝導し，筋の収縮を促す．シナプス間隙の AChは，アセチルコリンエステラーゼにより分解され，除去される(訳注：より正確な表現に改めた) (Widmaier EP, Raff H, Strang KT: *Vanders Human Physiology*. New York, NY: McGraw-Hill; 2008 より許可を得て改変)．

は筋収縮を開始させる(5章参照)．その後にアセチルコリンは，神経筋接合部に多量にあるアセチルコリンエステラーゼの作用で接合部間隙から除去される．

神経伝達物質の素量放出

　1個の神経インパルスは約60個のアセチルコリン小胞を放出し，各小胞には約10 000個のアセチルコリン分子が含まれる．静止時にも神経細胞膜からアセチルコリンの小さな**素量 quantum**("小包 packet")がランダムに放出されている．各々の素量は約 0.5 mV の小さな脱分極性応答を発生させている．これを**微小終板電位 miniature endplate potential** という．このようにして放出されるアセチルコリン素量のサイズ(数)は，終板部位の Ca^{2+} 濃度と直接的な正の関係があり，Mg^{2+} 濃度と負の関係がある．インパルスが神経線維終末に到達すると，放出される素量サイズが数桁も増加し，その結果，筋線維の発火閾値を超えた終板電位が発生する．神経伝達物質の**素量放出 quantal release** は，アドレナリン作動性やグルタミン酸作動性やその他のシナプス性接合部においても認められる．神経筋接合部における疾患のうち，重症筋無力症 myasthenia gravis と Lambert-Eaton〔ランバート・イートン〕症候群に関して，クリニカルボックス6・2 と 6・3 において，それぞれ解説する．

平滑筋と心筋における神経終末

　自律神経節の節後神経線維は，様々な臓器の平滑筋に入力し，網状に分岐し，筋線維と密接している(図6・13)．これらの神経線維には，透明小胞を有するコリン作動性のものと，ノルアドレナリンを含有する有芯小胞を有するものがある．しかし，これらの**神経効果器接合部 neuroeffector junction** には，明瞭な終板構造も認められないし，シナプス後性の特殊な構造も存在しない．神経線維は筋細胞膜に沿って伸び，ところどころでその表面にくぼみを作っている．分枝した神経には，シナプス小胞をもったふくらみ(**膨隆部 varicosity**)が数珠玉のようにつながっている．ノルアドレナリン作動性ニューロンでは膨隆部は約 5 μm の間隔で連なっており，それぞれのニューロンには最大約 20 000 個の膨隆部がある．神経伝達物質は，軸索

クリニカルボックス 6・2

重症筋無力症

重症筋無力症 myasthenia gravis は，骨格筋の筋力が低下するとともに疲労が促進される重篤な疾患であり，時に死に至ることがある．全世界に広く認められ，100 万人に 25〜125 人の割合で，あらゆる年齢層において発症するが，20 歳代（主に女性）と 60 歳代（主に男性）にピークを有する．原因は，骨格筋型の**ニコチン性アセチルコリン受容体 nicotinic cholinergic receptor** に対する抗体が血液中に増加することによる．抗体により受容体が破壊されるとともに受容体同士が結合されることにより，エンドサイトーシスを介して取り除かれる．一般に，運動神経終末から放出される素量の数は，反復刺激に伴い減少する．重症筋無力症においては，素量の放出レベルが低くなると，神経・筋接合部伝達が起こらなくなる．その結果，持続的活動や反復活動に伴う筋疲労という主要な症状が起こる．本疾患には主要な 2 型があり，1 つは主として外眼筋に症状が現れるが，他の型では全身の骨格筋の筋力低下を伴う．重篤な症例では，横隔膜を含むすべての筋肉において筋力が低下し，呼吸困難に陥り，致死的になる．重症筋無力症の主要な形態学的異常は，運動終板シナプス間隙において，接合部ひだがまばらになり，浅くなり，隙間が広がり，時には消失することである．シナプス後膜のアセチルコリン応答性が低下しており，罹患筋の終板あたりのニコチン性アセチルコリン受容体の数が 70〜90% 減少している．健常人に比べ，重症筋無力症の患者においては，関節リウマチ，全身性エリテマトーデス，多発性筋炎などを併発する傾向が高い．重症筋無力症患者の約 30% において，母方の親族に自己免疫疾患が認められる．これらの関連性から，重症筋無力症の発症には共通の遺伝的背景が存在している可能性がある．病因としては，ニコチン性アセチルコリン受容体と交差反応する胸腺由来のタンパク質に対して感作されたヘルパー T 細胞を供給するという点において，胸腺の関与が疑われる．ほとんどの患者において胸腺が肥大しており，10〜15% に胸腺腫が認められる．

治療上のハイライト

重症筋無力症に伴う筋力低下は，休息をとることにより改善する．また，**ネオスチグミン neostigmine** や**ピリドスチグミン pyridostigmine** などの**アセチルコリンエステラーゼ阻害薬 acetylcholinesterase inhibitor** の投与により改善する．これは，アセチルコリンの加水分解を阻害することにより，反復活動に伴う伝達物質放出量の減少を補填する効果による．**免疫抑制薬 immunosuppressive drug**（プレドニゾン prednisone，アザチオプリン azathioprine，シクロスポリン cyclosporine など）による抗体産生の抑制が，重症筋無力症患者の症状改善に効果をもたらす場合もある．重症筋無力症の発症に胸腺腫が疑われる場合には，**胸腺切除 thymectomy** が特に必要とされる．胸腺腫を伴わない患者の場合であっても，胸腺切除により 35% の患者において症状が寛解し，さらに 45% において症状が軽減する．

上の各々の膨隆部において遊離される．すなわち，1 個のニューロンが多数の効果細胞を支配することができる構造になっている．このように，1 個のニューロンが平滑筋線維の表面にシナプスを形成し，また別の細胞と同様のシナプスを次々と形成するという接合形式を**シナプス・アン・パサン synapse en passant**[*13] という．

心臓ではコリン作動性神経線維もノルアドレナリン作動性神経線維も洞房結節，房室結節および His 束に入力している（29 章参照）．ノルアドレナリン作動性線維は心室筋も支配している．結節における神経線維の性状についての詳細は未解明である．心室では，ノルアドレナリン作動性線維と心筋線維との接合の形態は平滑筋に見られるものと類似している．

[*13] 訳注：まだ適訳がないので原語のままとする．アン・パサンとは "通りすがりの" といったような意味．

クリニカルボックス 6・3

Lambert-Eaton 症候群

比較的まれな疾患として，**Lambert-Eaton 筋無力症候群** Lambert-Eaton myasthenic syndrome（**LEMS**）が知られている．この疾患においては，神経筋接合部の運動神経終末に分布する電位作動性 Ca^{2+} チャネルのある型に対する自己免疫反応により，筋力低下が引き起こされる．これは，Ca^{2+} 流入の減少がアセチルコリンの放出を減少させることによる．米国においては 10 万人に 1 人の割合で，LEMS が発症している．通常，成人において発症し，男女の発症率はほぼ等しい．主に下肢の近位筋が侵され，動揺性歩行の症状を呈する．また，上腕挙上に困難を来す．運動神経の反復刺激により，神経終末内に Ca^{2+} が蓄積し，アセチルコリンの放出が増大する結果，筋力の回復に至る．この点において，反復刺激により疲労するという症状を呈する重症筋無力症とは対照的である．LEMS 患者の約 40% において，癌，特に肺の小細胞癌が認められる．癌細胞に対する抗体が Ca^{2+} チャネルに反応することにより，LEMS が発症するという説がある．LEMS に伴い，リンパ肉腫，悪性胸腺腫や乳房，胃，大腸，前立腺，膀胱，腎臓，胆嚢などの癌を併発することがある．癌の診断に先立って臨床症状が認められることが多い．**アミノグリコシド系抗生物質** aminoglycoside antibiotics には，Ca^{2+} チャネルの機能を阻害するはたらきがあるが，その使用後に LEMS に類似した症状が出ることがある．

治療上のハイライト

肺小細胞癌 small cell lung cancer などの悪性腫瘍を合併することが多いので，その有無を検証し，存在が疑われる場合には，これを適切に処置することが第一に重要である．悪性腫瘍の合併が認められない場合は，免疫療法を開始する．**プレドニゾン** prednisone などの副腎皮質ホルモン投与，**血漿交換療法** plasmapheresis，**免疫グロブリン投与法** intravenous immunoglobulin などが LEMS 治療に有効である．**アミノピリジン類** aminopyridines の投与は，神経筋接合部におけるアセチルコリンの放出を促進するので，LEMS 患者に見られる筋力低下の改善に有効なことがある．これらは，シナプス前終末の K^+ チャネルをブロックすることにより，電位作動性 Ca^{2+} チャネルの活動を促進する．アセチルコリンエステラーゼ阻害薬が治療に用いられることがあるが，LEMS の症状の寛解に至らないことが多い．

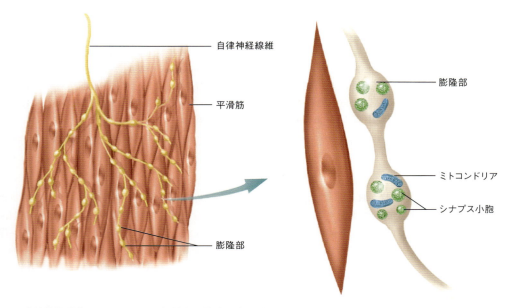

図 6・13　自律神経節後ニューロンの平滑筋上の終末． 自律神経節後ニューロンの神経線維は，平滑筋の膜に沿って，ところどころでその表面にくぼみを作りながら，伸長し，頻繁に分岐している．これらの分枝にはシナプス小胞を含んだふくらみ（膨隆部）が数珠状に連なっている．神経伝達物質は軸索の膨隆部から遊離し，拡散し，平滑筋細胞形質膜の受容体に作用する〔Widmaier EP, Raff H, Strang KT: *Vanders Human Physiology*. New York, NY: McGraw-Hill; 2008 より許可を得て複製〕．

接合部電位

ノルアドレナリン作用が興奮性の場合，ノルアドレナリン作動性神経の刺激により，平滑筋において，微小終板電位に類似した非連続的な小脱分極が発生する．これを**興奮性接合部電位** excitatory junction potential（EJP）という[*14]．EJP は反復刺激によって加重する．同様の EJP がコリン作動性神経で興奮する組織でも見られる．ノルアドレナリン作動性神経が抑制性の場合，その刺激により，過分極性の**抑制性接合部電位** inhibitory junction potential（IJP）が発生する．接合部電位は，ギャップ結合 gap junction を介して平滑筋細胞から平滑筋細胞へ電気緊張的に伝播する[*15]．

軸索損傷と除神経性過敏

図 6・14 は，軸索の損傷や切断によって起こる様々な現象を示したものである．順行性変性（**Waller**〔ワーラー〕**変性**）は，神経伝達の遮断を伴い損傷部位から神経終末にかけて進行する．損傷部位の末梢側では，膜が断裂し，髄鞘（ミエリン鞘）が変性する．損傷部近位の軸索も影響を受け，逆行性変性が起こり，死滅することがある．損傷を受けたニューロンの細胞体は膨潤し，核が偏在し，粗面小胞体が分断される（**染色質溶解反応** chromatolytic reaction）．

やがて神経は，切断前の軸索が通っていた経路に沿って，いくつもの小さな分枝を伸ばしながら再生し始める（**再生性発芽形成** regenerative sprouting）．場合によっては，特に神経筋接合部のような場所においては，軸索が伸長してもとの標的に到達することがある．しかし，切断部位における組織の損傷部位において軸索が方向を見失ってしまうことが多いので，神経の再生は一般的には限られている．この障害は**ニューロトロフィン** neurotrophin の投与により軽減することができる（4 章参照）．

骨格筋を支配する神経を切断し変性させると，筋のアセチルコリンに対する感受性が徐々に異常に高くなる．これは**除神経性過敏** denervation hypersensitivity（または denervation supersensitivity）と呼ばれている．

[*14] 訳注：ノルアドレナリンではなく，共存伝達物質の ATP によると考えられている．
[*15] 訳注：Ca^{2+} や ATP を介した化学的な伝播も重要である．

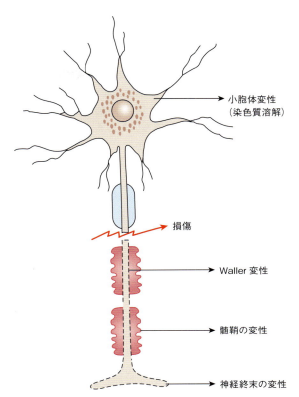

図 6・14　軸索の挫滅や切断により引き起こされるニューロンの変化．細胞体から分離された遠位の軸索においては，損傷部位から神経終末にわたり順行性変性（Waller 変性）が起こり，髄鞘（ミエリン鞘）が変性する．損傷を受けたニューロンの細胞体は膨潤し，小胞体が分断され，染色質溶解反応を示す．

ニコチン性アセチルコリン受容体は，通常，運動ニューロン軸索が終止している運動終板のあたりに局在している．しかし，運動神経の損傷により，ニコチン性アセチルコリン受容体が顕著に増加し，神経筋接合部において広範に分布するようになる．除神経性過敏は，自律神経接合部にも認められる．平滑筋は骨格筋と違って神経の切断後も萎縮しないが，平滑筋を興奮させる化学伝達物質に対する感受性が高まる．

除神経性過敏は，種々の原因により引き起こされる．2 章で述べたように，ある神経伝達物質が減少すると，一般にその神経伝達物質に対して応答する受容体の数が増える．また，分泌された神経伝達物質の再取込みの欠落が別の要因になっている．

章のまとめ

- シナプスの多くはシナプス後ニューロンの樹状突起に形成される(軸索-樹状突起シナプス)が,細胞体(軸索-細胞体シナプス)や軸索(軸索-軸索シナプス)に形成されるものもある.化学シナプスにおいては,シナプス前ニューロンの軸索を伝わるインパルスにより,神経伝達物質がシナプス小胞から放出され,シナプス間隙を拡散し,シナプス後肥厚部にある受容体に結合する.その結果,シナプス後ニューロンのイオンチャネルが開く場合と閉じる場合がある.電気シナプスにおいては,シナプス前とシナプス後ニューロン間に形成されるギャップ結合を介し,イオンが比較的容易に流れるので,ニューロン同士が低抵抗で架橋される.

- 興奮性の刺激後0.5ミリ秒の潜時で,シナプス後ニューロンにおいて活性化されるイオンチャネルを介するNa^+やCa^{2+}の内向き電流によるEPSPが惹起される.これに対し,Cl^-透過の局所的な増大により,IPSPが惹起される.K^+コンダクタンスの減少または増大により,遅いEPSPや遅いIPSPが惹起される.自律神経節,心筋,平滑筋,大脳皮質ニューロンなどにおいて,その潜時は,100〜500ミリ秒である.

- シナプス電位の時間経過の決定因子の1つはニューロンの膜時定数である.膜時定数が大きいほど,連続して惹起されたEPSPが加算され,活動電位発生閾値を超える確率が高くなる(時間加算).これに対し,ニューロンの長さ定数(空間定数)は,シナプス電位の発散距離とともに減弱する程度の決定因子の1つである.すなわち,大きな長さ定数を有するニューロンでは,複数箇所で惹起されたEPSPが加算され,活動電位発生閾値を超える確率が高くなる(空間加算).

- シナプス後抑制は,シナプス前終末から抑制性神経伝達物質(GABA,グリシン)が放出され,シナプス後ニューロンにIPSPが誘発されることにより惹起される.シナプス前抑制は,興奮性終末に終止して軸索-軸索シナプスを作るニューロンの活動によって引き起こされる.シナプス前終末の受容体の活性化がCl^-コンダクタンスを増大させ,興奮性シナプス前終末の活動電位の大きさを減少させる結果,Ca^{2+}の流入と興奮性神経伝達物質の放出量が減少する.シナプス前促通の場合,活動電位が遷延し,Ca^{2+}チャネルを介するCa^{2+}流入が増大することにより引き起こされる.

- 運動ニューロンの軸索終末は骨格筋形質膜にシナプスし,神経筋接合部を形成する.この構造を運動終板と呼ぶ.運動ニューロンの終端にインパルスが到達することにより,終末のCa^{2+}透過性が亢進する.その結果,流入したCa^{2+}により,アセチルコリンを含んだシナプス小胞のエキソサイトーシスが引き起こされる.アセチルコリンは,シナプス間隙を拡散し,運動終板に分布するニコチン性アセチルコリン受容体に結合する.その結果,非選択的カチオン(陽イオン)イオンチャネルを介し,Na^+が細胞内へ流入し,終板電位を形成する.この局所的な電流の流れ込みにより,終板近傍の形質膜が脱分極する.

- 平滑筋においては,自律神経終末が神経効果器接合を形成している.神経分枝にはシナプス小胞を含んだふくらみ(膨隆部)が数珠状に連なっている.神経伝達物質が放出されることにより,平滑筋においてEJPやIJPが誘発され,膜電位の変化が電気緊張的に拡散する.

- 神経が損傷され,変性するに伴い,シナプス後部は徐々に神経から分泌される神経伝達物質に対し,非常に過敏になる(除神経性過敏).

- ボツリヌス毒素や破傷風毒素などの細菌由来の神経毒素は,神経筋接合部における神経伝達物質放出を遮断する.神経筋接合部における疾患には,重症筋無力症(ニコチン性アセチルコリン受容体に対する自己免疫)やLambert-Eaton筋無力症候群(電位作動性Ca^{2+}チャネルに対する自己免疫)などがある.

多肢選択式問題

正しい答えを 1 つ選びなさい．

1. 電気生理学研究室で研究している神経内科医が，ニューロンの局所電位の基盤となるカチオンチャネルの役割について学んでいる．電気生理学的現象の原因となるイオン電流の変化の組合せで，正しいのは次のどれか．
   A．速い抑制性シナプス後電位(IPSP)と Cl^- チャネルの閉鎖
   B．速い興奮性シナプス後電位(EPSP)と Ca^{2+} コンダクタンスの増加
   C．終板電位と Na^+ コンダクタンスの増加
   D．興奮性接合部電位と電位作動性 K^+ チャネルの閉鎖
   E．遅い EPSP と K^+ コンダクタンスの増加

2. 電気生理学研究室で研究している神経内科医が，シナプス伝達の機能と構造の連関を学んでいる．生理機能と構造との組合せで，誤りは次のどれか．
   A．電気的伝達：シナプス間隙
   B．正のフィードバック抑制：Renshaw 細胞
   C．シナプス小胞のドッキングと融合：シナプス前終末
   D．終板電位：ムスカリン性アセチルコリン受容体
   E．活動電位の発生開始：軸索小丘

3. ある医学生がニューロンの受動的膜特性とその EPSP に対する寄与について学んでいる．第一のシナプス後ニューロンにおいては，シナプス前入力線維を 25 ミリ秒の間隔で 2 回刺激によりほぼ同じ大きさの EPSP を計測した．しかし，第二のシナプス後ニューロンにおいては，同じ刺激による EPSP が活動電位を伴った．この学生は，この結果をどのように解釈しただろうか．
   A．第二のニューロンは第一のニューロンより大きな時定数を有している
   B．第二のニューロンは第一のニューロンより小さな時定数を有している
   C．第二のニューロンは第一のニューロンより大きな長さ定数を有している
   D．第二のニューロンは第一のニューロンより小さな長さ定数を有している

4. ある医学生が神経筋接合部に関して研究している．伝達の順序として正しいものを選べ．
   A．運動ニューロンの活動電位→アセチルコリンの放出→終板における Na^+ 流入
   B．運動神経終末における Ca^{2+} 流入→終板における Na^+ 流入→筋線維における活動電位の誘発
   C．終板における Na^+ 流入→アセチルコリンの放出→筋線維における活動電位の誘発
   D．運動ニューロンの活動電位→終板における Na^+ 流入→終板電位の誘発
   E．運動神経終末における Ca^{2+} 流入→アセチルコリンの放出→終板における Na^+ 流入

5. 筋紡錘に由来する感覚神経の活動により伸筋の収縮と屈筋の弛緩が引き起こされる．後者は，以下のどの現象のモデルになると考えられるだろうか．
   A．負のフィードバック抑制
   B．シナプス後抑制
   C．Renshaw 細胞を介する抑制
   D．シナプス前抑制
   E．間接抑制

6. 自律神経の神経伝達機能を研究している医学生が，血管平滑筋の膜電位を記録しながら交感神経節後神経を刺激した．交感神経において神経伝達物質を貯蔵している部位の名称と平滑筋応答の名称との組合せで正しいものを選べ．
   A．シナプス小胞と終板電位
   B．数珠状の膨隆部と抑制性シナプス後電位
   C．大型の有芯小胞と抑制性シナプス後電位
   D．数珠状の膨隆部と興奮性接合部電位
   E．小型の有芯小胞と興奮性接合部電位

7. 35 歳の女性が外眼筋と四肢筋の筋力低下を訴えて来院した．早朝の起床時には状態がよいが，体を動かし始めるとすぐに筋力が低下するという．筋力低下は，休憩をとることにより改善する．医師が患者にコリンエステラーゼ阻害薬を投与すると，筋力が即座に回復した．診断された病名は次のどれか．
   A．Lambert-Eaton 症候群
   B．重症筋無力症
   C．多発性硬化症

D．Parkinson 病
E．筋ジストロフィー

8．右目虹彩の瞳孔散大筋に入力する交感神経が切断された自律神経障害の病歴を有する 55 歳の女性が眼科でフェニレフリンを点眼されたところ，左目に比べ右目が大きく散瞳した．この説明として正しいのは次のどれか．
A．右目に入力する交感神経が再生している
B．右目に入力する副交感神経は損傷されておらず，交感神経の欠損を代償している
C．フェニレフリンは，右目の瞳孔括約筋をブロックした
D．除神経過敏を生じている
E．左目においても自律神経が損傷されているため，期待された反応が得られなかった

9．47 歳の女性が，吐き気と嘔吐の症状が 2 日間あり，その後，重症の筋力低下を訴えて来院した．また，眼瞼下垂と嚥下困難の神経学的徴候が認められた．症状が始まる前の晩にレストランで外食したという．検査の結果，ボツリヌス菌陽性だった．この神経毒素が筋力低下を引き起こしたメカニズムとして正しいのは次のどれか．
A．シナプス前終末への神経伝達物質の再取込みが阻害された
B．神経筋接合部において，シナプス後膜の受容体に不可逆的に結合した
C．脊髄にある運動ニューロン細胞体へ拡散によって到達した
D．副作用であり，骨格筋に直接作用した
E．運動神経終末におけるアセチルコリンの放出を阻害した

CHAPTER 7

神経伝達物質と神経修飾物質

学習目標
本章習得のポイント

- 低分子伝達物質，高分子伝達物質および気体伝達物質として広汎に特徴づけられている主たる神経伝達物質および神経修飾物質をあげることができる
- 低分子および高分子神経伝達物質の生合成，遊離，作用およびシナプス間隙からの除去に関与する5つの主たる共通した過程の概要を説明できる
- 神経伝達物質がイオンチャネル（リガンド作動型）あるいは代謝型（Gタンパク質共役型，GPCR）受容体に結合することによって始まる作用を比較し，GPCRに結合する神経伝達物質の作用仲介に関与するセカンドメッセンジャーを同定できる．
- アミノ酸（グルタミン酸，GABA），アセチルコリン，モノアミン［ノルアドレナリン（ノルエピネフリン），アドレナリン（エピネフリン），ドーパミン，セロトニン］およびオピオイドペプチドといった一般的な神経伝達物質の機能的な反応を仲介する様々な受容体の主な分布部位を認識できる
- 一般的な神経伝達物質各々の，受容体拮抗薬をあげることができる
- シナプス伝達修飾における，一酸化窒素および一酸化炭素（CO）の役割を説明できる
- 神経伝達物質の機能不全が，いくつかの神経病理学的疾患につながる機序の実例を提示できる

■ はじめに

　哺乳類の神経系における，ニューロンからニューロン，あるいはニューロンから効果器への情報伝達の主たる形態は，シナプス後部の標的に興奮あるいは抑制を引き起こす化学的**神経伝達物質 neurotransmitter** 遊離によって仲介される．**神経修飾物質 neuromodulator** は，ニューロンから遊離され，自身にはほとんどあるいはまったく作用を示さないが，神経伝達物質の効果を修飾することができる化学物質である．本章では，興奮性および抑制性アミノ酸，アセチルコリン，モノアミンおよび神経ペプチドといった最も普遍的な化学的神経伝達物質のいくつかについて，それらの主たる特性を提示する．こういった化学物質の多くには，神経伝達過程におけるいくつかの共通した過程がある．これらの過程は，神経終末への神経伝達物質前駆体の取込み，神経伝達物質の生合成，**シナプス小胞 synaptic vesicle** 内における神経伝達物質の貯蔵，シナプス前終末への脱分極波到達に反応した**シナプス間隙 synaptic cleft** への神経伝達物質遊離，シナプス後部の標的細胞膜上に存在する**受容体 receptor** への神経伝達物質結合，そして最終的には，神経伝達物質のシナプスからの拡散や，神経終末への再取込みや酵素的分解による神経伝達物質の作用終止，といった過程である．

神経伝達物質の化学

多くの神経伝達物質やそれらの生合成や分解に関与する酵素の多くが神経終末に局在することが示されている．神経伝達物質あるいは神経修飾物質として作用する化学物質は，低分子伝達物質，高分子伝達物質および気体伝達物質という3つの主たる種類に分類される．低分子伝達物質には，アミノ酸[たとえば，**グルタミン酸 glutamate**，**γ-アミノ酪酸 γ-aminobutyric acid (GABA)**，**グリシン glycine**]，**アセチルコリン acetylcholine** およびモノアミン類(たとえば，**ノルアドレナリン noradrenaline**，**アドレナリン adrenaline**，**ドーパミン dopamine**，および**セロトニン serotonin**)が含まれる．高分子伝達物質には**サブスタンス P substance P**，**エンケファリン enkephalin**，および**バソプレシン vasopressin** といった神経ペプチドが含まれる．神経ペプチドは低分子伝達物質のいずれかと共存している場合が多い(表7・1)．気体伝達物質には，一酸化窒素(NO)と一酸化炭素(CO)が含まれる．

図7・1 は中枢神経系(CNS)においても末梢神経系においても共通に遊離されるいくつかの低分子伝達物質の生合成を示す．図7・2 はノルアドレナリン，セロトニン，ドーパミンおよびアセチルコリンを含有するニューロンの主な集団の局在を示す．これらは中枢神経系における主たる神経伝達物質および神経修飾物質系の一部である．

受 容 体

標的となる構造物に対する化学的仲介物質の作用は，物質自身の特性よりもむしろ，作用する受容体の型に左右される．本章では以下，各受容体につき，そのリガンド(受容体に結合する分子)とともに論じるが，受容体に対するリガンドの作用について5つの共通する問題点が浮上してきた．

第一に，各々の化学仲介物質は多数のサブタイプの受容体に作用する可能性を有する．たとえば，ノルアドレナリンは α_1，α_2，β_1，β_2 および β_3 アドレナリン受容体に作用する．このことから，あるリガンドの考えうる作用が多様になり，各細胞に対するそのリガンドの作用がより選択的になる．

第二に，多くの神経伝達物質受容体は，シナプス前およびシナプス後双方の構成要素に存在する．シナプス前受容体の1つの型である**自己受容体 autoreceptor** は，その生理活性物質がそれ以上遊離されることを抑制し，フィードバック制御を行うことがしばしば見られる．たとえばノルアドレナリンはシナプス前 α_2 受容体に作用し，それ以上のノルアドレナリン遊離を抑制する．シナプス前**ヘテロ受容体 heteroreceptor** は，リガンドがその受容体が局在する神経終末から遊離される神経伝達物質以外の化学物質である．たとえば，ノルアドレナリンはアセチルコリン作動性神経終末に存在するヘテロ受容体に作用して，アセチルコリン遊離を抑制する．場合により，シナプス前受容体によって，神経伝達物質遊離が促進される場合もある．

第三に，受容体は構造と機能に基づいて2つの大きなグループに分けられる．すなわち，**リガンド作動性チャネル ligand-gated channel**(**イオンチャネル型受容体 ionotropic receptor** とも呼ばれる)および**代謝型受容体 metabotropic receptor**(**G タンパク質共役型受容体 G-protein-coupled receptor [GPCR]** としても知られている)である．イオンチャネル型受容体の場合，リガンドが受容体に結合すると膜チャネルが開き，チャネル活性化によって通常短時間(数ミリ秒～数10ミリ秒)のイオン透過性上昇が引き起こされる．したがって，これらの受容体は速いシナプス伝達に重要で

表7・1 低分子伝達物質と神経ペプチドとの共存の実例

低分子伝達物質	神経ペプチド
グルタミン酸	サブスタンス P
γ-アミノ酪酸(GABA)	コレシストキニン，エンケファリン，ソマトスタチン，サブスタンス P，TRH
グリシン	ニューロテンシン
アセチルコリン	CGRP，エンケファリン，ガラニン，GnRH，ニューロテンシン，ソマトスタチン，サブスタンス P，VIP
ドーパミン	コレシストキニン，エンケファリン，ニューロテンシン
ノルアドレナリン	エンケファリン，ニューロペプチド Y，ニューロテンシン，ソマトスタチン，バソプレシン
アドレナリン	エンケファリン，ニューロペプチド Y，ニューロテンシン，サブスタンス P
セロトニン	コレシストキニン，エンケファリン，ニューロペプチド Y，サブスタンス P，VIP

CGRP：カルシトニン遺伝子関連ペプチド，GnRH：ゴナドトロピン放出ホルモン，TRH：甲状腺刺激ホルモン放出ホルモン，VIP：血管作動性腸管ポリペプチド．

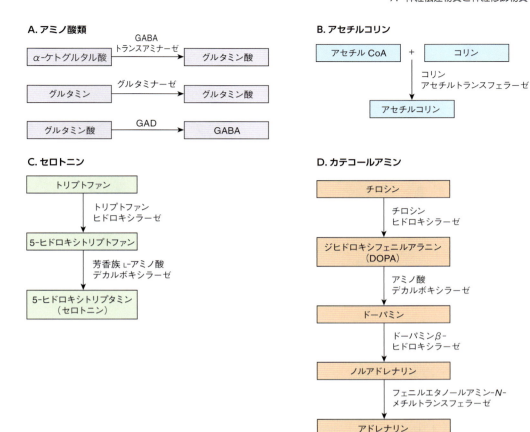

図7・1 主な低分子神経伝達物質の生合成. A: グルタミン酸は，クエン酸回路(Krebs回路)において，γ-アミノ酪酸(GABA)トランスアミナーゼ(GABA-T)という酵素によってα-ケトグルタル酸を変換して，あるいは神経終末においてグルタミナーゼという酵素によってグルタミンを加水分解して生合成される．GABAは，グルタミン酸デカルボキシラーゼ(GAD)という酵素によってグルタミン酸を変換して生合成される．**B:** アセチルコリンは，神経終末の細胞質において，コリンアセチルトランスフェラーゼという酵素によって，アセチルCoAとコリンから生合成される．**C:** セロトニンは，トリプトファンというアミノ酸から二段階の過程を経て生合成される．すなわち，トリプトファンの酵素的ヒドロキシル化によって5-ヒドロキシトリプトファンになり，次いで，この中間産物の酵素的脱炭酸によって5-ヒドロキシトリプタミン(セロトニンとも呼ばれる)の形になる．**D:** カテコールアミン類は，チロシンというアミノ酸から，多段階の過程を経て生合成される．チロシンはニューロンの細胞質において，チロシンヒドロキシラーゼという酵素によって酸化されてジヒドロキシフェニルアラニン(ドーパ DOPA)になる．次いで，ドーパは脱炭酸によってドーパミンになる．ドーパミン作動性ニューロンにおいては，この過程はそこで止まる．ノルアドレナリン作動性ニューロンにおいては，ドーパミンはシナプス小胞に輸送され，そこでドーパミンβ-ヒドロキシラーゼによってノルアドレナリンに変換される．フェニルエタノールアミン-N-メチルトランスフェラーゼという酵素をもつニューロンでは，ノルアドレナリンはアドレナリンに変換される．

ある．代謝型受容体は7回膜貫通型GPCRであり，これらの受容体に神経伝達物質が結合すると，ニューロンの膜に存在する電位作動性チャネルを修飾するセカンドメッセンジャーの産生が始まる．いくつかの神経伝達物質および神経修飾物質に対する受容体について，主たるセカンドメッセンジャーおよび，わかっている場合にはイオンチャネルに対する正味の作用を表7・2にあげる．この表は単純化しすぎたものである．たとえば，$α_2$アドレナリン受容体活性化により，細胞内のサイクリックAMP cyclic adenosine monophosphate(cAMP)濃度が減少するが，シナプス前$α_2$アドレナリン受容体によって活性化されたGタンパク質が直接Ca^{2+}チャネルに作用して，ノルアドレナリン遊離を抑制する，というデータもある．

第四に，受容体は，各神経伝達物質を特異的に遊離する神経終末近傍のシナプス後膜に一群として集積している．これは一般に，各受容体に特異的な結合タンパク質が存在するためである．

A　ノルアドレナリン系

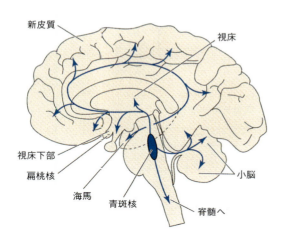

B　セロトニン系

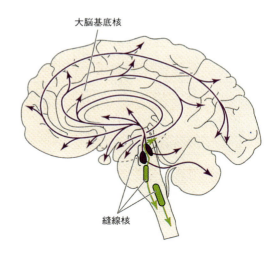

C　ドーパミン系

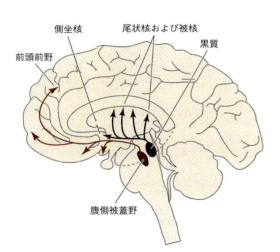

D　アセチルコリン系

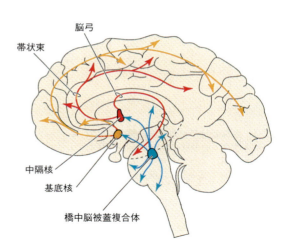

図7・2　拡散的に結合している4つの中枢神経修飾物質を含有する系．A：青斑核のノルアドレナリン作動性ニューロンは，脊髄，小脳，視床下部のいくつかの核，視床，終脳基底部および新皮質を支配する．**B**：縫線核のセロトニン作動性ニューロンは，視床下部，辺縁系，新皮質，小脳および脊髄に投射する．**C**：黒質のドーパミン作動性ニューロンは線条体に投射し，中脳腹側被蓋野のドーパミン作動性ニューロンは辺縁系の前頭前野に投射する．**D**：前脳基底核複合体のアセチルコリン作動性ニューロンは海馬および新皮質に投射し，橋中脳被蓋アセチルコリン作動性複合体のアセチルコリン作動性ニューロンは背側視床および前脳部に投射する（Boron WF, Boulpaep EL: *Medical Physiology*. St. Louis, MO: Elsevier; 2005 より許可を得て複製）．

第五に，受容体がその生理活性物質に長時間曝露されると，多くの場合反応性が低下する．すなわち**脱感作 desensitization** という状態になる．これには2つの型がある．第一は**相同脱感作 homologous desensitization** であり，この場合，細胞は特定の生理活性物質に対する反応性のみが低下し，他の生理活性物質に対するその細胞の反応性は維持される．第二は**交叉性脱感作 heterologous desensitization** であり，この場合その細胞は他の生理活性物質に対する反応性も低下する．

再取込み

神経伝達物質は，シナプス間隙から遊離したニューロンの細胞質へ，**再取込み reuptake** と呼ばれる過程

表7・2 いくつかの低分子伝達物質受容体サブタイプの薬理学

神経伝達物質	受容体	セカンドメッセンジャー	正味のチャネル作用	作動薬	拮抗薬
グルタミン酸	AMPA		↑Na^+, K^+	AMPA	CNQX, DNQX
	カイニン酸		↑Na^+, K^+	カイニン酸	CNQX, DNQX
	NMDA		↑Na^+, K^+, Ca^{2+}	NMDA	AP5, AP7
	$mGluR_1$	↑cAMP, ↑IP_3, DAG	↓K^+, ↑Ca^{2+}	DHPG	
	$mGluR_5$	↑IP_3, DAG	↓K^+, ↑Ca^{2+}	キスカル酸	
	$mGluR_2$, $mGluR_3$	↓cAMP	↑K^+, ↓Ca^{2+}	DCG-IV	
	$mGluR_4$, $mGluR_{6-7}$	↓cAMP	↓Ca^{2+}	L-AP4	
γ-アミノ酪酸 (GABA)	$GABA_A$		↑Cl^-	ムシモール	ビククリン, ギャバジン, ピクロトキシン
	$GABA_B$	↑IP_3, DAG	↑K^+, ↓Ca^{2+}	バクロフェン	サクロフェン
グリシン	グリシン		↑Cl^-	タウリン, βアラニン	ストリキニーネ
アセチルコリン	N_M		↑Na^+, K^+	ニコチン	ツボクラリン, ガラミントリエチオジド
	N_N		↑Na^+, K^+	ニコチン, ロベリン	トリメタファン
	M_1, M_3, M_5	↑IP_3, DAG	↑Ca^{2+}	ムスカリン, ベタネコール, オキソトレモリン(M_1)	アトロピン, ピレンゼピン(M_1)
	M_2, M_4	↓cAMP	↑K^+	ムスカリン, ベタネコール(M_2)	アトロピン, トロピカミド(M_4)
ノルアドレナリン	$α_1$	↑IP_3, DAG	↓K^+	フェニレフリン	プラゾシン, タムスロシン
	$α_2$	↓cAMP	↑K^+, ↓Ca^{2+}	クロニジン	ヨヒンビン
	$β_1$	↑cAMP	↓K^+	イソプロテレノール, ドブタミン	アテノロール, エスモロール
	$β_2$	↑cAMP		アルブテロール(サルブタモール)	ブトキサミン
セロトニン	$5-HT_{1A}$	↓cAMP	↑K^+	8-OH-DPAT	メチルゴリン, スピペロン
	$5-HT_{1B}$	↓cAMP		スマトリプタン	
	$5-HT_{1D}$	↓cAMP	↓K^+	スマトリプタン	
	$5-HT_{2A}$	↑IP_3, DAG	↓K^+	ドブタミン	ケタンセリン
	$5-HT_{2C}$	↑IP_3, DAG		α-メチル-5-HT	
	$5-HT_3$		↑Na^+	α-メチル-5-HT	オンダンセトロン
	$5-HT_4$	↑cAMP	↓K^+	5-メトキシトリプタミン	

8-OH-DPAT:8-ヒドロキシ-N,N-ジプロピル-2-アミノテトラリン, AMPA:α-アミノ-3-ヒドロキシ-5-メチル-4-イソキサゾール-プロピオン酸, DAG:ジアシルグリセロール, DCG-IV:2-(2,3-ジカルボキシシクロプロピル)グリシン, DHPG:3,5-ジヒドロキシフェニルグリシン, IP_3:イノシトール三リン酸, L-AP4:2-アミノ-4-ホスホノブチル酸, NMDA:N-メチル-D-アスパラギン酸.

によって素早く逆輸送される.再取込みには高親和性のNa^+依存性膜トランスポータが関与する.図7・3は,交感神経節後神経終末におけるノルアドレナリンの再取込みを示す.ノルアドレナリンはシナプス間隙に遊離された後,**ノルアドレナリントランスポータ** noradrenaline transporter(**NAT**)によって交感神経終末に迅速に逆輸送される.ニューロンに再び入ったノルアドレナリンの一部は,**小胞型モノアミントランスポータ** vesicular monoamine transporter(**VMAT**)によってシナプス小胞に吸収される.中枢および末梢神経系の他のシナプスにおいて遊離される低分子伝達物質には,同様に膜および小胞型トランスポータが存在する.

再取込みは神経伝達物質の作用を終了させる主たる要素であり,これが抑制されると,神経伝達物質遊離の効果が増強したり遷延したりする.これには臨床的な効果もある.たとえば,有効な抗うつ薬のいくつかはアミン系伝達物質再取込み阻害薬である.グルタミン酸は細胞を過剰に興奮させることにより死に至らしめる可能性がある興奮性毒素であるということから,ニューロンおよびグリア細胞へのグルタミン酸再取込みは重要である(クリニカルボックス7・1参照).虚血および酸欠状態では,グルタミン酸再取込みが抑制されるためにニューロン死が増大する.

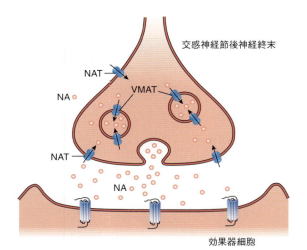

図7・3　シナプス結合部で遊離されたモノアミン類の運命. 各々のモノアミン分泌ニューロンでは，モノアミンは細胞質および分泌顆粒において生合成され，分泌顆粒では2種の小胞型モノアミントランスポータ(VMAT)によってモノアミンの濃度が維持される．モノアミンは顆粒のエキソサイトーシスによって分泌され，GPCRに作用する．この例では，モノアミンはアドレナリン受容体に作用するノルアドレナリン(NA)である．受容体の多くはシナプス後部に存在するが，シナプス前部，あるいはグリア細胞に存在する受容体もある．さらに，モノアミントランスポータ[この例ではノルアドレナリントランスポータ(NAT)]を介するシナプス前部の細胞質への強力なモノアミン再取込み系が存在する(Katzung BG, Masters SB, Trevor AJ: *Basic and Clinical Pharmacology* 11th ed. New York, NY: McGraw-Hill; 2009より許可を得て改変).

低分子伝達物質：興奮性および抑制性アミノ酸，アセチルコリンおよびモノアミン類

グルタミン酸

アミノ酸である**グルタミン酸 glutamate** は，脳および脊髄の主たる興奮性神経伝達物質であり，中枢神経系の興奮性伝達の75％に関与する可能性がある．グルタミン酸の生合成には2つの異なる経路が存在する(図7・1)．第一の経路では，クエン酸回路(Krebs〔クレブス〕回路)で産生された**α-ケトグルタル酸** α-ketoglutarate が，**GABAトランスアミナーゼ GABA transaminase(GABA-T)** という酵素によってグルタミン酸に変換される．第二の経路では，グルタミン酸がシナプス終末から Ca^{2+} 依存性エキソサイトーシス Ca^{2+}-dependent exocytosis によってシナプス間隙に遊離され，次いで**グルタミン酸再取込みトランスポータ glutamate reuptake transporter** によってグリア細胞に輸送され，そこで**グルタミンシンテターゼ glutamine synthetase** という酵素によって**グルタミン glutamine** に変換される(図7・4)．グルタミンはその後，拡散によって神経終末に戻り，そこで**グルタミナーゼ glutaminase** という酵素によって加水分解されてグルタミン酸に戻る．膜トランスポータには，グルタミン酸を直接神経終末にも戻すタイプもある．グルタミン酸作動性ニューロン内では，グルタミン酸は，**小胞型グルタミン酸トランスポータ vesicular glutamate transporter** によって，シナプス小胞内に極めて高濃度に凝縮されている．

グルタミン酸受容体

グルタミン酸は中枢神経系において，イオンチャネル型および代謝型受容体のどちらにも作用する(図7・4)．イオンチャネル型グルタミン酸受容体には3つの型があり，各々が比較的選択的な作動薬に因んで命名されている．すなわち，**AMPA**(α-amino-3-hydroxy-5-methylisoxazole-4-propionate)型，**カイニン酸 kainate** 型，および**NMDA**(*N*-methyl-D-aspartate)型受容体である．これらの受容体の主たる特性を表7・2にまとめた．イオンチャネル型グルタミン酸受容体は，らせん領域が膜を3回貫通する異なるサブユニット，およびチャネルポアを形成する短い部分からなる四量体である．4種のAMPA型(GluR1〜GluR4)，5種のカイニン酸型(GluR5〜GluR7, KA1, KA2)，6種のNMDA型(NR1, NR2A〜NR2D)サブユニットが同定されており，各々異なる遺伝子によってコードされる．

グルタミン酸が遊離してAMPA型あるいはカイニン酸型受容体に結合することによって，主として Na^+ の流入と K^+ の流出が可能となり，これがある種の速い興奮性シナプス後電位 fast excitatory postsynaptic potential(EPSP)の機序である．AMPA型受容体はほとんどの場合，Ca^{2+} 透過性が低いが，受容体複合体の特定の部位に特定のサブユニットが欠けていると，Ca^{2+} 流入が可能となり，これがグルタミン酸の興奮性毒性効果の原因となりうる(クリニカルボックス7・1)．

NMDA型受容体活性化によって，Na^+ とともに比較的大量の Ca^{2+} 流入が可能となる．グルタミン酸がシナプス間隙に過剰に存在すると，NMDA型受容体を介するニューロンへの Ca^{2+} 流入が，グルタミン酸の興奮性毒性作用の主たる原因となる．NMDA型受容体はいくつかの点で他に類を見ない(図7・5)．第一に，受容体がグルタミン酸に反応するためにグリシン

クリニカルボックス 7・1

興奮性毒素

グルタミン酸 glutamate は通常，ニューロンおよびグリアに存在する Na^+ 依存性の再取込み機構によって脳の細胞外液から除去され，ニューロン内のグルタミン酸濃度が mmol 程度であるのに対して，細胞外液では μmol 程度に保たれている．しかしながら，虚血，酸素欠乏，低血糖，外傷などに対する反応の結果，グルタミン酸濃度は過剰なレベルに上昇する．グルタミン酸および合成作動薬のいくつかは，ニューロンの細胞体に作用すると過剰な Ca^{2+} 流入を引き起こして細胞を死に至らしめる可能性がある，という点で他に類を見ない．興奮性毒素は，**脳卒中 stroke** による脳障害形成に重要な役割を担っている．脳動脈が閉塞すると，虚血が甚だしい領域の細胞は死ぬ．その周辺の半ば虚血となった細胞は生き残る可能性があるが，細胞膜を横切る Na^+ 濃度勾配を維持できなくなる．細胞内 Na^+ 濃度上昇により，**アストロサイト astrocyte** が細胞外液からグルタミン酸を除去する能力が損なわれる．したがって，完全に虚血となった領域を取り囲む**周辺部位 penumbra** において，興奮性毒素による傷害や細胞死が生じる程度にまでグルタミン酸が蓄積する．さらに，グルタミン酸受容体の過剰な活性化が，**筋萎縮性側索硬化症 amyotrophic lateral sclerosis (ALS)**，**Parkinson（パーキンソン）病**，**Alzheimer（アルツハイマー）病**といったある種の神経変性疾患の病態生理に関与する可能性もある．

治療上のハイライト

リルゾール riluzole は NMDA 型受容体に拮抗すると考えられている電位作動性チャネル遮断薬である．リルゾールは，ALS の症状進行を抑え，患者の余命を多少なりとも改善する．もう 1 つの NMDA 型受容体拮抗薬である**メマンチン memantine** は，Alzheimer 病患者の症状進行を抑えるのに使用されてきた．第三の NMDA 型受容体拮抗薬である**アマンタジン amantadine** は，**レボドパ levodopa** との併用によって，Parkinson 病患者の機能を改善する．

が NMDA 型受容体に結合することが不可欠である．第二に，グルタミン酸が NMDA 型受容体に結合すると受容体チャネルが開くが，通常の膜電位では，細胞外 Mg^{2+} によってチャネルが遮断される．NMDA 型受容体を含有するニューロンが，近接する AMPA 型およびカイニン酸型受容体活性化によって部分的に脱分極して初めて，この遮断がなくなる．第三に，NMDA 型受容体活性化によって誘発される EPSP は，AMPA 型およびカイニン酸型受容体活性化によって惹起されるものより遅い時間経過をたどる．

基本的に，中枢神経系のすべてのニューロンに AMPA 型および NMDA 型受容体の両方が存在する．カイニン酸型受容体は，GABA を放出する神経終末および様々な部位のシナプス後ニューロン，特に海馬，小脳および脊髄に顕著に存在する．カイニン酸型および AMPA 型受容体はニューロンとともにグリア細胞にも存在する．海馬においては NMDA 型受容体密度が高く，NMDA 型受容体を遮断すると，神経路を短時間高頻度で刺激した際に長時間シナプス伝達が促進される現象である**長期増強 long-term potentiation** が阻害される．このことから，NMDA 型受容体は記憶および学習と関係していると考えられている(15 章参照)．

代謝型グルタミン酸受容体(mGluR)が活性化すると，細胞内のイノシトール 1,4,5-三リン酸 inositol 1,4,5-trisphosphate(IP_3) およびジアシルグリセロール diacylglycerol(DAG)濃度が増加するか，あるいは細胞内環状アデノシン一リン酸 cyclic adenosine monophosphate(cAMP)濃度が減少する(表 7・2)．mGluR では 8 つのサブタイプが知られ，シナプス前($mGluR_{2-4, 6-8}$)およびシナプス後($mGluR_{1, 5}$)のいずれかに局在し，脳内に広く分布している．mGluR は特に海馬および小脳において**シナプス可塑性 synaptic plasticity** の形成に関与している可能性がある．海馬ニューロンのシナプス前 mGluR 自己受容体活性化によって，このニューロンからのグルタミン酸遊離が制限される．mGluR1 の遺伝子ノックアウトによって，重篤な運動協調障害および空間認知障害が引き起こされる．$mGluR_5$ の脳内レベル異常が，統合失調症，主たるうつ状態および自閉症といった神経学的疾患と関連することが示されてきた．

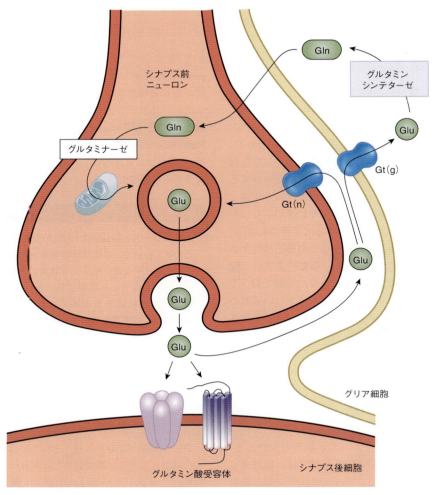

図7・4　グルタミン酸作動性シナプスにおける生化学的過程. Ca^{2+}依存性エキソサイトーシスによってシナプス間隙に遊離されたグルタミン酸(Glu). 遊離されたグルタミン酸は, シナプス後ニューロンのイオンチャネル型およびGPCRに作用可能である. シナプス前終末の膜およびグリア細胞に局在するNa^+依存性グルタミン酸トランスポータ [各々Gt(n)およびGt(g)]によってグルタミン酸が能動輸送されてシナプス伝達は終了する. グリア細胞では, グルタミン酸はグルタミンシンテターゼという酵素によってグルタミン(Gln)に変換され, 次いでグルタミンは神経終末に拡散して, そこでグルタミナーゼという酵素によって加水分解されてグルタミン酸に戻る. 神経終末では, グルタミン酸は小胞型グルタミン酸トランスポータによってシナプス小胞内に高濃度に凝縮される.

グルタミン酸作動性シナプスの薬理学

グルタミン酸受容体の薬理学的特性, 各受容体に結合する作動薬の例, および受容体活性化を妨げる拮抗薬の例を表7・2に示す. グルタミン酸作動性伝達を修飾する薬物の臨床応用はいまだ揺籃期にある. これは, 神経伝達物質としてのグルタミン酸の役割が, 他の大多数の低分子伝達物質よりもずっと後になってから明らかになったためである. 慢性疼痛治療のためにNMDA型受容体拮抗薬の脊髄内あるいは硬膜外投与が用いられる. mGluR$_5$は神経精神疾患治療薬開発の標的である.

γ-アミノ酪酸

γ-アミノ酪酸(GABA)は脳における主たる抑制性伝達物質であり, シナプス前および後抑制の両方に関与している. GABAは, **グルタミン酸デカルボキシラーゼ** glutamate decarboxylase (GAD)によってグルタミン酸を脱炭酸化して, 脳内の多くの部位の神経終末において生合成される(図7・1). **小胞性GABAトランスポータ** vesicular GABA transporter (VGAT)が,

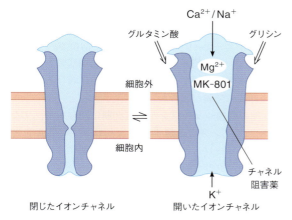

図7・5　NMDA型受容体の模式図． グリシンおよびグルタミン酸が受容体に結合すると，閉じていたイオンチャネル(左)が開くが，静止膜電位では，チャネルはMg^{2+}により遮断されている(右)．NMDA型受容体をもつニューロンが他の入力により部分的に脱分極されると，この遮断は解除され，Ca^{2+}およびNa^+がニューロン内に入る．チャネルはジゾシルピンマレイン酸塩(MK-801)という薬物によっても遮断される．

GABAを分泌小胞へ輸送する．GABAは主としてアミノ基転移によりコハク酸セミアルデヒド succinic semialdehyde に代謝され，次いでそれからクエン酸回路においてコハク酸塩になる．GABAアミノ基転移酵素 **GABA-T** がこのアミノ基転移反応を触媒する酵素である．ニューロンから GABA が遊離された後，高親和性 GABA 輸送体によって再取込みが可能となる．

GABA 受容体

$GABA_A$，$GABA_B$ および $GABA_C$ という3つの型のGABA 受容体が同定されている(表7・2)．$GABA_A$ および $GABA_B$ 受容体は中枢神経系に広く分布しているが(図7・6)，$GABA_C$ 受容体は，ほぼ網膜のみに限局して存在している．$GABA_A$ および $GABA_C$ 受容体はイオンチャネル型受容体であり，活性化によってニューロンへの Cl^- の流入が可能となって，速い抑制性シナプス後電位 fast inhibitory postsynaptic potential (IPSP) の発生に関与する．$GABA_B$ 受容体はGPCR の例であり，Gタンパク質を介して，K^+，Ca^{2+} の流入改変につながる．すなわち，G_iタンパク質はアデニル酸シクラーゼを抑制して K^+ チャネルを開く．また，G_o タンパク質は Ca^{2+} 流入を抑制するかあるいは遅延させる．$GABA_B$ 受容体活性化は，シナプス前抑制および遅いシナプス後抑制の両方に関与する．

$GABA_A$ 受容体は，6つのαサブユニット，4つのβサブユニット，4つのγサブユニット，1つずつの

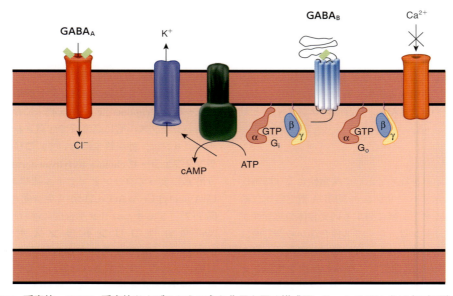

図7・6　$GABA_A$ 受容体，$GABA_B$ 受容体およびそれらの主な作用を示す模式図． 2つの GABA 分子(四角形)が $GABA_A$ 受容体に結合すると，Cl^- の流入が可能となって速い抑制性シナプス後電位を発生させる．1つの GABA 分子が $GABA_B$ 受容体に結合すると，$GABA_B$ 受容体はGタンパク質のαサブユニットと共役する．G_i タンパク質はアデニル酸シクラーゼ(AC)を抑制して K^+ チャネルを開口させる．G_o タンパク質は Ca^{2+} 流入を抑制する(訳注：$GABA_B$ 受容体の作用に関与するGタンパク質はヘテロ二量体である)．

δおよびεサブユニットの様々の組合せによって構成される五量体である．これによって，GABA$_A$受容体は位置によって相当に異なる性質をもつことになる．しかしながら，シナプス性GABA$_A$受容体はほとんどの場合，2つのαサブユニット，2つのβサブユニットおよび1つのγサブユニットからなる（図7・6）．樹状突起，軸索および細胞体のGABA$_A$受容体は，γサブユニットの代わりにδおよびεサブユニットを有することがしばしばある．GABA$_C$受容体は，3つのρサブユニットが様々な組合せを形成する五量体であるという点で比較的単純である．

GABA作動性シナプスの薬理学

GABA受容体の薬理学的特性，各受容体に結合する作動薬の例，および受容体活性化を妨げる拮抗薬の例を表7・2に示す．GABA$_A$受容体活性化によるCl⁻透過性の上昇は，**ベンゾジアゼピン類 benzodiazepines**（たとえば**ジアゼパム diazepam**）によって増強される．したがって，ベンゾジアゼピン類は神経修飾物質の例である．こういった薬物は顕著な抗不安作用を有し，また，**筋弛緩薬，抗痙攣薬，鎮静薬**としても有効である．ベンゾジアゼピン類はGABA$_A$受容体のαサブユニットに結合する．**フェノバルビタール phenobarbital** などの**バルビツール酸類 barbiturates** は，GABA$_A$受容体を介する抑制を増強し，AMPA型受容体を介する興奮を抑えることから，有効な抗痙攣薬である．バルビツール酸類（**チオペンタール thiopental，ペントバルビタール pentobarbital，メトキシタール methoxital**）の麻酔作用は，GABA性伝達の修飾物質として作用するとともに，GABA$_A$受容体の作動薬として作用する結果である．脳の部位による麻酔作用の違いは，GABA$_A$受容体のサブタイプと対応する．

グリシン

グリシンは中枢神経系において興奮性および抑制性両方の作用を示す．グリシンがNMDA型受容体に結合すると，グルタミン酸に対する同受容体の感受性が亢進する．グリシンは，シナプス接合部から間質液にあふれ出て，そして，たとえば脊髄では後角におけるNMDA型受容体を活性化して痛みの伝達を増強させる，と考えられている．しかしながらグリシンは，脳幹および脊髄において，直接抑制作用を仲介する．抑制を仲介するグリシン受容体はCl⁻チャネルであり，2種のサブユニット，リガンドが結合するαサブユニットと，構成要素となるβサブユニットからなる五量体である．GABA同様，グリシンもCl⁻の透過性を増加させることによって作用する．グリシンの作用はストリキニーネ strychnineによって拮抗される．ストリキニーネが起こす痙攣や筋肉の過剰活動という臨床的な事態によって，正常な神経機能におけるシナプス後抑制の意義が明らかになる．

3種の脊髄ニューロンが直接抑制に関与する．すなわち，グリシンを遊離するニューロン，GABAを遊離するニューロンおよびこの両方を遊離するニューロンである．グリシンのみを遊離するニューロンはグリシントランスポータ GLYT2をもち，GABAのみを遊離するニューロンはVGATをもち，両方遊離するニューロンは両方のトランスポータをもつ．この3番目の種類のニューロンでは，同一の小胞にグリシンとGABAの両方が存在する．

アセチルコリン

アセチルコリンは，神経筋接合部，自律神経節，副交感神経節後神経と効果器との接合部，およびある種の交感神経節後神経と効果器との接合部における伝達物質である（13章参照）．実際には，アセチルコリンは，中枢神経系から出るすべての神経（脳神経，運動神経，節前神経）から遊離される．アセチルコリンはまた，前脳基底核複合体（中隔核およびMeynert〔マイネルト〕基底核）にも存在し，これらの核は海馬，新皮質に投射する．さらに，アセチルコリンは橋中脳アセチルコリン性核群にも存在し，ここからは背側視床および前脳部に投射する（図7・2）．これらの系は，睡眠-覚醒状態，学習および記憶の制御に関与していると考えられている（14，15章参照）．

アセチルコリンの大部分は，**アセチルコリン作動性ニューロン**[*1] **cholinergic neuron** 終末に存在する小さな明るいシナプス小胞に高濃度に貯蔵されている．アセチルコリンは，神経終末において，**コリンアセチルトランスフェラーゼ choline acetyltransferase（ChAT）**という酵素によってコリンとアセチル補酵素A〔アセチルCoA acetyl CoA（AcCoA）〕から生合成される（図7・1，図7・7）．アセチルコリン生合成に使われるコリンは，Na⁺依存性**コリントランスポータ choline transporter（CHT）**を介して細胞外間隙から神経終末に輸送される．生合成された後，アセチルコリンは**小胞関連トランスポータ vesicle-associated transporter（VAT）**によって細胞質から小胞へ輸送される．神経信号によってCa²⁺流入が誘発されるとアセチルコリン

[*1] 訳注：通常，コリン作動性ニューロンと呼ぶ．

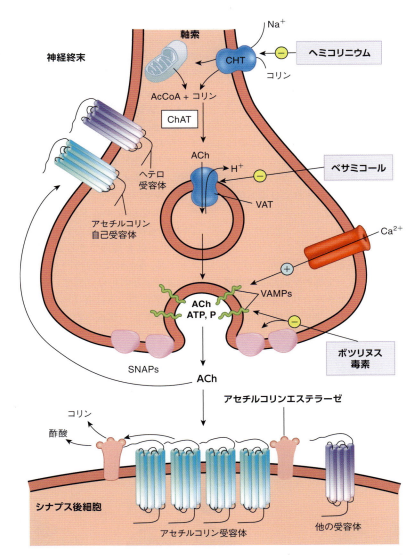

図 7・7　アセチルコリン作動性シナプスにおける生化学的過程．コリンは Na^+ 依存性コリントランスポータ (CHT) によってシナプス前神経終末に輸送される．CHT はヘミコリニウムという薬物によって遮断される．アセチルコリン (ACh) は，細胞質において，コリンアセチルトランスフェラーゼ (ChAT) という酵素によってコリンとアセチル CoA (AcCoA) から生合成される．アセチルコリンはその後小胞関連トランスポータ (VAT) によってペプチド (P) およびアデノシン三リン酸 (ATP) とともに細胞質から小胞内へ輸送される．この段階はベサミコールという薬物によって遮断されうる．電位感受性 Ca^{2+} チャネルが開いて Ca^{2+} 流入が可能になり，小胞と神経終末表面膜が融合してアセチルコリンおよび同時に遊離される伝達物質がシナプス間隙に解き放たれると，アセチルコリンが神経終末から遊離される．この過程には，シナプトソーム関連タンパク質 (SNAP) および小胞関連膜タンパク質 (VAMP) が関与し，ボツリヌス毒素という薬物によって阻害される．遊離されたアセチルコリンは，シナプス後標的 (たとえば平滑筋) のムスカリン性 GPCR や，自律神経節や骨格筋終板のニコチン性イオンチャネル型受容体に作用しうる (図には示していない)．シナプス結合部において，アセチルコリンはアセチルコリンエステラーゼという酵素によって容易に代謝される．シナプス前終末の自己受容体やヘテロ受容体によって神経伝達物質遊離が修飾される．

が遊離される．

再分極が起こるためには，アセチルコリンはシナプスから除去されなければならない．アセチルコリンがコリンと酢酸に加水分解される過程によって，アセチルコリンは除去され，この反応はシナプス間隙において**アセチルコリンエステラーゼ** acetylcholinesterase という酵素によって触媒される．アセチルコリンエステラーゼ分子は，アセチルコリン作動性ニューロンのシナプス後膜に集積している．この酵素によるアセチルコリン加水分解が極めて迅速であることから，シナプス伝達の際に観察されるNa^+透過性および電気的活動の変化を説明することができる．

アセチルコリン受容体

アセチルコリン受容体は薬理学的性質に基づいて2つの主な型に分類されている．交感神経節および骨格筋においては，ニコチンがアセチルコリン類似の興奮性作用を示す．これらのアセチルコリンの作用は**ニコチン性作用** nicotinic action と呼ばれ，関与する受容体は**ニコチン性アセチルコリン受容体** nicotinic cholinergic receptor と呼ばれる．ニコチン性受容体はさらに，筋肉の神経筋接合部に存在するもの（N_M）と中枢神経系および自律神経節に存在するもの（N_N）に分類される．毒キノコの毒性の原因となるアルカロイドであるムスカリンは，平滑筋および腺に対するアセチルコリンの刺激性作用と類似した作用を示す．アセチルコリンのこういった作用は**ムスカリン性作用** muscarinic action と呼ばれ，それに関与する受容体は**ムスカリン性アセチルコリン受容体** muscarinic cholinergic receptor と呼ばれる．ムスカリン性，ニコチン性双方とも脳内に存在している．

ニコチン性アセチルコリン受容体はリガンド作動型イオンチャネル（イオンチャネル型受容体）群の一員である．各々のニコチン性アセチルコリン受容体は中心チャネルを形成する5つのサブユニットからなり，受容体が活性化されるとNa^+や他のカチオン（陽イオン）が中心孔を通過できるようになる．5つのサブユニットは，各々異なる遺伝子でコードされるα，β，γ，δおよびεと名付けられている．N_M型受容体は2つのαサブユニット，各1つずつのβ，γおよびδサブユニットから構成される（図7・8）．N_N型受容体はαおよびβサブユニットのみで構成される．各サブユニットにはアセチルコリン結合部位が存在し，アセチルコリンが各サブユニットに結合すると，タンパク質の立体構造の変化が誘発されてチャネルが開口するようになる．これによってNa^+透過性が上昇し，その結

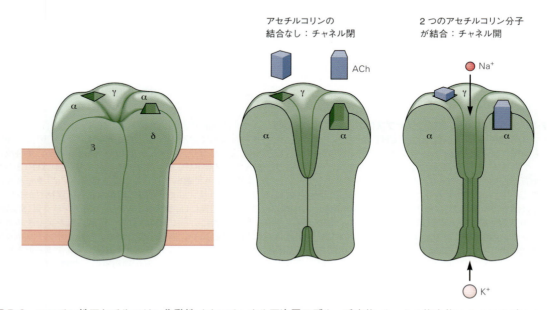

図7・8　ニコチン性アセチルコリン作動性イオンチャネル三次元モデル．受容体-チャネル複合体は5つのサブユニットから構成され，それらはすべてポアの形成に関与している．アセチルコリン2分子が膜表面に露出しているαサブユニット部分に結合すると，受容体-チャネル複合体の構造に変化が起こる．これによって，チャネルの脂質二重膜に埋まっているポア部分が開き，K^+およびNa^+の両方が，電気化学的勾配に従って開いたチャネルを通って流れる(Kandel ER, Schwartz JH, Jessell TM (editors): *Principles of Neural Science*, 4th ed. New York, NY: McGraw-Hill; 2000 より許可を得て複製)．

果生じる Na^+ 流入によって脱分極が起こる．N_N 型受容体の際立った特性は，Ca^{2+} 透過性が高いことである．脳の N_N 型受容体の多くは，グルタミン酸を遊離する軸索終末に局在し，この神経伝達物質の遊離を促進する．

ムスカリン性アセチルコリン受容体には 5 つの型（$M_1 \sim M_5$）が存在し，各々異なる遺伝子によってコードされている．これらは代謝型受容体であり，G タンパク質を介して，アデニル酸シクラーゼ，K^+ チャネル，あるいはホスホリパーゼ C と共役している（表 7・2）．M_1, M_4 および M_5 受容体は中枢神経系に局在する．M_2 受容体は心臓に存在し，M_3 受容体は腺および平滑筋に存在する．M_1 受容体は自律神経節にも局在し，そこで神経伝達を修飾しうる．

アセチルコリン作動性シナプスの薬理学

アセチルコリン受容体に結合する主たる作動薬の例，およびアセチルコリン受容体拮抗薬の例を表 7・2 に示す．図 7・7 はまた，アセチルコリン作動性伝達に影響を及ぼす様々な薬物作用部位を示す．たとえば，**ヘミコリニウム hemicholinium** はコリンを神経終末に動かす CHT を遮断し，また，**ベサミコール vesamicol** はアセチルコリンをシナプス小胞に動かす VAT を遮断する．また，**ボツリヌス毒素 botulinum toxin** は神経終末からのアセチルコリン遊離を妨げる．自律神経系における神経伝達におけるアセチルコリンの役割に関連するアセチルコリンの薬理学に関するより詳細な情報は，13 章に含まれる．

ノルアドレナリンおよびアドレナリン

ノルアドレナリンは，交感神経節後線維終末の大多数から遊離され，その終末では，密度の濃い芯をもつ特徴的な小さな小胞（顆粒小胞）に存在する．ノルアドレナリンおよびそのメチル誘導体であるアドレナリンは，副腎髄質からも遊離されるが（20 章参照），アドレナリンは交感神経節後終末の伝達物質ではない．6 章で述べたように，各々の交感神経節後ニューロンには，走行に沿って多くの膨大部があり，これらの膨大部の各々がノルアドレナリン遊離部位と考えられている．

ノルアドレナリンおよびアドレナリンは，脳のニューロンからも遊離される．ノルアドレナリン含有ニューロンは，**アドレナリン性ニューロン adrenergic neuron** と呼ばれることもしばしばあるが，**ノルアドレナリン性ニューロン noradrenergic neuron** と呼ぶのが適切である．しかしながら，アドレナリン性ニューロンという呼び名はアドレナリン含有ニューロンのためにとっておくべきである．ノルアドレナリン含有ニューロンの細胞体は青斑核および他の延髄や橋の核に存在する（図 7・2）．青斑核からは，ノルアドレナリン作動性ニューロンの軸索が脊髄に下行し，小脳に入り，また，上行して視床下部の傍室核，視索上核，脳室周囲核，視床，終脳基底部および新皮質すべてを支配する．これらの部位におけるノルアドレナリンの作用は主として神経伝達を修飾することである．

カテコールアミン類の生合成と遊離

生体に存在する主たる**カテコールアミン類 catecholamines**（ノルアドレナリン，アドレナリン，ドーパミン）は，チロシンというアミノ酸のヒドロキシル化（水酸化）および脱カルボキシル化（脱炭酸化）により生合成される（図 7・1，図 7・9）．チロシンはフェニルアラニンから生合成されることもあるが，多くは食餌が源である．**フェニルアラニンヒドロキシラーゼ phenylalanine hydroxylase** は，主に肝臓に存在する（クリニカルボックス 7・2 参照）．チロシンは，Na^+ 依存性担体を介してカテコールアミン産生ニューロンに運ばれる．チロシンはこれらの細胞の細胞質内で，**チロシンヒドロキシラーゼ tyrosine hydroxylase** によりドーパに変換され，次いで**ドーパデカルボキシラーゼ DOPA decarboxylase** によりドーパミンに変換される．この脱炭酸酵素は**アミノ酸デカルボキシラーゼ amino acid decarboxylase** とも呼ばれる．カテコールアミン生合成の律速段階は，チロシンをドーパに変換する段階である．チロシンヒドロキシラーゼはドーパミンおよびノルアドレナリンによってフィードバック抑制を受け，これによって生合成過程における内部制御が成立する．

いったん生合成されると，ドーパミンは**小胞型モノアミントランスポータ（VMAT）** によって小胞に輸送され，そこで**ドーパミン β-ヒドロキシラーゼ dopamine β-hydroxylase** によりノルアドレナリンに変換される．ノルアドレナリンは，細胞質で生合成された後に小胞に輸送されるのではなく，小胞で生合成される唯一の低分子伝達物質である．

中枢神経系のあるニューロンや副腎髄質細胞の中には**フェニルエタノールアミン-N-メチルトランスフェラーゼ phenylethanolamine-N-methyltransferase（PNMT）** という細胞質酵素をも有するものがあり，ノルアドレナリンからアドレナリンへの変換を触媒する．これらの細胞では，ノルアドレナリンは小胞を離れ，細胞質でアドレナリンに変換され，次いで，別の小胞に入っ

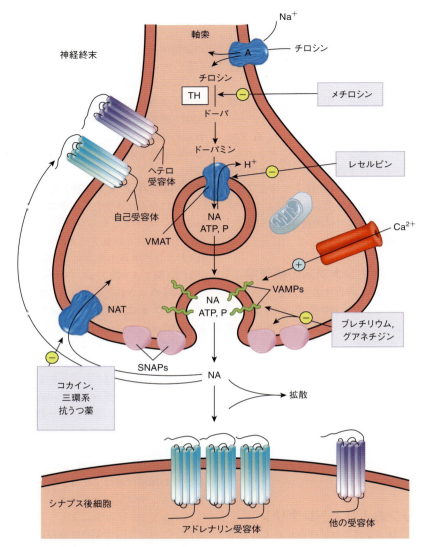

図7・9　ノルアドレナリン作動性シナプスにおける生化学的過程．チロシン（Tyr）は，Na⁺依存性担体（A）によってノルアドレナリン作動性神経終末内に輸送される．チロシンからドーパミンへの変換およびドーパミンからノルアドレナリン（NA）への変換に関わる過程は図7・1 に示されている．メチロシン metyrosine は，カテコールアミン産生における律速段階酵素であるチロシンヒドロキシラーゼ（TH）の作用を遮断する．ドーパミンは小胞型モノアミントランスポータ（VMAT）によって細胞質から小胞内に輸送され，このトランスポータは，レセルピンという薬物によって遮断されうる．ノルアドレナリンや他のアミン類も VMAT によって輸送されうる．ドーパミンは小胞内でノルアドレナリンに変換される．活動電位が電位感受性 Ca^{2+} チャネルを開口して Ca^{2+} 流入が可能となり，次いで小胞が神経終末表面膜と融合して，ペプチド（P）およびアデノシン三リン酸（ATP）とともにノルアドレナリン放出が引き起こされる．この過程にはシナプトソーム関連タンパク質（SNAP）および小胞関連膜タンパク質（VAMP）が関与し，この過程グアネチジンやブレチリウムといった薬物で遮断されうる．神経終末へ遊離されたノルアドレナリンは，シナプス後ニューロンや神経効果器（たとえば血管）の GPCR に作用しうる．ノルアドレナリンはまた，拡散によってシナプス間隙外に出たり，ノルアドレナリントランスポータ（NAT）によって神経終末に戻されたりしうる．NAT はコカインおよび三環系抗うつ薬によって遮断されうる．シナプス前終末の自己受容体やヘテロ受容体によって神経伝達物質遊離が修飾される．

クリニカルボックス 7・2

フェニルケトン尿症

　フェニルケトン尿症 phenylketonuria（PKU）は先天性代謝疾患の一例であり，重篤な精神遅滞と，血中，組織および尿中への多量の**フェニルアラニン** phenylalanine およびそのケト酸誘導体の蓄積を特徴とする疾患である．本症は通常，**フェニルアラニンヒドロキシラーゼ** phenylalanine hydroxylase 遺伝子の突然変異による同酵素の機能低下を原因とする．この遺伝子は第 12 染色体長腕に位置する．カテコールアミン類はチロシンから生成され続け，認知機能障害は主として，血中へのフェニルアラニンおよびその誘導体の血中への蓄積による．この病態は，**テトラヒドロビオプテリン（BH4）欠乏** tetrahydrobiopterin（BH4）deficiency によっても生じる．BH4 はチロシンヒドロキシラーゼ，トリプトファンヒドロキシラーゼ，フェニルアラニンヒドロキシラーゼの補酵素であるから，BH4 欠乏の PKU 症例では，高フェニルアラニンに加えて，カテコールアミン類欠乏およびセロトニン欠乏も生じる．この結果，筋緊張低下，活動性低下および発達障害が生じる．BH4 はまた，一酸化窒素（NO）合成酵素（NO シンターゼ）による NO 生合成にも必須である．重篤な BH4 欠乏は NO 合成阻害につながり，中枢神経系が強度の酸化ストレスに曝されることになる．北米，豪州および欧州では通常，新生児の血中フェニルアラニン濃度が測定され，もし PKU と診断された場合は，精神遅滞の進行を抑えるために，生後 3 週齢までに食餌療法を開始しなければならない．

治療上のハイライト

　PKU は，食餌中のフェニルアラニン量を著明に減少させることによって首尾よく治療することが可能である．これは，牛乳，卵，チーズ，肉類，ナッツ類などの高タンパク質食品を制限するということである．BH4 欠乏の症例では，低フェニルアラニン食餌療法に加え，BH4，**レボドパ** levodopa および **5-ヒドロキシトリプトファン** 5-hydroxytryptophan を投与することによって治療可能となる．米国食品医薬品局は，PKU 患者の一部の治療のために，合成 BH4 である**サプロプテリン** sapropterin という薬物を承認した．

てエキソサイトーシスによって遊離されるまで，貯蔵される．

カテコールアミン類の異化作用

　ノルアドレナリンは，他のアミン類やアミノ酸伝達物質と同様に，シナプス後受容体およびシナプス前受容体と結合することによって，また，シナプス前ニューロンへの再取込み，さらに異化作用によってシナプス間隙から除去される．**ノルアドレナリントランスポータ** noradrenaline transporter（NAT）を介する再取込みが，ノルアドレナリンの作用を終了させる主たる機構であり（図 7・3），交感神経支配が除去された構造物における過感受性は部分的にはこの基本に則って説明が可能である．ノルアドレナリン作動性ニューロンを切断すると，シナプス間隙からノルアドレナリンを除去する NAT が失われて神経終末は変性する．その結果，他の供給源からのノルアドレナリンが自律神経効果器官をより強く刺激することが可能になる．
　アドレナリンおよびノルアドレナリンは酸化およびメチル化によって生物学的活性をもたない産物に代謝される．酸化反応は**モノアミンオキシダーゼ** monoamine oxidase（MAO）によって，メチル化反応は**カテコール-O-メチルトランスフェラーゼ** catechol-O-methyltransferase（COMT）によって触媒される．MAO はミトコンドリアの外表面に局在する．MAO は広く分布し，特にカテコールアミン類を遊離する神経終末に豊富に存在する．COMT も広く分布し，特に肝臓，腎臓および平滑筋に豊富である．脳では，COMT はグリア細胞に存在し，シナプス後ニューロンにも少量存在するが，ノルアドレナリン作動性シナプス前ニューロンには存在しない．
　細胞外のアドレナリンおよびノルアドレナリンは大部分 O-メチル化されたものであり，O-メチル誘導体であるノルメタネフリンおよびメタネフリンの尿中濃度を測定することが，ノルアドレナリンおよびアドレナリン遊離速度のよい指標となる．排出されない O-メチル誘導体は大部分が酸化され，バニリルマンデル酸 vanillylmandelic acid（VMA）が尿中に最も多く存

在するカテコールアミン代謝産物である．

ノルアドレナリン作動性神経終末では，ノルアドレナリンの一部は持続的に細胞内の MAO によって生理学的に活性のない脱アミノ誘導体である 3,4-ジヒドロキシマンデル酸 3,4-dihydroxymandelic acid (DOMA) およびそれに対応するグリコールに変換される．これらはその後対応する O-メチル誘導体である VMA および 3-メトキシ-4-ヒドロキシフェニルグリコール 3-methoxy-4-hydroxyphenylglycol (MHPG) に変換される．

アドレナリンα受容体とアドレナリンβ受容体

アドレナリンおよびノルアドレナリンはどちらも，**アドレナリンα受容体** α-adrenergic receptor (adrenoceptor) と**アドレナリンβ受容体** β-adrenergic receptor に作用し，ノルアドレナリンはアドレナリンα受容体により高い親和性をもち，一方アドレナリンはアドレナリンβ受容体により高い親和性をもつ．これらの受容体は GPCR であり，各々複数のサブタイプ（α_{1A}，α_{1B}，α_{1D}，α_{2A}，α_{2B}，α_{2C}，β_1〜β_3）を有する．α_1 受容体のほとんどは，G_q タンパク質を介してホスホリパーゼ C と共役し，イノシトール三リン酸（IP_3）およびジアシルグリセロール（DAG）産生につながり，細胞内に貯蔵された Ca^{2+} を動員し，プロテインキナーゼ C を活性化する．こうして，多くのシナプスで，アドレナリン α_1 受容体活性化によりシナプス後標的は興奮性の作用を受ける．一方，アドレナリン α_2 受容体は抑制性 G_i タンパク質を活性化し，その結果アデニル酸シクラーゼが抑制されて環状アデノシン一リン酸 cyclic AMP (cAMP) が減少する．アドレナリン α_2 受容体の他の作用は，内向き整流性 K^+ チャネルと共役する G タンパク質を活性化して，膜を過分極させることおよび神経型 Ca^{2+} チャネルを抑制することである．こうして，多くのシナプスにおいて，アドレナリン α_2 受容体活性化によってシナプス後標的は抑制される．シナプス前アドレナリン α_2 受容体は自己受容体であり，活性化すると，交感神経節後神経終末からの過剰なノルアドレナリン遊離が抑制される．アドレナリンβ受容体は興奮性 G_s タンパク質を活性化して，その結果アデニル酸シクラーゼが活性化されて cAMP が増加する．

アドレナリン α_1 受容体は平滑筋および心臓に局在し，アドレナリン α_2 受容体は中枢神経系，膵臓の島細胞および神経終末に局在する．アドレナリン β_1 受容体は心臓および腎臓の傍糸球体細胞 juxtaglomerular cell に存在する．アドレナリン β_2 受容体は気管支平滑筋および血管平滑筋の一部に存在する．アドレナリン β_3 受容体は脂肪組織に存在する．

ノルアドレナリン作動性シナプスの薬理学

アドレナリン受容体に結合する作動薬全般の例，アドレナリン受容体拮抗薬全般の例を表 7･2 に示す．図 7･9 はまた，ノルアドレナリン作動性伝達に影響を与える様々な薬物の作用部位も示す．たとえば，**メチロシン** metyrosine は，神経終末におけるカテコールアミン生合成過程の律速段階であるチロシンヒドロキシラーゼの作用を遮断する．**レセルピン** reserpine は，ドーパミンをシナプス小胞に動かす小胞型モノアミントランスポータ（VMAT）を遮断する．また，**ブレチリウム** bretylium および**グアネチジン** guanethidine は神経終末からのノルアドレナリン遊離を妨げる．**コカイン** cocaine および**三環系抗うつ薬** tricyclic antidepressant はノルアドレナリントランスポータ（NAT）を遮断する．表 7･2 にあげた作動薬に加えて，貯蔵された伝達物質をノルアドレナリン性神経終末から遊離させるという点でノルアドレナリン類似の作用を示す薬物もある．こういった薬物は**交感神経興奮薬** sympathomimetics と呼ばれ，**アンフェタミン** amphetamine や，**エフェドリン** ephedrine が含まれる．自律神経系の神経伝達におけるノルアドレナリンの役割に関するノルアドレナリンの薬理学に関する情報は 13 章に含まれる．

ドーパミン

脳内のある部位では，カテコールアミン生合成がドーパミンの段階で止まり，ドーパミンがシナプス間隙に放出されうる．能動的なドーパミン再取込みが，Na^+ および Cl^- 依存的な**ドーパミントランスポータ** dopamine transporter を介して行われる．ドーパミンは MAO および COMT によって，ノルアドレナリンと同様な様式で不活性化合物に代謝される 3,4-ジヒドロキシフェニル酢酸 3,4-dihydroxyphenylacetic acid (DOPAC) およびホモバニリン酸 homovanillic acid (HVA) は主に酢酸塩と結合する．

ドーパミン作動性ニューロンはいくつかの脳部位に局在する（図 7･2）．1 つの部位は**黒質線条体系** nigrostriatal system であり，中脳の黒質から大脳基底核の線条体に投射して運動制御に関与する．もう 1 つのドーパミン系は**中脳皮質系** mesocortical system であり，主に腹側被蓋野を起始核として，側坐核および辺縁皮質下の脳部位に投射して，報酬行動，および統合

クリニカルボックス 7・3

統合失調症

統合失調症 schizophrenia は複数の脳内系の障害が関与し、内的な思考様式や他人との関わり方を改変してしまう疾患である。統合失調症患者は、幻覚、妄想、目まぐるしく空転する思考 racing thoughts に苛まれる（陽性症状）。一方で、無感動、新たな状況に対処できない、自発性や動機付けがない、といった症状にも苦しむ（陰性症状）。世界的に、人口の約 1～2％ に統合失調症がある。遺伝的、生物学的、文化的および心理的要因が組み合わさって統合失調症を形成している。**新皮質系 mesocortical system** が、少なくとも統合失調症の症状の一部の進展に関与している。当初は、辺縁系の **D_2 受容体 D_2 dopamine receptor** 過剰刺激に注意が向けられた。**アンフェタミン amphetamine** は脳内でドーパミンおよびノルアドレナリンを遊離させるが、この薬物によって統合失調症様の精神症状が生じる。統合失調症患者では脳内の D_2 受容体数が増加している。また、多くの薬物において、統合失調症治療効果と D_2 受容体遮断作用の間に有意な正の相関がある。しかしながら、最近開発された薬物の中には、有効な精神症状改善薬であるにもかかわらず、D_2 受容体への結合能は顕著ではないものもある。その代わり、こういった薬物は D_4 受容体に結合する。そして統合失調症患者では D_4 受容体に異常がある可能性については研究が進行中である。

治療上のハイライト

1950 年代中頃から、多数の抗精神病薬（たとえば、**クロルプロマジン chlorpromazine**, **ハロペリドール haloperidol**, **ペルフェナジン perphenazine**, **フルフェナジン fluphenazine**）が統合失調症治療のために使用されてきた。1990 年代に、"非定型"抗精神病薬が開発された。この例が**クロザピン clozapine** であり、これは精神症状、幻覚、自殺行動および現実からの隔絶を和らげる。しかしながら、起こりうる有害副作用として、無顆粒球症（白血球がなくなること）があり、これによって感染と戦う能力が損なわれる。**リスペリドン risperidone**, **オランザピン olanzapine**, **クエチアピン quetiapine**, **ジプラシドン ziprasidone**, **アリピプラゾール aripiprazole**, **パリペリドン paliperidone** といった他の非定型抗精神病薬は無顆粒球症を起こさない。

失調症などの精神疾患に関与する（クリニカルボックス 7・3 参照）。**陽電子放射断層撮影法（ポジトロン断層法）positron emission tomography（PET）**を用いた研究によると、健常なヒトでは大脳基底核においてドーパミン受容体が年齢とともに着実に減少していることが観察される。

ドーパミン受容体

5 種のドーパミン受容体がクローン化されているが、D_1 型（D_1, D_5），D_2 型（D_2, D_3, D_4）という 2 つの主たるグループに分けられる。ドーパミン受容体はすべて代謝型 GPCR である。D_1 型受容体活性化によって cAMP が増加し、一方 D_2 型受容体活性化により cAMP が減少する。D_2 型受容体過剰刺激が統合失調症の病態に関与するのではないかと考えられている（クリニカルボックス 7・3）。D_3 受容体は特に側坐核（図 7・2）に強く限局している。D_4 受容体は "非定型" 抗精神病薬である**クロザピン clozapine** に対して他のドーパミン受容体よりも強い親和性をもつ。クロザピンは主として、他の治療法に反応しない統合失調症患者の治療に使用される。

セロトニン

セロトニン serotonin [5-ヒドロキシトリプタミン 5-hydroxytryptamine（5-HT）] は血小板と消化管に最も高濃度に存在し、消化管では腸クロム親和性細胞と腸管神経叢に存在する。脳幹中心部の縫腺核群にも存在し、視床下部、辺縁系、新皮質、小脳および脊髄など中枢神経系の広範囲に投射している（図 7・2）。

セロトニンは、必須アミノ酸である**トリプトファン tryptophan** から生合成される（図 7・1, 図 7・10）。律速段階は、トリプトファンが、**トリプトファンヒドロキシラーゼ tryptophan hydroxylase** によって **5-ヒドロキシトリプトファン 5-hydroxytryptophan** に変換される段階である。次いで 5-ヒドロキシトリプトファンが**芳香族 L-アミノ酸デカルボキシラーゼ aromatic L-amino**

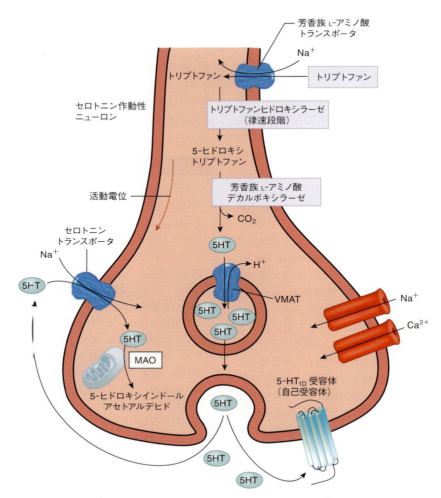

図 7·10 セロトニン作動性シナプスにおける生化学的過程. トリプトファンは Na^+ 依存性芳香族 L-アミノ酸トランスポータによってセロトニン作動性神経終末内に輸送される．トリプトファンからセロトニン [5-ヒドロキシトリプタミン(5-HT)] への変換に関わる過程は図 7·1 に示されている．セロトニンは小胞型モノアミントランスポータ (VMAT) によって細胞質から小胞内に輸送される．活動電位が電位感受性 Ca^{2+} チャネルを開口して Ca^{2+} を流入，次いで小胞と神経終末表面膜との融合が可能になると，セロトニン遊離が起こる．神経終末に遊離されたセロトニンは，シナプス後ニューロン (図には示していない) の GPCR に作用しうる．セロトニンはまた，拡散によってシナプス間隙外に出たり，セロトニントランスポータによって神経終末内に戻されたりしうる．セロトニンはシナプス前自己受容体に作用して過剰な神経伝達物質遊離を抑制することもできる．細胞質のセロトニンは，図のように小胞内に収納されるか，あるいはミトコンドリア性モノアミンオキシダーゼ (MAO) によって 5-ヒドロキシインドールアセトアルデヒドへと代謝される．

acid decarboxylase によってセロトニンに変換される．セロトニンは VMAT によって小胞内に輸送される．セロトニンは，セロトニン作動性ニューロンから遊離された後，比較的選択性の高い**セロトニントランスポータ** serotonin transporter (SERT) によって再取込みされる．いったん神経終末に戻されると，小胞内に取り戻されるか，あるいは MAO によって不活化されて 5-ヒドロキシインドール酢酸 5-hydroxyindoleacetic acid (5-HIAA) となる．この物質が尿中の主なセロトニン代謝産物であり，尿中への 5-HIAA 排泄がセロトニン代謝の指標として用いられる．

セロトニン受容体

7 つの型のセロトニン受容体が存在し，1 つの型 ($5-HT_3$) を除くすべての型が GPCR でありアデニル酸シクラーゼ，あるいはホスホリパーゼ C に作用する (表 7·2)．$5-HT_1$ 受容体グループには $5-HT_{1A}$, $5-HT_{1B}$, $5-HT_{1D}$, $5-HT_{1E}$ および $5-HT_{1F}$ のサブタイプがある．

5-HT$_2$受容体グループには5-HT$_{2A}$，5-HT$_{2B}$，5-HT$_{2C}$のサブタイプがある．5-HT$_5$受容体グループには5-HT$_{5A}$，5-HT$_{5B}$の2つのサブタイプがある．セロトニン受容体にはシナプス前に存在するものとシナプス後に存在するものがある．

5-HT$_{2A}$受容体活性化により血小板凝集と平滑筋収縮が起こる．5-HT$_3$受容体は消化管および脳の最後野に存在し，嘔吐に関係している．5-HT$_4$受容体も消化管に存在して分泌と蠕動運動を促進するとともに，脳内にも存在する．5-HT$_6$受容体および5-HT$_7$受容体は辺縁系に広範に分布し，5-HT$_6$受容体は抗うつ薬に高親和性を有する．

セロトニン作動性シナプスの薬理学

5-HT受容体に結合する作動薬の一般的な例，5-HT受容体拮抗薬の一般的な例を表7・2に示す．さらに，三環系抗うつ薬は，SERTを遮断することによってセロトニン取込みを抑制する．**フルオキセチン fluoxetine**といった**選択的セロトニン再取込み阻害薬 selective serotonin reuptake inhibitor**（**SSRI**）は，うつ病治療に広く用いられている（クリニカルボックス7・4参照）．

高分子伝達物質：神経ペプチド類
サブスタンスP

サブスタンスP substance Pは11のアミノ酸残基をもつポリペプチドであり，腸管，様々な末梢神経および中枢神経系の多くの部位に存在する．サブスタンスPはタキキニン類と呼ばれるポリペプチド群の1つであり，その6種のアミノ基末端は異なるが，カルボキシル基末端は，Phe-X-Gly-Leu-Met-NH$_2$という共通の配列をもち，XはVal，His，Lys，Pheのいずれかである．この群に所属する他の物質には，**ニューロキニンA neurokinin A**および**ニューロキニンB neurokinin B**などがある．

3種のニューロキニン受容体 neurokinin receptor（NK$_1$〜NK$_3$）が存在し，GPCRである．サブスタンスPは中枢神経系のNK$_1$受容体に親和性の高いリガンドであり，この受容体活性化によりイノシトール三リン酸（IP$_3$）およびジアシルグリセロール（DAG）生成が増加する．

サブスタンスPは脊髄の一次求心性ニューロン終末に高濃度に存在し，脊髄後角の痛覚伝道路において最初のシナプス伝達における仲介因子の1つである．サブスタンスPはまた，黒質線条体路にも高濃度に存在し，その濃度はドーパミン濃度に比例する．さらにサブスタンスPは視床下部にも高濃度に存在し，神経内分泌機能を制御していると考えられている．サブスタンスPは腸管では蠕動運動に関与している．最近開発された中枢作用性NK-1受容体拮抗薬の中には，抗うつ作用をもつことが示されているものがある．こういった薬物は，化学療法を受けている患者に対して制吐薬としても使用されてきた．

オピオイドペプチド類

脳および消化管にはモルヒネと結合する受容体が存在する．これらの受容体に結合する内因性生理活性物質の探索によって，このオピオイド受容体に結合する**メチオニン-エンケファリン met-enkephalin**および**ロイシン-エンケファリン leu-enkephalin**という2種の密接に関連した五量体ペプチドが発見された（**エンケファリン類 enkephalins**）．この2種およびオピオイド受容体に結合する他のペプチドは，**オピオイドペプチド類 opioid peptides**と呼ばれる．エンケファリン類は消化管の神経終末および脳の多様な部位に存在し，シナプス伝達物質として機能している．オピオイドペプチドは（脊髄後角の）膠様質 substantia gelatinosaに存在し，脳幹に注入すると鎮痛作用を発現する．また，オピオイドペプチドは腸管の運動を抑制する．エンケファリンは主として2種のペプチド分解酵素 peptidaseにより代謝される．すなわち，グリシン-フェニルアラニン Gly-Phe結合を切断するエンケファリン分解酵素A enkephalinase Aおよびグリシン-グリシン Gly-Gly結合を切断するエンケファリン分解酵素B enkephalinase Bである．チロシン-グリシン Try-Gly結合を切断するアミノペプチド分解酵素 aminopeptidaseもエンケファリンの代謝を触媒する．

他の低分子ペプチド類と同様に，内在性オピオイドペプチド類はより高分子の前駆物質分子の一部分として生合成される．20種以上の活性をもつオピオイドペプチド類が同定されている．各々のオピオイドペプチドはprepro体およびpro体をもち，そこから活性のあるペプチドへと分割される．**プロエンケファリン proenkephalin**は，脳および副腎髄質におけるメチオニン-エンケファリンおよびロイシン-エンケファリンの前駆物質でもある．各々のプロエンケファリンは，4つのメチオニン-エンケファリンと1つずつのロイシン-エンケファリン，オクタペプチドおよびヘプタペプチドを含有する．**プロオピオメラノコルチン proopiomelanocortin**は下垂体前葉，中間葉および脳に

クリニカルボックス 7・4

大うつ病

米国国立精神衛生研究所 National Institute of Mental Health によれば，18歳以上の米国人の2100万人近くが，**大うつ病 major depressive disorder**，**気分変調症 dysthmia**，**双極性障害 bipolar disease** などの気分障害を有している．最大の集団は大うつ病と診断される人々である．大うつ病は，発症年齢の中央値が32歳であり，男性よりも女性に多く見られる．大うつ病の徴候は，気分の落ち込み，性的不感症，食思不振，不眠症ないしは過眠症，落ち着きのなさ，倦怠感，無価値であるという感情，思考力および集中力の低下，繰り返し生じる自殺願望，などである．**定型性うつ病 typical depression** の特徴は，悲しいという感情，早朝覚醒，食思低下，落ち着きのなさおよび性的不感症である．**非定型性うつ病 atypical depression** の徴候は，喜びを渇望する行動や過眠症などである．

うつ病の正確な原因は不明であるが，遺伝的要因が関与しているようである．ノルアドレナリン，セロトニンおよびドーパミンという中枢モノアミン類の役割を示唆する強力なデータがある．リセルギン酸ジエチルアミド lysergic acid diethylamide（LSD）という幻覚誘発剤は，中枢の $5-HT_2$ 受容体作動薬である．こういった薬物によって一時的に幻覚を生じるということは，薬物を合成した化学者が偶然吸入してしまった際に明らかになった．こういった発見によって，脳内セロトニン量の変化と行動との相関性に対する注意が喚起されるようになった．**2,5-ジメトキシ-4-メチル-アンフェタミン 2,5-dimethoxy-4-methyl-amphetamine**（DOM），**メスカリン mescaline** および他の真の幻覚誘発剤はフェニルエチルアミン類 phenylethylamines である．しかしながら，こういった薬物の各々は $5-HT_2$ 受容体に結合することによって効果を発揮すると考えられている．**3,4-メチレンジオキシメタンフェタミン 3,4-methylenedioxymethamphetamine**（MDMA あるいは**エクスタシー Ecstasy**）はよく知られた濫用薬物であり，多幸感に続いて，集中力低下および抑うつ状態を引き起こす．この薬物はセロトニン遊離，続いてセロトニン枯渇をもたらし，多幸感は遊離によって生じ，その後の徴候は枯渇によると考えられている．

治療上のハイライト

定型性うつ病の場合は，**選択的セロトニン再取込み阻害薬 selective serotonin reuptake inhibitor**（SSRI）である**フルオキセチン fluoxetine**［商品名プロザックProzac（日本では未承認）］といった薬物が抗うつ薬として有効である．SSRI は**不安神経症 anxiety disorder** にも使用される．非定型性うつ病では SSRI が無効な場合が多い．代わって，**フェネルジン phenelzine** や**セレギリン selegiline** といった**モノアミンオキシダーゼ阻害薬 monoamine oxidase inhibitor**（MAOI）が抗うつ薬として有効であることが示されている．しかしながら，患者が，熟成チーズ，食肉加工品，アボカド，ドライフルーツ，赤ワイン（特にキャンティ酒）のような**チラミン tyramine** を多く含む食品を多量に摂取した場合は，MAOI は高血圧緊急症などの有害な結果をもたらす．非定型性うつ病はセロトニンとドーパミンの両方が減少することによってもたらされる可能性がある，というデータに基づいて，モノアミン類により全般的に作用する薬物が開発されてきた．こういった薬物は**非定型抗うつ薬 atypical antidepressant** と呼ばれ，**ブプロピオン bupropion** がその例であり，この薬物はアンフェタミン同様，脳内のセロトニン，ドーパミン両方の量を増加させる．ブプロピオンは**禁煙治療 smoking cessation therapy** にも使われる．

存在する高分子前駆体分子であるが，アミノ基末端にメチオニン-エンケファリンをもつ31アミノ酸残基のポリペプチドである**β-エンドルフィン β-endorphin** を含有する．脳内には，エンケファリンあるいはβ-エンドルフィンを分泌する別々のニューロン系が存在する．β-エンドルフィンはまた，下垂体から血中に分泌される．第三の前駆物質は，**プロダイノルフィン prodynorphin** であり，ダイノルフィン dynorphin お

表 7·3 オピオイド受容体刺激によって生じる生理的作用

受容体	内在性オピオイドペプチド親和性	効果
μ	エンドルフィン＞エンケファリン＞ダイノルフィン	脊髄より上位および脊髄レベルの鎮痛作用 呼吸抑制 便秘 多幸感 鎮静 成長ホルモンおよびプロラクチン分泌促進 縮瞳
κ	エンケファリン＞エンドルフィンとダイノルフィン	脊髄より上位および脊髄レベルの鎮痛作用 利尿 鎮静 縮瞳 不快感
δ	ダイノルフィン≫エンドルフィンとエンケファリン	脊髄より上位および脊髄レベルの鎮痛作用

よびネオエンドルフィン neoendorphin とともに3つのロイシン-エンケファリン残基を含有するタンパク質である．異なる型のダイノルフィン類が十二指腸，下垂体後葉および視床下部に存在し，視床下部にはβ-ネオエンドルフィンも存在する．

オピオイド受容体 opioid receptor にはμ，κおよびδの3種の型が存在し，この各々には様々なサブタイプが存在する．表7·3 に示すように，これら3種の受容体は，生理作用および様々なオピオイドペプチド類に対する親和性が異なる．これらの種はすべてGPCR であり，すべてアデニル酸シクラーゼを抑制する．μ受容体が活性化すると K^+ 透過性が増大し，中枢ニューロンおよび一次求心性線維が過分極する．κおよびδ受容体活性化によって Ca^{2+} チャネルが閉じる．

他のポリペプチド類

ソマトスタチン somatostatin は脳内の様々な部位に存在し，感覚入力，自発運動活性および認知機能に対する効果をもつ神経伝達物質として機能していると考えられている．視床下部では，成長ホルモンを抑制するホルモンであるソマトスタチンは，下垂体門脈系に分泌される．膵臓内分泌部位では，ソマトスタチンはインスリン insulin および他の膵臓ホルモン分泌を抑制する．また消化管では，ソマトスタチンは重要な消化管抑制性制御因子である．5種のソマトスタチン受容体が一群として同定されている（SSTR1〜SSTR5）．これらはすべて GPCR であり，アデニル酸シクラーゼを抑制し，他の細胞内情報伝達系にも様々な作用を発現する．SSTR2 は認知作用や成長ホルモン分泌抑制に関与し，一方 SSTR5 はインスリン分泌抑制に関与する．

バソプレシン vasopressin および **オキシトシン oxytocin** はホルモンとして分泌されるだけではなく，脳幹および脊髄に投射するニューロンによっても遊離される．**ブラジキニン bradykinin**，**アンジオテンシンⅡ angiotensinⅡ** および **エンドセリン endothelin** は脳のニューロンからも遊離される．消化管ホルモンである **血管作動性腸管ポリペプチド vasoactive intestinal polypeptide（VIP）**，**コレシストキニン cholecystokinin（CCK-4，CCK-8）** も脳内に存在する．脳内には CCK-A および CCK-B という2種の受容体が存在する．CCK-8 は両方の受容体に結合するが，CCK-4 は CCK-B 受容体のみに結合する．**ガストリン gastrin**，**ニューロテンシン neurotensin**，**ガラニン galanin** および **ガストリン遊離ペプチド gastorin-releasing peptide** も消化管および脳内に存在する．ニューロテンシン受容体，VIP 受容体および CCK 受容体は GPCR である．視床下部にはガストリン17 およびガストリン34 の両方が存在する．VIP により血管拡張が引き起こされ，VIP は血管運動神経線維に存在する．消化器系にも発現しているペプチドの中には満腹感に関与することが示唆されているものもあるが（26章参照），これらのペプチドの神経系における機能は不明である．

カルシトニン遺伝子関連ペプチド calcitonin gene-related peptide（CGRP） は中枢および末梢神経系，消化管，心血管系さらに泌尿生殖器系に存在する．CGRP はサブスタンス P あるいはアセチルコリンと共局在している．CGRP 様免疫活性が循環血中に存在し，CGRP を注入すると血管拡張が起こる．CGRP およびカルシウムを低下させるホルモンであるカルシトニン calcitonin はどちらもカルシトニン遺伝子の産物である．CGRP は Ca^{2+} 代謝にはほとんど影響を及ぼさず，カルシトニンは弱い血管拡張因子であるにすぎない．三叉神経求心線維から CGRP が遊離されることが片頭痛の病態に関与しているのではないかと考えられている．CGRP の作用は，2種の代謝型 GPCR によって仲介されている．

ニューロペプチド Y neuropeptide Y は，脳の全域および自律神経系に極めて豊富に存在するポリペプチドであり，8種の同定された受容体（Y_1〜Y_8）に作用し，

Y_3 以外の受容体に GPCR である．これらの受容体活性化によって Ca^{2+} が動員され，アデニル酸シクラーゼ系が抑制される．ニューロペプチド Y は中枢神経系で食餌摂取量を増加させる作用を有し，Y_1 および Y_5 受容体拮抗薬は肥満治療に使用されることがある．ニューロペプチド Y はまた，末梢において，血管収縮を起こす．ニューロペプチド Y は，交感神経節後神経終末の複数種の受容体に作用して，ノルアドレナリン遊離を減少させる．

気体伝達物質

一酸化窒素 nitric oxide（**NO**）は血管内皮由来弛緩因子 endothelium-derived relaxing factor として血管内皮から遊離される化合物であるが，脳内および腸管神経系でも産生される．NO は，3 種の NO 合成酵素 NO synthase のうちの 1 つによって触媒される反応により脳内でアルギニンから生合成される．NO はグアニル酸シクラーゼ guanylyl cyclase を活性化し，他の神経伝達物質とは異なり気体であり，容易に細胞膜を通過してグアニル酸シクラーゼと直接結合する．NO は他の古典的神経伝達物質のように小胞に貯蔵されてはおらず，必要に応じてシナプス後部位で生合成されて，ニューロンの近接した部位に拡散する．NMDA 受容体活性化によって Ca^{2+} 流入を生じ，**神経型一酸化窒素合成酵素** neuronal nitric oxide synthase が活性化されることによって NO 生合成が誘発される，と考えられている．NO は，シナプス後ニューロンがシナプス前終末に情報を伝えてグルタミン酸遊離を増大させる信号と考えられる．NO はまた，シナプス可塑性，したがって記憶，学習に関する役割を有すると考えられている．

もう 1 つの拡散性気体が **一酸化炭素** carbon monoxide（**CO**）であり，中枢神経系および腸管神経系において，ヘム酸素添加酵素 2 によってヘムの酵素的分解を経て内因性に形成される．NO と同様に，CO は細胞内メッセンジャーとして作用することが可能で，可溶性グアニル酸シクラーゼを刺激する．CO は神経伝達を修飾可能であり，嗅覚，痛覚および長期増強において役割を有することが示唆されている．内因性に形成された CO はまた，内毒素によって誘発されたアルギニンバソプレシンの遊離を中枢性に減弱させるように作用する可能性がある．

他の化学伝達物質

2-アラキドニルグリセロール 2-arachidonyl glycerol（**2-AG**）および **アナンダミド** anandamide という 2 種の内在性 **カンナビノイド類** endocannabinoids が神経伝達物質として同定されている．これらはニューロンの脱分極に続く Ca^{2+} 流入に反応して迅速に生合成される．どちらも，マリファナの精神作用性成分である Δ^9-テトラヒドロカンナビノール Δ^9-tetrahydrocannabinol（THC）に対して高親和性をもつカンナビノイド受容体（CB_1）に作用する．CB_1 受容体は主としてシナプス前神経終末に局在する．CB_1 受容体は，G タンパク質を介する細胞内 cAMP の減少を引き起こし，中枢の痛覚伝導路全般および小脳，海馬，大脳皮質の一部に分布している．多幸感をもたらすことに加えて，CB_1 受容体作動薬は抗侵害受容性疼痛作用を有し，CB_1 受容体拮抗薬は侵害受容性疼痛を増強させる．内在性カンナビノイド類はまた，逆行性シナプス伝達物質としても作用し，遊離後にシナプスを逆行してシナプス前 CB_1 受容体に結合し，過剰な伝達物質遊離を抑制する．やはり G タンパク質と共役する CB_2 受容体も，主として末梢に局在する．CB_2 受容体作動薬は，CB_1 受容体活性化による多幸感を誘発せず，慢性疼痛の治療に使用される可能性があると考えられている．

章のまとめ

- 神経伝達物質および神経修飾物質は，低分子伝達物質と高分子伝達物質（ニューロペプチド類）および気体伝達物質という主たる 3 群に分類される．通常ニューロペプチドは低分子伝達物質の 1 種と共局在している．
- 主たる神経伝達物質では多くの場合，神経伝達に関わる以下のような共通の段階がある．すなわち，神経終末への神経伝達物質前駆体の取込み，神経伝達物質の生合成，そのシナプス小胞における貯蔵，神経終末の脱分極に反応する神経伝達物質のシナプス間隙への遊離，シナプス後部標的の膜に存在する受容体への神経伝達物質の結合，およびシナプスからの拡散，神経終末への再取込み，あるいは酵素的分解による神経伝達物質の作用の迅速な終了，である．
- 神経伝達物質がイオンチャネル型受容体に結合すると，膜のチャネルが開口し，チャネルの活性化によって，通常短時間のイオン透過性上昇が引き

起こされる．神経伝達物質が GPCR に結合すると，セカンドメッセンジャー（たとえば，環状アデノシン一リン酸，イノシトール三リン酸，ジアシルグリセロール）の産生が始まり，セカンドメッセンジャーによって，ニューロン膜の電位作動性チャネルが修飾される．

- 主たる神経伝達物質および神経修飾物質には，アミノ酸類（グルタミン酸，GABA，グリシン），アセチルコリン，モノアミン類（ノルアドレナリン，アドレナリン，ドーパミン，セロトニン），神経ペプチド類（サブスタンス P，オピオイド類）および気体類（一酸化窒素，一酸化炭素）がある．
- グルタミン酸は，中枢神経系における主な興奮性神経伝達物質である．グルタミン酸受容体には 2 つの主な型がある．すなわち，代謝型（GPCR）およびイオンチャネル型（カイニン酸型，AMPA 型および NMDA 型のリガンド作動性イオンチャネル型受容体）である．リルゾールとメマンチンは，臨床的関連の NMDA 型受容体拮抗薬である．
- GABA は脳における主たる抑制性神経伝達物質である．GABA 受容体には，$GABA_A$ および $GABA_C$（イオンチャネル型）と，$GABA_B$（GPCR）という 3 種のサブタイプがある．$GABA_A$ および $GABA_B$ 受容体は中枢神経系に広く分布している．ビククリンおよびギャバジンは臨床関連の $GABA_A$ 受容体拮抗薬の例である．
- アセチルコリンは，神経筋接合部，自律神経節，副交感神経節後神経–効果器接合部および一部の交感神経節後神経–効果器接合部に存在する．アセチルコリンはまた，前脳基底核群および橋中脳アセチルコリン性核群にも存在する．アセチルコリン受容体には，ムスカリン性受容体（GPCR）およびニコチン性受容体（イオンチャネル型受容体）という 2 種の主たる型がある．アトロピンは，臨床関連のムスカリン受容体拮抗薬の一例である．
- ノルアドレナリン含有ニューロンは青斑核および他の延髄や橋の核に存在する．ノルアドレナリンからアドレナリンへの変換を触媒する酵素であるフェニルエタノールアミン–*N*–メチルトランスフェラーゼを含有するニューロンもある．アドレナリンおよびノルアドレナリンはアドレナリン α 受容体およびアドレナリン β 受容体に作用し，ノルアドレナリンはアドレナリン α 受容体により強い親和性をもち，アドレナリンはアドレナリン β 受容体により強い親和性をもつ．α および β 受容体はいずれも GPCR であり，各々に複数のサブタイプがある．プラゾシンおよびアテノロールは，臨床関連のそれぞれアドレナリン α 受容体およびアドレナリン β 受容体の拮抗薬である．
- セロトニン（5-HT）は脳幹内中心部の縫線核群に存在し，同核群のセロトニン性ニューロンは，視床下部の一部，辺縁系，新皮質，小脳および脊髄に投射する．少なくとも 7 種のセロトニン受容体があり，これらの多くにはさらに細かいサブタイプがある．ほとんどは GPCR である．
- 3 種のオピオイド受容体（μ，κ および δ，各々にさらに種々のサブタイプがある）はすべて GPCR であり，生理的作用，脳内および他の臓器における分布，および様々なオピオイドペプチド類に対する親和性が異なる．
- 一酸化窒素は脳で必要に応じて，一酸化窒素合成酵素に触媒される反応によってアルギニンから生合成される．一酸化窒素は細胞膜を容易に通過して拡散し，グアニル酸シクラーゼと結合する．一酸化窒素は，シナプス後ニューロンがシナプス前終末と交信してグルタミン酸遊離を増大させる信号であると考えられている．一酸化炭素は，ニューロンにおいて，ヘムの酵素的分解によって内因性に形成される．一酸化炭素もまた，可溶性グアニル酸シクラーゼを刺激して神経伝達を修飾する．
- 神経伝達物質の異常と関連する神経病態には ALS（グルタミン酸遊離過剰），統合失調症（ドーパミン受容体の異常活性化），および大うつ病（中枢神経系におけるモノアミン類の異常作用）がある．

多肢選択式問題

正しい答えを 1 つ選びなさい．

1. 神経伝達物質に関する以下の記述のうちで，正しいのはどれか．
    - A．すべての神経伝達物質はアミノ酸前駆体から派生する
    - B．低分子神経伝達物質には，ドーパミン，グリシン，アセチルコリン，エンケファリンおよびノルアドレナリンが含まれる
    - C．高分子伝達物質には，GABA，内因性カンナビノイド類，サブスタンス P およびバソプレシンが含まれる

D．ノルアドレナリンは，末梢では神経伝達物質として作用することが可能で，中枢神経系では神経修飾物質として作用しうる

E．一酸化二窒素は中枢神経系における神経伝達物質である

2．以下の記述のうち，通常の神経伝達物質の生合成，貯蔵，遊離，受容体への結合，および作用終了に関わる過程を正しく記述しているのはどれか．

A．グルタミン酸はグリア細胞においてグルタミンから酵素的な変換によって生合成された後に神経終末内に拡散し，活動電位が神経終末に到達して細胞質内にCa^{2+}が流入して遊離が起こるまで，終末内の小胞に貯蔵され，リガンド作動性イオンチャネル型受容体のみに結合し，神経終末への再取込みによって不活性化される

B．セロトニンはトリプトファンから生合成され，シナプス間隙に遊離されるまでシナプス小胞に貯蔵される．そしてその後，主としてGPCRに作用し，その作用は主にシナプス前神経終末への再取込みによって終了する

C．ノルアドレナリンは，フェニルアラニンというアミノ酸から生合成後にシナプス小胞に輸送されるのではなく，シナプス小胞内で生合成される唯一の低分子伝達物質である．ノルアドレナリンは脱分極に反応して遊離された後，リガンド作動性イオンチャネルあるいはGPCRに結合し，その作用は神経終末への再取込みによって終了する

D．アセチルコリンはアセチレンから生合成され，細胞質から小胞へと小胞関連膜タンパク質によって輸送され，ニューロンの脱分極に反応してシナプス間隙に遊離され，その作用は主として酵素的分解によって終了する

3．以下の受容体のうち，イオンチャネル型，あるいはGPCRと正確に同定され，作動薬が結合することによって生じるイオンあるいはセカンドメッセンジャーの変化と正確に対応しているのはどれか．

A．5-HT$_{1A}$受容体はGPCRであり，活性化によってイノシトール三リン酸とジアシルグリセロールが増加し，K^+透過性が増大する

B．ニコチン性受容体はイオンチャネル型受容体であり，活性化によりNa^+およびK^+透過性が減少する

C．GABA$_A$受容体はGPCRであり，活性化によりcAMPが増加してK^+透過性が減少する

D．NMDA型受容体はイオンチャネル型受容体であり，活性化により，Na^+，K^+およびCa^{2+}透過性が増大する

E．グリシン受容体はGPCRであり，活性化によりイノシトール三リン酸およびジアシルグリセロールが増加してK^+透過性が増大する

4．ある女子医学生が自律神経節のシナプス伝達を勉強している．彼女は，節後ニューロンの活動に対する2つの薬物の作用を勉強した．薬物Aは節後ニューロンに興奮性シナプス後電位を誘発し，薬物Bは，シナプス前神経を電気刺激することによって誘発された興奮性シナプス後電位を遮断した．薬物AおよびBはそれぞれ以下のどれと考えられるか．

A．グルタミン酸とグリシン
B．ニコチンとアトロピン
C．ストリキニンとアテノロール
D．ニコチンとトリメタファン
E．アセチルコリンとフェニレフリン

5．38歳の女性が，睡眠障害（ここ数カ月間，午前4時頃しばしば目が覚める）と食思不振があり，20ポンド（約9kg）以上体重が減少した，と内科主治医に訴えたところ，精神科医を紹介されて来院した．この患者はまた，友人と外出したり恵まれない子供たちのために奉仕活動をしたりするのをもはや楽しむことができない，と言った．この患者の治療の第一段階として，精神科医が指示した薬物として最も考えられるものはどのタイプか．

A．セロトニン受容体拮抗薬
B．選択的セロトニン再取込み阻害薬
C．モノアミンオキシダーゼ阻害薬
D．アンフェタミン様薬物
E．セロトニンおよびドーパミン量の両方の増加をもたらす薬物

6．55歳の女性が長期間フェネルジンでうつ病治療を受けていた．ある晩パーティーで，キャンティワインを飲み，熟成チェダーチーズ，食肉加工品およびドライフルーツを食べた．その後，激しい頭痛，胸痛，頻脈，散瞳，光線過敏および吐き気

を生じた．これらの徴候の原因として最も考えられるのはどれか．
- A．食品にボツリヌス毒素が混入していた
- B．この患者は心筋梗塞を起こしていた
- C．この患者は片頭痛をもっていた
- D．この患者は，抗うつ薬とアルコールとの混在に対して予期せぬ有害反応を起こした
- E．うつ病に対してモノアミンオキシダーゼ阻害薬を服用しているにもかかわらず，チラミンを多く含有する食品を食したことによって，高血圧緊急症を引き起こした

7．27歳男性が友人に付き添われて救急部に搬送された．その友人は，患者が何か薬を過量に服用したのではないかと疑っていた．救急部に到着時，患者は呼吸抑制状態で縮瞳および意識低下が見られた．これらの徴候から判断すると，患者はどのような薬物を服用したと考えられるか．また，その作用機序はどのようなものか．
- A．D_2受容体作動薬として作用する薬物
- B．5-HT_2受容体拮抗薬
- C．δおよびκオピオイド受容体作動薬
- D．セロトニン再取込み阻害薬
- E．μオピオイド受容体作動薬

8．以下の記載の中で，気体伝達物質の特性を正しく表しているのはどれか．
- A．一酸化窒素はアルギニンの酵素的分解によって生合成され，能動輸送によって細胞膜を通過し，小胞に貯蔵され，ニューロンの脱分極によって遊離されて一酸化窒素受容体に結合する
- B．一酸化窒素は一酸化窒素生合成酵素によってアルギニンから生合成され，細胞膜を拡散通過し，ニューロンの脱分極によって遊離され，シナプス前一酸化窒素受容体に作用してグルタミン酸遊離を増大させる
- C．一酸化窒素は一酸化窒素生合成酵素によってアルギニンから生合成され，細胞膜を拡散通過し，グアニル酸シクラーゼを活性化し，グルタミン酸遊離を増大させると考えられている
- D．一酸化炭素は一酸化炭素生合成酵素の作用によってニューロンにおいて内因性に形成され，可溶性グアニル酸シクラーゼを刺激して内毒素誘発性アルギニンバソプレシン遊離を増強させる
- E．一酸化炭素は，末梢においてヘム酸素添加酵素2によるヘムの酵素的分解によって生合成され，脳に輸送されてグアニル酸シクラーゼを活性化し，長期増強に役割を有する

9．満期出産男児が問題なく出産され，アプガースコアは正常であった．通常の新生児検査によって，血中フェニルアラニン量の増加が明らかとなり，フェニルケトン尿症（PKU）の診断に至った．高タンパク食を制限する食餌療法が3週齢までに開始されないとすると，どのような結果がもたらされると考えられるか．
- A．胆汁うっ滞の進展
- B．新生児痙攣の進展
- C．内臓神経系の異常形成
- D．自閉症
- E．顕著な知的障害

第Ⅱ編　中枢および末梢神経生理学

　中枢神経系(CNS)はコンピュータの演算・制御部にたとえられ，すべてとはいえないまでもほとんどの体の機能の中央制御指令部である．末梢神経系は重大な情報をCNSから体に伝え，その後，体からのフィードバック情報をCNSに送る一組のケーブルのようなものである．この"コンピュータシステム"は非常に精巧にできており，人が外部または内部の環境の変化に反応し(感覚系)，順応することを可能にするため，入力や出力に持続的に適切な調整を行えるように設計されている．具体的には姿勢を維持し，移動できるようにし，手指の微細な運動の制御を用いて芸術的作品を作ることができるようにし(体性運動系)，ホメオスタシスを維持し(自律神経系)，睡眠と覚醒との間の移行を調節し(意識)，過去の出来事を呼び起こし，外界と交流する(高次脳機能)ことを可能にしている．神経生理学に関するこの編では，これらの膨大な数の生理的機能の精妙な調節を可能にする神経系の基本的性質と統合能力について述べる．神経学や神経外科学や臨床心理学のような医学領域は，神経生理学の基礎の上に構築されている．

　神経生理学に関するこれ以降の章は多くの臨床上の問題に関連する情報を含んでいる．人が医学的な助言を求める最もよくある理由の1つが痛みである．激しい慢性の痛みでは神経回路の再配線が生じて，単に皮膚を触られるだけでも不快な感覚が生じる．慢性痛は米国人の10人に1人(2500万人以上)を苦しませているように甚大な被害をもたらす健康問題である．過去10年ほどの間に，痛み刺激がどのように神経活動を変化させるかについての理解や，侵害受容系に特異な受容体タイプの同定がかなり進歩した．これらの発見は，中枢の侵害受容経路におけるシナプス伝達や末梢の感覚符号変換を特異的にターゲットとした新規の治療法の開発や研究努力を拡大させた．これは非ステロイド性抗炎症薬やオピオイドによってすら鎮痛が得られていない多くの患者たちから歓迎されている．このような種類の研究の画期的進展は，脳と体が互いにどのように情報交換しているかについての十分な理解に依存している．

　慢性痛の他に600を超える神経学的異常が知られている．米国だけでおおよそ5000万人が，世界中では推定10億人が，中枢または末梢神経系の損傷の影響に苦しんでいる．神経学的異常もしくはその合併症のために年間おおよそ700万人が亡くなっている．神経学的異常には，遺伝的異常(例，Huntington〔ハンチントン〕病)，脱髄疾患(例，多発性硬化症)，発達障害(例，脳性麻痺)，ある特定のニューロンがターゲットとなる変性疾患(例，Parkinson〔パーキンソン〕病やAlzheimer〔アルツハイマー〕病)，神経伝達物質のアンバランス(例，うつ，不安，摂食障害)，外傷(例，脊髄および頭部外傷)，痙攣性の異常(例，てんかん)などがある．さらに，脳血管障害(例，脳卒中)や神経毒性のある化学物質(例，神経ガス，キノコ中毒，殺虫剤)への曝露に関連した神経学的合併症がある．

　神経学的異常に関して明らかにされている病態生理学的基礎は，幹細胞生物学や脳イメージング技術の進歩，脳のシナプス可塑性の基礎についてのより深い理解，受容体の調節や神経伝達物質の放出についての知識，そして神経学的問題を生じる遺伝的および分子的欠陥の検出の恩恵を受けている．また，この進歩により600以上の神経学的異常を引き起こす生理学的欠陥を防ぎ，もとに戻し，安定化させるためのよりよい治療法を決めることができるようになってきた．

体性感覚の神経伝達：触，痛み，温度の感覚

CHAPTER 8

学習目標
本章習得のポイント

- 触，温度，痛みの感覚を伝える受容器の局在，種類，機能について述べることができる
- 皮膚の機械受容器と侵害受容器における感覚信号変換と活動電位の発生過程について述べることができる
- 感覚の様式，局在，強さ，持続時間を含む感覚符号化の基本要素とこれらの性質がどのように受容器特異性，受容野，受容器の感受性と順応性に関連しているかが説明できる
- 痛みと侵害受容の違い，一次痛と二次痛の違い，急性痛と慢性痛の違い，痛覚過敏とアロディニア（異痛）の違いについて説明できる
- 内臓痛と関連痛の基礎について述べ説明できる
- 触受容器，固有受容器，振動受容器からの入力を伝える経路と，侵害受容器と温度受容器からの情報を伝える経路とを比較することができる
- 触覚，痛覚，温度覚を伝える上行性感覚路の病変により引き起こされる障害について述べることができる
- 痛みの経路の情報伝達を修飾する過程について述べることができる
- 痛みを軽減するために用いられる薬を特定することができ，その使用と臨床における有効性の根拠をあげることができる

■ はじめに

表8・1に基本的な感覚の種類のリストを示す．

感覚受容器は特異な種類のエネルギーを感覚ニューロンにおいて活動電位に変える．皮膚**機械受容器** mechanoreceptor は触や圧へ応答する．筋肉，腱および関節にある**固有受容器** proprioceptor は筋の長さや張力に関する情報を伝える．**温度受容器** thermoreceptor は温かさや冷たさについての情報を検出する．**侵害受容器** nociceptor は強度の機械刺激や，強度の熱，強度の寒冷などの損傷を起こしかねない刺激を検出する．**化学受容器** chemoreceptor は局所環境の化学組成の変化によって刺激される．これらには味覚や嗅覚ばかりでなく血漿の酸素，pHや浸透圧の変化などに感受性のある内臓の受容器も含まれる．網膜の杆体，錐体にある**光受容器** photoreceptor は光に反応する．

この章では主として，触，痛み，温度の感覚様式を伝える皮膚の受容器の性質や，求心性ニューロンにおいてそれらがいかにしてインパルスを発生させるか，またこれらの受容器からの情報がいかに伝達され修飾されて中枢に伝えられるかについて述べる．痛みは人が医師の助言を求める主たる理由の1つであるので，このトピックはこの章でかなり重点を置いて述べる．固有感覚という体性感覚の様式に関与する受容器については，それらが体のバランスや姿勢や四肢の動きのコントロールに重要な役割を果たしているので，12章で述べる．

表8・1 主な感覚の種類

感覚系	種類	刺激	受容器の分類	受容細胞の型
体性	触覚	タッピング，粗振動 5〜40 Hz	皮膚機械受容器	Meissner 小体
体性	触覚	動き	皮膚機械受容器	毛包受容器
体性	触覚	振動 60〜500 Hz，深部圧	皮膚機械受容器	Pacini 小体
体性	触覚	触，持続圧	皮膚機械受容器	Merkel 細胞
体性	触覚	皮膚の伸長，振動	皮膚機械受容器	Ruffini 小体
体性	固有感覚	伸長	機械受容器	筋紡錘
体性	固有感覚	張力	機械受容器	Golgi 腱器官
体性	温度	熱	温度受容器	冷および温受容器
体性	痛覚	化学的刺激，熱，機械的刺激	侵害受容器	ポリモーダル（侵害）受容器または化学，熱，機械侵害受容器
体性	痒み	化学的刺激	化学受容器	痒み受容器*
視	視覚	光	光受容器	杆体，錐体
聴	聴覚	音	機械受容器	有毛細胞（蝸牛）
前庭	平衡感覚	回転加速度	機械受容器	有毛細胞（三半規管）
前庭	平衡感覚	直線加速度，重力	機械受容器	有毛細胞（耳石器官）
嗅	嗅覚	化学的刺激	化学受容器	嗅細胞
味	味覚	化学的刺激	化学受容器	味細胞（味蕾）

＊訳注：痒みの受容器には発痒物質にのみ反応する化学受容器タイプと，機械，熱刺激にも反応するポリモーダル受容器タイプとがある．

感覚受容器

皮膚機械受容器

触圧刺激は4種類の機械受容器で検出される（図8・1）．Meissner〔マイスネル〕小体は皮膚無毛部の表皮下に存在する結合組織のカプセルで包まれた樹状突起であり，遅い振動に応答する．Merkel〔メルケル〕細胞は皮膚無毛部の表皮に存在する広がった樹状突起終末であり，持続性の触圧に応答する．Ruffini〔ルフィニ〕小体は皮膚有毛部および無毛部の真皮に存在する長く伸びたカプセルをもった肥大した樹状突起終末である．この小体は伸展刺激や軽やかな振動に反応する．Pacini〔パチニ〕小体は皮膚有毛部および無毛部の真皮に存在し，長さ約2 mm，直径約1 mmの最も大きい皮膚機械受容器である．この小体は輪切りの玉ねぎのように見える結合組織の同心円状の層板に取り囲まれている神経終末である．この受容器は速い振動と深部圧に反応する．皮膚機械受容器からの感覚神経は，それぞれ伝導速度が約70〜120，約40〜75 m/秒の，有髄のAαとAβ線維である．

侵害受容器

痛みと温度感覚は皮膚の無毛部や有毛部ばかりでなく深部組織にも存在する感覚ニューロンの無髄の樹状突起上の受容器から起こる．**機械侵害受容器** mechanical nociceptor は強い機械的刺激（たとえば鋭いものによる）に反応する．**温度侵害受容器** thermal nociceptor は45℃以上の皮膚温または強い冷却（＜20℃）によって活性化される．**化学感受性侵害受容器** chemically sensitive nociceptor はブラジキニン，ヒスタミン，強度の酸，環境からの刺激物質などの化学物質に反応する．**ポリモーダル侵害受容器** polymodal nociceptor は，機械的刺激，熱刺激，化学的刺激のいずれにも反応する．

侵害受容器のインパルスは約3〜35 m/秒という速

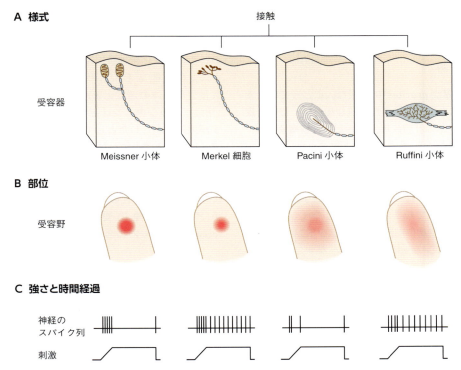

図 8·1 感覚系は 4 つの刺激の属性，すなわち，様式（モダリティ），部位，強さ，持続時間を符号化する．**A**：ヒトの手は 4 種の機械受容器をもち，これらの統合された活動は対象物との触覚を生じる．Merkel 細胞（訳注：Merkel 細胞に神経線維が付いて機械受容器になるので，ここは Merkel 細胞ではなく Merkel 小体または Merkel 盤の方がよい）と Ruffini 小体の選択的活性化は持続的な圧覚を生じさせ，Meissner 小体と Pacini 小体の選択的活性化はチクチク感と振動感覚を生じさせる．**B**：刺激の部位は活性化された受容器集団の空間的分布によって符号化される．感覚終末に近接した皮膚が触れられた時だけ受容器は発火する．これらの機械受容器の受容野（指先の赤い部分で示す）は大きさも異なり接触に対する反応性も異なる．Merkel 細胞と Meissner 小体は受容野が最も小さく，小さな刺激子（プローブ）で与えた圧に最も敏感であるので，最も正確な位置情報を提供する．**C**：刺激の強さは個々の受容器の発火頻度で信号化され，刺激の持続時間は発火の時間経過で信号化される．スパイク列は小プローブで各受容野の中心に与えた圧で誘発された活動電位である．Meissner 小体と Pacini 小体は速く順応し，他はゆっくりと順応する（Kandel ER, Schwartz JH, Jessell TM（editors）: *Principles of Neural Science*, 4th ed. New York, NY: McGraw-Hill; 2000 より許可を得て複製）．

度で伝えられる細い有髄の Aδ 線維（直径 2〜5 μm）と，約 0.5〜2 m/秒という遅い速度で伝えられる無髄の C 線維（直径 0.4〜1.2 μm）によって伝達される．Aδ 線維の活性化は**グルタミン酸 glutamate** を遊離し，応答が速く，痛みの識別性側面，つまり痛み刺激の位置や強さを識別する**一次痛 first pain**（いわゆる**速い痛み fast pain**）を伝える．C 線維の活性化は，グルタミン酸と**サブスタンス P substance P** の混合物の遊離を起こし，痛み刺激に伴い鈍く，激しく，びまん性で不快な感覚で，遅れてくる**二次痛 second pain**（いわゆる**遅い痛み slow pain**）を引き起こす．**痒み itch** もまた痛み感覚に関係している（クリニカルボックス 8·1 参照）．

侵害受容性感覚神経の終末に存在するいろいろな受容体は，侵害性の温熱的，機械的，化学的刺激に反応

する（図 8·2）．これらの多くは**一過性受容器電位チャネル transient receptor potential（TRP）channel** と呼ばれる非選択的カチオン（陽イオン）チャネルのグループの一員である．これには強い熱，酸，**カプサイシン capsaicin**（赤唐辛子の活性成分で，**バニロイド vanilloid** の一例）のような化学物質によって活性化される **TRPV1 受容体**（V はバニロイド vanilloid と呼ばれる一群の化学物質を意味する）がある．TRPV1 受容体は，皮膚のケラチノサイトにある TRPV3 が最初に活性化されることによって間接的に活性化されることもある[*1]．侵害性の機械的刺激，冷却，化学的刺激は，感覚受容器終末に存在する **TRPA1 受容体**（A は**アン**

[*1] 訳注：これについては根拠が乏しい．

クリニカルボックス 8・1

痒 み

　痒み(**掻痒症 pruritus**)は健康な人にとっては大きな問題ではないが，治療が困難な痒みは，慢性腎疾患，いくつかの肝臓疾患，アトピー性皮膚炎，HIV感染などで生じる．痒点が皮膚上にマッピングされ，また腹外側脊髄視床路には痒み特異的な線維が存在していることから，痒み特異的な伝導路が存在するのかもしれない．痒みは皮膚の局所的な機械的刺激の繰返しによって起こされるばかりでなく，組織損傷に反応して皮膚に遊離される**ヒスタミン histamine**や**ブラジキニン bradykinin** のようなキニン類などのいろいろな化学物質によっても引き起こされる．キニン類は B_1 と B_2 という2種類のGタンパク質共役型受容体の活性化を通してその効果を生じる(訳注：ブラジキニンは正常な皮膚では痛みは起こすが痒みは起こしたとしても非常に弱い．しかし，アトピー性皮膚炎にかかった皮膚では強い痒みを起こす．これは受容器側に変化が起こったためだと考えられている)．ブラジキニン B_2 受容体の活性化は，侵害受容性と掻痒性の両者の反応を引き起こす**プロテアーゼ活性化受容体-2 protease-activated receptor-2** (PAR-2)の活性化の下流で起こる．

治療上のハイライト

　単純にひっかくことによって痒みは軽減されるが，これは脊髄後角で太い求心性神経の活性化によって痛みの抑制が起こるのと同じように，伝達をコントロールする太い，伝導の速い求心性神経を活性化するからである(訳注：ひっかくことによって痒みが抑制される現象は，痛みによる抑制だと考えられることが多い．種々の痛み刺激を与えて痒みが軽減されるという実験事実から，これは確かだと思われる．太い神経線維で伝えられる触刺激を加えたのでは痒みの抑制は起こらないので，痛みにおけるゲートコントロール説と同じメカニズムとは考えにくい)．アレルギー反応と関係する痒みを減弱するには**抗ヒスタミン薬 antihistamine**が一義的に有効である．PAR-2の活性化に反応して起こるひっかき行動を示すマウスのモデルで，B_2 受容体拮抗薬の処方はひっかき行動を減少させた．B_2 受容体拮抗薬は掻痒状態の治療に有効な薬になるかもしれない．

キリンリピート **ankyrin repeat** 構造をもつことから)を活性化することができる．感覚受容器終末には，生理的な範囲でのpH変化に反応し，酸誘発性疼痛を伝える主たる受容体と考えられる**酸感受性イオンチャネル acid sensing ion channel** (ASIC)[*2]も存在している．いくつかの痛み刺激は神経終末上の受容体を直接活性化することに加え，中間物質の遊離を引き起こし，それが神経終末上の受容体を活性化する．たとえば，侵害性の機械的刺激は，**プリン作動性受容体 purinergic receptor**(例，イオンチャネル型受容体のP2XとGタンパク質共役型受容体のP2Y)に作用するATPの遊離を引き起こす．**チロシン受容体キナーゼA tyrosine receptor kinase A** (TrkA)は組織の損傷の結果遊離される**神経成長因子 nerve growth factor** (NGF)によって活性化される．

　神経終末はまた，組織損傷に伴って遊離され炎症痛を伝える免疫メディエーターに反応するいろいろな受容体をもっている(3章参照)．これらには B_1，B_2 受容体(ブラジキニン)，プロスタノイド受容体(プロスタグランジン類)，およびサイトカイン受容体(インターロイキン類)などがある．

温度受容器

　非侵害性の**冷受容器 cold receptor** は Aδ または C 線維の樹状突起終末にある．一方，非侵害性の**温受容器 warmth receptor** は C 線維上にある．マッピング実験から，皮膚には明確な冷感受性と温感受性の点があることがわかっている．冷点の数は温点の4〜10倍ある．

　TRPM8 受容体は中等度の冷却で活性化する．Mは

[*2] 訳注：原書では acid sensing ion channel(ASIC) receptor となっているが，receptorを含めない用語が一般的なのでreceptorを省いた．

8. 体性感覚の神経伝達：触，痛み，温度の感覚　195

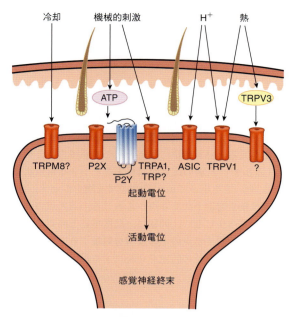

図 8・2　皮膚侵害受容性無髄神経終末上の受容体．侵害受容性刺激（例，熱）は刺激エネルギーの直接の符号変換によって［例，一過性受容器電位（TRP）チャネルV1（TRPV1）］または間接的にケラチノサイトの TRP チャネルの活性化によって（例，TRPV3）いくつかの受容体を活性化することができる．侵害受容器（例，機械受容器）は中間的な分子（例，ATP）の遊離によって活性化されることもある．ASIC：酸感受性イオンチャネル，P2X：イオンチャネル型プリン受容体，P2Y：G タンパク質共役型プリン受容体．

冷たい味覚を生じさせるミントの成分であるメントールの M である．冷受容器は 40℃では不活性であるが，それより皮膚温が約 24℃まで下がるにつれて放電頻度を定常的に増大させる．さらに皮膚温が下がると，冷受容器の放電頻度は温度が 10℃に下がるまで低下する．これ以下の温度では不活性になり，冷却は有効な局所麻酔になる．

神経終末上にある **TRPV3** と **TRPV4** 受容体は，それぞれ皮膚温が 33〜39℃，25〜34℃となった時に活性化される．温受容器の放電頻度は皮膚温が約 45℃に近づくに従いさらに増加する．皮膚温がさらに上昇すると温受容器の応答はなくなり痛み感覚が引き起される．

皮膚受容器における
インパルスの発生

感覚受容器の活性化がその支配神経において活動電位を発生させる方法は，感覚受容器の複雑さによって

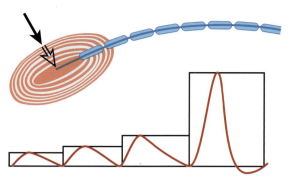

図 8・3　Pacini 小体の無髄神経終末における起動電位の発生．1 倍，2 倍，3 倍，4 倍の圧刺激（黒矢印）に対する電気的な反応を示す．最も強い刺激は小体中央から出ている感覚神経に活動電位を生じた（Waxman SG: *Clinical Neuroanatomy*, 26th ed. New York, NY: McGraw-Hill; 2010 より許可を得て複製）．

様々である．図 8・3 に，Pacini 小体において活動電位の発生がどのように起こるかが示されている．感覚神経の 1 つの髄鞘部分と第 1 Ranvier〔ランビエ〕絞輪は受容器内部に存在する．第 2 Ranvier 絞輪は通常，神経が小体を離れる部位に近いところにある．

Pacini 小体に小さな圧が加えられると，興奮性シナプス後電位 excitatory postsynaptic potential (EPSP) に似た非伝導性の脱分極が誘発される（図 8・3）．受容器は機械的なエネルギーを刺激の強さに比例した大きさの電気的な反応に変換する（**段階的な受容器電位 graded receptor potential**）．起動電位の大きさが約 10 mV に達すると，第 1 Ranvier 絞輪で 1 つの**活動電位 action potential** が発生する．その後，神経は再分極する．起動電位が十分大きい場合には，再分極すると直ちに再度発火する．そして，起動電位が大きくて絞輪の膜電位を発火させるために十分な場合には，それは発火し続ける．このように絞輪は受容器の段階的反応を活動電位に変換し，その頻度は与えられた刺激の大きさに比例する．

感覚のコーディング

受容器刺激を認知可能な感覚に変換することを**感覚のコーディング sensory coding** という．すべての感覚系は刺激の 4 つの基本的属性，すなわち，様式，部位，強さ，持続時間を符号化する．**様式 modality** は刺激によって伝えられるエネルギーの型である．**部位 location** は刺激が生起する身体や空間の位置である．**強さ intensity** は応答の大きさや活動電位の頻度によっ

て信号化される．**持続時間 duration** は受容器での反応の開始から終了までの時間に相当する．これらのコーディングの各属性を，触の様式を例にとって図8・1に示した．

様　式

感覚受容器は，機械的，化学的，温熱的，電磁的刺激のどれかに応答するように特殊化している（**受容器特異性 receptor specificity**）．ある受容器が最も敏感に応じうるエネルギーの様式を，**適刺激 adequate stimulus** という．たとえば，目の杆体と錐体の適刺激は光である．受容器はその適刺激以外のエネルギーにも反応しうるが，このような非特異的応答を起こす閾値は適刺激のものよりもずっと高い．たとえば，眼球に加えた圧は杆体や錐体を刺激するが，杆体や錐体の圧に対する閾値は，皮膚の圧受容器の閾値よりずっと高い．

部　位

感覚単位 sensory unit とは1本の軸索とそのすべての枝を指す．感覚単位の**受容野 receptive field** とは刺激を与えると感覚単位に反応を起こす領域のことをいう（図8・1）．皮膚の感覚を描写すると小さな斑点状になる．細い毛を用いてmm^2の単位で皮膚を測定すると，触覚は触受容器上にある点から生じる．点と点の間からは触覚は生じない．同様に，温度感覚と痛覚はその受容器が位置する点の上の皮膚を刺激すると生じる．

刺激された部位の特定を可能にする最も重要な機序

クリニカルボックス 8・2

神経学的検査

2点弁別閾検査 two-point threshold test は軽い触覚の受容野の大きさを測定するのに使用される．この方法では，一対のカリパスの2点を皮膚の上に同時に置き，刺激が2点と認識できるカリパス間の最小距離を決める（**2点弁別閾 two-point discrimination threshold**）．その距離が非常に小さいならば，各カリパス点はただ1個の感覚神経の受容野に接触している．もしも刺激する2点間の距離がこの閾値以下だと，ただ1点が刺激されたと感じられる．このように，2点弁別閾は**触覚能 tactile acuity** の尺度である．2点弁別閾の大きさは身体の部位によって異なり，触受容器が最も豊富な部位で1番小さい．たとえば，背中では2点が区別できるためには少なくとも65 mm離れていなければならない．一方，指上の2点は2 mmほどで認識される．盲目のヒトはBraille〔ブライユ〕式点字を読むために指先の触覚能を活用している．Braille式記号を形成する点は2.5 mm離れている．2点弁別は触覚と固有感覚の中枢経路である**後索（内側毛帯）系 dorsal column (medial lemniscus) system** の統合性を検査するために用いる．

振動感受性 vibratory sensibility は，指先，足指の先または足指の骨隆起の皮膚に振動（128 Hz）に同調した音叉をあてることで検査される．正常な反応は"ぶるんぶるん"するような感覚で，この感覚は骨の上で特に顕著に起こる．**振動覚 pallesthesia** とは，機械的振動を感じる能力である．この振動感覚の受容には触受容器，特にPacini小体が関与しているが，時間的要因も必要である．律動的な圧刺激のパターンが振動として解釈される．振動感覚に由来するインパルスは**後索 dorsal column** を通る．血糖コントロール不良の糖尿病，悪性貧血，ビタミンB_{12}欠乏症または早期脊髄癆になると脊髄のこの部分が変性を起こす．振動刺激に対する閾値の上昇はこの変性の初期症状である．振動感覚と固有感覚は相互に関連し，一方が低下すると他方も低下する．

立体認知能 stereognosis とは，物体を見ないでその形と性質を知覚することである．正常なヒトは鍵やいろいろな単位の硬貨を容易にそれと認知できる．この能力は触覚と圧覚が完全であることに依存し，後索が損傷を受けると低下する．**触覚失認 tactile agnosia** とは，触覚で対象物を認知できないことである．立体認知能の低下は大脳皮質損傷の初期徴候であり，しばしば一次感覚野に損傷がある場合には触圧覚の障害が顕在化せずに触覚失認が起こる．立体失認 stereoagnosia は，視覚による対象物の識別不全（**視覚失認 visual agnosia**），音や言葉の識別不能（**聴覚失認 auditory agnosia**），色の識別不能（**色覚失認 color agnosia**）または四肢の位置や姿勢の識別不能（**位置覚失認 position agnosia**）などの症状をも示す．

の1つは**側方抑制 lateral inhibition** である．刺激の周辺部に受容器が位置する感覚神経からの情報は，刺激の中心部に受容器が位置する感覚神経からの情報に比べて抑制される．このように，側方抑制は刺激の中心部と周辺部の対比を強調し，脳が感覚入力部位を特定する能力を高めている．側方抑制は**2点弁別 two-point discrimination** の基盤である（クリニカルボックス8・2参照）．

強　　さ

　感覚の強さは受容器に与えられた刺激の大きさによって決まる（図8・4）．皮膚に与える圧が大きくなるほど機械受容器の受容器電位の大きさは大きくなり（図には示されていない），また中枢神経系に情報を伝達する単一の軸索の活動電位の頻度は増加する．弱い刺激は低い閾値の受容器を興奮させ，より強い刺激は高い閾値の受容器を興奮させる（**受容器の感受性 receptor sensitivity**）．刺激が強くなるにつれて，刺激はより広い領域に広がるので周辺領域に存在する神経線維も"動員される"．興奮した受容器のいくつかは同一の感覚単位の一部をなしているので，その感覚単位のインパルス頻度は増加する．また，1つの感覚単位が他の感覚単位と重なり合い，交錯しているために，他の感覚単位の受容器も刺激され，より多くの感覚神経が興奮する．このようにして興奮する求心路が増えるが，これが大脳では感覚の強さが増加したと解釈される．

持 続 時 間

　一定の強さの刺激を持続的に受容器に与えると，その感覚神経の活動電位の頻度は時間とともに減少していく．この現象を**順応 adaptation** という．順応の程度は感覚によって異なる．受容器は**速順応性（相動性）受容器 rapidly adapting（phasic）receptor** と**遅順応性（持続性）受容器 slowly adapting（tonic）receptor** に分けられる．図8・1に4種の触受容器を型別に示した．Meissner小体とPacini小体は速順応性受容器であり，Merkel細胞とRuffini小体は遅順応性受容器である．筋紡錘と侵害受容器も遅順応性受容器である．感覚にいろいろな型の順応があるのは個体にとって意味がある．軽い接触は刺激が持続すると散逸するが，逆に筋紡錘の遅い順応は姿勢の維持に必要である．同様に侵害受容器からの情報は警告を与えるが，もし受容器が速く順応してしまうと警告性が失われる．

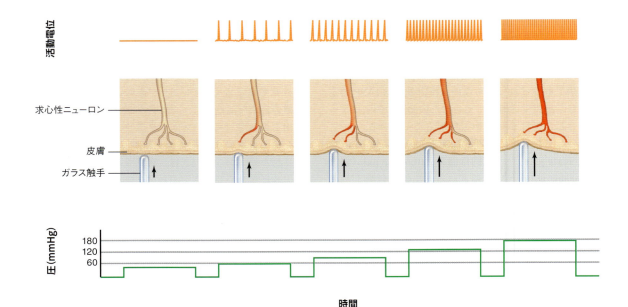

図8・4　求心性線維における刺激とインパルス頻度の関係． 1個の感覚単位の機械受容器からの求心性線維の活動電位の頻度は，その神経の分枝をより強い圧で刺激するほど増加する（Widmaier EP, Raff H, Strang KT: *Vander's Human Physiology*. 11th ed. New York, NY: McGraw-Hill; 2008 より許可を得て複製）．

神経学的検査

神経学的検査の感覚的要素は，触覚，固有感覚，振動感覚や痛覚などの感覚の様式の評価を含んでいる．大脳皮質の感覚機能は，目を閉じた患者にありふれたものを手で触らせ，それが何かをあてさせるということで検査する．クリニカルボックス8・2は神経学的検査で行われるいくつかの一般的な評価項目を述べている．

痛み

人が臨床医に助言を求める最もよくある理由の1つが，痛みである．痛み刺激はふつう，強力な逃避・回避反応を引き起こす．痛みは，何かがおかしいと警告し，他の信号に優先し，不快な情動と結びついている点で他の感覚と異なっている．組織が損傷されると中枢の侵害受容経路は感作・再構成されて，持続性または慢性の**痛み chronic pain** を引き起こすので，痛みは非常に複雑である（クリニカルボックス8・3参照）．

痛みの分類

痛み pain は科学的および臨床的目的のために，国際疼痛学会 International Association for the Study of Pain (IASP) によって以下のように定義されている．"痛みとは，組織を実際に損傷するかまたは損傷しかねないような刺激と関連した，またはそのような損傷によると述べられる不快な感覚的，情動的な体験である"[*3]．これは**侵害受容 nociception** という術語と区別されなければならない．侵害受容はIASPの定義では，"感覚受容器に与えられた損傷性の刺激によって引き起こされる無意識の活動"となっている．

痛みはしばしば**生理的な痛み physiologic pain**（急性痛 acute pain）と，**病的な痛み pathologic pain**（慢性痛 chronic pain）とに分類される．急性痛は典型的には突然始まり，治癒過程の間に消退する．急性痛は重要な防御的な機構として役立つので"よい痛み"と考えられる．引っ込め反射（12章）はこの痛みの防御的役割を示す1つの例である．慢性痛は，損傷から回復してからも長く存続し，**非ステロイド性抗炎症薬 nonsteroidal anti-inflammatory drug**（NSAID）や**オピオイド opioid** などの一般的鎮痛薬が効かないことが多いので，"悪い痛み"と考えられる．慢性痛は，炎症（**炎症痛 inflammatory pain**）や糖尿病性ニューロパチー・毒物による神経の傷害・虚血などによる神経損傷（**神経障害性疼痛 neuropathic pain**）から生じる（クリニカルボックス8・3参照）．

痛覚過敏とアロディニア

痛みはしばしば**痛覚過敏 hyperalgesia** と**アロディニア（異痛）allodynia** を伴う．痛覚過敏は侵害刺激に対する誇張された反応であり，一方，アロディニアは通常非侵害性の刺激に対して痛み感覚を生じることをいう．アロディニアの1つの例は，皮膚がひどい日焼けをした時に温かいシャワーを浴びると生じる痛みである．

痛覚過敏とアロディニアは侵害受容器線維の感受性の増大を表している．図8・5は損傷部位で放出された化学物質が神経終末上にある受容器を直接どのように活性化し，炎症痛を引き起こすかを示している．損傷を受けた細胞はまた神経終末を直接脱分極させるK^+などのような化学物質を放出し，侵害受容器の感受性をさらに高める（**感作 sensitization**）．損傷された組織からはさらにブラジキニンやサブスタンスPが放出され，それらは侵害受容器終末をさらに感作する．ヒスタミンは肥満細胞から，セロトニン（5-HT）は血小板から，プロスタグランジンは細胞膜から放出され，それらはいずれも炎症過程に関わり，また侵害受容器を感作し，活性化する．ある放出物質は他の物質を放出させてはたらく（例：ブラジキニンはAδ線維とC線維の終末を活性化し，プロスタグランジンの合成と放出を増大させる）．プロスタグランジンE_2（アラキドン酸のシクロオキシゲナーゼによる代謝産物）は損傷された細胞から放出され，痛覚過敏を生ずる．これはアスピリンや他のNSAID（シクロオキシゲナーゼの非選択的阻害薬）が痛みを減弱する理由である．

化学メディエーターによる神経終末の感作に加えて，いくつかの他の変化が末梢や中枢神経系に起こり，それは慢性痛の基盤となる．組織損傷によって放出されたNGFは，神経終末によって取り込まれ，後根神経節にある細胞体へ逆向性に輸送され，遺伝子発現を変えることができる．この輸送は神経終末上にあるTrkA受容体の活性化によって促進される．後根神経節では，NGFはサブスタンスPの産生を高め，非侵害受容性ニューロンを侵害受容性ニューロンに変え

[*3] 訳注：2020年に国際疼痛学会（IASP）により痛みの定義が以下のように改定された．「組織損傷が実際に起こった時，あるいは起こりそうな時に付随する不快な感覚および情動体験，あるいはそれに似た不快な感覚および情動体験」．

クリニカルボックス 8・3

慢 性 痛

2009年の *Scientific American* に掲載された報告によると，米国および欧州の人口の10～20%が**慢性痛 chronic pain** を経験している．その59%が女性である．家庭医のサーベイでは慢性痛をもつ患者の治療でうまくいっていると答えているのは15%でしかない．41%の医師は患者がオピオイド系鎮痛薬を特定して希望するまで処方するのを待った，と言っている．慢性痛をもつ成人の20%は代替医療の治療者を訪問したことがあると答えている．慢性の頸や背部の痛みの危険因子は，加齢，女性であること，不安，繰り返し作業，肥満，うつ，重い物のもち上げ，喫煙である．慢性痛の一例は神経が損傷された場合に起こる**神経障害性疼痛 neuropathic pain** である．神経損傷は脊髄のミクログリアの活性化によって炎症反応を引き起こすことがある．神経障害性疼痛は重篤で，治療が困難であることが多い．結果として生じる痛みは，神経損傷そのものよりも長く続く．たとえば，**カウザルギア causalgia** では，一見するととるに足らないような損傷の後に，かなり経ってから自発的な灼けるような痛みが生じる．痛みはしばしば**痛覚過敏 hyperalgesia** と**アロディニア allodynia** を伴う．**反射性交感神経性ジストロフィー reflex sympathetic dystrophy** もしばしば生じる．この状態では，侵された領域の皮膚は薄くてテカテカ光り，発毛の促進がみられる．これは損傷を受けた領域から感覚神経が存在する後根神経節内に交感神経線維の発芽，ついには神経の過成長の結果起こる．その結果，交感神経の放電が痛みを引き起こす．末梢では短絡が起こり，変化した神経線維が後根神経節のレベルでノルアドレナリンによって興奮するようになる．

治療上のハイライト

慢性痛は**非ステロイド性抗炎症薬 nonsteroidal anti-inflammatory drug** や**オピオイド**のような最も一般的な治療が効かないこともしばしばである．慢性痛の治療の新しい試みとして，中枢の侵害受容経路におけるシナプス伝達や末梢の感覚符号化機構に焦点があてられている．カプサイシン受容体である **TRPV1** は熱，プロトンや炎症の産物などのような侵害的刺激に反応する．**カプサイシンの経皮的パッチ**またはクリームは，神経へのサブスタンスPの供給を消耗させて痛みを抑える．Nav1.8 [テトロドトキシン（フグ毒）抵抗性電位作動性 Na^+ チャネル] は後根神経節細胞中の侵害受容性ニューロンに特異的に発現している．**リドカイン lidocaine** と**メキシレチン mexiletine** はいくつかの慢性痛の症例で有効であり，このチャネルを阻害することによって作用しているのであろう．N型電位作動性 Ca^{2+} チャネル阻害薬である**ジコノチド ziconotide** は従来の治療に反応しない慢性疼痛の患者の髄腔内鎮痛に有効性が証明されている．抗痙攣薬である**ガバペンチン gabapentin** は GABA の類似化合物であり，電位作動性 Ca^{2+} チャネルに作用して神経障害性および**炎症性疼痛 inflammatory pain** の治療に有効であることが示されている．他にも2種類の抗痙攣薬，**トピラマート topiramate** と**バルプロ酸 valproate** (valproic acid) は電位作動性 Na^+ チャネルを阻害し**片頭痛 migraine** の治療に使われている．**NMDA (N-methyl-D-aspartate) 型受容体拮抗薬 NMDA receptor antagonist** はオピオイドに対する耐性を減らすために，オピオイドと一緒に投与することができる．内因性**カンナビノイド cannabinoid** は多幸感を生じる効果の他に鎮痛作用ももっている．多幸感を生じる効果をもたないGタンパク質共役型受容体(CB₂)作動薬は，炎症性および神経障害性疼痛の治療のために現在開発中である．

る．NGFはまた，後根神経節細胞におけるテトロドトキシン tetrodotoxin (TTX：フグ毒) 抵抗性電位作動性 Na^+ チャネル (**Nav1.8**) の発現に影響を与え，さらに活動性を高める．

損傷を受けた神経線維は発芽する．その結果，触受容器からの神経線維が通常，侵害受容器入力のみを受けている脊髄後角ニューロンにシナプス結合する（後述）．この変化は損傷後になぜ非侵害性の刺激が痛みを起こしうるか説明することができる．脊髄において侵害受容器終末からのサブスタンスPとグルタミン

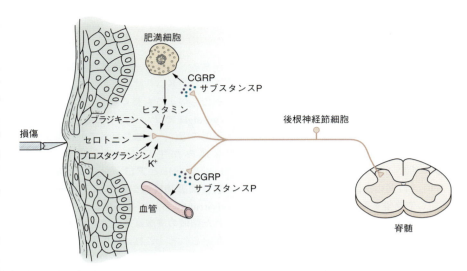

図 8・5 組織損傷に反応して遊離された化学メディエーターは侵害受容器を感作し，直接活性化する．これらは痛覚過敏とアロディニアのもととなる．組織損傷は，侵害受容器を感作し，活性化するブラジキニンやプロスタグランジンを放出する．侵害受容器の活性化は次にサブスタンスPやカルシトニン遺伝子関連ペプチド(CGRP)の放出を起こす．サブスタンスPは肥満細胞に作用して脱顆粒を起こし，ヒスタミンを放出させる．ヒスタミンは侵害受容器を活性化する．サブスタンスPは血管漏出を起こし，CGRPは血管拡張を引き起こす．その結果生じる浮腫はさらにブラジキニンの放出を引き起こす．セロトニン(5-HT)は血小板から放出され，侵害受容器を活性化する(Lembeck F: CIBA Foundation Symposium. Summit, NJ: Pitman Medical; 1981 より許可を得て複製)．

酸が一緒に放出されることにより脊髄ニューロン上の **NMDA 型受容体 NMDA receptor** の過剰な活性化を引き起こす．この現象は痛みの伝達経路の活性の増大を導く wind-up と呼ばれる．脊髄におけるもう1つの変化は，脊髄中の求心性神経終末の近隣の**ミクログリア microglia** が，感覚神経から放出された伝達物質によって活性化されることによって生じる．これは次に好炎症性サイトカインやケモカインの放出を導き，神経伝達物質のシナプス前放出やシナプス後興奮性に影響を与えることによって痛みの情報処理を修飾する．ミクログリア上には P2X 受容体が存在する．これらの受容体の拮抗薬は慢性痛の治療に有効な方法となるかもしれない．

深部痛と内臓痛

表面皮膚と深部または内臓の痛みの主な違いは，侵害刺激によって生じる痛みの性質の違いである．深部組織には Aδ 神経線維が比較的少ないというのがおそらくその理由で，速い，鋭い痛みはほとんどない．また，深部痛と内臓痛は局在が不明瞭で，吐き気を起こし，しばしば発汗や血圧の変化を伴う．骨，腱，関節の外傷に関連して筋痙縮が引き起こされる．持続的に収縮する筋は虚血性となり，虚血は筋の痛み受容器を刺激する．痛みはまたさらに筋痙縮を引き起こし，悪循環となる．

内臓器官に侵害受容器は存在しているが，その分布は体性系組織に比べまばらである．内臓からの求心性神経線維は，交感神経と副交感神経の神経束の中を通って中枢神経系に到達する．その細胞体は後根神経節と脳神経節にある．具体的にいうと顔面神経，舌咽神経，迷走神経にも内臓求心性神経線維が存在するし，胸髄，上部腰髄，仙髄の後根中にもある．

内臓痛はひどくなることがある．中空臓器の壁に存在する受容器は伸展に対し特に感受性が高い．**腸管疝痛 intestinal colic** は，腸閉塞後に起こる筋痙縮により生じる，強くなったり弱くなったりする痛みである．内臓が炎症を起こしたり充血状態になったりすると，比較的軽度の刺激が強い痛みを引き起こす．これは痛覚過敏の一型である．

関 連 痛

内臓痛は，しばしば放散し，他の領域に及ぶ．内臓の刺激はしばしばその部位ではなく，ある程度離れた体性組織に痛みを生じる(**関連痛 referred pain**)．それ

それの内臓ごとによく関連痛を生じる部位について知識をもっていることは医師にとって大変重要である．心臓痛が左腕の内側面に関連痛を生じることは，最もよく知られている例であろう．他の例としては，横隔膜中央部の刺激による肩先の痛みや，尿管の伸展による精巣の痛みであろう．関連部位はいつでも決まっているわけではなく，ふつうでない部位へ関連することも多い．たとえば虚血性の心臓痛は，右腕や腹部に，時には背中や首やあごにすら関連痛を生じることもある．

痛みが放散する場合，通常は痛みのもとである臓器と同じ胎生期同体節 embryonic segment または皮節 dermatome から発生した構造に関連痛を生じる．たとえば，心臓と腕は同じ分節から発生している．精巣は腎臓と尿管ができてきた原始的な泌尿生殖隆起からその神経を伴って移動してきたものである．

関連痛の基礎メカニズムは，体性と内臓の痛み神経が，脊髄後角の同じ二次ニューロンに収束し，それが視床からさらに体性感覚野に投射することであろう（図8・6）．これは**収束−投射説 convergence-projection theory** と呼ばれる．体性と内臓の神経は同側の後角で収束する．体性の侵害受容線維は正常では二次ニューロンを活性化しないが，内臓刺激が長引くと体性線維終末からの神経活動の促通が起こる．その結果，二次ニューロンを興奮させる．当然，脳は刺激が内臓から来ているのか関連している部位から来ているのかを，判別することはできない．

体性感覚の経路

感覚受容器で発生した神経インパルスにより惹起される感覚は，それら（上行したインパルス）が最終的に活性化する脳の特異的な部位に一部依存する．以下は触覚，振動覚，固有感覚を伝える上行経路（**後索路 dorsal column** もしくは **内側毛帯系 medial lemniscal pathway**）と痛みと温度覚を伝える経路（**腹外側脊髄視床路 ventrolateral spinothalamic pathway**）の比較である．

後索路

触覚，振動感覚，固有感覚の大脳皮質への主要伝導路を図8・7に示す．これらの感覚を伝える神経線維は脊髄の同側の後索を上行して延髄に至り，そこで**薄束核 gracilis nucleus** と **楔状束核 cuneate nucleus** においてシナプス結合する．これらの核からの二次ニューロンは正中線を横切り，**内側毛帯 medial lemniscus** を上

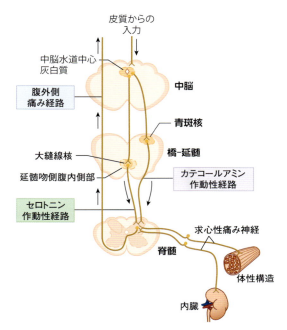

図8・6　関連痛の収束−投射説と痛みのコントロールに関わる下行性経路の模式図． 関連痛の基礎メカニズムは，高位の脳部位へ投射する脊髄後角の同じ二次ニューロンに皮膚と内臓からの痛み線維が収束することであろう．中脳水道中心灰白質は，延髄吻側腹内側部（大縫線核を含む）のセロトニン作動性ニューロンや橋青斑核のカテコールアミン作動性ニューロンを介して，脊髄後角において一次求心性神経の情報伝達を抑制することによって痛みの伝達を修飾する下行性経路の一部である（訳注：原書に誤りがあり，原書出版社に連絡の上で修正を加えた）．

行して，反対側視床の**後外側腹側核 ventral posterior lateral（VPL）nucleus** に終わる．この上行路は**後索系 dorsal column system** あるいは **内側毛帯系 medial lemniscal system** と呼ばれる．後索内の線維は脳幹で頭部の感覚を伝える神経線維と合流する．頭部の触覚と固有感覚は，主に三叉神経の主知覚核と中脳路核とで中継されている．

体部位再現的組織化

後索内では，脊髄の各レベルに起始する神経線維が体部位再現的に配置されている（図8・7）．つまり，仙髄からの神経線維は最も内側に位置し，頸髄からの神経線維は最も外側に位置している．この配置は延髄でも続き，下半身（たとえば，足）は薄束核に再現され，上半身（たとえば，手の指）は楔状束核に再現される．内側毛帯では首から足の再現は，背側から腹側になる．

体部位再現的組織化は，視床，大脳皮質まで続く．

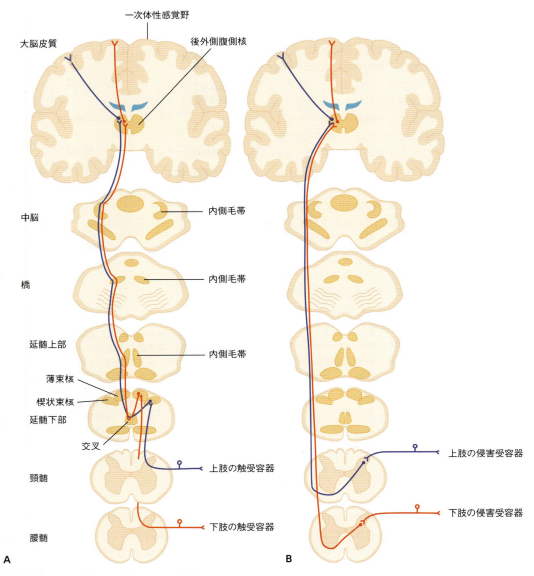

図 8・7　末梢の受容器から大脳皮質に感覚情報を伝える上行路．A：後索路は触覚，振動覚と固有受容感覚を伝える．感覚線維は同側を，脊髄後索を通って延髄の薄束核と楔状束核まで上行する．そこから線維は交叉して，内側毛帯を上行し，対側の視床の後外側腹側核（VPL）へ行き，その後，一次体性感覚野へ投射する．**B**：腹外側脊髄視床路は痛覚と温度覚を伝える．これらの感覚神経は脊髄後角に終枝し，そこからの投射線維は中心線を越えて対側にわたり，脊髄の腹外側四半分を上行し，VPL，そしてさらに一次体性感覚野へ投射する．

視床の後外側腹側（VPL）核ニューロンは大脳皮質の**頭頂葉 parietal lobe** の**中心後回 postcentral gyrus** にある**一次体性感覚野 primary somatosensory cortex** に高度に特異的に投射している（図 8・8）．この部位への投射は，中心後回に沿って上方が足，下方が頭という具合に配置されている．身体の種々の部位からの線維が中心後回で細かく局在しているばかりでなく，身体のある部分からの神経インパルスを受容する皮質領野の広さは，その部位の使用度に比例している．皮質感覚野の相対的な広さが図 8・9 に誇張して描かれている．この図では**ホムンクルス homunculus**（こびと）の身体部位の大きさの割合を，各部位の皮質感覚野の広さに相当するようにゆがめて描いてある．体幹と身体の背面に対応する皮質感覚野が狭く，手と言語に関係した

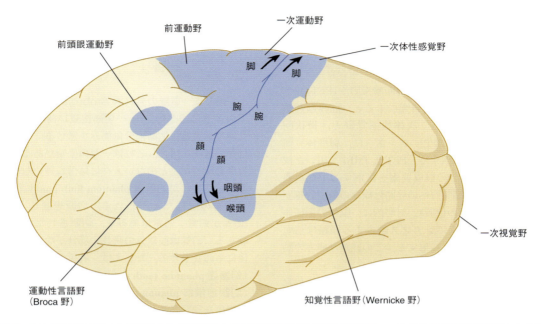

図 8・8　ヒト脳におけるいくつかの主たる脳部位とその機能を示す左半球の側面図．一次体性感覚野は頭頂葉の中心後回にあり，一次運動野は中心前回にある（Waxman SG: *Clinical Neuroanatomy*, 26th ed. New York, NY: McGraw-Hill; 2010 より許可を得て複製）．

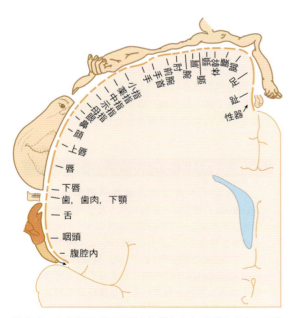

図 8・9　中心後回の冠状断上に描かれた感覚のホムンクルス．体の各部は中心後回に沿って，足が回の先端に，頭が回の基部に来るように順序立って配置されている．ある特定の体の部位からインパルスを受け取る大脳皮質の領域の大きさはその部分の使われ方に比例している．

口の部分からの神経インパルスに関連する皮質感覚野が非常に広いことに注目してほしい．

一次体性感覚野に加えて，感覚情報の統合に寄与している2つの脳部位がある．**感覚連合野 sensory association area** は頭頂葉にあり，**二次体性感覚野 secondary somatosensory cortex** は，側頭葉を前頭葉と頭頂葉から分けている**外側溝 lateral fissure**（Sylvius〔シルヴィウス〕溝とも呼ばれている）の壁に存在している．これらの領域は一次体性感覚野からの情報を受け取っている．

空間における身体各部の位置の認識には，関節の内部とその周辺の感覚器からの神経インパルスが一部関与する．これらの受容器や皮膚，その他の組織中の触受容器からの神経インパルス，また筋紡錘からの神経インパルスが大脳で統合され，空間における身体の位置に関する意識像ができあがるのである（固有感覚）．

腹外側脊髄視床路

侵害受容器と温度受容器からの神経線維は脊髄後角のニューロンにシナプス結合する．これらのニューロンの軸索は，正中線を越えて脊髄の腹外側方の四半分を上行する．その部分で腹外側脊髄視床路を形成する（図 8・7）[*4]．この経路内の神経線維は VPL 核でシナ

プス結合する．侵害受容性の入力を受けた後角のニューロンのあるものは脳幹網様体でシナプス結合し（**脊髄網様体路 spinoreticular pathway**），その後，視床の外側中心核に投射する．

健常成人における陽電子放射断層撮影法（PET）と機能的 MRI（fMRI）を用いた研究によると，痛みは刺激と反対側の一次および二次体性感覚野と，帯状回 cingulate gyrus を活性化する．さらに，扁桃体，前頭皮質，島皮質を賦活する．PET と fMRI を用いた技術は痛み経路の 2 つの構成要素を区別する上で重要である．一次体性感覚野への経路は痛みの識別的側面を担っている（痛みの位置）．対照的に，脳幹の網様体と視床の外側中心核にシナプス結合する経路は前頭葉，辺縁系，島皮質に投射する．この経路は痛みの動機付け-情動を伝える[*5]．

内臓感覚は体性感覚と同じく脊髄視床路と視床放線を通り，内臓感覚を受ける大脳皮質の領野は体性感覚を受ける領野と混ざり合っている．

皮質の可塑性

前述したようなニューロンの広い領域にわたる投射は，生まれつきのものでも不変のものでもなく，皮質の再現部位の使用状況を反映して比較的急速に変化しうる．クリニカルボックス 8・4 では，肢の切断に反応して大脳皮質と視床の機構が著しく変化して，**幻肢痛 phantom limb pain** の現象を起こすことが述べられている．

1 本の指といった身体の一部を失うと，大脳皮質構造は劇的に再構築されうる（**可塑性 plasticity**）．切断された指の皮質再現部位に隣の指の皮質再現部位が広がっていく．感覚単位と大脳皮質との結合には広範に収束と発散があり，しかもその結合は使用しないと弱くなり，使用により強くなる．

ある感覚に応じていた感覚野が別の感覚に応じるようになるという可塑性変化が起こる事実は，ヒトを対象とした PET を用いた研究でも実証されている．このようにして，たとえば視覚障害者では，触覚や聴覚

[*4] 訳注：腹外側脊髄視床路は腹側（前）脊髄視床路と外側脊髄視床路を総称したものである．痛みの識別に関わるのは主に外側脊髄視床路（発生学的に新しい新脊髄視床路）であり，腹側脊髄視床路（発生学的に古い旧脊髄視床路）は痛みに伴う種々の反応の発生に関わると考えられている．

[*5] 訳注：ラットやマウスなどのげっ歯類では，脊髄視床路だけでなく脊髄（もしくは三叉神経脊髄路核）から腕傍核を経由して扁桃体に向かう投射経路の存在が明らかになっている．

クリニカルボックス 8・4

幻肢痛

1551 年，軍隊の外科医 Ambroise Pare は以下のように述べた．「……切断後長い時間が経った後でも患者は切断部分に痛みを感じる．患者らは強く症状を訴え，これは一考の価値があるがこれを経験したことのない人々には信じ難いものである．」これが**幻肢痛 phantom limb pain** に関する最初の記述だと思われる．切断患者の 50～80％が幻覚，通常は痛みを，切断された肢に経験する．幻覚は肢以外の身体の部分がなくなった後にも起こりうる．たとえば，乳房の切除，抜歯（**幻歯痛 phantom tooth pain**），あるいは眼の摘出（**幻眼症候群 phantom eye syndrome**）である．この現象を説明するために数多くの理論が提示されてきた．現在の理論は感覚情報が遮断されると脳は再構築されるという証拠に基づいている．**視床の後腹側核 ventral posterior thalamic nucleus** はこの変化が起こる 1 つの例である．下肢が切断された患者での単一ニューロン活動記録により，下肢と足から入力を受けていた視床の領域が断端（大腿）への刺激で反応するようになることが明らかとなっている．他には大脳皮質体性感覚野の地図の再構築が示されている．たとえば，腕を切断された人では，顔の種々の領域への触刺激は失った肢が触られている感覚をもたらす例もある．

治療上のハイライト

四肢切断手術の際の**硬膜外麻酔 epidural anesthesia** の使用は，手術に伴う急性痛の発生を防ぎ，それによって手術直後のオピオイド治療の必要性を減少させるかもしれない．この麻酔法によって幻肢痛の発生率は低下した．**脊髄刺激 spinal cord stimulation** が幻肢痛に対する有効な治療法の 1 つとして示されている．脊髄経路を刺激するために脊髄の近傍に電極を置き，その電極を介して電流を流す．この電流が脳への上行インパルスを妨害し，幻肢に感じる痛みを弱める．代わりに，切断患者は幻肢に刺痛（ピリピリ感）を感じる．

の刺激により皮質視覚野の代謝が高まる．逆に聴覚障害者では，視野周囲での物体の動きに対する反応は正常者より速く正確である．同様の可塑性が皮質運動野においてもみられる．

中枢神経系損傷の影響

クリニカルボックス8・2は，体性感覚経路の損傷の後に見出される欠損について述べている．クリニカルボックス8・5は脊髄半側切断に反応して起こる感覚と運動の特徴的変化を述べている．

後索の損傷では，損傷部位よりも尾側のレベルにある体部位の軽い触覚，振動覚，固有感覚が同側性に失われる．腹外側脊髄視床路の損傷では，損傷部位よりも下の対側の痛みと温度感覚の喪失が起こる．このような脊髄の損傷は，貫通性の外傷や腫瘍によって生じることがある．

一次体性感覚野を損傷しても体性感覚は消失しない．この部分の刺激は，**異常感覚 paresthesia** またはしびれやムズムズ感といった感覚を，対側の体部位に生じる．破壊的な損傷は侵害刺激の時間的，空間的位置や強さを認識する能力を障害する．帯状回の損傷では，侵害刺激を忌むべき信号として認識できなくなる．

視床に梗塞が起こると，感覚喪失が起こる．**視床痛症候群 thalamic pain syndrome** は視床梗塞の回復の過程で時にみられることがある．この症候群の特徴は，脳卒中が生じた側の反対側の慢性の痛みである．

痛み情報伝達の修飾

脊髄後角における情報処理

侵害受容経路での情報伝達は，脊髄後角中の感覚求心性神経の終枝部位における作用によって中断されることがある．多くの人は経験から損傷された部位をこすったり振ったりすると痛みが和らぐことを知っている．この痛みの緩和は，脊髄後角に終枝する側枝を出している非侵害性の皮膚機械受容器が同時に活性化されるためであろう．これらの皮膚機械受容器の活動は，侵害受容性求心性神経終末からの入力に対する脊髄後角ニューロンの反応性を減弱させると考えられている．これは痛み修飾の**ゲートコントロール説 gate control theory** といわれ，痛みの緩和のための**経皮的神経電気刺激法 transcutaneous electrical nerve stimulation（TENS）**が使われる理由となっている．この方法では，電極を損傷部位近傍のAαとAβ線維を活性化するた

クリニカルボックス 8・5

Brown-Séquard 症候群

脊髄の半側が機能的に切断されると，特徴的で容易に判別可能な臨床像，すなわち，感覚上行路（後索路，腹外側脊髄視床路）と運動下行路（皮質脊髄路）の損傷を示す臨床像を呈し，Brown-Séquard（ブラウン・セカール）症候群と呼ばれる．薄束あるいは楔状束の損傷により，損傷部位より下部同側の識別性のよい触，振動，固有感覚の弁別が失われる．脊髄視床路の損傷により，損傷部位より1あるいは2分節以下の反対側の痛みと温度感覚が失われる．皮質脊髄路が損傷されると，身体同側のある一定の筋群が脱力したり痙縮したりする．明確な脊髄半側切断はまれにしかないが，この症候群は脊髄腫瘍，脊髄外傷，変形性椎間板症，虚血などによって生じうるため，よく起こる．

治療上のハイライト

脊椎の外傷時には脊椎もしくは椎骨の安定化が必要とされる．Brown-Séquard 症候群の薬物治療は，その発生原因と初発からの時間による．特に脊髄損傷から間もない場合だと，高用量の**コルチコステロイド corticosteroid** が有効であることが示されている．コルチコステロイドは多形核白血球を抑制することによって炎症を抑え，毛細血管透過性の増大をもとに戻す．痙攣，痛み，その他の脊髄損傷で起こりうる合併症の治療のために薬物は必要とされるかもしれない．物理療法は筋力や関節可動域を保ち呼吸機能を改善するために重要である．

めに使う．

オピオイド opioid はよく使われる鎮痛薬で，その効果は脊髄や後根神経節なども含め中枢神経系のいろいろな部位で発現する．図8・10にはオピオイドが侵害情報伝達を減らすいろいろな作用機序を示している．脊髄後角表層には内因性のオピオイドペプチド（**エンケファリン enkephalin** と**ダイノルフィン dynorphin**）をもつ介在ニューロンが存在する．これらの介在ニューロンは侵害受容性の求心性神経が終枝してい

る脊髄後角領域に終末を伸ばしている．オピオイド受容体は侵害受容性線維の終末や後角ニューロンの樹状突起に存在し，オピオイドのシナプス前およびシナプス後における作用部位となっている．シナプス後のオピオイド受容体は K^+ コンダクタンスを増加させて後角ニューロンを過分極させる．シナプス前のオピオイド受容体の活性化は Ca^{2+} の流入を減少させ，その結果グルタミン酸やサブスタンスPの放出を減少させる．これらの作用の結果，後角膠様質ニューロンの EPSP の持続時間を短縮する．後根神経節細胞の細胞体におけるオピオイド受容体の活性化も，侵害受容性求心性神経からの情報伝達を減弱させるために役立っている．

痛みを軽減するためにモルヒネを慢性的に使用すると，患者には薬物に対する耐性が生じる，つまり除痛のための必要量が徐々に増加していく．この**後天性耐性 acquired tolerance** は，**嗜癖 addiction**[*6] とは異なる．嗜癖は心理的な欲求である．患者に薬物乱用の経験がない場合は，モルヒネを慢性痛の治療のために用いても心理的な嗜癖はめったに起こらない．クリニカルボックス 8・6 には動機付けと嗜癖の機構が述べられている．

中脳水道中心灰白質と脳幹の役割

モルヒネと内因性オピオイドのもう 1 つの作用部位は**中脳水道中心灰白質 periaqueductal gray（PAG）**である．オピオイドを PAG に注入すると鎮痛が起こる．PAG は，後角における一次求心性神経の情報伝達の抑制によって痛みの情報伝達を修飾する下行性経路の

---

*6 訳注：長期投与によって起こる生体側の変化として，その薬物に対する欲求が強くなり，使用を中止すると精神的および身体的に混乱を生じることがある．これを精神的および身体的依存と呼ぶが，精神的依存のみが起こる場合を習慣，同時に身体的依存も起こる場合を嗜癖と呼ぶ．

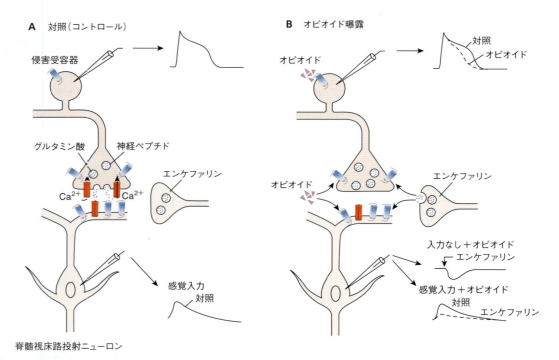

図 8・10 後根神経節（DRG）と脊髄後角領域において痛み感覚の情報伝達を減弱するオピオイドの作用．A：侵害受容器の活性化は，脊髄視床路投射ニューロンとシナプスを形成しているその神経終末からグルタミン酸と神経ペプチドの放出を引き起こす．これは脊髄視床路投射ニューロンの脱分極（活性化）を引き起こす．エンケファリン（ENK）含有の介在ニューロンは，侵害受容性線維の終末ならびに脊髄後角ニューロンの樹状突起に存在しているオピオイド受容体を介して効果を発揮し，シナプス前抑制ならびにシナプス後抑制を生じる．B：DRG 内のオピオイド（たとえばモルヒネ）は Ca^{2+} 流入を減少させることにより，侵害受容ニューロンにおいて引き起こされた活動電位の持続時間を短縮させ，侵害受容ニューロンから脊髄後角ニューロンへの神経伝達物質の放出を減少させる作用を示す．また，オピオイドは K^+ コンダクタンスを活性化することにより後角ニューロンの膜を過分極させる；オピオイドは侵害受容器が刺激されることにより起こる興奮性シナプス後電位（EPSP）の振幅を減少させる．

クリニカルボックス 8・6

動機付けと嗜癖

前脳の**腹側被蓋野** ventral tegmental area や**側坐核** nucleus accumbens にあるニューロンは，報酬，笑い，快感，嗜癖，恐怖など動機付け行動に関与すると考えられている．これらの領野は脳の**報酬中枢** reward center あるいは**快楽中枢** pleasure center と呼ばれている．中脳から側坐核と前頭皮質に投射する**中間皮質ドーパミンニューロン群** mesocortical dopaminergic neurons も関わっている．**嗜癖 addiction** は健康によくない影響をもたらすにもかかわらず，ある物質を衝動的に繰り返し使用することと定義される．嗜癖は多様な薬物によって起こる．世界保健機関 World Health Organization (WHO) によると，世界中で 7600 万人以上がアルコールを乱用し，1500 万人以上が薬物を乱用している．驚くまでもなく，アルコールと薬物の嗜癖は報酬系と結び付いている．最もよく研究されている嗜癖性の薬物は，モルヒネやヘロインなどの麻薬である．他には，コカイン，アンフェタミン，アルコール，カンナビノイド類，ニコチンがある．これらの薬物は様々な方法で脳に影響するが，これらはすべて側坐核の D_3 **受容体** D_3 receptor に作用するドーパミン量を増加させることで共通している．したがって，急性的にこれらは脳の報酬系を刺激する．一方，長期の嗜癖には**耐性** tolerance の発生が関わる．つまり，陶酔状態を得るために薬物の量を増やす必要がある．さらに，**退薬** withdrawal によって心理的，身体的症状が生じる．嗜癖の特徴の 1 つは，治療後に薬物常用が再発する傾向があることである．たとえば，麻薬常用の場合，最初の 1 年の再発率は約 80% である．再発はしばしば，以前に薬物利用と関連した光景，音，状況に曝されて起こる．この点に関して，ほんのわずかな 1 回量の習慣性薬物によって，記憶と関連する脳領域で興奮性神経伝達物質の放出が促進されるという興味深い観察がある．内側前脳皮質，海馬，扁桃体が記憶と関連しており，これらの領域からは興奮性のグルタミン酸作動性の経路が側坐核に投射する．耐性や依存を形成する特異的な脳のメカニズムは，比較的わずかなことしかわかっていない．しかし，耐性と依存は分離できる．**β-アレスチン2** β-arrestin 2 が存在しないと耐性の形成が抑制されるが，依存には影響がない．β-アレスチン 2 は，ヘテロ三量体を形成する G タンパク質をリン酸化することにより抑制するタンパク質群の一員である．

治療上のハイライト

オピオイドからの退薬症状やオピオイドへの嗜癖と関連した渇望は，中枢神経系にあるモルヒネやヘロインと同じ受容体にはたらく**メサドン** methadone や**ブプレノルフィン** buprenorphine のような薬物によってもとに戻すことができる．米国食品医薬品局 Food and Drug Administration はアルコール乱用に対して 3 つの薬物の使用を承認している．**ナルトレキソン** naltrexone，**アカンプロセート** acamprosate と**ジスルフィラム** disulfiram である．ナルトレキソンは報酬系やアルコールへの渇望をブロックするオピオイド受容体拮抗薬である．アカンプロセートはアルコール乱用からの離脱症状を減弱させるだろう．ジスルフィラムはアルコールの完全な分解を抑制してアセトアルデヒドの蓄積を引き起こす．この結果アルコールを摂取すると不快な反応が起こる（たとえば顔の潮紅，悪心，心悸亢進）．**トピラマート** topiramate は，Na^+ チャネル阻害薬であるが，アルコール嗜癖に対する臨床試験で有望となっている．これは片頭痛に有効な薬物と同じものである．

一部となっている（図 8・6）．これらの PAG ニューロンは脳幹に存在する 2 群のニューロンに直接投射し，活性化する．延髄吻側腹内側部 rostral ventromedial medulla（**大縫線核** nucleus raphé magnus を含む）に存在するセロトニン作動性ニューロンと，橋の**青斑核** locus coeruleus に存在するカテコールアミン作動性ニューロンである[*7]．これらの領域に存在している

[*7] 訳注：この部分に誤りがあり，原書出版社に確認の上，修正を加えた．

ニューロンは脊髄後角に投射している．そこからそれぞれセロトニンとノルアドレナリンが放出されて侵害受容性求心性線維の情報を受けている後角ニューロンの活動を抑制する（図8・6）．この抑制の少なくとも一部は，後角のエンケファリン含有介在ニューロンを活性化することによって生じる[*7]．

電気鍼 electroacupuncture の鎮痛効果には，内因性オピオイドの遊離とこの下行性の疼痛修飾経路の活性化が関わっている．電気鍼はPAGや脳幹のセロトニン作動性やカテコールアミン作動性の領域に側枝を出している上行性の求心性経路を活性化する．電気鍼の鎮痛効果は，オピオイド受容体拮抗薬であるナロキソン naloxone の投与によって阻害される．

ストレス誘発性鎮痛

周知のように，激戦中に負傷した兵士は戦闘がすむまで全然痛みを感じないことがある．これは捕食者によって攻撃された時や，他のストレスの多い出来事の際に痛みの感受性が低下するということによって典型的に示される**ストレス誘発性鎮痛** stress-induced analgesia の1つの例である．おそらく脳幹のカテコールアミン作動性ニューロンからの扁桃体へのノルアドレナリンの放出がこの現象へ貢献しているであろう．先に述べたように，扁桃体は，痛みに対する動機付け-情動的反応を伝える辺縁系の一部である．

2-アラキドニルグリセロール 2-arachidonyl-glycerol（2-AG）やアナンダミド anandamide のような内因性**カンナビノイド** cannabinoid の放出がストレス誘発性鎮痛に関わっているようだ．これらの化学物質は，2種類のGタンパク質共役型受容体（CB_1 と CB_2）に作用することができる．CB_1 受容体は多くの脳部位に存在し，カンナビノイドによるこれらの受容体の活性化は，カンナビノイドが多幸感を生じる作用を説明できる．CB_2 受容体は，慢性神経障害性疼痛に関わる病態のもとで活性化されるミクログリアに発現している（クリニカルボックス8・3参照）．ミクログリアに発現する CB_2 受容体への作動薬の結合は炎症反応を減弱し，鎮痛効果を生じる．神経障害性疼痛の薬物治療のための選択的 CB_2 受容体作動薬は開発途上にある．

章のまとめ

- 触と圧は有髄の $A\alpha$ と $A\beta$ 線維によって支配されている4種類の機械受容器によって検出される．それらは，速順応型のMeissner小体（タッピング，ゆっくりした振動に反応する），遅順応型のMerkel細胞（持続性の圧と触に反応），遅順応型のRuffini小体（皮膚の伸展と振動に反応）と速順応型のPacini小体（速い振動と深部圧に反応）である．
- 侵害受容器と温度受容器は，無毛部や有毛部の皮膚や深部組織にある無髄のC線維や細い有髄神経の $A\delta$ 線維の自由神経終末である．これらの神経終末は，種々の侵害的化学物質によって活性化される受容体（たとえばTRPV1，ASIC）や，機械的刺激で活性化される受容体（P2X，P2Y，TRPA1）（訳注：P2X，P2Y，TRPA1のいずれも，直接に機械的刺激で活性化されることは確認されていない．P2X，P2Yの場合は機械的刺激と受容体の活性化の間にはATPが介在している）や温度刺激によって活性化される受容体（TRPV1）を発現している．さらに，組織損傷で放出される化学メディエーター（たとえば，ブラジキニン，プロスタグランジン，セロトニン，ヒスタミンなど）は直接，侵害受容器を活性化し，また感作する．
- 受容器電位は，適刺激を与えた後に感覚器で記録される非伝導性の脱分極性電位である．刺激の強さを増加させると受容器電位の大きさは増大する．受容器電位が臨界値に達すると感覚神経に活動電位が発生する．
- 受容器の刺激を認識できるような感覚に変換することを"感覚のコーディング"と呼ぶ．すべての感覚系は，様式（受容器選択性），部位（受容野），強さ（受容器感受性），持続時間（受容器順応性）の4つの基本的属性をコード化する．
- 痛みとは，組織を実際に損傷するかまたは損傷しかねないような刺激と関連した，またはそのような損傷という言葉で述べられる（訳注：損傷と痛みとに近い時間的関係があるわけではない．しかし，たとえば，今，痛くなっている部位を以前に骨折したなどと何らかの関連を述べられる，という意味）不快な感覚的，情動的体験である．それに対し，侵害受容は感覚受容器に与えられた損傷性の刺激によって引き起こされる無意識の活動である．一次痛は $A\delta$ 線維によって伝えられ，鋭く，局在した感覚を生じる．二次痛はC線維によっ

て伝えられ，鈍く，強い，びまん性で不快な感覚を生じる．急性痛は突然に始まり，治癒していくうちに消退する．そして，重要な生体防御機構としてはたらく．慢性痛は持続性で，神経の損傷や遷延した炎症によって起こる．これはしばしば痛覚過敏(侵害刺激に対する誇張された反応)やアロディニア(非侵害刺激に対して生じる痛み感覚)を伴う．

■ 内臓痛は局在が悪く，不快で，悪心や自律神経系反応が伴う．それはおそらく体性と内臓の侵害受容器線維が脊髄後角の同じ二次ニューロンに収束し，それが視床からさらに一次体性感覚野に投射するために，しばしば他の体部位に放散する(関連痛を生じる)．

■ 識別性のある触覚，固有感覚，振動覚は後索路(内側毛帯)を通って視床のVPLに中継され，さらに一次体性感覚野に中継される．痛みと温度覚は腹外側脊髄視床路を介して伝えられ，それはVPLからさらに大脳皮質へ伝えられる．痛みの識別は一次体性感覚野の活動の結果生じる．痛みの動機付け-情動的反応の側面は前頭葉，辺縁系と島皮質の活性化から生じる．

■ 後索の損傷では，損傷部位よりも尾側のレベルにある体部位の軽い触覚，振動覚，固有感覚が同側性に失われる．腹外側脊髄視床路の損傷では，損傷部位より下のレベルの対側の痛覚と温度感覚の喪失が起こる．一次体性感覚野の損傷は，侵害刺激の時間的，空間的位置や強度を認識する能力を障害する．帯状回の損傷は侵害刺激の嫌悪的性質を認識する能力を障害する．

■ 痛みの経路における情報伝達はPAG，脳幹，脊髄や後根神経節ではたらく内因性のオピオイドによって修飾される．下行性の痛み修飾系にはPAGや，大縫線核，延髄吻側腹内側部や青斑核に存在するニューロンが含まれる．

■ 新たな痛みの治療は，侵害受容経路のシナプス伝達や末梢の感覚受容の符号変換に焦点が絞られている．カプサイシンの経皮的パッチやクリームは，神経のサブスタンスPの供給を枯渇させ，また皮膚のTRPV1受容体に作用して痛みを減弱させる．リドカインやメキシレチンは慢性疼痛のいくつかの症例に有効であり，後根神経節の侵害受容性ニューロンに特異的に発現しているNav1.8を遮断することによってはたらく．N型電位作動性Ca^{2+}チャネル阻害薬のジコノチドは，薬物抵抗性の慢性痛の患者の髄腔内鎮痛に使われる．抗痙攣薬の1つであるガバペンチンは電位作動性Ca^{2+}チャネルに作用して神経障害性や炎症性疼痛の治療に有効である．Na^+チャネル阻害薬の1つであるトピラマートは片頭痛の治療に使われるもう1つの抗痙攣薬である．NMDA型受容体拮抗薬はオピオイドに対する耐性を減弱させるためにオピオイドと一緒に投与することもできる．

多肢選択式問題

正しい答えを1つ選びなさい．

1. 28歳の男性が右腕にチクチク感としびれが長い間続いているので，神経内科医の診察を受けた．彼は感覚神経系を評価するため，神経学的検査を受けた．以下のうち，どれが皮膚機械受容器とそれが最もよく反応する刺激との組合せになっているか．
   A．Pacini小体と速い振動
   B．Meissner小体と皮膚の伸展
   C．Merkel細胞と遅い振動
   D．Ruffini小体と持続的な圧

2. MD/PhDの学生が，異なる皮膚受容器の応答を記録しており，以下のような記述をした．1つ目の受容器は皮膚温が33℃に上昇するまで不活性であり，その後，皮膚温が45℃まで徐々に上昇するに従ってその発火頻度は増加し続けた．2つ目の受容器は，皮膚温が46℃になるまで不活性だった．3つ目の受容器は，皮膚温40℃では不活性であったが，24℃まで下がるにつれて発火頻度は定常的に増加した．これらそれぞれの受容器について，受容器と活性化されているであろう非選択的カチオン(陽イオン)チャネルのタイプを分類せよ．
   A．受容器1は温度侵害受容器で活性化されたチャネルはTRPV1である．受容器2は温度侵害受容器で活性化されたチャネルはTRPA1である．受容器3は非侵害性冷受容器で活性化されたチャネルはTRPV4である
   B．受容器1は非侵害性温受容器で活性化されたチャネルはTRPV1である．受容器2は温度

受容器で活性化されたチャネルは TRPM8 である．受容器3は非侵害性冷受容器で活性化されたチャネルは TRPV3 である
  C．受容器1は非侵害性温受容器で活性化されたチャネルは TRPV3 である．受容器2は温度侵害受容器で活性化されたチャネルは TRPV1 である．受容器3は非侵害性冷受容器で活性化されたチャネルは TRPM8 である
  D．受容器1は温度侵害受容器で活性化されたチャネルは TRPA1 である．受容器2は温度侵害受容器で活性化されたチャネルは TRPV1 である．受容器3は非侵害性冷受容器で活性化されたチャネルは TRPM8 である

3．Pacini 小体の刺激で引き起こされる感覚神経終末における活動電位の発生に関する手順を選べ．
  A．軽い触刺激が Pacini 小体に与えられ，受容器電位が発生する．圧が増加するに従い受容器電位の大きさは増加する．受容器電位が 30 mV に達した時，活動電位が小体内の感覚神経末端で発生する
  B．軽い触刺激が Pacini 小体に与えられ，受容器電位が発生する．より多くの受容器が受容野に動員され受容器電位の大きさは増加する．受容器電位が 30 mV に達した時，活動電位が Ranvier の第1絞輪で発生する
  C．持続的な圧刺激が Pacini 小体に与えられ，受容器電位が発生する．より多くの受容器が活性化され受容器電位の大きさは増加する．受容器電位が 10 mV に達した時，活動電位が Ranvier の第1絞輪で発生する
  D．速い振動が Pacini 小体に与えられ，段階的に受容器電位が発生する．受容器電位が 10 mV に達した時，活動電位が Ranvier の第1絞輪で発生する
  E．速い振動が Pacini 小体に与えられ，受容器電位が発生する．受容器電位が 10 mV に達した時，活動電位が感覚神経の無髄部分で発生する

4．医学生が感覚神経生理学の実験室において研究を行っていた．彼の研究のための準備として，研究室の指導教員は彼に感覚受容器への刺激の基本的な4つの属性を比較させた．この感覚符号化の4つの属性は以下のどれか．
  A．様式，適切な閾値，感受性，部位

  B．適切な閾値，受容野，順応，投射
  C．特殊エネルギー，適切な刺激，感覚，持続時間
  D．感作，弁別，エネルギー，投射
  E．様式，部位，強さ，持続時間

5．23歳女性が浜辺での日光浴中に，ベンチで寝てしまった．2〜3時間後に目覚めたが，彼女はひどい日焼けをしてしまった．その夜シャワーを浴びた時，背中にぬるいお湯(40℃)がかかり，痛みを感じた．ぬるいお湯によりどのタイプの受容器が活性化されたか．またなぜ彼女は痛みを感じたのか．
  A．温度侵害受容器，侵害受容性疼痛
  B．温度侵害受容器，アロディニア
  C．温度侵害受容器，痛覚過敏
  D．非侵害性温受容器，痛覚過敏
  E．非侵害性温受容器，アロディニア

6．32歳の女性が突然腹部に強い痙攣性の痛みを経験した．さらに彼女は悪心も感じた．一般的な内臓痛の特徴はどれか．
  A．内臓の侵害受容器の活性化で起こる．皮膚と同じような神経線維によって支配されている．速く鋭い痛みを誘発し内臓の筋痙縮を引き起こすが，比較的速く順応する
  B．脊髄神経前根中の Aδ もしくは C 線維により仲介される．近傍もしくは離れた体部位に放散する．発汗を伴う．脊髄視床路により皮質に中継される
  C．局在が乏しく，発汗を伴う．ある程度離れた体部位に放散する．脊髄視床路により体性感覚野に中継される
  D．内臓内外の侵害受容器の刺激活性化が必要である．内臓や骨格筋の痙縮を引き起こす．後索路により皮質に中継される
  E．局在が明確であり，発汗を伴う．ある程度離れた体部位に放散する．内臓の筋痙縮を引き起こす

7．右下肢の痛みを除くために腹外側脊髄切断術が施される．それが有効となる理由はどれか．
  A．左後索を切断するから
  B．左腹外側脊髄視床路を切断するから
  C．右腹外側脊髄視床路を切断するから
  D．右内側毛帯経路を切断するから

E．一次体性感覚野への直接投射を切断するから

8．医学生が下行性の痛み修飾系に関わる神経について勉強している．脳領域と放出される神経伝達物質と神経伝達物質が放出される場所の組合せが正しいのはどれか．
　A．中脳水道中心灰白質ニューロンは，脊髄後角でエンドルフィンを放出する
　B．大縫線核ニューロンは，後根神経節でセロトニンを放出する
　C．青斑核ニューロンは，大縫線核でセロトニンを放出する
　D．青斑核ニューロンは，脊髄後角でノルアドレナリンを放出する
　E．中脳水道灰白質ニューロンは，延髄吻側腹内側部でダイノルフィンを放出する

9．47歳の女性が現在使っている薬物では軽減されない片頭痛を経験した．彼女の主治医は痛みの経路に含まれる受容体もしくはイオンチャネルを標的とする鎮痛薬の1つを処方することを選んだ．次の薬物のどれが片頭痛治療に使われ，その薬物が作用する受容体もしくはチャネルの組合せのうち，正しいのはどれか．
　A．トピラマートと電位作動性 Na^+ チャネル
　B．ジコノチドとN型電位作動性 Ca^{2+} チャネル
　C．バルプロ酸とTRPV1受容体
　D．カルバマゼピンと電位作動性 Na^+ チャネル
　E．ガバペンチンとNav.1.8

10．40歳の男性が農作業事故で右手を失った．4年後，失った手に激しい痛み（幻肢痛）を感じた．詳細なPET撮影により大脳皮質に起こっている現象として，予測されるのはどれか．
　A．右の一次体性感覚野の右手領域が拡大している
　B．左の一次体性感覚野の右手領域が拡大している
　C．正常では左の一次体性感覚野の右手領域に該当する部位の一部の代謝が不活性化している
　D．障害部位の近隣領域の線維が，右の一次体性感覚野の右手領域に投射している
　E．障害部位の近隣領域の線維が，左の一次体性感覚野の右手領域に投射している

11．50歳の女性が受けた神経学的検査では，左足の痛みと温度の感受性，振動感覚，固有感覚が失われていることが示されている．これらの症状は，どの原因で説明されうるか．
　A．仙髄の右内側毛帯路の腫瘍
　B．末梢性ニューロパチー
　C．仙髄後角の左内側毛帯経路上の腫瘍
　D．右後中心傍回に影響を与える大きな腫瘍
　E．右腰髄腹外側部の大きな腫瘍

CHAPTER

嗅覚と味覚

> **学習目標**
> 本章習得のポイント
>
> - 嗅上皮と嗅球の神経要素の構造と機能を記述できる
> - 匂い分子受容体遺伝子ファミリーの意義を説明できる
> - 匂い分子受容体の活性化機構と，受容体以降の情報伝達機構を説明できる
> - 嗅覚受容器で生じた神経活動が，嗅皮質の5つの領域に送られる神経経路の構成要素を記述できる
> - 味蕾が分布する場所と味蕾の細胞構成を記述できる
> - 5つの基本味の名称をあげ，各基本味の受容体の情報伝達機構を比較して説明できる
> - 味覚受容器で生じた神経活動が，島皮質の味覚野に送られる神経経路の構成要素を記述できる
> - 嗅覚異常，味覚異常の名称をあげて説明できる

■ はじめに

嗅覚 olfaction と**味覚 gustation** は，消化管機能と密接な関係があることから内臓感覚の 1 つとして考えることができる．食品の風味は味と匂いの組合せであることからわかるように，生理学的には両者は互いに関係している．風邪をひいて嗅覚が鈍くなると食品がいつもと"違った味"となるのはこのためである．嗅覚と味覚の受容器は**化学受容器 chemoreceptor** で，鼻の粘液に溶ける**匂い分子 odorant** や口の唾液に溶ける**味物質 tastant** によって刺激される．嗅覚と味覚は有害な物質を体に取り込むのを避ける防御機構として進化したと考えられる．

嗅　覚

嗅　上　皮

嗅上皮 olfactory epithelium は鼻粘膜の特殊に分化した領域であり，淡黄色を呈する．ヒトでは鼻中隔付近の鼻腔天井部に位置し，約 10 cm² の面積を占める（図 9・1）．嗅上皮は，神経系が外界に最も近接した体の部位である．嗅上皮には，嗅覚に重要な 3 つのタイプの細胞，すなわち**嗅細胞 olfactory sensory neuron**，**支持細胞 supporting cell**，**基底幹細胞 basal stem cell** が存在する．

双極性の嗅細胞（嗅覚受容器とも呼ばれる）が，匂い情報の受容と伝達を受け持っている．嗅細胞は短く太い樹状突起をもつ．この先端を嗅小頭と呼び，6〜12 本の**線毛 cilium** をもつ．この線毛が，鼻腔の嗅上皮を覆っている粘液中に伸びている（図 9・1）．嗅細胞の軸索（**嗅神経 olfactory nerve**）は篩骨の**篩板 cribriform plate** を貫通して**嗅球 olfactory bulb** に投射している．

支持細胞は粘液を分泌しており，この粘液は嗅上皮での匂い受容のために適切な分子，イオン環境を作っている[*1]．匂い分子は粘液に溶け込んで，嗅細胞の線毛に発現している**匂い分子受容体 odorant receptor** に

---

*1 訳注：粘液は支持細胞だけでなく，上皮下層のボーマン腺からも分泌されている．

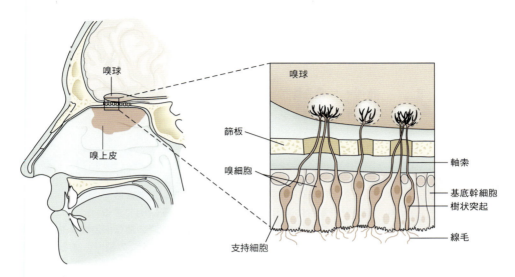

図9・1　嗅上皮の構造. ここには嗅細胞,支持細胞および上皮の基部にある基底幹細胞の3種の細胞が存在する. 個々の嗅細胞は上皮表面に伸びる樹状突起をもつ. 多数の線毛が鼻内腔を覆う粘液層に突き出ている. 匂い物質は線毛上の特異的な匂い分子受容体に結合し,一連のカスケード反応を誘発し,軸索に活動電位を発生させる. 単一の軸索が個々の嗅細胞から嗅球に投射する. 嗅球は卵形の構造で篩骨の篩板の上にある(Kandel ER, Schwartz JH, Jessell TM(editors): *Principles of Neural Science*, 4th ed. New York, NY: McGraw-Hill; 2000 より許可を得て複製).

結合する. 粘液中の**匂い分子結合タンパク質 odorant-binding protein** は匂い分子の拡散を促進して匂い分子受容体との結合解離を促進していると考えられる. 基底幹細胞は細胞分裂して新しい嗅細胞を産生している. これは外環境に曝されてダメージを受けた嗅細胞と置き換わることに役立っている. 個々の嗅細胞の寿命はかなり短く1～2カ月ほどである.

匂い分子受容体と情報伝達

嗅覚系は多くの異なる匂い分子受容体のはたらきによって,おそらく100万種以上の異なる匂いを識別できる. ヒトでは約1000個の匂い分子受容体遺伝子が存在し,これはヒトゲノムの約3％に相当する. この中で,約400個の遺伝子が機能的な匂い分子受容体を産生している. 匂い分子受容体のアミノ酸配列は非常に変異に富むが,すべて**Gタンパク質共役型受容体 G protein coupled receptor**(GPCR)である. 匂い分子が受容体に結合すると,Gタンパク質の各サブユニット(α, β, γ)は解離する(図9・2). αサブユニットはアデニル酸シクラーゼを介してcAMPを産生する. cAMPはセカンドメッセンジャーとしてはたらきカチオン(陽イオン)チャネルを開口し,Na^+, K^+ および Ca^{2+} に対する膜透過性が増大する. 正味の作用は内向き Ca^{2+} 電流を引き起こし**段階的な受容器電位** graded receptor potential が発生する. この受容器電位は Ca^{2+} 依存性 Cl^- チャネルを開口し,嗅細胞の高い細胞内 Cl^- 濃度に起因するさらなる脱分極をもたらす. 匂い刺激による受容器電位が閾値を超えると,嗅神経(第Ⅰ脳神経)に活動電位が誘発される.

嗅覚の神経経路

嗅細胞の軸索は嗅球に投射して,**僧帽細胞 mitral cell** と **房飾細胞 tufted cell** の主樹状突起に対してシナプス結合し,**嗅糸球体 olfactory glomerulus** という構造を形成している(図9・3). 個々の嗅細胞は400種の機能的な匂い分子受容体遺伝子のうち,ただ1種の遺伝子を発現している. 一方で,1つの匂い分子は多種類の匂い分子受容体と結合しうる. また,個々の嗅細胞の軸索は,発現する匂い分子受容体の種類に対応した特定の1つないし2つの嗅糸球体に投射している. 以上のことから,嗅球には,匂い分子に固有の組合せで応答する嗅糸球体の二次元地図が形成されている. 嗅糸球体で匂い情報を受け取った僧帽細胞は,軸索を嗅皮質の異なる領域に投射している. 嗅皮質などの上位中枢は,匂い分子受容体発現細胞の活性化情報を読み解いて,その匂い分子が何であるかを同定している.

嗅球にはまた,嗅糸球体同士を結びつける抑制性神経細胞である**傍糸球体細胞 periglomerular cell** と,軸

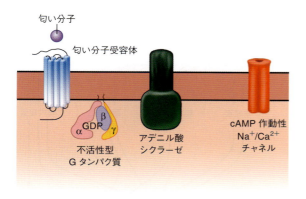

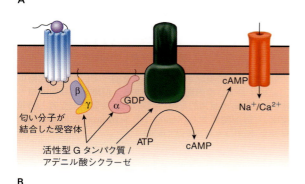

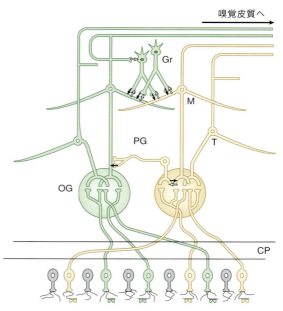

図9・2 匂い分子受容体の情報伝達．A：匂い分子受容体はGタンパク質共役型受容体であり，3つのGタンパク質サブユニット（α，β，γ）が結合している．B：匂い分子が受容体に結合すると，Gタンパク質サブユニットは解離する．Gタンパク質のαサブユニットはアデニル酸シクラーゼを活性化しcAMPを産生する．cAMPはセカンドメッセンジャーとしてはたらき，cAMP作動性のカチオンチャネルを開口する．Na^+とCa^{2+}の流入は脱分極を起こす．

図9・3 嗅球の基本的神経回路．特定のタイプの匂い分子受容体を有する嗅細胞は特定の嗅糸球体（OG）に投射し，他のタイプの受容体を有する嗅細胞は異なる嗅糸球体に投射する．黒い矢印はGABA放出による抑制性連絡を示し，白い矢印はグルタミン酸放出による興奮性連絡を示す．CP：篩板，Gr：顆粒細胞，M：僧帽細胞，PG：傍糸球体細胞，T：房飾細胞（Mori K, et al: The olfactory bulb: coding and processing of odor molecular information, Science 1999 Oct 22; 286(5440): 711-715 より許可を得て転載）．

索をもたないが僧帽細胞や房飾細胞の副樹状突起と双方向性シナプスをつくる**顆粒細胞 granule cell**が存在する．この双方向性シナプスでは，僧帽細胞や房飾細胞は**グルタミン酸 glutamate**を放出して顆粒細胞を興奮させ，対して顆粒細胞はGABAを放出して僧帽細胞や房飾細胞を抑制している．傍糸球体細胞や顆粒細胞による側方抑制は，匂い情報をシャープにしてコントラストを上げることに役立っている．

僧帽細胞と房飾細胞の軸索は**外側嗅条 lateral olfactory stria**を通って脳の後方に伸び，**嗅皮質 olfactory cortex**の5つの領域における錐体細胞の尖端樹状突起にシナプス結合している．5つの領域とは，**前嗅核 anterior olfactory nucleus**，**嗅結節 olfactory tubercle**，**梨状皮質 piriform cortex**，**扁桃体 amygdala**，**嗅内皮質 entorhinal cortex**である（図9・4）．

嗅覚情報はこれらの領域から，直接に前頭皮質に，あるいは視床を経由して眼窩前頭皮質に伝達される．意識的な匂いの識別は，この眼窩前頭皮質への経路に依存している．扁桃体への経路は匂い刺激による情動的な応答に，嗅内皮質への経路は匂いの記憶に関わっている．

ある種の哺乳類では，鼻中隔に沿って，**フェロモン pheromone**受容に関わる**鋤鼻器 vomeronasal organ**と呼ばれるもう1つの嗅上皮が存在する．鋤鼻器の感覚細胞は**副嗅球 accessory olfactory bulb**（図9・4）に軸索を投射しており，副嗅球からは生殖行動や摂食行動に関わる扁桃体や視床下部の領域に情報が送られている．鋤鼻器には約100種のGタンパク質共役型フェロモン受容体があり，これらは鋤鼻器以外の嗅上皮の匂い分子受容体とは異なる構造をもっている．

嗅覚の検知閾値

匂い分子は一般に3～20個の炭素原子数の小さい

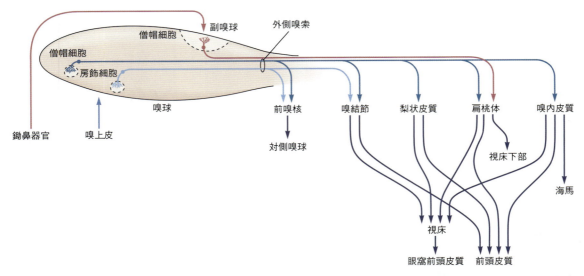

図9・4　嗅覚神経経路の概略. 匂い情報は僧帽細胞と房飾細胞の軸索によって嗅球から外側嗅索を通って伝わる. 僧帽細胞は嗅皮質の5つの部位, すなわち前嗅核, 嗅結節, 梨状皮質, 扁桃体および嗅内皮質に投射する. 房飾細胞は前嗅核と嗅結節に投射する. 一方, 副嗅球の僧帽細胞は扁桃体だけに投射する. 匂いの認知的な識別は新皮質(眼窩前頭皮質と前頭皮質)に依存する. 嗅覚の情動的な側面には辺縁系(扁桃体と視床下部)が関係する (Kandel ER, Schwartz JH, Jessell TM (editors): *Principles of Neural Science*, 4th ed. New York, NY: McGraw-Hill; 2000 より許可を得て複製).

クリニカルボックス 9・1

匂い検知異常

嗅覚消失 anosmia(嗅覚の欠如)と**嗅覚減退 hyposmia**(または hypesthesia)は単に鼻の充血やポリープ, 鼻の充血緩和剤の長期使用などから起こりうるし, 嗅神経の損傷のようなもっと重大な問題のサインのこともある. 嗅神経の損傷は篩板の骨折, 頭部外傷, 神経芽腫や髄膜腫などの腫瘍または呼吸経路の感染などによって起こる. **先天性無嗅覚症 congenital anosmia** はまれな疾患で患者は嗅覚能をもたないで出生する. 嗅覚障害はしばしばAlzheimer病の最も早期の臨床症状である. 米国立衛生研究所 National Institutes of Health によると, 65歳以下の北米住民の1〜2%が明らかな嗅覚減退を示すという. また, 65〜80歳の間で50%, 80歳を超えると75%以上のヒトは匂いを同定する能力が減退する. 味覚と嗅覚は密接に関連するために, 嗅覚消失は味覚感受性の減退(**味覚減退 hypogeusia**)を伴う. 嗅覚消失は嗅覚伝導路の嗅神経や他の神経要素が損傷されると一般に一生回復しない. 気持ちのよい香気の楽しみやいろいろな味を経験できないことに加えて, 嗅覚消失した人はガスの漏洩, 火事, 腐敗した食物などから生じる匂いを検出できない危険に曝される. **嗅覚過敏 hyperosmia**(嗅覚感受性の亢進)は, 嗅覚の喪失ほどはみられないが, 妊娠女性は一般的に匂いに過敏になる. **嗅覚不全 dysosmia**(嗅覚のゆがみ distortion)は洞感染, 嗅神経の部分的損傷および歯科的不衛生などによって引き起こされる. 不快な幻臭(焦げたゴムの匂いなど)が, 内側側頭葉の**鉤状回のてんかん発作 uncinate seizure** によって起こることがある.

治療上のハイライト

多くの嗅覚消失は洞感染や感冒に起因した一過性の状態であるが, 鼻のポリープや外傷で引き起こされると一生回復しない場合がある. **抗生物質 antibiotics** はポリープによって引き起こされた炎症を低下させて嗅覚能を改善できる. 鼻のポリープを除去するために外科手術が実施されることがある. **コルチコステロイド corticosteroid** の局所投与も, 鼻や洞の疾患に起因する嗅覚消失を回復させる効果があることが示されてきた.

分子である．同数の炭素原子をもつ分子でも立体構造が異なると違った匂いを呈する．強い匂いをもった物質は水と脂質に比較的よく溶ける特徴がある．よくみられる匂い検知の異常をクリニカルボックス9・1に示す．

嗅覚検知閾値 odor detection threshold とは検知できる化学物質の最小濃度である．非常に低濃度でも検知できる物質には，硫化水素(0.0005 parts per million, ppm)，酢酸(0.016 ppm)，ケロシン(0.1 ppm)，ガソリン(0.3 ppm)などがある．逆に毒性をもつ物質の中には基本的に匂いがしないもの，つまり，致死濃度よりも高い検知閾値を示すものがある．たとえば，二酸化炭素は 74 000 ppm で検出できるが致死濃度は 50 000 ppm である．ただし，各人がすべて同じ検知閾値をもっているわけではない．

嗅覚は男性より女性の方が鋭く，特に排卵期の女性で鋭いといわれている．また，匂いの識別能は非常に高いが，匂いの強度の違いを検知する能力は低い．匂い物質の濃度差が約 30％以上で初めて違いが検知される．視覚の場合は 1％の明度の違いを検知できる．

味　　覚

味　　蕾

味覚に特化した感覚器はヒトではおおよそ5000個の**味蕾 taste bud** であり，主として舌の背側面の**乳頭 papilla** に分布している（図9・5）．**茸状乳頭 fungiform papilla** は円形をしており舌の先端に数多くある．**有郭乳頭 circumvallate papilla** は突き出た形で舌根部にV字形に並んでいる．**葉状乳頭 foliate papilla** は舌後縁部にある．茸状乳頭は最大5個までの味蕾をもち，味蕾は主に乳頭の頂上にある．有郭乳頭と葉状乳頭はそれぞれ最大100個の味蕾をもち，味蕾は主に乳頭の側壁にある．味蕾はまた，軟口蓋，喉頭蓋，咽頭にも分布している．

個々の味蕾には，50〜100個の**味細胞 taste receptor cell** と，たくさんの**基底細胞 basal cell** および**支持細胞 supporting cell** が存在する（図9・5）．味細胞は上皮細胞が特殊に分化したもので，化学物質刺激，つまり味物質刺激に応答する．味細胞の上面側には**微絨毛 microvilli** があり，**味孔 taste pore** に向かって伸びている．味孔は舌の背側面に開口した小さな穴で，ここを介して味細胞は口腔内容物に接している．口腔の唾液

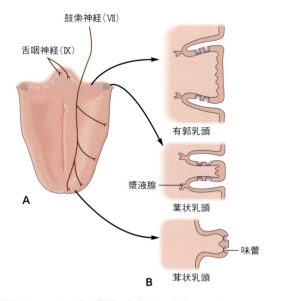

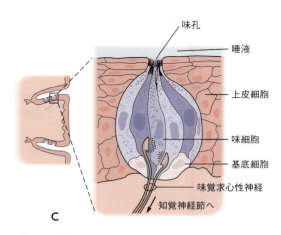

図9・5　ヒトの舌の乳頭に存在する味蕾．A：舌の前方2/3の味蕾は顔面神経鼓索神経分枝で支配され，舌の後方1/3の味蕾は舌咽神経舌分枝によって支配される．**B**：3つの主要な型の乳頭(有郭乳頭，葉状乳頭および茸状乳頭)は舌の特定の部位に存在する．**C**：味蕾は基底幹細胞と3つの型の味細胞(暗細胞，明細胞，中間細胞)から構成されている．味細胞は味蕾の基底部から味孔に向かって伸び，そこで微絨毛が唾液と粘液に溶けた味物質に接触する(Kandel ER, Schwartz JH, Jessell TM(editors): *Principles of Neural Science*, 4th ed. New York, NY: McGraw-Hill; 2000 より許可を得て改変)．

は味物質の溶媒としてはたらいており，化学物質は唾液に溶けたのち，味覚の受容場所に拡散していく．唾液はまた，味覚受容器が新たな味刺激に対して応答できるように口腔内を洗浄する役割も果たしている．

個々の味蕾には約50本の神経線維が分布しており，逆に個々の神経線維は平均5個の味蕾から入力を受けている．基底細胞は味蕾周辺の上皮細胞から生じる．味細胞の寿命は短く約10日であるため，基底細胞が新しい味細胞を産生している．味蕾に分布している神経線維を切断すると，その味蕾は変性し，最終的には消失してしまう．

味覚の神経経路

舌の前方2/3の味蕾から出た神経線維は，**顔面神経鼓索神経分枝** chorda tympani branch of the facial nerve 中を求心性に走行する．これに対し舌の後方1/3からの線維は**舌咽神経** glossopharyngeal nerve を介して脳幹に達する（図9・6）．舌以外の場所（たとえば咽頭）からの神経線維は**迷走神経** vagus nerve を介して脳幹に到達する．これら3つの神経中の味神経線維は有髄であるが比較的伝導速度が遅い．そしてこれらの味神経線維は左右それぞれの延髄**孤束核** nucleus of the tractus solitarius（NTS）の味覚感受性部位に入る（図9・6）．そこから，二次ニューロンの軸索は同側の**視床後内側腹側核** ventral posteromedial nucleus of the thalamus に上行する．視床からの三次ニューロンの軸索は同側の大脳皮質の**島皮質前部** anterior insula と前頭弁蓋 frontal operculum に投射する．この部位は中心後回の顔面担当領域の前方に位

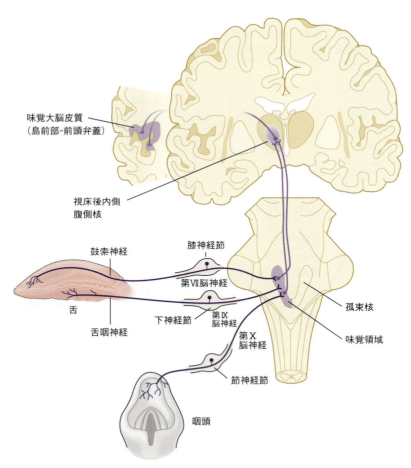

図9・6　味覚神経経路の模式図． 味蕾からの信号は異なる神経を経由して孤束核の味覚領域に達する．孤束核は情報を視床に中継し，視床に大脳皮質味覚野に投射する（Kandel ER, Schwartz JH, Jessell TM（editors）: *Principles of Neural Science*, 4th ed. New York, NY: McGraw-Hill; 2000 より許可を得て改変）．

置し、おそらく味覚の意識的な認知と識別に関係する.

三叉神経(第5脳神経)の中の感覚線維も舌に分布しており、カプサイシンを含む食べ物を食べた時の焼けるような感覚に寄与している. 味蕾は三叉神経の痛覚線維に発現しているTRPV1受容体に囲まれており、これがスパイシーな食べ物を食べた時に活性化されている.

味の基本的性質、味覚受容体と情報伝達

ヒトは5つの基本味、すなわち**塩味 salt**、**甘味 sweet**、**酸味 sour**、**苦味 bitter**、**うま味 umami** を感じる. これらの基本味の一般的な刺激物質は、それぞれ塩化ナトリウム、スクロース、塩酸、キニーネ、グルタミン酸ナトリウムである. すべての味物質は舌全体および近接した構造で検知される. ここから孤束核に向かう感覚線維は、すべての基本味の味覚受容体の情報を含んでおり、場所による基本味受容の局在性は認められていない. 個々の味細胞は複数タイプの味物質に応答する可能性がある. 味覚の上位中枢は様々な味の違いを識別できるが、これはそれぞれの基本味を受け持つ味細胞が特定の味神経軸索と結合しているためである.

現時点で想定されている5基本味の受容体を図9·7に示す. これらは2つの主要なタイプである**リガンド依存性チャネル ligand-gated channel**(イオンチャネル型受容体)とGタンパク質共役型受容体(代謝型受容体)よりなる. 塩味と酸味はイオンチャネル型受容体の活性化によって引き起こされ、甘味[*2]、苦味およびうま味は代謝型受容体の活性化により引き起こされる. ヒトゲノムの多くのGタンパク質共役型受容体は味覚受容体(T1R、T2Rファミリー)である.

塩味はNaClによって引き起こされる. この味は**上皮型 Na⁺チャネル epithelial sodium channel (ENaC)** によって検知される. 塩味受容細胞へのNa⁺の流入は膜を脱分極させ受容器電位を発生させる. 酸味はプロトン(H⁺)によって引き起こされる. ある種のENaCは細胞外の低pHにより活性化されるので、酸味の少なくとも一部はこのチャネルに負っているとの考えもある. プロトンはまたK⁺選択的チャネルに結合し抑制する可能性がある. K⁺透過性の低下は膜を脱分極させる. また、過分極活性化環状ヌクレオチド作動性チャネル(HCN)やその他の機序も酸味応答に関与するとの考えもある[*3].

甘味を呈する物質は、少なくとも2つのタイプのGPCR、T1R2とT1R3によって検知される. 糖とサッカリンはどちらも甘味を呈するが、まったく異なる構造をもっている. 現在、スクロースなどの天然の糖と人工甘味料はガストデューシンが関与する異なる受容

[*2] 訳注：原書では酸味と記載されているが甘味が正しい.

[*3] 訳注：酸味受容体として最近、otopetrin-1 というプロトン選択的イオンチャネルが同定された. この知見にしたがって、図9·7の酸味を検知するチャネルも原書のENaC, HCN, others との記載をプロトンチャネルと改訂した.

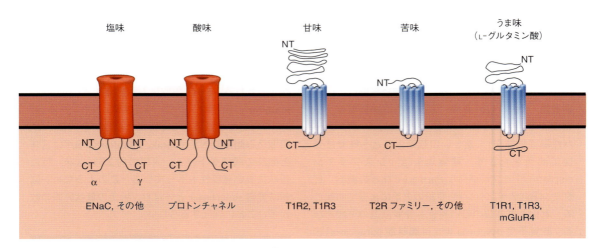

図9·7 味覚受容体による味の検知. 塩味は上皮型Na⁺チャネル(ENaC)によって、酸味はプロトンチャネルによって検出される. ENaCは2つのサブユニット(αとγ)から構成され、それぞれが2回膜を貫通して細胞内にN末端とC末端(NT, CT)をもつ. 塩味はNa⁺、酸味はH⁺の移動によって引き起こされる. 甘味、苦味、うま味は7回膜貫通Gタンパク質共役型受容体によって検出される. これらの受容体は多様な長さのN末端とC末端をもっている(紐状の構造で示す). 甘味はT1R2とT1R3ファミリー、苦味はT2Rファミリー、うま味はT1R1とT1R3、およびmGluR4によって検出される(訳注3、4参照).

体を介して作用すると考えられている．甘味受容体も環状ヌクレオチドとイノシトール三リン酸の代謝が介在して作用する．

　苦味は関連性のない多様な化合物によって引き起こされる．これらの多くは毒物であり，苦味はこれらを避けるための警告として役立つ．ある苦味化合物（キニーネなど）は膜透過性で，K^+選択的チャネルに結合してこれをブロックする．多くの苦味物質（ストリキニーネなど）は，ヘテロ三量体Gタンパク質である**ガストデューシン gastducin** と共役するGタンパク質共役型受容体（T2Rファミリー）と結合する．ガストデューシンはcAMP濃度を低下させ，イノシトール三リン酸（IP_3）の産生を高め，これによってカルシウムイオンの放出が促進されて脱分極を誘導する．

　うま味物質はT1R1とT1R3によって構成される受容体を活性化する[*4]．うま味物質はまた，味蕾に発現する末端領域が切断された代謝型グルタミン酸受容体**mGluR4**を活性化する可能性がある．

[*4] 訳注：図9・7のうま味の箇所は，原書でmGluR4のみがあげられているが，T1R1，T1R3を追記した．

味覚の閾値と味の強さの識別

　ヒトでは味の強さの差を識別する能力は比較的粗い．味の強さの差が識別されるには30％の濃度変化が必要である．味として知覚できる物質の最小の濃度を**味覚閾値 taste threshold**という．表9・1に，味蕾が応答できる様々な化学物質の閾値濃度を示す．苦味物質は最も低い閾値をもつ傾向がある．ストリキニーネなどの有毒物質は非常に低い濃度で苦味を呈し，この化学物質を誤って摂取して重篤な痙攣発作を誘発することを防いでいる．味の検知における一般的な異常をクリニカルボックス9・2に記載する．

表9・1 味覚閾値

物　質	味	閾値濃度（μmol/L）
塩酸	酸	100
塩化ナトリウム	塩	2000
塩酸ストリキニーネ	苦	1.6
グルコース	甘	80 000
スクロース	甘	10 000
サッカリン	甘	23

クリニカルボックス 9・2

味覚異常

　味覚消失 ageusia（味覚の欠如）と**味覚減退 hypogeusia**（味覚感受性の低下）は舌神経または舌咽神経の損傷によって起こる．前庭神経鞘腫などの神経疾患，Bell（ベル）麻痺，家族性自律神経障害，多発性硬化症，ある種の感染（たとえば，一次アメーバ性髄膜脳障害），乏しい口腔衛生なども味覚感受性に問題を起こす．味覚消失は，シスプラチン cisplatin やカプトプリル captopril などの薬剤，ビタミンB_3（ナイアシン）や亜鉛の欠乏によっても起こる．老化とタバコの吸い過ぎも味覚減退の一因となる．**味覚不全 dysgeusia** または**錯味症 parageusia**（味覚に対する不快な感じ）は金属性の，塩からい，いやな，むかつくような味を起こす．多くの場合，味覚不全は一過性の問題である．味覚消失や味覚減退に関与する因子も異常な味覚感受性を誘発する．味覚障害は**セロトニン（5-HT）**や**ノルアドレナリン（NA）**レベルが変動した時（たとえば，不安や抑うつ中）にも生じることがある．これらの神経修飾物質は，**味覚閾値 taste threshold**の決定に関与していることが示唆される．**5-HT再取込み阻害薬 5-HT reuptake inhibitor**の服用はスクロース（甘味）とキニーネ（苦味）の感受性を低下させる．これとは対照的に，**NA再取込み阻害薬 NA reuptake inhibitor**の服用は苦味と酸味の閾値を下げる．人口の約25％は味，特に苦味に高い感受性をもっている．このようなヒトは**超味覚者 supertaster**と呼ばれ，舌上の茸状乳頭の数が多いことに起因するらしい．

治療上のハイライト

口腔衛生の改善と食事に亜鉛サプリメントを加えることはある程度のヒトの味覚障害を治療しうる．

章のまとめ

- 鼻腔の上部にある嗅上皮には，嗅覚に関わる3つのタイプの細胞が存在する．嗅細胞は匂い情報の受容と伝達にはたらき，支持細胞は粘液を産生して匂い分子の検知のために適切な分子，イオン環境を作り，基底幹細胞は新しい嗅細胞を産生して外環境に曝されてダメージを受けた嗅細胞を置き換えている．

- 嗅球では匂い情報処理が行われている．嗅球の嗅糸球体では，嗅細胞の軸索が僧帽細胞と房飾細胞に対してシナプス形成している．嗅球には抑制性神経細胞である傍糸球体細胞と顆粒細胞が存在し，僧帽細胞，房飾細胞と双方向性シナプスを形成している．

- 嗅覚系は，約400種の機能的な匂い分子受容体（遺伝子）のはたらきによって，おそらく100万種以上の異なる匂いを識別できる．個々の嗅細胞は400種の機能的な匂い分子受容体遺伝子のうち，ただ1種の遺伝子を発現している．一方で，1つの匂い分子は多種類の匂い分子受容体と結合しうる．

- 匂い分子受容体はGPCRの一種である．匂い分子が受容体に結合すると，Gタンパク質サブユニットが解離して，αサブユニットがアデニル酸シクラーゼを活性化してcAMPの産生を促進し，カチオン（陽イオン）チャネルが開口してNa^+，K^+，Ca^{2+}の膜透過性が高まる．続いてCl^-チャネルが開口して嗅細胞のさらなる脱分極が起こる．

- 僧帽細胞と房飾細胞の軸索は外側嗅条を通って嗅皮質の5つの領域，すなわち前嗅核，嗅結節，梨状皮質，扁桃体，嗅内皮質に投射している．

- 味蕾は味覚に特化した感覚器で，上皮細胞由来の味細胞と基底細胞で構成されている．味蕾は主に舌の乳頭表面の粘膜に存在するが，喉頭蓋，口蓋，咽頭にも存在する．

- 5基本味は塩味，酸味，苦味，甘味，うま味である．このシグナル伝達機構には，イオンチャネルの開口によるイオン流入（塩味でのNa^+流入，酸味でのH^+流入），GPCRへの結合とセカンドメッセンジャーの活性化（甘味におけるT1R2とT1R3，苦味におけるT2R，うま味におけるmGluR4）が含まれる．

- 舌の前方2/3の味蕾からの感覚神経は顔面神経を通って，舌の後方1/3の味蕾からの感覚神経は舌咽神経を通って，それ以外の場所の味蕾からの感覚神経は迷走神経を通って伝達され，すべて孤束核にシナプスを形成する．そこから軸索は同側の内側毛帯を経て視床後内側腹側核に上行し，同側の大脳皮質の島皮質前部と前頭弁蓋に到達する．

- 嗅覚異常には嗅覚消失（嗅覚の欠如），嗅覚減退（匂い感度の低下），嗅覚過敏（匂い感度の亢進），嗅覚不全（嗅覚のゆがみ）などがある．その原因として，嗅神経の損傷，腫瘍，呼吸器系の感染，歯科的不衛生などがある．味覚異常には味覚消失（味覚の欠如），味覚減退（味覚感度の低下），味覚不全（味覚に対する不快感）などがある．その原因として，顔面神経や舌咽神経の損傷，神経疾患，薬剤，ビタミン欠乏，歯科的不衛生などがある．

多肢選択式問題

正しい答えを1つ選びなさい．

1. ある少年が，匂いを感じる能力がない状態で生まれるまれな疾患，先天性無嗅覚症と診断された．神経系のどの領域の欠損が考えられるか．
   A．舌咽神経，嗅球，視床後内側腹側核，島皮質前部-前頭弁蓋
   B．嗅神経，嗅糸球体，孤束核，視床後外側腹側核
   C．嗅神経，嗅球，内側嗅条，島皮質前部-前頭弁蓋
   D．嗅神経，第Ⅰ脳神経，嗅糸球体，前頭皮質
   E．三叉神経，嗅糸球体，外側嗅結節，嗅内皮質

2. 嗅覚系の研究室に出入りしている医学生が，ヒトの嗅上皮のような単純な感覚器官が100万種類もの異なる匂いを識別できることに興味をもった．このことにはどのような要因が貢献しているか．
   A．500種類の匂い分子受容体と，匂い分子をトラップして匂い識別を促進する1000種類以上の匂い分子結合タンパク質
   B．個々の嗅細胞はただ1種類の匂い分子受容体を発現し，特定の僧帽細胞に軸索投射し，僧帽細胞は嗅皮質の異なる領域に投射している

C．匂い分子は嗅細胞に発現するGPCRとイオンチャネル型受容体の両方に結合し，嗅細胞の軸索は嗅糸球体という解剖学的に特化したシナプス単位を構成している
D．嗅糸球体における側方抑制が匂い情報をシャープにしてコントラストを上げており，嗅糸球体の顆粒細胞が体性感覚野の中心後回に投射している
E．約5000種類の匂い分子受容体があり，個々の匂い分子はこのうちただ1種類の匂い分子受容体と結合する

3．医学生が研究体験の一環として，様々な神経毒の曝露がヒトの匂い検知に与える影響について論文を調べている．神経毒が嗅粘膜を傷害しても，嗅覚機能が保たれるためには神経系のどの細胞種が重要と考えられるか．
A．嗅球の基底細胞が細胞分裂して新たな嗅細胞を産生する
B．生き残った嗅細胞が神経可塑性を発揮して，もともと傷害された嗅細胞と結合していた僧帽細胞と房飾細胞に結合する
C．嗅上皮の支持細胞が神経成長因子を分泌して，新たな嗅細胞の産生を促進する
D．嗅上皮の基底細胞が第1脳神経をつくる神経細胞を再生する
E．嗅球の嗅細胞が，周囲の組織が産生する神経成長因子のはたらきによって修復される

4．ある9歳の男児はよく鼻血を出す．主治医の助言により，少年は鼻中隔の問題を改善するための手術を受けた．手術の数日後，少年は母親がオーブンで焼いたシナモンロールの匂いを感じることができなくなった．匂い分子が匂い分子受容体に結合すると，以下に示すうちのどの現象が起こるか．
A．匂い分子がリガンド依存性イオンチャネルに結合してNa^+イオンの流入が促進し，嗅神経に活動電位が発生する
B．匂い分子の結合がGタンパク質サブユニットの解離を起こし，γサブユニットがアデニル酸シクラーゼを活性化してcGMPの濃度が増加し，これが神経の細胞膜のNa^+チャネルを開口して嗅神経に活動電位が発生する
C．匂い分子がリガンド依存性イオンチャネルとGPCRの両方に結合すると，流入したCa^{2+}イオンがNa^+イオンの流入を促進し，嗅細胞に活動電位が発生する
D．匂い分子が嗅細胞の線毛に発現するGPCRに結合すると，Gタンパク質サブユニットが解離し，αサブユニットがアデニル酸シクラーゼを活性化してcAMPの濃度が増加し，これがカチオンチャネルを開口して神経の細胞膜のNa^+，K^+，Ca^{2+}イオンの透過性を促進し，嗅神経の脱分極を誘導する

5．映画『クリスマス・ストーリー』を観た10歳の少年が，凍ったポールに舌がくっつくかどうか試したところ，驚いたことに本当にくっついてしまった．舌をポールから引き離した時，舌の前方1/3を損傷した．舌のこの部位から，どんな神経線維が伸びているか．また，この神経線維の細胞体はどこにあり，神経線維はどこに投射しているか．
A．顔面神経，膝神経節，孤束核の味覚領域
B．迷走神経，下神経節，疑核の味覚領域
C．顔面神経の鼓索神経，味蕾，孤束核の味覚領域
D．舌咽神経，下神経節，疑核の味覚領域
E．舌咽神経，味蕾，孤束核の尾側領域

6．37歳の女性が多発性硬化症と診断された．この疾患で起こりうる病態の1つが味覚と嗅覚の感度低下である．味覚と嗅覚の関係は以下のどれか．
A．嗅覚受容器と味覚受容器はどちらも三叉神経によって支配されている
B．嗅覚受容器からの感覚線維と味覚受容器からの感覚線維は脳幹の共通の二次神経細胞に投射している
C．食べ物によって口腔内の味覚受容器が活性化されるのと同時に，食べ物の匂いが嗅覚経路に入ってくる．そして2つの感覚系が相互作用して食べ物の風味が形成される
D．嗅覚受容器と味覚受容器は，互いに軸索側枝で連絡し合っている中心後回の近接した領野にシグナルを送っているので，嗅覚と味覚は密接な関係にある

7．ある医学生が，味蕾の構造と機能に着目して味覚の研究を行っている．味蕾が存在する場所と味蕾の細胞構成は以下のうちのどれか．
A．味蕾は第7，9，10脳神経の感覚終末に存在し，味細胞，唾液腺，基底幹細胞を含む

B．味蕾は第7, 9, 10脳神経の樹状突起に存在し，乳頭，唾液腺，味細胞を含む
C．味蕾は舌や喉頭蓋の乳頭に存在し，味物質，唾液腺，基底細胞を含む
D．味蕾は舌の乳頭に存在し，味物質，神経上皮細胞，第7, 9, 10脳神経の軸索を含む
E．味蕾は舌の乳頭に存在し，味細胞，支持細胞，基底細胞を含む

8．31歳女性は喫煙者で長い間，口腔が不衛生であった．食事中に楽しんできた多くの食べ物の風味の感受性が，ここ数年間で低下してきたことに気がついた．甘味と苦味の検知が難しい場合，どのタイプの味覚受容体が障害されていると考えられるか．

A．上皮型ナトリウムチャネル（甘味）と過分極活性化環状ヌクレオチド作動性チャネル（苦味）
B．過分極活性化環状ヌクレオチド作動性チャネル（甘味）と上皮型ナトリウムチャネル（苦味）
C．GPCRのT2Rファミリー（甘味）と代謝型グルタミン酸受容体（mGluR4，苦味）
D．GPCRのT1R2とT1R3ファミリー（甘味）とGPCRのT2Rファミリー（苦味）
E．代謝型グルタミン酸受容体（mGluR4，甘味）と上皮型ナトリウムチャネル（苦味）

10 視　　　覚

学習目標
本章習得のポイント

- 眼球各部位の機能を述べることができる
- 光線の網膜への結像の仕方，およびこの過程における遠近調節と対光反射の役割を述べることができる
- 遠視，近視，老視，乱視の原因となる屈折障害を説明することができる
- 網膜の機能的構築を述べることができる
- 光受容機構の一連の過程を述べることができる
- 双極細胞，水平細胞，アマクリン細胞および神経節細胞で起こる電気的応答を述べることができる
- 暗順応，視力，加齢黄斑変性を定義できる
- 視細胞から大脳皮質視覚野へ視覚情報を伝えている神経経路を述べることができる
- 色覚に関わる神経経路と色覚異常について述べることができる
- 視覚経路の障害部位の違いによる視野障害の特徴を説明できる
- 4種類の眼球運動に関与する筋肉と，それぞれの眼球運動の機能を述べることができる

■ はじめに

　眼は複雑な受容器官であり，無脊椎動物の体表にある原始的な光を感じる眼点から進化した．目は自分の周りの情報を集める．そして脳はこの情報を解釈して視野に見えるものの像を作る．丈夫な容器の中に，各眼には光に応じる視細胞層，視細胞に光を結像させるためのレンズ系，および脳へ活動電位を伝導するための神経回路がある．視覚の神経生理学では多くの研究が行われてきた．実際，感覚系の中で最も研究され，理解が進んでいるといえる．この章では，以上の構造のはたらきによって意識にのぼる視覚イメージが形成されるしくみを述べる．

眼の構造

　眼球の主要な構造を図 10・1 に示す．眼球の外側は白く，光を通さない**強膜 sclera** で保護されている．強膜は前方では透明な**角膜 cornea** へと連続しており，角膜を通して光が眼球へ入る．角膜の辺縁は**結膜 conjunctiva** と接している．結膜は透明な粘膜で強膜を覆っている．強膜のすぐ内面には**脈絡膜 choroid** があり，この血管層が眼球内の構造物に酸素と栄養を供給している．脈絡膜の内面の後方 2/3 は，**視細胞 photoreceptor** を含む**網膜 retina** と呼ばれる神経組織である．

　水晶体 crystalline lens は輪状の**小帯線維 zonular fiber**[*1] によって保持されている透明な構造物である．小帯線維は**毛様体 ciliary body** に付いている．毛様体

[*1] 訳注：原書では lens suspensory ligament(zonule) とあるが zonular fiber の方が一般的である．

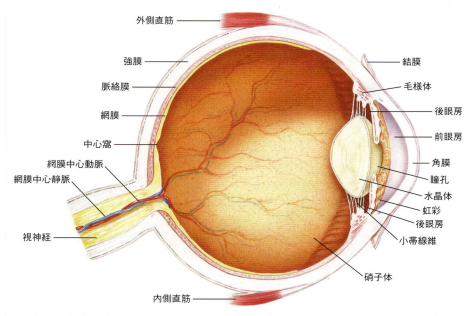

図 10・1 眼球の解剖学的構造の模式図． (Fox SI: *Human Physiology*. New York, NY: McGraw-Hill; 2008 より許可を得て複製).

には輪状線維と縦走線維がある．これらは角膜と強膜の境界部に付いている．水晶体の前には色素をもち光を通さない**虹彩 iris**（眼球で色がついている部分）がある．虹彩，毛様体および脈絡膜は，合わせて**ブドウ膜 uvea** と呼ばれる．虹彩には**瞳孔 pupil** を収縮（**縮瞳 miosis**）させる輪状筋（瞳孔括約筋）と，散大（**散瞳 mydriasis**）させる放射状筋（瞳孔散大筋）とがある．瞳孔括約筋は副交感神経，瞳孔散大筋は交感神経の支配下にある（13章参照）．瞳孔の直径が変化すると，網膜に到達する光量は最大で16倍まで変化する．

眼房水 aqueous humor は透明でタンパク質を含まない液体であり，角膜と虹彩に栄養を与えている．眼房水は毛様体で，血漿から拡散と能動輸送によって産生される．眼房水は瞳孔を通過し，**前眼房 anterior chamber** を満たす．眼房水は線維柱帯 trabecular meshwork[*2] を通して **Schlemm〔シュレム〕管**〔虹彩と角膜が接している部分（**前房隅角 anterior chamber angle** と呼ばれる）の強膜静脈洞〕で再吸収される．この流出経路が閉塞すると，**眼内圧 intraocular pressure**

[*2] 訳注：眼房水は前眼房からSchlemm〔シュレム〕管に流れるが，線維柱帯はその中間にあるフィルターのように細かい穴の開いた網目構造をもつ組織である．前眼房の角膜が強膜へとつながる部分（角膜と虹彩が接する角の部分）にある．線維柱帯部分の目詰まりは緑内障の原因となるため，緑内障の手術において重要な構造である．

（IOP）が上昇する．眼内圧上昇は緑内障の重大な危険因子である（クリニカルボックス10・1）．

後眼房 posterior chamber は，虹彩，小帯線維と水晶体の間にある眼房水を含む狭い空間である．**硝子体眼房 vitreous chamber** は水晶体と網膜の間の空間で，透明なゼラチン様の物質である**硝子体液 vitreous humor** で満たされている．

眼球は眼窩の骨で障害から保護されている．角膜は涙液によって湿っていて清潔に保たれている．**涙液 lacrimal gland** は眼窩上部にある涙腺から流出して，眼球表面を流れ，**鼻涙管 nasolacrimal duct** を通って下鼻道へ流れる．瞬きによって角膜表面の湿潤が保たれる．

結像機構

眼は可視光のエネルギーを視神経での活動電位に変換する．可視光の波長は397〜723 nmである．身の回りの物体の像は網膜に結像される．網膜に達した光は視細胞に受容器電位を引き起こす．網膜で発生した活動電位は大脳皮質に伝わり視覚が生じる．

幾何光学の原理

光は，ある媒質から密度の異なる媒質へと通過する

クリニカルボックス 10・1

緑内障

緑内障 glaucoma は網膜神経節細胞の消失が起こる変性疾患であるが，必ずしも眼内圧の上昇で起こるわけではない．しかし，眼内圧上昇は重大な危険因子の1つである．緑内障患者の20〜50％では眼内圧は正常である（10〜20 mmHg）［訳注：眼圧は様々な要因（人種も含まれる）で変動する．日本では緑内障患者の約半数は正常圧である．日本人の眼内圧は，正常平均14〜16 mmHg，上限は20〜21 mmHg］．しかし，眼内圧の上昇は緑内障を悪化させるし，眼内圧を低下させることが治療目標である．実際，障害や手術による眼内圧の上昇は緑内障を起こしうる．緑内障は虹彩と角膜の間の前房隅角を通しての眼房水の排出が悪いことによって起こる．**開放隅角緑内障 open angle glaucoma** は慢性疾患であり，線維柱帯を通してのSchlemm 管への透過性が低下することによって起こり，その結果眼圧が上昇する．このタイプの緑内障には遺伝的欠陥によって起こる例もある．**閉塞隅角緑内障 closed angle glaucoma** は虹彩が前方に膨れて角膜の背面に近接することによって起こり，前房隅角を閉塞し，その結果眼房水の排出が低下する．治療せず放置すると緑内障は失明に至る．

治療上のハイライト

緑内障の治療には眼房水の分泌や産生を低下させる薬物，あるいは眼房水の排出を促進する薬物が用いられる．**チモロール timolol** などのβアドレナリン受容体拮抗薬は眼房水の分泌を減少させる．炭酸脱水酵素阻害薬（**ドルゾラミド dorzolamide** や**アセタゾラミド acetazolamide** など）も眼房水の分泌減少に効果がある．コリン作動薬（**ピロカルピン pilocarpine**，**カルバコール carbachol**，**フィゾスチグミン physostigmine** など）も緑内障の治療に用いられ，これらは毛様体筋の収縮を起こすことによって眼房水の排出を増加させる．眼房水の排出は**プロスタグランジン関連薬 prostaglandins** によっても増加する．**コルチコステロイド corticosteroid** の長期使用は緑内障を引き起こしうるし，眼の真菌やウイルス感染発生の危険を大きくする．βアドレナリン受容体拮抗薬による眼房水分泌抑制とプロスタグランジンによる眼房水排出促進の組合せが標準治療である．

時に，（境界面に直角に入射する時以外は）進行方向が変わる（図10・2）．光線の進行方向が変わることを**屈折 refraction** といい，このメカニズムによって網膜に正確な像が結像する．両凸レンズを通過する平行光線はレンズ後方の点［**焦点 focus（focal point）**］に集まる．焦点はレンズの中心を通る線（**光軸 optical axis**）上にある．レンズと焦点の距離が**焦点距離 focal length** である．実用的には，6 m（20 ft）以上の遠くの物体からの光は平行であると考えてよい．6 m よりも近くからの光は発散しているので焦点より後方の光軸上に焦点を結ぶ．両凹レンズは光を発散させる．

レンズの曲率が大きいほど屈折力が大きい．レンズの屈折力は**ジオプトリー diopter（D）**で表す．ジオプトリーはメートルで表した焦点距離の逆数である．たとえば焦点距離0.25 m のレンズの屈折力は1/0.25，すなわち4 D である．ヒトの目の屈折力は無調節時（無限遠を見ている時）には60 D である．

眼において，光は角膜の前表面と水晶体の前表面および後表面で屈折する．しかし，屈折の過程を模式的に表す場合，光は角膜前表面だけで屈折するように描いてもほとんど誤差はない（図10・2B）．網膜上の像は上下左右が逆になっている（倒立像）ことに留意する必要がある．網膜の視細胞からの結合様式によって，生まれた時から網膜上の倒立像は正立として見え，刺激を受けた網膜領域とは反対側の視野に見えるようになっている．この知覚は幼児にもあり先天的なものである．もし網膜像を特別のレンズ系で正立させると，物体は倒立しているように見える．

一般的な結像機構の障害

表10・1は，成人に対して眼科診療で使われる一般的な検査をまとめたものである．一部のヒトでは眼球の前後径が正常より短く，平行光線が網膜より後ろに結像する．このような異常を**遠視 hyperopia** という（図10・3）．遠方の物体を見る時でも持続的に調節（遠近調節）がはたらいているので部分的には補正されうるが，持続的な筋収縮は疲労を起こし，頭痛や霧視が起

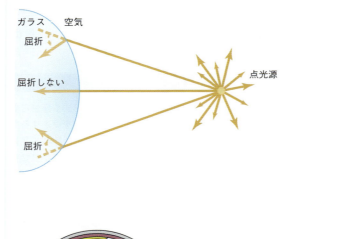

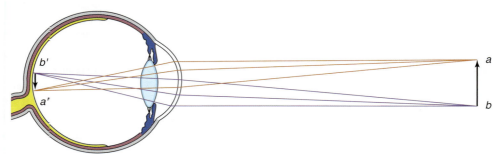

図 10・2　点光源からの光の結像．A：発散する光が密度の高い物質の凸面表面に角度をなして入ると，内向きに屈折が起こる．**B**：眼のレンズ系による光の屈折．屈折は角膜表面（ここで最も大きく屈折する）だけで起こるように描かれているが，実際には屈折は水晶体や他の部分でも起こる．点 a（上部）および点 b（下部）からの光は反対の方向に屈折し，網膜上では b' が a' より上に結像する（Widmaier EP, Raff H, Strang KT: *Vander's Human Physiology*, 11th ed. New York, NY: McGraw-Hill; 2008 より許可を得て複製）．

表 10・1　眼科で用いられる検査

評価項目	検査方法	診断できる項目
視力	Snellen 視力表*	近視，遠視，乱視
屈折	フォロプター，検眼鏡	視力矯正に必要な水晶体屈折力
色覚異常	石原式色覚検査表	1型2色覚，2型2色覚，3型2色覚
対光反射	ペンライト	眼の感覚神経と運動神経支配の異常，瞳孔不同
眼内圧	ゴールドマン圧平眼圧計	緑内障危険因子の評価
視神経，黄斑，網膜血管	検眼鏡	黄斑変性，網膜裂孔
眼瞼，角膜，結膜，強膜，虹彩	細隙灯顕微鏡	白内障，角膜障害，ドライアイ，網膜剥離，黄斑変性，網膜血管閉塞，糖尿病性網膜症
周辺視野	視野計，ペンライト	周辺視野の状態
中心視野	タンジェントスクリーン（視野計）	中心視野の状態，暗点や盲点
外眼筋の可動性や配置	6方向の眼球運動検査	異方視

*訳注：日本ではランドルト環（Landolt ring）が一般的に使われる（クリニカルボックス 10・4 参照）．

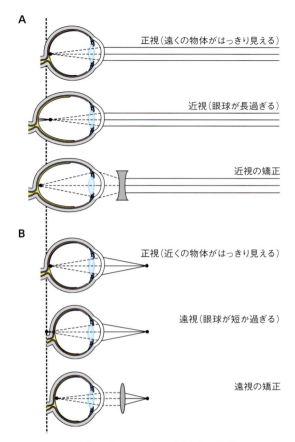

図 10・3　一般的に見られる眼の光学系の異常．A：近視では，眼球の前後径が長く光は網膜より前方で結像する．両凹レンズを用いて光を眼球に入る前に発散させると網膜上で結像させることができる．**B**：遠視では，眼球前後径が短く光は網膜よりも後方で結像する．両凸レンズで屈折力を強めることによって矯正できる (Widmaier EP, Raff H, Strang KT: *Vander's Human Physiology*, 11th ed. New York, NY: McGraw-Hill; 2008 より許可を得て複製)．

こる．遠近調節を伴った持続的な視軸の輻輳は，**斜視 strabismus** の原因となることがある(クリニカルボックス 10・2)．遠視は両凸レンズの眼鏡で矯正できる．両凸レンズは焦点距離を短くするように眼の屈折力を補助するからである．

近視 myopia では眼球の前後径が長すぎることが多い(図 10・3)．近視の原因は遺伝的かもしれない．しかし，ヒトでは，2歳以前に明るい部屋で睡眠をとることと，その後の近視の進行とに正の相関があるといわれている．このように眼の形は，眼で起こる屈折の状態によっても決定されるようである．青少年では，机に向かう勉強のような近い距離での作業を過度に行うと近視の進行が促進される．近視は両凹レンズの眼

クリニカルボックス 10・2

斜視と弱視

　斜視 strabismus は両眼の向きの異常であり小児の眼の異常としてよくみられる．6歳未満の小児の4%にみられる．一側あるいは両側の眼球が，内側に向いている(**内斜視 esotropia**)，外側に向いている(**外斜視 exotropia**)，上方に向いている，下方に向いている，などの状態が特徴である．これらの状態が組み合わさっている場合もある．斜視はまた "wandering eye" や "crossed eyes(やぶにらみ)" ともよく呼ばれる．斜視があると網膜像が両眼の対応する点に結像しない．幼児で網膜像が常に両眼の対応していない位置にあると，結果的に一方が抑制される(**抑制暗点 supression scotoma**)．この抑制は大脳皮質で起こる現象であり，通常成人では進行しない．斜視の子供は6歳以前に治療を開始することが重要である．これは，抑制が続くと像が抑制されている方の眼の視力が永続的に失われるからである．同様に永続的な視力の低下は，一方の眼の像が，屈折異常などによってぼやけている，あるいは歪んでいるような子供にも起こりうる．このような場合の視力の低下は**廃用性弱視 amblyopia ex anopsia** と呼ばれる．この語は眼の器質的な障害によらない矯正不能の視力低下を指す．一般にこのような状態の子供は，一方の眼の視力は悪く，他方の眼の視力は正常である．廃用性弱視は人口の約3%にみられる．弱視は "lazy eye" とも呼ばれ，しばしば斜視を伴っている．

治療上のハイライト

　アトロピン atropine(ムスカリン性アセチルコリン受容体拮抗薬)と，**ヨウ化エコチオフェート echothiophate iodide** のような**縮瞳薬 miotics** は，斜視と弱視の矯正のために眼に投与されることがある．アトロピンは健常眼の視覚をぼやけさせ，患者に強制的に弱い方の眼を使わせることになる．**視能矯正(訓練) optometric vision therapy** による眼筋トレーニングは，有効であることが示されており，これは17歳以上の患者にも効果がある．ある種の斜視に対しては以下のような治療が功を奏する．手術によって眼筋を短縮する，眼筋を訓練する，眼球位置の異常が補正できるように光を屈折させるプリズムを眼鏡として用いる．しかし，**奥行き知覚 depth perception** には若干障害が残る．視覚追跡メカニズムの先天性の異常は，斜視と奥行き知覚障害を引き起こすといわれている．幼いサルの一側の眼を3カ月覆うとその眼に対応する眼球優位円柱が消失する．遮られていない眼からの入力を受ける部分が皮質全体へ拡大し，覆われた眼は実質的に見えなくなる．同様の変化が斜視の子供にも起こりうる．

鏡で矯正できる．両凹レンズは平行光線を眼に入る前に発散させるからである．

乱視 astigmatism はよくみられ，角膜の曲率が均一でない状態である．ある断面(たとえば水平方向)での曲率が他の断面(たとえば鉛直方向)の曲率と異なると，結像面が異なることになり，網膜上の像がぼける．同様のことが，水晶体の位置が視軸からずれていたり，水晶体の曲率が均一でない場合にも起こりうるが，このような状態はまれである．乱視は通常すべての断面での屈折が同じになるような向きに円柱レンズを使用することによって矯正される．

遠 近 調 節

毛様体筋 ciliary muscle が弛緩している時(無調節時)，正常な眼[**正視(眼)emmetropia**]では平行光線は網膜に結像する．このような状態では，6 m より近くの物体からの光は網膜の後方で結像することになり，その物体の像はぼやける．この問題を解決して近くの物体からの光を網膜に結像させるには，水晶体と網膜の距離を伸ばすか，水晶体の曲率を増やし屈折力を強めればよい．

水晶体の曲率が増す過程を**遠近調節 accommodation** という．遠方を見ている時は，水晶体は小帯線維の張力によって形態が保たれている．水晶体を構成する物質は展性があり，水晶体包はかなり弾性をもっているので，水晶体は引っ張られて薄くなっている．近くの物体を見つめる時は毛様体筋が収縮する．その結果，毛様体の端の間の距離が減少して小帯線維が緩み，水晶体は丸みを増す(図10・4)．水晶体の曲率変化は水晶体前面の方が大きい．若年者ではこの変化によって屈折力を 12 D 増やすことができる．毛様体筋の収縮によって起こる小帯線維の弛緩は，部分的には以下の機構によって起こる．毛様体の輪状筋が括約筋様の作用をすること，および角膜-強膜境界付近につながっている縦走筋が収縮することによる．これらの筋が収縮すると，毛様体は全体として前方，内方へ引っ張られる．この動きによって毛様体の端は接近する．遠近調節によって物体をはっきり見ることができる最も近い点を**近点 near point** という．近点は年齢とともに，初期には比較的ゆっくり，後には速やかに後退する(10 歳では 9 cm であり 60 歳では約 83 cm)．これは主に水晶体が硬くなることによって，水晶体の曲率を増加させられる程度が恒常的に低下し，調節力が低下することによる．健康なヒトは 40〜45 歳に達するまでに調節力が低下し，読書や近距離での作業が困難になってくる．このような状態を**老視 presbyopia** といい，凸レンズの眼鏡で矯正できる．近くの物体を見る時は遠近調節に加えて，視軸の収束(輻輳)と瞳孔の収縮が起こる．この3つの反応からなる反射を**近見(近距離)反射 near reflex** という．

瞳 孔 反 射

一方の眼に光が入るとその眼の瞳孔が収縮し[**光反射 light reflex** または**直接対光反射 direct light reflex**]，他方の眼の瞳孔も収縮する(**共感性光反射 consensual light reflex** または**間接対光反射 indirect light reflex**)．この**瞳孔反射 pupillary light reflex** を引き起こす感覚神経は**視神経 optic nerve**(第Ⅱ脳神経)である．反射の遠心路は，同側と対側の **Edinger-Westphal**〔エディンガー・ウェストファル〕**核**である．この核には毛様体神経節の節後線維に投射する**動眼神経 oculomotor nerve**(第Ⅲ脳神経)を構成する副交感神経の節前ニューロンが含まれている．これらのニューロンは毛様体神経節に連絡し，そこから毛様体筋へ投射する節後線維が出る．この反射は眼に入る光量を調節すると同時に，網膜上の画像の質にも影響する(瞳孔径が小さくなると焦点深度が深くなる)．

光 受 容 機 構

網　　　　膜

網膜 retina は種々の細胞と神経突起で構成される複数の層からなっている(図10・5)．**外顆粒層 outer nuclear layer** には，視細胞 **photoreceptor**(**杆体 rod** および**錐体 cone**)がある．**内顆粒層 inner nuclear layer**

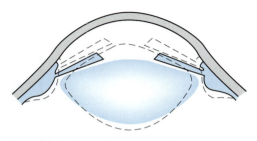

図10・4　遠近調節． 実線は無調節時(無限遠を見ている状態)の水晶体，虹彩，毛様体の形を，破線は遠近調節時(近距離を見ている時)の形を示す．近くの物体を見つめる時，毛様体筋は収縮する．これによって毛様体の端の間の距離が減少し，小帯線維が緩み，水晶体は曲率を増す．

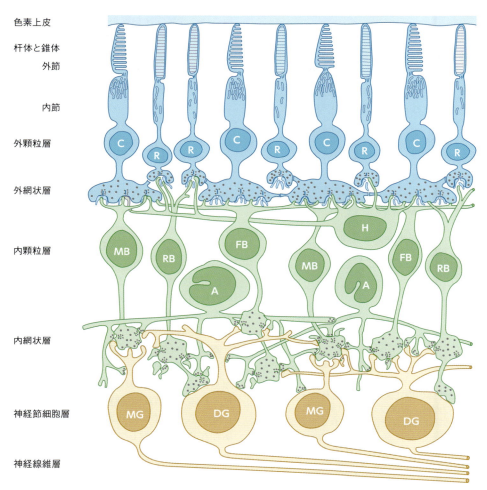

図 10・5　中心窩外の網膜の神経細胞. C：錐体, R：杆体, MB：ミジェット双極細胞, RB：杆体入力型双極細胞, FB：平板双極細胞(錐体入力型双極細胞), DG：ディフューズ(訳注：パラソル)神経節細胞, MG：ミジェット神経節細胞, H：水平細胞, A：アマクリン細胞(Dowling JE, Boycott BB: Organization of the primate retina: Electron microscopy. Proc R Soc Lond Ser B[Biol] 1966 Nov 15; 166(1002): 80-111 より許可を得て改変).

には，興奮性および抑制性の介在ニューロンである**双極細胞 bipolar cell**，**水平細胞 horizontal cell** および**アマクリン細胞 amacrine cell** の細胞体がある．**神経節細胞層 ganglion cell layer** には，網膜唯一の出力ニューロンであり，その軸索が視神経を形成している，様々なタイプの**神経節細胞 ganglion cell** がある．**外網状層 outer plexiform layer** は外顆粒層と内顆粒層の間にあり，**内網状層 inner plexiform layer** は内顆粒層と神経節細胞層の間にある．

　杆体と錐体は色素上皮に接しており，双極細胞にシナプス出力を送る．双極細胞は神経節細胞にシナプス出力を送る．双極細胞には形態および機能が異なる種々の種類がある．水平細胞は外網状層で視細胞同士を仲介するシナプス連絡をしている．アマクリン細胞は神経節細胞同士を内網状層で連絡しているが，これらの結合は長さや分岐パターンが異なる種々の突起によって行われている．アマクリン細胞は双極細胞の軸索終末部にも結合している．網膜の神経細胞同士はギャップ結合によっても結合している．

　網膜の視細胞層は脈絡膜に接する**色素上皮 pigment epithelium** に接している．このため光は，神経節細胞および双極細胞層を通過してから杆体および錐体視細胞に到達する．色素上皮は網膜を通り抜けた光を吸収し，光が反射・散乱することで起こる視覚イメージのぼけを防いでいる．

視細胞

　杆体と錐体はいずれも外節と内節とから構成される．内節には核領或がありシナプス終末部につながっている(図10・6)．外節は**線毛 cilia** に起源をもち，規則正しく積み重ねられた**円板 disk** でできている．円板には，光感受性物質が含まれており，視覚経路の信号の開始点となっている．内節はミトコンドリアに富んでおり，光感受性物質合成の場である．内節と外節は結合部 connecting stalk でつながっており，杆体と錐体のいずれでもこの部分を通して視物質が内節から外節へ輸送される．

　杆体は細い棒状の外節をもつのでこのように名付けられた．杆体外節内には円板膜が積み重なっている．これは平たい膜で囲まれた細胞内小器官で，形質膜から離れてできたものであり，外節内で浮いている．錐体は一般に太い内節と円錐状の外節をもつが，その形態は網膜の部位によって異なる．錐体では円板は外節の形質膜が細胞質に向かって陥入することによって形成されている．杆体の外節は内節に接する部分から新しい円板が形成されることによって常に更新されている．外節の先端部分(古い円板を含む)は色素上皮細胞の食作用によって処理されている．錐体の更新はより散在的な過程であり，外節の多くの場所で起こると考えられている．

　網膜の中心窩以外の場所では，杆体が視細胞の大部分を占め(図10・7)，また信号の収束率が大きい．平板双極細胞(図10・5)はいくつかの錐体から入力を受け，杆体入力型双極細胞はいくつかの杆体からの入力を受ける．錐体は約600万個，杆体は約1億2千万個存在するのに対して，視神経中の線維数は120万本にすぎない．したがって視細胞から双極細胞を経て神経節細胞に至る過程での信号の収束率は，全体として105：1である．しかし，注目すべきは，視覚系で

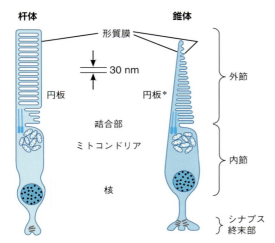

図 10・6　杆体と錐体の模式図． 杆体と錐体はそれぞれ外節，核部分を含む内節，およびシナプス終末部からなる．外節の円板は光感受性の物質を含み，これが光に反応すると視覚経路に活動電位が伝わる(*訳注：原書には sacs とあるが，通常錐体の場合も円板 disk と呼ばれる)(Lamb TD: Electrical responses of photoreceptors. In: *Recent Advances in Physiology*. No 10. Eaker PF(editor). Churchill Livingstone; 1984 より許可を得て複製)．

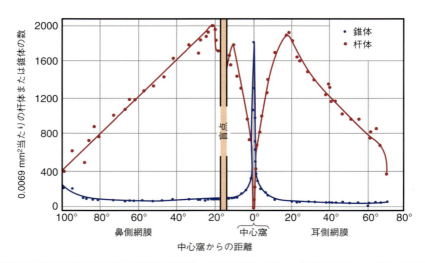

図 10・7　ヒト網膜中心部水平線上での杆体と錐体の密度． 明順応状態の眼で，網膜各部位での視力を測定してプロットすれば，図中の錐体密度の線と相関するであろう．同様に暗順応状態の眼では網膜各部位での視力は図の杆体の密度と相関するであろう．

は網膜以降に発散もあるということである．たとえば視覚野で視覚情報処理に関わるニューロンの数は視神経中の線維数の 1000 倍である．

視覚系の重要な特徴の 1 つは，非常に広い光強度範囲ではたらくことができるということである．暗闇から明るい太陽光環境へ出ると，光強度は 100 億倍 (10 対数単位) 強くなる．光強度の変化に対する 1 つの対応は，瞳孔径の変化である．瞳孔径が 8 mm から 2 mm に減少すると瞳孔面積は 1/16 になり，網膜に達する光は 1 対数単位以上減少する．

光強度の変動へのもう 1 つの対応は，視細胞が 2 種類あることによって行われる．杆体は光感度が大変高く夜間の視覚 (**暗所視 scotopic vision**) にはたらく．暗所視では物体の輪郭を見分けることができる．錐体は閾値は高いが解像度はよく，明るい状態での視覚 (**明所視 photopic vision**) にはたらく．また色覚を司る．

視細胞の光受容機構

網膜での活動電位発生につながる膜電位変化は，光が杆体と錐体にある光感受性物質に作用することに始まる．これらの物質に光が吸収されると立体構造が変化し，一連の化学的変化が起きて，神経活動に至る．

眼は以下のような点において非常にユニークである．視細胞の受容器電位と他の網膜の神経細胞の電気的応答は局所的であり，段階的に変化する緩電位である．神経節細胞だけが全か無の法則に従う活動電位を発生する．杆体，錐体および水平細胞の光に対する応答は過分極性であり，双極細胞の応答は脱分極あるいは過分極性である．アマクリン細胞は脱分極性の応答と活動電位を示し，これが神経節細胞に伝播性の活動電位を引き起こす起動電位としての役割を果たすものと考えられる．

錐体の受容器電位は立ち上がりと終了ともに速やかである．一方，杆体では立ち上がりは速いが終了の時間経過はゆっくりしている．光刺激強度と受容器電位の振幅の関係を示す曲線は，杆体と錐体ともに似た形であるが，杆体の方がはるかに感度が高い．そのため，杆体の応答が刺激強度に依存する光強度範囲は，錐体の閾値よりも弱い光強度範囲である．一方，錐体の応答が光強度に依存するのはより明るい環境であり，このような環境下では杆体の応答は最大値で飽和している (明るさが変わっても応答が変化しない)．このようなわけで錐体は背景光よりも明るい光の強度変化により応答できるが，絶対的な明るさは反映しない．一方，杆体は絶対的な明るさを検出する．

視細胞電位のイオン機構

杆体および錐体の外節にある cGMP で開くカチオン (陽イオン) チャネルは暗時に開口しているので，電流は細胞外では内節から外節に向かって流れる (図 10・8)．暗時には視細胞のシナプス終末部でも電流が流れている．内節にある Na^+, K^+-ATPase によってイオン平衡は維持されている．暗時には伝達物質 (グルタミン酸) が持続的に放出されている．光が外節にあたると一連の化学反応が起こり，外節形質膜にある cGMP 作動性カチオンチャネルの一部が閉じ過分極性受容器電位が起こる．過分極によってグルタミン酸の放出量が減少し，双極細胞で応答が生じる結果，神経節細胞の活動電位の発生頻度が変化する．神経節細胞に発生した活動電位は脳に伝わる．

ロドプシン

ロドプシン rhodopsin (以前は**視紅 visual purple** と呼ばれた) は杆体の視物質であり，ビタミン A のアルデヒドである**レチナール retinal** と**オプシン opsin** と呼ばれるタンパク質部分とから構成されている．レチ

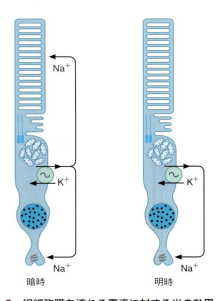

図 10・8　視細胞膜を流れる電流に対する光の効果．暗時には外節の cGMP 作動性カチオンチャネルは cGMP によって開口している．光によって cGMP → 5'-GMP の加水分解が促進され，チャネルの一部が閉口する．その結果，視細胞はシナプス終末部も含めて過分極する (訳注：軸索終末部では cGMP 作動性カチオンチャネルとは別のイオンチャネルがはたらいている)．

ナール合成にはビタミンAが必要なので，ビタミンA欠乏で視覚異常が起こる（クリニカルボックス10･3）．

オプシンは分子量41 kDaである．杆体の円板に存在し，その膜の総タンパク質量の90%を占める．オプシンはGタンパク質共役型受容体（GPCR）という大きなファミリーに属する．レチナールは円板膜表面と平行に位置し（図10･9），7番目の膜貫通ドメイン中のリジン残基（296番目）に結合している．

図10･10は，視細胞内で起こる，光刺激によって

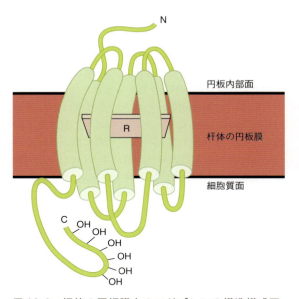

図10･9 杆体の円板膜上のロドプシンの構造模式図．
11-cisレチナール（R）はオプシンの，7番目の膜貫通ドメイン中のリジン残基（296番目）と結合してロドプシンを形成する．

クリニカルボックス 10･3

ビタミンA欠乏

ビタミンAに最初に同定された脂溶性ビタミンであり，レチノイドと呼ばれる分子群である．ビタミンA欠乏は米国ではまれであるが，開発途上国では現在でも公衆衛生上の重要な問題である．全世界では毎年，約80,000人（主に開発途上国の子供）が盲度のビタミンA欠乏によって視力を失っている．ビタミンA欠乏は，ビタミンAを多く含む食品（レバー，腎臓，全卵，牛乳，クリーム，チーズ），あるいはビタミンAの前駆体である**β-カロテンβ-carotene**（を含む濃緑色の葉物野菜，黄色あるいはオレンジ色の果物と野菜）を適切に摂取しないことによって起こる．ビタミンA欠乏で初めに起こるのは**夜盲（症）night blindness (nyctalopia)**である．また，ビタミンA欠乏は眼球の乾燥を引き起こし，角膜（**眼球乾燥症 xerophthalmia**）や網膜の障害を引き起こす．ビタミンA欠乏は初めに杆体機能を障害するが，ビタミンA欠乏の進行に伴って錐体にも障害が起こる．長期的な欠乏によって杆体と錐体に形態的な変化が起こり，続いて網膜の各神経層も障害される．

治療上のハイライト

視細胞が破壊される以前であれば，ビタミンA投与で網膜機能は回復する．ビタミンAを多く含む食品は，レバー，鶏肉，牛肉，全卵，牛乳，サツマイモ，ニンジン，ホウレンソウ，ケール，その他の緑色野菜である．他のビタミン，たとえばB群も網膜や他の神経組織の正常機能に必要である．

図10･10 杆体と錐体の光変換機構．

始まる一連の信号生成過程をまとめたものである．暗時にロドプシン中のレチナールは 11-*cis* 型になっている．光の作用はレチナールの立体構造を異性体の *trans* レチナールに変化させるだけである．レチナールの変化はオプシンの立体構造を変化させ，**トランスデューシン transducin** と呼ばれる G タンパク質（Tα，Gβ1 および Gγ1 のサブユニットからなる）を活性化する．11-*cis* レチナールはオール *trans* レチナールに変化すると，オプシンから離れる（退色 bleaching）．これによって，ロドプシンのバラのような赤からオプシンの薄い黄色へと変化する．

オール *trans* レチナールはレチナールイソメラーゼによって 11-*cis* レチナールに戻り，再びオプシンと結合してロドプシンが補充される．一部の 11-*cis* レチナールはビタミン A から合成される．これらの反応の中で，オール *trans* レチナールの生成以外は光の強さとは無関係に進む．つまり明時にも暗時にも同様な速度で進む．このため杆体中のロドプシン量は環境の明るさに反比例する．

トランスデューシンは GDP を放出して GTP と結合し，α サブユニットが解離する．α サブユニットは内在する GTPase 活性によって GTP の加水分解が終了するまで活性化状態になっている．トランスデューシン不活性化は，β-アレスチン β-arrestin の結合によって促進される．α サブユニットは cGMP ホスホジエステラーゼを活性化し，その結果 cGMP は 5′-GMP に変換される．

暗時には，ホスホジエステラーゼ活性は低く，cGMP 作動性カチオンチャネルは開状態なので，Na$^+$ と Ca^{2+} が視細胞内へ流入し，その結果視細胞は脱分極していてグルタミン酸が放出されている．光照射によって起こる細胞質 cGMP 濃度の低下は，cGMP 作動性カチオンチャネルの一部を閉口させ，その結果 Na$^+$ と Ca^{2+} の流入が減少して過分極が起こる．この反応カスケードは非常に速く進行し，光情報を増幅する．杆体視細胞の光感受性が非常に高いことはこの増幅機構によって説明できる．杆体視細胞は 1 光量子の吸収だけでも電気的応答を起こす．

Ca^{2+} は光変換機構に負のフィードバック効果を及ぼす．暗時には，細胞内 Ca^{2+} 濃度は比較的高いのでグアニル酸シクラーゼの活性は抑制されており，cGMP 作動性カチオンチャネルの活動は低下し，ロドプシンの活性は高くなっている．光による Ca^{2+} 濃度の低下は，この光変換機構カスケードに関わるこれらの構成成分に影響を与える．

網膜における視覚情報処理

網膜双極細胞と網膜神経節細胞（外側膝状体および視覚野 4 層のニューロンも）の応答の特徴は以下の通りである．小さい円状の刺激（中心部刺激）に最もよく応答し，受容野中心部を取り囲むような環状の光刺激（周辺部刺激）は中心部への点状刺激に対する応答を抑制する[*3]（図 10・11）．受容野中心部が興奮性で周辺が抑制性のもの（**on 中心 /off 周辺型細胞 on-center/off-surround cell**）と受容野中心部が抑制性で周辺が興奮性のもの（**off 中心 /on 周辺型細胞 off-center/on-surround cell**）の 2 つのタイプがある．受容野周辺部から中心部への抑制は，周辺部の視細胞から中心部の視細胞への水平細胞を介する抑制性フィードバックによると考えられている．つまり，環状光刺激によって周辺部の視細胞が応答すると，水平細胞は過分極し，その結果，中心部で活性化されていた視細胞の応答が抑制される．このように中心部刺激に対する応答が，周辺部刺激によって抑制される機構は，**側方抑制 lateral inhibition**（ある神経単位の活性化が同時に隣接する神経単位の抑制を伴うこと）の一例である．これ

[*3] 訳注：外側膝状体から一次視覚野への直接入力は一次視覚野の 4C 層と 2,3 層のブロブに入力する．一次視覚野では，外側膝状体から直接入力を受けるニューロンとそれ以外のニューロンで受容野の性質が異なる．

[*4] 訳注（次頁）：網膜双極細胞と神経節細胞は，いずれも中心部の応答様式から on 中心型と off 中心型に分けられている．

双極細胞中心部の応答は視細胞から双極細胞樹状突起への直接入力で形成されるとされており，このことは中心部受容野の大きさと双極細胞樹状突起の広がりがほぼ一致することからも支持されている．一方，周辺部応答は樹状突起の外側への光刺激で生じることから，視細胞からの直接入力ではないと考えられている．水平細胞を介したフィードバックとの仮説が提唱されているが結論は出ていない．

同様に神経節細胞中心部の応答は，双極細胞からの直接入力によるものと考えられている．周辺部応答にはアマクリン細胞が関与するとされているが，その機序は不明である．水平細胞は神経節細胞とシナプス結合していないため，水平細胞の応答から神経節細胞の受容野応答を論じることはできない．

側方抑制は，感覚刺激を受けた細胞 A が周辺の細胞を抑制することで起こる．つまり細胞 A と細胞 B の間に刺激の境界があるときには，細胞 A と細胞 B の出力は以下のようになる．(1) 感覚刺激を受けた細胞 A は，隣の感覚刺激を受けていない細胞 B を抑制するため，細胞 B の出力は抑制される．(2) 細胞 B は感覚刺激を受けていないため，感覚刺激を受けた細胞 A の出力を抑制しない．このように側方抑制は，刺激の境界に存在する細胞 A と細胞 B 間の応答の差を大きくすることで，刺激の境界部を際立たせる機構と考えられている．視覚における例としてはマッハバンドが挙げられる．

神経節細胞では中心部と周辺部の応答が反対であっても，細胞としての応答は両者の加算によって生じる．一般論ではあるが，側方抑制の例として，同一細胞内の応答加算が取り上げられることはない．

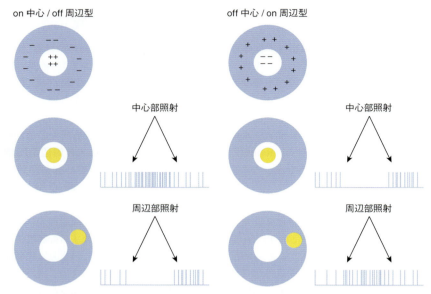

図 10・11 2つの型の神経節細胞でみられる受容野内の各部位への光刺激（黄色の円）に対する応答．**左**：on 中心 /off 周辺型神経節細胞は，受容野中心部を照射されると発火頻度が増加し，受容野周辺部が照射されると発火頻度が減少する．**右**：off 中心 /on 周辺型神経節細胞は，受容野中心部を照射されると発火頻度が減少し，受容野周辺部が照射されると発火頻度が増加する．

は哺乳類感覚系に普遍的にみられる現象であり，刺激の境界を強調し，弁別をよくする[*4]．

暗　順　応

　かなり長時間明るい環境にいてから薄暗い環境に移ると，"目が慣れる"に従って網膜の光に対する感受性はゆっくりと上昇する．このように網膜の光覚閾が低くなることは**暗順応 dark adaptation** として知られている．暗順応は約20分でほぼ最大に達するが，長時間経つとさらに進む．暗順応に要する時間の一部は明るい環境で持続的に分解されているロドプシンを再生するために必要な時間である．一方，暗い環境から突然明るい環境へ出ると，眼が明るい光に順応して光覚閾が上昇するまで，光は大変強くあるいは不快なまでに明るく感じられる．この順応は約5分で起こり，**明順応 light adaptation** と呼ばれる．しかし，厳密にいえば単なる暗順応の消滅である．

　暗順応は2つの過程からなる．光覚閾低下の第一段階は速く進むが，程度は小さい．この過程は錐体の順応として知られている．このことは，光を杆体が存在しない中心窩部分のみに提示すると，順応がそれ以上進行しないことからわかる．網膜周辺部分では，杆体が順応を起こすので閾値はさらに低下する．明順応状態と完全な暗順応状態の閾値の差は大変大きい．

　放射線科医，パイロット，その他暗い条件で最大の光感受性が必要な職業人が，暗いところで暗順応に達するために20分も待たないで済ますためには，明るい環境下で赤いゴーグルを着用していればよい．これはスペクトルの長波長端の光（赤い光）は杆体をほとんど刺激しないが，赤い光だけでも錐体はかなりよく機能するからである．このため，赤い眼鏡を装用しているヒトは明るい環境下でも見ることができ，しかもその間も杆体は暗順応している．

視　　　力

　眼球の後極のやや上，内側約3 mm の部分で，視神経が出る．この領域は検眼鏡で**視神経乳頭 optic disk** として観察される（図10・12）．視神経乳頭には視細胞がないので網膜のこの領域は光に反応せず，**盲点 blind spot** として知られている．眼球の後極付近に黄色い部分があり**黄斑 macula lutea** と呼ばれる．**中心窩 fovea** は黄斑の中心にある．ここは網膜が窪んで薄くなっており，錐体が高密度で存在し，杆体が存在しない．中心窩では各錐体は1個の双極細胞にシナプス出力を送っている．そしてこの部分の双極細胞は1個の神経節細胞にシナプス出力を送っており，脳への

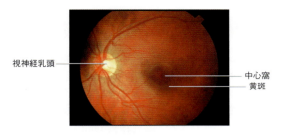

図10・12　検眼鏡で見える健康なヒトの眼底像. 眼底は水晶体の反対側の眼の内側の表面にあたる．これには，網膜，視神経乳頭，黄斑と中心窩，後極が含まれる．視神経線維は視神経乳頭部で眼球を出て視神経となる．網膜の硝子体側の表層の動脈，細動脈および静脈が検眼鏡で見られる（Dr AJ Weber, Michigan State University より許可を得て転載）．

直接経路となっている．網膜の中心窩部分には視細胞以外の細胞はなく，血管もない．そのため**視力 visual acuity** は中心窩で最もよい．ある物体に注意がひかれたり，物を固視するような時には，その物体からの光が中心窩に結像するように眼球が動く．**加齢黄斑変性 age-related macular degeneration（AMD）**は中心視野の良好な視力が次第に損なわれていく疾患である（クリニカルボックス 10・4）．

検眼鏡で**眼底 fundus**，すなわち水晶体の反対側の眼の内側の表面（網膜，視神経乳頭，黄斑と中心窩，後極）が見られる（図10・12）．網膜の硝子体側表面を走る動脈，細動脈，静脈も検眼鏡で観察できる．網膜

クリニカルボックス 10・4

視力と加齢黄斑変性

視力 visual acuity はどれくらい細かいもの，あるいは輪郭を見分けられるかの指標であり，通常見分けられる最小距離（すなわち2本の線を見分けられ，2本であるとわかる最小距離）で定義される．視力は一般的な **Snellen〔スネレン〕視力表**を用いて 20 ft（6 m）の距離で測定する（訳注：Snellen 視力表では被検者は読むことができる一番小さい文字が並んでいる列の番号（ft 換算表示）を答える．日本では Landolt（ランドルト）環を用いて 5 m の距離で測定する）．結果は分数で表示される．分子は被検者がチャートを読んだ距離（20 ft），分母は健康なヒトが一番小さい文字列を読める最大距離（ft）である．つまり正常人の視力は 20/20 で，視力 20/15 のヒトは正常人より視力がよく（遠視ではない），20/100 のヒトは視力が悪い．視力には種々の要因が複雑に関係している．光学的要因（眼球での結像状態），網膜要因（錐体の状態），刺激に関連する要因（照明，刺激の明るさ，刺激と背景のコントラストの程度，刺激が提示される時間の長さ）などが関係する．視力に影響する副作用がみられる薬剤も多くある．抗不整脈薬である**アミオダロン amiodarone** で治療を受けている患者では，しばしば霧視，グレア（まぶしい），光の周辺のハロー（環）あるいは羞明などを訴える角膜障害（**角膜症 keratopathy**）が見られる．**アスピリン aspirin** などの抗凝固薬は，結膜あるいは網膜出血を起こし，視覚の障害を起こす．**黄斑障害 maculopathy** は乳癌に対する**タモキシフェン tamoxifen** 治療で起こりうる．**チオリダジン** thioridazine などの抗精神病薬は，色素沈着を起こすことがあり，視力，色覚，暗順応などが障害される．

米国と欧州には，中心視力が障害される**加齢黄斑変性 age-related macular degeneration（AMD）**の患者が2千万人以上いる．75歳以上の人の30%近くがこの疾患にかかっており，50歳以上の人の最多の失明原因である．女性は男性に比べて AMD のリスクが高い．白人では黒人よりもリスクが高い．滲出型と萎縮型の2つのタイプがある．滲出型 AMD は黄斑部にもろい血管が形成されることで起こる．血管から血液や液体が漏出し，急速に黄斑を障害する．血管内皮細胞増殖因子 vascular endothelial growth factor（VEGF）が血管増殖に作用していると考えられる．萎縮性 AMD は黄斑の錐体がゆっくりと破壊されることによって起こり，徐々に視力が失われる．

治療上のハイライト

米国食品医薬品局は，滲出型 AMD の治療薬に**ラニビズマブ ranibizumab**（商品名ルセンティス Lucentis），**ベバチズマブ bevacizumab**（商品名アバスチン Avastin），**アフリベルセプト aflibercept**（商品名アイレア Eylea）の3種類の VEGF 拮抗薬を認可している．**光線力学療法 photodynamic therapy** には腕への**ベルテポルフィン verteporfin** 静注が用いられる．この薬物はレーザーで活性化すると異常血管を破壊する化学反応を起こす．傷害されている血管が中心窩から離れていれば**レーザー治療 laser surgery** で修復が可能である．しかし，治療後に新しい血管が形成され，視覚障害が進行することがある．

クリニカルボックス 10・5

眼は健康の窓

眼の精密検査(表10・1)で，全身の健康状態について多くのことを明らかにすることができる．眼科医は視力を調べ，黄斑変性，網膜剥離，白内障などの徴候を診断するだけではなく，他の臓器の疾患の徴候も診断できる．**眼球突出** exophthalmos(眼窩から目がはみ出す)は，甲状腺の過活動によるGraves〔グレーヴス〕病(Basedow〔バセドウ〕病)や**眼窩腫瘍** orbital tumor の徴候のことがある．角膜周辺の灰色の環(**老人環** arcus senilis)は高コレステロール血症や高脂血症をしばしば伴う．**眼瞼下垂** ptosis(a droopy lid)は**重症筋無力症** myasthenia gravis(神経筋疾患)の徴候かもしれない．眼瞼下垂，**瞳孔不同** anisocoria，**顔面の無汗症** facial anhidrosis は，Horner(ホルネル)症候群(眼の交感神経支配の障害)を示唆する(Horner症候群の詳細は13章を参照)．**高血圧** hypertension は網膜小血管の蛇行やよじれから診断できる．**眼底検査** fundoscopic exam をすることで，最多の失明原因である**糖尿病網膜症** diabetic retinopathy を診断できる．糖尿病網膜症では，**黄斑浮腫** macular edema，**微小動脈瘤** microaneurysm(動脈壁から突き出た微小なふくらみ)，網膜血管の拡張，**血管新生** neovascularization(新しい血管の発生)，**綿花様白斑** cotton wool spots (神経障害に伴う網膜上の"けば"のついた白斑)(軟性白斑)を伴う．糖尿病の詳細については24章参照．

血管は双極細胞と神経節細胞を栄養している．一方，視細胞の大部分は脈絡膜の毛細血管網で栄養されている．このため**網膜剥離** retinal detachment では視細胞が重大な障害を受ける．眼は体で唯一細動脈を見ることができる場所であり，検眼鏡による眼底検査は糖尿病，高血圧，その他血管に変化を起こす病気の診断や評価に大変有用である(クリニカルボックス10・5)．

緑内障(クリニカルボックス10・1)では，検眼鏡で観察される眼底像に変化が見られる(図10・13)．図中の左の写真は霊長類の正常眼で，視神経乳頭は均一でピンク色に見える．血管は視神経乳頭辺縁部を横切る部分では，比較的平たく見える．これは神経節細胞の線維数が正常であること，そして血管周囲には健常な支持組織があることによる．右の写真は眼内圧を慢性的に上昇させ，実験的に緑内障を発生させた霊長類の眼底である．緑内障性視神経症の特徴として，視神経乳頭は特に中心部が白くなる．網膜血管は特に視神経乳頭辺縁部で屈曲している．これは支持組織が欠損しているためで，視神経乳頭の陥凹が拡大している．

色　　覚

色には**色相** hue, **輝度** intensity, **飽和度** saturation[色の鮮やかさ(白で希釈すると鮮やかさが減る)]の3つの要素がある[*5]．各色には**補色** complementary color がある．ある色とその色の補色を適当な比率で混ぜると白の感覚が生じる．黒は光がないという感覚であるが，積極的な感覚であると考えられる．というのは障害によって見えなくなった眼では"黒く見える"わけではなく，"何も見えない"というからである．

次に大事なことは，白や可視光スペクトルの任意の色，あるいはスペクトルにない色でさえも，赤(波長723〜647 nm)，緑(575〜492 nm)，青(492〜450 nm)の光を様々な比率で混ぜることによって作

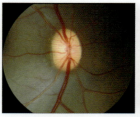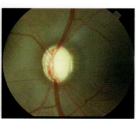

図10・13 検眼鏡で観察した正常な霊長類の眼底(左)と実験的に緑内障を発生させた霊長類の眼底(右)．正常：血管は均一なピンク色で，視神経乳頭辺縁部を横切る部分では比較的平らに見える．これは，神経節細胞の線維数が正常であり，血管周囲の支持組織が健常だからである．緑内障：視神経乳頭は特に中心部で白く，支持組織を欠いている視神経乳頭辺縁部では血管は特に屈曲しており，視神経乳頭の陥凹が拡大している(Dr AJ Weber, Michigan State University より許可を得て転載)．

[*5] 訳注：色空間の種類によって，輝度を lightness と表現する系もある．また輝度の代わりに明度(value または braightness)，飽和度の代わりに彩度 chroma を使う系もある．

ることができるという観察事実である．このため，赤，緑，青は**原色 primary color** と呼ばれる．第三に重要な点は，色の感覚は，視野中に存在する他の物体の色にある程度影響されるということである．たとえば，赤い物体は視野が緑あるいは青い光で照明されている時には赤く感じられるが，視野が赤い光で照明されると薄いピンクあるいは白に感じられる．クリニカルボックス10・6で色覚異常について述べる．

色覚の網膜機構

色覚についてのYoung-Helmholtz〔ヤング・ヘルムホルツ〕の3色説は，極大吸収波長がそれぞれ三原色の1つに対応する異なる視物質をもつ3種類の錐体の存在で証明された．提示された色の感覚は，各錐体経路からのインパルスの相対頻度によって生じる（図10・14）．第一の視物質（青吸収あるいは短波長吸収錐体視物質）はスペクトルの青～紫領域の光を最もよく吸収する．第二の視物質（緑吸収あるいは中間波長吸収錐体視物質）は緑領域を最もよく吸収する．第三の視物質（赤吸収あるいは長波長吸収錐体視物質）は黄色領域を最もよく吸収する．原色は青，緑，赤である．スペクトルの黄色領域に最も高い感受性をもつ錐体の赤い光に対する閾値は緑の光に対する閾値より低く，赤領域にも十分な感受性をもつ．

ヒトロドプシンのオプシンの遺伝子は第3染色体上に，青感受性のS錐体のオプシンの遺伝子は第7染色体上に存在する．他の2種類の錐体のオプシンの遺伝子は，X染色体のq腕上に縦列に配列してコードされている．緑感受性のM錐体と赤感受性のL錐体視物質は構造がほとんど同じである（アミノ酸配列の96%が同一である）．緑あるいは赤視物質のオプシンと青視物質のホモロジーは約43%であり，3種類の錐体視物質と杆体オプシンとのホモロジーは約41%である．

視覚経路と大脳皮質における応答

大脳皮質への経路

神経節細胞の軸索は，視神経 optic nerve，**視索 optic tract** を経て視床の一部である**外側膝状体 lateral geniculate body**〔LGB；**外側膝状体核 lateral geniculate nucleus（LGN）**〕に終わる（図10・15）．鼻側網膜からの線維は**視交叉 optic chiasm** で交叉する．外側膝状体で，対側網膜の鼻側からの線維と同側網膜の耳側からの線

> ### クリニカルボックス 10・6
>
> #### 色覚異常
>
> 最もよく利用される**色覚異常 color blindness** の検査法は**石原式色覚検査表 Ishihara charts** である．この検査表には点状のカラーの背景に対して，同様な形の点で構成されている数字が表示されている．数字は色覚異常のヒトには背景と区別がつかないように作られている．色覚異常のヒトには，特定の色の組合せを区別できないヒトと色の区別をしにくいヒトがいる．接頭辞 "prot（第一）"，"deuter（第二）"，"trit（第三）" は，それぞれL（赤），M（緑），S（青）錐体系の欠損を示す．正常色覚のヒトは **3色覚者 trichromat** と呼ばれる．**2色覚者 dichromat** は錐体が2種類しかなく，1型2色覚，2型2色覚，3型2色覚がある．**1色覚者 monochromat** は1種類の錐体系しかない．2色覚者の場合，色スペクトルを2つの原色のみの混色で感じている．1色覚者は色スペクトルを1つの原色の強度の変化として感じている．色覚異常は白色人種では，先天性異常として男性の約8%，女性の約0.4%にみられる（訳注：日本では男性の約5%，女性の約0.2%）．3型2色覚と3型3色覚はまれであり性差もない．しかし，色覚異常の男性の約2%は1型2色覚か2型2色覚である．また，約6%は異常3色覚であり，L（赤）錐体視物質あるいはM（緑）錐体視物質のスペクトル感度が正常に比べて変位している．1型と2型は伴性劣性遺伝（X染色体性遺伝）する．したがって，色覚異常は男性ではX染色体上の遺伝子に異常があれば発症する．一方，女性では両方のX染色体の遺伝子に異常がある場合のみに発症する．しかし，X染色体に異常をもつ男性の女児は色覚異常の保因者となり，この女児の息子の半数に異常が起こることになる．したがって，X染色体による色覚異常は世代を飛び越えて遺伝し2世代後の男性に出現する．色覚異常は大脳皮質のV8に障害を受けたヒトにも起こる．これはV8がヒトでは色覚に特異的に関わっているためだと思われる．これは大脳性色覚異常と呼ばれる．一過性の青－緑色覚障害は，勃起障害の治療に用いられるシルデナフィル sildenafil（商品名バイアグラ Viagra）の副作用として起こる．この副作用は，この薬が陰茎のホスホジエステラーゼとともに網膜のホスホジエステラーゼも抑制することによって起こる（訳注：色覚異常には多様なタイプがあり，いずれかの錐体が欠如している場合は "2色覚" の色覚異常となる．錐体は3種類存在するが，いずれかの錐体の最大吸収波長が健常人と違う場合は "3色覚" の色覚異常となる．"2色覚"，"3色覚" とも，障害されている錐体の種類に応じて，"1型（赤錐体障害）"，"2型（緑錐体障害）"，"3型（青錐体障害）" に分類される）．上記以外の色覚異常も存在する．

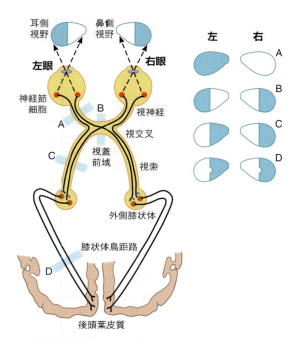

図10・14　**視覚経路**．視覚経路がA〜Dの部位で切断されると右に示すような視野欠損が起こる．網膜の鼻側からの線維は視交叉で交叉する．そのため視索中の線維は同側の網膜の耳側からの線維と対側の網膜の鼻側からの線維で構成されている．一側の視神経を切断するような障害ではその眼が見えなくなる(A)．視索の障害では視野の半分が見えなくなり(C)，同名(同側，左右眼の視野の同じ側)半盲と呼ばれる．視交叉の障害では両側網膜の鼻側からの線維が破壊され，異名(異側)半盲(両耳側半盲)が起こる(B)．後頭葉の障害では黄斑部からの線維は保たれる(D)，これは脳内で黄斑部からの線維が黄斑部以外からの線維と分かれて走行するからである．

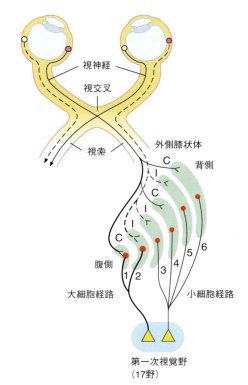

図10・15　両眼の網膜の右側半分の神経節細胞は，右側外側膝状体へ軸索を伸ばし，シナプスを介して外側膝状体から右第一次視覚野へ投射している．外側膝状体は6層に分けられる．P神経節細胞は3〜6層へ投射し，M神経節細胞は1層と2層へ投射する．同側眼からの線維(I)と，対側眼からの線維(C)は異なる層へ投射している．層間(K層)の細胞は示していないが，P神経節細胞とは独立に視覚野のブロブへ投射している(Kandel ER, Schwartz JH, Jessell TM (editors): *Principles of Neural Science*, 4th ed. New York, NY: McGraw-Hill; 2000 より許可を得て改変)．

維がそれぞれ次の細胞にシナプスを作り，これらのシナプス後細胞の軸索が視放線(**膝状体鳥距路 geniculocalcarine tract**)を形成する．視放線は大脳皮質後頭葉に投射する．この視覚経路の障害によって起こる視覚機能の異常は次項で述べる．

網膜神経節細胞の軸索は，網膜上の視野空間情報を詳細に保った状態で外側膝状体へ投射している．外側膝状体は明瞭な6つの層に分かれている(図10・15)．3〜6層には小さい細胞があり小細胞層 parvocellular layer と呼ばれ，1，2層には大きな細胞があり大細胞層 magnocellular layer と呼ばれる．1，4，6層は対側の眼からの入力を受けるのに対し，2，3，5層は同側眼からの入力を受ける．各層には網膜上の位置情報が正確に再現されており，6つの層に垂直な直線上にある各層の細胞の受容野の位置はほとんど同一である．外側膝状体 lateral geniculate nucleus(LGN)への入力の中で，網膜からのものはわずか10〜20%である．大部分の入力は皮質視覚野や脳の他の部位からのものである．皮質視覚野から外側膝状体へのフィードバック経路は，方位や動きの知覚に関係していることが明らかになっている．

網膜には数種類の神経節細胞が存在する．大型の神経節細胞(M神経節細胞)は異なる種類の錐体からの情報を加算し，物体の運動の検出や立体視に関与する．小さい神経節細胞(P神経節細胞)は異なる錐体からの情報を差し引きし，色，肌理(きめ)，形態の知覚に関与する．M神経節細胞は外側膝状体の大細胞層へ投射し，P神経節細胞は小細胞層へ投射する．外側膝状体から大細胞経路と小細胞経路が皮質視覚野へ投射す

る*6. 大細胞経路は外側膝状体の1層と2層に始まり，運動，奥行き，フリッカ(光の点滅)の検出に関わる情報を伝える．小細胞経路は3～6層から始まり，色覚，肌理，形，解像度の高い詳細な情報に関係する信号を伝える．small-field bistratified ganglion cell(訳注：受容野が小さく，内網状層で2層に樹状突起を伸ばす神経節細胞)は，色覚に関わっていると考えられ，短波長(青)の情報を外側膝状体の層間の領域(訳注：K層 koniocellular layer と呼ばれる)へ伝える．

視覚経路障害の影響

　視覚経路のどこに障害があるかは，視野の障害のパターンからかなり正確に知ることができる．網膜の鼻側半分からの線維は視交叉で交叉するので，視索中の線維は同側網膜の耳側半分からの線維と，対側網膜の鼻側半分からの線維からなる．言い換えると各視索は，視野の半分の情報を伝えている．したがって，一側の視神経の障害ではその眼が見えなくなるが，一側の視索の障害では視野半分が見えなくなる(図 10·14, 図 10·15)．視索の障害で起こるような視野欠損を**同名(同側)半盲** homonymous hemianopsia (両眼視野の同じ側の視野欠損)という．

　視交叉の障害は，下垂体腫瘍がトルコ鞍を越えて広がった時などに起こり，両眼の鼻側からの線維の障害が生じ，その結果，**異名(異側)半盲** heteronymous hemianopsia (両耳側半盲 bitemporal hemianopsia，両眼視野の反対側の視野欠損)が起こる．黄斑部からの線維は視交叉の後方部分を通過するので，両眼の鼻側網膜からの視覚が完全に消失する前に，中心視野の半盲が起こることがある．視野の部分的な欠損は，両耳側半盲，両鼻側半盲，右あるいは左同名(同側)半盲に分類される．

　視神経線維の中で網膜の上半分からのものは視野の下半分の情報を伝え，外側膝状体の内側半分に終わる．一方，網膜下半分からの線維は外側半分に終わる．外側膝状体-視覚野線維の中で外側膝状体の内側半分からの線維は鳥距溝の上部に終わり，外側半分からの線維は下部に終わる．また，外側膝状体からの線維の中で，黄斑部の情報を伝えるものは，周辺部からの情報を伝える線維と分かれて，鳥距溝の後方部分に終わる(図 10·16)．解剖学的な構造がこのようになっている

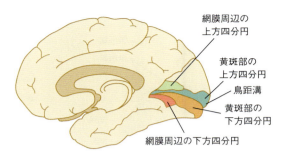

図 10·16 ヒト右大脳半球の内側面．網膜から鳥距溝周辺の後頭葉第一次視覚野への投射を示す．外側膝状体の内側半分からの膝状体鳥距路の線維は，鳥距溝の上部に終わり，外側半分からの線維は下部に終わる．また，外側膝状体からの線維の中で黄斑部からの線維は，周辺部からの線維と分かれて走行し，鳥距溝の上下部のより後方に終わる．

ので，後頭葉の障害では視野の四半分の障害が起こりうる(各半視野の上下の四半分)．

　黄斑部残存 macular sparing (黄斑回避)，すなわち周辺視野が失われても黄斑部の視覚が保たれている状態は後頭葉の障害ではしばしばみられる(図 10·14D)．これは後頭葉での黄斑部の再現は周辺部とは分離していることと，周辺部に比べて黄斑部に対応する部位がかなり広いことによる(図 10·16)．このため，後頭葉の障害がかなり広い部分に及ばない限り，周辺視野と黄斑部視野がともに障害されることはない．視蓋前域への線維は，光刺激に対する瞳孔反射に関係し，外側膝状体近くで視索から分かれる．したがって，見えないが光反射が残存している場合は，多くの場合，両側の視索より後方の障害が考えられる．

第一次視覚野

　第一次視覚野 primary visual cortex は V1 とも呼ばれ，鳥距溝の上下に位置する(図 10·17)．神経節細胞の軸索によって網膜上の部位が正確に外側膝状体に投射されているのと同様に，外側膝状体から第一次視覚野にも正確に視野上の部位が投射されている．第一次視覚野では多くの神経細胞がそれぞれ入力線維からの入力を受けている．他の新皮質と同様に第一次視覚野は6層からなっている．大細胞経路を形成する外側膝状体からの軸索は4層の一番深い4C層に投射する．小細胞経路を構成する軸索の大部分も4C層に投射する．しかし，層間(K層)からの軸索は2層および3層に投射する．

　第一次視覚野の2層および3層には直径約0.2 mmの神経細胞集団がある．この部分の細胞は周囲の細胞

---

*6 訳注：サルでは P(parvo)細胞はミジェット(Midget)細胞，M(magno)細胞はパラソル(Parasol)細胞とも呼ばれる(図 10·5 参照)．

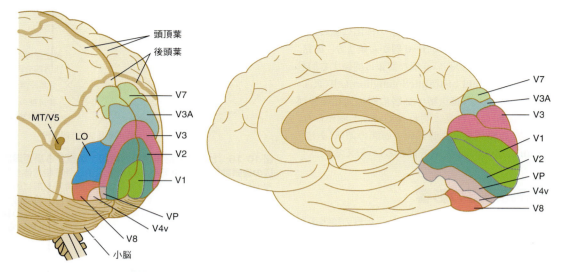

図10・17 ヒト脳で第一次視覚野（V1）からの投射を受ける主な領域. 側面および内側面を示す. LO (lateral occipital)野, MT (medial temporal)野, VP (ventral parietal)野. 表10・2参照 (Logothetis N: Vision: A window on consciousness. Sci Am 1999 Nov; 281(5): 69-75 より許可を得て改変).

とは異なり，ミトコンドリアの酵素，シトクロムオキシダーゼを高濃度に含んでいる．この細胞集団は**ブロッブ blob** と呼ばれる．ブロッブは第一次視覚野内にモザイク状に存在し，色覚に関係している．しかし，小細胞経路も反対色情報を4層深部に送っている．

網膜神経節細胞と同様に，外側膝状体および第一次視覚野4層の神経細胞は，受容野中心部照射で活動電位を発生し周辺部刺激で抑制される（on中心/off周辺型），あるいは受容野中心部照射で抑制され周辺部刺激で活動電位を発生する（off中心/on周辺型）．受容野中心部を覆うような棒状の光刺激は効果的な刺激である．これは受容野中心部の大部分が刺激されるのに対し，周辺部は一部しか刺激されないからである．しかし，棒の向きは応答の強さには関係なく，どの向きであっても有効な刺激となる．

第一次視覚野の他の層のニューロンの応答は上述の応答形式とは大きく異なっている．**単純細胞 simple cell** は，棒，直線，明暗の境界線に応答する．しかも，刺激がある特定の傾き（方位）の場合にだけ応答する．たとえば棒状の光刺激の傾きを，その細胞が最もよく応答する傾きから10°変化させただけで発火頻度は減少し，それ以上回転させると応答は消失する．**複雑細胞 complex cell** は，特定の傾き（方位）の直線状の刺激でないと応答しないという点では単純細胞と似ている．しかし，受容野内での刺激の位置が多少異なっていても応答するという点で，単純細胞や4層の細胞

とは異なる．複雑細胞は直線状の刺激が，受容野内を向きを変えないまま横方向に動くと最もよく応答する．

皮質視覚野では体性感覚野と同様に，皮質表面に垂直な円柱構造が配列している．この円柱は方位に関係している（**方位円柱 orientation column**）．円柱の直径は約1 mmである．隣接する円柱同士の方位は規則的に変化している．ある円柱から別の円柱に連続的に動いていくと，よく応答する方位が5～10°ずつ連続的に変化している．したがって，1つの網膜神経節細胞の受容野に対応する部分が皮質視覚野の狭い領域に多数存在し，各部分はそれぞれ一定の方位選択性をもつ（これらの領域すべてで360°を網羅している）．単純細胞と複雑細胞は**特徴抽出細胞 feature detector** と呼ばれてきた．というのは，両細胞はそれぞれ光刺激の特定の特徴に応答し，それを分析するからである．

視覚野のもう1つの特徴は**眼球優位円柱 ocular dominance column** の存在である．外側膝状体および皮質視覚野4層の細胞は，一側の眼からだけ入力を受ける．4層では，一側の眼からの入力を受ける細胞群と対側の眼からの入力を受ける細胞群とが交互に並んでいる．放射性物質でラベルした大量のアミノ酸を一側の眼に注入すると，アミノ酸はタンパク質に組み込まれ，軸索輸送で神経節細胞の軸索終末まで輸送される．さらに外側膝状体のシナプスを越えて外側膝状体-視覚野線維を通り視覚野へ達する．4層では注入された眼からの輸送でラベルされた終末群と対側眼か

らの入力を受けるラベルされていない終末群が交互に並ぶ．皮質表面から見ると視覚野の大部分に及ぶはっきりとした縞模様に見える．眼球優位円柱は方位円柱の示すパターンとは独立して存在している．

単純細胞と複雑細胞の約半数は両眼からの入力を受けている．両眼からの入力は受容野の位置や方位選択性が同一であるか，あるいはほぼ等しい．しかし，両眼からの入力の強さは細胞ごとに異なっており，対側眼からの入力と，同側眼からの入力の比率が種々に異なる細胞が存在している．

視覚に関わる他の皮質領域

第一次視覚野 (V1) は後頭葉の多くの部分および脳の他の領域へ投射している．これらの領域は番号 (V2, V3 など) あるいはアルファベット (LO, MT など) で表されている．ヒトの脳でのこれらの領域の分布を図 10·18 に，これらの領域について想定されている機能

を表 10·2 に示す．V1 からの投射は，主に運動視に関係する**背側経路 dorsal pathway**（頭頂経路 parietal pathway）と，形態覚や形や顔の認知に関係する**腹側経路 ventral pathway**（側頭経路 temporal pathway）に大別される．また，他の感覚領域との連絡も重要である．たとえば後頭皮質ではある物体に対する視覚応答は，同時にその物体に触れた場合にいっそう強くなる．他の感覚系への結合も多数存在する．

色覚の神経機構

色情報は神経節細胞によって伝えられる．異なる種類の錐体からの情報が加算，あるいは減算されている．神経節細胞と外側膝状体での情報処理の結果が 3 種類の情報経路で V1 へ達する．赤-緑経路は L (赤) 錐体と M (緑) 錐体の応答の差を伝え，青-黄経路は S (青) 錐体の応答と，L (赤) 錐体と M (緑) 錐体の応答の和との差を伝え，輝度経路は L (赤) 錐体と M (緑) 錐体の応答の和の情報を伝える．これらの経路は V1 のブロブおよび 4C 層深部へ投射する．ブロブと 4 層から色情報は V4 と V8 へ伝わる．しかし，どのようにして V4 と V8 で色情報入力が色の感覚に変換されるかは明らかでない．

眼球運動

眼球は動眼神経，滑車神経，外転神経で支配される 6 つの外眼筋によって眼窩内で動く．図 10·19 に外眼筋による眼の動きを示す．斜筋は内側方向へ引っ張るので，眼球がどの方向に動くかは眼球の位置によって変わる．眼球が鼻側へ向いている時，下斜筋は眼球を引き上げる方向に作用し，上斜筋は逆方向に作用する．眼球が外側を向いている時は，上直筋が眼球を引き上げる方向に，下直筋は逆方向に作用する．視野の大部分は両眼で見ている．したがって，物体の像が常に 2 つの網膜の対応する点に結像する（複視が起こらない）ためには，両眼の眼球運動の高度な協調が必須である．

眼球運動には 4 つのタイプがあり，その各々は異なる神経系で制御されているが，最終経路は外眼筋への運動ニューロンという共通経路である．**サッケード saccade** は，急激に起こる速い運動であり，視線を 1 つの物体から別の物体へ移動させる場合に起こる．サッケード運動によって，新たに興味を引いた物体の像が中心窩にくる．そして，1 つの物体を注視し続けた場合に起こりうる視覚経路の順応を減少させる．**滑

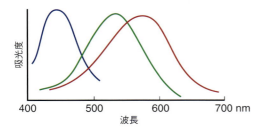

図 10·18 ヒト網膜の 3 種類の錐体視物質の吸収スペクトル．S 錐体視物質は 440 nm に極大をもち青感受性，M 錐体視物質は 535 nm に極大をもち緑感受性である．L 錐体視物質は黄色領域の 565 nm に極大をもつが，そのスペクトルは長波長領域に伸びていて赤にも感受性をもつ．

表 10·2 ヒトの脳における視覚に関係する皮質の機能

V1	第一次視覚野．外側膝状体核からの入力を受け，方位，境界線などの特徴抽出が始まる
V2, V3, VP	特徴抽出がさらに進行，受容野はより大きい
V3A	運動視
V4	形の認知，色覚，物体の表面属性
MT/V5	運動視
V6	体の動きの方向や速さの検出
LO	形状の認知
V7	視野の上方または下方 4 分の 1 の空間の再現
V8	色覚

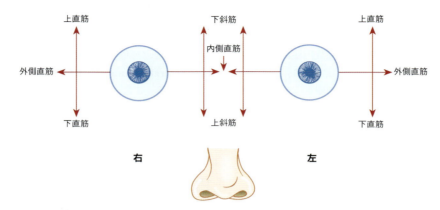

図10・19　眼筋の作用の模式図．眼球は内側直筋の作用で内転し，外側直筋の作用で外転する．内転した眼球は下斜筋の作用で上方を，上斜筋の作用で下方を向く．外転した眼球は，上直筋の作用で上方を向き，下直筋の作用で下方を向く（Waxman SG: *Clinical Neuroanatomy*, 26th ed. New York, NY: McGraw-Hill; 2010 より許可を得て複製）．

動性眼球運動 smooth pursuit movement は，移動している物体を追跡している時に起こる運動である．**前庭性眼球運動** vestibular movement は，半規管への刺激に反応して起こり，頭部が動いた時に視線を保持するように調節する．**輻輳運動** convergence movement は近くの物体に注意が向けられた時に，両眼の視軸を近づける運動である．サッケード，滑動性眼球運動，前庭性眼球運動は視覚野が正常でなければ起こらない．サッケードは前頭葉と上丘でプログラムされ，追跡運動は小脳でプログラムされる．

章のまとめ

- 眼球の主要部分は，強膜（保護するカバー），角膜（光線を通す），脈絡膜（栄養），網膜（視細胞），水晶体，および虹彩である．
- 光線の屈折によって網膜に正確な像が結像する．光は角膜の前表面と水晶体の前および後表面で屈折する．
- 近くの物体から発散する光を網膜に結像させるために，水晶体の曲率が増加する過程を遠近調節という．瞳孔反射は眼に入る光の量を調節し，網膜像の質に影響する（瞳孔径が小さくなると焦点深度が深くなる）．
- 遠視では眼球の前後径が短過ぎて光が網膜の後方に結像する．近視では眼球の前後径が長過ぎる．乱視はよくみられ，角膜の曲率が均一ではない状態である．老視は近くを見る時に遠近調節が足りない状態である．
- 網膜は層構造を形成している：外顆粒層には視細胞（杆体と錐体）があり，内顆粒層には双極細胞，水平細胞およびアマクリン細胞が，神経節細胞層には網膜からの唯一の出力ニューロンである神経節細胞がある．
- ロドプシンは杆体の視物質であり，レチナールと GPCR のオプシンからなる．光が当たると視細胞内で以下の順序で反応が起こる．レチナールの構造変化，オプシンの立体構造変化，トランスデューシンの活性化，ホスホジエステラーゼの活性化，cGMP 濃度の減少，cGMP 作動性カチオン（陽イオン）チャネルの閉口，過分極，神経伝達物質放出の減少が順に起こり，最終的に網膜神経回路における応答が生成される．
- 光に反応して，水平細胞は過分極，双極細胞は過分極あるいは脱分極し，アマクリン細胞は脱分極して活動電位を発生し神経節細胞に活動電位を発生させる（訳注：アマクリン細胞は必ずしも活動電位を出すわけではない．また，神経節細胞に活動電位を引き起こすかどうかは明らかではない）．
- 暗い部屋に入って長時間過ごす時に光覚閾が低下することを暗順応という．網膜中心部にある中心窩は視力が最もよい部分である．加齢黄斑変性は，鮮明な中心視野の視力が徐々に障害される疾患である．
- 視覚経路は杆体と錐体から始まり，双極細胞，神経節細胞，視索を経て視床の外側膝状体を経由して，大脳皮質後頭葉に至る．網膜の鼻側半分から

- の線維は視交叉で交叉する；一側の網膜の鼻側半分からの線維と対側の網膜の耳側半分からの線維は，対側の外側膝状体の細胞にシナプス結合し，ここからの軸索が膝状体鳥距路（視放線）となる．
- 視覚野4層のニューロンには，受容野中心部への刺激で興奮し周辺部への刺激で抑制されるものと，受容野中心部への刺激で抑制され周辺部への刺激で興奮するものがある．単純細胞は棒状の光，線，明暗の境界線に応答するが，刺激が特定の方位の時だけ応答する．複雑細胞は直線状の刺激が特定の方位である時に応答するが，受容野内での刺激の位置は応答の強さにはあまり関係ない．V1からの投射は，主に運動視に関わる背側経路（頭頂経路）と，形態と顔の認知に関わる腹側経路（側頭経路）に分かれる．
- 色覚のYoung-Helmholtzの三色説は3種類の錐体の存在で証明されている．各錐体は異なる視物質をもち，それらは各々3原色の1つに対して最も感受性が高い．どのような色の感覚も各錐体系のインパルスの相対頻度で決まる．
- 網膜の鼻側半分からの線維は視交叉で交叉する．視索内の線維は同側網膜の耳側半分からの線維と対側網膜の鼻側半分からなる．視神経の障害は，その眼の視覚障害を引き起こす．視索の障害は，視野の半分の視覚障害を引き起こす（同名半盲）．視交叉の障害は，両眼の鼻側網膜からの線維を障害する（異名半盲）．後頭葉の障害では，黄斑領域の線維が障害されないことがある．
- 眼球運動は動眼神経，滑車神経，外転神経に支配される6つの外眼筋で制御されている．下斜筋は眼球を外上方に向ける；上斜筋は眼球を外下方に向ける；上直筋は眼球を内上方へ向ける；下直筋は眼球を内下方へ向ける．内側直筋は眼球を内方へ向ける；外側直筋は眼球を外方へ向ける．
- サッケード（突然の急な動き）は1つの物体から他の物体に視線を移す時に起こり，1つの物体を長時間見つめ続けた場合に起こりうる視覚系の順応を減少させる．滑動性眼球運動は，移動している物体を追跡している時に起こる眼の運動である．前庭性眼球運動は，半規管への刺激に反応して起こり，頭部が動いた時に視線を保持するように調節する．輻輳運動は近くの物体に注意が向けられた時に，両眼の視軸を近づける．

多肢選択式問題

正しい答えを1つ選びなさい．

1. 80歳男性の視覚検査で，両眼の左視野の上下の四半分の視野の視力が低下していた．しかし，視野中央部の視覚は残存していた．診断はどれか．
   A．中心暗点
   B．黄斑部残存を伴う異名（異側）半盲
   C．視交叉の障害
   D．黄斑部残存を伴う同名（同側）半盲
   E．網膜症

2. 45歳女性．これまで眼鏡は必要がなかったが，照明が暗い食堂でメニューを読むのが難しく感じた．また最近新聞を読む時に眼を近づけないと読めないことを思い出した．診察した眼科医は近くを見る時の遠近調節力の加齢性の低下（老眼）だと彼女に説明した．調節力低下の原因はどれか．
   A．小帯線維の張力増加障害
   B．水晶体の曲率増加障害
   C．瞳孔括約筋の弛緩
   D．毛様体筋の収縮
   E．水晶体弾性の増加

3. 28歳男性．強度近視があるが，視野中で光が点滅したり，ゴミのようなものがあることに気がついて，眼科医に予約をとった．網膜剥離と診断された．網膜内顆粒層に存在するものはどれか．
   A．視細胞（杆体と錐体）の内節
   B．網膜神経節細胞
   C．双極細胞，水平細胞，アマクリン細胞
   D．新しい杆体と錐体を生み出すグリア細胞
   E．視神経の細胞体

4. 65歳女性が中心窩回避を伴う萎縮型加齢黄斑変性症と診断された．中心窩について正しいのはどれか．
   A．光覚閾が最も低い
   B．視力が最もよい
   C．L（赤）とM（緑）錐体だけが存在する
   D．杆体だけが存在する
   E．視神経乳頭部に存在する

5．62歳男性が定期検査のため眼科医を受診した．検査には水晶体と反対側の眼球の内壁を見る検眼鏡がある．眼のこの部分は何と呼ばれるか
 A．視神経乳頭　　B．黄斑
 C．強膜　　　　　D．結膜
 E．眼底

6．眼の中で杆体の密度が最も高い部位はどれか．
 A．毛様体　　　　B．虹彩
 C．視神経乳頭　　D．中心窩
 E．中心窩周辺部

7．光によって杆体および錐体に起こる光受容機構の並び順が正しいものはどれか．
 A．トランスデューシンの活性化，グルタミン酸放出の減少，ロドプシンの構造変化，cGMP作動性カチオンチャネルの閉口，細胞内cGMP濃度の低下
 B．グルタミン酸放出の減少，トランスデューシンの活性化，cGMP作動性カチオンチャネルの閉口，細胞内cGMP濃度の低下，ロドプシンの構造変化
 C．ロドプシンの構造変化，細胞内cGMP濃度の低下，グルタミン酸放出の減少，cGMP作動性カチオンチャネルの閉口，トランスデューシンの活性化
 D．ロドプシンの構造変化，トランスデューシンの活性化，細胞内cGMP濃度の低下，cGMP作動性カチオンチャネルの閉口，グルタミン酸放出の減少
 E．トランスデューシンの活性化，ロドプシンの構造変化，cGMP作動性カチオンチャネルの閉口，細胞内cGMP濃度の低下，グルタミン酸放出の減少

8．25歳の医学生が，夏にサハラ砂漠以南のアフリカでボランティア活動をした．そこでは多くの人がビタミンA不足によって夜はよく見えないことに気がついた．ビタミンAが合成の前駆体なのはどれか．
 A．杆体と錐体
 B．レチナール
 C．杆体のトランスデューシン
 D．オプシン
 E．錐体のトランスデューシン

9．11歳男児．学校で教師が教室の前方で見せたグラフがよく見えなかった．教師は眼科を受診することを勧めた．男児はSnellen視力表での視力検査の他に石原色覚異常検査表の数字を読む検査を受けた．男児は単に点の塊が見えると答えた．色覚異常は男性では女性の20倍以上みられる．色覚異常の大部分でみられる異常の原因はどれか．
 A．Y染色体の優性遺伝子
 B．Y染色体の劣性遺伝子
 C．X染色体の優性遺伝子
 D．X染色体の劣性遺伝子
 E．第22番染色体の劣性遺伝子

10．32歳の男性が妻に昏睡状態で発見され，救急部に搬送されてきた．救急部の医師は，脳幹機能の有用な指標として，対光反射を評価した．左眼に光を当てた時にはどちらの瞳孔も収縮しなかった．しかし右眼に光を当てた時には両方の瞳孔が収縮した．医師は障害がどこにあると診断したか．
 A．左視神経
 B．左動眼神経
 C．右視神経
 D．右動眼神経
 E．左眼の括約筋

11．56歳女性．頭蓋底の腫瘍と診断され，腫瘍は右視索を圧迫していた．右視索を通って運ばれる視野について正しいのはどれか．
 A．左眼の耳側網膜と右眼の鼻側網膜
 B．左眼の鼻側網膜と右眼の耳側網膜
 C．右眼の耳側網膜と左眼の鼻側網膜
 D．右眼の鼻側網膜と左眼の耳側網膜
 E．左眼の耳側網膜と鼻側網膜

12．50歳男性．左眼を外方と下方に動かすのが難しいことに気づいた．かかりつけ医の診察で，男性は眼を動かす筋肉を支配する神経が障害されていることがわかった．どの神経と筋肉の組合せが眼を外方と下方に動かすことができるか．
 A．動眼神経と下斜筋
 B．滑車神経と上斜筋
 C．外転神経と外直筋
 D．動眼神経と上斜筋
 E．滑車神経と下斜筋

訳注：原書にあった13番の設問は，原著者の了承を得て削除した．

CHAPTER 11

聴覚と平衡感覚

学習目標
本章習得のポイント

- 外耳，中耳および内耳を構成する要素とその機能について述べることができる
- 鼓膜，耳小骨（ツチ骨，キヌタ骨，アブミ骨）および前庭階が，音波の伝達に果たす役割を説明することができる
- 空気の振動が蝸牛の有毛細胞によって電気信号に変換される過程を述べることができる
- 音の高さ，大きさおよび音色が聴覚経路でどのように符号化されているかを説明することができる
- 蝸牛有毛細胞から大脳皮質へ至る聴覚伝導路の各要素について述べることができる
- 伝音性難聴と感音性難聴の原因とその判別法について述べることができる
- 次の言葉を説明することができる：耳鳴り，老人性難聴，症候性と非症候性難聴
- 人工内耳と補聴器のはたらきについて説明することができる
- 半規管の受容器が回転加速度をどのように検出し，また球形嚢と卵形嚢の受容器が直線加速度をどのように検出するかを説明することができる
- 脳で空間位置覚を形成するのに必要な主な感覚入力を列挙することができる
- 前庭性眼振の神経機構，および眼振が前庭機能の指標となりうる理由について述べることができる
- 次の前庭障害の原因と臨床所見について述べることができる：回転性めまい，Ménière〔メニエール〕病，乗り物酔い

■ はじめに

　耳は我々が音を聞くだけでなく，体のバランスをとる上でも重要な役割を果たしている．これらの2つの感覚（聴覚と平衡感覚）の受容器は耳の中にある．外耳，中耳および内耳の蝸牛が聴覚に関わっている．内耳の半規管，卵形嚢および球形嚢は平衡感覚に関わっている．聴覚と平衡感覚は，ともに有毛細胞という特殊な受容器によって担われている．一側の内耳には，3つの半規管に各1群ずつ，卵形嚢，球形嚢，蝸牛に各1群ずつ，計6群の有毛細胞が存在する．半規管にある受容器は回転加速度を，卵形嚢にある受容器は水平方向の直線加速度を，球形嚢にある受容器は垂直方向の直線加速度を検知する．

耳の構造と機能

外耳と中耳

外耳は音波を捉える**耳介 auricle**，音波が通過する**外耳道 external auditory meatus**，音波によって内外に振動する**鼓膜 tympanic membrane**からなる（図11・1）．鼓膜は中耳の始まりでもある．

中耳は側頭骨内にある空気で満たされた空間で，耳管を介して咽頭，さらに外界と通じている．**耳管 eustachian（auditory）tube** は通常閉じているが，嚥下や咀嚼，あくびをする際に開き，鼓膜の両側の気圧を等しく保つ役割をもつ．図11・2 は中耳にある3つの小さな骨である**耳小骨 auditory ossicle** を示している：**ツチ骨 malleus**（ハンマー），**キヌタ骨 incus**（ハンマー台），**アブミ骨 stapes**（アブミ）．**ツチ骨柄 manubrium**（ツチ骨の長突起）は鼓膜の内面に付着している．一方，その頭部は中耳の壁に付着し，短突起はキヌタ骨に付着しており，さらにキヌタ骨はアブミ骨の頭部とつながっている．**アブミ骨底 footplate** は環状の靱帯で内耳の始まりでもある**卵円窓 oval window** の壁に付着している．中耳には2つの小さな骨格筋（**鼓膜張筋 tensor tympani** と**アブミ骨筋 stapedius**）がある．前者の筋肉が収縮するとツチ骨柄を引っ張ることにより，鼓膜の振動を減少させる．一方，後者の筋肉が収縮するとアブミ骨の底部が卵円窓から離れる方向に引っ張られる．耳小骨やこれらの筋肉の役割は，後で詳しく述べる．

内 耳

内耳（**迷路 labyrinth**）は**骨迷路 bony labyrinth** とその中にある**膜迷路 membranous labyrinth** の2つの部分からなっている．骨迷路は**側頭骨 temporal bone** の錐体部にある一連の管状構造であり，内部は**外リンパ液 perilymph** と呼ばれる液体で満たされている．外リンパ液は比較的 K^+ イオン濃度が低く，血漿や脳脊髄液と類似の組成をしている．膜迷路は骨迷路の中にあり，周囲を外リンパ液で囲まれている．膜迷路は骨迷路とほぼ同じ形で，内部は K^+ イオン濃度の高い**内リンパ液 endolymph** で満たされている．迷路は，聴覚を担う有毛細胞（受容器）を含む**蝸牛 cochlea**，頭の回転に

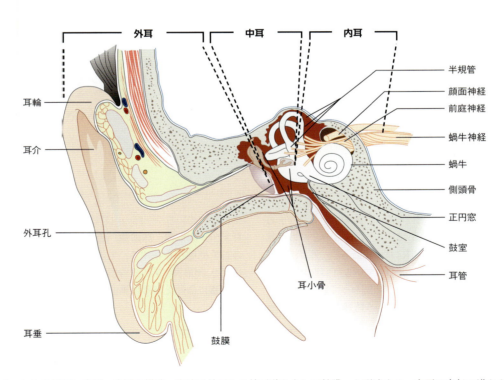

図11・1　ヒトの外耳，中耳，内耳の構造．音波は外耳から外耳道を介して鼓膜へと到達する．中耳は空気で満たされた側頭骨内の空洞であり，内部に耳小骨をもつ．内耳は骨迷路と膜迷路からなる．相互の関係を明らかにするために，蝸牛の向きを少し変え，中耳の筋肉を除いている（Fox SI: *Human Physiology*. New York, NY: McGraw-Hill; 2008 より許可を得て複製）．

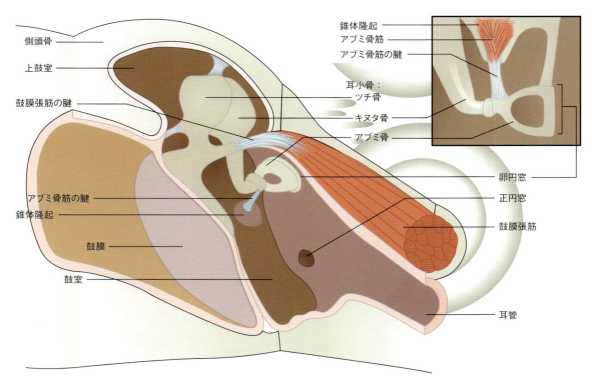

図 11・2　内側から見た中耳．中耳は 3 つの耳小骨（ツチ骨，キヌタ骨，アブミ骨）と 2 つの小さな骨格筋（鼓膜張筋，アブミ骨筋）を含む．ツチ骨柄（ツチ骨の長突起）は鼓膜の裏に付着している．ツチ骨の頭部は中耳の内壁に付着し，その短突起はキヌタ骨と，さらにキヌタ骨はアブミ骨の頭部とつながっている．アブミ骨の底部は環状の靱帯により卵円窓の壁に付着している．鼓膜張筋の収縮はツチ骨柄を内側に引くことで鼓膜の振動を減少させる．アブミ骨筋の収縮はアブミ骨を卵円窓の外側へ引く (Fox SI: *Human Physiology*. New York, NY: McGraw-Hill; 2008 より許可を得て複製).

応答する有毛細胞を含む**半規管 semicircular canal**，および重力や頭の傾きの変化に応答する有毛細胞を含む**耳石器 otolith organ** の 3 つの部分からなっている（図 11・3）．

　蝸牛は 35 mm 長の渦巻き状の管であり，2・3/4 回転している．蝸牛は基底膜と Reissner〔ライスネル〕膜により 3 つの部屋，すなわち**階 scalae** に分けられている（図 11・4）．上方の**前庭階 scala vestibuli** と下方の**鼓室階 scala tympani** は外リンパ液を含み，蝸牛頂部の小さな孔（**蝸牛孔 helicotrema**）で互いに交通している．蝸牛の底部では，前庭階は中耳内壁の卵円窓に終わり，卵円窓はアブミ骨底によって閉じている．一方，鼓室階は**正円窓 round window** と呼ばれる中耳内側壁の孔に終わり，この孔は**第二鼓膜 secondary tympanic membrane** といわれる柔らかい膜によって閉じている．**中心階 scala media** は，蝸牛の中央にある階であり，膜迷路と連続し，他の 2 つの階との連絡はない．

　らせん状の形をした **Corti〔コルチ〕器**は基底膜上にあり，蝸牛の頂部から底部にわたって存在する．この Corti 器は有毛細胞と呼ばれる極めて特殊に分化した聴覚受容器をもつ．有毛細胞の突起は，**柱状細胞 pillar cell**，すなわち **Corti 支柱 rod of Corti** によって支えられた堅い**網状板 reticular lamina** を貫いている（図 11・4）．有毛細胞は 4 列に並んでいる．すなわち，Corti 支柱によって作られるトンネルの外側に並ぶ 3 列の**外有毛細胞 outer hair cell** と，内側に並ぶ 1 列の**内有毛細胞 inner hair cell** である．ヒトの場合，左右の蝸牛にそれぞれ 20 000 の外有毛細胞と 3500 の内有毛細胞がある．有毛細胞は，薄く粘性と弾性に富んだ**蓋膜 tectorial membrane** で覆われている．外有毛細胞の感覚毛の先端は蓋膜に埋め込まれているが，内有毛細胞の感覚毛は蓋膜との接点をもたない．有毛細胞の基底部には求心性神経細胞の神経終末が分布し，その細胞体は**蝸牛軸 modiolus** の**らせん神経節 spiral ganglion** にある．蝸牛軸は，蝸牛のらせん構造の中心をなす骨組織である．この求心性神経細胞のほとんど（90〜95%）は内有毛細胞を支配するのに対して，5〜10% が外有毛細胞を支配している．これに対して，

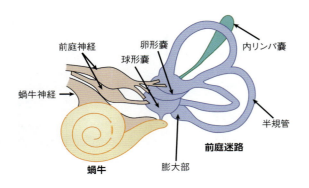

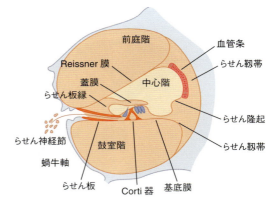

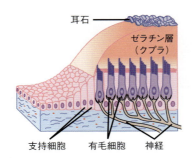

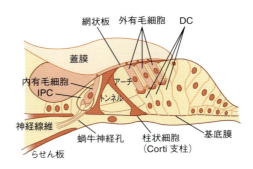

図11・3 内耳の膜迷路は3つの部分からなる：蝸牛，半規管，耳石器．三半規管は回転加速度を感受し，これは回転加速度がゼラチン状のクプラと有毛細胞を変位させることによる．蝸牛では，有毛細胞がCorti器の基底膜に沿ってらせん状に並んでいる．音波は鼓膜を振動させ，中耳の耳小骨によって蝸牛へと伝えられる．この振動は基底膜を上下に動かし，Corti器の有毛細胞を刺激する．耳石器（球形嚢と卵形嚢）は垂直方向と水平方向の直線加速度を感受する．耳石器では有毛細胞は耳石膜に付着している．蝸牛からの情報は聴神経（第Ⅷ脳神経）の一部である蝸牛神経により伝えられる．半規管と耳石器からの情報は聴神経の一部である前庭神経により伝えられる．

図11・4 内耳膜迷路にある蝸牛とCorti器の模式図．上：蝸牛の断面図．Corti器と蝸牛の3つの階を示す．下：Corti器の構造．蝸牛基部を示す．DC：外指節細胞（Deiters細胞）は外有毛細胞を支える，IPC：内指節細胞は内有毛細胞を支える（Pickels JO: *An Introduction to the Physiology of Hearing*, 2nd ed. Academic Press; 1988 より許可を得て複製）．

聴神経に含まれる遠心性の投射線維は内有毛細胞よりもむしろ外有毛細胞に分布している．有毛細胞を支配する求心性神経細胞の投射軸索は**聴神経 auditory nerve（蝸牛神経 cochlear nerve）**として第Ⅷ脳神経の一部を構成している．

蝸牛では，有毛細胞と隣接する指節細胞［図11・4（DC，IPC）］の間にギャップ結合があり，内リンパ液が有毛細胞の基底部に到達するのを防いでいる．一方，基底膜は鼓室階の外リンパ液を比較的よく通すため，Corti器のトンネルや有毛細胞の基底部は外リンパ液に曝されている．同様のギャップ結合により，有毛細胞とリンパ液の関係は内耳の他の部位でも同様である．すなわち，有毛細胞の感覚毛は内リンパ液に曝されているのに対して，基底部は外リンパ液に曝されている．

一側の膜迷路には3つの半規管があり，互いに直行する平面を形成している．半規管の一端は膨らんで**膨大部 ampulla**を形成しており，そこには**膨大部稜 crista ampullaris**（回転の感覚器）が位置している（図11・3）．それぞれの膨大部稜は有毛細胞と支持細胞からなり，その上には膨大部を塞ぐゼラチン状の隔壁である**クプラ cupula**が乗っている．有毛細胞の突起はクプラに埋まり，基底部は第Ⅷ脳神経の一部である**前庭神経 vestibular nerve**の求心性線維に接している．

膜迷路の中央部には**球形嚢 saccule**と**卵形嚢 utricle**という2つの耳石器がある．これら耳石器の感覚上皮である**平衡斑**（**マクラ macula**）は，球形嚢では壁面に，卵形嚢では床面に位置するため，起立時にはそれぞれ垂直方向と水平方向を向いている．平衡斑には有毛細胞と支持細胞があり，耳石膜によって覆われている（図11・3）．耳石膜には炭酸カルシウムの結晶である**耳石 otolith**が埋め込まれている．耳石，もしくは

耳砂 otoconia(ear dust) は 3〜19 μm の長さをもつ．有毛細胞の突起は耳石膜に埋まっている．有毛細胞からの神経線維は膨大部稜からの線維と合流して，第Ⅷ脳神経の一部である前庭神経を構成する．

耳の感覚受容器：有毛細胞

耳の機械受容器は膜迷路にある 6 群の有毛細胞からなる（図 11・5）．Corti 器の有毛細胞は聴覚信号を伝える．卵形嚢の有毛細胞は水平加速度の信号を伝える．球形嚢の有毛細胞は垂直加速度の信号を伝える．三半規管の有毛細胞は回転加速度の信号を伝える．それぞれの有毛細胞は，支持細胞からなる上皮膜に埋め込まれており，その基底部は求心性神経線維と接している．感覚毛束はその頂部から伸びている．感覚毛束は 1 本の大きな**動毛 kinocilium** を有している．動毛は自発運動能がないものの，真性の線毛と同様に中心に 1 対の微小管，その周囲に 9 対の微小管をもつ．成体の蝸牛有毛細胞では，動毛は消失している．一方，動毛以外の 130〜150 本の感覚毛（**不動毛 stereocilia**）はすべての有毛細胞に存在する．これらの不動毛は中心に並列するアクチン線維の束をもつ．これらの感覚毛は各有毛細胞内で整然と並んでいる．すなわち，不動毛の高さは動毛へ向かう軸に沿って順次高くなり，これと直行する軸ではすべて等しい．

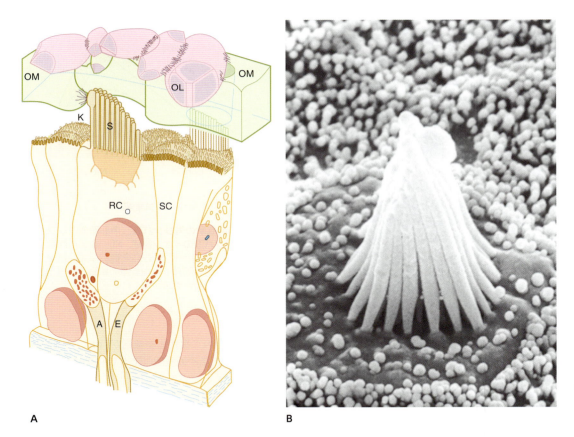

図 11・5　球形嚢の有毛細胞の構造．左：有毛細胞は支持細胞（SC）からなる上皮組織内にあり，上には炭酸カルシウムの結晶である耳石（OL）を含んだ耳石膜（OM）が乗っている．膜迷路内の有毛細胞（RC）は共通の構造をもつ．すなわち，頂部からは棒状の突起が伸び，基底部には求心性（A）と遠心性（E）の神経線維が接している．蝸牛以外の有毛細胞では，これらの突起の 1 本は**動毛**（K）であり，運動能はないが真性線毛と同様，中心に 1 対，その周囲に 9 対の微小管をもつ．それ以外の突起は**不動毛**（S）であり，すべての有毛細胞に認められる．不動毛は，周囲を様々なアイソフォームのミオシンで覆われたアクチン線維を中心にもつ．これらの感覚毛は整然と並んでおり，不動毛の高さは動毛へ向かうにつれて徐々に高くなり，これと直行する軸ではすべて等しい (Llinas R, Precht W(editors): *Frog Neurobiology*. Springer; 1976 より許可を得て複製)．**右**：球形嚢有毛細胞の突起の走査電子顕微鏡写真．耳石膜は除いてある．有毛細胞の周囲にある小さな突起は支持細胞の微絨毛（Hudspeth AJ より許可を得て転載）．

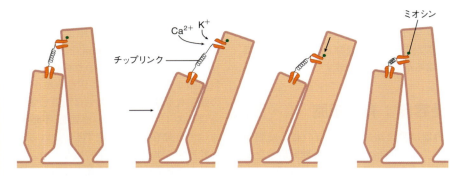

図11・6　有毛細胞応答におけるチップリンクの役割を示す模式図．不動毛が背の高い不動毛側へと押されると，チップリンクが伸ばされて背の高い不動毛にあるイオンチャネルが開く．チャネルは分子モーターのはたらきによって不動毛の下方へと移動し，チップリンクの緊張が緩む．感覚毛が静止位置に戻ると，モーターは不動毛の上方へと再び移動する．

有毛細胞の電気的応答

　不動毛の先端と，隣接する背の高い不動毛の側壁は，**チップリンク tip link**（図11・6）と呼ばれる非常に細い線維で連結されており，背の高い不動毛との連結部には機械感受性のカチオン（陽イオン）チャネルが存在すると考えられている．背の低い不動毛が，背の高い不動毛の側へ倒されると，これらのチャネルの開時間が延長する．この開いたチャネルを介して，K^+（内リンパ液に最も豊富に存在する）と Ca^{2+} が有毛細胞内に流入し，脱分極が生じる．続いて，背の高い有毛細胞ではミオシンからなる分子モーターがチャネルを下方へ移動させることにより，チップリンクの緊張が開放される．この結果，チャネルが閉じ，有毛細胞は静止状態へと戻ることになる．有毛細胞が脱分極すると，神経伝達物質，おそらくグルタミン酸が放出され，求心性線維の脱分極が生じる．

　機械感受性のカチオンチャネルを介して細胞内へ流入した K^+ はリサイクルされる（図11・7）．すなわち，K^+ は支持細胞に入り，さらにギャップ結合を経由して別の支持細胞へと渡される．蝸牛では，K^+ は最終的に血管条に達し，内リンパ液へと分泌されて，リサイクルが完了する．

　上述のように，有毛細胞の突起は内リンパ液に曝されているのに対して，基底部は外リンパ液に曝されている．この配置が，正常な聴覚受容器電位の生成に不可欠である．外リンパ液は主に血漿からなっている．これに対して，内リンパ液は中心階で血管条によって生成されており，高い K^+ 濃度と低い Na^+ 濃度が特徴である（図11・7）．血管条の細胞には Na^+，K^+ ポンプが高密度で分布する．血管条においてこの Na^+，K^+ ポンプ

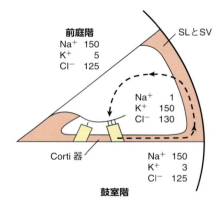

図11・7　前庭階の外リンパ液，中心階の内リンパ液，鼓室階の外リンパ液のイオン組成．SL：らせん靱帯，SV：血管条．破線の矢印は K^+ が有毛細胞から支持細胞，さらにらせん靱帯へと再循環し，血管条の細胞から再び内リンパ液へ分泌される経路を示す．

を介した K^+ の二次性能動輸送が行われることにより，中心階は前庭階や鼓室階に比べて $+85\,mV$ の高電位を示すと考えられている．

　有毛細胞の静止膜電位は約 $-60\,mV$ である．不動毛が動毛の側へ押されると，膜電位は約 $-50\,mV$ に減少する．逆に，不動毛が反対側へ押されると，膜電位は過分極する．不動毛がこの軸と直角の方向に押された場合には，電位変化はみられない．また，不動毛がこれら直交する軸の中間方向へ押された場合には，動毛方向への変化の程度に応じた脱分極か過分極の電位変化が生じる．このように，有毛細胞の感覚毛は，その変化の方向と距離に比例した膜電位変化を有毛細胞に生じるしくみとしてはたらいている．

聴　　覚

音　　波

音は外界の分子の縦軸方向の振動が鼓膜を揺らすことにより知覚される．図 11·8 はこのような分子運動を鼓膜に加わる単位時間当たりの圧変化として表している．外界でのこれらの波動は**音波 sound wave** と呼ばれている．高度 0 m で気温 20℃の時，波は大気中を 344 m/秒で伝わる．音速は温度や高度の上昇に従って増加する．他の媒体も音波を伝えることができるが，その速度は大気中とは異なる．たとえば，20℃の淡水中では音速は 1450 m/秒であり，海水中ではさらに速くなる．

一般に，知覚される音の**大きさ loudness** は音波の**振幅 amplitude** と直接相関する（図 11·8）．音の**高さ pitch** は音波の**周波数 frequency**（単位時間当たりの波の数）と直接相関する．音波に繰返しのパターンがある場合，たとえ個々の波形が複雑でも音楽として聞こえ，非周期的で繰返しのない場合は雑音として聞こえる．多くの音楽は基音と**倍音 overtone** からなっている．音の高さは基音の周波数によって決まり，音の**音色 timbre**（音質）は倍音によって決まる．同じ高さの音でも楽器によって異なる倍音を生じることから，我々は楽器の違いを識別することができる．

音の高さは基本的には音の周波数によって決まるが，音の大きさも影響する．すなわち，音の高さは音が大きくなるほど，低い純音（500 Hz 以下）では低くなり，高い純音（4000 Hz 以上）では高くなる．音の高さには音の持続時間もわずかに影響する．純音の高さは，持続が 0.01 秒以上でなければ知覚されず，0.01 から 0.1 秒以下では，持続が長くなるほど高くなる．また，ある基音の倍音を含んだ音の場合，たとえ基音がなくても基音と同じ高さの音として知覚される．

音波の振幅は**デシベル尺度 decibel scale** で表される．この場合，音の強さは基準音に対する比の常用対数で表され，単位は**ベル bel** となる．デシベル（dB）は 0.1 ベルに相当する．米国音響学会で採用されている音の強さの基準値が 0 dB であり，これは 0.000204 dyn/cm^2（20 μPa）の音圧レベルに相当し，平均的なヒトの可聴閾値に等しい．0 dB という値は音がないわけではなく，音圧レベルが基準音圧に等しいことを意味している．0〜140 dB の範囲は，聴覚閾値から蝸牛の Corti 器を障害する音圧に相当し，音圧としては実に 10^7（1000 万）倍の変化を表している．

120〜160 dB の範囲（たとえば，火器，削岩機，離陸するジェット機）は痛みを引き起こす．90〜110 dB の範囲（たとえば，地下鉄，バスドラム，チェーンソー，芝刈り機）は極度に大きな騒音にあたる．60〜80 dB の範囲（目覚まし時計，交通量の多い幹線，食洗機，会話）はとてもうるさい音，40〜50 dB の範囲（たとえば，中等度の雨音，通常の室内の騒音）は中程度の音，30 dB（たとえば，ささやき声，図書館）などはわずかな音に相当する．継続的に，もしくは頻繁に 85 dB 以上の音に曝されていると聴力低下を生じる．

ヒトの可聴周波数は約 20 から最大 20 000 サイクル/秒（Hz）の範囲である．ヒトの聴覚閾値は音の高さによって異なり（図 11·9），1000〜4000 Hz の範囲で最も感度が高い．会話時の音の高さは，平均的な男性

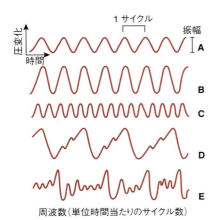

図 11·8　音波の特徴．A は純音の記録．**B** は A より振幅が大きい，すなわち大きな音．**C** は A と同じ振幅だが，周波数が高い，すなわち高い音．**D** は規則正しく繰返される複合波で，音楽として認識される．これに対して，**E** は規則性のない複合波で，雑音として認識される．

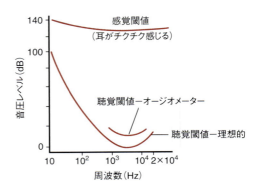

図 11·9　ヒトの可聴曲線．真ん中の曲線はオージオメーターによって通常の条件で得られたもの．下の曲線は理想的な条件で得られたもの．約 140 dB になると（上の曲線），音は聞こえるだけでなく，感じられるようになる．

で約 120 Hz であり，女性の場合は約 250 Hz である．ヒトが聞き分けることのできる音の高さの数は，通常 2000 程度であるが，熟練した音楽家はずっと多くの音を聞き分けることができる．周波数弁別の能力は，1000〜3000 Hz で最も高く，これより高い音や低い音では悪くなる．

ある音が聞こえていると，別な音を聞く能力は低下する．この現象は**マスキング masking** として知られている．マスキングは，先行音により刺激された聴覚受容器や神経線維が，他の音に対して相対的もしくは絶対的不応性を示すためである．ある音が他の音をどの程度マスクするかは，その音の高さが関係している．厳重に防音された環境以外では，背景雑音によるマスキング効果により聴覚閾値は明らかに上昇している．

音波の伝達

耳は外界の音波を聴神経の活動電位に変換する．音波は鼓膜と耳小骨連鎖によってアブミ骨底の動きに変換される．アブミ骨底の動きは内耳の液体に波動を生じる（図 11・10）．この波動が Corti 器へ作用することにより，神経線維に活動電位が生じる．

音波によって鼓膜の外側面に加わる圧が変化すると，鼓膜は内外へ動く．鼓膜の動きはツチ骨柄に伝えられる．ツチ骨は柄部と短突起部の交点を軸に回転するため，ツチ骨の振動はキヌタ骨へと伝えられる．キヌタ骨はこの振動をアブミ骨の頭部へと伝える．アブミ骨頭が動くとアブミ骨底は，ちょうど卵円窓の後縁に付けられたドアのように，前後に揺れる．このように，耳小骨はてこ系としてはたらくことにより，鼓膜の振動をアブミ骨の動きに変換し，外リンパ液で満たされた前庭階へと伝える（図 11・10）．このてこ系は卵円窓に到達する音圧を増加させる．これは，ツチ骨とキヌタ骨のてこの作用が音圧を 1.3 倍に増幅することと，鼓膜の面積がアブミ骨底の面積に比べてはるかに大きいことによる．

中耳にある鼓膜張筋とアブミ骨筋が収縮すると，ツチ骨柄が内側に引かれ，アブミ骨底は外側へと引かれることにより，音の伝達効率は低下する（図 11・2）．大きな音は，これらの筋肉を反射的に収縮させる，すなわち**鼓膜反射 tympanic reflex** を引き起こす．この反射は強い音が聴覚受容器を過度に刺激することを防いでいる．

進 行 波

アブミ骨底の動きは前庭階の外リンパ液に一連の進行波を生じる．進行波の模式図を図 11・11 に示す．蝸牛の基底部から頂部へと波が進むにつれて，波高は徐々に増加し，ある点で最大値に達した後，急速に減少する．アブミ骨から波高が最大となる点までの距離は，進行波を起こす音の周波数によって異なる．すな

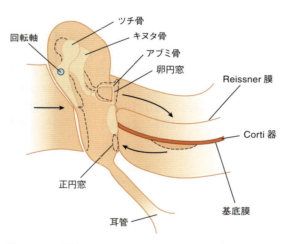

図 11・10 耳小骨のはたらきにより鼓膜の動きが内耳の液体の波動に変換されるしくみを示す模式図．波動は正円窓で放散する．耳小骨，膜迷路，卵円窓の動きは破線で示してある．音波は鼓膜と耳小骨によってアブミ骨底の動きに変換される．この動きは内耳の液体に波を生じる．音波によって生じる外面の圧力変化に応じて，鼓膜は内外へと動き，音源の振動を再現する共鳴器としてはたらく．鼓膜の動きはツチ骨柄へと伝えられる．ツチ骨は柄部と短突起部の交点を軸に回転するため，ツチ骨柄の振動はキヌタ骨へと伝えられる．キヌタ骨はこの振動をアブミ骨の頭部へと伝え，その結果，アブミ骨底が振動する．

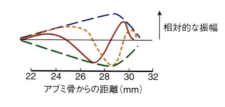

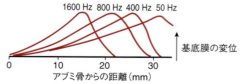

図 11・11　進行波．上：実線と点線は 2 つの時点での波形を表す．破線は各時点のピークをつないで得られる進行波の"包絡線"を示す．**下**：アブミ骨の振動（各曲線の上に周波数を示す）で生じた進行波による基底膜の変位．

わち，進行波の振幅は，高い音では蝸牛底部の近くで，低い音は蝸牛頂部の近くで最大となる．前庭階の骨壁は堅いのに対して，Reissner 膜と基底膜は柔らかいため，これらの膜は前庭階の進行波が振幅最大の時には容易に鼓室階の方へと押し下げられる．鼓室階の液体の振動は正円窓から空気中へと放散される．音は基底膜の変形を生み，さらにこの変形が最大となる位置は音の周波数に依存する．Corti 器の有毛細胞の頂部は網状板でしっかりと固定され，外有毛細胞では感覚毛が蓋膜に埋まっている（図 11・4）．アブミ骨が動くとこれらの蓋膜と基底膜は同じ方向に動くが，両者は異なる軸に固定されているため，両者の上下運動は内外側方向へのズレを生じ，このズレによって外有毛細胞の感覚毛は曲げられる．内有毛細胞の感覚毛は蓋膜とは接していないが，蓋膜と有毛細胞の間を満たす液体の動きによって曲げられる．

外有毛細胞の機能

内有毛細胞は聴神経に活動電位を発生させる一次感覚受容器であり，液体の動きにより刺激される．一方，外有毛細胞は内有毛細胞と同様に音により刺激されるが，脱分極は細胞の長さを短縮させ，過分極は長さを伸張させる．外有毛細胞は基底膜の柔らかな部分にあるため，その伸縮作用は音の振幅や明瞭さを増加させる．つまり，外有毛細胞は中耳から内耳へと伝えられた音を増幅するはたらきをもつ．このような外有毛細胞の長さの変化は，外有毛細胞のモータータンパク質である**プレスチン prestin** という膜タンパク質の変化と一致して起こる．

オリーブ蝸牛束 olivocochlear bundle は聴神経の遠心性線維であり，同側と対側の上オリーブ核群に起始し，Corti 器の外有毛細胞の基底部に投射している．この神経束の活動はアセチルコリンを介して有毛細胞の感度を調節する．すなわち，この神経活動は有毛細胞の活動を抑制することから，背景の雑音を遮断し，特定の音を聞きやすくするはたらきをもつと考えられる．

聴神経の活動電位

個々の聴神経線維における活動電位の発射頻度は音の大きさによって決まる．弱い音の場合，各聴神経線維は 1 つの周波数に応答する．この周波数は線維ごとに異なり，線維が蝸牛のどの部位に起始するかによる．強い音の場合には個々の線維はより広い範囲の周波数に応答するようになり，特に閾値にあたる周波数よりも低い周波数に応答するようになる．

知覚される音の高さは，Corti 器上で最も強く刺激される場所によって決まる．ある周波数の音によって生じた進行波は基底膜上のある点で最大振幅となり，この部位の受容器が最も強く刺激される．上述のように，アブミ骨からこの最大点までの距離は音の高さに反比例し，低音では蝸牛の頂部，高音では蝸牛の底部で刺激効果が最大となる．このため，蝸牛の各部位からの線維は，それぞれ異なる周波数の音を脳へと伝えている．

中枢聴覚経路

第Ⅷ脳神経の一部である聴神経の求心性線維は**背側蝸牛神経核 dorsal cochlear nucleus** と**腹側蝸牛神経核 ventral cochlear nucleus** へと投射している（図 11・12）．聴覚信号はここから様々な経路を介して聴覚反射の中枢である**下丘 inferior colliculus** へと伝えられ，さらに視床の**内側膝状体 medial geniculate body** を介して，側頭葉の上側頭回に位置する**大脳皮質聴覚野 auditory cortex** へと伝えられる．両耳からの情報はそれぞれ左右の上オリーブ核で統合され，その上位では多くの神経細胞が両側からの入力に応答するようになる．ヒトの聴覚野では，低音が前外側部に，高音が後内側部に再現されている．

蝸牛神経核にある聴覚二次ニューロンの音刺激に対する応答は，一次ニューロンである聴神経線維の応答と類似している．すなわち，応答を生じる刺激閾値が最も低い音の周波数は細胞ごとに異なり，音圧が増すほど，応答する周波数帯域は広くなる．一次ニューロンと二次ニューロンの応答様式の大きな違いは，二次ニューロンでは低周波数側の応答がカットされて，よりシャープな周波数選択性を示す点である．この二次ニューロンにおける高い周波数選択性は，脳幹の抑制性入力によって作られると考えられる．一次聴覚野では，大部分の神経細胞が両耳からの音に応答するが，一部の神経細胞は対側からの入力で刺激され，同側からの入力で抑制される．

PET スキャンや fMRI の有用性が増したことにより，ヒトの聴覚連合野に関する理解が大きく進んだ．大脳皮質の聴覚経路は，上位になるほど複雑な情報処理が行われるという点で視覚経路と似ている．しかしながら，聴覚野は左右の脳でまったく同じように見えるが，左右の半球には大きな機能分化がある点で興味深い．たとえば，Wernicke〔ウェルニッケ〕野（図 8・8 参照）は音声言語に関連する聴覚信号の処理に関わる

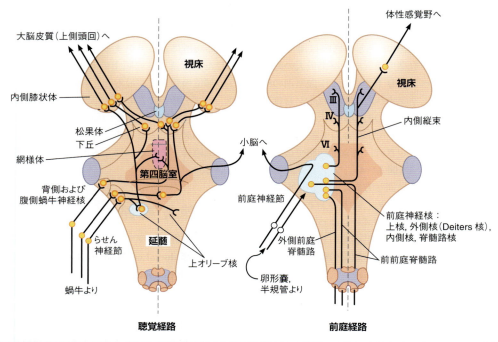

図11・12　脳幹の背面図に重ねた主要な聴覚経路（左）と前庭経路（右）の略図．小脳と大脳半球は除いてある．聴覚経路では，第Ⅷ脳神経の求心性線維が蝸牛から背側蝸牛神経核と腹側蝸牛神経核に入力する．蝸牛神経核からの線維は中心線を越えて対側の下丘に入力し，さらに内側膝状体から側頭葉の上側頭回にある皮質聴覚野へと投射する．前庭経路では，前庭神経が同側の前庭神経核に入力する．半規管からの線維の多くは前庭神経上核と前庭神経内側核に入力し，眼球運動の制御核へと投射する．卵形嚢と球形嚢からの線維の多くは前庭神経外側核に入力し，さらに脊髄へと投射する．これらの線維は，小脳や網様体へ投射する神経細胞にも入力する．前庭神経核は視床，さらに一次体性感覚野へも投射する．脳神経核との上行性の結合は眼球運動に関わる．

が，言葉処理の際は右側よりも左側が強く活動する．一方，右側のWernicke野は音の旋律，高さ，強さなどにより関わっている．聴覚経路は視覚や体性感覚の経路と同様，可塑性に富んでおり，経験によって修飾される．言語機能が完全に発達する前に耳が聞こえなくなった人では，手話によって聴覚連合野が活動することは，ヒトの聴覚可塑性の一例である．逆に，生後早い時期に失明した人は，視覚が正常な人よりもはるかに正確に音の方向を特定することができる．

音楽家も，皮質の可塑性を示すよい例である．たとえば，音楽家では音楽的な音で刺激される聴覚領域の範囲が広がっている．さらに，バイオリン奏者では楽器を弾く時に使う指に対応する体性感覚野の領域が広がっている．また，音楽家の小脳は音楽家でない人に比べて大きく，これは精緻な指運動の学習によるものだと考えられる．

音源定位

水平面での音源方向の特定には，左右の耳に到達する音の時間差とその結果生じる音の位相差が利用される．また，音は音源に近い側の耳で大きく聞こえることから，音源定位には音の強度差も利用されている．時間差の検出精度は20マイクロ秒と非常に高く，3000 Hz以下の音ではこの時間差が最も重要な音源定位の手がかりである．一方，3000 Hz以上の音では強度差が重要である．聴覚皮質の神経細胞は両耳からの入力を受けており，左右の耳への入力が特定の時間差をもつ時に，最大もしくは最小応答を示し，この時間差は神経細胞によって異なる．

音が前から来る場合と後ろから来る場合で，音の性質は異なる．これは耳介（外耳の外から見える部分）が少し前を向いているためである．音源が上下に動くと，耳介表面での反射には違いが生じる．この反射音の違いは垂直面での音源定位に主に利用されている．聴覚皮質が障害を受けると音源定位は非常に困難になる．

難聴

難聴は伝音性難聴と感音性難聴の2種類に大別され

る(クリニカルボックス11・1).**感音性難聴** sensorineural hearing loss(deafness)は頻度が最も高く,多くは有毛細胞の障害で生じるが,第Ⅷ脳神経や中枢経路の障害で生じることもある.感音性難聴の場合は特定の高さの音が聞きにくくなることが多く,他の周波数域は影響を受けない.ストレプトマイシンやゲンタマイシンなどアミノグリコシド系の抗生物質は有毛細胞(特に外有毛細胞)の不動毛にある機械受容チャネルをブロックするため,有毛細胞を変性させ,感音性難聴や前庭機能異常を引き起こす.騒音に長期間曝露されることにより生じる有毛細胞の障害も感音性難聴を引き起こす.その他の原因としては,自己免疫疾患,外傷,聴神経鞘腫などの第Ⅷ脳神経や小脳橋角部の腫瘍,延髄の血行障害などがあげられる.

伝音性難聴 conductive hearing loss は外耳と中耳での音の伝達が障害されることを指し,全周波数域が影響を受ける.伝音性難聴の主な原因としては,耳垢や異物による外耳道の閉塞,外耳炎(外耳の炎症,水泳選手によくみられる),浸出液の貯留や瘢痕を生じる中耳炎(中耳の炎症),鼓膜の穿孔があげられる.高度な伝音性難聴は**耳硬化症** otosclerosis により生じ,これは増殖した骨様組織によってアブミ骨が卵円窓に固着することによる.

聴力は通常,聴力計(**オージオメーター** audiometer)により測定される.聴力計は様々な周波数の純音を,イヤホンを通して被験者に提示する装置である.各周波数での聴覚閾値が決定され,正常聴力に対する相対値がグラフ上に記録される.このグラフにより,難聴の程度を示す客観的な指標と,障害の強い周波数帯域の概要を得ることができる.

伝音性難聴と感音性難聴は音叉を使った簡単な検査で鑑別することができる.3つの検査を表11・1にまとめてある.Rinne[リンネ]テストでは,気導音と骨導音を比較する.**骨導** bone conduction とは,頭蓋骨の振動が内耳リンパ液へ伝わることである.Weber[ウェーバー]テストと Schwabach[シュワーバッハ]テストでは,環境雑音によるマスキング効果が聴覚閾値にいかに重要であるかがよくわかる.

内耳有毛細胞の傷害は不規則な電気信号が生じることがあり,これは聴皮質へ伝えられ,間欠的もしくは定常的な高周波音(**耳鳴り** tinnitus)として知覚される.耳鳴りは米国人の約5000万人にみられ,加齢性難聴,騒音性難聴,耳感染症,もしくは耳硬化症の症状でもある.多くの場合,その理由は不明である.高血圧症や動脈硬化症は耳鳴りを生じさせる危険因子である.また,耳鳴りは抗マラリア薬,抗生物質,抗癌剤,利尿薬,もしくは高容量のアスピリンの使用によっても誘発,もしくは増悪することがある.

前庭系

前庭系は**前庭器官** vestibular apparatus と中枢の**前庭神経核** vestibular nucleus に分けられる.内耳にある前庭器官では頭の動きや位置が検出され,神経信号に変換される(図11・3).前庭神経核は主に,頭の位置を一定に保つ役割を担っている.これらの神経核からの下行路は,頸に対する頭,体幹に対する頭の位置を調節している.

中枢前庭経路

一側の膨大部稜と平衡斑へは19 000個の神経細胞が線維を送り,その細胞体は前庭神経節にある.前庭神経は,同側の前庭神経核(4つの領域よりなる)(図11・12)と小脳片葉(図には示されていない)へと投射する.半規管からの線維は前庭神経上核と前庭神経内側核に投射し,これらの神経核は主に眼球運動を調節する領域へと投射している(10章参照).卵形嚢と球形嚢からの線維は,前庭神経外側核(Deiters[ダイテルス]核)に投射し,この神経核はさらに対側の脊髄へ投射する.前庭神経下行路核は耳石器からの入力を受けて,小脳,網様体,脊髄へ投射する.脳神経核への上行性連絡は眼球運動を調節する.前庭神経核は視床へも上行性の投射を送る.

回転加速度に対する応答

ある半規管面における回転加速度はその半規管の膨大部稜を刺激する.これは,半規管内の内リンパ液が慣性力により回転方向と逆向きに動き,この動きがクプラを押し,変形させ,さらに有毛細胞の感覚毛を屈曲させるためである(図11・3).回転速度が一定に達すると,内リンパ液は体と同じ速度で動くため,クプラはもとの位置に戻る.回転が止まると,逆向きの慣性力がはたらく結果,内リンパ液は回転と同方向に変位し,クプラは逆方向に変形する.クプラは25〜30秒でもとの位置に戻る.ある方向へのクプラの動きは膨大部稜からの神経線維の発火頻度を増加させ,逆方向への動きは神経活動を減少させる(図11・13).

半規管は回転面と最も近い面にある場合に,最大刺激される.また,左右の半規管は鏡像関係にあることから,ある側の半規管で内リンパ液が膨大部に近づく

クリニカルボックス 11・1

難聴

　難聴はヒトでみられる最も頻度の高い感覚障害である．世界保健機関 World Health Organization によると，世界の 270 万人以上が中程度から重度の難聴を患っており，その 4 人に 1 人が小児期に発症している．米国国立衛生研究所 National Institutes of Health によると 20～69 歳の米国人の約 15% が仕事や余暇の場で大きな音や騒音に曝されることにより，高音域の難聴に罹患している[**騒音性難聴 noise-induced hearing loss（NIHL）**]．騒音により内有毛細胞と外有毛細胞はともに障害を受けるが，外有毛細胞の方がより障害を受けやすいようである．様々な化学物質（**聴器毒 ototoxin**）も難聴を引き起こす．これらには，抗生物質（ストレプトマイシン streptomycin），ループ利尿薬（フロセミド furosemide），白金製剤（シスプラチン cisplatin）などがあげられる．これらの聴器毒性物質は外有毛細胞や血管条を障害する．**老人性（加齢性）難聴 presbycusis** は加齢に伴う緩やかな聴力低下であり，75 歳以上の 1/3 が罹患し，これは有毛細胞や神経細胞の脱落が原因だと考えられている．多くの場合，難聴は遺伝要因と環境要因の両者がからむ多因子疾患である．一方，単一遺伝子変異でも難聴は生じる．この種の難聴は単因子遺伝性疾患であり，常染色体優性遺伝，常染色体劣性遺伝，性染色体遺伝やミトコンドリア遺伝などを示す．単一遺伝子変異による難聴は，**症候群性 syndromic**（難聴に他の異常が合併するもの）と**非症候群性 nonsyndromic**（難聴のみ）に分けられる．新生児の約 0.1% には難聴を引き起こす遺伝子変異がある．遺伝子変異による非症候群性難聴は小児期よりも成人に発症し，聴覚障害をもつ全成人の 16% を占める．現在では正常な聴覚には 100 以上に及ぶ遺伝子の産物が必要であると推定されており，ヒトの 24 個の染色体のうち 5 つを除くすべてに難聴の原因遺伝子があると報告されている．先天性難聴を来す遺伝子変異で最も高率なものは，コネキシン 26 タンパク質の遺伝子変異である．このタンパク質の欠損により支持細胞を介した K^+ の循環が阻害される．3 つの非筋型ミオシンの変異も難聴を引き起こす．これらは有毛細胞の感覚毛でアクチンと連関しているミオシンⅦa，チップリンクの張力を調節する制御タンパク質の一部であるミオシン Ib，正常な感覚毛の形成に必須なミオシンⅥである．また，難聴は蓋膜の主要構成タンパク質の 1 つであるαテクチンの変異によっても生じる．一方，症候群性難聴の例としては **Pendred（ペンドレッド）症候群**があげられ，これは多機能性アニオン（陰イオン）交換輸送体タンパク質の変異により難聴と甲状腺腫を生じる疾患である．ある型の **QT 延長症候群 long QT syndrome** も症候群性難聴の一例であり，これは K^+ チャネルタンパク質の一種である **KCNQ1** の変異によって生じる．正常な KCNQ1 は，血管条では内リンパ液の高い K^+ 濃度を維持するのに必須の役割を担っており，心臓では正常な QT 間隔の維持を助けている．この KCNQ1 の変異遺伝子がホモ接合体の人は難聴となり，QT 延長症候群の特徴である心室細動と突然死を起こしやすい．膜タンパク質である**バーチン barttin** は Cl^- チャネルのβサブユニットであり，その変異は Bartter 症候群の腎症状とともに難聴を引き起こす．

治療上のハイライト

　人工内耳 cochlear implant は高度難聴に対する治療であり，小児，成人ともに適応となる．米国食品医薬品局 U.S. Food and Drug Administration の報告によると，世界で 2012 年 12 月までに約 324 000 人，毎年少なくとも 50 000 人が人工内耳の治療を受けている．小児では月齢 12 カ月から，この治療の適応となる．人工内耳は，外界の音を拾うマイク，拾った音を処理する音声処理装置，その音を電気信号に変換する送受信機と刺激装置，聴神経を刺激するための電極配列からなる．人工内耳は正常聴覚を回復させるわけではないが，外界の音を反映した信号を聴覚障害者に与えてくれる．成人発症の難聴者が人工内耳治療を受けた場合，彼らは人工内耳からの信号と自分が記憶している音との関連を学習により理解することができる．小児の難聴者では，人工内耳治療と合わせて集中的な言語訓練を受けた場合，会話や言語機能を獲得することができる．内耳有毛細胞の再生治療に関する研究も現在進行中である．たとえば，スタンフォード大学の研究者はマウスの**胚性幹細胞 embryonic stem cell**（ES 細胞）や**多能性幹細胞 pluripotent stem cell** から機械受容性の有毛細胞に類似の細胞を作ることに成功している．

　感音性難聴であっても聴力が十分に残っている場合には，治療に**補聴器 hearing aid** を使うことができる．アナログ補聴器はマイクで音（振動）を受け取って電気信号に変換し，さらに増幅器で増幅しスピーカーで耳に音を送る．デジタル補聴器は増幅する前に音をコンピュータのバイナリ（2 進法）コードに変換する．コードは音の高さや大きさの情報も含むため，装着者が最も聞き取りにくい音の周波数域を選択的に増幅するように設定することができる．

11．聴覚と平衡感覚

表 11・1　感音性難聴と伝音性難聴を鑑別するための音叉を用いたテスト

	Weber	Rinne	Schwabach
方法	音叉の基部を頭頂に置く	音叉の基部を乳様突起にあて，聞こえなくなったら耳の近くの空間に保持する	患者の骨導を健常者の骨導と比較する
正常	両側で等しく聞こえる	骨導で聞こえなくなっても，気導では聞こえる	
伝音性難聴（一側）	音は患側で大きく聞こえる．これは患側では環境雑音によるマスキング効果がないためである	骨導で聞こえなくなった後では，気導でも聞こえない	骨導は健常者よりもよい（伝導障害によりマスキング効果が生じないため）
感音性難聴（一側）	健側で音が大きく聞こえる	感音性難聴が部分的であれば，骨導で聞こえなくなった後でも，気導では聞こえる	骨導は健常者よりも悪い

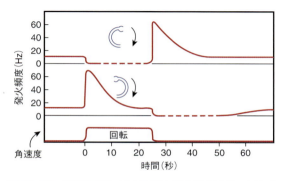

図 11・13　回転運動に対する膨大部の神経応答． 回転加速時，定速回転時，減速時に，左右 2 つの膨大部から記録される神経活動の平均的な時間経過．ある方向へのクプラの動きは神経線維の発火頻度を増加させるのに対して，反対方向への動きは発火頻度を減少させる（Adrian ED: Discharges from vestibular receptors in the cat. J Physiol 1943; Mar 25; 101(4): 389-407 より許可を得て複製）．

方向へ動く場合には，対側の半規管では離れる方向へと動く．したがって，脳へと伝えられる神経活動のパターンは，回転方向だけでなく回転面によっても変化する．直線加速度はクプラを動かすことができないため，膨大部稜が刺激されないと考えられている．しかしながら，迷路の一部が破壊されると別の部分がその役割を引き継ぐ．回転中に起こる典型的な眼球運動については，クリニカルボックス 11・2 に記載している．

直線加速度に対する応答

卵形嚢斑と球形嚢斑はそれぞれ水平方向と垂直方向の加速度に応答する．耳石は耳石膜の上に乗っており，リンパ液よりも比重が重いため，特定の方向への加速度が加わると反対側へと変位する．この結果，有毛細胞の感覚毛は屈曲し，前庭神経に活動電位が生じる．頭部の動きがなくても，耳石は重力によって引かれるため，平衡斑は持続的に活動している．

これらの受容器によって生じる神経活動は，**迷路立ち直り反射 labyrinth righting reflex** にも関わっている．この反射は頭を傾けることで耳石器が刺激されることによって生じ，この頸筋の代償性収縮により頭の傾きが一定に保たれる．**前庭動眼反射 vestibulo-ocular reflex** は頭の動きに対して網膜上の像を安定させる．回転中の前庭刺激は，一方の外眼筋を抑制し，他方の外眼筋を刺激する．

平衡斑への刺激に対する応答の多くは反射性のものであるが，前庭からの神経活動は大脳皮質へも送られる．これらの神経活動は，動きの認知や空間位置覚の形成にも重要である．**回転性めまい vertigo** は，実際には体が回転していないにもかかわらず感じられる回転感覚であり，片側迷路の炎症で顕著に見られる症状である．

空間位置覚

空間位置覚には，前庭受容器からの入力とともに視覚の手がかりが重要である．さらに，空間位置覚には関節包の固有感覚受容器や皮膚の触圧覚受容器からの情報も利用される．これらの 4 つの入力は大脳皮質で統合され，身体の空間上での位置に関する連続的なイメージを与えてくれる．クリニカルボックス 11・3 には，一般的な前庭系の異常をまとめている．

クリニカルボックス 11・2

眼　振

　眼振 nystagmus は回転運動の始まりと終わりに観察される特徴的な痙攣性の眼球運動である．眼振は身体が回転している時に固視を維持しようとする反射である．回転が始まると，目は回転と逆向きにゆっくりと動き始め，固視を維持しようとする（**前庭動眼反射 vestibulo-ocular reflex**）．この動きがある限界に達すると，目は素早く新たな固視点へと移動し，再び逆向きにゆっくりと動き始める．このゆっくりとした動き　すなわち緩徐相は前庭迷路からの信号によって生じ，急速相は脳幹中枢によって引き起こされる．頭部が直立位の場合，主に水平性の眼振（眼球が水平面内で動く）が生じるが，頭が横に傾くと垂直性，頭が前に傾くと回旋性の眼振が生じる．慣例により，急速相の方向を眼振の眼球運動の方向という．回転運動中の急速相の方向は回転運動の方向と同じであるが，回転終了後はクプラが反対方向に変位するため，眼振の方向も逆向きとなる．眼振が安静時に見られる場合は，病気の徴候である．このような安静時眼振は2つに大別され，1つは**先天性眼振 congenital nystagmus**，もう1つは**後天性眼振 acquired nystagmus** である．このような臨床症例では，安静時に眼振が何時間も持続することがある．急性の**側頭骨骨折 temporal bone fracture** で**半規管 semicircular canal** が影響を受けた患者や，**小脳片葉 flocculonodular lobe** や**室頂核 fastigial nucleus** が障害を受けた患者では，後天性眼振が見られることがある．後天性眼振は，脳梗塞，多発性硬化症，頭部外傷，脳腫瘍でも見られる．ある種の薬剤（特に，抗痙攣薬），アルコール，鎮静剤も後天性眼振を引き起こすことがある．

　眼振は前庭系が正常か否かを診断する指標となる．カロリックテストは**前庭迷路 vestibular labyrinth** の機能検査に利用される．外耳道へ温水（40℃）か冷水（30℃）をたらすと，半規管が刺激される．すなわち，温度の違いは**内リンパ液 endolymph** に対流を生じ，それに伴いクプラが動く．健常者の場合，温水は刺激側への眼振を生じるのに対して，冷水は刺激と反対側への眼振を生じる．このテストには **COWS**（Cold water nystagmus is Opposite sides, Warm water nystagmus is Same side；冷水眼振は対側，温水眼振は同側）という記憶法が知られている．前庭経路の片側障害では，障害側への眼振が減弱するか，消失する．耳の感染症の治療で外耳道を洗浄する際は，眼振，めまい，吐き気が生じないように，洗浄水の温度を体温と同じにする必要がある．

治療上のハイライト

　後天性眼振の根治は困難であり，治療は原因疾患により異なる．多くの場合は，原因の除去（薬剤使用の中止，腫瘍の外科的摘出）が選択すべき治療となる．また，後天性眼振の中には，外眼筋の手術が奏効するものもある．短期的な眼振の補正は，**ボツリヌス毒素 botulinum toxin**（Botox）の注射により外眼筋を麻痺させることによっても可能である．

クリニカルボックス 11・3

前庭障害

前庭平衡障害は初期診療医を受診する原因の中で9番目に多く，高齢者が受診を希望する最も大きな原因である．患者はしばしば，回転性めまい，浮動性めまい，立ちくらみ，乗り物酔いなどの平衡感覚障害を訴える．浮動性めまいや立ちくらみは必ずしも前庭症状ではないが，**回転性めまい** vertigo は内耳や前庭系が障害された時，特に迷路で炎症が起こった時に顕著な症状である．**良性発作性頭位変換性めまい** benign paroxysmal positional vertigo は前庭障害の中で最も頻度の高い疾患であり，特定の体位変換（たとえば，寝返りや前かがみ）により回転性めまいを生じるのが特徴である．おそらく，卵形嚢にある**耳砂** otoconia が耳石膜から剥がれて，半規管のクプラに付着する結果，重力に対する頭位の変化に伴ってクプラに異常な変形を来すことが原因だと考えられる．

Ménière〔メニエール〕病は内耳の異常であり，回転性もしくは浮動性のめまい，患側の耳鳴り，変動する聴力低下，耳閉感や耳痛などの症状を来す．症状は突然発症し，時に数時間持続し，毎日繰り返す場合もあれば，繰り返さない場合もある．聴力低下は初期には一過性であるが，永続化する場合もある．病態生理学的には，免疫反応の関与が示唆されている．炎症反応によって膜迷路内の液量が増えることで，膜迷路が破れ，内リンパ液と外リンパ液が混ざると考えられている．世界的には，Ménière病の発症率は1000人当たり約12人である．多くは30〜60歳の間に診断されることが多く，男性と女性に同率で発症する．

吐き気，血圧変化，発汗，顔面蒼白，嘔吐などのよく知られた**乗り物酔い** motion sickness の症状は，過度の前庭刺激が原因であり，前庭系と他の感覚系が矛盾する情報を受けた時に生じる．**宇宙酔い** space motion sickness（すなわち，宇宙飛行士が経験する吐き気，嘔吐，回転性めまい）は微小重力空間に曝されることで発症し，多くは宇宙飛行開始から数日経つと治癒する．しかし，宇宙から帰還し，重力が増すと，再発することがある．この宇宙酔いも感覚入力のミスマッチにより生じる．すなわち前庭器官や他の重力受容器への入力が変化するのに対して，空間位置覚に関する他の入力は変化しないことが原因である．

治療上のハイライト

良性発作性頭位変換性めまいは数週間から数カ月続くことがあり，治療が必要な場合，**浮遊耳石置換法** canalith repositioning が1つの選択肢である．この治療はゆっくりと頭位を変換することにより半規管の耳砂を卵形嚢に戻すというもので，単純だが時間のかかる手技である．Ménière病に対する根治術はない．しかし，食事療法（低塩や無塩食，カフェインやアルコールの摂取制限）や利尿薬（**ヒドロクロロチアジド** hydrochlorothiazide）を用いた薬物療法により内リンパ液の貯留を軽減することで症状を抑えることは可能である．Ménière病の患者は回転性めまいに対する薬剤が効く場合が多い．たとえば，**メクリジン** meclizine（**抗ヒスタミン薬** antihistamine）のような**前庭抑制薬** vestibulosuppressant は内耳迷路の興奮を減少させることで，前庭小脳路の伝導を阻害する．乗り物酔いは抗ヒスタミン薬や**ムスカリン性アセチルコリン受容体拮抗薬** cholinergic muscarinic receptor antagonist である**スコポラミン** scopolamine により予防することができる．

章のまとめ

- 外耳は耳介，外耳道，鼓膜からなる；外耳は音波を捉え中耳へと導く．中耳には3つの耳小骨（ツチ骨，キヌタ骨，アブミ骨），耳管，鼓膜張筋，アブミ骨筋がある．内耳には聴覚受容器（有毛細胞）をもつ蝸牛と平衡覚受容器をもつ半規管がある．
- 鼓膜の外側面に加わる音圧の変化により，鼓膜は内外へ動く．したがって，鼓膜は音源の振動を再現する共鳴器としてはたらく．耳小骨はてこ系としてはたらくことにより，鼓膜の共鳴振動をアブミ骨の動きに変換し，外リンパ液で満たされた前庭階へと伝える．
- 聴覚は，空気分子の縦方向の振動が鼓膜を揺らすことにより生じる．Corti 器の有毛細胞は音波を聴覚信号に変換する．不動毛は，動いた距離と方向に比例した膜電位変化を有毛細胞に生じる．
- 音の大きさは音波の振幅と関連しており，音の高さは音の周波数，音色は倍音成分と関連している．
- 聴覚伝導路の活動は，第Ⅷ脳神経の求心性線維に始まり，腹側と背側の蝸牛神経核，下丘，視床内側膝状体，さらに皮質聴覚野へと伝えられる．
- 耳鳴りは耳内に生じる高周波音であり，内耳有毛細胞の傷害で生じる．老人性難聴は加齢に伴って有毛細胞が徐々に失われることによる難聴である．単一遺伝子変異でも難聴は生じ，このような難聴には症候性（難聴に他の異常を伴うもの）と非症候性（難聴のみのもの）がある．
- 感音性難聴は蝸牛有毛細胞の脱落により通常は起こるが，第Ⅷ脳神経や中枢聴覚伝導路の障害でも生じる．伝音性難聴は外耳や中耳における音の伝達が障害されることにより，全周波数域が影響を受ける．伝音性難聴と感音性難聴は音叉を使った簡単な検査（Rinne テスト）により鑑別することができる．
- 人工内耳は，マイク，音声処理装置，音を電気信号に変換する送受信器と刺激装置，聴神経を電気刺激する電極列からなる．補聴器は，マイク，増幅器とスピーカーからなる．アナログ補聴器は音波を電気信号に変換するのに対して，デジタル補聴器は音波を音の高さや大きさを含む数値コードに変換する．
- 回転加速度は半規管の膨大部稜を刺激する．すなわち，内リンパ液が回転方向と逆向きに動き，クプラが変形し，有毛細胞の感覚毛が屈曲する．卵形嚢は水平方向の加速度に応答し，球形嚢は垂直方向の加速度に応答する．どの方向の加速度も耳石を変位させ，有毛細胞の感覚毛を屈曲し，神経活動を変化させる．
- 空間位置覚は，前庭受容器，視覚，関節包の深部感覚受容器，皮膚の触圧覚受容器からの入力に依存している．
- 眼振は回転運動の始まりと終わりに観察される特徴的な痙攣性の眼球運動であり，身体が回転している時に固視を維持しようとする反射である（前庭動眼反射）．外耳道へ温水や冷水を注入することによって眼振（COWS）を誘発するテストは，前庭系の機能を評価するために行われる．
- 良性発作性頭位変換性めまいは前庭障害の中で最も頻度の高い疾患であり，特定の体位変換により回転性めまいを生じるのが特徴である．Ménière 病は内耳の異常であり，回転性のめまい，患側の耳鳴り，聴力低下，耳閉感や耳痛などの症状を来す．乗り物酔いの症状（吐き気，発汗，顔面蒼白，嘔吐など）は，前庭系と他の感覚系が矛盾する情報を受ける時に生じる．

多肢選択式問題

正しい答えを1つ選びなさい．

1. 9歳の女児が中耳の炎症と浸出液の貯留による耳の痛みを訴えた．彼女は中耳の感染，すなわち細菌性の急性中耳炎と診断され，抗生物質により治療された．中耳が含むものはどれか．
   A．直線加速度を伝える有毛細胞
   B．内リンパ液を含む膜迷路
   C．外リンパ液を含む骨迷路
   D．聴覚を司る有毛細胞
   E．耳小骨，鼓膜張筋とアブミ骨筋

2. 2歳の女児が感音性難聴と診断された．聴覚訓練士による検査の後，彼女は人工内耳の適応と診断された．人工内耳を構成するものはどれか．
   A．音波を振動波に変換するマイクと送受信器

B．障害された内耳有毛細胞に代わる人工有毛細胞
C．音波を電気信号に変換するマイクと送受信器
D．音波を電気信号に変換するマイク，音声処理装置と送受信器
E．音波を音の高さや大きさの情報を含む数値コードに変換するためのマイクと送受信器

3．ボストン交響楽団で18年間バイオリンを演奏していた40歳の男性が，父のような医師になるという子供の頃の夢を追う機会を得た．彼の聴覚は医学部の他の同級生と比べて，どのような特徴をもつと考えられるか．
A．会話時の声の高さが，若い男性の同級生は約250 Hzであるのに対して，彼は約120 Hzと低い
B．楽音を聴いた時に活性化する聴覚野の範囲が，音楽の経験が少ない同級生に比べて広い
C．音楽家であるため，同級生に比べてより正確に音源定位ができる
D．脳の左半球にあるWernicke野が，音の旋律や高低などにより強く関わっている
E．彼は約2000の音の高さを区別できるのに対して，若い同級生は約1000しか区別することができない

4．道路建設の作業員を20年以上続けてきた40歳の男性が，通常の会話の聞き取りにも困難を感じるようになったため，かかりつけ医を受診した．Weberテストでは音叉の音が右耳に聞こえた．Schwabachテストでは骨導が正常よりも低下していた．Rinneテストでは気導と骨導がともに異常であり，気導が骨導よりも延長していた．診断として考えられるものはどれか．
A．両耳の感音性難聴
B．右耳の伝音性難聴
C．右耳の感音性難聴
D．左耳の伝音性難聴
E．左耳の感音性難聴

5．研修医が，耳での音の伝達について医学生に講義をすることを頼まれた．彼が耳小骨のはたらきとして説明したものはどれか．
A．ツチ骨の動きはキヌタ骨の振動をツチ骨柄へと伝える
B．ツチ骨柄の動きは音波の振動を卵円窓へと伝える
C．アブミ骨の動きはキヌタ骨の振動をツチ骨柄へと伝える
D．アブミ骨の動きは音波の振動を正円窓へと伝える
E．ツチ骨の動きは鼓膜の振動をアブミ骨へと伝える

6．研修医が，空間上での身体の位置に関する感覚が脳でどのように作られるかについて医学生に講義することを頼まれた．彼が空間位置覚に重要な感覚入力としてあげたものはどれか．
A．前庭受容器，蝸牛受容器，網膜受容器，皮膚の圧受容器
B．蝸牛受容器，網膜受容器，深部受容器，皮膚の触圧受容器
C．前庭受容器，視覚情報，関節の深部受容器，皮膚の触圧受容器
D．中耳受容器，視覚情報，IA群とIB群の感覚線維，触受容器
E．Corti器の有毛細胞，膜迷路の有毛細胞，視覚情報，触受容器

7．聴覚伝導路を構成するものはどれか．
A．第Ⅷ脳神経聴覚枝の感覚線維，外側蝸牛神経核，上丘，皮質聴覚野
B．第Ⅷ脳神経聴覚枝の感覚線維，外側蝸牛神経核，下丘，外側膝状体，上側頭回
C．第Ⅷ脳神経の求心性線維，背側と腹側の蝸牛神経核，下丘，外側膝状体，皮質聴覚野
D．第Ⅷ脳神経蝸牛枝の感覚線維，背側と腹側の蝸牛神経核，下丘，内側膝状体，皮質聴覚野
E．第Ⅷ脳神経蝸牛枝の感覚線維，腹側蝸牛神経核，上丘，外側膝状体，上側頭回

8．健常な男子医学生が，授業の実演で前庭機能検査の被検者となった．彼を回転させた時に，眼振が垂直方向となる場合はどれか．
A．片耳に温水を注入した時
B．頭を後ろに傾けた時
C．両耳に冷水を注入した時
D．頭を横に傾けた時
E．頭を前に傾けた時

9．65歳の男性が内耳の卵形嚢に外傷を受け，平衡障害を生じた．卵形嚢で，有毛細胞のチップリン

クが関わるものはどれか．
A．外リンパ液の産生
B．血管条の脱分極
C．基底膜の運動
D．音の知覚
E．機械受容性チャネルの制御

10. 40歳の女性が耳鳴りによる集中力低下のため，耳鼻科医の診察を予約した．診断と症状の原因として考えられるものはどれか．
    A．中耳有毛細胞の炎症により生じるPendred症候群であり，聴神経に不規則な電気信号が生じる
    B．単一遺伝子変異による症候性難聴
    C．内耳有毛細胞の外傷により生じる老人性難聴であり，聴神経に不規則な電気信号が生じる
    D．内耳有毛細胞の外傷により生じる耳鳴りであり，聴神経に不規則な電気信号が生じる
    E．貯留した外リンパ液が内耳有毛細胞の上を動くことによって生じる耳鳴り

11. MD/PhDコースの学生が蝸牛有毛細胞の膜電位変化のしくみについて研究を行っていた．このしくみに関わる過程はどれか．
    A．不動毛が背の高い不動毛側へ押されると，チャネルの開時間が長くなり，チャネルを介してK^+とCa^{2+}が細胞内へ流入し，過分極が生じる
    B．不動毛が背の高い不動毛側へ押されると，チャネルの開時間が長くなり，チャネルを介してK^+とCa^{2+}が細胞内へ流入し，脱分極が生じる
    C．不動毛が背の低い不動毛側へ押されると，チャネルの開時間が長くなり，チャネルを介してNa^+とCa^{2+}が細胞外へ流出し，過分極が生じる
    D．不動毛が音源に向かって押されると，チャネルの開時間が短くなり，チャネルを介してK^+とCl^-が細胞外へ流出し，脱分極が生じる
    E．不動毛が音源に向かって押されると，チャネルの開時間が長くなり，チャネルを介してK^+とCl^-が細胞内へ流入し，脱分極が生じる

12. 45歳の女性が左耳の回転性めまい，左耳の耳鳴りと難聴，さらに吐き気と嘔吐を突然発症し，医師の診察を受けた．彼女はMénière病を疑われ，耳鼻科医を受診するよう勧められた．Ménière病の原因として考えられるものはどれか．
    A．Ménière病は内耳の膜迷路が脆弱になる常染色体優性遺伝性疾患である
    B．蝸牛の有毛細胞が安静時にも動きの感覚を生じるようになる
    C．耳石が移動して，半規管に入り，有毛細胞を刺激する
    D．炎症反応により膜迷路内のリンパ液量が増えて，膜迷路が破れ，内リンパ液と外リンパ液が混ざり合う
    E．片側の膜迷路が炎症を起こす

姿勢と運動の反射と随意制御

CHAPTER 12

学習目標
本章習得のポイント

- 反射経路の基本要素を記述できる
- 筋紡錘の構成要素，機能と求心性神経線維を記述できる
- 膝蓋腱の叩打により筋肉を収縮させる神経反応（膝蓋腱反射；膝が伸びる反射）を記述できる
- γ運動ニューロンの活動が筋伸張反射にどのように影響するかを記述できる
- 骨格筋制御におけるGolgi腱器官のはたらきを記述できる
- 生理的振戦，クローヌス，筋緊張を記述できる
- 引っ込め反射の構成要素と機能を記述できる
- 脊髄ショックと脊髄障害後の急性期と慢性期の脊髄反射の変化について記述できる
- 巧緻運動がどのように計画，遂行されるかを記述できる
- 体幹筋（姿勢）と四肢の遠位筋（巧緻運動，細かい運動）の制御に関わる中枢神経経路の構成を比較できる
- 上位運動ニューロンと下位運動ニューロン障害を鑑別する臨床的な検査や知見（Babinski徴候やクローヌスを含む）を記述できる
- 脳性麻痺や除脳硬直（固縮）と除皮質硬直（固縮）の特徴と病態生理学を記述できる
- 大脳基底核の構成要素とそれらの間の連絡経路をあげ，それぞれの経路の神経伝達物質について記述できる
- Parkinson病とHuntington病や他の基底核経路の異常による疾患の症状とその病態生理学的特徴を記述できる
- 小脳の機能について述べ，小脳失調症による神経学的異常を記述できる

■ はじめに

体性運動機能は，最終的には脊髄運動ニューロンや脳神経運動ニューロンの活動によって決められる．これらの運動ニューロンは，最終共通路として骨格筋を支配するが，このニューロンには種々の下行路や，他の脊髄ニューロンや末梢求心性線維から膨大な数の神経インパルスが入る．これらの入力は直接α運動ニューロンに終わるものもあるが，多くは介在ニューロンまたはγ運動ニューロンを経て筋紡錘に達し，Ia求心性線維を経て再び脊髄へ戻るという経路でα運動ニューロンに影響を与えるものもある．姿勢を調節し，協調運動を可能にしているのは，このような脊髄，脳幹，中脳，大脳皮質からの多様な入力が統合された活動である．

運動ニューロンに収束する入力は次の3つの主な機能に関係している．すなわち随意運動を引き起こし，姿勢を調節し，運動を円滑で正確なものにすることである．随意運動のパターンは脳内で組み立てられ，その運動指令は主に皮質脊髄路と皮質延髄路を経由して筋へと送られる．姿勢は，運動開始前だけでなく運動中も下行性脳幹投射と末梢求心性線維によって送られる情報により絶え間なく調節されている．運動は小脳の内側部および中間部（脊髄小脳に対応）とそれらの神

経結合により円滑で協調性を備えたものになる．大脳基底核と小脳外側部（皮質小脳に対応）は，随意運動を計画し組み立てる運動前野と運動野へのフィードバック回路の一部である．

11章では体幹の平衡とバランス制御に関係する前庭神経系の役割を解説することで体性運動制御について紹介した．この章では2種類の運動出力，すなわち，反射（不随意的な）運動と随意運動について考える．反射的運動には嚥下，咀嚼，引っかき運動，歩行などのある程度リズミカルな繰返し運動も含まれる．これらの運動は大部分が不随意的な運動ではあるが，随意的な調節や制御が可能でもある．

反射の一般的性質

統合された反射活動の基本ユニットは，**反射弓** reflex arc であり，感覚器，求心性ニューロン，中枢統合部位での1つないしそれ以上の数のシナプス，遠心性ニューロン，そして効果器で構成される．求心性ニューロンは後根あるいは脳神経を経て中枢神経系に入り，その細胞体は後根神経節あるいはそれに相当する脳神経の神経節にある．遠心性の神経線維は，前根あるいはそれに相当する運動性脳神経を経て中枢神経を出る．

反射弓の活動は，刺激の強さに比例した**受容器電位** receptor potential（8章参照）を発生する感覚受容器に始まる（図12・1）．この受容器電位は，求心性神経に"全か無かの法則"で活動電位を発生させ，活動電位の発火頻度は受容器電位の大きさに比例する．中枢神経系 central nervous system（CNS）に入ると，シナプス接合部位での興奮性シナプス後電位 excitatory postsynaptic potential（EPSP）と抑制性シナプス後電位 inhibitory postsynaptic potential（IPSP）という形で，応答は再び段階的なものとなる（6章参照）．遠心性運動神経に発生した活動電位が効果器に到達すると，再び段階的な反応が発生する．もしこの段階的な反応が筋肉に活動電位を発生させると，筋肉は収縮することになる．反射弓の活動は遠心性ニューロンや反射弓を構成するシナプス部位に収束する多数の入力によって修飾される．

反射は定型的で，特定の刺激が特定の反応を引き起こすという特徴がある．このような反射が定型的であるといっても，反射が経験によって修飾される可能性を除外するものではない．反射は適応的であり，運動課題を遂行し，バランスを保つために調節される．脳の高次領域からの下行性入力は脊髄反射の調節と適応に重要な役割を果たしている．

骨格筋の中の錘外筋を支配する**α運動ニューロン** α motor neuron は多くの反射弓の遠心路である．筋収縮に影響するすべての神経作用は最終的にα運動ニューロンに集中し，そこから筋に達する．したがってα運動ニューロンは**最終共通経路** final common pathway と呼ばれる．多数の入力がα運動ニューロンに収束 converge する．実際，運動ニューロンの細胞体と樹状突起には平均で10 000個くらいのシナプス

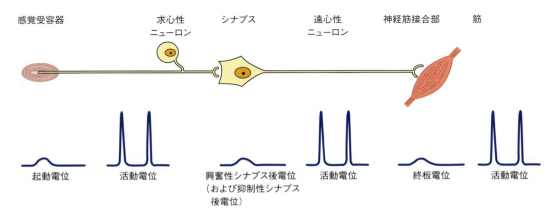

図12・1 反射弓． 受容器と中枢神経系中では，刺激の強さに比例する非伝導性で段階的に大きくなる応答が生じることに注意．神経筋接合部の応答もまた段階的である．しかし正常な条件下では，骨格筋に常に応答を引き起こすのに十分な大きさをもっている．これに対して，（求心性および遠心性神経線維や筋細胞膜のように）興奮伝達のために特殊化している部位では，応答は全か無の活動電位である．

小頭 synaptic knob が付いている．典型的な脊髄運動ニューロンには，少なくとも5種類の入力が脊髄の同一髄節から入力する．これらに加えて，一般的には介在ニューロンを介して，脊髄の他のレベルからの入力や大脳からの多数の長い下行路から興奮性と抑制性の入力が入るが，これらはすべて収束し，最終共通経路の活動を決定している．

単シナプス反射：伸張反射

　最も単純な反射弓は，求心性ニューロンと遠心性ニューロンの間に1つだけシナプスがある反射弓である(すなわち**単シナプス反射 monosynaptic reflex**)．求心性ニューロンと遠心性ニューロンの間に1つ以上の介在ニューロンがある場合は**多シナプス反射 polysynaptic reflex** と呼ばれ，反射弓の中のシナプスの数は2つから数百まで様々である．

　正常な神経支配を受けている骨格筋が伸ばされると，その筋は収縮する．この反応は**伸張反射 stretch reflex** または**筋伸張反射 myotatic reflex** と呼ばれる．この反射を引き起こす刺激は筋の伸張で，反応は伸張された筋が収縮することである．感覚受容器は，**筋紡錘 muscle spindle** と呼ばれる結合組織に覆われた紡錘状の細長い小さな構造物で，筋腹部分にある．筋紡錘で発生した活動電位は伝導速度の速い感覚神経を通って中枢神経系に伝導し，筋紡錘のある同じ筋を支配する運動ニューロンに直接伝わる．中枢神経系内のシナプスでの神経伝達物質はグルタミン酸である．伸張反射は最もよく知られ，研究された単シナプス反射であり，**膝蓋腱反射 knee jerk reflex** がその代表である(クリニカルボックス12・1)．

筋紡錘の構造

　個々の筋紡錘は以下の3つの主要な構成要素からできている．(1)両端が収縮し中央部は収縮しない特殊化した**錘内筋線維群 intrafusal muscle fibers**，(2)錘内筋の中央部から起始する太い有髄求心性神経(IaとII)，(3)錘内筋両端の収縮部を支配する細い有髄遠心性神経(図12・2A)．これら構成要素間の関係，それぞれの構成要素と筋それ自体との関係を理解することは，筋の長さの変化を検出するという感覚受容器としての筋紡錘の役割を正しく理解する上で重要なことである．関節角の変化に従って筋の長さは変化するので，筋紡錘は位置情報(すなわち**固有受容性感覚 proprioception**)を提供する．

クリニカルボックス 12・1

膝蓋腱反射

　膝蓋腱を軽くたたくと膝が伸びる(**膝蓋腱反射 knee jerk**)．これは大腿四頭筋の伸張反射で，腱をたたくことにより筋が伸張されたことによる．同じような筋収縮は，大腿四頭筋を手で伸張した時にも観察される．膝蓋腱反射は神経学的検査での**深部腱反射 deep tendon reflex**(DTR)の一例で，0～5の段階で評価される．0：反射なし，1+：減弱，2+：活発，正常，3+：クローヌスなしの亢進，4+：弱いクローヌスを伴う亢進，5+：持続的なクローヌスを伴う亢進．膝蓋腱反射の消失は，筋紡錘，Ia求心性神経線維，運動ニューロンから大腿四頭筋に至る反射弓のどこかに異常があることを意味する．最もよくみられる原因は，糖尿病，アルコール依存症，毒物などによる末梢神経障害である．反射の亢進は反射弓の活動を抑制している皮質脊髄路や他の下行性経路の障害を意味している．深部腱反射は膝蓋腱反射に特徴的なものではなく，伸張反射は体の大きな筋肉のほとんどで誘発可能な反射である．たとえば上腕三頭筋の腱を叩くと，三頭筋の反射収縮の結果，肘の伸展反応が誘発される．アキレス腱 Achilles tendon を叩くと腓腹筋の反射収縮により足の底屈が起こり，顔の側面を軽く叩くと咬筋の伸張反射が誘発される．検査されるいろいろな深部腱反射に関わる脊髄神経には次のようなものがあげられる：上腕二頭筋(C5，C6脊髄神経)，上腕三頭筋(C7脊髄神経)；膝蓋腱(L4脊髄神経)；アキレス腱(S1脊髄神経)などである．

　錘内筋線維 intrafusal fiber は**錘外筋線維 extrafusal fiber**(筋の通常の収縮単位)と平行に配置されていて，筋紡錘を覆う膜の両端が筋のどちらかの端で腱に付着している．錘内筋は筋の収縮力には貢献しないで，純粋に感覚器として機能する．哺乳類の筋紡錘には2種類の錘内筋線維がある．1つは，中央の膨らんだ部分に核をたくさん含んでいる錘内線維で**核袋線維 nuclear bag fiber** と呼ばれている(図12・2B)．さらに核袋線維には**動的 dynamic** と**静的 static** の2種類がある．錘内筋線維の第2のタイプは**核鎖線維 nuclear chain fiber** で細くて短く，核袋線維のような中央部の明瞭

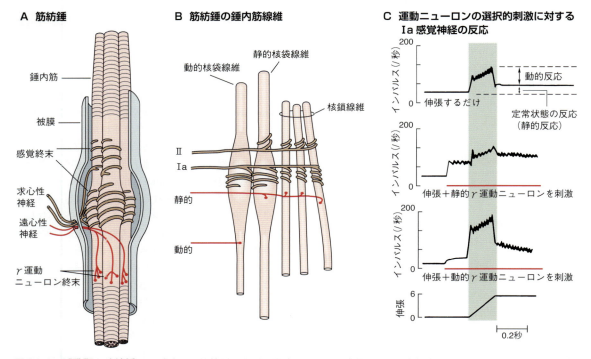

図 12・2　哺乳類の筋紡錘．A：哺乳類の筋紡錘の主要な構造を示す．錘内筋，求心性感覚神経終末，遠心性運動神経線維（γ運動ニューロン）が含まれている．**B**：3種類の錘内筋線維（動的核袋線維，静的核袋線維，核鎖線維）．1本のIa求心性神経が3種類の錘内筋を支配し一次終末を形成する．II求心性神経は核鎖線維と静的核袋線維を支配して二次終末を形成する．動的γ運動ニューロンは動的核袋線維を支配し，静的γ運動ニューロンは核鎖線維と静的核袋線維を支配する．**C**：伸張するだけの時と，静的あるいは動的γ運動ニューロンを刺激した時のIa求心性神経の発火パターンの比較．γ運動ニューロンを刺激しないとIa求心性神経は筋の伸張に対して弱い動的反応しか示さず，定常状態での活動の増加も大きくない．静的γ運動ニューロンが刺激されると，定常状態での反応が増加し動的反応が減少する．動的γ運動ニューロンが刺激されると動的反応は著しく増加するが，定常状態の活動は徐々にもとのレベルに戻る（Gray H: *Gray's Anatomy: The Anatomical Basis of Cliaical Practice*, 40th ed. St. Louis, MO: Churchill Livingstone/Elsevier; 2009 より許可を得て複製）．

な膨らみがない．典型的な場合，筋紡錘1個当たり2〜3本の核袋線維と約5本の核鎖線維がある．

　各筋紡錘には，1つの**一次終末 primary ending（Ia求心性神経）**と8つまでの**二次終末 secondary ending（II求心性神経）**の2種類の感覚神経終末が存在する（**図12・2B**）．Ia求心性神経は動的核袋線維，静的核袋線維と核鎖線維の中央部に巻きついている．II求心性神経は静的核袋線維と核鎖線維の中央部付近に位置していて，動的核袋線維には分布していない．Ia求心性神経は筋が伸張された際の筋長の変化の速さに非常に鋭敏で（**動的反応 dynamic response**），動きの速さに関する情報を提供し，素早い適応運動を可能にする．Ia求心性神経，II求心性神経の定常状態の活動（持続的活動）は筋の定常状態での長さの情報を提供する（**静的反応 static response**）．**図12・2C**の一番上の図は，筋が伸張された際のIa求心性神経の活動のうち，動的成分と静的成分を示している．筋が伸張されている最中（グラフの網かけ部分）に最も発火頻度が高くなり，持続的に伸張されている時にはさほど発火頻度が高くないことに注目してほしい．

　筋紡錘自体も**γ運動ニューロン γ motor neuron**と呼ばれる運動神経の支配を受けている．その神経線維の直径は3〜6 μmで，前根の神経線維の約30%を占めている．γ運動ニューロンには2種類あって，**動的**γ運動ニューロンは動的核袋線維を支配し，**静的**γ運動ニューロンは静的核袋線維と核鎖線維を支配する．動的γ運動ニューロンの活動が増すと，Ia求心性神経の動的感受性が増す．静的γ運動ニューロンの活動が増すと，Ia求心性神経とII求心性神経の持続的な活動は増加し，Ia求心性神経の動的感受性が低下し，筋が伸張されている間にIa求心性神経の活動が停止することを防ぐことができる（**図12・2C**）．

求心性神経の中枢での結合様式

Ia 求心性神経はその筋紡錘が存在している筋の錘外筋を支配する運動ニューロンに直接終止している(図 12・3). **反応時間 reaction time** は刺激を与えてから反応が現れるまでの時間である. ヒトでは伸張反射の反応時間は 19〜24 ミリ秒である. Ia 求心性神経だけを刺激する弱い刺激を筋からの感覚神経に与えると, 同様の潜時で収縮反応が誘発される. 求心性および遠心性神経線維の伝導速度はわかっており, 筋から脊髄までの距離は計測できるので, 反応時間のうち, 脊髄までの伝導と脊髄からの伝導にどのくらいの時間がかかるかは計算できる. この計算で得た時間を反応時間から差し引いた残りは**中枢遅延 central delay** と呼ばれ, 反射活動が脊髄を通過するのにかかる時間である. 膝蓋腱反射での中枢遅延は 0.6〜0.9 ミリ秒である. 最短のシナプス遅延は 0.5 ミリ秒なので脊髄ではシナプスを 1 つだけ介することがわかる.

筋紡錘の機能

筋紡錘が伸張されると感覚神経終末が変形して受容器電位が発生する. そして, 受容器電位は伸張された程度に比例した頻度で感覚神経に活動電位を発生させる. 筋紡錘は錘外筋と並列に位置しているので, 筋が受動的に伸張されると筋紡錘も伸張され, "**筋紡錘に負荷がかかった状態 loading the spindle**"になる. これによって筋の錘外筋が反射的に収縮する. 一方, 錘外筋を支配する α 運動ニューロンを電気刺激して筋の収縮を起こすと, 錘外筋は収縮して短くなるが, 筋紡錘には負荷がかからなくなるので, 筋紡錘からの求心性活動は停止する(図 12・4).

筋紡錘とその反射弓は, 筋の長さを維持するためにはたらくフィードバック装置を構成している. つまり, もし筋が伸張されると, 筋紡錘の活動が高まって反射性の筋の収縮が起こり, これに対して γ 運動ニューロンの活動の変化がないまま筋の短縮が起きると, 筋紡錘からの求心性活動は減少し, 筋は弛緩する.

筋紡錘からの求心性線維の動的, 静的反応は**生理的振戦 physiologic tremor** に影響する. Ia 求心性神経が筋の静的(持続的)な事象のみならず, 動的(一過性)な事象にも反応することは重要である. なぜなら, 素早く大きな一過性の反応によって, 筋の長さを調節するフィードバックループの中で伝導遅延によって生じる揺れを弱めることができるからである. 正常でも, このフィードバックループには小さな振動がある. この生理的振戦は振幅が小さく(肉眼でかすかにわかる程度である), その周波数は約 10 Hz である. 生理的振戦は正常な現象で, 姿勢を維持している時や運動中にもすべてのヒトで起こっている. しかし, 伸張される速度に対して筋紡錘の感受性がないと, この振戦はひどくなる. 何か心配事があったり, 疲れていたり, 薬物中毒状態でもこの振戦がひどくなる. 生理的振戦の発生には非常に多くの要因が関わっている. 中枢性(**下オリーブ核 inferior olive**)の原因だけでなく, 運動単位の発火頻度, 反射, 機械的な共振といった末梢性の原因も関係している.

相反神経支配

伸張反射が起こる時には拮抗筋は**相反神経支配 reciprocal innervation** により弛緩する. 主動筋の筋紡錘の Ia 線維の興奮は拮抗筋を支配する運動ニューロンへ抑制作用をもたらす. それぞれの Ia 線維の側枝は脊髄内で抑制性介在ニューロンにシナプスし, この抑制性介在ニューロンは拮抗筋を支配している運動ニューロンへシナプスする. シナプス後抑制のこの例は 6 章で述べ, 図 6・5 に示してある.

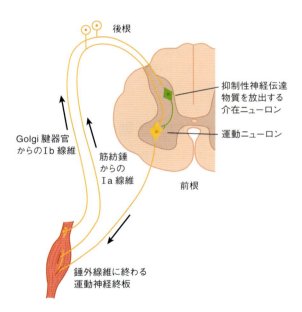

図 12・3 伸張反射と逆伸張反射との経路を説明する模式図. 筋の伸張は筋紡錘を刺激し, Ia 求心性神経が活動して運動ニューロンを興奮させる. 筋の伸張は Golgi 腱器官も刺激して, Ib 求心性神経が活動して介在ニューロンを興奮させ, 抑制性神経伝達物質のグリシンを放出する. 筋を強く伸張すると, その結果として運動ニューロンの過分極が大きくなり, 発火が止まる.

γ運動ニューロン活動の影響

γ運動ニューロンの活性化は，α運動ニューロンの活性化とは非常に異なった結果をもたらす．γ運動ニューロンの活性化は検知できるような筋の収縮を直接引き起こすことはない．というのは錘内筋の収縮は筋全体の収縮を起こすほどには強くもないし，錘外筋に比べて数も多くないからである．ところが，γ運動ニューロンが活性化すると錘内筋の収縮可能な両端部を収縮させるので，核袋部が伸張し，Ia求心性神経の終末が変形して活動電位が発生する(図12・4)．そして，これによって筋の反射性収縮が起きる．つまり，筋の収縮は錘外筋を支配するα運動ニューロンが興奮しても起きるし，伸張反射を介して間接的に筋収縮を起こすγ運動ニューロンが活性化しても起きる．

もしγ運動ニューロンを刺激している間に筋全体が伸張されると，Ia求心性神経の発火頻度がさらに上昇する(図12・4)．このようにγ運動ニューロンの活動が上昇すると，筋を伸張している間の**筋紡錘の感度 spindle sensitivity** を高める．

脊髄の運動回路への下行性興奮性入力に反応してα運動ニューロン，γ運動ニューロンの両方が活動する．この"**α-γ興奮連関 α-γ coactivation**"のおかげで錘内筋線維と錘外筋線維が同時に収縮して，筋が収縮している間も筋紡錘からの求心性の活動が維持される．このようにして，筋収縮の間でも筋紡錘は筋の伸張に反応することができ，α運動ニューロンの活動を反射的に調節できるのである．

γ運動ニューロン活動の調節

γ運動ニューロンはα運動ニューロンをも制御している脳のいろいろな領域からの下行路からの影響を大きく受ける(後述)．これらの経路を介して，生体内のいろいろな部位ごとに，筋紡錘の感度，すなわち伸張反射の閾値が姿勢制御の必要性に応じて調節されている．

他の要因もγ運動ニューロンの発射活動に影響している．不安感は発射活動を増加させるが，このことは不安症の患者で腱反射が亢進することの説明となる．また予期せぬ運動は大きな遠心性の発射活動を伴う．皮膚への刺激，とりわけ侵害刺激は刺激された側と同側の屈筋の筋紡錘へのγ運動ニューロンの発射活動を増加させ，同側の伸筋への発射活動は減少させる．そして刺激と反対側の四肢には逆パターンの効果を及ぼす．被検者に両手の指を曲げて握り合わせ左右に引っ

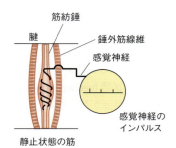

静止状態の筋

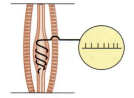

筋伸張(筋紡錘に負荷がかかった状態)

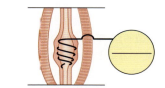

筋収縮(筋紡錘への負荷が取れた状態)

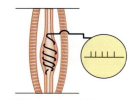

γ運動ニューロンを刺激

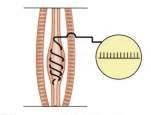

γ運動ニューロンの刺激＋筋伸張

図12・4　筋紡錘からのインパルス発射に対する各種条件の効果． 筋全体が伸張されると筋紡錘も伸張され，伸張の程度に応じた発火頻度で感覚終末が活動する(筋紡錘に負荷がかかった状態)．筋が収縮すると感覚終末の活動は止まる(筋紡錘への負荷が取れた状態)．γ運動ニューロンを刺激すると，錘内筋の収縮可能端が収縮して短くなる．これによって，核袋部が伸張され，感覚終末の活動が引き起こされる．γ運動ニューロンが刺激されている間に筋全体が伸張されると，感覚終末の活動はさらに増す．

張らせると，膝蓋腱反射が亢進することはよく知られている（**Jendrassik〔イェンドラシック〕の手技**）．これも両手からの求心性発射によってγ運動ニューロンの発射活動が増加するためであると考えられる．

逆伸張反射

ある程度のところまでは，筋が強く伸張されれば伸張されるほど，より強い反射性の収縮が起きる．しかし，張力が非常に強くなると，収縮は突然停止し，筋は弛緩する．強い伸張に対する，この弛緩反応は**逆伸張反射 inverse stretch reflex** と呼ばれる．逆伸張反射の受容器は **Golgi〔ゴルジ〕腱器官**（図 12・5）で腱の小束の間にこぶ状の神経終末が網目状に集まったものである．1個の腱器官に対して3〜25の筋線維がつながっている．Golgi 腱器官からの神経線維は有髄で伝導速度が速い Ib 求心性神経である．この Ib 求心性神経を刺激すると，その神経線維が起始する筋の支配運動ニューロンに IPSP が発生する．Ib 神経線維は脊髄の抑制性介在ニューロンに終止し，この介在ニューロンが運動ニューロンに直接結合している（図 12・3）．一方，Ib 求心性神経は拮抗筋を支配する運動ニューロンには興奮性の結合をしている．

筋紡錘とは違って，Golgi 腱器官は筋線維に直列に結合しているので，筋を受動的に伸張しても，筋が自ら収縮しても刺激される．Golgi 腱器官の閾値は低いが，受動的に伸張された場合には，より弾性のある筋線維が伸びを吸収するので，腱器官への刺激はあまり大きくならない．これが筋を弛緩させるには強く伸張しなければならない理由である．しかし，Golgi 腱器官からの神経発射活動は筋の収縮によって規則正しく発生し，Golgi 腱器官は，筋の長さを調節する筋紡錘のフィードバック回路と同様の方法で筋の張力を調節するフィードバック回路における変換器（トランスデューサ）として機能する．

筋紡錘の一次終末と Golgi 腱器官は，ともに筋収縮の速さ，筋の長さ，筋張力を調整している．筋紡錘の神経発射活動，腱器官の神経発射活動と相反神経支配がはたらいてα運動ニューロンの発火頻度を決める（クリニカルボックス 12・2）．

筋緊張

伸張に対する筋の抵抗性は**筋緊張 tone** あるいは**トーヌス tonus** と呼ばれている．筋を支配する運動神経が障害されると伸張に対する抵抗はほとんどなくなり，**弛緩 flaccid** という状態になる．**筋緊張亢進 hypertonic（痙性 spastic）** とは，伸張反射が亢進しているため，筋の伸張に対する抵抗が強い状態を指す．弛緩した状態と筋緊張亢進のどこかに明確には決められない正常領域がある．通常，筋はγ運動ニューロンの活動が低い時に**筋緊張低下 hypotonic** 状態になり，この活動が高い時には筋緊張亢進状態になる．

筋緊張が高い時には，まず中程度の伸張で筋の収縮，その後の過度の伸張で筋の弛緩という一連の現象が明確に見られる．たとえば，肘を受動的に屈曲すると上腕三頭筋の伸張反射が起きてすぐに抵抗を受けるが，さらに屈曲して上腕三頭筋を伸張すると，逆伸張反射が生じ，その結果，屈曲への抵抗は急になくなり，腕は屈曲する．この後再び受動的な屈曲を繰り返すと，同じ現象が繰り返される．腕を受動的に動かした時に，抵抗の増大とそれに続く抵抗の減少が起きる一連の現

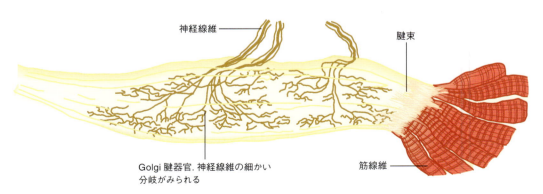

図 12・5 Golgi 腱器官． この腱器官は逆伸張反射の受容器で腱の小束の間にこぶ状の神経終末が網目状に集まったものである．感覚神経は Ib 群線維で，有髄で伝導速度の速い神経である（Gray H: *Gray's Anatomy: The Anatomical Basis of Clinical Practice*, 40th ed. St. Louis, MO: Churchill Livingstone/Elsevier; 2009 より許可を得て複製）．

クリニカルボックス 12・2

クローヌス

クローヌス clonus はγ運動ニューロンの発火が亢進した状態である．この神経学的徴候は，不意に筋を持続的に伸張した時に生じる規則正しく繰り返すリズミカルな筋の収縮である．5回あるいはそれ以上の持続的なクローヌスが異常と考えられる．足首のクローヌス ankle clonus は，突然に足先を背屈させてそのままにすると，リズミカルな足底の屈曲が足首で生じる現象である．**伸張反射-逆伸張反射の連続** stretch reflex-inverse stretch reflex sequence がこの反応に関係していると考えられる．しかし，Golgi 腱器官からの発射活動がなくても，運動ニューロンの同期発火が起これば，この現象は起こりうると考えられる．検査している筋の筋紡錘の活動が亢進していると，その筋紡錘からの活動電位の群発（バースト）は，その筋を支配している運動ニューロンすべてを同時に発火させる．その結果，筋が収縮して筋紡錘からの発射活動が停止する．しかし，筋が伸張されたままだと，筋が弛緩しても，すぐ再び伸張されるので筋紡錘が刺激される．異常なクローヌスの原因には脳外傷，脳腫瘍，脳卒中や多発性硬化症などいろいろな原因があげられる．**Renshaw〔レンショウ〕細胞**と呼ばれる脊髄のグリシン作動性抑制介在ニューロンへの大脳皮質からの下行性入力が障害されるような脊髄損傷でもクローヌスが生じることがある．Renshaw 細胞はα運動ニューロンから軸索側枝による興奮性入力を受ける（そしてこの入力が同じα運動ニューロンを抑制する）．加えて，足首の屈筋を活動させる皮質入力は，拮抗的にはたらく足首の伸筋を抑制する Renshaw 細胞に（Ia 抑制性介在ニューロンはもちろん）接続する．この回路は屈筋が活動した時に伸筋の反射的な刺激を抑えるはたらきをする．したがって，下行性皮質線維が障害を受けると（**上位運動ニューロン障害** upper motor neuron lesion），拮抗筋への抑制がなくなる．その結果，足首の屈筋と伸筋の交代性の収縮が繰り返し起こる（クローヌス）．クローヌスは**筋萎縮性側索硬化症** amyotrophic lateral sclerosis（ALS），脳卒中，多発性硬化症，脊髄損傷，てんかん，肝不全や腎不全，肝性脳症などの患者で見られる．

治療上のハイライト

クローヌスの治療は時に原因に焦点をあてることになる．ある場合には，筋のストレッチ運動がクローヌスの発生頻度を下げることもある．**免疫抑制薬** immunosuppressant（アザチオプリン azathioprine や**副腎皮質ホルモン薬** corticosteroid など），**抗痙攣薬** anticonvulsant（プリミドン primidone やレベチラセタム levetiracetam など），**精神安定薬** tranquilizer（クロナゼパム clonazepam など）がクローヌスの治療に有効である．**ボツリヌス毒素** botulinum toxin もクローヌスの特徴である筋のリズミカルな収縮の引き金になるアセチルコリンの筋肉内での放出を抑えるために使われる．

象は，ポケットナイフを折りたたむのに似ていることから，**折りたたみナイフ効果** clasp-knife effect と呼ばれている．

引っ込め反射

引っ込め反射 withdrawal reflex は典型的な多シナプス反射で，皮膚あるいは皮下組織および筋への侵害刺激 noxious stimulus に反応して生じる．反応は屈筋の収縮と伸筋の抑制で，その結果刺激された身体部位は屈曲して刺激から引っ込められる．強い刺激が四肢に加わると，反応はその肢の屈曲と引っ込めだけでなく，反対側の肢の伸張も生じる．この**交差伸展反射** crossed extensor response は引っ込め反射の一部である．強い刺激では介在ニューロン群に興奮が生じ，その影響が四肢に広がるようなことも起こる．

引っ込め反射の重要性

屈曲反応は，皮膚への無害な（非侵襲）刺激，あるいは筋の伸展でも起こすことができる．しかし引っ込め反射を伴う強い屈曲反応は，侵害性，あるいは少なくとも侵襲を与える可能性のある刺激（**侵害刺激** nociceptive stimulus）によってのみ引き起こされる．

引っ込め反射では，刺激された肢を屈曲することにより，刺激からその肢を遠ざけ，対側の肢の伸展により体を支えることになり，保護的な機能を果たしている．

足への弱い侵害刺激は最低限の屈曲反応を引き起こす．刺激が強くなるとその足の筋を支配している多くの運動ニューロンプールに興奮が放散していき，より強い屈曲を引き起こす．刺激が強くなれば反応もより長くなる．弱い刺激では1回の素早い屈曲運動を誘発し，刺激が強くなれば屈曲の持続時間が長くなり，時には一連の屈曲運動を引き起こすこともある．この持続時間の長い反応は運動ニューロンの長時間の繰り返しの発火活動による．この繰り返しの発火活動は**後発火 after-discharge** と呼ばれ，複雑な多シナプス経路を通って到着する活動電位が連続して運動ニューロンを興奮させることによる．

侵害刺激の強さが増すにつれて反応時間は短くなる．これは多シナプス経路の中で空間的，時間的促通が起きるからである．より強い刺激は興奮している分枝の活動電位の頻度を増加させ，その結果，さらに多くの分枝が活性化する．これによってEPSPの活動電位発生閾値までの加重がより早く起きるようになる．

反射の脊髄での統合機構

脊髄損傷 spinal cord injury（SCI） 後の反応は，脊髄レベルでの反射の統合を明らかにしている．脊髄損傷後にみられる運動障害は，もちろん損傷のレベルによって異なる．クリニカルボックス12・3には脊髄損傷後の長期にわたる問題や治療に関する最近の進歩がまとめてある．

脊椎動物では，脊髄を切断されるとすべての脊髄反射が完全に抑制される**脊髄ショック spinal shock** と呼ばれる期間が認められる．この時期の後，反射は回復し過剰反射がみられるようになる．この脊髄ショックの期間は，動物種の運動機能の大脳化の程度により異なる．カエルやラットでは数分間であり，イヌやネコでは1～2時間，サルでは数日間，ヒトではふつう最低でも2週間は続く．

様々な下行性経路（後述）からの脊髄ニューロンへの持続性の興奮性入力の遮断が脊髄ショックの出現に一役買っていることは明らかである．また，正常では抑制されている脊髄の抑制性介在ニューロンが下行性の抑制から解放され，脱抑制状態になる．その結果，この抑制性介在ニューロンが今度は運動ニューロンを抑制することになる．一度消失した反射の再出現には，損傷を免れた脊髄の興奮性終末から放出された神経伝達物質に対する脱神経後過敏の出現が一因だと考えられる．他の要因としては，残存ニューロンからの側枝発芽により，脊髄介在ニューロンや運動ニューロンへの興奮性終末が新しく作られた可能性もある．

ヒトで脊髄ショック後最初に回復する反射は，侵害刺激に対する下肢の屈筋や内転筋の弱い収縮である（引っ込め反射）．患者によっては，膝蓋腱反射が最初に回復することもある．脊髄損傷と反射の回復までの期間は，合併症がなければ約2週間くらいだが，合併症を併発するともっと長くなる．脊髄反射は一度回復すると，閾値は低下していく．

ネコやイヌでは，脊髄内の固有回路に適当な刺激を与えると，脊髄の切断後も歩行運動を誘発することができる．脊髄には2つの**歩行運動パターンジェネレーター locomotor pattern generator** の存在が知られている．1つは頸髄内に，もう1つは腰髄にある．しかしながら，このことは，脊髄切断後の動物やヒトで刺激がなくても歩行が可能というわけではない．歩行運動パターンジェネレーターが機能するためには，中脳にある**中脳歩行制御野 mesencephalic locomotor region** と呼ばれる特別な場所が持続的に活動し，その入力により刺激され，スイッチが入る必要がある．もちろん，このような現象は，脊髄横断障害が部分的な患者にしか期待できない．このような研究の進歩により，現在，脊髄損傷患者をトレッドミル上に介助して立たせて，数歩ではあるが歩行ができるようになってきている．

運動制御経路の中枢構造の一般原則

随意的に手足を動かすには，脳は運動を計画し，多数の関節で同時に適切な動きが起こるように調整し，計画を実際に起こっている動作と比較して，動作を調節しなければならない．運動系は"運動を行うことにより学習"し，動作は反復によって上達することになる．このような現象にはシナプスの可塑性が関係している．出生前後や，生後2～3年までに大脳皮質が損傷されると，**脳性麻痺 cerebral palsy** という筋緊張や協調運動に異常がみられる状況が起こりうる（クリニカルボックス12・4）．

図12・6は運動制御の一般的な流れを示しており，同時に随意運動指令が大脳皮質連合野で作られることも示してある．運動計画は，運動の開始前にニューロン活動が増加することからわかるように大脳皮質や大脳基底核，さらに小脳半球の外側部も関係して作られる．大脳基底核と小脳からの情報は視床で中継され，

クリニカルボックス 12・3

脊髄損傷

世界中での**脊髄損傷（SCI）**患者の発生率は人口100万人当たり10〜83人という報告がある．交通事故，暴行そしてスポーツでの事故などが最も多い原因である．脊髄損傷患者の平均年齢は33歳で，4：1で男性が多い．脊髄損傷患者の約52％は四肢麻痺となり，約42％は対麻痺患者である．四肢麻痺患者では，引っ込め反射の閾値が非常に下がっており，弱い侵害刺激に対しても，刺激を受けた手または足の遷延する引っ込め反射が見られるだけでなく，残りの3肢に顕著な屈曲-伸展姿勢が現れ，伸張反射も亢進する．求心性刺激も，1つの反射中枢から他の反射中枢へと広がる．たとえば，弱い侵害刺激を皮膚に加えると，その刺激が自律神経を活性化し，失禁や排便を誘発し，発汗，皮膚の蒼白，血圧の変動などが引っ込め反射以外にも出現する．このようなやっかいな**集合反射 mass reflex**は，時には四肢麻痺患者の排尿，排便をある程度コントロールをするために利用される．四肢麻痺患者の大腿を引っかいたり，つまんだりすることにより，排尿，排便を促すように訓練が可能であり，最終的に患者の意思による集合反射の誘発も可能になることもある．脊髄損傷が部分的な場合には，侵害刺激で誘発される屈筋攣縮は非常にやっかいな痛みを生じる．このような患者の治療法としては，$GABA_B$受容体の作動薬で，血液脳関門を通過でき，抑制を促通する**バクロフェン baclofen**がかなりの効果をもたらす．

治療上のハイライト

脊髄損傷患者の治療では複雑な問題が出現する．**メチルプレドニゾロン methylprednisolone**のような副腎皮質ホルモンの投与は脊髄損傷後の機能回復を促進し，機能喪失を最小にする効果があるようである．この薬物の投与は損傷後できるだけ早くすべきだが，ステロイドの長期投与でよく知られている副作用を避けるために，短期間の投与にすべきである．受傷直後の投薬効果は，損傷部位の炎症性反応を抑えることによる．運動麻痺のため，脊髄損傷患者は，負の窒素出納状態になり（訳注：窒素出納 nitrogen balance に関する記載が本書では十分でないので補足しておく．糞便中に失われるタンパク質の量はごく少ないから，尿中に排泄される窒素量は体内で不可逆的な分解を受けたタンパク質およびアミノ酸の総量を示すよい指標となる．尿中に排泄される窒素量が食物として摂取されたタンパク質の窒素量に等しい時は窒素出納が保たれているという．前者が後者より大きい時は，窒素出納は負 negative となる），タンパク質が大量に異化される．横臥状態のため，特に骨の突出部分の皮膚に循環圧迫による潰瘍（**褥創 pressure ulcer**または **decubitus ulcer**）ができる．この潰瘍はなかなか治りにくく，体内タンパク質の欠乏もあり感染を起こしやすくなる．破壊されていく組織には骨内のタンパク質も含まれ，さらに動けないという状態が，Ca^{2+}の大量の放出を起こし，**高カルシウム血症 hypercalcemia**や**高カルシウム尿症 hypercalciuria**となり，尿路系に**カルシウム結石 calcium stone**を作る．このような結石と膀胱麻痺が組合わさって尿のうっ滞を起こし，それが脊髄損傷患者の最も多い合併症である**尿路感染症 urinary tract infection**を頻発させる原因となる．脊髄内での軸索再生を促進する治療法への研究が続けられている．実験動物では，**神経栄養因子 neurotrophin**の注入によって将来への希望を与えるような結果が得られており，損傷部位への**胚性幹細胞 embryonic stem cell**移植も効果が報告されている．他の方法としては，脊髄損傷患者の損傷部位を，**脳コンピュータインターフェース brain-computer interface device**とつなぐなどの可能性も研究されている．しかしながら，このような最新の研究結果が日常臨床に応用されるまでには，まだ長い道のりが必要である．

運動前野と運動野へ入る．運動野からの運動指令は大部分が皮質脊髄路により脊髄運動ニューロンへ，また皮質延髄路により脳幹の運動ニューロンへと中継される．しかしながら，これらの下行路の側枝から入力を受けるものや，数は少ないが運動野からの直接投射を受けた脳幹神経核が，さらに脳幹や脊髄の運動ニューロンへ投射するものもある．これらの経路も随意運動制御に関わると考えられる．運動は，特殊感覚器官や

クリニカルボックス 12・4

脳性麻痺

脳性麻痺 cerebral palsy（CP）とは，出生前後あるいは生後早期に発生したいくつかの非進行性の神経障害を指す．胎児期の原因には，発達途上の脳が低酸素状態に陥るとか，感染症や毒物への曝露などがあげられ，これらは脳性麻痺の70〜80％を占める．典型的な症状としては，痙性麻痺 spasticity，運動失調 ataxia，細かい運動制御の障害，歩行異常（うずくまり歩行または"はさみ脚歩行"）などがあげられる．学習困難や痙攣発作に加えて視覚や聴覚の障害のような感覚系の異常も脳性麻痺の小児にはよくみられる．先進国での発症率は，出生1000件に対して2〜2.5件であるが，未熟児での発生率は満期産に比べてずっと高くなる．筋緊張の程度や障害部位の違いによりいくつかのタイプに分類される．最も多い病型は，**痙性麻痺型脳性麻痺 spastic cerebral palsy** で，**痙性麻痺 spasticity**，**反射亢進 hyperreflexia**，クローヌス，**Babinski（バビンスキー）反射陽性 positive Babinski sign** が特徴である．これらの症状はすべて皮質脊髄路の障害によるものである（クリニカルボックス 12・5）．**ジスキネジア型脳性麻痺 dyskinetic cerebral palsy** は異常な不随意運動（**舞踏病 chorea** や**アテトーゼ athetosis**）が特徴で，錐体外路系の運動障害によると考えられる．これら2つの病型を複合することもまれではない．最も頻度の低い病型は**筋緊張低下型脳性麻痺 hypotonic cerebral palsy** で，体幹と四肢の筋緊張低下，反射亢進を伴い，原始反射 primitive reflex（訳注：正常では新生児期にだけ見られる反射）がいつまでも観察できることが特徴である．

治療上のハイライト

脳性麻痺の完治は期待できない．治療法としては，理学療法，作業療法などが行われる．ボツリヌス毒素の患部への注射は筋痙縮の改善をもたらす．特に腓腹筋 gastrocnemius への投与は有効である．筋痙縮の治療薬としては**ジアゼパム diazepam**（$GABA_A$ 受容体に結合するベンゾジアゼピン benzodiazepine 系薬物），**バクロフェン baclofen**（脊髄のシナプス前終末の $GABA_B$ 受容体の作動薬）や**ダントロレン dantrolene**（直接的な筋弛緩薬）などが使われる．いろいろな外科手術も脳性麻痺の治療法として試みられている．**選択的背側脊髄切除術 selective dorsal rhizotomy**（後根の切除術）や**腱切離術 tenotomy**（腓腹筋の腱の外科的処置）などが行われる．

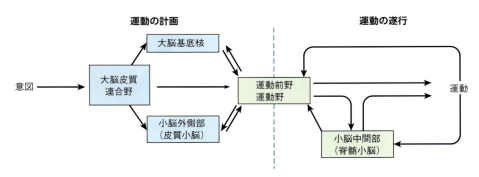

図 12・6　随意運動制御．随意運動指令は大脳皮質連合野で作られる．大脳皮質，大脳基底核および小脳は運動を計画するために協調してはたらく．大脳皮質による運動実行命令は，皮質脊髄路と皮質延髄路を下行して運動ニューロンへと伝えられる．小脳は，滑らかで協調された動きのためのフィードバック機構としてはたらく．

筋肉，腱，関節，皮膚からの感覚入力にも変化を引き起こす．このようなフィードバック情報は，運動を調節し滑らかにするものだが，直接運動野と脊髄小脳へ伝達される．脊髄小脳へ入った情報は，次に脳幹へと送られる．姿勢制御と運動の協調に関係する主な脳幹下行路には，赤核脊髄路，網様体脊髄路，視蓋脊髄路および前庭脊髄路がある．

運動皮質と随意運動

一次運動野

運動制御に関係する大脳皮質の主要な部位は図 8・8 に示した．**一次運動野 primary motor cortex（M1）**は前頭葉の中心前回 precentral gyrus に位置し，中心溝 central sulcus の中にまで広がっている．局所麻酔下で，開頭手術を受けている患者での電気刺激実験などにより，中心前回の一次運動野(M1)にどのように体性部位局在があるかが調べられた．図 12・7 には**運動機能ホムンクルス（こびと）**motor homunculus を示してあるが，足は内側の頂上部に顔は外側部にというように再現されている．体の各部位は，その部位が細かい随意運動を行う際の精巧さに比例した大きさで再現されている．発話や手の動きに関係する部位は大脳皮質でとりわけ大きな領野として再現される．咽頭や唇，舌は構語に重要であり，手指とそれらに対立できる母指の動きは物を操作する上で必要であり，これらはヒトで最も精緻に発達している活動となっている．

陽電子放射断層撮影法 positron emission tomography（PET）や**機能的磁気共鳴画像法** functional magnetic resonance imaging（fMRI）などの最近の脳機能画像法を用いて大脳皮質の機能マッピングを行うことで運動野を同定できる．図 12・8 は左右どちらかの手で，ゴムまりを繰り返し握った時の運動野の手の領域の活動を示す．

運動皮質のニューロンは**コラム（円柱）構造** columnar organization に配列している．一次運動野(M1)のニューロンは，いろいろな課題をこなすために一群の筋運動を支配している．複数の皮質コラムのニューロンが同じ筋を支配することが示され，それらのニューロンは，刺激により筋収縮が起きる末梢部位からの感覚入力を受けることがわかってきた．この感覚入力は運動のフィードバック機構の基礎となっている．このような感覚性入力のいくつかは，直接入力する可能性も指摘されているが[*1]，他の皮質で中継され入力するものもある．

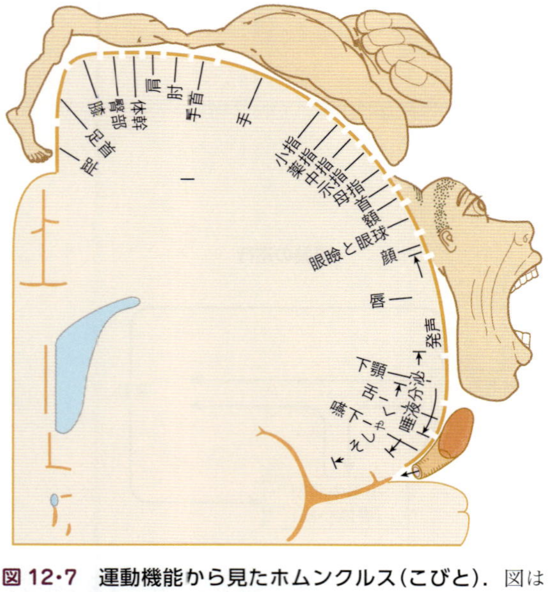

図 12・7 運動機能から見たホムンクルス（こびと）．図は中心前回の冠状断上に再現されている体の各部を示す．体の各部の大きさは対応する大脳皮質の面積に比例する．図 8・9 の体性感覚のものと比較しよう（Penfield W, Rasmussen G: *The Cerebral Cortex of Man*. Macmillan; 1950 より許可を得て複製）

[*1] 訳注：短潜時の体性感覚入力が運動野に到達するとの報告もあるがその経路については不明である．

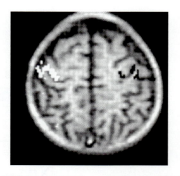

図 12・8 運動野の手の領域．7 歳男児の機能的核磁気共鳴画像(fMRI)．エコープラナー法による磁気共鳴画像(MRI)解析により，血流速，血流量，酸素飽和度の信号強度の変化を示したもの．被験者は柔らかいゴムまりを右手または左手で 1 秒間に 2〜4 回のペースで繰り返し握るように指令される．ゴムまりを右手で握りつぶす運動をした際の脳活動の変化を黒で，左手の場合を白で示す（訳注：MRI 画像では左右逆に表示する）．（Novotny EJ, et al: Functional magnetic resonance imaging(fMRI) in pediatric epilepsy. Epilepsia 1994; 35(Supp 8): 36 のデータより）．

補足運動野

補足運動野 supplementary motor area (SMA) は, 大脳半球の内側面で帯状回の上縁に接した部分に位置する. 補足運動野は運動野(M1)に投射し[*2], この部位にも体部位局在が知られているが, M1 ほど正確なものではない. M1 が運動の遂行に関係するのに対し, 補足運動野は一連の動作順序構成や, その計画作成に関係する.

ヒトで, 数字を暗唱させると, 運動野の活動はみられないが, 声を出させて数えさせると M1 と補足運動野で血流の増加が認められる. このことから, M1 とともに補足運動野も, 運動が特に複雑で計画性が必要な際に, 随意運動に関わっていることがわかる.

運動前野

運動前野 premotor cortex (premotor area) は, 中心前回の前に位置し, 外側から内側部までを占める. 運動前野にも体部位局在が認められ, 頭頂葉の感覚処理に関連する部位から入力を受け, M1 や脊髄, 脳幹網様体へと投射する. この部位は計画した運動を遂行する際の姿勢の維持や運動への準備に関係すると考えられる[*3]. 特に運動する際の体の向きに関係する四肢の近位筋の制御に関わっている.

後頭頂(葉)皮質

体性感覚野や体性感覚に関係する後頭頂葉は, 運動前野へも投射する. 体性感覚野を損傷するとナイフとフォークを使って食事をするというような学習した一連の連続動作が障害される. あるニューロンは手を対象物へと伸ばし, それを操作するというような動作に関係することが知られており, 一方, 手の動きと眼球運動の協調に関係しているニューロンもある. 後に述べるように, この部位のニューロンは運動制御に関わる下行性投射に関係する.

[*2] 訳注：補足運動野も皮質脊髄路および皮質延髄路の一部を形成する.

[*3] 訳注：運動前野を背側と腹側に分け, 感覚情報による動作の誘導や, 認知情報による動作企画・準備などの機能が注目されている.

可塑性

PET や fMRI で明らかになった注目すべき知見には, すでに 8 章で述べた感覚皮質同様に運動皮質が可塑性を示すことがある. たとえば, 対側の運動皮質の手指に対応する部位が, 片手の指の速い運動を習得するにつれて拡大することが示されている. このような変化は, 練習開始後 1 週間で検出でき, 4 週目で最大になる. 指以外の筋と対応する部位でも, 運動学習にその筋肉が関係していると再現面積が広がる. 小さな局所の虚血性損傷をサルの運動皮質の手の領域に作ると, 運動機能の回復につれて, 近傍の非損傷部位に手領域の再現がみられる. すなわち, 運動野に認められる体部位再現マップは不変ではなく, 運動経験により変化するということである.

体幹と四肢の遠位筋の制御

体幹(体軸)と四肢の近位筋を支配する投射路や運動ニューロンは, 脳幹と脊髄の内側または腹側に位置するのに対し, 四肢の遠位筋を支配するものは外側部に位置する. 体幹筋は姿勢制御や粗大な運動に関係するのに対し, 遠位筋は細かい, 巧緻運動に関係する. 脊髄前角の内側部のニューロンは四肢の近位筋, 特に屈筋を支配するのに対し, 外側部のニューロンは遠位筋を支配する. 同様に, 腹側(内側)皮質脊髄路や視蓋脊髄路, 網様体脊髄路, 前庭脊髄路のような内側脳幹下行路は近位筋や姿勢の調節に関わるのに対し, 外側皮質脊髄路や赤核脊髄路は遠位筋を支配し, 特に外側皮質脊髄路は, 熟練した随意運動の制御に関係する.

皮質脊髄路と皮質延髄路

運動野で述べた体部位局在は, 皮質から運動ニューロンへの投射路でも保たれる. 脊髄運動ニューロンへ投射する運動皮質ニューロンの軸索は**皮質脊髄路 corticospinal tract** を構成する. この経路は約 100 万本の軸索からなる. これらの線維のうち約 80％は延髄錐体で交差し, **外側皮質脊髄路 lateral corticospinal tract** を構成する (図 12・9). 残り 20％の線維は**腹側 (前) 皮質脊髄路 ventral corticospinal tract** となり, 交差せずに同側を下行して支配脊髄運動ニューロンへ投射する. 外側皮質脊髄路ニューロンは直接運動ニューロンにシナプス結合し, 巧緻運動に関係すると考えられる. 多くの皮質脊髄路ニューロンは脊髄介在ニューロンともシナプス結合し, この介在ニューロンが脊髄

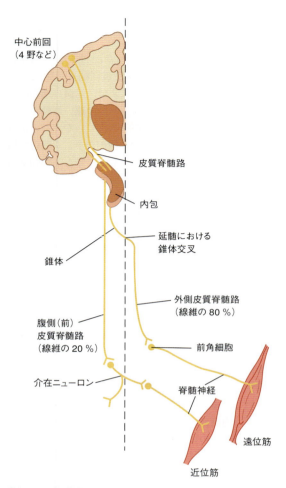

図 12・9　皮質脊髄路．この経路は中心前回から出て内包を下行する．ほとんどの線維は延髄錐体で交差し，脊髄の側索を下行し，外側皮質脊髄路を形成し，脊髄運動ニューロンに単シナプス性に結合する．腹側(前)皮質脊髄路は延髄で交差せず，同側を下行して標的脊髄運動ニューロンのあるレベルで，介在ニューロンにシナプス結合する．この介在ニューロンが運動ニューロンにシナプス結合する．

運動ニューロンに結合するが，このような間接的な経路が筋肉群の協働に重要と考えられる．

大脳皮質から脊髄への経路は，**放線冠 corona radiata** を通り，**内包 internal capsule** の後脚へと伸びていく．中脳では**大脳脚 cerebral peduncle** を通り，橋の基底部を通過し，**延髄錐体 medullary pyramid** を経て脊髄へと投射する．

皮質延髄路 corticobulbar tract は運動野から三叉神経核，顔面神経核，舌下神経核の運動ニューロンへ投射する線維から構成される．皮質延髄路投射ニューロンは直接脳神経核に投射するものもあるし，介在ニューロンを介して間接的に投射するものもある．これらの軸索は内包の膝部を通り，大脳脚では皮質脊髄路の内側を貫き，皮質脊髄路と一緒に橋，延髄へと下行する．

運動系は下位運動ニューロンと上位運動ニューロンに分けられる．**下位運動ニューロン lower motor neuron** には，骨格筋を直接支配する脊髄運動ニューロンと脳神経運動ニューロンが入る．**上位運動ニューロン upper motor neuron** は，大脳皮質や脳幹に位置するニューロンで，下位運動ニューロンを活性化するニューロンである．下位運動ニューロンと上位運動ニューロンでは，障害による病態生理学的反応は非常に違ったものとなる(クリニカルボックス 12・5)．

皮質脊髄路と皮質延髄路の起点

皮質脊髄路と皮質延髄路ニューロンは錐体状の細胞体をもち，大脳皮質第V層に位置する(14 章参照)．これらの経路の起点となる皮質領野は，電気刺激による筋の収縮を誘発できることで同定される．皮質脊髄路の約 31% は一次運動野 primary motor cortex から投射する．運動前野 premotor cortex と補足運動野 supplementary motor cortex からは皮質脊髄路ニューロンの 29% くらいが含まれる．皮質脊髄路構成ニューロンの残りの 40% は，頭頂葉 parietal lobe や中心後回の一次体性感覚野 primary somatosensory cortex に起因する．皮質脊髄路と皮質延髄路系は熟練した随意運動の開始に最も重要な神経路である．

姿勢と随意運動に関わる脳幹下行路

前に述べたように，脊髄前角内では，最も近位に位置する筋の支配脊髄運動ニューロンが最も内側に位置し，より遠位の筋を支配するものは，より外側に位置する．このような配置は脳幹下行路にも反映される(図 12・10)．

内側脳幹下行路

腹側(前)皮質脊髄路と協調してはたらく内側脳幹下行路には，**橋網様体脊髄路 pontine reticulospinal tract**，**延髄網様体脊髄路 medullary reticulospinal tract**，**前庭脊髄路 vestibulospinal tract**，**視蓋脊髄路 tectospinal tract** などがある．これらの経路は，同側脊髄の前索を下行し，体幹筋や近位筋を支配する前角腹内側部に位置する介在ニューロンや，長い軸索をもつ脊髄固有

クリニカルボックス 12・5

下位運動ニューロン障害と上位運動ニューロン障害

下位運動ニューロン lower motor neuron はその軸索が骨格筋に終止する．このニューロンが障害されると，**弛緩性麻痺** flaccid paralysis や**筋萎縮** muscular atrophy，筋肉の**線維束性収縮** fasciculation（皮下に動いているものがあるように見える筋の単収縮），**筋緊張低下** hypotonia（筋緊張の減少），**反射低下** hyporeflexia または**反射消失** areflexia などを生じる．下位運動ニューロン障害を起こす疾患の例としては，**筋萎縮性側索硬化症** amyotrophic lateral sclerosis（**ALS**）がある．"amyotrophic"とは"筋肉への栄養がなくなる"という意味で，病気で廃用のために筋肉が萎縮する．"sclerosis"とは，硬化という意味で，病理解剖時に脊髄を調べる時に感じる硬さを表している．この硬さは脊髄側索でのアストロサイト（星状膠細胞）の増殖と瘢痕化のためである．ALSではα運動ニューロンが選択的に進行性に変性する．この致死的疾患は，**Lou Gehrig（ルー・ゲーリック）病**としても知られている．というのは，有名な大リーグの野球選手である Lou Gehrig がこの病気で亡くなっているからである．ALS の世界中での年間発症数は，10万人当たり 0.5〜3人と予測されている．この病気には，人種や社会経済的，民族的な差は知られていない（訳注：紀伊半島・グアムなどでの集積が報告されているが，家族性かどうか不明であり，孤発例では地域差はないと考えられている）．ALS 患者の生命予後は確定診断後 3〜5年である．ALS の発症は中年に最も多く，男性の方が女性より10倍以上高い発症率を示す．ALS 発症はほとんどの場合は孤発性だが，5〜10%は家族性のものが知られている．ALS の原因としては，ウイルスや神経毒，重金属，DNA 損傷（特に家族性 ALS の場合），免疫系の異常，酵素異常などの可能性があげられる．家族性の約40%は，第21番染色体にある Cu/Zn スーパーオキシドジスムターゼ（SOD-1）の遺伝子に変異が見つかる．SOD は酸化ストレスを減少させるフリーラジカルのスカベンジャー（捕捉剤）としてはたらく．SOD-1 遺伝子の異常があるとフリーラジカルが蓄積し，ニューロンを破壊する．**小コンダクタンス Ca^{2+} 活性化 K^+ チャネル** small-conductance calcium-activated potassium（**SK**）**channel** が抑制され，小脳核の興奮性が増加することにより小脳性運動失調が発症する．

上位運動ニューロン upper motor neuron は典型的には脊髄運動ニューロンを支配する皮質脊髄路ニューロンを指すが，脊髄運動ニューロンを制御する脳幹ニューロンも含まれる．これらの上位ニューロンが障害されるとまず筋力低下と弛緩性麻痺が出現し，最終的には**痙縮** spasticity，**筋緊張亢進** hypertonia（受動的な運動に対する筋の抵抗増加），**伸張反射亢進** hyperactive stretch reflex，そして異常足底伸展反射（**Babinski 徴候**陽性）が出現してくる．Babinski 徴候とは，足底の外側を引っかいた時に，母指の背屈と他の足指の開扇が起こる反応である．正常な大人では，このような足底への刺激は，すべての足指の屈曲反射を誘発する．Babinski 徴候は発症の局在を決めるためには価値があるが，生理学的意義は明らかではない．まだ皮質脊髄路が十分に発達していない幼児では，足底の刺激に対しては，母指の背屈と他の足指の開扇が正常な反応として出現する．

治療上のハイライト

ALS の進行を少し遅らせる効果がある数少ない薬剤の1つが，**リルゾール** riluzole という SK チャネルを開く薬物であり，興奮性アミノ酸であるグルタミン酸の過剰放出による神経障害を防ぐ効果があると思われる．運動ニューロン疾患で見られる痙縮は，筋弛緩薬である**バクロフェン** baclofen（GABA の誘導体）で軽減できる．腰部に埋め込んだポンプによるくも膜下腔へのバクロフェンの持続注入が行われる．中枢性 α_2 アドレナリン受容体作動薬である**チザニジン** tizanidine が有効なこともある．この効果は，脊髄運動ニューロンへの前シナプス抑制を増強させることによる．**ボツリヌス毒素** botulinum toxin も痙縮の治療に有効である．この毒素は，コリン作動性ニューロンの終末に結合してアセチルコリンの放出を減少させ，神経筋接合部をブロックすることで作用を発揮する．

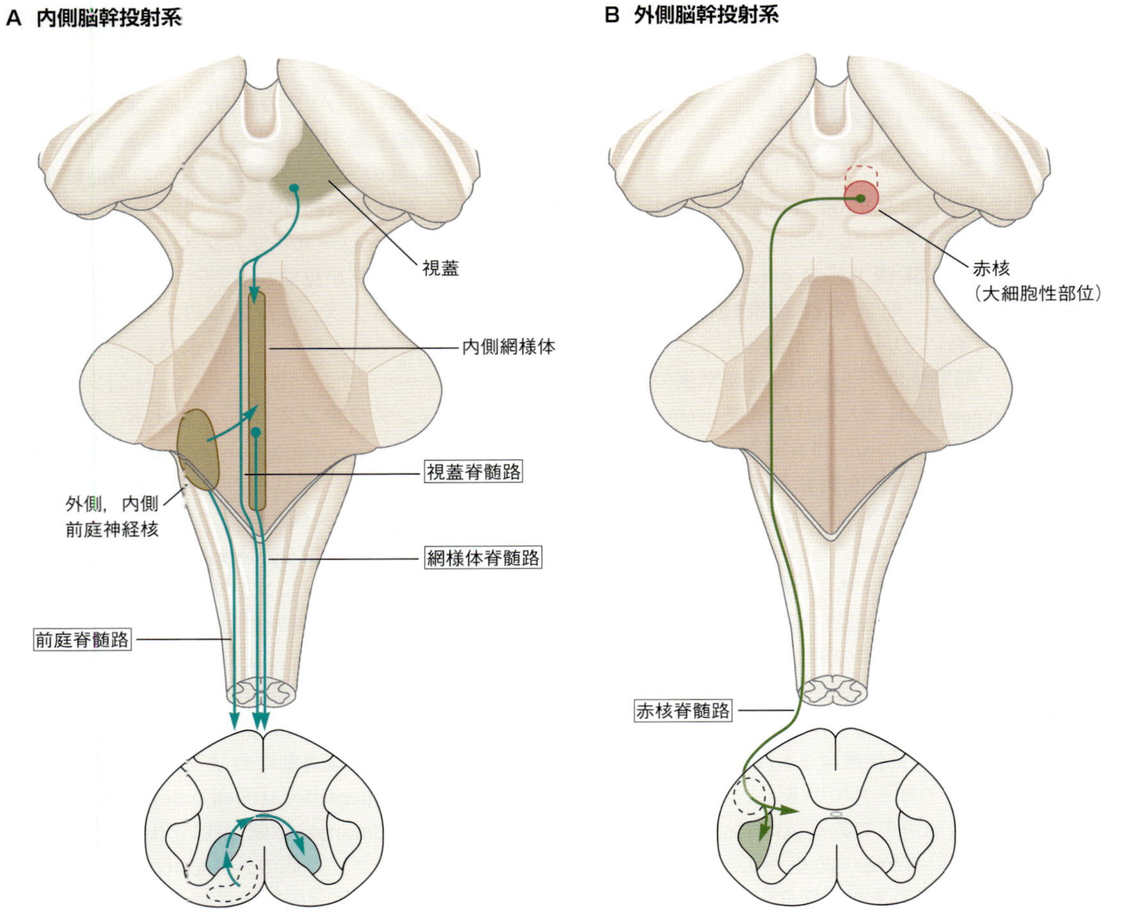

図12・10 運動制御に関係する内側および外側下行性脳幹経路．**A**：内側経路（網様体脊髄路，前庭脊髄路，視蓋脊髄路）は脊髄灰白質の腹内側部に終止し，体幹筋と近位筋を制御する．**B**：外側経路（赤核脊髄路）は脊髄灰白質の背外側部に終止し，遠位筋を制御する（Kandel ER, Schwartz JH, Jessell TM（editors）: *Principles of Neural Science*, 4th ed. New York, NY: McGraw-Hill; 2000 より許可を得て複製）．

ニューロンにシナプス結合する．少数の内側下行路ニューロンは直接体幹筋を支配する運動ニューロンにシナプス結合する．

内側および外側前庭脊髄路は前庭機能と関係し，11章ですでに述べた．内側路は前庭神経内側核と前庭神経下核を起点とし，首の筋肉を支配する頸髄運動ニューロンに両側性に投射する．外側路は前庭神経外側核から出て，すべての脊髄レベルで同側性に投射する．この投射路は姿勢と平衡に関係する抗重力筋（すなわち，近位四肢伸筋など）を支配する運動ニューロンを興奮させる．

橋および延髄網様体脊髄路もすべての脊髄レベルへ投射する．これらの経路は姿勢の維持や，特にγ運動ニューロンへの入力による筋緊張の調節に関係する．

橋網様体脊髄路ニューロンは主に興奮性作用をもち，延髄網様体脊髄路は抑制性作用が主である．視蓋脊髄路は中脳の上丘から下行し，頭部と眼球運動を制御する頸部脊髄へ対側性に投射する．

外側脳幹下行路

遠位筋は主に外側皮質脊髄路によって制御されているが，中脳の赤核ニューロンは交差して脊髄前角背外側部に位置する介在ニューロンに投射し，そのニューロンを介して四肢の遠位筋を支配する運動ニューロンにも影響を与えている．この**赤核脊髄路 rubrospinal tract** は，屈筋運動ニューロンを興奮させ，伸筋運動ニューロンは抑制する．この経路は健康なヒトではそ

れほど重要なはたらきをしていないが，除皮質硬直の典型的な姿勢の発現に関わっていると考えられる（後述）．

姿勢制御系

神経路のどこかで障害が起こると，障害部位より下位で統合されていた機能は，上位中枢の支配から切り離されて解放され，時に強調されるようになる．このような開放現象は，長く神経学の中心的原理とされてきたが，これは中枢からの抑制性制御がなくなったためと考えられる．

除　脳

上丘と下丘の間で脳幹を完全に切断すると，脳幹から出る下行路をそれより上位の神経構造の影響から独立した状態にできる．このような状態は，**四丘体間除脳（中脳除脳）midcollicular decerebration** と呼ばれ，図 12・11 の破線部 A での切断に対応する．このような切断は，大脳皮質（皮質脊髄路と皮質延髄路）と赤核（赤核脊髄路）から主に四肢の遠位筋への入力をすべて切断する．一方，主に姿勢制御に関係する伸筋群に興奮性や抑制性の影響を与える網様体脊髄路は，損傷されない．上行性感覚路は興奮性網様体脊髄路ニューロンへ優勢に入力するので，四肢のすべての伸筋が過剰に活動し，**除脳硬直（固縮*4）decerebrate rigidity** と呼ばれる特徴的な姿勢が見られるようになる．この状態は，ヒトで小脳テント上の障害により起こる**鉤ヘルニア uncal herniation** 時の姿勢とよく似ている．鉤ヘルニアは，大きな腫瘍や出血が大脳半球に生じた時に起こる．図 12・12A にはそのような患者で見られる典型的な姿勢を示してある．クリニカルボックス 12・6 には鉤ヘルニアに関連した合併症について述べてある．

除脳硬直は伸張反射の促通による頸性麻痺(痙縮)と考えられる．すなわち，網様体脊髄路からの興奮性入力がγ運動ニューロンを活性化し，このγ運動ニューロンが筋紡錘からの Ia 求心性活動を介して，間接的にα運動ニューロンの活動性を増すことによる．この経路は**γループ gamma loop** と呼ばれるが，このような神経結合は，中脳除脳（四丘体間除脳）ネコで四肢に対応する後根を切断すると（図 12・11 破線 B），伸筋の過剰活動が直ちに消失することにより示された．

除脳硬直は直接α運動ニューロンの興奮を起こすことも知られている．除脳動物で小脳の前葉を切除すると（図 12・11 の破線 C），伸筋の活動が増加する（**除小脳性硬直 decerebellate rigidity**）．小脳前葉の切除は小脳皮質から小脳室頂核への抑制を取り，二次的に前庭核への興奮性作用を増加させる（訳注：伸筋α運動ニューロンの興奮性を増す）．この場合には後根を切除しても硬直は消失しないので，この硬直はγループに無関係でα運動ニューロンの活性化によると考えられる．

除 皮 質

大脳皮質への障害（**除皮質 decortication** と呼ぶ；図 12・11 の破線 D にあたる）では，**除皮質硬直 decorticate rigidity** という，上肢が肘で屈曲し，下肢は伸筋の過剰活動のために伸展位をとるという姿勢を生じる（図 12・12B）．上肢の屈曲は，赤核脊髄路による上肢の屈筋群への興奮性作用で説明できる．下肢の過伸展は，中脳レベルでの除脳時に見られる現象と同じように説明できる．

除皮質硬直は，内包内に出血や血栓が起こった際の半側麻痺側に認められる．内包内の小動脈は出血や血栓が起こりやすく，このような除皮質硬直はよく見られる．脳出血の 60％は内包内で発症し，皮質や橋，視床，小脳でそれぞれ 10％の頻度で発症する．

大 脳 基 底 核

大脳基底核の構造

大脳基底核 basal ganglia（または**基底核 basal nuclei**）という言葉は脳の両側にそれぞれある 5 つの関連した構造の総称である（図 12・13）．それらは，**尾状核 caudate nucleus，被殻 putamen，淡蒼球 globus pallidus**（これら 3 つは皮質外套下にある大きな核），**視床下核 subthalamic nucleus，黒質 substantia nigra** に相当する*5．尾状核と被殻はまとめて**線条体 striatum** とも呼ばれ，被殻と淡蒼球をまとめて**レンズ核 lenticular nucleus** と呼ぶ．

淡蒼球は外節(GPe)と内節(GPi)に分かれ，ともに抑制性の GABA 作動性ニューロンが存在する．黒質

---

*4 訳注：生理学では固縮を使うことが多いが，最近では硬直を使うことが多いので本書では硬直を使う．

*5 訳注：発生学，形態学的には，尾状核，被殻，淡蒼球に扁桃体(核)を入れることがあるが，生理学的には扁桃体(核)を除き，本文中にあるように黒質，視床下核を入れる．

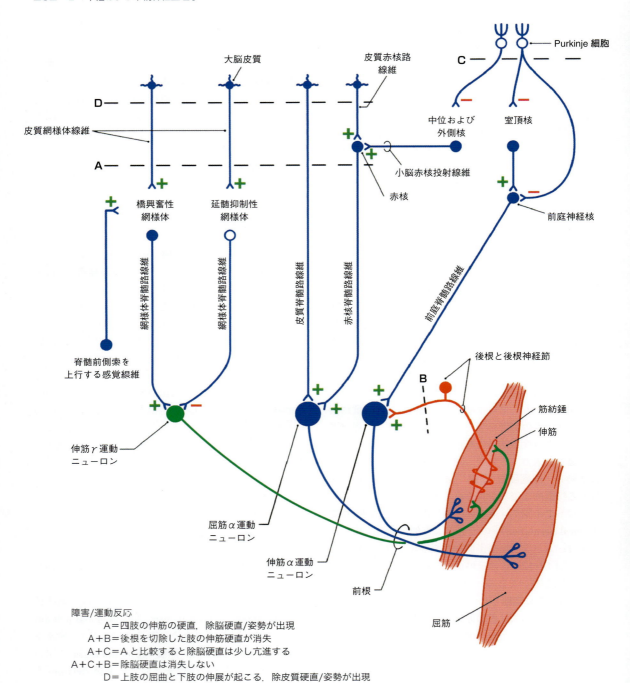

図12・11 ヒトで見られる除脳硬直，除皮質硬直を動物実験で再現できる神経経路の障害部位．両側切断部位は破線 A, B, C, D で示す．除脳硬直は上丘と下丘間の切断（**A**）で，除皮質硬直は上丘よりも吻側（上）で切断（**D**）し，同時に一肢の後根も切断（**B**）し小脳前葉を障害（**C**）すると出現する．この図の目的は，ヒトで前脳と脳幹の間や，吻側（前部）脳幹と，尾側脳幹や脊髄との間で障害が生じた時に見られる除脳硬直や除皮質硬直の姿勢出現に関係する解剖学的構造を確認することにある（Haines DE (editor): *Fundamental Neuroscience for Basic and Clinical Applications*, 3rd ed. St. Louis, MO: Elsevier; 2006 より許可を得て複製）．

A 橋上部の障害

B 中脳上部の障害

図 12・12　除脳硬直と除皮質硬直姿勢．A：中脳下部と橋上部の障害は除脳姿勢を起こす．すなわち下肢は足首が内転（母指が内側を向く）して伸展位を，上肢は前腕が回内し，指を屈曲した状態で伸展位をとる．頸部と頭部も伸展する．B：中脳上部の障害では除皮質姿勢を示す．すなわち上肢は屈曲し，下肢は軽い内転位をとり伸展する．頭部は伸展する（Kandel ER, Schwartz JH, Jessell TM (editors)：*Principles of Neural Science*, 4th ed. New York, NY: McGraw-Hil; 2000 より許可を得て改変）．

クリニカルボックス 12・6

鉤ヘルニア

大脳半球内の大きな腫瘍，血腫，脳卒中や膿瘍などの占拠性病変は，側頭葉の鉤皮質部を小脳テントの縁の上に押し付け，その結果，同側の第Ⅲ脳神経を圧迫することがある（**鉤ヘルニア uncal herniation**）．ヘルニアが起こる前には患者は意識レベルが低下し，嗜眠状態になり，瞳孔反射もはっきりせず，眼球の位置も"下方外側"へ変位し，反射が亢進し，両側に Babinski 徴候（皮質脊髄路が圧迫されるため）が認められる．脳がヘルニア状態になると，患者は除脳状態となり，昏睡になる．瞳孔は開いて反応がなく，眼球運動も起こらなくなる．いったん障害が中脳にまで広がると，**Cheyne-Stokes〔チェーン・ストークス〕呼吸**が出現する（36 章，クリニカルボックス 36・3）．この呼吸状態は，呼吸の深さが変化して，深くなるとそのあと浅くなり，無呼吸期間が間に挟まるような呼吸を指す．最終的には，延髄機能が喪失し，呼吸が停止することになり，回復は難しい．正中部に近い大脳半球部に発生した腫瘤では視床網様核が圧迫され，眼球症状が出現する前に昏睡状態となる（**中心性脳ヘルニア central herniation**）．腫瘤が大きくなるにつれて，中脳機能が障害され，瞳孔が散大し，除脳姿勢が出現する．ヘルニアが進行すると，橋にある前庭核機能，次いで延髄呼吸機能が停止する．

はドーパミン作動性ニューロンからなる**緻密部 pars compacta** と GABA 作動性ニューロンからなる**網様部 pars reticulata** に分かれる．線条体ニューロンの約 95％ は，GABA 作動性の中型棘細胞 medium spiny neuron である．残りのニューロンはすべて無棘の介在ニューロンで，大きさや神経伝達物質が異なる．すなわち，大型のコリン作動性ニューロンや中型のソマトスタチンを含むもの，そして小型の GABA 作動性ニューロンなどである．

図 12・14 には大脳基底核への入出力と，基底核間の主な線維連絡を神経伝達物質とともに示してある．基底核への入力は主に 2 つあるが，それらはともに興奮性（グルタミン酸が神経伝達物質）で，線条体に入力する．1 つは，大脳皮質の広範な領域からのもの（**皮質線条体投射 corticostriate pathway**）で，もう 1 つは視床髄板内核 intralaminar nuclei からのもの（**視床線条体投射 thalamostriatal pathway**）である．基底核からの主な出力も 2 つあり，それぞれ淡蒼球内節（GPi）と黒質網様部からのものである．これらはともに GABA 作動性の抑制性投射で，ともに視床へ投射する．視床からは，興奮性投射（グルタミン酸作動性）が前頭皮質と運動前野へ入る．この投射により大脳皮質−大脳基底核−視床−大脳皮質という回路が形成されることになる．

大脳基底核内の線維結合には，黒質緻密部から線条体へ投射するドーパミン作動性の**黒質線条体投射 nigrostriatal projection** や，線条体から黒質網様部へ投射する GABA 作動性投射がある．また線条体は淡蒼球外節と内節の両方へ抑制性投射を送る．視床下核

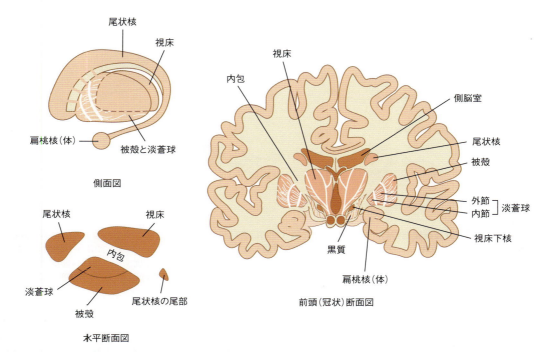

図 12・13　大脳基底核． 大脳基底核は尾状核，被殻，淡蒼球と機能的に関連のある視床下核，黒質から構成される．前頭（冠状）断では，基底核と他の周辺構造との関係を示す．

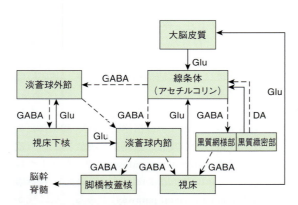

図 12・14　大脳基底核の主な神経線維結合． 実線は興奮性経路，破線は抑制性経路を示す．それぞれの経路に，そこではたらくことがわかっている神経伝達物質が示されている．DA：ドーパミン，GABA：γ-アミノ酪酸，Glu：グルタミン酸．アセチルコリンは，線条体の介在細胞が産生する神経伝達物質である．視床下核は，黒質網様部にも投射するが，わかりやすくするためにこの経路は省いてある（訳注：脚橋被蓋核への投射が淡蒼球内節由来のもののみを図示しているが，黒質網様部からも投射が知られている．視床-線条体投射と視床-大脳皮質投射はともに Glu が神経伝達物質と考えられているが，前者は髄板内核を，後者は異なる視床核を起源とする）．

は淡蒼球外節から抑制性投射を受け，淡蒼球外節と内節の両方へ興奮性投射（グルタミン酸作動性）を送る．

機　　能

　大脳基底核のニューロンは，小脳半球外側部のニューロン同様，運動の開始前に発火する．大脳基底核は運動の計画やプログラミングに関係しており，もっと大まかにいうと，抽象的な意志を随意運動遂行へと変換する過程に関係していると考えられる（図 12・6）．大脳基底核は視床を介して運動皮質へ投射し，運動皮質出力として皮質脊髄路が運動ニューロンへと最終的に投射する．また，淡蒼球内節は脳幹の核へ投射し，そこから脳幹，脊髄の運動ニューロンへと投射する．大脳基底核のうち，特に尾状核は認知機能にも関係している．おそらく尾状核は大脳皮質の前頭葉との強い線維結合があるために，尾状核を損傷すると標本非照合反応課題や遅延交代反応課題ができなくなる．また，ヒトで左側尾状核の頭部が損傷されると，右側や近傍の白質損傷では起こらない，Wernicke〔ウェルニッケ〕型の失語症に似た構音障害が起こる（15 章参照）．

ヒトの大脳基底核疾患

大脳基底核内には次の3つの異なった生化学的経路があり，正常ではそれらがバランスをとってはたらいている．すなわち，(1)黒質線条体ドーパミン性投射，(2)線条体内のアセチルコリン性システム，(3)線条体から淡蒼球と黒質への投射路であるGABA作動性システム，である．これらのうち1つまたはそれ以上が異常になると，特徴的な異常運動が出現する．大脳基底核疾患は**運動亢進型 hyperkinetic** と**運動抑制型 hypokinetic** の大きく2つに分類される．運動亢進型とは，運動が過剰で異常なものであり，舞踏病，アテトーゼ，バリズムなどが含まれる．運動抑制型とは，無動や運動緩慢などを示すものである．

舞踏病 chorea では速い不随意運動で"踊り"のような動きが出現する．**アテトーゼ athetosis** は，連続的でゆっくりした身もだえするような動きが特徴である．舞踏様やアテトーゼ様の動きは，随意運動の開始が，不随意的に，協調できずに始まるのによく似ている．**バリズム ballism**[*6] では，手足を叩きつけるような，強く激しい不随意運動が起こる．**無動症 akinesia** とは運動の開始が困難になり，自発運動が減少する状態である．**運動緩慢 bradykinesia** とは動作が遅くなることである．

Parkinson [パーキンソン] 病については次に述べるが，この病気以外にも大脳基底核の機能異常による病気がいくつかある．これらのいくつかは，クリニカルボックス12·7 に述べてある．Huntington [ハンチントン] 病は，最近増えてきた神経系に影響を及ぼすヒトの遺伝疾患の1つで，**3塩基リピート trinucleotide repeat** の延長を特徴としている．この3塩基リピートの多くはシトシン-アデニン-グアニン（CAG）リピートであるが（表12·1），シトシン-グアニン-グアニン（CGG）リピートやシトシン-チミン-グアニン（CTG）リピートタイプも1つずつ見つかっている．また，てんかん疾患のまれなタイプでは12塩基リピートの増加が関係している．

Parkinson病

Parkinson病では運動減少症と運動亢進症の両面が症状として出現する．この病気は1817年にJames Parkinsonによって報告されたので，彼の名前が付いている．Parkinson病は特定の神経伝達物質の欠損により起こることがはっきりした最初の疾患である（クリニカルボックス12·8）．この病気は黒質緻密部のドーパミン作動性ニューロンの変性によって起こる．被殻（線条体の一部）への投射線維の変性が最も強く起こる．

Parkinson病の運動減少症状は，寡動と緩慢な運動が特徴的だが，運動亢進症状としては，**歯車様強剛 cogwheel rigidity** と**静止時振戦 tremor at rest** がある．無動と随意運動の開始が困難となるのが特徴的である．運動の減少は，歩行時の腕の振りや，ものを考えたり，会話している時の感情変化に伴う表情の変化や，いろいろな"落ち着きのない"しぐさなど，われわれの多くが正常では無意識に行う動作で見られる．硬直では主動筋と拮抗筋の両方で運動神経活動が増加しているので，硬直は痙縮とは違うものである．四肢を受動的に動かすと，粘土や死体の四肢を曲げるときのような抵抗を感じるが，ちょうど鉛管を曲げるような感じなので，**鉛管様硬直 lead pipe rigidity** と呼ばれる．時には，受動運動中に"引っ掛かり"のような感じを受けることがある（歯車様強剛），痙縮の四肢に見られるような急激な抵抗の消失は起こらない．振戦は休止時に見られ，運動時には消失するが，これは拮抗筋の8 Hzの規則的な交代性収縮によるものである．

図12·15 は，Parkinson病の運動障害の病因についての現在の考え方をまとめたものである．健常人では，大脳基底核の出力はGABA作動性ニューロンによる抑制性出力である．ドーパミン作動性ニューロンは，黒質から被殻へ投射しているが，正常では2つの作用を示す．1つはドーパミンD_1受容体をもつ被殻ニューロンを興奮させ，このニューロンは直接路のGABA作動性出力として淡蒼球内節に投射し，抑制する．もう1つはドーパミンD_2受容体をもつ被殻ニューロンを抑制し，このニューロンは淡蒼球外節に投射し抑制性作用を示すので，この投射を受ける視床下核から淡蒼球内節への興奮性入力は減少する．この抑制と興奮のバランスが正常な運動発現を制御している．Parkinson病では被殻へのドーパミン作動性入力が消失してしまう．その結果淡蒼球内節への抑制性出力が減少し，視床下核からの興奮性出力が増えることになる．全体として，視床と脳幹への抑制性出力が増え運動が障害されることになる．

家族性のParkinson病も知られているが，まれな病気である．少なくとも5種類のタンパク質に対す

[*6] 訳注：視床下核が破壊されると起こる．一側の視床下核に出血が起こると，その結果，反対側に急に出現する（片側バリズム hemiballism）．これは臨床神経学上，最も劇的な症候の1つである．

クリニカルボックス 12・7

大脳基底核疾患

　Huntington 病で最初に見つかる異常は，線条体の中型棘細胞の変性である．この淡蒼球外節（GPe）への GABA 作動性投射ニューロンの消失は抑制性の影響をなくし，この病気の特徴である運動亢進状態を出現させる．初期の症状は，手を一点に向かって伸ばした時に，標的近くで特に急激な揺れが起こることである．病気が進行すると活発な**舞踏様の動き choreiform movement** が出現し徐々にその頻度が増加し，最後には寝たきりになってしまう．発話はゆっくりで，理解しにくくなり，認知症が進行し，発症後，10～15 年で死に至る．Huntington 病は世界中で人口 10 万当たり 5 人くらいの発症率である．常染色体性優性遺伝を示し，発症年齢は 30～50 歳の間である．病因となる異常遺伝子は第 4 番染色体の短腕の末端に位置する．遺伝子が正常では 11～34 回のシトシン-アデニン-グアニン（CAG）の繰り返しをもち，CAG はグルタミンをコードしている．Huntington 病患者ではこの繰り返しの回数が 42～86 回またはそれ以上に増加しており，この繰り返しの回数が多いほど，発症が早く，病気の進行も速い．この遺伝子は**ハンチンチン huntingtin** という軸索伸張や遺伝子の転写調節や細胞の生存に関係するタンパク質をコードしている．不溶性のタンパク質が，細胞内の核やあちこちに凝集して，細胞毒性を示す．しかしながら，このタンパク質の凝集塊と臨床症状には必ずしも相関はない．ハンチンチンタンパク質の機能喪失は，CAG 繰り返しの長さに比例している．動物疾患モデルでは，胎児の線条体組織を線条体内へ移植すると，認知行動の改善がみられたとの報告がある．さらに，組織カスパーゼ 1 活性が，患者の脳で増加しており，マウスでこのアポトーシス制御酵素をコードしている遺伝子をノックアウトすると，病気の進行が遅くなったとの報告もある．

　他の基底核疾患としては，まれな銅代謝異常により起こる Wilson（ウィルソン）病（**肝レンズ核変性症 hepatolenticular degeneration** ともいう）があるが，これは 6～25 歳で発症し，女性が男性よりも約 4 倍発症率が高い．Wilson 病は世界中で約 3 万人の患者がいると考えられる．この病気は，第 13 番染色体の長腕 13q の突然変異による常染色体性劣性遺伝性の疾患である．この異常により肝臓の銅輸送 ATPase 遺伝子（*ATP7B*）が影響を受け，肝臓への銅の蓄積による進行性の肝障害が起こる．人口の約 1％が染色体上にあるこの一対の遺伝子の一方に異常があるキャリアであるが，発症はしない．両親からこの遺伝子を受け継ぐと発症する．患者では銅が眼球角膜の周辺に蓄積し，それが特徴的な黄色のリングとして認められる．このリングを Kayser-Fleischer（カイザー・フライシャー）リング と呼ぶ．主な神経病理学的所見は，**レンズ核 lenticular nucleus** を構成する，被殻の変性である．運動障害としては"羽ばたき"振戦または**固定姿勢保持困難 asterixis**，**構音障害 dysarthria**，歩行障害や筋硬直が出現する．**遅発性ジスキネジア tardive dyskinesia** は大脳基底核が関係する疾患だが，フェノチアジン phenothiazine やハロペリドール haloperidol などの**神経抑制薬 neuroleptic drug** を他の疾患の治療薬として使った際に，その副作用として起こる．したがって遅発性ジスキネジアはもともと医原性疾患だといえる．このような薬剤を長期間服用すると，線条体に生化学的な異常が起こることになる．運動障害としては，一過性または永続性の制御不可能な不随意運動が顔や舌に出現し，歯車様強剛（訳注：受動的に伸展する際に断続的に抵抗を示すような筋強剛）も見られる．このような神経抑制薬はドーパミン系の神経伝達をブロックするので，その長期使用はドーパミン受容体のうち D_3 の感受性亢進を引き起こし，黒質線条体投射による運動制御の不均衡をもたらすことになる．

治療上のハイライト

　Huntington 病は，不治の病気なので，その治療は症状の軽減と生活の質の維持が中心になる．一般的に，この病気の治療薬には易疲労感，吐き気，不安・不眠などの副作用がある．2008 年 8 月に米国食品医薬品局 Food and Drug Administration（FDA）が，Huntington 病の特徴である舞踏様運動の改善のために**テトラベナジン tetrabenazine** の使用を承認した．この薬剤は小胞性モノアミントランスポータ vesicular monoamine transporter（VMAT）に可逆的に結合し，モノアミンのシナプス小胞への取り込みを抑制する（訳注：シナプス小胞が枯渇する）．また，ドーパミン受容体拮抗薬としても作用する．テトラベナジンは Huntington 病の治療薬として初めて承認された薬剤である．この薬は，遅発性ジスキネジアなどの他の運動亢進型疾患にも使われている．**ペニシラミン penicillamine** や**トリエンチン trienthine** などの**キレート剤 chelating agent** は，Wilson 病で体内の銅を減らすために使われる．遅発性ジスキネジアは治療が難しい疾患である．精神疾患患者の治療では，遅発性ジスキネジアを起こしにくい神経抑制薬を処方するようになってきた．**クロザピン clozapine** は従来の神経抑制薬に代わる有効な薬剤の例で，遅発性ジスキネジアの発症リスクが少ない．

表12・1 トリヌクレオチド（3塩基）リピート疾患の例

疾　患	延長する 3塩基 リピート	異常タンパク質
Huntington 病	CAG	ハンチンチン
脊髄小脳性運動失調症 1，2，3，7型	CAG	アタキシン1，2，3，7
脊髄小脳性運動失調症 6型	CAG	Ca^{2+}チャネルの$α_{1A}$ サブユニット
歯状核赤核-淡蒼球視床 下核萎縮症	CAG	アトロフィン
脊髄延髄性筋萎縮症	CAG	アンドロゲン受容体
脆弱X症候群	CGG	FMR-1
筋強直性ジストロフィー	CTG	DMプロテインキナーゼ
Friedreich 運動失調症	GAA	フラタキシン

FMR-1：fragile X mental retardation 1, DM：dystrophia myotonica.

る遺伝子の変異が報告されている．これらのタンパク質はユビキチン化に関係している．そのうちの2つは**α-シヌクレイン α-synuclein**と**パーキン parkin**で，相互作用をもち，**Lewy〔レヴィー〕小体**中に見つかる．Lewy 小体は神経細胞封入体で，すべてのParkinson病の病型で見られる．

Parkinson病で重要なことは線条体内でのコリン作動性介在ニューロン活動による興奮性作用とドーパミン作動性の抑制性入力のバランスである．抗コリン作動薬によってコリン作動性活動を減少させることによって，症状はいくぶんかは改善される．もっと劇的な症状改善はL-ドーパ（**レボドパ levodopa**）の服用により認められる．ドーパミンと異なり，このドーパミン前駆物質は血液脳関門を通ることができ，ドーパミン不足を補う．しかし，ドーパミン作動性ニューロンの変性は続き，5～7年くらいでL-ドーパの効果はなくなることになる．

小　　脳

小脳は脳幹の主な感覚系と運動系にまたがるように位置する（図12・16）．小脳の中央の**虫部 vermis**と外側の**小脳半球部 cerebellar hemisphere**は大脳皮質よりも密にたたみ込まれ，細かい溝で区切られている．小脳はその重量が大脳皮質の10％にすぎないが，表面積は大脳皮質の約75％にもなる．解剖学的には小脳は，横行する2つの深い溝により3つの部分に分けられる．後外側裂は両側で，内側の小節と外側の片葉を他の小脳部分から区分し，第一裂は残りの小脳部分を前葉と後葉に分ける．小脳虫部は小裂（表面の深い溝）により小さく区分され，上部から下部に向かってI～Xの10の主要な小葉が区別される．

小脳は第四脳室の周りにある3対の小脳脚により脳幹とつながっている．**上小脳脚 superior cerebellar peduncle**は小脳核からの出力線維が通り，脳幹，赤核，視床へ投射する．**中小脳脚 middle cerebellar peduncle**は対側の橋核からの求心性線維のみが通り，**下小脳脚 inferior cerebellar peduncle**は脳幹，脊髄からの求心性線維と前庭神経核への遠心性線維からなる．

小脳は深部の**小脳核 cerebellar nucleus**と外側の**小脳皮質 cerebellar cortex**から構成され，両者は白質で隔てられている．小脳への求心性線維は中小脳脚と下小脳脚を通過するが，それらは**苔状線維 mossy fiber**と**登上線維 climbing fiber**と呼ばれ，ともに側枝を小脳核に送りながら皮質へ投射する．小脳核は，外側から内側へ，**歯状核 dentate nucleus**，**球状核 globose nucleus**，**栓状核 emboliform nucleus**，**室頂核 fastigial nucleus**の4つの核からなる．球状核と栓状核は一緒にして**中位核 interpositus nucleus**とも呼ばれる．

小脳皮質の構造

小脳皮質は3層からなり，外側から分子層，細胞が1層に並ぶPurkinje細胞層，顆粒層と並んでいる．Purkinje細胞，顆粒細胞，バスケット（籠）細胞，星状細胞，Golgi細胞の5種類の細胞が小脳皮質にある（図12・17）．**Purkinje〔プルキンエ〕細胞**は中枢神経系で最も大きな細胞の1つで，樹状突起が発達しており，分子層全体に広がる特徴的な細胞である．Purkinje細胞の軸索は小脳皮質からの唯一の出力であり，小脳核，特に歯状核へ投射しており，抑制性シナプスを形成する．また，脳幹の前庭神経核にも抑制性投射を送る．

顆粒細胞 granule cellは細胞体が顆粒層に位置し，苔状線維からの興奮性入力を受け，Purkinje細胞に投射する（図12・18）．それぞれの細胞が分子層へ軸索を伸ばし，ここでこの軸索はT字形に2本に枝分かれする．T字形に分枝した軸索はかなりの距離を真っ直ぐに伸びていくので，**平行線維 parallel fiber**と呼ばれる．Purkinje細胞の樹状突起はほぼ一平面状に広がっており，平行線維と直交するように並んでいる．そこで平行線維は多数のPurkinje細胞とシナプス結合することになり，両者は整然と幾何学的な格子状の

クリニカルボックス 12・8

Parkinson 病

　Parkinson 病の患者は世界中で 700 万〜1000 万人いる．男性は女性よりも 1.5 倍発症率が高い．米国では毎年 6 万人が発症している．Parkinson 病は中高年で孤発性に発症する原因不明の病気で，最もよくみられる神経変性疾患の 1 つである．65 歳以上では人口の 1〜2％の有病率があると考えられる．ドーパミン作動性ニューロンや受容体は，健常人の大脳基底核でも年齢とともに減少していき，この減少の加速が明らかに Parkinson 症状の発現と関連している．60〜80％のドーパミン作動性黒質線条体投射ニューロンが変性すると発症する．

　Parkinson 症候群 Parkinsonism（訳注：Parkinson 病を含む同様の症状を示す病気・症状の総称）は，抗精神薬として使われるフェノチアジン phenothiazine 系薬剤やドーパミン D_2 受容体をブロックする薬の副作用としても発症する．また，急性で劇的な発症例としては 1-メチル-4-フェニル-1,2,5,6-テトラヒドロピリジン（MPTP）の注射によるものが知られている．この例は，偶然に北カリフォルニアの麻薬密売人が，MPTP が混ざった合成ヘロインを客に売ったことから見つかった．$MPTP^+$ はアストロサイト中でモノアミンオキシダーゼ（MAO-B）により代謝され強い酸化作用をもつ 1-メチル-4-フェニルピリジニウム（MPP^+）に変化する．MPP^+ はドーパミントランスポータにより黒質のドーパミン作動性ニューロンに取り込まれ，黒質のドーパミン作動性ニューロンだけを破壊する．

治療上のハイライト

　Parkinson 病も完全な治癒は望めない病気であるが，症状を改善する薬物治療が可能である．**シネメット sinemet** は，**レボドパ levodopa**（L-ドーパ）と**カルビドパ carbidopa** を組合わせた薬剤だが，Parkinson 病の治療に最もよく使われる薬である．L-ドーパにカルビドパを加えることにより，薬効を高めるとともに末梢での L-ドーパからドーパミンへの変換を防ぎ，L-ドーパの副作用である悪心，嘔吐や不整脈などを減少させる．ドーパミン作動薬も Parkinson 病患者に有効なことがある．このような薬剤には，**アポモルヒネ apomorphine**，**ブロモクリプチン bromocriptine**，**プラミペキソール pramipexole**，**ロピニロール ropinirole** などがある．レボドパとの併用により，**エンタカポン entacapone** などのカテコール-O-メチルトランスフェラーゼ（COMT）阻害薬もこの病気の治療薬として使われる．この薬剤は L-ドーパの分解を抑え，脳内への L-ドーパの移動量を増やしドーパミンの脳内濃度を上昇させる．**セレギリン selegiline** などの MAO-B 阻害薬もドーパミンの分解を抑える．このような薬剤は診断直後に用いることによりレボドパの投薬時期を遅らせることができる．

　米国食品医薬品局（FDA）は Parkinson 病治療に**深部脳刺激 deep brain stimulation（DBS）**を行うことを承認している．DBS は L-ドーパの投薬量を減らすことができ，**ジスキネジア dyskinesia** と呼ばれる不随意運動などの副作用を減らすことになる．患者によっては，DBS で振戦が止まり，寡動が改善し歩行も改善する．一般的に外科的治療は，薬物療法がうまくいかなくなった患者に適応される．**淡蒼球内節切除術 pallidotomy** や**視床下核切除術 subthalamotomy** が基底核の出力バランスを正常にするために行われている（図 12・15 参照）．他の外科的手法としては基底核内や近傍にドーパミン産生組織を移植する方法がある．患者自身の副腎髄質や頸動脈小体（訳注：ともにカテコールアミン産生細胞からできている）などの移植はドーパミンの供給源として一時的には有効だが，長期の効果は期待できない．胎児の線条体組織の移植はより有効で，移植細胞は患者の基底核内で生存するだけでなく適切な神経回路を形成する．しかし，このような移植を受けた患者の中にはドーパミンレベルが過剰になりジスキネジアを発症することもある．

配列をとっている.

小脳皮質の他の3つの細胞は抑制性の介在ニューロンである. **バスケット細胞(籠細胞)** basket cell (図12・17)は分子層にあり, 平行線維の興奮性入力を受け, それぞれの細胞が多数のPurkinje細胞(図12・18)に投射する. バスケット細胞の軸索終末は, その名称のように籠状にPurkinje細胞の細胞体と軸索小丘を囲む. **星状細胞** stellate cell もバスケット細胞とよく似ているが, 分子層のより浅い層に位置する. **Golgi細胞**は顆粒層にある. その樹状突起は分子層まで伸びており, 平行線維からの興奮性入力を受けている(図12・18). Golgi細胞の細胞体は求心性の苔状線維の側枝から興奮性入力を受ける. Golgi細胞の軸索は顆粒細胞の樹状突起に抑制性シナプスを形成する.

前に述べたように, 小脳皮質への主な興奮性入力は, **登上線維** climbing fiber と **苔状線維** mossy fiber の2つである(図12・18). 登上線維は, 唯一の起始部位である下オリーブ核から投射し, 1本の線維がPurkinje細胞の一次樹状突起に投射し, 樹状突起の分岐に, ツタ植物のようにまとわりついている. 下オリーブ核への固有受容器からの入力は全身から入ってくる. 一方, 苔状線維は全身からの固有受容器情報を直接小脳皮質に入力するとともに, 大脳皮質からの入力を橋核経由で小脳皮質へ送る. 苔状線維は顆粒細胞の樹状突起に, **糸球体構造(グロメルルス)** glomerulus と呼ばれる複雑なシナプス構造を作って終止する. 糸球体構造には上に述べた, Golgi細胞の抑制性終末もシナプス結合する.

小脳皮質の基本神経回路は比較的単純である(図12・18). 登上線維入力はPurkinje細胞の一つひとつに強力な興奮性効果をもたらし, 苔状線維入力は顆粒細胞を介して多数のPurkinje細胞に弱い興奮性効果を及ぼしている. バスケット細胞や星状細胞も顆粒細胞から平行線維入力による興奮作用を受け, その出力はPurkinje細胞を抑制する(**フィード・フォワード抑制** feed-forward inhibition). Golgi細胞は苔状線維の側枝からの興奮性入力に加え, Purkinje細胞の軸索側枝からは抑制性, 平行線維からは興奮性入力を受け, 苔状線維から顆粒細胞への入力を抑制する. 星状細胞, バスケット細胞, Golgi細胞, Purkinje細胞の神経伝達物質はGABAであるが, 顆粒細胞の神経伝達物質はグルタミン酸である. GABAはGABA$_A$受容体に作用するが, この受容体のサブユニットの構成は細胞のタイプごとに異なる. 顆粒細胞は, GABA$_A$受容体サブユニットとしてα6サブユニットをもつ唯一の中枢神経細胞であるという特徴をもつ.

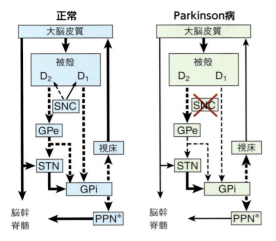

図12・15 Parkinson病で予想される大脳基底核−視床皮質回路の異常. 実線の矢印は興奮性出力, 破線の矢印は抑制性出力を表す. それぞれの出力の強さは, 矢印の線の太さによって示す. D$_1$: ドーパミンD$_1$受容体, D$_2$: ドーパミンD$_2$受容体, GPe: 淡蒼球外節, GPi: 淡蒼球内節, PPN: 脚橋被蓋核, SNC: 黒質緻密部, STN: 視床下核. 詳しくは本文参照(Grafton SC, DeLong M: Tracing the brain circuitry with functional imaging, Nat Med 1997 Jun; 3(6): 602-603 より許可を得て改変). [*訳注: 脚橋被蓋核 pedunculopontine nucleus(PPN)は, 脳幹への下行路を形成するとともに, 基底核への入力も与える. これまでの研究ではアセチルコリン, グルタミン酸を神経伝達物質とする細胞からなると考えられている.]

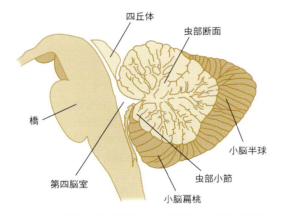

図12・16 小脳の正中断面図. 内側部の虫部と外側部の小脳半球は多数の細い溝で区切られた小葉 folium と呼ばれる構造でできている. 図には示してないが小脳は脳幹と3対の脚(上小脳脚, 中小脳脚, 下小脳脚)でつながっている(Waxman SG: *Clinical Neuroanatomy*, 26th ed. New York, NY: McGraw-Hill; 2010 より許可を得て複製).

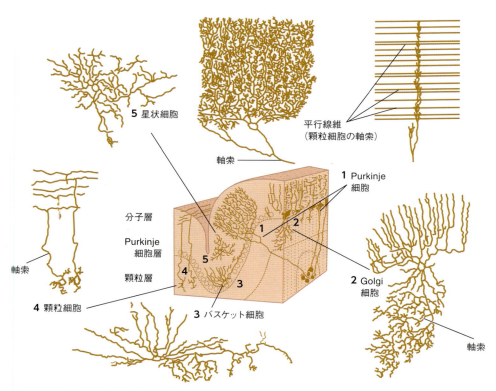

図 12・17　小脳皮質の5種類の神経細胞の位置と形態．各細胞の形態は Golgi 染色標本による．Purkinje 細胞(**1**)は，一平面内に広がる樹状突起をもち，その軸索は小脳皮質からの唯一の出力である．顆粒細胞(**4**)の軸索は分子層を横走し，Purkinje 細胞の樹状突起とシナプス結合する．Golgi 細胞(**2**)，バスケット細胞(**3**)，星状細胞(**5**)は細胞体の位置，樹状突起の形態，軸索分枝様式，シナプス結合のそれぞれに特徴をもっている（図中の 1 と 2 は Ramon y Cajal S: *Histologie du Systeme Nerveux II*., C.S.I.C. Madrid より，3〜5 は Palay SL, Chan-Palay V: *Cerebellar Cortex*. Berlin: Springer-Verlag; 1975 より許可を得て複製）．

　Purkinje 細胞の出力は次に小脳核を抑制するが，前に述べたように，小脳核は苔状線維と登上線維の側枝から興奮性入力を受ける．小脳核から脳幹，視床への出力は常に興奮性であるということは，小脳核が Purkinje 細胞から抑制性入力を受けるという視点から見ると，対照的で興味深い．つまり，ほとんどすべての小脳内の神経回路は，小脳核から脳幹や視床への興奮性出力を修飾し，出力のタイミングを調節することに主に関わっているということになる．小脳への一次求心性入力は収束して，苔状線維や登上線維として小脳へ入力するが，それらは，表12・2 にまとめてある．

機能的区分

　機能的に見ると小脳は 3 つの部分に分けられる（図 12・19）．虫部の小節とその両脇に位置する左右半球部の片葉は**前庭小脳 vestibulocerebellum**（または**片葉小節葉 flocculonodular lobe**）を形成する．この部分は，系統発生学的に最も古い部分で，前庭系との線維結合があり，体の平衡と眼球運動制御に関わる．虫部の残りの部分とこれに隣接する半球内側部は**脊髄小脳 spinocerebellum** を形成し，運動野からの運動プランのコピーを受け取るだけでなく，体の各部からの固有知覚もこの部位に入力する．脊髄小脳は運動プランと実際の運動結果を比較し，より滑らかで，洗練された運動の遂行に関与する．虫部は体軸と四肢の近位筋の制御に関係する脳幹部位（内側脳幹下行系）へ投射し，脊髄小脳の半球部は四肢の遠位筋の制御に関係する脳幹部位（外側脳幹下行系）へと投射する．小脳半球外側部（**皮質小脳 cerebrocerebellum**）[*7] は系統発生学的に最も新しい部位で，ヒトで最も高度に発達している．

[*7] 訳注：大脳皮質からの入力は橋核を経由してくるので小脳半球外側部を橋小脳 pontocerebellum と呼ぶこともある．

12. 姿勢と運動の反射と随意制御　291

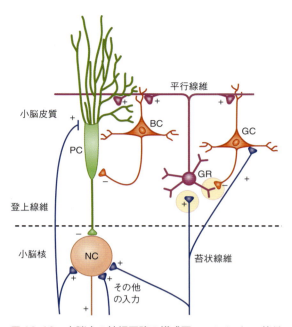

図 12・18　小脳内の神経回路の模式図．＋および－の符号はシナプス結合がそれぞれ興奮性であるか抑制性であるかを示す．BC：バスケット細胞，GC：Golgi細胞，GR：顆粒細胞，NC：小脳核細胞，PC：Purkinje細胞．PC, BC, GC は抑制性であることに注意．星状細胞のニューロン結合は示していないが，この細胞が大部分 Purkinje 細胞の樹状突起に終止する点を除いては，バスケット細胞の結合と同様である．

表 12・2　小脳への主要な求心系の機能[a]

求心路	伝達するインパルス
前庭小脳路	迷路からの前庭起源のインパルス．直接入力するものと前庭神経核経由のもの
後脊髄小脳路	筋紡錘，Golgi 腱器官や下肢や体幹の関節受容器からの固有受容性と外受容性インパルス
前脊髄小脳路	筋紡錘，Golgi 腱器官や上下肢の関節受容器からの固有受容性と外受容性インパルス
楔状核小脳路	筋紡錘，Golgi 腱器官や上肢と胸郭上部の関節受容器からの固有受容性インパルス
視蓋小脳路	下丘経由の聴覚情報と上丘経由の視覚情報インパルス
橋小脳路	大脳皮質の運動野やその他の領域から橋核を経由するインパルス
オリーブ小脳路	下オリーブ核で中継される全身の固有受容器からのインパルス

a) オリーブ小脳路は，登上線維を経由して小脳皮質に投射する．この表に示してある他の経路は，苔状線維を経由して投射する．これら以外にも脳幹諸核から小脳皮質と小脳核へ入力するものがあるが，それらには縫線核から顆粒層および分子層へのセロトニン作動性入力や，青斑核から小脳皮質の3層すべてへのノルアドレナリン作動性入力などがある．

この部位は運動野と相互作用をもち，運動の計画・立案に関係する．

　前庭小脳からの出力の多くは，直接脳幹へと投射するが，他の小脳皮質からは小脳核に一度投射し，小脳核が脳幹へと情報を送る．小脳核は脊髄小脳や皮質小脳にとっては唯一の出力経路である．脊髄小脳の内側部は小脳核の室頂核へ投射し，そこから脳幹へと情報を送る．脊髄小脳のうち，虫部に隣接する半球部は栓状核と球状核へ投射し，これらの核が脳幹へ投射する．皮質小脳は歯状核に投射し，歯状核から直接，間接に視床の外側腹側核へ投射する[*8]．

小脳失調症

　小脳が障害されると，**筋緊張低下 hypotonia**，運動

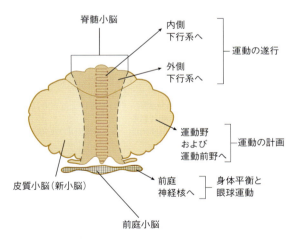

図 12・19　小脳の3つの機能的区分．虫部小節とその両脇に位置する左右半球部の片葉は前庭系と結合する前庭小脳を形成し，体の平衡と眼球運動制御に関わる．虫部の残りの部分と隣接する半球内側部は脊髄小脳を形成し運動野からの"運動計画"のコピーを受け取るとともに体の各部からの固有知覚も入力する．小脳半球の外側部は皮質小脳と呼ばれ，大脳皮質運動野と相互作用して運動の計画とプログラミングに関係する（Kandel ER, Schwartz JH, Jessell TM (editors): *Principles of Neural Science*, 4th ed. New York, NY: McGraw-Hill; 2000 より許可を得て改変）．

*8 訳注：原書では間接的にも歯状核から視床外側腹側核への投射があるように記載されているが，基本的には直接投射がほとんどである．

失調 ataxia，企図振戦 intention tremor[*9] などのいくつかの特徴的な異常が出現する．小脳損傷に伴う運動障害は，損傷部位によって異なる．図 12･20 にはこれらのいくつかの例を図示してある．さらに詳しい説明はクリニカルボックス 12･9 に示した．

小脳と学習

　小脳はある課題を繰り返し行うような練習により協調運動が上達する際の運動学習にも関係する．ある運動課題を学習するにつれて，脳の活動は前頭前野から頭頂葉や運動野，そして小脳へと移っていく．小脳での学習の基礎となるのは，下オリーブ核からの登上線維入力だろうと考えられている．苔状線維-顆粒細胞-Purkinje 細胞に至る結合は非常に拡散的で，個々のPurkinje 細胞はいろいろな部位からの情報を多くの苔状線維から受け取ることになる．対照的に，登上線維では 1 本の線維が単一の Purkinje 細胞に入力するが，それが Purkinje 細胞上に 2000〜3000 のシナプスを作っている．そこで登上線維の活動によりPurkinje 細胞に大きな，複雑スパイク[*10] と呼ばれる応答が生じ，この強力な複雑スパイクが Purkinje 細胞への苔状線維入力を長期にわたり修飾することがわかっている[*11]．新しい運動が学習されている時には，登上線維活動が増加し，下オリーブ核を選択的に破壊すると，ある種の運動反応の長期的な調節ができなくなってしまう．

[*9] 訳注：運動の開始時には必ずしも大きくないので，最近では **終末振戦 terminal tremor** と呼ぶこともある．
[*10] 訳注：これに対し，顆粒細胞・平行線維による入力は単純スパイク simple spike と呼ばれる．
[*11] 訳注：長期抑圧現象 long-term depression (LTD) が代表的．

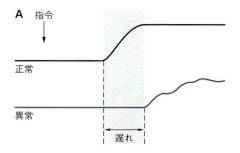

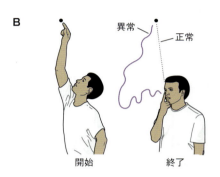

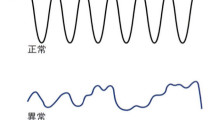

図 12･20　小脳失調症により起こる典型的な症状．A：右小脳半球障害では運動の開始の遅れがみられる．患者に両手を同時に握るように命じると，右手（障害側と同側）の動きは左手よりも遅れる（患者が圧力計を握ることによる記録）．**B**：測定異常や運動の解離は，患者の腕を高い位置に上げさせて自分の鼻を指すようにさせると明らかになる．手指の振戦は鼻に近づくにつれて激しくなる．**C**：反復拮抗運動不能は，小脳疾患患者に肘を曲げたままや伸ばしたままで回内，回外運動をできるだけ早く行わせると，手や腕の動きがうまくできなくなる状態である（Kandel ER, Schwartz JH, Jessell TM (editors): *Principles of Neural Science*, 4th ed. New York, NY: McGraw-Hill; 2000 より許可を得て転載）．

クリニカルボックス 12・9

小脳失調症（疾患）

　小脳損傷に伴う異常はたいてい運動時に顕著になる．顕著な**運動失調 ataxia** は運動の速さ，大きさ，力の程度，方向などのエラーによる協調障害と考えられる．運動失調は，歩行時の歩幅の広さや，不安定で，"酔っ払い"のような歩き方に現れるだけでなく，発話時に必要な巧緻運動の障害としても現れ，その結果，ゆっくりとした，**断綴性（断続性）発語 scanning speech** がみられる．運動失調症には遺伝性のものも多くあるが，**Friedreich〔フリードライヒ〕運動失調症**や **Machado-Joseph〔マシャド・ジョセフ〕病**などがその例である．これらの遺伝性運動失調は治癒が望めない．小脳が損傷されると随意運動も明らかに異常となる．たとえば，指で対象物を触れるような運動では，目標から大きくずれてしまう．このような**測定異常 dysmetria** は，すぐに大きく修正しようとするので，その修正運動も反対側に行き過ぎるということになる．その結果，指先が行き過ぎたり，戻り過ぎたりを繰り返して振動する．この振動が，小脳失調症状の**企図振戦 intention tremor** である．小脳失調症のもう1つの特徴は，動きを素早く止めるために"急ブレーキをかける"ことができないことである．たとえば，正常なヒトでは前腕を抵抗に対して屈曲しようとしている時に，抵抗が急になくなってもすぐに調節ができるが，小脳失調症の患者では前腕の動きを止めることができず，大きく後ろに弧を描くように動いてしまう．このような異常は，**反跳現象 rebound phenomenon** と呼ばれる．小脳失調症患者で，素早く手首の回内，回外運動を繰り返させると，そのような反復運動ができないという，**反復拮抗運動不能 dysdiadochokinesia** が観察されるのもこのような異常がその理由の1つである．最後に，小脳失調症患者では，同時に複数の関節を使うような動作が難しくなる．すなわち，小脳失調症患者では，このような複合動作が1つの関節が関わる運動ごとに分解されて実行されるので，この症状は**運動分解現象 decomposition of movement** として知られる．他にもヒトの小脳失調症状には，運動制御における小脳の重要性を示すものがある．小脳損傷に伴う運動障害は，損傷部位によって異なる．前庭小脳が障害されると主な症状としては，運動失調，**平衡障害 disequilibrium**，**眼振 nystagmus** がみられる．虫部や室頂核（脊髄小脳の一部）の障害では，姿勢保持時の体軸や体幹筋の制御異常や断綴性発語がみられる．小脳のこれらの部位の変性は，アルコール中毒や栄養失調者にみられるチアミン（ビタミン B_1）欠乏症で起こることもある．皮質小脳の障害では運動開始の遅れや運動分解現象が主な症状となる．

治療上のハイライト

　運動失調の治療は原則として機能支援となるが，これには理学療法，作業療法や言語療法などがある．有効な薬物治療への試みはまだ成功していない．視床の中間腹側核 ventral intermediate nucleus の**深部脳刺激（DBS）**は小脳性振戦に有効なことがあるが運動失調には効果が少ない．**コエンザイム Q10 coenzyme Q10（CoQ10）**の低下と家族性の運動失調との関係がいくつかの症例で示唆されている．もし，CoQ10の低下が見つかれば，CoQ10の補充が有効な場合もあると報告されている．

章のまとめ

- 統合された反射活動の基本要素は，感覚器，求心神経，中枢統御部位での1つ以上のシナプス結合，遠心性ニューロン，そして効果器から構成される．
- 筋紡錘は錘外筋線維と平行に位置する特殊化した錘内筋線維の束で，収縮可能な両端部と収縮しない中央部からなる．Ia 求心性線維とⅡ求心性線維が起始し，遠心性のγ運動ニューロンが終止する．
- 膝蓋腱を叩打すると筋肉が伸長され，伸長された筋肉を支配している運動ニューロンに直接シナプスしている Ia 求心性神経を活性化し，その筋肉を収縮させる（膝蓋腱反射）．
- γ運動ニューロンが興奮すると錘内線維の収縮可能な部分を短縮し，その結果，筋紡錘の核袋部分を伸長し，終末部が変形され，Ia 神経線維の興

奮を起こす．この一連の経過が筋肉の収縮を起こす．すなわちγ運動ニューロンが間接的に伸張反射を介して筋収縮を起こすことになる．
■ Golgi 腱器官は腱の小束の間にこぶ状の神経終末が網目状に集まったもので，錘外筋線維と直列に位置して，Ib 求心性神経が起始する．筋を受動的に伸張しても，筋が自ら収縮しても刺激され，筋は弛緩（逆伸張反射）し，筋の張力を調整するための変換器（トランスデューサ）として機能する．
■ 生理的振戦は速い（10 Hz），揺れの小さい振戦で健康なヒトで四肢に見られ，不安状態になると強調されることがある．クローヌスは規則正しく繰り返されるリズミカルな筋肉の収縮で，急に持続的に筋肉が伸長された時に発生する．クローヌスが 5 回以上続く時には病的と考える必要がある．筋肉の緊張とは伸長した時の抵抗である．筋肉の抵抗が非常に小さい時には筋肉は弛緩しているといわれ，伸張への抵抗が大きい時には筋肉は痙性麻痺の状態にある．大脳皮質への障害が出生前か出産時に発生したり，生後 2～3 年の間に起こると，脳性麻痺が発症し，筋緊張や運動機能に影響を与えることになる．
■ 引っ込め反射は多シナプス反射で，侵害刺激により誘発される．この反射はさらなる障害から身を守るための機構としてはたらく．
■ 脊髄が障害されるとすべての脊髄反射が抑制される脊髄ショックという状態になる．ヒトでは約 2 週間後から回復し始める．
■ 補足運動野，大脳基底核，小脳は巧緻運動の計画に関係している．一次運動野や他の皮質からの運動指令は，皮質脊髄路や皮質延髄路を下行して脊髄・脳幹の運動ニューロンに入る．大脳皮質とそこから起始する運動制御下行路には体部位局在が認められる．
■ 腹側皮質脊髄路と内側下行性脳幹投射系（視蓋脊髄路，網様体脊髄路，前庭脊髄路）は近位筋と姿勢の制御に関わる．外側皮質脊髄路と赤核脊髄路は遠位筋と熟練随意運動の制御に関わる．
■ 下位運動ニューロンは骨格筋を神経支配し，このニューロンへの障害［たとえば，筋萎縮性側索硬化症（ALS）］では弛緩性麻痺，筋萎縮，筋攣縮，筋緊張低下，反射減少や反射消失が発症する．上位運動ニューロンには脊髄運動ニューロンを神経支配する皮質脊髄路などがあるが，その障害では最初は筋力低下が起こり弛緩性麻痺となるが，最終的には痙性麻痺，筋緊張亢進，伸張反射亢進状態となり Babinski 反射陽性となる．
■ 胎児期から出生時に大脳皮質が障害を受けると脳性麻痺が起こる可能性がある．これは，筋緊張や運動や，その協調運動が異常になる状態である．除脳硬直（固縮）は四肢のすべての伸筋の反射亢進を生じる．この痙縮状態は伸張反射の促通によって起こる．この状態は小脳テント上の障害により鉤ヘルニアが起こった時に見られるものとよく似ている．除皮質硬直では上肢は肘で屈曲し，下肢は伸筋の反射亢進状態を示し伸展する．このような姿勢は内包内の出血や血栓による半側麻痺側で見られる．
■ 大脳基底核とは尾状核，被殻，淡蒼球，視床下核，黒質から構成される．大脳基底核内の線維結合には黒質から線条体へ投射するドーパミン作動性の黒質線条体投射や線条体から黒質への GABA 作動性投射などがある．
■ Parkinson 病は黒質線条体投射のドーパミン作動性ニューロンの変性により発症し，無動，運動緩慢，歯車様強剛，静止時振戦などが特徴的な症状である．Huntington 病は舞踏様運動を特徴とし，淡蒼球へ投射する GABA 作動性ニューロンの変性が原因である．
■ 小脳皮質には 5 種類のニューロンが存在する．それらは，Purkinje 細胞，顆粒細胞，バスケット（籠）細胞，星状細胞，Golgi 細胞である．小脳皮質への 2 つの主な入力は登上線維と苔状線維である．Purkinje 細胞は小脳皮質の唯一の出力細胞であり，小脳核へ投射している．小脳の障害はいくつかの特徴的な症状を示すが，それらには筋緊張低下，運動失調，企図振戦（終末振戦）などがある．

多肢選択式問題

正しい答えを 1 つ選びなさい．

1. 48 歳の男性が建設現場の足場から転落し，神経学的検査を受けた．検査には深部腱反射の評価もあった．深部腱反射の構成要素は次のどれか．
   A. Golgi 腱器官，Ib 求心性線維，脊髄抑制性介在ニューロン，対側の α 運動ニューロン，骨格筋の錘外線維

B．Golgi 腱器官, II 求心性線維, 脊髄抑制性介在ニューロン, 同側のα運動ニューロン, 骨格筋の錘内線維
C．筋紡錘の錘内筋の収縮能力をもつ部分から出る Ia 感覚神経線維, 脊髄の後角ニューロン, 同側のα運動ニューロン, 骨格筋の錘外線維
D．筋紡錘の錘内筋の中央部分から出る Ia 感覚神経線維, 同側のα運動ニューロン, 骨格筋の錘外線維
E．筋紡錘の錘内筋の収縮能力をもつ部分から出る II 感覚神経線維, 脊髄抑制性介在ニューロン, 同側のα運動ニューロン, 骨格筋の錘外線維

2．α運動ニューロンの活動と同時に動的γ運動ニューロンが活動するとどのようになるか．
A．筋紡錘からの Ia 求心性神経の活動が速やかに抑制される
B．クローヌスが起きる
C．筋が収縮しなくなる
D．α運動ニューロンだけが活動した時よりも筋紡錘からの Ia 求心性神経の発火頻度が減る
E．α運動ニューロンだけが活動した時よりも筋紡錘からの Ia 求心性神経の発火頻度が増す

3．逆伸張反射について正しいのはどれか．
A．Ia 求心性神経が抑制された時に起こる
B．Golgi 腱器官が刺激されて生じる単シナプス反射である
C．求心性神経と遠心性神経の間に 1 つの介在ニューロンが入った 2 シナプス反射である
D．求心性神経と遠心性神経の間に多数の介在ニューロンが結合する多シナプス反射である
E．Golgi 腱器官からの II 求心性神経を使う

4．引っ込め反射について正しいものはどれか．
A．無害な皮膚刺激によって引き起こされる
B．クローヌスを引き起こす
C．刺激が強ければ長引く
D．伸張反射の一例である
E．体の両側に同じ反応を伴う

5．42 歳の女性が運動中に急に右足の感覚異常と運動麻痺を発症した．神経学的検査では, 膝蓋腱反射の亢進と Babinski 反射の陽性が認められた．これらの所見の基礎となるのは何か. またそれは上位運動ニューロン障害か下位運動ニューロン障害のどちらを反映しているか. 正しいものを選べ.
A．下位胸椎椎間板の損傷により脊髄の右側に障害を受ける（上位ニューロン障害）
B．中位頸椎椎間板損傷により脊髄の左側の障害を受ける（上位運動ニューロン障害）
C．下位腰椎椎間板損傷により, 損傷レベルでの脊髄神経に圧迫を受ける（下位運動ニューロン障害）
D．仙椎椎間板損傷により, 損傷レベルでの前根に圧迫を受ける（下位運動ニューロン障害）
E．下位運動ニューロンと上位運動ニューロンの両方に障害を受ける

6．熟練随意運動の開始前にニューロン活動の増加が最初にみられるのはどれか．
A．脊髄運動ニューロン
B．中心前回運動皮質
C．中脳
D．小脳
E．大脳皮質連合野

7．58 歳の女性が突然の意識障害のために病院の救急外来に搬送された．四肢は伸展しており除脳硬直が予想された．CT スキャンで, 橋吻側部の出血が見つかった．以下の文章のうち, 除脳硬直が出現する原因となる神経生理学的変化を示すのはどれか．
A．赤核脊髄路の障害は小脳室頂核の抑制作用をなくし, それによって前庭神経核への興奮性出力が増加して四肢の伸筋を活性化する
B．皮質脊髄路が障害されると, 屈筋を支配する運動ニューロンへの興奮性入力が遮断され, 伸筋が持続的に筋収縮したままになる
C．感覚入力が延髄網様体脊髄路を活性化し, それが四肢の伸筋支配運動ニューロンを直接活性化する
D．感覚入力が赤核脊髄路を活性化し, このニューロンが四肢の屈筋を支配するα運動ニューロンを抑制し, 伸筋を支配するα運動ニューロンを興奮させることになる
E．感覚入力が橋網様体脊髄路を活性化し, このニューロンは四肢の伸筋を支配するγ運動ニューロンを主に活性化する

8．姿勢制御に関係する中枢神経経路の構成要素を正

しく述べているのは次のどれか.
- A．視蓋脊髄路は上丘を起点とし，四肢の筋肉を支配する脊髄前角の背外側に位置するニューロンに終止する
- B．延髄網様体脊髄路ニューロンは，体幹や近位筋を支配する脊髄前角の腹内側に位置するニューロンに終止する
- C．橋網様体脊髄路ニューロンは四肢の筋肉を支配する脊髄前角の背内側に位置するニューロンに終止する
- D．内側前庭路は，体幹や近位筋を支配する脊髄前角の背内側に位置するニューロンに終止する
- E．外側前庭路は体幹と近位筋を支配する脊髄前角の背外側に位置するニューロンに終止する

9．大脳基底核の各部の線維結合について正しいのはどれか.
- A．視床下核ニューロンはグルタミン酸を神経伝達物質とし，淡蒼球内節に興奮性入力を送る
- B．黒質網様部ニューロンはドーパミンを神経伝達物質とし，線条体に抑制性入力を送る
- C．黒質緻密部ニューロンはドーパミンを神経伝達物質とし，淡蒼球外節に興奮性入力を送る
- D．線条体ニューロンはアセチルコリンを神経伝達物質とし，黒質網様部に興奮性入力を送る
- E．淡蒼球外節ニューロンはグルタミン酸を神経伝達物質とし，線条体に興奮性入力を送る

10．15年前にParkinson病と診断された60歳の男性が，カルビドパとレボドパ配合剤（シネメット）の内服で最近まで仕事や家事をこなしていた．現在，振戦と筋緊張亢進のため日常生活にいろいろと支障が出てきたので，主治医は深部脳刺激療法を勧めた．Parkinson病患者で最終的にどうなるとL-ドーパの治療効果がなくなるか.
- A．ドーパミン受容体に対する抗体ができる
- B．前頭葉から大脳基底核への抑制性経路が形成される
- C．血液中のα-シヌクレインが増加する
- D．神経成長因子(NGF)の正常な作用が途絶える
- E．黒質のドーパミン作動性ニューロンの変性が進行する

11．8歳の少女の両親が，彼女の歩行異常と言語障害に気付き小児科医を受診した．母親は，Friedreich〔フリードライヒ〕運動失調の家族歴があり心配していた．小脳のニューロンが関係する線維結合について正しいのはどれか.
- A．バスケット細胞はグルタミン酸を神経伝達物質とし，Purkinje細胞を興奮させる
- B．登上線維入力はPurkinje細胞に強力な興奮作用を及ぼし，苔状線維入力はPurkinje細胞に強力な抑制作用を及ぼす
- C．顆粒細胞はグルタミン酸を神経伝達物質としバスケット細胞と星状細胞を興奮させる
- D．Purkinje細胞の軸索は小脳皮質からの唯一の出力で，グルタミン酸を神経伝達物質とし小脳核を興奮させる
- E．Golgi細胞は苔状線維の側枝により抑制される

12．若い女性が階段の踊り場からの転落後，胸髄中央より下部の右半身の部分運動麻痺と左半身の痛覚麻痺と温度感覚麻痺を呈した．彼女の損傷を受けた部位はどこか.
- A．腰髄での左半側横断損傷
- B．胸髄上部の左半側横断損傷
- C．橋の右側の感覚路と運動路の横断損傷
- D．胸髄上部での右半側横断損傷
- E．胸髄上部の背側半分の横断損傷

13．30歳の時に右足の筋力低下を訴えた郵便配達の男性が，1年以内に右足全体に筋力低下が拡大したという．神経学的検査では右の上下肢に弛緩麻痺，筋萎縮，筋の線維束性収縮，筋緊張低下，腱反射減弱などが認められた．感覚系と認知機能は正常だった．診断として正しいのはどれか.
- A．左一次運動野の大きな腫瘍
- B．放線冠の脳梗塞
- C．前庭小脳の腫瘍
- D．大脳基底核の障害
- E．筋萎縮性側索硬化症(ALS)

CHAPTER 13

自律神経系

学習目標
本章習得のポイント

- 交感神経と副交感神経の節前ならびに節後ニューロンの細胞体の存在部位と軸索の分布を特定することができる
- 自律神経系ならびにその標的器官における神経伝達物質と神経伝達に関わる受容体タイプを特定することができる
- 自律神経系内の神経伝達物質の合成，貯蔵，放出と再取込み，受容体の刺激と遮断を，種々の薬物がどのように変えるかを述べることができる
- 自律神経系がどのようにホメオスタシスに寄与するかを述べることができる
- 交感神経系と副交感神経系の全般的な機能を比較することができる
- 標的において，拮抗的に，あるいは相乗的に，あるいは独立して作用する交感神経と副交感神経の機能を比較・対比することができる
- 自律神経系の調節に関わる前脳と脳幹のニューロン，感覚性求心性ニューロンの存在部位を特定することができる
- 自律神経系内の重大なダメージあるいは他の病態の結果として起こる自律機能不全の例を特定することができる
- 腸神経系の構成と機能を述べることができる

■ はじめに

　自律神経系 autonomic nervous system は**交感神経系 sympathetic nervous system**，**副交感神経系 parasympathetic nervous system**，**腸神経系 enteric nervous system** から構成される．自律神経系は意識することなく機能を発揮するので，不随意神経系と呼ばれることもある．自律神経系は平滑筋，心筋とペースメーカー細胞，外分泌腺と内分泌腺，脂肪組織，肝細胞，リンパ組織への神経支配を介して様々な生理学的プロセスに影響を与える．実際，骨格筋だけが自律神経系に制御されない唯一の身体部分である．自律神経系の究極の役割は生体内外からの攪乱にもかかわらず**ホメオスタシス homeostasis** を維持することである．自律神経系がなくても，生存は可能かもしれないが，環境ストレッサーやその他の攻撃に適応する能力は著しく損なわれる．自律神経系はまた，情動体験に対する身体の反応に重要な役割を担う．多くの処方薬と一般用医薬品が自律神経系の構成要素あるいはその効果器に作用するという事実からも，自律神経系の機能の重要性がよくわかる．自律神経活動の変化は多くの疾患（たとえば，高血圧，心不全）の原因となる．また，多くの神経障害は自律神経機能障害を伴う（クリニカルボックス 13・1）．

クリニカルボックス 13・1

多系統萎縮症と Shy-Drager 症候群

　多系統萎縮症 multiple system atrophy（MSA）は脊髄と脳幹の自律神経節前ニューロンの減少によって自律神経不全を起こす神経変性疾患の 1 つである．自律神経系がはたらかなくなると，体温，体液・電解質バランス，血圧の調節が困難となる．これらの自律神経異常に加えて，MSA では小脳，大脳基底核，青斑核，下オリーブ核，錐体路の欠落を呈する．MSA は孤発性，進行性で，成人になって発症する疾患であり，自律神経機能不全，Parkinson 症状，小脳失調などが様々に組み合わされる特徴がある．**Shy-Drager**（シャイ・ドレーガー）**症候群**は自律神経不全が顕著な MSA のサブタイプである．中枢運動領野ならびに中枢自律領野のオリゴデンドロサイトとニューロンの細胞質と核に封入体が見られることが，MSA の病理学的特徴である．いくつかの脳領域と脳脊髄液において，モノアミン作動性，コリン作動性，ペプチド作動性神経のマーカーも欠乏している．MSA の原因はいまだ不明であるが，MSA 患者の脳では，ある種の神経炎症性の機構によりミクログリアが活性化され，毒性のあるサイトカインの産生が起きている可能性を示す証拠がいくつかある．MSA の患者では安静時の交感神経活動と血漿ノルアドレナリンのレベルは正常であるが，起立その他の刺激に対してそれらが増加しない．そのため重篤な**起立性低血圧** orthostatic hypotension となる．起立性低血圧は血圧の低下の他に，めまい，視覚の不明瞭化を起こし，失神すら起こす．MSA は副交感神経機能障害，たとえば，泌尿器と生殖器の機能障害を伴う．MSA と診断されるのは大部分の場合，50〜70 歳の間であり，女性よりも男性に多い．この疾患の最初の徴候はしばしば勃起障害である．圧受容器反射や呼吸調節メカニズムにも異常がある．自律神経異常がしばしば最初の徴候であるが，75％の MSA の患者は運動障害も経験する．

治療上のハイライト

　MSA は治らないが，この疾患に特異的な徴候や症状を治療するために様々な治療法が用いられている．**コルチコステロイド** corticosteroid は塩と水を保持し，血圧を上昇させるためにしばしば処方される．ある種の患者では，**レボドパ** levodopa と**カルビドパ** carbidopa（シネメット sinemet，訳注：レボドパとカルビドパの両方を調合した薬物）を投与することにより，パーキンソン様徴候が緩和される．また，様々な臨床治験がその効果を試すべく行われている．たとえば，**免疫グロブリン** immunoglobulin を静脈内投与し，MSA で起きている神経炎症過程を阻害する．**フルオキセチン** fluoxetine（セロトニン取込み阻害薬 serotonin uptake の 1 つ）で MSA 患者の起立性低血圧を防ぎ，気分を改善し，睡眠や痛み，疲労感を軽減する．Parkinson 症状を有する MSA 患者に**ラサギリン** rasagiline（モノアミンオキシダーゼ阻害薬 monoamine oxidase inhibitor の 1 つ）を用いる．

自律神経遠心路の解剖学的構成

一般的特徴

　図 13・1 に，骨格筋の神経支配と平滑筋，心筋，腺の神経支配の基本的特徴を比較してある．12 章で述べたように中枢神経系 central nervous system（CNS）と骨格筋をつなぐのは α 運動ニューロンである．同様に交感神経と副交感神経は CNS から内臓の標的器官に至る最終共通路である．しかし，体性運動神経系と著しく異なるのは，自律神経系の末梢性運動性（遠心性）部分は 2 つのニューロン，すなわち，**節前ニューロン** preganglionic neuron と**節後ニューロン** postganglionic neuron とから成り立つことである．節前ニューロンの細胞体は脊髄灰白質の中間質外側柱 intermediolateral（IML）column といくつかの脳神経の運動核にある．直径が太くて伝導速度が速い α 運動ニューロンとは対照的に，節前ニューロンの軸索は直径の細い有髄線維で，伝導速度が比較的遅い B 線維である．節後ニューロンの軸索は大部分が無髄の C 線維であり，内臓の効果器に終末する．

　自律神経節前ニューロンと α 運動ニューロンとの 1 つの類似点は，どちらの神経終末からもアセチルコリンが分泌されることである（図 13・1）．CNS から出力

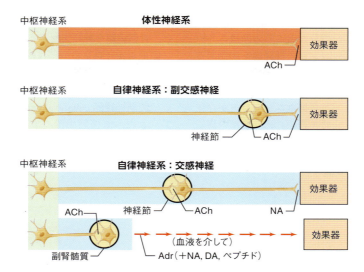

図 13・1 体性運動神経系と自律神経系による末梢支配とそれらから放出される伝達物質の比較．体性運動神経系の場合，脊髄から出るニューロンは直接効果器に投射する．自律神経系の場合(副腎髄質へ投射するもの以外は)，脊髄を出るニューロンと効果器の間に 1 つのシナプスがある．中枢神経系から出るすべてのニューロンはアセチルコリン(ACh)を分泌することに注意．DA：ドーパミン，NA：ノルアドレナリン，Adr：アドレナリン(Widmaier EP, Raff H, Strang KT: *Vander's Human Physiology.* New York, NY: McGraw-Hill; 2008 より許可を得て転載)．

するすべてのニューロン，すなわち，α 運動ニューロン，γ 運動ニューロン，交感神経節前ニューロン，副交感神経節前ニューロンからアセチルコリンが分泌される．副交感神経節後ニューロンからもアセチルコリンが分泌されるが，交感神経節後ニューロンからはノルアドレナリンあるいはアセチルコリンのいずれかが分泌される[*1]．

交感神経

すべての脊髄髄節に存在する α 運動ニューロンとは対照的に，交感神経節前ニューロンは第 1 胸髄から第 3 あるいは第 4 腰髄の IML にのみ存在する．このため，交感神経系は自律神経系の胸腰髄部と呼ばれる．交感神経節前ニューロンの軸索はそれらの細胞体が存在する脊髄レベルから，α ならびに γ 運動ニューロンの軸索とともに前根を通って脊髄を出る（図 13・2）．その後，交感神経節前ニューロンは前根を離れ，白交

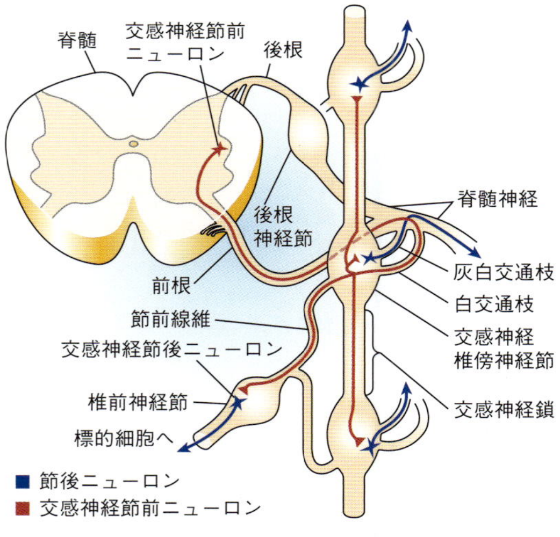

図 13・2 交感神経節前線維と節後線維の投射．本模式図には胸髄，椎傍神経節，椎前神経節を示す．節前ニューロンは赤で，節後ニューロンは暗い青で示されている．

[*1] 訳注：大部分の交感神経節後ニューロンからはノルアドレナリンが分泌されるが，例外的にアセチルコリンを分泌するものもある．たとえば，汗腺を支配する交感神経節後ニューロンからはアセチルコリンが分泌される．骨格筋の血管は血管拡張を起こす交感神経と血管収縮を起こす交感神経によって支配され，前者はアセチルコリン，後者はノルアドレナリンを分泌する．

通枝 white rami communicans を経て，近傍の**交感神経椎傍神経節** sympathetic paravertebral ganglion に投射する．そこで一部の節前ニューロンが節後ニューロンの細胞体に終末する．椎傍神経節は胸髄および腰髄上部の各分節の隣に位置する．さらに，頸髄と仙髄の分節の近傍にも 2～3 の神経節がある．これらの神経節

は軸索とともに両側で**交感神経鎖 sympathetic chain**を形成している．いくぶん離れたところの節後ニューロンに終末する節前ニューロンが，神経節を吻側あるいは尾側方向に走行することにより，神経節を結び付ける．図13・2と図13・3にこの配置が描かれている．頸髄あるいは仙髄には交感神経節前ニューロンが存在しないにもかかわらず，交感神経鎖には，頭部の構造体（たとえば，目と唾液腺）を神経支配する頸部神経節と，骨盤臓器を神経支配する仙骨神経節が存在する．

節前ニューロンの一部は椎傍神経節鎖を通過し，腹腔神経節，上腸間膜神経節，下腸間膜神経節など，内臓の近くにある**椎前神経節 prevertebral ganglion**（あるいは**側副神経節 collateral ganglion**）に終末する（図13・3）．また，直接効果器，すなわち副腎髄質にその軸

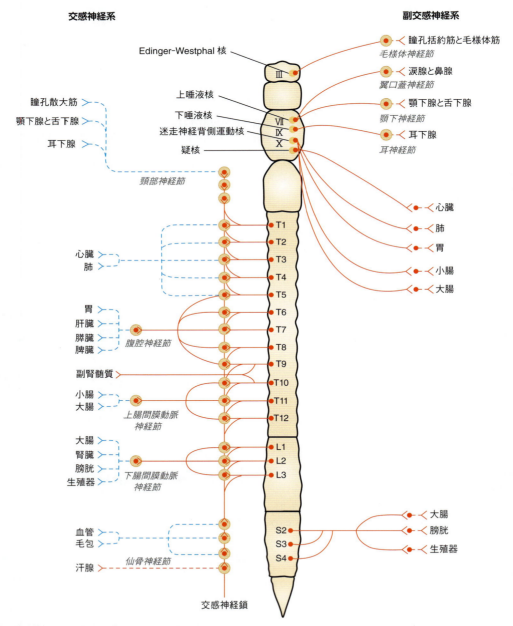

図13・3　交感神経系（左）と副交感神経系（右）機構．コリン作動性神経は赤で，ノルアドレナリン作動性神経は青で示している．節前ニューロンは実線，節後ニューロンは点線．

索が終末する節前ニューロンもある．

節後ニューロンの一部の軸索は交感神経節鎖から**灰白交通枝** gray rami communicans を通って再び脊髄神経に入り，これらの脊髄神経が支配する部分にある自律神経効果器に分布する（図 13・2）．これらの節後ニューロンは主に平滑筋（たとえば，血管と毛包[*2]）と手足の汗腺に終末する．残りの節後ニューロンは交感神経節鎖から胸腔や腹腔に入り，内臓を支配する．椎前神経節からの節後ニューロンもまた標的内臓に終末する．

副交感神経

副交感神経系は自律神経系の**頭部仙骨部** craniosacral division と呼ばれる．その理由は，その節前ニューロンの細胞体がいくつかの脳神経核（Ⅲ，Ⅶ，Ⅸ，Ⅹ）と仙髄の IML に位置するためである（図 13・3）．Edinger-Westphal〔エディンガー・ウェストファル〕核 Edinger-Westphal nucleus にある動眼神経のニューロンは**毛様体神経節** ciliary ganglion に投射し，虹彩の瞳孔括約筋（縮瞳筋）と毛様体筋を支配する．**上唾液核** superior salivatory nucleus にある顔面神経のニューロンは**翼口蓋神経節** sphenopalatine ganglion に投射して涙腺，鼻粘膜，口蓋粘膜を支配し，また**顎下神経節** submandibular ganglion に投射して，顎下腺と舌下腺を支配する．**下唾液核** inferior salivatory nucleus にある舌咽神経のニューロンは**耳神経節** otic ganglion に投射し，耳下腺を支配する．迷走神経の節前線維は，内臓器官壁に密集している神経節細胞にシナプス結合する．そのため，これらの副交感神経節後線維は非常に短い．**疑核** nucleus ambiguus のニューロンは心臓の洞房結節と房室結節を支配し，**迷走神経背側運動核** dorsal motor vagal nucleus のニューロンは食道，気管，肺，消化管を支配する．仙髄からの副交感神経（**骨盤神経** pelvic nerve）は第2〜第4仙骨神経枝を介して骨盤内臓を支配する．

自律神経接合部における化学伝達

アセチルコリンとノルアドレナリン

自律神経で合成され，放出される主な神経伝達物質は**アセチルコリン** acetylcholine と**ノルアドレナリン**

noradrenaline である．**コリン作動性** cholinergic[*3]（すなわち，アセチルコリンを放出）の自律神経系のニューロンは，(1) 節前ニューロンのすべて，(2) 副交感神経節後ニューロンのすべて，(3) 汗腺を支配する交感神経節後ニューロン，(4) 骨格筋中の血管に終末し，刺激されると血管拡張を起こす交感神経節後ニューロン（交感神経性血管拡張神経）である．残りの交感神経節後ニューロンは**ノルアドレナリン作動性** noradrenergic[*4]（すなわち，ノルアドレナリンを放出）である．副腎髄質は元来，交感神経節であり，そこに含まれる節後ニューロンが軸索を失い，直接血液中にノルアドレナリンとアドレナリンの両方を分泌する．

自律神経系における種々の接合部でのコリン作動性ならびにアドレナリン作動性受容体のタイプを表 13・1 に示す．末梢自律神経の遠心路（運動路）のシナプス接合部が内臓機能を薬理学的に操作できる部位である．伝達物質は神経終末で合成，貯蔵され，ニューロン，筋細胞，腺細胞の近傍に放出される．放出された伝達物質は，これらの部位にある種々のイオンチャネルや G タンパク質共役型受容体 G protein coupled receptor (GPCR) に結合する．伝達物質はこれらの細胞の受容体に結合することによって，特徴的な作用を及ぼす．その後，伝達物質は再取込みや代謝によってその部位から取り除かれる．これらの各段階は刺激あるいは抑制することが可能であり，予想される結果をもたらす．表 13・2 には，種々の薬物がどのように自律神経系のニューロンならびに効果器での神経伝達に影響を与えうるかを示してある．

コリン作動性の神経伝達

アセチルコリンの合成と分解の過程は 7 章で述べた．通常，アセチルコリンは血液中を循環せず，局所性のコリン作動性信号は一般に不連続で持続時間が短い．その理由はコリン作動性神経の終末には高濃度のアセチルコリンエステラーゼがあるためである．アセチルコリンエステラーゼはアセチルコリンを速やかに分解し，その作用を終息させる．

[*2] 訳注：立毛筋のこと．

[*3] 訳注：「アセチルコリン作動性」とするのが正しい表現と思われるが，歴史的にコリン作動性と呼ばれてきている．本文カッコ内にあるように，コリン作動性神経の伝達物質はアセチルコリンであり，コリンではない．

[*4] 訳注：歴史的に交感神経節後線維における主要な神経伝達物質と信じられていたため，現在でもノルアドレナリン作動性神経とは呼ばずにアドレナリン作動性神経と呼ばれることが多い．

表 13・1 自律神経活動に対する効果器の応答

効果器	副交感神経系	交感神経系 受容体の型	交感神経系 応答
眼			
散瞳筋	—	α_1	収縮(散瞳)
縮瞳筋	収縮(縮瞳)		—
毛様体筋	近いところを見るために収縮する		—
心臓			
洞房結節	心拍数減少	β_1	心拍数増加
心房と心室	心房収縮力減少	β_1, β_2	収縮力増加
房室結節と Purkinje 線維	伝導速度減少	β_1	伝導速度増加
細動脈			
皮膚と内臓血管	—	α_1	収縮
骨格筋	—	α_1/β_2, M	収縮/拡張
体循環静脈	—	$\alpha_1, \alpha_2/\beta_2$	収縮/拡張
気管支平滑筋	収縮	β_2	弛緩
胃と腸			
運動と緊張	増加	$\alpha_1, \alpha_2, \beta_2$	減少
括約筋	弛緩	α_1	収縮
分泌	刺激	—	
胆嚢	収縮	β_2	弛緩
膀胱			
排尿筋	収縮	β_2	弛緩
括約筋	弛緩	α_1	収縮
子宮(妊娠時)	—	α_1/β_2	収縮/弛緩
男性性器	勃起	α_1	射精
皮膚			
立毛筋	—	α_1	収縮
汗腺	—	M	分泌
肝臓	—	α_1, β_2	グリコーゲン分解
膵臓			
腺房	分泌増加	α	分泌減少
島細胞	—	α_2/β_2	分泌減少/分泌増加
唾液腺	多量で漿液性の分泌	α_1/β	濃厚で粘稠な分泌/アミラーゼ分泌
涙腺	分泌		—
脂肪組織	—	β_3	脂肪分解

—は効果器の組織が各自律神経によって支配されていないことを示す.
Brunton LL, Chabner BA, Knollmann BC(editors): *Goodman and Gilman's The Pharmacological Basis of Therapeutics*, 12th ed. New York, NY: McGraw-Hill; 2011 より許可を得て改変.

表 13・2　自律神経伝達に関わる過程に影響を与える薬物の例

伝達過程	薬物	薬物の作用部位	薬物の作用
神経伝達物質の合成	ヘミコリウム メチロシン	コリン作動性神経終末の膜 ノルアドレナリン作動性神経終末の細胞質	アセチルコリン取込みを阻害，合成を遅延 チロシンヒドロキシラーゼを抑制，合成抑制
神経伝達物質の貯蔵メカニズム	ベサミコール レセルピン	コリン作動性神経終末の小胞 ノルアドレナリン作動性神経終末の小胞	アセチルコリン貯蔵を阻害 ノルアドレナリン貯蔵を阻害
神経伝達物質の放出メカニズム	ノルアドレナリン ドーパミン アセチルコリン プロスタグランジン類	コリン作動性ならびにアドレナリン作動性神経終末上の受容体	伝達物質放出を調節
神経伝達物質の再取込みメカニズム	コカイン，三環系抗うつ薬	アドレナリン作動性神経終末	取込みを抑制；シナプス後受容体への伝達物質作用を延長
神経伝達物質の不活性化	エドロホニウム ネオスチグミン フィゾスチグミン	コリン作動性シナプスのアセチルコリンエステラーゼ	酵素抑制，アセチルコリン作用の延長と増強
アドレナリン受容体の活性化	α_1：フェニレフリン α_2：クロニジン β_1：ドブタミン	交感神経節後神経と効果器との接合部(たとえば，血管，毛包，散瞳筋)	アドレナリンα受容体に結合し，活性化；↑IP_3/DAG カスケード(α_1)あるいは↓cAMP(α_2)
	β_2：アルブテロール(サルブタモール)，リトドリン，サルメテロール，テルブタリン	交感神経節後神経と効果器との接合部(たとえば，心臓，気管支平滑筋，子宮平滑筋)	アドレナリンβ受容体に結合し，活性化；↑cAMP
アドレナリン受容体の遮断	非選択性： フェノキシベンザミン α_1：プラゾシン，テラゾシン α_2：ヨヒンビン	交感神経節後神経と効果器との接合部(たとえば，血管)	アドレナリンα受容体に結合し，遮断
	β_1, β_2：プロプラノロール $\beta_1 > \beta_2$：アテノロール，エスモロール	交感神経節後神経と効果器との接合部(たとえば，心臓，気管支平滑筋)	アドレナリンβ受容体に結合し，遮断
ニコチン性受容体の活性化	ニコチン	自律神経節の受容体	ニコチン性受容体に結合；シナプス後細胞膜のNa^+, K^+透過性チャネルの開口
ニコチン性受容体の遮断	ヘキサメトニウム，トリメタファン	自律神経節の受容体	ニコチン性受容体に結合し，遮断
ムスカリン性受容体の活性化	ベタネコール	平滑筋，心筋，腺のアセチルコリン受容体	ムスカリン性受容体に結合し，活性化；↑IP_3/DAG カスケードあるいは↓cAMP
ムスカリン性受容体の遮断	アトロピン，イプラトロピウム，スコポラミン，トロピカミド	平滑筋，心筋，腺のアセチルコリン受容体	ムスカリン性受容体に結合し，遮断

これらの薬物の多くは中枢神経系のアセチルコリン受容体とアドレナリン受容体にも作用する．たとえば，血圧を変化させるクロニジンとヨヒンビンの主な作用は脳への作用による．cAMP：サイクリック AMP (環状アデノシン一リン酸)，IP_3/DAG：イノシトール 1,4,5-三リン酸とジアシルグリセロール．

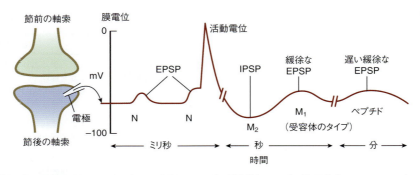

図13・4 自律神経節で電極を介して記録された興奮性ならびに抑制性シナプス後電位（EPSPとIPSP）．節前ニューロンからのアセチルコリン放出に反応して，2つのEPSPがニコチン性(N)受容体の活性化によって発生する．最初のEPSPは活動電位を発生する閾値以下であるが，2つ目のEPSPは閾値を超え，活動電位を発生させる．この後，IPSPが発生する．この電位はおそらくムスカリン性(M_2)受容体の活性化によって起こる．IPSPの後に緩徐なM_1依存性のEPSPが続き，その後にさらに緩徐なペプチド誘発性のEPSPが続くこともある(Katzung BG, Maters SB, Trevor AJ: *Basic & Clinical Pharmacology*, 11th ed. New York, NY: McGraw-Hill; 2009 より許可を得て転載)．

　自律神経節での伝達は主にニコチン性アセチルコリン受容体を介しており，ヘキサメトニウム hexamethonium で遮断される（図13・4）．これらの受容体はN_N受容体と呼ばれ，d-ツボクラリン（クラーレ）で遮断される神経筋接合部のN_M受容体と区別される．ニコチン性受容体はリガンド開口型のイオンチャネル受容体であり，この受容体に作動薬が結合するとNa^+とK^+を通すチャネルが開き脱分極を起こす．

　節前線維の刺激によって生じる節後ニューロンの反応には，活動電位を発生させる速い興奮性シナプス後電位［**急速EPSP fast EPSP**（fast excitatory postsynaptic potential）］とゆっくり持続する興奮性シナプス後電位（**緩徐EPSP slow EPSP**）とがある．この緩徐シナプス後電位が交感神経節における伝達を調整・制御している．最初の脱分極はアセチルコリンがN_N性受容体に作用して生じる．緩徐EPSPはアセチルコリンが節後ニューロン膜のムスカリン性受容体に作用して生じる．

　節後線維から放出されたアセチルコリンはムスカリン性アセチルコリン受容体に作用し，これはアトロピンで遮断される．ムスカリン性受容体はGタンパク質共役型受容体（GPCR）であり，M_1〜M_5のサブタイプに分類される．これらのうちM_2とM_3が自律神経系の標的器官にみられる主なサブタイプである．心臓にはM_2受容体がみられ，作動薬がこの受容体に結合すると，K^+チャネルが開くとともに**アデニル酸シクラーゼ adenylyl cyclase** を抑制する．平滑筋と腺にはM_3受容体が分布し，作動薬がこの受容体に結合すると，**イノシトール1,4,5-三リン酸 inositol 1,4,5-trisphosphate（IP$_3$）**と，**ジアシルグリセロール diacylglycerol（DAG）**が生成され，細胞内Ca^{2+}が増加する．

　ムスカリン性作用を有する化合物には，アセチルコリンの類縁物質とアセチルコリンエステラーゼを阻害する薬物などがある．クリニカルボックス13・2には**有機リン剤のコリンエステラーゼ阻害薬作用 organophosphate cholinesterase inhibitor** による急性毒性の徴候と治療戦略が述べられている．クリニカルボックス13・3には毒キノコの摂取による**コリン作動性中毒 cholinergic poisoning** の例が述べられている．

ノルアドレナリン作動性の神経伝達

　ノルアドレナリンの合成，再取込み，分解の過程は7章で述べた．ノルアドレナリンはアセチルコリンに比べて，より遠くまで広がり，より長い間作用する．ノルアドレナリン，アドレナリン，ドーパミンはすべて血漿に存在する．アドレナリンと一部のドーパミンは副腎髄質に由来するものであるのに対し，大部分のノルアドレナリンは交感神経終末から血液中に拡散したものである．ドーパミンとノルアドレナリンの代謝物もまた，循環に入る．

　交感神経節後線維から分泌されたノルアドレナリンはアドレナリン受容体に結合する．これらもまたGPCRであり，いくつかのサブタイプ，すなわち，α_1，α_2，β_1，β_2，β_3に分類される．表13・1には，平滑筋，心筋，腺でのこれらの受容体サブタイプの分布を示す．アドレナリンα_1受容体への作動薬の結合によってG_q共役タンパク質が活性化される．その結果，IP_3とDAGが形成され，細胞内Ca^{2+}が増加する．アドレナリンα_2受容体への作動薬の結合によって抑制

クリニカルボックス 13・2

有機リン剤：殺虫剤と神経ガス

　世界保健機関 World Health Organization（WHO）によると，世界中の農業従事者の1～3％が**急性殺虫剤中毒** acute pesticide poisoning に罹っていると推定されている．特に開発途上国においては，急性殺虫剤中毒の罹患率と死亡率は高い．**有機リン剤** organophosphate の殺虫剤（たとえば，**パラチオン** parathion や**マラチオン** malathion）と同様，化学兵器やテロで用いられる**神経ガス** nerve gas（たとえば，**ソマン** soman や**サリン** sarin）は末梢ならびに中枢のコリン作動性シナプスのアセチルコリンエステラーゼを阻害して，シナプスでのアセチルコリンの作用を持続的なものとする．**コリンエステラーゼ阻害薬** cholinesterase inhibitor 作用をもつ有機リン剤は，皮膚，肺，消化管，結膜から容易に吸収され，それらを危険な状態にする．これらは酵素と結合して加水分解を受け，酵素にリン酸化された活性部位を作る．共有結合性の亜リン酸-酵素結合は非常に安定で，非常にゆっくり加水分解される．リン酸化された酵素複合体は**エイジング** aging と呼ばれる過程で，酸素-亜リン酸結合の1つが分解され，それにより亜リン酸-酵素結合が強まる．この過程はソマンに曝露の10分以内に起こる．有機リン剤中毒のごく初期の徴候は，自律神経系のムスカリン性受容体の過剰刺激である．たとえば，縮瞳，流涎，発汗，気管支収縮，嘔吐，下痢である．中毒の中枢神経徴候は，認知障害，痙攣，発作，昏睡である．これらの徴候はしばしば脱分極性神経筋接合部遮断などニコチン性効果を伴う．

治療上のハイライト

　ムスカリン性受容体の過度な活性化の徴候を制御するために，ムスカリン性受容体拮抗薬の**アトロピン** atropine が非経口的に大量投与されうる．**プラリドキシム** pralidoxime のような求核試薬は，有機リン剤に曝された直後，エイジングが起こる前に投与すると，有機リン剤とアセチルコリンエステラーゼとの結合を切断することができる．そのため，この薬は"コリンエステラーゼ再生薬"と呼ばれる．**ピリドスチグミン** pyridostigmine はコリンエステラーゼ阻害薬の曝露前に投与されると，酵素に結合し，有害な有機リン剤による結合を阻止する．ピリドスチグミンの保護効果は3～6時間以内に消失するが，有機リン剤を身体から排除するには十分な時間である．この薬は血液脳関門を通らないので，この保護効果は末梢のコリン作動性シナプスに限局される．神経ガスに曝露される危険性がある兵士や一般人には，ピリドスチグミンと**カルバメート** carbamate とアトロピンの混合物が予防的に投与される．**ベンゾジアゼピン類** benzodiazepines は有機リン剤への曝露によって起こる痙攣を止めるために用いられる．

性Gタンパク質（G_i）の解離が起き，アデニル酸シクラーゼを抑制し，**サイクリック AMP** cyclic adenosine monophosphate（cAMP）を減少させる．アドレナリンβ受容体への作動薬の結合によってG_s共役タンパク質が活性化され，アデニル酸シクラーゼを活性化してcAMPを増加させる．

　疾病や症候群の中には，身体の特別な領域の交感神経支配の機能障害に起因するものがある．クリニカルボックス13・4 には顔の交感神経遮断によって起こる Horner〔ホルネル〕症候群 Horner syndrome のことが述べられている．クリニカルボックス13・5 には，手の指と足の指への血流が一過性に減少することで起こる血管攣縮状態（Raynaud〔レイノー〕現象 Raynaud phenomenon）について述べられている．典型的には，感受性の高い人がストレスや寒冷に曝されると起こる．

非アドレナリン，非コリン作動性の伝達物質

　"古典的神経伝達物質"に加えて，自律神経線維の一部はニューロペプチドを放出する．交感神経節後ニューロンにおける小さな顆粒性の小胞は**アデノシン三リン酸** adenosine triphosphate（ATP）とノルアドレナリンを含み，大きな顆粒性の小胞は**ニューロペプチド Y** neuropeptide Y（NPY）を含む．低頻度の刺激によって ATP の放出が促進され，高頻度の刺激によってニューロペプチド Y の放出が起こる．内臓にはプリン作動性受容体があり，いくつかの自律神経標的で

クリニカルボックス 13・3

キノコによる中毒

米国で発見されているキノコは5000種類以上あり，そのうち100種類は有毒であり，それらのうち12種類は致死的である．米国では1年間に10万人当たり5人が死亡している．**キノコ中毒 mycetism**は即発性（摂取後15〜30分）のものと，遅発性（摂取後6〜12時間）のものとに分類される．アセタケ属のキノコによって起こる即発性の場合，その症状はムスカリン性のコリン作動性シナプスの過剰活性化によるものである．**ムスカリン性中毒 muscarinic poisoning**の主な徴候は，吐き気，嘔吐，下痢，尿意切迫，血管拡張，発汗，流涎などである．ベニテングタケ Amanita muscaria のようなキノコの摂取では，ムスカリン性中毒よりむしろ，**抗ムスカリン症候群 antimuscarinic syndrome**の徴候を示す．なぜならば，それらのキノコにはムスカリン性アセチルコリン受容体を遮断するアルカロイドも含まれるからである．この症候群の古典的な症状は"ビーツ（訳注：野菜の一種）のように赤い（紅潮した皮膚）"，"ノウサギのように熱い（高体温）"，"骨のように乾燥している（乾いた粘膜，発汗しない）"，"コウモリのように盲目（不鮮明な視覚と毛様体筋麻痺）"，"帽子屋と同じくらい気が狂っている（錯乱とせん妄，訳注：英語の慣用句．昔，フェルトの帽子を作る時，帽子屋が硝酸第一水銀の蒸気を吸って水銀中毒になったという悲惨な労働環境から生まれたといわれる）"である．遅発性のキノコ中毒は，タマゴテングタケ Amanita phalloides，ドクツルタケ amanita virosa，Galerina autumnalis（訳注：欧米のキノコ，和名なし），ヒメアジロガサ Galerina marginata の摂取によって起こる．これらのキノコは，腹部痙攣，吐き気，嘔吐，大量の下痢を起こすが，主な毒性は，肝障害（黄疸と紫斑）によるものとそれに伴う中枢性のもの（錯乱，嗜眠，昏睡）である．これらのキノコには，**アマトキシン amatoxin**が含まれており，RNAポリメラーゼを阻害する．これらのキノコの摂取による致死率は60％である．

治療上のハイライト

即発性のムスカリン性中毒は，**アトロピン atropine**によって有効に治療できる．抗ムスカリン症候群を示すヒトは**フィゾスチグミン physostigmine**で治療できる．フィゾスチグミンはコリンエステラーゼ阻害薬の1つであり，2〜4時間の作用時間をもち，中枢にも末梢にも作用する．興奮している場合，ベンゾジアゼピンや**抗精神病薬 antipsychotic agent**で鎮静が必要となる．アマトキシンを含むキノコの摂取による遅発性毒性はコリン作動性神経系の薬物には反応しない．アマトキシン摂取の治療には液体や電解質の静脈内投与などが行われ，十分な水分補給をする．**ペニシリンG penicillin G**と**シリビニン silibinin**（ある種のハーブで発見された一種の**フラボノリグナン flavonolignan**で，抗酸化作用 antioxidant と肝臓保護作用がある）の混合物を投与することにより，生存率が上がる．必要ならば，毒物の吸収を少なくするために，活性炭を使って嘔吐を誘発させる．

はATPがノルアドレナリンとともにメディエーターである．

内臓，皮膚，骨格筋の血管を支配する多くの交感神経線維は，ノルアドレナリンの他に，NPYと**ガラニン galanin**を放出する．汗腺支配の交感神経（**発汗運動線維 sudomotor fiber**）はアセチルコリンとともに**血管作動性腸管ポリペプチド vasoactive intestinal polypeptide**（**VIP**），**カルシトニン遺伝子関連ペプチド calcitonin gene-related peptide**（**CGRP**），**サブスタンス P substance P**を分泌する．VIPは腺を支配する多くの頭部副交感神経節後ニューロン中にアセチルコリンと共存している．消化管の迷走神経性副交感節後ニューロンはVIPと，**一酸化窒素 nitric oxide**（**NO**）を合成する酵素を含む．

自律神経インパルスに対する効果器の反応

ホメオスタシス

ホメオスタシスとは，気温，大気中および血中の酸素と二酸化炭素のレベル，身体活動，毒素への曝露，

クリニカルボックス 13・4

Horner 症候群

　Horner 症候群はまれな疾患で，顔を支配する節前あるいは節後交感神経支配が遮断されることによって起こる．そのような遮断は神経の損傷，頸動脈の損傷，脳幹卒中や脳幹障害，肺の腫瘍などに起因する．多くの場合，遮断は一側に起こる．つまり，症状は損傷のある側にのみ生じる．Horner 症候群の特徴は，**無汗 anhidrosis**（発汗が減少する），**眼瞼下垂 ptosis**（まぶたが垂れる，訳注：瞼裂狭小と呼ばれることもある），**縮瞳 miosis**（瞳孔が収縮する）の三徴候である．**眼球陥凹 enophthalmos**（眼球が陥没する）と血管拡張などの症状もある．

治療上のハイライト

　Horner 症候群に対する特別な薬理学的治療法はない．しかし，顔を支配する節前ニューロンあるいは節後ニューロンのどちらの遮断がその原因かを決めるために，ノルアドレナリンの神経伝達に影響を与える薬物が用いられる．目の虹彩は**交感神経作動薬 sympathomimetic drug**（すなわち，アドレナリン受容体への直接的な作動薬，あるいは神経終末からのノルアドレナリン分泌を促す薬物，あるいはノルアドレナリンの再取込みを抑制する薬物）を局所的に投与すると反応するので，目におけるノルアドレナリン作動性神経の生存度を容易にテストすることができる．もし交感神経節後線維が損傷していれば，終末は変性し，貯蔵カテコールアミンは減少しているだろう．もし交感神経節前線維が損傷しているのであれば，ノルアドレナリン作動性の節後線維は無傷で（しかし非活動），その終末には貯蔵カテコールアミンがまだ残っているだろう．もし貯蔵カテコールアミンの放出を起こす薬物（たとえば，**ヒドロキシアンフェタミン hydroxyamphetamine**）を投与した時に瞳孔が散大しないならば，ノルアドレナリン作動性神経が損傷していると結論される．もし虹彩がこの薬物に反応して散大するならば，貯蔵カテコールアミンがまだ放出できることを示し，つまり損傷は節前線維にあると考えられる．**フェニレフリン phenylephrine**（αアドレナリン受容体作動薬）は虹彩の散瞳筋に結合するので，その投与では，損傷の部位とは無関係に瞳孔は散大する．

疾病，薬物療法，発熱，食事などの変化による攪乱にもかかわらず，内部環境を安定に維持する能力を指す．自律神経は全身に広く分布しているため，自律神経系が内分泌系（16 章参照）と協調して機能し，ホメオスタシスに関わる変数を生理的範囲内にすることは驚くにあたらない．自律神経系は，ホメオスタシスに重要な多くの生理的機能の調節と協調において基本的な役割を果たす．たとえば，気管支ツリーを通る気流，血流，血液ガスの組成，血糖，血圧，体温，消化，電解質バランス，腺分泌，心拍数，排尿の場合などである．ホメオスタシスが維持できない状態（**ホメオスタシスの不均衡 homeostatic imbalance**）は，死あるいは疾病につながりうる．I 型糖尿病，脱水症，高体温症，低体温症，心不全，高血圧などの疾患は，ホメオスタシスの不均衡と，生理的パラメーターを正常レベルに戻す負のフィードバックメカニズムの喪失の結果の例である．クリニカルボックス 13・6 では，ホメオスタシスの不均衡の有害な結果の例を説明している．

副交感神経系と交感神経系：生理的拮抗，相乗的機能，独立した作用

　ノルアドレナリン作動性およびコリン作動性節後神経線維の刺激が内臓に及ぼす効果を表 13・1 に列挙してある．これらは自律神経系と体性運動神経系における違いを示している．α運動ニューロンから放出されるアセチルコリンは骨格筋の収縮のみを起こす．それに対して，ある器官の平滑筋に放出されたアセチルコリンはその筋（たとえば，消化管壁）を収縮させる一方で，他の器官では弛緩を起こす（たとえば，消化管の括約筋）．骨格筋を弛緩させる唯一の方法はα運動ニューロンの発射を抑制することであるが，自律神経系によって支配されているいくつかの標的器官では，副交感神経系の刺激から交感神経系の刺激へとスイッチを切り替えることで，収縮から弛緩へとシフトさせることができる．これが拮抗効果を有した二重神経支配を受けている多くの器官，たとえば，心臓，気道，

クリニカルボックス 13・5

Raynaud 現象

しばしば寒冷曝露あるいはストレス条件下で，男性の約5％，女性の約8％に，主に手指に突発性の血流減少が起こる．足指，鼻先，耳，陰茎にも血管攣縮が起こることがある．喫煙によりRaynaud現象の発症が増加し，症状は増悪する．症状は15～25歳の間に始まる．寒冷の気候で起こる場合が最も多い．しばしば指の色が3段階に変化する症状を示す．最初は皮膚が青白くあるいは白くなり(**蒼白 pallor**)，冷たく，無感覚になる．次いで，**チアノーゼ期 cyanotic period** になり，皮膚は青色あるいは紫色にさえなる．この時期は血流減少により強烈な痛みが起こりうる．血流が回復すると，指はしばしば深い赤色(**発赤 rubor**)となり，腫れて刺痛が起こりうる．原発性のRaynaud現象あるいは**Raynaud病 Raynaud disease** は，症状を説明しうる他の疾患をもたないヒトに突発性に起こるとされる．このような場合，血管攣縮発作は単に寒冷あるいはストレスに対する正常な反応が誇張されているだけかもしれない．続発性Raynaud現象あるいは**Raynaud症候群 Raynaud syndrome** では，**強皮症 scleroderma**，**ループス lupus**，**リウマチ性関節炎 rheumatoid arthritis**，Sjögren(シェーグレン)症候群，**手根管症候群 carpel tunnel syndrome**，**摂食障害 anorexia** など他の疾患によって，これらの症状が起こるとされる．以前は，指の血管支配の交感神経活動の増加が関連していると考えられていたが，今では，それが突発性の血管攣縮のメカニズムとは考えられていない．

治療上のハイライト

Raynaud現象に対する第一の治療戦略は，寒冷曝露を避けること，ストレスを減らすこと，喫煙をやめること，そして血管を収縮させる薬(たとえば，アドレナリンβ受容体拮抗薬，風邪薬，カフェイン，麻薬)を使用しないことである．症状がひどい場合は，組織損傷を防ぐために薬が必要である．そのような薬には，**Ca^{2+}チャネル遮断薬**(たとえば，**ニフェジピン nifedipine**)，**アドレナリンα受容体拮抗薬**(たとえば，**プラゾシン prazosin**)などがある．薬理学的治療に反応しない患者には外科的な交感神経切除が行われる．

クリニカルボックス 13・6

ホメオスタシスの不均衡

ホメオスタシスの維持ができないと，自律神経の制御下にある臓器に重大な機能障害が起こりうる．たとえば，体温を調節する能力が失われると，高体温症または低体温症になりうる．エネルギーバランスの維持ができないと，肥満や糖尿病の発症につながりうる．腎臓が塩分と水のバランスを調節できなくなった場合，身体は水，塩分，代謝廃棄物を保持し，多くの重大な結果を招く(たとえば，不整脈，高血圧，貧血，神経学的合併症)．多くの生理学的システムでは，ホメオスタシスの維持には，正常値からの逸脱を検出するセンサー(たとえば，温度受容器)と，生理学的測定値(たとえば，体温)を正常レベルに戻す負のフィードバックメカニズムを必要とする(たとえば，正常体温：37℃/98.6°F)．身体には，体温を36～37℃のサーマルニュートラルゾーン内に維持する複雑なメカニズムがある．サーマルニュートラルゾーンは，震えが始まる低い点と発汗が始まる高い点の間の温度範囲である．高い環境温度への曝露または身体的運動によって体温が上昇すると，皮膚(8章参照)と視床下部の温度受容器が刺激される．これらの受容器からは，**内側視索前核 medial preoptic nucleus** と **視床下部前核 anterior hypothalamic nucleus** の中枢調節領域に信号が送られる．これらのニューロンの興奮により，発汗の促進(汗腺支配交感神経の刺激)と皮膚血管の拡張(皮膚交感神経活動の減少)を起こす自律神経-効果器経路が作動する．発汗と皮膚血管拡張の組合せにより，熱放散が起こり，正常体温に戻る．これにより，次いで温度受容器は沈静化し，視床下部から発する活動は減少する．熱放散の能力が失われると，高熱または**熱中症 heat stroke** になる．熱中症は医学的救急事態と見なされ，ホメオスタシス不均衡の多くの状態(頻脈，急速な浅い呼吸，めまい，無汗症，乾燥した熱い皮膚，筋肉の痙攣，錯乱，発作)を起こす．温度調節に関連するメカニズムの詳細については，17章参照．無汗症を引き起こし，結果として体温を制御する主要なホメオスタシスのメカニズムが失われる可能性のある他の状態には，糖尿病性神経障害，Parkinson病，MSA，Sjögren症候群，Horner症候群，アルコール依存症などがある．

消化管，膀胱などの場合である．たとえば，交感神経の刺激で心拍数は増加し，副交感神経の刺激で心拍数は減少する．

他の場合では，交感神経と副交感神経刺激の効果は相補的であると考えられる．その一例は唾液腺での神経支配である．副交感神経の刺激により漿液性の唾液が放出される一方，交感神経の刺激によっては濃厚な粘稠性の唾液が産生される．

交感神経と副交感神経は，ある種の機能調節において，共同性あるいは協調性にも作用する．一例は目の瞳孔径調節である．交感神経ならびに副交感神経支配はどちらも興奮性であるが，前者は放射筋（あるいは散瞳筋）を収縮させて散瞳（瞳孔の散大）を起こし，後者は括約筋（あるいは縮瞳筋）を収縮させて縮瞳（瞳孔の縮小）を起こす．他の例は，これらの神経が性機能に及ぼす共同作用である．陰茎支配の副交感神経刺激により陰茎への血流が増加し勃起を起こす一方，男性生殖器系支配の交感神経刺激により射精が起こる．

交感神経あるいは副交感神経のいずれか1つのみ神経支配される器官もまたいくつかある．副腎に加え，大部分の血管，皮膚の立毛筋（毛包），汗腺は交感神経によってのみ支配されている．涙腺の筋（涙を分泌する腺），毛様体筋（近見に対する遠近調節，10章参照），鼻咽頭腺は副交感神経によってのみ支配されている．

副交感神経系の活動によって起こされる機能は，日常生活における植物性機能と関係がある．副交感神経系の活動は，腸管平滑筋の活動を亢進，胃液分泌を増加，幽門括約筋を弛緩させることなどによって食物を消化，吸収しやすくしている．この理由により，副交感神経系はしばしば自律神経系の"休息と消化"の部と呼ばれている．

交感神経系は，緊急事態の時，1つの単位として活動し，異化性神経系あるいは自律神経系の"闘争か逃走"の部と呼ばれている．この系の活動により緊急事態に対処すべく準備がなされる．交感神経系の活動は瞳孔を散大させ（眼の中に入る光量を増やす），心拍動を促進し血圧を上昇させ（活動臓器や筋の血流を増加させる），皮膚の血管を収縮させる（負傷時の出血を減少させる）．その他，ノルアドレナリン作動性神経系が活動すると，血糖や遊離脂肪酸のレベルが高くなる（供給エネルギー量を増やす）．このような効果からWalter B. Cannonは緊急時に起こる交感神経系の活動を"闘争か逃走のための準備"と称した．

しかし，ストレスの加わった状態で大いに活動する点を強調するあまり，交感神経線維が他の機能をも営んでいるという事実を曖昧にしてはならない．実際，交感神経は安静状態においても活動している．たとえば，細動脈に対する緊張性（自発性）の交感神経活動によって動脈血圧が維持されており，その緊張性の交感神経活動の変動は頸動脈洞を介する血圧フィードバックを起こすメカニズムである（32章参照）．さらに動物を絶食状態に置くと交感神経活動は減少し，その動物に再び餌を与えると交感神経活動は増加する．このような変化により絶食による血圧下降や代謝率の低下，および摂食による逆の現象が説明づけられる．

自律神経節前ニューロンに対する下行性入力

α運動ニューロンの場合と同様，自律神経活動は，反射（たとえば，圧受容器反射と化学受容器反射）と種々の脳領域からの下行性の興奮性入力と抑制性入力とのバランスに依存している．32章では，心血管系内のホメオスタシスの維持における圧受容器反射，化学受容器反射，延髄のニューロンの役割について説明している．図13・5には交感神経節前ニューロンに入力する前脳の一部と脳幹の一部が示されている．視床下部の室傍核，橋のカテコールアミン性A5細胞群，吻側延髄腹外側部，延髄の縫線核群からの並列路があ

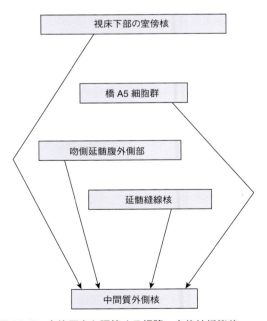

図 13・5　自律反応を調節する経路． 自律神経節前ニューロンへは，視床下部の室傍核，橋のA5細胞群，吻側延髄腹外側部，延髄縫線核などから直接投射がある．

る．これは脊髄の体性運動ニューロンに脳幹と大脳皮質からの投射が収束することに類似している．吻側延髄腹外側部が交感神経ニューロンへの主要な興奮性入力である．節前ニューロンに対するこれらの直接経路に加えて，これらの経路に合流する多数の脳領域がある．たとえば，扁桃体，中脳水道周囲灰白質，尾側延髄腹外側野，孤束核，延髄外側被蓋野などである．これは基底核と小脳などの領域による体性運動機能の調節と類似している．

自律神経機能不全

自律神経系の機能不全を起こす因子となりうるいくつかの例として，薬物，神経変性疾患，外傷，炎症過程，腫瘍などがある（クリニカルボックス13・1～13・4参照）．機能不全のタイプには，完全な自律神経不全から自律神経の活動亢進まで多岐にわたる．自律神経不全に属する疾患には，起立性低血圧，神経因性失神（血管迷走神経性反応），勃起障害，神経因性膀胱，消化管運動障害，発汗不全，Horner症候群などがある．自律神経の活動亢進は神経因性高血圧，心律動異常，神経因性肺水腫，心筋損傷，多汗，高体温，低体温の基盤になりうる．

腸神経系

腸神経系すなわち第三の自律神経系は，食道から肛門に至る消化管の壁内に存在する．腸神経系は2つのよく知られた神経叢よりなる．**筋層間神経叢 myenteric plexus** は縦走筋と輪走筋の間に存在し，消化管運動の制御に関わる．**粘膜下神経叢 submucosal plexus** は輪走筋と管腔粘膜の間に存在し，管腔環境を感知し，消化管血流と上皮細胞機能を調節する．

腸神経系には神経系のすべての構成要素（感覚ニューロン，介在ニューロン，運動ニューロン）など神経系のすべての構成要素が含まれているので，"小さな脳"といわれる．感覚ニューロンは機械的刺激，温度刺激，浸透圧刺激，化学的刺激に反応する粘膜の受容体を支配している．運動ニューロンは平滑筋細胞と分泌細胞に作用し，運動，分泌，吸収を制御する．介在ニューロンは感覚ニューロンからの情報を統合し，腸内の運動ニューロンにフィードバックする．

副交感神経と交感神経は腸神経系と中枢神経系を結び付けるか，あるいは消化管を直接支配する．腸神経系は自動的に機能しうるが，正常な消化管機能にはしばしば中枢神経系と腸神経系間でのコミュニケーションが必要とされる（25章参照）．

章のまとめ

- 交感神経節前ニューロンは胸腰髄の中間質外側柱（IML）に存在し，椎前神経節あるいは椎傍神経節の節後ニューロン，あるいは副腎髄質に投射する．副交感神経節前ニューロンは第Ⅲ，Ⅶ，Ⅸ，Ⅹ脳神経の運動核あるいは仙髄のIMLに存在し，標的効果器の近くに存在する神経節に投射する．自律神経系の標的には，平滑筋，心筋，ペースメーカー細胞，外分泌腺，内分泌腺，脂肪組織，肝細胞，リンパ組織などがある．

- アセチルコリンは，すべての節前ニューロンの終末，副交感神経節後ニューロンの終末，いくつかの交感神経節後ニューロン（汗腺，血管拡張性交感神経線維）の終末から分泌される．残りの交感神経節後ニューロンはノルアドレナリンを分泌する．

- 神経節での情報伝達はニコチン性受容体が活性化されることによって起こる．節後ニューロンでのアセチルコリン伝達はムスカリン性受容体の活性化を介する．節後ニューロンでのノルアドレナリン伝達は，効果器によりα_1，β_1あるいはβ_2いずれかのアドレナリン受容体の活性化を介する．

- 一般的に用いられる多くの薬物は自律神経シナプスの作動薬（ベタネコール，フェニレフリン，アルブテロール），あるいは拮抗薬（アトロピン，フェノキシベンザミン，アテノロール）として，あるいは神経伝達物質の合成阻害（メチロシン），神経伝達物質の放出阻害（三環系抗うつ薬）により，その治療作用を発揮する．

- 自律神経系は内分泌系と連携して，気温，酸素と二酸化炭素のレベル，身体活動，毒素への曝露，疾病，薬物療法，発熱，食事などの変化による攪乱にもかかわらず，ホメオスタシス，すなわち安定した内部環境を維持する．

- 交感神経活動は心拍数を増加させ，血圧（重要な臓器への血流）を上昇させ，皮膚の血管を収縮させる（外傷からの出血を抑える）ことにより，緊急事態に対処できるようにする．副交感神経活動は毎日の生活の植物性機能に関連しており，腸管粘膜の活動を増加させたり，胃液の分泌を増加させたり，幽門括約筋を弛緩させたりすることで，食

物の消化や吸収を促している.
- 二重神経支配を受ける多くの臓器(心臓,気道,消化管,膀胱など)では,自律神経系の2つの部門が生理学的に拮抗する作用をする.他の場合では,自律神経系の2つの部門がある種の機能制御(たとえば,瞳孔直径の制御)において相乗的に作用することがある.一部の臓器は,交感神経系(血管など)あるいは副交感神経系(毛様筋など)によってのみ支配される.
- IMLの交感神経節前ニューロンへは,視床下部の室傍核,橋のカテコールアミン性A5細胞群,吻側延髄腹外側部,延髄縫線核群からのニューロンが直接投射する.
- 腸神経系は消化管壁内に存在し,筋層間神経叢(消化管運動の制御)と粘膜下神経叢(消化管血流と上皮細胞機能の調節)からなる.

多肢選択式問題

正しい答えを1つ選びなさい.

1. 26歳男性.気力を高め,食欲を抑えるためにアンフェタミンの服用を開始した後,高血圧を発症した.以下の薬物のうち,血管に対する交感神経活動増加の効果と同様の作用が期待されるのはどれか.
   A.フェニレフリン
   B.トリメタファン
   C.アトロピン
   D.レセルピン
   E.アルブテロール(サルブタモール)

2. 35歳女性.多系統萎縮症と診断され,交感神経活動の不全を示す症状を呈する.心臓の心室,気管支平滑筋,汗腺,および血管への交感神経活動の障害から生じると予想される所見をあげよ.
   A.徐脈,気管支拡張,発汗の減少,血管拡張
   B.心室収縮性の低下,気管支収縮,多汗,血管拡張
   C.頻脈,気管支収縮,発汗の減少,血管収縮
   D.心室収縮性の低下,気管支収縮,発汗の減少,血管拡張
   E.徐脈,気管支拡張,多汗,血管拡張

3. 45歳男性.その日の朝に採取した野生のキノコを含む食事をした.キノコを食べてから2〜3時間以内に,彼はムスカリン中毒の徴候を発症した.涙腺,心臓の洞房結節,尿路の括約筋,汗腺のムスカリン受容体の活性化により生じると予想される所見をあげよ.
   A.唾液分泌の増加,徐脈,尿路括約筋の弛緩,発汗の変化なし
   B.涙の減少,頻脈,尿路括約筋の収縮,発汗の減少
   C.涙の増加,徐脈,尿路括約筋の弛緩,発汗の増加
   D.唾液分泌の増加,頻脈,尿路括約筋の収縮,発汗の変化なし
   E.涙の増加,徐脈,尿路括約筋の収縮,発汗の増加

4. あるMD/PhDの候補者が,自律神経系の刺激による瞳孔径の制御を勉強していた.瞳孔径を制御する副交感神経節前ニューロン,副交感神経節後ニューロン,交感神経節前ニューロン,交感神経節後ニューロンの細胞体はそれぞれどこに位置するか.
   A.瞳孔核,毛様体神経節,頸髄の中間質外側核,頸部の椎傍神経節
   B.第II脳神経核,瞳孔神経節,頸髄の中間質外側核,頸部の椎前神経節
   C.瞳孔核,耳神経節,胸髄の中間質外側核,胸部の椎前神経節
   D.Edinger-Westphal核,瞳孔神経節,胸髄の中間質外側核,頸部の椎前神経節
   E.Edinger-Westphal核,毛様体神経節,胸髄の中間質外側核,頸部の椎傍神経節

5. あるMD/PhDの候補者が,瞳孔径の自律制御と近見視の調節を勉強していた.副交感神経および交感神経活動の刺激は,これらの反応にどのように影響するか.
   A.副交感神経活動は,括約筋の収縮によって散瞳を引き起こし,毛様体筋の収縮によって水晶体をより凹状にする.交感神経活動は,括約筋の弛緩によって縮瞳を引き起こし,毛様体筋の収縮によって水晶体をより凸状にする
   B.副交感神経活動は,収縮筋の収縮による縮瞳を引き起こし,毛様体筋の収縮を引き起こし

てレンズをより凸状にする．交感神経活動は，放射状筋の収縮による散瞳を引き起こし，毛様体筋の弛緩を引き起こしてレンズをより凹状にする

C．副交感神経活動は，括約筋の収縮によって散瞳を引き起こし，毛様体筋の収縮によって水晶体をより凸状にする．交感神経活動は，拡張筋の収縮によって縮瞳を引き起こし，毛様体筋の収縮によって水晶体をより凹状にする

D．副交感神経活動は，括約筋の収縮によって縮瞳を引き起こし，また毛様体筋の収縮によって水晶体をより凸状にする．交感神経活動は，放射状筋の収縮によって散瞳を引き起こし，水晶体の形状を変えない

E．副交感神経活動は，括約筋の収縮によって縮瞳を引き起こし，毛様体筋の収縮によって水晶体をより凸状にする．交感神経活動は，括約筋の弛緩によって散瞳を引き起こし，水晶体の形状を変えない

6．57歳男性．重度の高血圧を発症し，それは延髄表面を腫瘍が圧迫しているためであることがわかった．交感神経活動の調節に関与する経路について以下の記述のうち，正しいのはどれか．

A．交感神経節前神経は吻側延髄腹外側部から抑制性の入力を受ける

B．交感神経節前神経の主な興奮性入力は視床下部の室傍核からのものである

C．交感神経節前ニューロンの活動は扁桃体ニューロンの活動によって影響されうる

D．δ運動ニューロンとは異なり，交感神経節前ニューロンは有意な反射性調節を受けない

E．安静条件下では交感神経系は作動していない．交感神経系ストレス中にのみはたらき，"闘争か逃走"反応という用語が生まれた

7．糖尿病の53歳女性．2～3年前に糖尿病性自律神経障害と診断された．最近，腹部膨満と少量の食べ物を摂取しただけで満腹感を感じることに気づいた．神経障害が腸神経系にまで広がり，胃不全麻痺を起こしていることが示唆される．腸神経系の構成要素は何か．

A．腸神経系は，消化管機能の制御のための副交感神経系の特殊な細区分であり，特殊な節前および節後のコリン作動性ニューロンが含まれる

B．腸神経系には，消化管運動を調節する腸管神経叢と，消化管血流と上皮細胞機能を調節する粘膜下神経叢があり，運動ニューロン，感覚ニューロン，介在ニューロンが含まれる

C．腸神経系には，胃の分泌と運動を制御する運動ニューロンを含む粘膜下神経叢と，環境に関する情報を伝える感覚ニューロンを含む腸管神経叢と，感覚情報を中枢神経系に中継する粘膜介在ニューロンがある

D．腸神経系には，輪状筋内の運動ニューロン，縦走筋内の感覚ニューロン，感覚情報を中枢神経系に中継する粘膜内の介在ニューロンがある

E．感覚ニューロンのみで構成される粘膜下神経叢の腸神経系は，介在ニューロンを介して消化管の内容に関する情報を，運動ニューロンのみで構成される腸管神経叢に伝達する

8．呼吸療法士が，動脈血ガスの変化に身体がどのように反応するかについて講義した．講義の一環として，ホメオスタシスについて次のように説明した．

A．ホメオスタシスにより，血液ガスは短時間でも正常値から逸脱するのが防がれる

B．ホメオスタシスにより，正常からの逸脱を感知する化学受容器が活性化され，次いで正のフィードバックシステムが作動して血液ガスが正常レベルに戻されることで，血液ガスは正常範囲に維持される

C．ホメオスタシスにより，呼吸活動の増加を刺激する交感神経および副交感神経性の化学受容器が興奮することによって，血液ガスは正常範囲に維持される

D．ホメオスタシスにより，正常からの逸脱を感知する化学受容器が活性化され，次いで負のフィードバックシステムが作動して血液ガスが正常レベルに戻されることで，血液ガスは正常範囲に維持される

脳の電気的活動，睡眠-覚醒状態，サーカディアンリズム

CHAPTER 14

学習目標
本章習得のポイント

- 覚醒と意識の調節における視床-大脳皮質経路と上行性覚醒系の機能を説明できる
- 睡眠-覚醒間の推移を仲介する，脳幹のノルアドレナリン作動性・セロトニン作動性・コリン作動性ニューロン群と間脳のヒスタミン作動性・GABA作動性ニューロン群との間の相互作用を説明できる
- 脳波について，その生理学的基盤と主な臨床応用について説明できる
- てんかんについて，考えられているその病因を述べ，全般発作と部分発作の違いを説明できる
- 覚醒と睡眠の違いを反映して，特徴的に出現する大脳皮質の脳波リズムを特定できる
- rapid eye movement(REM，レム)睡眠と non-REM(ノンレム)睡眠の4つの段階における，行動や脳波の特徴を要約することができる
- 成人における正常な夜間の睡眠パターンとその出生期から老年期に至る変化について説明できる
- ナルコレプシーや睡眠時無呼吸症，その他の睡眠障害について，症状を述べることができる
- サーカディアンリズムの調節における視交叉上核とメラトニンの役割について説明できる

■ はじめに

8～12章で紹介した感覚経路のほとんどは，受容器からのインパルスを複数のニューロンを経て大脳皮質の特定領域に伝えている．このインパルスによって，個々の感覚の知覚と場所の特定が行われている．しかし，そのインパルスが覚醒している状態の脳で処理されなければ感覚情報は知覚されない．行動状態には深い眠りから注意集中した覚醒まで幅広く存在している．それらの各状態には，それぞれ関連する脳の電気的活動のパターンが存在する．大脳皮質内部，あるいは視床-大脳皮質間のフィードバック振動がこの電気的活動の起源であり行動状態を決定している．覚醒状態は感覚刺激や，脳幹から視床，そして大脳皮質へと上行するインパルスによって発現する．これら電気的活動の一部には，ほぼ24時間周期の規則的ゆらぎが存在する［**サーカディアン(概日)リズム** circadian rhythm］．

視床-大脳皮質経路と上行性覚醒系

視床核群

　視床 thalamus は，間脳にあって，感覚，運動，辺縁系機能に携わる種々の核からなっている．大脳皮質に投射される事実上すべての情報が経由することから，視床は大脳皮質への"ゲートウェイ"である．視床は大脳皮質からの入力も受ける．

　視床は，大脳新皮質全体へ広汎に投射している神経核群(**正中核群 midline nuclei**，**髄板内核群 intralaminar nuclei**)と，新皮質や辺縁系の特定部位に投射している神経核群(**特殊感覚中継核群 specific sensory relay nuclei**)の2つの神経核群からなっている．特殊感覚中継核群には，内側および外側膝状体(それぞれ聴覚と視覚の情報を大脳皮質の聴覚野と視覚野に中継する)，および後外側腹側核 ventral posterior lateral (VPL) nucleus，後内側腹側核 ventral posteromedial nucleus(両者は体性感覚情報を中心後回に中継する)がある．前腹側核，外側腹側核は大脳基底核や小脳から入力を受け，運動野に投射している．前核群は，乳頭体から入力を受け，記憶や情動に関与する．辺縁皮質に投射することで視床のほとんどのニューロンは興奮性であり，グルタミン酸を放出する．一部，**視床網様核 thalamic reticular nucleus** に抑制性ニューロンが存在する．このニューロンは GABA を放出する他の

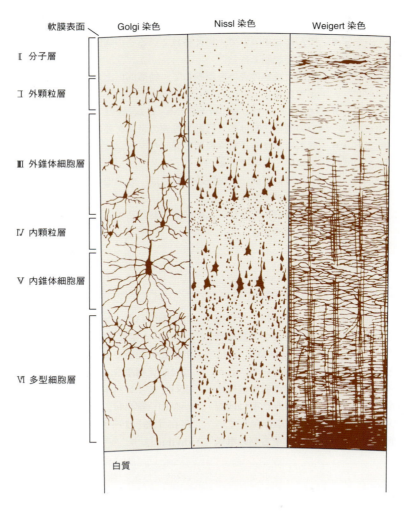

図 14・1　大脳皮質の構造． 皮質の各層を数字(I～VI)で示す．Golgi 染色はニューロンの細胞体と樹状突起を，Nissl 染色は細胞体を，Weigert のミエリン染色は有髄神経線維をそれぞれ示す(Ranson SW, Clark SL: *The Anatomy of the Nervous System*, 10th ed. St. Louis, MO: Saunders; 1959 より許可を得て改変)．

多くの視床ニューロンとは異なり，その軸索は大脳皮質には投射していない．むしろ，これらは視床の介在ニューロンであり，大脳皮質から入力を受けている他の視床ニューロンの反応を修飾している．

大脳皮質の組織化

大脳新皮質 neocortex は 6 層構造をなしている（図 14・1）．視床の特殊核群からの入力は主に皮質第Ⅳ層に終末し，一方，非特殊な入力は第Ⅰ層からⅣ層に分布する．大脳皮質で最もよくみられる神経細胞は**錐体細胞 pyramidal neuron** であり，皮質表層にまで達するほど長い垂直の樹状突起をもっている（図 14・2）．錐体細胞の細胞体は第Ⅰ層を除いたすべての皮質層で認められる．錐体細胞の軸索は反回側枝を伸ばし，樹状突起の表層部位に戻ってシナプスを形成している．錐体細胞は皮質における唯一の投射ニューロンであり，**グルタミン酸 glutamate** を終末部位から放出する興奮性ニューロンである．

他の大脳皮質の神経細胞は局所回路を形成する介在ニューロンであり，その形や投射のパターン，神経伝達物質によって分類される．抑制性介在ニューロン［バスケット(籠)細胞 basket cell および**シャンデリア細胞 chandelier cell**］は神経伝達物質として GABA を放出する．バスケット細胞は錐体細胞を取り囲むように長い軸索終末を伸ばし，錐体細胞の細胞体や樹状突起における抑制性シナプスのほとんどを占めている．シャンデリア細胞はもっぱら錐体細胞の軸索の初節部に終末する軸索をもっており，錐体細胞に対する強力な抑制源である．シャンデリア細胞はロウソク立てのような短い垂直状の終末ボタンを形成することからそのような名称が付けられている．**有棘星状細胞 spiny stellate cell** は神経伝達物質としてグルタミン酸を放出する興奮性ニューロンである．この多極性の介在ニューロンは主に第Ⅳ層に位置し，視床から伝えられる感覚情報の主な入力先となっている．

層状の組織化に加え，大脳皮質は円柱状にも組織化される．同じ円柱に属する神経は同じ反応特性をもつが，このことはそれらが局所処理ネットワーク（例：視覚野における方位円柱や眼優位円柱）を構築していることを示している．

皮質誘発電位

感覚器官が刺激されたことで起こる大脳皮質での電気現象は，記録電極によって観測できる．一次感覚野の上に置かれた記録電極からは，特定の感覚刺激に対して，5〜12 ミリ秒の潜時で表面側陽性の波形が出現する．続いて小さな陰性波形が起こり，次に，より大きく持続した陽性の偏位が 20〜80 ミリ秒の潜時でしばしば発生する．最初の陽性-陰性の連続した波は**一次誘発電位 primary evoked potential** と呼ばれ，次の波は**広汎性二次反応 diffuse secondary response** と呼ばれる．

一次誘発電位は高度に局在しており，ある特定の感覚器の求心路が投射するところでのみ発生する．大脳皮質表面で記録される陽性-陰性の波形は，皮質の表面が最初深部の陰性に対して相対的に陽性となり，続いて深部の過分極[*1]に対して相対的に陰性となることで発生する．表面側陽性の広汎性二次反応は，一次誘発電位とは異なり，さほど局在していない．この反応は正中および髄板内核群の活動が投射したもので，皮質のほとんどの部位で同時に発生する．

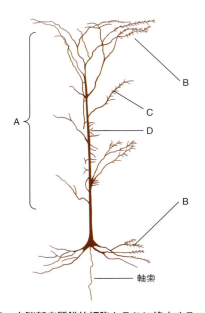

図 14・2 大脳新皮質錐体細胞とそれに終止するニューロン分布を示す．**A**：脳幹や視床からの非特殊入力，**B**：錐体細胞の軸索からの反回側枝，**C**：対側半球の鏡像関係にある部位からの交連線維，**D**：視床の感覚中継核からの特殊入力（Scheibel ME, Scheibel AB: Structural organization of nonspecific thalamic nuclei and their projection toward cortex. Brain Res 1967 Sep; 6(1): 60–94 による）．

[*1] 訳注：過分極，すなわち細胞内陰性化によって相対的に細胞外は陽性化する．

上行性覚醒系

　上行性覚醒系 ascending arousal system は，モノアミン作動性，コリン作動性，ヒスタミン作動性のニューロン群からなる複雑な多シナプス経路であり，視床の髄板内核群や網様核群に投射する．さらにそれらの核群からは，前頭，頭頂，側頭，後頭を含む大脳皮質の広いエリアに広汎な投射がみられる（図14・3）．上行性の長い経路である感覚路だけでなく，三叉神経系，聴覚系，視覚系，嗅覚系からの側枝も集まっている．上行性覚醒系は複雑で高度に収束しているため，感覚モダリティの特殊性を失い，ほとんどのニューロンは異なる感覚刺激に対して同様に反応する．この系は，橋・青斑核のノルアドレナリン作動性ニューロン群，脳幹・縫線核のセロトニン作動性ニューロン群，橋および中脳脚橋被蓋核や背外側被蓋核のコリン作動性ニューロン群，そして，視床下部・結節乳頭核のヒスタミン作動性ニューロン群からなる．

睡眠・覚醒を誘導する神経化学的機序

　睡眠と覚醒は交互に入れ替わり，平均して6〜8時間の睡眠と16〜18時間の覚醒よりなるサーカディアンリズムを形成する．脳幹と視床下部の神経核はこれらの意識状態の推移に決定的な役割をもつ．前述したように，上行性覚醒系はノルアドレナリン，セロトニン，アセチルコリン，もしくはヒスタミンを放出するいくつかのニューロン群により構成される．これらのニューロン群の局在部位とその広汎な投射について図7・2に示した．睡眠-覚醒サイクルの制御に関わる前脳の神経群において，視床下部の**視索前神経群** preoptic neurons は **GABA** を放出し，**結節乳頭神経群** tuberomamilary neurons は**ヒスタミン** histamine を放出する．また，**オレキシン** orexin も視床下部ニューロンにおいて産生され，睡眠と覚醒の切り替えに重要である．

　睡眠から覚醒への移行には上行性覚醒系における異なったグループ間の交代性の相反的活動が関わっているという説がある．この説のモデルでは（図14・4），覚醒と**レム睡眠**は両極端に位置している．ノルアドレナリンやセロトニン作動性ニューロン群（青斑核や縫線核）の活動が優位である時，橋のコリン作動性ニューロン群の活動レベルは低下する．この活動パターンは覚醒状態の発現に寄与する．この逆のパターンはレム睡眠を誘導する．アミン作動性とコリン作動性のニューロン群の活動がより均等なバランスを取った状態では**ノンレム睡眠**が発生する．視床下部ニューロンから放出されるオレキシンは，脳幹にあるこれらのニューロン群の活動変化を調節していると考えられる．

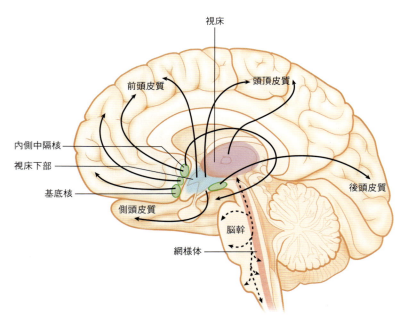

図14・3　ヒトの脳の正中断面図．脳幹の上行性覚醒系の視床髄板内核への投射，および，視床髄板内核から大脳皮質の様々な領域への出力を示す．被験者が安静覚醒状態から注意集中を要求される作業に移行すると，これらの領域が活性化することがPETスキャンにより示されている．

加えて，GABA 放出が増大しヒスタミン放出が減少した場合，視床と大脳皮質の不活性化を介してノンレム睡眠が起こりやすくなる．GABA 放出が減少しヒスタミン放出が増大すると覚醒が起こる．

脳　　波

脳電図（脳波）electroencephalogram（EEG）は，脳の電気的活動を表す記録という意味から名付けられた．脳波は頭皮上の電極を介して頭蓋骨に穴を開けることなく記録できる．**皮質脳波 electrocorticogram** という用語は，大脳皮質の軟膜表面に置いた電極から得られた記録に対して用いられる．

頭皮上から記録される脳波は，活動電位というよりむしろ樹状突起におけるシナプス後電位の総和といえる（図 14・5）．大脳皮質神経細胞の樹状突起は，大脳皮質の表層において，同じ方向を向き，森の木のように密集している（図 14・1）．樹状突起においても伝播する電位発生が起こりうる．加えて，反回性軸索側枝が皮質表層の樹状突起に終末する．個々の細胞の樹状突起における興奮性あるいは抑制性終末が活性化されると，電流が樹状突起の他の部位や細胞体との間で，活性化された終末の吸込口（sink）に流入したり，吹出口（source）から流れ出したりする[*2]．したがって，細胞体と樹状突起との相互関係は，絶えず極性が入れ替わる双極子のようなものである．双極子における電流が，容量伝導体[*3]において波のような電位変化を生じる（図 14・5）．樹状突起での活動の総和として，樹状突起側が負電位で吸込口となり，細胞体側が正電位で吹出口になった場合，細胞は脱分極して興奮性が上

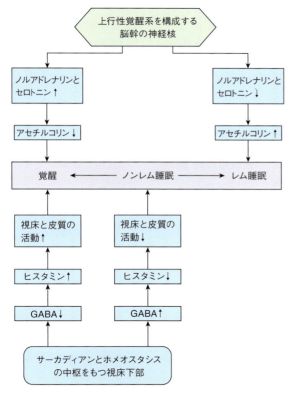

図 14・4　脳幹と視床下部神経群の活動の変化が意識状態に与える影響について示した模式図． この模式図では，覚醒とレム睡眠は正反対の位置にある．ノルアドレナリンやセロトニン作動性ニューロン群（青斑核や縫線核）の活動が優位である時，橋のコリン作動性ニューロン群の活動レベルは低下し，そして覚醒が誘導される．逆の活動パターンはレム睡眠を誘導する．これらのニューロン群の活動がより平衡した状態は，ノンレム睡眠と結び付く．GABA の増加とヒスタミンの低下は，視床と皮質の脱活性化を介して，ノンレム睡眠を誘導する．GABA が減少し，ヒスタミンが放出されると覚醒が発現する（Widmaier EP, Raff H, Strang KT: *Vander's Human Physiology*, 11th ed. New York, NY: McGraw-Hill; 2008 より）．

[*2] 訳注：吸込口および吹出口の概念については 6 章参照．
[*3] 訳注：神経を囲む導電性の媒体．

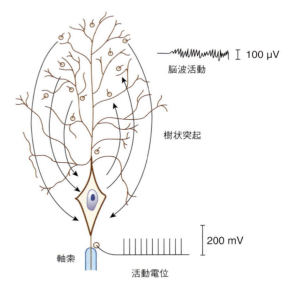

図 14・5　大きな皮質神経細胞の軸索と樹状突起における電気的反応を比較する模式図． 樹状突起上の興奮しているシナプス小頭部位へ流入し，あるいはそこから流出する電流によって脳波が起こる．一方，全か無の法則に従う活動電位が軸索に沿って伝達される．樹状突起の活動の総和が細胞体よりも電気的に負になった場合には，神経細胞は脱分極し，逆に正になった場合過分極する．頭皮上から記録される脳波は活動電位というよりも，樹状突起における後シナプス電位の総和である．

昇する．逆に，樹状突起側が吹出口，細胞体側が吸込口になった場合，細胞は過分極して興奮性が低下する．

脳波の臨床応用

脳波は神経病理学的変化がどこにあるかを診断する時に役立てられる．液体の塊が大脳皮質の一部を覆っていると，その領域の上で記録される電気活動の振幅は小さくなるであろう．このことは，硬膜下血腫の診断とその部位を決める助けになる．大脳皮質の損傷は，脳活動の一時的な損傷を部分的に引き起こし，脳波上高振幅な異常波が記録される．痙攣発作は興奮性（たとえばグルタミン酸を放出する）神経の発火増加，あるいは抑制性（たとえばGABAを放出する）神経の発火減少によって起こりうる．

てんかん発作の種類

てんかん epilepsyは，多くは脳の損傷に起因した，反復する自発的な発作がみられる状態である．発作は異常な，過度に同期した神経活動を示す．てんかんは，複合的な原因で生じる症候群である．ある種のてんかんでは，発作中あるいは発作と発作の間に特徴的な脳波パターンが現れる．しかし，異常を見つけるのは困難な場合が多い．痙攣発作は，現在では**部分発作 partial seizure**（**焦点発作 focal seizure**）と**全般発作 generalized seizure**に分けられている．

部分発作は，少数の神経群に起因し，頭部外傷，脳の感染，梗塞，腫瘍などの結果起こりうるが，原因のわからないこともある．その症状は，病巣部位による．部分発作はさらに，**単純部分発作 simple partial seizure**（意識障害がない）と**複雑部分発作 complex partial seizure**（意識障害を伴う）に細分される．単純部分発作の例として，片手の部分的な痙攣から起こって腕全体の間代的な動きに広がり，60〜90秒間続く発作がある．**前兆（オーラ aura）**は典型的には部分発作開始前に起こり異常感覚を伴う．発作後から正常神経機能に回復するまでの時間は**発作後期 postictal period**と呼ばれている．

全般発作は，両半球同時に広がる広汎な電気活動を伴う．全般発作はさらに，その動きが強直性か間代性かによって**痙攣性 convulsive**と**非痙攣性 nonconvulsive**に細分される．**欠神発作 absence seizure**（**小発作 petit mal seizure**）は一瞬の意識消失を特徴とする非痙攣性全般発作の1つである．この発作では，特徴的な**棘徐波 spike-and-wave**複合パターンが毎秒3

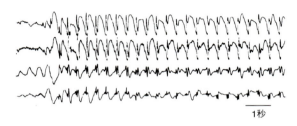

図14・6　欠神発作．6歳男児の皮質4カ所から導出された脳波．患児は脳波を記録中，"意識の空白発作"に陥り，その間，一時的に周囲に対する反応が乏しくなり，まばたきをした．欠神発作時には特徴的な棘徐波複合パターンが毎秒3回の頻度で約10秒間持続する．校正用の横線で時間的スケールを示す（Waxman SG: *Neuroanatomy with Clinical Correlations*, 25th ed. New York, NY: McGraw-Hill; 2003 より許可を得て複製）．

回の頻度で約10秒間続く（図14・6）．前兆や発作後期はみられない．この棘徐波複合パターンの発生には，視床ニューロンの低閾値T型Ca^{2+}チャネルが関与しているようである．

痙攣性全般発作で最もよくみられるのは**強直間代発作 tonic-clonic seizure**（**大発作 grand mal seizure**）である．これは，四肢筋の約30秒間続く収縮で突然始まり（**強直相 tonic phase**），次に収縮と弛緩が交互に起こる結果，左右対称的な四肢の痙攣が1〜2分間続く（**間代相 clonic phase**）．強直相の脳波には速波がみられる．間代性痙攣が起こると，スパイクとそれに続く徐波が現れ，発作終了後しばらくの間は，徐波が続く．

アストロサイト（星状膠細胞）から放出されるグルタミン酸が，てんかんの病態生理に関わっているかもしれない．また，樹状突起の発芽と新しいシナプスの形成を伴ったアストロサイトの再構築がてんかん脳における反回性興奮の構造的基礎をなしているという証拠も見つかっている．クリニカルボックス14・1に，ある種のてんかんには遺伝子突然変異が関わっていることを紹介する．

睡眠-覚醒サイクル：脳波の変化[*4]

アルファとベータ波

覚醒しているがくつろいでいて，何かに集中しているわけでもない，閉眼状態の成人の頭皮上から記録さ

[*4] 訳注：原書では脳波の成分についてrhythmを用いており，リズムと訳される．しかし，一般的には，"一波"と表現される．本章では，oscillation（振動）も含め，"一波"とした．また，たとえばアルファ波はα波と記述される場合も多いが，カタカナ表記で統一した．

14. 脳の電気的活動，睡眠-覚醒状態，サーカディアンリズム　**319**

クリニカルボックス 14・1

遺伝子変異とてんかん

　てんかんには地理や人種，性別，社会的な影響による偏りがみられない．てんかんはどの年齢層においても起こりうるが，多くの場合，乳児期や小児期，思春期そして老年期において診断されている．脳血管障害に次いで 2 番目に多い神経疾患である．世界保健機関 World Health Organization（WHO）によれば，全世界において 5000 万人もの人々（1000 人当たり 8.2 人の割合）がてんかん発作を経験する．開発途上国（コロンビア，エクアドル，インド，リベリア，ナイジェリア，パナマ，タンザニア共和国，ベネズエラなど）における罹患率は 1000 人当たり 10 人を超える．患者の多くは，明らかなきっかけや他の神経学的な異常を伴わない，誘因のない発作を経験する．これらは**特発性てんかん idiopathic epilepsy** と呼ばれ，その原因は遺伝子的なものであると考えられている．電位作動性の K^+ チャネル，Na^+ チャネルおよび Cl^- チャネルの変異がある種の特発性てんかんと関連している．イオンチャネルの変異は様々な発症メカニズムを介して神経の過興奮を引き起こしうる．近年，**小児欠神てんかん childhood absence epilepsy（CAE）**発症の原因となる変異遺伝子が同定された．一部の CAE 患者において，*GABRB3* と呼ばれる GABA 受容体のサブユニット遺伝子の変異がみられる．また，**熱性痙攣を伴う全身性てんかん generalized epilepsy with febrile seizure** と呼ばれる遺伝性てんかんにおいては *SCN1A* や *SCN1B* の変異が認められている．*SCN1A* や *SCN1B* は中枢神経系に広範囲に発現している Na^+ チャネルのサブユニット遺伝子である．*SCN1A* の変異はいくつかの型のてんかんの原因だと考えられている．

治療上のハイライト

　発作活動を経験する患者のおおよそ 2/3 のみが薬物治療に応答する．一部（たとえば側頭葉てんかんの患者）は外科的処置に応答し，また一部（たとえば部分発作の患者）は迷走神経刺激に応答する．1990 年代以前，発作の治療薬（**抗痙攣薬 anticonvulsant**）として，フェニトイン phenytoin やバルプロ酸 valproate，バルビツール酸 barbiturate などが最もよく使われた．新薬も適応になってきているが，以前の薬物がそうであったように，根治的でなく一時しのぎのものである．抗痙攣薬の採用機序は，おおまかに 3 つに分類される．それは，抑制性の神経伝達を増強（GABA 放出量を増加）させるか，興奮性の神経伝達を減弱（グルタミン酸放出量を低下）させるか，あるいは，イオンの透過性を変化させるかである．**ガバペンチン gabapentin** は GABA の類似物質で，Ca^{2+} の細胞内への流入を減少させることで，グルタミン酸放出量を低下させる．全般発作の治療に用いられる．**トピラマート topiramate** はグルタミン酸受容体に関わる電位作動性 Na^+ チャネルを阻害し，GABA の抑制効果を増強する．これも全般発作に用いられる．**エトスクシミド ethosuximide** は，視床ニューロンの低閾値 T 型 Ca^{2+} 電流を減少させることで特に欠神発作の治療に有効である．**バルプロ酸 valproate** や**フェニトイン phenytoin** は電位作動性 Na^+ チャネルに作用して，ニューロンの高頻度発火を阻害することでグルタミン酸放出を抑制する．

れる脳波の中で，最も主要な成分は，周波数が 8〜13 Hz，振幅が 50〜100 μV のかなり規則正しい一定の波である．このパターンは**アルファ（α）波 alpha rhythm** と呼ばれる（図 14・7）．アルファ波は頭頂-後頭葉で最も顕著であり，注意レベルの低下と関係がある．脳波の周波数や振幅は，年齢，飲んでいる薬物，病気の有無によって影響を受ける（クリニカルボックス 14・2）．

　注意が何かに向けられると，アルファ波は不規則で 13〜30 Hz の低振幅な活動である**ベータ（β）波 beta rhythm** に取って代わられる（図 14・7）．この現象はアルファ遮断（ブロック）alpha block と呼ばれ，あらゆる感覚刺激により生じ，また，簡単な計算問題を解くといった精神の集中によっても起こる．この現象は，注意している状態と関係しているため，**覚醒反応 arousal response** もしくは**注意反応 alerting response** と呼ばれる．また，規則正しい波を生じさせるには同期した神経活動が必要であるが，その乱れが生じている

(A) アルファ波（安静閉眼時）

(B) ベータ波（注意集中時）

時間 →

図 14・7　アルファ波とベータ波を示す脳波記録． 何かに注意が向けられると，8〜13 Hz のアルファ波が不規則な 13〜30 Hz の低振幅活動のベータ波に取って代わられる．この現象はアルファ遮断，覚醒反応，あるいは注意反応と呼ばれる（Widmaier EP, Raff H, Strang KT: *Vander's Human Physiology*, 11th ed. New York, NY: McGraw-Hill; 2008 より許可を得て転載）．

クリニカルボックス 14・2

アルファ波の変化

ヒトでは，安静時の脳波でみられる優位な成分は年齢とともに変化する．幼児では，ベータ波のような速い活動がみられるが，後頭部ではゆっくりとした 0.5〜2 Hz のパターンがみられる．小児期の間にこの後頭部でのパターンは速くなり，思春期には，徐々に成人のアルファ波のパターンが出現してくる．アルファ波の周波数を減少させる要因としては，血中グルコース濃度の低下や，体温の低下，副腎からのグルココルチコイドホルモン分泌の低下，動脈血炭酸ガス分圧 (Pa_{CO_2}) の上昇などがある．それらとは逆の条件下ではアルファ波の周波数は増大する．強制過呼吸で血中の Pa_{CO_2} を低下させる方法は，潜在的な異常脳波を引き出すために臨床的に用いられる．アルファ波の周波数や振幅は，低ナトリウム血症やビタミン B_{12} 欠乏症によるものも含め，代謝異常や中毒による脳障害によっても低下する．アルファ波の周波数は，**アルコール alcohol**，**アンフェタミン amphetamine**，**バルビツール酸類 barbiturates**，**フェニトイン phenytoin**，**抗精神病薬 antipsychotics** による急性中毒によって減少する．催眠・鎮静薬である**プロポフォール propofol** によって脳波に典型的なアルファ波に類似したリズムが出現する．

ということから**脱同期 desynchronization** とも呼ばれる．しかしながら，周波数が大きいという違いはあるが，注意を払っている際にみられる速い脳波活動も同期はしている．そのため，脱同期という言葉は誤解を招きやすい．

睡眠段階：ノンレム睡眠とレム睡眠

ノンレム睡眠は，4 つの段階に分類される（図 14・8）．ノンレム睡眠段階 1 は覚醒から睡眠への移行期であり，その脳波は，低振幅で様々な周波数の波が混在したパターンを示す．この段階では**シータ (θ) 波 theta rhythm** (4〜7 Hz) が観察される．ノンレム睡眠段階 2 は，正弦波様の**睡眠紡錘波 sleep spindle** (7〜15 Hz) や，時々現れる **K 複合 K complex** と呼ばれる高振幅で二相性の波が特徴である．この段階では，骨格筋活動が減弱する．ノンレム睡眠段階 3 においては，意識レベルが覚醒からより低下したことを示す高振幅の**デルタ (δ) 波 delta rhythm** (0.5〜4 Hz) が脳波上出現する．最も緩やかで大きな波はノンレム睡眠段階 4 でみられる．したがって，深い睡眠の特徴とは律動的な徐波のパターンであり，顕著な大脳皮質と視床における活動の同期化 synchronization を示し，しばしば徐波睡眠と記述される．睡眠中のシータ波やデルタ波の出現は正常であるが，それらが覚醒中に現れると脳の機能障害の徴候である．

睡眠中の脳波は高振幅徐波から，レム睡眠を示す低振幅速波へ周期的に入れ替わる（図 14・8）．レム睡眠は**眼電図 electrooculogram (EOG)** として記録される速くきょろきょろ (roving) とした特徴的な眼球運動 (rapid eye movement) から，レム (REM) 睡眠と名付けられた．眼球運動の他に，レム睡眠中は骨格筋の活動がほぼ停止する．感覚刺激による覚醒閾値は，レム睡眠において高くなる．レム睡眠のもう 1 つの特徴として，橋のコリン作動性ニューロン群に始まり，外側膝状体を経て後頭葉へ伝播される大きな一過性の電位が発生する．これは，**橋-外側膝状体-後頭葉スパイク ponto-geniculo-occipital (PGO) spike** と呼ばれる．

陽電子放射断層撮影法 (PET) を用いた観察によると，レム睡眠中には，橋の領域と扁桃体および前部帯状回の活動が増加し，前頭前野と頭頂葉の活動が低下する．視覚連合野の活動増加もみられるが，一次視覚野の活動は低下する．これらは，夢見では情動が亢進するということ，外界と結び付いた活動を示す（一次感覚野や一次視覚野のような）脳領域から切り離された閉鎖的な神経機構がはたらく，という考えとよく

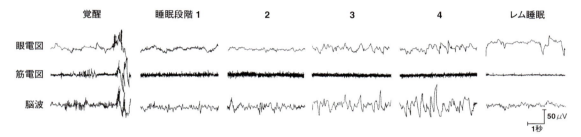

図14・8 睡眠-覚醒サイクルの各段階における脳波と筋活動. ヒトでは，ノンレム睡眠には4つの段階がある．段階1は，脳波の軽度な緩徐化が特徴である．段階2においては脳波に高振幅のK複合と紡錘波がみられる．段階3と4では，ゆっくりとした高振幅のデルタ波がみられる．レム睡眠は眼球運動が特徴であり，筋緊張は低下し，低振幅速波の脳波パターンがみられる．段階2と3におけるEOG波形の高振幅活動は，眼球運動というよりもむしろ，前頭前野での高振幅な脳波活動に影響されたものである．筋電図 EMG：electromyogram 骨格筋活動を表す，眼電図 EOG：electrooculogram 眼球運動を表す (Rechtschaffen A, Kales A: *A Manual of Standardized Terminology, Techniques and Scoring System and Sleep Stages of Human Subjects*. Los Angeles: University of California Brain Information Service; 1968 より許可を得て複製).

合っている．

睡眠段階の分布

青年期でみられる典型的な夜間の睡眠は，まずノンレム睡眠から始まり，段階1と2を経由して，段階3と4へと70～100分ほどノンレム睡眠が持続する．その後，睡眠は浅くなり，続いてレム睡眠が発生する．この周期はおおよそ90分間隔で一晩を通して繰り返されるが（図14・9），朝になるに従って段階3や4は少なくなり，レム睡眠が多くなる．こうして，一晩当たり4～6回のレム睡眠が生じる．未熟児においては総睡眠時間のうち80％をレム睡眠が占め，新生児においては50％を占める．その後，レム睡眠の占める割合は急速に減少し，おおよそ25％で維持され，高齢者においてさらに約20％まで減少する．小児は成人と比較して総睡眠時間が長い（小児：8～10時間，成人：約6時間）．

夢はレム睡眠とノンレム睡眠のいずれにおいても起こるが，その特徴は異なる．レム睡眠中に見られる夢はノンレム睡眠中に見られる夢に比べ，時間的に長く，より映像的で情動的である．

睡眠の重要性

多くの研究が，睡眠は代謝-カロリーのバランスや，熱平衡，免疫応答の維持に必要であることを示している．クリニカルボックス14・3では，いくつかの一般的な睡眠障害について紹介する．もしヒトがレム睡眠に陥るたびに毎回覚醒させられたら，その後の邪魔されない睡眠では，数夜にわたって通常よりもはるかに

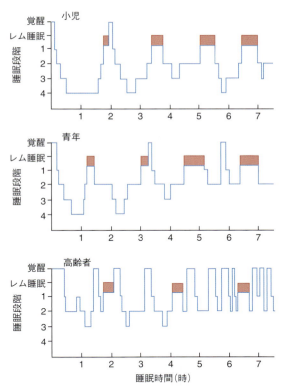

図14・9 それぞれの年齢における正常な睡眠周期. レム睡眠は濃い色で示している．青年期でみられる典型的な夜間の睡眠は，まずノンレム睡眠から始まり，段階1と2を経て，段階3と4へと，70～100分ほどノンレム睡眠が持続する．その後睡眠は浅くなり，続いてレム睡眠が出現する．この周期はおおよそ90分間隔で，一晩を通して繰り返されるが，朝になるに従って段階3や4が少なくなり，レム睡眠が多くなる．レム睡眠は，新生児においては，総睡眠時間の50％を占めるが，その割合は急速に減少し，高齢者においてさらに減少するが，それまではおおよそ25％で維持される (Kales AM, Kales JD: Sleep disorders. *N Engl J Med* 1974; Feb 28; 290(9): 487-499 より許可を得て複製).

クリニカルボックス 14・3

睡眠障害

ナルコレプシー narcolepsy は慢性神経疾患の1つで，脳が正しく睡眠-覚醒サイクルを調節できないことに起因している．自発的筋緊張の突然の消失(**カタプレキシー cataplexy**)や昼間の極めて耐え難い睡眠への衝動がみられ，入眠時あるいは覚醒時に起こる短時間の全身麻痺を伴うこともある．正常の睡眠はノンレム睡眠，つまり，徐波睡眠から始まるが，ナルコレプシーの特徴は，いきなりレム睡眠から始まることである．ナルコレプシーの有病率は，日本の600人に1人からイスラエルの50万人に1人まで幅があり，米国では1000人に1人が罹患している．ナルコレプシーには家族性に発症する場合があり，発症の遺伝的素因の存在を示しているが，第6番染色体でHLA-DR2やHLA-DQW1の座位に存在する主要組織適合遺伝子複合体のclass II 抗原が強く関与している．HLA 複合体(HLA は human leukocyte antigen の略語)は相互に関係し合って免疫システムを調節する遺伝子群である(3章参照)．健常人の脳と比較して，ナルコレプシー患者の脳では，しばしば，視床下部における**ヒポクレチン hypocretin(オレキシン orexin)**産生神経の減少が観察される．HLA複合体によってこれらの神経群が免疫的攻撃を受けやすくなり，それらの変性につながるのかもしれない．

閉塞性睡眠時無呼吸症 obstructive sleep apnea(OSA)は夜間の睡眠の断片化によって生じる昼間の眠気の最も一般的な原因である．米国の中年齢層では，男性の約24%，女性の約9%が罹患している．筋緊張の低下によって上気道(特に咽頭)の閉塞が頻回に起こり，その閉塞の間，呼吸が10秒以上停止する．無呼吸が起こると，患者は上気道の緊張を回復させるために短時間だが起きてしまう．OSA患者は，入眠後すぐに，特徴的ないびきをかき始める．いびきは次第に大きくなり，無呼吸の発生によっていったん止まった後，患者が努力して呼吸しようとするため，大きないびきやあえぎが続く．実際のところ，OSA患者の総睡眠時間は短くない．しかし，ノンレム睡眠段階1が増加し(平均で総睡眠量の10%程度のものが30〜50%に)，徐波睡眠(ノンレム睡眠段階3と4)が大きく減少している．OSAの病態生理としては，入眠期における神経筋緊張の低下と呼吸中枢からの出力変化の両方が考えられる．

周期性四肢運動障害 periodic limb movement disorder(PLMD)は，睡眠中に，約0.5〜10秒間続く足の親指の伸展と足首と膝の背屈が，20〜90秒の間隔で規則的に繰り返される疾患である．実際，四肢の運動は，足首や指のわずかな持続的な動きから，荒々しく激しく，蹴り上げたり，連打するような脚や腕の動きまで様々である．筋電図 electromyograph (EMG)を記録すると，ノンレム睡眠の前半に，短時間の覚醒を示す脳波を伴った筋活動の群発が観察される．同年齢の正常群と比較して，ノンレム睡眠段階1が増加し，段階3と4が減少しているようである．30〜50歳代の5%にPLMDは発症しており，65歳以上では44%に増加することが報告されている．PLMDは**レストレスレッグス(下肢静止不能)症候群 restless leg syndrome** やWillis-Ekbom〔ウィリス・エクボム〕病と類似している．レストレスレッグス症候群の患者は，一日中，安静時に脚を動かさずにはいられない．

夢中遊行(夢遊病) somnambulism や**夜尿症 nocturnal enuresis**，**夜驚症 night terror** は，**パラムニア(睡眠時随伴症) parasomnia** と呼ばれ，ノンレム睡眠やレム睡眠からの覚醒に関連した睡眠障害である．夢中遊行は大人よりも子供に多く，男性に優位に発生している．症状は数分間継続する．夢中遊行者は目を開けて障害物も避けて歩くが，目覚めた時にそのエピソードを覚えていない．

治療上のハイライト

ナルコレプシー患者の昼間の強い眠気は，**モダフィニル modafinil** や**メチルフェニデート methylphenidate**(商品名**リタリン Ritalin**)，**メタンフェタミン methamphetamine** など，アンフェタミン様興奮薬によって治療される．**γ-ヒドロキシ酪酸 γ-hydroxybutyrate**(GHB)はカタプレキシー発作や昼間の眠気発生の頻度を抑えるために用いられる．カタプレキシーは，しばしば**イミプラミン imipramine** や**デシプラミン desipramine** のような抗うつ薬で治療されるが，これらの薬剤について，このような使用法は米国食品医薬品局(FDA)から公式な認可は下りていない．OSAに対して最もよく用いられる治療法は**持続陽圧呼吸 continuous positive airflow pressure**(CPAP)であり，これは，気道が閉塞しないよう気道圧を高める器具を用いる．OSAに対する薬物治療は全般に，ほとんど，あるいはまったく利点がないことが証明されている．Parkinson病の治療に用いられる**ドーパミン作動薬 dopamine agonist** は，PLMDやレストレスレッグス症候群に適応されている．

多いレム睡眠量を示す．比較的長い間レム睡眠が奪われても，精神への有害な影響はないようである．

サーカディアンリズム

視交叉上核の役割

植物から動物まで，すべてとはいわずとも生きている細胞の大部分は，その機能にサーカディアン（概日）周期の律動的なゆらぎをもつ．通常，それらは外環境における昼夜の光の周期に同調する．生体のサーカディアンリズムは24時間よりも長いか，もしくは短いので，もしも昼夜の周期に同調しなければ，徐々に明暗の位相から外れていくことになる．ほとんどの場合，その同調過程には**視交叉上核** suprachiasmatic nucleus（**SCN**）が主たる役割を担っている（図14·10）．SCNは，**網膜視床下部線維** retinohypothalamic fiberと呼ばれる特定の神経路を介して，明暗サイクルの情報を受け取る．SCNからの遠心性出力は，神経性または液性の情報を伝達して，睡眠−覚醒サイクルや，豊富に血管をもつ松果体からの**メラトニン** melatoninの分泌といった，あらゆるサーカディアンリズムを外界に同調させる．

SCNのGABA神経は視床下部室傍核の神経を抑制する．視床下部からの下行路は交感神経節前ニューロンに収束し，続いて，松果体への節後ニューロン投射の起点となる上頸神経節を支配している．

これまでの研究で，SCNの刻むサーカディアンリズムの活動には2つのピークが存在することが示されている．このことは，明るい光を浴びた際，その時間帯によって睡眠−覚醒サイクルの位相が前進したり，後退したり，あるいは変化がなかったりするという結果と関連しているであろう．昼間，光は睡眠の位相に影響を及ぼさないが，暗期に入った直後での光照射は睡眠発生の時刻を後退させ，夜明け直前での光照射は次の睡眠発生の時刻を前進させる．メラトニンの投与でも，似たような効果が現れる．クリニカルボックス14·4に，睡眠・覚醒状態に影響を与えるサーカディアンリズム障害について記載した．

メラトニンとサーカディアンリズム

メラトニンと，N-アセチル化およびO-メチル化によるセロトニンからのメラトニン合成に関わる酵素は松果体細胞に存在しており，メラトニンは，これらの細胞から血中や脳脊髄液中へと分泌される（図14·11）．2つのGタンパク質結合型メラトニン受容体（MT_1とMT_2）がSCNの神経に発現している．MT_1受容体はアデニル酸シクラーゼを抑制し，眠気を誘導する．MT_2受容体はホスホイノシチドの加水分解を刺激することで，明暗サイクルの同調機構に関わっていると考えられる．

メラトニン分泌の日内変動は，外界の明暗サイクルと生体の事象とを協調させるための時間調整シグナルとして機能するものと考えられる．メラトニンの合成および分泌は夜間に高まり，昼間は低い値で維持される（図14·11）．このような昼夜のメラトニン分泌の推移は，松果体に分布している交感神経節後ニューロンからのノルアドレナリン分泌によってもたらされる（図14·10）．ノルアドレナリンは，アドレナリンβ受容体を介して細胞内のcAMP量を増加させる．続いてそのcAMPは，N-アセチルトランスフェラーゼ活性の著しい上昇を引き起こし，その結果，メラトニンの合成と分泌が増加する．

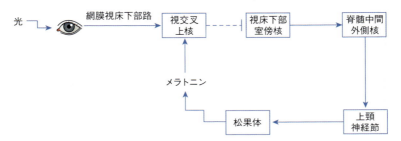

図14·10　メラトニンの分泌．視交叉上核（SCN）の周期的活動がメラトニン分泌のサーカディアンリズムを形成する．このリズムは網膜のニューロンにより明暗周期に同調する．光の情報は，網膜視床下部路（RHT）を介してSCNに伝えられる．SCNのGABAニューロンは視床下部室傍核（PVN）のニューロンを抑制し，その結果，脊髄中間外側核の交感神経節前ニューロン活動を減弱させる．この交感神経節前ニューロンは，松果体からのメラトニン分泌を調節する上頸神経節の節後ニューロンに接続している．

クリニカルボックス 14・4

不眠症および睡眠-覚醒サイクルのサーカディアンリズム障害

不眠症 insomnia は睡眠の開始や維持の困難な時が，週に数回発生することと定義される．成人の30％近くが不眠症のエピソードを経験していて，65歳以上では，50％以上が何らかの睡眠障害を有している．不眠症のエピソードを慢性的に抱える患者では，事故を経験している，実務履歴が少ない，生活の質が全般的に低下しているというケースが多い．不眠症は**うつ病 depression** に併発することが多く，両疾患とも**副腎皮質刺激ホルモン放出因子 corticotropin-releasing hormone** の調節異常を示す．

サーカディアンリズムの乱れに伴う睡眠障害には2つの主たるタイプがある．**一過性の睡眠障害 transient sleep disorder**（時差ぼけ，交代制勤務による睡眠サイクルの変化，各種疾患による障害）と**慢性の睡眠障害 chronic sleep disorder**（**睡眠相遅延症候群 delayed sleep phase syndrome** あるいは**睡眠相前進症候群 advanced sleep phase syndrome**）である．

睡眠相遅延症候群の患者では，総睡眠時間は正常であるが，夜に入眠し朝に覚醒するということができない．睡眠相前進症候群の患者は，夕方早くに入眠し早朝に覚醒するが，主に高齢者やうつ病患者に最もよくみられる．

治療上のハイライト

光療法 light therapy はサーカディアンリズム障害の患者の治療に有効であると報告されている．**メラトニン melatonin** は時差ぼけや高齢者の不眠症患者の治療に用いられる．**ラメルテオン ramelteon** はメラトニン受容体 MT_1 と MT_2 の作動薬で不眠症の治療においてメラトニンより有効である．**ゾルピデム zolpidem**（商品名アンビエン Ambien，訳注：日本での商品名はマイスリー Myslee）は，鎮静・催眠薬の1つで，脳活動を抑え睡眠を誘導する．**モダフィニル modafinil** は，ナルコレプシー患者の昼間の眠気に加え，交代制勤務に伴う昼間の眠気や睡眠相遅延症候群においても用いられており，有効である．

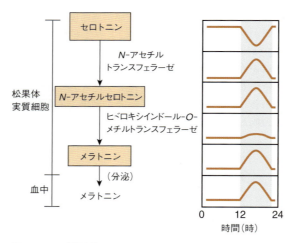

図14・11 松果体におけるメラトニン合成に関わる化合物の日内変動． メラトニンと，セロトニンからのメラトニン合成に関わる酵素は，松果体細胞にみられる．メラトニンは血中へと分泌される．メラトニン合成と分泌は暗期に増加し（図中の影の部分），明期は低レベルで維持される．

章のまとめ

- 視床は大脳皮質へのゲートウェイであり、新皮質全体へ広汎に投射するニューロン群（正中核群および髄板内核群）と、新皮質の特定部位へ投射するニューロン群（特殊感覚中継核群）からなる．
- 上行性覚醒系は、モノアミン作動性、コリン作動性、ヒスタミン作動性ニューロン群からなり、視床の髄板内核群や網様核群を介して、前頭、頭頂、側頭、後頭を含む大脳皮質全体へ広汎な投射をもつ．
- 覚醒とレム睡眠は、意識の両極端にある．ノルアドレナリン作動性とセロトニン作動性ニューロン群（青斑核と縫線核）が活発に活動すると、橋のコリン作動性ニューロン群は活動を低下させ、覚醒が発生する．その逆のパターンでは、レム睡眠が誘導される．これらのニューロン群がより均等にバランスを取って活動する状態は、ノンレム睡眠と関連する．GABAの増加とヒスタミンの低下によっても、視床や大脳皮質の脱活性化を介して、ノンレム睡眠が誘導される．
- 脳波は脳の電気的活動（樹状突起におけるシナプス後電位の総和）を反映し、痙攣発作の病因となっている部位の特定や、そのタイプ分類に有用である．
- 部分（焦点）発作は少数の神経群に起因していて、単純（意識消失を伴わない）と複雑（意識障害を伴う）に細分される．全般発作は広汎に伝播する電気活動を伴うもので、発作が強直性か間代性かによって、痙攣性と非痙攣性に細分される．
- 覚醒閉眼時の脳波にみられる主な成分はアルファ波（8〜13 Hz）であり、意識が高まるとベータ波（13〜30 Hz）になる．深い睡眠中に現れるのはシータ波（4〜7 Hz）とデルタ波（0.5〜4 Hz）である．
- ノンレム睡眠の最中に、骨格筋の活動はある程度維持される．ノンレム睡眠の段階1ではシータ波が観察される．段階2は睡眠紡錘波と時おり出現するK複合が特徴である．段階3ではデルタ波が優位になる．最も徐波化するのが段階4である．レム睡眠は、低振幅速波の脳波活動と、速くきょろきょろと動く眼球運動が特徴である．
- 青年期の典型的な睡眠では、段階1と2から始まり、段階3と4が70〜100分間持続する．その後いったん睡眠は浅くなり、レム睡眠へと続く．この周期は90分間隔で終夜繰り返される．新生児においてレム睡眠は総睡眠量の50%を占め、その後、レム睡眠の占める割合は急速に減少し、老年期にさらに減少するまで25%で維持される．
- ナルコレプシーは、突発的な骨格筋活動の消失（カタプレキシー）、昼間の耐え難い眠気、突然のレム睡眠発生を特徴とする．閉塞性睡眠時無呼吸症（OSA）は昼間の眠気の最も一般的な原因である．上気道の閉塞によって、呼吸が10秒以上停止するエピソードが頻回に起こる．正常な睡眠パターンと比較して、OSA患者では、ノンレム睡眠段階1が増加し、ノンレム睡眠段階3と4が減少する．周期性四肢運動障害（PLMD）は、睡眠中に、約0.5〜10秒間続く足の親指の伸展と足首および膝の背屈が、20〜90秒の感覚で規則的に繰り返される疾患である．
- 生物現象の諸過程はSCNによって調節され明暗サイクルに同調している．松果体から分泌されるメラトニンの日内変動は、生体事象と明暗サイクルとを協調させているようだ．

多肢選択式問題

正しい答えを1つ選びなさい．

1. あるMD/PhDコースの学生が、睡眠パターンの年齢による違いを比較していた．睡眠が年齢によってどう変化するかについて、予想されるのはどれか．
    A．青年期では総睡眠時間の約50%をノンレム睡眠が占めるが、老年期では約20%に落ちる
    B．青年は一晩に4〜6回のレム睡眠を経験するが、幼児は5〜10回経験する
    C．正期産児では、睡眠の80%をレム睡眠が占めるが、老人では20%にまで減少する
    D．未熟児では、睡眠の80%をレム睡眠が占めるが、成長とともに減少し、成人では25%で安定する
    E．典型的には、青年は一晩のうち70〜100分をノンレム睡眠段階3と4に費やすが、小児では、この深い睡眠は30分程度にとどまる

2. あるMD/PhDコースの学生が，覚醒調節における視床-大脳皮質経路の役割について研究を行っていた．彼が準備している研究計画書には，視床から大脳皮質への主たる2経路についてどのように記載されただろうか．
   A．視床のほとんどのニューロンは，大脳皮質の投射先でグルタミン酸を放出するが，網様核群からの投射では，GABAが放出される
   B．視床の特殊核群から大脳皮質への入力はⅠ～Ⅳ層に終末するが，非特殊核群からの入力は主にⅣ層の有棘星状細胞に終末する
   C．視床の特殊核群からの入力は主にⅣ層の錐体細胞に終末するが，非特殊核群からの入力は主にⅣ層にある抑制性のバスケット細胞に終末する
   D．視床から大脳皮質への広汎な投射は，正中核群や髄板内核群からのものであり，大脳新皮質の特定部位への投射は，特殊感覚中継核群からである

3. 健常人が覚醒状態で目を閉じて座っている場合，後頭葉上に設置した電極から記録される脳波のうち優勢な波はどれか．
   A．デルタ波(0.5～4 Hz)
   B．シータ波(4～7 Hz)
   C．アルファ波(8～13 Hz)
   D．ベータ波(18～30 Hz)
   E．速くて不規則で低振幅な波

4. 35歳男性．閉塞性無呼吸症かどうかを確かめるため睡眠クリニックで一夜を過ごした．検査では，総睡眠時間の30％以上をノンレム睡眠が占めていた．次に示す中枢の神経伝達物質／神経修飾物質の変化の組合せのうち，ノンレム睡眠から覚醒への移行に関連するのはどれか．
   A．ノルアドレナリンの低下，セロトニンの増加，アセチルコリンの増加，ヒスタミンの低下，GABAの低下
   B．ノルアドレナリンの低下，セロトニンの増加，アセチルコリンの増加，ヒスタミンの低下，GABAの増加
   C．ノルアドレナリンの低下，セロトニンの低下，アセチルコリンの増加，ヒスタミンの増加，GABAの増加
   D．ノルアドレナリンの増加，セロトニンの増加，アセチルコリンの低下，ヒスタミンの増加，GABAの低下
   E．ノルアドレナリンの増加，セロトニンの低下，アセチルコリンの低下，ヒスタミンの増加，GABAの低下

5. ある健康な医学生が，断眠による脳波への影響に関する研究プロジェクトに参加した．ベースラインの試験的記録では異常はみられなかった．次のうち，ノンレム睡眠段階2で観察される行動や脳波の特徴はどれか．
   A．骨格筋活動は観察され，脳波には睡眠紡錘波とシータ波が混在していた
   B．骨格筋活動が低下し，睡眠紡錘波とK複合が脳波上に出現していた
   C．骨格筋活動は検知でき，脳波ではデルタ波が優位であった
   D．眼球運動が完全に消失し，脳波ではシータ波が優位であった
   E．骨格筋活動も眼球運動も消失し，脳波は脱同期していた

6. 67歳女性．過去数カ月間，週に何度かなかなか寝つけない，睡眠が持続しないということを経験した．ある友人が睡眠-覚醒サイクルを整えるために，メラトニンを飲むよう彼女に勧めた．内因性のメラトニン分泌が増加すると考えられるのはどれか．
   A．セロトニン合成の抑制
   B．室傍核の抑制
   C．上頸神経節の刺激
   D．視神経の刺激
   E．ヒドロキシインドール-O-メチルトランスフェラーゼの抑制

7. 10歳男児．小児欠神てんかんと診断されている．彼の脳波には，左右対称に同期した3 Hzの棘徐波複合パターンがみられる．欠神発作についての記述はどれか．
   A．一瞬の意識消失を伴う非痙攣性全般発作
   B．一瞬の意識消失を伴う複合的な部分発作
   C．意識消失を伴わない非痙攣性全般発作
   D．意識消失を伴わない単純な部分発作
   E．一瞬の意識消失を伴う痙攣性全般発作

8. 欠神てんかんと診断された小児が，エトスクシミドによる薬物治療を開始した．抗痙攣薬としての

エトスクシミドの作用機序はどれか．
A．GABA 類似物質であり，細胞への Ca^{2+} 流入を抑制する
B．グルタミン酸受容体に関わる電位作動性 Na^+ チャネルを阻害する
C．GABA の伝達を促進する
D．ドーパミン受容体の作動薬である
E．T 型 Ca^{2+} チャネルを抑制する

9．57 歳医学部教授．午後の半ば，突然の筋緊張消失と耐え難い強い眠気を経験した．彼はナルコレプシーと診断されたが，ナルコレプシーは
A．突然ノンレム睡眠が発生することが特徴である
B．家族性に発症することがあり，主要組織適合遺伝子複合体の Class II 抗原が関与している
C．視床下部のオレキシン産生ニューロンが過剰に存在することが原因と考えられる
D．ドーパミン受容体作動薬の投薬がしばしば有効である
E．日中の眠気の最も多い原因である

学習，記憶，言語，発話

CHAPTER 15

学習目標
本章習得のポイント

- 正常な脳機能と脳損傷による変化を同定するための脳イメージング技術の役割について述べることができる
- 外傷性脳損傷 traumatic brain injury (TBI) を診断するための一般的な原因，症状，方法をあげることができる
- 記憶のいろいろな形態について述べ，記憶の処理と貯蔵に関与する脳領域を同定することができる
- シナプス可塑性，長期増強 long-term potentiation (LTP)，長期抑圧 long-term depression (LTD)，慣れ，感作について定義でき，学習と記憶におけるそれぞれの役割を説明できる
- Alzheimer 病の特徴である脳の構造と機能の異常を同定できる
- 定言的な半球，表象的な半球について定義でき，それらの違いについてまとめることができる
- 言語に重要な皮質領域とそれら領域間の連結を同定できる
- 流暢失語と非流暢失語の違いについてまとめ，それぞれの病態生理の基礎について説明できる

■ はじめに

ヒトの脳機能についての我々の理解が革命的に進んだのは**陽電子放射断層撮影法** positron emission tomography (PET)，**機能的 MRI** functional magnetic resonance imaging (fMRI)，**コンピュータ断層撮影法** computed tomography (CT) scanning やその他の画像法，診断法が発達し広く普及したからである．CT は，頭蓋骨の損傷検査や急性くも膜下出血の検出に役立つ，脳の高解像度 3 次元イメージを提供する．PET イメージングは局所的なグルコース代謝，血流，酸素を測定し，fMRI は局所的な酸素化された血流量を計測することができる．PET や fMRI によって正常なヒトや，病変や脳損傷をもつ患者の脳のいろいろな部位の活動指標を提供できるようになった（クリニカルボックス 15・1 参照）．これらの技術は単純な反応だけでなく，学習，記憶，知覚などの複雑な機能の研究にも用いられる．ヒトが聞いたり見たり話したり発語したりする際には皮質の異なる領域が活動する．図 15・1 は言語処理に関する大脳皮質の機能を男性と女性とで比較した脳機能画像の例である．

クリニカルボックス 15・1

外傷性脳損傷

外傷性脳損傷 traumatic brain injury（TBI）は，脳に対する非変性性，非先天性傷害で，過度の機械力による脳損傷あるいは穿通性脳損傷と定義される．TBI は永続的あるいは一過性の認知的，身体的，情動的，行動的機能障害を引き起こし，意識の喪失あるいは意識変化にも関連する．TBI は世界的にも死亡および身体障害の主要な原因の1つである．米国疾病予防管理センター Centers for Disease Control and Prevention(CDC)によれば，米国では毎年少なくとも150万人がTBIを被っている．4歳以下の子供，15～19歳の思春期の若者，65歳以上の高齢者で最も頻繁にみられる．どのグループにおいても TBI 患者は女性に比べて男性の方が2倍多い．おおよそ75%のケースで，TBI は軽度と考えられ脳震盪として現れる．治療を受けた重症 TBI 成人患者の死亡率は約30%であるが，約50%は治療によってすべての機能ではないがほとんどの機能が回復する．TBI の主な原因は，落下，自動車事故，何かにぶつける，暴行である．場合によっては，実際の受傷部位から離れた領域にも機能不全が生じ始め，**遠隔障害 diaschisis** と呼ばれている．TBI は一次段階と二次段階に分けられる．一次損傷は機械力によって生じる（頭蓋骨折と皮質挫傷）か，あるいはせん断力，張力，圧縮力を生じる頭部の予期せぬ動きによる加速または減速による．これらの損傷は**頭蓋内血腫 intracranial hematoma**（硬膜外，硬膜下，くも膜下），**びまん性軸索損傷 diffuse axonal injury** を引き起こす．二次損傷はしばしば遅延反応で，脳血流に障害が生じ，細胞死が起こることで生じる．**グラスゴー昏睡尺度 Glasgow coma scale** は TBI の重症度を定義するために使用される最も広く用いられている評価系であり，受傷後の意識レベルと神経学的機能を調べるために，運動反応，言語反応，開眼を評価する．軽度 TBI の症状には頭痛，錯乱，めまい，かすみ目，耳鳴り，味覚異常，疲労，不眠，気分変動，および，記憶，集中力，思考の障害が含まれる．中等度，重度の TBI 患者では，これらの症状と嘔吐あるいは悪心，ひきつけあるいは痙攣，覚醒障害，視線の固定と瞳孔散大，不明瞭発語，四肢弛緩，協調障害，錯乱の増強，不穏状態，激越が生じる．最も重篤な TBI のケースでは，患者は**植物状態 permanent vegetative state** に陥る可能性がある．

治療上のハイライト

脳の撮像法の進歩によって，医療関係者の診断と脳損傷程度の評価能力は改善した．脳損傷をもとに戻すことはほとんどできないので，治療は最初に患者の状態を安定させ，それ以上の（二次の）損傷を防ぐことが目的である．薬物療法として，利尿薬（脳圧を下げる），受傷後1週間の抗痙攣薬（痙攣による追加的な脳ダメージを防ぐ），昏睡導入薬（酸素消費量を下げる）の投与がなされる．この後，理学療法，作業療法，言語療法といったリハビリテーションが始まる．脳機能が回復するかどうかにはいくつか要因がある．たとえば，抑制はされているが損傷を受けていない脳の領域があると機能が回復する，神経軸索の発芽と余剰性は脳の他の領域が損傷によって失われた機能を取って代わる，さらに行動の代替（障害を代償するために新しい方策を学習すること）などである．

学習と記憶

ヒトの特徴の1つは経験に基づいて行動を変える能力があることである．**学習 learning** はこれを可能にする情報を得ることであり，**記憶 memory** はその情報を保持して蓄えることである．この両者は明らかに密接に関係しており，この章では一緒に検討する．

記憶の種類

生理学的見地から，記憶は顕在的なものと潜在的なものに分類される（図 15・2）．**顕在記憶 explicit memory** あるいは**宣言的記憶 declarative memory** は意識と結び付いており，その保持には**海馬 hippocampus** と**内側側頭葉 medial temporal lobe** のいくつかの領域に依存している．クリニカルボックス 15・2 には，脳損傷をもった患者の病状を追うことで，宣言的記憶における側頭葉の役割が明らかになった経緯が記載してある．**潜在記憶 implicit memory** あるいは**非宣言的記憶 nondeclarative memory** は意識との結び付きがなく，その保持には，通常，海馬での情報処理は関与しない．

顕在記憶は人物や場所や物についての事実に関する

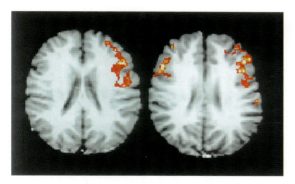

図15・1　男性（左）と女性（右）で文章を黙読中に活動する脳領域を比較した脳機能画像．女性は脳の両側を使うのに対して，男性は片側のみを使う．この違いは言語処理の方略の違いを反映しているようである（Shaywitz et al, 1995. NMR Research/Yale Medical School より許可を得て転載）．

知識である．顕在記憶はさらに事実（たとえば単語，規則，言語）の記憶である**意味記憶 semantic memory**と，出来事の記憶である**エピソード記憶 episodic memory**に分類できる．自転車に乗るといったような行動では最初，顕在記憶が必要であるが，課題が完全に学習されてしまうと潜在記憶となる．

潜在記憶は反射的な運動スキルあるいは知覚スキルの訓練に重要で，4つのタイプに分けられる．**プライミング priming**は，あらかじめ単語や物体が提示されていると，それらの認知が促進することであり，それは**新皮質 neocortex**に依存する．プライミングの一例は，単語の初めの数文字だけを呈示すると，単語の想起が改善されることである．**手続き記憶 procedural memory**には技能や習慣が含まれ，一度獲得すると無意識に自動的に行うようになる．この種の記憶は，線条体で処理される．**連合学習 associative learning**は古典的条件付け classical conditioning あるいは**オペラント条件付け operant conditioning**と関係しており，生体がある刺激と他の刺激の関係を学習することである．この種の記憶の情動反応には**扁桃体 amygdala**が関与し，運動反応には**小脳 cerebellum**が関与している．**非連合学習 nonassociative learning**には**慣れ habituation**と**感作 sensitization**が含まれ，いくつもの反射経路が関わっている．

顕在記憶と多くの潜在記憶には，(1) **短期記憶 short-term memory**：数秒から数時間保持され，海馬

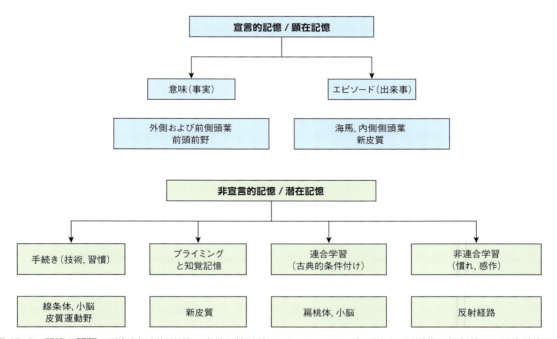

図15・2　記憶の種類．顕在（宣言的）記憶は意識と結び付いていて，その保持は海馬，側頭葉，新皮質および前頭前野の統合に依存する．顕在記憶は人物，場所，物および出来事についての事実の知識である．潜在（非宣言的）記憶は意識との結び付きはなく，海馬での処理は関与しない．扁桃体，小脳，線条体，新皮質および反射経路の統合が必要である．潜在記憶は反射的な運動スキルあるいは知覚スキルの訓練，古典的条件付け，慣れおよび感作に重要である（Kandel ER, Schwartz JH, Jessell TM (editors): *Principles of Neural Science*, 4th ed. New York, NY: McGraw-Hill; 2000 より許可を得て改変）．

クリニカルボックス 15・2

症例 HM：脳機能と記憶の関連が明確になった症例

　　HMは，9歳の時の自転車事故以来，両側の側頭葉てんかんに悩まされるようになった患者である．彼の症例は多くの研究者によって研究され，**側頭葉 temporal lobe** と **宣言的記憶 declarative memory** の関連についての理解が大きく進展した．HMは何年も部分発作を起こしていたが，16歳になって，何度か持続的慢性発作を起こした．1953年，彼が27歳の時，扁桃体と大部分の海馬体，側頭葉の連合野の一部の切除が両側性に行われた．手術後，HMの発作はよくなったが，側頭葉の切除はひどい記憶障害を引き起こした．手術以前に起こった出来事の**長期記憶 long-term memory** は保たれていたが，**前行性健忘 anterograde amnesia** に悩まされることになった．彼の**短期記憶 short-term memory** は正常であったが，新しい出来事を長期記憶に移行することができなかった．彼の手続き記憶は正常で，新しいパズルゲームや運動課題は学習できた．彼の症例は，長期の宣言的記憶の形成に側頭葉が重要な役割を果たしていることに注目させることになった最初の症例であり，この領域が短期記憶を長期記憶に変換することに関わっていることを示唆していた．この後の研究で，側頭葉の構造の中でも**海馬 hippocampus** がこの変換に関わっている主要な部位であることが明らかになった．HMの手術前の記憶は保たれていたので，彼の症例は海馬が記憶の貯蔵には関与しないことを示している．HMは2008年に死亡し，その時初めて身元が明らかにされた．本名をHenry Gustav Molaisonという．1990年代よりNational Public RadioによってなされたHMと科学者との会話の音声録音と会話記録が2007年に公開されている（http://www.npr.org/templates/story/story.php?storyId=7584970）.

あるいはどこかの部位でその処理が行われている間にシナプス結合の強さに長期の変化を引き起こすものと，(2)**長期記憶 long-term memory**：数年，時には一生蓄えられるものがある．短期記憶の間，記憶痕跡 memory trace は精神的ショックやいろいろな薬物によって破壊されやすいが，長期記憶痕跡は驚くほど抵抗性がある．**作業記憶（ワーキングメモリー）working memory** は短期記憶の一形態で，ヒトが情報に基づいて行動のプランを立てる時に，通常，非常に短期間，情報をいつでも使えるように保持することである．

記憶の神経基盤

　　記憶のメカニズムを考える時の鍵は，ある特定のシナプスの結合の強さが変化するということである．学習と記憶に必要な神経回路の変化にはセカンドメッセンジャーシステムが関与している．細胞膜のチャネルの変化が，しばしば学習と記憶に相関する．最も単純なケースを除いてすべての場合において，タンパク質合成と遺伝子の活性化が関与している．この現象は短期記憶が長期記憶に変化する際に起きている．

　　長期の学習反応の習得は，ある場合には妨げられる．たとえば，脳振盪を起こしたり，電気ショック療法を受けると直前の出来事の記憶が失われることがある（**逆向性健忘 retrograde amnesia**）．この健忘症は実に，引き金となった出来事に先立つ数日間に及ぶことがあるが，古い記憶はそのまま残っている．

シナプスの可塑性と学習

　　シナプス機能の短期ならびに長期の変化は，シナプスでの発火の履歴が理由で起こる．つまり，過去の経験によってシナプス伝達は強化されるか減弱する．学習と記憶のある形式を表現しているという意味で，この変化は非常に興味深い．この変化はシナプス前的にも，シナプス後的にも起こりうる．

　　可塑的変化の1つの形式は**テタヌス後増強 posttetanic potentiation** で，刺激に対する反応としてシナプス後電位の増強が起こることである．この増強は60秒ほどまで続き，シナプス前ニューロンの短い連発テタヌス様刺激の後で生じる．テタヌス様刺激はシナプス前ニューロンに，細胞質内のCa^{2+}濃度を低く保つためにはたらく細胞内結合部位の容量を超える程度にまでCa^{2+}を蓄積させる．

　　慣れ habituation は，有害でも有益でもない中性刺激が何度も繰り返される時に生じる単純な形式の学習

である．初めての時は，その刺激は新奇な刺激なので反応を引き起こす（指向反射 orienting reflex あるいは"おや，なんだ？"反応 "what it is ?" response）．しかし，刺激が繰り返されると，引き起こされる反射はどんどん弱くなる．ついには，被験者は刺激に対して慣れてしまい，それを無視するようになる．この現象は，細胞内 Ca^{2+} 濃度が減少することによって，シナプス前終末からの神経伝達物質の放出が減少することと関連する．細胞内 Ca^{2+} 濃度の減少は Ca^{2+} チャネルが徐々に不活性化することによる．もし穏やかな刺激に何度も曝されるとその時間は短くも長くもなる．慣れは非連合学習の古典的な一例である．

感作 sensitization はある意味で慣れの逆の反応である．感作は，慣れてしまった刺激に1度あるいは数回，侵害刺激が組み合わされると，シナプス後反応の増強が延長して起きるようになることである．感作はシナプス前促通によるものである．感作は一過性の反応として起きるか，あるいは侵害刺激と最初の刺激のさらなる組合せで強化された場合には，短期記憶あるいは長期記憶の様相を呈する．感作の短期間の延長は，Ca^{2+} によってアデニル酸シクラーゼが変化し，より多くのサイクリック AMP（cAMP）が生産されることによる．**長期増強 long-term potentiation（LTP）**には，タンパク質の合成と，シナプス前およびシナプス後ニューロンの成長，その結合も関与している．

LTP は，シナプス前ニューロンへの短時間の速い繰返し刺激の後に，シナプス前刺激に対するシナプス後電位の持続的な増強が急速に起きることである．テタヌス後増強と似ているが，時間的にさらに長く数日間持続する．LTP が生じるにはいくつものメカニズムが関係しているが，そのうちいくつかでは **NMDA 型受容体 *N*-methyl-D-aspartate（NMDA）receptor** の変化が関与していて，また NMDA 型受容体とは関係がない場合もある．LTP はシナプス前ニューロンおよびシナプス後ニューロンでの細胞内 Ca^{2+} 濃度の上昇によって始まる．

LTP は神経系の多くの部位で生じるが，海馬のシナプス，特に **Schaffer〔シェファー〕側枝**を介した CA3 領域の錐体細胞と CA1 領域の錐体細胞との結合でかなり詳細まで研究が進んでいる．これは NMDA 型受容体が関係している例であり，これにはシナプス後ニューロンでの Ca^{2+} 濃度の上昇が関与している．NMDA 型受容体は Na^+，K^+ と同様に Ca^{2+} も透過することを思い出しておこう（表 7・2 参照）．Schaffer 側枝での LTP の仮説を図 15・3 にまとめる．静止膜電位において，シナプス前ニューロンからグルタミン酸が放出され，シナプス後ニューロンの NMDA 型受容体と非 NMDA 型受容体に結合する．Schaffer 側枝の場合，非 NMDA 型受容体は **AMPA 型受容体 α-amino-3-hydroxy-5-methylisoxazole-4-propionic acid（AMPA）receptor** である．NMDA 型受容体は Mg^{2+} でブロックされているので，AMPA 型受容体のみが Na^+ と K^+ を透過する．しかし，シナプス前ニューロンの高頻度のテタヌス様刺激に反応して，膜の脱分極が NMDA 型受容体から Mg^{2+} を引き剥がすのに十分であると，Ca^{2+} がシナプス後ニューロンに流入するようになる．これによって，Ca^{2+}/カルモジュリンキナーゼ，プロテインキナーゼ C，チロシンキナーゼが活性化し LTP を引き起こす．Ca^{2+}/カルモジュリンキナーゼは AMPA 型受容体をリン酸化してコンダクタンスを上昇させ，また，より多くの受容体を細胞質の貯蔵場所からシナプス膜へ移動させる．いったん LTP が起こると，化学信号物質〔おそらくは一酸化窒素（NO）〕がシナプス後ニューロンから放出され，逆行性にシナプス前ニューロンに渡されて，グルタミン酸の素量放出を長期にわたって増加させる．

海馬の苔状線維（歯状回の顆粒細胞を結合する）で確認された LTP は，テタヌス様刺激に反応してシナプス後ニューロンよりはシナプス前ニューロンで Ca^{2+} が増加することによるもので，NMDA 型受容体とは無関係である．シナプス前ニューロンでの Ca^{2+} の流入はカルモジュリン依存性アデニル酸シクラーゼを活性化して cAMP の増加をもたらすと考えられている．

長期抑圧 long-term depression（LTD） は最初，海馬で記載されたが，LTP と同じ線維で脳のあちこちで生じることがわかった．LTD は LTP の逆の現象である．いろいろな面で LTP と似ているが，シナプス強度の減弱がその特徴である．LTD はシナプス前ニューロンのゆっくりとした刺激で生じ，LTP が起きる時よりも細胞内 Ca^{2+} 濃度の上昇は小さい．小脳での LTD には AMPA 型受容体の GluR2 サブユニットのリン酸化が必要である．この反応は小脳で学習が起こる機構の一部であると思われる．

ニューロン新生

生後には脳細胞は増えないという伝統的な見方は間違っている．少なくとも嗅球と海馬の2つの領域で，生涯を通じて幹細胞から新しいニューロンが形成される．この過程は **ニューロン新生 neurogenesis** と呼ばれる．海馬の歯状回での新しい顆粒細胞の経験に依存した成長が学習と記憶に何らかの役割を果たしているか

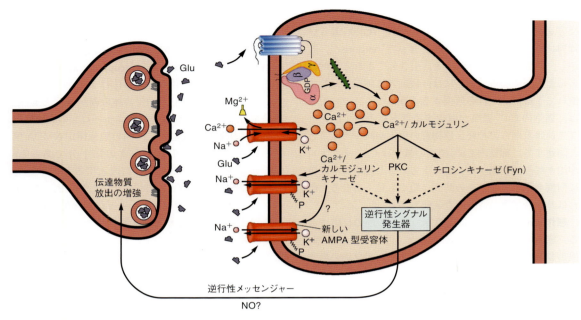

図15・3　海馬のSchaffer側枝でのLTP形成．シナプス前ニューロンから放出されたグルタミン酸(Glu)がシナプス後ニューロンのAMPA型受容体およびNMDA型受容体に結合する．AMPA型受容体の活性化によって起こった脱分極によって，NMDA型受容体を阻害しているMg^{2+}が取り除かれ，Ca^{2+}がNa^{+}とともにニューロン内に入る．細胞内Ca^{2+}の増加はCa^{2+}/カルモジュリンキナーゼ，プロテインキナーゼC，チロシンキナーゼを活性化してLTPを誘発する．Ca^{2+}/カルモジュリンキナーゼIIはAMPA型受容体をリン酸化して，その透過性を高めるとともに，より多くのAMPA型受容体を細胞内の貯蔵部位からシナプス膜へ移動させる．加えて，いったんLTPが起きると化学信号[おそらく一酸化窒素(NO)]がシナプス後ニューロンから放出され逆行性にシナプス前ニューロンに伝えられ，グルタミン酸の素量放出を長期にわたって増加させる．AMPA：α-アミノ-3-ヒドロキシ-5-メチルイソキサゾール-4-プロピオン酸，LTP：長期増強，NMDA：N-メチル-D-アスパラギン酸．

もしれない．新生するニューロンの数が減ると，海馬において少なくとも1つのタイプの記憶形成が減少する．

連合学習：条件反射

連合学習の古典的な例が**条件反射 conditioned reflex**である．条件反射は，以前はほとんどあるいはまったく反応することがなかった刺激に対する反射的反応で，通常はその刺激と反応を引き起こす他の刺激を組合わせて繰り返し刺激すると獲得される．Pavlovの古典的な実験では，イヌの口の中に肉を入れると生じる唾液分泌が研究された．イヌの口の中に肉を入れる直前にベルを鳴らし，これを何度か繰り返して行うと，口の中に肉を入れなくてもベルが鳴れば唾液が分泌されるようになった．この実験では，口の中に入れる肉が**無条件刺激 unconditioned stimulus(US)**で，この刺激は通常，特定の生得的な反応を引き起こす．**条件刺激 conditioned stimulus (CS)**はベルを鳴らすことである．CSとUSが十分な回数組合わされた後では，CSは，本来USだけが引き起こした反応を引き起こした．CSはUSの前に与えなければならない．多くの体性感覚，内臓感覚および他の神経活動の変化を条件反射として生じさせることができるようになる．内臓反応の条件付けは**バイオフィードバック biofeedback**と呼ばれることがある．

作業記憶（ワーキングメモリー）

すでに述べたように，作業記憶（ワーキングメモリー）は，ある情報を使って何をするかを決める際に，ごく短期間その入ってきた情報をいつでも使えるように保持しておくことである．たとえば電話番号を調べて，その電話番号を，受話器を取ってダイヤルするまで覚えているような記憶の形態である．ワーキングメモリーは前頭葉にある**中央実行系 central executive**と，2つのリハーサルシステム，音韻記憶を保持するための**音韻システム verbal system**と，物体の視覚，空間

的性状を保持するための並列な**視空間システム visuospatial system** から形成される．中央実行系はこれらのリハーサルシステムに情報を流すはたらきをする．

海馬と内側側頭葉

ワーキングメモリーに関係する領域は，海馬および，その近傍の内側側頭葉の海馬傍回に神経結合がある．海馬からの出力は，海馬台や海馬傍回を経て，異なる新皮質にある回路を統合，強化して，多くの異なる手がかりで想起できる安定した遠隔記憶をゆっくりと形成する．

腹側海馬の両側性の切除や，海馬のCA1領域のニューロンを破壊するAlzheimer〔アルツハイマー〕病やそれに似た疾患では，著しい短期記憶の障害が生じる．このような障害を有するヒトでもワーキングメモリーと遠隔記憶には障害は現れない．潜在記憶の処理過程も障害を受けない．彼らは，自分たちがやっていることに集中している場合は，その場限りの記憶でもって適切に課題を行うことができる．しかし，ほんの少しの間でも妨害が入ると，今やっていることやこれからやろうとしていることの記憶をなくしてしまう．新しい学習はでき，障害前の古い記憶も残っているが，新しい長期記憶を作ることができない．

海馬は，海馬を覆う側頭葉内側部の海馬傍回と密接な関係にある．ヒトの記憶の処理過程は，fMRIや，慢性電極を埋め込んだてんかん患者の誘発電位［事象関連電位 event-related potential (ERP)］でも研究されている．被験者が単語を思い出した時には左の前頭葉と左の海馬傍回の活動が増す．逆に絵や風景を思い出した時には，右の前頭葉と両側の海馬傍回の活動が増す．

海馬から間脳への神経結合も記憶に関係している．アルコール依存症で脳を損傷した患者は，最近の記憶が徐々に障害を受ける．この時，記憶の喪失は，脳弓を経て海馬と豊富な遠心性投射をもつ乳頭体の病的変化とよく相関している．乳頭体は乳頭体視床路を経由して視床前部に投射する．視床を破壊すると最近の記憶が消失する．視床からは記憶に関係した神経線維が前頭前野に投射し，そこから前脳基底部に投射する．前脳基底部にある**Meynert〔マイネルト〕の基底核**からは新皮質全体，扁桃体，および海馬にコリン作動性ニューロンの広汎な投射がある．Alzheimer病ではこの神経線維に重度の脱落が生じる．

扁桃体は海馬と密接に関係しており，情動に関連した記憶の形成と想起に関わっている．怖い記憶を想起する時，扁桃体と海馬のθリズムが同期する．健康な人間では，強い情動を伴った出来事は情動の変化を伴わない出来事に比べて記憶されやすい．しかし，扁桃体を両側性に損傷のある患者ではこの差はみられない．

前頭前野の腹内側部に損傷のある患者は記憶テストの成績はよくないが，起こったことがない出来事について自発的にいろいろなことを語る．この現象は作話または虚偽記憶と呼ばれる．

長 期 記 憶

短期の顕在記憶の形成過程には海馬が関与しているが，長期記憶は新皮質のいろいろな場所に蓄えられている．明らかに，視覚，嗅覚，聴覚などの記憶のいろいろな構成要素は，これらの機能に関係している皮質領域に蓄えられている．そして，一つひとつの記憶の構成要素は関係するシナプスの伝達強度の強さに長期的な変化が生じることで互いに結合しており，記憶が想起された時すべての構成要素が意識にのぼる．

いったん長期記憶ができあがると，それはたくさんの異なる関連事項から想起または利用可能である．たとえば，ある鮮やかな風景は似たような風景から思い出されるだけではなく，その風景に関係のあった音や匂い，そして"風景"，"鮮やか"，"眺望"といった言葉からも思い起こすことができる．したがって，貯蔵されている個々の記憶には，そこにたどり着くいろいろな径路や手がかりがあるにちがいない．さらに，多くの記憶には情動的要素あるいは"色"がある．すなわち，うれしい思い出か不愉快な思い出かということである．

新奇性と親近性

側頭葉のある部分を刺激すると周りの状況の解釈に変化が生じる．たとえば，その部分を刺激すると，よく見知った場所なのに初めて訪れたような気持ちになったり，今起きていることが，以前にすでに起こった出来事のように感じる．ある適当な状況の中で，よく知っていると感じるか初めてと感じるかは，健康なヒトが環境に適応するのに役立っているかもしれない．初めての状況では注意を喚起し，警戒するが，よくわかった状況では用心を解いてくつろぐ．新奇の出来事あるいは新しい状況であるにもかかわらず，すでによく知っているような感覚を抱くことは，**既視体験 déjà vu phenomenon**（デジャブ，フランス語の"すでに

見た"という意味の"déjà vu"に由来する）として知られている．既視体験は健康な人間もときおり経験し，側頭葉てんかんの患者でオーラ（痙攣のすぐ直前に感じる感覚）としても起きる．

Alzheimer 病と老人性認知症

Alzheimer 病は最も一般的な加齢性の神経変性疾患である．エピソード記憶の障害として記憶力の減退が最初に明らかになり，最近の出来事が想起できなくなる．短期記憶の障害に続いて認知と他の脳機能の全般的な障害が起こり，不穏，うつ，常に介護が必要な状態となり，最終的には死に至る．クリニカルボックス 15・3 に Alzheimer 病診療の病因論と治療法について記載する．

Alzheimer 病の細胞病理学的特徴は，通常は微小管に結合している**タウタンパク質 tau protein** が過剰にリン酸化されたもので一部構成される**神経原線維変化 neurofibrillary tangle** と，**βアミロイドペプチド β-amyloid peptide** の核を変性神経線維や反応性グリア細胞が取り囲んだ細胞外の**アミロイド斑 amyloid plaque** である（図 15・4）．βアミロイドペプチドは**アミロイド前駆タンパク質 amyloid precursor protein**（APP）から作られる．このタンパク質はすべての神経細胞から細胞外液中に突き出ている細胞膜貫通型タンパク質である．このタンパク質は，α-セクレターゼ，

クリニカルボックス 15・3

Alzheimer 病

Alzheimer 病は，本来は中年がかかる病気で，高齢者の同様な認知機能の後退は，専門的には Alzheimer 型の**老人性認知症 senile dementia** と呼ばれていた．しかし，しばしば単に Alzheimer 病と呼ばれている．疾患の病因には遺伝的要因と環境的要因の両方が関わりうる（表 15・1）．ほとんどのケースは孤発性であるが若くして発症するケースの中には家族性のものもある（約 5%）．これらのケースでは第 21 番染色体上のアミロイド前駆タンパク質遺伝子，第 14 番染色体のプレセニリン 1 遺伝子，あるいは第 1 番染色体のプレセニリン 2 遺伝子の突然変異で発症する．これは常染色体優性に遺伝するので，もし片方の親が影響を受けていると同じ世代の子孫は 50% の確率で Alzheimer 病を発症する．それぞれの突然変異は老人斑で見つかるβアミロイドタンパク質を過剰に産生させる．老人性認知症は血管障害や他の疾患によっても発症するが，Alzheimer 病が最も一般的な原因で 50～60% を占める．Alzheimer 病発症の最も一般的な危険因子は年齢である．65 歳以上の世代の 8～17% は Alzheimer 病で，発生頻度は 60 歳以降 5 歳増すごとにほぼ倍になる．95 歳以上の世代では発症率は 40～50% である．2050 年までには，米国では 65 歳以上の人々の 1600 万人が Alzheimer 病になると推定されている．有病率は女性で高いとされているが，それは寿命が長いことによると考えられ，発症率は男性も女性も同じである．Alzheimer 病と他の形態の老人性認知症は主要な医療問題である．

治療上のハイライト

研究は，Alzheimer 病の発症を防ぐ，発病を遅らせる，進行を遅らせる，症状を緩和する方法を探すことを目的に行われている．初期の段階での**アセチルコリンエステラーゼ阻害薬 acetylcholinesterase inhibitor**（ドネペジル donepezil，ガランタミン galantamine，リバスチグミン rivastigmine，タクリン tacrine）の使用はシナプス間隙での有効なアセチルコリンの量を増やす．これらの薬剤で広汎性認知障害の寛解が期待できることが示されているが，患者の学習障害，記憶障害には効果が認められない．これらの薬剤は研究対象の 50% において症状の悪化を 12 カ月遅らせた．**メマンチン memantine**（NMDA 型受容体の拮抗薬）は脳でのグルタミン酸誘発性興奮毒性を妨害し，中等度から重度の Alzheimer 病の治療に用いられる．メマンチンは，いくらかの患者では症状（記憶障害，せん妄）の悪化を防ぐことはできないが遅らせた．βアミロイドタンパク質の産生を防ぐ薬剤はまだ開発中である．また，これらのタンパク質を攻撃する抗体を産生するように免疫系をはたらかせるワクチンの開発も試みられている．

表 15・1　Alzheimer 病の発症と進行に関係する危険因子

共通因子	遺伝子	環境
年齢	ApoE4	低学歴
家族歴	APP（第 21 番染色体）	頭部外傷
	PS-1（第 14 番染色体）	プリオン
	PS-2（第 1 番染色体）	毒素
	ダウン症候群	ウイルス
	（21 トリソミー）	

APP：アミロイド前駆体タンパク質，ApoE4：アポリポタンパク質 E4 対立遺伝子，PS-1：プレセニリン -1, PS-2：プレセニリン -2.

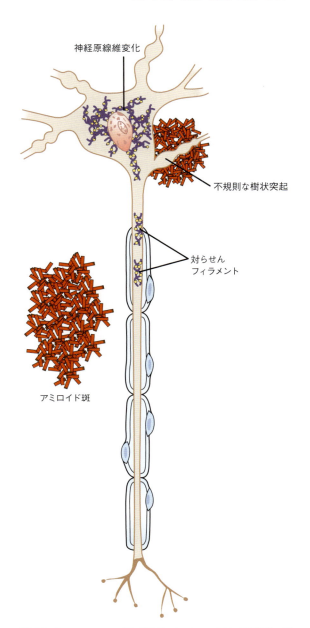

図 15・4　Alzheimer 病に関連したニューロンの異常．細胞病理学的特徴は細胞内の神経原線維変化，細胞外のアミロイド斑で，アミロイド斑は変性した神経線維と機能しないグリア細胞に取り囲まれた β アミロイドを核にしている．3 つ目の特徴は脳の萎縮である（Kandel ER, Schwartz JH, Jessell TM (editors): *Principles of Neural Science*, 4th ed. New York, NY: McGraw-Hill; 2000 より許可を得て改変）．

β-セクレターゼ，γ-セクレターゼによって異なる 3 カ所で加水分解される．α-セクレターゼによって APP が加水分解された時には無害なペプチドが生成される．しかし，β-セクレターゼあるいは γ-セクレターゼによって加水分解された時には，40〜42 個のアミノ酸からなるポリペプチドが生成される．実際の長さは γ-セクレターゼがタンパク質鎖のどの場所を切断するかによって変化する．これらのペプチドは毒性があり，最も毒性が強いのは $A\beta\sigma^{1-42}$ である．ポリペプチドが細胞外に凝集し，それが AMPA 型受容体と Ca^{2+} チャネルに固着して Ca^{2+} の流入を増加させる．同時にポリペプチドは炎症様の反応を引き起こし，神経原線維変化を形成する．損傷を受けた細胞は細胞死し，これは神経変性症を発症した患者の第 3 の脳病理所見，たとえば脳回の狭小，脳溝の開大，脳室の拡大，脳重の減少などにつながる脳萎縮である．

広範な生理学的示唆に富んだ興味深い発見は，難しいクロスワードパズルを解いたり，ボードゲームで遊ぶなど，努力を要する精神活動を頻繁に行うことが，Alzheimer 病や脳血管障害による認知症の発症を遅らせるという事実である．この "使うか失うか use it or lose it" の現象をどのように説明できるかわかっていないが，海馬とそれに結合する部位が，脳の他の場所，骨格筋，心筋と同じように可塑性をもつことを示唆している．

言 語 と 発 話

記憶と学習は脳の多くの領域が関係する機能であるが，その他の高次脳機能，とりわけ言語に関連した機能の中枢は多かれ少なかれ新皮質に限局している．話すことや他の知的機能は，新皮質の外套部分が最もよく発達した動物であるヒトで特によく発達している．

半球相補的特異性，対，半球優位

定義としての言語は，話を理解し，書かれた言葉を理解し，言葉や文章で観念を表現することを含む．人間の言語機能は左右いずれかの片半球により依存している．この半球はカテゴリー化 categorization とシンボル化 symbolization に関与し，**優位半球 dominant hemisphere** と呼ばれる．**非優位半球 nondominant hemisphere** は，時空間的な関係に関わる領域として特化している．たとえば，形態からの物体の同定や，音楽のテーマの認識，顔認識に関与する．結果として，半球優位，あるいは優位・非優位半球という概念は半球の相補的な特異性という概念に置き換えられた．すなわち，1 つは逐次解析処理に関係した半球（**定言的な半球 categorical hemisphere**）で，他は視空間に関係した半球（**表象的な半球 representational hemisphere**）という概念である．定言的な半球は言語機能に関係している．クリニカルボックス 15・4 は表象的な半球あるいは定言的な半球に損傷がある患者に生じる障害について述べている．

右利きのヒトの 96％（全人口の 91％）は左半球が優位半球，つまり定言的な脳で，残り 4％のヒトは右半球が優位半球である．左利きのヒトの 70％では左半球が定言的な半球である．左利きのヒトの 15％は右半球が定言的な半球で，残りの 15％は左右どちらかはっきりしない．**失読症 dyslexia**（クリニカルボック

クリニカルボックス 15・4

表象的な半球と定言的な半球の損傷

定言的な半球の損傷は言語障害を引き起こすが，表象的な半球の大きな損傷でも言語障害は起きない．その代わりに，触覚によって物体を認知することの障害，**立体感覚失認 astereognosis** やその他の失認が起きる．**失認 agnosia** という言葉は，ある種類の感覚そのものに障害がないにもかかわらず，その感覚情報によって物体が認識できない症状を指す．このような症状が生じる損傷部位は一般に頭頂葉である．特に損傷が表象的な半球側で，頭頂葉の後方部で後頭葉に近い下頭頂葉が損傷すると**半側空間無視 unilateral neglect（unilateral inattention）**が生じる．この損傷のある患者は，基本的な視覚，聴覚，体性感覚には明白な障害はないが，しかし，片方の体からの刺激や，その周りの空間の刺激を無視する．その結果，自分の体の半分を手入れすることができなくなり，極端な例では，顔の半分だけひげを剃る，服を片側だけちゃんと着る，ページの半分だけを読むといったことが起こる．左右の視野の情報が片方にだけ寄ってしまうという障害は，注意が損傷側に偏位してしまうことが原因で，プリズム眼鏡をかけることで完全ではないが改善されることがある．半球特異性は皮質の他の領域でも同様である．定言的な半球が損傷すると，患者は障害があることに悩まされ，時にはうつ状態になるが，表象的な半球の損傷では時には障害を気にせず，多幸感さえもっている．定言的な半球の異なる領域の損傷は**流暢性失語 fluent aphasia**，**非流暢性失語 nonfluent aphasia** そして**失名辞失語 anomic aphasia** を生じる．失語は定言的な半球の損傷で生じるが，表象的な半球の損傷も影響する．たとえば，患者は物語を語る能力や冗談をいう能力に障害を受けるであろう．また，冗談の的をつく能力や，もっと広範には，会話の抑揚や "あや" の違いの意味が理解できない．これは，たんに半球が優位か劣位かというより，半球が特異的であることの 1 つの例である．

治療上のハイライト

失認，失語に対する治療法は対症療法と支持療法である．失認患者には自立するために必要な物体の同定を手助けする訓練をほどこす．失語症の患者には，残存している言語機能を活用して失われた言語機能を補完しコミュニケーションをとるための他の手段を学ばせる．失語症患者のいくらかは機能が回復するが，いくらかでは障害が残る．回復の度合いに影響する要因は，脳損傷の原因と損傷範囲の程度，損傷の脳部位，患者の年齢と健康度である．コンピュータを使った治療は代替のコミュニケーション方法となると同時にある程度の発話の回復を改善しうる．

クリニカルボックス 15・5

失読症

失読症 dyslexia は，知的には正常あるいはむしろ正常より高いレベルにありながら，単語レベルでの解読および正字の学習および正確にかつ流暢に読むことの学習が困難であることが特徴である．しばしばみられる遺伝性の異常で，人口の約5%のヒトが失読症といわれ，男女での発症率は同じである．失読症は知られているすべての学習障害の中で最も一般的で，多くみられる障害である．しばしば注意欠陥障害と併発している．失読症の症状を示す患者の多くは短期記憶と口語の処理にも問題がある．後天性の失読症は左半球の言語領域の脳損傷で生じうる．また，多くの症例で，定言的な半球の角回に血流量の低下がみられる．失読症の原因を説明するいくつかの理論がある．**音韻仮説 phonologic hypothesis** によれば，失読症は言語音の再現，貯蔵，かつ，あるいは想起の特異的な障害をもっているとされる．**速聴処理理論 rapid auditory processing theory** によれば，短時間に速く変化する音に対する知覚に主な障害があるとする．**視覚理論 visual theory** では，視覚系の大細胞系の障害が処理を遅くし，音素性の障害を引き起こすとする．より選択的な発話障害も報告されている．たとえば，左の側頭極に限局した損傷で場所や人物の名前の想起ができなくなるが，普通名詞や動詞，形容詞の想起はできる．

治療上のハイライト

失読症の子供の患者の治療は，しばしば，読む能力を向上させるためのいろいろな感覚（聴覚，視覚，触覚）を使った修正指導法に頼ることが多い．診断と治療開始が早ければ早いほど，予後はよい．

ス15・5 参照）のような学習障害（読みの学習障害）は，左利きのヒトでは右利きのヒトに比べて12倍も多く出現する．左利きの人間たちの空間的な能力は平均以上で，芸術家，音楽家そして数学者には左利きの人間の割合が高い．

言語の生理学

言語は人間の知性の主要な基盤の1つであり，人類の文化の鍵となる部分である．言語に関わる主要な脳の領域は定言的な半球の Sylvius〔シルヴィウス〕溝（側頭溝）の近傍に沿って並んで配置されている．上側頭回の後端部の領域は **Wernicke〔ウェルニッケ〕野** と呼ばれ，聴覚と視覚による言語情報の意味理解に関係している（図15・5）．この領域は **弓状束 arcuate fasciculus** を通って，運動野の最下端直前にある前頭葉の **Broca〔ブローカ〕野** に投射する．Broca野はWernicke野からの情報を処理して発声のためのパターンを作る．このパターンは島の言語構音領域を経て運動野に送られ，発話のための唇と舌と口蓋の適切な動きが開始する．見た物の名称を口に出していう時に起きると想定される連続したイベントを図15・6に示す．Wernicke野のすぐ後ろにある角回 angular gyrus は，読んだ単語の情報をWernicke野での情報

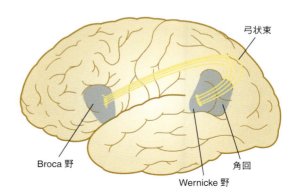

図15・5 定言的な半球で言語機能に関与する皮質領野の位置． Wernicke野は上側頭回の後部にあって聴覚，視覚情報の理解に関係している．この領域は弓状束を介して前頭葉のBroca野に投射している．Broca野はWernicke野から受けた情報を処理して発声のための詳細かつ協調的なパターンを作る．このパターンは島の言語構音領域を経て運動野に送られ，発話のための唇と舌と口蓋の適切な動きが開始する．

処理に使える聴覚的な単語形態に情報変換するらしい．

大人になってから第二言語を習ったヒトでは，第二言語のためのBroca野は母国語のBroca野のすぐ近くだが別の場所にあることがfMRIの研究でわかった．しかし，2つの言語を幼いうちに学習した子供で

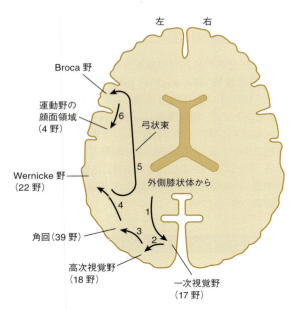

図15・6 被験者が目で見た対象を同定する時の回路．ヒトの脳の水平断面上に描いてある．情報は視床の外側膝状体，一次視覚野，高次視覚野を経て角回に入る．そしてWernicke野から弓状束を介してBroca野に至る．Broca野はWernicke野から受けた情報を処理して発声のための詳細かつ協調的なパターンを作る．このパターンは島の言語構音領域を経て運動野に送られ，発話のための唇と舌と口蓋の適切な動きが開始する．

は，1つの領域だけが両方に関わっている．大人よりも子供の方が第二言語をより簡単に習得して流暢に話すようになる．

言語障害

　失語症 aphasia は視覚や聴覚の障害あるいは運動麻痺によらない言語機能の異常である．これらは定言的な半球の損傷で発生する（クリニカルボックス15・4参照）．最も一般的な原因は脳血管の塞栓症あるいは血栓症である．失語症は**非流暢性失語 nonfluent aphasia**，**流暢性失語 fluent aphasia** そして**失名辞失語 anomic aphasia** に分類される．Broca野の損傷は，表出性または運動性失語として示される非流暢性失語を引き起こす．患者は話し方がゆっくりになり，発話や語句の記述が難しくなる．この領域がひどく損傷された患者では，すべての意味や感情を表す言葉が2, 3個に限られてしまう．この失語症で話せる言葉が，失語を生じた外傷や血管障害が生じた時に話していた言葉に限られていることがたまにある．

　Wernicke野の損傷は，話すこと自体は正常だが，話していることはまったくわけのわからない言葉や，新造語で，ほとんどの意味が通じないタイプの流暢性失語を生じる．また，患者は聞いたことの意味や，書かれた単語の意味が理解できないので，話すこと以外の言語を使用する能力に障害が出る．流暢性失語のもう1つの形は，患者は比較的うまく話すことができ，聞いた言葉の理解もよいが，言葉を組み合わせたり，言葉を思いついたりできないという症状である．

　Wernicke野やBroca野に損傷がなく，定言的な半球の角回に損傷があると，話すことや理解することに困難はないが，書かれた言葉や絵の理解ができなくなる．これは，視覚情報が処理されずWernicke野に伝達されなくなるからである．これが**失名辞失語 anomic aphasia** と呼ばれる状態である．

　上で述べたような選択的な障害を引き起こすような限局した損傷をもつ患者もいるが，脳の損傷は一般的には広汎である．したがって，2種類以上の失語が同時に現れることはよくある．失語はしばしば**全体的 global** で，聞くことと話すことの両方の機能に関わっている．この状況では，言葉が非流暢になるだけでなく出てこなくなる．話すことに障害があるすべての失語では書くことにも障害があるが，これに関与する神経回路についてはわかっていない．加えて，ろう者で，定言的な半球が損傷されると，手話でコミュニケーションする能力も失われる．

　吃音 stuttering は右半球優位で広範な大脳と小脳領域の増加した活動と関係している．これには補足運動野の活動の上昇も含まれている．この領域の刺激は**笑い laughter** を生じ，笑いの持続時間と強さは刺激の強さに比例する．

顔の認識

　視覚情報のうち重要な部分は下側頭葉に入力するが，そこには，物体，特に顔の表象が保持されている（図15・7）．顔は敵と友人を見分けたり，相手の情動を識別するのに特に重要である．右利きのヒトの場合，顔情報の保持と認識には，左の側頭葉も活動しているが右の下側頭葉の方でより強く表現される．この領域の損傷は**相貌失認 prosopagnosia**，すなわち顔の認識の障害を生じ得る．相貌失認の患者は，形は認識でき，その模写もできる．さらに声を手がかりとして，その人間が誰かを認識できる．また，見慣れない顔を見た時には自律神経性の反応が起きないが，見慣れた顔を見た時は自律神経性の反応が生じている．しかし，そ

その他の機能の局在

fMRIおよびPETによる研究と脳梗塞や頭部外傷の患者での研究との組合せによって，一連の感覚情報処理がどのように認識，推論，理解や言語を生み出すかについて，明らかになってきた．算数の計算に関わる脳領域の解析は2つの脳領域に焦点をあてた．1つは左の前頭葉下部で，ここには，数と計算に関わる領域がある．前頭葉の損傷は**失計算 acalculia**，すなわち数学能力の選択的な障害を生じる．もう1つの領域は頭頂葉で，両側頭頂葉の頭頂間溝の周辺の領域は数の視空間的表現に関係している．

右側の2カ所の皮質下の構造が正確なナビゲーションに関係している．1つは右の海馬で，目的の場所がどこに位置しているかを学習することに関係している．もう1つは右の尾状核で，その場所へ向かう運動を促進する．男性の脳は女性の脳よりも大きく，男性には女性より優れた空間的能力，ナビゲーション能力があるといわれている．

限局した皮質の損傷をもつ患者で観察される他の障害には，たとえば，他の生物の名称はわかるにもかかわらず，動物の名称だけがわからないといった症状がある．左の頭頂葉が損傷された患者では，単語の前半はわかるのに，後半はわからない．また，頭頂後頭境界部に損傷のある患者の中には母音を除外して子音だけを書く患者がいる．そのような観察から明らかになるパターンは，ある脳領域に限局している情報の正確で順序だった処理過程である．

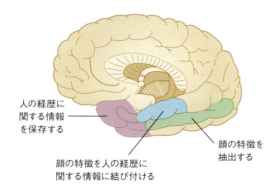

図 15・7 右利きのヒトの右の大脳半球で顔の認識に関与する領域．視覚入力のうち重要なものは，物の表象，特に顔の表象が保持されている下側頭回に送られる．右利きのヒトでは，顔情報の保持と認識には，左の側頭葉も活動しているが，右の下側頭葉の方がより強く関係している(Szpir M: Accustomed to your face. Am Sci 1992; 80: 539より許可を得て改変)．

の見慣れた顔が誰かは同定できない．認識していないにもかかわらず，見慣れた顔に対して自律神経性の反応があることは，無意識下でのみ顔の認識に関わっている顔の視覚情報処理のための背側経路が別に存在していることを示している．

章のまとめ

- CTによって，脳や他の臓器の高解像度3次元画像が得られる．PETおよびfMRIの両者からは，健康または病気の脳の様々な領域における活性化レベルの指標が得られる．
- 外傷性脳損傷(TBI)は頭部への過剰な機械力や穿通性損傷(たとえば，落下や交通事故，暴行)によって生じる．TBIによって，認知機能，身体機能，情動機能，行動機能に障害を来す場合があり，意識の変容に関係しうる．TBIの重症度を定義するにはグラスゴー昏睡尺度が使用され，画像診断によって脳損傷の程度が同定される．
- 記憶は顕在(宣言的)記憶と潜在(非宣言的)記憶に分類できる．顕在記憶はさらに意味記憶とエピソード記憶に分類できる．潜在記憶はさらに，プライミング，手続き記憶，連合学習，非連合学習に分類できる．
- 宣言的記憶の保持には海馬と内側側頭葉が関与している．プライミングには新皮質が関与する．手続き記憶は線状体で処理される．連合学習では，その情動反応には扁桃体が関与し，運動反応には小脳が関与する．非連合学習はいろいろな反射経路が関与する．
- シナプスの可塑性は，連続して活動した後にLTP(シナプス活動の効率の増加)あるいはLTD(シナプス活動の効率の低下)によってもたらされた神経組織の変化する能力である．慣れは中性刺激が何度も繰り返されることによる単純な学習の形態である．感作は，一度あるいは数度侵害刺激と組み合わされて慣れが生じた刺激後に，増強したシナプス後反応が長く生じることである．

- Alzheimer 病は短期記憶の進行性の障害と認知機能の障害が特徴である．Alzheimer 病の細胞病理学的特徴は，細胞内の神経原線維変化と細胞外の老人斑である．
- 定言的な半球と表象的な半球はそれぞれ連続的分析過程と視空間的関係の処理に関与する．定言的な脳の損傷は言語障害を引き起こし，表象的な半球の損傷は立体感覚失認を引き起こす．
- 言語に関与する主な皮質領域は，弓状束を経由して前頭葉の Broca 野に投射する，上側頭葉の Wernicke 野である．Wernicke 野は，聴覚および視覚情報の理解に重要である．Broca 野は，発声の調整されたパターンを生成する Wernicke 野からの情報を処理する．
- 失語は言語機能の異常であって，定言的な半球の損傷で生じる．失語は脳損傷部位をもとにして，流暢性失語（Wernicke 野），非流暢性失語（Broca 野），そして失名辞失語（角回）に分類される．

多肢選択式問題

正しい答えを 1 つ選びなさい．

1. 23 歳医学生．男性．オートバイ事故によって外傷性頭部損傷を受傷．意識がなく，地元の病院の救急救命室に運ばれた．CT 画像が撮像され適切な治療がなされた．約 6 カ月後になっても記憶障害が残っていた．どのような情報が CT から得られるか．
   A．脳の表面と深部の血流
   B．部分的な脳活動の変化
   C．詳細な解剖学的情報というよりは機能的情報
   D．脳の高解像度 3 次元画像
   E．局所的なグルコース代謝，血流，酸素

2. 15 歳少年．オートバイ事故でヘルメットを着用していなかった．地元の病院の救急救命室に運ばれ，グラスゴー昏睡尺度によって軽度の外傷性脳損傷と診断された．次の症状のうち，このレベルの外傷性脳損傷に対応するものはどれか．
   A．悪心および嘔吐，不明瞭発言，かすみ目
   B．疲労，不眠，気分変動
   C．四肢弛緩，錯乱，激越
   D．気分変動，不穏状態，悪心
   E．かすみ目，四肢弛緩，疲労

3. 52 歳男性．前頭葉の損傷に起因する非開放性頭部損傷．結果として，この患者は以下のような記憶障害を経験すると予想される．
   A．遠隔記憶の喪失が認められる
   B．ワーキングメモリーの喪失が認められる
   C．最近の出来事の長期記憶への符号化不能が認められる
   D．顔や形を想起する能力の喪失
   E．最近の出来事の想起に伴う不適切な情動反応の誘発が認められる

4. 70 歳女性．階段を何段か滑り落ち歩道のコンクリートに頭をぶつけた．脳損傷の結果，大きな頭蓋内血腫が生じた．障害後，彼女は自身の左側を無視するようであった．たとえば，彼女は体の右側だけを洗い，右足だけに靴を履いた．階段から滑り落ちた結果傷害された脳の領域はどこか．
   A．表象的な半球の下頭頂葉
   B．Meynert 核とそれに関連する前頭葉
   C．乳頭体
   D．定言的な半球の角回
   E．定言的な半球の頭頂葉

5. ある MD/PhD 学生が言語の発達における新皮質の役割について勉強していた．言語に重要な皮質領域の相互結合において，どのような情報が知られているか．
   A．Broca 野は弓状束を介して Wernicke 野に投射している
   B．側頭葉は脳梁を介して前頭葉に投射している
   C．Broca 野は側頭平面を介して Wernicke 野に投射している
   D．側頭葉は脳梁を介して Wernicke 野に投射している
   E．Wernicke 野は弓状束を介して Broca 野に投射している

6. 67 歳女性．脳梗塞により上側頭回の後部が損傷された．定言的な半球の Wernicke 野の損傷は次のうちどの症状を呈するか．
   A．短期記憶の喪失
   B．非流暢性失語，ゆっくりととぎれとぎれに話す

C．既視体験
D．流暢性失語，早口で話すが意味をなさない
E．相貌失認，人の顔が認識できない

7．LTP の発生に最も関係するのはどれか．
   A．NO の放出，NMDA 型受容体の活性化，膜電位の過分極
   B．シナプス前ニューロンおよびシナプス後ニューロンでの Ca^{2+} の減少，NMDA 型受容体の活性化，膜電位の脱分極
   C．NMDA 型受容体の活性化，NO が引き起こすシナプス前ニューロンからのグルタミン酸放出の減少，膜の脱分極
   D．シナプス前ニューロンおよびシナプス後ニューロンでの Ca^{2+} の増加，NMDA 型受容体の活性化，膜電位の脱分極
   E．NO が引き起こすシナプス前ニューロンからのグルタミン酸放出の増加，非 NMDA 型受容体の活性化，膜の過分極

8．79 歳女性．朝の散歩の後，道に迷って自分の家に帰れなくなった．夫は彼女がお決まりの家事をこなすのに時間がかかるようになり，時々戸惑っていることに気が付いていた．それは単に"歳をとった"せいであればよいなと思いつつも，Alzheimer 病の症状であることを恐れていた．Alzheimer 病と確定する症状は次のうちどれか．
   A．短期記憶の喪失
   B．神経原線維変化と β アミロイドタンパク質を核とした老人斑の存在
   C．第 21 番染色体上のアミロイド前駆タンパク質遺伝子の突然変異
   D．アセチルコリンエステラーゼ阻害薬による速やかな症状の改善
   E．Meynert 核のコリン作動性ニューロンの変性

第Ⅲ編　内分泌と生殖生理学

　内分泌系のはたらきにより全身の恒常性（ホメオスタシス homeostasis）が維持される．身体各所に存在する**ホルモン hormone** の**標的器官 target organ** の細胞において，ホルモンのシグナル経路が協調してはたらくことでこの作用が達成される．また，ヒトの生殖と生殖機能の発揮の前提となる性成熟も内分泌調節の下にある．全身の古典的な**内分泌腺 endocrine gland** は循環系にホルモンを分泌する．ホルモンは導管を経ず，血中・間質に分泌される．標的器官には特定のホルモンが結合して細胞応答を開始する受容体をもつ細胞が存在する．内分泌系はこれまでに学んできた神経性の生理機能調節と様々な点で対照的である．内分泌調節は複数の組織や器官に対して同時に広範囲にわたる，いわば「ばらまき制御」を行っており，制御の特異性はそれぞれの組織・器官に発現している特定の受容体によって決まる．たとえば，環境の変化はしばしば多くの器官系にわたって統合的な応答を必要とする．一方，神経系による制御は，たとえば個別の筋肉を収縮させるといったように，非常に空間的に限定されていることが多い．それにもかかわらず，内分泌系・神経系の両者は，体の内部環境を分刻みの短期間から長期間にわたって安定させることを可能にするために協調してはたらく必要がある．

　ホルモンは内分泌系における可溶性の伝達物質で，ステロイド，ペプチド，アミンに分類される（1, 2章参照）．ステロイドホルモンは脂質を含む細胞の形質膜を通過することができ，通常細胞内の受容体に結合する．ペプチドホルモンとアミンホルモンは細胞表面の受容体に結合する．ステロイドホルモンは副腎皮質（19章参照），生殖腺，卵巣（22章参照），精巣（23章参照）によって作られる．また，妊娠中には胎盤によって作られる（22章参照）．アミンホルモンはアミノ酸の1つであるチロシンの誘導体で甲状腺（20章参照）と副腎髄質（19章参照）で作られる．興味深いことに，チロシンから作られる甲状腺ホルモンは細胞内の受容体に結合することで，ペプチドというよりもステロイドのようにふるまう．しかし，大多数のホルモンはペプチドで，通常はペプチドホルモン前駆体（プレプロホルモン preprohormone）として合成され，小胞体の中でまずプロホルモンへ，次いで分泌小胞の中で活性型のホルモンへとそれぞれペプチド結合が切断されて生じる．

　内分泌系の病気は数が多い．実際，内分泌および代謝疾患は先進国において最も多い病気の1つで，栄養状態がよく，健康管理施設が身近にある場合，定期的な検査により病気の危険性が高い個人が特定される傾向がある．米国の成人人口の5％かそれ以上が糖尿病，骨減少症，脂質異常症，メタボリック・シンドローム（代謝症候群），甲状腺炎など，少なくとも11の内分泌・代謝疾患に罹患している．たとえば，身体がインスリンに応答できなくなっている2型糖尿病は21世紀において最も多くみられる内分泌疾患である．結果として生じる高い血糖は多くの組織を破壊し，二次的な合併症を引き起こす（24章参照）．先進国において糖尿病やその他の代謝疾患が高い頻度で生じ，増加しているのは多くの場合，肥満の結果である．米国の成人人口の1/3が肥満とみなされており，2/3も太りぎみである．実際，2009年の報告によると，肥満は米国の12〜17歳の子供の28％に影響を与えており，現時点では子供の2型糖尿病の罹患率は非常に低いが，この率は今後上がっていくと予想される．さらに，多くの内分泌疾患は特定の民族集団あるいは性別によって罹患率が高い．その多様な症状や合併症により，内分泌疾患や代謝疾患という負担の増加は，公衆衛生学的に危機的な状況にあるにもかかわらず，経験を積んだ内分泌専門医が明らかに不足している現状では，プライマリ・ケア医が多くの内分泌疾患に対処することになる．

CHAPTER 16

内分泌調節の基本概念

学習目標
本章習得のポイント

- ホルモンとそれらの体全体の恒常性維持における役割を説明できる
- 異なる種類のホルモンの化学特性と、それらがどのようにして標的細胞へ作用するかを理解できる。細胞膜上と細胞内にあるホルモン受容体の相違を説明でき、脱感作、ダウンレギュレーション、そして不活性化の原理を理解できる
- 内分泌腺細胞でホルモンがどのようにして合成されて分泌されるかを、長い前駆体からペプチドホルモンがどのようにして切り出されるかを含めて説明できる
- 血漿中のホルモン結合タンパク質(甲状腺、ステロイドホルモン)のホルモンの作用部位へのホルモン供給効果やホルモン分泌調節メカニズムへの効果について理解できる
- ホルモン分泌をフィードバック制御[負(ネガティブ)と正(ポジティブ)]の原則を説明できる
- 鍵となるホルモンの過剰または過少産生が病気を引き起こすしくみを理解できる

■ はじめに

本章は、体内の多臓器系の機能を制御する多様な内分泌腺に関して論じる。一般に、内分泌生理学は**生体の恒常性(ホメオスタシス homeostasis)**の多面的な維持に関係している。そのような制御機序を仲介するものは**ホルモン hormone**として知られている可溶性の因子である。ホルモンという言葉は、"始動させるもの"を意味するギリシャ語に由来している。多様な内分泌系とそれらのホルモンについて具体的に議論するために、本章ではすべての系で共通する内分泌調節のいくつかの概念を記載する。

記憶しておくべき内分泌生理学のもう1つの側面は、本書で考察されている他の生理学的系と異なり、内分泌系は解剖学的系列に沿って明確には定義できないことである。むしろ、内分泌系は全身に分散して存在する腺と循環するシグナル伝達物質で構成され、それはしばしば中枢神経系、または自律神経系、もしくは両方によって刺激される。

ホルモンの標的細胞に対する特異的作用

本編の概論で述べたように、ホルモンはステロイド、アミンおよびペプチドを含む。ペプチドホルモンは最も多数存在する。多くのホルモンはそれらの構造の相同性とそれらが活性化する受容体の相同性に基づいてファミリーに分類される。

ステロイドおよび甲状腺ホルモンは、細胞膜を自由に拡散できるため細胞内に作用部位があることが他と

区別されるという大きな特徴を示す．それらは核内受容体として知られる大きな細胞質タンパク質ファミリーに結合する．リガンドが結合すると受容体-リガンド複合体は核内に移行する．そしてそこでホモ二量体を形成するか，別のリガンドに結合した核内受容体と一緒にヘテロ二量体を形成する．どちらにしてもこの二量体はDNAに結合し，標的組織の遺伝子の転写を亢進もしくは減少させる．核内受容体ファミリーの個々のメンバーに高い相同性をもっており，DNA結合を可能にするzincフィンガーのような多機能性ドメインを共通してもっている．しかしながら，塩基配列が多様化したことでリガンドに対する特異性や，特異的なDNAモチーフへの結合が可能となっている．このようにして，個々のホルモンによってそれぞれ異なる遺伝子の転写が調節されている．

ホルモンの分泌

合成とプロセッシング

　ホルモン合成の調節は当然ながらそれらの化学的な性質に依存する．ペプチドホルモンの合成は，それらのホルモン受容体の合成と同様に主に転写段階で調節されている．アミンやステロイドホルモンでは，合成は鍵となる合成酵素の産生を調節することや基質の入手されやすさによって間接的に調節されている．

　興味深いことに，ペプチドホルモンの大多数は最初により大きなポリペプチド鎖として合成され，それから細胞内で特異的なタンパク質分解酵素によってプロセッシングを受けて最終的なホルモン分子になる．いくつかの場合，複数のホルモンが同じ最初の前駆体から派生しうるが，それは細胞種ごとにもっている特異的なプロセッシング過程に依存する．おそらくこれによって遺伝子の"節約"がもたらされている．ホルモン前駆体それ自身は概して不活性であることも注目に値する．これは調節のためのさらなる手段を与える機序であるのか，あるいは甲状腺ホルモンの場合には，ホルモンが最も効率よく供給される部位をこれが決定している可能性もある．

　上記で論じたすべてのタンパク質/ペプチドの合成は，細胞における正常な転写調節のメカニズム（2章参照）によってコントロールされている．加えて，多くのペプチドホルモン遺伝子の調節領域は，上記で述べた核内受容体のための結合モチーフを含んでいるため，他のホルモンによって精巧な特異的調節を受けている．たとえば，甲状腺ホルモンは甲状腺ホルモン受容体を介して直接TSHの発現を抑制する．ホルモン転写を調節するこれらの特異的な機序は，フィードバックループの機能にとって本質的であり，以下により詳しく述べる．ある場合には，ホルモンの量は翻訳レベルにおいて制御されてもいるようである．たとえば，循環血中のグルコースの値の上昇はインスリンmRNAの翻訳を刺激する．これは，グルコースがインスリンmRNAと，その安定性と翻訳を増強させる特異的なRNA結合タンパク質との相互作用を増加させることによって引き起こされる．この作用によって最終的に，転写調節だけでなし遂げられるよりもより正確で時宜を得たインスリン値の調節，そしてそれゆえ，エネルギー代謝の調節をすることができる．

　ペプチドホルモンの前駆体は，細胞内の装置を通して加工されて，最終の活性ホルモンになる．その1つは，特異的な小胞に運び込まれ，そこでプロホルモンが切断されるというしくみである．成熟ホルモンは，循環血中での最大の生物活性や安定性に影響しうる糖鎖付加のような多種の翻訳後修飾も受けている．最後に，すべてのホルモンは，構成的あるいは調節性の分泌経路（2章参照）のいずれかに入り，分泌される．

分　　　泌

　多くのホルモンの分泌は，2章で述べたように貯蔵顆粒のエキソサイトーシス過程によって分泌される．エキソサイトーシスの装置の活性化は，問題となっているホルモンを合成して貯蔵している細胞種が神経伝達物質やペプチド放出因子のような特異的なシグナルによって活性化された時に起こる．しかしながら，貯蔵ホルモンの分泌とは対照的に，拡散によって常時放出されるもの（例：ステロイド）もある．後者の分泌制御は，その合成酵素やホルモンの産生に関与する輸送タンパク質の動態への影響を介して行われる．たとえば，ステロイド産生急性調節タンパク質 steroidogenic acute regulatory protein（StAR）は，化学的に不安定なタンパク質であり，その発現，活性化および不活性化は，細胞内情報伝達系のカスケードと（多様なタンパク質リン酸化酵素や脱リン酸化酵素などの）それらの効果器によって調節されている．StARはコレステロールをミトコンドリアの外膜リーフレットから内膜リーフレットへと輸送する．このStARによるコレステロール輸送ステップはステロイド前駆体であるプレグネノロンの合成の律速の第一段階であるため，このあり方が栄養因子やサイトカイン，そしてストレスのような生体の恒常性の変化に反応したステロイド合成

の速度と分泌の変化を可能としている（図16・1）．

　ホルモンの分泌機構をさらに複雑にしているのは，いくつかのホルモンはパルス状に分泌されるという事実である．分泌速度は，食事のタイミングに反応して，もしくはミリ秒から年の範囲の周期性をもつ他の発信器によって調節を受けて，サーカディアンリズムに相関してピークとなり，そして減衰する．パルス状の分泌には，視床下部の発信器の活動性がしばしば影響を与えている．その活動性はニューロンの膜電位を制御して，ホルモン放出因子の視床下部血流へのバースト状の分泌をもたらし，それによって下垂体ホルモンやその他の下流ホルモンを同様にパルス状に分泌させることになる（17，18章参照）．これらのホルモンのパルス状分泌は，単一濃度のホルモンに定常的に曝露されているのと比較して異なった情報を標的細胞に伝達するという証拠がある．治療的には，正常時にこのようにパルス的に分泌されているある特定のホルモンを，不足により置き換える必要がある場合には，それをパルス状に投与することは挑戦的な課題となるだろう．

血中でのホルモンの運搬

　循環血中のホルモン濃度は，分泌速度とその性質（定常対パルス状）以外にも，多くの因子の影響を受ける．具体的には，ホルモンの分解速度，取込み速度，受容体結合，受容体供給度そして血漿内輸送担体に対するそのホルモンの親和性などである（図16・2）．安定性はホルモンの循環血中での半減期に影響するとともに，ホルモン補充療法に，先に述べたパルス状分泌の問題に加えて難題をもたらしている．

　血漿中のホルモン特異的輸送担体は，多くの重要な生理的機能をもっている．第一に，それらは不活性型ホルモンの貯蔵庫として役立つ，つまりホルモンを蓄えておく機能がある．輸送担体に結合したホルモンは通常分解や取込みを妨げられる．したがって，結合したホルモンを貯蔵しておけば，ホルモンレベルの変動を何時間にもわたって平坦化することができる．さらに，血漿の輸送担体はホルモンがいくつかの場所へ近づくのを制限する．結局のところ，血漿の輸送担体は遊離ホルモンのレベルを調節するのに必要なのかもしれない．一般的には，標的組織で生物学的に活性を示

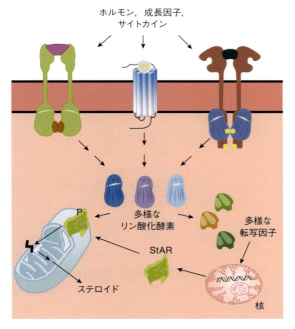

図16・1 **ステロイド産生急性調節タンパク質（StAR）によるステロイド生合成の調節．** 細胞外シグナルは細胞内のリン酸化酵素（キナーゼ）を活性化し，転写因子をリン酸化してStAR発現を亢進させる．StARはリン酸化によって活性化されて，コレステロールがミトコンドリアの外膜リーフレットから内膜リーフレットへと移動するのを促進する．これによってコレステロールのステロイドの生合成経路の最初の中間体であるプレグネノロンへの転換が可能となる．

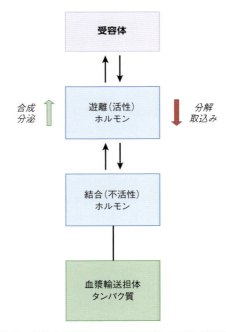

図16・2 **血流中の循環している遊離ホルモン値を決定する因子の要約．** ホルモン値を増加（緑色上向き矢印）もしくは減少（赤色下向き矢印）させる因子を示す．遊離ホルモンは受容体もしくは血漿中の輸送担体タンパク質に結合している型と平衡状態にある．

すのは，すなわち，フィードバック制御（後述）を仲介することができるのは，遊離ホルモンだけである．これはその型だけが血管外の部分に到達できるからである．

カテコールアミンや多くのペプチドホルモンは血漿で可溶性であり，溶けた状態で運搬される．対照的にステロイドホルモンは疎水性であり，多くは肝臓で合成される**ステロイド結合タンパク質** steroid binding protein（**SBP**）と呼ばれる大きなタンパク質に結合している．その結果，ごく少量の遊離ホルモンだけが血漿中に溶けている．具体的には，**性ホルモン結合グロブリン** sex hormone-binding globulin（**SHBG**）は性ホルモンであるテストステロンと17βエストラジオールに結合する糖タンパク質である．プロゲステロン，コルチゾル，そして他のコルチコステロイドはトランスコルチンに結合している．

SBP-ホルモン複合体と遊離ホルモンは血漿中で平衡状態であり，遊離ホルモンだけが拡散して細胞膜を通過できる．SBPは以下の3つの主な機能をもっている：血中での脂質性のホルモンの溶解性を増す，腎臓でホルモンが濾過されることを阻むことによって尿中へのホルモンの喪失速度を減じる，そして前に述べたように血流内で平衡状態が変化した時に遊離してホルモンを供給することである．ステロイドのように輸送担体タンパク質に結合するホルモンの供給効率を調節するもう1つの方法は，輸送担体タンパク質自体の発現と分泌を調節することである．これは，たとえば甲状腺ホルモンの生物学的利用率を調節する決定的な機序である（20章参照）．

ある病態生理的な状況においては，いくつかの薬物によって結合タンパク質の濃度が変化したり，薬物がホルモンに取って代わって結合タンパク質に結合したりする．加えて，いくつかの結合タンパク質は見境もなく多数のホルモンに結合する（例：SHBG）．遊離ホルモンはフィードバック制御機構によって合成と分泌の速度が調節される必要があるため（後述），これらの知見は内分泌の恒常性維持を臨床現場で考える上でおそらく重要な意味をもつことになる．

最後に，ホルモンの分泌部位と作用部位の解剖学的な位置関係もこれらの調節に鍵となる役割を果たすようである．たとえば，多くのホルモンは，肺循環もしくは肝臓を通過する間に分解される．これは問題となるホルモンが作用できる時間幅を著しく狭めるかもしれない．

ホルモンの作用

ホルモンは非常に多くの標的細胞に広い範囲の独特の作用を引き起こし，とりわけ代謝の変化，他のホルモンや調節因子の放出，イオンチャネル活動の変化，そして中でも特に細胞の成長に影響する（**クリニカルボックス16・1**）．最終的に，体のホルモンの協調作用が，生体の恒常性維持を保証している．実際にすべてのホルモンは，それぞれある程度，生体の恒常性に影響する．しかしながら，甲状腺ホルモン，コルチゾル，副甲状腺ホルモン，バソプレシン，ミネラルコルチコイド，そしてインスリンを含むホルモンのある一部は，生体の恒常性の鍵となる貢献をしている（**表16・1**）．これらの分子の正確な生物学的作用効果の詳細については次の章以降で記載する．

ペプチドやカテコールアミンを含む水溶性ホルモンは，細胞表面の受容体に結合することによってその急性の効果を引き起こす．これらの多くはGPCRファミリーからなる．一方，疎水性ホルモンは核内受容体を介してその作用を引き起こす．内分泌生理学で重要な核内受容体には2つのクラスがある．1つ目のクラスは，ホルモンリガンドが結合した時に，転写のコアクベーター（共活性化因子）の結合を誘導して，直接転写を刺激する．2つ目のクラスは，ホルモンの結合が同時に転写のコリプレッサー（補助抑制因子）を移動させて，コアクベーターをリクルートする引き金となる．2つ目のクラスに分類される受容体は，ホルモンの標的となる多くの遺伝子の調節をより広いダイナミックレンジで行うことを可能としている．

近年，ステロイドと他の疎水性ホルモンのいくつかの受容体が核外にあり，細胞表面に存在するものさえあるかもしれないことが明らかになりつつある．そのような受容体の分子レベルでの性質，関連する細胞内シグナル伝達系，そして本当にそれらがそこに存在しているかの証明は，比較的自由にすべての細胞区画に拡散できるという疎水性ホルモンの性質によって複雑になっている．これらの**核外受容体** extranuclear receptor のいくつかは，構造的には古典的な核内受容体と関連しているか相同でさえあるが，遺伝子発現を変化させることなしにステロイドや他のホルモンの急性の反応を仲介していることが提唱されている．それゆえ，あるホルモンの核外受容体を介する生理学的作用効果は，そのホルモンの古典的作用効果とは異なるものであるようだ．その証拠は蓄積されてきており，たとえば，エストロゲンの形質膜受容体は急性の動脈の拡張を仲介し，病態生理学的な状況における心肥大

クリニカルボックス 16・1

乳 癌

　乳癌は女性における最も一般的な悪性腫瘍であり，世界中で毎年 100 万人の新しい患者が診断されている．乳癌の 2/3 以上でその腫瘍細胞が翻訳後修飾を受けたエストロゲン受容体 estrogen receptor (ER) を高レベルに発現するため，卵巣ホルモンのエストロゲンによってその増殖が促進される．これらの分子の発見の臨床的重要性は，スコットランドの外科医，Sir Thomas Beatson が進行した乳癌患者の卵巣を摘除すると，病気の進行が遅くなることを報告していたから，100 年以上も前に知られていた．現代では，乳癌において **ER 陽性**かどうかの決定は重要な予後因子であると同様に，治療方針を決定する重大な診断テストである．ER 陽性腫瘍は悪性度が低く，そのような腫瘍の患者は生存率がよい（それは少なくとも部分的には ER 陰性と比べて，ER 陽性の腫瘍に対する優秀な治療法があるためである――以下参照）．

治療上のハイライト

　エストロゲン反応性乳癌腫瘍はエストロゲンの存在に依存して成長する．現在では，卵巣を摘出せずに，薬理学的に細胞がエストロゲンの影響を受けるのを防ぐことができる．**タモキシフェン tamoxifen** と類縁化学物質は特異的にエストロゲン受容体を抑制し，その分解も速める．閉経後の女性では，卵巣からよりも卵巣以外の組織でテストステロンの代謝産物としてエストロゲンが産生されるため，**アロマターゼ阻害薬 aromatase inhibitor** はアンドロゲンからエストロゲンへの変換を抑制し，そして増殖を継続させる重要なシグナルを腫瘍細胞から取り除く．

表 16・1　生体の恒常性に貢献する主要なホルモン

ホルモン	産生部位	作用
甲状腺ホルモン	甲状腺	多くの組織での基礎代謝の調節
コルチゾル	副腎皮質	エネルギー代謝，他のホルモンの許容作用
ミネラルコルチコイド	副腎皮質	血清電解質に影響して血漿量を調節
バソプレシン	下垂体後葉	水排泄への効果による血漿浸透圧の調節
副甲状腺ホルモン	副甲状腺	カルシウムとリン酸値の調節
インスリン	膵臓	血漿グルコース濃度の調節

を抑制しうる．これらの機能は閉経前後の女性における心血管病の有病率の違いを説明するかもしれない．この領域を生命医学的に活発に調べていくことで，ステロイドホルモンの作用の全貌がより明らかになるだろう．

フィードバック制御の原則

　内分泌生理学にとって決定的に重要な原則とされているのは**フィードバック制御 feedback regulation** である．この原理は，標的細胞のホルモンに対する反応が"フィードバック"されて，内分泌臓器の活動が制御されることと理解されている．フィードバックは負の（ネガティブ）フィードバック回路やまれに正の（ポジティブ）フィードバック回路によってホルモンのそれ以上の分泌を制御することができる．正のフィードバックは最初に分泌メカニズムや分泌刺激を増強または連続させることと理解されている．このような機序は実際は，いろいろな動きを統合して最終的な結果を出す必要のある場合，たとえば分娩時などだけにみられる．負のフィードバックはさらに一般的な制御機構であって，最初のホルモン分泌や刺激を抑制または減弱する作用である．内分泌系におけるフィードバック制御の概念を図 16・3 に図示した．

　一般に，内分泌システムは定常状態を保つためにフィードバック反応のネットワークを利用している．定常状態とは，たとえば図 16・4 のように血漿浸透圧を用いて説明することができる．ヒトの血漿浸透圧は適切な生理的状態である 275～299 mOsm/kg・H_2O に保たれる必要があり，生体の恒常性を保つために，この数値は決してこの範囲を超えてはならない．開放系という状況において浸透圧が変化せずに一定であることを保証するためには，水を加えたり除去することが適切に行われなければならない．血漿浸透圧は脱水

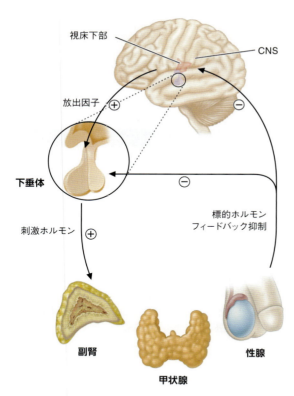

図16・3 内分泌軸を調節するフィードバック回路の要約．
CNS：中枢神経系（Jameson JL (editor): *Harrison's Endocrinology*, 2nd ed. New York, NY: McGraw-Hill; 2010 より許可を得て複製）．

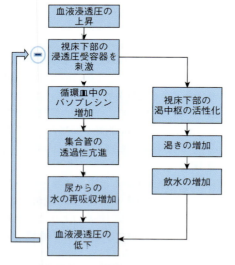

図16・4 血液浸透圧の恒常性を維持するフィードバック回路．血液浸透圧の上昇は視床下部からのバソプレシン分泌を介して腎臓における水の保持とともに渇きの機構を引き起こす．両者の結果，血液浸透圧が下がって正常範囲内に戻り，これがフィードバックされて視床下部シグナルを終わらせる．

で上昇し，水分過剰で低下する．もし，血漿浸透圧が上昇し 10 mOsm/kg・H₂O 以上適正な範囲から外れると，浸透圧受容器が作動する．この信号はペプチドホルモンである"バソプレシン"を下垂体から血中に放出させる．バソプレシンは腎臓の集合管に作用して，アクアポリンと呼ばれるタンパク質（訳注：水チャネル）を形質膜へ挿入することにより内腔の形質膜の水の透過性を亢進する．その時，水は経細胞輸送によって糸球体濾液中から循環血中に移動させられる．この糸球体濾液から血中への水の再吸収により，血漿浸透圧は生理的な範囲にリセットされる．血漿浸透圧が低下した場合は，負のフィードバックが視床下部や下垂体の細胞にはたらき，バソプレシンの放出が抑制される．つまり尿からの水の再吸収が減ることとなる．腎臓と視床下部，下垂体の関係の詳細は 38 章で述べる．

このような，負のフィードバックによる制御機構は体における最も一般的なフィードバック（生体の恒常性）機構である．この他の例としては，体温制御（17 章参照）や血糖濃度制御（24 章参照）などである．フィードバック制御回路は内分泌疾患が疑われる患者の診断評価にも役に立つ．たとえば，甲状腺機能低下症の患者において，TSH（20 章参照）濃度が正常であれば甲状腺それ自体の機能低下は除外できる．そして，下垂体前葉の機能低下が疑われることになる．逆に，TSH 濃度が上昇していれば，血中の甲状腺ホルモンの TSH 合成を抑制するという能力が失われていることが考えられる．つまり，甲状腺のホルモン合成機能が低下していることが示唆されるのである（クリニカルボックス 16・2）．

内分泌疾患の分類

内分泌機構が乱れたことに起因する病態の種類を簡単にここでまとめておく．より詳細な病態は後の章で述べる．

ホルモンの欠乏

ある特定のホルモン欠乏が最もよくみられるのは，ホルモンを産生する分泌腺が破壊されている際であり，これはしばしば自己免疫による不適切な攻撃の結果として起こる．たとえば，1 型糖尿病では膵臓の B（β）細胞が破壊されることによりインスリン合成が不可能になるが，これは，しばしばとても若い年齢から起こる．同様に，ホルモン分泌を調節する因子やその受容体の遺伝的な変異によってもホルモンの欠乏は起

クリニカルボックス 16・2

内分泌疾患が疑われる患者へのアプローチ

本書の他の場所で述べられているような個々の臓器の機能不全による多くの疾患とは違い，内分泌疾患の症状は多岐にわたる．それは，数多くの体内システムがホルモン活動の影響を受けているためである．さらに，多くの内分泌腺は直接の検査が比較的行いにくい．したがって，内分泌疾患の診断はその症状に基づく解析と適切な生化学的検査を組み合わせて行われる．ラジオイムノアッセイによるホルモン検査は，内分泌診断学の中心であり，定常状態の血中濃度を確かめるためにも，問題のホルモンの動的変化の確認（これには時間をかけて繰り返し採血が必要だが）にも用いられる．加えて，ホルモン合成や放出のフィードバック制御の原理によって，臨床医は同じ制御過程に属するホルモンのレベルを比較し，おおよその原発巣を指摘することができる．たとえば，テストステロンが低値で，黄体形成ホルモン（LH）が高値であれば，これは精巣がLHに反応していないことを示す．一方で，テストステロンとLHの両方が低値であれば，下垂体レベルでの問題が最も考えられる．合成されたホルモンを外部から体内に注入することで，増加したホルモンの基礎値が抑制されるかどうか，あるいは異常低値を示すホルモンの分泌が上流の因子によって刺激されるかどうかをテストすることができる．図16・5に示したのは，このような推論があてはまる甲状腺機能低下症の診断例である．

治療上のハイライト

適切な内分泌疾患の治療法は，その原因によって決まる．たとえば，あるホルモンやその放出因子が欠乏している場合，症状や長期間にわたる負の結果を改善するために，ホルモン補充療法がしばしば必要となる（図16・5）．

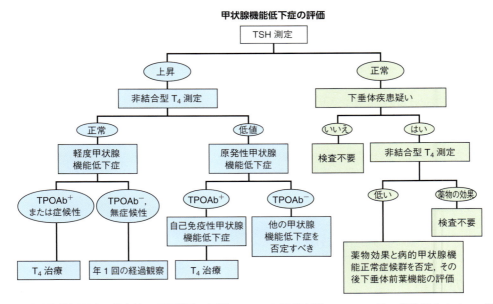

図16・5 甲状腺機能低下症の検査値の評価戦略の要約．TSH：甲状腺刺激ホルモン，T_4：甲状腺ホルモン，TPOAb⁺：抗甲状腺ペルオキシダーゼ自己抗体陽性，TPOAb⁻：抗ペルオキシダーゼ抗体陰性（Jameson JL (editor): *Harrison's Endocrinology*, 2nd ed. New York, NY: McGraw-Hill; 2010 より許可を受けて複製）．

こる．ホルモン合成に必要な酵素の欠損や前駆物質の不足（たとえば，ヨウ素欠乏による甲状腺機能低下）によっても，生体が必要とする量に比して，ホルモン総量を不足させることになる．

ホルモン抵抗性

　ホルモン欠乏と同じ症状は，そのホルモンの合成・分泌は適正に行われているが，標的細胞がそのホルモンに対して抵抗的になっているような病的状態においても多く見られる．実際このような状況では，当該ホルモンの過剰産生が起こるが，これは，正常ではホルモン産生や放出を止めるはずのフィードバック回路が脱感作されていることによる．ホルモン受容体の変異（特に核内受容体の変異）が生じると，ホルモン抵抗性を示す遺伝的疾患が引き起こされることがある．このような疾患は比較的まれではあるが，通常は重篤な予後を示し，ホルモンシグナル伝達の基礎細胞生物学に新しい知見をもたらしてきた．時間とともに進行する機能的なホルモン抵抗性もみられる．正常ではホルモンの効果を仲介している細胞内のエフェクター経路に効率よく連絡しているホルモン受容体のシグナル伝達に関連した障害によって，ホルモン抵抗性が惹起される．最も知られている例としては，2型糖尿病がある．2型糖尿病では，インスリンの標的組織が徐々にインスリン抵抗性をもつようになり，二次的にホスファチジルイノシトール3キナーゼや他の細胞内シグナル伝達経路の活性が低下する．これを引き起こす重要な要因は肥満である．付け加えて，インスリンの過剰分泌によって，膵臓B細胞が疲弊し，ついには機能喪失して，外因性のインスリンによる治療を余儀なくさせる．それゆえ，最も重要な治療目標は，インスリン抵抗性が不可逆的になる前に，膵臓B細胞の疲弊を最小にすることであり，食事療法，運動療法に加え**インスリン感受性促進薬 insulin sensitizer** と呼ばれるメトホルミン metformin やロシグリタゾン rosiglitazone といった薬による治療が行われる．

ホルモンの過剰

　ホルモン欠乏やホルモン抵抗性といった障害とは逆に，ホルモン過剰産生またはホルモン受容体の過剰刺激（もしくは，その両方）による疾患も見られる．多くの内分泌腫瘍は過剰な，または調節不可能なホルモン産生を行うことがある．腫瘍細胞からのホルモン分泌は，正常な状態で作用するフィードバック制御の対象とならない可能性があることに注意すべきである．内分泌腫瘍が存在する状態では過剰なホルモン効果が見られる．たとえば，先端巨大症や巨人症は下垂体ソマトトローフの腫瘍が成長ホルモンを過剰分泌することにより起こる（18章参照）．加えて，他の内分泌腫瘍は元来その細胞や組織が産生するホルモン以外のホルモンを産生することもある．このようなすべての症例において，ホルモン産生が増加した場合，負のフィードバック回路がはたらき，上流の放出因子が抑制されることにもなるだろう．

　ホルモン過剰の疾患によく似た症状は，ホルモン受容体に結合して活性化させる抗体によって惹起されることもある．この古典的な例は Graves〔グレーヴス〕病（Basedow〔バセドウ〕病）であり，感作されたヒトが産生した甲状腺刺激免疫グロブリン thyroid-stimulating immunoglobulin（TSI）が TSH 受容体に結合することによる．これによって受容体の活性化を引き起こすような立体構造の変化が起こり，生理的な引き金がないにもかかわらず甲状腺ホルモンの分泌をもたらす．ホルモン過剰に伴う疾患は遺伝的にも起こり，その場合はホルモン放出因子の受容体や下流の標的を活性化させるような変異が起こるためである．内分泌腫瘍でみられたのと同様に，病的な誘因によって起こるホルモンの過剰分泌は，もちろん負のフィードバック回路により抑制されることはない．

章のまとめ

- 内分泌システムは分散した内分泌腺と，それらによって産生されるホルモンと呼ばれる化学的なメッセンジャーによって構成される．ホルモンはホメオスタシス（すなわち，生体システムの相対的な安定性）の確保に重要な役割を担う．
- ホルモンは，ペプチド/タンパク質，アミン，ステロイドに分類される．ペプチドやカテコールアミンといった水溶性のホルモンは細胞表面の受容体に結合する．疎水性のホルモンは細胞内に拡散し核内受容体を活性化して遺伝子の転写を制御する．
- ホルモンの供給と利用の程度は合成率，放出因子の存在，分解と細胞内取込みの率によって決まる．
- 遊離疎水性ホルモンは血漿タンパク質の担体と結合した形で平衡状態にあり，この担体はホルモンの貯蔵庫であり，ホルモンの作用を調節するもう1つの機序である．
- 多くのホルモンの合成と放出は負のフィードバック回路による調節を受ける．
- 病態はホルモンの欠乏および過剰の両方の状態から起こりうる．ホルモンの欠乏に似た症状は，受容体や下流のシグナル伝達の遺伝的な障害により引き起こされることがある．ホルモンの過剰に似た症状は，ホルモン受容体に結合して活性化する自己抗体や，これらの受容体の活性型変異によって引き起こされる．

ホルモン機能の視床下部性調節

CHAPTER 17

学習目標
本章習得のポイント

- 視床下部と下垂体の解剖学的結びつきとそれぞれの機能的重要性を述べることができる
- 下垂体後葉ホルモンの産生と分泌における視床下部の役割を明確にすることができる
- バソプレシンの作用，作用する受容体，およびその分泌がどのように調節されているかを説明することができる
- オキシトシンの作用，作用する受容体，およびその分泌がどのように調節されているかを説明することができる
- 向下垂体ホルモンと，それぞれのホルモンが下垂体前葉機能に及ぼす作用について概説することができる
- 体温調節機構について列挙し，低温および高温ストレス下で正常体温を維持するためにどのように視床下部の制御のもとでそれらが統合されているかを述べることができる
- 視床下部がどのようにして飲水を調節しているかを説明でき，どのようにして渇きが調節されているかを概説することができる
- 発熱の病態生理学について説明することができる

■ はじめに

視床下部 hypothalamus は体内環境の化学的一定性を維持する複雑な自律的機構を調節し，体温や満腹を調節するための代謝的内分泌過程を調節している．視床下部は視床下部ホルモンを合成，分泌し，これらのホルモンは次に下垂体ホルモンの分泌を刺激もしくは抑制する．視床下部は情動や本能行動を制御する構成単位として大脳辺縁系とともに機能する．

視床下部：形態と構造

視床下部(図 17・1)は脳の腹側の部位で下垂体の上に位置しており(16 章，図 16・3)，視床下部ホルモン(向下垂体ホルモン)を下垂体門脈系に分泌し，それらは直接下垂体へ運ばれる．視床下部とは視床下溝 hypothalamic sulcus の下方と脚間核 interpeduncular nucleus の前方にある間脳の前端部をいう．視床下部は種々の核と核領域(野)とに分けられる．

視床下部の求心性および遠心性線維結合

視床下部への主な求心性神経路と視床下部からの主な遠心性神経路の大半の神経線維は無髄である．多くの線維は視床下部と辺縁系を連絡している．さらに，視床下部と中脳被蓋，橋および後脳における核との間にも重要な連絡がある．

後脳に細胞体をもつノルアドレナリン分泌ニューロ

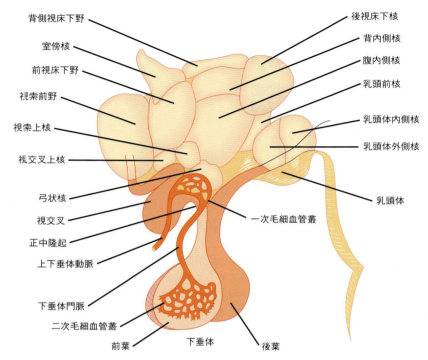

図 17・1 下垂体門脈の模式図を加えたヒトの視床下部.

ンは，視床下部の様々な部位に終わる（図 7・2 参照）．オキシトシンやバソプレシンを分泌している室傍核のニューロンは，後脳と脊髄に投射している．アドレナリンを分泌するニューロンはその細胞体を後脳にもち，視床下部腹側部に終わっている．

視床下部内のドーパミンを分泌するニューロンは，細胞体を弓状核内にもち，正中隆起内の門脈を形成する毛細血管あるいはその近くに終わる．セロトニンを分泌するニューロンは縫線核から視床下部に投射している．

下垂体との関係

視床下部と下垂体後葉との間には神経による連絡があり，視床下部と下垂体前葉との間には血管による連絡がある．発生学的にみると，下垂体後葉は第三脳室底が突出してできたものである．下垂体後葉の大部分は，視索上核と室傍核の細胞体から出て**視床下部−下垂体路 hypothalamo-hypophysial tract** を経て下垂体後葉に至る軸索終末で構成されている（図 17・2）．視索上核からの大半の線維は後葉自体に終わっているが，室傍核からの線維のいくつかは正中隆起 median eminence に終わる．下垂体の前葉と中葉とは胎生期に咽頭蓋から突出した Rathke〔ラトケ〕囊に由来して

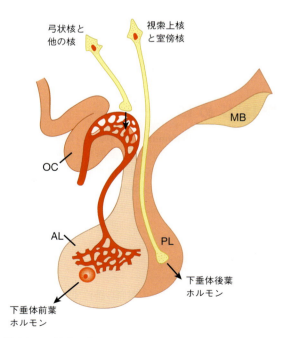

図 17・2 視床下部のホルモン分泌．視索上核と室傍核ニューロンの軸索終末から，下垂体後葉（PL）ホルモンが一般循環血中に放出される．一方，弓状核と他の核のニューロンの軸索終末から，向下垂体ホルモンが下垂体門脈血中に分泌される．AL：下垂体前葉，MB：乳頭体，OC：視交叉．

いる（図 18・1 参照）．**交感神経 sympathetic** 線維は前葉にその被膜 capsule から入り込み，副交感神経線維は錐体神経 petrosal nerve より前葉に達している．視床下部から前葉にきている神経線維はほとんどない．しかしながら，**下垂体門脈 portal hypophysial vessel** が視床下部と下垂体前葉とを直接に血管で結び付けている．頸動脈と Willis〔ウィリス〕の動脈輪（大脳動脈輪）からの小支流は視床下部の腹側面で**一次毛細血管叢 primary plexus** と呼ばれる有窓の毛細血管網を形成する（図 17・1）．毛細血管ループ capillary loop も正中隆起に入り込んでいる．それらの毛細血管は，下垂体茎を通って前葉の毛細血管に血液を運ぶ洞様毛細血管（二次毛細血管叢）に達している．この血管系は毛細血管に始まり毛細血管に終わっていて心臓を通過しないため，正しい意味での門脈系である．鳥類とヒトを含めた若干の哺乳類では前葉被膜の血管と後葉毛細血管からの吻合血管を除くと，他にはまったく下垂体前葉に対する動脈血の供給がない．**正中隆起 median eminence** は一般に，門脈が始まる視床下部腹側部の一部分であると定義されている．この部分は"血液脳関門外"である（33 章参照）．

視床下部の機能

視床下部の主な機能を表 17・1 に要約して示す．これらの機能の中には，明らかに内臓反射であるものも，

表 17・1　視床下部による主要な調節機序の要約

機　能	求心路	統合中枢
体温調節	皮膚，深部組織，脊髄，視床下部および他の脳領域に存在する温度受容器	視床下部前部-温刺激に対して応答する 視床下部後部-冷刺激に対して応答する
神経内分泌性制御：		
カテコールアミン	情動に関与する辺縁系の領域	視床下部背内側部と視床下部後部
バソプレシン	浸透圧受容器，"体積受容器"，その他	視索上核と室傍核
オキシトシン	乳房，子宮，外性器の触受容器	視索上核と室傍核
甲状腺刺激ホルモン（サイロトロピン，TSH）TRH を介する	新生児における温度受容器，おそらく新生児以外においても	室傍核およびその近傍
副腎皮質刺激ホルモン（ACTH）とβ-リポトロピン（β-LPH）CRH を介する	辺縁系（情動刺激），網様体（"全身的な"刺激），循環血液中のコルチゾル量に反応する視床下部あるいは下垂体前葉の細胞，視交叉上核（サーカディアンリズム）	室傍核
卵胞刺激ホルモン（FSH）と黄体形成ホルモン（LH）GnRH を介する	エストロゲンに反応する視床下部の細胞，眼，反射性排卵を起こす生物種の皮膚と外性器の触受容器	視索前野，その他
プロラクチン PIH と PRH を介する	乳房の触受容器，その他の未知の受容器	弓状核，その他（視床下部はこのホルモンの分泌を抑制する）
成長ホルモン（GH）ソマトスタチンと GRH を介する	未知の受容器	脳室周囲核，弓状核
欲求行動		
渇き	終板の脈管器官におそらく存在すると思われる浸透圧受容器，脳弓下器官でのアンジオテンシン II の取込み	視床下部外側上部
空腹	"恒糖細胞"：グルコース利用速度に反応する細胞，レプチン受容体，他のポリペプチドに対する受容体	腹内側核，弓状核，室傍核，外側視床下部
性行動	循環血液中のエストロゲン，アンドロゲン，その他に反応する細胞	視床下部前腹側部，男性では梨状皮質も加わる
防御反応（恐怖と怒り）	感覚器と新皮質，ただし伝導路は未知	辺縁系と視床下部に広く分布
身体リズムの制御	網膜，網膜-視床下部線維を介する	視交叉上核

複雑な行動や情動で表される反応も含まれている．しかし，すべてについていえることは，特異的な刺激に対して特有な反応が示されることである．視床下部の機能を考察する時は，このことをよく記憶しておくことが大切である．

自律機能との関係

古く Sherrington は視床下部のことを"自律神経系の頭部神経節 head ganglion である"と述べた．視床下部を刺激すると自律性反応が起こるが，視床下部は内臓機能それ自体の調節には関与していないらしい．むしろ，視床下部で触発される自律性反応は，摂食や情動(怒り rage など)のような，より複雑な現象の一部である．たとえば視床下部の種々の部位(特に外側野)を刺激すると広範囲の交感神経が活動し，副腎髄質の分泌が増加し，動物がストレスに曝された時にみられるように全身の交感神経活動が増加する(いわゆる闘争か逃走反応，13 章参照)．

視床下部にはアドレナリンとノルアドレナリンの分泌を別々に制御する中枢があるといわれてきた．事実，ある条件ではこれら副腎髄質カテコールアミンの各々が別々に分泌されるが(19 章参照)，そのような選択的分泌増加はわずかである．

体重はカロリー摂取とカロリー利用のバランスに依存する．肥満はカロリー摂取がカロリー利用に対して過剰になった結果である．視床下部とそれに関連する脳領域は摂食の過程に重要な役割を担う．肥満については 26 章で詳細に述べ，肥満と糖尿病の関連については 24 章で述べる．

睡眠の視床下部性調節とサーカディアンリズムについては 14 章で述べた．

渇　　き

視床下部の制御を受けているもう 1 つの欲望の機序は，渇き thirst である．飲水はバソプレシン分泌の場合と同様に，血漿浸透圧濃度と細胞外液量によって調節されている(38 章参照)．飲水は，血漿の実効浸透圧が高まったり(図 17·3)，細胞外液量が減少したりすることによって，あるいは心理的因子や他の因子によって増加する．浸透圧濃度は，体液の浸透圧濃度を感受する**浸透圧受容器 osmoreceptor** に作用する．この浸透圧受容器は前視床下部に存在する．

細胞外液量の減少も渇きの感覚を引き起こすが，この場合は血漿浸透圧濃度上昇の場合と別の経路を伝わ

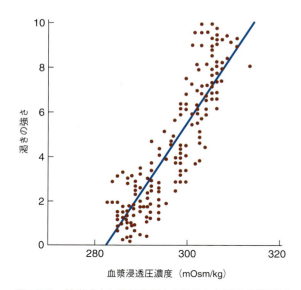

図 17·3　健常成人で高張食塩水を注入した際の血漿浸透圧濃度と渇きの感覚の関係．渇きの感覚の強さを特別な数値スケールで測定した(Thompson CJ, et al: The osmotic thresholds for thirst and vasopressin release are similar in healthy humans. Clin Sci Lond 1986; Dec; 71(6): 651-656 より許可を得て複製)．

る(図 17·4)．そのため出血の場合，血漿の浸透圧濃度が不変であっても，飲水が増大する．細胞外液量の低下が渇き感覚に及ぼす効果は，一部レニン-アンジオテンシン系を介するものと思われる(38 章参照)．レニン分泌は血液量減少によって増加し，その結果アンジオテンシンIIの循環血液中濃度は高まる．アンジオテンシンIIは間脳内の特殊化した受容野である**脳弓**

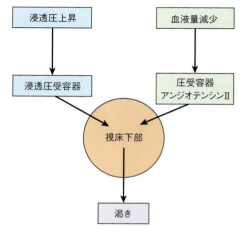

図 17·4　血漿浸透圧濃度の変化と細胞外液量の変化が別々の経路を介して渇きを起こすしくみを示す模式図．

下器官 subfornical organ（図33・7参照）に作用して渇きに関与しているニューロン野を刺激する．またアンジオテンシンIIは**終板器官 organum vasculosum of the lamina terminalis**（OVLT）に作用することも知られている．これら２つの領域は"血液脳関門外"（33章参照）にある脳室周囲器官であり，非常に物質の透過性が高い．しかしアンジオテンシンIIの作用を遮断する薬は血液量減少による渇き反応を完全には抑えない．したがって心臓や血管の圧受容器もこの反応に関与しているらしい．

飲水は食事中に増加する（**食事飲水 prandial drinking**）．その増加は学習された，あるいは習慣性の反応と呼ばれているが，その詳細は研究されていない．１つの因子は，食物が吸収される時に起こる血漿浸透圧の増加である．もう１つの因子は１つかそれ以上の消化管ホルモンが視床下部に作用することらしい．

間脳に対する直接の障害によって，あるいは意識状態が低下するか変化するかによって渇きの感覚が鈍ると，患者は適度の飲水をしないようになる．水分の平衡が保たれるように適切な処置がとられないと，脱水状態が起こってくる．タンパク質摂取量が多い時は，タンパク質代謝産物の浸透圧による利尿を来すので（38章参照），水分保持のため多量の水分摂取が必要となる．**高ナトリウム血症 hypernatremia** は，渇きの中枢が刺激されても飲水が増加しないか，または飲水できないような精神病患者や視床下部疾患患者において，単なる脱水現象に基づいて起こっている場合が多い．前交通動脈が障害されても渇きの感覚が鈍る．なぜならば，この動脈が渇きに関連する視床下部領域に血液を供給するからである．

水分摂取を調節するその他の因子

上述の他にも水分摂取に関与するいくつかの因子がよく知られている．心理的および社会的因子は重要である．咽頭粘膜の乾燥も渇きの感覚を起こす．水分摂取を制限しなければならない患者は，氷片をなめるか濡れた布片を吸うかして渇きの感覚を十分に癒すことができるものである．

イヌ，ネコ，ラクダ，その他幾種類かの動物は，脱水状態になるとその水不足を補うのにちょうど十分な量の水を急激に飲む．これらの動物は水分が吸収されるより前に，すなわち血漿の浸透圧がまだ高い時にすでに水分摂取をやめてしまう．咽頭あるいは消化管になにか"計量器"があるに違いない．十分ではないがヒトにも同様のしくみが存在することが示唆されている．

下垂体後葉からの分泌の制御

バソプレシンとオキシトシン

大部分の哺乳類で下垂体後葉ホルモンは**アルギニンバソプレシン arginine vasopressin**（AVP）と**オキシトシン oxytocin** である．カバと大部分のブタの仲間ではバソプレシン分子中のアルギニンはリジンで置き換えられ，**リジンバソプレシン lysine vasopressin** となっている．ある種のブタと有袋類の後葉には，アルギニンバソプレシンとリジンバソプレシンの両方がある．後葉ホルモンは，一端にジスルフィド結合による環状構造をもつ９個のアミノ酸からなるペプチドである（図17・5）．

生合成，ニューロン内輸送と分泌

下垂体後葉ホルモン（バソプレシンとオキシトシン）は，視索上核と室傍核に存在する大細胞性 magnocellular ニューロンの細胞体で産生され，軸索内を通って後葉内のそれらの神経終末に運ばれ，その終末が電気的に活動すると分泌される．いずれの神経核にもオキシトシン産生ニューロンとバソプレシン産生ニューロンが混在する．

オキシトシンとバソプレシンは神経から循環血中に分泌される典型的な**神経ホルモン neural hormone** である．この型の神経性調節を他の型の神経性調節と比較して図17・6 に示す．ニューロンによるホルモン分泌にはこれまで**神経分泌 neurosecretion** という用語があてられていたが，すべてのニューロンが化学伝達物質を分泌する（7章参照）らしいので，この用語は適切ではない．

下垂体後葉ホルモンは他のペプチドホルモン同様，

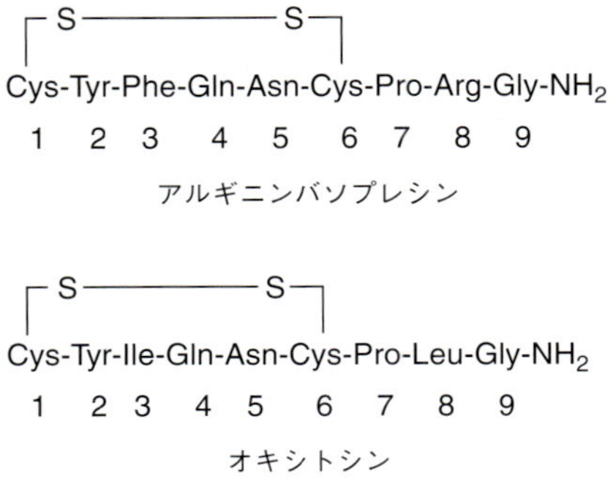

```
    ┌─S────────S─┐
Cys-Tyr-Phe-Gln-Asn-Cys-Pro-Arg-Gly-NH₂
 1   2   3   4   5   6   7   8   9
        アルギニンバソプレシン

    ┌─S────────S─┐
Cys-Tyr-Ile-Gln-Asn-Cys-Pro-Leu-Gly-NH₂
 1   2   3   4   5   6   7   8   9
            オキシトシン
```

図 17・5 アルギニンバソプレシンとオキシトシン．

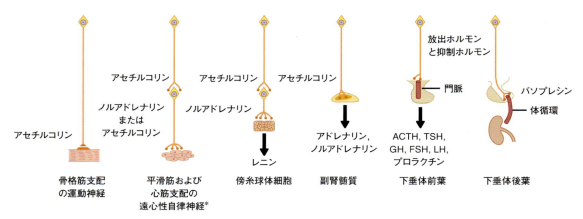

図 17・6 神経性制御機構. 左の2例は神経伝達物質が神経末端より放出され筋肉に作用する．中央の2例は神経伝達物質が内分泌腺の分泌を調節する．右の2例はニューロンがホルモンを下垂体門脈あるいは全身循環血中に分泌する．ACTH：副腎皮質刺激ホルモン，FSH：卵胞刺激ホルモン，GH：成長ホルモン，LH：黄体形成ホルモン，TSH：甲状腺刺激ホルモン（＊訳注：原書表記は Motor nerves to smooth and cardiac muscle である．）．

大きな前駆体分子の一部分として合成される．バソプレシンもオキシトシンもそれぞれの分泌ニューロンの顆粒の中で特定の**ニューロフィジン neurophysin** と共存している．オキシトシンではニューロフィジン I，バソプレシンではニューロフィジン II である．ニューロフィジンは以前，結合ポリペプチドと考えられていたが，現在では前駆体分子の一部分にすぎないことがわかっている．AVP の前駆体である**プレプロプレッソフィジン prepropressophysin** は先頭の 19 個のアミノ酸残基と AVP，ニューロフィジン II，糖ペプチドから成り立っている（図 17・7）．オキシトシンの前駆体である**プレプロオキシフィジン preprooxyphysin** はプレプロプレッソフィジンと似ているが，末端の糖ペプチドの部分を欠く，より小さい分子である．

前駆体分子はニューロン細胞体のリボソームで合成される．小胞体において，その分子の先頭部分が取り除かれた後，Golgi 装置内で分泌顆粒に包まれ，軸索流に乗って下垂体後葉の軸索終末に運ばれる．分泌顆

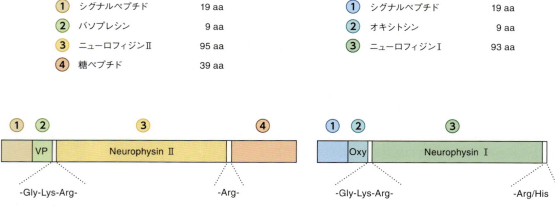

図 17・7 ウシプレプロプレッソフィジン（左）とプレプロオキシフィジン（右）の構造. 両ペプチドの 10 番目のグリシン（Gly）はアミノ酸残基 9 aa の位置のグリシン残基のアミド化に必要である（Richter D: Molecular events in expression of vasopressin and oxytocin and their cognate receptors. Am J Physiol 1988; Aug; 255(2 Pt 2): F207-F219 より許可を得て複製）．［訳注：一般にプレプロホルモンを構成するアミノ酸(aa)番号は，プロホルモン N 末端（この場合は②のバソプレシンの N 末端）を 1 番として C 端に向かって＋の番号をつけ，シグナルペプチドの N 末端に向かって－の番号を付けていく．したがって，この場合の 10 番目のペプチドは，②と③のペプチドの間にある-Gly-Lys-Arg- の N 末端にある Gly を指し，それが 9 aa すなわちバソプレシンの C 末端にある Gly 残基のアミド化（図 17・5 参照）に必要であると説明している．］

粒は **Herring〔ヘリング〕小体**と呼ばれ，組織切片中で容易に染色されるため研究が進んでいる．前駆体分子は輸送中に分断され，遊離バソプレシンや遊離オキシトシンと各々のニューロフィジンとなって軸索終末の顆粒中に貯蔵される．バソプレシン顆粒には糖ペプチドも含まれている．これらの生成物は，すべて分泌されるが，後葉ホルモン以外の物質の機能は知られていない．バソプレシン分泌の生理的調節は38章で詳細に述べる．

大細胞性ニューロンの電気活動

オキシトシン分泌ニューロンとバソプレシン分泌ニューロンもまた活動電位を発生し，それを伝播する．活動電位がこれらの神経終末に到達すると，Ca^{2+} 依存性のエキソサイトーシスによって神経終末からホルモンが放出される．少なくとも麻酔したラットでは，これらのニューロンは安静時に活動しないかあるいは低頻度(0.1〜3 Hz)の不規則な活動を示す．しかし，刺激に対するこれらのニューロンの反応は多様である(図17・8)．乳頭を刺激すると刺激開始からかなりの潜時の後にオキシトシン分泌ニューロンが同期して高頻度に発射する．出産後の女性では，これによってオキシトシンが放出され，続いて射乳が起こる(後述)．一方，脱水での血漿浸透圧の上昇や出血による血液量の減少のような刺激によってバソプレシン分泌ニューロンを刺激すると，まず発射頻度が一様に上昇し，続いて高頻度の発射のみられる相と静止相が交互に現れる周期的な活動(**相動性バースト phasic bursting**)が持続する．この相動性放電は一般に，個々のバソプレシン分泌ニューロン間で同期しておらず，バソプレシン分泌の持続的な増大を維持するのに都合がよい．これはオキシトシン分泌ニューロンが乳頭刺激に同期して比較的短時間の高頻度発射を示すのと対照的である．

他の部位にあるバソプレシンとオキシトシン

バソプレシン分泌ニューロンは視交叉上核でも見出されており，また，バソプレシンとオキシトシンは，室傍核から脳幹や脊髄に投射するニューロンの終末にも見出されている．これらのニューロンは心血管系の制御に関与しているらしい．さらにバソプレシンとオキシトシンは，生殖腺と副腎皮質でも合成されている．また，オキシトシンは胸腺にも存在する．これらの器官における両ホルモンのはたらきは，まだ確定されて

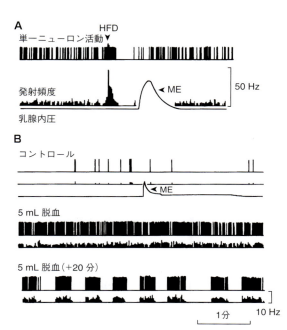

図17・8 刺激に対する大細胞性ニューロンの反応．上から単一ニューロン活動電位の細胞外記録，発射頻度，乳腺の導管内圧を示す．**A**：オキシトシン分泌ニューロンの反応．HFD：高頻度発射，ME：射乳．乳頭刺激は記録開始以前に始めた．**B**：バソプレシン分泌ニューロンの反応．乳頭刺激では低頻度の発射は変化せず，5 mLの脱血ではすぐに発射頻度が増大し，続いて典型的な相動性放電を示した(Wakerly JB: Hypothalamic neurosecretory function: Insights from electrophysiological studies of the magno-cellular nuclei. IBRO News 1985; 4: 15 より許可を得て改変)．

いない．

バソプレシンの受容体

バソプレシン受容体には少なくとも V_{1A}, V_{1B}, V_2 の3種類の受容体がある．これらはすべてGタンパク質に共役している．V_{1A} と V_{1B} 受容体は，ホスファチジルイノシトールの加水分解によって細胞内 Ca^{2+} 濃度を増加させる．V_2 受容体は，G_s タンパク質を介して cAMP を増加させる．

バソプレシンの効果

バソプレシンの主要な生理的機能が腎臓による水分保持であるため，バソプレシンはしばしば**抗利尿ホルモン antidiuretic hormone (ADH)** と呼ばれている．バソプレシンが腎臓の集合管の透過性を増すため，水分は腎錐体の高張性組織間質に入っていく(37章参照)．そのため尿は濃縮され，尿量は減少する．つまり，バソプレシンの効果は溶質よりも水分を多く保持するこ

とである．その結果，体液の実効浸透圧は減少する．バソプレシンがないと尿は血漿より低張となり，尿量は増え，正味の水分喪失を生じ，その結果，体液の浸透圧濃度は増大する．

オキシトシンの作用

ヒトではオキシトシンは主に乳房と子宮に作用するが，黄体退縮にも関与するらしい(22章参照)．Gタンパク質に共役したオキシトシン受容体が，ヒトの子宮内膜で同定されている．また乳腺組織と卵巣で，類似のあるいは同一の受容体が見出されている．オキシトシン受容体は細胞内 Ca^{2+} 濃度の増加を引き起こす．

射乳反射

オキシトシンは，**筋上皮細胞 myoepithelial cell**，すなわち乳管を縁取っている平滑筋様の細胞を収縮させる．これによって授乳期の腺房から乳汁が太い乳管(乳管洞)に押し出され，さらに乳頭から押し出される(**射乳 milk ejection**)．乳腺の発育と乳汁の乳管内への分泌には多くのホルモンが協同してはたらいているが(22章参照)，射乳には多くの種属の動物においてオキシトシンを必要とする．

射乳は通常，神経内分泌性反射によって起こる．これに関与する受容器は乳房，特に乳頭周囲にたくさんある触受容器である．この受容器に生じた神経インパルスは体性触覚伝導路を上行し視索上核と室傍核に達する．オキシトシン含有ニューロンの発射は下垂体後葉からのオキシトシン分泌を引き起こす(図17・8)．乳児が乳房に吸いつくと乳頭周囲の触受容器が刺激され，それらの核が刺激され，オキシトシンが放出される．これによって乳汁が乳管洞に出され，乳児の口中に吸い込まれるようになる．授乳している女性では性器の刺激や情動刺激によってもオキシトシン分泌が促され，時には乳汁が乳房から吹き出ることもある．

オキシトシンのその他のはたらき

オキシトシンは子宮平滑筋を収縮させる．子宮筋のオキシトシンに対する感受性はエストロゲンによって高くなり，プロゲステロンによって低下する．プロゲステロンの抑制作用は，子宮オキシトシン受容体に対するステロイドの直接作用による．妊娠末期には子宮にあるオキシトシン受容体とオキシトシン受容体mRNAが著しく増加し，それとともに子宮はオキシトシンに対して非常に敏感となる(22章参照)．そしてオキシトシン分泌は分娩中に増大する．子宮頸管が開大した後，胎児が産道を降下すると，求心性線維に

インパルスが発生する．この神経インパルスは視索上核と室傍核に伝えられ，十分な量のオキシトシンを分泌し，分娩を強化する(図22・22)．血漿オキシトシン量は分娩開始時には通常濃度である．この時，オキシトシン受容体は著しく増加しており，そのため通常のオキシトシン濃度で子宮収縮を引き起こし，オキシトシン分泌の正のフィードバックを導くと考えられる．しかし，子宮内のオキシトシン量も増加するので，局所で生成されたオキシトシンも分娩に役立つと考えられる．

オキシトシンはさらに非妊娠子宮にはたらいて精子の移動を容易にするらしい．精子が女性性器内を上行して卵管(正常ではここで受精が行われる)に達するのは，精子の運動力だけでなく，少なくともある生物種では，子宮の収縮にも依存している．性交時の性器の刺激もオキシトシンを放出させるが，このオキシトシンが子宮を収縮させ，この収縮が精子を運ぶという，やや特殊なはたらきについてはまだ立証されていない．オキシトシンの分泌は，ストレス刺激によって増加し，バソプレシンの分泌と同様に，アルコールで抑制される．

男性では射精時に循環血中オキシトシン濃度が増加するので，オキシトシンの増加は精管の平滑筋の収縮力を高めて精子を尿道へと輸送していると考えられる．

下垂体前葉からの分泌の制御

下垂体前葉ホルモン

下垂体前葉は次の6種のホルモンを分泌する．すなわち，**副腎皮質刺激ホルモン adrenocorticotropic hormone(コルチコトロピン corticotropin, ACTH)**，**甲状腺刺激ホルモン thyroid-stimulating hormone(サイロトロピン thyrotropin, TSH)**，**成長ホルモン growth hormone(GH)**，**卵胞刺激ホルモン follicle-stimulating hormone(FSH)**，**黄体形成ホルモン luteinizing hormone(LH)** および **プロラクチン prolactin(PRL)** の6種である．この他に ACTH とともに分泌されるペプチドとして **β-リポトロピン β-lipotropin(β-LPH)** があるが，その生理機能は不明である．下垂体前葉ホルモンの作用は図17・9 に要約してある．それらのホルモンについては次の章以降で詳しく述べる．視床下部は ACTH, β-LPH, TSH, 成長ホルモン，FSH および LH の分泌を刺激し，それらの分泌調節に重要な役割を果たしている．視床下部はまた，プロラクチン分泌を調節するが，そのはたらきは刺激より

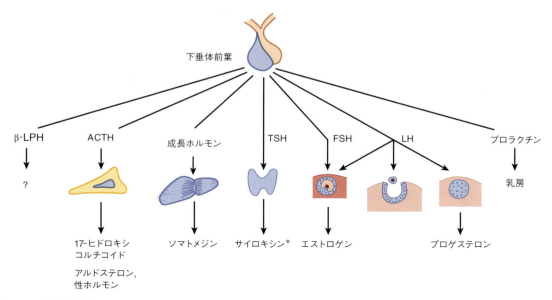

図 17・9　下垂体前葉ホルモン．ヒトの女性では FSH と LH とは卵巣に作用し順次に卵胞を発育させ，排卵を起こし，黄体を形成し維持する．プロラクチンは乳汁分泌を促す．男性では FSH と LH とは精巣の機能を制御する(＊訳注：この効果は図示されていない)．ACTH：副腎皮質刺激ホルモン，β-LPH：β-リポトロピン，FSH：卵胞刺激ホルモン，LH：黄体形成ホルモン，TSH：甲状腺刺激ホルモン(＊訳注：チロキシンとも呼ばれる)．

は抑制である．

視床下部による制御の本態

前葉からの分泌は，視床下部から下垂体へ向かって下垂体門脈の中を運ばれる化学物質によって制御されている．これらの物質はかつて放出因子 releasing factor および抑制因子 inhibiting factor と呼ばれてきたが，今では，一般に **向下垂体ホルモン** hypophysiotropic hormone と呼ばれており，この呼び方が適当と思われる．その理由はこれらの物質が血液中に分泌され，作られた場所から遠く離れた位置で作用するからである．これらはわずかに全身循環血中に漏れ出るが，下垂体門脈血中に高濃度で存在する．

向下垂体ホルモン

確定している視床下部の放出ホルモンと抑制ホルモンは6種ある(図 17・10)．すなわち，**副腎皮質刺激ホルモン放出ホルモン(コルチコトロピン放出ホルモン)** corticotropin-releasing hormone (CRH)，**甲状腺刺激ホルモン放出ホルモン** thyrotropin-releasing hormone (TRH)，**成長ホルモン放出ホルモン** growth hormone-releasing hormone (GRH)，**成長ホルモン抑制ホルモン** growth hormone-inhibiting hormone (GIH，現在では一般に **ソマトスタチン** somatostatin と呼ばれる)，**黄体形成ホルモン放出ホルモン** luteinizing hormone-releasing hormone [LHRH，現在では一般に **ゴナドトロピン放出ホルモン** gonadotropin-releasing hormone (GnRH) として知られている]，および **プロラクチン抑制ホルモン** prolactin-inhibiting hormone (PIH) である．さらに，視床下部の抽出物はプロラクチン放出活性をもっており，**プロラクチン放出ホルモン** prolactin-releasing hormone (PRH) の存在が示唆されている．TRH や VIP や視床下部で見出されている他のポリペプチドは，プロラクチン分泌を刺激する．しかし，これらのペプチドのどれが生理的な PRH であるのかは不明である．近年，オーファン受容体[＊1]が下垂体前葉から単離され，その受容体に対するリガンドを探求している過程で，31 個のアミノ酸からなるポリペプチドがヒトの視床下部から単離された．このポリペプチドは下垂体前葉に作用してプロラクチン分泌を刺激する．しかしながら，それが生理的な PRH であるのかどうかを決定するにはさらなる研究が必要である．GnRH は LH のみならず FSH の分泌をも刺激し，独立した卵胞刺激ホルモン放出ホル

＊1 訳注：リガンドが同定されていない受容体．

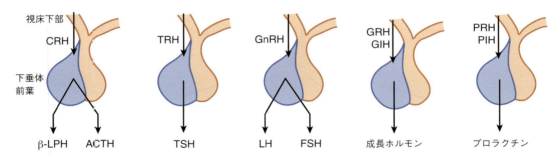

図 17·10　下垂体前葉ホルモンの分泌に対する向下垂体ホルモンの効果. ACTH：副腎皮質刺激ホルモン，β-LPH：β-リポトロピン，CRH：副腎皮質刺激ホルモン放出ホルモン，FSH：卵胞刺激ホルモン，GIH：成長ホルモン抑制ホルモン，GnRH：ゴナドトロピン放出ホルモン，GRH：成長ホルモン放出ホルモン，LH：黄体形成ホルモン，PIH：プロラクチン抑制ホルモン，PRH：プロラクチン放出ホルモン，TRH：甲状腺刺激ホルモン放出ホルモン，TSH：甲状腺刺激ホルモン.

モン follicle-stimulating hormone-releasing hormone は存在しないと考えられる．

　TRH, GnRH, ソマトスタチン，CRH, GRH の遺伝子とプレプロホルモン preprohormone の構造はわかっている．プレプロ TRH は，TRH を 6 個含んでいる．その他のプレプロホルモンのいくつかは向下垂体ホルモンだけではなく，他のホルモン活性をもつペプチドをも含んでいるらしい．

　視床下部の放出および抑制ホルモンが分泌される領域は，視床下部の正中隆起である．この領域にはほとんど神経細胞体がなく，門脈の起源となっている毛細血管ループに非常に近接したところに多数の神経終末がある．

　正中隆起の外層に投射する向下垂体ホルモン分泌ニューロンの細胞体の位置を図 17·11 に示す．この図にはオキシトシン分泌ニューロンとバソプレシン分泌ニューロンの位置も示してある．GnRH 分泌ニューロンは主に内側視索前野 medial preoptic area に，ソマトスタチン分泌ニューロンは脳室周囲核 periventricular nucleus に，TRH 分泌ニューロンと CRH 分泌ニューロンは室傍核の内側部に，GRH 分泌（とドーパミン分泌）ニューロンは弓状核に存在する．

　すべてではないまでも大部分の向下垂体ホルモンは 2 種類以上の下垂体前葉ホルモン分泌を調節する（図 17·10）．GnRH が FSH を刺激することはすでに述べた．TRH はプロラクチンと TSH の分泌を刺激する．ソマトスタチンは TSH と成長ホルモンの分泌を抑制する．ソマトスタチンは正常時にはその他の下垂体前葉ホルモンの分泌を抑制しないが，Nelson〔ネルソン〕

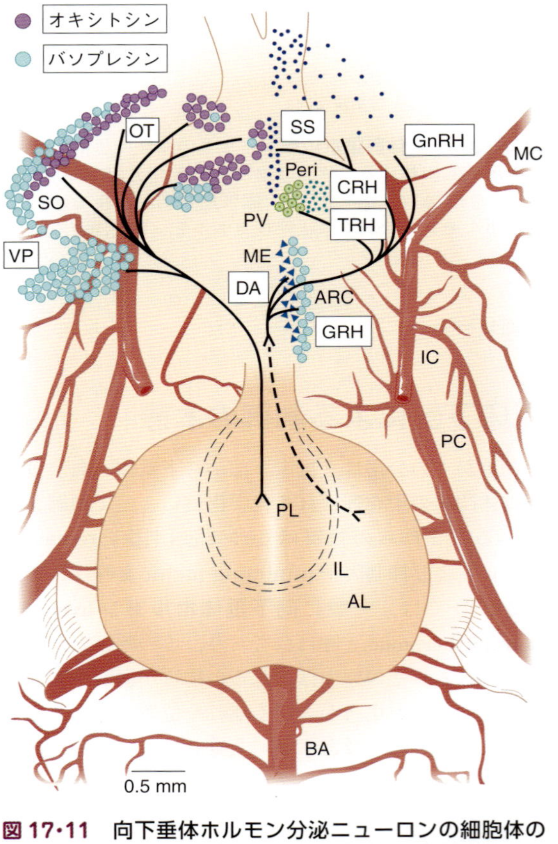

図 17·11　向下垂体ホルモン分泌ニューロンの細胞体の位置. ラットの視床下部と下垂体を腹側から見た図．AL：下垂体前葉，ARC：弓状核，BA：脳底動脈，CRH：副腎皮質刺激ホルモン放出ホルモン，DA：ドーパミン，GRH：成長ホルモン放出ホルモン，GnRH：ゴナドトロピン放出ホルモン，IC：内頸動脈，IL：下垂体中葉，MC：中脳動脈，ME：正中隆起，OT：オキシトシン，PC：後脳動脈，Peri：脳室周囲核，PL：下垂体後葉，PV：室傍核，SO：視索上核，SS：ソマトスタチン，TRH：甲状腺刺激ホルモン放出ホルモン，VP：バソプレシン．ホルモン名を四角で囲んである（Swanson LW, Cunningham Jr ET の許可を得て転載）．

＊2 訳注：Cushing 病治療のため両側副腎摘出術を受けた患者の下垂体腺腫が急速に拡大して，ACTH 過剰産生をきたす症候群．

症候群*2 患者において異常に上昇している ACTH 分泌を抑制する．CRH は ACTH と β-LPH の分泌を刺激する．

　向下垂体ホルモンは，脳の他の部位，網膜，自律神経系では神経伝達物質としてはたらく（7章参照）．また，ソマトスタチンは膵島にも見出されている（24章参照）．GRH は膵臓腫瘍からも分泌される．ソマトスタチンと TRH は，消化管でも見出されている（25章参照）．

　大部分の向下垂体ホルモンの受容体は，G タンパク質と共役している．ヒトの CRH 受容体には，hCRH-RI と hCRH-RII の2種類がある．hCRH-RII は多くの脳部位に見出されているが，その生理的な役割は，まだ解明されていない．さらに，末梢循環血中の **CRH 結合タンパク質 CRH-binding protein** が CRH を不活性化している．CRH 結合タンパク質は，下垂体前葉 ACTH 分泌細胞の細胞質にも見つけられている．その存在場所から見て，受容体のエンドサイトーシスによる取込みに関与しているのかもしれないが，このタンパク質の正確な生理的役割はまだわかっていない．他の向下垂体ホルモンについては，これまで結合タンパク質の存在は知られていない．

重要性と臨床上の意味

　視床下部のもつ多様な神経内分泌性調節機能を明らかにする研究は重要である．なぜならば，それによって内分泌という機能が，変化する環境の要求にいかに順応するように営まれているかを説明することができるからである．神経系は感覚器から内部環境と外部環境の変化に関する情報を受け取っている．その結果，神経系は効果器のはたらきによってこれらの変化に対して生体を適応させている．この効果器を介する機構には体性運動ばかりでなく，ホルモンが分泌される速度の変化なども含まれる．

　視床下部の疾患の症状は神経学的欠陥，内分泌機能の変化，および代謝異常（過食とか高体温など）として現れる．視床下部疾患のある症例群でみられた症状と徴候の相対頻度を表 17・2 に示す．下垂体の機能異常の患者，特に単一の向下垂体ホルモンの機能低下を示している患者を診察する時は，視床下部病変の可能性を念頭に置かねばならない．

　この点に関し興味深いのは，**Kallmann〔カルマン〕症候群**である．この疾患では循環血中のゴナドトロピン量の低下による性機能低下（**低ゴナドトロピン性性機能低下症 hypogonadotropic hypogonadism**）を来すと

表 17・2　60 名の視床下部疾患患者の症状と徴候

症状や徴候	発現率（%）
内分泌と代謝に関する所見	
早発思春期	40
性腺機能低下	32
尿崩症	35
肥満症	25
体温調節異常	22
やせ	18
病的飢餓	8
食欲不振	7
神経学的所見	
眼症状	78
錐体路障害と感覚障害	75
頭痛	65
錐体外路系徴候	62
嘔吐	40
精神障害，易怒性・攻撃性など	35
傾眠	30
痙攣	15

Bauer HG: Endocrine and other clinical manifestations of hypothalamic disease. J Clin Endocrinol 1954; 14: 13 および Kahana L, et al: Endocrine manifestations of intracranial extrasellar lesions. J Clin Endocrinol 1962; 22: 304 のデータより．

ともに，嗅覚が一部あるいは完全に消失する〔**嗅覚減退 hyposmia，無嗅覚（症）anosmia**〕．発生学的に GnRH ニューロンは鼻で発生し，嗅神経に沿って脳内に移動し視床下部に到達する．もしこの移動が嗅覚路の先天的異常のために阻止されると，GnRH ニューロンは視床下部に到達できず，思春期に性腺が成熟しない．この症候群は男性に多く，その原因の多くは嗅神経の正常発達に必要な接着分子をコードしている X 染色体上の *KAL* 遺伝子の突然変異である．Kallmann 症候群は女性でも起こるが，その場合は他の遺伝的異常による可能性も考えられる．

体温調節

　生体では筋運動，食物の同化（消化・吸収）および基礎代謝率を増加させるあらゆる生命現象によって熱が産生される．そして熱は放射，伝導，呼吸気道と皮膚からの水分の蒸発によって体から失われる．糞尿からも少量の熱が失われる．熱産生と熱損失（喪失）との平衡が体温を決める．化学反応速度は温度とともに変わるものであり，また，生体の酵素系にとってその機能が最適である温度範囲は狭いから，正常な身体の機能は体温が比較的一定であるか否かによって左右される．

無脊椎動物は一般に自分の体温を調節することができないので，これらの動物の体温は環境に左右されている．脊椎動物では熱産生と熱損失とを調節することによって体温を保持する機構が発達している．爬虫類，両生類および魚類では，この調節機構は比較的未発達である．したがって，これらの種は"冷血"(**変温性 poikilothermic**)動物と呼ばれている．その理由は，これらの動物の体温は広範囲にわたって変動するからである．鳥類や哺乳類のような，いわゆる"温血"(**恒温性 homeothermic**)動物では，主に視床下部で統合される一連の反射反応が作動して，環境温度が広く変動しても体温は狭い範囲に保持される．冬眠する哺乳類は例外で，覚醒時は恒温性であるが，冬眠中は体温が低下する．

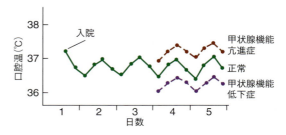

図 17・12 発熱のない患者の入院時の典型的な体温表．入院時に興奮と不安のために軽度の体温上昇があることと，その後は規則正しい体温のサーカディアン性変動があることに注意．

正常体温

恒温動物ではその体温は動物の種属ごとに違うし，また程度は低いが個体ごとでも違う．ヒトでは口腔温は37℃（98.6°F）と昔からいわれているが，正常の若い成人の一大集団で調べると，早朝の口腔温は平均36.7℃，標準偏差0.2℃である．それゆえ，若い成人の95％では早朝の口腔温は36.3〜37.1℃（97.3〜98.8°F，平均値±1.96標準偏差）となる．身体のいろいろの部位の温度はまちまちであり，また，各部位間の温度差は環境温度とともに変わる．四肢は一般に，身体のその他の部位より冷たい．陰囊の温度は32℃になるように調節されている．直腸温は身体深部（核心）の温度の代表であって，環境温度が変化してもほとんどわずかしか変わらない．口腔温はふつう直腸温より0.5℃低いが，これは熱い液体か冷たい液体を飲むこと，ガムを噛むこと，喫煙，口呼吸などの多数の因子によって影響される．

正常のヒトの核心温度 core temperature は規則正しいサーカディアン性変動（0.5〜0.7℃）を示す．夜間睡眠し昼間覚醒しているヒト（たとえ入院してベッドで安静にしていても）では，ほぼ午前6時頃に体温は最低であり，夕方に最高となる（図17・12）．すなわち体温は睡眠中に最低であり，覚醒し，かつ，くつろいだ状態でやや高く，活動すると上昇する．女性ではこの他に1カ月を周期とする体温の変化があるが，これは排卵期の基礎体温の上昇として現れる（図22・14）．小児では体温調節は成人ほど精密には行われていない．小児では成人より0.5℃程度体温が高いのがふつうである．

運動中筋収縮によって発生した熱は体内に蓄積され，直腸温はふつう40℃（104°F）にも上昇する．この体温上昇の原因の一部は，体熱放散機序が産生された多量の体熱量を処理することができないことにある．一方，運動中体温が上昇すると体熱放散機序が活性化されることも示唆されている．体温はまた感情的に興奮した際にも軽度に上昇する．これはおそらく無意識的な筋の緊張による．代謝率が高い時（たとえば甲状腺機能亢進症など）には体温は持続的に0.5℃も高くなるし，その逆の時（たとえば甲状腺機能低下症など）には正常より低くなる（図17・12）．また，明らかに正常の成人でも慢性的に正常体温の範囲より高体温（体質性高体温症）のヒトもいる．

熱産生

各種各様の基本的化学反応が絶えず体熱産生にあずかっている．食物の摂取は体熱産生を高めるが，体熱の大きな源泉は骨格筋の収縮である（表17・3）．食物の摂取や筋運動がなくても内分泌腺のはたらきによって熱産生は変化しうる．アドレナリンとノルアドレナリンは急速に熱産生を増加させるが，これは短時間しか続かない．これに対し，甲状腺ホルモンはゆっくりではあるが長時間にわたって熱産生を増加させる．さらに交感神経活動は絶食中減少し，摂食によって増加する．

特に新生児では相当の体熱の源は，**褐色脂肪組織 brown adipose tissue（BAT）**である．この脂肪は代謝速度が速く（細胞は多数のミトコンドリアを含む），その熱産生機能は電気毛布にたとえられる．冷刺激で誘導された褐色脂肪組織の活性は，ヒトで熱産生とエネルギー消費を増幅し，糖代謝と貯蔵脂肪利用の効率的な効果をもたらす．

表17·3 体熱の産生と体熱の損失

体熱を産生する要因：	
基礎代謝過程	
食物摂取（特異動的作用）	
筋活動	
体熱を損失させる要因：	21℃における体熱損失の割合(%)
放射と伝導	70
汗の蒸発	27
呼吸	2
排尿と排便	1

熱損失（熱喪失）

環境温度が体温より低い時，体熱を損失する要因を表17·3に示す．**伝導 conduction** とは，互いに接している異なった温度の物体間の熱交換である．伝導の基本的特徴とは次のようなものである．分子は運動しており，その運動量は温度に比例して増大する．温かい物体の分子は冷たい物体の分子と衝突し，冷たい物体に熱エネルギーを伝える．伝達される熱の量は接触している物体間の温度差（**温度勾配 thermal gradient**）に比例する．伝導は，**対流 convection** と呼ばれる分子が接触していない領域へ移動する過程によってさらに促進される．たとえば，空気が異なる温度の物体と接していると，その空気の比重が変化する．そして温められた空気は上昇し冷たい空気は下降するので，新しい空気が物体に接触することになる．対流は物体がある媒体の中を移動したり，あるいは物体の周りの媒体が移動すると著しく促進される．たとえば，人が水中で泳ぐ時や，扇風機で部屋の空気を送風する時である．**放射 radiation** とは，赤外線電磁気放射によって，熱がある物体からそれとは接していない異なる温度の他の物体へ伝達されることである．寒い環境では熱は身体から周囲の空気中へ伝導によって，また近くの寒冷物体へ放射によって失われる．逆に環境温が体温より高くなると，同様の過程によって熱が身体に伝達されて身体の熱負荷が増す．たとえ室内が暖かくとも，壁が冷たい部屋に入ると，放射によって冷え冷えとした感じを受けるものである．寒いけれど太陽の輝いている日には，明るい物体から反射された太陽熱は相当な加温作用をもっている．たとえば，気温が氷点下であっても比較的薄着でスキーをすることができるのは，雪から反射される熱による．

熱の伝導はある物体の表面から他の物体の表面へ向かって起こるものであるから，皮膚温は体熱が失われるか得られるかの程度を決める大きな因子である．深部組織から皮膚に達する熱の量は皮膚への血流を変化させることによって変えることができる．すなわち，皮膚血管が拡張すると温かい血液が皮膚に流入するが，血管が最大限に収縮すると体熱は体中心部に温存される．深部組織から皮膚へ熱が伝達される程度を**組織コンダクタンス tissue conductance** という．さらに鳥類には皮膚にすぐ接して羽毛の層があり，哺乳類の多くには毛髪か柔毛のかなりの層がある．熱は皮膚から，この層に包みこまれている空気へ伝導され，さらにこの空気層から外気へ伝導される．羽毛をふくらませるか，毛を立てる（**立毛 horripilation**）かして，この空気層の厚さを増すと，この層を通る熱の伝導が減り，熱損失（または，熱い環境では熱獲得）が減少する．ヒトで見られる"鳥肌 goose pimple"は立毛現象であるが，これは，毛がやや少ない部位にある立毛筋が寒さで収縮したためにはっきりと目に見えるようになった現象である．ヒトはふつうこの空気層を何層かの衣服の層で補う．この場合には，熱は皮膚から衣服によって包みこまれている空気層へ，衣服の内面からその外面へ，そして衣服の外面から外気へと伝導される．衣服を通過伝導する熱の量は，衣服の織り方と厚さとによるが，これはまた，衣服が暖かく感じるか冷たく感じるかを決める重要な因子でもある．しかし，その他の因子，特に包みこまれた暖かい空気層の厚さも大切な因子である．黒い衣服は放射熱を吸収し，明るい色の衣服は放射熱を外界に反射する．

ヒトやその他の発汗動物で，身体から熱を移動させるためのもう1つ大切な過程は，皮膚や口腔や気道の粘膜からの水の蒸発である．1gの水の蒸発は約0.6 kcalの熱を奪う．ある程度の水は絶えず蒸発している．この**不感蒸泄 insensible water loss** はヒトで50 mL/時に達する．発汗が増加する時，その汗が蒸発する程度は環境の湿度による．よく知られているように，湿度の高い日は暑く感じるものである．この原因の一部は汗の蒸発が不十分であることだが，しかし，汗の蒸発が完全であるような条件下でも，湿気のある環境では乾燥した環境より暑く感じる．この違いの起こる理由はわからないが，湿った環境では蒸発する前に汗が広い皮膚面に広がることと関係するようである．暑い環境で筋運動をすると発汗量は1600 mL/時に及び，乾いた外気の下ではこの汗の大部分が蒸発する．そこで水分の蒸発による熱損失は30から900 kcal/時以上に変化し得る．

哺乳類の中には**浅速呼吸 panting**によって熱損失を行うものがある．この急速な浅い呼吸は，口腔や気道からの水分蒸発量を増加させて，多量の熱を失わせる．しかし，呼吸が浅いので肺胞気のガス組成はあまり変わらない(34章参照)．

身体からの熱移動には，いろいろな過程があるが(表17・3)，その各々が相対的にどの程度関与しているかは環境温度によって変化する．21℃で安静にしているヒトでは蒸発は軽度にしか関係していない．環境温度が体温に近づくにつれ放射による熱損失は減り，蒸発による熱損失が増えてくる．

体温調節機序

反射的および半反射的体温調節反応を**表17・4**に示す．この中には，自律神経性，体性神経性，内分泌性および行動上の諸変化が含まれている．熱損失を増大させ，熱産生を減少させる反応と，熱損失を減少させ，熱産生を増大させる反応とがある．一般的に温熱曝露は前者の反応を誘起して後者の反応を抑制するが，寒冷曝露はその逆の変化を起こす．

表17・4 体温調節の機序*

寒冷によって駆動される機序
熱産生増加
ふるえ
食欲亢進
随意運動増加
ノルアドレナリンおよびアドレナリンの分泌増加
熱損失減少
皮膚血管の収縮
身体を丸める
鳥肌
温熱によって駆動される機序
熱損失増加
皮膚血管の拡張
発汗
呼吸増加
熱産生減少
食欲不振
無関心と無力症

*訳注：原書の表をよりわかりやすく改変した．

"ボールのように"丸くなることは動物の寒さに対するふつうの反応である．これは，冷たいベッドに体を丸めて潜り込むヒトに似た格好である．体を丸めることは外気に露出する体表面積を減少させることになる．ふるえ shivering は骨格筋の不随意的な反応であるが，寒さにより半ば意識的にも全身の運動機能が増大する．たとえば，寒い日に足踏みしたり，飛んだり跳ねたりすることなどである．カテコールアミン分泌の増加は寒さに対する重要な内分泌性反応である．ドーパミンβ-ヒドロキシラーゼ遺伝子をノックアウトされたマウスはノルアドレナリンとアドレナリンを産生できないため，寒さに耐えることができない．それらのマウスでは血管収縮が欠如し，脱共役タンパク質 uncoupling protein(UCP1)を介する褐色脂肪組織での産熱増加ができない．実験動物では，TSHは低温で増加し，高温で減少する．しかし成人では低温におけるTSH分泌の変動は少なく，ほとんど問題にならない．暑い時に体の動きが低下すること("暑くて動くのも苦しい"反応)は周知の事柄である．

体温調節には局所性反応と全身性の反射性反応が含まれている．皮膚血管の温度が低下すると，カテコールアミンに対する感受性が増大し，細動脈や細静脈が収縮する．この寒さによる局所効果によって，血液は皮膚から体内へ移動する．四肢においては，動脈から静脈血へ熱を伝達するという熱保存機構がある．これは特に冷水中に生息する動物で重要な意味をもつ．四肢に分布する動脈と平行して，深層性の静脈(**伴行静脈 venae comitantes**)が走行し，四肢に向かう温かい動脈血から，四肢末端から戻ってくる冷たい静脈血に熱が伝達される(**対向流交換 countercurrent exchange**, 37章参照)．この機構により，四肢先端の温度を保つことはできないが，体幹の熱が温存される．

寒さによって引き起こされる反射は視床下部の後部によって制御されている．これに対し，暑さによって引き起こされる反射は主として視床下部の前部によって制御されている．ただし，熱に対するいくつかの温度調節は中脳前部で除脳した後もなお起こりうる．視床下部の前部を刺激すると皮膚の血管拡張と発汗が起こり，この部位を損傷すると体温上昇を招来し，直腸温は時に43℃(109.4°F)に達する．視床下部の後部を刺激するとふるえを起こす．この部位の損傷により動物の体温は低下して環境温度に近づく．

求心性線維

視床下部は皮膚，深部組織，脊髄，視床下部以外の脳領域，そして視床下部それ自体における感覚受容器（主に冷受容器）からの体温情報を統合するといわれている．これらの5つの入力は，各々，統合される情報の約20％分に関与している．主な体温調節反応それぞれには閾温度があり，閾温度に達すると反応が開始する．発汗と血管拡張の閾温度は37℃，血管収縮の閾温度は36.8℃，非ふるえ熱産生の閾温度は36℃，ふるえの閾温度は35.5℃である．

発　　熱

発熱はおそらく病気の目印として最も古く，しかも一般に知られているものである．発熱は哺乳類のみでなく鳥類，爬虫類，両生類と魚類でも起こる．恒温動物では発熱時には体温調節機序はあたかも正常より高いレベルで体温を維持しているかのようにはたらいている．すなわち，"恒温装置の設定値が37℃以上の温度にセットし直されたかのように"はたらく．したがって温度受容器は実際の温度が新たにセットされた点よりも低いという情報を送り体温上昇機構が活動する．その結果，一般に皮膚血管収縮が起こり，悪寒，ふるえをも引き起こす．ただしこの反応の性質は周囲の温度に依存する．実験動物に発熱物質を注入した場合，体温上昇がみられるが，これは低温の環境では熱産生の増加，高温の環境では熱損失の低下に基づく．

発熱の病因を図17・13に示す．内毒素などの細菌毒素は，単球，マクロファージ，Kupffer〔クッパー〕細胞に作用して**内因性発熱物質** endogenous pyrogen (**EP**)として作用するサイトカイン cytokine を産生する．インターロイキン1β (IL-1β), IL-6, インターフェロンβ (IFN-β), IFN-γ, 腫瘍壊死因子(TNF-α) (3章参照)は，独立に発熱を起こしうる．これらの循環血中のサイトカインはポリペプチドなので，循環血中から脳内に入るとは考えにくい．むしろこれらは脳室周囲器官(33章参照)の1つである終板器官(OVLT)に作用することが示唆されている．それによって視床下部の視索前野を活性化する．サイトカインはまた中枢神経系の細胞が感染によって刺激された時に，その細胞で生成される．このようにしてできたサイトカインは，直接体温調節中枢に作用すると考えられる．

サイトカインによって起こる発熱は，視床下部内にプロスタグランジン(PG)が局所的に放出されるため

図17・13 発熱の病因.

と考えられる．プロスタグランジンを視床下部に注入すると発熱する．さらにアスピリン aspirin の解熱効果は視床下部に対する直接作用の結果であり，アスピリンはプロスタグランジンの合成を阻止する．PGE_2は発熱を起こすプロスタグランジンの1つである．PGE_2はプロスタグランジンの4つのサブタイプ受容体，すなわち EP_1, EP_2, EP_3, EP_4 受容体に作用する．EP_3受容体をノックアウトするとPGE_2やIL-1β, 内毒素すなわち細菌性リポ多糖類[*3] bacterial lipopolysaccharide(LPS)に対して発熱しなくなる．

生体にとって発熱することが有利かどうかは不明である．感染症やその他の疾患に対する反応として発熱が続くので，おそらく有利なのであろう．多くの微生物の増殖の至適温度範囲は比較的狭いので，体温の上昇は微生物の成長を妨げる．さらに体温上昇時には抗体産生が増大する．抗生物質の発見以前は，神経梅毒の治療として発熱を人工的に起こすことが行われており，それが有効であることも証明されていた．炭疽，肺炎球菌性肺炎，Hansen〔ハンセン〕病および種々の真菌性，リケッチア性，ウイルス性疾患の場合にも発熱は有利である．また高体温はある種の腫瘍の成長を遅らせる．しかしながら非常に高い体温は有害である．直腸温が長時間41℃(106°F)以上になっていると，若干の永続的な脳障害が起こる．直腸温が43℃を超すと熱射病 heat stroke が起こり，通例，死に至る．

[*3]訳注：脂質と炭水化物の化合物あるいは複合体のことで，特にグラム陰性菌の細胞壁から遊離される．

悪性高熱症 malignant hyperthermia では，リアノジン受容体（5章参照）に対する遺伝子コードが種々に変異しているため，ストレスによって引き起こされた骨格筋収縮中に Ca^{2-} が過剰に放出される．そのため筋収縮が亢進して筋代謝が高まり，筋肉での熱産生が著しく上昇する．産熱亢進により体温は著しく高くなり，治療しないと致命的となる．

ヒトの周期熱も遺伝子の変異，すなわち，好中球にあるタンパク質のピリン pyrin に対する遺伝子変異，コレステロール合成に関与する酵素であるメバロン酸キナーゼに対する遺伝子変異，炎症反応に関与する1型TNF受容体に対する遺伝子変異によって起こる．しかし，これらの3つの変異遺伝子産物がどのようにして発熱の原因になるのかは不明である．

低体温

冬眠する哺乳類 hibernating mammal では体温は低くなるが，それにより冬眠から覚めた後に残る悪い影響は生じない．この観察から低体温を起こす実験が行われるようになった．非冬眠動物もしくはヒトにおいて皮膚または血液を冷やすことによって体温を低下させると，代謝や生理機能が低下する．呼吸や心拍数は非常に緩慢となり，血圧は低下し，意識も失われる．直腸温が約28℃になると，自然に正常体温に戻る能力が失われてしまう．しかし，その個体は死ぬことはなく，もし外部から再び暖めると正常の状態に戻る．組織に結水が起こらないよう注意すれば，再加温後に障害を少しも起こさぬように実験動物の体温を氷点以下に下げることもできる．

ヒトは永続的悪影響を来すことなしに21～24℃（70～75°F）の体温に耐えられる．この低体温は外科領域で利用されている．一方，冷たい空気や冷水に長時間曝されて低体温になってしまった場合は非常に危険な状態である．注意深く監視し，迅速に再び暖める必要がある．

章のまとめ

- 視床下部と下垂体後葉は神経連絡が，視床下部と下垂体前葉は血管連絡がある．
- 多くの哺乳類で下垂体後葉から分泌されるホルモンはバソプレシンとオキシトシンである．バソプレシンは腎臓の集合管の水透過性を高めて尿を濃縮する．オキシトシンは乳腺（射乳）と子宮筋（収縮）に作用する．
- 下垂体前葉は6つのホルモンを分泌する，すなわち副腎皮質刺激ホルモン（コルチコトロピン，ACTH），甲状腺刺激ホルモン（サイロトロピン，TSH），成長ホルモン（GH），卵胞刺激ホルモン（FSH），黄体形成ホルモン（LH）およびプロラクチン（PRL）である．
- 体内環境の化学的一定性と体温を維持する他の複雑な自律機構（渇きや体温調節のような）は視床下部で統合される．

多肢選択式問題

正しい答えを1つ選びなさい．

1. 渇き感覚を起こすのはどれか．
   A．血漿浸透圧の増加と血漿量の増加
   B．血漿浸透圧の増加と血漿量の減少
   C．血漿浸透圧の減少と血漿量の増加
   D．血漿浸透圧の減少と血漿量の減少
   E．視床下部へのバソプレシンの注入

2. 室温21℃（69.8°F）で湿度80％の部屋に裸でいる時に体熱は何によって最も失われるか．
   A．代謝の増大
   B．呼吸
   C．排尿
   D．汗の蒸発
   E．放射と伝導

質問3.～8.では，バソプレシン受容体に関して，次のいずれか（A～D）を選びなさい．

   A．V_{1A} 受容体に関係する
   B．V_2 受容体に関係する
   C．V_{1A} 受容体と V_2 受容体の両方に関係する
   D．V_{1A} 受容体と V_2 受容体のどちらにも関係しない

3. Gsタンパク質の活性化

4. 血管収縮

5．細胞内イノシトール三リン酸の増加　　7．タンパク尿

6．アクアポリンの移動　　8．射乳

CHAPTER 18

下 垂 体

学習目標
本章習得のポイント

- 下垂体の発生と構造，および視床下部との関係を説明できる
- 下垂体前葉および後葉から分泌されるホルモンとそれぞれの標的器官を同定できる．そして，生理的要求に反応して，下垂体前葉にある多種細胞の細胞数がどのように制御されるか説明できる
- プロオピオメラノコルチン（POMC）から誘導されるホルモン類の機能，およびそれらのホルモンが皮膚色の調節にどのように関与するか理解する
- 成長ホルモンがどのように下垂体前葉から分泌され，循環して，受容体を活性化するか，また，成長ホルモン分泌刺激の調節機構について説明できる
- 成長と代謝機能における成長ホルモンの役割，および，末梢器官で，インスリン様成長因子などのソマトメジンが，成長ホルモン作用の一部にどのように介在しているか理解する
- ヒトの成長の正常な時間的経過を提示し，成長ホルモン以外に成長調節に関与する因子を規定できる
- ゴナドトロピンとプロラクチンが下垂体から分泌されることを知るとともに，分泌の調節機構，および生殖組織におけるこれらのホルモンの作用を理解する
- 下垂体機能が異常となる原因を理解し，その場合どのように治療できるか理解する

■ はじめに

下垂体 pituitary gland（または hypophysis）は脳底蝶形骨のくぼみ（トルコ鞍）に位置し，視床下部と深く関係している（図17・2参照）．また，多くの内分泌腺（そのいくつかについては次の章以降で述べる）を支配・制御する中枢として機能する．下垂体は2つの独立の内分泌器官からなり，ホルモン活性をもつ物質で満たされている．下垂体前葉は**甲状腺刺激ホルモン thyroid-stimulating hormone（TSH，サイロトロピン thyrotropin）**，**副腎皮質刺激ホルモン adrenocorticotropic hormone（ACTH）**，**黄体形成ホルモン luteinizing hormone（LH）**，**卵胞刺激ホルモン follicle-stimulating hormone（FSH）**，**プロラクチン prolactin，成長ホルモン growth hormone（GH）**を分泌し（図17・9参照），視床下部直下の正中隆起に起る下垂体門脈からほぼすべての血液供給を受ける．この脈管系によって下垂体細胞は視床下部から放出される調節因子に効率的に反応することができる．上記のホルモンのうち，プロラクチンは乳房（乳腺組織）に作用する．残る5つのホルモンは**刺激ホルモン tropic hormone**である．すなわち，これらのホルモンは他の内分泌腺を刺激してホルモン分泌を起こすか，成長ホルモンのように肝臓や他の組織に作用する（後述）．特定の内分泌器官に作用する刺激ホルモンについては，その腺の章で論じる．TSH は 20 章で，ACTH は 19 章で，また性腺刺激ホルモンである FSH と LH およびプロラクチンについてはこの章で論じる．種によっては下垂体中葉がよく発達していて，プロオピオメラノコルチン proopiomelanocortin（POMC）に由来するホルモンを分泌し皮膚色素沈着などを調節す

る．ヒトでは，中葉は痕跡的であり，そして，POMCから派生するホルモンを分泌する細胞は下垂体前葉に存在する．

哺乳類の下垂体後葉は細胞体を視床下部にもつニューロンの軸索からなり，軸索末端に蓄えられた**オキシトシン oxytocin** と**バソプレシン vasopressin** を血流中に放出する．これらのホルモンの分泌と下垂体前葉・後葉を制御する視床下部と正中隆起の役割については17章で述べた．

重複を避けるために，この章では成長ホルモンに重点を置き，成長における役割とその他のホルモンへの活性促進作用について述べ，下垂体に関する一般的な説明も加える．下垂体中葉のメラノサイト(メラニン細胞，色素細胞)刺激ホルモン(α-MSH，β-MSH)についても触れる．

下垂体の発生，形態，および細胞の種類

肉眼的解剖

下垂体の解剖は図18·1に略図を示した．詳しくは17章で述べた．下垂体後葉の大部分は視床下部の視索上核と室傍核に細胞体をもつニューロンの軸索末端からなり，これらの核の延長として発生する．一方，下垂体前葉は内分泌細胞で構成され，胎生期の咽頭部膨出(**Rathke〔ラトケ〕嚢**)から始まる．下垂体中葉がよく発達した種においては，中葉は胎生期においてRathke囊の背側半分から形成されるが，成熟すると下垂体後葉と密着する．中葉はRathke囊の中空部の遺残物である**遺残溝 residual cleft** によって前葉と分別される．

組織学的所見

後葉には視索上核，室傍核から伸びてきた神経軸索の終末が血管に密に接しているのが観察される．後葉にはアストロサイトと共通の起原をもつ，星状の**ピチュイサイト pituicyte** も存在する．

上述のように，ヒトおよびいくつかの哺乳類では中葉は痕跡的であり，中葉に由来する細胞は前葉に存在する．下垂体前葉は交錯した細胞列から成り立ち，その間に洞様毛細血管 sinusoidal capillary が発達している．洞様毛細血管の内皮には他の内分泌器官の場合と同様に窓構造 fenestration がある．前葉細胞はホルモンを貯蔵する顆粒をもつ．顆粒中に含まれるホルモンは，エキソサイトーシス(開口放出) exocytosis によって細胞外に放出され，毛細血管に取り込まれ，血流によって標的器官に運ばれる．

前葉細胞の種類

ヒト下垂体前葉の細胞には，免疫細胞化学や電子顕微鏡による観察から，5種類の分泌細胞が確認されている．これらの細胞は，成長ホルモンを分泌するソマトトローフ somatotroph，プロラクチンを分泌するラクトトローフ lactotroph (マンモトローフ mammotroph とも呼ばれる)，ACTHを分泌するコルチコトローフ corticotroph，TSHを分泌するサイロトローフ thyrotroph，FSHとLHを分泌するゴナドトローフ gonadotroph である．これらの細胞の特徴を表18·1に示す．細胞によっては複数のホルモンをもつ場合もある．FSH，LH，TSH は糖タンパク質ホルモンであり，2つのサブユニットからなる．これらのホルモンのαサブユニットは単一の遺伝子に由来し，共通のアミノ酸配列を有しているが，糖鎖残基は異なる．αサブユニットはそれぞれのホルモンに特徴的なβサブユニットと結合し，最大の生理活性を示すようになる．各ホルモンのβサブユニットは固有の遺伝子に由来し，構造が異なっているためホルモンの特異性を決定する(16章参照)．αサブユニットは互換性に富み，容易にハイブリッド hybrid 分子が作られる．

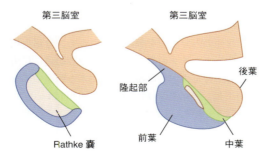

図18·1 ヒト下垂体各部の発生の概略(左)と成人における各部位(右)の略図．

表 18・1　ヒト下垂体前葉のホルモン分泌細胞

細胞のタイプ	分泌される ホルモン	分泌細胞中に 占める割合(％)
ソマトトローフ	成長ホルモン	50
ラクトトローフ	プロラクチン	10〜30
コルチコトローフ	ACTH	10
サイロトローフ	TSH	5
ゴナドトローフ	FSH, LH	20

ACTH：副腎皮質刺激ホルモン，FSH：卵胞刺激ホルモン，LH：黄体形成ホルモン，TSH：甲状腺刺激ホルモン．

　下垂体前葉には，濾胞星状細胞 folliculostellate cell が存在し，分泌細胞の間に突起を伸ばしている．濾胞星状細胞はパラクリン因子を産生し，上記の分泌細胞の成長や機能を調節している．下垂体前葉は，発達段階に応じて細胞種の比率を調節し，身体のホルモン要求性に応えている．このような可塑性は，成熟後の下垂体にも存在する少数の多能性幹細胞 pluripotent stem cell によることが最近明らかになった．

プロオピオメラノコルチンと誘導体の合成と機能

生 合 成

　前葉のコルチコトローフ（中葉が存在する場合は中葉の細胞）は大分子の前駆タンパク質[*1]を産生しており，この前駆タンパク質が酵素反応で切断されて一群のホルモンを生成する．前駆タンパク質からシグナルペプチドが切り離され，POMC が生成する．POMC 分子は視床下部，肺，消化管，胎盤でも産生される．POMC とその誘導体の構造を図 18・2 に示す．コルチコトローフでは，POMC の加水分解によって ACTH，βリポトロピン β-lipotropin（β-LPH）と少量のβエンドルフィンが生成・分泌される．主に中葉細胞では，POMC のさらなる加水分解によってコルチコトロピン様中葉ペプチド corticotropin-like intermediate-lobe peptide（CLIP），γ-LPH と測定可能量のβエンドルフィンが生成される．CLIP とγ-LPH の機能はわからないが，βエンドルフィンはオピオイドペプチド（7 章参照）の 1 つで，その N 末端に 5 個のアミノ

[*1] 訳注：プレプロオピオメラノコルチン．

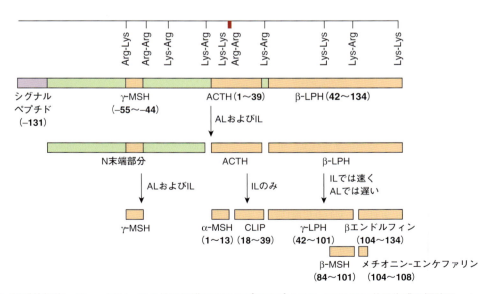

図 18・2　下垂体細胞，ニューロン，その他の組織におけるプロオピオメラノコルチン分子生成の概略図．カッコ内の数字は各部分ポリペプチドのアミノ酸連鎖を表している．Lys–Arg およびその他の塩基性アミノ酸対（Arg–Arg, Arg–Lys, Lys–Lys）の位置についても表示している．これらの部位でタンパク質分解酵素により切断され，親分子からいくつかのペプチドが生成される．ACTH：副腎皮質刺激ホルモン，AL：前葉，CLIP：コルチコトロピン様中葉ペプチド，IL：中葉，LPH：リポトロピン，MSH：メラニン細胞刺激ホルモン．

酸からなるメチオニン-エンケファリンの配列をもつ．**メラノトロピン** melanotropin［メラニン細胞刺激ホルモン melanocyte-stimulating hormone(MSH)］に属する α-MSH と β-MSH も生成される．しかしヒト成人では分泌されない．ヒト以外のいくつかの種では，後述のごとくメラノトロピンは重要な生理機能をもつ．

体色の調節と色素異常

　魚類，爬虫類，両生類は体温調節や偽装(カモフラージュ)，グループ内での地位の誇示のような行動といった目的で体色を変化させる．体色の変化は黒色色素細胞(**メラノフォア** melanophore)という黒あるいは茶色の顆粒を含む色素細胞において，顆粒が拡散したり凝集したりして起こる．色素顆粒は，チロシンからドーパ(7章参照)，ドーパキノンを経て生成される**メラニン** melanin を含んでいる．顆粒の動きは α-MSH や β-MSH，メラニン凝集ホルモン，メラトニン，カテコールアミンといった，ホルモンや神経伝達物質により調節される．

　哺乳類は色素顆粒が拡散・凝集する色素細胞をもたないが，代わりに，**メラノサイト** melanocyte (メラニン細胞)をもつ．メラノサイトはメラニン顆粒を有する多数の突起をもち，**メラノトロピン-1** melanotropin-1 受容体を発現している．MSH 投与によりメラニン合成が促進され，ヒトでは 24 時間以内に皮膚が目立って黒褐色化する．上述のごとく，成人の血液中には α-MSH や β-MSH は存在せず，それらの機能は不明であるが，ACTH がメラノトロピン-1 受容体に結合する．したがっていくつかの内分泌疾患でみられる色素沈着異常は循環血中の ACTH 量の変化によって起こる．たとえば，全身の異常な蒼白化は下垂体機能低下症の特徴の1つである．原発性副腎疾患による副腎機能不全の患者では色素沈着過剰がみられる．ACTH 分泌が保たれて初めて色素沈着が起こるから，副腎機能不全に伴って色素沈着過剰が起こる場合には，血漿 ACTH が増えることのない視床下部や下垂体の機能不全に起因する二次的な副腎機能不全である可能性は除外される(19章参照)．末梢に起因する色素異常もある．たとえば，**白皮症(アルビーノ)** albino ではメラニン合成能が先天的に欠落している．メラニン合成経路における様々な独立した遺伝的欠損により白皮症が発現する．**限局性白皮症(まだら症)** piebaldism はメラニンを欠く皮膚の斑点が特徴で，胎生発育期に神経稜からメラノサイト前駆細胞が移動してくる過程に先天性欠落があることによって起こる．この前駆細胞移動障害ばかりでなく，色素欠落パターンそのものも，世代から世代へと継代されていく．生後に始まり徐々に進行する**白斑** vitiligo はメラノサイトに対する自己免疫が原因である．

成長ホルモンの分泌

生合成と化学

　ヒトの第17番染色体上に，以下の5遺伝子からなる成長ホルモン(hGH)-絨毛性ソマトマンモトロピン(hCS)遺伝子群が存在する．(1) hGH-N (normal の略)：最も普遍的な"正常"成長ホルモンの遺伝子，(2) hGH-V (variant の略)：変異型成長ホルモンの遺伝子，(3)と(4) hCS の2つの遺伝子(22章参照)，(5) おそらく hCS の偽遺伝子 hGH-N のみが下垂体から分泌される．hGH-V と hCS は主に胎盤で産生されるため，妊娠中のみ血中で検出される(22章参照)．

　成長ホルモンの構造は動物種によってかなり異なっている．ブタとサルの成長ホルモンは，モルモットには一過性の効果しかない．ウシやブタの成長ホルモンは，サルやヒトにはまったく無効である．サルやヒトの成長ホルモンはサルにもヒトにも完全な効果を現す．これらの事実は，酪農製品に含まれるウシ成長ホルモン(乳量を上げるために使用)やインターネット販売されている，ボディビルダーの間で人気の高い成長ホルモンサプリメントの健康上の問題と関連する．また，よく問題になるのは，遺伝子組換えにより作られた hGH が，成長ホルモン欠乏のない低身長児の治療には限定的な効果しか示さないことである．

血漿中濃度，結合タンパク質と代謝

　循環血中の成長ホルモンの一部は，成長ホルモン受容体の細胞外領域の断片である血漿タンパク質に結合している(後述)．このタンパク質はヒトでは受容体の分解によって生じ，その濃度は組織中の成長ホルモン受容体の数の指標になる．循環血中の成長ホルモン活性の約半分は結合型であり，成長ホルモン分泌における大きな変動を補償する予備としてはたらいている(後述)．

　ラジオイムノアッセイ法で測定された成人の成長ホルモン血漿濃度基礎値は，3 ng/mL 以下である．この値は遊離型と結合型を含めたものである．成長ホルモンは，少なくとも一部は肝臓で，速やかに代謝される．ヒト血中の成長ホルモンの半減期は6〜20分で

あり，成人における分泌量は 0.2〜1.0 mg/日と計算されている．

成長ホルモン分泌の視床下部性調節と末梢からの制御

　成長ホルモンの分泌は，一生を通して一定ではない．循環成長ホルモンレベルは思春期において最も高く，次いで幼少期，成人と続く．老年期になると成長ホルモンレベルは著しく減少するが，老化を押しとどめる試みとして成長ホルモンの注射が大変注目されている．成長ホルモンの分泌は，発達段階における変動に加え，日内変動も知られている．成長ホルモンは，放出に対する特別な刺激がこない限り，日中は比較的低いレベルに保たれている（後述）．一方，睡眠時には，成長ホルモンの大きなパルス状分泌が連続して起こる．それゆえ，成長ホルモンの分泌が視床下部の支配下にあることは明白である．視床下部は，**成長ホルモン放出ホルモン** growth hormone-releasing hormone（**GHRH**）と成長ホルモン放出を抑制するソマトスタチン（17章参照）の分泌によって成長ホルモン産生を調節している．このように下垂体における視床下部因子による各種の効果のバランスによって成長ホルモンの放出レベルは決定されるのである．したがって，成長ホルモン分泌の刺激は，視床下部におけるGHRHの分泌増加かソマトスタチンの分泌抑制あるいはその両者によってもたらされる．第三の成長ホルモン分泌制御因子は**グレリン ghrelin**である．グレリンの合成と分泌は主に胃で起こるが，視床下部でも合成されており，強力な成長ホルモン放出作用を示す．またグレリンは摂食調節にも関与している（26章参照）．

　成長ホルモン分泌は，他の下垂体前葉ホルモンの分泌と同じように，フィードバック制御の下にある（16章参照）．成長ホルモンは視床下部に作用し，GHRH放出を抑制する．成長ホルモンは循環血中 IGF-I を上昇させ，IGF-I は逆に下垂体からの成長ホルモン分泌を直接抑制する．IGF-I はまた，ソマトスタチン分泌を刺激する（図 18・3）．

成長ホルモン分泌に影響するその他の刺激

　成人の基礎的な血漿成長ホルモン濃度は 0〜3 ng/mL である．しかし，分泌には変動があるため，1回の測定値をもって分泌速度を決定することはできない．測定は難しいものの，24時間の平均値（後述）やピーク値の方が重要な意味をもつだろう．成長ホルモン分泌を増大させるいろいろな刺激を表 18・2 にまと

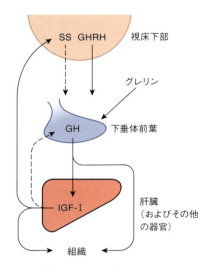

図 18・3 成長ホルモン分泌のフィードバック制御．実線矢印は促進効果を表し，破線矢印は抑制効果を表す．IGF-I は視床下部からのソマトスタチン（SS）分泌を刺激し，下垂体に直接作用して成長ホルモン（GH）を抑制する．GHRH：成長ホルモン放出ホルモン，IGF-I：インスリン様成長因子 I．

めた．分泌を増減させる刺激は次の3基本型に分類できる．(1) 低血糖または絶食のような条件．このような条件下では細胞のエネルギー産生に必要な基質が実際に減少しているか，減少するおそれがある，(2) 血漿中に特定のアミノ酸が増加するような条件，(3) 強いストレスとなる刺激．成長ホルモン分泌はレム睡眠を奪われたヒトで増加し（14章参照），正常のレム睡眠中に抑制される．

　グルコース輸液を行うと血漿成長ホルモン濃度は低下し，運動負荷に対するホルモン分泌反応は抑制される．2-デオキシグルコースを投与[*2]すると血漿成長ホルモン濃度が増大するのは，おそらく細胞内グルコースの欠乏のためである．なぜなら 2-デオキシグルコースはグルコース 6-リン酸の分解を阻害し細胞を飢餓状態にするからである．性ホルモンは，成長ホルモン分泌をもたらし，アルギニンやインスリンなどの誘発性刺激に対する成長ホルモンの諸反応を上昇させ，また，末梢では成長ホルモン作用の許容因子としてはたらく．おそらくこれが，思春期における成長ホ

[*2] 訳注：糖代謝の盛んな癌細胞や脳部位を実験的に描出する目的で，放射性同位元素でラベルした 2-デオキシグルコースによるオートラジオグラフィが用いられる．ヒト PET 検査（陽電子放射断層撮影法）ではフルオロデオキシグルコースが用いられる．

表 18・2　ヒト成長ホルモン分泌に影響を与える刺激

分泌を増大させる刺激
- 低血糖
- 2-デオキシグルコース
- 運動
- 絶食
- 特定のアミノ酸の循環血中濃度の増大
- タンパク質の摂取
- アルギニン，その他数種のアミノ酸の注射
- グルカゴン
- リジンバソプレシン
- 入眠
- L-ドーパおよび脳内に移行できるαアドレナリン作動薬
- アポモルヒネおよびその他のドーパミン受容体作動薬
- エストロゲンとアンドロゲン
- ストレス刺激(種々の心理的ストレスを含む)
- 発熱物質

分泌を低下させる刺激
- レム睡眠
- グルコース
- コルチゾル
- 遊離脂肪酸
- メドロキシプロゲステロン
- 成長ホルモン，GF-I

LGF-I：インスリン様成長因子．

ルモンの循環レベルの上昇と急激な成長促進に寄与しているのであろう．成長ホルモンの分泌は，甲状腺ホルモンによっても刺激される．一方，コルチゾル，遊離脂肪酸 free fatty acid(FFA)およびメドロキシプロゲステロンによって抑制を受ける．

成長ホルモンの分泌は，脳のドーパミンとノルアドレナリンの放出を増加させるL-ドーパによって促進され，ドーパミン受容体作動薬であるアポモルヒネによっても促進される．

成長ホルモン受容体

成長ホルモンの標的細胞における作用を仲介する受容体は，大きな細胞外領域，細胞膜貫通領域と大きな細胞内領域で構成される．この受容体はサイトカイン受容体スーパーファミリーに属している(3章参照)．成長ホルモン分子には受容体との結合部位が2つあり，1つが受容体のサブユニットと結合すると，他の結合部位がもう1つの受容体サブユニットを引き寄せホモ二量体 homodimer を形成する(図18・4)．受容体の活性化には二量体の形成が不可欠である．

成長ホルモンは以下に述べるような多彩な作用を及ぼす．(受容体を介した)細胞内における作用と全身に対する作用の対応は不明であるが，インスリンにみられるように，成長ホルモンが多数の異なった細胞内情報伝達カスケードを活性化しても不思議ではない(図18・4)．特に注目されるのは JAK2-STAT 経路の活性化である．JAK2 は Janus ファミリーに属する細胞質チロシンキナーゼである．STAT (signal transducers and activators of transcription)は一群の転写因子であり，JAK キナーゼでリン酸化されると核に移行し，様々な遺伝子を活性化する．JAK-STAT 経路はプロラクチンや種々の成長因子の作用発現にも関わる．

成長に対する成長ホルモンの作用

長骨の骨端がまだ融合していない(21章参照)若い動物で下垂体を摘出すると成長が止まり，成長ホルモンを投与すると成長が促進される．成長ホルモンにより軟骨形成が促進され，軟骨性骨端板の幅が広くなる．骨端板は長骨の骨端に，より多くの骨基質を形成し，身長を伸ばす．したがって，成長ホルモン投与が長期間にわたると巨人症 gigantism になる．

骨端板が閉鎖すると長骨の長軸方向の成長はもう起こらない．骨端板閉鎖後に過剰量の成長ホルモンが作用すると骨および軟組織が変形する．これはヒトでは**先端巨大症 acromegaly** と呼ばれ，ほとんどの内臓が大きくなる．また，体のタンパク質含量が増え，脂肪含量が減る(クリニカルボックス18・1)．

タンパク質および電解質代謝に及ぼす成長ホルモンの作用

成長ホルモンは，タンパク質同化ホルモンであり，窒素とリンの正のバランス，血漿リン(濃度あるいはレベル)の上昇，血中尿素窒素およびアミノ酸レベルの減少を起こす．成長ホルモン不足の成人に，遺伝子組換えで作られた成長ホルモンを投与すると筋肉質となり体脂肪が減少し，代謝率の上昇と血漿コレステ

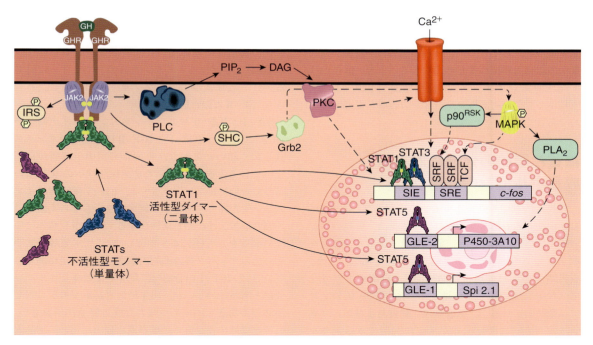

図 18・4 二量体の成長ホルモン受容体(GHR)により活性化される代表的な細胞内情報伝達経路．実証されている伝達経路は実線で，まだ確証されていない経路は破線で示してある．PLC 経路と Grb2 から MAP キナーゼ(MAPK)に至る経路の詳細は 2 章を参照．P(黄色六角形)は各々の因子のリン酸化を示す．GLE-1, GLE-2：インターフェロンγ依存反応因子，IRS：インスリン受容体基質，$p90^{RSK}$：S6 キナーゼの 1 つ，PLA_2：ホスホリパーゼ A_2，SIE：Sis-誘導因子，SRE：血清応答配列 serum response element，SRF：血清応答因子 serum response factor，TCF：三元複合体因子 ternary complex factor．〔訳注：他の略語の説明を以下に示す．c-fos：癌原遺伝子の 1 つで正常細胞では分化と増殖を制御，P450-3A10：シトクロム P450 3A10（別名リトコール酸ヒドロキシラーゼ，胆汁酸の 1 つであるリトコール酸は細胞増殖を抑制する），SHC：アダプタータンパク質の 1 つ Src homology 2 domain-containing transforming protein 1 の略，Spi 2.1：成長ホルモン依存性セリンプロテアーゼ抑制因子．〕

クリニカルボックス 18・1

巨人症と先端巨大症

　下垂体前葉ソマトトロフの腫瘍（下垂体腺腫）は大量の成長ホルモンを分泌し，小児では**巨人症 gigantism** を，成人では**先端巨大症 acromegaly** を起こす．思春期前に腫瘍が発生すると異常に身長が伸びる．身長の伸びが停止した後に腫瘍が発生した場合には，手足の肥大化，骨関節炎性の脊椎変化，軟組織の膨潤，多毛，額と顎の突出など，先端巨大症に特有の風貌が現れる．潜行性に起こる内臓諸器官の異常な肥大化は，放置しておくと，致命的な場合がある．先端巨大症の患者の 20〜40％は，成長ホルモンの過剰分泌だけでなく，プロラクチンの過剰分泌も示す．約 25％の先端巨大症患者は耐糖能に異常を示し，4％は妊娠を伴わない乳汁分泌を起こす．

　先端巨大症は下垂体以外に発生する成長ホルモン分泌腫瘍，あるいは成長ホルモン放出ホルモンを分泌する視床下部腫瘍でも起こるが，後者はまれである．

治療上のハイライト

　先端巨大症の治療においては，成長ホルモン分泌を抑制するソマトスタチン類似体（アナログ）の使用が主流である．現在，成長ホルモン受容体拮抗薬の使用が可能となっており，他の治療法があまり有効でない先端巨大症の患者で，症状の改善がみられたとの報告もある．また，下垂体腫瘍の外科的切除も，先端巨大症や巨人症の治療において有効であるが，時に腫瘍の侵襲性による危険も伴う．いずれにせよ術後の補助薬物療法は不可欠である．

ロール値の下降が起こる．消化管での Ca^{2+} 吸収も増加する．副腎に依存することなく Na^+ と K^+ の排泄が減少するが，おそらく，これらの電解質が腎臓から成長中の組織に運ばれると考えられる．一方，成長中は4-ヒドロキシプロリンの排泄が増加するが，これは成長ホルモンが可溶性コラーゲンの合成を促進するためである．

糖質と脂肪の代謝に対する成長ホルモンの作用

糖代謝に対する成長ホルモンの作用は24章で述べる．少なくともある種の成長ホルモンは，肝臓のグルコース放出量を増加させ，筋肉で抗インスリン作用を示すことで，糖尿病を引き起こす作用をもつ．また，成長ホルモンは血漿遊離脂肪酸(FFA)値を上昇させて，ケトン体の産生を促進する．血漿 FFA 値の上昇には数時間かかるが，低血糖症，絶食および強いストレスがかかった時に組織がすぐに利用できるエネルギー源となる．成長ホルモンは膵島 B(β)細胞を直接は刺激しないが，アルギニンやグルコースなどのインスリン生成(放出)刺激に対する B 細胞の反応性を高める．インスリンもタンパク質同化作用を有するので(24章参照)，この効果は成長ホルモンが成長を促すもう1つの機構である．

成長ホルモンにより分泌されるソマトメジン類の作用

成長ホルモンの成長促進効果や軟骨，タンパク質代謝に対する作用に，成長ホルモンとソマトメジン類との相互作用による．**ソマトメジン類 somatomedins** は，肝臓その他の組織から分泌されるポリペプチドの成長因子である．最初に分離された因子は，軟骨への硫酸塩の結合を促進する作用を有することから，硫酸塩付加因子 sulfation factor と呼ばれていた．しかし，この因子は，コラーゲン生成も促進するので，名称がソマトメジンに変えられた．その後，多種多様なソマトメジンの存在が知られるようになり，多様な組織と器官に作用を及ぼす**成長因子 growth factor** ファミリーの一員であることが明らかになった．

ヒトにおいて，循環血中の主要なソマトメジンはおそらく**インスリン様成長因子 I insulin-like growth factor I (IGF-I，ソマトメジン C somatomedin C)** と**インスリン様成長因子 II insulin-like growth factor II (IGF-II)** の2つである．これらの因子は，C鎖が切断されていないこと(図 18・5)と A 鎖の延長部に D 領域と呼ばれる部分を有していることを除けば，インスリンの構造によく似ている．リラキシン relaxin (22章参照)と呼ばれるホルモンもこのファミリーに属する．ヒトには2つのアイソフォームが存在し，どちらも IGF-II に似た構造をもつ．

IGF-I，IGF-II およびインスリンの特性比較を表 18・3 に示した．IGF-I と IGF-II は血漿中のタンパク質と強く結合しており，そのため血中半減期が長くなっている．血中のインスリン様活性への IGF 類の寄与については24章で述べる．IGF-I 受容体はインスリン受容体と非常によく似ており，おそらく同様の細胞内情報伝達経路を活性化する．IGF-II 受容体は独特の構造をもち(図 24・5 参照)，酸性加水分解酵素やその他のタンパク質の細胞内輸送の標的決定に関与している[*3]．IGF-I の分泌は，胎児期には成長ホルモン分泌と関わりがないが，出生後は成長ホルモンの刺激が必要である．IGF-I は強力な成長促進作用をもつ．血中濃度は小児で高く，思春期に頂値に達し，加齢とともに低下する．IGF-II は成長ホルモンの影響をほとんど受けることなく，胎児の成長に関与している．IGF-II が過剰発現すると，ヒト胎児では舌をはじめと

[*3] 訳注：IGF-II 受容体の細胞内領域にはキナーゼ活性が存在しない．IGF-II を細胞内に取り込んで分解するスカベンジャー受容体であり，その機能は血中 IGF-II 量の調節と考えられる．

表 18・3 インスリンとインスリン様成長因子(IGF)の比較

	インスリン	IGF-I	IGF-II
別称	—	ソマトメジン C	増殖刺激活性物質(MSA)
アミノ酸数	51	70	67
産生組織	膵 β 細胞	肝臓その他の組織	種々の組織
濃度制御物質	グルコース	成長ホルモン(生後)，栄養状態	不明
血漿濃度	0.3〜2 ng/mL	10〜700 ng/mL，思春期に最大	300〜800 ng/mL
血漿結合タンパク質	なし	あり	あり
主な生理作用	代謝調節	骨格と軟骨の成長	胎児期の成長

```
                    B                           C                      A                    D
           I----------------------II----------II--------------------II-----I
hIGF-I     GPETLCGAELVDALQFVCGDRGFYFNKPTGYGSSSRRAPQTGIVDECCFRSCDLRRLEMYCAPLKPAKSA
hIGF-II    AYRPSETLCGGELVDTLQFVCGDRGFYFSRPA--SRVSRRSR--GIVEECCFRSCDLALLETYCAT--PAKSE
h ins      FVNQHLCGSHLVEALYLVCGERGFFYTPKT            GIVEQCCTSICSLYQLENYCN
```

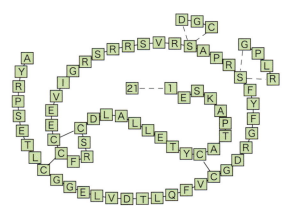

図 18・5 ヒト IGF-I (hIGF-I), IGF-II (hIGF-II) とヒトインスリン (h ins) のアミノ酸配列(上図)およびヒト IGF-II の構造(下図). 下図はジスルフィド結合と 3 つの変異(C 末端への 21 個のアミノ酸付加, 29 位セリンの 4 アミノ酸残基による置換, 33 位セリンの 3 アミノ酸残基による置換)を示す.

する筋組織, 腎臓, 心臓, 肝臓などの臓器が異常に大きくなる. 成人では, IGF-II の遺伝子は脈絡叢と髄膜にのみ発現する.

成長ホルモンの直接作用と間接作用

　成長ホルモンの作用機構についての考え方は, 以下のように発展してきている. 成長ホルモンはもともと組織に直接作用して成長を引き起こすと考えられていた. その次にはソマトメジンを介してのみ作用すると考えられた. しかし, 成長ホルモンを脛骨骨端の一方に注射すると, 一方だけの軟骨幅の増大が起こり, 他の組織と同様に軟骨が IGF-I を生成する. これらの結果を説明する現在の仮説は, 成長ホルモンが軟骨に作用して幹細胞を IGF-I に反応する細胞に変換させ, 次いで局所で生成された IGF-I と循環血中 IGF-I とが軟骨を成長させるというものである. しかし, 下垂体摘除ラットに IGF-I を注入すると骨と体の成長を回復させるので, 循環血中の IGF-I の役割が依然として重要であることには変わりはない. すなわち, 成長ホルモンとソマトメジンは, 共同あるいは単独で作用し, 成長を促進すると考えられる.

　図 18・6 は現時点で考えられている成長ホルモンと IGF-I の作用を要約している. しかし, 成長ホルモンは循環血中の IGF-I, そして局所的に生成された IGF-I と種々の割合で結合し, この図に示した IGF-I の作用や効果の少なくとも一部に関与していると考えられる.

成長の時間的経過と調節因子

　成長ホルモンは, 胎児の発達にはあまり重要ではないが, 出生後の成長では最も重要なホルモンである. しかしながら, 成長はソマトメジン類と成長ホルモンの他, 甲状腺ホルモン, アンドロゲン, エストロゲン, グルココルチコイド, インスリンにも影響を受ける複雑な現象である. もちろん, 遺伝的素因によっても成長は影響を受けるし, 適切な栄養素の摂取にも依存する. 正常な成長の際は一連の成熟現象が順序正しく現れる. 成長とは体のタンパク質の増加や身長, 体の大

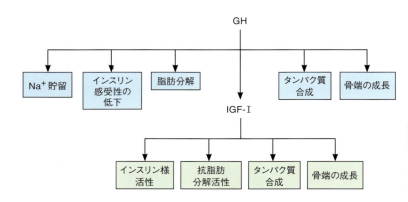

図 18·6 成長ホルモンの直接作用と間接作用．後者は成長ホルモン（GH）が IGF-I（インスリン様成長因子 I）産生をもたらすことによる(Clark R と Gesundheit N より許可を得て転載)．

きさの増加を意味しており，単に(脂肪の形成や塩分と水分の保持が増加して)体重が増しても成長とはいわない．

栄養素の役割

成長に影響を及ぼす最も重要な外部因子は食物供給量である．その食物には適当量のタンパク質のみならず，その他の必須ビタミン類やミネラル(26 章参照)，さらに摂取したタンパク質をエネルギー源として消費してしまわないようにするために必要な熱量もそれぞれ適量含まれていなければならない．しかし，食事が欠乏した時の年齢が重要であることを考慮すべきであろう．たとえば，思春期の急速成長が開始してしまえば，カロリー摂取が減っても直線的成長が相当持続する．外傷や疾病はタンパク質異化作用を亢進させるので成長を阻害することになる．

成長の時間経過

ヒトでは，急速な成長が 2 回認められる(図 18·7)．1 回目は乳児期にあり，2 回目は思春期末期で，その後，成長は停止する．1 回目の成長加速期は，胎生成長期間の延長期といえる．2 回目の思春期における成長加速は，成長ホルモン，アンドロゲンとエストロゲンの作用によるものである．女性は男性よりも早く成熟することから，成長加速は女性でより早く始まるようである．性別による違いとは別に，個々の組織の成長速度も違っている(図 18·8)．最終的な成長停止は，大部分エストロゲンの作用による骨端板の閉鎖に起因する(21 章参照)．これ以降，身長の増加は不可能となる．

少なくとも幼児期では，成長が持続的過程ではなく

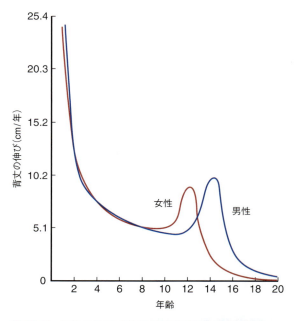

図 18·7 生後から 20 歳になるまでの男女の成長速度．

て，間欠的あるいは跳躍的な過程であることは興味深い現象である．ヒト幼児の身長の増加は，2～3 日で 0.5～2.5 cm 伸びる期間と，2～63 日間のほとんど測定しうる成長がない期間とを繰り返す．跳躍的な成長が生じる頻度は個人により異なり，これらの成長が加算されて最終的な身長となる．このような散発的な成長は，軟骨芽細胞が分化して，細胞肥大期へと移行しやすくなる時期が散発的に生じることを反映している．

ホルモンの効果

生後の成長に及ぼすホルモンの寄与を図 18·9 に示

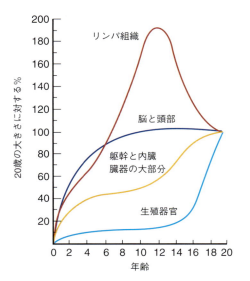

図 18・8　組織・器官の成長(20 歳の時の大きさを 100 として%表示)．成長曲線は男女のデータを併せて作成．

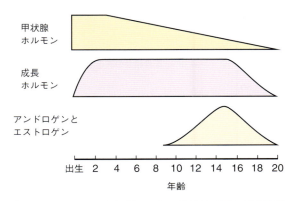

図 18・9　いろいろな年齢のヒトにおける成長に対する各種ホルモンの相対的重要性．甲状腺ホルモンと成長ホルモンは新生児期とその後の 2〜3 年間に急速な成長速度を生じさせる．甲状腺ホルモンの作用は，その後徐々に低下する．一方，思春期の成長スパートは成長ホルモンと性ステロイドの相互作用により生じる(D. A. Fisher より許可を得て転載)．

す．新生児では成長ホルモンの血漿中濃度が上昇している．その後基礎値は低下するが，パルス状分泌が特に思春期に大きくなるために，24 時間平均濃度は高くなる．正常の成人では 2〜4 ng/mL，小児では 5〜8 ng/mL である．血漿 IGF-I 濃度も幼児期に上昇し，13〜17 歳で最高に達する．これに対して，IGF-II 濃度は出生後の成長期を通じて一定である．

思春期に成長が急に加速する(成長スパート growth spurt，図 18・7)一因はこの時期に男女両性で副腎アンドロゲンの分泌が増加し，アンドロゲンにタンパク質同化作用があるためである．しかし，この現象には性ステロイド，成長ホルモンと IGF-I の相互作用も関与している．治療目的のエストロゲンやアンドロゲンの投与は，様々な刺激に反応して起こる成長ホルモンの分泌を増加させ，この循環成長ホルモンの増加が二次的に血漿 IGF-I の分泌を増加させる．これもまた，成長を引き起こす．

アンドロゲンとエストロゲンは当初成長を刺激するが，エストロゲンは長骨の骨端を融合させて(骨端閉鎖)，結局は成長を終わらせる．骨端の閉鎖により，直線的な成長は終わる(21 章参照)．性早熟の患者が低身長になりやすいのはこの理由による．他方，思春期以前に去勢された男性ではエストロゲン産生が減少して骨端が開いたままになっているために背が高くなる傾向があり，正常の思春期年齢を過ぎてもいくらかの成長を続ける．

下垂体摘出動物に成長ホルモンを投与すると成長が

促進される．また，その促進作用は甲状腺ホルモンによって増強される．しかし，甲状腺ホルモンの単独投与では，成長は促進されない．したがって，甲状腺ホルモンは成長ホルモンの作用に対して許容作用を及ぼし，おそらくソマトメジン作用を促進することによって発現する．甲状腺ホルモンは，成長ホルモン分泌を刺激するのに必要らしい[*4]．すなわち，甲状腺機能低下症でも成長ホルモン濃度は正常であるが，低血糖に対する反応はしばしば甲状腺機能低下の小児で正常以下となる．甲状腺ホルモンは軟骨の骨化，歯の成長，顔の輪郭，体の釣合いに対して広範な効果を現す．したがって**甲状腺機能低下性低身長症**患者(**クレチン症 cretinism**)は幼児の外貌をもつ(図 18・10)．汎下垂体機能低下症のために発育障害を起こしている患者は，思春期までは同年齢の正常の小児と外見が異ならないが，性的に成熟しないため成人に達しても少年の外貌のままにとどまる(クリニカルボックス 18・2)．

インスリンが成長に及ぼす効果については 24 章で述べる．糖尿病の動物は成長せず，下垂体摘出動物にインスリンを投与すると成長が起こる．しかし，この成長はインスリンと同時に大量の炭水化物とタンパク質の供給がある時に限られる．

アンドロゲン以外の副腎皮質ホルモンが成長に対して許容作用を及ぼすことは，副腎摘出動物の成長には血圧と循環機能の人為的維持が必要となることから明らかである．一方，グルココルチコイドは細胞に直接

[*4] 訳注: 甲状腺ホルモンは成長ホルモン合成を直接調節する．

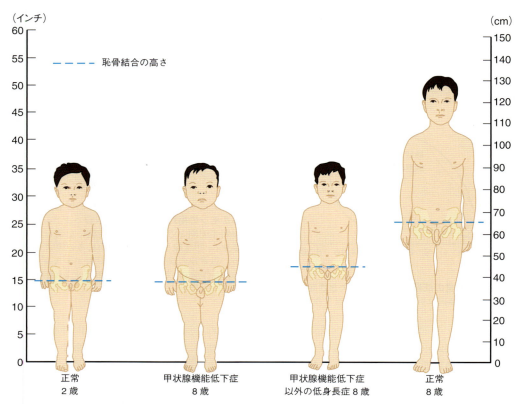

図 18・10　正常成長と成長異常． 甲状腺機能低下性低身長症（クレチン症）では身体の比率が幼児のままであるが，先天性低身長症やそれよりも程度は低いが下垂体性低身長症では同年齢の正常児の身体比率に相応している．クリニカルボックス 18・2 参照（Wilkins L: *The Diagnosis and Treatment of Endocrine Disorders in Childhood and Adolescence*, 3rd ed. Thomas; 1966 より許可を得て複製）．

作用して成長を抑制する作用をもっているので，小児に薬理的用量の副腎皮質ステロイドを与えるとその治療を続けている間成長が遅れるか停止する．

成長の挽回（キャッチアップ）

　小児期には，病気の回復や栄養不足の解消の後に，正常な成長速度を上回る急速な**成長の挽回（キャッチアップ）** catch-up growth が起こる（図 18・11）．この成長加速は正常な成長曲線に追いつくまで続き，その後正常に戻る．このような現象を起こす原因や調節の機序はあまりよくわかっていない．

下垂体のゴナドトロピンとプロラクチン

化 学 的 性 質

　卵胞刺激ホルモン（FSH）と黄体形成ホルモン（LH）は，αとβサブユニットよりなる．いずれも糖タンパク質で，分子中の糖鎖は，ゴナドトロピンの代謝を著しく遅くすることにより，ゴナドトロピンの効力を増強する．ヒトのFSHの半減期は約170分，LHの半減期は約60分である．FSH受容体分子の機能が失われる突然変異により性腺機能不全が起こり，機能が亢進する突然変異は**卵巣過剰刺激症候群** ovarian hyperstimulation syndrome を起こす．この場合，卵巣では多数の濾胞が刺激され，サイトカインの分泌により血管透過性が増してショックを起こすこともある．

　ヒト下垂体のプロラクチンは，ヒト成長ホルモンとヒト絨毛性ソマトマンモトロピン（hCS）に近い構造を

クリニカルボックス 18・2

低身長症

成長の調節に関連する考察として，低身長に関わる病因の可能性がいくつか示唆される．GHRH（成長ホルモン放出ホルモン）不足，成長ホルモン不足，IGF-I 分泌不足である．GHRH 不足は成長ホルモン分泌の不足の原因となる．この場合は GHRH に対する成長ホルモンの反応は正常である．ただし，成長ホルモン単独の不足の患者の一部では，成長ホルモン分泌細胞の異常が認められる．もう１つのタイプの低身長症小児では，血中の成長ホルモン濃度は正常あるいは上昇しているにもかかわらず，様々な受容体の遺伝子に生じた突然変異による機能欠失のため，成長ホルモン感受性が失われている．その結果として生じる病態を**成長ホルモン非感受性低身長症 growth hormone insensitivity**（Laron〔ラロン〕型低身長症）と呼んでいる．血漿 IGF-I は，結合タンパク質と共に著しく減少している．アフリカのピグミー族では，成長ホルモンの血漿濃度は正常であり，成長ホルモン結合タンパク質の血漿濃度がわずかに減少している．しかし，血漿 IGF-I 濃度は思春期にも上昇せず，思春期に至る小児期を通じてピグミー族の成長は対照に比べて小さい．

低身長は成長ホルモン系内の特異的異常とは独立したメカニズムで生じることもある．低身長は幼児期の甲状腺機能低下性低身長症（クレチン症）や思春期早発症でもみられる．また，**性腺発生異常 gonadal dysgenesis** の症候のひとつに低身長がある．この障害は XX または XY の代わりに X0 という性染色体の組合せの欠陥をもつ患者にみられる（22章参照）．様々な骨疾患や代謝疾患も成長阻害の原因となる．その他はっきりした原因のわからない多くの事例がある（"生まれつきの発育遅延 constitutional delayed growth"）．小児を長期間にわたって虐待し，放置することも（栄養不全とは無関係に）低身長症の原因になる．この様相は，**心理社会性低身長症 psychosocial dwarfism** あるいはその最初の報告症例に基づいて **Kaspar Hauser〔カスパー・ハウザー〕症候群**と呼ばれている．**軟骨無形成症 achondroplasia** は最も多くみられるヒトの低身長症であり，躯幹は正常で四肢が短いことが特徴である．この低身長症は，**線維芽細胞成長因子受容体 3 fibroblast growth factor receptor 3（FGFR3）**をコードする遺伝子の突然変異によって引き起こされる常染色体優性の表現型である．この線維芽細胞成長因子受容体ファミリーのメンバーは正常では軟骨と脳に発現している．

治療上のハイライト

低身長症の治療は，その成因によって決められる．もし，ホルモン補充療法が幼児期の早い時期に開始されれば，たいていほぼ正常な身長にまで到達することができる．遺伝子組換えによって成長ホルモンや IGF-I が利用可能となり，これらのホルモン不足の症例における治療効果は著しく改善された．

もつ．プロラクチンの半減期は成長ホルモンと同様約 20 分である．プロラクチンと似た構造の物質は子宮内膜や胎盤からも分泌される．

プロラクチン分泌の調節

下垂体からのプロラクチン分泌の調節には複数の因子が関わり，一部は，成長ホルモン分泌の制御にも関与するが，作用には重要な違いがある．たとえば，ある因子はプロラクチン分泌には促進的にはたらき，成長ホルモン分泌には抑制的に作用する．また，別の因子はプロラクチン分泌を抑制し，成長ホルモン分泌を促進したり，逆の効果をもたらしたりする（表 18・4）．正常人の血漿プロラクチン濃度は男性で約 5 ng/mL，女性で約 8 ng/mL である．その分泌は，常時持続的に視床下部により抑制されているので，下垂体茎を切断すると血中のプロラクチンは増加する．この所見からも視床下部のプロラクチン抑制ホルモン prolactin-inhibiting hormone（PIH）であるドーパミンが，プロラクチン分泌促進作用のある様々な視床下部ペプチドよりも，正常では強い作用を発揮していることがわかる．ヒトでは運動，外科的侵襲や心理的ストレス，乳頭の刺激によりプロラクチンの分泌が増加する（表 18・4）．血漿プロラクチン濃度は入眠時から

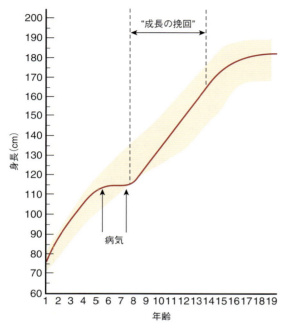

図18・11　5歳から7歳にかけて病気になった少年の成長曲線. 肌色で示した領域は成長の正常範囲を示す．赤線はこの少年の成長曲線．"成長の挽回"現象により，もともとの成長曲線に戻ることがわかる(Boersma B, Wit JM: Catchup growth. Endocr Rev 1997; 18: 646-661 より許可を得て改変).

表18・4　ヒトのプロラクチンおよび成長ホルモンの分泌に影響する因子

因　子	プロラクチン	成長ホルモン
睡眠	I+	I+
授乳	I++	N
非授乳中の女性の胸部刺激	I	N
ストレス	I+	I+
低血糖	I	I+
激しい運動	I	I
性交(女性)	I	N
妊娠	I++	N
エストロゲン類	I	I
甲状腺機能低下症	I	N
TRH	I+	N
フェノチアジン，ブチロフェノン	I+	N
オピオイド	I	I
グルコース	N	D
ソマトスタチン	N	D+
L-ドーパ	D+	I+
アポモルヒネ	D+	I+
ブロモクリプチンおよび類似の麦角誘導体	D+	I

D：軽度の低下，D+：著しい低下，I：軽度の増加，I+：著しい増加，I++：極めて著しい増加，N：変化なし，TRH：甲状腺刺激ホルモン放出ホルモン．

増加し，その増加は睡眠中持続する．プロラクチンの分泌は妊娠時に増加し，分娩時に最高となる．分娩後8日で血漿中の濃度は非妊娠時の値に戻る．乳児が乳頭を吸うとプロラクチン分泌は突然増大するが，このような分泌増加は3ヵ月以上授乳を続けている女性では次第に減弱する．授乳を続けていると，乳汁分泌は正常のプロラクチン濃度でも起こるようになる．

L-ドーパはドーパミンの生成を高めることによってプロラクチン分泌を弱める．ブロモクリプチンbromocriptine やその他のドーパミン作動薬は，ドーパミン受容体を刺激してプロラクチン分泌を抑える．ドーパミン受容体を阻害するクロルプロマジンchlorpromazine および類似の薬物は，プロラクチン分泌を増強する．甲状腺刺激ホルモン放出ホルモン(TRH)は甲状腺刺激ホルモン(TSH)に加えプロラクチンの分泌を刺激する．さらに視床下部には別のプロラクチン放出作用をもつ複数のポリペプチドが存在する．エストロゲンは，下垂体のラクトトローフに直接作用することによって，プロラクチン分泌をゆるやかに増大する．

プロラクチンは正中隆起のドーパミン分泌を促進することが示されている．この現象はプロラクチンが視床下部への負のフィードバック作用により，自らの分泌を抑制するようにはたらいていることを意味する．

受　容　体

FSHとLHの受容体はGタンパク質共役型受容体で，刺激型Gタンパク質(Gs，2章参照)を介してアデニル酸シクラーゼ活性を促進する．どちらの受容体も糖化された比較的長い細胞外領域(ドメイン)をもつ．

ヒトのプロラクチン受容体は成長ホルモン受容体と似ている．これらのホルモン受容体を包括する受容体グループには，多数のサイトカインや造血性成長因子

の受容体も含まれる（2, 3章参照）．受容体は二量体を形成し，JAK-STAT 経路 Janus kinase/signal transducer and activator of transcription pathway をはじめとする細胞内酵素カスケードを活性化する（図 18・4）．

FSH, LH およびプロラクチンの作用

下垂体の除去や破壊により精巣や卵巣が退縮する．プロラクチン，2つのゴナドトロピン FSH と LH，胎盤由来のゴナドトロピンに関連する作用については 22章と 23章で詳しく述べる．要約すると，FSH は男性では Sertoli〔セルトリ〕細胞を刺激して精子形成上皮を維持し，女性では初期の卵胞発育に関与する．LH は男性では Leydig〔ライディッヒ〕細胞に作用し，女性では卵胞の最終的な成熟と卵胞からのエストロゲン分泌を来す．また LH は排卵を誘起して黄体を形成させ，プロゲステロンを分泌させる．

プロラクチンは，あらかじめエストロゲンとプロゲステロンを作用させた乳腺にはたらいて乳汁分泌を起こす．乳腺に対するこのような作用は，mRNA 転写を促進し，カゼインとラクトアルブミンの合成を増加させることによる．しかし，このホルモンの作用は核では起こらず，微小管阻害薬によって抑止される．プロラクチンはゴナドトロピンの効果を，おそらく卵巣のレベルで抑制する（訳注：現在は，プロラクチンはキスペプチンニューロン活性の抑制を介し，GnRH ニューロンの活性を抑制し，GnRH 分泌を低下させるという説が有力となっている）．授乳中の女性では，プロラクチンによって排卵が抑制される．正常男性においてプロラクチンがどのような作用をもつのかは不明であるが，腫瘍からプロラクチンが過剰に分泌されると勃起不全を起こす．

下垂体機能低下症の影響

他の内分泌腺における変化

ヒトや動物の下垂体を外科的に摘出したり，疾患により下垂体が破壊された時に生体に起こる広範な変化は，それぞれの下垂体ホルモンの機能から予測できる．下垂体機能低下症では，副腎皮質は退化し，グルココルチコイドと性ホルモン分泌は低下する．ストレスに対するアルドステロン分泌上昇反応は消失するが，アルドステロンの基礎分泌および塩分喪失に対するアルドステロン分泌上昇反応はかなりの間正常である．このようにミネラルコルチコイドの欠乏が起こらないので，塩分の喪失や循環ショックは起こらないが，グルココルチコイドの分泌が起こらないので下垂体機能低下症の患者はストレス感受性が高い．下垂体機能低下症が長期持続すると塩類喪失が進行することは，19章で考察する．この時，成長も抑制される（クリニカルボックス 18・2 参照）．甲状腺の機能が非常に低下するため寒冷耐性が低下する．生殖腺が萎縮し，性周期はみられなくなり二次性徴のいくつかも失われる．

インスリン感受性

下垂体摘出動物は低血糖傾向を示し，絶食時に特に著しい．糖尿病患者の下垂体を摘出すると症状が寛解するし（24章参照），インスリンによる血糖低下効果が著しく亢進する．この変化の一部は副腎皮質ホルモン欠乏のためである．しかし下垂体摘出動物では成長ホルモンの抗インスリン作用がなくなっているので副腎摘出動物よりもインスリンに対する感受性が高い．

水分代謝

視索上核‐下垂体後葉系の選択的な破壊は尿崩症（17章参照）を起こすが，前葉と後葉の両方を除去すると一時的に多尿症が現れるだけで持続的な尿崩症にはならない．この観察から，以前には下垂体前葉が“利尿ホルモン”を分泌しているという仮説があったが，尿崩症の寛解は尿生成に対する浸透圧負荷の減少により説明できる．糸球体濾液中の浸透圧活性物質は水分を腎尿細管内に保持しようとはたらいている（38章参照）．下垂体を摘出した動物では ACTH 欠乏のためタンパク質分解速度も低下している．また TSH 欠乏のため代謝率も低下している．これらの変化により，糸球体で濾過されるその分解産物としての浸透圧活性物質が減少し，そのためバソプレシンの有無にかかわらず尿量が減少するのである．また下垂体摘出動物における成長ホルモンの欠乏は糸球体濾過量を低下させる．成長ホルモンはヒトの糸球体濾過量と，腎血漿流量を増加させる．またグルココルチコイド分泌欠乏が起こり副腎摘出の場合と同様，水分負荷を排泄することができない．以上のように下垂体前葉の“利尿”活性は ACTH，TSH および成長ホルモンの作用の見地から説明できる．

その他の異常

　成長ホルモン分泌過少を示す成人患者の多くは，その他の下垂体前葉ホルモン分泌の減少も示す．下垂体機能低下症の患者の皮膚が蒼白なのは，ACTHその他のMSH活性を有する下垂体ホルモンの欠乏のためと考えられる．成人ではタンパク質がいくらか失われるが，下垂体機能低下症の特徴として体力消耗はあてはまらない．患者の多くは栄養状態がよい．

ヒト下垂体機能低下症の原因

　下垂体前葉の腫瘍は下垂体機能低下症を起こす．Rathke嚢の遺残組織がトルコ鞍上囊胞になり，肥大して下垂体を圧迫するとやはり下垂体機能低下症になる．また分娩に伴う大出血により下垂体の梗塞が生じ，その結果，壊死に至ることがある（**Sheehan〔シーハン〕症候群**）．下垂体前葉へ入る動脈は硬い鞍隔膜中を通って下垂体茎へ下行し，しかも妊娠中は下垂体が肥大しているので下垂体前葉への血液供給は障害を受けやすい．下垂体梗塞は，男性では極めてまれである．

章のまとめ

- 下垂体は，ヒトにおいては2つの機能的領域で構成される：前葉は主に刺激ホルモンを分泌し，後葉は視床下部から投射された神経終末からなり，オキシトシンとバソプレシンを分泌する．前葉はほとんどすべての血液供給を，下垂体門脈血管から得る．門脈血は視床下部から放出された分泌調節因子を前葉へ輸送している．
- 下垂体は，下流に位置する内分泌腺の機能調節に不可欠な作用を有している．そして多くの末梢器官や組織に対し，特異的な内分泌的調節を行っている．前葉の細胞種にはソマトトローフ（成長ホルモン），ラクトトローフ（プロラクチン），コルチコトローフ（ACTH），サイロトローフ（TSH）およびゴナドトローフ（FSH，LH）があり，カッコ内で示したホルモンを分泌する．それぞれの細胞種の割合は生涯の各段階における必要性に応じて変化する．
- 下垂体前葉のコルチコトローフは，ACTH，エンドルフィン，メラノコルチンの前駆体であるプロオピオメラノコルチン（POMC）を合成する．哺乳類ではACTHは皮膚色素沈着の一次調節因子である．
- 成長ホルモンは下垂体前葉のソマトトローフによって産生され，視床下部ホルモンの制御によりパルス状に分泌される．また，負のフィードバック機構による抑制も受ける．血中成長ホルモンの一部はタンパク質と結合している．
- 成長ホルモンは成長を刺激し，ストレス条件に対する反応としてタンパク質，炭水化物，脂肪の代謝に影響する．成長ホルモンの末梢における作用は，その多く（すべてではない）がIGF-Iの合成を刺激することによる．
- 成長は，成長ホルモン，IGF-Iおよびその他の多くのホルモンと，外的要因，遺伝といった多くの因子による複雑な相互作用を反映したものである．これらの因子の不足・過剰が思春期前に起こる場合と後で起こるのとでは，影響が異なる．幼少期の成長ホルモンおよびその関連物質の不足は低身長症を引き起こし，過剰は巨人症や先端巨大症，あるいはその両方を引き起こす．
- 下垂体はFSH，LH，プロラクチンなど生殖や泌乳を調節するホルモンも分泌する．これらの中で，特にプロラクチンの分泌は多くの因子によって調節されている．また，同一の調節因子が成長ホルモン分泌にも関わっているが，一部の調節因子は，プロラクチン分泌におけるのとは逆の作用を示す．
- 下垂体機能不全には副腎皮質の萎縮，ストレス過敏，成長障害，甲状腺機能低下，低血糖，全身蒼白や性腺の萎縮が合併する．下垂体機能不全は腫瘍によって生じ，女性においては分娩時の大出血後梗塞により生じる．

多肢選択式問題

正しい答えを1つ選びなさい．

1. 神経科学者がラットを用いて視床下部と下垂体の情報伝達を研究している．正中隆起の血流を阻害し，適当な生理的刺激を与えた後に，血中の下垂体ホルモンレベルを測定した．次のホルモンのう

ちで値が変動しないのはどれか.
- A．成長ホルモン
- B．プロラクチン
- C．TSH
- D．FSH
- E．バソプレシン

2. 次の下垂体ホルモンのうち，分泌消失により痛覚刺激に対する反応が増加するのはどれか.
- A．αメラノサイト刺激ホルモン（α-MSH）
- B．β-MSH
- C．ACTH
- D．成長ホルモン
- E．βエンドルフィン

3. 20歳のアフリカ系米国人の女性が，数週間前から生じた顔や手の色素を失った皮膚の斑点の診断のため受診した．色素消失以外は健康だった．血液検査では，メラノサイトに対する自己抗体の存在がわかった．可能性が最も高いのはどれか.
- A．白皮症
- B．脱毛症
- C．原発性副腎不全
- D．白斑症
- E．下垂体機能低下症

4. 実験動物の視床下部正中隆起に成長ホルモンを注入したところ，成長ホルモンの分泌が抑制されたので，これはGHRHの分泌を抑制するフィードバックシステムを証明するものだと結論した．この結論は受け入れられるか.
- A．成長ホルモンは，血液脳関門を通らないから，誤り
- B．注入された成長ホルモンはドーパミン分泌を刺激するため，誤り
- C．正中隆起に注入された物質は，下垂体前葉に運ばれるため，誤り
- D．全身投与した成長ホルモンは，成長ホルモンの分泌を抑制するから，正しい
- E．成長ホルモンは，GHRHに結合して不活性化するため，正しい

5. 成長ホルモン受容体についてあてはまるのはどれか.
- A．G_sタンパク質を活性化する
- B．二量体を形成して作用する
- C．細胞内に移行して作用する
- D．IGF-I受容体に類似する
- E．ACTH受容体に類似する

6. 7歳の男子について低身長の原因検索をすることになった．平均血中成長ホルモン濃度は年齢の正常範囲内だったが，IGF-I濃度は低下していた．成長障害の原因となっている異常はどれか.
- A．視床下部からのGHRH放出
- B．GHRH受容体
- C．アンドロゲン合成
- D．エストロゲン合成
- E．成長ホルモン受容体

7. 初めての妊娠で妊娠初期の若い女性が，治療抵抗性の下腹部の痛み，吐き気，嘔吐を訴えて緊急外来に搬送された．腹部超音波検査により，内部に複数の囊胞を認め，腫大した両側の卵巣と，骨盤と腹部に貯留液を認めた．症状は時間経過とともに悪化し，血液の濃縮と腹水を認めるようになったが，妊娠18週で自然に寛解した．彼女の母親も妊娠のたびに同様の症状を発症したという．DNAシーケンスにより，次のどれが明らかになると考えられるか.
- A．FSHにおける機能喪失変異
- B．LHにおける機能喪失変異
- C．FSH受容体の機能亢進変異
- D．LH受容体の機能亢進変異
- E．ゴナドトロピン放出ホルモンにおける機能喪失変異

8. 妊婦が分娩の過程で大量出血を起こし，ショック状態に陥った．患者は回復後に下垂体機能低下症の症状を示した．次のうち，下垂体機能低下症の特徴でないものはどれか.
- A．カヘキシー（悪液質）
- B．不妊
- C．全身蒼白
- D．基礎代謝率低下
- E．ストレス耐性低下

CHAPTER 19

副腎髄質と副腎皮質

学習目標
本章習得のポイント

- 副腎髄質より分泌される3つのカテコールアミンの名称, そしてそれらの合成, 代謝および機能について述べることができる
- 副腎髄質からの分泌を促進する刺激因子を列記できる
- C_{18}, C_{19}, C_{21} のステロイドの違い, そしてそれぞれの例を述べることができる
- 副腎皮質におけるステロイド生合成の過程を概略できる
- 副腎皮質ホルモンと結合する血漿タンパク質の名称, そしてそれらの生理的役割について述べることができる
- 副腎皮質ホルモンの代謝が起こる主な部位, そしてグルココルチコイド, 副腎アンドロゲンおよびアルドステロンの代謝産物について述べることができる
- グルココルチコイドとアルドステロンが細胞機能に変化をもたらすメカニズムについて述べることができる
- グルココルチコイドの生理学的および薬理学的作用を述べることができる
- 副腎アンドロゲンの生理学的作用と病理学的作用を対比することができる
- グルココルチコイドおよび副腎性ホルモンの分泌の調節機序を述べることができる
- アルドステロンの作用を説明し, アルドステロン分泌の調節機序を述べることができる
- 副腎から分泌される各ホルモンの過剰または欠損により生じる病気の主な特徴を述べることができる

■ はじめに

副腎 adrenal gland は, **カテコールアミン** catecholamine, **ステロイドホルモン** steroid hormone を含む複数のホルモンを産生する内分泌器官である. 左右の副腎は, それぞれ腎臓の上部に位置している(図19・1). 副腎は, **ミネラルコルチコイド** mineralocorticoid, **グルココルチコイド** glucocorticoid, そして**男性ホルモン** androgen のステロイドホルモンを分泌する外側の皮質と, **アドレナリン** adrenaline(**エピネフリン** epinephrine), **ノルアドレナリン** noradrenaline(**ノルエピネフリン** norepinephrine), そして**ドーパミン** dopamine のカテコールアミンを分泌する内側の**髄質** medulla からなっている.

副腎皮質は, 炭水化物およびタンパク質代謝に広く影響を及ぼすステロイドである**グルココルチコイド** glucocorticoid(たとえば**コルチゾル** cortisol), そしてNa^+バランスおよび細胞外液(ECF)量の維持に不可欠である**ミネラルコルチコイド** mineralocorticoid(**アルドステロン** aldosterone)を分泌する. ミネラルコルチコイドとグルココルチコイドは生存にとって不可欠である. 副腎皮質は**男性ホルモン** androgen を合成する2番目の部位でもあり, 生殖機能に影響を与えるテストステロンなどの性ホルモンも分泌する. 副腎皮質からのホルモン分泌は第一義的には下垂体前葉が分泌する副腎皮質刺激ホルモン(ACTH)によって調節されてい

るが（19章），ミネラルコルチコイドはそれとは独立した循環血中の分泌調節因子によっても調節されており，その中で最も重要なものは**アンジオテンシンⅡ** angiotensin Ⅱで，これは**レニン** reninの作用により血中で産生されるペプチドである．

副腎髄質細胞は実質的には交感神経節後神経細胞が軸索を消失して内分泌細胞になったものである．内臓神経を経てこの内分泌細胞に達している節前神経線維を刺激すると，細胞はホルモンを分泌する．副腎髄質ホルモン（アドレナリン，ノルアドレナリン，ドーパミン）は，生体をいわゆる"闘争か逃走"の反応のような緊急事態に備えるように最もはたらくホルモンである．

副腎の形態学

副腎重量の28%を占めている副腎髄質は，神経支配を密に受けている顆粒含有細胞が静脈洞壁に沿って複雑に索状構造を作っているものである．副腎髄質細胞は形態学的に2種に区別できる．1つはアドレナリン分泌細胞で，より大きい密度の低い顆粒を含んでいる．もう1つはノルアドレナリン分泌細胞で，より小さい高密度の顆粒を含んでいる．この細胞の顆粒は顆粒内容物と顆粒膜との間に隙間があるのが特徴である．ヒトでは，この細胞の90%はアドレナリン分泌細胞であり10%はノルアドレナリン分泌細胞である．ドーパミンを分泌する細胞がどのような種類かは不明である．**傍神経節** paraganglionと呼ばれる組織は，副腎髄質細胞に似た細胞の小さなかたまりで，胸部および腹部交感神経節の近くにある（図19・1）．

成熟哺乳類において副腎皮質は3層に分かれている（図19・2）．最外側の**球状層** zona glomerulosaは副腎皮質の最外層を環状に構成する細胞であり，その内側は細胞が柱状に配列している**束状層** zona fasciculataに連なっている．束状層の各細胞柱は静脈洞で隔てられている．束状層の最も内側の部分は**網状層** zona reticularisへ移行する．この部分では細胞柱が網目状にからみ合っている．副腎重量の15%を球状層が占め，50%を束状層が占め，7%を網状層が占めている．副腎皮質細胞はすべて多量の脂質を含み，束状層外側部分には特に多い．これら3つのすべての層は**コルチコステロン** corticosteroneを分泌する．アルドステロンの生合成酵素系は外側の球状層にのみ存在し，コルチゾルと性ホルモンの生合成酵素系は内側の2層に存在する．さらに，内側の2層のうち，束状層はほとんどグルココルチコイドを分泌し，網状層は主に性ホルモンを分泌する．

副腎は横隔動脈，腎動脈，大動脈から分かれた多くの小分枝から動脈血の供給を受けている．副腎内では被膜下の血管叢から髄質の洞様血管へと皮質を介して血液は流れていく．髄質はこの他，被膜から少数の細

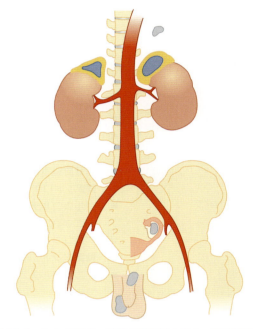

図19・1　ヒトの副腎．副腎皮質組織を黄色，副腎髄質組織は青色で示してある．副腎が各々の腎臓の上縁に位置を占めていることに注意．時に副腎皮質および髄質組織が認められることがある副腎以外の部位（灰色）も示してある（Williams RH: *Textbook of Endocrinology*, 4th ed. St. Louis, MO: Saunders; 1968より許可を得て複製）．

動脈の供給を受けている．ヒトを含むほとんどの動物で髄質の血液は，中心副腎静脈へ流れ込む．ほとんどすべての内分泌腺と同様，副腎の血流量は多い．

ヒトの胎生期の副腎は大きく，下垂体の調節を受けているが，生後の皮質の3層に相当するのは胎生期の副腎の20%にすぎない．残りの80%は大きな**胎生副腎皮質** fetal adrenal cortexにより占められ，この皮質は出生時に急速に退化していく．この胎生副腎皮質の主な機能は，胎盤でエストロゲンに変換されるアンドロゲンの硫酸塩抱合体を合成および分泌することである（22章参照）．ヒトの胎生副腎皮質に相当する構造物は実験動物にはない．

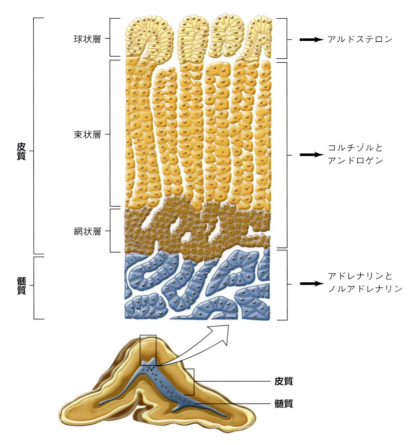

図 19・2 髄質および皮質の3つの層を示す副腎の断面図とそれぞれの部位から放出されているホルモン．(Widmaier EP, Raff H, Strang KT: *Vander's Human Physiology: The Mechanisms of Body Function*, 11th ed. New York, NY: McGraw-Hill; 2008 より許可を得て複製)．

　球状層の細胞はアルドステロンを生合成する他，新たに副腎皮質細胞を形成する重要な機能をもっている．副腎髄質は再生しないが，副腎皮質では内側の2層を完全に除去しても被膜に球状層細胞が残っていれば，それから新たに束状層細胞と網状層細胞が再生してくる．わずかに残っている被膜下の組織から大きな副腎皮質組織が再生する．下垂体を摘出すると直ちに束状層と網状層は退化し始めるが，球状層はアンジオテンシンⅡの作用により退化しない．下垂体摘出後しばらくの間アルドステロン分泌能力と Na^+ 保持能力は保たれているが，長期間にわたる下垂体機能低下症の時には球状層の反応性を維持している下垂体因子の欠落が原因となってアルドステロン欠乏症状を呈することがある．ACTH を注射したり，内在性 ACTH 分泌を増加させる刺激を与えると，束状層と網状層は肥大してくるが，球状層は大きくなるよりも，むしろ小さくなる．

　副腎皮質の細胞はステロイド形成過程に関与している滑面小胞体を大量に含有している．ステロイド合成の一部はミトコンドリアで起こる．ステロイドを分泌する細胞の構造は全身のどこにあっても非常に類似している．図 19・3 はその典型的な形態学的特徴を示している．

副腎髄質：髄質ホルモンの構造と機能

カテコールアミン

　副腎髄質はアドレナリン，ノルアドレナリン，および少量のドーパミンを合成する．ネコやその他の動物は主にノルアドレナリンを分泌するが，ヒトやイヌの

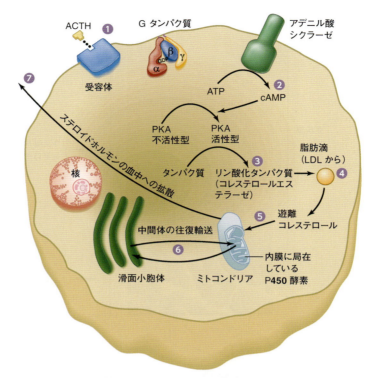

図 19・3　ステロイドを分泌する細胞の模式図とステロイド合成の細胞内経路． ACTH：副腎皮質刺激ホルモン，LDL：低比重リポタンパク質，PKA：プロテインキナーゼ A（Widmaier EP, Raff H, Strang KT: *Vander's Human Physiology*: The Mechanisms of Body Function, 11th ed. New York, NY: McGraw-Hill; 2008 より許可を得て複製）．

場合，副腎静脈血中に出てくるカテコールアミンの大部分はアドレナリンである．ノルアドレナリンはノルアドレナリン作動性神経終末からも放出され循環血中に入る．

　アドレナリン，ノルアドレナリンおよびドーパミンの構造，生合成と代謝の経路は 7 章に示してある．ノルアドレナリンはチロシンがヒドロキシル化（水酸化）反応と脱炭酸反応を受けて生成される．アドレナリンはノルアドレナリンにメチル基が結合してできる．フェニルエタノールアミン-*N*-メチルトランスフェラーゼ phenylethanolamine-*N*-methyltransferase（PNMT）という酵素はノルアドレナリンがアドレナリンになる反応を触媒する．この酵素は，脳と副腎髄質にのみかなりの量が存在する．副腎髄質の PNMT は，グルココルチコイドによって誘導される．この誘導には比較的大量のグルココルチコイドが必要であり，副腎皮質から髄質に直接流入する血液にグルココルチコイドが高濃度含まれている．下垂体摘出により，この血液に含まれるグルココルチコイドの濃度は低下し，アドレナリン合成は減少する．加えて，グルココルチ

コイドは副腎髄質の正常な発達に明らかに必要である．21-ヒドロキシラーゼ欠損症では，グルココルチコイドの分泌は胎生期に減少しており，副腎髄質は形状異常を示す．未治療の 21-ヒドロキシラーゼ欠損症では，生後循環血中のカテコールアミン濃度は低い．

　血漿中では，ドーパミンの約 95%，ノルアドレナリンとアドレナリンの 70% は硫酸抱合されている．硫酸抱合体は不活性で，それらの機能は確定していない．臥床時のヒトの正常血漿ノルアドレナリン濃度は約 300 pg/mL（1.8 nmol/L）である．立位になるとその値は 50～100% 上がる（図 19・4）．正常人の血漿中ノルアドレナリン濃度の値は副腎を摘出しても一般に変わらない．他方アドレナリンの正常血中遊離濃度は 30 pg/mL（0.16 nmol/L）であり，副腎を摘出するとこの値は事実上ゼロになる．副腎髄質と脳以外の組織に含まれるアドレナリンの大部分は，組織中で生合成されたものではなく，血中から取り込まれたものである．興味深いことに，両側副腎摘出後しばらくして低濃度のアドレナリンが血中に再び現れ，これらのアドレナリンは副腎髄質から分泌されるアドレナリンと同

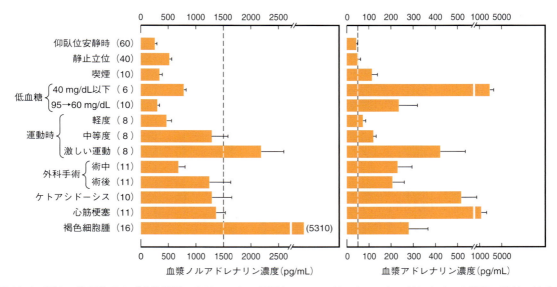

図19・4 種々の生理的および病的状態におけるヒトの静脈血のノルアドレナリンとアドレナリンの濃度. 横軸の目盛が違っていることに注意. カッコ内の数字は検査した例数を示す. どの例でも, 縦の破線は生理的変化が検出できる血漿濃度閾値を示す (Cryer PE: Physiology and pathophysiology of the human sympathoadrenal neuroendocrine system. N Engl J Med 1980; Aug 21; 303(8): 436-444 より許可を得て複製・改変).

様の調節を受けている. これらは内因性心臓アドレナリン intrinsic cardiac adrenergic (ICA) 細胞 (13章参照) などの細胞由来のものと考えられるが, 正確な分泌源は不明である.

血漿ドーパミン濃度はふつうは非常に低く, 約0.13 nmol/L である. 大部分の血漿ドーパミンは, 交感神経節に由来すると考えられている.

血中におけるカテコールアミンの半減期は約2分である. 大部分のカテコールアミンはまずメトキシ化され, 次に酸化されて3-メトキシ-4-ヒドロキシマンデル酸 [バニリルマンデル酸 vanillylmandelic acid (VMA), 7章参照] となる. 分泌されたカテコールアミンのほぼ半分は遊離型または抱合型のメタネフリンおよびノルメタネフリンとして尿中に排泄され, 35%はVMAとなって尿中に出てくる. 遊離型のノルアドレナリンおよびアドレナリンの尿中排泄量はごくわずかである. 正常人は1日当たり$30\mu g$のノルアドレナリン, $6\mu g$のアドレナリン, $700\mu g$のVMAを尿中に排泄する.

副腎髄質から分泌される
カテコールアミン以外の物質

副腎髄質では, ノルアドレナリンとアドレナリンはATPと一緒に顆粒内に貯蔵されている. 顆粒はクロモグラニンAと呼ばれるタンパク質も含んでいる (7章参照). 髄質細胞を支配している節前ニューロンからアセチルコリンが分泌されると髄質細胞からの分泌が開始する. アセチルコリンは髄質細胞のカチオン (陽イオン) チャネルを開くことにより, Ca^{2+}をECFから流入させ, 分泌顆粒のエキソサイトーシスを誘発する. このようにして, カテコールアミン, ATPおよびタンパク質が顆粒から一緒に血液中に放出される.

髄質のアドレナリン細胞はオピオイドペプチドも含んでおり, これも分泌する (7章参照). 前駆分子はプレプロエンケファリンである. 循環血中のメチオニン-エンケファリンの大部分は副腎髄質由来である. 循環血中のオピオイドペプチドは血液脳関門をまったく通過しない.

副腎髄質に存在する血管拡張ポリペプチドの一種であるアドレノメデュリンについては, 32章で考察する.

アドレナリン, ノルアドレナリンの効果

アドレナリンとノルアドレナリンはノルアドレナリン作動性神経の活動と似た効果を示す他に, 肝臓や骨格筋のグリコーゲン分解刺激, 遊離脂肪酸 free fatty acid (FFA) を放出させる効果, 血漿乳酸塩の増加効果,

代謝率を高める効果などの代謝系に対する作用をもつ．ノルアドレナリンとアドレナリンの作用はアドレナリンαおよびβ受容体の2種類の受容体によって引き起こされる．α受容体はさらにα_1とα_2受容体に，β受容体はβ_1，β_2とβ_3受容体に細分化される（7章参照）．α_1とα_2受容体にはそれぞれ3種のサブタイプがある．

ノルアドレナリンとアドレナリンはいずれも単離した心臓の収縮力および収縮頻度を高める．これらの作用はβ_1受容体を介して現れる．カテコールアミンはまた心筋の興奮性を高め，期外収縮，時にはさらに危険な不整脈を誘発する．ノルアドレナリンはほとんどすべての組織においてα_1受容体を介して血管を収縮させるが，アドレナリンは骨格筋と肝臓の血管をβ_2受容体を介して拡張させる．このアドレナリンの骨格筋と肝臓の血管拡張効果は一般に他の組織での血管収縮効果よりも優勢であるため，末梢循環抵抗は全体として減少する．正常人または正常動物にノルアドレナリンをゆっくり注入すると，収縮期血圧も拡張期血圧も上昇する．この**高血圧 hypertension**が頸動脈や大動脈の圧受容器を刺激する結果，反射性に徐脈が起こり，その効果はノルアドレナリンの心臓に対する直接の心拍促進効果をしのぐ．この結果，心拍出量は減少する．一方アドレナリンは脈圧を大きくする．アドレナリンによる血圧上昇が圧受容器に対して及ぼす刺激効果は，心臓に対するアドレナリンの直接効果を打ち消すほど強くない．そのため心拍数も心拍出量も増加する．これらの変化は図19・5に要約してある．

カテコールアミンは，覚醒alertnessを促進する（14章参照）．ヒトの場合，アドレナリンはノルアドレナリンより不安感と恐怖感をより強く誘起するが，覚醒作用に関して両カテコールアミンは同程度の作用をもつ．

カテコールアミンは血中グルコースに対して異なる複数の作用をもつ．アドレナリンとノルアドレナリンはともにグリコーゲン分解作用をもつ．カテコールアミンによるこの作用の発現には，βおよびα受容体が関与する．前者はcAMP上昇を介してホスホリラーゼの活性を誘発し，後者はCa^{2+}上昇を引き起こす（7章参照）．さらに，カテコールアミンは，β受容体を介してインスリンとグルカゴンの分泌を促進し，α受容体を介してこれらホルモンの分泌を抑制する．

ノルアドレナリンとアドレナリンは，急速な代謝率の上昇およびそれに遅れて起こる小さな代謝率の上昇を誘発する．前者は肝臓とは関係ないが，後者は肝臓を摘出すると消失し，その時間経過は血中乳酸濃度の

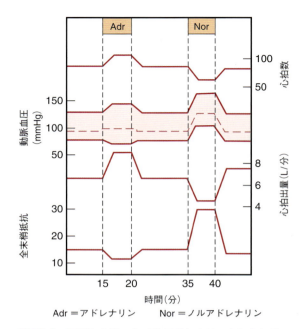

図19・5 アドレナリンとノルアドレナリンをヒトにゆっくり静脈内注入した時の循環の変化．

増加の時間的経過と一致する．初期の急激な代謝率上昇の原因は，皮膚の血管収縮によって熱損失が減り体温が上がるためかもしれないし，筋肉の活動が増すためか，これら両効果が同時に現れたためなのかもしれない．第二の代謝率上昇はおそらく肝臓における乳酸の酸化反応の増大によるものである．ドーパミンβ-ヒドロキシラーゼ遺伝子をノックアウトしてノルアドレナリンとアドレナリンを合成することができなくなったマウスは寒冷不耐性であるが，驚いたことに基礎代謝率は上昇している．この基礎代謝率の上昇の理由はわからない．

アドレナリンとノルアドレナリンを注射すると，肝臓からのK^+放出により血漿K^+がまず上昇し，次にβ_2受容体を介する骨格筋へのK^+の流入が増加し，血漿K^+が持続的に低下する．いくつかの証拠がα受容体の活性化がそれとは反対の効果を現すことを示唆している．

上記に列挙したいろいろな効果を引き起こすために必要な血漿ノルアドレナリンとアドレナリン濃度は，安静時にヒトにカテコールアミンを注入することによって決められる．一般に，ノルアドレナリンの心血管系と代謝に及ぼす効果の閾値は，約1500 pg/mLすなわち静止値の約5倍にあたる（図19・4）．他方，アドレナリンは血漿濃度が約50 pg/mL，すなわち静

止値の約2倍になると頻拍が起こる．収縮期血圧を上昇させ，脂肪分解を亢進させるアドレナリンの閾値は約75 pg/mLである．高血糖，血漿乳酸の増加および拡張期血圧の低下を起こす閾値は約150 pg/mL，さらにα受容体を介するインスリン分泌の低下を起こす閾値は400 pg/mLである．血漿アドレナリン濃度はしばしばこれらの閾値を超える．これに対して血漿ノルアドレナリン濃度が心血管系と代謝への効果の閾値を超えることはまれで，その効果の大部分は交感神経節後ニューロンから放出された部位の局所効果による．副腎髄質腫瘍［褐色細胞腫（クロム親和性細胞腫）pheochromocytoma］の大部分は，ノルアドレナリンまたはアドレナリン，あるいは両方を分泌し，持続的高血圧を引き起こす．しかしながら，アドレナリン分泌腫瘍のうち15％は，このカテコールアミンを挿間的に分泌し，間欠的な動悸，頭痛，糖尿と極度の収縮期高血圧を引き起こす．これらと同じ症状は，高濃度のアドレナリンを静脈内に投与することにより引き起こされる．

ドーパミン効果

循環血中のドーパミンの生理機能は不明である．しかし，ドーパミンを注射すると，おそらく特異的ドーパミン作動性受容体に作用して腎血管拡張を引き起こすし，腸間膜血管拡張も引き起こす．その他の部位では，おそらくノルアドレナリン放出を介して血管収縮を引き起こす．また，ドーパミンは$β_1$受容体を介して心臓に陽性変力効果を引き起こす．ドーパミンを中等度投与した時の総合効果は収縮期圧上昇と拡張期圧の無変化である．これらの作用のため，ドーパミンは外傷性および心臓性のショックの治療に有用な薬である（32章参照）．

ドーパミンは腎皮質でも生成される．このドーパミンは，おそらく腎Na^+, K^+-ATPase抑制を介してナトリウム利尿効果をもつ．

副腎髄質の分泌制御

神経性調節

薬物のいくつかは副腎髄質に直接作用するが，生理的刺激は神経系を介して髄質からの分泌を誘発する．安静時カテコールアミン分泌量は低いが，睡眠時アドレナリン分泌量はさらに低下し，ノルアドレナリン分泌量も低下するがその減少程度は低い．

緊急状態の時，全身的交感神経活動増大の一部として副腎髄質からの分泌も増加する．Walter B. Cannonはこの反応を"交感神経-副腎系の緊急時機能"と呼んだ．このような交感神経系の活動の増大が，個体が外敵を前にして，闘争か逃走時にどのように役立つかについては13章に述べた．いろいろな状態における血漿カテコールアミン濃度上昇は図19・4に示してある．

血中カテコールアミンの代謝系に及ぼす作用はおそらく重要なものであり，特定の条件下ではこれが特に重要である．その一例として動物を寒冷環境に曝露した時のカテコールアミンの熱量産生作用をあげることができる．さらに低血糖に対抗するためのグリコーゲン分解反応もその例である（24章参照）．

選択的分泌

副腎髄質の分泌が増加している時，副腎静脈血中のノルアドレナリンに対するアドレナリンの比率は変化しない．しかし個人にとって経験済みの感情的ストレスに対してはノルアドレナリン分泌が選択的に増す傾向がある．一方では，その先何が起こるかその個人にわからない状態に出合うと，選択的にアドレナリン分泌が増す．

副腎皮質：副腎皮質ホルモンの構造と生合成

分類と構造

副腎皮質ホルモンはコレステロール誘導体である．コレステロール，胆汁酸，ビタミンD，卵巣や精巣のステロイドなどと同じく副腎皮質ホルモンも**シクロペンタノペルヒドロフェナントレン核 cyclopentanoperhydrophenanthrene nucleus**[*1]（図19・6）をもっている．性腺および副腎皮質ステロイドには3型ある．C_{21}ステロイドは17の位置に2個の炭素側鎖を有している．C_{19}ステロイドは17の位置にケト基あるいはヒドロキシル基（水酸基）を有している．C_{18}ステロイドは17の位置のケト基あるいはヒドロキシル基に加えて10の位置に角度変化のないメチル基が付いている．副腎皮質は基本的にはC_{21}とC_{19}ステロイドを分泌している．C_{19}ステロイドの大部分は17の位置にケト基をもつので**17-ケトステロイド 17-ketosteroid**

[*1] 訳注：ステロイド核あるいはペルヒドロシクロペンタノフェナントレン perhydro-cyclopentanophenanthrene ともいう．

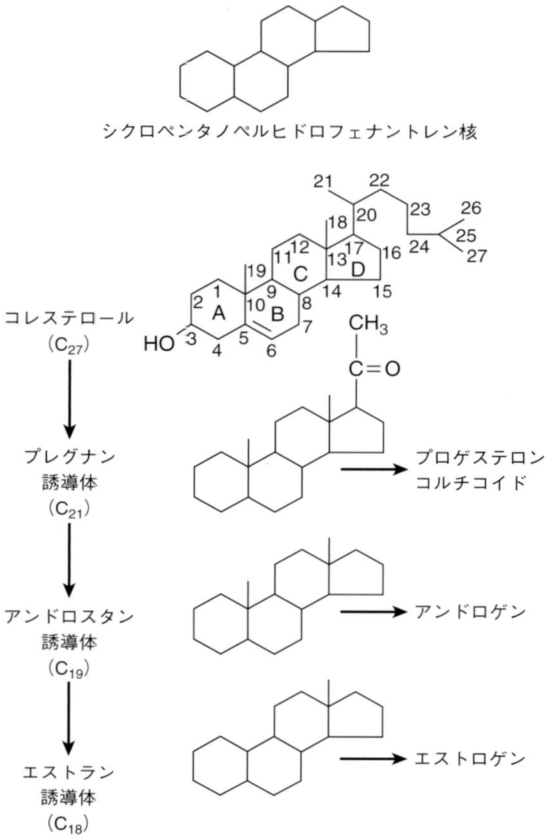

シクロペンタノペルヒドロフェナントレン核

コレステロール
(C_{27})
↓
プレグナン
誘導体
(C_{21}) → プロゲステロン
コルチコイド
↓
アンドロスタン
誘導体
(C_{19}) → アンドロゲン
↓
エストラン
誘導体
(C_{18}) → エストロゲン

図 19・6　副腎皮質・性腺ステロイドの基本構造．コレステロール構造式中の文字は4基本環を表し，数字は分子中の炭素の位置を表している．ここに示したように，立体配置では角度をもったメチル基(18と19の位置)は一般に簡単に直線で表されている．

と呼ばれる．また C_{21} ステロイドのうち17の位置に側鎖の他にヒドロキシル基を結合しているものを17-ヒドロキシコルチコイドまたは17-ヒドロキシコルチコステロイドと呼ぶことがある．

　C_{19} ステロイドはアンドロゲン活性をもっている．C_{21} ステロイドは Selye〔セリエ〕の命名法によれば，さらにミネラルコルチコイドとグルココルチコイドに分類できる．しかし分泌される C_{21} ステロイドはすべてミネラルコルチコイド，グルココルチコイドの両活性をもっている．それで，Na^+，K^+ の排泄に対する作用が強いものを**ミネラルコルチコイド**と呼び，グルコースおよびタンパク質の代謝に対する作用の方が強いものを**グルココルチコイド**と呼んでいる．

　ステロイド命名法と異性体に関する詳細は他書を参照されたいが，ここで触れておきたい点は，ギリシャ文字の Δ は二重結合を示し，ステロイド環の平面の上側にヒドロキシル基が付いている場合は β と書き実線 (－OH) で表す．反対に下側に付いている基は α で表し破線 (---OH) で表示する．したがって副腎が分泌する C_{21} ステロイドは A 環の中に $Δ^4$-3-ケトの構造をもつ．ほとんどの天然の副腎ステロイドでは，17の位置のヒドロキシル基は α 立体配置であるが，3，11，21の位置のヒドロキシル基は β 立体配置である．天然のアルドステロンは18の位置に D 体の立体配置のアルデヒド基をもっている．L-アルドステロンは生理的活性をもたない．

分泌されるステロイド

　数多くのステロイドが副腎組織から分離されているが，正常状態で生理的に意味のある量が分泌されているのは，ミネラルコルチコイドの**アルドステロン**，グルココルチコイドの**コルチゾル**と**コルチコステロン corticosterone**，アンドロゲンの**デヒドロエピアンドロステロン dehydroepiandrosterone (DHEA)** および**アンドロステンジオン androstenedione** である．これらのステロイドの構造は図 19・7 と図 19・8 に示してある．**デオキシコルチコステロン deoxycorticosterone** はアルドステロンとほぼ等しい量だけ正常時に分泌されているミネラルコルチコイドであるが（表 19・1），そのミネラルコルチコイドとしての作用はアルドステロンのわずか3%にすぎない．デオキシコルチコステロンの電解質代謝に及ぼす効果はふつう無視しうるものであるが，その分泌が亢進した病気ではその効果が認められる．卵巣以外で作られるエストロゲンの大部分は，循環血中で副腎アンドロステンジオンから生成されたものである．デヒドロエピアンドロステロンのほとんどすべては，硫酸との抱合型で分泌されるが，その他のステロイドは大部分非抱合の遊離型で分泌される（クリニカルボックス 19・1）．

動物種差

　両生類からヒトに至るすべての脊椎動物において副腎皮質が分泌する主要 C_{21} ステロイドホルモンはアルドステロン，コルチゾル，コルチコステロンである．コルチゾルとコルチコステロンの分泌量の比率は動物種によって異なる．鳥類，マウス，ラットなどはグルココルチコイドとしてほとんどコルチコステロンのみを分泌し，イヌはコルチゾルとコルチコステロンをほぼ等量分泌する．ネコ，ヒツジ，サル，ヒトの分泌

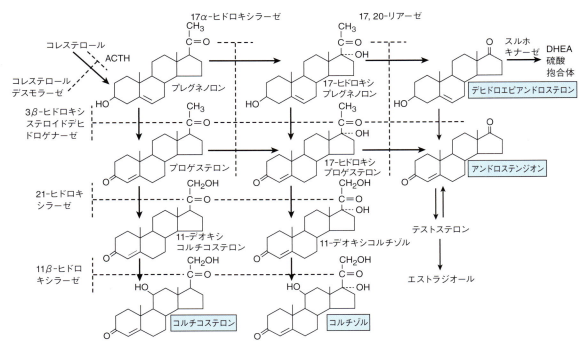

図 19・7　副腎皮質束状層と網状層におけるホルモンの生合成の概要．主な分泌物質は四角で囲ってある．反応に関与する酵素は図の左側と最上段に示してある．特定の酵素が欠損すると破線で示される段階でホルモン生成が阻止される．ACTH：副腎皮質刺激ホルモン，DHEA：デヒドロエピアンドロステロン．

するグルココルチコイドは主にコルチゾルである．ヒトの場合，分泌されるコルチゾル：コルチコステロンの比は約 7：1 である．

ステロイド生合成

　天然の副腎皮質ホルモンが体内で生合成される主要経路を図 19・7 と図 19・8 に示す．すべてのステロイドの前駆物質はコレステロールである．コレステロールの一部は酢酸から合成されるが，大部分は循環血中の LDL から得られる．LDL 受容体は副腎皮質細胞に特に豊富に発現している．コレステロールはエステル化され，脂質小滴の中に蓄えられている．**コレステロールエステル加水分解酵素 cholesterol ester hydrolase** は，脂質小滴の中の遊離コレステロールの生成を触媒する（図 19・9）．コレステロールはステロールトランスポータによってミトコンドリアに運ばれる．ミトコンドリア内でコレステロールは，**コレステロールデスモラーゼ cholesterol desmolase** または，**側鎖分割酵素 side-chain cleavage enzyme** として知られる酵素によって触媒される反応でプレグネノロンに変化する．この酵素はステロイドの合成に関与する多くの酵素と同様に，シトクロム P450 スーパーファミリーのメンバーであり，**P450scc** あるいは **CYP11A1** とも呼ばれる．便宜上，副腎皮質ステロイド合成に関する多彩な酵素の名称は表 19・3 に要約されている．

　プレグネノロンは，滑面小胞体へ移り，そこでそのいくぶんかは **3β-ヒドロキシステロイドデヒドロゲナーゼ 3β-hydroxysteroid dehydrogenase** によって触媒される反応で脱水素されプロゲステロンに変換される．この酵素は分子量 46 000 で，シトクロム P450 の一種ではない．さらにこの酵素は，滑面小胞体内で 17α-ヒドロキシプレグネノロンから 17α-ヒドロキシプロゲステロンへ，デヒドロエピアンドロステロンからアンドロステンジオンへ変換する過程も触媒する（図 19・7）．17α-ヒドロキシプレグネノロンと 17α-ヒドロキシプロゲステロンは，それぞれプレグネノロンとプロゲステロンから **17α-ヒドロキシラーゼ 17α-hydroxylase** によって作られる（図 19・7）．この酵素はミトコンドリア P450 の 1 つであり，**P450c17** もしくは **CYP17** としても知られている．同じ酵素の別の部分には，**17, 20-リアーゼ 17, 20-lyase** 活性があり，17 と 20 の結合を切断して，17α-プレグネノロンと 17α-プロゲステロンを C_{19} ステロイドであるデ

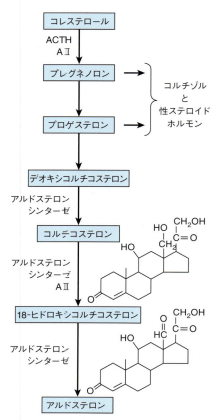

図 19・8　副腎皮質球状層におけるホルモン合成． 球状層には 17α-ヒドロキシラーゼ活性がなく，正常時アルドステロンシンターゼが唯一発現しているので，球状層のみがコルチコステロンをアルドステロンに転換できる．ACTH：副腎皮質刺激ホルモン，AⅡ：アンジオテンシンⅡ．

クリニカルボックス 19・1

合成ステロイド

他の多くの天然物質の場合と同様に，コルチコステロイドもそれらの構造を変えることによって活性を上げることができる．コルチゾルの何倍もの活性をもついくつもの合成ステロイドが利用できるようになっている．表 19・2 では，合成ステロイドの 9α-フルオロコルチゾルやプレドニゾロンやデキサメタゾンのグルココルチコイド活性およびミネラルコルチコイド活性をコルチゾルのそれらの活性と比較している．デキサメタゾンの強い効力は，グルココルチコイド受容体に対する親和性と，長い半減期に由来している．プレドニゾロンも半減期が長い．

ヒドロエピアンドロステロンとアンドロステンジオンに変換する．

プロゲステロンのヒドロキシル化による 11-デオキシコルチコステロンと，17α-ヒドロキシプロゲステロンのヒドロキシル化による 11-デオキシコルチゾルの生成は，滑面小胞体で起こる．これらの反応は，21-ヒドロキシラーゼ，**P450c21** もしくは **CYP21A2** としても知られているシトクロム P450 によって触媒される．

11-デオキシコルチコステロンと 11-デオキシコルチゾルはミトコンドリアに戻り，そこで 11 位のヒドロキシル化を受け，コルチコステロンとコルチゾルになる．これらの反応は束状層と網状層で起こり，11β-ヒドロキシラーゼ，**P450c11** もしくは **CYP11B1** と

表 19・1　成人の主要副腎皮質ホルモン[a]

名　称	別　名	血漿濃度平均値 (遊離型と結合型)[a] (μg/dL)	分泌量 平均量 (mg/日)
コルチゾル	Compound F，ヒドロコルチゾン	13.9	10
コルチコステロン	Compound B	0.4	3
アルドステロン		0.0006	0.15
デオキシコルチコステロン	DOC	0.0006	0.20
デヒドロエピアンドロステロン硫酸抱合体	DHEAS	175.0	20

a) DHEAS 以外のすべての血漿濃度は一晩臥床後の絶食中の朝に測定した値である．

表19·2 コルチゾルを基準とした各種コルチコステロイドの相対的活性[a]

ステロイド	グルココルチコイド活性	ミネラルコルチコイド活性
コルチゾル	1.0	1.0
コルチコステロン	0.3	15
アルドステロン	0.3	3000
デオキシコルチコステロン	0.2	100
コルチゾン	0.7	0.8
プレドニゾロン	4	0.8
9α-フルオロコルチゾル	10	125
デキサメサゾン	25	ほとんど0

[a] グルココルチコイド活性については肝臓グリコーゲン沈着または抗炎症力検定法によって測定した概算値を示し,ミネラルコルチコイド活性については尿中 Na^+/K^+ 比に及ぼす効果あるいは副腎摘出動物の延命効果で測定した概算値を示した.最後の3つのステロイドは合成品であり,生体内には存在しない.

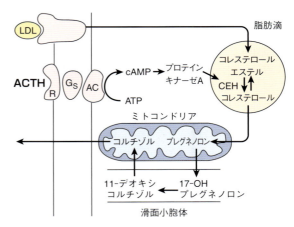

図19·9 副腎皮質の内側2層のコルチゾル分泌細胞に対するACTH作用の機序. ACTHがその受容体(R)に結合すると,Gsを介してアデニル酸シクラーゼ(AC)が活性化される.ACの活性化はcAMPの濃度を上昇させ,プロテインキナーゼAを活性化する.このプロテインキナーゼAはコレステロールエステル加水分解酵素(CEH)をリン酸化して活性を上げる.この結果,さらに多くの遊離コレステロールが生成され,プレグネノロンに転換される.ステロイド合成の次の段階では,生成物がミトコンドリアと滑面小胞体との間を往復する.コルチコステロンも合成され分泌される.ACTH:副腎皮質刺激ホルモン,ATP:アデノシン三リン酸,cAMP:サイクリックアデノシン3',5'一リン酸.

しても知られているシトクロムP450によって触媒される.

球状層では,11β-ヒドロキシラーゼは存在しないが,それと密接に関連した**アルドステロンシンターゼ aldosterone synthase**と呼ばれる酵素が存在する.このシトクロムP450は,11β-ヒドロキシラーゼと95%の相同性があり,**P450c11AS**もしくは**CYP11B2**としても知られている.CYP11B1とCYP11B2をコードする遺伝子は,両方とも第8番染色体上に存在する.しかし,正常ではアルドステロンシンターゼは球状層にのみ存在する.球状層には17α-ヒドロキシラーゼが発現していない.これが,球状層はアルドステロンを生成するがコルチゾルあるいは性ホルモンを生成しない理由である.

さらに,内側2層には,以下の特徴が存在する.束状層は網状層よりもより多く3β-ヒドロキシステロイドデヒドロゲナーゼ活性をもち,網状層は17α-ヒドロキシラーゼの17,20-リアーゼ活性の発現に必要な補因子をより多くもつ.したがって,束状層はより多くのコルチゾルとコルチコステロンを作り,網状層はより多くのアンドロゲンを作る.作られたデヒドロエピアンドロステロンの多くは,**副腎スルホキナーゼ adrenal sulfokinase**によってデヒドロエピアンドロステロン硫酸(DHEAS)抱合体に転換される.この酵素は同様に網状層に局在する.

表19·3 副腎ステロイド合成酵素の名称とそれらの副腎細胞内での局在

一般名	P450	CYP	局在
コレステロールデスモラーゼ,側鎖切断酵素	P450scc	CYP11A1	ミトコンドリア
3β-ヒドロキシステロイドデヒドロゲナーゼ	…	…	滑面小胞体
17α-ヒドロキシラーゼ,17,20-リアーゼ	P450c17	CYP17	ミトコンドリア
21-ヒドロキシラーゼ	P450c21	CYP21A2	滑面小胞体
11β-ヒドロキシラーゼ	P450c11	CYP11B1	ミトコンドリア
アルドステロンシンターゼ	P450c11AS	CYP11B2	ミトコンドリア

ACTHの作用

ACTHは，副腎皮質細胞の形質膜にある高親和性受容体に結合する．この結合は，Gsタンパク質を介してアデニル酸シクラーゼを活性化する．その結果，直ちにプレグネノロンとその誘導体の生成が増加し，後者の分泌が起こる（図19・9）．さらに長時間では，ACTHはグルココルチコイドの合成に関与するシトクロムP450酵素群の合成も促進する．

アンジオテンシンIIの作用

アンジオテンシンIIは球状層のAT₁受容体（38章参照）に結合し，Gタンパク質を介してホスホリパーゼCを活性化する．その結果として上昇したプロテインキナーゼC活性は，コレステロールからプレグネノロンへの転換を促し（図19・8），アルドステロンシンターゼの活性を促進して，アルドステロンの分泌を増加させる．

酵素欠損症状

図19・7と図19・8からステロイド生合成系のどの酵素を抑制すればどのような結果が生じてくるかを推測することができる．先天的にこれらの酵素が欠落すると，コルチゾル分泌不全が起こり，**先天性副腎過形成 congenital adrenal hyperplasia**の症候群が生じる．この過形成はACTH分泌上昇によるものである．コレステロールデスモラーゼ欠損は胎盤において妊娠持続に必要なプロゲステロンの生成を阻止するので，この欠損は胎児を死に至らせる．新生児において重篤な先天性副腎過形成の原因は，**ステロイド産生急性調節タンパク質 steroidogenic acute regulatory（StAR）protein**の遺伝子の突然変異による機能喪失である．このタンパク質は，副腎と性腺においてコレステロールがミトコンドリアに入ってコレステロールデスモラーゼ（ミトコンドリア内膜のマトリックス側に局在する）に到達するのに必須である（16章参照，図16・1）．ただこのタンパク質は胎盤では必須ではない．このタンパク質が欠損するとステロイドは少量しか生成されない．ACTHによる刺激の程度が著しく，最終的には多数のリポイド小滴が副腎に蓄積する．このため，この病態は**先天性リポイド副腎過形成 congenital lipoid adrenal hyperplasia**と呼ばれている．アンドロゲンが生成されないので，遺伝的な性がどちらであれ，女性性器が備わってくる（22章参照）．まれな疾患である3β-ヒドロキシステロイドデヒドロゲナーゼ欠損症ではDHEA分泌が増加する．このステロイドは弱いアンドロゲン作用をもち，この疾患の女性にはある程度の男性化を引き起こすが，遺伝的に女性の性器を完全に男性化するには十分ではない．したがって，通例**尿道下裂 hypospadias**がみられる，つまり尿道の開口部が陰茎の先端ではなく，裏面にある．3番目にまれな病気は，**CYP17**遺伝子の変異に基づく完全な17α-ヒドロキシラーゼ欠損症であり，この病気では性ホルモンがまったく分泌されないため，外部女性性器が存在する．しかしコルチコステロンとアルドステロンに向かう経路は損なわれていないため，11-デオキシコルチコステロンおよびその他のミネラルコルチコイド濃度が上昇し，高血圧と低カリウム血症が現れる．この病気ではコルチゾルは産生されないが，コルチコステロンのグルココルチコイド作用によって一部補償される．

これまで考察した欠損とは違って，21-ヒドロキシラーゼ欠損症は一般的であり，酵素欠損症の症例の90％かそれ以上に認められる．21-ヒドロキシラーゼ遺伝子は，第6番染色体の短腕上のヒト白血球型抗原（HLA）複合体遺伝子群（3章参照）内にあり，ヒトゲノム内で遺伝子多型の最も多いものの1つである．その遺伝子上の多くの異なった部位に変異が起こり，それゆえ引き起こされる異常は，軽症から重篤に至る．コルチゾルとアルドステロンの産生は一般に減少しており，そのためACTH分泌とその後の前駆ステロイドは増加する．これらのステロイドはアンドロゲンに変換され，**男性化 virilization**を引き起こす．治療しない場合，女性に発現するこの身体的特徴は**副腎性器（過形成）症候群 adrenogenital syndrome**である．男性化は生涯の後半まで顕著には現れないし，軽症は検査によってのみ検出される．この症例の75％で，アルドステロン欠損は，かなりのNa⁺喪失を引き起こす（先天性副腎過形成の**塩喪失型 salt-losing form**）．この結果生じる循環血液量減少は重篤なものとなる．

11β-ヒドロキシラーゼ欠損の場合は，男性化と11-デオキシコルチゾルと11-デオキシコルチコステロンの過剰分泌が起こる．11-デオキシコルチゾルはミネラルコルチコイド活性を有するので，この病態の患者では塩と水分の貯留も起こる．また，2/3の症例では高血圧を伴う（先天性副腎過形成の**高血圧型 hypertensive form**）．

先天性副腎過形成の上述の男性化型のすべてに，グルココルチコイド治療が必要である．その理由は，この治療がグルココルチコイド不足を修復し，ACTH

分泌を抑制し，アンドロゲンおよびその他のステロイド異常分泌を抑えることにある．

ステロイドホルモン生合成に関与するシトクロムP450酵素の発現は，オーファン核受容体の一種である**ステロイド因子-1 steroid factor-1（SF-1）**によって左右される．もし *Ft2-F1*（SF-1の遺伝子）がノックアウトされると，性腺と副腎が発達せず，下垂体と視床下部にも異常が起こる．

副腎皮質ホルモンの輸送，代謝，排泄

グルココルチコイドの結合

コルチゾルは循環血中で**トランスコルチン trans-cortin** または**コルチコステロイド結合グロブリン corticosteroid-binding globulin（CBG）**と呼ばれるαグロブリンに結合している．ごく少量はアルブミンにも結合している．コルチコステロンも同様に結合しているが，ずっと少ない割合である．したがって循環血中における半減期はコルチゾル（約60〜90分）の方がコルチコステロン（50分）より長い．結合ステロイドは生理的活性がない（16章参照）．加えて，このように血漿タンパク質に結合しているために，尿中に排泄される遊離のコルチゾルやコルチコステロン量は比較的少ない．

図19・10 はコルチゾルとその結合タンパク質との間の平衡関係，および組織へのコルチゾル供給とACTH分泌という見地からその結合の意義を要約したものである．結合コルチゾルは循環血中のホルモンの予備として組織に遊離コルチゾルを常に供給し続けるのに役立っている．この関係は T_4（サイロキシン）とその結合タンパク質との関係に類似している（19章参照）．全血漿コルチゾル濃度が正常レベル（13.5μg/dL あるいは 375 nmol/L）にある時は，血漿中の遊離コルチゾル量は非常に少ない．しかし全血漿コルチゾルが 20μg/dL を超えると CBG のコルチゾル結合部位は飽和してくる．血漿濃度がさらに上がると，アルブミンとの結合が増加してくるが，主に増加してくるものは非結合コルチゾルである．

CBG は肝臓で合成され，その産生量はエストロゲンによって増加する．CBG 濃度は妊娠時に増加し，肝硬変，ネフローゼ，多発性骨髄腫で減少する．CBG 濃度が増すとより多くのコルチゾルが結合してしまうので，初めは遊離コルチゾル濃度が低下する．そうすると ACTH 分泌が刺激され，さらに多くのコルチゾルが分泌される．この結果，結合コルチゾルは増加するが，遊離コルチゾルは正常レベルに戻り平衡に到達する．CBG 濃度が下降すると反対方向の変化が起こる．以上のことから，妊婦ではグルココルチコイド過剰の諸徴候を伴わずに血漿コルチゾル濃度全体が高くなることが説明される．これとは逆に，ネフローゼ症候群の患者ではグルココルチコイド不全の諸徴候を伴わずに血漿コルチコイド全量が低下していることが説明される．

グルココルチコイドの代謝と排泄

グルココルチコイド分解の主な場所は肝臓であり，コルチゾルはここで代謝される．大部分のコルチゾルは最初ジヒドロコルチゾルに，次いでテトラヒドロコルチゾルに還元された後グルクロン酸に抱合される（図19・11）．この抱合反応の時に作用するグルクロン酸転移酵素系 glucuronyl transferase system はビリルビンやその他のいろいろなホルモンや薬物などのグルクロン酸抱合体の生体反応も触媒する（28章参照）．したがって様々な物質の間でこの酵素系に対する競合抑制が起こっている．

肝臓および他の組織は，11β-ヒドロキシステロイドデヒドロゲナーゼを保有している．この酵素は少なくとも2型ある．1型はコルチゾルからコルチゾンへの転換と逆反応との両方を触媒する．ただ，生体内では1型は主に還元酵素として作用し，コルチコステロンからコルチゾルを生成する．2型はコルチゾルか

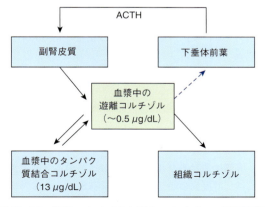

図19・10 遊離コルチゾルと結合コルチゾルの相互関係．破線の矢印はコルチゾルが ACTH 分泌を抑制することを示している．遊離コルチゾルの値は近似値である．多くの研究では血漿全コルチゾル値から結合コルチゾル値を引いて遊離コルチゾル値としている．ACTH：副腎皮質刺激ホルモン．

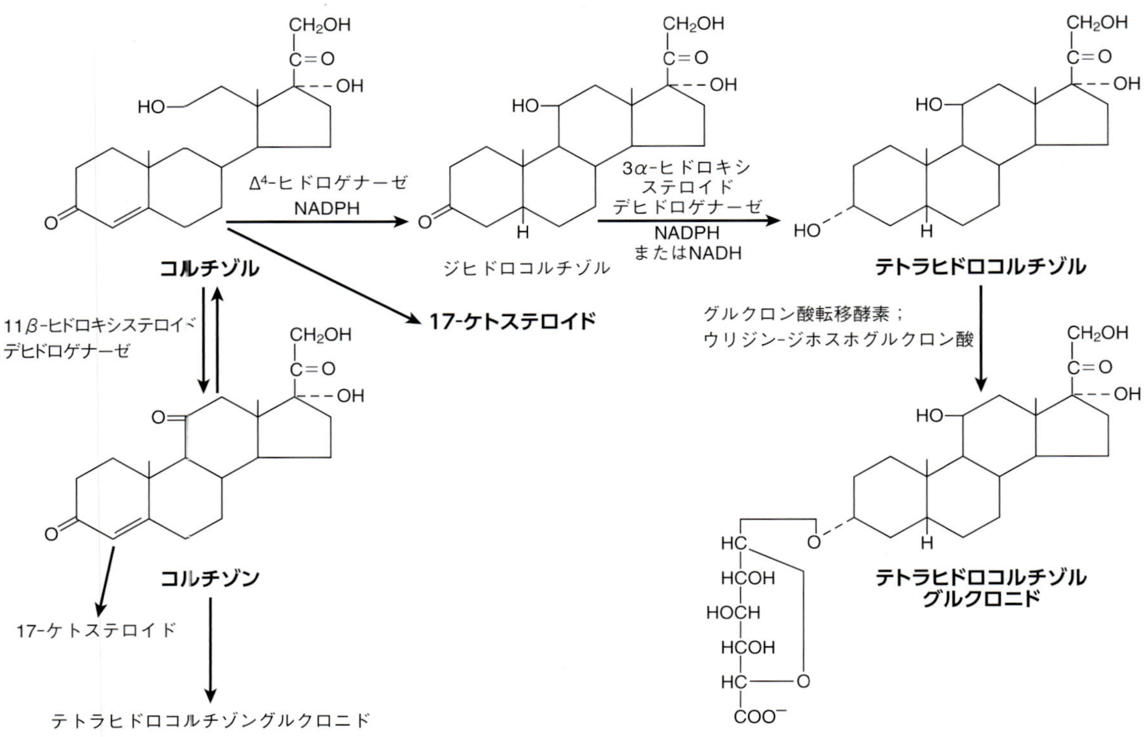

図 19・11 コルチゾルの肝臓における代謝の概要.

らコルチゾンへのほとんど一方向への転換のみを触媒する．コルチゾンはコルチゾルに転換されるので，コルチゾンはグルココルチコイド活性をもっている．このため，コルチゾンは医薬品として広く用いられており，よく知られている．コルチゾンは測定できるほどの量は副腎から分泌されない．肝臓でほんのわずかコルチゾンが合成されたとしてもすぐに還元され，抱合されてテトラヒドロコルチゾングルクロニドに変わってしまうので，肝臓で生成されたコルチゾンは循環血中に入っていかない．コルチゾルやコルチコステロンのテトラヒドログルクロニド誘導体（"抱合体 conjugate"）は水溶性である．このため，これら抱合体は循環血中に入るが，血漿タンパク質に結合しないで急速に尿中に排泄される．

　分泌されたコルチゾルの約10％は，肝臓でコルチゾンおよびコルチゾルの17-ケトステロイド誘導体に変えられる．この17-ケトステロイドの大部分は硫酸と抱合され尿中に排泄される．20-ヒドロキシ誘導体のような上述のもの以外の代謝産物も生成される．グルココルチコイドの腸肝循環もあり，分泌されるコルチゾルの約15％は大便中に排泄される．コルチコステロン代謝に関しては，17-ケトステロイド誘導体に変わらないということ以外はコルチゾル代謝と同じである（クリニカルボックス19・2 参照）．

アルドステロン

　アルドステロンは血漿タンパク質にごくわずかに結合し，半減期は短い（約20分）．分泌量は少なく（表 19・1），ヒトの正常総血漿濃度は正常時約 0.006 μg/

クリニカルボックス 19・2

肝臓における代謝速度の変動

　肝臓におけるグルココルチコイドの不活性化速度は，肝臓病の時，さらに，興味深いことに外科手術その他のストレスが加えられている時に低下する．このため動物にストレスを加えた時の血漿中の遊離グルココルチコイドの濃度は，ストレスなしで最大ACTH分泌によりもたらされる血漿濃度より高い．

dL (0.17 nmol/L) でコルチゾル（結合型と遊離型を合わせたもの）の約 13.5 μg/dL (375 nmol/L) に比べてずっと低い．アルドステロンのほとんどは肝臓でテトラヒドログルクロニド誘導体に変えられるが，一部は肝臓と腎臓で 18-グルクロニドに変えられる．グルクロニドは他のステロイドの分解産物と異なり，pH 1.0 で加水分解されて遊離のアルドステロンに変わる．したがってこの代謝産物をしばしば"酸性不安定抱合体 acid-labile conjugate"と呼ぶことがある．分泌されたアルドステロンのうち 1% 以下の量は遊離型のまま尿中に排泄される．また 5% は酸不安定抱合体の形で尿中に排泄される．分泌量のうち最大 40% までのアルドステロンはテトラヒドログルクロニドとして排泄される．

17-ケトステロイド

副腎から分泌されるアンドロゲンの主なものは 17-ケトステロイドのデヒドロエピアンドロステロンであるが，アンドロステンジオンも分泌される．このアンドロステンジオンの 11-ヒドロキシ誘導体とコルチゾルやコルチゾンの側鎖が肝臓で切り離されて生成される 17-ケトステロイドは，11 の位置に =O または -OH 基をもっている（"11-オキシ-17-ケトステロイド"）．テストステロンも代謝され，17-ケトステロイドに変わる．正常成人の 17-ケトステロイドの 1 日当たりの排泄量は男性 15 mg，女性 10 mg である．このことから，男性の尿中 17-ケトステロイドのうち約 2/3 は副腎から分泌されたものと肝臓でコルチゾルから生成されたもので，残り約 1/3 は精巣から分泌されたステロイドが代謝されたものである．

副腎アンドロゲンやテストステロンの代謝産物であるエチオコラノロン etiocholanolone は抱合されていないと発熱を引き起こす（17 章参照）．抱合されていないエチオコラノロンが周期的に血中に蓄積するために，発熱発作を繰り返す人もいる（"エチオコラノロン熱"）．

副腎のアンドロゲンとエストロゲンの効果

アンドロゲン

アンドロゲンは身体を男性化する作用をもつホルモンであり，タンパク質合成と成長を促進する（23 章参照）．精巣が分泌するテストステロンは最も活性の強いアンドロゲンであり，副腎の分泌するアンドロゲンはテストステロンの 20% 以下の活性しかない．副腎アンドロゲンの分泌は急性に ACTH により調節され，性腺刺激ホルモンによって調節されない．しかし，DHEAS は 20 歳代前半に最高値である約 225 mg/dL に達した後次第に下降し，老齢期には非常に低くなる（図 19・12）．これらの長期間の変化は ACTH 分泌の変化によるものではなく，むしろ 17α-ヒドロキシラーゼのリアーゼ活性の上昇とそれに続く緩徐な下降によって起こると考えられている．

循環血中の DHEA の約 99.7% は硫酸抱合体 (DHEAS) である．性腺を摘除された男性と女性の副腎アンドロゲンの分泌量は，正常の男性の分泌量に近い．このため正常量の分泌であればこれらのホルモンが極めてわずかな男性化効果しか現さないことは明らかである．しかしながら，過剰に分泌されると，DHEA(S) は明らかな男性化効果を発現させる．成人男性では，副腎アンドロゲン過剰は既存の男性的特徴を強調するにすぎないが，思春期前の男児では，精巣の発育なしに第二次性徴の早熟発達を引き起こしうる（**仮性思春期早発症 precocious pseudopuberty**）．女性では，副腎アンドロゲン過剰は，女性仮性半陰陽と副腎性器症候群を引き起こす．健康科学の専門家の中には，加齢の影響を抑えるためにデヒドロエピアンドロステロンの注射を推奨する人もいるが（1 章参照），これまでの結果では，まだ議論の余地がある．

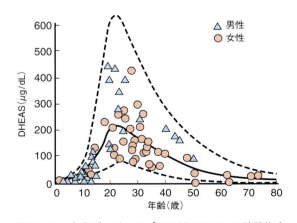

図 19・12 血中デヒドロエピアンドロステロン硫酸抱合体 (DHEAS) の年齢による変化．実線は平均値，破線は ±1.96 標準偏差を示す（Smith MR, et al: A radioimmunoassay for the estimation of serum dehydroepiandrosterone sulfate in normal and pathological sera. Clin Chim Acta 1975; Nov 15; 65(1): 5-13 より許可を得て複製）．

エストロゲン

　副腎アンドロゲンであるアンドロステンジオンは脂肪および他の末梢組織でテストステロンおよび（芳香族化されて）エストロゲンに変わる．このホルモンは閉経後の女性および男性にとってエストロゲンの重要な源である（22，23章参照）．

グルココルチコイドの生理的効果

副腎機能不全症

　副腎機能不全症を治療しないでおくと，ミネラルコルチコイド欠乏のためNa^+喪失とショックが起こり，さらにグルココルチコイド欠乏のため，水分，炭水化物，タンパク質および脂肪の代謝に異常を来す．これらの代謝異常はミネラルコルチコイドの投与を行っても最終的に死に至る．これらの代謝異常は少量のグルココルチコイドの投与によって回復するが，その回復のしくみの一部は，グルココルチコイドの直接作用によるものと，一部はいろいろな反応が起こりうるようにはたらく，いわゆる許容作用によるものである．これらのグルココルチコイドの生理的作用とグルココルチコイド多量投与により誘発されるまったく別種の効果とは，区別しておくことが大切である．

作用機序

　グルココルチコイドの多様な効果は，このホルモンがグルココルチコイド受容体と結合することから始まる．このステロイド-受容体結合はDNAの一定の部分の転写を促進する転写因子として作用する（1章参照）．転写の促進は，その後適切なmRNAを介して細胞機能に変化をもたらす酵素群の合成へとつながる．さらに，グルココルチコイドは遺伝子を介さない（非ゲノム）作用ももつらしい．

中間代謝に対する効果

　炭水化物，タンパク質，脂肪の中間代謝に及ぼすグルココルチコイドの作用については24章で述べる．その中には，タンパク質分解の増大，肝臓のグリコーゲン生成および糖新生の増大が含まれている．またグルコース6-ホスファターゼ活性を増大させるので血漿グルコース濃度が上昇する．グルココルチコイドは末梢組織に対して抗インスリン作用を有し，糖尿病を増悪させる．しかし，脳と心臓はその影響を受けないので，血漿グルコース濃度の上昇は，これらの生命に必須の器官へ余分にグルコースを供給することになる．糖尿病患者においてグルココルチコイドは血漿脂質濃度を高め，ケトン体生成量を増加させるが，正常人の場合はこれらの作用ははっきりしない．これは，正常人ではグルココルチコイドによる血漿グルコース濃度の上昇がインスリン分泌を刺激するからである．副腎機能不全症の患者では熱量摂取量が適当である限り血漿グルコース濃度は正常に保たれるが，いったん絶食すると低血糖を来し，致命的になることすらある．絶食によるケトン体生成反応にとって副腎皮質は不可欠ではない．

許容作用

　いろいろな代謝反応が起こる場合，ごく少量のグルココルチコイドがなければならないが，グルココルチコイドそのものがそれらの反応を引き起こすのではない．このような効果を，グルココルチコイドの**許容作用 permissive action**という．グルカゴンやカテコールアミンの熱量産生効果（前述ならびに24章参照）発現にも，カテコールアミンの脂肪分解効果や血圧上昇反応と気管支拡張効果の発現にもグルココルチコイドがなければならないのは，いずれも許容効果の例である．

ACTH分泌に及ぼす効果

　グルココルチコイドはACTH分泌を抑制する．この作用は下垂体に対する負のフィードバックである．このため，副腎摘出動物のACTH分泌量は正常よりも多い．ACTH分泌に及ぼすコルチゾルのフィードバック効果についてはグルココルチコイド分泌の調節の項で後述する．

血管の反応性

　副腎機能不全の動物では血管平滑筋がノルアドレナリンやアドレナリンに反応しなくなってくる．毛細血管は拡張し，ついにはコロイド色素も透過するようになる．ノルアドレナリン作動性神経終末から放出されるノルアドレナリンに血管が反応して収縮できなくなる結果，副腎機能不全症に伴う循環血液量減少に対する補償作用がおそらく損われて，血管性虚脱が促進されることになる．グルココルチコイドを投与すると血管の反応性は回復する．

神経系に及ぼす効果

副腎機能不全症の時にみられる神経系の変化はグルココルチコイド投与によってのみ回復する．神経系変化の主なものは正常人のβ波よりも遅い脳波の出現と人格の変化である．人格の変化は軽度であるが，いらいら，不安，集中力欠如などが現れる．

水分代謝に及ぼす効果

副腎機能不全症には水分負荷を排泄できないという特徴がある．この機能不全によって水中毒に至る可能性がある．グルココルチコイドだけが，この欠陥を修復できる．グルココルチコイド投与を受けていない副腎機能不全症の患者にグルコースを輸液に加えて投与すると高熱を発し（"グルコース発熱 glucose fever"），引き続いて虚脱を起こし死亡することがある．これはおそらく，グルコースが代謝され[*2]，輸液中の水分が血漿を薄め血漿と細胞との間に浸透圧勾配が生じる結果，視床下部の体温調節中枢の細胞が膨張して，機能障害が起こってしまうためであろう．

副腎機能不全症の時，水分排泄が異常になる原因についてはまだ定説がない．血漿バソプレシンは副腎機能不全症の時に上昇し，グルココルチコイド療法によって下降してくる．副腎機能不全症の時，腎糸球体濾過量が低下し，これが水分排泄の減少の原因と考えられる．水分の排泄異常に対するグルココルチコイドの選択的効果はこの考えに合致する．というのはミネラルコルチコイドも血漿量を維持することで糸球体濾過量を改善するが，それよりもグルココルチコイドの糸球体濾過量増大作用はずっと大きいからである．

血球，リンパ器官に及ぼす効果

グルココルチコイドは，好酸球が脾臓や肺中に停滞するのを助長するので，循環血中の好酸球数が減少してくる．グルココルチコイドは，血中の好塩基球数も減少させるが，好中球，血小板，赤血球数は増加させる（表19·4）．

グルココルチコイドはリンパ球の有糸分裂を抑えることによって循環血中のリンパ球数を減らし，リンパ節や胸腺を小さくする．グルココルチコイドは，核へのNF-κB[*3]の効果を抑制することによってサイトカインの分泌を減らす．サイトカインのIL-2の分泌抑制はリンパ球の増殖の抑制につながる（3章参照）．これらのリンパ球はアポトーシスにより細胞死する．

ストレスに対する抵抗性

生物学で使用される**ストレス stress**という用語は既存の最適の定常状態を変える，もしくは変えるおそれのある環境の変化として定義されている．これらのストレスのすべてではないかもしれないが，その多くは，分子，細胞もしくはシステムのレベルで，前の状態に戻そうという反対の反応を引き起こす．すなわち，これらは，生体のホメオスタシス維持のための反応である．必ずしもすべてのストレスではないが，そのいくつかはACTH分泌を刺激する．このACTH分泌の増加は，ストレスが厳しい時には生存するために必須である．下垂体または副腎を摘出した動物に正常血中濃度を維持するのに足る量のグルココルチコイドを投与しておいても，この動物に同程度のストレスを加えると死んでしまう．

血中のACTHの上昇，その結果起こるグルココルチコイドの上昇がストレスに抵抗するのに必須であるという理由はまだほとんどわかっていない．ACTH分泌を増大させるストレス刺激はほとんどすべて交感神経系を活性化する．血中グルココルチコイドの機能の1つはカテコールアミンに対する血管の反応性を維持することにある．加えて，グルココルチコイドは，カテコールアミンが血中の遊離脂肪酸濃度を十分に上げるのにも必要である．この遊離脂肪酸は緊急時の重要なエネルギー源になる．しかしながら，交感神経を切除した動物はいろいろなストレスに耐えて何とか生き延びることができる．他の説は，他のストレスによっ

表19·4　ヒトの白血球数および赤血球数に対するコルチゾルの典型的な作用（細胞数/μL）

血球	正常値	コルチゾル投与後
白血球		
合計	9000	10 000
多形核好中球	5760	8330
リンパ球	2370	1080
好酸球	270	20
好塩基球	60	30
単球	450	540
赤血球	500万	520万

[*2] 訳注：その結果，輸液中の浸透圧が減少する．
[*3] 訳注：NF-κB：転写因子の1つで，アポトーシスの抑制因子としての作用が知られている．

て引き起こされた変化が過度になるのを，グルココルチコイドが抑えるという説である．現在の段階でいえることは，ストレスは血漿のグルココルチコイドを"薬理的"高濃度まで上昇させ，短時間では生命を救う効果があるということである．

短時間では効果のあるACTHの増加も，長時間では他の作用，たとえばCushing〔クッシング〕症候群などの異常を引き起こし，有害かつ破滅的となることに注意すべきである．

グルココルチコイドの薬理的効果と病的効果

Cushing症候群

血漿グルココルチコイドの持続的上昇に起因する臨床症状はHarvey Cushingにより記載され，**Cushing症候群 Cushing syndrome**と呼ばれている（図19・13）．これには，**ACTH非依存性 ACTH-independent**のものと**ACTH依存性 ACTH-dependent**のものがある．ACTH非依存性Cushing症候群の原因としては，グルココルチコイド分泌性副腎腫瘍，副腎過形成，そして関節リウマチのような疾患のために外来性グルココルチコイドが長期にわたり投与されている場合などがある．まれであるが，興味深いACTH非依存性の症例が報告されている．それは，副腎皮質細胞に胃抑制ポリペプチド gastric inhibitory polypeptide（GIP）（25章参照），バソプレシン（38章参照），βアドレナリン作動薬，IL-1もしくはゴナドトロピン放出ホルモン（GnRH，22章参照）に対する受容体が異常に発現している結果，これらのペプチドがグルココルチコイドの分泌を増やしている場合である．ACTH依存性Cushing症候群の原因には，下垂体前葉や他の臓器のACTH分泌腫瘍，一般には肺に発生するACTH（異所性ACTH症候群）もしくは副腎皮質刺激ホルモン放出ホルモン corticotropin releasing hormone（CRH）を分泌する腫瘍が含まれる．下垂体前葉の腫瘍を原因とするCushing症候群は，Cushingによって記載された症例の原因がこれらの腫瘍だったので，しばしば**Cushing病 Cushing disease**と呼ばれている．しかしながらCushing病をCushing症候群の亜型と呼ぶのは混乱のもとであり，この区別は歴史的価値以上のものではない．

Cushing症候群の患者はタンパク質分解が過剰に起こるためにタンパク質欠乏状態になっている．したがって皮膚や皮下組織は薄く，筋の発達が悪い．創傷の治癒は悪く，ほんの軽度の外傷でも挫傷や斑状出血になる．毛髪は細く不揃いである．この患者の多くは顔の毛が増え，にきびが増えてくるが，それは副腎アンドロゲン分泌増加によるものであり，またグルココルチコイド分泌増加をしばしば伴う．

体脂肪は特有の分布を示す．四肢はやせているが，脂肪は腹壁，顔面や"水牛様脂肪沈着 buffalo hump"と呼ばれるように上背部に集まる．薄くなった腹部の皮膚が皮下脂肪の増加によって引っ張られると皮下組織が破壊て赤紫色の**線条痕 stria**が現れる．このような傷痕は皮膚の急速な伸展が起こる場所にはふつうにみられるものである．しかし正常人ではこの線条痕はふつうあまりはっきりせず，濃い紫色も呈さない．

タンパク質分解によって遊離してくるアミノ酸の大部分は肝臓でグルコースに変えられる．そしてこの結果起こる高血糖と末梢組織の糖利用度の低下はインスリン抵抗性糖尿病を確実に誘発する．この発症は糖尿病の遺伝的素因をもつ患者に特に起こりやすい．糖尿病に伴い，高脂血症やケトーシスが現れるが，アシドーシスはふつうあまり重症ではない．

Cushing症候群の時，あまりにも多量のグルココルチコイドが血中にあるために，そのグルココルチコイドのもつミネラルコルチコイドの作用も現れてくるようである．ACTHの過剰分泌がある場合にはデオキシコルチコステロン分泌も増加している．塩分および水分が保持されているうえに顔面の肥満が加わって，顔面は多血性の丸い"満月様の顔 moon face"の

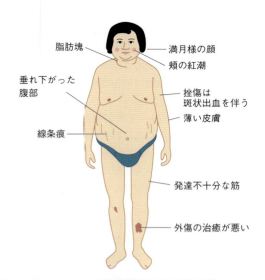

図19・13　Cushing症候群患者の典型的外観．（Forsham PH, Di Raimondo VC: *Traumatic Medicine and Surgery for the Attorney*. Butterworth; 1960より許可を得て複製）．

特有の様相を呈する．さらに K^+ 欠乏が起こり，虚弱になる．Cushing症候群の患者の約85%は高血圧症を示す．この高血圧症状はおそらくデオキシコルチコステロン分泌増加，アンジオテンシノーゲン分泌増加，あるいはグルココルチコイドの血管への直接作用に基づくものであろう(32章参照)．

グルココルチコイド過剰は骨形成の減少と骨吸収の増大によって骨組織の溶解を引き起こす．このようにして**骨粗鬆症(オステオポローシス)osteoporosis** を引き起こし，骨実質の喪失により，ついに脊椎の崩壊やその他の骨折を来す．グルココルチコイドの骨に及ぼす効果の発現機構については21章で考察している．

過剰のグルココルチコイドは脳波の基礎リズムを速め，食欲亢進，不眠症，多幸症から明らかな中毒精神病に至るいろいろな程度の精神障害を引き起こす．すでに述べたようにグルココルチコイド欠乏症の時にもいろいろな精神症状を示すが，グルココルチコイド過剰によって引き起こされる精神障害の方がより重症である．

グルココルチコイドの抗炎症効果と抗アレルギー効果

グルココルチコイドは，組織傷害に対する炎症反応を抑える．また，肥満細胞および好塩基球からのヒスタミン放出に起因するアレルギー疾患の症状発現も抑える．これらの抑制効果は両方とも循環血中のグルココルチコイド濃度が高い時に現れるので，ステロイド投与によりグルココルチコイド過剰による症状を伴わずに，これらの抑制効果だけを得ることはできない．その上，外因性グルココルチコイドの大量投与は，ACTH分泌を抑制して，ステロイド治療停止後に重篤な副腎不全を引き起こしてしまうレベルにまで下げることがある．しかし，グルココルチコイドを局所的投与(たとえば炎症関節あるいは神経過敏の近くへの注射)することにより，しばしば体循環への吸収による重篤な副作用を引き起こすことなく，ステロイドの局所濃度を高めることができる．

細菌感染症に対するグルココルチコイドの効果は劇的であるが危険を伴う．たとえば肺炎球菌性肺炎や活動期結核症などの場合，グルココルチコイドを投与すると発熱，毒性，そして肺炎などの症状は消失してしまうが，この時同時に抗生物質を投与しないと細菌は体全体に広がっていく．上記の症状は，病気の存在を知らせる警戒信号だということを覚えておくことが大切である．もしそれらの症状をグルココルチコイドの投与によって現れなくしてしまうと，診断を下す上で，また抗生物質療法を施す上で重大な，時には致命的な遅れが生じうる．

グルココルチコイドの抗炎症効果と抗アレルギー効果におけるNF-κBの役割は上述されており，3章でも述べている．局所炎症を抑えるグルココルチコイドのもう1つの作用は，ホスホリパーゼA_2抑制に基づく．この抑制は組織リン脂質からのアラキドン酸の遊離を減らし，その結果ロイコトリエン，トロンボキサンチン，プロスタグランジンとプロスタサイクリンを減らす(32章参照)．

その他の効果

グルココルチコイドを大量に投与すると，成長が抑えられ，成長ホルモン分泌が減少し(18章参照)，フェニルエタノールアミンN-メチルトランスフェラーゼ(PNMT)誘導が起こり，甲状腺刺激ホルモン(TSH)分泌が減少する．胎生期には，グルココルチコイドは肺におけるサーファクタントsurfactantの成熟を促進する作用をもっている(34章参照)．

グルココルチコイド分泌の調節

ACTHの役割

グルココルチコイドの基礎分泌量とストレスによる分泌量増加は，下垂体前葉から分泌されるACTHに依存している(18章)．アンジオテンシンIIも副腎皮質を刺激するが，それは主にアルドステロン分泌に対する作用である．その他いろいろな生体内の物質，たとえばバソプレシン，セロトニン，血管作動性腸管ポリペプチド(VIP)の大量投与は，副腎皮質を直接刺激するが，これらの物質がグルココルチコイド分泌の生理的調節に何らかの役割を果たしているという証拠はない．

ACTHの化学と代謝

ACTHは39個のアミノ酸からなる1本のペプチド鎖から成り立っている．下垂体におけるこのペプチドのプロオピオメラノコルチンproopiomelanocortin(POMC)からの起源については18章で述べた．この鎖の最初の23個のアミノ酸配列はこの分子の活性の"核"をなしている．その後の24番目から39番目までのアミノ酸は"尾"を構成しACTH分子を安定にしており，その配列は種によって少し異なっている．こ

れまで分離されているACTHは，概してすべて他の種の動物に有効であるが，異種の動物には抗原性をもっている．

ACTHは試験管内で血液によって不活性化される．しかしその速度は生体内の不活性化速度よりもずっと遅い．ヒトの場合，循環血中のACTHの半減期は約10分である．投与された外来性ACTHは大部分腎臓に集まっているが，腎臓摘出や骨盤内臓全摘術を施しても生体内のACTH活性は増強されないので，ACTH不活性化の場所はまだわかっていない．

ACTHの副腎への効果

下垂体を摘出すると1時間以内にグルココルチコイドの合成および分泌量は著しく低下するが，ホルモンはまだいくらか分泌されている．逆にACTHを注射すると短時間で（イヌの場合2分以内に）グルココルチコイド分泌量が増えてくる．投与量の少ないうちはACTH投与量の対数値とグルココルチコイド分泌の増加量との間に直線関係がある．しかしグルココルチコイドの分泌速度はすぐに最大値に達してしまう．ヒトでも同様の"分泌速度の上限 ceiling on output"が観察される．ACTHの副腎形態に及ぼす作用およびステロイド分泌の促進の作用機序はすでに考察した．

副腎の反応性

ACTHはグルココルチコイド分泌をすぐに増加させるだけではなく，続いて投与するACTH用量に対する副腎の反応性を上げる．逆にいえば，ACTHを1回投与しただけでは，慢性的に下垂体切除された動物や下垂体機能不全状態にある患者ではグルココルチコイド分泌を上昇させない．ACTHを繰り返し投与するか，長時間注入するようにしないとACTHに対する副腎の正常な反応性は回復してこない．反応性の低下はACTH分泌を抑制する量のグルココルチコイド投与でもみられる．このようなACTHに対する副腎の反応性の低下は下垂体摘出後24時間以内に現れ始め，時間とともに著しくなっていく（図19・14）．副腎が萎縮している時反応性の低下は特に著しいが，副腎の大きさや形態に変化が起こる以前から反応性は低下している．

サーカディアンリズム

ACTHは1日中不規則なバースト状分泌を繰り返しており，これらバーストに応じて血漿コルチゾルも

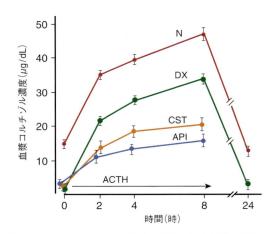

図19・14 ヒトでACTH分泌を低下させた時に起こるACTH反応性の消失．ACTHの1〜24アミノ酸配列部分を8時間にわたって250μg静脈内注射(IV)した．API：下垂体前葉不全症，CST：長時間コルチコステロイド治療を行った例，DX：0.75mgデキサメタゾンを8時間ごとに3日間投与した例，N：正常人(Kolanowski J, et al: Adrenocortical response upon repeated stimulation with corticotropin in patients lacking endogenous corticotropin secretion. Acta Endocrinol [Kbh] 1977; 85: 595 より許可を得て複製)．

上がったり下がったりする傾向がある（図19・15）．ヒトではACTHのバースト状分泌頻度は朝に最も高く，コルチゾルの1日生成量の約75%は午前4〜10時の間に生成される．バースト状分泌頻度は夕方に最も低い．副腎機能不全症で一定量のグルココルチコイド投与を受けている患者でも，これとまったく同じACTH分泌の**サーカディアンリズム circadian rhythm**（あるいは **diurnal rhythm**）がみられる．このサーカディアンリズムは朝起床する時のストレスや不快感によるものではない．なぜなら目を覚ます前にすでにACTH分泌は増加しているからである．もし，実験的に，"1日"を24時間以上に引き延ばしてみると，すなわち被験者を隔離してその日1日の活動を24時間以上に引き延ばすと，副腎周期も延びる．しかし，ACTH分泌の増大する時間はやはり睡眠中に現れる．ACTHのサーカディアンリズムを規定している生物時計は視床下部の視交叉上核にある(17章参照)．

ストレスに対する反応

健康なヒトの安静時，朝の血漿ACTH濃度は約25 pg/mL(5.5 pmol/L)である．いろいろな異常条件におけるACTHとコルチゾル値は図19・16にまとめてある．強いストレスを与えて引き起こされるACTH

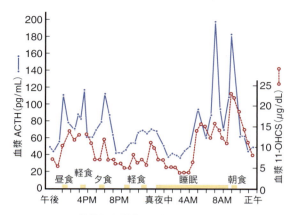

図19・15　正常若年女性(16歳)における血漿ACTHとグルココルチコイドの1日の変動. ACTHは免疫学的検定法によって測定し,グルココルチコイドは11-オキシステロイド(11-OHCS)として測定した.朝と覚醒前にACTHとグルココルチコイドが高度に上昇していることに注意.ACTH:副腎皮質刺激ホルモン(Krieger DT, et al: Characterization of the normal temporal pattern of plasma corticosteroid levels. J Clin Endocrinol Metab 1971; Feb; 32 (2): 266-284 より許可を得て複製).

分泌量はグルココルチコイド最大分泌を引き起こすために必要なACTH量よりも多い.しかし,異所性ACTH症候群のように長期間にわたってACTHに曝されるような条件では副腎からの最大分泌は上昇する.

緊急状態に対処する時引き起こされるACTH分泌の増大はほとんどすべての場合,視床下部のCRH放出を介して起こる.このペプチドは室傍核神経細胞で作られる.そして,正中隆起で分泌され,下垂体門脈を経て下垂体前葉に運ばれ,ACTH分泌を誘発する(18章参照).正中隆起が破壊されると,ストレスに対する分泌増大反応は阻止される.室傍核には脳のいろいろな部位から求心性神経線維が集まってきている.恐れ,不安感,心配などの情動ストレスは,扁桃核からの神経線維を介してACTH分泌を著明に促進する.視交叉上核からの入力はサーカディアンリズム形成に関与する.侵害受容経路と網様体を介して視床下部へ送られるインパルスは,外傷に反応して起こるACTH分泌を増加させる(図19・16).圧受容器は孤束核を経て抑制性入力を供給している.

グルココルチコイドのフィードバック

血中の遊離グルココルチコイド濃度が上昇すると,ACTH分泌が抑制される.血液中のグルココルチコイド濃度と下垂体の抑制の程度との間には比例関係がある.この抑制効果は,下垂体レベルと視床下部レベルで現れる.この抑制はDNAへの作用に起因するものである.最大の抑制に達するまでに数時間かかるが,もっと速い"急速フィードバック"も起こる.種々のステロイドのACTH抑制活性はそれぞれのグルココルチコイド活性と並行している.静止時のコルチコイドのレベルが低下するとACTH分泌が促進され,慢性副腎機能不全の時にはACTHの生合成と分泌の速度が著しく高まる.

このように,ACTH分泌量は次の2つの相反する

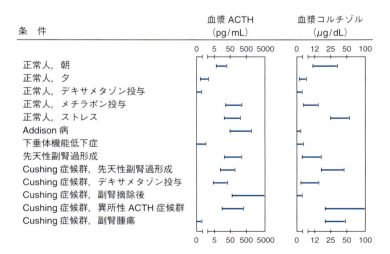

図19・16　いろいろな臨床症状における血漿ACTHおよびコルチゾル濃度. ACTH:副腎皮質刺激ホルモン(Williams RH (editor): *Textbook of Endocrinology*, 5th ed. Saunders; 1974 より許可を得て複製).

作用の強さによって決められている．視床下部を経てACTH分泌量増大へと収斂させる神経系入力やその他の刺激の総和と，もう1つは血中グルココルチコイドの分泌抑制作用の大きさである．後者の抑制作用の大きさは循環血中のグルココルチコイド濃度に比例している(図19・17)．

抗炎症効果を引き起こす量のグルココルチコイドを長期間投与した後，投与の中止により誘発される危険性を強調しておきたい．長期治療後は，副腎は萎縮し，ACTHに対する反応性は消失するばかりでなく，失われた反応性をACTH注射によって回復させるとしても下垂体は1ヵ月もの間，正常量のACTHの分泌ができなくなっている．この原因はACTH合成の低下にあると思われる．長期投与を中止すると，ACTH分泌はゆっくり上昇して正常値を超える．この上昇は次に副腎を刺激し，グルココルチコイド放出を増加させる．この増加はフィードバック抑制作用によって，上昇したACTH値を正常値までゆっくり下げる(図19・18)．ステロイド療法を急に止めることによって起こる副作用は，長時間かけてステロイド用量をゆっくり下げていくことで，通常は避けることができる．

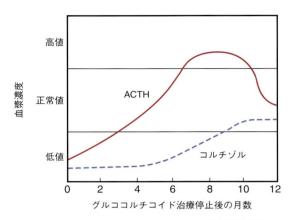

図19・18 大量のグルココルチコイドを毎月長期間にわたって投与されていた患者の血漿ACTHとコルチゾル値の回復過程．ACTH：副腎皮質刺激ホルモン(Ney Rより許可を得て転載)．

ミネラルコルチコイドの効果

作　　用

ミネラルコルチコイド活性をもつアルドステロンや他のステロイドは，尿，汗，唾液，大腸内容物などからのNa^+再吸収を増大させる．このようにして，ミネラルコルチコイドはECFにNa^+貯留を引き起こす．このNa^+貯留は，ECF容積量を膨張させることになる．腎臓では，これらのステロイドは集合管の**主細胞 principal cell (P cell)** に直接作用する(37章参照)．アルドステロン刺激下では，このNa^+の増大は尿細管におけるK^+とH^+の排泄を引き起こし，K^+利尿(図19・19)と尿酸性度の上昇が起こる．

作 用 機 序

多くの他のステロイドのようにアルドステロンは細胞質内の受容体に結合する．受容体-ホルモン複合体は核に移動し，遺伝子の転写を変える．遺伝子の転写は，細胞機能を変えるタンパク質の産生を増やす．アルドステロンにより刺激されるタンパク質は2つの効果をもつ．1つは急速な効果で，上皮型Na^+チャネル(ENaC)の細胞質内の貯蔵所から細胞膜への組込みを増やすことにより，チャネル活性を増加させる．もう1つは比較的ゆっくりした効果で，ENaCの合成を増加させる．アルドステロンによって活性化される遺伝子群の中には，セリン-スレオニンプロテインキナーゼの1つである**血清・グルココルチコイド調節キナー**

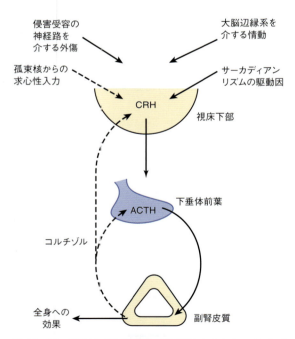

図19・17 「視床下部-下垂体-副腎」軸を介したコルチゾルその他のグルココルチコイド分泌のフィードバック制御．ACTH：副腎皮質刺激ホルモン，CRH：コルチコトロピン放出ホルモン．破線矢印は抑制効果を，実線矢印は促進効果を示す．

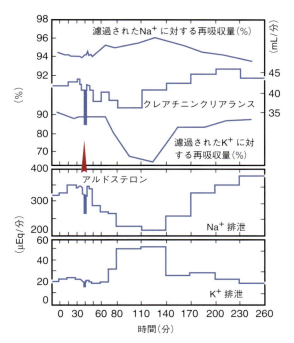

図 19・19　副腎摘出イヌに 5 μg のアルドステロンを 1 回大動脈内に注射した時の電解質排泄の変化．クレアチニンクリアランスの単位は右縦軸に示す．

ゼ serum- and glucocorticoid-regulated kinase (sgk) の遺伝子が含まれる．sgk の遺伝子は初期応答遺伝子の 1 つで，sgk は ENaC 活性を増加させる．アルドステロンは ENaC を形成する 3 つのサブユニットの mRNA も増加させる．sgk の遺伝子発現はアルドステロンだけでなく，グルココルチコイドによっても活性化されるという事実は，尿細管では，グルココルチコイドはミネラルコルチコイド受容体部位で不活性化されているので，問題となる影響を及ぼさない．しかし，アルドステロンは sgk や ENaC に加えて他のタンパク質の遺伝子を活性化し，その他を抑制する．それゆえ，アルドステロンが誘導するタンパク質が Na^+ 再吸収を増加させる正確な機序はいまだ不明である．

アルドステロンが細胞膜に結合し，急速な非ゲノム作用によって遺伝子の転写を介さずに膜の Na^+-K^+ 交換系の活性を促進するという証拠が集まりつつある．これは細胞内 Na^+ を上昇させる．この反応の細胞内メッセンジャーはおそらく IP_3 である．いずれの場合でも，Na^+ 輸送に対するアルドステロンの主要効果の発現には 10〜30 分かかり，最大効果発現はさらに遅れる（図 19・19）．このことは，アルドステロンが遺伝子機構にはたらいて，新しいタンパク質を合成して効

果を発現していることを示している．

ミネラルコルチコイドとグルココルチコイド受容体との関係

興味深いことに生体外ではグルココルチコイドはグルココルチコイド受容体よりもミネラルコルチコイド受容体に対して高い親和性をもっており，さらに生体内ではグルココルチコイドは大量に存在する．このことは，腎臓その他の部位でグルココルチコイドがミネラルコルチコイド受容体に結合してミネラルコルチコイド効果を現さないのはなぜか，という疑問を生じさせる．その答えの少なくとも一部は次の通りである．腎臓その他のミネラルコルチコイド感受性の組織には，11β-ヒドロキシステロイドデヒドロゲナーゼ 2 型 11β-hydroxysteroid dehydrogenase type 2 という酵素が発現している．この酵素はアルドステロンには作用しないが，コルチゾルからコルチゾンへの転換（図 19・11）と，コルチコステロンからその 11-オキシ誘導体への転換を触媒する．これらの 11-オキシ誘導体はミネラルコルチコイド受容体に結合しない（クリニカルボックス 19・3）．

Na^+ 排泄に影響を与える他のミネラルコルチコイド類

コルチコステロンが弱いミネラルコルチコイド効果を現すのに十分量分泌されてはいるが，副腎から分泌される主要なミネラルコルチコイドはアルドステロンである（表 19・1，表 19・2）．異常時にのみ検出できる量が分泌されるデオキシコルチコステロンはアルドステロンの約 3% の活性を有する．プロゲステロンやその他のステロイドを大量使用すると，Na^+ 排泄が起こるが，これらのステロイドが正常時に Na^+ 排泄の調節に関わっていることを示す証拠はほとんどない．

副腎摘出の効果

副腎機能不全症では Na^+ は尿中に失われ，K^+ は保持されるので血漿 K^+ 濃度が上昇する．副腎機能不全が急に起こる時は，ECF から失われる Na^+ 量は尿に排泄されるよりも多い．このことは Na^+ が細胞内へも入るに違いないことを示している．この時もし下垂体後葉の機能が正常であれば，塩分喪失量は水分喪失量を上回り血漿 Na^+ 濃度は低下する（表 19・5）．しかしながら，この時，血漿量も減少してくるので，低血

クリニカルボックス 19・3

偽性ミネラルコルチコイド過剰

　もし11β-ヒドロキシステロイドデヒドロゲナーゼ2型が抑制されたり欠落していれば，コルチゾルは強いミネラルコルチコイド効果を現すことになる．その結果として現れてくる症候群を**偽性ミネラルコルチコイド過剰** apparent mineralocorticoid excess (AME) と呼ぶ．この病態をもつ患者はコルチゾルがミネラルコルチコイド受容体に作用するためにアルドステロン過剰症状の臨床像を呈する．しかし，この患者の血漿アルドステロン濃度と血漿レニン活性は低い．この病態は先天性11β-ヒドロキシステロイドデヒドロゲナーゼ2型欠損に起因する．

治療上のハイライト

　甘草の長期摂取も血圧の上昇を引き起こすことがある．甘草は11β-ヒドロキシステロイドデヒドロゲナーゼ2型を抑制するグリチルレチン酸 glycyrrhetinic acid を含んでいる．多量に甘草を食べる人では腎集合管のENaCチャネルを介してミネラルコルチコイドによるNa$^+$の再吸収が増え，その結果，血圧は上昇する．

クリニカルボックス 19・4

過剰なミネラルコルチコイド二次作用

　ミネラルコルチコイド過剰が，長期間続いた時にみられる最も顕著な特徴は，長期間のK$^+$利尿によって生じるK$^+$欠乏症である（表19・5）．H$^+$も尿中に失われる．Na$^+$は初めは保持されており，血漿Na$^+$濃度は増加したとしてもごくわずかである．それは水分が浸透圧活性のあるNa$^+$によって保持されるからである．したがってECF（細胞外液）量は増大し，血圧は上昇する．ECF量増大がある点を越えると，ミネラルコルチコイドが腎尿細管に持続的に作用しているにもかかわらずNa$^+$排泄量が増加してくる．この**逸脱現象** escape phenomenon（図19・20）は，おそらくANP分泌（38章参照）の上昇によるものと思われる．ミネラルコルチコイドを正常人に投与した時や高アルドステロン症の時でもふつう浮腫が生じないのは，ECF量が増大すると逸脱現象によってNa$^+$排泄が増してくるからである．しかし，逸脱はある病態では起こらず，そのような場合にはECF量が増大し続けると浮腫が起こる（37，38章参照）．

表19・5　正常人および副腎皮質疾患のある患者における典型的な血漿電解質濃度

状　態	血漿電解質 (mEq/L)			
	Na$^+$	K$^+$	Cl$^-$	HCO$_3^-$
正常人	142	4.5	105	25
副腎機能不全症	120	6.7	85	25
原発性アルドステロン症	145	2.4	96	41

圧症，循環不全を引き起こし，最後には致命的なショック症状を起こす．このような変化は食物からのNaCl摂取量を増加させればある程度防ぐことができる．ラットの場合には塩分を余分に与えておくだけで長期間生存することはできるが，イヌや大部分のヒトの場合には極めて多量の塩分補充を要するので，塩分補充と同時にミネラルコルチコイド投与も行わなければ虚脱や死に至るのを防ぐことはほとんど不可能である（クリニカルボックス19・4 参照）．

アルドステロン分泌の調節

刺　　激

　アルドステロン分泌を増加させる主要刺激を表19・6にまとめてある．これらのうちある刺激はグルココルチコイド分泌も増大させるが，その他はアルドステロン分泌のみを選択的に刺激する．分泌促進にはたらく主要な調節因子は，下垂体前葉から分泌されるACTH，腎臓が分泌するレニン（アンジオテンシンIIを介した作用），副腎皮質に直接作用する血漿K$^+$濃度の上昇である．

ACTHの効果

　ACTHは，最初に投与された時にはアルドステロ

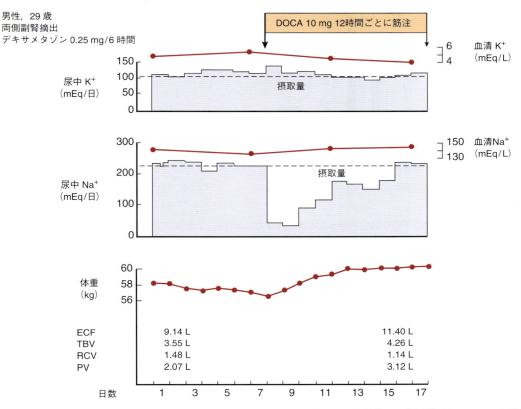

図 19・20 副腎摘出患者における酢酸デオキシコルチコステロン(DOCA)の Na⁺ 保持効果の"逸脱"現象. ECF：細胞外液量, PV：血漿量, RCV：赤血球容積, TBV：全血液量(Biglieri EG より許可を得て転載).

表 19・6 アルドステロン分泌を増大させる代表的な刺激

グルココルチコイド分泌の増大が同時にみられるもの
外科的手術
不安感
肉体的外傷
出血
グルココルチコイド分泌を変化させないもの
多量の K⁺ 摂取
Na⁺ 摂取量の減少
胸郭内における下大静脈狭窄
立位
続発性アルドステロン症(うっ血性心不全, 肝硬変, ネフローゼ症候群の患者のある者にみられる)

ン分泌を刺激するとともにグルココルチコイドや性ホルモンの分泌を刺激する. アルドステロン分泌を増加させるために必要な ACTH の量は, グルココルチコイドの最大分泌を引き起こす量よりもさらに多いが(図 19・21), それでも十分に内因性の ACTH 分泌量の範囲内にある. この ACTH の効果は一時的で,

ACTH 分泌上昇が続いてもアルドステロン分泌は 1〜2 日で低下する. 一方, ミネラルコルチコイドのデオキシコルチコステロンは上昇したままである. アルドステロンの下降は, 循環血液量過多の二次効果としてレニン分泌が低下することにも起因するが, 他の因子がコルチコステロンからアルドステロンへの転換を減少させるという可能性もある. 下垂体を摘出してもアルドステロンの基礎分泌量は正常である. ふつう, 外科手術その他のストレスによって起こるアルドステロンの分泌増加は起こらなくなるが, 塩分摂取制限による分泌上昇はしばらくの間影響を受けない. 長期間にわたる下垂体機能低下症では, 副腎皮質球状層の萎縮が起こる結果, 塩分喪失とアルドステロン減少が引き起こされることになる.

　グルココルチコイド治療は通常ではアルドステロン分泌を抑制しない. しかし, 最近報告された興味ある症候群は, **グルココルチコイド治癒性アルドステロン症 glucocorticoid-remediable aldosteronism (GRA)** である. この一種の常染色体優性障害は, ACTH によっ

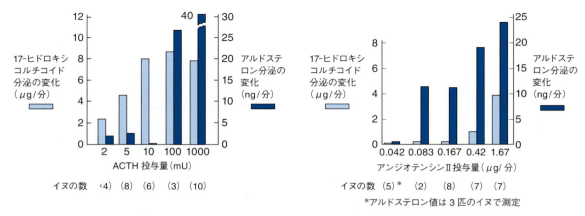

図 19・21 腎臓摘出および下垂体摘出を行ったイヌにおける，ACTH，またはアンジオテンシンIIによって起こされる副腎静脈へのステロイド分泌の変化．ACTH：副腎皮質刺激ホルモン．

て引き起こされたアルドステロン分泌の上昇はもはや一時的なものではなくなる．このアルドステロン過剰分泌とそれに伴う高血圧は，グルココルチコイドを投与してACTH分泌を抑えることによって治療可能である．アルドステロンシンターゼと 11β-ヒドロキシラーゼをコードしている遺伝子は95％同一であり，第8番染色体上で互いに接近した位置にある．GRA患者では，不等交叉があるので，11β-ヒドロキシラーゼ遺伝子の5′調節領域がアルドステロンシンターゼのコード領域と融合している．このハイブリット遺伝子産物は，ACTH感受性アルドステロンシンターゼである．

アンジオテンシンIIとレニンの効果

アンジオテンシンIIと呼ばれる8個のアミノ酸からなるペプチドに，体内でアンジオテンシンIから生成される．アンジオテンシンIはレニンの作用により血中のアンジオテンシノーゲンから遊離してくる(38章参照)．アンジオテンシンIIを注射すると副腎皮質が刺激され，少量で主にアルドステロン分泌が誘発される．アンジオテンシンIIの作用部位はステロイド合成経路の初期と後期の両方にある．初期にはコレステロールからプレグネノロンへの転換に作用し，後期ではコルチコステロンからアルドステロンへの転換に作用する(図19・8)．アンジオテンシンIIはACTHにより制御されているデオキシコルチコステロンの分泌を増加させない．

レニンは，腎輸入細動脈が糸球体に入る部分を取り巻いている傍糸球体細胞から分泌される(38章参照)．

アルドステロン分泌はレニン-アンジオテンシン系を介するフィードバック機構によって調節されている(図19・22)．ECF(細胞外液)量が減少したり，動脈内血液量が減少すると，腎動脈圧が下がると同時に，腎神経放電は反射性に増加する．これら両変化によってレニン分泌が増加する．このレニンの作用によって生成されるアンジオテンシンIIはアルドステロン分泌を増加させる．アルドステロンはNa^+の貯留と二次的に起こる水分の貯留を促進することによりECF量を増加させ，最初にレニン分泌を増大させる刺激要因を取り除く．

出血はACTHとレニンの分泌を刺激する．立位を保ったり，胸郭内で下大静脈を狭窄すると，出血時と同様に腎臓内の動脈圧が減少する．Na^+の摂取量を制限した場合にも，レニン-アンジオテンシン系を介してアルドステロン分泌が増加する(図19・23)．Na^+摂取の制限はECF量を減少させるが，はっきりした血圧下降が起こらないうちにアルドステロン分泌とレニン分泌は増加する．Na^+摂取制限によって引き起こされたレニン分泌の最初の上昇は，おそらく腎神経の反射性活動に基づいている．塩分の枯渇によって引き起こされた循環血中のアンジオテンシンIIの上昇は，副腎皮質のアンジオテンシンII受容体の発現を増やし，アンジオテンシンIIに対する反応を高める．一方，このアンジオテンシンIIの上昇は血管のアンジオテンシンII受容体の発現を減らす．

電解質とその他の因子

血漿Na^+が約20 mEq/L急速に下降すると，アル

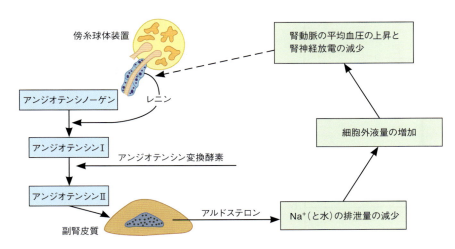

図19・22 アルドステロン分泌を調節しているフィードバック機構. 破線矢印は抑制を示す.

ドステロン分泌が刺激されるが, 血漿 Na^+ がこれほどまで大きく変化することはまれである. しかし, アルドステロン分泌を刺激するのに必要な血漿 K^+ 濃度上昇はほんの 1 mEq/L であり, この大きさの一時的な上昇は食後, 殊に高カリウム食を摂取した後に起こりうる. アンジオテンシン II のように, K^+ はコレステロールからプレグネノロンへの転換と, デオキシコルチコステロンからアルドステロンへの転換を刺激する. この作用は, K^+ 上昇が細胞を脱分極させ, それが電位作動性 Ca^{2+} チャネルを開き, 細胞内 Ca^{2+} を上昇させることによるようである. 球状層のアンジオテンシン II そして低ナトリウム食に対する感受性は, 低カリウム食によって低下する.

正常人では, 立って活動している 1 日の時間帯では血漿アルドステロン濃度は上昇している. この上昇のしくみは肝臓における循環血中アルドステロン除去速度の低下と, 立位によりレニン分泌が上昇することによるアルドステロン分泌の上昇による. 寝たままの人では目覚める前の早朝に最高値に達するアルドステロンとレニン分泌のサーカディアンリズムがみられる. 心房性ナトリウム利尿ペプチド(ANP)はレニン分泌を抑制し, 球状層のアンジオテンシン II に対する反応性を低下させる(38章参照). ACTH, アンジオテンシン II や K^+ がアルドステロン分泌を刺激する機構は, 表 19・7 にまとめられている.

ミネラルコルチコイドの塩分均衡における調節作用

アルドステロン分泌の変化は Na^+ 排泄量を変化させる多くの因子のうちの 1 つにすぎない. その他の主要因子として糸球体濾過量, ANP, 浸透圧利尿の有無, アルドステロン非依存性の腎尿細管における Na^+ 再吸収などがあげられる. アルドステロンが作用を現すには少し時間がかかる. たとえば臥位から立位へ起立した場合, アルドステロン分泌が増大して尿中への Na^+ の排泄は抑制される. しかし, Na^+ 排泄量の減少は, アルドステロン分泌の増大のみで説明するにはあまりにも急速に起こる. アルドステロン分泌を引き起こす機構の第一義的な機能は, 循環血液量の維持であり, その機能は各種のホメオスタシス機構のうちの 1 つにすぎない.

ヒトの副腎機能亢進症と機能低下症についての要約

ヒトにおける副腎皮質ホルモン過剰および欠乏の時にみられる諸症状を概括することにより, 簡潔に副腎のステロイドホルモンの多様で複雑な作用を要約することができる. 各々のホルモンの過剰分泌は特徴的な症候群を引き起こす.

アンドロゲン過剰分泌は, 男性化(**副腎性器(過形成)症候群** adrenogenital syndrome)と仮性思春期早発や女性仮性半陰陽を引き起こす.

グルココルチコイドの分泌過剰の時は, 満月様の丸顔で多血性の様相を呈し, 体幹は肥満し, 腹部に赤紫色の線条痕, 高血圧症, 骨粗鬆症, タンパク質欠乏症, 精神活動の異常, そしてしばしば糖尿病などの諸症状を呈する(**Cushing 症候群**). ミネラルコルチコイドが分泌過剰になると K^+ の喪失と Na^+ の貯留が起こる.

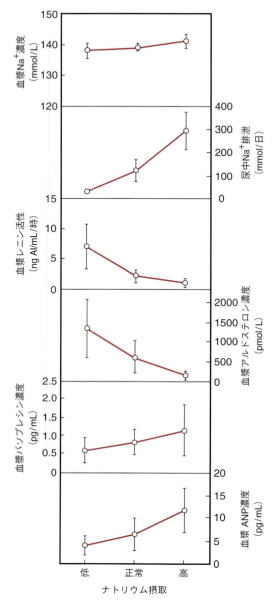

図19·23 正常人に低，正常および高ナトリウム食を摂取させた時の，Na^+代謝と，血漿中のレニン活性，アルドステロン，バソプレシンおよびANPの濃度に及ぼす効果．(Sagnella GA, et al: Plasma atrial natriuretic peptide: Its relationship to changes in sodium in-take, plasma renin activity, and aldosterone in man. Clin Sci 1987; 72: 25 のデータより)．

一般的に浮腫は生じないが，虚弱，高血圧症，テタニー，多尿症，低カリウム血性アルカローシスなどの諸症状を呈する(**高アルドステロン症 hyperaldosteronism**)．この症候群は球状層の腺腫，片側もしくは両側副腎過

表19·7 アルドステロン分泌の調節に関与するセカンドメッセンジャー

分泌刺激物質	セカンドメッセンジャー
ACTH	cAMP，プロテインキナーゼA
アンジオテンシンⅡ	ジアシルグリセロール，プロテインキナーゼC
K^+	電位作動性Ca^{2+}チャネルを介するCa^{2+}

形成，副腎腫瘍，もしくはグルココルチコイド治癒性アルドステロン症(GRA)のような原発性の副腎疾患(**原発性アルドステロン症 primary hyperaldosteronism，Conn〔コーン〕症候群**)によって引き起こされる．原発性アルドステロン症の患者では，レニン分泌は抑制されている．血中レニン活性が高い**二次性(続発性)アルドステロン症 secondary hyperaldosteronism** は肝硬変，心不全，ネフローゼによって引き起こされる．副腎性器症候群(前述)の塩喪失型の症例でも，ECF量が低下しているためにレニン分泌増加が認められる．腎動脈狭窄によるレニン分泌増加を伴う患者では，アルドステロン分泌が増加している．レニン分泌が増加していない患者では，アルドステロン分泌は正常である．アルドステロンと高血圧の関係は32章で考察している．

副腎皮質を破壊する疾患によって引き起こされる**原発性副腎不全 primary adrenal insufficiency** は，**Addison〔アジソン〕病**と呼ばれている．この病態は，かつて結核の比較的一般的な合併症であったが，現在では副腎の自己免疫的な炎症に起因することがふつうである．この患者は，体重減少，易疲労感，慢性低血圧症となる．そしておそらく低血圧症が心臓の仕事量を低下させることにより，心臓の大きさが減少する．最終的には重篤な低血圧とショックを起こす(**Addison クリーゼ Addisonian crisis**)．これは，ミネラルコルチコイドの欠損のみならずグルココルチコイドの欠損にもよる．絶食によって致命的な低血糖症が起こり，わずかなストレスでも虚脱を起こしてしまう．水分が貯蓄して常に水中毒の危険性がある．血中ACTH濃度は増加している．全身の皮膚が淡褐色になり，斑点状に色素が沈着するという慢性グルココルチコイド欠損症に特有の症状は，血中ACTHがもつメラノサイト刺激ホルモン(MSH)活性がその原因の少なくとも一部である．色素沈着は手の皮膚のしわと歯肉に起こるのが一般的である．女性の場合軽度の月経異常が起こる．ただ副腎の性ホルモン欠如は，卵巣

や精巣が正常に機能している場合，ふつうはほとんど影響しない．

二次性副腎不全 secondary adrenal insufficiency は ACTH 分泌を減少させる下垂体疾患によって引き起こされ，**三次性副腎不全** tertiary adrenal insufficiency は CRH 分泌を障害する視床下部の疾患によって引き起こされる．いずれの場合も，電解質代謝があまり変化しないために，原発性副腎不全よりもふつう軽い症状である．また，いずれの状態でも，血中 ACTH は低値で高くないために色素沈着はみられない．

腎疾患と循環レニン濃度低下を伴った患者にアルドステロン単独欠損がみられた例もいくつか報告されている（**低レニン血性アルドステロン低下症** hyporeninemic hypoaldosteronism）．さらに，アルドステロン作用に対して抵抗性がある場合に，**偽性アルドステロン低下症** pseudohypoaldosteronism が現れてくる．これらの症候群の患者は，著しい高カリウム血症，塩類喪失や低血圧を示し，代謝性アシドーシスを伴うことがある．

章のまとめ

- 副腎は，ドーパミン，ノルアドレナリン，アドレナリンなどのカテコールアミンを分泌する副腎髄質とステロイドホルモンを分泌する副腎皮質より構成されている．
- ノルアドレナリンとアドレナリンはアドレナリン α および β 受容体という 2 種類の受容体に作用して，肝臓および骨格筋でのグリコーゲン分解，FFA の動員，血漿乳酸の増加，そして代謝の促進などの作用を引き起こす．
- 副腎皮質のホルモンはコレステロール誘導体であり，ミネラルコルチコイドのアルドステロン，グルココルチコイドのコルチゾルとコルチコステロン，そして男性ホルモンのデヒドロエピアンドロステロン（DHEA）とアンドロステンジオンを含む．

- 男性ホルモンは男性化を引き起こすホルモンで，タンパク質の合成と成長を促進する．副腎男性ホルモンのアンドロステンジオンは脂肪組織および他の末梢組織においてテストステロンとエストロゲンに変換される．副腎男性ホルモンは，男性および閉経後の女性におけるエストロゲンの重要な源である．
- ミネラルコルチコイドのアルドステロンは Na^+ と K^+ 排泄に影響を及ぼし，グルココルチコイドは糖とタンパク質の代謝に影響を与える．
- グルココルチコイド分泌は下垂体前葉から放出される ACTH に依存し，ストレスにより増加する．アンジオテンシン II はアルドステロンの分泌を促進する．

多肢選択式問題

正しい答えを 1 つ選びなさい．

1. 多量のグルココルチコイドによってのみ誘発されるのはどれか．
    A．ノルアドレナリンに対する脂肪組織の正常な反応
    B．正常な血管反応の維持
    C．水負荷の排泄の増加
    D．炎症反応の抑制
    E．ACTH 分泌の抑制

2. 組合せで誤っているのはどれか．
    A．糖新生：コルチゾル
    B．遊離脂肪酸の動員：デヒドロエピアンドロステロン
    C．筋におけるグリコーゲン分解：アドレナリン
    D．カリウム利尿：アルドステロン
    E．肝臓でのグリコーゲン産生：インスリン

3. 血漿で最も短い半減期をもつものはどれか．
    A．コルチコステロン
    B．レニン
    C．デヒドロエピアンドロステロン
    D．アルドステロン
    E．ノルアドレナリン

4. Na^+ 排泄に対してモル当たり最も強い作用をもつものはどれか．
    A．プロゲステロン
    B．コルチゾル
    C．バソプレシン
    D．アルドステロン

E．デヒドロエピアンドロステロン

5．血漿浸透圧に対してモル当たり最も強い作用をもつものはどれか．
    A．プロゲステロン
    B．コルチゾル
    C．バソプレシン
    D．アルドステロン
    E．デヒドロエピアンドロステロン

6．細胞外液量の減少によりその分泌が最も影響を受けないものはどれか．
    A．CRH
    B．アルギニンバソプレシン
    C．デヒドロエピアンドロステロン
    D．エストロゲン
    E．アルドステロン

7．若い男性が血圧 175/110 mmHg を示している．患者の循環アルドステロン値は高く，循環コルチゾル値は低い．グルココルチコイドの投与により循環アルドステロン値は低下し，血圧も 140/85 mmHg に低下した．患者がもっている異常な酵素はどれか．
    A．17α-ヒドロキシラーゼ
    B．21-ヒドロキシラーゼ
    C．3β-ヒドロキシステロイドデヒドロゲナーゼ
    D．アルドステロンシンターゼ
    E．コレステロールデスモラーゼ

8．32歳女性が血圧 155/95 mmHg を示している．質問に答えて，甘草を好み，1週間に少なくとも3回食べることを認める．おそらく影響を受けた患者の低い酵素活性または低い濃度のホルモンはどれか．
    A．11β-ヒドロキシステロイドデヒドロゲナーゼ2型活性
    B．ACTH
    C．11β-ヒドロキシラーゼ活性
    D．グルクロン酸トランスフェラーゼ
    E．ノルアドレナリン

9．アルドステロンの細胞での作用はどれか．
    A．細胞質から細胞膜への ENaC の輸送を高める
    B．細胞膜へ作用しない
    C．核外の受容体に結合する
    D．熱ショックタンパク質を活性化する
    E．グルココルチコイド受容体にも結合する

CHAPTER 20

甲状腺

学習目標
本章習得のポイント

- 甲状腺の発生，解剖，組織について説明できる．そしてこれらが機能とどのように関連しているか説明できる．また，コロイドからのサイログロブリンの再吸収を伴うホルモン分泌の活性化で生じる組織的所見の変化を，説明できる
- 甲状腺ホルモンの化学的性質と合成経路を説明できる．甲状腺におけるヨウ素の重要な役割と，その輸送がどのように制御されるか理解し，甲状腺細胞とコロイドの界面におけるヨウ素有機化の過程によりサイログロブリンのチロシン残基にどのようにヨウ素が組み込まれるか説明できる
- 甲状腺ホルモンの輸送，遊離ホルモンの活用，および末梢での代謝における，アルブミン，トランスサイレチン，サイロキシン結合グロブリンと甲状腺ホルモンとの結合の役割を説明できる
- 甲状腺機能の調節における視床下部と下垂体の役割を理解し，甲状腺ホルモンの分泌を調節するためのフィードバック機構を説明できる
- 恒常性，代謝，成長における甲状腺ホルモンの作用を説明できる
- 甲状腺機能異常の際に生じる症状の原因と，治療法について理解する

■ はじめに

　甲状腺は，身体の内分泌腺のうち，大きな腺の1つである．甲状腺の主要な機能は2つある．1つは甲状腺ホルモンを分泌することである．甲状腺ホルモンは各組織が正常にはたらくために最適な代謝状態を維持させる．甲状腺ホルモンは身体のほとんどの細胞において O_2 消費を刺激し，脂質や炭水化物代謝調節に関与する．その結果，正常な体重や精神活動を維持させる．甲状腺機能不全による病態は発症年齢により異なる．甲状腺は生命維持には必須ではないが，胎児および新生児期の甲状腺機能喪失や低下は重篤な精神遅滞と低身長症の原因となる．成人では，甲状腺機能低下症により精神的・肉体的活動性低下と寒冷耐性の低下を生じる．一方，甲状腺ホルモンの分泌過剰は，身体の消耗，神経過敏，頻拍，振戦，そして過剰な産熱を生じる．甲状腺機能は，下垂体前葉から分泌される甲状腺刺激ホルモン thyrotropin-stimulating hormone（TSH，サイロトロピン）により制御される．また，TSHの分泌は，視床下部からの甲状腺刺激ホルモン放出ホルモン thyrotropin-releasing hormone（TRH）により刺激される．そして，循環血中の甲状腺ホルモンが高くなると，視床下部や下垂体に作用し，TSHの分泌は負のフィードバック制御を受けることになる．

　もう1つの機能は，Ca^{2+} の血中濃度を調節するホルモンであるカルシトニンの分泌である．甲状腺のこの機能は，身体のカルシウムホメオスタシスという観点から，21章で解説する．

甲状腺の発生，形態および細胞の種類

肉眼的形態

甲状腺 thyroid は，頸部の前面で気管にまたがる蝶形の腺である．甲状腺は咽頭底の膨出部から発生し，舌から頸部まで移動する．時に，移動の痕跡である**甲状舌管** thyroglossal duct が成人でも遺残していることがある．ヒト甲状腺の左右2葉は架橋組織である**甲状腺峡部** thyroid isthmus により接続している．喉頭前には峡部から生じている**錐体葉** pyramidal lobe が時にみられる（図20・1）．甲状腺は血管を豊富にもち，体の全器官の中でグラム組織当たりの血流量が最も多い器官の1つである．

組織

甲状腺ホルモン産生に関係する部位は，多数の**濾胞** follicle からなる．それぞれの濾胞は球状の小胞で，分極した一層の上皮細胞で囲まれた腔内に，**コロイド**

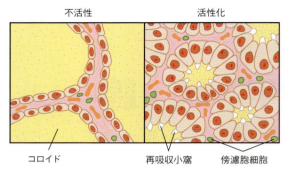

図20・2　甲状腺組織像．その不活性状態（左）と活性化状態（右）．活性化した腺細胞の内側コロイド内に，コロイドが抜けた，小さな"再吸収小窩"があることに注意．

colloid と呼ばれるタンパク性物質が充満している．コロイドは，主に糖タンパク質のサイログロブリンからなる．腺が不活性の時，コロイドは豊富で，濾胞は大きい．そして，表面に並ぶ細胞は平坦である．腺が活発な時，濾胞は小さく，細胞は立方体か円柱状である．そして，コロイドが濾胞上皮細胞に能動的に再吸収されている領域が組織学的に"再吸収小窩"として観察される（図20・2）．

微絨毛が濾胞上皮細胞の頂部からコロイド内へ伸びている．また小管が細胞内に陥入している．大部分の腺細胞と同様に，小胞体はよく発達している．細胞内にはサイログロブリンを含む分泌顆粒がみられる（図20・3）．個々の甲状腺濾胞は基底板で囲まれ，隣接する毛細血管と直接接してはいない．他の内分泌腺と同様に，毛細血管には窓状の小孔がある（31章参照）．

甲状腺ホルモンの合成および分泌

甲状腺ホルモンの化学

甲状腺から分泌される主要なホルモンは**サイロキシン** thyroxine（T_4）である．また，より少量の**トリヨードサイロニン** triiodothyronine（T_3）も同時に分泌される．T_3 は T_4 よりもはるかに強い生物活性をもっており，作用部位となる末梢組織でも T_4 の脱ヨウ素化により特異的に生成される（後述）．両者とも，ヨウ素含有アミノ酸である（図20・4）．少量のリバーストリヨードサイロニン（$3,3',5'$-トリヨードサイロニン，rT_3）や他のヨウ化物も甲状腺の静脈血にみられる．rT_3 の生物学的活性は明らかではない．

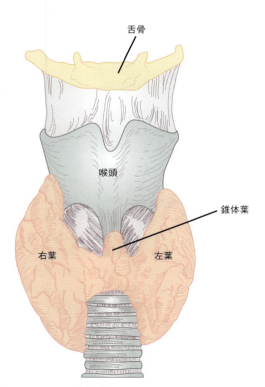

図20・1　ヒトの甲状腺．

ヨウ素代謝のホメオスタシス

ヨウ素は，甲状腺ホルモン合成の原料となる．食物中のヨウ素は腸から吸収され，循環血中に入る．それ以降の動態は，図20・5にまとめてある．成人において，甲状腺機能を正常に維持するために必要な最低限のヨウ素摂取量は，1日当たり150 μgである．大部分の先進諸国では，食卓塩に混合して供給しており，平均食事摂取量は約500 μg/日となる．循環血中のヨウ素イオン(I^-)を取り込む主要器官は甲状腺で，甲状腺ホルモンを作るために使用する．また腎臓もI^-を取り込み，尿中に排泄する．甲状腺ホルモン合成と分泌が正常ならば，約120 μg/日が甲状腺に取り込まれる．甲状腺はT_3とT_4の形で80 μg/日のI^-を分泌するが，それ以外に40 μg/日のI^-が細胞外液(ECF)へそのまま拡散して戻る．循環血中のT_3とT_4は肝臓やその他の組織で代謝され，1日当たりさらに60 μgのI^-をECFへ放出する．若干の甲状腺ホルモン誘導体は胆汁に排出され，その中のI^-の一部は再吸収される(腸肝循環)．しかし，約20 μg/日のI^-が便から排泄される．以上のように，ECFに入るI^-の総量は，500＋40＋60，すなわち600 μg/日である．ECFのI^-のうち20％は甲状腺に入るが，80％は尿中へ排泄される．

濾胞上皮細胞のI^-輸送

毛細血管に面する濾胞上皮細胞の基底側細胞膜には，I^-の電気化学的勾配に抗して2個のNa^+と1個のI^-を輸送する**シンポータ(共輸送体)** symporter が存在する．この**Na^+/I^-シンポータ Na^+/I^- symporter (NIS)**

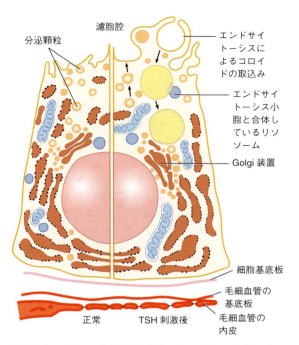

図20・3　濾胞上皮細胞の形態．左：正常の状態．**右**：TSH刺激後．右側の上向きの矢印は，コロイド中へのサイログロブリンの分泌を示す．また，下向きの矢印は，コロイドのエンドサイトーシスおよびコロイドを含む小胞とリソソームとの結合を示している．細胞は，隙間のある(有窓)血管内皮壁の上に位置する．

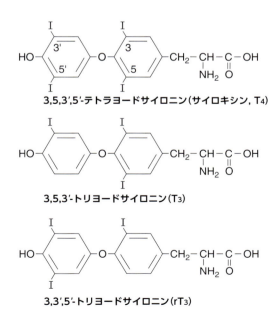

図20・4　甲状腺ホルモン類．T_4分子のベンゼン環に示した数字は，炭素の位置番号を示す．rT_3，リバーストリヨードサイロニン．

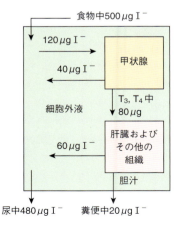

図20・5　ヨウ素代謝．1日当たりのそれぞれの体分画へのヨウ素の動態を示す．

により，濾胞上皮細胞内のI^-濃度は血漿の20〜40倍になる(図20・6)．この過程は，Na^+, K^+-ATPaseによるNa^+の細胞外への能動輸送で生じたエネルギーを用いた二次性能動輸送である(2章参照)．NISの活性は転写レベル，および濾胞上皮細胞の基底側細胞膜への(ならびに基底側細胞膜からの)NIS分子の移動により調節される．特に，甲状腺刺激ホルモン(TSH，後述)は，NISの発現と基底側細胞膜への持続的局在を促進し，これらを介してI^-の持続的取込みを仲介する[*1]．

甲状腺ホルモン合成を開始するためには，I^-は濾胞上皮細胞から頂部膜apical membraneを通過してコロイドに入らなければならない．この輸送過程の少なくとも一部は，**ペンドリンpendrin**(図20・6)と呼ばれるCl^-/I^-アンチポータ(交換体)を介して生じると考えられている．このタンパク質は，当初，甲状腺機能障害と難聴を生じるPendred[ペンドレッド]症候群の責任遺伝子の産物として同定された．ペンドリン(SLC26A4)は，SLC26アニオン(陰イオン)アンチポータファミリーに属している．

ヨウ素と甲状腺機能との関係は，独特である．後でさらに解説するが，ヨウ素は甲状腺機能を正常に保つために不可欠である．しかし，ヨウ素欠乏と過剰はともに甲状腺機能を抑制する．

唾液腺，胃粘膜，胎盤，眼の毛様体，脈絡叢，乳腺，およびこれらの組織に由来する特定の癌はNISを発現し，濃度勾配に抗してI^-を輸送することができるが，これらの組織のトランスポータ(輸送体)はTSHの影響を受けない．甲状腺外組織のI^-濃縮機構の生理的意義は明らかではない．しかし，このような特性により，NIS発現細胞では放射性I^-を使った照射治療が有効である可能性がある．当然放射性I^-は甲状腺癌の治療にも有効である．

[*1] 訳注：動物実験では，T_4を投与してTSHが低下すると，NISの発現量は低下する．しかし，Graves〔グレーヴス〕病(Basedow〔バセドウ〕病)のヒトでは，TSH受容体に対する刺激性抗体がNISの発現を促進するため，TSHが低下してもNISの発現量は上昇する．

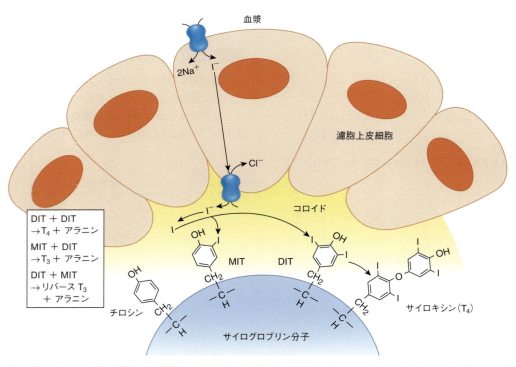

図20・6　甲状腺ホルモン生合成経路の概要． ヨウ素イオン(I^-)は特異的トランスポータにより血漿から甲状腺濾胞上皮細胞へ輸送される．I^-はヨウ素となり(訳注：甲状腺ペルオキシダーゼと結合し電子が酵素側に移動)，コロイド内でサイログロブリン分子表面のチロシン残基と結合する．チロシンのヨウ素化は濾胞上皮細胞の頂部辺縁で起こり，生成された分子はサイログロブリン分子内でペプチド結合されたまま存在する．

甲状腺ホルモンの合成，および分泌

濾胞上皮細胞とコロイドの間の境界面で，ヨウ素は有機化と呼ばれる一連の反応を受ける．まず，I^-が酸化されて，Iとなり，コロイド中のサイログロブリン分子のチロシン残基の炭素骨格の3位に組み込まれる[*2]（図20·6）．**サイログロブリン thyroglobulin** は2つのサブユニットからなる糖タンパク質である．また，123個のチロシン残基を含む．しかし，このうち4〜8残基のみが甲状腺ホルモン合成に関与する．サイログロブリンは濾胞上皮細胞で合成され，顆粒のエキソサイトーシス（開口放出）により，コロイド内に分泌される．Iの酸化，および分泌されたサイログロブリンとヨウ素の結合反応は濾胞上皮細胞頂部膜に局在する**甲状腺ペルオキシダーゼ thyroid peroxidase** により行われる．生成した甲状腺ホルモンは，必要になるまでサイログロブリン分子の一部として存在する．コロイドは甲状腺ホルモンの貯蔵部位として機能する．そのため，ヒトは最高2ヵ月間完全なヨウ素欠乏食を摂取しても血中甲状腺ホルモン濃度の低下はみられない．甲状腺ホルモンの分泌が必要になると，コロイドはエンドサイトーシスにより濾胞上皮細胞内へ移行し，リソソームにおいて分解される．そしてサイログロブリンのペプチド結合が加水分解され，遊離T_4とT_3が細胞質に放出され，分泌後毛細血管へと移行する．以上述べてきたように，濾胞上皮細胞には4つの機能がある．(1)ヨウ素の取込みと輸送，(2)サイログロブリンの合成とコロイドへの分泌，(3)ヨウ素をサイログロブリンと結合させて甲状腺ホルモンを生成，そして(4)甲状腺ホルモンのサイログロブリンからの遊離と血中への分泌である．

甲状腺ホルモン合成は，多段階の経路である．甲状腺ペルオキシダーゼにより，サイログロブリンと結合できる反応型ヨウ素種が生成される．サイログロブリン分子上にまずできるのは，モノヨードチロシン monoiodotyrosine (MIT) である．次に，MITの5位の炭素骨格がヨウ素化されてジヨードチロシン diiodotyrosine (DIT) が形成する．そして，2つのDIT分子は酸化的縮合を受け，側鎖が除去されてT_4とアラニンが形成される．どのようにしてこの結合反応（**カップリング反応 coupling reaction**）が起こるのかについては，2つの説がある．1つは，カップリング反応がサイログロブリンと結合したままの2つのDIT分子によって生じるという説（分子内結合），もう1つは，外側の環を形成するDITがサイログロブリンからまず分離するという説（分子間結合）である．いずれにせよ，甲状腺ペルオキシダーゼはヨウ素化とカップリングの両者に関与している．T_3は，DIT（内環）とMIT（外環）の縮合により形成される．おそらくMIT（内環）とDIT（外環）の縮合により，rT_3も形成される．正常人の甲状腺では，I^-の平均的分布は，MITが3％，DITが33％，T_4が35％，そしてT_3が7％である．rT_3やその他のヨウ素化物も痕跡程度に存在する．

ヒトの甲状腺は，1日当たり約$80\,\mu g$ (103 nmol) のT_4，$4\,\mu g$ (7 nmol) のT_3，$2\,\mu g$ (3.5 nmol) のrT_3を分泌する（図20·7）．MITとDITは分泌されない．これらのヨウ素化チロシンは，おそらくミクロソームの**ヨウ素化チロシン脱ヨウ素酵素 iodotyrosine deiodinase** によって脱ヨウ素化される．この機構により，I^-とチロシンが回収され，次のホルモン合成のため再利用される．MITやDITの脱ヨウ素化により生成され，濾胞上皮細胞で再利用されるヨウ素は，NISを介して供給されるI^-量の約2倍となる．ヨウ素化チロシン脱ヨウ素酵素の先天性欠損症患者においては，MITとDITが尿中に出現し，ヨウ素欠乏の症状が出る（後述）．ヨウ素化サイロニンはヨウ素化チロシン脱ヨウ素酵素に対して抵抗性があるため，T_4とT_3は分解されずに循環血中に入ることができる．

[*2] 訳注：正確には，I^-の酸化は甲状腺ペルオキシダーゼとI^-が結合し，I^-の電子が酵素側に移動した状態で存在することにより生じる．コロイド内で無機ヨウ素が単独で存在しているわけではない．

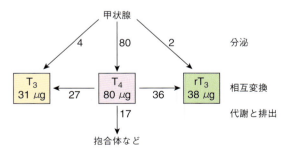

図20·7 正常なヒト成人における甲状腺ホルモンの分泌と相互変換．数字は，μg/日．大部分のT_3とrT_3は組織でT_4の脱ヨウ素化で作られ，甲状腺からはほんの少量のみが分泌されることに注意．また，T_4は抱合体を形成し，体外へ排泄される．

甲状腺ホルモンの輸送および代謝

甲状腺ホルモンと血漿タンパク質の結合

成人における正常な**血漿総 T_4 濃度 plasma T_4 level** は約 $8\,\mu g/dL$（103 nmol/L）である．そして，**血漿総 T_3 濃度 plasma T_3 level** は約 $0.15\,\mu g/dL$（2.3 nmol/L）である．T_4 と T_3 は，比較的，親油性が高い．したがって，平衡状態では，血漿中の遊離体と比べ，血漿および組織中のタンパク質結合甲状腺ホルモンプールは著明に大きい．遊離甲状腺ホルモンは，甲状腺から循環プールに加えられる．生理的に活性をもち，かつフィードバックにより下垂体のTSH分泌を抑制するのは血漿中の遊離甲状腺ホルモンである（図 20・8）．タンパク質結合の生理的意義は，必要に応じて直ちに利用できるように大きなホルモンプールを維持しておく，ということのようである．その他，少なくとも T_3 については，タンパク質結合には分泌後最初に接する細胞による過剰な取込みを避け，生体内分布を均一にするという機能がある．総 T_4 と総 T_3 はラジオイムノアッセイで測定することができる．遊離型のホルモンを特異的に測定する直接分析法もある．遊離型が活性型であること，また結合タンパク質濃度に後天的，または先天的な要因による個人差があることを考えると，後者の方がより臨床的に意義のある測定法である．

甲状腺ホルモンと結合する血漿タンパク質は，**アルブミン albumin**，**トランスサイレチン transthyretin**（TTR）[旧称は**サイロキシン結合プレアルブミン thyroxine-binding prealbumin**（TBPA）]，そして**サイロキシン結合グロブリン thyroxine-binding globulin**（TBG）である．3つのタンパク質のうち，アルブミンは最も大きな T_4 結合容量をもつ（血中のほとんどの T_4 と結合しても飽和しない）．また，TBGは最もその容量が小さい．しかし，T_4 との親和性（生理的条件下での T_4 との結合活性）はTBGが最も高く，大部分の血中 T_4 はTBGと結合している（表 20・1）．少量の T_4 はトランスサイレチンやアルブミンに結合している．

通常，血漿 T_4 の99.98%は結合型である．遊離 T_4 濃度はわずかに約 $2\,ng/dL$ である．尿中には，T_4 はほとんど排泄されない．生物学的半減期は長く（約6～7日），分布容積は細胞外液（10 L，または体重の約15%）よりも少ない．これらのすべての特性は，タンパク質と強く結合する物質に特徴的である．

T_3 は，それほど強くはタンパク質と結合しない．通常，血漿中の $0.15\,\mu g/dL$ 中，0.2%（0.3 ng/dL）が遊離型である．残りの99.8%は，タンパク質結合型で，TBGと46%が結合し，残りのほとんどがアルブミンと結合する．トランスサイレチンとはほとんど結合しない（表 20・1）．タンパク質結合が弱いため，T_3 の半減期は T_4 より短く，その一方で組織に及ぼす作用はより急速である．rT_3 も，TBGと結合する．

甲状腺ホルモンと血漿タンパク質結合の変動

血漿中で甲状腺ホルモン結合タンパク質濃度が突然かつ持続的に増加すると，遊離甲状腺ホルモン濃度は減少する．しかし，この変化は一時的である．という

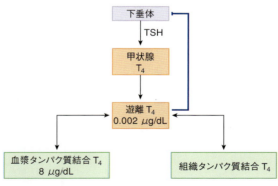

図 20・8　甲状腺ホルモン合成の調節． T_4 は TSH の刺激により甲状腺から分泌する．甲状腺から分泌した遊離 T_4 は血漿か組織タンパク質と結合し，平衡状態となる．遊離 T_4 はフィードバックにより下垂体からの TSH 分泌を抑制する．この図には書いていないが，T_3 は少量が下垂体から分泌され，大部分は末梢で脱ヨウ素化により T_4 から生成される．また，T_3 はフィードバックにより下垂体からの TSH 分泌を抑制する．

表 20・1　正常なヒト成人における血漿タンパク質に対する甲状腺ホルモンの結合

タンパク質名称	血漿濃度 (mg/dL)	循環血中の結合ホルモン量(%)	
		T_4	T_3
サイロキシン結合グロブリン（TBG）	2	67	46
トランスサイレチン（TTR）（サイロキシン結合プレアルブミン，TBPA）	15	20	1
アルブミン	3500	13	53

のは，血中の遊離甲状腺ホルモンの濃度の減少により TSH 分泌が促進するので，遊離甲状腺ホルモン産生の増加が生じるからである．最終的に平衡に達すると，血中総甲状腺ホルモンの量が上昇するが，遊離ホルモン濃度および代謝率，そして TSH 分泌量は正常となる．一方，甲状腺ホルモン結合タンパク質の濃度低下により，それとは反対方向の変化が生じる．その結果，結合タンパク質(特に TBG)濃度が上昇または低下した患者でも，甲状腺機能は亢進も低下もせず，概して **正常甲状腺機能 euthyroid** となる．

TBG 血中濃度は，エストロゲンを処方されている患者や妊娠期間中に上昇する．それ以外でも様々な薬物で TBG の上昇がみられる(表 20・2)．一方，TBG 濃度は，グルココルチコイド，アンドロゲン，弱いアンドロゲンであるダナゾール，そして癌化学療法薬の L-アスパラギナーゼにより低下する．それ以外にも，サリチル酸塩，抗痙攣薬のフェニトイン，および癌化学療法薬のミトタン(o,p'-DDD)と 5-フルオロウラシルなど多くの薬物が TBG と T_4 や T_3 との結合を阻害し，TBG 濃度低下と類似の変化をもたらす．血漿総 T_4 および T_3 濃度は，アルブミンやプレアルブミンの血漿濃度変化でも変わることがある．

甲状腺ホルモンの代謝

T_4 と T_3 は，肝臓，腎臓やその他多くの組織で脱ヨウ素化される．これらの脱ヨウ素化反応はホルモン類を異化するだけでなく，特に分泌された甲状腺ホルモンの生理的作用を主に担う T_3 の局所での供給にも役立つ．ヒト成人では循環血中 T_4 の 1/3 は T_3 に転換する．また，45% は rT_3 に転換する．図 20・7 に示すように，循環血中 T_3 のわずか約 13% が甲状腺から分泌され，87% が T_4 の脱ヨウ素化によって作られる．同様に，循環血中 rT_3 のわずか 5% が甲状腺から分泌され，95% が T_4 の脱ヨウ素化により形成される．また，組織ごとに T_3 と T_4 の濃度比に著明な違いがあることに注意する必要がある．後述するように，下垂体と大脳皮質の 2 つの組織は，特異的脱ヨウ素酵素を発現するため，非常に高い T_3/T_4 比となる．特に脳では脱ヨウ素酵素活性が高く，活性型 T_3 が十分量供給できるようになっている．

3 つの異なる脱ヨウ素酵素 deiodinase (D_1, D_2, D_3) が，甲状腺ホルモンに作用する．これらの酵素は，硫黄の代わりにセレンを含むセレノシステインという稀少なアミノ酸を含む特異なタンパク質である．このアミノ酸は，酵素の活性に不可欠である．D_1 は，肝臓，腎臓，甲状腺および脳下垂体で高濃度に発現する．D_1 は主に末梢で T_4 から T_3 の産生に介在しているようである[*3]．D_2 は，脳，下垂体および褐色脂肪に発現する．D_2 も T_3 産成に関与する．脳では，D_2 はアストロサイト(星状膠細胞)に発現し，ニューロンへの T_3 供給を行っている．D_3 も，脳および生殖組織で発現する．D_3 は T_4 と T_3 の内環の 5 位だけに作用するため，おそらく血液および組織 rT_3 の主な供給源となっている．

T_4 および T_3 の一部は，脱ヨウ素酵素によりさらにジヨードチロシン(DIT)に変換する．また，T_4 と T_3 は，肝臓において硫酸やグルクロン酸抱合を受ける．これらの抱合体は胆汁に入り腸管内へ分泌される．抱合体は加水分解され，その後，一部は再吸収される(腸肝循環)が，残りは便として排泄される．さらに，T_4 と

[*3] 訳注：最近の研究で，少なくとも正常なヒトに関しては主として D_2 が介在することが明らかになっている．

表 20・2 血漿中の甲状腺ホルモン結合タンパク質濃度が変動し，平衡状態に達した時に，甲状腺機能に関係する各因子に及ぼす影響

状　態	結合タンパク質濃度	血漿総 T_4, T_3, rT_3	血漿遊離 T_4, T_3, rT_3	血漿 TSH	臨床的状態
甲状腺機能亢進症	正常	上昇	上昇	低下	甲状腺機能亢進
甲状腺機能低下症	正常	低下	低下	上昇	甲状腺機能低下
エストロゲン，メサドン，ヘロイン，メジャートランキライザー，クロフィブラート投与	上昇	上昇	正常	正常	甲状腺機能正常
グルココルチコイド，アンドロゲン，ダナゾール，L-アスパラギナーゼ投与	低下	低下	正常	正常	甲状腺機能正常

T_3 の一部は，血流から直接腸管腔内へ移行する．1 日の I^- 損失量の約4%がこれらの経路により失われる．

脱ヨウ素化反応の変動

胎生期には成人よりも多量の rT_3 とより少量の T_3 が生成される．そしてそれらの比は生後6週で成人における値となる．様々な薬物が脱ヨウ素酵素活性を阻害し，血漿 T_3 濃度減少，および相反する rT_3 の上昇を引き起こす．セレン欠乏も同様の影響を生じる．熱傷，外傷，進行癌，肝硬変，慢性腎臓病，心筋梗塞および発熱など，多種多様な非甲状腺性疾患も脱ヨウ素酵素を抑制する．これらの状態により生じる低 T_3 血症は，疾患から回復すれば消失する．

食事も，T_4 から T_3 への転換に大きく影響する．絶食により，血漿 T_3 は24時間以内に10～20%低下し，3～7日のうちに約50%まで低下する．そして rT_3 が相反して上昇する（図20・9）．遊離および結合 T_4 濃度は，通常正常範囲に保たれる．飢餓がさらに遷延すると，rT_3 は正常に戻るが，T_3 は低下したままとなる．同時に，基礎代謝率 basal metabolic rate (BMR) は低下し，タンパク質分解の指標となる尿窒素排出は減少する．このように，T_3 の低下によりエネルギー消費とタンパク質分解が抑制される．反対に，過食は T_3 を増加させ，rT_3 を低下させる．

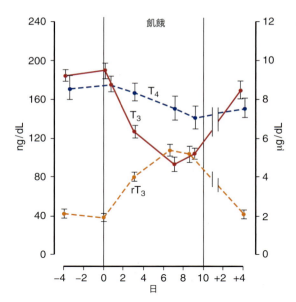

図20・9 ヒトにおける T_4，T_3 および rT_3 血漿濃度に及ぼす飢餓の影響．T_3 および rT_3 濃度は左側，T_4 濃度は右側の目盛で示す．最も著明な影響は T_3 濃度の低下と，引き換えに生じる rT_3 濃度の上昇である．組織の代謝を低下させ，熱量を維持するためのこの変化は，摂食により速やかに元に戻る．類似の変化が消耗性疾患でも生じる（Burger AG: New aspects of the peripheral action of thyroid hormones. Triangle 1983; 22: 175 より許可を得て複製．Copyright © 1983 Sandoz Ltd., Basel, Switzerland）．

甲状腺ホルモン分泌の調節

甲状腺機能は，主に下垂体から分泌される甲状腺刺激ホルモン(TSH)の血中濃度により調節される（図20・8）．TSH 分泌は，視床下部ホルモンの甲状腺刺激ホルモン放出ホルモン thyrotropin-releasing hormone(TRH, 17章参照)により増加し，循環血中の遊離 T_4 および T_3 で負のフィードバックにより抑制される．下垂体における T_4 の効果は，細胞質に局在する D_2 を介する T_3 産生によりさらに増強する．また，TSH 分泌はストレスにより抑制される．実験動物においては，寒冷で増加し，温熱により減少する．

TSH の化学構造と代謝

ヒト TSH は，α および β と呼ばれる2つのサブユニットで構成される．α および β サブユニットは，下垂体の甲状腺刺激ホルモン産生細胞(サイロトロフ thyrotroph)で非共有結合的に結合する．TSH-α は，黄体形成ホルモン(LH)，卵胞刺激ホルモン(FSH)およびヒト絨毛性ゴナドトロピン(hCG)それぞれの α サブユニットと相同である（18, 22章参照）．TSH の機能的特異性は，β サブユニットにより決定される．

ヒト TSH の生物学的半減期は，約60分である．TSH の大部分は腎臓で，一部は肝臓で分解される．分泌は拍動性で，午後9時頃分泌が開始し，真夜中にピークに達し，その後低下する．正常な1日分泌量は約 $110\mu g$/日である．平均血漿濃度は，約 $2\mu g$/mL である．

hCG の α サブユニットは TSH と相同なので，大量の hCG は非特異的に甲状腺の TSH 受容体を活性化させる．胎盤由来の良性または悪性腫瘍患者の一部において，血漿 hCG 濃度が上昇し，軽度の甲状腺機能亢進症を生じることがある．

甲状腺に対する TSH の作用

下垂体を摘出すると甲状腺機能は低下し，甲状腺は萎縮する．一方，TSH 投与により甲状腺機能は刺激される．TSH 受容体は，典型的な7回膜貫通型の G

タンパク質共役型で，Gs を介してアデニル酸シクラーゼを活性化する．また，ホスホリパーゼC(PLC)も活性化する．TSH の投与後数分以内にヨウ素結合増加による T_3，T_4 およびヨウ素化チロシンの合成，コロイドへのサイログロブリン分泌，そしてコロイドのエンドサイトーシスなどが増加する．I^- の取込みは数時間で増加し，甲状腺血流量も増加する．そして，TSH の長期間の投与により濾胞上皮細胞は肥大・増殖し，甲状腺重量は増加する．

TSH による刺激が長期化すると，甲状腺は目に見えて腫大する．甲状腺の腫大は，**甲状腺腫 goiter** と呼ばれる．

甲状腺の成長に影響を及ぼす他の因子

TSH 受容体に加え，濾胞上皮細胞はインスリン様成長因子I(IGF-I)，および上皮成長因子(EGF)受容体を発現する．IGF-I と EGF は成長を促進するが，インターフェロンγと腫瘍壊死因子(TNF)α は成長を抑制する．これらのサイトカインの効果から，悪液質を引き起こすような慢性的な全身性炎症や体重減少の際には，甲状腺機能が抑制されるものと考えられる．

甲状腺ホルモンの分泌調節機構

甲状腺ホルモンの分泌の調節機構は図 20・8 にまとめた．TSH 分泌における甲状腺ホルモンの負のフィードバック作用の一部は視床下部を介して行われる．しかし，T_4 や T_3 は TRH による TSH 分泌増加を抑制するので，下垂体への作用が主体である．T_4 または T_3 の1回投与により TSH 分泌が低下し，投与1時間以内に血中 TSH 濃度低下が検出できる．甲状腺ホルモン分泌の持続的調節は，甲状腺ホルモンと TSH や TRH とのフィードバック的相互作用に依存している（図 20・8）．主に TRH を介して行われている調節系には，寒冷による甲状腺ホルモン分泌増加，および温熱による分泌減少などがある．注意しなければならないのは，乳児では寒冷により循環血中 TSH の著明な増加が生じるが，成人ではほとんど増加しない点である．したがって，成人では，甲状腺ホルモン分泌増加による熱産生の上昇（**甲状腺ホルモン性産熱 thyroid hormone thermogenesis**）は寒冷ではほとんど生じない．ストレスは TRH 分泌に対し抑制的に作用する．グルココルチコイドも TSH 分泌を抑制する．

甲状腺ホルモンの作用

全身にわたる甲状腺ホルモンの作用の一部は O_2 消費刺激（**産熱作用 calorigenic action**）により二次的に生じる．また，甲状腺ホルモンは哺乳類の成長と発達や脂質代謝を調節し，腸管からの炭水化物吸収を促進する（表 20・3）．また，赤血球の2,3-ビスホスホグリセリン酸 2,3-bisphosphoglycerate(2,3-BPG)［または，2,3-ジホスホグリセリン酸 2,3-diphosphoglycerate (DPG)とも呼ばれる］を増加させ，ヘモグロビンと O_2 の解離を増加させる（35 章参照）．

甲状腺ホルモンの作用機構

甲状腺ホルモンは細胞内に移行できる[*4]．そして T_3 が核内で**甲状腺ホルモン受容体 thyroid hormone receptor(TR)** と結合する．TR はホルモン感受性転写因子スーパーファミリーに属している．T_4 も結合できるが，親和性は弱い．ホルモン受容体複合体はジン

[*4] 訳注：特異的トランスポータを介して．

表 20・3 甲状腺ホルモンの生理作用

標的組織	作用	作用機構
心臓	変時性，変力性	アドレナリンβ受容体数の増加 循環血中カテコールアミンに対する反応増加 αミオシン重鎖割合の増加（高度 ATPase 活性）
脂肪組織	異化作用	脂肪分解促進
筋	異化作用	タンパク質分解促進
骨	成長・発達作用	正常な成長と骨格の発達の促進
神経系	成長・発達作用	正常な脳発達を促進
腸管	代謝作用	糖質吸収量の増加
リポタンパク質	代謝作用	LDL 受容体の生成
その他	産熱作用	代謝的に活性な組織における酸素消費の増加（例外：精巣，子宮，リンパ節，脾臓，下垂体前葉） 代謝率の増加

McPhee SJ, Lingarra VR, Ganong WF(editors): *Pathophysiology of Disease*, 6th ed. New York, NY: McGraw-Hill; 2010 より許可を得て改変．

ク（Zn）フィンガー構造[*5]を介してDNAと結合している．そして，T_3依存性に，細胞機能を調節するタンパク質をコードする多くの遺伝子発現を促進（時に抑制）する（1，16章参照）．

ヒトTR遺伝子は2つ存在する．第17番染色体に局在するα受容体遺伝子と第3番染色体のβ受容体遺伝子である．選択的スプライシングにより，それぞれの遺伝子は少なくとも2つの異なるmRNAを産生し，その結果2つの異なる受容体タンパク質を形成する．TRβ2は脳でのみ発現するが，TRα1，TRα2およびTRβ1は広範囲の組織に分布する．TRα2は特有のC末端をもち甲状腺ホルモンと結合しない．そして他のTRに対して拮抗的に作用しているという点で，他の3つのタンパク質とは異なる．TRは，モノマー（単量体），ホモ二量体，および他の核内受容体，特に**レチノイン酸X受容体** retinoid X receptor（**RXR**）とヘテロ二量体を形成し，DNAと結合する．TR/RXRヘテロ二量体には9-cis-レチノイン酸（通常RXRと結合するリガンド）は結合しない．しかし，このヘテロ二量体は，甲状腺ホルモンには反応し，DNAとの結合能が上昇する．TRの作用に影響を及ぼすコアクチベータータンパク質やコリプレッサータンパク質も存在する．このように，多様な複合体を介

して作用するため，甲状腺ホルモンは身体で多くの異なる作用を生じることができるのだろう．

多くの場合，T_3はT_4より3～5倍作用が強くかつ急速である（図20·10）．これは，T_3がT_4よりも血漿タンパク質との結合が弱く，かつTRとの結合はより強いためである．前述したように，rT_3は不活性である．

熱産生作用

T_4とT_3は，代謝を行っているほぼすべての組織のO_2消費を増加させる．例外は，成体の脳，精巣，子宮，リンパ節，脾臓と下垂体前葉である．事実，T_4は下垂体前葉のO_2消費を低下させるが，それはTSH分泌を阻害するためであろう．T_4の1回投与によって生じる代謝率増加は，数時間の潜伏期の後，検出可能となり，6日間以上持続する．

甲状腺ホルモンの熱産生効果の一部は，脂肪酸代謝の誘導作用による．加えて，甲状腺ホルモンは多くの組織で膜に結合したNa^+，K^+-ATPase活性を増加させる．

産熱増加による二次的作用

成人において，T_4とT_3により代謝率が上昇すると，窒素排泄が増加する．食物摂取量が増加しない場合，内因性タンパク質と貯蔵脂肪が異化される．その結果，体重が低下する．甲状腺機能低下症の小児では，少量

[*5]訳注：DNA結合タンパク質のDNA結合ドメインがとる立体構造の1つで，Zn^{2+}をキレートし，2本の指でDNAをつまむような立体構造．

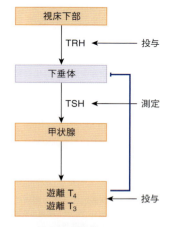 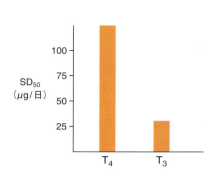

図20·10 T_4とT_3の相対的作用強度を調べた実験．健康なボランティア男性に種々の量のT_3またはT_4を投与（訳注：2週間内服）した上でTRHを静脈注射して，TSHの血中濃度を測定した．左図に投与または測定したホルモン間の関係を示した．右図にTRHにより誘発されたTRH分泌が50％まで抑制されるT_3またはT_4の量（50% suppressive dose；SD_{50}）を示した．T_3の方が，かなり作用強度が強いことに注目されたい（Sawin CT, Hershman JM, Chopra IJ: The comparative effect of T_4 and T_3 on the TSH response to TRH in young adult men. J Clin Endo Metab 1977; 44: 273-278のデータより）．

の甲状腺ホルモンには成長促進作用があるので，正の窒素平衡を生じる．しかし，大用量では成人と同様にタンパク質の異化を生じる．タンパク質異化の際に放出されるカリウムが尿中に増加する．そして，尿ヘキソサミンと尿酸排泄も増加する．

代謝率が上昇する時，すべてのビタミンの必要量が増加する．そして，ビタミン欠乏症候群が誘発される可能性がある．甲状腺ホルモンは肝臓におけるカロテンのビタミンAへの転換に必要である．そのため，甲状腺機能低下症において血液中のカロテン蓄積(**カロテン血症** carotenemia)により皮膚が黄色となる．カロテン血症では，眼球結膜は黄色とならないため，黄疸と区別することができる．

皮膚には，多糖類，ヒアルロン酸およびコンドロイチン硫酸などと結合した種々のタンパク質が通常含まれている．甲状腺機能低下症では，これらの複合体が蓄積し，水分貯留と特徴的な皮膚腫脹(粘液水腫)を生じる．甲状腺ホルモンを投与すると，タンパク質は代謝される．そして，粘液水腫が治まるまでは多尿となる．

乳汁分泌は甲状腺機能低下症により減少し甲状腺ホルモンにより促進される．この事実は時に酪農で実用化される．甲状腺ホルモンは子宮の代謝を促進しないが，正常な月経周期と受胎能の維持には不可欠である．

心血管系への作用

大用量の甲状腺ホルモンは体温上昇に至るのに十分量の産熱を生じる(17章)．そのため，熱放散機構を活性化させる．皮膚血管拡張のため，末梢抵抗は減少する．そのため腎臓におけるNa^+と水の再吸収が上昇し，血液量が増加する．カテコールアミンと同様に甲状腺ホルモンも心臓への直接作用により心拍出量を増加させる．そして，脈圧と心拍数が上昇し，循環時間が短縮する．

T_3は心筋細胞内でT_4から生成されるのではなく，循環血中から取り込まれる．そしてT_3は核に移行して受容体と結合し，特定の遺伝子の発現を促進または抑制する．発現が促進するのは，αミオシン重鎖，筋小胞体Ca^{2+}-ATPase，アドレナリンβ受容体，Gタンパク質，Na^+, K^+-ATPaseと特定のK^+チャネルである．抑制されるのは，βミオシン重鎖，ホスホランバン，2種類のアデニル酸シクラーゼ，TRとNCX[Na^+-Ca^{2+}アンチポータ(交換輸送体)]などである．これらの全体的な結果として，心拍数増加と収縮力増強が生じる．

心臓で合成される，2つのミオシン重鎖 myosin heavy chain (MHC)のアイソフォーム，αMHCとβMHCは，第17番染色体の短腕に局在する非常に相同性の高い2つの遺伝子によりコードされている．各ミオシン分子は，2つの重鎖と2対の軽鎖から構成される(5章参照)．βMHCを含むミオシンは，αMHCを含むミオシンよりATPase活性が低い．成人において，αMHCは心房では有意に多く，甲状腺ホルモン投与により量が増加する．そして，これによって心収縮の速度が上がる．逆に甲状腺機能低下症では，αMHC遺伝子発現は低下し，βMHC遺伝子発現が増加する．

神経系に対する作用

甲状腺機能低下症では，精神活動が緩慢となり，脳脊髄液(CSF)タンパク質濃度が上昇する．甲状腺ホルモンはこれらの変化を逆転させる．そして，大用量では精神活動が活発となり，過敏で落ち着きがなくなる．通常，脳血流量，およびグルコースとO_2の消費量は，成人性甲状腺機能低下症も亢進症も正常である．しかし，甲状腺ホルモンは成人でも脳内に入り，多数の灰白質の部位で検出される．加えて，脳のアストロサイト(星状膠細胞)はT_4をT_3に変換する．甲状腺切除の後，脳内D_2活性は急激に上昇するが，1回のT_3静脈内投与により4時間以内に正常に戻る．脳の甲状腺ホルモン作用の一部は，カテコールアミンに対する応答性の増加と，その結果生じる網様体賦活系の活性化に伴い，二次的に生じている可能性がある(14章参照)．さらに，甲状腺ホルモンは脳発達に重要な作用を有している．最も影響を受ける中枢神経系(CNS)の部位は，大脳皮質と基底核である．加えて，蝸牛も影響を受ける．その結果，発達期の甲状腺ホルモン欠乏症は，精神遅滞，硬直性の運動障害と難聴-緘黙症を生じる．おそらく，甲状腺濾胞上皮細胞におけるI^-輸送の障害による甲状腺ホルモン合成低下は，前述したPendred症候群における，聴覚障害の一因となっている．

甲状腺ホルモンは，反射に対しても作用を及ぼす．伸張反射の反応時間(12章参照)は甲状腺機能亢進症で短縮し，低下症で長くなる．足関節部腱の単収縮(アキレス腱反射)の反応時間測定は甲状腺機能を評価するための臨床検査項目としてかつては用いられてきた．しかし，反応時間は他の疾患でも影響を受けるため，甲状腺機能の特異的評価とはならない．

カテコールアミンとの関係

甲状腺ホルモンとカテコールアミン(ノルアドレナ

リン，アドレナリン）の作用は，相互に密接に関与している．アドレナリンは代謝率を上昇させ，神経系を刺激し，そして作用時間は短いが甲状腺ホルモンと類似した心血管作用を生じる．ノルアドレナリンも類似の作用をする．カテコールアミンの毒性は，T_4を投与したラットで著しく増加する．甲状腺機能亢進症では，血漿カテコールアミン濃度は正常だが，甲状腺ホルモンの過剰により生じる心血管作用，振戦および発汗は交感神経節摘除により軽減ないし取り除くことができる．また，これらの症状はアドレナリンβ受容体を阻害するプロプラノロール propranolol のような薬物でも減弱できる．実際，プロプラノロールや他のβ遮断薬は，甲状腺中毒症や，**甲状腺クリーゼ thyroid storm** と呼ばれる甲状腺機能亢進症の重篤状態の治療で広く用いられる．しかし，β遮断薬が甲状腺外でのT_4からT_3への変換の弱い抑制薬で，血漿T_3の軽度低下をもたらす可能性があるにもかかわらず，この薬物は他の甲状腺ホルモン作用にほとんど影響を及ぼさない．おそらくカテコールアミンと甲状腺ホルモンの間にみられる機能的な相乗効果は，特に病的条件下では，甲状腺ホルモンのカテコールアミン受容体およびそれに連なる効果器の発現増加作用のみならず，甲状腺ホルモンとカテコールアミンが重複して有している生理作用が相まって生じているのであろう．

骨格筋への作用

筋力低下は大部分の甲状腺機能亢進症患者に生じる（**甲状腺中毒性ミオパチー thyrotoxic myopathy**）．そして，甲状腺機能亢進症が重篤で遷延する時，ミオパチーも重篤になることがある．筋力低下の原因の一部は，タンパク質異化の増加による．甲状腺ホルモンは，心臓と同様に骨格筋のMHC遺伝子の発現に影響を及ぼす（5章参照）．しかし，機能亢進により生じる作用は複雑で，ミオパチーとの関係はまだ明らかではない．甲状腺機能低下症も，筋力低下，痙攣と筋硬直を伴う．

糖質代謝への作用

甲状腺ホルモンは，腸管において，おそらく産熱作用とは異なる機構で炭水化物の吸収速度を増加させる．したがって，甲状腺機能亢進症において，血漿グルコース濃度は炭水化物食を摂取した後に急速に上昇し，時に腎閾値を超える．しかし，急速に再び低下する．

コレステロール代謝への作用

甲状腺ホルモンは，循環血中コレステロール濃度を低下させる．代謝率が上がるよりも前に，血漿コレステロール濃度は低下する．すなわち，この作用はO_2消費の刺激とは独立した作用である．血漿コレステロール濃度は，肝臓での低比重リポタンパク質（低密度リポタンパク質，LDL）受容体の発現が上昇し，血中からのコレステロール除去が増加するため低下する．しかし，かなりの研究がなされたにもかかわらず，代謝を増加させることなく血漿コレステロールを低下させるような臨床的に使用可能な甲状腺ホルモン類似化合物の合成はこれまでできていない．

成長への作用

甲状腺ホルモンは，正常な成長と骨成熟に不可欠である（21章参照）．甲状腺機能低下症の小児では，骨成長は遅れ，骨端閉鎖は遅延する．甲状腺ホルモンがない場合，成長ホルモン分泌も低下する．甲状腺ホルモンは標的組織における成長ホルモン作用を強化するので，成長ホルモン分泌低下と相まって，さらに成長と発達が低下する．

甲状腺機能の異常

今まで述べてきた甲状腺ホルモンの作用や機能を考えると，甲状腺機能の活動低下または過活動（それぞれ甲状腺機能低下および甲状腺機能亢進状態）の原因と影響は予測可能な場合がある（クリニカルボックス20・1および20・2）．甲状腺ホルモンに依存した生理機能調節系の異常は，甲状腺ホルモン不応症でも見られる．この場合は，一般的にはTRβの変異に起因する（クリニカルボックス20・3）．

甲状腺を切除された場合，正常な機能を維持するために必要な甲状腺ホルモンの量は，血漿TSHを正常に戻すのに必要な量として定義される．当然，TSH測定は甲状腺機能を知る上で最も重要な検査とされている．甲状腺機能が完全に欠如（**無甲状腺状態 athyreotic**）している場合，血漿TSHを正常化するには，成人では1日あたり平均112 μgのT_4経口摂取が必要となる．このうち，約80％が消化管から吸収される．その結果，遊離T_4は正常よりわずかに高くなるが，遊離T_3は正常濃度となる．この結果から，ヒトにおいては血中T_3がTSH分泌に対する主要なフィードバック調節因子であることを示している．

クリニカルボックス 20・1

甲状腺機能の低下

成人性の**甲状腺機能低下症 hypothyroidism** は通常**粘液水腫 myxedema** と呼ばれる．しかし，この用語は機能低下の症状の中で特に皮膚の変化に対してのみ用いられることもある．甲状腺機能低下症は甲状腺を原発とする多くの疾患の最終結果として生じる．または，下垂体（二次性）や視床下部（三次性）の異常により続発性に生じる．後者のような続発性の場合，甲状腺は TSH に反応することはできる．甲状腺機能は種々の条件で低下する可能性がある（表 20・4）．たとえば，食事によるヨウ素の摂取量が 50μg/日以下に減少すると，甲状腺ホルモン合成が不十分となり，分泌が低下する．そして TSH 分泌が増加する結果，甲状腺は腫大して，**ヨウ素欠乏性甲状腺腫 iodine deficiency goiter** を生じる．甲状腺腫は時に巨大化する．このような"地域流行性甲状腺腫 endemic goiter"は，ヨウ素化物を食卓塩に加えるようになってから，減少してきている．甲状腺機能を阻害する可能性がある薬物もある．この場合，薬物が I^- を捕捉してしまうか，ヨウ素の有機化の阻害により生じる．どちらの場合でも，血中甲状腺ホルモンの低下により TSH 分泌は促進される．そして，甲状腺腫が生じる．また，ある条件下では，ヨウ素自体が甲状腺機能を阻害することもある．正常人では，大用量のヨウ素は直接甲状腺に作用し，一時的にヨウ素有機化を軽度に抑制する．そのため，ホルモン合成が一時的かつ軽度に抑制される．この抑制作用は，**Wolff-Chaikoff〔ウォルフ・チャイコフ〕効果** として知られている．

完全に甲状腺を欠く成人では，BMR は約 40% 低下する．毛髪は粗くまばらになる．皮膚は乾燥し，黄色となる（カロテン血症 carotenemia，訳注：循環血中にカロテン色素が増加した状態）．そして，寒冷に対する耐性が低下する．精神活動が緩徐となり，記憶力は低下する．一部の患者においては，重篤な精神症状（粘液水腫性脳症 myxedema madness）が生じる．血漿コレステロールは上昇する．出生直後，もしくは出生前から甲状腺機能低下症である小児は，**クレチン症 cretinism** と呼ばれる．罹患すると低身長となり，精神的に遅延が生じる．世界的に，先天性甲状腺機能低下症は防止可能な精神遅滞症のうち最も頻度が高い原因の 1 つである．主因は，表 20・4 に示す．母体のヨウ素欠乏のみならず，胎児の視床下部-下垂体-甲状腺系の様々な先天異常により生じる．また，母体の抗甲状腺抗体が胎盤を通過し，胎児の甲状腺に損傷を与えることもある．T_4 は胎盤を通過する．そして，母親が甲状腺機能低下症でない限り，成長と発達は出生まで正常である．出生直後に治療を開始すれば，成長と発達に関する予後は良好となる．そして，精神遅滞は通常，回避することができる．このような理由のため，先天性甲状腺機能低下症のスクリーニングテストは，世界各国で常用的に行われるようになっている．母親も甲状腺機能低下症の時は，ヨウ素欠乏時のように精神遅滞はより重篤となり，出生後の治療に対する反応は悪くなる．現在，世界中で約 2000 万人が，子宮内でのヨウ素欠乏が原因で様々な程度の脳障害を有すると推定されている．

ごく微量の放射性ヨウ素を用いて甲状腺への取込みを測定し，甲状腺機能を評価することができる〔甲状腺機能亢進症の場合は，甲状腺の組織を破壊するために大用量の放射性ヨウ素を用いる（クリニカルボックス 20・2）〕．

治療上のハイライト

甲状腺機能低下症に対する治療は，低下症を生じた原因により異なる．ヨウ素化物摂取不足の場合，先進国で日常的に用いられているように，食事にヨウ素を加えることで解決できる．先天性甲状腺機能低下症では，合成甲状腺ホルモン（T_4）であるレボサイロキシン投与が行われる．長期的な有害影響を避けるためには投与は出生後なるべく早期に開始し，甲状腺機能を継続的に調べることが重要である．

表 20・4　先天性甲状腺機能低下症の原因

母体ヨウ素欠乏
胎児甲状腺の形成障害
甲状腺ホルモン合成の先天異常
胎盤を通過した母体の抗甲状腺抗体
胎児の下垂体機能低下に由来する甲状腺機能低下症

クリニカルボックス 20・2

甲状腺機能亢進症

まず，甲状腺の機能が過剰に亢進した際の症状を，甲状腺ホルモンの作用機構を踏まえて列挙する．すなわち，甲状腺機能亢進症は次のような症状により特徴付けられる．神経過敏，体重減少，過食，温熱不耐性，脈圧増加，広げた手指の細かい振戦，暖かく柔らかい皮膚 発汗，そして+10% から時として+100%にまで上昇する BMR．甲状腺機能亢進症には様々な原因がある(表 20・5)．しかし，最も頻度が高い原因は **Graves(グレーヴス)病(Graves 甲状腺機能亢進症 Graves hyperthyroidism**，訳注：日本では **Basedow(バセドウ)病**とも呼ばれる)で，亢進症の 60〜80%を占める．女性に多い自己免疫疾患で，TSH 受容体に対する抗体が受容体を刺激する．そのため T_4 および T_3 分泌が著明に増加するとともに甲状腺の腫脹(甲状腺腫)が生じる．しかし，T_4 と T_3 のフィードバック作用のため，血漿 TSH は低くなる．Graves 病のもう 1 つの特徴は眼窩組織の腫脹である．そのため，眼球が前に押し出される(**眼球突出 exophthalmos**)．この症状は患者の 50%に生じ，時に甲状腺機能亢進症の他の症状進展に先行する．抗サイログロブリン抗体や抗甲状腺ペルオキシダーゼ抗体など他の抗甲状腺抗体も時に Graves 病でみられる．橋本病甲状腺炎において，自己免疫抗体と浸潤してきた細胞傷害性 T 細胞は最終的に甲状腺を破壊する．しかし，初期には，炎症により Graves 病と類似した甲状腺ホルモン過剰分泌と甲状腺中毒症が起きることがある．

治療上のハイライト

甲状腺機能亢進症の症状の多くは**チオウリレン thioureylene** により軽減することができる．チオウリレンはチオ尿素と関連する一連の薬剤で，モノヨードチロシンのヨウ素化を抑制してカップリング反応を阻止する．臨床的に用いられるのはプロピルチオウラシル propylthiouracil とメチマゾール methimazole である．プロピルチオウラシルやメチマゾールはチロシン残基とヨウ素をめぐって競合し，ヨウ素化されるため，チロシン残基のヨウ素化は抑制される．さらにプロピルチオウラシルは多くの甲状腺外組織で D_2 脱ヨウ素酵素の活性を抑制(メチマゾールはこの作用なし)し，T_4 から T_3 への変換を低下させる．時に，甲状腺機能亢進症は放射性ヨウ素投与により治療される．放射性ヨウ素は甲状腺に蓄積し，一部を破壊するからである．甲状腺が腫大し，嚥下や呼吸に影響が出る場合は外科的手術も考慮される．

表 20・5 甲状腺機能亢進症の原因

甲状腺の活動過多
Graves 病(Basecow 病)
孤立性中毒性腺腫
中毒性多結節性甲状腺腫
橋本甲状腺炎の初期[a]
TSH 分泌性下垂体腫瘍
TSH 受容体変異による持続的活性化
他のまれな原因
甲状腺以外
T_3 または T_4 の投与(人為性または医原性甲状腺機能亢進症)
異所性甲状腺組織

a) 橋本病では最終的には甲状腺は破壊され，甲状腺機能低下症となる．多くの患者は甲状腺機能低下症になった後に病状を訴えるようになる．また，その後，一過性甲状腺機能亢進症を再度生じることはない．

クリニカルボックス 20・3

甲状腺ホルモン不応症

TRβをコードする遺伝子の変異によりT$_3$とT$_4$に対する不応症が生じることがある.一般的には,甲状腺ホルモンに対する不応症が末梢組織および下垂体前葉で生じる.通常,この患者は不応症を克服するのに十分高値のT$_3$およびT$_4$の血漿濃度を維持しており,TRαの異常もみられないので,臨床的には甲状腺機能低下症ではない.しかし,循環血中T$_3$およびT$_4$濃度が高いにもかかわらず,血漿TSHは異常に高く,甲状腺ホルモンを外から投与しても抑制するのは困難である.一部の患者は,下垂体のみが甲状腺ホルモン不応となる.その場合,代謝が亢進し,血漿T$_3$とT$_4$濃度が上昇するが,TSHは抑制されず正常濃度となる.ほんの一部の患者では,下垂体の感度は正常で末梢組織に不応がある場合もある.この場合,T$_3$,T$_4$およびTSHの血漿濃度が正常にもかかわらず代謝低下となる.興味深いことに,過活動で衝動的な行動を示す小児の症候である**注意欠陥多動性障害 attention deficit hyperactivity disorder (ADHD)**は正常児よりも甲状腺ホルモン不応症児で高頻度にみられる.これは,ヒトTRβが脳発達において特別な役割を果たしていることを示唆している.

治療上のハイライト

甲状腺腫が存在することが多いが,ほとんどの甲状腺ホルモン不応症の患者の甲状腺機能は正常のままである.重要なのはGraves病(Basedow病)との鑑別で,誤診による抗甲状腺薬の不適切な使用や摘出手術などを避けなくてはいけない.末梢性の甲状腺ホルモン不応症と診断された場合,多量の合成T$_4$の服用により治療することが可能である.服用により不応症は正常化し,代謝率の向上が見込める.

章のまとめ

- 甲状腺は前頸部で気管にまたがるように位置しており,複数の腺房(濾胞)で構成されている.各濾胞は,単層の上皮細胞に囲まれており,主にサイログロブリンからなるコロイドで満たされている.甲状腺機能が活発な場合,コロイドが再吸収されている領域が観察できる(再吸収小窩).

- 甲状腺はヨウ素を輸送してサイログロブリンに存在するアミノ酸に固定し,甲状腺ホルモンであるサイロキシン(T$_4$)とトリヨードサイロニン(T$_3$)を生成する.ヨウ素イオンはNa$^+$/I$^-$シンポータ(NIS)を介して濾胞上皮細胞に輸送され,そこからCl$^-$/I$^-$アンチポータであるペンドリンを介してコロイドに輸送される.甲状腺ペルオキシダーゼはI$^-$をヨウ素(I)に変換し,有機化の過程でこれをサイログロブリンのチロシン残基の炭素3位に組み込む.

- 甲状腺ホルモンは,主にタンパク質と結合した形で血漿中を循環する.遊離ホルモンだけが生物学的に活性である.そして,T$_3$もT$_4$もTSHの分泌を減少させる方向にフィードバック作用をもたらす.

- 甲状腺ホルモンの合成と分泌は下垂体から分泌される甲状腺刺激ホルモン(TSH)により促進される.TSHは視床下部から分泌される甲状腺刺激ホルモン放出ホルモン(TRH)に反応して分泌される.これらの放出因子は,全身状態の変化(たとえば,寒冷またはストレスへの曝露など)により制御される.

- 甲状腺ホルモンは,細胞に入り,甲状腺ホルモン受容体と結合することにより作用を発揮する.甲状腺ホルモン受容体は,リガンド結合に依存して遺伝子発現を変化させる核内転写因子である.

- 甲状腺ホルモンは代謝率,産熱,心機能および正常な精神活動を促進する.カテコールアミンと相乗的に作用する.甲状腺ホルモンも,発達(特に神経系)と成長においても重要な役割を果たす.

- 甲状腺に関する疾病は,甲状腺活動の低下および過多で生じる.甲状腺機能低下症は成人で生じると精神活動および身体活動の緩徐化をもたらす.新生児期に生じると,精神遅滞と低身長症をもたらす.甲状腺機能亢進は,最も一般的には自己抗体による甲状腺ホルモン分泌促進[Graves(グレーヴス)病(Basedow(バセドウ)病)]により生じ,身体の消耗,神経過敏および頻拍などを生じる.

多肢選択式問題

正しい答えを1つ選びなさい.

1. 40歳の女性が家庭医を訪れ，神経過敏症状と，常時食欲があるにもかかわらず3カ月で9kg体重が減少したと訴えた．身体診察にて，眼球が突出していること，皮膚が湿って暖かいこと，そして手指に軽いふるえがあることがわかった．甲状腺の生検を行った場合，正常組織と比べどのような変化が観察される可能性が高いか.
   A．再吸収小窩数の低下
   B．エンドサイトーシスの低下
   C．コロイド断面積の低下
   D．濾胞上皮細胞基底膜のNIS発現量の低下
   E．リソソーム活性の低下

2. 甲状腺ホルモンの正常な生合成にとって必ずしも必要でないのはどれか.
   A．ヨウ素
   B．フェリチン
   C．サイログロブリン
   D．タンパク質合成
   E．TSH

3. 末梢組織でT_4からT_3への変換を主に担う酵素はどれか.
   A．D_1甲状腺脱ヨウ素酵素
   B．D_2甲状腺脱ヨウ素酵素
   C．D_3甲状腺脱ヨウ素酵素
   D．甲状腺ペルオキシダーゼ
   E．上記のどれでもない

4. NISによる細胞内I^-増加はどのような機構で生じるか.
   A．エンドサイトーシス
   B．受動拡散
   C．Na^+とK^+の共輸送
   D．一次性能動輸送
   E．二次性能動輸送

5. 血漿濃度が増加しても代謝率にほとんど影響を及ぼさないのはどれか.
   A．TSH
   B．TRH
   C．TBG
   D．遊離T_4
   E．遊離T_3

6. TRHに対するTSHの反応性が低下するのはどの状態か.
   A．甲状腺ホルモン不応症による甲状腺機能低下症
   B．甲状腺を破壊する疾患による甲状腺機能低下症
   C．TSH活性をもつ抗甲状腺抗体による甲状腺機能亢進症
   D．下垂体前葉の甲状腺刺激ホルモン産生細胞のびまん性増殖による甲状腺機能亢進症
   E．ヨウ素欠乏

7. 甲状腺原発の甲状腺機能低下症において，血漿濃度が上昇するのはどれか.
   A．コレステロール
   B．アルブミン
   C．rT_3
   D．I^-
   E．TBG

8. ある若い女性が，皮膚の腫脹と嗄声を呈している．血漿TSH濃度は低いが，TRHを投与すると著しく増加する．どのような状態と考えられるか.
   A．甲状腺腫瘍による甲状腺機能亢進症
   B．甲状腺原発の異常による甲状腺機能低下症
   C．下垂体原発の異常による甲状腺機能低下症
   D．視床下部原発の異常による甲状腺機能低下症
   E．視床下部原発の異常による甲状腺機能亢進症

9. TSH投与で，最も影響を受けないのはどれか.
   A．ヨウ素の甲状腺摂取率
   B．サイログロブリンの合成
   C．濾胞上皮細胞の環状アデノシン一リン酸(cAMP)
   D．濾胞上皮細胞の環状グアノシン一リン酸(cGMP)
   E．甲状腺の大きさ

10. 甲状腺のホルモン受容体は，どのような状態でDNA(甲状腺ホルモン応答配列)と結合するか.
    A．プロラクチン受容体とのヘテロ二量体

B．成長ホルモン受容体とのヘテロ二量体
C．レチノイン酸X受容体とのヘテロ二量体
D．インスリン受容体とのヘテロ二量体
E．プロゲステロン受容体とのヘテロ二量体

カルシウムと
リン酸代謝の内分泌性制御と
骨の生理学

CHAPTER **21**

学習目標
本章習得のポイント

- 体内のカルシウムとリン酸の濃度のホメオスタシス維持の重要性を理解する
- カルシウムの体内プール，代謝回転率，および貯蔵部位間のカルシウム移行の調節に中心的な役割を果たす臓器を説明できる
- カルシウムとリン酸の吸収と排泄の機構を述べることができる
- カルシウムとリン酸のホメオスタシスを調節する主要ホルモン—ビタミンD，副甲状腺ホルモン，カルシトニン—と他の因子，それらの合成部位，作用の標的および機能異常がもたらす結果を述べることができる
- 骨の基本的な解剖学を明確に説明でき，骨の長軸方向の成長が思春期以後停止する機序を理解する
- 骨の形成と吸収を調節する細胞の種類およびそれらの作用の機序を述べ，骨のホメオスタシスの異常に起因する疾患を議論することができる

■ はじめに

　カルシウムは非常に重要な細胞内シグナル分子であるとともに，様々な細胞外機能をもつことから，体内のカルシウム濃度の調節は生体にとって重要である．カルシウムのホメオスタシスの制御系は，細胞外カルシウムの変化を検出してカルシウム調節ホルモンを放出する細胞，これらのホルモンの標的臓器としてカルシウム動員，排泄，取込みを変化させる腎臓，骨，小腸などからなる．カルシウムのホメオスタシスには主に次の3つのホルモンが関与している．**1,25-ジヒドロキシコレカルシフェロール** 1,25-dihydroxy-cholecalciferol は，肝臓と腎臓での2段階のビタミンDのヒドロキシル化（水酸化）を経て生成されるステロイドホルモンの一種である*¹．このホルモンの第一の作用は腸管からのカルシウム吸収を促進することである．**副甲状腺ホルモン（上皮小体ホルモン）**parathyroid hormone（PTH）は上皮小体（副甲状腺）*² から分泌される．このホルモンの主要な作用は骨からカルシウムを遊離させ，リン酸の尿中排泄を増加させることである．カルシウム降下ホルモンである**カルシトニン** calcitonin は哺乳類では主として甲状腺内に散在している細胞から分泌され，骨の吸収を抑える．カルシトニンの役割は相対的に小さいものではあるが，これら3つのホルモンが協調し合いながら体液中のカルシウム濃度のホメオスタシスを保つようにはたらいている．リン酸ホメオスタシスも同様に，生体が正常に機能するために重要である．特記すべきその例は，リン酸はアデノシン三リン酸の構成要素であるとともに生体の緩衝物質であり，またタンパク質を修飾してその機能を変化させる機能を有していることである．カルシウムホメオスタシスの調節系の多くはリン酸ホメオスタシスの調節にも寄与するが，しばしば作用の方向が逆になる．これについても本章で触れる．

---

*¹ 訳注：活性ビタミンD_3とも呼ばれる．
*² 訳注："上皮小体"の代わりに"副甲状腺"もよく用いられているが，副甲状腺は，正常の位置から離れた位置にある散在性の甲状腺組織 accesory thyroid の訳語としてまず用いられたので，ここでは混乱を避けるために上皮小体とした．しかし，そのホルモンは臨床では副甲状腺ホルモンと呼び慣わされているので，それに従った．

カルシウムとリンの体内におけるバランス

カルシウム

若年成人の体内には約 1100 g (27 500 mmol) のカルシウムが含まれている．カルシウムの 99% は骨組織に含まれている．血漿カルシウムの正常濃度は 10 mg/dL (5 mEq/L，2.5 mmol/L) で，このうちの一部分はタンパク質に結合しており，他は拡散可能な遊離カルシウムイオンおよびクエン酸などとの錯塩である (表 21・1)．細胞内カルシウム分布と Ca^{2+} のセカンドメッセンジャーとしての役割については 2 章で考察している．

体液中でイオン化している遊離カルシウム (Ca^{2+}) は，重要なメッセンジャーであり，血液凝固反応，筋収縮，正常な神経機能などを維持するために必要である．細胞外液 Ca^{2+} 濃度が低下すると，生体では最終的には神経・筋の興奮性増大効果をもたらす (4，5 章参照)．結果として，運動神経線維の活動の異常亢進による**低カルシウム血テタニー hypocalcemic tetany** が起こる．この症状の特徴は全身性に骨格筋，殊に四肢と喉頭の筋肉の痙攣が起こることである．喉頭の痙攣が激しくなると気道が閉塞して致命的な窒息が起こる．Ca^{2+} は血液凝固の際にも重要な役割を果たす (31 章参照)．しかし，人体では，致死的なテタニーは凝固反応が障害されない段階でも起こる．

血漿タンパク質に結合している Ca^{2+} の量は血漿タンパク質濃度に比例するので，血漿の総カルシウム濃度を算定する時は同時に血漿タンパク質濃度を知ることが重要である．その他の電解質濃度や pH なども遊離 Ca^{2+} 濃度に影響する．したがってたとえば過呼吸 (血漿 pH が上昇) では，総カルシウム濃度はそれほど低下していなくともテタニーの徴候が現れる．これは血漿の pH が高い時にはより多くの血漿タンパク質が陰イオン化し，イオン化した血漿タンパク質がより多くの Ca^{2+} を結合するからである．

骨組織のカルシウムには 2 型がある．すなわち交換容易なカルシウムプール (易交換性 Ca^{2+} プール) と，これよりずっと大容量の交換の遅い安定なカルシウムプール (安定性 Ca^{2+} プール) である．骨の Ca^{2+} に影響する恒常性維持 (ホメオスタシス) 系には 2 種類あり，それぞれが独立にはたらきながら相互作用もある．その 1 つは，血漿 Ca^{2+} 制御系であり，この系のはたらきによって 1 日当たり約 500 mmol の Ca^{2+} が骨の易交換性 Ca^{2+} プールを出入りする (図 21・1)．もう 1 つの系は，骨の吸収と沈着とが常に相互に作用し合いながら骨を作り直している骨の作りかえ (骨改変) 系 (後述) である．骨改変系のはたらきによる血漿と骨の安定性 Ca^{2+} プールの間の Ca^{2+} 交換は約 7.5 mmol/日にすぎない．

Ca^{2+} は，小腸上皮細胞の微絨毛膜の一過性受容器電位バニロイド 6 型 transient receptor potential vanilloid type 6 (TRPV6) チャネルを介して上皮細胞内に取り込まれ，細胞内タンパク質であるカルビンディン D9K calbindin D9K に結合する．細胞内に吸収された Ca^{2+} はカルビンディン D9K に捕捉されるので，Ca^{2+} の関与する上皮細胞内シグナル伝達を擾乱することはない．吸収された Ca^{2+} は上皮細胞の基底側膜に配送され，Na^+/Ca^{2+} アンチポータ (NCX1) あるいは Ca^{2+}-ATPase, $PMCA_{1b}$ のはたらきによって，上皮細胞から血流中に輸送される (図 21・2)．それにもかかわらず，近年の研究により，TRPV6 とカルビンディン D9K が欠損しても小腸の Ca^{2+} 吸収はある程度は保たれることが示されており，このことは他の経路もこの重要な過程に関与していることを示唆している．この輸送過程全体は，1,25-ジヒドロキシコレカルシフェロール (後述) による調節を受けている．さらに，Ca^{2+} の吸収が増加すると，その結果起こる血漿 Ca^{2+} の増加に反応して 1,25-ジヒドロキシコレカルシフェロールの濃度は低下する．

血漿 Ca^{2+} は腎臓で濾過されるが，濾過された Ca^{2+} の 98～99% は再吸収される．再吸収の約 60% は近位尿細管で，残りは Henle ループ上行脚と遠位尿細管で起こる．遠位尿細管での再吸収は TRPV5 チャネルに依存し，その発現が PTH による調節を受ける．

リン

リンは生体内で ATP，cAMP，2,3-ビスホスホグリセリン酸 (2,3-BPG，2,3-ジホスホグリセリン酸) や多

表 21・1　正常人血漿カルシウムの分布 (mg/dL)

拡散可能型	5.36
イオン化 (Ca^{2+})	4.72
HCO_3^-，クエン酸などと結合	0.64
非拡散型 (タンパク質結合型)	4.64
アルブミンと結合	3.68
グロブリンと結合	0.96
血漿カルシウム総量	10.00

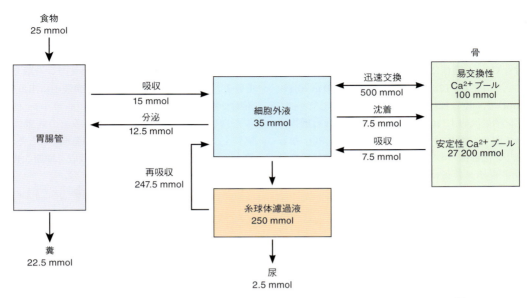

図 21・1 1日当たり 25 mmol (1000 mg) のカルシウムを摂取している成人における体内区画間の Ca^{2+} の移動. 体内カルシウムの大部分は，細胞外液 (ECF) との間で緩徐に交換される骨プールに存在することに注目.

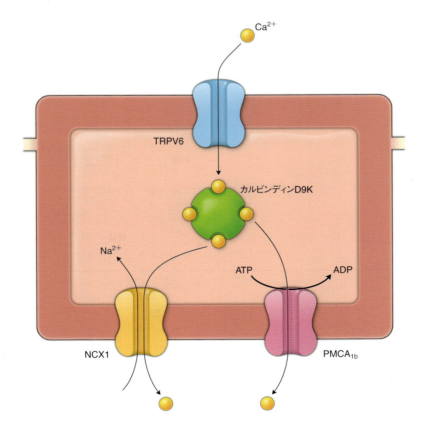

図 21・2 腸管のカルシウム吸収. カルシウムは TRPV6 カルシウムチャネルによって腸管上皮細胞の頂端膜を横切って細胞内に取り込まれる．カルシウムはサイトゾルでカルビンディン D9K に捕捉されて基底側膜に運ばれ，そこで細胞エネルギーを用いて，細胞内低 Na^+ を利用して Ca^{2+} を排出する NCX1 あるいは Ca^{2+} ポンプ $PMCA_{1b}$ によって血流中に排出される．TRPV6，カルビンディン D9K，$PMCA_{1b}$ の発現レベルはすべて 1,25 ジヒドロキシコレカルシフェロールによって増加する．

くのタンパク質などの生命の維持に必要な化合物に含まれている．タンパク質のリン酸化と脱リン酸化は，細胞機能調節に関与している（2章参照）．生体内のリン代謝もCa^{2+}と同様に当然のことながら緊密に調節されている．生体内のリン総量は 500〜800 g（16.1〜25.8 mol）で，その 85〜90％ は骨格に存在している．血漿リン総量は約 12 mg/dL で，その 2/3 は有機物に含まれており，残りは PO_4^{3-}，HPO_4^{2-} や $H_2PO_4^-$ などの無機リン化合物の形で存在している．正常状態で骨に沈着するリンの量は 3 mg（97 μmol）/kg/日で，同量のリンが骨吸収によって骨から溶出する．

血漿中の無機リン（Pi）は糸球体で濾過され，濾過された無機リンの 85〜90％ は再吸収される．リンの再吸収の大部分は近位尿細管における能動輸送（二次性能動輸送）によるものであり，2種の Na^+ 依存性リン酸共輸送体，NaPi-IIa と NaPi-IIc が関与する．PTH は，NaPi-IIa の細胞内移行と分解を引き起こすことによって強力にこの輸送体を抑制して腎臓でのリン酸再吸収を低下させる（後述）．

無機リンは十二指腸と小腸から吸収される．無機リンは，腎臓に存在するトランスポータに類似した NaPi-IIb によって取り込まれる．このトランスポータは小腸上皮細胞の基底側膜に存在する Na^+, K^+-ATPase により形成された低い細胞内 Na^+ 濃度を利用して，無機リンの濃度勾配に逆らってリンを取り込む．しかし，無機リンが上皮細胞から血液中に出る経路は不明である．1,25-ジヒドロキシコレカルシフェロールを含む Ca^{2+} 吸収を増加させる多くの刺激はまた，腸管上皮細胞における NaPi-IIb の発現増加とその頂端膜への挿入促進によって無機リン吸収を増加させる．

ビタミンDとヒドロキシコレカルシフェロール類

化　　　学

腸管からの Ca^{2+} とリン酸イオン（PO_4^{3-}）の能動輸送は**ビタミンD** vitamin D 代謝産物によって促進される．"ビタミンD" という名称は，特定のプロビタミンに紫外線が照射されると生成される構造の非常に類似したステロール類を指す（図 21・3）．ビタミン D_3 はコレカルシフェロール cholecalciferol とも呼ばれ，哺乳類

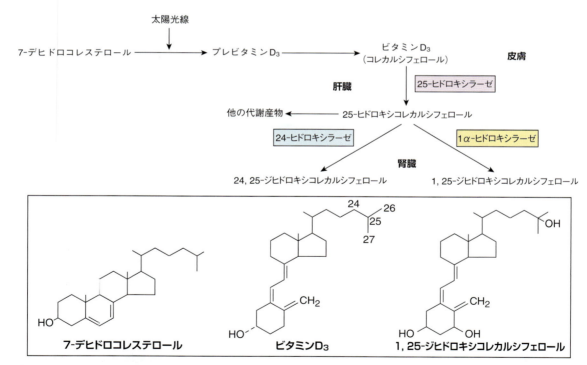

図 21・3　ビタミン D_3 の生成とヒドロキシル化．25-ヒドロキシル化は肝臓で起こり，それ以外のヒドロキシル化は主に腎臓で起こる．7-デヒドロコレステロール，ビタミン D_3 および 1,25-ジヒドロキシコレカルシフェロールの構造式も枠内に示してある．

の皮膚で日光の作用によって7-デヒドロコレステロールから生成される．この反応は，プレビタミンD_3の急速な生成と，このプレビタミンD_3のビタミンD_3への緩徐な変換とから成り立っている．ビタミンD_3とそのヒドロキシル化誘導体は血漿中では，グロブリンの一種であるビタミンD結合タンパク質 vitamin D-binding protein (DBP)に結合している．ビタミンD_3は食物からも摂取される．

ビタミンD_3はシトクロムP450 (CYP) スーパーファミリー（同族）に属する酵素によって代謝される（1，28章参照）．肝臓では，ビタミンD_3は**25-ヒドロキシコレカルシフェロール 25-hydroxycholecalciferol**（カルシジオール，25-$(OH)D_3$）に変換される．次いで25-ヒドロキシコレカルシフェロールは腎臓の近位尿細管細胞で生理活性のある代謝産物**1,25-ジヒドロキシコレカルシフェロール 1,25-dihydroxycholecalciferol**に変換される．1,25-ジヒドロキシコレカルシフェロールはカルシトリオール calcitriol あるいは 1,25-$(OH)_2D_3$ とも呼ばれる．1,25-ジヒドロキシコレカルシフェロールは胎盤，皮膚の角化細胞およびマクロファージでも生合成される．25-ヒドロキシコレカルシフェロールの正常血漿濃度は約30 ng/mLであり，1,25-ジヒドロキシコレカルシフェロールの正常血漿濃度は約0.03 ng/mL（おおよそ100 pmol/L）である．より活性の低い代謝産物である24,25-ジヒドロキシコレカルシフェロールも腎臓で生成される（図21・3）．

作用機構

1,25-ジヒドロキシコレカルシフェロールは核内受容体と結合し，形成された複合体は転写調節因子として作用し，Ca^{2+}の輸送や処理に関与するいくつもの遺伝子の発現を促進する．その1つは**カルビンディン-D calbindin-D** タンパク質ファミリーである．これらはCa^{2+}結合タンパク質トロポニンCスーパーファミリーのメンバーであり，カルモジュリンもこのファミリーに属する（2章参照）．カルビンディン-D群は，ヒトでは腸，脳，腎臓に見出されている．腸管上皮やその他の多くの組織では，2種のカルビンディン，分子量9000のカルビンディンD9Kと分子量28 000のカルビンディンD28Kの生成が誘導される．1,25-ジヒドロキシコレカルシフェロールはまた，腸管上皮細胞におけるCa^{2+}-ATPaseとTRPV6分子の数を増加させる．このようにして，食物のカルシウムの吸収は全体に亢進する．

1,25-ジヒドロキシコレカルシフェロールは腸からのCa^{2+}吸収を増加させる他に，腎臓の遠位尿細管におけるTRPV5の発現を増加させることによりCa^{2+}

クリニカルボックス 21・1

くる病と骨軟化症

ビタミンD欠乏は骨基質の石灰化不全を来し，小児では**くる病 rickets**，成人では**骨軟化症 osteomalacia**と呼ばれる疾患を引き起こす．1,25-ジヒドロキシコレカルシフェロールが骨基質へのミネラル沈着に必要であるとしても，この病態の主因はミネラル化が生じる部位へのCa^{2+}とリン酸の十分な供給ができないことにある．小児の重症型は，筋力低下と体重を支える骨の弯曲，歯牙の異常および低カルシウム血症を特徴とする．成人では，異常は小児ほど明瞭ではない．くる病，骨軟化症は，以前は都市におけるスモッグによる日光曝露不足が主因であったが，現在では皮膚において日光の作用を受けるプロビタミンの摂取不足による場合が多い．こういった症例はビタミンD投与によく反応する．くる病はまた，腎臓の1α-ヒドロキシラーゼの不活性化を来す遺伝子変異や重症の腎あるいは肝疾患によっても引き起こされる．この異常ではビタミンDは無効であり，1,25-ジヒドロキシコレカルシフェロールに対して正常に反応する（**Ⅰ型ビタミンD抵抗性くる病 type I vitamin D-resistant rickets**）．まれに，くる病は1,25-ジヒドロキシコレカルシフェロール受容体の不活性化を来す遺伝子変異により引き起こされる（**Ⅱ型ビタミンD抵抗性くる病 type Ⅱ vitamin D-resistant rickets**）．後者はビタミンD, 1,25-ジヒドロキシコレカルシフェロールのいずれにも反応しない．

治療上のハイライト

くる病と骨軟化症の治療は，原因となっている上述の生化学的な機構に基づいている．欧米諸国では，ビタミンDを牛乳に添加することによりくる病の発症は大幅に減少した．しかし，開発途上国ではくる病は最もありふれた小児疾患の1つである．重症例では，整形外科手術が必要となる場合がある．

再吸収を促進し，骨芽細胞の合成活性を増大させ，そして骨基質の正常な石灰化に必要である(クリニカルボックス21・1)．骨芽細胞の活性亢進は二次的に破骨細胞活性の増加をもたらす(後述)．

合成の調節

25-ヒドロキシコレカルシフェロールの生合成が厳密な調節を受けていないのとは異なり，1α-ヒドロキシラーゼによって触媒されている腎臓での1,25-ジヒドロキシコレカルシフェロールの生合成は，血漿 Ca^{2+} と PO_4^{3-} によるフィードバック調節を受けている(図21・4)．血漿 Ca^{2+} 濃度が高いと，1,25-ジヒドロキシコレカルシフェロールはほとんど合成されず，その代わり腎臓は相対的に不活性な代謝産物である24,25-ジヒドロキシコレカルシフェロールを生成する．1,25-ジヒドロキシコレカルシフェロール生成に及ぼすこの Ca^{2+} の影響は，腸管 Ca^{2+} 吸収へのシグナルを減弱させる(前述)．逆に，血漿 Ca^{2+} 濃度が低下するとPTH分泌が増加し，1α-ヒドロキシラーゼの発現を促進する．また，腎臓の1,25-ジヒドロキシコレカルシフェロールの生合成は低血漿 PO_4^{3-} によって増加し，高血漿 PO_4^{3-} によって低下する．この作用は腎臓の1α-ヒドロキシラーゼに及ぼす PO_4^{3-} の直接的な抑制作用による．さらに副次的な調節として，1,25-ジヒドロキシコレカルシフェロールの(1)1α-ヒドロキシラーゼに及ぼす直接的な負のフィードバック効果，(2)24,25-ジヒドロキシコレカルシフェロール生成に及ぼす正のフィードバック効果，(3)上皮小体(副甲状腺)への直接作用による副甲状腺ホルモン発現抑制の3つがある．

α-クロトー α-Klotho (訳注：命の糸を紡ぐギリシャ神話のゼウスの妹クロトーに因んで命名された)と呼ばれる抗老化タンパク質がカルシウムとリン酸ホメオスタシスに重要な役割を果たすことが最近見出されたが，その作用の一部は1,25-ジヒドロキシコレカルシフェロール濃度に及ぼす抑制作用による．α-クロトーを欠損するマウスは，老化の加速，骨ミネラル密度の低下，石灰化，高カルシウム血症と高リン酸血症を示した．α-クロトーは，TRPV5やNa$^+$, K$^+$-ATPaseなどのカルシウム，リン酸(再)吸収において重要ないくつかのタンパク質の細胞膜上の局在を安定化させるのに重要な役割を果たす．同様に，α-クロトーは，受容体に作用する別の因子，線維芽細胞成長因子23(FGF23)の活性を高める．それによりFGF23は腎臓のNaPi-IIaとNaPi-IIcの発現を低下させ，1α-ヒドロキシラーゼを抑制して1,25-ジヒドロキシコレカルシフェロール濃度を低下させる．

副甲状腺(上皮小体)

解剖学

ヒトには通常4個の副甲状腺 parathyroid gland が存在する．2個は甲状腺の上極に，他の2個は下極に埋もれている(図21・5)．個々の副甲状腺はほぼ $3×6×2$ mm の大きさの血管分布の密な楕円板状組織で，2種類の細胞を含んでいる(図21・6)．副甲状腺内の主要な腺細胞である**主細胞 chief cell** は際立ったGolgi装置，小胞体と分泌顆粒を有しており，**PTH**を合成して分泌する．それよりも数は少ないが大型の**好酸性細胞 oxyphil cell** は細胞質中に好酸性顆粒と多数のミトコンドリアを含んでいる．ヒトでは，好酸性細胞は

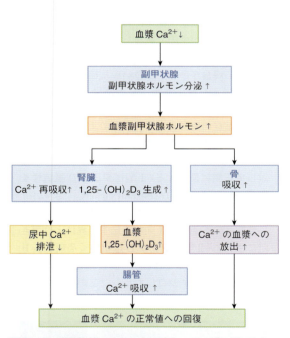

図21・4　副甲状腺ホルモン(PTH)と1,25-ジヒドロキシコレカルシフェロール[1,25-(OH)$_2$D$_3$]の全身のカルシウムホメオスタシスに及ぼす影響． 血漿 Ca^{2+} が低下するとPTH分泌が促進する．次にPTHは腎においてCa^{2+}を保持し，1,25-ジヒドロキシコレカルシフェロール産生を引き起こす．1,25-ジヒドロキシコレカルシフェロールは腸管でCa^{2+}吸収を増加させる．PTHはまた骨に作用してその易交換性 Ca^{2+} プールからCa^{2+}を放出させる．これらの作用はすべて血漿 Ca^{2+} を正常値に回復させる(Widmaier EP, Raff H, Strang KT: *Vander's Human Physiology*, 10th ed. New York, NY: McGraw-Hill; 2006 より許可を得て複製)．

21. カルシウムとリン酸代謝の内分泌性制御と骨の生理学　447

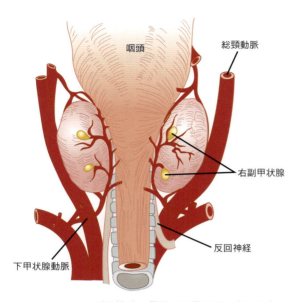

図 21・5 ヒトの副甲状腺，背面から見た図．副甲状腺は甲状腺後面に接着している小さな内分泌腺である．

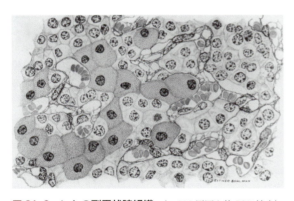

図 21・6 ヒトの副甲状腺組織．（×910 原図を約 50% 縮小）．小さな細胞が主細胞で，細胞質内に顆粒を含む大型の細胞（左下方に特に多い）が好酸性細胞である (Fawcett DW: *Bloom and Fawcett, A Textbook of Histology*, 11th ed. Saunders; 1986 より許可を得て複製).

思春期以前には数が少ないが，その後は年齢とともに数を増してくる．好酸性細胞の機能ははっきりしない．副甲状腺が失われるとどのような異常が引き起こされるかは，クリニカルボックス 21・2 で議論する．

副甲状腺ホルモン（PTH）の合成と代謝

ヒトの PTH は分子量 9500 の 1 本鎖のポリペプチドで 84 個のアミノ酸から成り立っている（図 21・7）．

クリニカルボックス 21・2

副甲状腺摘除の影響

ヒトでは甲状腺手術中に誤って副甲状腺が摘除されることがある．PTH は生命維持に必須であるので，これにより重大な障害が引き起こされる．副甲状腺摘除後，血漿 Ca^{2+} 濃度は進行性に低下する．神経・筋興奮性亢進の徴候が現れ，続いて重篤な低カルシウム血症性テタニーが起こる（本文参照）．血漿リン酸濃度は，血漿 Ca^{2+} 濃度が低下するにつれて，通常上昇する．症状は，通常手術の 2〜3 日後に現れるが，数週間あるいはそれ以上経ってから現れることもある．ヒトのテタニーの徴候の 1 つとして **Chvostek〔クボステック〕徴候** があげられる．これは下顎骨角の位置を軽くたたいて顔面神経を刺激すると，同側の顔面の筋肉が痙攣する現象である．また **Trousseau〔トルソー〕徴候** として知られているものは上肢の筋の痙攣によって手首と親指が屈曲し，その他の指が伸展する現象である．テタニーが軽度で痙攣がはっきりしない場合は血圧計のマンシェットを用いて腕の血液循環を数分間遮断すると Trousseau 徴候が現れることがある．

治療上のハイライト

治療の中心は，失われた副甲状腺が正常の場合に産生される PTH を補充することである．PTH の注射によって，生化学的な異常を是正することが可能であり，症状も消失する．Ca^{2+} 塩の投与も症状を一時的に軽快させる（訳注：副甲状腺が摘除された患者に長期にわたり，PTH 注射によって治療することは困難であるので，臨床では代わりに 1,25-$(OH)_2D_3$ あるいは，構造の類似した活性型ビタミン D_3 アナログが投与される．Ca^{2+} 塩を併用されることがある）．

このホルモンはまずアミノ酸残基 115 個よりなる大分子ペプチド（**プレプロ PTH preproPTH**）として細胞内で合成される．プレプロ PTH が小胞体内へ移動すると，シグナルペプチドの部分が N 末端から切り離され，90 個のアミノ酸からなるポリペプチドである **プロ PTH proPTH** が生成される．プロ PTH の N 末

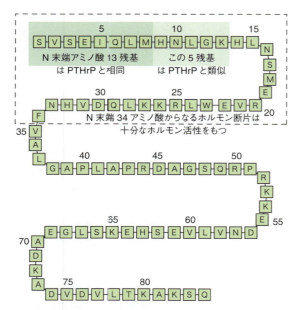

図21・7 副甲状腺ホルモン． 緑色ボックスは副甲状腺ホルモン関連タンパク質(PTHrP)のN末端アミノ酸と同一もしくは類似であることを示す．点線ボックスはPTHの最初の34アミノ酸がホルモンの生物活性の発揮に十分であることを示す．興味深いことに，PTHrPも，13番目以降のアミノ酸配列はPTHとは一致しないにもかかわらず，PTHと同様に最初の34アミノ酸が十分な活性をもつ．（略号は表1・3を参照）

端からさらに6個のアミノ酸残基がGolgi装置ではずされ，84個のアミノ酸からなる成熟ペプチドであるPTH(1-84)が分泌顆粒の中に包み込まれ，主細胞の主要分泌物として分泌される．

PTHの正常血漿濃度は10～55 pg/mLである．PTHの半減期は約10分で，分泌されたPTHは肝臓のKupffer細胞によって生物活性のない断片に迅速に分解される．次いでPTHとその分解されたペプチドは腎臓で除去される．現在用いられているPTHの免疫測定法は，PTH(1-84)は測定するがそのペプチド断片は測定しないように設計されており，"活性のある"PTHのみを正確に測定できる．

作　　用

PTHは骨に直接作用して骨の吸収とCa^{2+}動員を引き起こす．PTHは血漿Ca^{2+}濃度を上昇させる他に，尿中へのリン酸排泄を促進することにより血漿リン酸濃度を低下させる．この**リン酸利尿作用 phosphaturic action**の機序は，前述のように，近位尿細管のNaPi-

IIaへの作用を介したリン酸再吸収の低下である．またPTHは腎臓遠位尿細管におけるCa^{2+}再吸収を増加させる．しかし，副甲状腺機能亢進症においてはこの再吸収増加量よりも血漿Ca^{2+}の上昇による糸球体濾過量の増加の方が上回るので，尿中のCa^{2+}排泄量は通常増加することになる（クリニカルボックス21・3）．PTHは1,25-ジヒドロキシコレカルシフェロール生成を促進し，生成された1,25-ジヒドロキシコレカルシフェロールは腸管のCa^{2+}吸収を増加させる．さらに長期の効果として，PTHは破骨細胞と骨芽細胞をともに刺激する．

作 用 機 構

現在，PTH受容体には少なくとも3種の異なる型があると考えられている．第一の型は，PTHの他にPTH関連タンパク質(PTHrP，後述)も結合し，PTH/PTHrP受容体と呼ばれる．第二の型の受容体はPTH2型受容体(PTH2-R)と呼ばれ，PTHは結合するがPTHrPとは結合せず，脳，胎盤と膵臓に見出されている．これらの他にPTHのN末端ではなくC末端を認識する第三の受容体，CPTH受容体が存在することを示す証拠がある．前二者の受容体は7回膜貫通型構造を有するGタンパク質共役型受容体であり，三量体Gタンパク質G_sを介して，アデニル酸シクラーゼを活性化して細胞内cAMP濃度を高める．ヒトのPTH/PTHrP受容体はまたG_qタンパク質を介してホスホリパーゼC(PLC)を活性化して細胞内Ca^{2+}濃度を上昇させるとともに，プロテインキナーゼCを活性化する（図21・8）．しかしながら，これらのセカンドメッセンジャーがそれぞれ骨Ca^{2+}代謝にどのように影響するのかは解明されていない．

副甲状腺機能低下症の徴候と症状を示しながらPTHの循環血中濃度は正常あるいは時には上昇している**偽性(仮性)副甲状腺機能低下症 pseudohypoparathyroidism**と呼ばれる病気は，組織がPTHに対して反応できない受容体疾患である．この病気には2型あり，頻度の高い型では，G_sタンパク質の活性が先天的に50％減少しており，そのためにPTHがcAMPの正常な上昇を引き起こすことができない．もう一方の型ではcAMP反応は正常であるが，ホルモンのリン酸利尿作用が欠落している．この型はさらにまれである．

クリニカルボックス 21・3

副甲状腺ホルモン過剰の疾患

　副甲状腺腫瘍のために PTH の過剰分泌が起こっているヒトの副甲状腺機能亢進症の特徴は，高カルシウム血症，低リン酸血症である．PTH 分泌副甲状腺腺腫の患者は多くの場合，無症候であり，血漿 Ca^{2+} の測定によって見つかる．しかし，軽度の性格変化を呈することがある．また，腎結石を合併するケースも散見される．慢性腎不全やくる病などでは，血漿 Ca^{2+} は慢性的に低下しているので副甲状腺が刺激され，その結果代償性の副甲状腺肥大と二次性副甲状腺機能亢進症 secondary hyperparathyroidism を引き起こす．慢性腎不全においては，血漿 Ca^{2+} 濃度が低下しているが，その主な原因は機能不全の腎臓が 1,25-ジヒドロキシコレカルシフェロール産生能力を失うことにある．Ca^{2+} 感知受容体遺伝子 CASR の変異は血漿 Ca^{2+} 濃度の異常を引き起こす．一対の遺伝子のうち一方のみに，Ca^{2+} 受容体としての機能を失わせる変異（ヘテロ変異）が生じている場合が家族性良性低カルシウム尿性高カルシウム血症 familial benign hypocalciuric hypercalcemia である．この疾患では，Ca^{2+} による PTH 分泌のフィードバック抑制が減弱しているので血漿 Ca^{2+} 濃度は慢性的に軽度に上昇している．血漿 PTH 濃度はこの場合，正常範囲内か軽度に上昇している．しかし，Ca^{2+} 受容体遺伝子の両方にこの異常（ホモ変異）がある子供は，新生児重症原発性副甲状腺機能亢進症 neonatal severe primary hyperparathyroidism を発症する．逆に，CASR 遺伝子にその機能を亢進させる (gain-of-function) 変異が生じていると，副甲状腺の Ca^{2+} に対する感受性が亢進し，家族性高カルシウム尿性低カルシウム血症 familial hypercalciuric hypocalcemia を発症する．

治療上のハイライト

　副甲状腺亜全摘は，高カルシウム血症とそれによる症状を呈する副甲状腺腺腫あるいは過形成の患者で必要になる場合がある．しかし，副甲状腺疾患は良性のことが多く，進行が緩徐であるため，手術が必要であるかどうかは多くの患者で議論のあるところであり，手術療法は生命に危険のある高カルシウム血症合併症を呈した患者に対してとられる．

分泌の調節

　循環血中の Ca^{2+} は負のフィードバック様式で副甲状腺に直接作用して PTH の分泌量を調節している．この調節の中で鍵となる重要な分子は副甲状腺細胞膜上に存在する Ca^{2+} 感知受容体（Ca^{2+} sensing receptor）CaSR である．G タンパク質共役型受容体に属するこの Ca^{2+} 受容体の活性化は多くの組織でイノシトールリン脂質 PIP_2 の加水分解反応を引き起こす．副甲状腺では，Ca^{2+} 受容体の活性化は PTH 分泌の抑制を引き起こす．したがって血漿 Ca^{2+} 濃度が高いと，PTH 分泌が抑制されて骨に Ca^{2+} が沈着する．一方，血漿 Ca^{2+} 濃度が低いと，PTH 分泌が増加して骨から Ca^{2+} が動員される．

　1,25-ジヒドロキシコレカルシフェロールは副甲状腺に直接作用してプレプロ PTH mRNA 発現量を減少させる．血漿無機リン酸濃度が上昇すると，これにより血漿 Ca^{2+} 濃度が低下すると同時に腎臓での 1,25-ジヒドロキシコレカルシフェロール産生が抑制を受けるので，これらの結果 PTH 分泌が促進される．Mg^{2+} は副甲状腺からの PTH 分泌を正常に維持するために必要である．Mg^{2+} 欠乏で低カルシウム血症が起こることがあるが，これは PTH 分泌不全と標的器官における PTH 反応性の低下の両方が原因となっている（クリニカルボックス 21・2，21・3）．

PTHrP

　PTH 活性を有する別のタンパク質 **PTH 関連タンパク質 parathyroid hormone-related protein（PTHrP）** は体内の様々な組織で産生される．PTHrP と PTH の N 末端のアミノ酸配列は著しく相同性が高く，PTHrP と PTH はいずれも PTH/PTHrP 受容体に結合する．しかし，PTH と PTHrP の生理作用はまったく異なっている．同一の受容体に結合するにもかかわらず，なぜこのようなことが起こるのだろうか．1 つには，PTHrP は産生された場所で作用する傍分泌性（パラクリン）因子と考えられるからである．一方，循環血中の PTH は PTHrP が作用する局所の受容体には届かないのかもしれない．2 つめには，PTH と PTHrP では構造が類似しているにもかかわらず，それぞれが受容体に結合した際に生じる立体構造変化が微妙に異なるのかもしれない．もう 1 つの可能性は，PTH/PTHrP 受容体以外のより選択性の高い受容体が別に存在し，PTH あるいは PTHrP はそれぞれこれらの選択的受容体を介して作用することである．

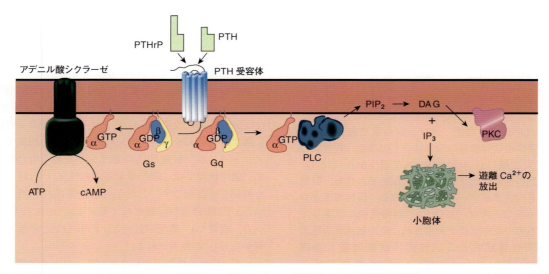

図 21・8 PTH，PTHrP の PTH/PTHrP 受容体への結合によって活性化される情報伝達経路．G_s タンパク質とアデニル酸シクラーゼ (AC) を介して細胞内サイクリック AMP (cAMP) が増加する．G_q タンパク質とホスホリパーゼ C (PLC) を介してジアシルグリセロール (DAG) とイノシトール 1,4,5-三リン酸 (IP_3) が増加する．DAG はタンパクキナーゼ C (PKC) を活性化し，IP_3 は小胞体から Ca^{2+} を放出させる．

　PTHrP は子宮内胎児の軟骨の発生と成長に著しい作用を及ぼす．*PTHrP* 遺伝子が 2 つとも破壊されたノックアウトマウスは骨格が著しく変形しており，生後まもなく死亡する．正常動物では，PTHrP によって刺激された軟骨細胞は増殖し，最終分化は抑制される．PTHrP は脳にも発現している．脳では PTHrP は発生途上の神経細胞が受ける興奮性伝達物質による興奮毒性傷害作用を防ぐ効果があることを示す証拠が得られている．その他，PTHrP は胎盤での Ca^{2+} 輸送に関与している証拠がある．PTHrP は皮膚角化細胞，平滑筋，歯牙（歯牙を覆うエナメル上皮）にも発現している．PTHrP がないと，歯牙萌出が起こらない．

悪性高カルシウム血症

　高カルシウム血症は癌の代謝性合併症としてありふれたものである．高カルシウム血症患者の約 20％は，癌の骨転移があり，癌の骨侵食により高カルシウム血症が起こる（**局所性骨融解性高カルシウム血症 local osteolytic hypercalcemia**）．この骨侵食が腫瘍に起因するプロスタグランジン E_2 などのプロスタグランジンによって引き起こされることを示す証拠が得られている．高カルシウム血症患者の残り 80％は，腫瘍による PTHrP 産生の結果起こる循環血中 PTHrP 濃度上昇に起因する（**体液性悪性高カルシウム血症 humoral hypercalcemia of malignancy**）．PTHrP を過剰産生する癌には乳房，腎臓，卵巣や皮膚の癌がある．

カルシトニン

産生源

　イヌの甲状腺・副甲状腺領域を高 Ca^{2+} 濃度液で灌流すると末梢血漿の Ca^{2+} が低下してくる．この領域を傷害してから高 Ca^{2+} 液を灌流すると，末梢血漿 Ca^{2+} 濃度は対照動物の値よりもはるかに高くなる．他の実験事実も加えてこれらの事実から，頸部の組織から，Ca^{2+} を上昇させるホルモンのみならず Ca^{2+} 濃度の低下を引き起こすホルモンが分泌されているという発見に至った．このカルシウムを低下させるホルモンは **カルシトニン calcitonin** と名付けられた．哺乳類では，カルシトニンは甲状腺の **傍濾胞細胞 parafollicular cell** によって産生される．これらの細胞は透明細胞あるいは C 細胞とも呼ばれる．

分泌と代謝

　カルシトニンの甲状腺からの分泌は，甲状腺がおよそ 9.5 mg/dL の血漿 Ca^{2+} 濃度に曝されると増加する．この濃度を超えて血漿 Ca^{2+} 濃度が上昇すると，血漿カルシトニンは血漿 Ca^{2+} に比例して増加する．β アドレナリン作動薬，ドーパミン，エストロゲンはカル

シトニン分泌を促進する．ガストリン，コレシストキニン(CCK)，グルカゴンおよびセクレチンもカルシトニン分泌を刺激し，中でもガストリンは最も強い刺激と報告されている(25章参照)．このため，Zollinger-Ellison〔ゾリンジャー・エリソン〕症候群(25章参照)と悪性貧血の患者では血漿ガストリン濃度が上昇し，血漿カルシトニン濃度も上昇する．しかし，カルシトニン分泌を刺激するのに必要なガストリン量は非生理的な高用量であり，正常人の食事後にみられるガストリンのレベルではない．したがって，摂取したカルシウムが腸管から吸収される前に，カルシウム低下ホルモンの分泌を開始させるのではない．ヒトのカルシトニンの血中半減期は10分以内であるので，カルシトニンの作用は一時的である．

作　　用

カルシトニン受容体は骨と腎臓に存在する．カルシトニンは循環血中のCa^{2+}とリン酸濃度を低下させる．カルシトニンの血漿Ca^{2+}低下効果は骨の吸収を抑えることによる．この作用は直接作用であり，カルシトニンは生体外に単離した破骨細胞の活性も抑制する．カルシトニンは尿へのCa^{2+}排泄も増やす．

カルシトニンの正確な生理的役割はわかっていない．ヒトの甲状腺のカルシトニン含量は低く，甲状腺摘出後，副甲状腺に損傷がない限り骨密度と血漿Ca^{2+}濃度は正常である．また，甲状腺摘出後にCa^{2+}が負荷されてもCa^{2+}ホメオスタシスの乱れは一時的にすぎない．これは甲状腺以外の組織からもカルシトニンが分泌されることで部分的には説明できるであろう．しかし，成熟動物と成人では，カルシトニンは血漿Ca^{2+}濃度に長期にわたる効果を及ぼさないことが一般に認められている．さらに，PTHや1,25-ジヒドロキシコレカルシフェロールと異なり，カルシトニンはリン酸ホメオスタシスには関与しないようである．さらに，甲状腺髄様癌の患者では，循環血中のカルシトニン濃度が非常に高いが，直接このカルシトニン高値によるとされる症候はない．そのような患者の骨は基本的には正常である．一方，カルシトニン欠乏による症候群も記載されていない．このホルモンは若い人でより多く分泌され，それは骨格の発達に関与しているのであろう．さらに，カルシトニンは妊娠中の母体の骨からカルシウムが余分に失われるのを防いでいると思われる．妊娠中にはCa^{2+}貯蔵部位からCa^{2+}が流出して胎児の骨形成と乳汁分泌に利用される．血漿中1,25-ジヒドロキシコレカルシフェロールの濃度は妊娠中に上昇している．血漿カルシトニン濃度の上昇は骨吸収を抑えることにより，母親の過度の骨喪失を防いでいるのであろう．

カルシウムホメオスタシス維持機構の要約

血漿Ca^{2+}濃度を調節している主なホルモン3種の作用を要約する．PTHは，骨からCa^{2+}を遊離させることによって血漿Ca^{2+}を上昇させる．PTHは腎臓におけるCa^{2+}再吸収を増大させるが，この増加はCa^{2+}濾過量の増加によって相殺されるかもしれない．PTHは1,25-ジヒドロキシコレカルシフェロールの生成も促進する．1,25-ジヒドロキシコレカルシフェロールは腸管のCa^{2+}吸収を増加させ，腎臓でのCa^{2+}再吸収を増加させる．カルシトニンは骨吸収を抑え，尿中へのCa^{2+}排泄量を増加させる．

他のホルモンや液性因子のカルシウム代謝への効果

カルシウム代謝は1,25-ジヒドロキシコレカルシフェロール，PTHおよびカルシトニンの他に，種々のホルモンによって影響を受ける．**グルココルチコイド glucocorticoid**は，破骨細胞の形成と活動を抑制して血漿Ca^{2+}濃度を下げ，長期にわたると，骨形成を減らし骨吸収を増して骨粗鬆症(オステオポローシス)を引き起こす．グルココルチコイドは骨芽細胞におけるタンパク質合成を抑えることによって骨形成を抑制する．グルココルチコイドは，腸管からのCa^{2+}とPO_4^{3-}の吸収を減らし，これらイオンの腎臓からの排泄を増加させる．血漿Ca^{2+}濃度の低下はPTHの分泌を増加させ，骨吸収が促進される．**成長ホルモン growth hormone**は尿中へのCa^{2+}排泄を増加させるがCa^{2+}の腸管吸収を増加させ，後者の効果が前者を上回るので，結局はカルシウムバランスは正となる．成長ホルモンの作用によってインスリン様成長因子Ⅰ(IGF-Ⅰ)が産生され，骨のタンパク質合成が促進される．前記のように**甲状腺ホルモン thyroid hormone**は高カルシウム血症，高カルシウム尿症，また一部の例では骨粗鬆症を引き起こす．**エストロゲン estrogen**は骨粗鬆症を抑えるが，これはある種のサイトカインの破骨細胞に及ぼす刺激作用を抑制することによる．**インスリン insulin**は骨形成を増加させる．無治療の糖尿病には骨喪失が併発する．

骨の生理学

骨は特殊な結合組織であり，コラーゲンから成り立っている足場に，カルシウム・リン酸塩が沈着している構造物である．このカルシウム・リン酸塩は一般式 $Ca_{10}(PO_4)_6(OH)_2$ で表される**ヒドロキシアパタイト hydroxyapatite** と呼ばれる特殊な構造をとる．骨はカルシウムとリン酸のホメオスタシスに大きく関与している．骨はまた生命維持に必須の諸器官を保護し，その強靱な力学的特性が筋肉運動を支え，重力に抗して体の荷重を支えている．古い骨は常に吸収され，新しい骨が形成されることによって作り変えられており，骨がそこに加わる圧力とひずみに反応するようにできている．骨は生きている組織であり，血管が豊富に分布し，全血流量は成人で 200〜400 mL/分に及ぶ．

構　　造

骨には2型がある．すなわち人体の大部分の骨（図21・9）の外表層を形作り，骨全体の80％を占める**緻

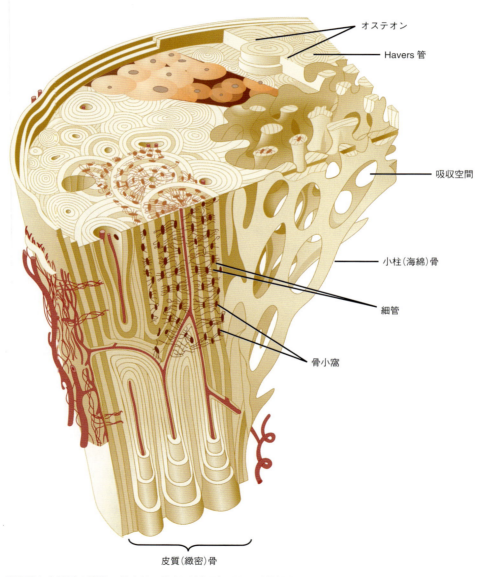

図21・9　緻密骨と小柱骨の構造． 緻密骨の横断面（**上面**）と縦断面（**前面**）が示されている（Williams PL et al(editors): *Gray's Anatomy*, 37th ed. Churchill Livingstone; 1989 より許可を得て複製）．

密骨 compact bone もしくは皮質骨 cortical bone と呼ばれるものと，皮質骨の内側にあり骨の残りの20%を占める小柱骨 trabecular bone あるいは海綿骨 spongy bone と呼ばれるものである．緻密骨では骨の体積に対する表面積の割合が低く，この型の骨では骨小窩 lacuna 内に骨細胞 osteocyte が存在している．骨細胞は緻密骨の内部で枝分かれしながら連絡している細管 canaliculus を介して栄養素を受け取る（図 21・9）．小柱骨は突起と平板からなり，骨の体積に対する表面積の割合が大きく，平板構造の表面には多くの細胞が見られる．小柱骨では栄養素は骨組織中の細胞外液から拡散してくるが，緻密骨では栄養素は Havers〔ハバース〕管（図 21・9）内を通る血管によって供給される．Havers 管の周囲にはコラーゲンが遠心性に層をなして配列し，オステオン osteon あるいは Havers 系 Haversian system と呼ばれる円柱様構造を形成している．

骨基質を形成しているタンパク質の90%以上はⅠ型コラーゲンであり，このコラーゲンは腱や皮膚の主要な構造タンパク質でもある．このコラーゲンは重量当たりでは鋼鉄に匹敵する強さを有しており，互いに強く結合し合っている3本のポリペプチドからなる3重ヘリックスから構成されている．これらのうち2本は1個の遺伝子によってコードされた α_1 ポリペプチドであり，他の1本は異なる遺伝子によってコードされた α_2 ポリペプチドである．コラーゲンは，種々の器官の構造と機能を保っている一群の構造の類似したタンパク質群を指す．

骨の成長

胎児の成長期には，大部分の骨はまず軟骨として形作られ，その後骨化によって骨組織に置換される（内軟骨性骨形成 enchondral bone formation）．例外として鎖骨，下顎骨や頭蓋骨の一部が知られている．これらの骨では，間葉系の細胞から直接骨組織が形成される（膜内骨形成 intramembranous bone formation）．

身体が成長する時期には長管骨の端（骨端 epiphysis）の部分と骨幹部との間に活発に細胞増殖している板状の軟骨細胞層［骨端板 epiphyseal plate］（図 21・10）があって両者を隔てている．この骨端板が骨幹部の端に新しい骨組織を付加していくので骨の長さが伸びて成長が進む．骨端板の幅は成長速度に比例する．この幅はいろいろなホルモンの作用によって変化するが，特に成長ホルモンとIGF-Iの作用が著しい（18章参照）．

骨端と骨幹部が骨端板の軟骨細胞層によって隔て

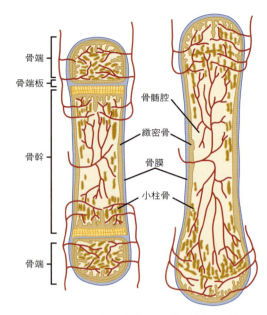

図 21・10 骨端板閉鎖前（左）および後（右）の長管骨の典型的形態．骨端板閉鎖の際の細胞の再配列と骨の成長に注意（本文参照）．

られている間は，長管骨は一定の速度で成長し続けるが，骨端板が骨化して骨端と骨幹部とがつながる（骨端板閉鎖 epiphyseal closure）とともに成長は止まる．この時，軟骨細胞は増殖を停止，肥大化し，血管内皮成長因子（VEGF）を分泌する．これによって血管が侵入し，骨組織の形成が誘導されるのである．いろいろな骨の骨端板は年齢とともに順々に閉鎖していき，最後の骨端板閉鎖は思春期後に起こる．正常人について各々の骨の骨端板が閉鎖する年齢が知られている．したがってX線によって骨格を観察し，どの骨端板が開いており，どの骨端板が閉じているかを調べれば，そのヒトの"骨年齢"がわかる．

骨膜 periosteum は骨表面を覆う密な線維性の膜であり，血管に富み神経が分布している．骨膜はコラーゲン組織からなる外層と骨の成長に寄与する細胞を含む微細な弾性線維の内層からなる．骨膜は軟骨で覆われた部分（たとえば関節）以外のすべての骨の表面を覆い，靱帯や腱の付着部位として機能する．加齢とともに，骨膜は菲薄化し，血管が減少する．このため，骨は損傷や病気に対して脆弱になる．

骨の形成と吸収

骨の形成を担当している細胞は，骨芽細胞

osteoblast であり，骨の吸収を担当しているのは**破骨細胞 osteoclast** である．

骨芽細胞は線維芽細胞が特殊化したものである．どちらの細胞も分化早期に間充織から発生する．骨芽細胞の分化後期には，骨化に特異的な分化マーカーが出現する．その1つが runt-関連転写因子 2(Runx2, core binding factor subunit alpha-1 とも呼ばれる) であり，骨芽細胞の分化に寄与する．この転写因子の骨の発生における重要性は，*Runx2* 遺伝子欠損マウスの解析から明らかになっている．ノックアウトマウスは妊娠末期まで発育するが，骨化が起こらず骨格系は軟骨のみからなる．これに対して正常では，骨芽細胞は I 型コラーゲンを分泌し，新しい骨を形成する．

破骨細胞は単球ファミリーの一員である(訳注：それゆえ，骨髄の造血幹細胞から発生する)．骨髄の間質細胞，骨芽細胞および T 細胞(T リンパ球)はいずれも細胞表面に RANKL [receptor activator for nuclear factor κB (RANK) ligand] と呼ばれる分子を発現している．これらの細胞が単球と接触すると，2つの別個のシグナル経路が作動する．すなわち，(1) これら一対の細胞間で RANKL 受容体(RANK)への RANKL の結合が起こる．(2) これらの非単球細胞はまたマクロファージコロニー刺激因子(M-CSF)を分泌し，このサイトカインはやはり単球表面に存在する受容体[コロニー刺激因子 1 受容体(CSF1R)]に結合する．この両方の作用によって，単球の破骨細胞への分化が引き起こされる．また，破骨細胞の前駆細胞自身は，**オステオプロテジェリン osteoprotegerin** (OPG)

と呼ばれる RANKL 結合タンパク質を細胞外に分泌する．オステオプロテジェリンは RANKL に結合することによって RANKL による RANK 活性化を競合阻害し，単球の分化を制限する．

破骨細胞は既形成骨を侵食し再吸収する．破骨細胞は**密封帯 sealing zone** と呼ばれる細胞膜伸展部においてインテグリン integrin によって骨に付着する．この結果，骨と破骨細胞体の一部にはさまれた閉鎖空間(骨吸収区画)が生じる．この閉鎖空間に面している細胞膜に向かってエンドソームからプロトンポンプ(H^+ 依存性 ATPase)が移行してきてこのポンプのはたらきによって H^+ 分泌がおこる結果，その閉鎖空間を約 pH 4 まで酸性化する．同様のプロトンポンプはすべての真核細胞のエンドソームとリソソームにも見出されているが，このポンプが細胞膜に移行する例は破骨細胞以外には極めて少ない．このように，破骨細胞によって形成されたこの閉鎖空間は大型のリソソームに類似している．酸性 pH はヒドロキシアパタイトを溶かし，破骨細胞から分泌された酸性ではたらくプロテアーゼがコラーゲンを溶かし，骨の浅い陥入を形成する(図 21・11)．消化産物は細胞内にエンドサイトーシスされ，破骨細胞を横切って，基底側膜側からトランスサイトーシス(2 章参照)され，細胞外液へ放出される．コラーゲン分解産物は，ピリジノリン pyridinoline 構造を有し，ピリジノリンの尿中濃度測定値は骨吸収率の指標として使用される．

ヒトの一生を通じて骨は絶えず吸収され新しい骨が形成されている．骨のカルシウムは乳児では 1 年ご

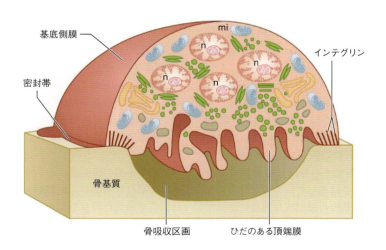

図 21・11　骨を吸収している破骨細胞．この細胞の端は骨にしっかりと密着しており，波状の頂端膜から酸が分泌され細胞直下の骨が侵食される．多数の核(n)とミトコンドリア(mi)が含まれていることに注目(Baron R より許可を得て転載).

とに100%，成人では1年ごとに18%の率で交換されている．骨の作りかえ（骨改変）は骨改変単位と呼ばれる一群の細胞によって小領域ごとに進行する局所的な過程である．その小領域では，破骨細胞がまず骨を吸収し，次いで骨芽細胞が同じ小領域全体に新骨を形成する．この1サイクルには約100日かかる．骨改変ではある1つの部位で骨が吸収され他の部位で付加されるにつれて，骨の形が変化することも起こりうる．破骨細胞は緻密骨（皮質骨）にトンネルを掘っていき，骨芽細胞がそれに続くが，小柱骨では小柱表面で改変が進む．どの時点をとっても，約200万の骨改変単位がヒト骨格内で活動していて，それによって骨量の約5%は常時作りかえられている．骨更新率は緻密骨で1年ごとに約4%，小柱骨で1年ごとに約20%である．この骨改変の進行は，骨格に加わる重力による圧力とひずみに一部関係している．

細胞レベルでは，骨芽細胞はRANKL-RANKおよびM-CSF-CSF1Rの2つの機構を介して，破骨細胞形成を調節している．しかし，破骨細胞が骨芽細胞に及ぼすフィードバックはよく知られていない．むしろ，骨改変というプロセス全体は，主として内分泌系によって調節されている．骨代謝のホルモンによる調節は当然のことながらかなり複雑である．肥満に関連するホルモンであるレプチンの骨代謝作用を明らかにすることも骨代謝のホルモン調節の解明につながる．レプチンの脳室内投与により骨形成が低下するという報告がある．この作用は，骨芽細胞機能を低下させる様々な視床下部因子の放出を介すると想定されている．しかし，血中レプチンは骨芽細胞および骨芽細胞前駆細胞のシグナル経路を介して骨量を増加させることができる．全体的に，PTHは骨吸収を促進し，反対にエストロゲンは骨吸収促進にはたらくサイトカインの産生を抑制することによって骨吸収を抑える．

骨 の 病 気

これまで考察してきた骨の細胞とそれらの関与する様々な過程が選択的に障害を受けると疾患を発症する．これらの観察から，逆に正常な骨の機能を維持している諸因子の相互作用が明らかになってきた．

大理石骨病 osteopetrosis はまれであり，かつしばしば重篤な病気である．本症では破骨細胞が欠如しており，正常な骨の吸収が起こらず，一方で骨芽細胞が骨形成を進める．その結果，骨の密度が次第に上昇し，神経が通っている神経孔の狭窄によって起こる神経障害，および骨髄腔内の過密状態に起因する血液学的異常が発生する．最初期遺伝子の1つである*c–fos*によってコードされるタンパク質の欠損マウスは大理石骨病になる*4．PU.1と呼ばれる転写調節因子を欠損するマウスも大理石骨病を呈する．これらの事実から，ここであげた様々な因子がすべて破骨細胞の正常な発生と機能の発現に関与していると考えられる．

一方，**骨粗鬆症（オステオポローシス）osteoporosis** は，破骨細胞機能の相対的な過剰によって引き起こされる疾患である．この疾患では骨基質の喪失（図21・12）が著しく，骨折頻度が増加する．骨折，特に前腕

---

*4 訳注：リソソームに発現するCl^-/H^+アンチポータ（またはCl^-チャネル）であるClC-7の遺伝子変異でもヒトとマウスで大理石骨病が発症することが知られている．

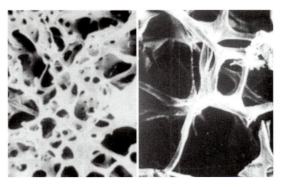

図 21・12 正常小柱骨（左）と骨粗鬆症患者の小柱骨（右）との比較． 骨粗鬆症では骨量の喪失により骨折しやすい．

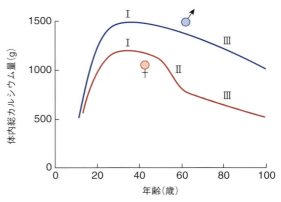

図 21・13 骨の量の指標としての体内総カルシウム（g/ カルシウム）と男女年齢との関係． 若年成人期に急速に上昇してプラトーに達した（I相）後，男女ともに年齢を重ねるに従って骨量が減少し続ける（III相）．閉経後早期の女性では急速下降相が重畳する（II相）ことに注目（Evans TG, Williams TF(editors): *Oxford Textbook of Geriatric Medicine*. Oxford University Press; 1992 より許可を得て複製）．

遠位部(Colles〔コレス〕骨折)，椎体と股関節部の骨折発生頻度が上昇する．これらの領域はすべて，小柱骨の含量が高く，小柱骨の代謝はより活発であるため，その減少はより速やかである．圧迫による脊椎の骨折は脊柱後弯症 kyphosis の原因となり，このため骨粗鬆症の老婦人ではしばしば腰が曲がっている．老人の股関節部の骨折では，死亡率は 12～20% であり，生き残った人の半分は長期間にわたり費用のかさむ介護を必要とする．

骨粗鬆症の原因は多いが，最も頻度の高い病型は **退縮性骨粗鬆症 involutional osteoporosis** である．正常人では，人生の初期に骨量が増大する．プラトー期を経て正常人では年をとるにつれて骨量が減少し始める（図 21・13）．骨量の減少が加速あるいは増強されると，骨粗鬆症を生じる（クリニカルボックス 21・4）．特に牛乳などの自然食品からのカルシウム摂取を増やすことや，ほどよい運動は，骨粗鬆症の進行を止めるあるいは遅らせるが，それらの効果はあまり大きくはない．エチドロネート etidronate は破骨細胞の活性を抑制する経口ビスホスホネート化合物であり，周期的に投与すると骨のミネラル含量が増加し，新たな脊椎骨折発生頻度を下げる効果がある．フッ化物には骨芽細胞刺激作用があり，骨密度を増すが，この病気の治療にはあまり有効でないことが証明されている．

クリニカルボックス 21・4

骨粗鬆症

成人女性は成人男性よりも骨量が少なく，閉経後早期には骨量減少は同年齢の男性に比べて加速する．したがって，成人女性の方が重度の骨粗鬆症に罹患しやすい．閉経後の骨喪失の主な原因は，エストロゲン欠乏であり，エストロゲン補充がこの病気の進行をくい止める．エストロゲンは IL-1，IL-6，腫瘍壊死因子 α tumor necrosis factor α (TNF-α) などのサイトカインの分泌を抑制する．これらのサイトカインは破骨細胞の形成を促進するはたらきがある．エストロゲンはまたトランスフォーミング成長因子 β transforming growth factor β (TGF-β) の産生を促進する作用がある．このサイトカインは破骨細胞のアポトーシスを増加させる．

骨量減少はまた，男女いずれにおいても活動性が低下すると起こる．どのような理由からであれ，動けない患者，あるいは宇宙飛行中では骨の吸収が骨の形成を上回り，**廃用性骨粗鬆症 disuse osteoporosis** が進行する．血漿 Ca^{2+} 値はそれほど上がらず，副甲状腺ホルモンと 1,25-ジヒドロキシコレカルシフェロールの血漿濃度が下がり，大量の Ca^{2+} が尿中に失われる．

治療上のハイライト

骨粗鬆症をくい止めるために，ホルモン療法が以前から用いられてきた．閉経後まもなく **エストロゲン補充療法 estrogen replacement therapy** を開始すると，骨密度を維持するのに役立つ．しかし，エストロゲン補充は少量でも子宮体癌，乳癌の発症を増加させる可能性が指摘されており，エストロゲンは心臓血管疾患に対しては予防効果がないことが入念に実施された比較対照研究において明らかにされている．したがって，閉経後の女性のエストロゲンによる治療はもはや最優先の選択ではなくなった．**ラロキシフェン raloxifene** はエストロゲン受容体に選択性のある修飾薬であり，閉経後の女性において骨密度に及ぼすエストロゲンの有益な効果を再現し，エストロゲンのリスクはもたない．しかし，この薬物にも副作用（たとえば血液凝固）はある．他のホルモン療法として，**カルシトニン calcitonin** や PTH アナログの **テリパラチド teriparatide** がある．ホルモン療法に代わる選択肢として **ビスホスホネート bisphosphonate** がある．ビスホスホネート薬は骨吸収を抑制し，骨量を維持し，脊椎骨や股関節の骨密度増加作用すら有し，骨折のリスクを低下させる．残念なことに，これらの薬物にも軽度から重度の副作用があり，患者が治療に適しているかを監視する必要がある．以上あげたホルモンや薬物の他に，機械的負荷を増して平衡と筋力を改善する **理学療法 physical therapy** によって生活の質を改善できる．

章のまとめ

- カルシウムと無機リン酸は，特に細胞内シグナル伝達，神経機能，筋収縮，血液凝固において生理的な役割を果たしている．体内のカルシウムの大部分は骨に貯蔵されているが，生理的に重要なのは細胞内および細胞外液の遊離イオン化カルシウムである．リン酸も同様に大半は骨に貯蔵されている．

- カルシウムとリン酸は食物から吸収され，この過程は調節を受ける．カルシウムとリン酸はその後細胞外液に入り，骨との間で出入りがある．循環血液中のカルシウムとリン酸は腎臓で濾過され，通常はその大半が再吸収される．しかし，これらのミネラルの循環血液中のレベルが上昇した場合には腎臓から排泄される．

- カルシウムとリン酸イオンの血中濃度は，これらの電解質の血中濃度を感知してホルモンを分泌する細胞によって調節されている．これらのホルモンは骨からミネラルを動員し，腸管からの吸収を増やし，また腎臓からの排泄を調節する．

- カルシウムとリン酸のホメオスタシスを調節する主要なホルモンは，1,25-ジヒドロキシコレカルシフェロール（ビタミンD誘導体）と副甲状腺ホルモンである．1,25-ジヒドロキシコレカルシフェロールは皮膚，肝臓および腎臓が共同して産生し，副甲状腺ホルモンは副甲状腺から分泌される．カルシトニンもまたこれらのイオンの濃度に影響を及ぼすが，その生理的な関与の程度は十分明らかになっていない．

- 1,25-ジヒドロキシコレカルシフェロールは主として転写機構を介して血漿カルシウムとリン酸を上昇させる．一方，副甲状腺ホルモンはカルシウムを上昇させ，リン酸の腎排泄を増やして血漿濃度を低下させる．カルシトニンはカルシウムとリン酸の濃度をともに低下させる．1,25-ジヒドロキシコレカルシフェロール欠乏あるいはその受容体の遺伝子変異により，循環血中カルシウムの低下，骨の石灰化障害および骨の脆弱化が生じる．また，副甲状腺ホルモンの欠乏，過剰産生のいずれによっても病的な状態が生じ，これら2つの病態それぞれにおいてカルシウムとリン酸に逆方向の影響を及ぼす．

- 骨は外側の皮質骨と内側の小柱骨からなる高度な構造をもつ器官である．骨の成長は思春期の間調節を受け，骨端板のはたらきによって長軸方向に伸長する．骨幹の末端近くに位置する骨端板が骨化して骨幹と融合すると，骨の長軸方向の成長は停止する．

- 骨は絶えず作り変えられており，破骨細胞は骨を侵食・吸収し，骨芽細胞は新しい骨を積み重ねる．これら2種類の細胞の活動のバランスが崩れる時，骨芽細胞機能が拮抗されない場合（大理石病）には骨密度が徐々に増加し，破骨細胞活性が相対的に過剰となる場合（骨粗鬆症）には骨量が失われる．

多肢選択式問題

正しい答えを1つ選びなさい．

1. 甲状腺手術中に不注意にも上皮小体（副甲状腺）が損傷され10日後に副甲状腺機能不全を起こした患者の症状は，次のうちどれか．
    A．血漿リン酸とCa^{2+}濃度の低下とテタニー
    B．血漿リン酸とCa^{2+}濃度の低下とテタヌス
    C．血漿Ca^{2+}濃度の低下，筋肉興奮性の上昇と上肢筋の特徴的な痙攣（Trousseau徴候）
    D．血漿リン酸とCa^{2+}濃度の上昇と骨ミネラル喪失
    E．筋肉興奮性の上昇，血漿Ca^{2+}濃度の上昇と骨ミネラル喪失

2. 実験で，ラットに少量の塩化カルシウム溶液あるいは対照として食塩水を注入する．対照に比較して，カルシウム負荷で起こるのは以下のどれか．
    A．骨ミネラル喪失
    B．1,25-ジヒドロキシコレカルシフェロール生成の増加
    C．カルシトニンの分泌の減少
    D．凝血性の低下
    E．24,25-ジヒドロキシコレカルシフェロール生成の増加

3. 2．と同じラットで，以下のどれが増加しているか．
    A．腸管におけるカルシウムの吸収

B．腎臓近位尿細管における TRPV5 の発現
C．腸管上皮細胞の頂端膜における NaPi-IIb の量
D．尿中カルシウム排泄
E．カルビンディンの発現

4．血漿 Ca^{2+} 濃度調節に関与しない器官は，次のうちどれか．
   A．腎臓
   B．皮膚
   C．肝臓
   D．肺
   E．腸管

5．1,25-ジヒドロキシコレカルシフェロールが腸管の Ca^{2+} 吸収に影響を及ぼす機構は，次のうちどれか．
   A．遺伝子活性化の変化
   B．アデニル酸シクラーゼの活性化
   C．細胞回転（ターンオーバー）の減少
   D．胃酸分泌の変化
   E．頂端膜の Ca^{2+} チャネルの分解

6．2 カ月間低カルシウム食を続けた患者は，次の症状のどれを示すと考えられるか．

A．24,25-ジヒドロキシコレカルシフェロール生成の増加
B．腸管上皮細胞の TRPV6 発現の減少
C．副甲状腺ホルモン分泌の増加
D．血漿カルシトニン濃度の増加
E．血漿リンの増加

7．正常な男子大学生の骨格は，7 歳の弟に比べて，以下にあげた特徴のどれを呈すると考えられるか．
   A．皮質骨と小柱骨の融合
   B．破骨細胞と骨芽細胞の分化
   C．骨の伸長に寄与する増殖軟骨の拡大
   D．骨小窩の小柱骨との連絡
   E．骨端部の骨幹との連結

8．破骨細胞が正常に発生するために必要な転写因子を欠損するマウスが作り出されている．この遺伝子ノックアウト動物では，正常な同腹（兄弟）マウスに比較して低下しているのは以下のどれか．
   A．小柱骨へのリン酸沈着
   B．骨におけるヒドロキシアパタイトのレベル
   C．骨芽細胞の増殖
   D．酸性プロテアーゼの分泌
   E．骨コラーゲン

女性生殖器系の発達と機能

CHAPTER 22

学習目標
本章習得のポイント

- 性の決定と性的発達に関わる染色体，ホルモン，その他の因子の役割を理解する
- 思春期の女性に起こるホルモン分泌の変化を要約できる
- 卵胞における卵子の発生を説明できる．卵子形成と卵胞の成熟におけるFSH, LHとインヒビンの役割を述べることができる
- 排卵と黄体の形成が月経周期を通じて女性生殖器官に及ぼす生理学的影響を説明できる
- 閉経周辺期と閉経に伴う内分泌的変化を要約できる
- エストロゲンとプロゲステロンの生合成の内分泌調節，輸送，代謝，標的と作用を説明できる
- 下垂体と視床下部による卵巣機能の調節をフィードバック調節の視点から説明できる
- 受精と着床，胎盤の形成について説明できる
- 妊娠・分娩に伴う内分泌環境の変化を理解する
- 乳汁の産生と射乳の神経内分泌調節の観点から，哺乳のしくみのおおよそを説明できる

■ はじめに

　近年の遺伝学と実験発生学的研究から，哺乳類のほとんどの種でオスとメスとの様々な差異はもともと1個の染色体（Y染色体）と1対の内分泌器官，すなわちオスにおける精巣とメスにおける卵巣によって生ずることが明らかになっている．在胎中に生殖腺原基が精巣と卵巣のどちらに分化するかは遺伝的に決定されるが，その後の男性生殖器の発達には精巣の内分泌機能が関与する．精巣がなければ女性になる．オス型の性行動と，少なくとも一部の動物におけるオス型のゴナドトロピン（性腺刺激ホルモン）分泌は，発生の初期に男性ホルモンが脳に作用した結果起こるという確証がある．出生後生殖腺は機能を休止するが，思春期になると下垂体前葉からのゴナドトロピンの分泌によって活動を再開する．この時期に生殖腺が分泌するホルモンは，成人男性または女性の諸特徴を発現させ，女性では月経周期を始動する．女性では卵巣機能は加齢により退行し，月経周期は止まってしまう（閉経期 menopause）．男性では，生殖腺の機能は年齢を経るとともに徐々に退行するが，精子を作る能力は維持される．

　いずれの性においても生殖腺（性腺）には2つの機能がある．すなわち生殖細胞の形成（**配偶子形成 gametogenesis**）と**性ホルモン sex hormone** の分泌である．性ホルモンのうち**アンドロゲン androgen**（男性ホルモン）は男性化を起こす一群のステロイドホルモンであり，**エストロゲン estrogen**（卵胞ホルモン）は複数の女性化を起こすホルモンの総称である．いずれのホルモンも男女両性で分泌されている．卵巣は大量のエストロゲンと少量のアンドロゲンを，精巣では逆のパターンとなる．どちらの性でも，アンドロゲンは副腎皮質からも分泌される．アンドロゲンの一部は，脂肪や性腺以外の組織でエストロゲンに変換される．卵巣の黄体はプ

ロゲステロン progesterone を分泌する．プロゲステロンは子宮に妊娠準備状態を生じる特別の機能をもつ．

妊娠7週から出産の限られた時期に，卵巣は**リラキシン** relaxin というペプチドホルモンを分泌する．このホルモンは恥骨結合の軟骨円板*¹ を緩め，子宮頸部を柔らかくして胎児の娩出を容易にする．卵胞刺激ホルモン follicle-stimulating hormone(FSH)の分泌を抑制する**インヒビン B** inhibin B などのポリペプ

チドも男女両性の性腺から分泌される．

生殖腺の内分泌機能と配偶子形成機能は，下垂体前葉の FSH と黄体形成ホルモン luteinizing hormone (LH)によって調節される．この二つのホルモンをまとめてゴナドトロピン(性腺刺激ホルモン) gonadotropin と呼ぶ．性ホルモンとインヒビン B は，ゴナドトロピンの分泌をフィードバック抑制する．男性ではゴナドトロピン分泌は一定レベルに保たれているが，思春期以後の女性では，二つのゴナドトロピンが周期的な分泌を繰り返し，月経，妊娠，乳汁分泌を起こす．

---

*1 訳注：原文は ligament となっているが恥骨結合を形成するのは軟骨なので訂正．

性の分化と発達

染色体の性別

性染色体

性は**性染色体** sex chromosome という名称で**常染色体** somatic chromosome(autosome)と区別される2個の染色体により遺伝的に決まる．ヒトを含む多くの哺乳類では，性染色体には X および Y 染色体がある．Y 染色体は精巣の形成に必要かつ十分で，*SRY*(sex-determining region of Y, Y 染色体上の性決定領域)と呼ばれる精巣決定遺伝子の作用で生殖腺原基が精巣に分化する．*SRY* 遺伝子はヒト Y 染色体の短腕の先端近くに存在する．転写産物の SRY は DNA に結合する転写調節タンパク質で，DNA を折り曲げ，精巣の発生に関わる一連の遺伝子カスケードの転写・翻訳を開始する．これらの遺伝子の中には後述の **Müller〔ミュラー〕管抑制物質(MIS)遺伝子**も含まれる．成人男性の細胞は2倍体で，X と Y 染色体を1個ずつもっている(XY 型)が，女性の細胞は X 染色体を2個もつ(XX 型)．配偶子形成期の減数分裂の結果，半数体の卵子または精子が生じる．正常卵子は1個の X 染色体をもつようになるが，正常な精子は，半数が X 染色体，残りの半数が Y 染色体をもつようになる(図22·1)．Y 染色体をもつ精子が卵子に受精すると，XY 型の胚になり，**遺伝的男性** genetic male になる．X 染色体をもつ精子が卵子に受精すると XX 型になり，**遺伝的女性** genetic female になる．XX, XY の組合せを**核型** karyotype，その結果生じる遺伝的性別を表現型 phenotype と呼ぶ．細胞分裂と染色体の化学的性質

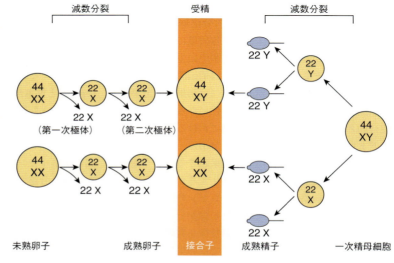

図22·1　遺伝的性決定の原理．女性では2回の減数分裂の結果生ずる4個の細胞のうち1個が保存されて成熟卵子になる．男性では減数分裂により4個の精子が形成され，そのうち2個は X 染色体を，他の2個は Y 染色体をもつ．受精により生じる男性型の染色体の組合せは22対の常染色体と X,Y の性染色体となり，女性型では22対の常染色体と2つの X 染色体となる．理解しやすいように本図と図22·6，図22·7では，常染色体の数(44)と性染色体を別々に示しているが，現在の国際的核型表記法では染色体総数を記し，その後に性染色体の組合せを示し，X0(ゼロ)を "45, X"；XY を "46, XY"；XXY を "47, XXY" と記載するのが慣例であるので注意すること．

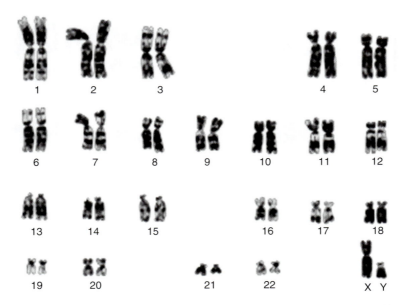

図 22·2　正常男性の染色体の核型．分散した染色体を Giemsa 染色すると，それぞれの染色体に特異な帯状模様が現れる(Lingappa VJ, Farey K: *Physiological Medicine*: New York, NY: McGraw-Hill; 2000 より許可を得て複製)．

は1章で述べた．

ヒトの染色体

　ヒトの染色体は，以下のように手軽に観察できる．組織培養したヒトの細胞にコルヒチンを作用させて細胞分裂中期で分裂を停止させた上で，低張液に浸すと細胞は膨潤し，染色体が分散するので，これをスライドガラス上に押し潰して標本にする．適切な色素で染色すると，それぞれの染色体を個々に識別し，詳細に調べることができる(図22·2)．ヒトの細胞は46個の染色体をもつ．すなわち，男性は22組の常染色体とX染色体1個，Y染色体1個をもつ．女性は22組の常染色体と2個のX染色体をもつ．22組の常染色体を形態的特徴によって1から22までの番号が付けられている．これに性染色体を加えたものを，**核型 karyotype** と称する．

性クロマチン

　胚発生時における受精卵の細胞分裂の初期に，遺伝的女性の体細胞では2個のX染色体のうちいずれか一方が不活化される．2個よりも多いX染色体をもつ異常個体では，1個のみが活性状態で残る．X染色体には不活化中心と呼ばれる部位があり，おそらく，トランス活性化因子 CTCF(CCCTC結合因子の略称)がこの部位に作用することで不活化が始まる．CTCFは遺伝子刷込み現象(gene imprinting, ゲノムインプリンティング)の際に関わることが知られているが，X染色体の不活性化過程の詳細はまだ不明である．分裂の際，最後に複製されるX染色体が不活化されるので，各細胞の2個のX染色体のどちらが不活化されるかは確率的過程で，すべての体細胞の半数で一方のX染色体が活性で，残る細胞では他方のX染色体が活性である．その後の細胞分裂でも，どちらのX染色体が不活化されたかという選択性は維持される．そこで成人女性の体細胞の半数では父方由来のX染色体が，他の半数では母方由来のX染色体が，それぞれ活性をもつ．

　不活化されたX染色体は凝縮して，各種の細胞の核膜の近くに **Barr〔バー〕小体**(性クロマチン sex chromatin とも呼ばれる)として認められる(図22·3)．そこで2個以上のX染色体をもつ細胞では総数から1を減じた数のBarr小体が存在する．女性の多形核白血球の1〜15％では，不活化されたX染色体は核から突出した小さな"**太鼓ばち小体 drumstick**"として認められる．Barr小体や太鼓ばち小体は男性にはみられない(図22·3)．

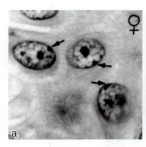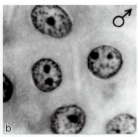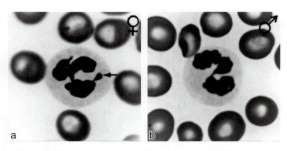

図22・3 表皮有棘細胞に見られるBarr小体(左,aの矢印)と多形核白血球の核に見られる突起,いわゆる太鼓ばち小体(右,aの矢印).ともに男性(左bと右b)では見られない(Grumbach MM, Barr ML: Cytologic tests of chromosomal sex in relation to sex anomalies in man. Recent Prog Horm Res 1958; 14: 255-324 より許可を得て複製).

ヒト生殖器系の発生

生殖腺の発達

　生殖腺原基は,胎児の両側の生殖隆起中に副腎原基に隣接して発生する.胎生第6週まで原基の構造は男女とも共通で,ともに**皮質cortex**と**髄質medulla**が区別できる.遺伝的男性の場合,第7週から第8週にかけて髄質が発達して精巣に分化し,皮質は退化する.精巣ではLeydig〔ライディッヒ〕細胞とSertoli〔セルトリ〕細胞が現れ,テストステロンとMüller管抑制物質(MIS)の分泌が始まる.遺伝的女性では皮質が発達して卵巣となり,髄質は退化する.胎児の卵巣はホルモンを分泌しない.一部の実験動物では母体に性ホルモンを投与すると生殖腺の発達に変化が起こることがあるが,ヒトでは性管系や外部生殖器を除き,胎児の生殖腺そのものの分化には影響しないとされる.

生殖器の発生

　生殖器系の発生を図22・4と図22・5に示した.胎生第7週の胎児の性管系原基は男女共通である(図22・4).次いで正常の女性胎児ではMüller管müllerian duct(中腎傍管paramesonephric duct)が卵管と子宮に発達し,正常の男性胎児では両側のWolff〔ウォルフ〕管wolffian duct(中腎管mesonephric duct)がそれぞれの側の精巣上体と精管に発達する.同様に外部生殖器も胎生第8週までは,その後どちらの性にも発達する可能性をもつ(図22・5).その後,泌尿生殖裂が融合して男性型外部生殖器になるか,そのまま裂孔が残って女性型外部生殖器になる.

　機能的精巣の存在により,胎児には男性型の内・外部生殖器が発達する.精巣のLeydig細胞はテストステロンを,Sertoli細胞はMüller管抑制物質müllerian inhibiting substance(MIS)を分泌する.

MISは536個のアミノ酸からなるホモ二量体で,後述するインヒビンやアクチビンと同じく,成長因子のトランスフォーミング成長因子transforming growth factor(TGF-β)スーパーファミリーに属する.

　性ホルモンの内分泌作用で分化する外部生殖器と異なり,性管系の分化はMISとテストステロンの傍分泌作用により分化し,作用は一側性である.MISは分泌されている側のMüller管をアポトーシスにより退縮させ,テストステロンは精巣と同側のWolff管から精管と関連の構造を発達させる.テストステロンが代謝されて生じるジヒドロテストステロンは男性型の外部生殖器の発達と思春期の二次性徴成立に関わる(図22・6).

　MISはSertoli細胞から分泌され続け,1〜2歳の男児で血漿濃度が平均で48 ng/mLに達する.その後,減少して思春期まで低値,以降約2 ng/mLの低値を生涯維持する.女児ではMISは卵巣内の未成熟卵胞の顆粒膜細胞で生成されるが,思春期までは血漿濃度は非常に低いか検出不能である.その後,血漿MIS濃度は成人男性と同じく約2 ng/mLになる.胎児期初期以降のMISの役割は不明であるが,両性における生殖細胞の成熟,男児では精巣の下降に関与するらしい.

脳の発達

　少なくともある種の動物では,外部生殖器と同様に脳の発達も発生初期においてアンドロゲン(訳注:テストステロン,ジヒドロテストステロンを含む男性ホルモン)の影響を受ける.ラットでは出生直後数日のうちに,アンドロゲンに短時間曝露されると,思春期後に現れる性行動と視床下部によるゴナドトロピン分泌の調節がオス型になる.この時期にアンドロゲンが存在しないとメス型になる(19章参照).サルでは,在胎中に,アンドロゲンが作用すると同様に性行動が

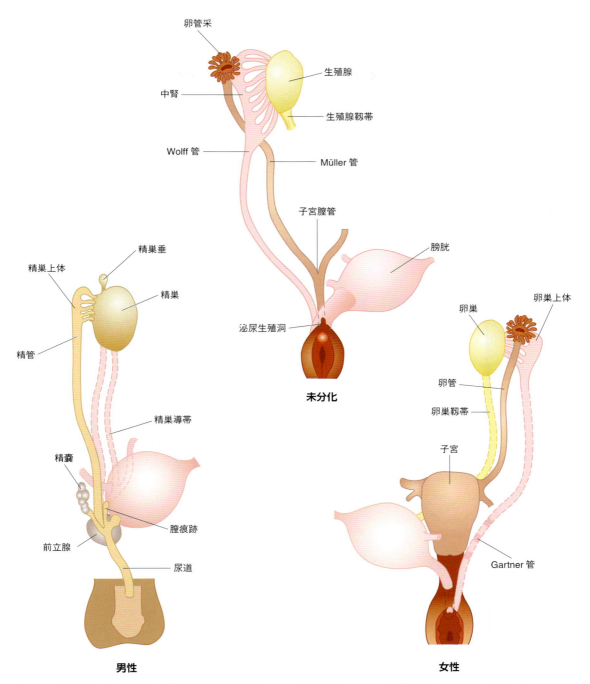

図 22・4 胎児期に起こる男女内部生殖器(性管系)の Wolff 管(男性)や Müller 管(女性)からの分化・発達.(Wilson JD, Foster DW(editors): *Williams Textbook of Endocrinology*, 7th ed. Saunders; 1985 より許可を得て複製).

オス型になるが,ゴナドトロピン分泌の周期性は維持される.ヒトでも早い時期のアンドロゲン作用により女性胎児の行動がわずかではあるが,確かに男性化する.しかしながら副腎皮質における先天性の酵素欠乏によって生ずる先天性副腎過形成(19 章参照)の女性の場合,コルチゾル投与により ACTH による過剰な副腎の刺激を抑えると月経周期が正常にみられるようになる.このようにヒトでもサルと同じく,在胎中に

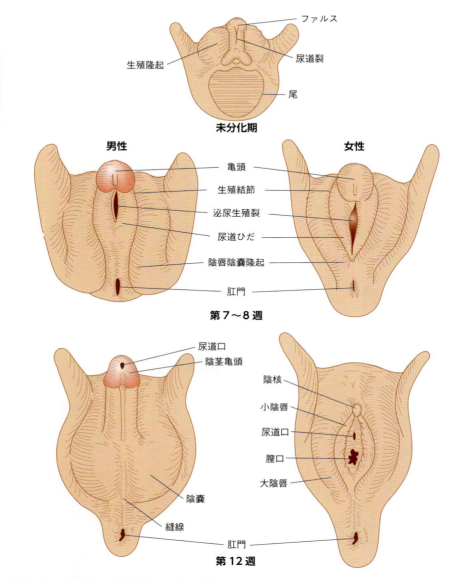

図 22·5　共通の原基からの男女外部生殖器の分化・発達.

アンドロゲンの作用があっても，ゴナドトロピン分泌の周期性は維持されるらしい[*2]．

[*2] 訳注：ラット・マウスでは周産期に芳香化可能なアンドロゲン（つまりテストステロン）がエストロゲン受容体を介して脳の雄型化を起こす．ヒトではアンドロゲン受容体が脳の男性型化に関わることが complete androgen insensitivity syndrome (CAIS，かつて精巣性女性化症候群 testicular feminization syndrome, Tfm と呼ばれた) の症例から想定されている．

性分化の異常[*3]

染色体の異常

これまで述べたことから，遺伝的あるいはホルモンの異常，その他の非特異的な催奇性の要因によって性的発達の異常が起こる可能性がある．事実その通りで，主な異常を分類して表 22·1 にあげた．

減数分裂の第一分裂の際に性染色体の不分離が生じると複数の特異な障害が起こる（クリニカルボックス 22·1，図 22·7 参照）．減数分裂は 2 段階過程であり，

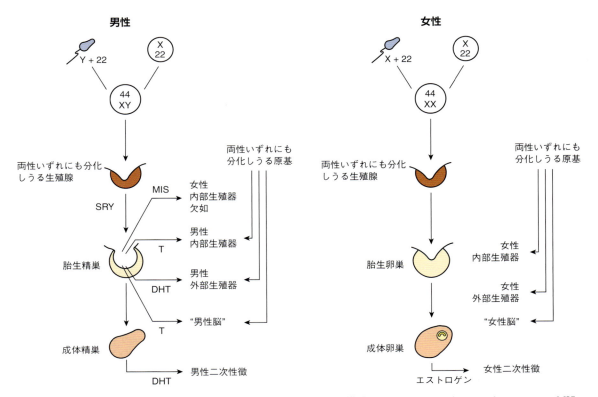

図 22・6 ヒトにおける正常な性の決定，性分化と生殖器の発達の模式図．DHT：ジヒドロテストステロン，MIS：Müller 管抑制物質，T：テストステロン．

染色体不分離は通常第一分裂の際に起こるが，第二分裂の際にも起こり，より複雑な染色体異常を生じる．そのうえ受精後初期の有糸分裂の際にも，性染色体の不分離や消失が起こりうる．接合子の初期の有糸分裂中にこのような異常が起こると，**モザイク** mosaic の形成，すなわち同一個体が異なる染色体の組合せをもつ2群またはそれ以上の群の細胞集団から成立していることになる．**真性半陰陽** true hermaphroditism は卵巣と精巣を同時にもつので，おそらく，XX/XY モザイクかこれに関連するモザイク型が原因と考えられ

る．他の遺伝異常による可能性もある．

染色体異常にはこの他に，染色体の一部が他の染色体に転座するものがある．減数分裂の際に，父親から受け継いだ X 染色体に父親由来の Y 染色体の短腕が転座し，母親からも X 染色体を1本受け継いだために，表現型は男性だが，核型が XX 型のヒトがまれに生じることがわかっている．同様に，Y 染色体の *SRY* を含む小領域が欠損すると，核型が XY 型でありながら表現型は女性になる．

ホルモンの異常

遺伝的男性では，胎児精巣の分泌するアンドロゲンに反応して男性型外部生殖器が発達してくるが，遺伝的女性でも胎生第8週〜第13週にいずれかの器官でアンドロゲンが分泌されると，やはり男性型の外部生殖器が発達することがある．この結果生じる症候群を**女性仮性半陰陽** female pseudohermaphroditism という．仮性半陰陽とは1つの性の遺伝因子と生殖腺をもっているのに他方の性の外部生殖器を有するものをいう．外部生殖器の形成は胎生第13週には完了して

＊3 訳注：性分化異常症の分子遺伝学的原因の理解が進歩するとともに，倫理的問題や患者擁護への懸念から，染色体，性腺，または内外部生殖器の解剖学的性が非定型である先天的状態を"性分化異常症 disorders of sex development (DSD)"と一括して呼ぶことが国際的に合意されている (Consensus statement on management of intersex disorders, LWPES/ESPE Consensus Group, 2006)．日本小児内分泌学会性分化委員会からも，専門家や親にとって紛らわしいインターセックス（間性)，仮性半陰陽，半陰陽（雌雄同体），性転換などの用語を用いないとする指針が公表されている．表 22・1 では指針の一部を [ ] 内に付記した．

表 22·1　ヒトにおける主要な性分化異常の分類[a]

染色体異常
性腺発育不全（X0とその変形）〔45, X, Turner症候群など〕
"超女性"〔XXX〕
精細管発育不全（XXYとその変形）〔47,XXY, Klinefelter症候群など〕
真性半陰陽〔46,XX/46,XY（キメラ，卵精巣性 DSD）〕
発達異常
1. 女性仮性半陰陽〔46,XX 性分化異常症〕
先天性男性化副腎過形成〔21-ヒドロキシラーゼ欠損症，11β-ヒドロキシラーゼ欠損症など〕
母体のアンドロゲン過剰〔胎盤アロマターゼ欠損症など〕
男性化卵巣腫瘍
医原性（アンドロゲンやある種の合成プロゲステロン剤の投与）
2. 男性仮性半陰陽〔46,XY 性分化異常症〕
アンドロゲン抵抗症 AIS
精巣発達障害
先天性 17α-ヒドロキシラーゼ欠損
プレグネノロン生成阻害による先天性副腎過形成〔StAR異常症〕
各種の内分泌攪乱物質による異常

a) これらの病態の程度やもたらす障害の程度は多様である．

クリニカルボックス 22·1

染色体の異常

配偶子形成の欠陥として知られるものの1つに，染色体の**不分離** nondisjunction がある．減数分裂時に2個一対の染色体が分離できず，その結果一方の娘細胞に2つの染色体が入ってしまう現象をいう．図 22·7 にはX染色体の不分離が起こった場合の4種の異常な接合子の染色体組合せを示してある．X0（ゼロ）型の性染色体をもつ（X染色体1つのみもつ）ヒトは生殖腺が痕跡的かあるいは欠如しているために，外部生殖器は女性型になる．身長は低く，しばしば他の先天性異常もみられ，思春期における性的成熟がみられない．この症候群は**性腺発育不全** gonadal dysgenesis または**卵巣無形成** ovarian agenesis，時には Turner〔ターナー〕症候群 Turner syndrome と呼ばれる．XXY型の性染色体をもつ性染色体異常は頻度が最も高く，正常男子の生殖器をもち，思春期におけるテストステロン分泌も十分で男性の二次性徴はよく発達する．しかし精細管が異常で精神遅滞の頻度が正常男性より高い．この症候群を**精細管発育不全** seminiferous tubule dysgenesis または Klinefelter〔クラインフェルター〕症候群 Klinefelter syndrome と呼ぶ．XXX型の性染色体をもつヒト（"超女性 super-female"）は，XXY型に次ぐ頻度でみられるが，特別な異常を伴わないようなので全人口においては XXY 型よりはるかに高頻度に存在する可能性がある．Y0（ゼロ）型（Y染色体1つのみもつ）は致死的組合せのようである．

第21番染色体の不分離は，**21 トリソミー** trisomy 21 となる．この染色体異常は Down〔ダウン〕症候群 Down syndrome の患者にみられる．余分の第21番染色体に異常はないので，Down症候群は遺伝子の過剰のみで起こる病態である．

他にも多くの種類の染色体異常および単一遺伝子の欠陥により多様な疾患が起こる．これらの状態は，通常，腹壁から子宮に針を挿入して（**羊膜穿刺** amniocentesis）集めた羊水中の胎児細胞の分析や，妊娠初期に**絨毛膜絨毛（胎盤絨毛）の組織生検** chorionic villus sampling により得た胎児細胞を調べることで確定できる．

治療上のハイライト

上述の多くの症候群では複数の臓器の障害がみられることがあるので，診療にあたっては心循環器系の異常による疾患，腎泌尿器系の形成不全による感染症，子供をもてるかどうかといった心理的葛藤などについて多方面からアプローチし，長期にわたって対応する必要がある．卵巣低形成の Turner 症候群の女児では，微量のエストロゲンにより思春期を誘発し，徐々に量を増して成人女性レベルの量を維持することで女性型体型をつくる．逆に Klinefelter 症候群の場合には，男性化とリビドー発現を促進するためにアンドロゲンを投与することがある（訳注：Turner症候群の女児では早期に成長ホルモンを投与して身長発達を促し，ある程度の身長が確保された後にエストロゲンを投与する．エストロゲン単独投与では骨端線が閉鎖し，低身長が是正されない）．

いるが，アンドロゲンが作用すると陰核が肥大することがある．女性仮性半陰陽は先天性副腎過形成による男性化症（19章参照）や，母体に対するアンドロゲンの投与により生じる．逆に胎児精巣に欠陥があると，遺伝的男性に女性型の外部生殖器が形成される（**男性仮性半陰陽** male pseudohermaphroditism）．精巣は MIS も分泌するので，精巣に欠陥があり MIS が分泌されないと，遺伝的に男性であっても内部生殖器は女性型になる．

男性仮性半陰陽のもう1つの原因に**アンドロゲン抵抗症** androgen resistance がある．これは各種の先天的異常の結果，男性ホルモンが組織に対して十分な作用を発揮できないために起こる．その1つは **5α-還元酵素欠乏症** 5α-reductase deficiency で，テストステロンの活性型であるジヒドロテストステロンの生成に必要な酵素の不足である（図 22·8）．この欠乏症の結

22. 女性生殖器系の発達と機能　**467**

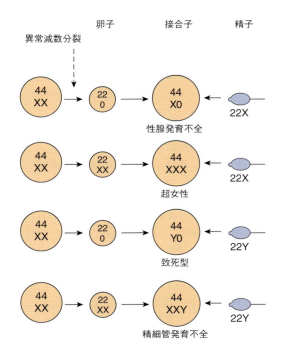

図22・7　卵細胞の減数分裂の際の性染色体不分離のために起こる4種の染色体の組合せの異常．Y0型は致死型と考えられ，胎生早期に死亡する．

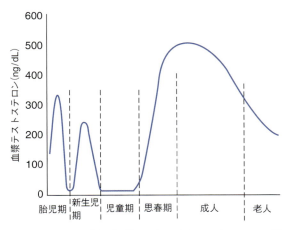

図22・8　ヒト男性の生涯にわたる血中テストステロン濃度の推移．

果については23章で述べる．この他，アンドロゲン受容体遺伝子の様々な突然変異により，受容体の機能が軽度あるいは著しく欠如するアンドロゲン抵抗症がある．軽度の欠如の場合は，不妊となり，女性化乳房を伴う場合と伴わない場合がある．受容体の機能が完全に失われている病態は，かつて**精巣性女性化症候群 (Tfm症候群) testicular feminization syndrome** と呼ばれたが，今日では**完全型アンドロゲン抵抗性症候群 complete androgen resistance syndrome** と称する．この症候群では，MIS はあり，テストステロンは正常あるいはそれ以上に分泌されている．外部生殖器は女性型になるが，女性内部生殖器は存在しないので膣は盲管で終わっている．思春期に乳房が発育するが，月経が発来しないことで来診し，初めて診断されることがある．

先天性のプレグネノロン生成障害をもつ遺伝的男性が仮性半陰陽を示すことは注目に値する．これは，プレグネノロンを前駆体とする副腎や精巣のアンドロゲンが不足するためである．先天的な17α-ヒドロキシラーゼの欠損(訳注：副腎や精巣のアンドロゲンの不足により)男性仮性半陰陽となる(19章参照)．

思　春　期

上述のように，男性胎児では在胎中に胎児精巣からテストステロンの一過性大量分泌が起こる(23章参照)．男児に限って新生児期にもう一度，一過性の分泌があるが，その意義は不明である．その後思春期に至るまで，Leydig 細胞の分泌は休止する．ヒトに限らずすべての哺乳類で，いずれの性でも生殖腺は下垂体から分泌されるゴナドトロピンによって活性化されて生殖器系が成熟するまで，活動を休止する．この最終的な成熟の時期を**青年期 adolescence** という．この時期を**思春期 puberty** と呼ぶこともあるが，厳密にいうと思春期は，生殖腺の内分泌機能と配偶子形成機能が発達し，初めて生殖が可能になる過渡的な時期を意味する．女性では最初に乳腺が発達する**乳房発育開始 thelarche** が起こり，続いて腋窩毛と陰毛が発育する**恥毛発生 pubarche** が起こり，その後に最初の月経である**初経 menarche** が起こる．初期の月経は一般に無排卵性で，規則正しい排卵はその約1年後から起こる．生後まもなくから思春期までの時期に生殖腺を除去しても，成体で生殖腺を除去した場合とは異なり，下垂体のゴナドトロピン分泌はほとんど増えてこない．したがって，この時期にはゴナドトロピン分泌は性ホルモンのフィードバック作用により抑えられているのではない．7〜10歳にかけてエストロゲン，アンドロゲンの分泌量が徐々に増大し，次いで10代の初めにさらに分泌が高まる(図22・9)．

思春期に達する年齢は様々である．欧州および米国では，過去175年以上にわたって10年間当たり1〜

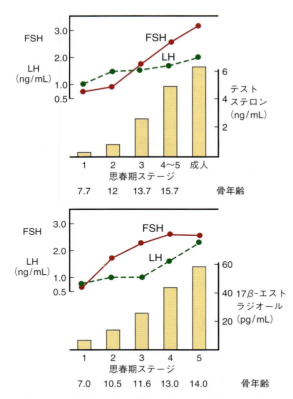

図22・9　思春期における男性（上）と女性（下）の血漿中のホルモン濃度の変化．思春期のステージ1は両性とも学童期preadolescenceを意味する．男性ではステージ2は精巣の増大し始める時期，ステージ3は陰茎の増大期，ステージ4は陰茎亀頭の発育期，ステージ5は外部生殖器の完成期に相当する．女性では，ステージ2は乳房成育の始まる時期，ステージ3は乳房の挙上と増大の起こる時期，ステージ4は乳輪突出期，ステージ5は成人型乳房完成期を指す．FSH：卵胞刺激ホルモン，LH：黄体形成ホルモン（Berenberg SR (editor): *Puberty Biologic and Psychosocial Components*. HE Stenfoert Kroese BV; 1975より許可を得て複製・改変）．

3カ月の割合で早くなってきた[*4]．近年米国では一般に思春期は女子で8〜13歳，男子で9〜14歳に始まる．

ヒトの思春期に起こるもう1つの現象は，副腎のアンドロゲン分泌増加である（図19・12参照）．この分泌増加を**副腎思春期 adrenarche** と呼び，女性では

8〜10歳，男性では10〜12歳にみられる．血中デヒドロエピアンドロステロン dehydroepiandrosterone (DHEA) 濃度は女性では25歳に，男性ではやや遅れてピークを示し，以後次第に減少して老年では低値となる．このアンドロゲン分泌増加は17α-ヒドロキシラーゼ活性の上昇による．

思春期発来の調節[*5]

ゴナドトロピンの投与で小児の生殖腺を刺激することができる．また，小児の下垂体はゴナドトロピンを含んでおり，視床下部には性腺刺激ホルモン放出ホルモン gonadotropin-releasing hormone (GnRH) が存在する（17章参照）．しかしながら，小児では自発的なゴナドトロピン分泌は起こらない．未成熟のサルに，GnRHをパルス状に注射すると正常な月経が発来し，注射を続ける限り月経周期が維持される．したがってGnRHのパルス状分泌が思春期を発来することは明白である．これらの事実は出生後から思春期までの期間では，何らかの神経機序によりGnRHの正常なパルス状分泌が抑制されていることを示している．GnRHのパルス状分泌の抑制機序の本態は不明である．ただし，GnRH分泌を促進する単一の，あるいは複数の遺伝子が存在し，思春期以前にはこれらの遺伝子が抑制されている興味深い可能性が示されている（クリニカルボックス22・2）．

思春期早発症と遅発症

性的早熟

ヒトの性的早熟 sexual precocity の主な原因を表22・2に示す．未成熟の男子にアンドロゲンを与えるか，未成熟の女子にエストロゲンを与えると配偶子は形成されずに二次性徴のみ早期に発達してくる．この症候群を**仮性思春期早発症 precocious pseudopuberty**

[*4] 訳注：思春期の若年化の加速は近年著しいものがあり，栄養状態の改善・肥満・内分泌攪乱物質への曝露など文化的・社会的原因が想定されてきた．最近38万人超の男女を対象とする大規模なゲノムワイド関連解析（GWAS）から，思春期の指標の1つである初交年齢が38個の遺伝子変異に関連するとの報告が現れた．変異遺伝子の1つにエストロゲン受容体α（ESR1）遺伝子のイントロンが含まれることが注目される（Day FR et al, Nat Genet 48: 617-622, 3 Jun 2016）．

[*5] 訳注：2003年に2つのグループがGPR-54と呼ばれるGタンパク共役型受容体の異常が低ゴナドトロピン性性機能低下症 hypogonadotropic hypogonadism の主因となり，思春期が発来しない家系を独立に発見した（de Roux N et al, Proc Natl Acad Sci USA 100: 10972-10976; Seminara SB et al, New Engl J Med 349: 1614-1627）．GPR-54のリガンドは2001年に大瀧らがヒト胎盤から分離した54アミノ酸からなるメタスチン（Ohtaki T et al, Nature 411: 613-617）であったが，様々な経緯から今日このペプチドはキスペプチン kisspeptin と呼ばれる．キスペプチンニューロンはエストロゲン受容体陽性で，GnRHニューロンのGPR-54（Parhar IS et al, Endocrinology, 2004）を介して，エストロゲンによるGnRH，ひいては下垂体のゴナドトロピン分泌を起こして思春期の発来や排卵の調節へ関わる．

クリニカルボックス 22・2

レプチン

　思春期発来には，個体の体重が正常な過程を経てある一定の値に達することが必要であると長らく考えられてきた．たとえば激しい運動競技に携わる若い女性では体重が減少し月経が閉止する．神経性食欲不振症 anorexia nervosa の女性でも同様である．これらの女性では摂食を開始し，体重が増加すると，あたかも思春期が再来したかのように，月経周期が再開する．体重と思春期発来の関係は，脂肪細胞の分泌する"満腹物質"であるレプチンの作用によるらしい．遺伝的肥満の ob/ob マウスはレプチンを欠き不妊であるが，レプチン投与により生殖能力が回復する．性的に未成熟のメスのマウスにレプチンを投与すると思春期早発が起こる．しかしながら，思春期発来の機序全体の中で，レプチンがどのような役割を果たしているかは判明していない．
［訳注：染色体 15q11-13 領域の父性発現遺伝子（インプリンティング遺伝子）MKRN3 のエピジェネティックな抑制が，5 歳前後の女児に思春期早発を起こす(Abreu et al, *N Engl J Med* 368: 2467-2475, 2013)．この遺伝子産物は視床下部弓状核のキスペプチン・ニューロキニン B・ダイノルフィン作動性ニューロン(KNDy ニューロン)に発現し，GnRH のパルス状分泌を抑制する．MKRN3 の欠陥により，GnRH 分泌のブレーキが外れ，思春期早発が起こる．最初にみつかったインプリンティング疾患である Prader-Willi（プラダー・ウイリー）症候群は，MKRN3 を含むより広い遺伝子発現の異常により肥満，糖尿病，低身長，性腺機能不全，発達遅滞，筋緊張低下，特異な性格障害・行動異常などを示し，小児慢性特定疾病の 1 つとして，難病に指定されている．］

表 22・2　ヒトにおける性的早熟の原因と分類

真性思春期早発症
本態性
中枢性：後部視床下部の障害
腫瘍
感染症
発達異常
ゴナドトロピン非依存性性早熟
仮性思春期早発症(精子形成や卵巣の発達がない)
副腎性
先天性副腎過形成による男性化
アンドロゲン分泌腫瘍(男性)
エストロゲン分泌腫瘍(女性)
生殖腺性
精巣の Leydig 細胞腫瘍
卵巣の顆粒膜細胞腫瘍
その他いろいろ

と呼び**真性思春期早発症 true precocious puberty** と区別する．後者では下垂体のゴナドトロピン分泌パターンは時期が早いことを除けば正常の思春期の場合と同じである．

　原因の特定されない本態性の思春期早発症は一般に少年よりも少女に多くみられる．どちらの性においても視床下部の腫瘍や感染症が思春期早発症の原因となる．事実，視床下部疾患の最も一般的な内分泌徴候は思春期早発症である．動物実験では視床下部の破壊によって思春期早発症を起こすことができる．この破壊が，本来 GnRH のパルス状分泌を抑制している回路を遮断した結果と考えることができる．松果体腫瘍は時に思春期早発症を伴うが，その場合には必ず視床下部の二次的な障害を伴っている．

　また配偶子産生の早熟とステロイド生成は，思春期型のゴナドトロピン分泌パターンなしにも起こりうる（ゴナドトロピン非依存性早熟）．少なくとも一部のこのような症例では，アデニル酸シクラーゼと共役する G タンパク質を活性化する突然変異のために，LH 受容体の感受性が亢進している．

思春期遅発症・思春期欠如症

　思春期の身体的諸変化が現れる年齢は，正常の場合でも個人差が非常に大きいので，17 歳になっても初経がみられないか，20 歳になっても精巣の発達が不十分というのでなければ，発来が病的に遅いとはいえない．汎下垂体機能低下症が原因となって起こる成熟障害は，低身長症をはじめ，内分泌異常の症状を伴う．X0 型の染色体組合せや性腺発育不全の患者も低身長症になる．場合によっては，生殖腺もあり，他の内分泌機能も正常であるのに思春期が遅れることがある．この臨床像は男性の場合**類宦官症 eunuchoidism**，女性の場合**原発性無月経 primary amenorrhea** と呼ばれる（クリニカルボックス 22・3）．

クリニカルボックス 22・3

高プロラクチン血症

　下垂体前葉の嫌色素性腺腫 chromophobe adenoma の患者の70%で，血漿プロラクチン濃度が増加している．その中には腫瘍による下垂体茎の障害によるとみられるプロラクチン分泌の増加もあるが，大部分の例では腫瘍細胞自体がプロラクチンを分泌している．高プロラクチン血症 hyperprolactiremia は，時として乳漏（乳汁漏出） galactorrhea を来すが，多くの場合特段の内分泌学的異常は出現しない．逆に，乳汁漏出を示す女性のほとんどにおいて血漿プロラクチン濃度は正常で，明らかな増加がみられるのは全例の1/3 以下である．

　もう1つの興味ある知見として，続発性無月経の女性の15～20%で血漿プロラクチンが増加しており，プロラクチン分泌の抑制により正常の月経周期と生殖能力が回復するということがある．プロラクチンがゴナドトロピンの卵巣に対する作用を阻止することによって，無月経を来した可能性がある．プロラクチン産生腫瘍による卵巣機能低下は，エストロゲン欠乏のために骨粗鬆症を伴う．

　先に述べたように，男性の高プロラクチン血症は勃起不全と精巣機能低下を伴う．プロラクチン分泌の低下により，これらは回復する．

治療上のハイライト

　処方薬が原因で高プロラクチン血症となることがある．下垂体からのプロラクチン分泌は脳内化学物質であるドーパミンによって抑制される．そこでドーパミン作用を遮断する薬剤は下垂体からのプロラクチン分泌を起こす．メジャートランキライザーのハロペリドール haloperidol（米国でのジェネリック名は Haldol）やフェノチアジン phenothiazine，ほとんどの抗精神病薬や抗癌剤による悪心・嘔吐の軽減のために癌患者に使用されるシサプリド*cisapride などが高プロラクチン血症を起こす．高プロラクチン血症の原因となっていることが疑われた場合，可能であれば投薬の中断，減量を試みるべきである．どのような原因によるものであっても，卵巣機能の抑制を避け，骨密度を維持するため正常な血中プロラクチン濃度の回復を目指す必要がある．ドーパミン作動薬投与は下垂体のプロラクチン産生腫瘍の治療ばかりでなく，使用中の薬剤の中断ができない症例に対しても有効である．（*訳注：販売が中止されている）．

女性生殖器系

月経周期

　女性生殖器系（図 22・10）は男性の場合と異なり，一定の周期的変化を示す．この変化は目的論的にいえば，受精，妊娠のための準備で，ヒトを含む霊長類の場合，これは**月経周期 menstrual cycle** であり，その最も顕著な特徴は周期的に子宮粘膜が肥厚と脱落を繰り返し，脱落により起こる腟からの出血（**月経 menstruation**）を見る点にある．この周期の長さは人によりかなり異なるが，月経の第1日から次の月経の始まる日までは平均して28日間である．周期中の各日は月経の最初の日を第1日として数える．

卵巣周期

　卵巣表層上皮に被われた卵巣には，出生時すでに多数の**原始卵胞 primordial follicle** が存在する．それぞれの原始卵胞は1個の未熟の卵細胞を取り囲む（図 22・10）．各月経周期の初めに複数の原始卵胞が大きくなり始め，卵細胞の周囲に空洞を形成する（**洞形成 antrum formation**）．この空洞は卵胞液で満たされている．ヒトでは月経周期第6日頃に片方の卵巣中の1個の卵胞のみが通常急速に成長し始め，**優位卵胞 dominant follicle** となり，他は退化して**閉鎖卵胞 atretic follicle** となる．卵胞の閉鎖にはアポトーシスが関与する．**卵胞期 follicular phase** と呼ばれる月経周期のこの時期に，どのようにして1個の卵胞が選ばれて優位卵胞になるのかは不明であるが，卵胞の最終的な成熟に必要とされるエストロゲンを分泌する

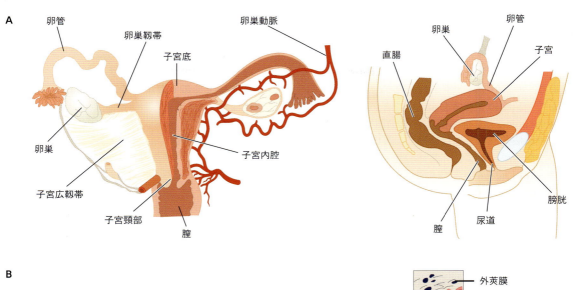

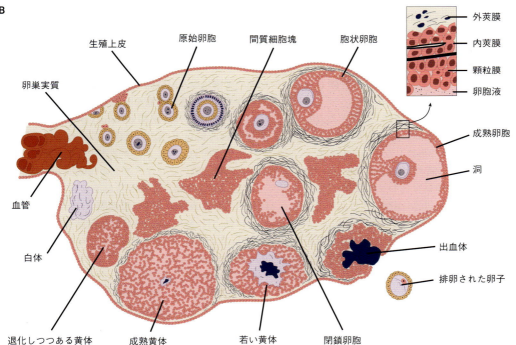

図 22・10　女性生殖器の形態と機能. 卵巣, 卵管, 子宮と乳房・乳腺が女性生殖器に含まれる. 卵胞の段階的な成熟, 黄体形成と卵胞の閉鎖を図示した.

個々の卵胞の能力が関係しているらしい. ヒト下垂体ゴナドトロピンを投与すると, 卵巣内で複数の卵胞が同時に成長する.

成熟卵胞(Graaf〔グラーフ〕卵胞)の構造を図 22・10 に示した. 血中エストロゲンは主に卵巣の顆粒膜細胞により分泌されている. 卵胞の**内莢膜 theca interna**細胞もエストロゲン合成に欠かせない. 内莢膜細胞で合成されたアンドロゲンは顆粒膜細胞で芳香化され, エストロゲンとなる.

月経周期の第 14 日頃, 大きくなった卵胞は破れて卵子が腹腔内へ放出される. これが**排卵 ovulation**である. 卵子は卵管 uterine tube(oviduct)のふさ状の先端である卵管采に, 卵巣と卵管采の間に存在する卵管間膜の平滑筋の作用により拾い上げられ, 子宮へ運

ばれる．受精が起こらなければ，卵子は膣を経て排出される．

排卵によって破裂した卵胞はすぐ血液で満たされる．これを**出血体 corpus hemorrhagicum** と呼ぶことがある．卵胞から腹腔内へのわずかな出血が腹膜を刺激して一過性の下腹痛を起こすことがある（"中間痛 mittelschmerz"）．排卵後，卵胞の顆粒膜細胞とそれを包む莢膜細胞は急速に増殖し，凝固した血液に代わって脂質に富む黄色い**黄体細胞 luteal cell** となり，**黄体 corpus luteum** を形成する．これにより月経周期の**黄体期 luteal phase** が始まる．この時期，黄体細胞はエストラジオールとプロゲステロンを分泌する．黄体の発達は，必要とされる血液を供給する血管支配に依存しており，この過程に血管内皮細胞増殖因子 vascular endothelial growth factor（VEGF）（31章参照）が関与することが実験的に示されている．

妊娠するとこの黄体は存続し，月経が通常は分娩後まで停止する．妊娠しない場合は次の月経の始まる4日ほど前（月経周期第24日）から黄体は退縮し，搬痕的な組織に変性してしまう．これを**白体 corpus albicans** と呼ぶ．

他の哺乳類の卵巣周期もほぼ同様である．ただし多くの動物では通常2個以上排卵し，多数の仔を生む．下等な哺乳類には　黄体を形成しないものがある．

ヒトの場合，出生後に新たな卵子は形成されない．胎児の発育中に両側の卵巣を合わせて700万個以上の**原始卵胞 primordial follicle** が存在するが，出生前にその多くは発育を停止して退化（卵胞閉鎖）し，さらに一部は出生後に消失する．出生時には200万の卵子があるがそのうち50%は発育停止の状態にある．残りの正常な100万個は，この時期に減数分裂の第一分裂の最初の段階を行い，細胞分裂前期で停止したまま成人期を迎える．卵胞の閉鎖は成長の過程でも絶えず起こっており，思春期には両側の卵巣の卵子数は30万個以下になる（図22・14）．これらの卵子のうち，月経周期1回ごとに1個の卵子（すなわち正常女性の生殖可能期を通じて約500個の卵子）のみが通常成熟し，他のすべては退縮する．排卵の直前に減数分裂の第一分裂が完了する．この際に，娘細胞の1つの**二次卵母細胞 secondary oocyte** が細胞質の大部分を受け，もう1つの娘細胞である**一次極体 first polar body** は崩壊消失する．二次卵母細胞は直ちに減数分裂の第二分裂を始めるが，この分裂は中期で停止し，精子が卵母細胞に貫入した時にのみ分裂が完了する．そこで**二次極体 second polar body** が排出され，受精した卵子は発育を進めて新しい個体となる．分裂中期での停止は，少なくともある種の動物では **cmos** プロトオンコジーン（癌原遺伝子）にコードされるタンパク質である **pp39mos** が卵子に形成されることによる．受精が起こると，pp39mos はカルシウム依存性システインプロテアーゼである**カルパイン calpain** によって30分以内に分解される．

子宮内膜周期

月経の終わりに，子宮内膜は深層の部分を除いて脱落する．成熟しつつある卵胞から分泌されるエストロゲンの作用により，新たな子宮内膜が再生する．子宮内膜は第5日から第14日にかけて急速に増殖し，肥厚する．それに伴い子宮腺は引き伸ばされ長くなるが（図22・11），曲がりくねらず，腺からの分泌は起こらない．内膜のこの変化を増殖性 proliferative 変化と呼び，月経周期のこの時期を**増殖期 proliferative phase** あるいは排卵前期 preovulatory phase，または卵胞期 follicular phase と呼ぶ．排卵後，内膜は黄体のエストロゲンとプロゲステロンの作用により，血管が極めて密になり浮腫様となる．子宮腺はらせん状に曲がりくねり，透明な液を分泌し始める．そこでこの時期を月経周期の**分泌期 secretory phase** あるいは**黄体期 luteal phase** と呼ぶ．黄体期の終わりに，子宮内膜は下垂体前葉と同じプロラクチンを生成する．しかし子宮内膜由来のプロラクチンの機能は不明である．

子宮内膜は2種の動脈から血流を受ける．月経の際に脱落する表層の2/3は**機能層 stratum functionale** と呼ばれ，長いコイル状の**らせん動脈 spiral artery** が分布している．脱落の起こらない深部の**基底層 stratum basale** には，短くてまっすぐな**基底動脈 basilar artery** が分布している．

黄体退縮により，ホルモンによる子宮内膜の維持が行われなくなると，子宮内膜は薄くなり，らせん動脈が密なコイルとなる．内膜に点々と壊死巣が現れて次第に融合する．さらに，らせん動脈壁の痙攣と変性が起こり，その結果生じた斑点状出血が融合して月経出血を来す．

血管痙攣は局所に放出されるプロスタグランジンによって起こるらしい．プロスタグランジンは子宮の分泌性内膜と経血中に多量に存在し，またプロスタグランジン $F_{2\alpha}$（$PGF_{2\alpha}$）を注入すると子宮内膜の壊死と出血を起こす．

子宮内膜の機能から考えると，月経周期のうち増殖期は前回の月経による脱落から上皮細胞層が回復する時期であり，分泌期は受精卵が着床するための子宮の準備の時期といえる．分泌期の長さは約14日と極め

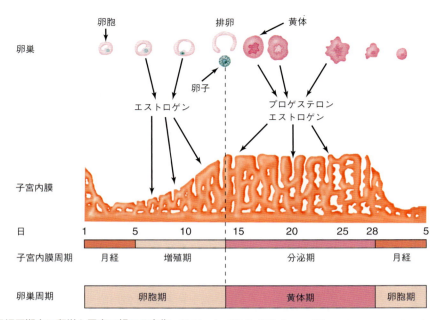

図 22・11　月経周期中に卵巣と子宮で起こる変化.（Widmaier EP, Raff H, Strang KT: *Vander's Human Physiology: The Mechanisms of Body Function*, 11th ed. New York, NY: McGraw-Hill; 2008 より許可を得て複製）.

て安定しており，月経周期の変動は主に増殖期の長さに依存する．受精が起こらないと内膜は脱落し，新しい周期が始まる．

正常の月経

　経血は主として動脈血で，静脈由来は 25%にとどまる．経血は組織落屑，プロスタグランジン，子宮内膜に由来するかなり多量のフィブリン溶解酵素を含んでいる．フィブリン溶解酵素は凝血を溶かすので，月経血は極めて多量な場合を除けば，通常凝血魂を含まない．

　月経の期間はおおむね 3〜5 日であるが，正常な女性でも 1 日から 8 日の幅がある．月経で失われる血液量は通常，小さな斑点状程度のものから 80 mL に及び，平均 30 mL である．80 mL 以上の出血は異常である．いうまでもなく経血の量は子宮内膜の厚さ，服薬，血液凝固機序に影響を及ぼす疾患などの諸因子によって変わる．

無排卵性周期

　月経周期の間に排卵が起こらないことがある．このような無排卵性周期は初潮から 12〜18 カ月の間，また閉経の前にみられる．排卵の欠如により黄体が形成されないので，子宮内膜に対するプロゲステロンの効果も現れない．エストロゲンにより子宮内膜は発達し

続け，内膜は厚くなり，ついに破綻，脱落する．このようにして出血が起こるまでの期間は様々であるが，通常前の月経から 28 日以内である．出血の量は極めて少量からかなりな量まで様々である．

子宮頸部の周期的変化

　子宮頸部は子宮体部と一体ではあるが，いろいろな点で異なっている．子宮頸部の粘膜は周期的に脱落はしないが，その粘液は一定の規則的変化を示す．エストロゲンは頸部粘液を薄くし，よりアルカリ性にする．この変化は精子の寿命を延長し移動を促進する．プロゲステロンにより頸部粘液は濃く，粘着性を増し，含まれる細胞数も増える．粘液は排卵時に最も薄く，その粘性あるいは**引き伸ばしやすさ spinnbarkeit** が最大となるので，月経周期のちょうど中間では，粘液の一滴が 8〜12 cm，またはそれ以上に長く細い糸状に伸びる．この時期の粘液をスライドガラス上に薄く塗ると，乾いて樹枝状のシダのような模様を作る（図 22・12）．排卵後や妊娠中は粘液が濃くなり，シダ様の模様を作らない．

膣周期

　エストロゲンの作用により膣上皮は角化し，膣塗抹標本 vaginal smear に角化細胞が現れる．プロゲステロンにより濃い粘液が分泌され，上皮細胞が増殖し

正常周期，第14日

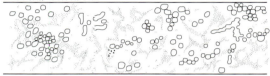
正常周期，黄体期中頃

無排卵周期，エストロゲン存在下

図 22・12　子宮頸部粘液をスライドガラスに塗り，乾燥させて顕微鏡下で観察した模様． プロゲステロンにより粘液は濃厚になり細胞性となる．無排卵の患者の塗抹標本（**最下段**）ではプロゲステロン分泌が起こらないため，エストロゲン作用によるシダ状模様が抑制されずに顕著に出る．

て白血球が浸潤してくる．ラットの膣塗抹標本の周期的変化は比較的にはっきりしている．ヒトやその他の動物における変化も同様であるが，ラットの場合ほど明確ではない．

乳房の周期的変化

乳汁分泌は普通妊娠の終わりまでは起こらないが，正常の月経周期に伴って乳房に周期的変化が起こる．エストロゲンは乳管の増殖を，プロゲステロンは乳腺小葉と腺房の発達を促す．多くの女性は月経前10日の間に乳房の腫大，知覚過敏や自発痛を経験するが，これらはおそらくは乳管の伸展，充血そして乳房の間質組織の浮腫によるものであろう．以上の変化は月経の時期に消失する．

性交時の変化

女性の性的興奮の際に膣壁から起こる分泌は，膣に分布する神経からの血管作動性腸管ポリペプチドvasoactive intestinal polypeptide (VIP) の放出によって起こるらしい．膣前庭腺からはなめらかな粘液も分泌される．膣の上部は伸展に敏感となり，小陰唇と陰核の触刺激により性的興奮が亢進する．これに乳房の触刺激や，男性の場合と同様視覚，聴覚，嗅覚刺激も加わって興奮が高まり，オーガスムとして知られる性快感の極期に達する．この時，自律神経を介する膣壁の律動的収縮が起こる．陰部神経を伝わるインパルスにより球海綿体筋と坐骨海綿体筋も律動的に収縮する．膣壁の収縮は精子の移送を助ける可能性があるが，オーガスムがなくても受精が起こるから，精子の移動に不可欠というわけではない．

排卵の指標

月経周期のどの時期に排卵が起きるかを知ることは，妊娠の可能性を高めるため，あるいは逆に有効に避妊を行うため重要である．排卵日を知るための簡便で信頼度の高い方法に，基礎体温 basal body temperature の測定がある．排卵により基礎体温は通常上昇する（図22・13）．体温の上昇は排卵後1～2日後に始まる．正確な基礎体温表を得るためには，感度の高いデジタル式の体温計を使い，朝ベッドから起き上がる前に口腔温または直腸温を測定するのがよい．排卵時の基礎体温の変化の原因は，熱産生作用をもつプロゲステロンの分泌増加によると考えられている．

月経周期のちょうど中間の時期に起こるLHの排卵性多量放出（LHサージ）の約9時間後に排卵が起こる（図22・13）．卵胞から排出された卵子は約72時間生きているが，受精可能なのはこれよりずっと短い時間である．1回だけの性交による妊娠を調べた研究では，排卵日当日の性交により36%で妊娠が成立したのに対し，排卵日を過ぎてからでは妊娠の確率は0であった．また排卵の1日もしくは2日前の性交でも36%で妊娠が成立した．排卵の3，4，5日前の性交でも少数例で妊娠が起こったが，確率は低く排卵5日前で約8%だった．これらのデータから，いくらかの精子は女性生殖器の中で生き残り，排卵の120時間前までは受精可能であるが，最も受精しやすい期間は排卵の48時間前であることがわかる．"リズム法"の避妊に関心がある人にとって不都合なことに，まれではあるが月経周期内のどの日についても1回の性交で妊娠した例が知られている．

発情周期

月経が起こらない霊長類以外の哺乳類の性周期を**発情周期** estrous cycle と呼ぶ．この名称はメスが排卵の時期に限って性行動を起こす**発情** estrus 状態になることに由来する．発情周期をもち自然に排卵するラットのような種では，周期的出血はないが発情周期の内

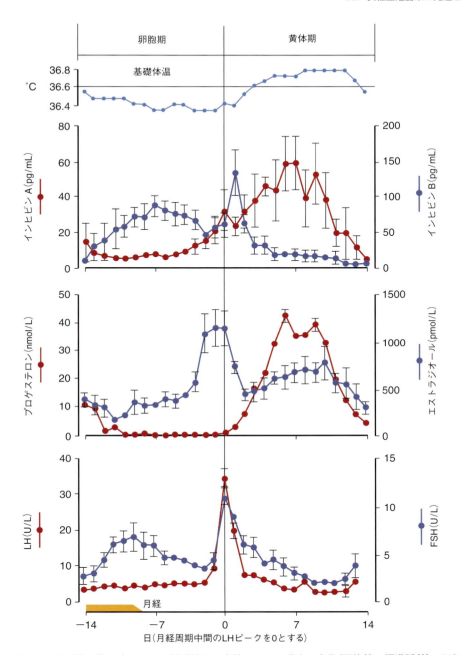

図 22・13 正常ヒト月経周期の期間中における基礎体温と血漿ホルモン濃度の変化(平均値±標準誤差). 月経周期中間の黄体形成ホルモン(LH)のピークにそろえてある. FSH: 卵胞刺激ホルモン, LH: 黄体形成ホルモン.

分泌基盤は月経周期の場合と同様である. 排卵が交尾によって誘発される(反射性排卵 reflex ovulation)動物も多い.

閉　　経

ヒトの卵巣は加齢に伴い次第にゴナドトロピンに反応しなくなり, 機能が低下する結果, 月経周期がみられなくなる(**閉経 menopause**). 閉経の時期には原始卵胞の数が急激に減少するが(図 22・14), おそらくこれ

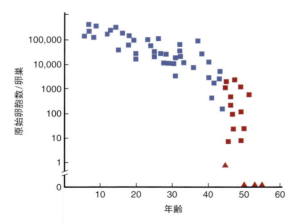

図22・14 卵巣1個当たりの原始卵胞の数の加齢に伴う変化．青四角：閉経期前の女性（正常な月経周期），赤四角：閉経期に近い女性（少なくとも1年間月経が不規則），赤三角：閉経期後の女性（少なくとも1年間月経がない）．縦軸は対数目盛りで，両側ではなく一側の卵巣からの数値であることに注意（Richardson SJ, Senikas V, Nelson JF: Follicular depletion during the menopausal transition: Evidence for accelerated loss and ultimate exhaustion. J Clin Endocrinol Metab 1987; 65: 1231 を PM Wise が改変，許可を得て複製）．

がゴナドトロピンに対する反応性低下の原因である．卵巣におけるプロゲステロンと17β-エストラジオールの分泌は減少し，エストロゲン類は末梢組織でアンドロステンジオンの芳香化により生じる少量のエストロンのみとなる（19章参照）．子宮と膣は次第に萎縮する．エストロゲンとプロゲステロンの負のフィードバック抑制が消失するために，FSHの分泌が増加して血漿FSH濃度が高値となり，LHの濃度も上昇傾向を示す．メスのマウスやラットでは老化により発情間期 diestrus が長くなり，ゴナドトロピン分泌が増加する．ヒト女性では，閉経に先立って，時には10年に及ぶ閉経先行期と呼ばれる時期がみられることがある．この時期にはエストロゲン，プロゲステロン，インヒビンの分泌が徐々に低下し，その結果まず血中FSH濃度が上昇し，次いでLH濃度が上昇し，月経周期も不規則になる．**閉経は平均すると51歳**に始まるが，閉経先行期は45〜55歳に及ぶことがある．

卵巣機能の低下は，躯幹から顔面へほてりがのぼってくる感じ（"hotflush"，時に"hotflash"と呼ばれる），寝汗など多くの不快な自律神経症状の原因となる．さらに閉経に伴って骨粗鬆症，虚血性心疾患，腎臓疾患など多くの疾患のリスクが増加する．

ほてりは閉経後の女性の75%に起こるといわれており，時には間欠的に40年以上にわたって続くこともある．若年でも両側の卵巣摘出によってもみられるが，いずれもエストロゲン投与により防ぐことができる．さらに男性でも去勢によりほてりが起こる．原因は不明であるが，ほてりは30〜60分内外の周期で間欠的に起こるLHの一過性多量分泌（LHのサージ，**概時分泌 circhoral secretion**）と一致して起こる．LHサージは性ホルモンが存在しないと著しく大きくなる．個々のLHサージの開始と同時にほてりが始まるが，下垂体を除去してもこれらの症状は続くので，分泌されたLHがこの症状の原因ではなく，視床下部におけるエストロゲン感受性のしくみが，LHの放出とほてりの双方を起こすのであろう．

精巣の機能も加齢とともに低下しがちであるが，男性にも女性のような**"男性更年期"andropause** が存在するかは確実ではない．

卵巣のホルモン

エストロゲンの化学，生合成，代謝

天然のエストロゲンには，**17β-エストラジオール 17β-estradiol，エストロン estrone，エストリオール estriol** がある（図22・15）．いずれもC18ステロイドで，10位の核間メチル基やA環のΔ4-3-ケト配列を欠く．エストロゲンは主に卵胞の顆粒膜細胞，黄体と胎盤から分泌される．エストロゲンの生合成には**アロマターゼ aromatase**（CYP19）と呼ばれる酵素が必要である．この酵素は，テストステロンをエストラジオールに，アンドロステンジオンをエストロンにそれぞれ代謝する（図22・15）．後者の反応は脂肪，肝臓，筋や脳でも起こる．

内莢膜細胞には多数のLH受容体があり，LHがこれにはたらくと，cAMPを介してコレステロールからアンドロステンジオンへの変換が促される．内莢膜細胞は顆粒膜細胞にアンドロステンジオンを供給する．顆粒膜細胞はアンドロステンジオンを原料としてエストラジオールを作る（図22・16）．霊長類では，顆粒膜細胞で作られたエストラジオールは卵胞液中に分泌されるらしい．顆粒膜細胞には多数のFSH受容体があり，FSHはcAMPを介してアロマターゼ活性を増大させてエストラジオールの産生を促す．成熟した顆粒膜細胞には，LH受容体も存在し，LHもエストラジオール産生を刺激する．

血中のエストラジオールの2%は遊離形で，残りがタンパク質と結合している．60%はアルブミンに，38%はテストステロン結合タンパク質と同じ性ステロイド結合グロブリン（GBG）に結合して存在する．

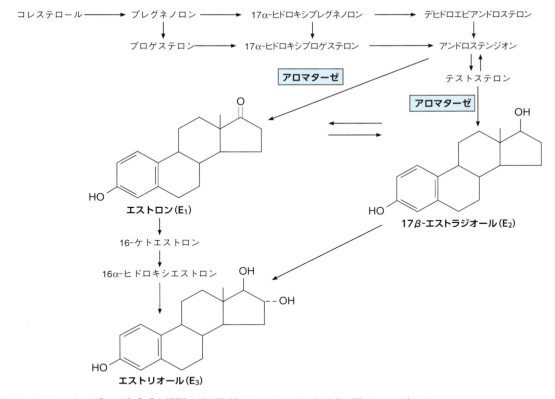

図 22・15　エストロゲンの生合成と代謝．前駆物質のステロイドの分子式は図 19・7 に示した．

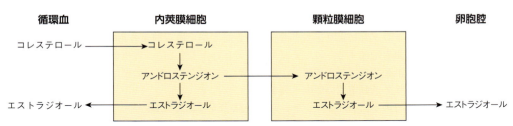

図 22・16　エストラジオールの合成と分泌における内莢膜細胞と顆粒膜細胞との相互作用．［訳注：エストラジオール合成は顆粒膜細胞のみで起こるとする 2 細胞説がかつて有力であったが，培養ヒト内莢膜細胞やブタ内莢膜細胞にアロマターゼが存在し，エストラジオール合成が起こることが示されている(Wickenheisser JK et al.: Human ovarian theca cells in culture. Trends Endocrinol Metab 17: 65-71, 2006)］．

　エストラジオール，エストロン，エストリオールは肝臓でグルクロン酸や硫酸と抱合される．これらの代謝産物は他のものとともに尿中に排泄される．かなりの量が胆汁中に分泌され，血中に再び吸収される(腸肝循環)．

分　　泌

　月経周期中の血漿エストラジオールの濃度を図 22・14 に示した．このエストロゲンのほとんどは卵巣に由来し，排卵直前と黄体期の中頃に 2 つの濃度のピークがある．エストラジオールの分泌量は卵胞期の初期では 36 μg／日(133 nmol／日)，排卵の直前では 380 μg／日に上がり，黄体期の中頃で 250 μg／日である(表 22・3)．閉経後エストロゲン分泌量は低下する．

　男性のエストラジオールの生成量は約 50 μg／日(184 nmol／日)である．

表 22・3 女性の月経周期の種々の時期における性ステロイドの 24 時間産生量

性ステロイド	卵胞期前期	排卵直前	黄体期中期
プロゲステロン(mg)	1.0	4.0	25.0
17-ヒドロキシプロゲステロン(mg)	0.5	4.0	4.0
デヒドロエピアンドロステロン(mg)	7.0	7.0	7.0
アンドロステンジオン(mg)	2.6	4.7	3.4
テストステロン(μg)	144.0	171.0	126.0
エストロン(μg)	50.0	350.0	250.0
エストラジオール(μg)	36.0	380.0	250.0

Baird DT, Fraser IS: Blood production and ovarian secretion rates of estradiol-17 β and estrone in women throughout the menstrual cycle. *J Clin Endocrinal Metab* 1974 Jun; 38(6): 1009–1017 のデータより.

女性生殖器に対する作用

エストロゲンは卵胞の成長を促進し，子宮平滑筋の運動を高める．子宮内膜，子宮頸部，腟の周期的変化に対するエストロゲンの役割はすでに述べた．その他エストロゲンは子宮の血流量を増大させ，子宮平滑筋に対しても重要な作用を示す．性的に未成熟な女性や卵巣を除去された女性では子宮が小さく，子宮平滑筋が萎縮し活動しない．エストロゲンにより子宮平滑筋が肥大し，収縮タンパク質量も増加する．エストロゲンの作用により，子宮筋は活動的になり，興奮性が高まって個々の筋線維の発生する活動電位の頻度も高まる．エストロゲン優位の下での子宮筋はオキシトシンに対してより敏感になる．

エストロゲンを長期間投与すると子宮内膜が肥厚する．エストロゲン投与の中断により，**消退出血 withdrawal bleeding** と呼ばれる組織の脱落が起こる．また非常に長期間にわたってエストロゲンを継続して投与すると破綻出血 breakthrough bleeding が起こることがある．プロゲステロンを伴わないエストロゲン単独の長期投与は子宮内膜癌発症の 1 つのリスクファクターとされている.

内分泌器官に対する作用

エストロゲンは FSH の分泌を抑制する．ある状態では LH の分泌を抑制するが(負のフィードバック)，特定の状態では LH の分泌を促進する(正のフィードバック)．受胎の可能性がある時期に行われた性交の後に，妊娠を防ぐ目的で 4〜6 日間多量のエストロゲンを投与することがある(性交後あるいは"翌朝 morning-after"避妊)．この場合の妊娠の阻止はおそらくゴナドトロピン分泌の変化ではなく，卵の着床を妨げることによるものであろう．

エストロゲンはアンジオテンシノーゲンや甲状腺ホルモン結合グロブリンの分泌を増加させる．エストロゲンはニワトリやウシではタンパク質同化作用を示すが，これはおそらく副腎のアンドロゲン分泌を刺激する結果である．このためエストロゲンは家畜の体重を早く増加させるために商業的に用いられている[*6]．エストロゲンは，ヒトでは骨端軟骨の閉鎖を起こす(21 章参照).

中枢神経系に対する作用

エストロゲンは動物では性行動を引き起こし，ヒトの性欲を高める．この作用は視床下部の特定の神経細胞群に対するエストロゲンの直接作用の結果である．ラットではエストロゲンにより樹状突起の伸長と樹状突起棘の増加を起こす．

乳房に対する作用

エストロゲンは乳房では乳管の成長を促す．思春期の女性の乳房発育は主にエストロゲン作用の結果である．そのためエストロゲンが乳房の発育ホルモンと呼ばれることもあった．エストロゲンは乳輪の色素沈着を促すが，思春期よりも第 1 回目の妊娠の時の方が著しい作用をもつ．乳房の発達と乳汁の分泌の調節におけるエストロゲンの役割については後で述べる.

女性の二次性徴

思春期の女子に現れる乳房の発達や，子宮・腟の発育をはじめとする身体的変化の一部はエストロゲンの"女性化作用"の結果であるが，一部は単に精巣のアンドロゲンの欠如が原因である．成人女性は肩幅が狭く臀部は広い．大腿は躯幹側が発達するが，上肢は末梢側が優位となり，物を抱きかかえる時に男性より大きく腕を広げることになる．このような体型や胸部と臀部への女性型の脂肪分布は，精巣除去後の男性にも現れる．女性の喉頭は思春期前のプロポーションを保つので声は高音である．女性では体毛は一般に少なく，頭髪は多い．陰毛の分布は，上辺が水平の逆三角形である(楯型の紋章 escutcheon に因んで女性の"楯"と呼ぶことがある)．しかしながら，どちらの性におい

[*6] 訳注：日本では食肉生産のための使用は禁止されている．

ても陰毛および腋窩毛の成長はエストロゲンよりも主としてアンドロゲンの作用による。

その他の作用

エストロゲンは塩分と水分の貯留を起こす作用をわずかながらもっている。正常女性では月経の直前に塩分と水分の貯留を来し、体重が増加する。黄体期にはアルドステロン分泌がわずかに上昇し、これも月経前の体液の貯留の原因となる。

エストロゲンには皮脂腺の分泌液を薄くする作用があるので、テストステロンに拮抗して**面皰 comedo**(俗にいう"blackhead"、吹き出物)や痤瘡(にきび)acneの形成を抑制するといわれている。進行性肝疾患にみられる肝性手掌紅斑 liver palm、星芒状血管腫 spider angioma、乳房の軽度の肥大などの症状は、血中エストロゲン濃度上昇の結果である。その上昇は肝臓におけるアンドロステンジオン代謝が低下し、このアンドロゲンからエストロゲンへの変換が増大するためと考えられる。

エストロゲンは血漿コレステロールを著明に低下させる。また、血管平滑筋に対し、局所での NO 産生により急速な弛緩を起こす。骨に対する作用は 21 章で述べた。

作用機序

エストロゲンには 2 つの主要な核内受容体が知られている。第 6 番染色体上の遺伝子にコードされているエストロゲン受容体α(ERα)と第 14 番染色体上の遺伝子にコードされる ERβ である。いずれも核内受容体スーパーファミリー(2 章参照)に属する。エストロゲンと結合した受容体はホモダイマー(同一分子の二量体)を作り、DNA に結合して転写を変化させる。一部の組織では一方の受容体のみがみられるが重複もあり、ERα と ERβ の双方を含む組織もみられる。ERα をもっぱら発現しているのは子宮、腎臓、肝臓と心臓で、ERβ は卵巣、前立腺、肺、消化管、造血系と中枢神経系で優勢である。ERα と ERβ のヘテロダイマー(異分子の二量体)が作られることも知られている。ERα のノックアウトマウスは雌雄とも不妊で、骨粗鬆症(オステオポローシス osteoporosis)を呈し、骨端線が閉じず長骨の発育が続く。ERβ をノックアウトしたメスは不妊だが、オスは前立腺肥大と脂肪の減少を示すが生殖能力を有する。いずれの受容体にもいくつかのアイソフォームが存在し、甲状腺ホルモンの受容体と同様に、いろいろな活性化因子・刺激因子に結合する。ERβ が ERα の転写を抑制する場合もあり、2 つの受容体の作用は複雑で多岐にわたり、多彩である。

エストロゲンの作用のほとんどは遺伝子活性化、すなわち、核への作用によるものである。しかし、脳の神経細胞の放電活動や、ゴナドトロピン分泌に対するフィードバック作用など、いくつかの作用は mRNA の合成を介するにしてはあまりに急速に起こる。これらの作用はおそらく構造的に核内受容体に関連した細胞膜受容体を介すると考えられ、その効果は細胞内の分裂促進因子活性化タンパク質キナーゼ mitogen-activated protein kinase(MAP)経路を介して発現すると考えられる。プロゲステロン、テストステロン、グルココルチコイド、アルドステロンや 1,25-ジヒドロキシコレカルシフェロール(活性型ビタミン D)が示す同じように急速な作用も膜受容体を介して起こる可能性がある(16 章参照)。

合成エストロゲンと環境中のエストロゲン様作用物質

エストラジオールのエチニル誘導体は強いエストロゲン活性をもつ。天然のエストロゲンと異なり、この物質は肝臓で代謝されにくいので、経口投与しても比較的高い活性が維持される。天然のエストロゲンは経口投与すると効力が下がるが、これは腸で吸収されたエストロゲンが肝門脈を経て肝臓へ運ばれ、全身循環に入る前に不活化されるからである。若干の非ステロイド化合物や植物中に見出されるいくつかの化合物にも、エストロゲン活性がある。食品中の植物性エストロゲンはヒトが摂取してもほとんど問題にならないが、家畜に望ましくない作用を及ぼすことがある。様々な工業生産の過程で産生され環境に拡散した**ダイオキシン類 dioxins** が遺伝子のエストロゲン反応エレメント estrogen responsive element(ERE)を活性化することがある。これらの物質にはエストロゲン様活性と抗エストロゲン様活性の双方が認められており、ヒトの何らかの疾病の原因となりうるか否かについては、議論が重ねられており、結論に至っていない。

天然のエストロゲンには好ましい作用と同じに有害な作用もあるので(たとえば骨粗鬆症を予防するが子宮癌や乳癌の原因となる)、ヒトにおいて特定の効果を発揮するエストロゲンを"あつらえる"試みがさかんに行われている。これまでに**タモキシフェン tamoxifen** と**ラロキシフェン raloxifene** という 2 つの化合物がこのような分子として見出された。これら 2 つの物質は閉経後の自律神経症状には効かないが、エストラジオールと同様に骨を維持する効果をもつ。さらに、タ

モキシフェンは乳腺を刺激せず，ラロキシフェンは乳腺にも子宮にも増殖作用を及ぼさない．これらの選択的エストロゲン受容体作動薬 selective estrogen receptor modulators（SERMs）の効果がもたらされるのは，エストロゲン受容体の複雑さと，受容体-リガンド複合体とDNAとの結合様式の違いに起因する．

プロゲステロンの化学，生合成，代謝

プロゲステロンはC21ステロイドの1つ（図22・17）で，黄体・胎盤や，少量ではあるが卵胞から分泌される．プロゲステロンはステロイドホルモンを分泌するすべての組織において，ステロイド生合成の重要な中間代謝産物であり，精巣や副腎皮質からは少量が血中へ分泌される．循環血中のプロゲステロンの約2%は遊離型であり，80%はアルブミンと，18%はコルチコステロイド結合グロブリンと結合している．プロゲステロンの半減期は短く，肝臓でプレグナンジオールに変えられ，グルクロン酸に抱合されて尿中へ排泄される．

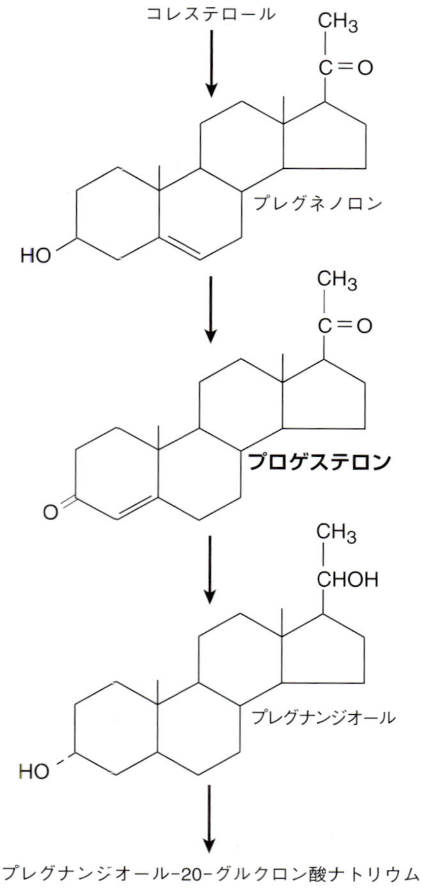

分　　泌

男性では血漿中のプロゲステロン濃度は約0.3 ng/mL（1 nmol/L），月経周期の卵胞期女性では約0.9 ng/mL（3 nmol/L）である（図22・14）．男性との差は卵胞から少量のプロゲステロンが分泌されるためである．卵胞の莢膜細胞に由来するプレグネノロンが顆粒膜細胞でプロゲステロンに変換され血中に分泌される．卵胞期の末期にプロゲステロン分泌は増加を始める．黄体期には黄体が大量のプロゲステロンを分泌し（表22・3），血漿のプロゲステロン値は著しく増加して約18 ng/mL（60 nmol/L）に達する．

LHが黄体のプロゲステロン分泌を刺激する作用は，アデニル酸シクラーゼと，それに続くタンパク質合成に依存した過程が関与する[*7]．

作　　用

プロゲステロンの主要な標的器官は子宮と乳房と脳である．子宮内膜の黄体期の変化や，また前に述べた子宮頸部や腟に起こる周期的変化にプロゲステロンが関与する．プロゲステロンは子宮筋細胞の興奮性を下げ，オキシトシンに対する感受性を低下させ，静止膜電位を深くして自発性電気活動を低下させるなど，一連の抗エストロゲン作用を発揮する．プロゲステロンは子宮内膜のエストロゲン受容体の数を減らす作用をもち，17β-エストラジオールをより活性の低いエストロゲンに変換する速度を高める．

乳房ではプロゲステロンは乳腺の腺小葉や腺房の発達を刺激する．プロゲステロンはエストロゲンに反応する乳管組織の分化を起こし，授乳時における乳腺の分泌機能を維持する．

プロゲステロンのフィードバック作用は複雑で，視床下部と下垂体の両方にはたらく．大量のプロゲステロン投与は，LH分泌を抑制し，エストロゲンの抑制効果を増強して，排卵を抑制する．

プロゲステロンには熱産生作用があり，おそらく排卵時の基礎体温の上昇の原因となっている．プロゲステロンは呼吸を促進するので黄体期の女性では，肺胞

図22・17 プロゲステロンの生合成とその主要代謝経路．上記以外の代謝物質も生成される．

[*7] 訳注：タンパク質の合成ではなく，アデニル酸シクラーゼの活性化によって生じた cAMP の作用により，ミトコンドリア内膜に存在する steroidogenic acute regulatory protein（StAR）が活性化し，ミトコンドリア内にコレステロールが取り込まれることが関与することが判明している．

内の P_{CO_2}（34章参照）が男性より低い．妊娠中はプロゲステロン分泌が増大するのでやはり P_{CO_2} は低下する．しかしこの呼吸反応に生理的意義があるかどうかは不明である．

大量のプロゲステロンは Na^+ 排泄増加（ナトリウム利尿）作用をもつが，これはおそらく腎臓におけるアルドステロンの作用を抑制するためであろう．プロゲステロンには見るべき同化作用はない．

作用機序

プロゲステロンも他のステロイドと同じく，DNAに作用して新しい mRNA の合成を引き起こす．プロゲステロン受容体は結合するステロイドがない時には熱ショックタンパク質と結合しており，プロゲステロンと結合すると，熱ショックタンパク質を遊離して，受容体の DNA 結合ドメインを露出する．合成ステロイドである**ミフェプリストン** mifepristone（RU486）はプロゲステロン受容体に結合するが，熱ショックタンパク質の遊離を起こさず，プロゲステロン作用を阻害する．妊娠の初期には，プロゲステロンの子宮内膜成長刺激作用と子宮収縮抑制作用により妊娠が維持されているので，ミフェプリストンとプロスタグランジンの併用により選択的に人工流産を起こすことが可能である[*8]．

プロゲステロン受容体には単一の遺伝子から異なったプロセッシングによって作られる2つのアイソフォーム（PR_A と PR_B）がある．PR_A は C 末端の一部を欠く．これら2つの受容体はそれぞれ異なったプロゲステロン作用を仲介すると考えられる．

プロゲステロンと同様の作用をもつ一群の物質を**妊娠維持物質群** progestational agents，**ゲスタゲン** gestagen，**プロゲスチン** progestin などと呼ぶことがある．これらは合成エストロゲンとの合剤として経口避妊薬として用いられる．

リラキシン

リラキシン relaxin はポリペプチドホルモンで，女性では黄体，子宮，胎盤および乳腺で，男性では前立腺で産生される．リラキシンは妊娠時に恥骨結合や他の骨盤関節を緩め，子宮頸部の弛緩を起こして分娩を容易にする．この物質はまた子宮の収縮を抑制し，乳腺の発育にも関与しているらしい．非妊娠女性では，リラキシンは黄体ならびに分泌期の子宮内膜で見出される．増殖期の子宮内膜にはみられない．非妊娠女性におけるリラキシンの役割は不明である．リラキシンは男性では精液中に存在し，精子の運動性を維持し，精子の卵子への貫入を助けるらしい．

多くの種ではリラキシン遺伝子は1種類のみであるが，ヒトでは第9番染色体上に，リラキシン活性を有する2つの異なった構造のポリペプチドをコードする2種類の遺伝子がある．卵巣と前立腺ではこれらの遺伝子のうちの一方だけがはたらく．

卵巣機能の調節

下垂体の分泌する FSH が卵胞の発育を促進し，FSH と LH が卵胞を最終的に成熟させる．LH の急激な分泌によって（図22・13）排卵が起こり，黄体の形成が始まる．月経周期の中頃に FSH 分泌にも小ピークがみられるが，その意義は不明である．LH は黄体のエストロゲンとプロゲステロン分泌を刺激する．

視床下部の関与

視床下部はゴナドトロピンの分泌を制御する要である．視床下部で産生されるゴナドトロピン放出ホルモン gonadotropin-releasing hormone（GnRH）が下垂体門脈の血管内に分泌され，下垂体前葉に運ばれることで，ゴナドトロピン分泌が制御される．GnRH は LH と FSH 双方の分泌を促す．

GnRH は通常間欠的に分泌され，この間欠的分泌により LH 分泌に約60分に1回のピークができる．このような間欠的分泌は正常なゴナドトロピン分泌に必要である．GnRH を一定のスピードで静脈内に持続的に注入すると，下垂体前葉の GnRH 受容体にダウンレギュレーションが起こり，LH の分泌は消失する．しかし GnRH を間欠的に1時間ごとに1回の割合で投与すると LH の分泌が促進される．視床下部腹側部の損傷により内因性 GnRH の分泌が失われている状態でも，同様の効果を得ることができる．

今日では，GnRH の間欠的分泌が平常のごくありきたりの現象であるばかりでなく，GnRH パルスの頻度と振幅の変動が，月経周期の形成に関わる他の複数のホルモン分泌に変化を起こすことがわかっている．GnRH パルスの頻度はエストロゲンによって増加し，プロゲステロンとテストステロンによって低下する．卵胞期後期には GnRH パルスの頻度が次第に増加し，排卵につながる LH サージの際に最大となる．月経周期後半の黄体期には，GnRH パルスの頻度は

[*8] 訳注：日本では未承認．服用後の事故が重なったため，医師の処方箋または指示書および輸入報告書に基づき本人が許可を得た場合を例外として，個人輸入もできない．

プロゲステロンの作用により低下する(図22・18). 黄体期の末期にエストロゲンとプロゲステロンの分泌が減少すると，GnRHパルスの頻度が再び増加する．

LHサージの際，下垂体ゴナドトロピン分泌細胞は特定の頻度と振幅をもつGnRHのパルス状分泌により，GnRHに対する感受性が著しく高まる．GnRHのこのような自己感作作用はLHの最大分泌反応を引き起こすために重要である．

GnRHパルスを調節するパルスジェネレーターが視床下部のどの部位にあり，どのような性質をもつかは不明である．今のところ，視床下部内のノルアドレナリンと，おそらくアドレナリンが，GnRHパルスの頻度を増し，エンケファリンやβエンドルフィンなどのオピオイドペプチドが，GnRH分泌リズムの頻度を低下させることが判明している．

GnRH受容体のダウンレギュレーションによりLHの分泌が低下することから，思春期早発症や前立腺癌の患者でLHの分泌を抑制する目的で，長期間効果を持続するGnRH作動薬が用いられている．

フィードバック制御

LH，FSH，性ホルモンとインヒビンの血中濃度が月経周期に伴って示す変化を図22・13に示す．またそれぞれのホルモンのフィードバック調節を図22・19に模式的に示した．卵胞期の初期には血中インヒビンBの濃度は低く，FSH濃度が軽度に上昇して卵胞の発育を促す．血漿エストロゲン濃度の上昇による負の(抑制性)フィードバック作用により，LH分泌は一定の範囲に保たれる．排卵の36～48時間前にエストロゲンのフィードバック作用は正(促進性)に変わり，排卵を誘発するLHの一過性多量分泌(LHサージ)を起こす．LHサージの約9時間後に排卵が起こる．インヒビン分泌がわずかに上昇するにもかかわらず，FSH分泌もピークを示す．これはおそらくGnRHによりゴナドトロピン分泌細胞が著しく刺激されるためである．黄体期を通じて，血中エストロゲン，プロゲステロンとインヒビンの濃度がいずれも高いので，LHとFSHの分泌はいずれも抑えられる．

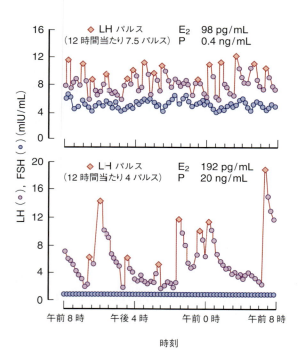

図22・18　卵胞期(上)と黄体期(下)におけるLH(赤色)とFSH(青色)のパルス状分泌．各グラフの上に示す数値は，12時間当たりのLH分泌リズムの数とそれぞれの時期の血中エストラジオール(E_2)とプロゲステロン(P)の濃度 (Marshall JC, Kelch RO: Gonadotropin-releasing hormone: Role of pulsatile secretion in the regulation of reproduction. N Engl J Med 1986; Dec 4; 315(23): 1459-1468 より許可を得て複製)．(訳注：これは閉経直前の高齢女性のデータであり，若年女性では黄体期後期にLHの著しいパルスはみられない．)

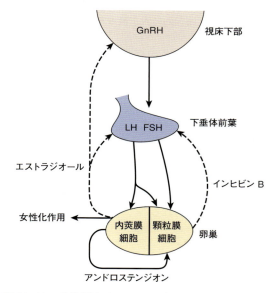

図22・19　卵巣機能のフィードバック調節．内莢膜細胞は顆粒膜細胞にアンドロステンジオンを供給するとともに，エストラジオールを循環血中に放出する．このエストラジオールはGnRH，LH，FSHの分泌を抑制する．顆粒膜細胞から分泌されるインヒビンはFSH分泌を抑制する．内莢膜細胞はLHにより調節されるが，顆粒膜細胞はLHとFSHの両者によって調節される．破線は抑制作用を，実線は刺激作用を示す．(訳注：原書では，アンドロゲン，エストロゲンと記載されているが，より正確な表現として，それぞれの表記をアンドロステンジオン，エストラジオールとした．)

このように血中のエストロゲン濃度が中等度で安定していると，LH分泌には負のフィードバック効果を及ぼすが，卵胞期の末期にみられるように，極端に高い濃度のエストロゲンは，LH分泌に正のフィードバック効果を及ぼし，LH分泌を促進する．エストロゲンが正のフィードバック作用を起こすには，濃度の増加が一定時間維持される必要があることがサルで示されている．血中エストロゲン濃度を24時間に限って卵胞期初期のおよそ3倍に上昇させた場合には，負のフィードバック作用しかみられない．36時間以上にわたってこの高濃度を持続すると，LH分泌は一過性に低下した後に，月経周期中間のLHサージと同様の多量一過性分泌を示す．プロゲステロンの血中濃度が高いと，エストロゲンの正のフィードバック作用は抑制される．霊長類ではエストロゲンの負および正のフィードバック作用には，いずれも視床下部が関与する．最近の研究によれば，視床下部ニューロンが発現するペプチドである**キスペプチン kisspeptin**がこの役割を果たしているらしい（ヒトでは視床下部漏斗部にキスペプチン陽性ニューロンがある）．エストロゲンとプロゲステロンはこれらのニューロンのもつ受容体を介してキスペプチン活性を制御するらしい[*9]．

月経周期の調節

月経の3〜4日前に始まる黄体の退化（**黄体退縮 luteolysis**）が，月経周期を引き起こす鍵である．$PGF_{2\alpha}$が黄体退縮を起こす生理的因子であると考えられている．ただしこのプロスタグランジンは血管内皮細胞からのエンドセリン1(ET-1, 32章参照)がある時に限って作用を発揮するので，少なくとも一部の種では黄体退縮が$PGF_{2\alpha}$とET-1の双方の作用で起こっている可能性がある．一部の家畜では黄体から分泌されるオキシトシンが，おそらくプロスタグランジンの放出を介して局所的に黄体退縮を起こすらしい．いったん黄体退縮が始まるとエストロゲンとプロゲステロンの血中濃度は低下し，FSHとLHの分泌が増加する．FSHとLHの作用により新しい卵胞群が発育し，そのうち

の1個が優位卵胞として成熟する．月経周期中間で卵胞からのエストロゲンの分泌が増加すると，これが原因となって下垂体のGnRHに対する反応性が高まり，LHの多量一過性分泌が起こる．その結果，排卵と黄体の形成が起こる．エストロゲン分泌は一時的に低下するが，その後インヒビンBとともに，血中プロゲステロンとエストロゲン濃度が上昇する．これらのホルモンにより，FSHとLHの分泌が暫時抑えられるが，やがて黄体退縮が起こり，次の周期が再び始まるのである．

反 射 性 排 卵

ネコ，ウサギ，ミンクなどの動物では発情期が長く，その間に交尾をするとその直後に排卵が起こる．このような**反射性排卵 reflex ovulation**は生殖器からの体性感覚，視覚，聴覚，嗅覚などの求心性インパルスが最終的に視床下部に到達し，下垂体からの排卵性のLH分泌を引き起こすために起こる．ラット，サル，ヒトなどの自発的な周期的排卵にも神経機構が関与している．ラットでは排卵の12時間前にペントバルビタール pentobarbitalや様々な向神経薬を与えると，排卵を24時間遅らせることができる．

避　　　妊

一般に使用される避妊法とその失敗率を表22・4に掲げた．受精以降も，ミフェプリストンのようなプロゲステロン拮抗薬によって流産を起こすことができる（既出）．

多くの哺乳類において子宮内に異物を置くと，性周期の長さが変わる．ヒトの場合，子宮内に異物を置いても月経周期は変わらないが，有効な避妊器具としてはたらく．子宮内に金属またはプラスチックの小片[**子宮内避妊器具 intrauterine device(IUD)**]を留置する方法が，人口調節の目的で用いられている．その作用のメカニズムはまだよくわからないが，卵子の受精を抑制するらしい．銅を含むIUDには殺精子作用がある．プロゲステロンまたは合成プロゲスチンをゆっくりと放出するIUDには，子宮頸部の粘液を稠密にして精子の子宮への進入を抑える追加的な作用もある．IUDは時として子宮感染症の原因となるが，これは通常挿入後の1カ月に限られ，また性感染症 sexually transmitted disease(STD)に罹患した女性にみられる現象である．

比較的多量のエストロゲンの服用を長期間続けた女性では排卵が起こらない．これはおそらくエストロゲンがFSH分泌を抑え，LHが月経周期の中間にみら

[*9]訳注：キスペプチンとよばれるペプチドを産生するエストロゲン受容体α陽性ニューロンが内側視索前野の前腹側室傍核 anteroventral periventricular nucleus (AVPV)と視床下部弓状核 hypothalamic arcuate nucleusに分布しており，このペプチドはGnRHニューロンが発現する受容体(GPR-54)に作用して，前者がLHサージに，後者がパルス状分泌に関わっていることが判明している．GPR-54遺伝子の変異により視床下部性性腺機能低下症 hypothalamic hypogonadismが生じ，思春期初来がみられない症例が知られている．なお，GnRHニューロンにはエストロゲン受容体は存在しない．

表 22・4　よく用いられる避妊法とその有効性

方　法	失敗数 (年間100人の女性当たり)
精管切除	0.02
卵管結紮および類似方法	0.13
経口避妊薬	
＞50μgのエストロゲンとプロゲスチン	0.32
＜50μgのエストロゲンとプロゲスチン	0.27
プロゲスチンのみ	1.2
子宮内避妊器具 (IUD)	
Copper 7	1.5
Loop D	1.3
ペッサリー	1.9
コンドーム	3.6
膣外射精	6.7
殺精子薬	11.9
リズム法	15.5

Vessey M, Lawless M, Yeates D: Efficacy of different contraceptive methods. Lancet 1982; 319(8276): 841-842 による.

れる一過性多量分泌パターンを示さず，不規則に何回か分泌されるためであろう．同様に，大量のエストロゲンに加えてプロゲスチンを服用している女性では，FSHもLHも分泌が抑制されて，排卵が起こらない．さらにプロゲスチンは，子宮頸部の粘液を濃厚にして精子の進入を妨げるばかりでなく，受精卵の着床を防止する．そこで経口的に有効なエストロゲン，たとえばエチニルエストラジオール ethinyl estradiol と合成プロゲスチン，たとえばノルエチンドロン norethindrone が避妊の目的で併用される．この錠剤（ピル pill）を21日間連続服用し，5〜7日間休薬すると月経が発来するので，服用を再開する．ノルエチンドロンはステロイド核の17位にエチニル基をもち，肝臓で代謝されにくいので，経口投与でも有効である．さらにこの物質は本来のプロゲスチンとしての作用の他に，一部は代謝されてエチニルエストラジオールとなり，エストロゲン作用も発揮する．少量のエストロゲンでも，大量投与と同様の効果があることが判明している（表22・4）．

現在，世界のいくつかの地域では，レボノルゲストレル levonorgestrel などプロゲステロン様作用物質の埋込み型の避妊薬の使用が増加してきている．これは皮下に埋め込むと，5年間は妊娠を防ぐことができる．この方法は時に無月経を起こすが，効果的で社会的にも受け入れられやすい．

卵巣機能の異常
月経異常

不妊症の原因の1つに，**無排卵性周期** anovulatory cycle がある．この場合，排卵はないが月経周期はかなり規則正しい．前述のように初経後1〜2年間と閉経前1〜2年間は無排卵性周期がふつうである．**無月経** amenorrhea とは月経出血のないことをいう．月経出血を一度も見ていない症状が**原発性無月経** primary amenorrhea である．原発性無月経の一部の症例では乳房が小さく，その他の性的徴候も未成熟である．それまで正常周期を反復していた女性が無月経になった場合を**二次（続発）性無月経** secondary amenorrhea と呼ぶ．二次性無月経の最もありきたりな原因は妊娠である．"他の原因が証明されるまで，二次性無月経イコール妊娠と考えよ"という臨床家の格言は今でも十分通用する．この他に情動刺激，環境の変化，視床下部の疾患，下垂体の異常，原発性の卵巣疾患，多様な全身的疾患などが無月経の原因となる．視床下部性無月経の一部の症例では，視床下部におけるオピオイドペプチドの活性が高いために GnRH のパルス状分泌の頻度が低下している可能性がある．このような患者に経口投与でも有効なオピオイド拮抗薬のナルトレキソン naltrexone を与えて，GnRH パルス頻度を増加させることができたという期待のもてる予備的研究がある．

周期は正常で経血量が異常に少量または多量である場合，それぞれ**過少月経** hypomenorrhea，**月経過多** menorrhagia と呼ぶ．**不正子宮出血** metrorrhagia は周期をはずれた子宮からの出血で，**希発月経** oligomenorrhea では月経の頻度が低下する．月経痛の著しい状態を**月経困難症** dysmenorrhea と呼ぶ．若い女性にみられる強度の月経痛は初回の妊娠以後消失することが多い．月経困難症の症状の多くは，子宮にプロスタグランジンが蓄積することによって起こるので，プロスタグランジンの合成阻害薬の投与により緩和する．

次回の月経に先立つ7〜10日の間，神経過敏，むくみ感，浮腫，注意集中力低下，抑うつ，頭痛，便秘などの症状を訴える女性がいる．これらの症状は**月経前緊張症候群** premenstrual syndrome（**PMS**）と呼ばれ，塩分と水の貯留の結果とされてきた．しかし，ミフェプリストン（前出）を投与して黄体期を早めに終わらせ

て月経を誘発しても，症状の時間経過や激しさに変化がないので，塩分と水の貯留も黄体期末期に起こる内分泌的変化も原因とは考えにくい．セロトニン再取込み抑制作用をもつ抗うつ薬のフルオキセチン fluoxetine（商品名プロザック Prozac[*10]）やベンゾジアゼピンの 1 つであるアルプラゾラム alprazolam（商品名ザナックス Xanax[*11]）によって症状が緩和する．また，GnRH 分泌作動薬の多量投与は，下垂体 GnRH 受容体のダウンレギュレーションにより下垂体-卵巣系を抑制して，PMS を軽快させる．これらの多くの臨床的観察が，PMS の病態生理学によっていかによく説明されるかは未だ不明である（クリニカルボックス 22・4）．

妊　　娠
受精と着床

精子（23 章参照）による卵子の**受精 fertilization** はヒトでは通常卵管膨大部で起こる．受精は（1）卵子の産生する誘引物質に対する精子の化学的誘引，（2）卵子を取り巻く**透明帯 zona pellucida** への精子の付着，（3）透明帯の貫通と尖体反応，（4）精子頭部の卵子細胞膜への付着・融合と精子の核の（雄性前核）の卵子細胞質内への進入，という過程を経る（図 22・20）．射精により腟内に放出された数百万を超える精子のうち，50〜100 が卵子に到達し，透明帯に接触する．精子は透明帯にある精子受容体に結合する．次いで**尖体反応 acrosomal reaction** が起こる．この反応により，尖体（アクロソーム）（図 23・4）と呼ばれる精子の頭部にあるリソソーム様の細胞内小器官が破壊される．その結果**アクロシン acrosin** というトリプシン様のプロテアーゼをはじめとする種々の酵素が放出される．アクロシンは精子が透明帯を貫通するのを容易にするが必須ではない．1 個の精子が卵子の細胞膜に到達すると，精子と卵子の細胞膜の融合が起こる．精子の頭部表面には，いくつかのウイルスが細胞を攻撃するのを可能にするウイルス融合タンパク質に類似する**ファーチリン fertilin** と呼ばれるタンパク質があり，細胞膜の融合を促す．融合により発生が始まる．また，卵子の膜電位が浅くなって，複数の精子による受精（多精子受精 polyspermy）を防止する．一過性の膜電位の変化に続いて，透明帯の構造が変化し，より長い期間にわたり

[*10] 訳注：日本では未承認の処方箋医薬品である．
[*11] 訳注：日本ではソラナックス，コンスタンなどとして販売されているが PMS への適応は認められていない．

クリニカルボックス 22・4

生殖機能に異常を来す遺伝的欠陥

女性に生じる様々な単一遺伝子の突然変異により，生殖機能が異常となる．たとえば，（1）Kallmann〔カルマン〕症候群における，性腺刺激作用の不足による性腺機能低下症，（2）GnRH，FSH，LH それぞれの受容体の欠陥により起こる，これらのホルモンに対する抵抗性，あるいは（3）アロマターゼ欠損症によるエストロゲンの合成の障害，などの異常が単一遺伝子の突然変異の結果起こることが知られている．これら一連の症状は，ホルモン作用の欠損症状である．対照的に，**McCune-Albright**〔マッキューン・オールブライト〕症候群では，$G_s\alpha$ タンパク質がモザイク様に限られた群の細胞で持続的に活性化し，ホルモン作用の過剰と同様の病態を起こす．胎児において初期の細胞分裂の後に体細胞の突然変異が起こったために，この患者の $G_s\alpha$ 持続的活性化細胞とそうでない細胞の体細胞構成はモザイクとなり，特定の内分泌障害が現れることになる．思春期早発や無月経と乳漏の組合せといった複数の内分泌障害の出現も知られている．

多精子受精を防止する．

受精した卵子は**胞胚 blastocyst** と呼ばれ，分化しながら卵管を下行して子宮に至る．この過程には約 3 日を要し，その間に胞胚は 8 から 16 細胞期に達する．胞胚が子宮内膜に接触すると，胞胚の表面に内外 2 層の細胞層が形成される．外層細胞の境界のはっきりしない多核の**合胞体栄養細胞層 syncytiotrophoblast**，内層は独立した細胞からなる**栄養膜細胞層 cytotrophoblast** である．合胞体栄養細胞は子宮内膜を破壊し，胞胚は中にもぐり込む（**着床 implantation**）．着床の場所は通常子宮の背側内壁である．引き続いて**胎盤 placenta** が形成され，栄養膜は胎盤の一部として残る．

"移植片"としての胎児の受容

胎児と母親は遺伝的に異なる 2 つの個体であって，胎児は事実上，母親の体内に移植された別人の組織である．しかしながらこの移植組織は許容され，他人の組織が移植された時に特異的に起こる拒絶反応（3 章

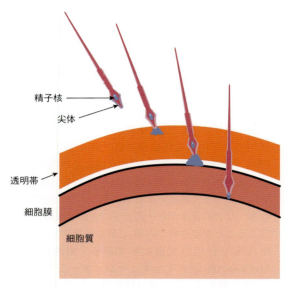

図 22・20　哺乳類における受精の時間的経過．精子は卵子に引き寄せられ，透明帯に付着し，尖体内の酵素を放出して透明帯を貫通する．精子頭部は，ごく先端ではなく，側部で卵子の細胞膜と融合し，核が卵子細胞質内へ進入する(Vacquier VD: Evolution of gamete recognition proteins. *Science* 1998; Sep 25; 281 (5385): 1995-1998 より改変)．

参照)は起こらない．"移植片"である胎児がどのように保護されているかはわかっていない．1つの可能性として，母体と胎児の境界となる胎盤の栄養膜が多形型クラスIとIIの主要組織適合抗原 major histocompatibility complex (MHC) 遺伝子を発現せず，非多形型の *HLA-G* を発現することが考えられる．そのため，胎児のタンパク質に対する抗体が形成されない．さらに，胎盤表面のFasリガンドがT細胞に結合してアポトーシスを誘導し，T細胞を排除する(3章参照)．

不　妊

多くの患者が悩む不妊 infertility は様々な原因で起こるので，原因の解明には多岐にわたる検査が必要である．30％のケースでは男性側に，45％では女性側に，20％では両性に問題があり，残りの5％は原因不明である．**体外受精** *in vitro* **fertilization** では，成熟卵子を取り出し精子と受精させて，1個または複数の4細胞期受精卵を子宮に移植する．この方法により5〜10％の出産の可能性があるので，不妊の一部症例では試みる価値がある．

内分泌的変化

すべての哺乳類において，受精の時点で卵巣中に存在する黄体は退縮せず，胎盤の分泌するゴナドトロピンの作用で次第に大きくなる．ヒトの胎盤が分泌するゴナドトロピンは**ヒト絨毛性ゴナドトロピン human chorionic gonadotropin (hCG)** と呼ばれる．肥大した**妊娠黄体 corpus luteum of pregnancy** はエストロゲン，プロゲステロンとリラキシンを分泌する．プロゲステロンとリラキシンは子宮筋の収縮を抑制し，妊娠を維持する．プロゲステロンは子宮におけるプロスタグランジンの産生を抑え，子宮筋の収縮を抑制する．ヒトの場合には，妊娠第6週以後は胎盤が黄体機能を代行するのに十分な量のエストロゲンとプロゲステロンを母体および胎児中の前駆物質から生成する．したがって妊娠第6週以前に卵巣を摘出すると流産するが，それ以後の卵巣摘出では妊娠は維持される．妊娠第8週以後になると黄体の機能は低下し始めるが，全妊娠期間を通じて黄体は残る．hCG分泌は妊娠初期に著しく増大しその後低下するが，エストロゲンとプロゲステロン分泌は分娩直前まで増加を続ける(表22・5)．

ヒト絨毛性ゴナドトロピン(hCG)

hCGはガラクトースとヘキソサミンを含む糖タンパク質で，合胞体栄養細胞から分泌される．下垂体の糖タンパク質ホルモンと同様，αおよびβの2つのサブユニットからなる．hCG-αはLH，FSH，TSHのαサブユニットと同一である．hCG-α，hCG-βの分子量はそれぞれ18 000，28 000である．hCGの主要な作用は黄体の維持と刺激であり，FSH活性はほとんど示さない．hCGはラジオイムノアッセイに

表 22・5　正常妊娠中の母体の血中ホルモン濃度

ホルモン	ピーク値(概数)	最大分泌の時期
hCG	5 mg/mL	妊娠初期3カ月間
リラキシン	1 ng/mL	妊娠初期3カ月間
hCS	15 mg/mL	分娩時
エストラジオール	16 ng/mL	〃
エストリオール	14 ng/mL	〃
プロゲステロン	190 ng/mL	
プロラクチン	200 ng/mL	〃

よって定量可能で，受胎後6日には血中から検出することができる．妊娠初期にhCGが尿中に出現することが，妊娠判定のためのいろいろな検査に応用されている．尿中のhCGは早ければ受胎後14日目には検出することができる．hCGはLHと同一の受容体に作用するらしい．hCGは妊娠時だけに限定的に現れる特異な物質ではない．男女両性で，消化管その他の部位のいろいろな腫瘍からも少量分泌される．そこで腫瘍の疑いがある患者ではhCGを一種の"腫瘍マーカー tumor marker"として測定される．正常な胎児の肝臓と腎臓も少量のhCGを生成しているらしい．

ヒト絨毛性ソマトマンモトロピン（hCS）

合胞体栄養細胞からは軽度の成長促進活性と催乳作用をもつタンパク質性のホルモンが多量に分泌される．このホルモンは**絨毛性成長ホルモン-プロラクチン chorionic growth hormone-prolactin（CGP）**，**ヒト胎盤性ラクトゲン human placental lactogen（hPL）**と呼ばれたこともあるが，現在は**ヒト絨毛性ソマトマンモトロピン human chorionic somatomammotropin（hCS）**という名称が広く使われている．hCSの分子構造はヒト成長ホルモンに酷似しており（18章参照），これらの2種のホルモンとプロラクチンは共通の前駆ホルモンに由来するらしい．hCSは母体の血中に大量に含まれているが胎児へはわずかしか移行しない．母体の下垂体からの成長ホルモン分泌は妊娠中増加せず，むしろhCSの作用で減少するらしい．しかしhCSは成長ホルモンの作用の多くをもっており，"妊娠時の母体の成長ホルモン"として，妊娠時にみられる窒素，K^+，Ca^{2+}の体内貯留，脂肪分解の促進とグルコース利用の低下をもたらす．母体の脂肪分解とグルコース利用抑制により，グルコースが胎児にまわされる．hCSの分泌量は胎盤の大きさ（通常胎児の重さの1/6）に比例する．低hCS量は胎盤形成不全の徴候である．

その他の胎盤ホルモン

ヒトの胎盤はhCG，hCS，プロゲステロン，エストロゲン以外のホルモンも分泌する．胎盤組織片でプロオピオメラノコルチン（POMC）が合成されることが認められている．培養された胎盤組織は視床下部由来のものと同一の副腎皮質刺激ホルモン放出ホルモン（CRH），βエンドルフィン，α-メラノサイト刺激ホルモン（α-MSH），ダイノルフィンAを分泌する．組織片からのGnRHとインヒビンの分泌も知られている．GnRHはhCGの分泌を刺激し，インヒビンはそれを抑制するから，胎盤内で産生されたGnRHとインヒビンは，hCGの分泌をパラクリン性分泌（傍分泌）により調節するのであろう．栄養膜細胞と羊膜細胞はレプチンも分泌する．分泌されたレプチンは母体血中と羊水中に出現するが，妊娠の維持における役割はわかっていない．様々なプロラクチン類似タンパク質も胎盤から分泌される．

胎盤はhCGのαサブユニットを分泌する．妊娠の全期間にわたって，母体血中のhCG αサブユニット濃度が上昇している．このhCG αサブユニットはβサブユニットとの結合を妨げる糖鎖をもつため，遊離αサブユニット独自の作用をもつと考えられる．子宮内膜では妊娠経過を通じてプロラクチンの分泌も増加するようなので，血中の遊離αサブユニットが子宮内膜からのプロラクチン分泌を刺激する可能性も考えられる．ヒト絨毛の栄養膜細胞層はプロレニン（38章参照）を含む．羊水中に大量に存在するプロレニンが何をしているかは不明である．

胎児胎盤単位

胎児と胎盤は相互に関連してステロイドホルモンを生成する．胎盤はコレステロールよりプレグネノロンとプロゲステロンを合成する．このプロゲステロンの一部は胎児血中に入り，胎児の副腎のコルチゾルとコルチコステロン合成の基質となる（図22・21）．プレグネノロンの一部も胎児に入り，胎児肝臓で合成されたプレグネノロンとともに胎児副腎のデヒドロエピアンドロステロン硫酸（DHEAS），および16-ヒドロキシデヒドロエピアンドロステロン硫酸（16-OH DHEAS）合成の基質となる．胎児の肝臓でも一部の16位ヒド

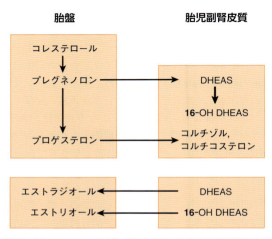

図22・21 ステロイド生成における胎盤と胎児副腎皮質の相互作用．

ロキシル化が起こる．DHEASと16-OH DHEASは胎盤に戻され，DHEASはエストラジオールに，16-OH DHEASはエストリオールとなる．これら2つのうち，胎盤で生成される主要なエストロゲンはエストリオールである．胎児の16-OH DHEASがエストロゲンの主要な基質なので，母体の尿中に排泄されるエストリオール値から胎児の状態を知ることができる．

分　　娩

ヒトの妊娠期間は受精から数えて平均270日（受胎前の最終月経の第1日目から数えて284日）である．妊娠の最終月になると子宮の不規則な収縮がしばしば起こるようになる．

分娩 parturition の際に子宮体部と子宮頸部の違いが著明になる．非妊娠時や妊娠期間中でも分娩間近までは硬かった子宮頸部が，分娩の際には柔らかくなり拡張する．一方，子宮体部は収縮して胎児を娩出する．

分娩の開始の機序については現在でもわからない点が多い．1つの因子は血中DHEASの増加による血中エストロゲン濃度の増加で，これにより子宮の興奮性が上昇し，子宮筋のギャップ結合が増し，プロスタグランジンの合成が促進される．プロスタグランジンは子宮筋の収縮を起こす．ヒトでは分娩開始に先立って，胎児視床下部からのCRH分泌が増加し，さらに胎盤のCRH産生も増す．これによって胎児の血中副腎皮質刺激ホルモン（ACTH）が増加し，その結果コルチゾル値が上昇し肺呼吸系の成熟が促される．ある意味で胎児がCRH分泌を増加することにより分娩開始の時期を決めているといえる．

子宮平滑筋と妊娠中の子宮内膜である脱落膜中のオキシトシン受容体の数は，妊娠により100倍以上増加し，分娩開始の時期に最高となる．オキシトシン受容体の数の増加にエストロゲンの作用によるが，妊娠末期における子宮の伸展も寄与している可能性がある．分娩初期には母体血漿中のオキシトシン濃度は分娩前の約25 pg/mLと同様である．オキシトシン受容体の数が著しく増加するので，子宮が正常の血漿オキシトシン濃度にも反応するようになる可能性がある．少なくともラットでは，子宮平滑筋中にオキシトシンmRNA量が増加し，分娩時に最大となるので，子宮で局所的に産生されるオキシトシンも分娩に関与すると考えられる．

未熟児は死亡率が高く，しばしば高価な集中治療を必要とするため，妊娠満期前の早期分娩の開始は避けなければならない．17α-ヒドロキシプロゲステロンの筋注により早産の開始の頻度が減少する．そのメカニズムは必ずしもわかっていないが，この物質の投与により血中プロゲステロン濃度が維持される可能性が指摘されている．プロゲステロンは子宮平滑筋を弛緩させ，オキシトシン作用を抑制するとともに，子宮筋細胞のギャップ結合の形成を低下させる．これらの作用はいずれも分娩の開始を遅延させる効果があると期待される．

ひとたび分娩が始まると子宮の収縮により子宮頸部が伸展され，求心性の神経インパルスの増加を引き起こし，それが原因となってさらにオキシトシン分泌が増加する（図22・22）．血漿オキシトシン濃度は上昇し，より多量のオキシトシンが子宮に作用する．こうして正のフィードバックループが成立して出産を助け，胎児の娩出に至って終了する．オキシトシンは次の2つの方法によって，子宮の収縮を強める．(1) 子宮平滑筋細胞に直接作用して収縮を起こす．(2) 脱落膜のプロスタグランジン生成を促し，プロスタグランジンがオキシトシンによる子宮の収縮を増強する．

分娩中は脊髄反射や意識的に腹筋を収縮させる"いきみ"bearing down も出産を助ける．しかし，対麻痺の女性でも分娩・出産が可能なことから，いきみや下垂体後葉からのオキシトシンの反射性分泌が分娩に必ずしも必要ではないことがわかる．

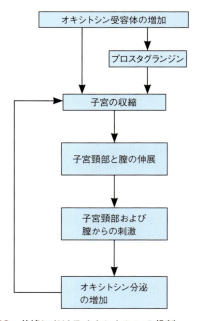

図22・22　分娩におけるオキシトシンの役割．

乳汁分泌

乳腺の発達

乳腺が十分に発達するためには多くのホルモンが必要である．一般に乳管の発達には主としてエストロゲンが，腺小葉の発達にはプロゲステロンが作用する．ラットでは思春期にも乳腺が発育するために少量のプロラクチンが必要であるが，ヒトでもプロラクチンが必要かどうかは不明である．妊娠の全経過を通じて，血中のプロラクチン濃度は分娩の時まで着実に上昇する．このホルモンの作用に加えて，エストロゲンおよびプロゲステロンの増加により，腺小葉と腺房が発達する．

乳汁分泌と射乳

ヒトおよびウシの乳汁成分を表22・6に示す．あらかじめエストロゲンとプロゲステロンを与えておいたげっ歯類にプロラクチンを注射すると乳汁が形成され，乳管内に分泌される．オキシトシンは，乳管壁を裏打ちしている筋上皮細胞を収縮させ，乳頭から乳汁を射出する．

出産後の乳汁分泌開始

妊娠期間中，乳腺は高濃度の血中エストロゲン，プロゲステロン，プロラクチンおよびおそらくhCGに反応して大きく発達する．妊娠5カ月目にすでに少量の乳汁が乳管中に分泌されるが，これは分娩後の大量分泌に比べるとごく少ない．多くの動物では，出産後1時間以内に乳汁が分泌されるが，ヒトの場合，乳汁が射出される（英語で"come in"と称する）には1～3日間を要する．

分娩によって胎盤が排出されると，血中エストロゲンとプロゲステロンの濃度が急激に低下する．この血中エストロゲンの低下により乳汁分泌が始まる．プロラクチンとエストロゲンは協力して乳腺の発達を促すが，エストロゲンはプロラクチンの乳汁産生作用を抑制する効果をもつ．授乳を望まない女性の乳汁分泌をエストロゲンで止めることができる．

哺乳 suckling はオキシトシンの反射性分泌と射乳を誘起するばかりでなく，乳汁分泌を維持し増進する．これは哺乳によりプロラクチン分泌が刺激されるためである．

授乳の月経周期に及ぼす影響

出産後授乳しない場合には約6週間後に最初の月経がみられるが，授乳している女性では一様に25～30週間無月経となる．授乳はプロラクチン分泌を刺激し，プロラクチンがおそらくGnRH分泌を抑制してGnRHの下垂体に対する作用を抑制し，またゴナドトロピンの卵巣に対する作用を阻害することがわかっている．このため排卵が起こらず，卵巣の活動は抑制されて，エストロゲンとプロゲステロンの分泌は低下する．したがって授乳期の女性の，わずか5～10％のみに妊娠がみられる．授乳が完全ではないが実際的な受胎調節の方法であることは古来から知られていた．また，月経出血再開後の初めの6カ月は，周期の50％が無排卵性である（クリニカルボックス22・5）．

女性化乳房

男性で乳房が発達した状態を**女性化乳房 gynecomastia**と呼ぶ．一側のみにみられることもある

表22・6 初乳および乳汁の組成（単位は重量/dL）

成分	ヒト初乳	ヒト乳汁	ウシ乳汁
水分(g)	…	88	88
ラクトース(g)	5.3	6.8	5.0
タンパク質(g)	2.7	1.2	3.3
カゼイン：ラクトアルブミン比	…	1：2	3：1
脂肪(g)	2.9	3.8	3.7
リノレン酸	…	脂肪の8.3％	脂肪の1.6％
ナトリウム(mg)	92	15	58
カリウム(mg)	55	55	138
塩素(mg)	117	43	103
カルシウム(mg)	31	33	125
マグネシウム(mg)	4	4	12
リン(mg)	14	15	100
鉄(mg)	0.09[a]	0.15[a]	0.10[a]
ビタミンA(μg)	89	53	34
ビタミンD(μg)	…	0.03[a]	0.06[a]
ビタミンB(μg)	15	16	42
リボフラビン(μg)	30	43	157
ニコチン酸(μg)	75	172	85
アスコルビン酸(mg)	4.4[a]	4.3[a]	1.6[a]

[a] 諸説あり．

クリニカルボックス 22・5

Chiari-Frommel 症候群

まれではあるが医学的に興味の深い病態に，出産後授乳をしていない女性にみられる，持続的な乳汁分泌（乳汁漏出 galactorrhea）と無月経がある．この状態を Chiari-Frommel（キアリ・フロンメル）症候群と呼び，大なり小なり生殖器官の退縮を伴う．これは持続的なプロラクチン分泌により，新たな卵胞の成熟と排卵に必要な FSH と LH の分泌が起こらないことによる．妊娠していない女性でも，嫌色素性下垂体腫瘍や癌の治療のために下垂体茎切断術を受けると血中プロラクチン濃度が増加し，乳汁漏出と無月経が起こることがある．

がほとんどは両側性である．母体のエストロゲンは胎盤を介して胎児に移行するので，通常新生児では約 75％にみられる．正常男子の約 70％は思春期に一過性に，また 50 歳以上の多くの男性で，軽度だがこの症状を呈する．アンドロゲン抵抗症の一症状としても出現する．この症状はまたエストロゲン治療の合併症として，あるいはエストロゲン分泌腫瘍によっても生じる．その他，類宦官症，甲状腺機能亢進症，肝硬変など一見何の関係もないように見えるいろいろな疾患に伴って起こることがある．ジギタリスでもこの症状が起こることがあるが，これはこの強心配糖体に弱いエストロゲン作用があるためである．女性化乳房は他の多くの薬物によっても起こりうる．戦時中栄養失調の捕虜が解放されて常食を摂り始めた時などにも，この症状がみられた．女性化乳房の多くの場合に共通するのは，血中エストロゲンの増大または血中アンドロゲンの低下による血漿エストロゲン‐アンドロゲン比の上昇である．

ホルモンと癌

出産可能年齢の女性の乳癌の約 35％は，**エストロゲン依存性** estrogen-dependent である．この癌組織の成長は血中エストロゲンによって起こる．エストロゲン分泌が低下しても癌は根治しないが，諸徴候は劇的に軽快し，腫瘍組織は退縮し，数カ月または数年の間増殖を再開しない（16 章参照）．エストロゲン依存性腫瘍の症状は，卵巣摘出により軽減されることが多い．**タモキシフェン**によるエストロゲン作用の遮断によっても症状が軽快する．また**アロマターゼ**（図 22・15）を阻害する薬物によってエストロゲン合成を抑制するとさらに大きな効果が得られる．

章のまとめ

- 男女の性差は，Y 染色体の存否，その結果生じる一対の性腺（精巣と卵巣）の内分泌機能によって生じる．
- 性腺は配偶子形成 gametogenesis と性ホルモンの分泌という 2 つの機能をもつ．精巣はテストステロンを主とする大量のアンドロゲンとともに微量のエストロゲンを分泌する．卵巣は大量のエストロゲンと微量のアンドロゲンを分泌する．
- 受精と妊娠の機会が定期的に訪れるように，女性の生殖器官には規則正しい周期的変化が起こる．ヒトを含む霊長類ではこの周期を**月経周期**と呼び，子宮内膜が脱落し経腟出血が繰り返される（**月経**）．
- 卵巣はエストロゲンに加え，プロゲステロンも分泌する．このステロイドホルモンは妊娠に必要な子宮の環境を整える．妊娠中の卵巣は胎児の分娩を促進するリラキシンも分泌する．性腺は男女とも，FSH 分泌を抑制するポリペプチドであるインヒビン B など，他のポリペプチドも分泌する．
- 女性では閉経に先立って，時に 10 年に及ぶ閉経先行期と呼ばれる時期があり，月経周期が不順となったり血中インヒビン濃度の低下が起こる．
- 閉経後には卵巣はプロゲステロンや 17β‐エストラジオールを分泌しなくなるが，末梢組織でアンドロステンジオンの芳香化によって生じる微量のエストロゲンが血中に認められる．
- ヒトの正常のエストロゲンには **17β‐エストラジオール**，**エストロン**，**エストリオール**の 3 つがあり，主として卵胞の顆粒膜細胞，黄体，胎盤で分泌される．**アロマターゼ**（CYP19）の作用でテストステロンからエストラジオールが，アンドロステンジオンからエストロンがそれぞれ生じる．後者の反応は脂肪組織，肝臓，筋，脳でも起こる．

多肢選択式問題

正しい答えを1つ選びなさい.

1. 若い女性でトリヨードサイロニン(T_3)，コルチゾル，レニン血中濃度の上昇を認めたが，血圧は軽度の上昇にとどまり，甲状腺機能亢進あるいはCushing〔クッシング〕症候群の徴候は認められない．考えられる可能性はどれか．
   A．TSHとACTHを投与された
   B．T_3とコルチゾルを投与された
   C．妊娠の第3期である
   D．副腎皮質腫瘍がある
   E．慢性ストレスに曝露されている

2. ヒトで受精が起こる部位はどこか.
   A．膣
   B．子宮頸管
   C．子宮内腔
   D．卵管
   E．腹腔

3. ステロイドではない分子はどれか.
   A．17α-ヒドロキシプロゲステロン
   B．エストロン
   C．リラクシン
   D．プレグネノロン
   E．エチオコラノロン

4. 分娩の開始に関わると考えられている物質はどれか．
   A．胎児のACTH
   B．母体のACTH
   C．プロスタグランジン類
   D．オキシトシン
   E．胎盤のレニン

CHAPTER 23

男性生殖器系の機能

学習目標
本章習得のポイント

- 精巣の Leydig 細胞と，Sertoli 細胞が分泌する主要なホルモンの名称をいえる
- 精子形成の各段階の概要を説明できる
- 勃起と射精のメカニズムの概要を説明できる
- テストステロンの化学構造を知り，生合成，輸送，代謝，様々な作用を説明できる
- テストステロン分泌の調節に関する過程を説明できる

■ はじめに

男性生殖器を形成する上で，機能的な分泌性の精巣が果たす役割，初期発生において男性ホルモンが脳に及ぼす作用，そして思春期から大人になる過程での男性生殖器の発達については前章で論じた．女性の場合と同様に，男性性腺は 2 つの機能をもっている．生殖細胞を生産すること(**配偶子形成 gametogenesis**)と，**性ホルモン sex hormone** を分泌することである．**アンドロゲン(男性ホルモン androgen)** はステロイド構造をもつ性ホルモンのグループで，男性化を起こす作用がある．精巣は多量のアンドロゲン(主に**テストステロン testosterone**)を分泌するが，微量のエストロゲンも放出する．女性とは異なり，男性のゴナドトロピン放出は周期的でなく，一度成熟すると，男性の生殖腺の機能は年齢とともにゆっくりと減退するが，生きた配偶子を産生する能力は維持される．この章では成熟した男性の生殖器系の構造と生理機能に焦点をあてて議論する．

男性生殖器系

構　造

精巣は多数のうねった**精細管 seminiferous tubule** のループからできており，精細管の壁内で原始生殖細胞(精原細胞)から精子が形成される(**精子形成 spermatogenesis**)．精細管ループの両端は**精巣上体 epididymis** の頭部の網状管構造へつながる．そこから精子は精巣上体の尾部を経てさらに**精管 vas deferens** へと入っていく．射精の際に精子は**射精管 ejaculatory duct** を通って**前立腺 prostate** 内を通る尿道へ入る(図 23・1)．精巣内の精細管の間には脂肪粒を含む細胞の集団がある．これは **Leydig〔ライディッヒ〕間質細胞 interstitial cell of Leydig**(Leydig 細胞；図 23・2，図 23・3)であって，血中へテストステロンを分泌している．精巣動脈は曲がりくねっており，その血流はつる状の精巣静脈叢内の血流と並列に走るが流れの方向が反対で，熱とテストステロンの対向流交換が可能な解剖的構成になっている．対向流交換の原理については腎臓の項目(37 章)で詳しく述べる．

配偶子形成と射精

血液精巣関門

精細管の壁は原始生殖細胞(後述)と複雑な形のグリコーゲンを含む大型細胞，すなわち **Sertoli〔セルトリ〕細胞** によって形成されている．Sertoli 細胞は精細管

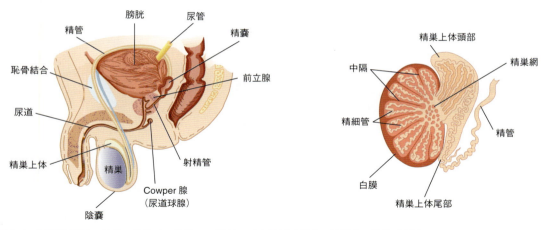

図 23・1 男性生殖系. 男性の性管系と膀胱との関係で示す解剖図(**左**), 精巣内の精管系(**右**).

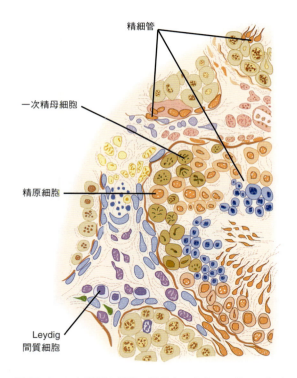

図 23・2 ヒト精巣の断面. 精巣内に存在する様々な細胞に注目すること.

の基底板から管腔にまで伸びている(図 23・3). 生殖細胞の生存には Sertoli 細胞との接触が必要であり, その接触は細胞質間の架橋により維持されている. 隣り合った Sertoli 細胞は精細管の基底板近くでタイトジャンクションを形成しており, **血液精巣関門 blood-testis barrier** として, 間質組織と精細管の基底膜に近い(訳注：タイトジャンクションより上部の)精細管基底部から(訳注：タイトジャンクションより下部の)精細管腔近傍領域および管腔内への多くの大分子の侵入を防ぐ障壁となっている. しかし, ステロイド類はこの関門を容易に通過する. そしていくつかのタンパク質も関門を通過し, Sertoli 細胞から Leydig 細胞へ, また, その逆方向へと通過してパラクリン作用を及ぼす. さらに成熟していく生殖細胞も管腔に向かって動く際は, この関門を通過せねばならない. この際, 生殖細胞は上のタイトジャンクションを順次壊して通過し, 通過後新たなタイトジャンクションがその下にできるというように, 障壁機能を消失することなく行われるものと思われる.

精細管内腔中の液体は血漿とは著しく異なり, タンパク質およびグルコースは少なく, アンドロゲン, エストロゲン, K^+, イノシトール, グルタミン酸とアスパラギン酸に富む. このような組成の維持は, 血液精巣関門に依存している. 血液精巣関門は生殖細胞を血中の有害物質から保護し, 生殖細胞の分裂と成熟に際して生ずる抗原性産物が循環血中に入り自己免疫反応を起こすのも防いでいる. また間質液が管腔内へ移動するための浸透圧勾配の維持に寄与しているようである.

精子形成

精細管の基底板に接して存在する原始生殖細胞である**精原細胞 spermatogonia** が成熟して, **一次精母細胞 primary spermatocyte** になる(図 23・3). この過程は青年期に始まる. 一次精母細胞は減数分裂して染色体数を減ずる. この過程は 2 段階よりなり, 細胞は 2 個の**二次精母細胞 secondary spermatocyte** に, さらに

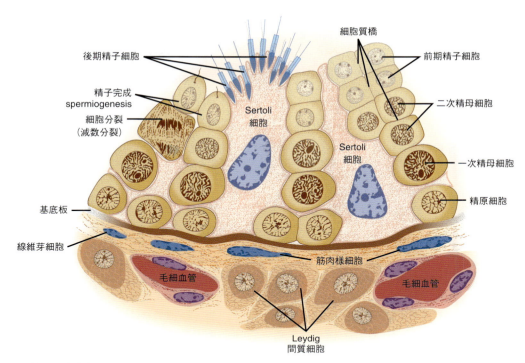

図 23・3　精巣の造精上皮．成熟途上の生殖細胞は初期の精細胞の時期に至るまで，細胞質間架橋によりつながっており，基底板から精細管内腔に移動する間，Sertoli 細胞と密な位置関係を維持している (Junqueira LC, Carneiro J: *Basic Histology: Text & Atlas*, 10th ed. New York, NY: McGraw-Hill; 2003 より許可を得て複製)．

分裂して 4 個の**精子細胞 spermatid** になる．精子細胞は体細胞の半数の 23 個の染色体をもち，その後成熟して**精子 spermatozoon (sperm)** になる．1 個の精原細胞が分裂し成熟していくにつれてできてくる子孫細胞は，後期精子細胞になるまでは細胞質橋によってつながっている．この構造が，生殖細胞の各クローンが一斉に分化するのに役立っている．1 個の精原細胞からは約 512 個の精子細胞ができると推定されている．精原細胞から成熟した精子ができるのに，ヒトの場合約 74 日かかる．

精子は複雑な構造をもつ運動性細胞であり DNA 含量が多い．頭部はほとんど染色体物質でできている（図 23・4）．頭部を帽子のように囲んでいるのは**尖体（アクロソーム acrosome）**である．尖体は多量の酵素を含むリソソーム様細胞内小器官で，精子の卵子への陥入と受精に関わる他の現象に関与する．精子の運動性尾部の近位部は，多数のミトコンドリアを含むさやで包まれている．後期精子細胞と精子の細胞膜は，**生殖細胞型アンジオテンシン変換酵素 germinal angiotensin-converting enzyme (gACE)** と呼ばれる，特異な小分子のアンジオテンシン変換酵素 (ACE) を含む．gACE は体細胞型 ACE (sACE) と同一の遺伝子から転写されるが，gACE は選択的転写開始位置と選択的スプライシングパターンに基づき，組織特異的な発現を示す．gACE の機能はまだ十分に明らかになっていないが，gACE 特異的なノックアウトマウスモデルは生殖不能となる．

精子細胞は Sertoli 細胞の細胞質の深いひだの中で成熟して精子となる（図 23・3）．成熟した精子は Sertoli 細胞より遊離して精細管腔で自由になる．Sertoli 細胞は**アンドロゲン結合タンパク質 androgen-binding protein (ABP)**，**インヒビン inhibin** と**抗 Müller〔ミュラー〕管ホルモン (Müller 管抑制物質 müllerian inhibiting substance, MIS)** を分泌する．Sertoli 細胞はアンドロゲンを生成しないが，アンドロゲンをエストロゲンに変換する酵素である**アロマターゼ aromatase (CYP19)** を含むので，エストロゲンを生成できる．ABP は，おそらくアンドロゲンを精細管液に大量に安定して供給するのに役立っている．インヒビンは卵胞刺激ホルモン (FSH) 分泌を抑制する．

FSH とアンドロゲンによって精巣の配偶子形成機能が維持される．下垂体切除後に黄体形成ホルモン (LH) を投与すると，精巣内局所のアンドロゲン濃度が高まり，このアンドロゲンによって精子形成が維持

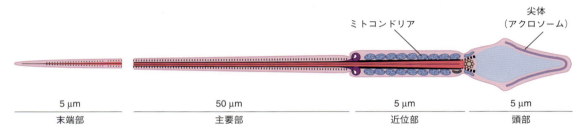

図 23・4　ヒトの精子の概略．尖体（アクロソーム）が頭部前半の形質膜下に位置する（Junqueira LC, Carneiro J: *Basic Histology: Text & Atlas*, 11th ed. New York, NY: McGraw-Hill; 2005 より許可を得て複製）．

される．精原細胞から精子細胞ができる過程はアンドロゲンに依存しないらしいが，精子細胞から精子へ成熟する過程は，発育中の精子を取り囲んでいる Sertoli 細胞へのアンドロゲンの作用に依存している．FSH は Sertoli 細胞に作用して精子細胞成熟の最終段階を促進する．さらに FSH は，ABP の生成を高める．

興味深いことに，精巣網（図 23・1）の内容液は高濃度のエストロゲンを含んでおり，精巣網の管壁の細胞にはエストロゲン受容体 α（ERα）が豊富に存在する．この部位で内容液が吸収されて，精子の濃度が増加する．もし内容液が吸収されないと，精巣上体に入る精子は希釈されて受精能が下がる．

精子の成熟

精巣を出たばかりの精子は十分な運動能力をもっていない．精巣上体を通過する間に成熟を続け運動能を獲得する．正常の生体内受精では運動能力は重要であるが，精巣上体頭部から取り出した運動能をもたない精子も卵子に直接顕微注入すれば受精可能である．**前方に進む能力 progressive motility** は精巣上体で獲得される．それには精子主要部に局在する **CatSper**（cation channel, sperm associated の略）ファミリーに属する一連のタンパク質の活性化が関与する．CatSper はアルカリ感受性 Ca^{2+} チャネルを形成し，精子が酸性の膣（pH 〜5）から子宮頸管粘液（pH 〜8）へと進むにつれて，より活性化する．CatSper 1〜4 を発現しないノックアウトマウスの精子は運動性に問題があり，生殖不能となることから，これらのタンパク質の重要性がわかる．さらに精子には嗅覚受容体分子が，卵巣には匂い分子が発現しており，これらの分子と受容体の相互作用による走化性 chemotaxis が，精子の卵巣方向への移動を促進することが報告されている．

ATP をリガンドとするリガンド作動性カチオン（陽イオン）チャネル（7 章参照）である P2X 受容体が，精管の収縮による精子の射精に関わっており，P2X 受容体ノックアウトマウスでは受精能の低下がみられる．

膣内に放出された精子は子宮内を進み卵管峡部に至り，**受精能を獲得 capacitation** する．すなわち，精子の運動性が高まり，尖体反応の準備が進められる．しかし，この受精能獲得は促進的な効果であり，必要不可欠なものではないと考えられる．事実，*in vitro* の体外受精が可能である．受精能を獲得した精子は，卵管峡部から卵管膨大部に速やかに移動し，受精する．

温度の影響

精子形成が行われるためには，体内温よりかなり低い温度が必要である．精巣は通常約 32℃ に保たれているが，それは陰嚢の周囲の空気の循環と，おそらくは精巣動静脈間の対向流熱交換による．精巣が腹腔内にとどまっていたり，実験動物で精巣を体に密着させておいたりすると，精細管壁が変性し不妊となる．ヒトで毎日 30 分間 43〜45℃ の温湯につかり，さらに陰嚢を運動用サポーターでくるんでおくなど，精巣の周囲の温度を上げるような状況では，精子濃度は低下し，90％ も低下することがある．しかしこの方法による精子濃度の低下は一定しないので，男性の確実な避妊法としては不十分である．さらに冬期には陰嚢の温度に関係なく，精子数が増加するという季節的影響もあることが知られている．

精　　液

オーガスムの時，射出された**精液 semen** 中には，精子の他に精囊，前立腺，Cowper〔カウパー〕腺の分泌物やおそらく尿道腺の分泌物が含まれている（表 23・1）．1 回の射精における平均射出量は，数日間性的行為を自制した後では 2.5〜3.5 mL であり，射精を繰り返すと射出精液量も精子濃度も急速に減少する．1 個の卵子を受精させるのは 1 個の精子であるの

表 23・1　ヒトの精液の組成

色：乳白色，不透明	
比重：1.028	
pH：7.35〜7.50	
精子数：平均約 10^8/mL，異常精子は 20%以下	
その他の成分：	
フルクトース（1.5〜6.5 mg/mL） 　ホスホリルコリン 　エルゴチオネイン 　アスコルビン酸 　フラビン類 　プロスタグランジン	精囊分泌物 （全量の60%）
スペルミン 　クエン酸 　コレステロール，リン脂質 　フィブリノリジン，フィブリノゲナーゼ 　亜鉛 　酸性ホスファターゼ	前立腺分泌物 （全量の20%）
リン酸塩 　重炭酸塩	緩衝物質
ヒアルロニダーゼ	精子が卵子に到達すると尖体から放出される

に，精液 1 mL 中にはふつう約 1 億個の精子が含まれている．精子生産の減少は不妊と関係している．精子数が 1 mL 当たり 2000 万から 4000 万の男子では約 50%が，2000 万以下の男子ではすべてが不妊性である．形態異常や運動能力を欠く精子が多く含まれる場合にも不妊となる．精液中には精囊由来の様々な**プロスタグランジン** prostaglandin が高濃度に含まれているが，精液中での機能は不明である．男性の不妊の原因や，精子が受精する基本的なメカニズムを究明することは，男性の避妊法を開発する手がかりとなる（クリニカルボックス 23・1）．

ヒトの精子は約 3 mm/分の速度で女性性管系内を移動する．そして性交後 30〜60 分で卵管に達する．女性性管系の収縮が卵管への精子の移送を促進する可能性がある．

勃　　起

勃起 erection は陰茎の細動脈の拡張で始まる．陰茎の勃起組織が血液で満たされると，静脈が圧迫され血液の流出が阻止されて陰茎は固くなる．この反射中枢は腰髄中にあり，生殖器からの求心性インパルスによって刺激されたり，性的な精神刺激で勃起を起こす場合には下行路によって刺激される．遠心路は副交感

クリニカルボックス 23・1

男性の避妊

物理的な障壁以外のいくつかの方法［たとえばホルモンによる精子発達の制御，受精にとって重要なカチオンチャネルタンパク質（たとえば，CatSper ファミリータンパク質）を標的とする方法，精子の機能を制限するような天然物質を使用する］が男性の避妊法として研究されてきた．しかしながら，精子の数の多さと再生成される能力の高さから考えて，副作用なしに精子の生産を十分に減少させるか，機能を制限するような方法を開発することは難しい．薬理的な制御の代わりに，最もよく行われる男性の避妊法は精管を両側とも結紮することであり**（精管切除術 vasectomy）**，比較的安全で使いやすい避妊法である．興味深いことに，精管切除した〜50%の男性において精子に対する抗体ができる．サルではそのような抗体ができると，精管の再開通後不妊になる可能性が高くなる．しかし，抗精子抗体はその他の有害な作用はないと考えられている．結紮に代わる方法としては，シリコンの詰め物などを用いた精管閉塞法があり，精管を傷つけることなく閉鎖し，またもし希望がある場合には原状への回復をより容易にすることを目的としている．驚くべきことではないが，そのような方法は昔から行われている精管切除術に比べると効果は低い．

治療上のハイライト

精管再開通 vasectomy reversal：受精能を回復したい人に対して，精管を再開通させることはかつては非常に難しかったが，そうした手術の成功率は確実に向上している．精管再開通が成功すると，数カ月以内に十分な量の精子がみられるようになるが，1 年またはそれ以上の遅れも珍しくない．最終的な成功は妊娠によって確認するが，〜50%の例において 2 年以内にみられる．

神経線維で骨盤内臓神経に含まれている(**勃起神経 nervi erigentes**)．この神経線維は伝達物質として，おそらくアセチルコリンと血管作動性腸管ポリペプチド vasoactive intestinal polypeptide(VIP)をコトランスミッターとして同時に放出する(7章参照)．

勃起神経にはノルアドレナリン作動性でもコリン作動性でもない線維が存在する．この線維は強力な血管拡張作用をもつ一酸化窒素(NO, 32章参照)の生成を促す酵素である**一酸化窒素合成酵素 nitric oxide synthase(NOS)** を多量に含んでいる．NOは可溶性グアニル酸シクラーゼを活性化し，サイクリックGMP(cGMP)の合成を促進する．cGMPには強力な血管拡張作用がある．実験動物にNOSの阻害薬を投与すると，骨盤神経刺激によって起こる勃起が抑制される．したがって，勃起にはNOが重要であることは間違いない．ホスホジエステラーゼ(PDE)によるcGMPの分解を抑制する作用をもつシルデナフィル sildenafil (バイアグラ Viagra)，タダラフィル tadalafil(シアリス Cialis)，バルデナフィル vardenafil(レビトラ Levitra)は，勃起不全の治療薬として全世界で有名である．ホスホジエステラーゼには11のアイソザイムが区別されるが，これらの薬剤はすべてPDE5という陰茎静脈洞に存在するタイプのホスホジエステラーゼに対して最も強力な作用を及ぼす(クリニカルボックス5・7)．しかし，これらの薬剤はPDE6も顕著に抑制することがあるので注意する必要がある(また過剰に摂取すると他のアイソザイムも阻害する)．いずれの薬剤も網膜錐体細胞に分布するPDE6の抑制も起こすので，一過性に青と緑の色彩弁別ができなくなるという副作用がみられることがある(10章参照)．

血管収縮を起こす交感神経性のインパルスが陰茎の細動脈に送られると通常勃起は消失する．

射　精

射精は2段階の脊髄反射現象である．すなわち精液の尿道への**射出 emission**と，オーガスムの時，尿道から精液を体外へ放出する**射精 ejaculation**とである．反射の求心路はほとんど陰茎亀頭の触受容器からの求心性線維で，陰部神経を経て脊髄に達する．尿道への射出は上部腰髄で統合される交感神経性反応であり，下腹神経を介する遠心性インパルスによって精管と精嚢の平滑筋が収縮することによって起こる．精液はさらに骨格筋である球海綿体筋の収縮によって尿道から勢いよく放出される．この反射の中枢は下部腰髄から上部仙髄にあり，その遠心性運動神経線維は第1～第3仙髄根を経て陰部神経を経由する．

前立腺特異抗原

前立腺は通常，**前立腺特異抗原 prostate-specific antigen(PSA)** と呼ばれる30 kDaのセリンプロテアーゼを合成し，精液と血液に分泌している．PSAの遺伝子の配列には2つのアンドロゲン反応エレメント(ARE)が存在している．精液ではPSAは精子の運動を抑制するセミノゲリン semenogelin を加水分解し，血液中でもいくつかの基質に作用するが，血液中におけるこの物質の正確な役割は判明していない．血中PSAは前立腺癌の際に上昇するので，この疾患のスクリーニングに広く使われてきている．しかし，良性の前立腺肥大や前立腺炎でもPSA値の上昇は起こるので，前立腺癌を診断する際の唯一の手段としてPSAを用いることが有効かどうか疑問視されている．

精巣の内分泌機能

テストステロンの化学と生合成

精巣の主要ホルモンであるテストステロンはC_{19}ステロイドで，17位にヒドロキシル基(−OH基)をもつ(図23・5)．テストステロンはLeydig細胞内でコレステロールまたは副腎皮質由来のアンドロステンジオンから合成される．合成経路はすべてのステロイドホルモンを生成する内分泌器官で共通で，一部の酵素系だけが各器官で異なる．Leydig細胞には副腎皮質にある11β-ヒドロキシラーゼと21-ヒドロキシラーゼがなく(図19・7参照)，17α-ヒドロキシラーゼが存在する．したがってプレグネノロンは17位にヒドロキシル基を付加され，さらに側鎖が切り離されてデヒドロエピアンドロステロンになる．プロゲステロンから17-ヒドロキシプロゲステロンを経てアンドロステンジオンも生成されるが，この経路はヒトでは主要ではない．次いでデヒドロエピアンドロステロンとアンドロステンジオンがテストステロンに変換される．

テストステロン分泌は黄体形成ホルモン(LH)により制御される．LHはGタンパク質共役型LH受容体とG_sを介して，cAMPを増加させてLeydig細胞を刺激する[*1]．cAMPによってコレステロールエステルからのコレステロール生成が増加し，プロテインキナーゼAの活性化によるコレステロールからプレグ

[*1] 訳注：cAMPの増加がステロイド産生急性調節タンパク質 steroidogenic acute regulatory protein(StAR)を活性化し，コレステロールをミトコンドリア外膜から内膜へ移行させることが，ステロイドホルモン合成の律速段階であることはすでに述べた(22章*7訳注)．

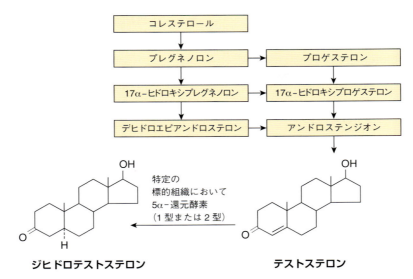

図23・5 テストステロンの生合成．前駆物質のステロイドの分子式は図19・7に示してある．Leydig細胞の主な分泌産物質はテストステロンであるが，その前駆物質の一部も血中に入る．

ネノロンへの転換も増加する．

分　泌

正常の男性におけるテストステロン分泌量は，4～9 mg/日(13.9～31.33 μmol/日)である．女性も少量のテストステロンを分泌する．分泌は主に卵巣で起こるが，副腎皮質からの分泌の可能性もある．

輸送と代謝

血中では98％のテストステロンがタンパク質に結合されている：65％が**性腺ステロイド結合グロブリン gonadal steroid binding globulin(GBG)** (別名**性ステロイド結合グロブリン sex steroid-binding globulin**)と呼ばれるβ-グロブリンに，33％がアルブミンに結合して存在する(表23・2)．GBGはエストロゲンにも結合する．結合型と非結合型を合わせた血中テストステロン濃度は成人男性では300～1000 ng/dL(10.4～34.7 nmol/L；図22・8)，成人女性では30～70 ng/dL(1.04～2.43 nmol/L)である．

血中テストステロンのわずかな部分はエストラジオールに変換されるが，大部分はアンドロステロンとその異性体であるエチオコラノロンといった17-ケトステロイド(図23・6)に代謝されて尿中に排泄される．尿中の17-ケトステロイドの2/3は副腎由来で，精巣由来は1/3にすぎない．ほとんどの17-ケトステロイドはテストステロンの20％以下の活性をもつ弱いアンドロゲンであるが，17-ケトステロイドのすべてが

表23・2 血漿中性腺ステロイドとコルチゾルの分布状態

ステロイド	遊離型(%)	結合型(%)		
		CBG	GBG	アルブミン
テストステロン	2	0	65	33
アンドロステンジオン	7	0	8	85
エストラジオール	2	0	38	60
プロゲステロン	2	18	0	80
コルチゾル	4	90	0	6

CBG：コルチコステロイド結合グロブリン，GBG：性ステロイド結合グロブリン(Munroe Sより許可を得て転載)．

アンドロゲンではなく，すべてのアンドロゲンが17-ケトステロイドであるわけでもない．たとえばエチオコラノロンにはアンドロゲン作用がなく，テストステロンはむろん17-ケトステロイドではない．

作　用

テストステロンに代表されるアンドロゲンには生殖腺の発達を促す作用に加え，フィードバック効果により下垂体のLH分泌を抑制する作用がある．また男性二次性徴を発達させこれを維持するし，タンパク質同化の促進，成長促進という重要な作用をもつ．FSHとともにテストステロンは，精子形成に必須である．

アンドロステロン

エチオコラノロン

図 23・6 テストステロンの代謝により生じる 2 つの 17-ケトステロイド．アンドロステロンおよびエチオコラノロンは，尿中に分泌されるテストステロンの 2 つの 17-ケトステロイド代謝産物である．

表 23・3　思春期の男性にみられる変化（男性二次性徴）

外部生殖器	陰茎が太く長くなる．
	陰囊に色素が沈着し，ひだが多くなる．
内部生殖器	精囊は大きくなり，分泌を始め，フルクトースの生成を始める．
	前立腺と尿道球腺が大きくなり，分泌を始める．
声の質	喉頭が大きくなり，声帯の長さと厚さが増し，声は低音になる．
毛の成長	ひげが生え始める．
	頭髪の前側方部の生えぎわが後退する．
	陰毛が生え，男性型（頂点が上方の三角形）となる．
	腋窩部，胸部，肛門周辺に発毛し，体毛が全体的に増加する．
精神的活動	より攻撃的で活動的な態度，女性に興味をもつようになる．
身体外形	肩幅増大，筋肉の発達．
皮膚	皮脂腺の分泌液が濃くなり量が増加してくる［にきび（痤瘡）形成の傾向］．

二次性徴

　毛の生え方の全身にわたる変化，体型，外部生殖器のサイズなど思春期の男性に現れてくる諸特徴（**男性二次性徴 male secondary sex characteristics**）を表 23・3 にまとめた．前立腺と精囊は大きくなり，精囊はフルクトース（果糖）を分泌し始める．この糖は精子の主要な栄養源と考えられている．ヒトの場合，テストステロンが精神的活動に与える作用についてはっきり決めるのは難しいが，実験動物ではアンドロゲン類は乱暴で攻撃的な行動を起こす．アンドロゲンとエストロゲンの性行動に対する作用については 22 章で述べた．アンドロゲンによって体毛は増加するが，頭髪は薄くなる（図 23・7）．遺伝的禿頭症はジヒドロテストステロンがないと発現しないことが多い．

同化作用

　アンドロゲンはタンパク質の合成を増加させ，分解を抑えて成長速度を高める．アンドロゲンが長管骨骨端軟骨の閉鎖を起こし，発育を停止させるといわれてきたことがあるが，この作用は現在ではエストロゲンによるものであることが明らかになっている（21 章参照）．アンドロゲンによる同化作用の促進に伴って，Na^+，K^+，H_2O，Ca^{2+}，SO_4^{2-}，PO_4^{3-} などの軽度な貯溜が起こる．また腎臓を肥大させる作用もある．同化作用を促進するために必要とされる量のテストステ

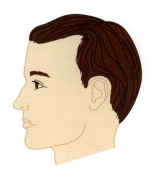

図 23・7　小児と成人の頭髪の生えぎわ．女性の生えぎわは小児の生えぎわと同じであるが，成人男性では前側方に切れ込んでいる．

ロンを投与し続けると，副作用として過度の男性化や性欲の亢進が起こる．したがって，このホルモンを消耗性疾患患者の同化促進のために用いるのは適切でない．男性化作用を欠き，同化促進作用のみをもつ合成ステロイドを作る試みは，まだ成功していない．

作用機序

テストステロンは他のステロイドと同様に，細胞内の受容体，たとえばアンドロゲン受容体（NR3C4）に結合する．受容体とステロイドの複合体は核内のDNAと結合し，種々の遺伝子の転写を促進する．テストステロンはいくつかの標的細胞では，5α-還元酵素のはたらきによって**ジヒドロテストステロン** dihydrotestosterone（**DHT**）に変換される（図23・5, 図23・8）．DHTとテストステロンは同一の細胞内受容体に結合する．DHTもテストステロン同様循環血中に入るが，血漿中濃度はテストステロン濃度の約10%である．ところが，標的細胞内ではテストステロン-受容体複合体はDHT-受容体複合体よりも不安定で，DNAとの結合率も劣る．したがってDHT合成により，標的組織におけるテストステロン作用は増強されることになる．ヒトでは異なる遺伝子にコードされる2種類の5α-還元酵素が存在する．1型5α-還元酵素は全身の皮膚に存在し，特に頭皮に多い．2型5α-還元酵素は生殖器の皮膚，前立腺やその他の生殖組織に存在する．

テストステロン-受容体複合体は，胎生期におけるWolff〔ウォルフ〕管構造物の成熟と，それに続く男性内部生殖器の発達に関与し，一方，DHT-受容体複合体は男性外部生殖器の形成に必要である（図23・8）．DHT-受容体複合体はまた，思春期における前立腺の発達に重要で，おそらく陰茎の発達や，ひげ，にきびの発生，頭髪の生えぎわの部分的後退にも関与しているらしい．一方，骨格筋の増大，男性の性欲と性衝動の発達は，主としてDHTよりもテストステロンの効果による（クリニカルボックス23・2 参照）．

精巣のエストロゲン生成

成人男性の血漿中にあるエストラジオールの80%以上とエストロンの95%は，循環血中のテストステロンとアンドロステンジオンの芳香化により精巣や副腎以外の組織で生成され，残りが精巣から分泌される．精

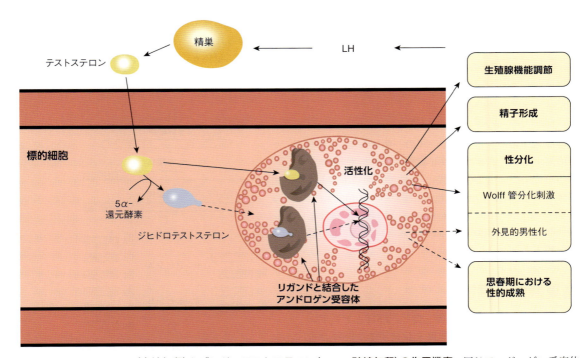

図23・8 テストステロン（実線矢印）とジヒドロテストステロン（DHT, 破線矢印）の作用機序．同じアンドロゲン受容体に結合するが，DHTの結合がより強いことに注意（Wilson JD, Griffin JE, Russell DW: Steroid 5α-reductase 2 deficiency. Endocr Rev 1993 Oct; 14(5): 577-593 より許可を得て複製）．

クリニカルボックス 23・2

先天性5α-還元酵素欠乏症

先天性5α-還元酵素欠乏症 congenital 5α-reductase deficiency では，2型5α-還元酵素の遺伝子が突然変異を起こしている．この疾患は，ドミニカ共和国のある地域にみられる疾患で，男性仮性半陰陽の興味深い型を示す．この症候群の患者は出生時，精巣を含む男性型内部生殖器をもっているが，外部生殖器が女性型のため通常女性として育てられる．しかし思春期になると，LH分泌が起こって循環血中のテストステロン濃度が増加し，続いて男性的な体型と性欲が発達する．この時点で患者は通常，性別を変えて"男の子になる"のである．彼らの陰核は肥大し（"penis-at-12 syndrome"），女性と性交できるまで肥大する者もいる．陰核の肥大は，高濃度のLHによりテストステロンの濃度が著しく高まり，DHTの増強効果がなくとも外部生殖器が発達してくるためと考えられる．

治療上のハイライト

現在，5α-還元酵素の阻害薬が良性の前立腺肥大の治療に臨床的に用いられている．米国で広く用いられている**フィナステリド finasteride** は2型5α-還元酵素を強力に抑制する．

作用してテストステロン分泌を起こし，テストステロンのフィードバック作用によりLH分泌を抑制する．視床下部を破壊した動物や，視床下部に病変のあるヒトでは，精巣が萎縮し，機能を失ってしまう．

インヒビン

テストステロンは血漿LHを減少させるが，大量投与でない限り血漿FSHには影響しない．精細管の萎縮にもかかわらず，テストステロンとLHを正常に分泌している患者で，血漿のFSHの増加が認められた．これらの事実より，FSH分泌を抑制する精巣起源の因子としての**インヒビン** inhibin の探索が行われた．精巣の抽出液には2種類のインヒビンが存在する．女性では卵胞液にインヒビンが含まれている．インヒビンは3種類のポリペプチドのサブユニットからなる．分子量18 000の α サブユニットは糖タンパク質で，それぞれ分子量14 000の β_A および β_B サブユニットは糖タンパク質ではない．いずれのサブユニットも異なった前駆体タンパク質から作られる（図23・9）． α サブユニットはS-S結合によって， β_A あるいは β_B とヘテロ二量体を形成する． $\alpha\beta_A$ （インヒビンA）も $\alpha\beta_B$ （インヒビンB）もともに下垂体への直接作用によりFSH分泌を抑制するが，インヒビンBが成人男女における生理的なFSH分泌抑制物質らしい．インヒビンは男性ではSertoli細胞で，女性では顆粒膜細胞で作られる．

ヘテロ二量体 $\beta_A\beta_B$ とホモ二量体 $\beta_A\beta_B$ および $\beta_B\beta_B$ もインヒビン前駆体から合成される．これらは

巣静脈血中のエストラジオールの一部はLeydig細胞に由来するが，一部はSertoli細胞におけるアンドロゲンの芳香化によっても生じる．男性では血漿エストラジオール濃度は20〜50 pg/mL（73〜184 pmol/L）で全生成量は 50 μg/日（184 nmol/日）である．女性とは異なり，男性では加齢に従いエストロゲン生成が軽度に増加する．

精巣機能の調節

FSHはSertoli細胞の機能を促し，FSHとアンドロゲンが精巣の配偶子形成機能を維持する．FSHはまた，アンドロゲン結合タンパク質とインヒビンの分泌を刺激する．インヒビンはフィードバック作用によりFSHの分泌を抑制する．一方，LHはLeydig細胞に

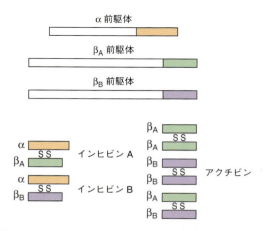

図23・9　インヒビンおよびアクチビン生産． 3つの前駆体タンパク質（ α ， β_A および β_B）から，5つの個別のインヒビンおよびアクチビンが産生される．SS：ジスルフィド結合．

FSH の分泌をむしろ刺激し，**アクチビン activin** と呼ばれる．アクチビンの生殖における役割は不明である．アクチビンとインヒビンは Müller 管抑制物質（MIS）とともに，二量体の成長因子であるトランスフォーミング成長因子β（TGF-β）スーパーファミリーに属する．**アクチビン受容体 activin receptor** が同定されており，いずれもセリン/スレオニンキナーゼ受容体ファミリーに属している．インヒビンとアクチビンは生殖腺のみならず，脳や他の多くの組織でも見出されている．骨髄内ではアクチビンは白血球の発達に関与する．胎生期にアクチビンは中胚葉の形成に関与する．α-インヒビンサブユニット遺伝子を欠失させたマウスは，初めは正常に発育するが，その後生殖腺に間質腫瘍ができるので，α-インヒビン遺伝子は腫瘍抑制遺伝子であることがわかる．

血漿中では，α_2 マクログロブリンがアクチビンとインヒビンに結合している．組織ではアクチビンは**フォリスタチン follistatin** と呼ばれる糖タンパク質ファミリー（4つのメンバーで構成される）と結合する．アクチビンの活性はこれらのタンパク質との結合により失われる．しかし，フォリスタチンのインヒビンとの関係やその生理作用はまだわかっていない．

ステロイドフィードバック

精巣機能のステロイドによる調節に関する現在の作業仮説を図 23・10 に要約してある．生殖腺を除去すると下垂体の FSH と LH の含有量，および分泌量が増大するが，視床下部を破壊するとこの増大はみられない．テストステロンは下垂体前葉に直接作用したり，視床下部からのゴナドトロピン放出ホルモン（GnRH）の分泌を抑制することによって LH 分泌を抑制する．インヒビンは直接，下垂体前葉に作用して FSH 分泌を抑制する．

LH の作用により Leydig 細胞から分泌されたテストステロンの一部は精細管上皮の周辺にとどまり，アンドロゲンの局所濃度を高めて Sertoli 細胞が精子形成を正常に行う環境を整える．テストステロンの全身投与は LH 分泌を抑制するが，精巣内のアンドロゲン濃度に見るべき変化を起こさない．そこで，テストステロンを全身投与すると，結果的に精子数が減少する．男性の避妊法としてテストステロン投与が提唱されてきたが，精子形成を抑制するのに十分な量を用いると，ナトリウムと水分の貯留が起こってしまう．インヒビンを男性用避妊薬として用いることの可能性が現在検討されている．

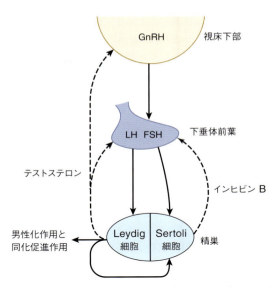

図 23・10　視床下部，下垂体および精巣はシグナル伝達分子を介して相互作用する． 視床下部，下垂体前葉および精巣の間の仮定されたシグナル伝達経路が示されている．実線矢印は興奮性の効果を示し，破線矢印は抑制性の効果を示す．

精巣機能の異常

停 留 精 巣

精巣は腹腔内で発生し，正常では胎生期発育中に陰嚢内へ移動する．鼠径部への**精巣下降 testicular descent** は MIS によって起こるが，鼠径部から陰嚢への移動は他の因子による．男子新生児のうち約 10% では，精巣の一方，またはまれではあるが両方が降下せず，腹腔や鼠径管に残る．ゴナドトロピン投与によって降下を早めることもある．時には外科的に処置される．このような降下しない精巣でも多くはその後自然に降下するもので，男児の**停留精巣 cryptorchidism** の比率は 1 歳で 2%，思春期以後は約 0.3% に低下する．このような統計にかかわらず，停留精巣に悪性腫瘍が発生する率が陰嚢内精巣より高く，また腹腔内の高温により思春期以後精管上皮の不可逆的障害が起こるので，現在では早期治療が勧められる．

男性の性腺機能低下症

男性の性腺機能低下症 male hypogonadism の臨床像は，精巣機能不全が思春期前後のどちらで起こったかにより異なる．成人では，精巣に起因する場合には，血中の性腺刺激ホルモン濃度が高く，**高ゴナドトロピン性性機能低下症 hypergonadotropic hypogonadism**

となる．下垂体や視床下部疾患に起因する二次的なものの場合(たとえばKallmann〔カルマン〕症候群)には，血中のゴナドトロピン濃度は低い(**低ゴナドトロピン性性機能低下症 hypogonadotropic hypogonadism**)．いったん生じた二次性徴はごく微量のアンドロゲンで維持されるので，精巣の内分泌機能が成人になってから失われた場合に起こる二次性徴の消失は緩徐である．思春期に成長した喉頭は恒久的で，声の調子は低いまま保たれる．成人になってから精巣を摘出した男性では，多少なりとも性欲が低下するが，性交の能力はしばらくの間維持される．このような患者は時折"ほてり"を感じ，一般に正常男性より過敏，受動的で抑うつ的である．小児の時からLeydig細胞が欠乏している場合には，**類宦官症 eunuchoidism** の臨床像を呈する．20歳を過ぎた類宦官症患者は下垂体機能亢進性巨人症ほどではないが，身長が特異的に高くなる．これはこの患者の骨端が閉鎖せず，思春期以後も成長が続くためである．肩幅は狭く，筋量は少なく成人女性を思わせる体型となる．外部生殖器は小さく声は高音である．陰毛と腋窩毛は副腎皮質のアンドロゲンの作用によって生えてはくるが，密度は少なく，陰毛の分布も正常男性でみられる頂点を上にした三角形(男性楯型)でなく，むしろ下向きの逆三角形の女性型を示す．

アンドロゲン分泌腫瘍

精巣の機能亢進は精巣腫瘍の場合を除いて知られていない．アンドロゲン分泌性のLeydig細胞腫瘍はまれで，内分泌学的症状は思春期以前に偽性思春期早発 precocious pseudopuberty として現れることがある(表22・2)．

ホルモンと癌

前立腺の一部の癌は**アンドロゲン依存性 androgen-dependent** である．精巣の除去あるいは十分な量のGnRH作動薬の投与により下垂体ゴナドトロピン産生細胞のGnRH受容体をダウンレギュレーションすることで退縮させることができる．

章のまとめ

- 性腺は配偶子産生 gametogenesis と性ホルモンの分泌という2つの機能をもつ．精巣は大量のアンドロゲン(男性ホルモン androgen)を分泌するが，エストロゲンも少量ながら分泌する．
- 精細管の腔内で精原細胞が精子に成熟する過程を精子形成といい，次の多段階のプロセスで行われる．精原細胞 spermatogonia が成熟して，一次精母細胞 primary spermatocyte になる．一次精母細胞は減数分裂により，半数体の二次精母細胞 secondary spermatocyte に，さらに分裂して精子細胞 spermatid になるが，精子細胞の細胞分裂は不完全で細胞質間架橋によりつながっている．精子細胞は，その後成熟して運動性の精子 spermatozoon(sperm)になる．この最後の過程を精子発生 spermiogenesis と呼ぶ．
- 精巣の主要なホルモンはテストステロンである．Leydig細胞がコレステロールを基質として産生する．テストステロンの分泌は黄体形成ホルモン luteinizing hormone の調節を受けており，成人男性では1日当たり4～9 mgに達する．血漿中ではほとんどがアルブミンまたは性ステロイド結合グロブリン gonadal steroid-binding globulin に結合しているが，一定量の遊離テストステロンが常時存在し作用を発揮する．男性の二次性徴の発現や維持に重要であるばかりでなく，様々な作用を及ぼすことがわかっている．

多肢選択式問題

正しい答えを1つ選びなさい．

1. 精細管の成熟と機能の発揮に必要なのはどれか．
    A．ソマトスタチン
    B．黄体形成ホルモン(LH)
    C．オキシトシン
    D．卵胞刺激ホルモン(FSH)
    E．アンドロゲンとFSH

2. 成人男性でテストステロンを産生するのはどれか．
    A．Leydig細胞
    B．Sertoli細胞
    C．精細管
    D．精巣上体
    E．精管

3. 一酸化窒素合成酵素が勃起を起こす機序はどれか.
   A. cAMP 濃度を増して平滑筋を弛緩させ,血流量を増すことによる
   B. ホスホジエステラーゼを阻害し,cGMP 濃度を増して平滑筋の弛緩と血流量を増すことによる
   C. 可溶性のグアニル酸シクラーゼを活性化し,cGMP 濃度を増して平滑筋の弛緩と血流量を増すことによる
   D. 細胞内の Ca^{2+} 濃度を増して平滑筋の弛緩と血流量を増すことによる

4. テストステロンの産生についてあてはまるものはどれか.
   A. ジヒドロテストステロンが還元されて精巣で作られる
   B. コレステロールからプレグネノロンを経て Leydig 細胞で作られる
   C. LH により Leydig 細胞で作られる
   D. 複数の膜脂質の前駆体として作られる

CHAPTER 24

膵臓の内分泌機能と炭水化物代謝の調節

学習目標
本章習得のポイント

- 血中グルコース濃度に影響を与えるホルモンをあげ，それぞれの作用を簡潔に述べることができる
- 膵島の構造を説明し，膵島のそれぞれの細胞から分泌されるホルモンの名称をあげることができる
- インスリンの構造を説明し，その生合成と血中放出に関与する過程の概略を述べることができる
- インスリン欠乏の結果起こることを列挙し，それぞれの異常がいかにして起こるかを説明できる
- インスリン受容体，それがインスリン作用を仲介するしくみ，その調節機構を説明できる
- 生体のグルコーストランスポータの種類とそれぞれの機能を説明できる
- インスリン分泌に影響を与える主要な因子をあげることができる
- 共通の前駆体から作られるグルカゴンとその他の生理活性ペプチドの構造を説明できる
- 生理的に意義のあるグルカゴンの作用およびグルカゴン分泌を調節する因子をあげることができる
- 膵ソマトスタチンの生理的作用を説明できる
- 甲状腺ホルモン，副腎グルココルチコイド，カテコールアミン，成長ホルモンが糖代謝に影響する機構の概略を説明できる
- 1型糖尿病と2型糖尿病の主要な違いを理解する

■ はじめに

膵臓は，内分泌と消化の生理的調節に関わる分泌腺組織であり，その位置は肝臓の高さで胃の背部の後腹膜にある（図 25・11，25章）．Langerhans〔ランゲルハンス〕島 islets of Langerhans（膵島）は膵の中の内分泌細胞からなり，4つの機能性ポリペプチドを分泌する．これらのホルモンのうちの2つ，**インスリン** insulin と**グルカゴン** glucagon は，炭水化物，タンパク質，脂質の中間代謝に重要な機能を果たしている．第三のホルモン，**ソマトスタチン** somatostatin は，膵島細胞の分泌を調節しており，第四のホルモン**膵ポリペプチド** pancreatic polypeptide はおそらく主に腸のイオン輸送の調節に関わっている．グルカゴンとソマトスタチン，それにおそらく膵ポリペプチドも胃腸管粘膜にある細胞からも分泌される（25章）．

インスリンは同化作用を有し，グルコース，脂肪酸，アミノ酸の貯蔵を促進する．グルカゴンは異化作用を有し，グルコース・脂肪酸・アミノ酸をそれらの貯蔵部位から血中に遊離させる．このようにインスリンとグルカゴンは全般的な作用において相反しており，さらに多くの状況下において相反性に分泌される．インスリンの過剰は低血糖を引き起こし，その結果，痙攣と昏睡を起こす．インスリン不足は，完全な喪失であろうと相対的減少であろうと，**糖尿病 diabetes mellitus**（慢性的高血糖）を起こす．糖尿病は衰弱をも

たらす複雑な病気で，治療しないと最終的に死を招く．グルカゴン欠乏は低血糖を引き起こし，グルカゴン過剰は糖尿病を増悪させる．ソマトスタチンが膵臓で過剰に産生されると高血糖その他の糖尿病徴候を起こす．

その他のいろいろなホルモンも炭水化物代謝調節に重要な役割を担っている．

膵島細胞の構造

Langerhans島（膵島）（図24・1）は $76 \times 175\,\mu m$ の卵形の細胞集合体である．膵島は膵臓全体に散在しているが，体部や頭部よりも尾部に密である．膵臓全容量のうち膵島全部の容量は約2％で，外分泌腺（25章参照）が80％を占め，残りは導管と血管が占めている．ヒトは100〜200万個の膵島をもっている．膵島の一つひとつに豊富に血管が分布しており，他のすべての内分泌器官とは異なって，膵島を流れた血液は胃腸管を流れた血液と同様に肝門脈中に流入する．

膵島の細胞はその染色性と形態から分類されている．ヒトはA，B，DおよびPP[*1]の少なくとも4種類の異なる細胞種をもっている．A，B，D細胞はそれぞれα，β，δ細胞とも呼ばれている．しかし，このようなギリシャ文字を用いると，他の身体構成物，特にアドレナリン作動性受容体（7章参照）などと混同するおそれがある．A細胞はグルカゴンを分泌し，B細胞はインスリンを分泌し，D細胞はソマトスタチンを分泌し，PP細胞は膵ポリペプチドを分泌する．B細胞は，膵島細胞のうちで最も多く60〜75％を占め，一般に膵島の中心部に位置する．B細胞群は，細胞全体の20％にあたるA細胞群とそれらよりも数の少ないDおよびPP細胞群に囲まれている．ヒト膵臓の尾部，体部，および頭部上前側にある膵島の外縁にはA細胞が多数あるが，PP細胞は極めて少ない．しかしラットやおそらくヒトでも膵臓の頭部後側の膵島には比較的多数のPP細胞とごく少数のA細胞がある．A細胞の豊富な（グルカゴンに富む）膵島は胎生期の背側膵原基に由来し，PP細胞の豊富な（膵ポリペプチドに富む）膵島は胎生期の腹側膵原基に由来する．これらの膵原基はそれぞれ十二指腸から分化してくる．

B細胞顆粒は細胞質に存在するインスリンを包んでいる．顆粒の形は動物種によって違い，ヒトでは，あるものは球形，あるものは立方形をとる（図24・2）．B細胞では，インスリン分子は重合体をとり亜鉛と結合している．この顆粒の形の違いは，おそらく重合体や亜鉛との凝集塊の大きさの違いによる．A細胞顆粒はグルカゴンを含んでおり，その形には動物種差が少なく比較的一様である（図24・3）．D細胞も比較的均一な顆粒を多数含んでいる．

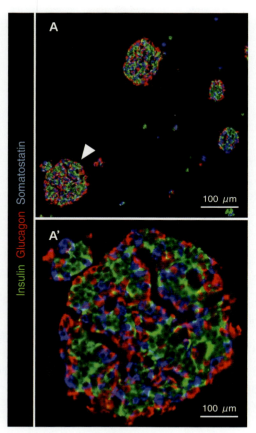

図24・1　ヒト膵臓のLangerhans島． 膵島の中で，緑色蛍光標識はインスリンを発現するB細胞，赤色蛍光標識はグルカゴンを発現するA細胞，青色蛍光標識はソマトスタチンを発現するD細胞である．周辺の暗い部分は膵腺房組織である（N. Hartより許可を得て転載）．

[*1] 訳注：膵ポリペプチド分泌細胞を原書ではF細胞と呼んでいるが，PP細胞と呼ぶのが一般的であるので，以下そのように表記する．

24. 膵臓の内分泌機能と炭水化物代謝の調節　509

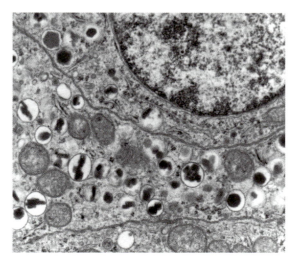

図 24・2　ヒト膵臓の隣接する 2 個の B 細胞の電子顕微鏡写真．B 顆粒は膜で包まれた小胞であり，中に菱形から円形までの種々の形の結晶を含有している（×26 000）(Fawcett DW: *Bloom and Fawcett: A Textbook of Histology*, 11th ed. St. Louis, MO: Saunders; 1986 より許可を得て複製)．

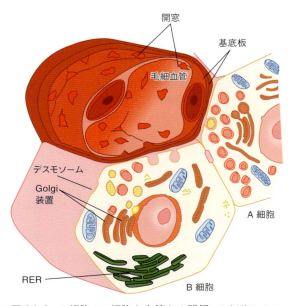

図 24・3　A 細胞，B 細胞と血管との関係．B 細胞からはインスリンが，A 細胞からはグルカゴンがエキソサイトーシスによって細胞外に放出され，開窓毛細血管の中に到達するまでに A，B 細胞の基底板と毛細血管の基底板を通過しなければならない．RER：粗面小胞体 (Junqueira IC, Carneiro J: *Basic Histology: Text and Atlas*, 10th ed. New York, NY: McGraw-Hill; 2003 より許可を得て複製)．

インスリンの構造，生合成および分泌

分子構造と種特異性

インスリンはジスルフィド結合でつなぎ合わされている，2 本のアミノ酸連鎖からなるポリペプチドである．動物によって分子内のアミノ酸組成に少し違いがある．この種差は一般にはある動物のインスリンを別の動物に投与した際の生物学的な活性に影響するほど大きくはないが，このインスリンに抗原性をもたせるには十分である．もしある動物のインスリンを他の動物に長期間注射し続けると，そのインスリンに対する抗体が生成され，注射されたインスリンの作用が抑制される．2 カ月以上にわたって市販のウシインスリン投与を受けたヒトのほとんど全員がウシのインスリンに対する抗体をもっているが，抗体価は一般に低い．ブタのインスリンはヒトのインスリンと比べ 1 個のアミノ酸残基が違うだけなので抗原性は低い．DNA 複製技術を使って細菌に産生させたヒトインスリンが抗体生成を避けるために現在広く使用されている．

生合成と分泌

インスリンは B 細胞の粗面小胞体 rough endoplasmic reticulum で合成される（図 24・3）．次に Golgi 装置に運ばれ，そこで顆粒膜に包まれた B 顆粒に組み入れられる．これらの顆粒は微小管が関与している過程を経て細胞膜に移動し，顆粒内物質はエキソサイトーシス exocytosis（開口放出，2, 16 章参照）によって細胞外に放出される．インスリンは B 細胞およびこれに隣接している毛細血管の基底板を通過し，毛細血管の有窓内皮細胞を通って血流に入る．有窓構造については，31 章で詳しく考察している．

小胞体に入る他のポリペプチドホルモンや関連タンパク質と同様に，インスリンは大型のプレプロホルモンの一部分として合成される（1 章参照）．インスリン遺伝子はヒトでは第 11 番染色体の短腕の上に局在している．この遺伝子 DNA は 2 個のイントロン intron と 3 個のエクソン exon をもっている．**プレプロインスリン preproinsulin** は小胞体で作られ，そのシグナルペプチド以外の分子は次々に折りたたまれ，ジスルフィド結合が生じて**プロインスリン proinsulin** となる．A 鎖と B 鎖を連結しているペプチド部分，すなわち**連結ペプチド connecting peptide（C ペプチド C peptide）はこの分子固有の折りたたみを促し，その後に分泌前に顆粒内で離れる．プロインスリンのプロセッシングには2種のプロテアーゼが関与している．正常時に，B細胞から放出される顆粒内容の90〜97％はインスリンとそれと等モルのCペプチドである．残りの大部分はプロインスリンである．Cペプチドはラジオイムノアッセイによって測定でき，その血中濃度は体外からインスリンを注射されている患者のB細胞の機能を示す指標となる．

分泌されたインスリンの変化過程

血中のインスリンとインスリン様活性物質

血漿はインスリン以外にもインスリン様の活性をもつ種々の物質を含んでいる．インスリン抗体によって抑制されない活性物質を非抑制性インスリン様活性物質 nonsuppressible insulin-like activity（NSILA）と呼んでいる．NSILAの全部ではないにしても，その活性の大部分は膵摘出後にも残り，それはインスリン様成長因子 IGF-I と IGF-II（18章参照）によるものである．これらのIGF類はポリペプチドである．それらのうち少量は血漿中に遊離（低分子量分画）しているが，大部分はタンパク質に結合（大分子量分画）している．

NSILAが血漿中に残っているのに膵摘出後にどうして糖尿病になってしまうのかという疑問が当然起こってくる．しかし，IGF-I と IGF-II のインスリン様活性はインスリンそのものの活性よりも弱く，別の機能に役立っているように思われる．

代　　謝

ヒトの循環血中のインスリン半減期は約5分である．インスリンはインスリン受容体に結合し，一部は標的細胞内に取り込まれ，エンドサイトーシス過程で生成されたエンドソーム内のプロテアーゼにより分解される．

インスリンの効果

インスリンの生理学的効果は広範囲に及び複雑である．それらの効果は，便宜的に短期，中期および長期効果に分けられる（表24・1）．最もよく知られているのは血糖低下効果であるが，その他にもアミノ酸と電

表24・1　インスリンの主要な作用

短期（秒単位）
　インスリン感受性細胞内へのグルコース，アミノ酸およびK$^+$輸送の促進

中期（分単位）
　タンパク質合成の促進
　タンパク質分解の抑制
　グリコーゲン合成と解糖酵素の活性化
　ホスホリラーゼと糖新生酵素の抑制

長期（時間単位）
　脂質生成酵素とその他の酵素のmRNA群の増加

Goldfine ID の好意による．

解質の輸送，多くの酵素および成長にも効果を示す．インスリンの正味の効果は炭水化物，タンパク質と脂肪の貯蔵である．したがって，インスリンを"潤沢ホルモン hormone of abundance"と呼ぶのは適切な表現である．

脂肪組織，骨格筋・心筋・平滑筋，肝臓に対するインスリンの作用は表24・2に要約してある．

グルコーストランスポータ

グルコースは促通（促進）拡散 facilitated diffusion（1章参照）によって細胞内に取り込まれるか，あるいは，腸や腎臓では，Na$^+$とともに二次性能動輸送によって細胞内に取り込まれる．筋肉，脂肪その他の組織では，インスリンは，細胞膜のグルコーストランスポータ glucose transporter*^{2}（GLUT）の数を増すことによって細胞内へのグルコース取込みを促進する．

グルコースが細胞膜を通過して流入する促通拡散の過程を担うGLUTは細胞膜を12回貫通する共通した構造をもつタンパク質ファミリーに属し，それらのN末端とC末端は細胞内に存在している．このグルコーストランスポータは，腸管内腔（26章参照）や腎尿細管腔（38章参照）からグルコースを取り込む時の二次性能動輸送を担っている**ナトリウム依存性グルコーストランスポータ** sodium-dependent glucose cotransporterのSGLT1とSGLT2とは違った構造をもち，相同性がない．しかし，SGLTも12回の膜貫通領域を有している．

発見順に GLUT 1〜GLUT 7 と呼ばれる7種の異な

---

*2 訳注：従来，グルコースを輸送するキャリアという意味からグルコース輸送担体と呼ばれていた．

表 24・2　インスリンの種々の組織への効果

脂肪組織
- グルコース流入の増大
- 脂肪酸合成の増大
- グリセロリン酸合成の増大
- 中性脂肪蓄積の増大
- リポタンパク質リパーゼの活性化
- ホルモン感受性リパーゼの抑制
- K^+ 取込みの上昇

筋肉
- グルコース流入の増大
- グリコーゲン合成の増大
- アミノ酸取込みの増大
- リボソームのタンパク質合成の増大
- タンパク質異化の低下
- 糖新生性アミノ酸放出の低下
- ケトン取込みの増大
- K^+ 取込みの上昇

肝臓
- ケトン生成の低下
- タンパク質合成の増大
- 脂質合成の増大
- グルコース放出の低下：糖新生の低下とグリコーゲン合成の増大と解糖系の促進による

組織一般
- 細胞増殖の増加

るグルコーストランスポータが明らかにされている（表 24・3）．これらのトランスポータは 492〜524 個のアミノ酸残基から構成され，それぞれのグルコース親和性は異なる．これらはそれぞれ特有の役割を担っているものと考えられている．GLUT4 は，筋肉と脂肪組織に局在しインスリンによって活性化されるトランスポータである．GLUT4 分子はインスリン感受性細胞の細胞質の小胞に予備的に貯蔵されている．これらの細胞のインスリン受容体が活性化されると，小胞は直ちに細胞膜に向かって移動してこれと融合し，その結果トランスポータが細胞膜に挿入される（図 24・4）．インスリン作用が止むと，トランスポータを含む細胞膜の領域はエンドサイトーシスされ，小胞は次のインスリン刺激に対し準備を整える．インスリン受容体活性化による小胞の細胞膜への移動はホスファチジルイノシトール 3 キナーゼ phosphatidylinositol 3-kinase（PI3 キナーゼ）の活性化による（図 24・4）．一方，インスリン感受性をもたない他のタイプのグルコーストランスポータのほとんどは常に細胞膜に存在すると考えられている．

インスリンによって細胞膜 GLUT の数が増える組織において，いったん細胞内に入ったグルコースのリン酸化速度は他のホルモンによって調節される．特定

表 24・3　哺乳類のグルコーストランスポータ

	機能	K_m(mM)[a]	主な発現部位
二次性能動輸送（Na^+-グルコース共輸送）			
SGLT1	グルコースの吸収	0.1〜1.0	小腸，腎尿細管
SGLT2	グルコースの吸収	1.6	腎尿細管
促通拡散			
GLUT1	静止時グルコース取込み	1〜2	胎盤，血液脳関門，脳，赤血球，腎臓，大腸，その他の器官
GLUT2	B 細胞グルコース感受機構，腸と腎上皮細胞内からのグルコース輸送	12〜20	膵島 B 細胞，肝臓，小腸上皮細胞，腎臓
GLUT3	静止時グルコース取込み	< 1	脳，胎盤，腎臓，その他多くの器官
GLUT4	インスリン刺激時のグルコース取込み	5	骨格筋と心筋，脂肪組織，その他の組織
GLUT5	フルクトース輸送	1〜2	空腸，精子
GLUT6	未知	—	脳，脾臓，白血球
GLUT7	小胞体のグルコース 6-リン酸のトランスポータ	—	肝臓

a) K_m は，輸送速度最大値の 1/2 の時のグルコース濃度を表す．
Stephens JM, Pilch PF: The metabolic regulation and vesicular transport of GLUT 4, the major insulin-responsive glucose transporter. Endocr Rev 1995; 16: 529 のデータより．

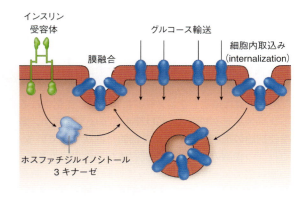

図 24・4 インスリン感受性組織における小胞を介したグルコーストランスポータ GLUT4 のサイクル．インスリン受容体活性化はホスファチジルイノシトール 3 キナーゼ（PI3 キナーゼ）を活性化し，その結果 GLUT4 をもつ小胞の細胞膜への移動と組込みが加速される．そして GLUT4 がグルコースの細胞内への輸送を促進する．

の組織では成長ホルモンとコルチゾルの両方がリン酸化を抑制する．しかし，グルコース輸送は正常では極めて速く進むので，グルコース代謝の律速過程とはならない．しかし，膵島 B 細胞においては律速段階となる．

インスリンはグルコースの肝細胞内への移動も増大させるが，この効果は細胞膜 GLUT4 トランスポータ数の増加によってもたらされるものではない．インスリンはグルコキナーゼを誘導し，それがグルコースのリン酸化を増大させ，その結果，細胞内の遊離グルコース濃度が低い値にとどまり，グルコースの細胞内への移動が促進されるのである．

インスリン感受性組織は，上記の小胞に加えて，インスリン作用に依存せず運動に応答して細胞膜に移行する別の種類の GLUT4 小胞をもっている．これが，運動が血糖を下げる理由である．この小胞の細胞膜への挿入を，5′-アデノシン一リン酸（AMP）活性化リン酸化酵素 5′-adenosine monophosphate(AMP)-activated kinase が促進していると推察される．

インスリン製剤

インスリンを静脈内に注射後 30 分で血糖低下が最大となる．皮下注射後には，血糖低下が最大に達するのは 2〜3 時間かかる．多種多様のインスリン製剤が現在市販されている．その中には，プロタミンその他のポリペプチドとインスリンの複合体により吸収や分解を遅らせるようにしたインスリン，アミノ酸残基の一部を変えた合成インスリンが含まれている．一般には，それらインスリン製剤は速効性，遅効性（24〜36 時間）およびそれらの中間型の 3 種に分類される．

カリウムとの関係

インスリンは細胞内への K^+ の移動を促進するので，その結果細胞外 K^+ 濃度は低下する．正常人にインスリンとグルコースを輸液すると血漿 K^+ 濃度がかなり低下する．したがってこの処置は腎不全の患者の高カリウム血症を一時的に軽減するのに有効である．糖尿病でアシドーシスを呈している患者にインスリンを投与するとしばしば**低カリウム血症 hypokalemia** を引き起こす．K^+ の細胞内流入に及ぼすインスリンの作用機序はまだ確定していない．しかし，インスリンは細胞膜の Na^+，K^+-ATPase 活性を促進するので，より多くの K^+ が細胞内に取り込まれる．

その他の作用

インスリンの血糖降下効果とその他の効果を**表 24・1** に時間軸でまとめ，**表 24・2** に各種組織への正味の効果をまとめてある．インスリンはグリコーゲン合成酵素 glycogen synthase に作用してグリコーゲン貯蔵を促進させ，解糖酵素に対してはグルコースの 2 炭素化合物への代謝を促す（1 章参照）．その結果，脂質生成を促進することになる．細胞内に入ったアミノ酸をタンパク質に合成する過程を促進し，タンパク質分解を抑制するインスリンの作用によって，成長促進効果が現れる．

インスリンのタンパク質同化効果は，細胞内グルコースの適量供給によるタンパク質節約作用によって効率が上げられる．子供の糖尿病の症状の 1 つは成長不全であり，成熟前に下垂体を摘出されたラットにインスリンを注射すると，成長ホルモンとほとんど同程度の成長促進効果が現れる．

作用機構

インスリン受容体

体内の多種多様の細胞にインスリン受容体があり，それら細胞の中にはインスリンがグルコース取込みを促進しない細胞も含まれている．

インスリン受容体は，分子量が約 340 000 で，2α と 2β の糖タンパク質サブユニットから構成される四

量体である(図 24・5). これらのすべてが単一のmRNA 上で合成され，タンパク質分解によって分離されてから互いにジスルフィド結合によって結合される. インスリン受容体の遺伝子は，22 個のエクソンを有し，ヒトでは第 19 番染色体上に位置している. αサブユニットはインスリンに結合し細胞外にあるが，βサブユニットは細胞膜を貫通している. βサブユニットの細胞内部位はチロシンキナーゼ活性を有している. αとβサブユニットともにグリコシル化されており，それらの糖残基は間質液中に伸びている.

インスリンがその受容体と結合すると，βサブユニットのチロシンキナーゼが活性化され，βサブユニットのチロシン残基が自己リン酸化される. この自己リン酸化はインスリンが生物活性を現すのに必要な反応であり，いくつかの細胞質タンパク質のリン酸化と，別の細胞質タンパク質のセリンとスレオニン残基の脱リン酸化を始動する. インスリン受容体基質 insulin receptor substrate-1(IRS-1)はヒトにおいていくつかの効果を仲介しているが，他の効果系も存在している(図 24・6). しかし，インスリン受容体遺伝子欠損マウスは子宮内成長が著しく遅れ，中枢神経系と皮膚に異常があり，呼吸不全で出生時に死亡するのに対し，IRS-1 ノックアウトマウスでは，子宮内成長に中程度の遅れがあるが，生き残り，インスリン抵抗性がある以外には正常とほとんど変わらない.

インスリンが成長促進をもたらすタンパク質合成効果は，**PI3キナーゼ** phosphatidylinositol 3-kinase(PI3K)によって仲介されている. この経路は，無脊椎動物においては神経細胞の増殖と視覚における軸索誘導に関わっていることの証拠がある.

インスリン受容体とそれに類似する他の受容体とを比較することは興味深い. インスリン受容体は IGF-I 受容体にはよく似ているが IGF-II 受容体とは違っている(図 24・5). 成長因子の受容体や癌遺伝子 oncogene の受容体もチロシンキナーゼ活性を有している. しかし，これらの受容体のアミノ酸構成はまったく違っている.

インスリンが受容体に結合すると，両者は集合体となり，おそらく受容体介在性のエンドサイトーシスによって細胞内に引き込まれる(2 章参照). ついにはインスリン-受容体・複合体はリソソームに入り，その中で受容体は分解されるか再利用される. インスリン受容体の半減期は約 7 時間である.

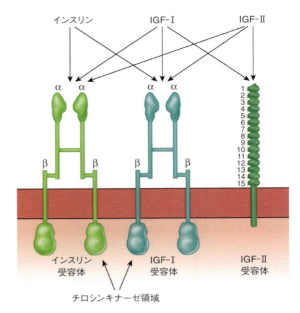

図 24・5 インスリン受容体，IGF-I 受容体，IGF-II 受容体. 基本的にそれぞれのホルモンは固有の受容体に結合するが，インスリンは IGF-I 受容体にも結合し，IGF-I と IGF-II はこれら 3 種の受容体すべてに結合する. インスリン受容体と IGF-I 受容体との著しい類似性と，IGF-II 受容体の細胞外部位の 15 個の反復配列とに注目.

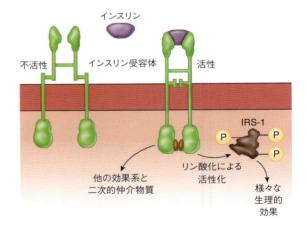

図 24・6 インスリンのインスリン受容体への結合により駆動される細胞内応答. P と印された丸はリン酸化部位を示す. IRS-1: インスリン受容体基質 1.

インスリン欠乏の徴候

インスリンの広範囲な生理作用は，インスリン欠乏の広範囲で重篤な結果を考察することにより明らかとなる（クリニカルボックス 24・1）．

インスリン欠乏症はヒトではよくみられる病態である．動物ではインスリン欠乏症は膵臓摘出，適量与えると膵島 B 細胞を選択的に破壊するアロキサン alloxan，ストレプトゾトシン streptozotocin，その他の毒素の投与，インスリン分泌を抑制する薬の投与，および抗インスリン抗体の投与の後に起こってくる．高頻度に糖尿病を自然発症するマウス，ラット，ハムスター，モルモット，ミニブタ，およびサルの系統がある．

耐 糖 能

糖尿病においては循環血中グルコースが蓄積し，これは食後特に著しい．糖尿病患者にグルコース負荷を行うと，正常人に比べて，血糖値は高く上昇し，もとの値への復帰は遅れる．グルコースの標準経口投与量に対する反応を見る **経口グルコース負荷試験 oral glucose tolerance test** を糖尿病の臨床診断に用いている（図 24・7）．

糖尿病において，耐糖能 glucose tolerance が低下する原因の一部は細胞のグルコース取込み量が減少するためである（**末梢のグルコース利用減少 decreased peripheral utilization**）．インスリン分泌もしくは作用が低下すると骨格筋，心筋，平滑筋，その他組織中へのグルコース輸送が低下する（図 24・8）．肝臓に取り込まれるグルコースも減少するが，この効果は間接的なものである[*3]．腸管のグルコース吸収と腎臓の近位尿細管のグルコース再吸収は，インスリンによって影響を受けない．脳の大部分や赤血球のグルコース取込み量も変わらない．

[*3] 訳注：グリコーゲン合成が低下することの二次的変化である．

クリニカルボックス 24・1

糖 尿 病

インスリン欠乏症によって引き起こされる多彩な異常全体を **糖尿病 diabetes mellitus** と呼ぶ．ギリシャやローマ時代の内科医たちは"diabetes"という言葉を，多尿を主症状とする状態に対して用いており，それをさらに 2 型に区別して，尿が甘味をもつ時に"diabetes mellitus"と呼び，尿が無味の時に"diabetes insipidus"と呼んでいた．今日，尿崩症 diabetes insipidus という用語はバソプレシンの合成か作用が欠乏した状態にのみ用いている（38 章参照）．単に diabetes という時には糖尿病の同義語として用いられる．

糖尿病の成因は常に組織でのインスリン効果の不足にある．**1 型糖尿病 type 1 diabetes mellitus** は自己免疫による膵島 B 細胞の破壊によるインスリン欠乏に起因し，全糖尿病の 3〜5％ を占め，多くの場合小児期に発症する．**2 型糖尿病 type 2 diabetes mellitus** は膵島 B 細胞からのインスリン分泌の障害，および，骨格筋・脳・肝臓などの末梢組織でのインスリン抵抗性に起因する．2 型糖尿病はしばしば過体重や肥満の成人に発症するが，最近では小児肥満の増加に伴い小児の発症が増えている．

糖尿病の特徴は，多尿症，煩渇多飲症，大食症（食欲増大）にもかかわらず起こる体重減少，高血糖症，糖尿，ケトーシス，アシドーシス，昏睡である．生化学的な異常は広範囲にわたるが，それら異常のもとになる根本的な欠陥は，(1) 各種"末梢"組織内へのグルコース取込み量の減少と，(2) 肝臓から循環血中へのグルコース遊離の増加である．その結果，細胞外グルコースの過剰と，多くの細胞では細胞内グルコースの欠乏が起こり，"潤沢の中での飢餓"と呼ばれる状態となる．さらに，筋肉へのアミノ酸取込みが減少し，脂肪分解が増大する．

治療上のハイライト

1 型糖尿病の治療の中心は，糖摂取と厳密に対応したインスリン製剤の投与である．2 型糖尿病において，第一の治療は食事の変更や運動の増加などの生活習慣の改善であり，これは特に糖尿病初期の症状と合併症の進行を遅らせるが，病気を救済することは困難である．次の治療はインスリン感受性促進薬とインスリン分泌促進薬（訳注：インスリン分泌促進薬はインスリン感受性促進薬と並んで最も広く用いられているので追記した）である（16 章参照）．

24. 膵臓の内分泌機能と炭水化物代謝の調節　515

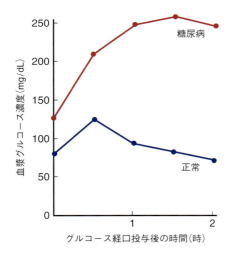

図 24・7　経口グルコース負荷試験. グルコース 75 g を 300 mL の水に溶かして成人に投与する. 正常人では, 空腹時の静脈血漿グルコース濃度は 115(110*) mg/dL 以下, 2 時間値が 140 mg/dL 以下で, 常に 200 mg/dL 以上の値にはならない. もし 2 時間値あるいはそれ以外の値に 200 mg/dL 以上のものがあれば, 糖尿病である*. 値が正常値を上回るが糖尿病と診断される値を下回る時, 耐糖能障害と診断する [*訳注: 日本での糖尿病の診断基準は, 空腹時血糖が 126 mg/dL 以上またはグルコース負荷試験 2 時間の血糖値が 200 mg/dL 以上, また境界型(耐糖能障害)の診断基準は, 空腹時血糖が 110〜126 mg/dL, またはグルコース負荷試験 2 時間の血糖値が 140〜200 mg/dL である].

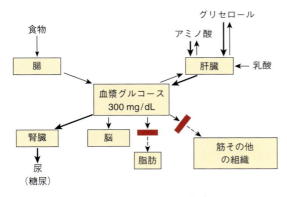

図 24・8　インスリン欠乏における血漿グルコースホメオスタシスの異常. 太い矢印は亢進している反応を示す. 矢印をさえぎる赤い四角はインスリン欠乏によって阻害されている反応を示す.

糖尿病における高血糖の 2 番目の重要な原因は肝臓のグルコース恒常性維持機能の異常である(28 章参照). 肝臓は血流からグルコースを取り込み, グリコーゲンに変えて貯蔵する. 一方, 肝臓にはグルコース 6-ホスファターゼがあるので, この酵素作用によっ

てグルコースが血中に放出されている. インスリンはグリコーゲン合成を促進し, 肝臓のグルコース放出を抑制する. 血糖値が高い時, 正常ではインスリン放出は増加し, 肝臓の糖生成が減少する. この応答は 1 型糖尿病ではインスリン枯渇のために起こらず, 2 型糖尿病ではインスリン分泌とインスリン作用の障害のために減弱している[*4]. グルカゴンは糖新生を刺激することにより, 高血糖に寄与しうる. 肝臓からのグルコース放出は, ストレス応答時にはカテコールアミン, コルチゾルおよび成長ホルモンによっても促進されうる.

高血糖の影響

高血糖そのものが血液高浸透圧に基づく諸症状を引き起こす. それに加えて, 腎臓のグルコース再吸収能力を越えるために糖尿が出るようになる. 浸透圧活性のあるグルコース分子が排泄される時は大量の水分損失を招く(浸透圧利尿, 38 章参照). その結果脱水症状が生じ, 水分摂取の調節機構に作動して多飲症を引き起こす. またグルコースと同時にかなり多量の Na^+, K^+ が尿中に出て失われる. グルコースの損失量 1 g につき 4.1 kcal の熱量が体内から失われる. この熱量損失を補うために食物を摂取して熱量摂取を増加させると, 血糖値はさらに上昇し糖尿はさらに悪化する. その結果, 生体内タンパク質と脂肪の貯蔵が動員され, 体重減少は止まらない.

血漿グルコースが一定の期間にわたり散発的に上昇している時には, 少量のヘモグロビン A に非酵素的に糖が結合して **HbA1c** が生成される(31 章参照). 糖尿病において, インスリン投与によって高血糖を注意深く抑えれば HbA1c の形成は抑えられる. したがって, HbA1c 濃度は測定前 4〜6 週間の糖尿病コントロールの積分指標として臨床で測定されている.

慢性の高血糖が長期にわたる糖尿病合併症を引き起こす機構については後で考察する.

細胞内グルコース欠乏の影響

糖尿病においては, 細胞外グルコースが過多であるのに反し, 細胞内グルコースは過少になっている. 正常の細胞諸過程の主要エネルギー源はグルコースの異化作用であるが, 糖尿病においてはエネルギー必要量

---

*4 訳注: 1 型糖尿病, 2 型糖尿病の新しい定義と対応する成因に添うように書き換えた.

はタンパク質と脂肪の予備から賄われる．この時タンパク質と脂肪の異化作用を促進させる機構が非常に亢進している．脂肪異化促進の1つの結果がケトーシスである．

視床下部満腹中枢領域の細胞のグルコース利用とホルモン（インスリン，レプチン，コレシストキニン）感知の障害は，おそらく糖尿病における過食症の原因である．摂食中枢領域が抑制されず満腹感が形成されないために摂食量が増加する．

細胞内グルコース欠乏の一般的な結果としてグリコーゲンの消失が起こり，糖尿病動物の肝臓および骨格筋中のグリコーゲン含量は通常低下している．

タンパク質代謝の変化

糖尿病においてはアミノ酸が CO_2 と H_2O に異化する速度も，肝臓でアミノ酸からグルコースが生成される速度もともに増大している．糖新生上昇の原因は多様である．グルカゴンは，糖新生を促進するし，たいていの場合に糖尿病には高グルカゴン血症が起きている．重症の糖尿病患者で副腎グルココルチコイドが高くなる場合には，このホルモンも糖新生の亢進に寄与する．インスリン欠乏状態では筋肉のタンパク質合成が低下し血中のアミノ酸濃度が上昇することから，糖新生に使われるアミノ酸の供給量が増えている．アラニンは特にグルコースに変換されやすい．それに加えて，ピルビン酸や他の炭素2個の代謝フラグメントをグルコースに変える過程に触媒としてはたらく酵素の活性が上昇してくる．このような酵素としてホスホエノールピルビン酸カルボキシキナーゼ phosphoenolpyruvate carboxykinase があり，オキサロ酢酸をエノールピルビン酸に変換する過程を促進している（1章参照）．このような酵素にはフルクトース1,6-ビスホスファターゼ fructose 1,6-bisphosphatase も含まれ，フルクトース2-リン酸をフルクトース6-リン酸とグルコース6-リン酸に変え，さらにグルコース6-ホスファターゼ glucose 6-phosphatase も含まれ，肝臓から血中へのグルコースの移動を調節している．増加したアセチル CoA はピルビン酸カルボキシラーゼ pyruvate carboxylase 活性を上げ，インスリン欠乏は脂質産生を減らして，アセチル CoA の供給を増している．ピルビン酸カルボキシラーゼはオキサロ酢酸へのピルビン酸の転化を触媒している（図1・22参照）．

糖尿病においては，タンパク質から CO_2，H_2O とグルコースへの転換が加速され，タンパク質合成も低下しているので，これら全体の正味の効果はタンパク質の喪失と浪費となる．原因はどうであれタンパク質の喪失は感染に対する"抵抗力"を弱める．

糖尿病における脂肪代謝

糖尿病における脂肪代謝の主要な異常はケトン体生成を伴う過剰な脂質異化作用の促進と，脂肪酸とトリグリセリド合成の低下である．脂質異化作用の異常があまりにも著しいので，糖尿病を"炭水化物代謝異常というよりも脂質代謝異常の病気である"とさえ表現できる．

正常では，摂取された糖負荷の50％は CO_2 と H_2O に酸化分解され，5％はグリコーゲンに，30〜40％は貯蔵脂肪に変えられている．これに対し糖尿病患者では，摂取された糖のうち CO_2，H_2O に酸化分解される量は減りグリコーゲンに変えられる量は変わらないのに，脂肪に変えられるのは5％以下である．したがってグルコースは血中に蓄積し，尿中にあふれ出ていくのである．

脂肪蓄積の代謝調節におけるリポタンパク質リパーゼとホルモン感受性リパーゼの役割については1章で考察している．糖尿病においては，細胞内グルコースが欠乏しているため，脂肪組織におけるグルコースの脂肪酸への転換は減少している．インスリンは脂肪組織のホルモン感受性リパーゼ作用を抑えているので，インスリンがないと血漿中の**遊離脂肪酸**（非エステル化脂肪酸，不飽和脂肪酸）**free fatty acid**（FFA）は2倍以上に上昇する．上昇したグルカゴンも FFA の代謝に関与する．このように，糖尿病における遊離脂肪酸濃度は，血中グルコース濃度と並行しており，ある意味では，糖尿病状態の重症度を示すよりよい指標となる．肝臓やその他の組織では，脂肪酸がアセチル CoA に変わる．このアセチル CoA のある部分は，クエン酸回路において，アミノ酸残基とともに酸化分解して CO_2 と H_2O になる．しかし，アセチル CoA を酸化分解するそれら組織の処理能力よりも多くのアセチル CoA が生成している．

前述した糖新生と血流への著しいグルコースの流出に加えて，アセチル CoA からマロニル CoA さらに脂肪酸への転換が著しく低下している．この原因はその転換を触媒する酵素であるアセチル CoA カルボキシラーゼの不足である．余剰のアセチル CoA はケトン体に転換する（クリニカルボックス24・2）．

コントロール不良の糖尿病では，FFA（遊離脂肪酸）と同様に中性脂肪とキロミクロンの血漿濃度も増大し

クリニカルボックス 24・2

ケトーシス

　体内に過剰のアセチルCoAがあるとその一部はアセトアセチルCoAに転換し，これが肝臓でアセト酢酸に変えられる．アセト酢酸やその誘導体であるアセトンやβ-ヒドロキシ酪酸が多量に循環血中に放出される（1章参照）．

　これら血中のケトン体は飢餓時の重要なエネルギー源となる．正常イヌを絶食させた時，代謝率の半分はケトン体の代謝によるものであるといわれる．糖尿病患者もケトン体利用率はかなり高い．糖尿病患者でケトーシスを起こさない範囲の最大脂肪代謝率は1日当たり2.5 g/kg・体重であると計算されている．治療していない糖尿病患者ではこの値よりもはるかに多くの脂肪産生があるのでケトン体が血液中に蓄積されていく．

ており，高脂血症を呈す．これらの物質の上昇は，主として，トリグリセリド（中性脂肪）が血漿から除かれ脂肪組織に貯蔵される過程の低下によっており，これにはリポタンパク質リパーゼ活性の低下が関与している．

アシドーシス

　1章で述べたとおり，アセト酢酸とβ-ヒドロキシ酪酸はかなり強い酸のアニオン（陰イオン）である．これらの酸から遊離するH$^+$は緩衝されるが，その産生が増加すると緩衝能力を超えてしまい，その結果，アシドーシスが呼吸を刺激し，速くて深い呼吸をするようになる．Kussmaulはこの呼吸を"空気飢餓"と記載し，（彼の名前をとって）Kussmaul〔クスマウル〕**呼吸**と呼んでいる．尿は酸性になる．これらの有機アニオンと対をなす血中カチオン（陽イオン）が腎臓でH$^+$とNH$_4^+$に交換され排泄されるが，この腎臓の交換能力を越えるとNa$^+$とK$^+$も尿中に失われてしまう．電解質および水分の喪失の結果，脱水症，血液量減少症，低血圧症が起こり，最後にはアシドーシスと脱水のため意識が低下し，昏睡状態に陥る．糖尿病性アシドーシスは医療上緊急状態なのである．今日では糖尿病に通常併発する感染症は抗生物質の使用によって抑えることができるので，臨床上，アシドーシスが糖尿病患者の初期の死亡の最も一般的な原因となっている．

　重症アシドーシスの時には体内総Na$^+$量は著しく減少し，Na$^+$喪失が水分喪失を上回る場合には，血漿Na$^+$も低下していることがまれではない．体内総カリウム量も減少しているが血漿K$^+$はふつう正常値を示す．この理由の一部は細胞外液（ECF）量も減少するためであり，別の理由はECFのH$^+$濃度が高い時には細胞内K$^+$がECFに移動するからである．血漿K$^+$が正常に保たれている別の理由は，インスリンによるK$^+$の細胞内移動促進作用が起こらないからである．

昏　　　睡

　糖尿病性昏睡の原因としてアシドーシスと脱水がある．一方，血糖が極度に上昇すると血漿浸透圧が上昇して，血漿pHとは無関係に，昏睡（**高浸透圧昏睡 hyperosmolar coma**）を引き起こすことがある．また組織が酸素不足に陥ると血中に乳酸が蓄積し（**乳酸アシドーシス lactic acidosis**），糖尿病性ケトアシドーシスに乳酸アシドーシスが加わることがあり，そしてこの乳酸アシドーシス自体が昏睡の原因にもなりうる．糖尿病性アシドーシスの小児患者の約1%に脳浮腫が認められ，昏睡の起因になりうる．脳浮腫の機構は不明であるが，それは重大な合併症であり約25%は死亡する．

コレステロール代謝

　糖尿病患者の血漿コレステロール濃度は通常上昇しており，このことはヒトの長期間にわたる糖尿病の主要な合併症である動脈硬化性血管病の発症を促進している．血漿コレステロール値上昇は超低比重リポタンパク質（VLDL）と低比重リポタンパク質（LDL）の血漿濃度上昇によっており（1章参照），それはVLDLの肝臓での生成の増加あるいは循環血中からのVLDLとLDL除去の低下に基づくものであろう．

要　　　約

　糖尿病における代謝異常は非常に複雑であるので順序立てて要約してみる．インスリン欠乏の時の1つの鍵となる特徴は，多くの組織でグルコースの取込み量が減少すること（末梢における糖利用の低下）である（図 24・9）．また肝臓のグルコース放出が増加し（糖産生増），この一部はグルカゴン過剰による．これらの結果起こる高血糖症は糖尿を招き，浸透圧利尿によって脱水が引き起こされる．脱水症は次に多飲症をもた

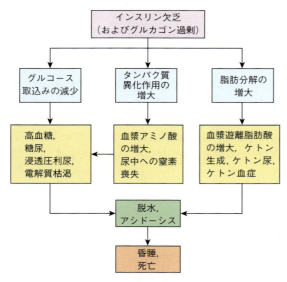

図 24・9　インスリン欠乏の影響．（Havel RJ より許可を得て転載）．

らす．細胞内グルコース欠乏の面から，食欲が刺激され，タンパク質からグルコースが生成され（糖新生），タンパク質と脂肪の代謝からエネルギー供給が維持される．これらの結果として体重減少，衰弱を伴うタンパク質欠乏，栄養欠乏状態になる．

脂肪分解（異化）系が刺激され，体内はトリグリセリドと FFA が過剰となる．一方脂肪合成は抑制され，異化経路は過剰運転状態となり，過剰産生されるアセチル CoA を処理しきれない．肝臓ではアセチル CoA がケトン体に変えられる．生成ケトン体のうちの 2 つは有機酸であり，ケトン体の蓄積が進むにつれて代謝性アシドーシスが発現する．Na^+ と K^+ の喪失が加わりアシドーシスを増悪する．その理由は，これら血漿カチオンと腎臓から分泌される H^+ と NH_4^+ とを交換しきれず，交換されなかったカチオンが有機アニオンとともに排泄されてしまうからである．最終的に，アシドーシス，血液量減少症，低血圧症，体液喪失の起こった動物や患者はアシドーシス，脱水症および高浸透圧の有害作用のために，治療が十分に行われないと死に至る．

これらすべての異常はインスリン投与によって是正できる．したがって，アシドーシスに対する緊急処置にはアルカリ投与や，水分，Na^+，K^+ の非経口的補給が含まれるが，基本にある欠陥を修復してすべてを正常に戻すことができるのはインスリンの投与だけである．

インスリン過剰

症　　状

インスリン過剰の結果みられる症状は，直接的であれ間接的であれ，すべて神経系に対する低血糖の効果の現れである．一定の間，飢餓状態においた個体以外では，脳でかなりの量が消費されている唯一の燃料はグルコースである．神経組織中の炭水化物予備量は非常に少なく，正常機能はグルコースが絶えず供給されることによって維持されている．血漿グルコース濃度が下がると，最初に現れる症状は自律神経の興奮に基づく動悸，発汗，神経過敏である．これらの徴候が出現する血糖値は，自律神経活性化が初めて現れる血糖値よりも少し低い．なぜなら，これらの徴候の閾値は自律神経活性化の閾値よりいくぶん低血糖側にあるからである．さらに血漿グルコース濃度が下がった場合，いわゆる **神経組織の糖欠乏症状 neuroglycopenic symptom** が現れてくる．これらの症状は，空腹感，錯乱その他の認知不全などである．これよりもさらに血漿グルコース濃度が下がると，嗜眠，昏睡，痙攣状態となり最後には死亡することさえある．はっきりしていることは，低血糖症状が現れた時にはすぐにグルコースを投与するかオレンジジュースなどグルコースを含んでいる飲物を与えるべきことである．ふつうはこれらの処置によって症状が劇的に消えるが，もしも低血糖の程度が重いか持続するならば，知的鈍麻から昏睡に至る異常が続くこともある．

代 償 機 構

低血糖に対する重要な代償の 1 つは内因性インスリン分泌が停止することである．インスリン分泌は血漿グルコース濃度が約 80 mg/dL になると抑制される（図 24・10）．これに加えて低血糖は少なくとも 4 種の拮抗ホルモン（グルカゴン，アドレナリン，成長ホルモン，コルチゾル）の分泌を促す．アドレナリンの分泌応答は睡眠中は抑制される．グルカゴンとアドレナリンは，グリコーゲン分解を促進させることによって肝臓からのグルコース放出を増大させる．成長ホルモンは種々の末梢組織におけるグルコース利用を抑え，コルチゾルも同様の作用をもっている．このような拮抗調節の中心はアドレナリンとグルカゴンであるらしい．血漿アドレナリン濃度が上昇すると血漿グルコース濃度の下降は逆転されるが，アドレナリンとグルカゴンの両方とも上昇しないと，血漿グルコース

24. 膵臓の内分泌機能と炭水化物代謝の調節 519

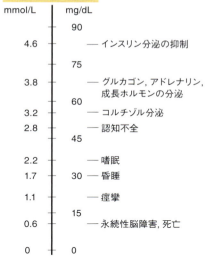

図24・10 低血糖の種々の徴候が現れる血漿グルコース濃度.

濃度の代償性上昇は十分には起こらない．他のホルモンの作用は補足的なものである．
　自律神経の興奮と拮抗ホルモンの放出を起こす血漿グルコース濃度は，認知不全その他の重篤な中枢神経系の変化を引き起こす血漿濃度よりも高いことに留意するべきである（図24・10）．インスリン治療をしている糖尿病患者にとって，この自律神経興奮によって引き起こされる症状は，グルコース補充が必要であることの警告である．しかし，自律神経症状は，特に長期間きっちりと血糖調節が行われてきた糖尿病患者では現れないこともあり，その結果起こってくる**低血糖無自覚 hypoglycemia unawareness** は，相当に重要な臨床的問題である．

インスリン分泌の調節

　絶食時正常人の末梢静脈血漿中のラジオイムノアッセイによる正常インスリン濃度は，0～70μU/mL（0～502 pmol/L）である．基礎状態において分泌されるインスリン量は約1U/時であり，食物摂取後5～10倍に上昇する．よって，正常人の1日当たりインスリン分泌量は約40 U（287 nmol）と計算されている．
　インスリン分泌を刺激または抑制する因子を表24・4にまとめてある．

表24・4　インスリン分泌に影響する諸因子＊

刺激因子	抑制因子
グルコース	ソマトスタチン，グレリン
マンノース	2-デオキシグルコース
アミノ酸（ロイシン，アルギニン，その他）	マンノヘプツロース
腸ホルモン［GIP，GLP-1（7-36），CCK，その他？］	αアドレナリン刺激薬（ノルアドレナリン，アドレナリン）
β-ケト酸	βアドレナリン遮断薬（プロプラノロール）
アセチルコリン	
グルカゴン	ガラニン
PACAP cAMP および種々の cAMP 生成促進物質	ジアゾキシド サイアザイド系利尿薬
βアドレナリン刺激薬	K^+欠乏
テオフィリン	フェニトイン
スルホニルウレア	アロキサン 微小管抑制薬
	インスリン IGF-1

＊訳注：原書では刺激因子としてガストリン，セクレチンが入っているが，これらの生理的意義は疑問視されているため省略し，反対に，膵島内でインスリン分泌反応を増強する作用をもつ下垂体アデニル酸シクラーゼ活性化ポリペプチド pituitary adenylate cyclase-activating polypeptide（PACAP；ペイキャップ）を加えた．またインスリン分泌を抑制する作用をもつ因子として IGF-1，グレリン ghrelin を加えた．

血漿グルコース濃度の効果

　グルコースが膵島 B 細胞に直接作用してインスリン分泌を刺激することは古くから知られている．グルコースに対する応答は二相性である．早く起こり持続時間の短い応答とその後に続くゆっくりと進行して持続時間の長い応答である．
　グルコースはグルコーストランスポータ GLUT 2 により B 細胞に入り，グルコキナーゼ glucokinase によりリン酸化され，その後細胞質でピルビン酸まで代謝される（図24・11）．ピルビン酸はミトコンドリアに入りクエン酸回路で代謝されて CO_2 と H_2O になるが，この時，酸化的リン酸化により ATP が産生される．ATP は細胞質に出て，ATP 感受性 K^+ チャネル ATP-sensitive K^+ channel を抑制して K^+ 流出を減少させ

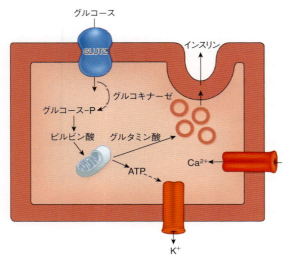

図24・11　インスリン分泌．グルコースはグルコーストランスポータ GLUT 2 により細胞に入り，グルコキナーゼによってリン酸化され，代謝され，細胞質でピルビン酸となる．ピルビン酸はミトコンドリアに入りクエン酸回路で代謝される．酸化的リン酸化により産生される ATP は ATP 感受性 K^+ チャネルを抑制し K^+ 流出を減少させる．これは B 細胞を脱分極し，Ca^{2+} 流入が増加し，Ca^{2+} はインスリンのエキソサイトーシス(開口放出)を起こし，スパイク状初期インスリン分泌が形成される．同時に産生されるグルタミン酸は分泌顆粒をエキソサイトーシス準備完了状態へ変化させる．

る．これは B 細胞を脱分極し，電位作動性 Ca^{2+} チャネルを通って Ca^{2+} が流入する．Ca^{2+} 流入は，放出準備の完了しているインスリン含有分泌顆粒[*5]のエキソサイトーシス(開口放出)を起こし，スパイク状の初期インスリン分泌が形成される．

ピルビン酸のクエン酸回路での代謝は細胞内グルタミン酸の増加をももたらす．グルタミン酸は分泌顆粒の第二のプールに作用してそれらに放出準備を整えるものと推定される[*6]．グルタミン酸の作用は分泌顆粒内を酸性化することにより，分泌顆粒の放出準備を完了させるものと推定される．この分泌顆粒の放出は持続性の第二相インスリン分泌を起こす．このようにグルタミン酸は分泌顆粒の放出準備を整える細胞内セカンドメッセンジャーとして機能している[*6]．

正常では，血漿グルコースがインスリン分泌を極め

[*5] 訳注：第一のプール．
[*6] 訳注：グルコースによるインスリン分泌の第二相の細胞内セカンドメッセンジャーとして，グルタミン酸の役割に関してはいまだ議論があり確定していない．一方，グルタミン酸以外にも cAMP，プロテインキナーゼ C (PKC) なども候補因子として考えられている．

て精密にフィードバック制御しており，その結果として血漿グルコース濃度とインスリン濃度の相関関係がはっきり認められる．

タンパク質と脂肪誘導体

インスリンはアミノ酸のタンパク質への組込みを刺激し，β-ケト酸を生成する脂肪異化過程を抑える．したがって，アルギニン，ロイシンその他の特定のアミノ酸や，アセト酢酸のような β-ケト酸が[*7]インスリン分泌を刺激することは驚くにあたらない．グルコース同様に，これらの物質は代謝される際に ATP を産生し，B 細胞の ATP 感受性 K^+ チャネルを閉じる[*8]．L-アルギニンは NO の前駆体であり，NO はインスリン分泌を刺激する[*9]．

経口血糖降下薬

トルブタミド tolbutamid やアセトヘキサミド acetohexamide，トラザミド tolazamide，グリピジド glypizide やグリブリド glyburide などの**スルホニルウレア誘導体 sulfonylurea derivative** は経口投与で効果を現す血糖降下薬であり，インスリン分泌を上昇させることによって血糖を下げる．これらの薬物は B 細胞が残っている患者でのみ有効であり，膵臓摘出後や 1 型糖尿病患者では無効である．それらは B 細胞膜の ATP 感受性 K^+ チャネルに結合してこれを抑制し，その結果 B 細胞膜を脱分極させて Ca^{2+} 流入を増やしてインスリン分泌を起こすので，その作用は血糖値に依存しない．

新生児持続性高インスリン性低血糖症 persistent hyperinsulinemic hypoglycemia of infancy は，低血糖症であって血漿インスリンが上昇しているまれな状態である．この状態は ATP 感受性 K^+ チャネルを経た K^+ 流出を低下させる B 細胞の種々の酵素の遺伝子突然変異によって引き起こされる．治療には，K^+ チャネル活性を上昇させるジアゾキシド diazoxide を投与するか，あるいは，さらに重症例には，部分膵摘除術

[*7] 訳注：高濃度になると．
[*8] 訳注：アミノ酸のうちロイシンは，グルコース同様に自ら代謝されること，および，ミトコンドリア酵素を活性化することにより，ATP を産生し，ATP 感受性 K^+ チャネルを閉じて，インスリン分泌を刺激する．
[*9] 訳注：これに加え，アルギニンは＋電荷をもつため，B 細胞に取り込まれる際に細胞膜を脱分極させ，電位作動性 Ca^{2+} チャネルを活性化し，インスリン分泌を刺激する．

を施行する.

ビグアナイド薬 biguanide derivative のメトホルミン metformin は，インスリンの関与なしで作用する経口血糖降下薬である．メトホルミンは主に糖新生を抑えて肝臓からのグルコース放出を低下させる．2型糖尿病の治療には，しばしばメトホルミンをスルホニルウレアに組み合わせて使用される．メトホルミンは乳酸アシドーシスを起こしうるが，その出現率は低い．

チアゾリジン誘導体 thiazolidinedione[*10] も糖尿病治療に用いられるが，その作用はインスリンによるグルコース取込みを増進してインスリン抵抗性を軽減することによる．この薬剤は細胞の核にあるペルオキシソーム増殖活性化受容体γ peroxisome proliferator-activated receptorγ (PPARγ) に結合してこれを活性化する．この受容体はホルモン感受性核転写因子スーパーファミリーのメンバーであり，その活性化は多様な代謝機能を正常化する特徴的能力をもつ．

cAMPとインスリン分泌

B細胞のcAMPを上昇させる刺激はインスリン分泌を引き起こす．そのような刺激にはβアドレナリン作動薬，グルカゴン[*11] およびテオフィリン theophylline などのホスホジエステラーゼ抑制薬がある．

カテコールアミンはインスリン分泌に二面的な効果をもつ．すなわち，アドレナリン$α_2$受容体を介してインスリン分泌を抑え，アドレナリンβ受容体を介してインスリン分泌を促進する．アドレナリンとノルアドレナリンの正味の効果は一般には抑制である．しかし，αアドレナリン遮断薬投与後にカテコールアミンを注射すると，抑制は促進に逆転する．

自律神経の効果

右迷走神経の分枝が膵島を支配している．副交感神経であるこの右迷走神経分枝を刺激するとM_3受容体を介して（表7・2参照），インスリン分泌を増大させる．アトロピン atropine はこの反応を阻止するし，アセチルコリンはインスリン分泌を促す．グルコースの効果のように，アセチルコリンの効果は，細胞質Ca^{2+}上昇によって引き起こされるが，このアセチルコリンの作用には，ホスホリパーゼCを活性化し，イノシトール三リン酸(IP_3)を遊離し，小胞体からCa^{2+}を細胞質へ遊離させる機構がはたらく．

膵臓に分布している交感神経を刺激するとインスリン分泌の抑制がみられる．この抑制はアドレナリン作動性$α_2$受容体にはたらくノルアドレナリン放出を介するものである．しかし，アドレナリン作動性α受容体が遮断されると交感神経刺激はアドレナリン作動性$β_2$受容体を介するインスリン分泌上昇を引き起こす．膵島を支配する自律神経の一部にはペプチドホルモンの一種であるガラニンが同定されており，ATPによって抑制を受けるK^+チャネルを活性化することによってガラニンがインスリン分泌を抑制する．このように，神経支配を除いた膵臓はグルコースに応答するが，膵臓の自律神経支配がインスリン分泌の総合的調節に関与している（クリニカルボックス24・3）．

腸ホルモン

グルコース経口投与がグルコースの静注よりも強力なインスリン刺激効果を現し，アミノ酸経口投与が同様にアミノ酸の静注よりも強力なインスリン反応を引き起こす．この観察から胃腸粘膜から分泌される物質がインスリン分泌を刺激するという可能性が追求された．グルカゴン，グルカゴン誘導体，コレシストキニン cholecystokinin (CCK)，ガストリンと胃抑制ポリペプチド gastric inhibitory polypeptide (GIP) のすべてがインスリン分泌作用を有している（25章参照）．また，CCKは，アミノ酸のインスリン刺激効果を促進する．しかし，これらのペプチド類の中でGIPのみが，経口グルコース投与により上昇する血中ペプチドレベルに相当する用量の投与により，インスリン分泌を刺激する．

最近，インスリン分泌を刺激するもう1つの腸因子として，グルカゴン様ポリペプチド1(7-36)[GLP-1(7-36)]が注目されている．このポリペプチドはプレプログルカゴンから生成されるペプチドの一種である（後述）．GLP-1(7-36)受容体もGIP受容体もB細胞にあり，強力にインスリン分泌を刺激する．GIPとGLP-1(7-36)はともに，Gs-cAMP系を刺激し，電位作動性Ca^{2+}チャネルを通るCa^{2+}流入を上昇させることにより作用を現す．

膵ソマトスタチンとグルカゴンのインスリン分泌調

[*10] 訳注：チアゾリジンジオンはグリタゾンとも呼ばれ，その誘導体はチアゾリジン系糖尿病薬としていくつか発売・使用されている．そのうちの troglitazone（商品名 Rezulin）が原書に記載されているが，現在では販売が中止され，もはや使用されていない．

[*11] 訳注：GLP-1，GIP，PACAP も cAMP 上昇を介してインスリン分泌を促進する．

クリニカルボックス 24・3

K^+減少の効果

血漿K^+濃度の減少はインスリン分泌を低下させ，原発性アルドステロン症（19章参照）患者にみられるようなK^+減少患者は糖尿病型の耐糖能曲線を呈する．この曲線はK^+補充によって正常型に戻る．

治療上のハイライト

サイアザイド系利尿薬は尿中のNa^+とともにK^+の喪失を引き起こし（37章参照），耐糖能を低下させ糖尿病を悪化させる．この系の利尿薬の効果の基本はK^+減少効果によるものであるが，この系の利尿薬のあるものは膵島細胞障害も引き起こす．利尿薬治療を要する糖尿病患者では，アミロライド amiloride のようなK^+を保持する利尿薬に変更すべきである．（訳注：カリウム保持性利尿薬にはミネラルコルチコイド受容体アンタゴニストと上皮型Na^+チャネル ENaC 遮断薬があり，いずれも遠位尿細管に作用する．前者にはスピロノラクトンやエプレレノンが，後者にはトリアムテレンやアミロライドがあるが，わが国ではアミロライドは使用されていない．）

節における役割の仮説については後述する．

B細胞応答性の長期間変化

与えられた刺激に対するインスリン分泌反応の大きさは，B細胞のそれまでの分泌の履歴によって一部決定される．高炭水化物食を数週間与えられた個体は，等カロリーの低炭水化物食を与えられた個体よりも絶食時の血漿インスリン濃度が高いばかりでなくグルコース投与後の分泌反応も亢進している．

B細胞も他の内分泌細胞と同様に刺激に対する反応として肥大化してくるが，刺激が強いかまたは長期間にわたる時には疲弊して分泌しなくなる（**B細胞疲弊 B cell exhaustion**）．膵臓の予備力が大きいので，正常の動物ではB細胞の疲弊を引き起こすことは難しいが，膵臓部分切除によって膵臓の予備力が低下していると，血漿グルコース濃度を慢性的に上昇させるどのような手段によっても残ったB細胞の疲弊を引き起こすことができる．たとえば，膵臓予備力を減少させた動物においては，下垂体前葉抽出物，成長ホルモン，甲状腺ホルモン投与，あるいはグルコース単独長期間注入により糖尿病が発生する．ホルモンによって起こされた動物の糖尿病は最初のうちはもとに戻すことができるが，長期間ホルモン投与を続けると糖尿病が永続することになる．このような一過性の糖尿病はこれを誘発した因子によって，"下垂体性糖尿病"，"甲状腺性糖尿病"などと名付けられている．誘発処置中止後にも持続する永続性の糖尿病はメタという接頭語を付け，たとえば"メタ下垂体性糖尿病 metahypophysial diabetes"あるいは"メタ甲状腺性糖尿病 metathyroid diabetes"というように呼んでいる．糖尿病誘発性ホルモンと一緒にインスリンを投与すると，B細胞は疲弊から保護される．これはおそらく血漿グルコース濃度が下がり糖尿病が進行しないためである．

これに関連して，遺伝的因子がB細胞の維持に関与しているかもしれないことは興味深い．*IRS-1*遺伝子ノックアウトマウス（前述）では代償的な著しいB細胞増殖がみられる[*12]．一方，*IRS-2*ノックアウトマウスではこの代償が低下し，より重篤な糖尿病の徴候が現れる．

グルカゴン

化　　学

ヒトのグルカゴンは分子量3485の直鎖ペプチドであり，膵島のA細胞と消化管上部で生成され，29個のアミノ酸残基からできている．グルカゴンの構造は，哺乳類すべてにおいて同じであるらしい．ヒトのプレプログルカゴン（図24・12）は，179個のアミノ酸からなるタンパク質で，膵島A細胞，消化管下部のL細胞と脳で同定されている．このポリペプチドは単一mRNAによって生成されるが，組織ごとに違ったプロセッシングを受ける．膵島A細胞では，プロセッシングによって主にグルカゴンと**主要プログルカゴン断片 major proglucagon fragment**（MPGF）とが生成される．L細胞では，主に**グリセンチン glicentin**（グル

[*12] 訳注：*IRS-1*は骨格筋でのインスリン作用を仲介する重要な分子であるため，そのノックアウトはインスリン抵抗性をもたらすが，インスリン分泌の亢進によってこれを代償するため膵島B細胞の増殖がみられる．*IRS-2*ノックアウトマウスでは，この代償性B細胞増殖が障害されているので，この過程に*IRS-2*が重要であると考えられる．

図 24·12　A 細胞と L 細胞におけるプレプログルカゴンの翻訳後プロセッシング． GLP：グルカゴン様ペプチド，GRPP：グリセンチン関連ポリペプチド，MPGF：主要プログルカゴン断片(Drucker DJ: Glucagon and glucagon-like peptides. Pancreas 1990; July; 5(4): 484-488 より許可を得て改変)．

カゴンのN末端とC末端にアミノ酸残基が延長した形のポリペプチド)と**グルカゴン様ペプチド1と2** glucagon-like peptide 1 and 2 (**GLP-1** と **GLP-2**)とが生成される．**オキシントモジュリン oxyntomodulin** も少し生成され，A 細胞と L 細胞では，**グリセンチン関連ポリペプチド** glicentin–related polypeptide (**GRPP**)があとに残る．グリセンチンは，グルカゴン活性をいくらかもっている．GLP-1 と GLP-2 はそれ自身ははっきりした生物活性をもたない．しかし，GLP-1 はさらにプロセッシングを受けて N 末端のアミノ酸残基が離されアミド化されて，**GLP-1(7-36)** を生成する．GLP-1(7-36) はグルコース誘発インスリン分泌を増強する(前述)．GLP-1 と GLP-2 は脳でも生成されるが，中枢神経系における機能は十分にわかっていない．しかし，GLP-1 も GLP-2 も孤束核 nucleus of the tractus solitarius(NTS)から背内側核 dorsomedial hypothalamic nucleus (DMH)への情報経路の伝達に関与しているようで GLP-1 または，GLP-2 を注入すると摂食が減少する．オキシントモジュリンは胃酸分泌を抑制するが，それが生理学的作用であるかは確定していない．GRPP の生理学的効果として確立されたものはない．

作　　用

グルカゴンはグリコーゲン分解，糖新生，脂肪分解およびケトン生成作用をもっている．グルカゴンは，分子量約 190 000 の G タンパク質共役型受容体に作用する．肝臓では，グルカゴンは G_s タンパク質に作用しアデニル酸シクラーゼを活性化させ，細胞内 cAMP を増大させる．これによってグルカゴンはプロテインキナーゼ A を介してホスホリラーゼ活性を上げ，次いで肝臓のグリコーゲン分解を促進し，血漿グルコースを上昇させる．しかし，グルカゴンは同じ肝細胞にある別のグルカゴン受容体にも作用してホスホリパーゼ C を活性化し，そのために上昇した細胞質 Ca^{2+} もグリコーゲン分解を促進する．プロテインキナーゼ A もホスホエノールピルビン酸からピルビン酸への転換を抑制することによってグルコース 6-リン酸代謝(図24·13)を下げる．プロテインキナーゼ A はフルクトース 2,6-ビスリン酸濃度も下げ，それが次にフルクトース 6-リン酸からフルクトース 1,6-ビスリン酸への転換を抑制することになる．この結果としてグルコース 6-リン酸が増大してグルコースの合成と放出を引き起こす．

筋肉ではグルカゴンのグリコーゲン分解作用はみられない．グルカゴンは肝臓で利用しうるアミノ酸からの糖新生を促進し代謝率を上げる．また，グルカゴンは肝臓中でのマロニル CoA を減少させることによって，ケトン体産生を増加させる．脂肪分解作用およびそれによって上昇するケトン生成については1章で考察した．グルカゴンの熱量産生作用は高血糖自体に起因するものでなくて，おそらく肝臓でのアミノ酸の脱アミノによって上昇するものであろう．

グルカゴンを外から大量に注射すると心臓に対する

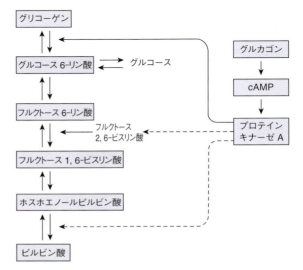

図 24·13　グルカゴンが肝臓からのグルコース放出を増加させる機構． 実線矢印は促進を，破線矢印は抑制を表す．

正の変力効果が現れてくる（30章参照）．この時に心筋の興奮性は増大しないので，その効果は心筋内のcAMP増加に起因するものであろう．グルカゴンを心臓病の治療に使うことが提唱されてきているが心機能調節におけるグルカゴンの生理的役割を示す証拠は何もない．グルカゴンは成長ホルモン，インスリン，および膵ソマトスタチン分泌も刺激する．

代　　謝

　グルカゴンの血流中の半減期は5〜10分である．グルカゴンは多くの組織，特に肝臓で分解される．グルカゴンは門脈中に分泌され末梢循環に入る前に肝臓に入るので末梢血中濃度は比較的低い．興奮性刺激によって引き起こされる末梢血グルカゴン濃度の上昇は肝硬変患者では異常に高くなる．この原因はおそらくグルカゴンの肝臓における分解が低下することによる．

分泌の調節

　グルカゴン分泌に影響する主要因子を表24・5にまとめた．分泌は低血糖によって増加し，血漿グルコースが上昇すると減少する．膵B細胞はGABAを含んでおり，高血糖によってインスリン分泌が増加している時には同時にGABAが放出されA細胞に作用しGABA$_A$受容体活性化を介してグルカゴン分泌を抑制することを示す証拠が得られている．GABA$_A$受容体はCl$^-$チャネルであり，活性化の結果Cl$^-$流入が起こりA細胞を過分極させる．

　分泌は膵臓に入る交感神経の刺激によっても増大してくるが，この交感神経効果はアドレナリン作動性β受容体とcAMPを介するものである．アドレナリン作動性β受容体刺激が分泌を増し，アドレナリン作動性α受容体刺激が分泌を減らすという点ではA細胞はB細胞に似ている．しかし，遮断薬を投与していない時交感神経を刺激すると膵臓から分泌されるグルカゴンが増加することから見て，グルカゴン分泌細胞においてはβ受容体効果が優位に現れるようだ．多くのストレスの刺激効果や，おそらく運動や感染の刺激効果の少なくともその一部は，交感神経系を経て現われるものであろう．迷走神経刺激によってもグルカゴン分泌が上昇する．

　タンパク食やいろいろのアミノ酸注射はグルカゴン分泌を増す．糖産生アミノ酸はこの注入効果が特に大きいと考えられる．というのはグルカゴンの影響の下に肝臓でグルコースに転換されるのはこのようなアミノ酸であるからである．タンパク食後のグルカゴン分泌増加も重要である．というのはアミノ酸はインスリン分泌を刺激し，分泌されたグルカゴンは低血糖の進行を抑え，インスリンは吸収された炭水化物および脂質の貯蔵を促すからである．絶食中グルカゴン分泌は増している．その最大分泌は絶食3日目にみられ，その時糖新生は最大になる．その後，脂肪酸とケトンが主要エネルギー源となり血漿グルカゴン濃度は低下する．

　運動時にはグルコース利用が上昇するが（後述），一方で循環血グルカゴンレベルの増加によりグルコース産生が上昇し，これら2つの変化は均衡を保つ．

　経口的に投与したアミノ酸のグルカゴン分泌効果の方が静注したアミノ酸の効果よりも大きい．このことはグルカゴン刺激因子が消化管粘膜から分泌されることを示唆している．CCKとガストリンはグルカゴン分泌を増し，セクレチンはグルカゴン分泌を減らす．CCK分泌もガストリン分泌もともにタンパク食で増加してくるので，このうちどちらかがグルカゴン分泌効果の消化管・液性伝達物質なのかもしれない．ソマトスタチンによる抑制効果については後で考察する．

　グルカゴン分泌はFFAやケトンによっても抑制される．しかし，糖尿病性ケトアシドーシスにおいて血漿グルカゴン濃度が高い値を示していることから，ケトンによる抑制はこれによって凌駕されている．

表24・5　グルカゴン分泌に影響する諸因子

刺激因子	抑制因子
アミノ酸（特にアラニン，セリン，グリシン，システインおよびスレオニンという糖産生アミノ酸）	グルコース
CCK，ガストリン	ソマトスタチン
コルチゾル	セクレチン
運動	FFA
感染	ケトン
その他のストレス	インスリン
βアドレナリン刺激薬	フェニトイン
テオフィリン	αアドレナリン刺激薬
アセチルコリン	GABA

インスリン-グルカゴンのモル比

前に述べたように,インスリンはグリコーゲン産生,抗糖新生,抗脂質分解および抗ケトン体産生の作用をもっている.こうして吸収した栄養素の貯蔵に有利なはたらきをしている"エネルギー貯蔵ホルモン"である.これに対し,グルカゴンはグリコーゲン分解,糖新生,脂質分解およびケトン体産生の作用をもっており,貯蔵エネルギーを代謝過程に組み込む"エネルギー放出ホルモン"である.これら両ホルモンの相反効果から見て,どの場合にも両ホルモンの血中濃度が考慮されなければならない.この際,これら両ホルモンのモル比で考察するのが便利である.

それまでに投与された刺激物質によって条件が変わりグルカゴンもインスリンも分泌量が変わってくるので,インスリン-グルカゴンのモル比は著しく変動する(表24·6).たとえば,成分均衡食を食べさせている時にはインスリン-グルカゴンモル比(グルカゴン1 mol に対するインスリンのモル数)はおよそ2.3である.アルギニン注入により両ホルモンの分泌がともに増し比は3.0となる.3日間絶食させると比は0.4になり,そこにアルギニンを注入するとさらに0.3に下がる.逆に,グルコースを一定速度で注入した個体ではその比が25になり,その注入中にタンパク食を与えると比は170にまで上がる(表24·6).この比が上昇するのはインスリン分泌上昇は急速であるがグルカゴンのタンパク食に対する反応はふつう打ち消されるからである.このようにして絶食中でエネルギーが必要な時にはインスリン-グルカゴンのモル比は低く,グリコーゲン分解と糖新生を有利にするし,反対にエネルギー需要の低い時にはその比は高くなり,グリ

表24·6 種々の条件下での血中インスリン-グルカゴンモル比(I/G)

条 件	肝グルコース貯蔵(S)または産生(P)[a]	I/G
利用できるグルコース		
高炭水化食	4+(S)	70
グルコース静注	2+(S)	25
少量の食事	1+(S)	7
必要なグルコース		
一晩絶食	1+(P)	2.3
低炭水化食	2+(P)	1.8
飢餓	4+(P)	0.4

[a] 1+から4+は相対強度.(Unger RH の好意による)

クリニカルボックス 24·4

巨大児とGLUT1 欠損症

糖尿病の母親から生まれた乳児は,しばしば出生時体重が重く臓器が大きい(巨大児 macrosomia).これは胎児循環血中の過剰インスリンに起因する.高インスリンの原因は,糖尿病の母親の血液由来の高濃度のグルコースとアミノ酸によって胎児の膵島が刺激されることによる.

一方,母親血中の自由インスリンは胎盤のプロテアーゼによって分解されるが,抗体結合インスリンは分解されず胎児に到達する.

GLUT1 欠損症 GLUT1 deficiency の幼児では血液脳関門を通過するグルコース輸送に欠陥がある.そのため,正常血漿グルコース存在下での脳脊髄液のグルコース濃度の低下,てんかん発作,発達遅延がみられる.

コーゲン,タンパク質,脂肪の蓄積を有利にする(クリニカルボックス 24·4).

その他の膵島ホルモン

インスリンとグルカゴンに加えて,ソマトスタチンや膵ポリペプチドも膵島から血中へと分泌される.これらの物質は膵島から血流中に放出される.さらに,ソマトスタチンは,各種の刺激に対応して分泌されるホルモン群の分泌パターン調整のための膵島内調節過程に関与しているらしい.

ソマトスタチン

ソマトスタチンとその受容体は7章でも考察されている.14個のアミノ酸からなるソマトスタチン14(SS14)と,そのN末端にアミノ酸が加わったソマトスタチン28(SS28)は膵島のD細胞に含まれる.これら2種のペプチドはともにインスリン,グルカゴンおよび膵ポリペプチドの分泌を抑制し,膵島内で局所的にパラクリン(傍分泌)paracrine 様式で作用していると考えられている.インスリン分泌抑制効果ではSS28 はSS14 よりも強力であり,SSTR5 受容体を介して作用する(7章参照).ソマトスタチン分泌腫瘍(ソマトスタチノーマ somatostatinoma)を有する患

者は高血糖その他の糖尿病徴候を現し，その腫瘍を摘除するとそれらの徴候が消える．また，胃内容物輸送が遅くなり胃酸分泌が低下するので,消化不良が進み，CCK分泌抑制によって胆嚢収縮が弱まって内容が沈殿してくるため胆石が生じてくる．膵ソマトスタチンの分泌はインスリン分泌を上昇させる刺激のうちのいくつか，たとえばグルコースやアミノ酸，特にアルギニンとロイシンによって促進される．ソマトスタチンの分泌はCCKによっても促進される．ソマトスタチンは膵臓と消化管から末梢血中に分泌される．

膵ポリペプチド

ヒトの膵ポリペプチドはアミノ酸残基36個の直鎖ポリペプチドであり，膵島PP細胞で産出される．膵ポリペプチドは他の2種の36アミノ酸残基ポリペプチド，**ペプチドYY peptide YY（PYY）** と **ニューロペプチドY neuropeptide Y（NPY）**，と極めて類似している．PYYは消化管ホルモンであり(25章参照)，NPYは脳と自律神経系に存在するペプチドである(7章参照)．これらのポリペプチドはすべてチロシンで終わり，C末端はアミド化されている．膵ポリペプチド分泌の少なくとも一部はアセチルコリンによる制御を受けている．事実，アトロピン投与後には血漿濃度が下降する．膵ポリペプチド分泌は，タンパク食の摂取，絶食,運動および急性の低血糖によって促進されるし，ソマトスタチンと静脈血糖によって抑制される．ロイシン，アルギニンおよびアラニンは分泌に影響を及ぼさないので，タンパク食の刺激効果は間接効果なのであろう．ヒトでは，膵ポリペプチドは食物の吸収を遅くするとともに，吸収の山と谷を平坦化もするようだ．しかし，その確かな生理作用はまだ確定していない．

膵島の機能的構成

膵島の中に他の膵島ホルモンの分泌に影響を及ぼすホルモンがあるという事実は，膵島が栄養素ホメオスタシスの調節を行う内分泌機能単位としての機能を有していることを示唆している．ソマトスタチンはインスリン，グルカゴンおよび膵ポリペプチドの分泌を抑制し（図24・14），インスリンはグルカゴン分泌を抑制し，グルカゴンはインスリンとソマトスタチンの分泌を促進する．前述のようにAとD細胞および膵ポリペプチド分泌細胞は膵島の周辺にありB細胞は中心にある．グルカゴンに富む膵島と膵ポリペプチドに富む膵島の2型があることは確かであるが，このよう

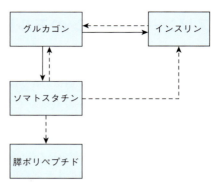

図24・14 膵島細胞のホルモンが他の膵島細胞ホルモンの分泌に及ぼす効果．実線は促進性を示し，破線は抑制性を示す．

に2つの型に分離していることの機能的な意義は不明である．細胞外液(ECF)に遊離していった膵島ホルモンは，他の膵島細胞へも拡散してそれら細胞の機能にも影響を及ぼす可能性が高い(パラクリンコミュニケーション,25章参照)．A,BおよびD細胞間にギャップ結合 gap junction が存在しており，ここを通じてイオンや他の小分子が細胞間を通過できる．このようにしてそれらの細胞の分泌機能が協調されているのかもしれない．

他のホルモンと運動の炭水化物代謝に及ぼす効果

運動は炭水化物代謝に対して直接効果を現す．また，インスリン，IGF-IおよびIGF-II，グルカゴンおよびソマトスタチンや，それ以外の多くのホルモンが炭水化物代謝の調節に重要なはたらきをしている．炭水化物代謝の調節作用をもつ主要なホルモンは，アドレナリン，甲状腺ホルモン，グルココルチコイド，および成長ホルモンである．これらのホルモンの他の機能については，別の章で考察しているが，炭水化物代謝とホルモンの効果はこの章で扱うため，ここでまとめて記載する．

運　　動

運動時にはインスリンがなくてもグルコースの骨格筋への流入が増加するが，これは筋細胞膜のGLUT4トランスポータの数をインスリン非依存性に増加させるためである(前述)．このグルコース流入の増大は運動後数時間持続し，規則正しい運動練習はインスリン

感受性の持続的増大をもたらす．筋肉のグルコース取込みの増大のみならず，運動中には注射されたインスリンの吸収の加速も原因となり，糖尿病患者が急に運動時に低血糖症を起こすことがある．糖尿病患者が運動する時には，カロリーを余分にとるかインスリン投与量を減らすべきである．

カテコールアミン

カテコールアミンが肝臓のホスホリラーゼを活性化することは1章で考察した．この活性化はアドレナリンβとα受容体を介するもので，β受容体活性化は細胞内cAMPを増加させ，α受容体活性化は細胞内Ca^{2+}を増加させる．アドレナリンは肝臓のグルコース放出を増し，高血糖症を引き起こす．筋肉ではcAMPとおそらくはCa^{2+}を介してホスホリラーゼも活性化されるが，グルコース6-ホスファターゼがないので，生成されるグルコース6-リン酸はすべてピルビン酸へと異化されていく．多量のピルビン酸が乳酸に変わり，筋肉から血中へ拡散されていくがその理由は十分明らかにされていない（図24・15）．この乳酸は肝臓で酸化されてピルビン酸になり，グリコーゲンに変えられる．それでアドレナリン投与時の初期反応はグリコーゲン分解の増大であり，引き続いて肝臓のグリコーゲン含量が増してくる．乳酸酸化反応はアドレナリンの熱量産生効果の原因となっているのであろう（19章参照）．アドレナリンとノルアドレナリンはまたFFAを血中に放出させる．アドレナリンはグルコースの末梢利用も低下させる．

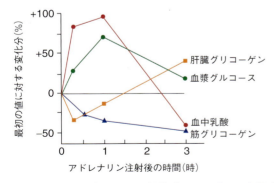

図24・15 食餌投与ラットの組織グリコーゲン，血漿グルコースおよび血中乳酸濃度に対するアドレナリンの効果．(Ruch TC, Patton HD (editors): *Physiology and Biophysics*, 20th ed, St. Louis, MO: Saunders; 1973 より許可を得て複製)．

甲状腺ホルモン

サイロキシンとトリヨードサイロニンは実験的糖尿病を増悪させる．甲状腺中毒病にかかると臨床的糖尿病はいっそう悪化する．膵臓予備力を減少させると動物はメタ甲状腺性糖尿病になる．甲状腺ホルモンの糖尿病誘発作用の主因は腸管の糖吸収を増大させることである．しかし甲状腺ホルモンは（おそらくカテコールアミン効果の促進を介して）肝臓グリコーゲンをある程度消失させる．グリコーゲンを失った肝臓は傷害されやすく，肝臓が傷害を受けると吸収した糖を少ししか取り込めないのでグルコース負荷曲線は糖尿病型になる．甲状腺ホルモンはまたインスリン分解を促進するらしい．これらすべての甲状腺ホルモン作用は血糖上昇効果を現すもので，膵臓予備力が低下している時にはB細胞の消耗を来すことになろう．

副腎グルココルチコイド

副腎皮質が分泌するグルココルチコイド（19章参照）は，血糖上昇作用をもちグルコース負荷曲線を糖尿病型にする．ヒトでは糖尿病の遺伝的素因をもつ場合にのみこの作用が現れる．Cushing〔クッシング〕症候群（19章参照）の患者の80％は耐糖能が低く，残り20％は糖尿病症状を呈する．絶食中のグルカゴンの糖新生作用の発現にはグルココルチコイドが必要である．グルココルチコイド自身も糖新生作用を有するが，その役割は主に他のホルモンの作用を増強させる許容作用である．副腎機能不全症の患者では食物を摂取している限り血糖値は正常に保たれるが，いったん絶食すると低血糖症になり虚脱が起こる．副腎機能不全患者ではインスリンの血漿グルコース低下作用が著明に増強されている．実験的糖尿病の動物では，副腎摘出後に糖尿病症状は軽減する．グルココルチコイドの糖尿病誘発作用の主要なものは，肝臓における糖新生の増加を伴うタンパク質分解作用の促進，肝臓におけるグリコーゲンおよびケトン体産生の増大，末梢組織のグルコース利用の低下である．この時のグルコース利用の低下は，おそらく，グルコースのリン酸化反応が抑制されるために起こるもので，血液インスリン濃度に見合う値よりもさらに低下している．

成長ホルモン

ヒトの成長ホルモンは臨床的に糖尿病を増悪させる．また，下垂体前葉に成長ホルモン分泌腫瘍をもつ

患者の25%は糖尿病症状を呈する．下垂体摘出は糖尿病症状を軽減し，インスリン抵抗性を低下させ，それらの効果は副腎摘出よりも強力である．それに対し，成長ホルモン治療はインスリン抵抗性を増加させる．

成長ホルモンの効果の一部は直接作用により，一部はIGF-Iにより仲介されている（18章参照）．成長ホルモンは脂肪組織からFFAを放出させ，その結果ケトン体産生を促進する．また成長ホルモンは組織によってはそのグルコース取込み量を減少させ（"抗インスリン作用"），肝臓に対してはグルコース放出量を増加させるし，組織のインスリン結合を減弱させるらしい．事実，飢餓時に生じるケトーシスや耐糖能の低下は，成長ホルモンの分泌過剰のためであると想定されてきている．成長ホルモンはインスリン分泌を直接刺激することはないが，成長ホルモン作用によって生じる高血糖の結果，二次的に膵臓を刺激し，B細胞の消耗を来す結果となる．

ヒトの低血糖症と糖尿病

低血糖症

"インスリン反動"は1型糖尿病患者ではふつうにみられることで，時折発生する低血糖は糖尿病の治療がうまくいっていることに対して支払われる代価である．運動中には，骨格筋によるグルコース取込みと注射したインスリンの吸収がともに増加する（前述）．

糖尿病でないヒトにも症候性低血糖症が起こることがあり，そのような低血糖の要因を要約することは，血糖恒常性に影響を与える諸因子をはっきりさせるのに役立つ．慢性軽度低血糖症の時には運動失調や言語不明瞭の症状がみられ，酒酔いと間違えられる．はっきりした昏睡状態にはならないが軽度の精神異常や痙攣が起こることもある．まれな膵臓由来のインスリン分泌腫瘍である**インスリン腫 insulinoma**によって慢性的にインスリン分泌が増大している時，それらの症状が朝にみられることが最も多い．それは夜間の絶食中に肝臓のグリコーゲン貯蔵を使い果たしてしまうことによる．しかしそれらの症状は1日中どの時間にも現れることもあり，このような患者はしばしば誤診されることがある．インスリン腫であるのにてんかんや精神病と誤診された例もいくつかある．低血糖症 hypoglycemiaは膵島以外に大きな悪性腫瘍をもつ患者にもみられることがある．この場合の低血糖は，IGF-Ⅱの過剰分泌によるものであるようである．

前述のように，自律神経活性化による震え，発汗と

おそらくは空腹が起こる血漿グルコース濃度は，認知機能異常を起こすグルコース濃度よりも一般に高いレベルにあるので，糖質を摂取すべきであるという警告となる．しかし，人によっては，これらの症状が，脳機能異常（脱感作）のために，認知障害の発生に先んじて起こらず，この**低血糖無自覚 hypoglycemia unawareness**は危険となりうる．この状態はインスリン腫の患者や強化インスリン療法を受けている糖尿病患者で起こる傾向があるので，繰り返し起こる低血糖は，最終的に低血糖無自覚を起こす原因になる．もししばらくして再び血糖が上がるならば，認知障害や昏睡を起こす血糖値よりも高い血糖値で警告症状が再び現れてくる．長期にわたる低血糖の持続が警告症状を失わせる理由はわかっていない．

肝臓病の時のグルコース負荷曲線は糖尿病型になるが，絶食時の血糖値は低い（図24・16）．**機能的低血糖症 functional hypoglycemia**の患者では，グルコース負荷試験初期の血漿グルコース上昇は正常人型であるがそれに続く下降相は下がりすぎて低血糖値まで低下してしまい，食後3〜4時間で低血糖の症状を示すのである．このような型は後で糖尿病になるヒトに時々見られる．この症候群を示す患者は，心理的その他の誘因によって低血糖ではないのに同様の症状を示すさらに多数の患者とは，区別される必要がある．血漿グルコースが低血糖域まで下がりすぎるのは，右迷走神経のインパルスによってインスリン分泌が刺激されるためであると推定されてきた．しかし抗コリン薬を投与しても，通常この異常反応をもとに戻すことはできない．また一部の甲状腺中毒症患者や，胃切除その他の

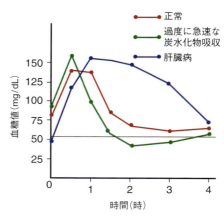

図24・16 肝臓病，および腸のグルコース吸収が速すぎる状態の時の経口グルコース負荷による耐糖能曲線の典型例．水平線は低血糖の症状が現れるおおよその血糖値．

食物が短時間で腸へ移行してしまうような手術を受けた患者では，グルコース吸収が異常に速い．血漿グルコースは早期に高い最高値に達し，次に急速に低血糖域まで低下してしまう．これは初期の高血糖の変化が正常の場合よりもはるかに多量のインスリン分泌を引き起こすことによる．この場合食後約2時間で症状が起こるというのが特徴である．

糖尿病

ヒトの糖尿病罹患率は世界中ですでに警戒を要する割合にまで達しており，さらに急速に増加している．国際糖尿病学会によれば，2010年に推定された患者数は2億2850万であり，2030年までに4億3800万に達すると予想されている．患者の90％は2型糖尿病であり（後述），また増加している部分のほとんどが2型であり，肥満罹患率の増加と並行している．

糖尿病患者はしばしばアシドーシスと昏睡に陥り，また糖尿病が長年に及ぶとさらなる合併症が現れる．これには最小血管障害，大血管障害，神経障害がある．最小血管障害には，網膜の増殖性瘢痕(**糖尿病網膜症 diabetic retinopathy**)とその結果起こる失明，および腎疾患(**糖尿病性腎症 diabetic nephropathy**)とその結果起こる慢性腎臓病がある．大血管障害は動脈硬化の加速に起因し，これは血漿LDLの増加の結果起こる．その結果，脳卒中と心筋梗塞の発症率が増加する．神経障害(**糖尿病性ニューロパチー diabetic neuropathy**)は自律神経と末梢神経にみられる．四肢の糖尿病性ニューロパチーと動脈硬化性循環不全の合併および感染症に対する抵抗性低下によって，慢性潰瘍と壊疽が特に足に起こることがある．

これら最小血管合併症とニューロパチーの根本原因は，高血糖が長期間持続することである．したがって，糖尿病を厳重に管理すればこれらの発生率を低下させうる．細胞内高血糖はアルドース還元酵素を活性化させ，細胞内ソルビトール生成を増加させ，その結果，細胞内Na^+, K^+-ATPaseを減少させる．それに加えて，細胞内グルコースがいわゆる"アマドリ生成物"[*13]に変換することもあり，最後には，**終末糖化産物 advanced glycosylation end product** (**AGE**) を生成し，これら最終産物群は基質タンパク質と架橋する．この

ようにして血管が損傷される．AGEも感染に対する白血球反応を妨害する．

糖尿病の型

臨床的な糖尿病の原因は常に組織レベルのインスリンの効果の不足にあるが，その不足の程度は相対的である．一般的な糖尿病のタイプの1つである**1型糖尿病 type 1 diabetes mellitus**[*14]は，自己免疫による膵島B細胞の破壊によるインスリン欠乏に起因する．A, D, PP細胞は正常である．もう1つの一般的な糖尿病のタイプである**2型糖尿病 type 2 diabetes mellitus**[*14]は，インスリン抵抗性およびインスリン分泌障害を特徴とする[*15]．

これらの一般的糖尿病に加えて，慢性膵炎，膵切除，Cushing症候群（19章参照）や先端巨大症（18章参照）などの疾患や状態に起因する糖尿病がある．これは糖尿病全体の5％を占め，**二次性糖尿病 secondary diabetes** と呼ばれることがある[*16]．

1型糖尿病は通常40歳以前に発症するため，**若年性糖尿病 juvenile diabetes** と呼ばれる．患者は肥満しておらず，高頻度にケトーシスとアシドーシスを呈する．種々のB細胞抗原が認められるが，1型糖尿病は主としてT細胞によりもたらされると考えられている．遺伝的疾患感受性もたしかに認められ，双子の1人が罹患するともう1人も1/3の確率で発症する．すなわち**一致率 concordance rate** は約33％である．主たる遺伝学的異常は第6番染色体上の主要組織適合遺伝子複合体にあり，特定のタイプの主要組織適合性抗原をもつヒトは疾患を発症しやすくなる（3章参照）．他の遺伝子も関与している．

シクロスポリン cyclosporine のような免疫抑制薬は，すべての膵島B細胞が破壊される前の初期に投与すれば1型糖尿病を改善する．膵島または分離膵島細胞を移植して糖尿病を治療する試みが行われてき

[*13] 訳注：グルコースのアルデヒド基がタンパク質のリシン残基とイミンを作って結合し，このイミンから水素原子が転位（アマドリ転位）したケトンに変化して作られたものがアマドリ化合物と呼ばれる．

[*14] 訳注：原書のIDDMとNIDDMの表記は生理学的にも臨床的にも不適切である．たとえば，NIDDM (non-insulin-dependent diabetes mellitus)という表現は，このタイプの糖尿病がインスリン分泌は正常であり，インスリン抵抗性によるという誤った病態生理学的情報を与え，さらには臨床的に常にインスリン治療を必要としないという誤解を招くものであり，現在ではIDDMとNIDDMは，それぞれ1型と2型で統一されている．

[*15] 訳注：原書ではインスリン抵抗性のみが記されているが，インスリン抵抗性が先行する場合と，インスリン分泌障害が先行する場合の双方が存在することが明らかになっている．

[*16] 訳注：二次性糖尿病の頻度は，地域の環境に左右されるので5％とは限らない．

たが，これまでのところ成果は不十分である．その理由は，移植したB細胞がすぐに障害されること，および，グルコース応答を正常化するだけの数のB細胞を移植することが困難であることによる．

前述したように，2型は最も一般的な糖尿病であり，しばしば肥満を伴っている．2型糖尿病は40歳以上で発症率が増加し，インスリン分泌能の完全な消失を伴ってはいない．気が付かない間に発症し，めったにケトーシスを起こさず，B細胞がまだ疲弊していない間はその形態とインスリン含量は正常である．2型糖尿病の遺伝要因は1型糖尿病に比べてより強力であり，一卵性双生児における一致率は高く，いくつかの調査では100％近い値が報告されている．

2型糖尿病患者の中には，特定の遺伝子異常によるものがある．60以上の遺伝子異常が明らかにされており，その中にはグルコキナーゼ(症例の約1％)，インスリン分子そのもの(症例の約0.5％)，インスリン受容体(症例の約1％)，GLUT4(症例の約1％)，IRS-1(症例の約15％)の遺伝子が含まれる．若年発症成人型糖尿病 maturity onset diabetes of the young (MODY)は，2型糖尿病症例の約1％を占め，それには6つの遺伝子の機能欠失性突然変異が記載されている．そのうち5つの遺伝子はグルコース代謝に関与する酵素の産生に影響する転写因子をコードしている．残りの1つにグルコキナーゼ遺伝子(図24・11)であり，この酵素はグルコースリン酸化の速度を制御することによりB細胞のグルコース代謝を調節している．しかし圧倒的多数の2型糖尿病はたしかに多遺伝子疾患であり，実際に関与している遺伝子群はまだ明らかにされていない．

肥満，メタボリックシンドローム，ならびに2型糖尿病

肥満の頻度は増加しており，これは摂食調節，エネルギーバランス，総合的栄養状態に関連している．肥満は糖代謝障害と糖尿病に特に関与するので，この章で考察する意義がある．体重が増加すると，インスリン抵抗性 insulin resistance が進行する．換言すれば，脂肪組織と骨格筋に糖を取り込ませ，肝臓からの糖放出を抑制するインスリンの能力が低下する．体重の低下はインスリン抵抗性を改善する．肥満に伴って，高インスリン血症，および，高中性脂肪と低HDLからなる脂質代謝異常が現れ，動脈硬化の進展を加速する．これらの組合せは通常，**メタボリックシンドローム metabolic syndrome** とか**症候群X syndrome X** と呼ばれる．この症候群の患者の多くは，前糖尿病状態または2型糖尿病となる．高インスリン血症がインスリン抵抗性亢進に対する代償性の応答であり，B細胞の予備能の小さい個人では，明白な糖尿病を発症するとの考え方は，いまだ実証されてはいないが論理的な仮説である．

これらの観察とその他のデータは，脂肪細胞が化学シグナルを産生し，これが骨格筋と肝臓に作用してインスリン抵抗性を増大することを強く示唆している．この証拠の1つに以下の最近の発見がある．脂肪細胞のGLUTを特異的に欠損させた動物では in vivo で骨格筋でのグルコース輸送も抑制されているが，取り出した骨格筋の in vitro でのグルコース輸送は正常である．

脂肪細胞から放出される，1つの可能性のあるシグナルは血中遊離脂肪酸レベルであり，これはインスリン抵抗性状態では多くの場合増加している．他の可能性のあるシグナルとして脂肪細胞から放出されるペプチドとタンパク質がある．白色脂肪組織が不活性の組織塊ではなく，レプチンおよびその他の脂質代謝制御ホルモンを分泌する実質的な内分泌器官であることは今や明確である．これらの脂肪細胞由来のホルモンは脂肪組織から分泌されるサイトカインであるので一般的に**アディポカイン adipokine** と呼ばれる．よく知られるアディポカインとしてレプチン leptin，アディポネクチン adiponectin，レジスチン resistin がある．

アディポカインのいくつかはインスリン抵抗性を増加ではなく低下させる．たとえば，レプチンとアディポネクチンはインスリン抵抗性を低下させ，レジスチンは増加させる．さらに複雑な状況として，脂肪組織が未発達である代謝異常疾患**先天性脂肪萎縮症 congenital lipodystrophy** において，顕著なインスリン抵抗性が認められる．この抵抗性はレプチンとアディポネクチンにより軽減する．さらに，種々の細胞内セカンドメッセンジャーのノックアウトがインスリン抵抗性を増強させることが報告されている．これらの発見がいかに相応して肥満のインスリン耐性への関連を説明できるかは，明らかではない．しかしこの話題の重要性は自明であり，盛んな研究が行われている．

章のまとめ

- ホルモン作用をもつ4種類のポリペプチド（インスリン，グルカゴン，ソマトスタチン，膵ポリペプチド）が膵臓から分泌される．
- インスリンはグルコースの細胞への取込みを増加させる．骨格筋では細胞膜のGLUT4の数を増加させる．肝臓ではグルコキナーゼを誘導してグルコースリン酸化を増加させ，その結果グルコース取込みを促進する．
- インスリンはK^+を細胞に取り込ませ，その結果細胞外K^+濃度を低下させる．インスリンは細胞膜Na^+, K^+-ATPase活性を増加させ，そのためより多くのK^+を細胞内に取り入れる．インスリン治療を受けている糖尿病性アシドーシスの患者はしばしば低カリウム血症を呈する．
- インスリン受容体は全身の多くの細胞に発現し，αとβの2つのサブユニットからなる．インスリンが受容体に結合すると，βサブユニットのチロシン残基の自己リン酸化を含むシグナル伝達経路を惹起する．これは，いくつかの細胞質タンパク質のリン酸化と別の細胞質タンパク質の脱リン酸化を，セリン・スレオニン残基上で起こす．
- インスリン不足により引き起こされる一連の症状を糖尿病と呼ぶ．1型糖尿病は自己免疫による膵B細胞破壊に起因するインスリン枯渇による．2型糖尿病は膵B細胞インスリン分泌の調節異常と骨格筋・脳・肝臓などの末梢組織のインスリン抵抗性により特徴付けられる．

多肢選択式問題

正しい答えを1つ選びなさい．

1. 次のうちのどれが間違った組合せか．
   A．B細胞：インスリン
   B．D細胞：ソマトスタチン
   C．A細胞：グルカゴン
   D．膵臓外分泌細胞：キモトリプシノーゲン
   E．PP細胞：ガストリン

2. 次のうちのどれが間違った組合せか．
   A．アドレナリン：骨格筋におけるグリコーゲン分解の促進
   B．インスリン：タンパク質合成促進
   C．グルカゴン：糖新生促進
   D．プロゲステロン：血漿グルコース濃度の上昇
   E．成長ホルモン：血漿グルコース濃度の上昇

3. 膵島B細胞全部が破壊される薬物を注入されたラットに14日目で現れる可能性が最も低いと推定されるのは，次のうちどれか．
   A．血漿H^+濃度の上昇
   B．血漿グルカゴン濃度の上昇
   C．血漿HCO_3^-濃度の降下
   D．血漿アミノ酸濃度の降下
   E．血漿浸透圧の上昇

4. 血糖値が下がると，多種多様なホルモンが低血糖を回復させるために動き出す．インスリンを大量投与した後に，低血糖から正常血糖に回復するのが遅れる病気は以下のうちどれか（訳注：この問題には解答が3つあるが，その効果が最も著明な1つはどれか）．
   A．副腎髄質機能不全
   B．グルカゴン欠乏
   C．副腎髄質機能不全とグルカゴン欠乏の合併症
   D．甲状腺中毒症
   E．先端巨大症

5. インスリンがグルコース取込みを増加させるのはどれか．
   A．組織すべて
   B．腎尿細管細胞
   C．小腸粘膜
   D．大脳皮質のニューロンの大部分
   E．骨格筋

6. グルカゴンは肝細胞のグリコーゲン分解を促進するが，ACTHは促進しない．その理由はどれか．
   A．コルチゾルが血漿グルコース濃度を上昇させる
   B．肝細胞のアデニル酸シクラーゼは副腎皮質細胞のアデニル酸シクラーゼとは異なる
   C．ACTHは肝細胞の核には入ることはできない

D．肝細胞膜にある受容体は副腎皮質細胞膜にある受容体とは異なる
E．肝細胞はACTH作用を抑制するタンパク質を含んでいる

7．インスリン分泌を刺激するアミノ酸を含むタンパク質含量が高く炭水化物含量の低い食物は，低血糖を引き起こさない．その理由はどれか．
A．この食物は，T_4分泌の代償性上昇を引き起こす
B．循環血中のコルチゾルがグルコースの筋肉内への取込みを抑制する
C．グルカゴン分泌もこの食物によって刺激される
D．食物中のアミノ酸は速やかにグルコースに変換される
E．インスリンは，血漿アミノ酸濃度が高い時にはインスリン受容体に結合しない

第Ⅳ編　消化器生理学

　栄養素が豊富な液性環境に生存している単細胞生物は，細胞膜の輸送タンパク質のはたらきによって必要な分子を細胞質内に取り込むという単純な方法で，その栄養要求性を満たすことができる．それに対して，ヒトを含む多細胞生物，特に陸生の生物にとっては，体内の至るところにある細胞に栄養素を届けることは大変な作業である．我々が摂取する食物のほとんどは高分子の形であること，またそれらを単量体にまで消化したとしてもほとんどの最終産物は水溶性であることから，簡単に細胞膜を通過して吸収されない（もちろん食物脂質成分は例外である）．それゆえに，消化器系は栄養素を受け入れ，それを体内に同化させるように進化を遂げてきた．しかし一方で，望ましくない物質（細菌自体のみならず，それらの作り出す毒素や種々の産物）の侵入を防ぐ必要もあった．ただし，消化管ではその内腔に常在する豊富な細菌生態系と生涯続く相互関係を維持している事実があるので複雑である．すなわち，体内への侵入は防がなければならないが，侵入しなければ互いに大変有用という細菌との関係である．

　消化管は，口から肛門まで続く一本の管であり，その内腔は外部環境と直接つながっている．単層の円柱上皮は半透膜的なバリアを形成しており，これを介して制御された栄養素の取込みが行われる．様々な腺組織から消化管内腔に分泌が起こり，食物成分の消化，遠位に位置する消化管への情報伝達，あるいは細菌叢の制御が行われる．消化管には，内容物や消化後の不要物を末端に向けて運ぶ重要な運動機能が備わっている．その運動機能は，分泌機能や栄養素の取込み機能とともに，消化管を支配する豊富な神経によって調節されているが，それらの調節のほとんどは中枢神経系とは独立している．また，消化管には多くの内分泌細胞が存在しており，そこから分泌されるホルモンが神経系から放出される神経伝達物質とともに機能することによって，消化器系の統合的な制御を可能にしている．一般論として，栄養素の消化と取込み，およびその制御系は十分な余力をもって機能している．このような余力をもっていることは，食物源の乏しかった太古の時代には人類にとって役に立ったが，今や肥満の流行に寄与することとなっている．

　肝臓は，代謝全体において重要な役割を果たすが，通常は次のような2つの理由により消化器系の一部とみなされている．第一に，肝臓は尿中に移行することができない脂溶性老廃物を体外へ排泄する役割を果たすためである．脂溶性老廃物は肝臓から胆汁中へ，次に消化管へと分泌され，糞便とともに排泄されるのである．第二に，消化管を流れる血流は，吸収した物質をまず肝臓に運ぶように構成されているためである．これにより仮に毒性のある物質が吸収されてしまったとしてもそれを取り除いて代謝することができるし，わずかであれ腸内細菌などが侵入してもそれを排除することができるのである．

　本編では，消化器系と肝臓の機能について考察し，栄養素（タンパク質，炭水化物，脂質）の混合物である食物に対して，よく統合された反応ができるように消化管の様々な部位間で情報のやり取りが行われる様子を概説する．また，消化器疾患の病態を理解するために役立つ消化器生理学についても取り扱う．消化器系の疾患の多くは，特定の癌など例外を除けば生命を脅かすことはまれであるが，罹患率が高く生産性を低下させるという面で大きな社会的負荷となっている．米国国立糖尿病・消化器・腎疾患研究所の2009年の報告によると，1年間の平均として100人の米国居住者当たり消化器疾患に関連した外来診療受診者は35人であり，入院患者は約5人であると報告している．しかも，米国における消化器疾患の患者数は増加傾向にある（幸いなことに死亡率全般，特に癌による死亡率は低下している）．一方，清潔な食事や水の供給が保証されていない開発途上国では，消化器疾患，特に感染性下痢症が依然として主要な死亡原因となっている．いずれにせよ，生理的機能の誤作動がしばしば疾病をもたらすので，消化器疾患の社会的負荷が大きいことが消化器生理学を十分に理解するための重要な推進力となっている．本編で強調するが，特定の消化器疾患を理解することが，転じて生理学の一般原理を明らかにすることもよくあることである．

CHAPTER 25

消化器のはたらきとその調節の全体像

学習目標
本章習得のポイント

- 消化器系の役割を理解できる．特に栄養素の消化と吸収，排泄および免疫機能における役割について理解する
- 消化管の形態，そこに開く外分泌腺，および部位差を説明できる
- 主要な消化液の名称，その組成，分泌の調節因子をあげることができる
- 消化器系の主要なホルモン，ペプチド，神経伝達物質の性質と起源，ならびにこれらのターゲットや作用機序を理解する
- 腸管に特有の神経系，粘膜免疫系，循環系の特色を説明することができる
- 消化器系の水バランス，消化・吸収を可能にするための管腔液バランスの調節機序について説明できる

■ はじめに

　消化管の主要な機能は，栄養素や水を体内に取り込む玄関口としてはたらくことである．食物はまず消化管の壁や，唾液腺・膵臓・胆嚢から流入した様々な分泌液と混ぜられる．同時に，消化管は多様な運動性(収縮性)を有し，それにより食物は撹拌されつつ，消化管に沿って移動していく．最後に，吸収されなかった食物の滓(かす)は，細胞片とともに体外に排泄される．これらの機能は食物の摂取と見合うよううまく調節されている．消化管システムには多様な調節機構が発達しており，それによって消化管局所の調節ならびに消化管全体とそれにつながる器官の機能の調和がなされている．さらに，外部環境に対応する機能的持続性や，生涯にわたる複雑な腸内細菌叢との共存と調和して，消化管は発達した自然免疫系および獲得免疫系を備えている．それでもなお消化管は感染の重要な玄関口である．

形態的特徴

　食物が送り込まれる消化管の部位は順に，口，食道，胃，十二指腸，空腸，回腸，盲腸，結腸，直腸，肛門である(図25・1)．消化管の全体にわたって分泌腺が存在し管腔内に分泌を行っている．特に口や胃における分泌液が多いが，膵臓や肝臓・胆管系からの分泌液も消化の過程に重要である．腸はまた，相当な表面積を有しており，必要な吸収機能を満たしている．消化管は**括約筋 sphincter** という輪状の筋で機能的に区分され，消化吸収を最適化するために内容物の流れが制限されている．括約筋には，食道上部および下部括約筋，胃からの排出を制御する幽門，大腸内容物(多量の細菌を含む)の逆流を防ぐ回盲弁，内および外肛門括約筋がある．幼児期のトイレトレーニング後，外肛門括約筋によって，都合のよい時まで排便を遅らせることができるようになる．

　腸管はいくつかの層からなる(図25・2)．管腔内の栄養素が直接面しているのは単層の円柱上皮細胞で，栄養素が体内に入る際の障壁をなしている．上皮の下には粗性結合組織があり粘膜固有層と呼ばれる．粘膜固有層には健常時においても多数の免疫細胞や炎症細胞が存在している．それを同心円的に取り囲んでいるのが平滑筋層で，内側が輪走し外側が腸の長軸に沿っ

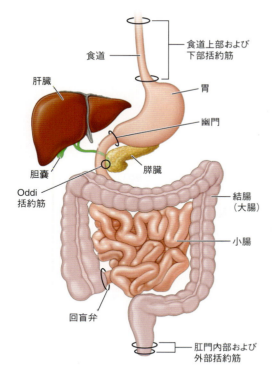

図 25・1　**消化器系の全体構造**．図では消化管を機能セグメントに分けている括約筋や弁も示している．

て縦走しており，それぞれ輪走筋層と縦走筋層と呼ばれる．腸管神経系は，2つの筋層の間に分布する筋層間神経叢と，粘膜下組織に分布する粘膜下神経叢からなる．感覚神経は上皮に向かって突き出ており，分泌神経は上皮と筋層に分布している．腸管には血管やリンパ系も発達している．

　腸管の上皮は，栄養素の吸収に都合がよいように表面積が大きくなっている．まず小腸全体にわたって絨毛と呼ばれる指状の突起がある(図 25・3)．絨毛と絨毛の間には落ち込みがあり腸陰窩と呼ばれる．腸陰窩の底部近くには幹細胞が存在し，絨毛と陰窩の両者の上皮細胞を次々と生み出しており，そのため数日ごとに上皮細胞は完全に入れ替わっている．実際，消化管上皮は体で最も盛んに分裂している組織の1つである．(幹細胞の)娘細胞は陰窩で数回分裂を繰り返した後，そこから出て絨毛先端へと移動していき，最終的にそこで剥離し便中に失われる．絨毛の上皮細胞の特徴はその頂上膜にある発達した微絨毛である．微絨毛は密な糖衣で覆われている(刷子縁とも呼ばれる)．糖衣は消化酵素による傷害から細胞をある程度守っているのであろう．さらに，ある消化酵素は膜タンパク質として糖衣の一部をなしている．これらのいわゆる"刷子縁加水分解酵素"は，特定の栄養素に対して最終的な消化を行っている．

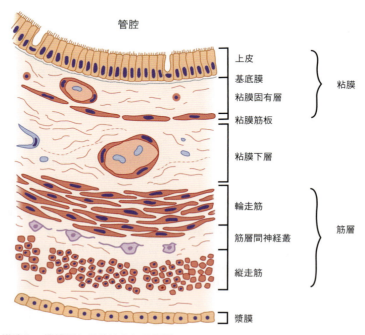

図 25・2　**腸の断面の構造と，機能面から分けられる各層**．(Yamada T: *Textbook of Gastroenterology*, 4th ed. New York, NY: Lippincott William & Wilkins; 2003 より許可を得て転載)．

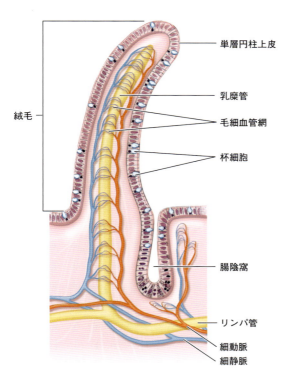

図 25・3 小腸の絨毛と腸陰窩の構造. 図中の細胞の他，上皮層には，内分泌細胞が散在し，上皮内リンパ球が存在する．陰窩底部には，抗菌ペプチドを分泌するPaneth〔パネート〕細胞，陰窩や絨毛上皮の連続的な代謝回転のために必要な幹細胞が存在する．健常人では，上皮は3～5日ごとに代謝回転されている（Fox SI: *Human Physiology*, 10th ed. New York, NY: McGraw-Hill; 2008 より許可を得て複製）．

消化液の分泌

唾液分泌

　消化管における栄養素の消化は，食物が順次，一連で特定の分泌液に曝されることに基づいている．摂取された食物が最初に接するのは唾液である．唾液は口腔に開く3対の唾液腺（**耳下腺 parotid gland**，**顎下腺 submandibular gland**，**舌下腺 sublingual gland**）で産生される．消化を開始させる酵素（デンプン starch を消化するアミラーゼ amylase など）や，口腔を細菌から守る物質（免疫グロブリンAやリゾチームなど）など多くの物質が含まれている．また，唾液は食物塊を滑らかにする（ムチン[*1]の助けを借りて）．さらに，唾液は血漿より低浸透圧で，アルカリ性である．アルカリ性であることは食道においてそこへ逆流してきた胃液を中和するのに重要である．

　唾液腺は腺房 acinus と呼ばれる盲端部を多数有し，そこで一次分泌液が産生される．一次分泌液は血漿と同じ組成の液に有機物質が溶け込んでいる．唾液腺はとても活発で，最大限に刺激された時には，1分当たり自身と同じ重量の分泌液を産生することができる．それを支えているのが唾液腺を囲む豊富な血管で，分泌が始まると拡張する．一次分泌液は腺房から出て導管に入り，次第に集合して口腔に開くが，その間組成が変化する．Na^+ と Cl^- は抜き取られ[*2]，代わりに K^+ と HCO_3^-（重炭酸イオン）が加えられる．導管の水の透過性は比較的低いので，NaCl が失われると唾液は低張（低い浸透圧）になる（特に分泌速度が低い場合）．分泌速度が増すと NaCl を抜き取られる時間が短くなり，唾液の浸透圧は上昇するが，それでも血漿の浸透圧よりやや低い状態にとどまる．口腔に開いている3対の唾液腺全体から，1日1000～1500 mLの唾液が供給される．

　唾液分泌の調節は，神経を介したものにほぼ限られていて，中でも自律神経系の副交感神経が最も主要な役割を果たしている（図25・4）．これに対し交感神経は唾液の組成をわずかに修正（タンパク質成分の増加）する作用を有するが，唾液の量を増やす作用はもたない．分泌反射を引き起こすのは主に咀嚼による物理的な刺激である．しかし，食物が口に入る前でも，それについて予期したり，見たり，あるいは匂いを嗅ぐだけで，中枢を介した分泌刺激が引き起こされる．実際，唾液分泌は条件付けされやすく，Pavlov の行った古典的なイヌの実験では，鈴の音と食事とを組み合わせることにより，鈴の音だけで唾液分泌が起こるように条件付けられた．唾液分泌は吐き気によっても促進される．一方，恐怖を感じた時や睡眠中は分泌が低下する．

　唾液には多くの重要な役割がある．すなわち，食物を嚥下しやすくし，口腔内を常に湿らせる．さらに，食物成分を溶かし出し味覚器の味蕾に到達させて，十分な味覚を起こすのを助ける．また，唇，舌の動きを滑らかにして発声を助け，口内と歯を清浄に保つ．その他唾液にはある程度殺菌作用もある．唾液分泌の不完全な患者（**口内乾燥症 xerostomia**）は齲蝕 dental caries（むし歯）にかかりやすいといわれている．唾液

[*1] 訳注：ムチンが水に溶けてゲル状になったものを粘液 mucus という．
[*2] 訳注：再吸収機序による．

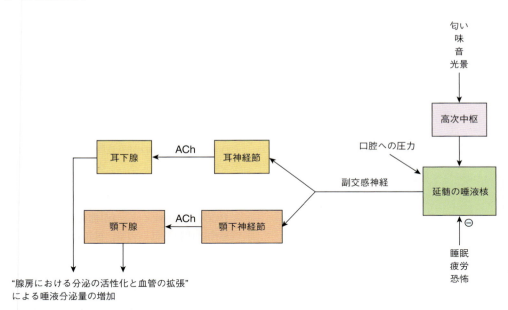

図 25・4 副交感神経系による唾液分泌の調節. ACh：アセチルコリン. 唾液は舌下腺からも産生されるが(図中には示さず)，舌下腺の寄与は，唾液分泌が休止時，刺激時いずれの場合においても小さい(Barrett KE: *Gastrointestinal Physiology*. New York, NY: McGraw-Hill; 2006 より許可を得て転載).

は緩衝作用をもち，それにより口腔内の pH は 7.0 に保たれる．

胃液分泌

食物は，食道から胃に入るとしばらくここに停滞して酸，粘液，ペプシンと混ざる．その後，少しずつ一定の速度で十二指腸に送られる．

胃の構造

胃の形態学的概観は，図 25・5 に示されている．胃粘膜には多くの深い腺が存在する．幽門前庭部と噴門部では，これらの腺は粘液を分泌する．胃体部の腺にはさらに，**壁細胞 parietal cell** と，**主細胞 chief cell** があり(図 25・6)，これらの分泌物は，腺の開口部(頸部)近くにある粘液細胞から出る粘液と混じる．数個の腺の管腔は集まって共通の腔所(**胃小窩 gastric pit**)となり，それから胃内表面に開く．腺と腺の間にある表層上皮の粘液細胞からは，粘液とともに HCO_3^- が分泌される．

胃の血管とリンパ管は豊富にある．胃の支配神経は，迷走神経由来の副交感神経と，腹腔神経叢 celiac plexus 由来の交感神経とである．

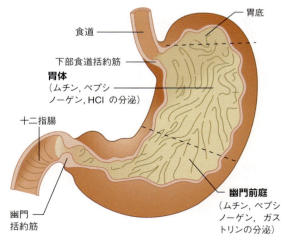

図 25・5 胃の構造(肉眼的). カッコ内は胃体と幽門前庭からの主な分泌物を示している(Widmaier EP, Raff H, Strang KT: *Vander's Human Physiology: The Mechanisms of Body Function*, 11th ed. New York, NY: McGraw-Hill; 2008 より許可を得て複製).

胃液とその分泌調節

胃は，かなりの量の消化液を分泌する．唾液の分泌の場合のようにいわゆる脳相の時期があり，食物を実

25. 消化器のはたらきとその調節の全体像　539

表25・1　胃液の成分（空腹時）

カチオン（陽イオン）：Na^+，K^+，Mg^{2+}，H^+（pHは約3.0）
アニオン（陰イオン）：Cl^-，HPO_4^{2-}，SO_4^{2-}
ペプシン
リパーゼ
粘液
内因子

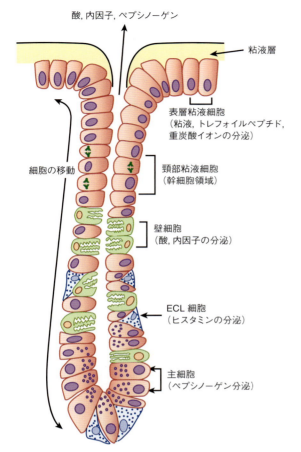

図25・6　胃底と胃体にある胃腺の構造. この腺は酸とペプシノーゲンを産生し，時に"胃酸分泌"腺と呼ばれる．同様に壁細胞は胃酸分泌細胞とも呼ばれる（Barrett KE: *Gastrointestinal Physiology*. New York, NY: McGraw-Hill; 2006より許可を得て転載）．

るこの腺特有の壁細胞，およびペプシノーゲンと胃リパーゼを産生する主細胞が存在する（図25・5）．壁細胞から分泌された塩酸は，食物を殺菌して，特に食物中のタンパク質を加水分解する．内因子は小腸ビタミンB_{12}（コバラミン cobalamin）が吸収されるのに重要である．ペプシノーゲンは，最初にはたらくタンパク質消化酵素であるペプシンの前駆体である．またリパーゼも同様に食物中の脂質の消化を開始させる．

胃液分泌を引き起こす主な刺激は3種類ある．それぞれが独自の役割を果たすことにより，必要な量の胃液分泌が起こる（図25・7）．ガストリンは幽門部にあるG細胞から分泌されるホルモンで，その分泌は，腸神経系の末端から遊離される神経伝達物質であるガストリン放出ペプチド gastrin-releasing peptide（GRP）と，胃内腔のオリゴペプチドにより刺激される．放出されたガストリンは血流を介して胃底腺に運ばれ，そこで壁細胞とおそらく主細胞にもある受容体に結合し分泌を引き起こす．同時に胃腺部に存在するいわゆる腸クロム親和性細胞様細胞（ECL細胞）にもはたらき，そこからヒスタミンを放出させる．放出されたヒスタミンは壁細胞上のH_2受容体に結合して分泌を刺激する．壁細胞と主細胞はさらに胃底部の腸神経末端から分泌されるアセチルコリンによっても刺激を受ける．

脳相での胃酸分泌は，高次の中枢からの入力が迷走神経背側核で調整された後，そこから迷走神経を介した刺激で起こる．迷走神経の活動が胃に至ると，GRPとアセチルコリンが分泌され，それにより分泌が刺激される．ただし，胃内に食物が流入するまでにその他の分泌刺激はほとんどないので，脳相における分泌量は少ない．それに対して，胃相ではひとたび食物が飲み込まれると，その中の成分がガストリンの放出を促す．さらに，食物による胃の拡張が胃壁の伸展受容器を活性化し，続いて"迷走神経－迷走神経反射"および局所反射が刺激され，それによる胃液分泌も加わる．そのうえ，食物による緩衝作用で胃内の酸性度は和らげられるので，酸によるソマトスタチンの分泌を介し

際に摂取する前にも，受け入れ体勢を整えるための分泌がみられる（食物の好みに影響されるが）．それに続いて起こる胃相では，量的に最も主要な分泌が起こる．最後に，食物が胃から出た後にみられる腸相がある．各相それぞれ，局所的な刺激と中枢からの刺激で厳密に制御されている．

胃液（表25・1）は，胃壁内にあり管腔に開いている腺から分泌される成分と，表層の細胞から分泌される成分からなる．後者は，胃自身が消化されるのを防ぐ粘液とHCO_3^-や，粘液・重炭酸イオン層を安定化するトレフォイルペプチドと呼ばれる物質を含んでいる．胃の腺からの分泌液はその部位により異なる．最も特徴的な分泌は，胃底腺（胃底部と胃体部にある）からのものである．胃底腺には，塩酸と内因子を分泌す

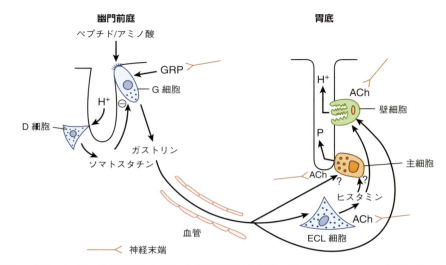

図25・7 胃酸とペプシノーゲンの分泌調節に関与する液性因子と神経支配. ガストリンは，幽門前庭のG細胞から，ガストリン放出ペプチド（GRP）の刺激により分泌される．放出されたガストリンは，血流を介して運ばれ，ECL細胞と壁細胞に作用する．ECL細胞はヒスタミンを分泌し，放出されたヒスタミンは壁細胞に作用する．神経末端から放出されたアセチルコリン（ACh）は，ECL細胞，主細胞，壁細胞の分泌を促す．主細胞を調節する分子については，よくわかっていない．ガストリン放出は，管腔内酸性化による幽門前庭のD細胞からのソマトスタチン分泌を介して抑制される．P：ペプシノーゲン（Barrett KE: *Gastrointestinal Physiology*. New York, NY: McGraw-Hill; 2006 より許可を得て転載）.

たG細胞とECL細胞の抑制，および壁細胞の胃液分泌の抑制という負のフィードバック回路も遮断される（図25・7）（訳注：ただし図にはECL細胞や壁細胞に対するソマトスタチンの抑制は示されていない）．ちなみにこのフィードバック回路は，食物がすべて胃から小腸へ流出した後胃液分泌が止まるのに重要な役割を果たしていると考えられる．

胃の壁細胞は，濃い酸を分泌するという特別な役割が果たせるよう，特殊化している（図25・8）．ミトコンドリアが豊富で，胃腺内腔に面した頂上膜にあるH^+, K^+-ATPase（胃プロトンポンプ）が，壁細胞内からH^+を100万倍以上の濃度勾配に逆らって汲み出すのに必要なエネルギーを供給している．プロトンポンプは，休止時には壁細胞内の細管小胞と呼ばれる一連の膜に退いている．壁細胞が分泌を始める時は，この膜が分泌細管と呼ばれる頂上膜とつながっている膜と融合し，その結果頂上膜の面積が増大し，同時にプロトンポンプが酸を分泌する役割を果たせるようになる（図25・9）．頂上膜には，H^+との交換に必要なK^+を供給するためのK^+チャネルと，HCl分泌のもう一方のCl^-の供給路としてのCl^-チャネルが存在している（図25・10）．H^+が管腔側に分泌されるのに伴い反対の血液側には同じ量のHCO_3^-が放出される．後で説明するがこのHCO_3^-は，分泌された胃酸をその役割

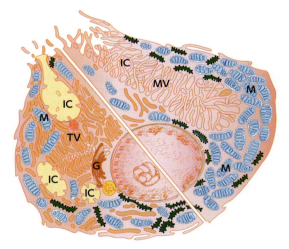

図25・8 壁細胞の，休止期（左下半分）と分泌活動期（右上半分）の複合図. 休止期には頂上膜とつながっている細胞内細管（IC）と，細胞内に多数の管状小胞（TV）が観察される．分泌活動期には，TVは細胞膜と融合し，多くの微絨毛（MV）が細胞内細管にみられるようになる．その結果胃の管腔に面した頂上膜の面積は極めて大きくなる．G：Golgi装置，M：ミトコンドリア（Ito S, Schofield GC: Studies on the depletion and accumulation of microvilli and changes in the tubulovesicular compartment of mouse parietal cells in relation to gastric acid secretion. J Cell Biol 1974; Nov; 63(2 Pt 1): 364-382 より許可を得て複製）.

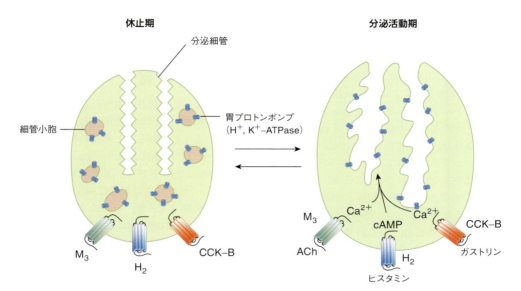

図25・9 壁細胞の受容体と，図25・8で示した形態変化を模式的に表した図． 頂上膜の面積増大は同時にその膜上にある H^+, K^+-ATPase の密度の増大を伴っている．アセチルコリン(ACh)とガストリンは Ca^{2+} を介したシグナル伝達を行い，ヒスタミンは cAMP を介したシグナル伝達を行っている．CCK-B：ガストリンが作用する受容体．CCK受容体の一種で現在では CCK_1 と名付けられている，H_2：ヒスタミン H_2 受容体，M_3：ムスカリン性アセチルコリン M_3 受容体(Barrett KE: *Gastrointestinal Physiology*. New York, NY: McGraw-Hill; 2006 より許可を得て転載).

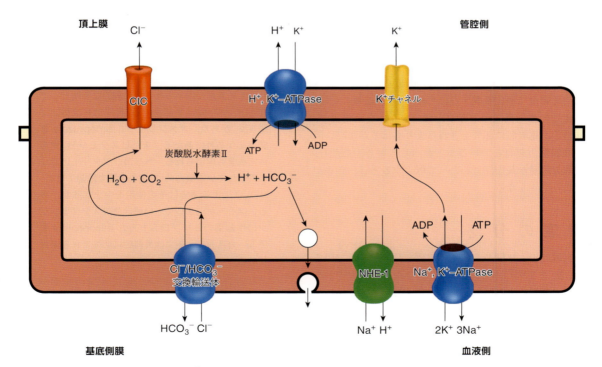

図25・10 壁細胞のイオン輸送タンパク質． プロトンは細胞内で炭酸脱水酵素Ⅱの作用で産生される．同時に産生される HCO_3^- は基底側膜を介して放出されるが，それは，小胞の融合によるかまたは Cl^-/HCO_3^- 交換輸送体(アンチポータ)による．基底側膜上の Na^+/H^+ 交換輸送体-1(NHE-1)は，"ハウスキーピング"トランスポータであり，酸分泌休止時の代謝において，細胞内 pH の維持機能をもつ．

を終えた後で中和するのに使われる(図25・10).

　壁細胞を刺激する作用のある3種の物質，すなわちガストリン，ヒスタミンおよびアセチルコリンはそれぞれ基底側膜にある特別な受容体に結合する(図25・9)．ガストリンとアセチルコリンは細胞内のCa^{2+}濃度を，ヒスタミンは細胞内のアデノシン3′,5′−一リン酸(サイクリックAMP，cAMP)を，それぞれ上昇させることにより分泌を亢進する．これらのセカンドメッセンジャーの効果によって，上で述べたような輸送と形態の変化がもたらされる．しかし知っておくべき重要な点はこの2つの活性化経路に相乗作用が見られること，つまりヒスタミンと同時にガストリンかアセチルコリンが来る場合，あるいはこの3つが同時に来る場合，それぞれ単独で来た時の分泌速度の和より大きな分泌が起こることである．その相乗効果の生理的な役割は，それぞれの刺激物質の量が比較的少なくても，高い分泌速度を得られることである．相乗作用は治療の面からも重要で，1種の刺激物質の効果を遮断するだけで分泌は著明に抑えることができる(たとえば，過剰な胃酸分泌による有害作用などに，H_2受容体拮抗薬を用いてヒスタミンの刺激を遮断する治療法が広く用いられている)(クリニカルボックス25・1).

　1日約2.5Lの胃液が分泌される．だが，これだけ多量の分泌と微妙な分泌調節がなされているにもかかわらず，胃酸分泌がなくても，たった1つの例外であるコバラミン(ビタミンB_{12})の吸収を除いて，食べた物を完全に消化吸収することができる．このことは，消化管の生理機能の重要な一面，すなわち消化管が，通常の消化吸収に必要とされるよりもはるかに高い消化吸収能力を有していることを示している．ただし，胃酸分泌量が長期間にわたって低下すると経口感染が起こりやすくなる．

膵液の分泌

　膵液は消化に関わる数々の重要な酵素を含んでいる(表25・2参照)．その分泌は反射ならびに消化管ホルモンの作用により制御されている．このホルモンは小腸の粘膜が分泌するセクレチンとコレシストキニンcholecystokinin(CCK)である．

膵臓の構造

　膵臓の外分泌部は唾液腺に似た複合胞状腺である．**膵外分泌部 exocrine pancreas**は，Langerhans島から

クリニカルボックス 25・1

消化性潰瘍

　胃潰瘍，十二指腸潰瘍が起こるのは，胃粘膜を胃液の刺激や自己消化作用から守るバリアが損傷を受けるためであろうと考えられる．ヘリコバクター・ピロリ Helicobacter pylori による感染は胃粘膜のバリアを壊す．またアスピリンや他の非ステロイド性抗炎症薬(NSAID)もそのバリアを壊すのに関与するが，これはプロスタグランジン産生が抑えられることにより粘液やHCO_3^-分泌が低下するためである．なお NSAID は痛みや関節炎の治療に広く使われている．潰瘍が起こる第三の原因は長期にわたる胃酸過多である．胃酸分泌過多が十二指腸および幽門部潰瘍の主要な原因となっている例として **Zollinger-Ellison〔ゾリンジャー・エリソン〕症候群**がある．この症候群は，ガストリノーマ gastrinoma(ガストリンを分泌する腫瘍)の患者にみられる．ガストリノーマは胃と十二指腸にも生じるが，大部分は膵臓に発生する．ガストリン過分泌によって慢性の胃酸過多を呈するとともに重篤な消化性潰瘍を生じる．

治療上のハイライト

　胃潰瘍や十二指腸潰瘍の治療には，胃酸分泌を抑制する薬剤が用いられる．代表的な薬剤としてH^+,K^+-ATPaseを阻害する"胃プロトンポンプ阻害薬"があり，オメプラゾール omeprazole と関連薬がこれにあたる．またヒスタミンH_2受容体拮抗薬も用いられる．ヘリコバクター・ピロリに感染している場合には，抗生物質で除菌できる．NSAIDによる潰瘍はその使用を中止するか，あるいはそれが望ましくない時はプロスタグランジンの作動薬のミソプロストール misoprostol を使う．ガストリノーマは外科的に切除できる場合がある．

インスリンや他のホルモンを産生している**膵内分泌部 endocrine pancreas**)とともに膵臓に分布しているものの，両者は区別される(24章参照)．消化酵素を含む顆粒(**酵素原顆粒 zymogen granule**)は，腺房細胞内で作られ，その頂部よりエキソサイトーシス(2章参照)

表 25・2　主要な消化酵素[a]

分泌腺	酵　素	賦活物質	基　質	触媒作用または分解産物
唾液腺	唾液α-アミラーゼ	Cl^-	デンプン	1：4α結合を加水分解，α-限界デキストリン，マルトトリオース，マルトース生成
舌腺[*1]	舌リパーゼ		トリグリセリド	脂肪酸と1,2-ジアシルグリセロール
胃腺	ペプシン（ペプシノーゲン）	HCl	タンパク質，ポリペプチド	芳香族アミノ酸につながるペプチド結合を切断
	胃リパーゼ		トリグリセリド	脂肪酸，グリセリン
膵外分泌腺	トリプシン（トリプシノーゲン）	エンテロキナーゼ[*2]	タンパク質，ポリペプチド	アルギニンまたはリジンなど塩基性アミノ酸のカルボキシル基側のペプチド結合を切断
	キモトリプシン（キモトリプシノーゲン）	トリプシン	タンパク質，ポリペプチド	芳香族アミノ酸のカルボキシル基側のペプチド結合を切断
	エラスターゼ（プロエラスターゼ）	トリプシン	エラスチン　その他	脂肪族アミノ酸のカルボキシル基側の結合を切断
	カルボキシペプチダーゼA（プロカルボキシペプチダーゼA）	トリプシン	タンパク質，ポリペプチド	芳香族または分岐脂肪族側鎖を有するC末端アミノ酸を切断
	カルボキシペプチダーゼB（プロカルボキシペプチダーゼB）	トリプシン	タンパク質，ポリペプチド	塩基性側鎖を有するC末端アミノ酸を切断
	コリパーゼ（プロコリパーゼ）	トリプシン	脂肪滴	胆汁酸存在下で，膵リパーゼを油滴に結合させる
	膵リパーゼ	……	トリグリセリド	モノグリセリドと脂肪酸
	コレステロールエステル加水分解酵素	……	コレステロールエステル	コレステロール
	膵α-アミラーゼ	Cl^-	デンプン	唾液α-アミラーゼと同じ
	リボヌクレアーゼ	……	RNA	ヌクレオチド
	デオキシリボヌクレアーゼ	……	DNA	ヌクレオチド
	ホスホリパーゼA_2（プロホスホリパーゼA_2）	トリプシン	リン脂質	脂肪酸，リゾリン脂質
腸粘膜	エンテロキナーゼ[*2]	……	トリプシノーゲン	トリプシン
	アミノペプチダーゼ	……	ポリペプチド	ペプチドからN末端アミノ酸を切断
	カルボキシペプチダーゼ	……	ポリペプチド	ペプチドからC末端アミノ酸を切断
	エンドペプチダーゼ	……	ポリペプチド	ペプチドの内部のアミノ酸残基間を切断
	ジペプチダーゼ	……	ジペプチド	アミノ酸2分子
	マルターゼ	……	マルトース，マルトトリオース	グルコース
	ラクターゼ	……	ラクトース	ガラクトースとグルコース
	スクラーゼ[b]	……	スクロース；マルトトリオース，マルトース	フルクトースとグルコース
	イソマルターゼ[b]	……	α-限界デキストリン，マルトース，マルトトリオース	グルコース
	ヌクレアーゼ，その他	……	核酸	五炭糖，プリンまたはピリミジン塩基
粘膜細胞の細胞質	各種ペプチダーゼ	……	ジペプチド，トリペプチド，テトラペプチド	アミノ酸

a) カッコ内は対応するプロ酵素を示している．
b) スクラーゼとイソマルターゼは，スクラーゼ-イソマルターゼ複合体（1つのタンパク質）のサブユニットである．
*1 訳注：舌腺の行は原書24版で削除されたが，本書では掲載する．
*2 訳注：原書ではenteropeptidaseと書かれているが，enterokinaseの誤りである．

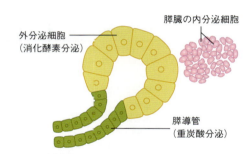

図 25・11　膵臓の構造. (Widmaier EP, Raff H, Strang KT: *Vander's Human Physiology: The Mechanisms of Body Function*, 11th ed. New York, NY: McGraw-Hill; 2008 より許可を得て複製).

表 25・3　ヒトの膵液の成分

カチオン：Na^+, K^+, Ca^{2+}, Mg^{2+} (pH 約 8.0)
アニオン：HCO_3^-, Cl^-, SO_4^{2-}, HPO_4^{2-}
消化酵素（表 25・2 参照．膵液タンパク質の 95% を占める）
他のタンパク質

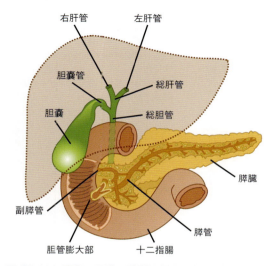

図 25・12　胆嚢，肝臓，膵臓の分泌管相互の関係. (Bell GH, Emslie-Smith D, Paterson CR: *Textbook of Physiology and Biochemistry*, 9th ed. Churchill Livingstone; 1976 より許可を得て転載).

によって管腔内に分泌される（図 25・11）．微細な導管は次第に集まって 1 本の膵管 pancreatic duct（Wirsung〔ウィルスング〕管）となり，胆管と合流して胆膵管膨大部（Vater〔ファーター〕の膨大部 ampulla とも呼ばれる）を作り，十二指腸乳頭から腸内腔に開く（図 25・12）．その開口部の周囲には Oddi〔オディ〕括約筋がある．

膵液の組成

膵液 pancreatic juice はアルカリ性で（表 25・3），HCO_3^- 含量が高い（113 mEq/L，血漿は 24 mEq/L）．1 日の分泌量は約 1500 mL である．胆汁および腸液もアルカリ性であって，膵液とともに胃液の酸を中和し，十二指腸内容物を pH 6.0〜7.0 に上昇させる．このようにして腸内容物は空腸に達するまでにほとんど中性となる．

膵液はまた，一連の消化酵素を含んでいるが，その多くは不活性型で放出されており，小腸内腔に到達して初めて活性型になる（26 章参照）．これらの酵素は，トリプシンによりタンパク質切断を受ける．トリプシン自身は，膵プロテアーゼであり，不活性な前駆体（トリプシノーゲン）として放出される．少量の活性型トリプシンが膵臓内に入り込むと危険であることは明らかである．そうなると膵臓内の酵素前駆体が次々と活性化されて膵臓を消化してしまうおそれがある．したがって膵臓が通常，トリプシン阻害物質を分泌しているのは当然といえよう．

トリプシンにより活性化を受ける他の酵素の 1 つにホスホリパーゼ A_2 phospholipase A_2 がある．この酵素はホスファチジルコリン phosphatidylcholine（PC）から脂肪酸を切り離して，細胞傷害物質であるリゾホスファチジルコリン（lyso-PC）を作る．**急性膵炎 acute pancreatitis** は重症になるとしばしば生命に関わる疾患であるが，これはホスホリパーゼ A_2 が膵管内で早まって活性化され，その結果，胆汁に通常含まれているホスファチジルコリンからリゾホスファチジルコリンが生じるために起こるとの説がある．リゾホスファチジルコリンによって膵実質は破壊され，周囲の脂肪組織も壊死に陥る．

膵液中の消化酵素は少量ながら健常人の血中にも漏れ入って存在するが，急性膵炎ではこの血中の消化酵素濃度が著しく増加する．したがって血漿中のアミラーゼやリパーゼの濃度測定はこの疾患の診断に有用である．

膵液分泌の調節

膵液の分泌は主としてホルモンにより調節される．セクレチンは膵導管細胞にはたらき，酵素含量は少ないが，HCO_3^- を高濃度に含むアルカリ性の膵液を大量に分泌させる．この作用は細胞内 cAMP を高める

ことによる．セクレチンはまた胆汁の分泌を促す作用も有する．コレシストキニン(CCK)は膵臓の腺房細胞にはたらき，ホスホリパーゼC(2章参照)の活性化を介して細胞中にある酵素原顆粒を放出させ，酵素に富んだ少量の膵液を出させる．このようにCCKとセクレチンのはたらきにより，膵液中に酵素が足され，腸に押し流される．

セクレチンの静注に対する反応を図25·13に示した．膵液の分泌量が増すに従ってCl^-濃度が低下し，代わりにHCO_3^-濃度が上昇する．これはHCO_3^-は膵導管の細い部分で分泌されるが，太い部分ではCl^-と交換に再吸収されるからである(図25·14)．交換の程度は膵液の分泌速度に反比例する．

迷走神経刺激は酵素に富む膵液を少量分泌させる．これはアセチルコリンがCCK同様腺房細胞にはたらき，酵素原顆粒を放出させるからである．アセチルコリンもホスホリパーゼCを活性化することでその作用を発揮する．食物を見たり，匂いをかぐだけで膵液の分泌が起こるが，これは迷走神経を介する条件反射と考えられる．

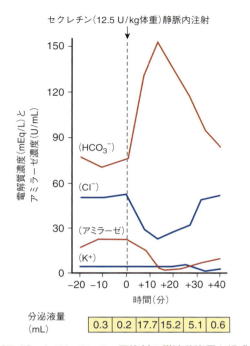

図25·13　セクレチンの1回注射の膵液分泌量と組成に対する影響(ヒト)．セクレチンが注入されると，Cl^-濃度とHCO_3^-濃度が相反性に変化する．アミラーゼ濃度の低下は，膵液量が増加したためである．

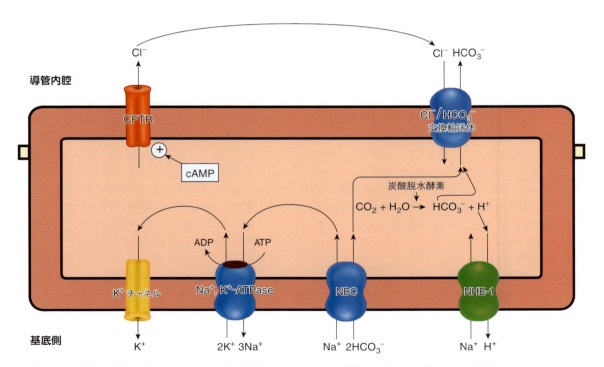

図25·14　膵臓の導管細胞にあるイオン輸送経路．CFTR：嚢胞性線維症膜コンダクタンス制御因子 cystic fibrosis transmembrane conductance regulator, NBC：Na^+–HCO_3^-共輸送体(シンポータ)，NHE-1：Na^+/H^+交換輸送体(アンチポータ)-1．

胆汁の分泌

　消化器官にとって重要なもう1つの分泌物は胆汁で，それは肝臓で作られる．そこに含まれる胆汁酸は脂肪の消化と吸収に不可欠である．胆汁にはその他，脂溶性の最終代謝産物や，脂溶性の生体異物が含まれ，それらを体外に排泄するルートとなっている．また，コレステロール(そのまま，あるいは胆汁酸に変換)を排泄する唯一のルートでもある．本章と次章で胆汁の消化液としての役割を重点的に考える．肝臓のより一般的なはたらき，つまり輸送機能や代謝機能などについては28章で述べる．

胆　　　汁

　胆汁は膵液類似のアルカリ性電解質溶液に，胆汁酸，胆汁色素その他の物質が溶け込んだものである．胆汁の1日の産生量は約 500 mL である．胆汁成分のあるものは腸から再吸収されて肝臓に戻り，再び胆汁中に排泄される(**腸肝循環 enterohepatic circulation**)．

　胆汁の黄金色は**胆汁色素 bile pigment** による．胆汁色素はビリベルジン biliverdin とビリルビン bilirubin のグルクロニド glucuronide[*3] である．胆汁色素は赤血球の崩壊産物であるが，その生成については28章で詳しく述べる．

　胆汁を消化機能の面から考えると，最も重要な成分として**胆汁酸 bile acid** があげられる．胆汁酸はコレステロールから合成され，胆汁中に分泌される．通例グリシン，またはタウリンと抱合している．ヒトの4種類の主な胆汁酸を図 25・15 に示す．胆汁酸はビタミン D，コレステロール，各種のステロイドホルモンと同様に，ステロイド核を有する(20章参照)．肝臓で作られる胆汁酸のうち主要なもの(一次性胆汁酸)はコール酸 cholic acid とケノデオキシコール酸 chenodeoxycholic acid の2つである．結腸内の細菌により，コール酸はデオキシコール酸 deoxycholic acid に，ケノデオキシコール酸はリトコール酸 lithocholic acid に変わる．さらに，ケノデオキシコール酸から少量のウルソデオキシコール酸 ursodeoxycholic acid も作られる．デオキシコール酸とリトコール酸とウルソデオキシコール酸は細菌の作用で作られるので，二次(的)胆汁酸と呼ばれる．

　胆汁酸は多くの重要な生理作用をもっている．胆汁酸は表面張力を下げ乳化する作用があり，リン脂質とモノグリセリドとともに脂肪を乳化して，小腸で消化，

---

*3 訳注：グルクロン酸抱合体．

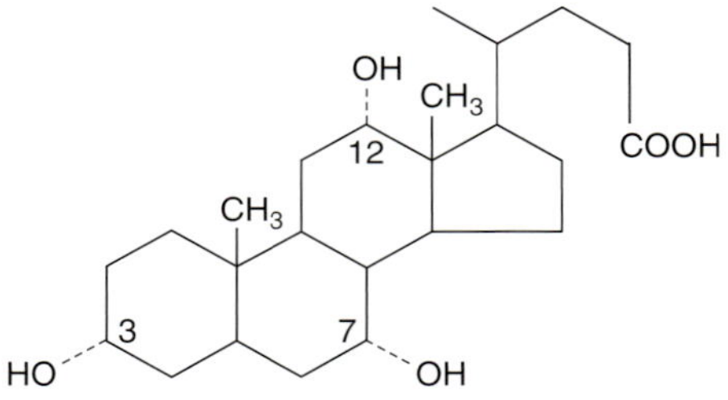

	ステロイド環の位置			ヒトの胆汁中の割合(%)
	3	7	12	
コール酸	OH	OH	OH	50
ケノデオキシコール酸	OH	OH	H	30
デオキシコール酸	OH	H	OH	15
リトコール酸	OH	H	H	5

図 25・15　ヒトの胆汁酸の化学構造．コール酸の構造式に示した番号は，ステロイド環における位置を表している．

吸収しやすい準備状態にする(26章参照)．胆汁酸は**両親媒性 amphipathic** であり，親水性部分と疎水性部分をもっている．その一方側は極性をもつペプチド結合やカルボキシル基およびヒドロキシル基(水酸基)をもっており，他方側は疎水性である．そのため，胆汁酸は**ミセル micelle** と呼ばれる筒状円盤構造を作る性質をもっている(図 25・16)．ミセルでは親水性部分が外側に，疎水性部分が内側に向いている．**臨界ミセル濃度 critical micelle concentration** と呼ばれるある濃度を超えると，溶液に加えた胆汁酸はすべてミセルを形成する．胆汁酸の 90〜95% は小腸で再吸収される．胆汁酸は，一部分は脱抱合された後，非イオン型単純拡散で吸収されるが，大部分は抱合体のまま小腸の終末部である回腸で，Na^+-胆汁酸シンポート系[頂端側 Na^+ 依存性胆汁酸トランスポータ apical sodium-dependent bile acid transporter(ASBT)]によって極めて効率よく吸収される(図 25・17)．このトランスポータは，基底側膜 Na^+, K^+-ATPase のはたらきにより細胞内 Na^+ 濃度が低い状態に保たれていることで駆動される二次性能動輸送体である．胆汁酸の残りの 5〜10% は結腸に入り，デオキシコール酸とリトコール酸に変わる．リトコール酸は比較的水に溶けにくく，大部分は糞便中に排泄され，わずか1%だけが吸収される．一方デオキシコール酸は再吸収される．

　吸収されて血液中に入った胆汁酸は門脈を経て肝臓に戻り，再び胆汁中に分泌される(腸肝循環)(図 25・17)．糞便中に失われた分は肝臓での合成で補われる．正常時の胆汁酸合成速度は 0.2〜0.4 g/日である．全

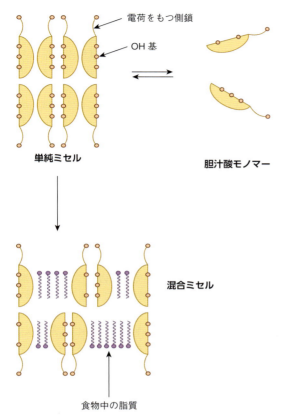

図 25・16　溶液中での胆汁酸の物理的形態. ミセルの横断面が示してあるが，実際は円柱状に集合している．腸内容物に含まれる胆汁酸混合ミセルは，食物中の脂質も含む (Barrett KE: *Gastrointestinal Physiology*. New York, NY: McGraw-Hill; 2006 より許可を得て転載).

胆汁酸プールは約 3.5 g で，腸肝循環により繰り返し回り続けている．計算では食事ごとに全プールが 2 回，つまり 1 日に 6〜8 回，回転することになる．

消化管機能の調節

消化管機能として分泌，消化，吸収 (26 章) そして運動 (27 章) がある．これらの機能は，食物から栄養を体内に取り込むということが効率よく起こるため，調節され統合されてはたらかなければならない．調節するための 3 種の主要な機構がある．1 番目は **内分泌性** endocrine 調節で，食事に伴う刺激により放出されたホルモンがはたらく．これらのホルモンは，血流を介して別の消化管の部位や消化管に開く臓器 (膵臓など) に行き，そこでそのはたらきを調節する．2 番目は **傍分泌性** paracrine 調節で，内分泌と似ているが調

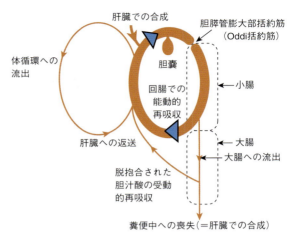

図 25・17　胆汁酸の体内循環に関する全体図. 大部分の胆汁酸プールは小腸と肝臓との間で循環している．しかし一部の胆汁酸プールは体循環を回っているし (これは門脈血中の胆汁酸が肝臓に完全には取り込まれないためである)，さらに一部は大腸に流出して糞便中に失われる．糞便中への胆汁酸の喪失は，それに見合った肝臓での合成により補われ，定常状態が保たれる (Barrett KE: *Gastrointestinal Physiology*, New York, NY: McGraw-Hill; 2006 より許可を得て転載).

節物質はやや不安定で血中には長くとどまれない．しかし周辺の細胞に届いてそのはたらきを調節することはできる．最後は神経性調節である．消化管には大規模な神経支配があり，**外来神経** extrinsic innervation と呼ばれる中枢神経と腸とを接続する神経と，**腸神経系** enteric nervous system と呼ばれる感覚ニューロンと分泌促進ニューロンからなる自律神経系に分けられる．腸神経系は中枢神経からの入力を統合し腸に指令するのみならず，独立に管腔内の状況に応じた腸機能の調節も行っている．なお，内分泌，傍分泌，神経分泌の三者で共通に利用されている物質もある (CCK など，後述).

ホルモン/傍分泌

消化管粘膜の神経細胞や腺細胞から分泌される生理活性ポリペプチドは，主に傍分泌様式ではたらくが，同時に血液中にも入る．食後の血中濃度の変化を測定することにより，これらの **消化管ホルモン** gastrointestinal hormone が消化管の分泌や運動の調節にどのように関わっているかが明らかにされてきた．

各ホルモンの作用は大量に投与すると重複するが，生理的濃度ではそれぞれ別々である．構造上の類似性とある程度作用が似ていることをもとに，重要なホル

モンを2つのファミリーに大別できる．ガストリンファミリーは，ガストリンとCCKからなり，セクレチンファミリーは，セクレチン，グルカゴン，血管作動性腸管ポリペプチド（VIP：実際は神経伝達物質，後述），胃抑制ポリペプチド（GIP）からなる．その他，この2つのファミリーに属さない生理活性ペプチドも存在する．

腸内分泌細胞

胃，小腸，大腸の粘膜に，ホルモン分泌を行う**腸内分泌細胞** enteroendocrine cell が15種類以上見つかっている．アルファベットで命名されており（G細胞，S細胞など），それぞれ特有の1種類のホルモンを分泌する場合が多い．その他セロトニンやヒスタミンを産生している細胞もあり，それぞれ**腸クロム親和性細胞** enterochromaffin cell あるいは**腸クロム親和性細胞様細胞** enterochromaffin-like（ECL）cell と呼ばれる．

ガストリン

ガストリン gastrin は，胃幽門前庭部の粘膜にあるG細胞で産生される（図25・18）．G細胞はフラスコ型で，底部が広がりそこに多数のガストリン顆粒を含む．先端は狭くなり粘膜表面に達し，そこから微絨毛が管腔内に突き出ている．微絨毛上には，胃内容の変化に応じてガストリンが分泌される反応を仲立ちする受容体がある．消化管から他のホルモンを分泌する細胞も同様の構造をもっている．

ガストリンの前駆体のプレプロガストリン pre-progastrin はいろいろな大きさの断片に分かれるが，主要な3種はそれぞれ34，17，14個のアミノ酸残基からなり，いずれもC末端は同一である．これらはそれぞれG34，G17，G14ガストリンとも呼ばれる．その他，ガストリンの誘導体形成の1つは，C末端から数えて6番目のアミノ酸残基であるチロシンの硫酸化である．血液中および組織中に硫酸化型と非硫酸化型がほぼ等量に存在し，両者の活性には差がない．C末端のフェニルアラニンがアミド化されるとカルボキシペプチダーゼに対し耐性となり，血漿における

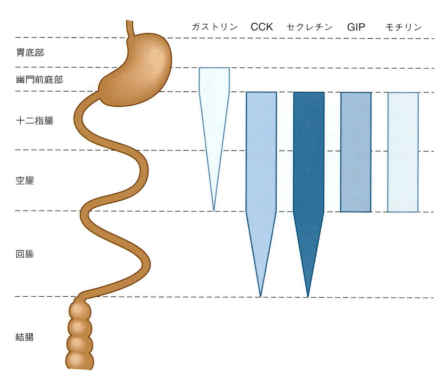

図25・18 消化管の各部位における5種類の消化管ホルモンの産生．各ホルモンに対応する青い帯の横幅は，その部位における相対的な産生量を反映している．

表 25・4　ガストリン分泌調節因子

ガストリン分泌刺激
管腔内
ペプチドとアミノ酸
伸展
神経性
迷走神経興奮による GRP 放出
血中物質
カルシウム
アドレナリン
ガストリン分泌抑制
管腔内
酸
ソマトスタチン
血中物質
セクレチン, GIP, VIP, グルカゴン, カルシトニン

ペプチドの安定性が高まる．循環血中での半減期は，G14 および G17 の場合 2〜3 分であるが，G34 では 15 分である．ガストリンは主として腎臓と小腸で不活性化される．

ガストリンの主な生理的作用は胃の HCl とペプシンの分泌刺激，ならびに胃粘膜や小腸，大腸の粘膜の成長促進（**栄養作用 trophic action**）である．ガストリン分泌に影響するものは胃内容物，迷走神経活動度，および血中の諸因子である（表 25・4）．ガストリン分泌はまた胃内での消化による分解産物，特にアミノ酸により増大する．これらアミノ酸は直接 G 細胞にはたらくが，殊にフェニルアラニンとトリプトファンが有効である．ガストリンは，コレシストキニンに対する元来の受容体（CCK-A）に関連した CCK-B 受容体を介して作用する（後述）．これは，ガストリンとコレシストキニンの構造的類似性を反映しているものと考えられ，どちらかのホルモンが過剰量存在した場合に，重複した作用を引き起こす可能性がある（たとえば，ガストリン産生腫瘍の場合）．

幽門前庭部に酸があると，G 細胞への直接作用や，ガストリン分泌を強力に抑制するソマトスタチンの分泌を介して，ガストリン分泌は抑制される．酸のこの抑制作用はガストリン分泌の調節における負のフィードバック系の中心をなす．悪性貧血のように胃の酸分泌細胞が傷害を受けた場合，慢性的なガストリン分泌の増大が起こる．

コレシストキニン

コレシストキニン cholecystokinin（CCK）は上部小腸粘膜の I 細胞と呼ばれる内分泌細胞から分泌される．消化管に対する様々な作用があるが，最も重要なのは膵臓からの膵酵素分泌と，胆嚢の収縮（cholecystokinin とはもともとは胆嚢収縮物質という意味），および Oddi 括約筋の弛緩作用である．Oddi 括約筋の弛緩により，膵液と胆汁の両者の消化管内への流入が可能となる．

ガストリンの場合と同様に，CCK は大型の前駆体から生成される．プレプロ CCK も多くの断片に分かれるが，すべて C 末端のアミノ酸 5 個の配列はガストリンと同一である．C 末端はアミド化されており，また末端から第 7 番目のアミノ酸であるチロシンは硫酸化されている．ガストリンと異なり，非硫酸化型の CCK の存在は証明されていない．循環血中の CCK の半減期は約 5 分だが，その代謝についてはほとんどわかっていない．

CCK は I 細胞から分泌されることに加え，遠位回腸や結腸の神経にも存在する．また脳，特に大脳皮質のニューロンや身体の様々な部位の神経の中にもある（7 章参照）．脳では食物摂取の調節に関与している．

CCK は上で述べた主要な作用の他に，アルカリ性の膵液の分泌を促すセクレチンの作用を増強する．CCK はまた，胃からの内容物排出の抑制，膵臓に対する栄養作用，エンテロキナーゼの合成促進（26 章参照），小腸と結腸の運動性の亢進，などの作用も有する．さらに，幽門括約筋に対してセクレチンとともに収縮的にはたらき，おそらく十二指腸内容が胃に逆流するのを防いでいる．なお，CCK 受容体は 2 種類ある．CCK-A 受容体は主として末梢組織にあり，一方脳には CCK-A と CCK-B/ガストリンの受容体が見つかっている．両受容体ともホスホリパーゼ C（PLC）を活性化し，Ca^{2+} 経路を介した反応を引き起こす（2 章参照）．

CCK の分泌は，消化産物，特にペプチドとアミノ酸が腸粘膜に触れること，および 10 個以上の炭素原子からなる脂肪酸が十二指腸粘膜に触れることによって引き起こされる．さらに 2 つのタンパク質放出因子が CCK 分泌を刺激する．1 つは CCK 放出ペプチドで小腸粘膜にあり，もう 1 つはモニターペプチドで膵臓で作られる．CCK が作用すると十二指腸内に胆汁と膵液が流入し，タンパク質や脂肪の消化を亢進する．これらの消化産物はさらに CCK の分泌を促進する．したがって CCK の分泌調節には，一種の正のフィードバック機構がはたらくことになる．この正のフィードバックは，消化産物が十二指腸より先に移動することと，CCK 放出ペプチドやモニターペプチドが食物由来タンパク質分解作業が終わり手すきの状態

となったタンパク質分解酵素で分解され活性を失うことにより終結する．

セクレチン

　生理学の歴史においてセクレチンは特別な意義をもっている．1902年，BaylissとStarlingは，十二指腸粘膜の化学的刺激による膵液分泌の増大は血行を介して運ばれるある種の物質によって引き起こされることを突き止めた．彼らのこの研究によって，最初のホルモンとしてセクレチンsecretinが同定されたのである．セクレチンを分泌するのは上部小腸粘膜の腺の深部にあるS細胞である．セクレチンの構造はCCKやガストリンには似ていないが，GIP，グルカゴンおよびVIPの構造に非常に類似している．セクレチンは活性型が1種類しかない．その半減期は5分で，代謝についてはほとんど不明である．

　セクレチンは膵臓の導管細胞および胆道からのHCO_3^-の分泌を促進する．その結果，水分の多いアルカリ性の膵液が分泌される．膵導管細胞に対するその作用はcAMPを介して発現する．セクレチンはその他にCCKの膵消化酵素分泌作用を増強し，胃のHCl分泌を抑制し，さらに幽門括約筋収縮作用を有する．

　上部小腸粘膜にタンパク質消化産物や酸が触れるとセクレチンの分泌が上昇する．酸によって起こるセクレチン分泌はフィードバック調節のもう1つの好例である．すなわち，酸性の胃内容が十二指腸粘膜に触れてセクレチンの分泌を促すと，このセクレチンによりアルカリ性膵液が十二指腸内に出て胃からの酸を中和し，その結果セクレチンの分泌は抑制される．

GIP

　GIP (gastric inhibitory polypeptide，胃抑制ポリペプチド) は42個のアミノ酸からなり，十二指腸および空腸の粘膜のK細胞で作られる．この物質は十二指腸内にグルコースないし脂肪があると血中への放出が刺激される．大量では胃液分泌と胃運動の両者を抑制することからこのように名付けられた．しかし現在では食後に血中にみられる程度の量を投与しても胃機能抑制が起こらないことがわかっている．最近GIPは，生理的な濃度でインスリン分泌増大を引き起こすことが明らかになってきた．そのため，このホルモンは**グルコース依存性インスリン分泌刺激ペプチド glucose-dependent insulinotropic peptide** とも呼ばれる

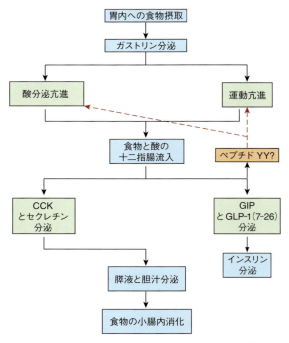

図25・19　消化ならびにインスリン分泌に対する消化管ホルモンの統合作用．点線は抑制を表す．腸から分泌されて胃液分泌および胃運動機能を抑制するホルモン（あるいは物質）の正体は不明だが，ペプチドYYが候補にあがっている．

ことがある．プログルカゴンの誘導体GLP-1(7-36)（24章参照）もインスリン分泌を刺激する．これも消化管由来の生理的なB細胞刺激ホルモンの1つであろう．

　ガストリン，CCK，セクレチン，GIPの，栄養素の消化と利用（訳注：インスリン分泌促進を介する）に対する統合作用の全体像を図25・19に示した．

VIP

　VIP (vasoactive intestinal polypeptide，血管作動性腸管ポリペプチド) は28個のアミノ酸残基からなり消化管の神経に存在する．したがってセクレチンによく似ているもののホルモンとはいえない．しかしVIPは血中にも見出され，その半減期は約2分である．この物質は小腸での電解質および水の分泌を著しく高める．その他の作用としては括約筋を含む腸管平滑筋の弛緩，末梢血管拡張と胃液分泌抑制がある．VIPは脳や自律神経中にも存在し(7章参照)，そこではアセチルコリンと同じニューロンに含まれることが多い．VIP

は唾液腺に対するアセチルコリンの作用を増強する．しかし他の消化管部を支配する神経内ではVIPとアセチルコリンは共存しない．重症の下痢を伴う患者にVIP分泌腫瘍(VIPoma)を見出したとの報告もある．

モチリン

モチリン motilin は22個のアミノ酸からなるポリペプチドで胃，小腸，大腸の腸クロム親和性細胞とMo細胞より分泌される．モチリンは十二指腸と大腸の腸管神経のGタンパク質共役型受容体に作用し食間期に胃や腸の平滑筋の収縮を引き起こす(27章参照)．

ソマトスタチン

最初は成長ホルモンの分泌を抑制するホルモンとして視床下部から単離された**ソマトスタチン somatostatin** は，膵島(24章参照)と消化管粘膜内に存在するD細胞とから分泌され傍分泌的にはたらく．このホルモンは組織内で2つの形をとる．すなわちソマトスタチン14とソマトスタチン28であり，いずれも分泌されている．ソマトスタチンはガストリン，VIP，GIP，セクレチン，モチリンの分泌を抑制する作用がある．ソマトスタチンの分泌を刺激するのは管腔内の酸で，胃液によるガストリン分泌抑制を傍分泌性に仲介している．その他，膵臓の外分泌，胃酸の分泌，胃の運動，胆嚢収縮，グルコースとアミノ酸およびトリグリセリドの吸収をも抑制する．

その他の消化管ホルモン

ペプチドYY

ペプチドYYの化学構造は24章で述べたが，胃の運動と酸分泌を抑制する胃抑制ポリペプチドとしてはたらいている可能性が高い(図25・19)．脂肪の刺激で十二指腸から放出される．

その他

グレリン ghrelin は主に胃から分泌され，中枢神経による摂食の調節に重要な役割を果たしているらしい(26章参照)．さらに，下垂体にある受容体に直接はたらき成長ホルモンの分泌も引き起こす(18章参照)．グレリンの血中レベルは食事前に上昇する．このホルモンを注射すると，食欲や摂食量が顕著に増加する．グレリンの分泌量は，重度肥満の減量のために胃バイパス手術を受けた患者では，顕著に減少する．

サブスタンス P substance P は消化管の内分泌細胞と神経に存在し血液中にも出てくる．小腸の運動を刺激する．**GRP**(ガストリン放出ペプチド)はG細胞で終わっている迷走神経終末にあり，迷走神経刺激によるガストリン分泌を引き起こす神経伝達物質である．消化管由来の**グルカゴン glucagon** は膵臓摘出後にみられる高血糖と少なくとも一部関連しているらしい．

グアニリン guanylin は15個のアミノ酸からなる消化管ポリペプチドで，小腸粘膜から分泌され，グアニル酸シクラーゼと結合する．活性化されたグアニル酸シクラーゼにより腸の細胞内の環状グアノシン3',5'-一リン酸(cGMP)の濃度が上昇し，それにより管腔内へのCl^-分泌が増加する．グアニリンは幽門から直腸に至る腸の細胞で産生され，主に傍分泌性にはたらくと考えられる．下痢を引き起こすある種の大腸菌が出す耐熱性エンテロトキシンは，分子擬態[*4]のよい例で，分子構造がグアニリンによく似ていて腸のグアニリン受容体を活性化することができる．グアニリン受容体は腎臓，肝臓，女性生殖器でも見出される．この場合グアニリンはホルモンとしてはたらき，これらの組織における体液の移動を調節していると考えられる．同時に腸管と腎臓のはたらきの統合もしているらしい．

腸神経系

消化管には2つの神経回路網がある．すなわち，縦走筋層と輪走筋層との間にある**筋層間神経叢 myenteric plexus** と，輪走筋層と粘膜との間にある**粘膜下神経叢 submucous plexus** である(図25・2)．これらの神経は全体として**腸管神経系 enteric nervous system** を構成している．ヒトではこの中に1億個の知覚ニューロン，介在ニューロン，および運動ニューロンが含まれている．この数は脊髄全体のニューロン数に匹敵する．この系を消化管機能の調節のためにだけはたらく特別な中枢神経とみなし，"小さな脳 little brain" と呼ぶこともある．腸管神経系は，交感神経および副交感神経線維により中枢神経と結合しているが，この結合を遮断しても自律的に機能することもできる(後述)．筋層間神経叢からは縦走筋層や輪走筋層に神経支配があり，主として消化管運動を制御している．これに対し，粘膜下神経叢からは腸腺，腸内分泌細胞，粘膜下血管に神経支配があり，主として腸液分泌を制御している．この腸管神経系で分泌される神経

[*4] 訳注：微生物と宿主間でのタンパク質構造の類似性のこと．

伝達物質として，アセチルコリン，ノルアドレナリンやセロトニンなどのアミン類，アミノ酸のGABA，プリンのATP，ガスであるNOやCO，多くの種類のペプチドやポリペプチドがある．これらのペプチドのあるものは，傍分泌的にもはたらき，またあるものは血液に入りホルモンとしてもはたらいている．もちろん，これらの物質の大部分は脳にも見出されている．

外来神経の支配

腸管は2種類の外来の自律神経支配を受けている．そのうち，コリン作動性の副交感神経は一般に腸平滑筋の活動を高め，一方，ノルアドレナリン作動性の交感神経は腸平滑筋活動を弱めるとともに括約筋を収縮させる．副交感神経節前線維は，約2000の迷走神経遠心性線維と，仙骨神経遠心性線維からなっている．これらは一般に筋層間および粘膜下神経叢のコリン作動性神経細胞に結合している．交感神経線維はすべて節後線維であるが，多くはコリン作動性節後線維に終わっており，交感神経から分泌されたノルアドレナリンが，コリン作動性節後線維のシナプス前膜にあるアドレナリンα_2受容体を活性化することにより，アセチルコリン分泌を抑制している．一部の交感神経は平滑筋細胞に直接終わってもいるようである．腸管平滑筋の電気的特性については5章で述べた．さらに交感神経の一部は血管にも来ており，血管収縮を起こす．腸管の血管は，外来性のノルアドレナリン作動性神経と，内在性の壁内神経叢からの神経線維による二重の支配を受けているように思われる．VIPやNOは内在性神経の伝達物質として，食物の消化に伴う局所血流の増加(**充血 hyperemia**)に関与しているらしい．血管にコリン作動性神経支配があるかどうかはまだ明らかにされていない．

消化管粘膜の免疫システム

粘膜の免疫システムについては3章で述べたが，消化管の管腔は連続して外部環境に面しており，重要な感染の起点となっていることについて再度解説する．腸は共生(非病原性)細菌が形成する複雑なコミュニティと関わることで恩恵を受けている．共生細菌により，病原体に対する抵抗性が高まるばかりでなく，有益な代謝機能がもたらされる．このように哺乳類の腸は絶えず細菌により刺激を受けており，味方か敵かを判別する精巧な先天的・後天的免疫システムを備えていることは当然といえる．実際，腸粘膜には循環器に比べて多くのリンパ球が存在している．また，上皮防御系に障害が発生した場合に直ちに粘膜を保護するために，多数の炎症性細胞が存在している．さらに免疫細胞やその産生物質は，上皮，内分泌細胞，神経，平滑筋の生理機能に影響を与える．特に感染時や炎症性腸疾患のような不適当な免疫反応が永続する場合にその影響は大きい(3章参照)．

腸内細菌叢を構成する細菌の性質や複雑さについて，またこれらの細菌が健常時および病態時において，消化器系の内外で果たす潜在的な役割について，多くの知見が報告されている．臓器の細菌の数は，口側から離れるほど顕著に増加し，結腸(大腸)が最も多い．結腸では，主に絶対嫌気性菌により細菌叢が作られている．腸内細菌は，哺乳類の細胞では産生できない多くの代謝物(ビタミンなど)を供給し，膵酵素以外では消化できない栄養素を回収している．食物繊維は腸内細菌によって短鎖脂肪酸に消化され，結腸粘膜を介して吸収される．腸内細菌はまた，胆汁酸を脱抱合する．非抱合型(より脂溶性)となった胆汁酸は受動輸送により吸収され門脈循環に戻る．腸内細菌叢の総合的な機能により，病原微生物の定着に対しての耐性が増大し，出生後早期の段階で粘膜免疫系が構築され，行動を司る脳に信号が送られるものと考えられる．病気や抗菌スペクトルの広い抗生物質を使用するなどにより，腸内細菌の全体のバランスが乱れると[**ディスバイオシス dysbiosis**(**腸内毒素症**)として知られている]，腸の生理機能が影響を受け，病原菌の定着につながる可能性がある．たとえば，クロストリジウム・ディフィシル(*Clostridium difficile*)は，抗生物質を投与されている入院患者の腸でしばしば異常増殖する病原菌である．この菌は重大な症状をもたらし，根絶することは非常に難しい．最近の臨床研究で，クロストリジウム・ディフィシル感染症が再発した患者に対し，健康なドナーの糞便微生物を浣腸によって移植すると，症状が劇的に改善する場合があることが示されている．

消化管の血液循環(内臓循環)

最後の基本的な項目は，消化管の特徴的な循環についてである．胃，腸，膵臓，そして肝臓は一連の並列に並んだ循環回路をなしている．さらに胃腸，膵臓から出た血液はすべて門脈を経て肝臓に流れ込む(図25・20)．脾臓からの血液も含めて門脈より肝臓に流れ込んだ血液は，肝臓より出て下大静脈に流れる．これらの内臓と肝臓は，腹腔動脈，上腸間膜動脈，下腸間膜動脈から血液を受け取るが，その量は心拍出量の

に伴って起こっている．それでも，全体で見ると吸収が量的に勝っている．

全体的な消化管の水バランスは表25・5にまとめてある．腸管の中に1日当たり流入する水分は食事・飲水としての約2000 mLと，消化管の粘膜や腺から分泌される7000 mLである．このうち98%は再吸収され残りのわずか200 mLが糞便中に排泄される．

小腸でのグルコース，一部のアミノ酸，あるいは胆汁酸などその他の物質の吸収には，Na^+との二次性能動輸送が重要であることを前に述べた．このことは逆にグルコースが腸の中にあるとNa^+吸収が増加することを意味する．食間期で栄養素が腸管内にない時には，Na^+とCl^-は電気的中性吸収機構で吸収される．これには，頂上膜にあるNa^+/H^+交換輸送体(アンチポータ)Na^+/H^+ exchanger (NHE)とCl^-/HCO_3^-交換輸送体(アンチポータ)の両者が協同ではたらいている(図25・21)．水もこれに従い吸収され浸透圧バランスが保たれる．大腸にはこの他に起電性吸収機構によるNa^+吸収があり，特に遠位結腸に強く発現している．この吸収の機構では，Na^+は頂上膜にある上皮型Na^+チャネル epithelial sodium channel (ENaC)を介して入る(図25・22)．このチャネルは腎臓の遠位尿細管で発現しているものと同じものである．これがはたらき大腸は便の水分を減らすことができるので，消化吸収に利用された水分のほんのわずかしか体外に失われない．食塩摂取量が減ると，アルドステロンによりENaCの発現量が増え，糞便からNa^+を回収する活性

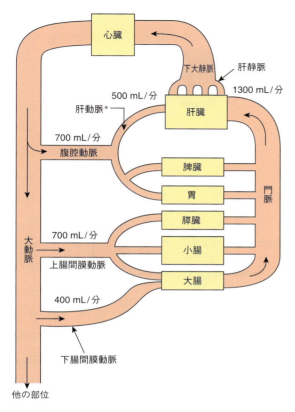

＊肝臓にいく動脈からは胃と膵臓と小腸にいく枝も出ている

図25・20 空腹時における内臓循環の略図．肝臓には空腹時においても門脈から大量の血液が流入していることに注意．

30%ほどである．空腹時に肝臓は門脈より1300 mL/分ほどの血液量を受け取り，肝動脈から500 mL/分ほど受け取るが，食後には門脈血流量は増大する．

腸管の電解質と水分の輸送

消化と吸収の過程は水分のあるところで進行する．このため腸管自身も電解質液を分泌し水分を補給している．栄養の吸収が終了した後には，使われた水分は腸管上皮を介する輸送で取り戻されて再利用される．そうでなければ生体は脱水状態になってしまう．水は，電解質や栄養素の能動輸送により形成された浸透圧差に従って受動的に動く．食後の時間帯の水分再回収の大部分は，グルコースなどの栄養素とNa^+との共輸送に伴って起こる．これに対し食間期の電解質液吸収は，純粋な電解質吸収機構に伴って起こる．両方の時期において，水分の分泌が管腔内へのCl^-の能動輸送

表25・5 消化管内腔における1日当たり正味の水の出入(mL)

摂取量		2000
内因性分泌量		7000
唾液腺	1500	
胃	2500	
胆汁	500	
膵臓	1500	
腸	+1000	
	7000	
全流入量		9000
再吸収量		8800
空腸	5500	
回腸	2000	
結腸	+1300	
	8800	
糞便中排泄量		200

Moore EW: *Physiology of Intestinal Water and Electrolyte Absorption.* American Gastroenterological Association; 1976のデータより．

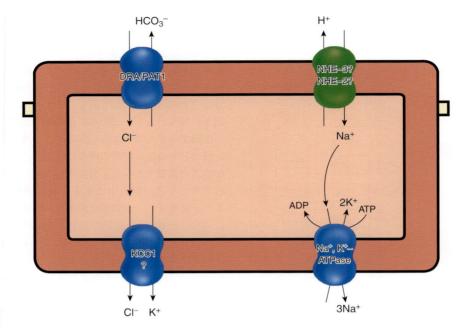

図 25・21　小腸と大腸における電気的に中性な NaCl 吸収メカニズム．NaCl は頂上膜における Na^+/H^+ 交換輸送体（NHE）と Cl^-/HCO_3^- 交換輸送体［腺腫下方調節 down-regulated in adenoma（DRA），または仮定アニオン輸送体-1 putative anion transporter（PAT-1）］の共役したはたらきにより，細胞内に入る．基底側膜には K^+-Cl^- 共輸送体（KCC1）の存在が仮定されており，これによって Cl^- が細胞外に出される．他方，Na^+ は Na^+, K^+-ATPase によって細胞外に出される．

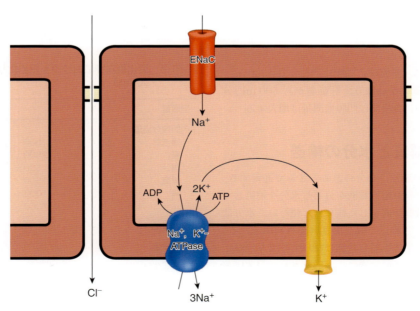

図 25・22　大腸における起電性 Na^+ 吸収メカニズム．Na^+ は頂上膜の上皮型 Na^+ チャネル（ENaC）を介して上皮細胞内に入り，Na^+, K^+-ATPase を介して細胞外に出る．

が増加する．

　吸収が勝っているものの小腸と大腸全体にわたり分泌も常に起こっていて，腸管内容物の流動性が維持され，それにより食物の攪拌，吸収上皮表面への移動および残りを腸管に沿って送り出すことが可能となっている．この分泌機構では Cl^- が基底側膜から Na^+-K^+-$2Cl^-$ 共輸送体（シンポータ）を介して腸上皮細胞内に入る（図 25・23）．次いで Cl^- は種々のリン酸化酵素により調節を受けるチャネルを介して管腔内に出ていく．Cl^- チャネルで最も主要なものは囊胞性線維症の場合にその機能が欠失している囊胞性線維症膜コンダクタンス制御因子 cystic fibrosis transmembrane conductance regulator (CFTR) チャネルであり，これはプロテインキナーゼ A ひいては cAMP によって活性化される（クリニカルボックス 25・2）．

　腸管内外の水の出入は浸透圧差により起こるので，管腔内容物の浸透圧は次第に血漿と等しくなる．したがって，十二指腸の内容物は食物により高浸透圧あるいは低浸透圧であるかもしれないが，空腸では内容物の浸透圧は血漿のそれとほぼ等しい．この浸透圧は回腸でも保たれる．そこでは浸透圧的に活性な消化産物が吸収により腸管から除かれるが，その吸収に伴いできる浸透圧差で水も吸収されるからである．大腸では Na^+ は血液側へと汲み出され，やはり水はそれに伴う浸透圧勾配により受動的に吸収される．硫酸マグネシウムなどの**塩類下剤** saline cathartic はそれ自身ほとんど吸収されないので，その浸透圧効果で水が管腔内に貯留して内容物量を増やし，それにより瀉下効果がもたらされる．腸管内の液量は，腸の運動速度にも依存する．運動性が低下すると，吸収により多くの時間がかかる．止瀉薬の中には，腸の筋収縮を非同期化させたり，推進運動を低下させることによりその効果を発揮しているものがある（27 章も参照）．

　K^+ もいくらか，特に粘液中の成分として腸管内に分泌される．大腸上皮細胞には基底側膜だけでなく管腔側膜にも K^+ チャネルがあり，大腸内に K^+ が分泌される．さらに管腔内への K^+ の受動的な流出も，大腸内の高い K^+ 濃度の維持に関わっている．これらの結果，大腸管腔内に K^+ が蓄積する．遠位結腸の上皮細胞の管腔側膜には H^+, K^+-ATPase があり，この K^+ の一部を上皮細胞内に回収している．それでも，慢性の下痢で回腸や大腸内の電解質液が失われる時は，ひどい低カリウム血症になる．また，長期間にわたり K^+ を多く摂取すると，アルドステロン分泌が増大し，さらに多くの K^+ が大腸管腔内に分泌されるようになる．この分泌増大は，Na^+, K^+-ATPase が基底側膜で増加して細胞内へ多く K^+ が取り込まれ，それに伴い細胞の管腔側膜からの K^+ 流出も増大する，ということで一部説明できる．

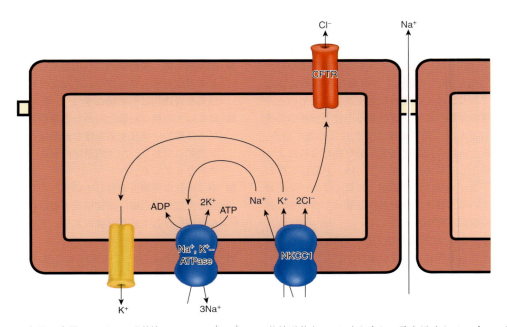

図 25・23　小腸と大腸における Cl^- 分泌．Cl^- は Na^+-K^+-$2Cl^-$ 共輸送体（NKCC1）を介して取り込まれる．次いで囊胞性線維症膜コンダクタンス制御因子（CFTR）や，他の Cl^- チャネル（図には描かれていない）から出ていく．

クリニカルボックス 25・2

コレラ

　コレラは激しい分泌性下痢を伴う病気で，自然災害などで衛生状態が悪化するとしばしば大流行する．他の細菌やウイルスによる分泌性下痢の場合と同様，コレラもしばしばひどい病的状態や死をもたらす．特に開発途上国における小児が犠牲となる．コレラに罹ると，腸の上皮細胞内の cAMP 濃度が増加する．コレラ菌は腸の管腔内にとどまるが，産生された毒素が腸上皮細胞の頂部膜の受容体に結合し，その A サブユニットが細胞内に入る．毒素は G_s（p.73 参照）の α サブユニットにアデノシン二リン酸リボースを結合させその GTPase 活性を止めてしまう（2 章参照）．そのため G_s は活性化されたままとなり，アデニル酸シクラーゼが長時間にわたり活性化され，その結果著しい細胞内 cAMP 濃度の上昇が起こるのである．これは Cl^- 分泌の増大と，さらに NHE3 の活性阻害による NaCl 吸収低下も引き起こし，そのため腸内に電解質液量が貯留し下痢が引き起こされる．一方でこの時，Na^+, K^+-ATPase と Na^+-グルコース共輸送（シンポート）の活性は影響されないので，グルコースと Na^+ の共役再吸収は激しい下痢の影響を受けない．

治療上のハイライト

　コレラは最終的には菌が消失するため，その治療の多くは対症療法であるが抗生物質が用いられる場合もある．最も有力な治療法は電解質とともに大量の水を摂取することであり，これによって下痢による脱水を緩和することができる．下痢便の量は1日で 20 L にも達する．無菌の製品が入手可能であれば水と電解質を点滴により静脈内投与するのが効果的であるがコレラが流行しているような状況下においては往々にしてこの方法は使えない．他方，下痢の際の Na^+ と水の喪失に対処するために NaCl とグルコースを含む液を経口投与するが，これは下痢の時も Na^+-グルコース共輸送体（シンポータ）の活性が保持されているためであり生理学的根拠に基づいている．経口補水液（糖と塩の混合物を水に溶解し，あらかじめパッケージに詰めたもの）の使用は簡便な治療法であり開発途上国におけるコレラや他の下痢症の流行による死亡率を劇的に減少させる．

章のまとめ

- 消化器系は，多細胞生物が統制の取れた栄養摂取を行うための入り口として存在するとともに，内因性の代謝された脂溶性老廃物や食物残渣を排泄する．消化管は連続して外環境と機能的につながっており，よく発達した免疫系を備えている．
- 消化管の管腔側には，連続する円柱上皮細胞の層が面しており，細胞は絶えず入れ替わっている．管腔側上皮は，陰窩と絨毛で折り曲げられたような構造をしている．上皮の下には，粘膜固有層と粘膜下層があり，免疫細胞，血管，リンパ系が発達している．輪走筋層と縦走筋層は，消化管の運動機能を担っている．
- 消化液分泌により，食物中の成分（特に高分子）は，腸上皮から吸収されやすいより小さな分子に変えられる．唾液，胃液，膵液，胆汁の順に食物にはたらく．これらの消化液中には酵素，イオン，水，その他の特別な成分が含まれている．
- 消化管の機能は，内分泌，傍分泌および神経分泌により統合的に調節されている．ホルモンや傍分泌性因子は，食事摂取に呼応して起こるシグナルに反応して腸内分泌細胞より分泌される．
- 腸神経系は，中枢神経からの指令を消化管に伝えるのみならず，プログラムされた分泌反応や運動反応を自律的に引き起こす．
- 腸には大規模な粘膜免疫系が温存されている．これらは管腔に常在する多様な細菌叢に対する反応を調節しており，かつ病原体の侵入を防ぐことで体を守っている．
- 腸は特殊な循環系を有している．すなわち，静脈血の大部分は心臓に直接戻るのではなく，いったん門脈を介してまず肝臓に入り，その後に心臓に戻る．
- 腸自身，およびそこに開口する器官から1日当たり 8 L の水分が分泌され，それにさらに食事・飲水による分が加わる．その大部分は再吸収され，糞便中に失われるのは約 200 mL のみである．水分の分泌と吸収は，イオンや栄養素の独立または共役した能動輸送による吸収と分泌に依存する．

多肢選択式問題

正しい答えを 1 つ選びなさい.

1. ある研究者が医学部生ボランティアのグループを対象として，いろいろな条件下で唾液分泌調節の研究を行うことになった．次のうちで，唾液分泌を最も低下させると考えられる条件はどれか.
   - A．チューインガムを嚙む
   - B．模擬の歯科診察を受ける
   - C．睡眠をとる
   - D．嘔吐を催す匂いを嗅ぐ
   - E．通常の休息を取る

2. 貧血症患者が担当医師を訪れ，胃腸炎がたびたび起こることを訴えた．血液検査で胃壁細胞に対する抗体が検出された．貧血の原因は胃で産生されるある物質の分泌低下が考えられるが次のどれか.
   - A．ヒスタミン
   - B．ガストリン
   - C．ペプシノーゲン
   - D．内因子
   - E．塩酸

3. 50 歳男性が来院し，主治医に強い上腹部痛，頻繁な胸やけ，原因不明の体重減少 [6 カ月で 20 ポンド (約 9 kg) の減少] を訴えた．男性はこれまで一般用医薬品 (OTC) のヒスタミン H_2 受容体拮抗薬を服用したが症状は緩和しなかったと述べた．男性は消化器専門医を紹介され，上部内視鏡による検査により近位十二指腸にびらんと潰瘍が認められた．また空腹時に胃酸分泌量が増大していた．患者はホルモンの異常分泌による腫瘍の可能性が高いが，そのホルモンは以下のどれか.
   - A．セクレチン
   - B．ソマトスタチン
   - C．モチリン
   - D．ガストリン
   - E．コレシストキニン

4. 以下のうち最も高い pH を示すものはどれか.
   - A．胃液
   - B．大腸管腔の内容物
   - C．膵液
   - D．唾液
   - E．腸陰窩の内容物

5. 60 歳女性が膵臓癌のため膵全摘出手術を受けた．術後の回復過程で起こらないと予想されるのは以下のどれか.
   - A．脂肪便
   - B．高血糖
   - C．代謝性アシドーシス
   - D．体重増加
   - E．アミノ酸吸収の減少

6. 無菌動物において，存在しない物質は次のどれか.
   - A．コール酸
   - B．リトコール酸
   - C．ガストリン
   - D．コレシストキニン
   - E．トリプシン

7. Crohn 病を罹患した女性が，病変部の回腸終末を手術により切除した．術後の回復に伴い通常食に戻しても，増加しないのは次のどれか.
   - A．胆汁酸の肝合成
   - B．門脈の抱合胆汁酸のレベル
   - C．便中脂肪
   - D．便容量
   - E．遊離型胆汁酸の肝取込み

8. 水は空腸，回腸および大腸で吸収され，糞便中に排泄される．水吸収量または排泄量の最も多い部位から順に配列しているのはどれか.
   - A．大腸，空腸，回腸，糞便
   - B．糞便，大腸，回腸，空腸
   - C．空腸，回腸，大腸，糞便
   - D．大腸，回腸，空腸，糞便
   - E．糞便，空腸，回腸，大腸

9. ハイチでは天災により，テント野営地で生活する難民にコレラが流行した．感染した人々には激烈な下痢症状が現れたが，これは以下に示すどの腸イオン輸送が変化したためか.
   - A．小腸における Na^+-K^+ 共輸送が増加したため
   - B．大腸への K^+ 分泌が増加したため
   - C．腸陰窩における K^+ 吸収が減少したため
   - D．小腸における Na^+ 吸収が増加したため
   - E．腸管腔への Cl^- 分泌が増加したため

消化と吸収，および栄養素

CHAPTER 26

学習目標
本章習得のポイント

- 栄養学の基本理念を学び，栄養素がどのようにして体に届けられるか，またそのためには化学的な作用を受けて吸収に適した形にならなければならないことを理解する
- 食物に含まれる主要な炭水化物の名称をあげ，管腔内および刷子縁膜において吸収可能な単糖になるまでの消化過程と，水溶性の分子である単糖が体内に取り込まれる膜輸送の機構を理解する
- タンパク質の消化と吸収について，炭水化物の場合と似ている点，異なっている点を理解する
- 脂質の消化と吸収の過程をいくつかの段階に区分でき，脂質の分解産物の可溶化における胆汁酸の役割を理解する
- 栄養素吸収を行う腸の解剖学的予備力（予備部）の成り立ち，腸の一部が失われても吸収を維持する適応プロセス，吸収不良症候群と症状の基礎を理解する
- 結腸における短鎖脂肪酸の由来とはたらきを理解する
- ビタミン類と各種ミネラルの吸収の必要性とメカニズムを理解する
- 肥満のメカニズムや病態とともに，総括的な食物摂取の調節機構を理解する

■ はじめに

　消化器系 gastrointestinal system はタンパク質，脂肪，炭水化物，ビタミン，ミネラル，および水分を身体に取り込む入口である．タンパク質，脂肪および炭水化物は，すべてではないが主として小腸内で分解され，吸収可能な低分子物質となる（**消化 digestion**）．これら消化産物とビタミン，ミネラルおよび水分は，粘膜を通過して血液またはリンパ液中に入る（**吸収 absorption**）．本章ではこれら消化および吸収の過程について述べる．

　主な食物の消化は，前の章で述べた多種の**消化酵素 digestive enzyme** の秩序あるはたらきにより進行する．唾液腺からの酵素は炭水化物に（動物によっては脂肪にも），胃からの酵素はタンパク質と脂肪に，膵外分泌腺からの酵素は炭水化物，タンパク質，脂肪，DNA，RNA に作用する．その他，消化過程の最終段階にはたらく酵素が小腸表面の細胞の管腔側膜および細胞質内にみられる．また，胃から分泌される塩酸や肝臓から分泌される胆汁がこれらの消化酵素の作用を助けている．

　ほとんどの物質は腸管腔内から腸上皮細胞内へ，さらに腸上皮細胞内から間質液へと移動する．管腔側膜を通り抜ける機序と，細胞の基底側膜を通って間質液に出る機序とがまったく異なっていることもしばしばある．

栄養学の基礎

ヒトはある種の物質を食物から必ず摂取しなければならない．十分な水分に加えて(37章参照)，適量の熱量，タンパク質，脂肪，ミネラル(無機質)，ビタミンが含まれている食物を摂取することが望ましい．

熱量の摂取と分布

体重に変化がない場合には，摂取した食物の熱量価は消費したエネルギーにほぼ等しくなければならない．基礎代謝にあたる 2000 kcal/日の他，さらに 500〜2500 kcal/日(またはそれ以上)の熱量が毎日の活動のために必要である．

炭水化物，タンパク質，脂肪といった熱量の供給源がそれぞれどのような割合で摂取されるかの問題は一部分生理学的要因で決まるが，食物に対する嗜好や経済的配慮も関係してくる．8 種の栄養学的に必須なアミノ酸(表 26・1)とその他のアミノ酸の必要量を得るためには，1 日当たり少なくとも，体重 1 kg 当たり 1 g のタンパク質を摂取するのが望ましい．**必須アミノ酸 essential amino acid** は，ヒト体内では合成できないため，食物タンパク質から得ることが必要である．またタンパク質源の種類も重要な問題である．**第Ⅰ級タンパク質 grade I protein** とは肉，魚，乳製品，卵などの動物性タンパク質のことであり，必須アミノ酸をはじめすべてのアミノ酸が含まれている．これらのタンパク質はタンパク質合成やその他の目的に必要なアミノ酸の割合とほぼ等しい割合のアミノ酸を含んでいる．一方，植物性タンパク質のほとんどは**第Ⅱ級タンパク質 grade II protein** である．第Ⅱ級タンパク質中のアミノ酸の割合は上記の割合と異なっており，ものによっては必須アミノ酸を 1 種類またはそれ以上含んでいない．ベジタリアンは，いろいろな第Ⅱ級タンパク質を計画的に混ぜて摂取すればタンパク質需要を賄

いうるが，この場合はアミノ酸の無駄が生じるのでかなり多量に摂取しなければならない．

脂肪は 9.3 kcal/g の熱量を供給するもので最もコンパクトな形の食物ということができる．しかし脂肪は最も高価である．事実，国際的にみると，脂肪摂取量と生活水準との間にはかなりよい正の相関関係がある．たとえば西欧人の食物は多量(100 g/日またはこれ以上)の脂肪を含んでいた．また，トウモロコシ(炭水化物)を食物の主原料としている中南米の先住民は脂肪摂取量が非常に少ないにもかかわらず成人の生活に何ら有害な影響が認められていない．以上のことから必須脂肪酸の必要量が満たされているならば脂肪摂取量が少なくても有害であるとは思えない．特に飽和脂肪含量の少ない食物は生体にとって有益なのかもしれない．

炭水化物は最も安価な熱量源であり，多くの場合食物の熱量の 50% またはそれ以上を占めている．平均的な中産階級米国人の場合，食物の熱量の 50% は炭水化物，15% はタンパク質，35% は脂肪から得ている．食物の必要量を計算する場合には，ふつう，まずタンパク質の必要量を定め，次に好みや収入その他を考慮して熱量の不足分を脂肪と炭水化物に振り分ける．たとえば，通常の活動をしている 65 kg の成人男性は体重を維持するために 2800 kcal/日の熱量を必要とする．この人の必要なタンパク量は 65 g/日であり，この量のタンパク質は 267(65×4.1)kcal の熱量を含んでいる．脂肪の摂取量はその人の好みにもよるが，妥当なところは 50〜60 g で，残りの必要熱量は炭水化物を摂取することによって得られる[*1]．

消化と吸収：炭水化物

消　　化

食品中の主な炭水化物(糖質)は多糖類，二糖類と単糖類である．多糖類の中でヒトの消化管が酵素によって消化処理できるのはデンプン(グルコースの重合体)とその誘導体のみである．食物中のデンプンの通常約 75% を占めるアミロペクチン amylopectin は分岐をもつ．これに対し残りを占めるアミロース amylose は α1：4 結合のグルコースの直鎖のみからなる(図 26・1)．二糖類の**ラクトース(乳糖) lactose**(乳汁中の糖)，**スクロース(ショ糖) sucrose**(砂糖中の糖)も，単

表 26・1　ヒトの栄養に必須のアミノ酸

アミノ酸の分類	アミノ酸
塩基性	リシン，ヒスチジン
脂肪族	バリン，ロイシン，イソロイシン
芳香族	フェニルアラニン，トリプトファン
含ヒドロキシ基	トレオニン
含硫(硫黄原子)	メチオニン

[*1] 訳注：熱量を含めた「日本人の食事摂取基準」は厚生労働省ウェブサイトに公表されている．

糖類のグルコース，フルクトースも食物の中に含まれている．

口腔内でデンプンは唾液のα-アミラーゼの作用を受ける．この酵素の至適 pH は 6.7 である．しかし酵素活性は，胃に入って胃酸に曝されても部分的に維持される．これは酵素の活性部位が基質の存在下で，ある程度保護されるためである．食品成分の多糖類はさらに小腸で唾液および膵α-アミラーゼの両者の作用を受ける．唾液および膵液中のα-アミラーゼは内部のα1：4 結合を加水分解するが，α1：6 結合，および，分子端のα1：4 結合は分解しない．したがってα-アミラーゼ消化の産物としてできてくるオリゴ糖 oligosaccharide は，(1) 二糖類の**マルトース** maltose，(2) 三糖類の**マルトトリオース** maltotriose，および，(3) グルコース分子約 8 個のα1：6 結合をもつ分岐したグルコースポリマーの**α-限界デキストリン** α-limit dextrin である(図 26・1)．

これらのデンプン消化産物は，小腸の上皮細胞表面の刷子縁膜に存在するいくつかのオリゴ糖分解酵素 oligosaccharidase の作用によりさらに分解される(図 26・1)．これらの酵素のうちあるものは 1 種類以上の基質に作用する．**イソマルターゼ** isomaltase は，α-限界デキストリンのα1：6 結合を主に加水分解する．この酵素はまた，**グルコアミラーゼ** glucoamylase[*2] や**スクラーゼ** sucrase とともに，マルトトリオースやマルトースも分解する．スクラーゼとイソマルターゼは当初単一の糖タンパク質の鎖として合成され，刷子縁膜に組み入れられるが，その後膵液中のタンパク質分解酵素によってスクラーゼとイソマルターゼのサブユニットに加水分解される．

スクラーゼはまた，スクロースをグルコースとフルクトースの分子に加水分解する．その他に**ラクターゼ** lactase は，ラクトース(乳糖)をグルコースとガラクトースに加水分解する．全般的に，刷子縁膜における

[*2] 訳注：マルターゼ maltase ともいう．

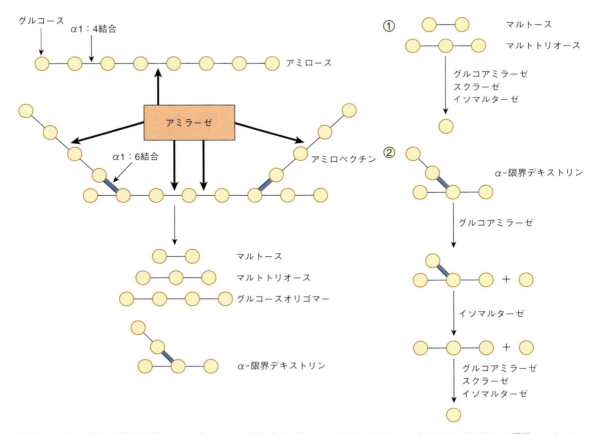

図 26・1 炭水化物の消化過程．左：グルコース(丸印)のポリマーであるアミロースとアミロペクチンの構造．これらの分子は消化酵素のアミラーゼにより部分的に消化され，下に示したようなものができる．右：刷子縁膜にある加水分解酵素は，管腔内のデンプン消化の産物を順次消化していく．

クリニカルボックス 26・1

乳糖不耐症

　大部分の哺乳類や多くの人種では，小腸のラクターゼ活性は出生時高値を示すが成長する間に低下し，成熟後もずっと低い水準にとどまる．ラクターゼ活性が低いと牛乳を飲んだ時に具合が悪くなる（**乳糖不耐症 lactose intolerance**）．しかし大部分の欧州人およびその子孫の米国人は，成人になっても十分高いラクターゼ活性を保持している．北および西欧州におけるラクターゼ低活性者の割合は 15% 程度であるが，黒人，ネイティブアメリカン，アジア人，地中海地方人における割合は 70〜100% である．もしそのようなヒトが乳製品を食べると，ラクトースは完全に消化されずに一部が大腸に入り，そこに棲む細菌により最終的に代謝される．それが浸透圧活性物質としてはたらき胃膨満感，鼓腸，腹痛，腸内ガスの増加，および下痢を引き起こす．

治療上のハイライト

　乳糖不耐症に対する最も簡単な対処法は，食事の際に乳製品を摂取しないことである．しかし，これを実現することは（特にアイスクリームが好きな人々にとっては）かなり難しい．乳糖不耐症の問題は市販のラクターゼ製剤を与えることで解決するが，それは高価である．

炭水化物の消化により，単糖類が高濃度で産生され，その場所は正確に各々が吸収される位置である．これは小腸において，単糖類を細菌から隔離し，細菌の異常増殖を防ぐためであると考えられる．

　刷子縁膜オリゴ糖分解酵素の1つあるいはそれ以上の欠損があると，糖類の摂取後に下痢，鼓腸，腸ガス充満，などを訴えることがある（クリニカルボックス 26・1）．下痢が起こるのは，浸透圧を高めるオリゴ糖類の分子が多数小腸内に残留し，小腸内の水分量が増加することによる．大腸では細菌がオリゴ糖を分解し，浸透圧的に有効な粒子の数をさらに増やす．さらに小腸遠位部と大腸でのオリゴ糖残基からのガス（CO_2 と H_2）発生をもたらし，鼓腸と腸ガス充満を引き起こす．

吸　　収

　グルコースやガラクトースなどの六炭糖は，小腸壁から速やかに吸収され（表 26・2），そのほとんど全部は食物残渣が回腸末端に達するまでに除去されてしまう．糖分子は腸上皮細胞から毛細血管内の血液中へ入り，次いで門脈に運ばれる．

　グルコースとガラクトースの吸収は腸管腔内の Na^+ に依存する．すなわち粘膜上皮細胞内への糖の輸送は，細胞表面の Na^+ 濃度が高ければ促進され，低ければ抑制される．これは，これらの糖と Na^+ が**共輸送体 cotransporter**（または**シンポータ symporter**），すなわち **Na^+ 依存性グルコーストランスポータ sodium-dependent glucose cotransporter**（SGLT，Na^+-グルコースシンポータ）で同時に運ばれるからである（図 26・2）．このトランスポータのファミリーは，SGLT1 と SGLT2 の2つのメンバーからなる．SGLT1 は腸管からの食事由来のグルコース吸収（訳注：ガラクトース吸収も）に関与し SGLT2 は腎尿細管でのグルコースの再吸収に重要である（37章参照）．

　小腸の上皮細胞も他の細胞と同様に細胞内 Na^+ 濃度は低いので，Na^+ は濃度勾配に沿って細胞内に移動する．Na^+ とともにグルコースも細胞内に運ばれる（図 26・2）[*3]．Na^+ はそれに続き，基底側膜に Na^+,K^+-ATPase によって能動輸送され，細胞で利用されなかったグルコース（訳注：ガラクトースも）は GLUT2 [促通（進）拡散] によって輸送され，間質を経て毛細血管に入る．このようなグルコースの吸収は二次性能動輸送の好例であり（2章参照），グルコースの輸送に必要なエネルギーは，細胞からの能動的な Na^+ の排出によって間接的に賄われる．この能動的な Na^+ 排出によって管腔側膜での Na^+ 濃度勾配が維持されているため，Na^+ とそれに随伴するグルコースは次々に細胞内に入っていくことができる．Na^+-グルコース共輸送体が先天的に障害されていると，**グルコース/ガラクトース吸収不良症 glucose/galactose malabsorption** となり，強い下痢を起こす．この場合，もし食物から

[*3] 訳注：より正確には Na^+ とグルコースは，同時に Na^+ の濃度勾配と電位勾配の両者（電気化学的勾配）とグルコース自身の濃度勾配に従って，細胞内に運ばれる．

表26・2 小腸での正常の物質輸送と最大吸収・分泌部位[a]

吸収される物質	小腸 上部[b]	小腸 中部	小腸 下部	大腸
糖(グルコース,ガラクトースなど)	++	+++	++	0
アミノ酸	++	++	++	0
ビタミンB_{12}を除く水溶性および脂溶性ビタミン	+++	++	0	0
ベタイン,ジメチルグリシン,サルコシン	+	++	++	?
新生児における抗体	+	++	+++	?
ピリミジン(チミン,ウラシル)	+	+	?	?
長鎖脂肪酸の吸収とトリグリセリドへの転化	+++	++	+	0
胆汁酸	+	+	+++	
ビタミンB_{12}	0	+	+++	0
Na^+	+++	++	+++	+++
K^{+*}	+		+	分泌
Ca^{2+}	+++	++	+	?
Fe^{2+}	+++	+		?
Cl^-	+++	++	+	+
SO_4^{2-}	++	+	0	?

a) 吸収量の程度を+〜+++で表してある.大腸でのK^+分泌は管腔内のK^+濃度が低い時に起こる.
b) 小腸上部とは主に空腸を指すが十二指腸でもほぼ同様である.ただし十二指腸はHCO_3^-を分泌し,NaClについては正味の吸収も分泌もあまりない.
＊訳注:K^+は主として小腸上部で吸収される.

グルコースやガラクトースを直ちに除去しないと,死に至る場合が多い.一般的な下痢の際にNa^+を体内に補給する目的でグルコースやその重合体を用いることについては25章で述べた.

前述したように,ガラクトースもSGLT1で吸収される.一方,フルクトースの吸収はNa^+に依存せず,グルコース,ガラクトースの輸送とは別の機構で行われる.すなわち促通(進)拡散により管腔内から細胞質内にGLUT5を介して輸送される.細胞質から間質液に向けてはグルコースやガラクトースと共通のGLUT2で輸送される.フルクトースの一部はまた,吸収上皮細胞内でグルコースに変わる[*4].

インスリンは腸管からの糖の吸収にはほとんど作用しない.この点はグルコースが腎臓の近位曲尿細管に

おいて再吸収される時も同じである(37章参照).両部位における吸収はいずれもリン酸化を必要とせず,糖尿病の際にも基本的に正常であるが,ともにフロリジン phlorhizin によって抑制される.腸におけるグルコースの最大吸収能(吸収速度)は約120 g/時である.

タンパク質および核酸

タンパク質の消化

タンパク質の消化は胃で始まる.ここでペプシン pepsin がタンパク質のペプチド結合を一部切り離す.タンパク質の消化にたずさわる他の酵素と同様に,ペプシンは不活性の前駆体 precursor(**プロ酵素 proenzyme**)であるペプシノーゲンの形で分泌され,胃内で胃液中の塩酸によって活性化される.

ペプシンはフェニルアラニンあるいはチロシンのような芳香族アミノ酸とその隣のアミノ酸との結合を加

[*4] 訳注:これによって細胞内のフルクトース濃度は下がり,管腔側膜でのフルクトースの濃度勾配が急峻に保たれて,促通拡散による細胞内流入がより容易となる.

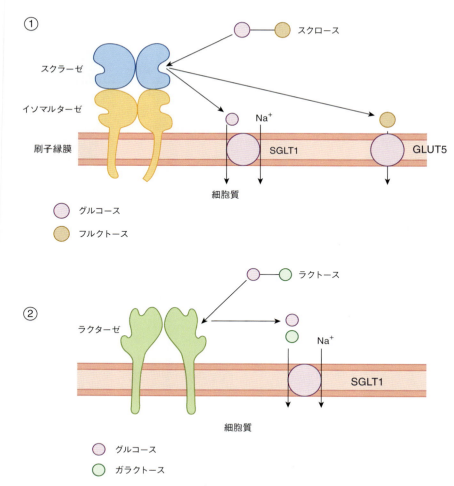

図 26・2 二糖類であるスクロース（①）とラクトース（②）の，刷子縁膜における消化と吸収．グルコースとガラクトースの取込みは二次性能動輸送によって行われる．この輸送が起こるのは，基底側膜の Na^+, K^+-ATPase のはたらきによって細胞内 Na^+ 濃度が低く保たれているためである（図には示していない）．SGLT1：Na^+ 依存性グルコーストランスポータ 1．

水分解するので，ペプシンによる消化産物は様々な大きさのポリペプチドを含む．ペプシンの至適 pH は 1.6〜3.2 であり，胃内容物が十二指腸に入りアルカリ性の膵液と混ざると，ペプシンの作用は止まる．十二指腸球部[*5] 内での腸内容物の pH は 3.0〜4.0 であるが，急激に上昇しそれより下の十二指腸では pH が約 6.5 となる．

胃での消化の結果生じたポリペプチドは，小腸で膵液と小腸粘膜の強力なタンパク質分解酵素によりさらに消化される．トリプシン，キモトリプシン，エラスターゼはポリペプチド分子内部のペプチド結合に作用するので，**エンドペプチダーゼ** endopeptidase[*6] と呼ばれる．膵液中の強力なタンパク質分解酵素は，不活性の酵素前駆体として分泌され，作用部位に達して初めて活性化される．すなわち，腸上皮刷子縁膜に存在する加水分解酵素**エンテロキナーゼ** enterokinase の作用が引き金になって次々と活性化される（図 26・3）．膵液が十二指腸に達すると，まずトリプシノーゲンがエンテロキナーゼにより活性型のトリプシンに変換される．エンテロキナーゼには 41％ もの多糖類が含まれ，これによってエンテロキナーゼ自身は分解されにくくなっていると考えられている．トリプシンはキモトリプシノーゲンをキモトリプシンに変換するなど，他の酵素前駆体を活性型に変える（図 26・3）．さらにトリプシンはトリプシノーゲンも活性化するから，ひとたびトリプシンが生成されると自己触媒的に活性化反応は進行していく．エンテロペプチダーゼが欠損す

[*5] 訳注：胃との境に近い部分．
[*6] 訳注：ペプシンもエンドペプチダーゼである．

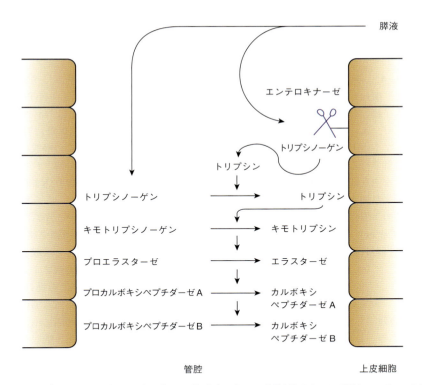

図 26・3　膵液中のタンパク質分解酵素は，十二指腸の管腔内で初めて活性化される．膵液にはタンパク質分解酵素が，活性をもたない前駆体の形で含まれている．膵液が十二指腸の管腔に達すると，トリプシノーゲンは腸上皮細胞の管腔側膜に発現しているエンテロキナーゼにより切断され，活性型のトリプシンとなる．トリプシンはトリプシノーゲンに作用して新たなトリプシン分子を生成するとともに，他の酵素前駆体にも作用して活性型にする．

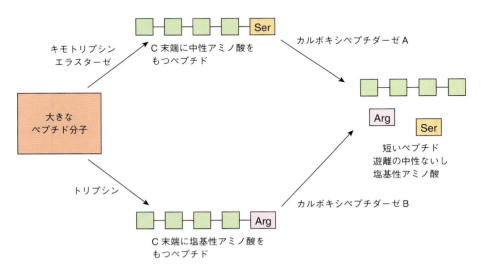

図 26・4　膵臓由来のエンドペプチダーゼとエキソペプチダーゼによるペプチドの管腔内消化．四角形は一つひとつのアミノ酸を示す（アミノ酸については表 1・3 参照）．

る先天性異常症では，タンパク質栄養不良になる．

膵のカルボキシペプチダーゼは**エキソペプチダーゼ exopeptidase**で，ポリペプチドのC末端のアミノ酸を加水分解する（図26・4）．腸管内腔でもこのメカニズムによって遊離アミノ酸はいくらか生成されるが，多くは小腸上皮細胞刷子縁膜のアミノペプチダーゼやカルボキシペプチダーゼ，エンドペプチダーゼおよびジペプチダーゼによって小腸上皮細胞の表面で初めてアミノ酸にまで加水分解される．ジペプチドとトリペプチドの一部はそのまま上皮細胞内に能動輸送され，細胞内ペプチダーゼにより加水分解され，生じたアミノ酸が血中に入る．このように，アミノ酸への最終的消化は次の3カ所，すなわち小腸内腔，刷子縁膜および上皮細胞細胞質で行われる．

吸 収

少なくとも7つの独立した輸送系がアミノ酸を腸上皮細胞内に輸送する．このうち5つはNa^+を必要とし，Na^+とアミノ酸を，Na^+とグルコースの共輸送（図26・2）と同じ様式で共輸送する．さらにこれらのうちの2つはCl^-も必要とする．この他の2つの系はNa^+に依存しない．

ジペプチドとトリペプチドはペプチドトランスポータ1 peptide transporter 1（PepT1）により腸細胞内に取り込まれる．PepT1はNa^+でなくH^+を必要とする（図26・5）．新生児期以降において食物摂取により得られる大きなペプチドの吸収はほとんどない．ペプチドは腸細胞内で加水分解されアミノ酸となり，管腔内から刷子縁膜を経て取り込まれたアミノ酸とともに，基底側膜にある少なくとも5種類の輸送系によって細胞外に運び出され，そこから門脈血中に入る．

アミノ酸は十二指腸と空腸で速やかに吸収される．一方，回腸では通常ほとんど吸収されない．これは回腸に至るまでに大部分の遊離アミノ酸がすでに吸収されているためである．消化を受けるタンパク質の約50％は摂取した食品に，25％は消化液（主に消化酵素）に，25％は剥離した粘膜細胞に由来する．小腸に入ったタンパク質のうち，消化・吸収を受けないのはその2〜5％にすぎない．この一部は最終的に大腸で細菌

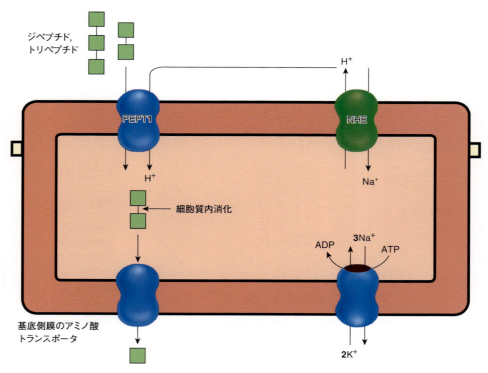

図26・5　腸上皮細胞における短いペプチドの処理. ペプチドは，ペプチドトランスポータ1（PepT1）により，同じ頂上膜にあるNa^+/H^+交換輸送体（NHE）により供給されたH^+とともに吸収される．吸収された後，細胞質内のペプチダーゼで消化される．上支細胞で必要とされる以上のアミノ酸は，基底側膜にある一連の輸送体タンパク質を介して出た後，血中に入る．

の消化作用を受ける．糞便に含まれるタンパク質は食品成分に由来したものでなく，大部分が腸内細菌および細胞残渣から出たものである．刷子縁膜と腸吸収上皮細胞細胞質内のペプチダーゼ活性は，回腸の部分切除で高まり，飢餓時にも独特に変化するなどホメオスタシスを保つように調節されているらしい．ヒトでは，小腸と腎尿細管の中性アミノ酸輸送機構に先天性障害があると **Hartnup**〔ハートナップ〕**病**になる．また塩基性アミノ酸輸送の先天的障害は**シスチン尿症 cystinuria** を引き起こす．しかし多くの患者はこれらのアミノ酸の欠乏症状は示さない．というのもペプチド輸送系で不足分が補われているからである．

乳児では大量ではないが未消化のタンパク質も吸収される．母親の初乳 colostrum 中の抗体タンパク質は大部分分泌性の免疫グロブリン（IgA）であり，妊娠後期に乳腺で産生され乳腺導管上皮細胞をトランスサイトーシス transcytosis（p.63 参照）で通過する．それらは乳児の小腸から吸収されて循環血中に入り，感染に対する受動免疫を付与する．小腸での吸収は，まずエンドサイトーシスとそれに続くエキソサイトーシスによる．

無傷タンパク質の吸収は，離乳後に急激に減少するが，成人でもなお少量の吸収は行われる．吸収された異種のタンパク質は抗体の産生を誘発するので，再び同じタンパク質が吸収されると抗原抗体反応によってアレルギー症状が出現する．したがって，ある種の食物を摂取した後に起こるアレルギー症状は，小腸からのタンパク質吸収で説明がつく．小児における食物アレルギーの発生頻度は 8% にものぼるといわれている．しかし，大部分の人に食物アレルギーが起こらないことから，発症には遺伝的要因が考えられている．

核　　酸

核酸は小腸で膵ヌクレアーゼによりヌクレオチドに分解され，次いで膵吸収上皮細胞の管腔面に配置されているとみられる酵素の作用によりヌクレオシドおよびリン酸に分解される．ヌクレオシドはさらに構成成分である糖，プリンおよびピリミジン塩基に分解される．これらの塩基は能動輸送によって吸収される．最近，拡散型（受動）ヌクレオシドトランスポータおよび濃縮型（二次性能動）ヌクレオシドトランスポータのファミリーに属する分子が同定されてきている．これらのトランスポータは，腸細胞の頂上膜に発現している．

脂　　質

脂肪の消化

舌リパーゼは舌の裏面にある Ebner〔エブネル〕腺から分泌される（少なくともいくつかの動物種では）．胃もまたリパーゼを分泌する．リパーゼは膵機能不全の場合を除くとあまり量的には重要ではないが，リパーゼにより産生された遊離脂肪酸は，舌や胃以降の消化管に対してのシグナルとなる（たとえば CCK の遊離を引き起こす，25 章参照）．

脂肪の消化の大部分は十二指腸で始まる．最も重要な酵素は膵リパーゼであるからである．この酵素はトリグリセリド（トリアシルグリセロール）の 1- および 3- エステル結合を速やかに加水分解するが，2- エステル結合に対する反応速度は極めて遅い．したがって主な生成物は遊離脂肪酸と 2- モノグリセリド（2- モノアシルグリセロール）である．この酵素は乳化状態にある脂肪に作用する（後述）．**コリパーゼ colipase** は膵リパーゼの補助因子であり，膵液中に分泌され，活性型の膵リパーゼの安定化に寄与する．コリパーゼは不活性の形で分泌され，腸管内でトリプシンの作用で活性化される．コリパーゼは，胆汁酸が存在していてもリパーゼと食物由来の脂肪滴とが結合を維持できるようにしており，リパーゼの作用に対しても非常に重要な役割を担っている．

胆汁酸で活性化されるもう 1 つの膵リパーゼが明らかにされてきている．それは**コレステロールエステラーゼ cholesterol esterase** で膵液中全タンパク質の約 4% を占める．成人では膵リパーゼの方が 10〜60 倍活性が高いが，コレステロールエステラーゼは，膵リパーゼと異なりコレステロールエステル，脂溶性ビタミンのエステルおよびリン脂質を，トリグリセリドと同様に加水分解する．これとよく似た酵素がヒトの乳汁中にもある．

脂肪はそのままでは水に溶けにくく，腸上皮細胞表面への不撹拌層を横切っての到達が困難である．しかし，小腸で胆汁酸，ホスファチジルコリン，モノグリセリドの界面活性作用によって乳化 emulsify される．食事により胆嚢が収縮し腸内の胆汁酸濃度が高まると，脂質と胆汁酸は自然に反応し合って**ミセル micelle** を形成する（図 26・6）．その円柱状の凝集物は脂質を取り込む．その組成はいろいろであるが，通常，脂肪酸，モノグリセリド，およびコレステロールをその疎水性中心部に含んでいる．ミセルの形成によって脂質は水に溶けやすくなり，吸収上皮細胞での輸送に適したも

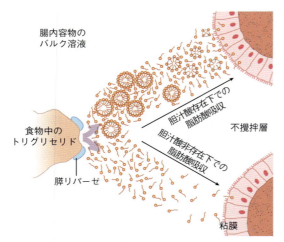

図 26・6 脂質の消化と腸粘膜への移行．食物中のトリグリセリドに膵リパーゼが作用し，脂肪酸(FA)が遊離する．脂肪酸は，胆汁酸存在下でミセル(環状構造)を形成し，不攪拌層を拡散して粘膜表面に到達する．図には示していないが，コリパーゼはトリグリセリドの油滴表面上の胆汁酸に結合し，リパーゼを表面に固定してその脂質分解活性を維持する(Westergaard H, Dietschy JM: Normal mechanisms of fat absorption and derangements induced by various gastrointestinal diseases. Med Clin North Am Nov; 58(6): 1413-1427 より許可を得て改変)．

のとなる．その結果，ミセルは濃度勾配に従って不攪拌層内を吸収上皮細胞刷子縁膜に向かって移動する．粘膜上皮細胞刷子縁膜で脂質はミセルから遊離し，そこに脂質の飽和水溶液の層が維持される(図26・6)．

脂 肪 便

膵臓が摘出された動物，または膵外分泌部が病気により破壊された患者は，脂肪性の粘土色の糞便(**脂肪便 steatorrhea**)を多量に排泄する．これは脂肪の消化，吸収の障害の結果である．脂肪便の大部分はリパーゼ欠乏による．さらに，酸はリパーゼ活性を抑制するので，膵液中に出るべき重炭酸塩の欠如や，胃酸の過剰分泌によって十二指腸内pHが低くなっている患者にも脂肪便が起こることがある．脂肪便のもう1つの原因は，遠位部回腸における胆汁酸の再吸収不全である(28章参照)．

胆汁の腸管内への排出不全が起こると，摂取された脂肪の最大50%が糞便中に現れる．重度の脂溶性ビタミン吸収不全ももたらす．また回腸末端の切除やこの部分の病気により胆汁酸の再吸収が障害を受けると，糞便中の脂肪含量が増大する．これは腸管循環が

遮断され，肝臓は失われた胆汁酸を補うに十分なまでにその産生速度を上昇させることができないからである．ミセルが形成されないにもかかわらず，なかには脂肪便が起こらない人もいる．理由として，消化管の表面には脂肪分子がそのままで吸収されるかなり広い代用領域があるためと考えられる．とはいえ，脂肪がミセルとして吸収される場合に比べて速度は遅い．この領域は，**解剖学的予備力(予備部) anatomic reserve** といわれ，タンパク質や炭水化物の消化産物の吸収にも関与している．しかし，病気や手術により，消化管や吸収表面部の大部分を失った人では，1種またはそれ以上の栄養素の吸収不良が起こる(クリニカルボックス 26・2)．

脂肪の吸収

従来脂質は受動的拡散で吸収上皮細胞内に入ると考えられてきた．しかし最近，トランスポータが関与する可能性もあることがわかってきている．細胞内では脂質は速やかにエステル化されるので，管腔から細胞内に向けた濃度勾配はよく保たれている(図26・7)．さらに脂質を送り返すはたらきをもつ担体もあり，それによって植物ステロールやコレステロールは管腔内に引き戻され吸収率が下げられている．

吸収後小腸吸収細胞内で脂肪酸のたどる経過は分子の大きさによって異なる．炭素原子が10〜12個以下の脂肪酸は十分水に溶け込めるので，そのままの形で

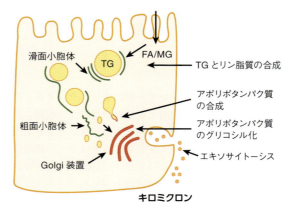

図 26・7 脂質の消化産物の腸上皮細胞内処理．吸収された脂肪酸(FA)とモノグリセリド(MG)は，滑面小胞体で再びエステル結合してトリグリセリド(TG)となる．アポリポタンパク質は粗面小胞体で合成され，脂質の核の周りを覆う．できあがったキロミクロンは上皮細胞の基底側からエキソサイトーシスにより出ていく．

クリニカルボックス 26・2

吸収不良症候群

　小腸の消化吸収機能は生きるうえで不可欠であるが，その吸収力には余裕があり（解剖学的予備力 anatomical reserve），空腸や回腸を少々切り取った程度では重大な欠損症状を来さない．また残存する粘膜の肥大・過形成も起こる．しかし，50％以上の小腸を切除した場合やバイパス手術を受けた場合（**短腸症候群** short gut syndrome）には，栄養素やビタミン類の吸収が低下し，栄養不良とるいそう（やせ）が起こることが避けられない（**吸収不良** malabsorption）．回腸末端も切除された時には，特に胆汁酸の吸収も妨げられるので，脂肪の吸収障害と，吸収されなかった胆汁酸が大腸に入りそれが Cl^- 分泌を活性化することによる下痢も起こる（25 章参照）．小腸切除やバイパス手術を受けた時には，その他にも低カルシウム血症や関節炎が併発する．さらに脂肪肝やそれがもとになっての肝硬変も起こりうる．一方，腸管の長さが短くならなくても，何らかの病気で吸収障害が起こった時も同様の病態となる．これらを称して**吸収不良症候群** malabsorption syndrome と呼ぶ．この時の病態は，病気により違いはあるものの基本的にはアミノ酸吸収低下によるるいそうと低タンパク質血症（とそれによる浮腫）である．同時に炭水化物と脂肪の吸収も低下する．脂肪の吸収不全により脂溶性ビタミン（ビタミン A，D，E，K）が必要量吸収されなくなる．吸収不良症候群を引き起こす最も興味深い病気の1つは自己免疫疾患の**セリアック病** celiac disease である．この疾患の患者では，グルテンやそれに似たタンパク質が腸管のT細胞を活性化し，その結果，腸の上皮細胞を傷害するような不適切な免疫反応が起こり，そのため絨毛が失われ粘膜は平らになる．グルテンは小麦，ライ麦，大麦に多く含まれるが，カラス麦には少なく，米やトウモロコシには含まれない．グルテンを含む穀類を摂取しなければ，たいてい消化管機能は回復する．

治療上のハイライト

　吸収不良症候群の処置法は，その成因によって異なる．セリアック病では，食事の中にグルテンを含有する食品を厳密に入れないようにすれば，粘膜は正常な状態に回復する．しかしこのグルテンの完全除去を実際に達成することは困難である．胆汁酸の吸収不良を伴う下痢は，レジン（コレスチラミン cholestyramine）の処方で改善するが，これはレジンが管腔中の胆汁酸に結合し，胆汁酸による大腸細胞への分泌刺激効果を阻害するためである．脂溶性ビタミンの吸収低下で欠乏症に陥った患者には，そのビタミンの水溶性誘導体を投与するとよい．短腸症候群で重篤な場合は，栄養を非経口的に投与する必要がある．小腸移植は，ゆくゆくはルーチンの治療法になると期待されているが，患者にとって術後長期にわたり負担となることやドナー組織の安定供給など大きな課題がある．

能動輸送され，腸吸収上皮細胞から遊離脂肪酸 free fatty acid（非エステル形の）として門脈血中に移行して全身を循環する．これに対し炭素原子が 10～12 個以上の脂肪酸は水に溶けにくいので吸収細胞の中で再びトリグリセリドに再合成される．また，吸収されたコレステロールの一部は再びエステル化される．これらのトリグリセリド，コレステロールエステルは次いでタンパク質，コレステロール，リン脂質の層によって取り巻かれてキロミクロン chylomicron となり，吸収上皮細胞を出る．キロミクロンは大きすぎて毛細血管の内皮細胞の間隙を通り抜けることができず，エキソサイトーシスによりリンパ管の中に移行する（図 26・7）．

　長鎖脂肪酸の吸収は小腸の上部で最も著しいが，回腸でもかなり吸収される．中等度の脂肪含有量の食事ではその脂肪の 95％以上が吸収される．脂肪吸収にあずかる諸過程は出生時にはまだそのすべてが作動するに至っていない．したがって乳児では摂取した脂肪の 10～15％は吸収されない．このため乳児は脂肪吸収を阻害する疾患にかかると影響を受けやすい．

大腸内短鎖脂肪酸

　短鎖脂肪酸 short-chain fatty acid（SCFA）は，大腸で産生され吸収される．短鎖脂肪酸は2～5個の炭素を含む弱酸で，大腸管腔内に総量でおおよそ 80 mmol/L 存在する．そのうち約 60％は酢酸，

25％はプロピオン酸，15％は酪酸である．短鎖脂肪酸は大腸内の細菌の作用で産生されるが(**発酵 fermentation**)，その原料は食物繊維(小腸で消化されなかった糖質)やレジスタントスターチ[*7]である．

短鎖脂肪酸は吸収され代謝され，総カロリー摂取量に寄与する．さらに，大腸上皮細胞に対する栄養効果，抗炎症作用をもつことも知られている．短鎖脂肪酸が吸収される際の吸収の一部はH^+との交換によって行われるので，酸-塩基平衡の維持には都合がよい．短鎖脂肪酸の吸収に関与すると思われるトランスポーターが何種類か大腸上皮細胞には存在する．短鎖脂肪酸の吸収は同時にNa^+吸収を刺激することも知られている．

ミネラルおよびビタミンの吸収

ミネラル(無機質)

健康を維持していくうえで毎日多くの種類のミネラルを摂取しなければならない．1日当たりの摂取基準量が定められているものの他に，いろいろな微量元素が含まれていなければならない．微量元素とは生体組織内にごく少量存在する元素のことである．多くの場合，食事からミネラルを取り込むメカニズムはほとんどわかっていない．少なくとも実験動物に関しては生存に不可欠と思われる微量元素を表26・3に示した．ヒトの場合，鉄不足は貧血を引き起こす．コバルトはビタミンB_{12}分子の一部分をなすものであり，その欠乏は巨赤芽球性貧血を引き起こす(31章参照)．ヨウ素の欠乏は甲状腺疾患を引き起こし(20章参照)，亜

鉛の不足によってヒトでは皮膚潰瘍，免疫反応の低下，性機能不全性低身長症が起こる．銅が足りないと貧血，骨化の変化が起こる．クロムが不足するとインスリン抵抗性になり，フッ素が足りないと虫歯になりやすい．ナトリウムとカリウムも必須なミネラルであるが，これらがまったく含まれていない食物を得ることは非常に困難である．しかし**減塩 low-salt**食を長期間にわたり摂取しても，Na^+量の体外排泄を抑制する補償的機構が備わっているため，特段の障害は起こらない．消化管からのナトリウムとカリウムの輸送については，25章で述べる．

反対に，ある種のミネラルは体内に余剰となると有害にはたらくことがある．たとえば，鉄過剰は有毒でありヘモクロマトーシスを引き起こす(以下参照)．同様に，銅過剰は脳障害(Wilson〔ウィルソン〕病)を引き起こす．

加えてこの節では，2つの重要なミネラルである，カルシウムと鉄について述べる．

カルシウム

摂取されたカルシウム(Ca^{2+})はその30〜80％が吸収される．吸収のメカニズムおよびそれと1,25-ジヒドロキシコレカルシフェロール 1,25-dihydroxy-cholecalciferol との関係については21章で述べた．Ca^{2+}の吸収はこのビタミンD誘導体を介して身体の需要に応じて調節されており，Ca^{2+}欠乏時に増加，過剰時に減少する．Ca^{2+}の吸収もまた，タンパク質による促通拡散によって行われる．一方，Ca^{2+}と結合して小腸内で不溶性化合物を作るアニオン(陰イオン)のリン酸やシュウ酸はCa^{2+}の吸収を妨げる．

鉄

成人での鉄(Fe)の体外への喪失は比較的少ないが，その喪失が特に調節されているのではなく，腸からの吸収速度が体外への喪失に応じて変化することによって体内の総鉄貯蔵量は維持されている．健康な男性では主として糞便中に毎日0.6 mgほど失われる．閉経前の女性は月経があるため1日の鉄排泄量は平均すると男性の約2倍で，しかも一定しない．欧米の平均的鉄摂取量は毎日約20 mgであるが，このうち正味の吸収量は上記の排泄量と等しい．つまり食事中の鉄の約3〜6％が吸収されるにすぎない．多種の食品成分が鉄の吸収効率に影響を与える．たとえば，穀物に含まれるフィチン酸 phytic acid は小腸内で鉄と反

[*7] 訳注：物理的性質あるいはその他の理由により，小腸で分解をまぬがれたデンプン．

表26・3 生存に不可欠と考えられる微量元素

ヒ素	マンガン
クロム	モリブデン
コバルト	ニッケル
銅	セレン
フッ素	シリコン
ヨウ素	バナジウム
鉄	亜鉛

応じ不溶性の物質が形成され鉄の吸収は低下する．リン酸やシュウ酸でも同様のことが起こる．

鉄は還元型の Fe^{2+} ferrous state の時に吸収されるが，食品中の鉄はたいてい酸化型の Fe^{3+} ferric state にある．しかし腸上皮細胞刷子縁膜には Fe トランスポータと密接に関係してはたらく Fe^{3+} レダクターゼ Fe^{3+} reductase が存在する（図 26・8）．胃液は鉄を溶かし，アスコルビン酸やその他の還元剤との可溶性複合体形成を可能とし，Fe^{2+} への還元を助ける．胃の部分的切除を受けた患者はしばしば鉄欠乏性貧血 iron deficiency anemia になることから，正常な胃液は鉄の吸収に重要であることがわかる．

鉄吸収は大部分，十二指腸で行われる．Fe^{2+} は2価金属トランスポータ1 divalent metal transporter 1（**DMT1**）を介して腸上皮細胞に取り込まれる（図 26・8）．一部はフェリチンとして貯えられ，残りが基底側膜の**フェロポーチン1** ferroportin 1 を介して腸上皮細胞を出る．**ヘファエスチン** hephaestin（**Hp**）というタンパク質がフェロポーチンに結合し，そのはたらきを助けている．ヘファエスチン自体には輸送活性はない．血漿中で Fe^{2+} は Fe^{3+} に変換され**トランスフェリン** transferrin に結合して運ばれる．このタンパク質には Fe^{3+} 結合部位が2カ所ある．通常トランスフェリンの約35%が Fe^{3+} で飽和している．正常血漿中の鉄の濃度は男性で $130\,\mu g/dL$（$23\,\mu mol/L$），女性で $110\,\mu g/dL$（$19\,\mu mol/L$）である．

ヘム heme（31 章参照）は刷子縁膜にある膜輸送タンパク質を介して腸上皮細胞に取り込まれ，そこでヘムオキシゲナーゼ2（HO2）のはたらきにより Fe^{2+} がポルフィリンより遊離し細胞内 Fe^{2+} プールに入る．

生体内の鉄の70%はヘモグロビン内に，3%はミオグロビン内に，残りはフェリチン内に存在する．フェ

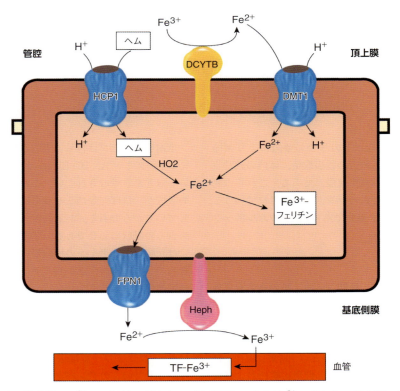

図 26・8 腸における鉄吸収． Fe^{3+} は3価鉄レダクターゼ DCYTB により Fe^{2+} に変わり，頂上膜の鉄トランスポータ DMT1 によって腸上皮細胞に取り込まれる．一方ヘムはそれとは別のヘムトランスポータ（主として heme carrier protein 1, HCP1）により腸上皮細胞に取り込まれ，そこでヘムオキシゲナーゼ2（HO2）により Fe^{2+} が遊離される．Fe^{2+} の一部は Fe^{3+} になりフェリチンと結合する（訳注：厳密には Fe^{3+} とアポフェリチンが結合したものをフェリチンと呼ぶ）．残りは基底側膜から Fe^{2+} トランスポータのフェロポーチン ferroportin（FPN1）により間質液に輸送される．この輸送はヘファエスチン（Heph）の助けを必要とし，Heph により Fe^{2+} は Fe^{3+} に変換される．血漿中で，Fe^{3+} は鉄結合タンパク質のトランスフェリン（TF）に結合し運ばれる．

クリニカルボックス 26・3

鉄吸収の障害

　鉄が不足すると貧血になる．また鉄が過剰になるとヘモシデリンが組織に蓄積し，**ヘモシデリン沈着症 hemosiderosis** を引き起こす．遺伝病のヘモクロマトーシスの場合のように，多量の**ヘモシデリン hemosiderin** は組織を傷害する．この症候群は，皮膚の色素沈着，膵臓障害とそれによる糖尿病（"青銅糖尿病 bronze diabetes"），肝硬変の他しばしば肝臓癌，性腺萎縮などの特徴を示す．ヘモクロマトーシスは原発性にも二次性にも起こる．頻度の最も高い原発性ヘモクロマトーシスは *HFE* 遺伝子の変異で，この異常遺伝子は白人種によくみられ，第6番染色体の短腕のヒト白血球抗原 HLA-A 部位に近接して存在している．なぜこの異常遺伝子がヘモクロマトーシスを引き起こすかはよくわかっていないが，*HFE* は十二指腸にある鉄吸収トランスポータの発現を抑制する作用があり，そのため異常遺伝子がホモ接合体のヒトは鉄吸収が異常に多いことが知られている．二次性のヘモクロマトーシスは，上記鉄調節系を圧倒するような赤血球の慢性的な破壊や肝疾患による鉄の過剰負荷，あるいは難治性の貧血などの病気の時の頻回の輸血の場合に起こる．

治療上のハイライト

　もし，遺伝性ヘモクロマトーシスの診断が，過剰量の鉄が組織に蓄積する前になされた場合，定期的に瀉血することで，余命を大幅に延ばすことができる．

リチンは腸上皮細胞のみならず他の多くの細胞にもある．アポフェリチンは球形タンパク質で，24のサブユニットからなる．ある種の細胞のリソソームにはフェリチン分子が凝集し，その中には50%の鉄を含んでいる沈殿物ができる．この沈殿物は**ヘモシデリン hemosiderin** と呼ばれる．

　腸管での鉄の吸収は以下の3つの要因により調節されている．すなわち直近の鉄摂取量，体内の鉄貯蔵状況，骨髄での赤血球新生速度，である．これらの要因が正常にはたらいて鉄バランスが維持されていることが，健康を保つ上で重要である（クリニカルボックス 26・3）．

ビタミン

　熱量，必須アミノ酸，脂肪，ミネラルの適当量を食事から摂取しているにもかかわらず（たとえば，船員が長期の航海に出て，生の果物や野菜を摂取できない場合）健康が維持されないという現象から，ビタミンが発見された．**ビタミン vitamin** という言葉は現在，食物中に含まれる有機物で，生命，健康の維持および成長に必要であってしかもエネルギー源ではなく，生体内で少なくとも必要量は合成できないものを意味する．

　ほとんどのビタミンは小腸上部で吸収されるが，ビタミン B_{12} は回腸で吸収される．ビタミン B_{12} は，胃の壁細胞から分泌されるタンパク質の内因子 intrinsic factor と結合し，その複合体が回腸粘膜より吸収される．

　ビタミン B_{12} と葉酸の吸収は Na^+ に依存しないが，他の7つの水溶性ビタミン，すなわちチアミン，リボフラビン，ピリドキシン，パントテン酸，ビオチン，アスコルビン酸は，Na^+ との共輸送体によって吸収される．

　水溶性ビタミンは容易に吸収されるが，脂溶性ビタミン（ビタミン A，D，E，K）は，胆汁酸や膵液がないとほとんど吸収されない．これは，脂溶性ビタミンの吸収が，ほぼ完全にミセル形成による可溶化に依存しているからである．ある程度の食事性の脂肪摂取がそれらの吸収に必要である．閉塞性黄疸や膵疾患の時には，脂溶性ビタミンの摂取量が適切であっても，これらのビタミンの欠乏が起こる．ビタミン A と D は，循環血中では輸送タンパク質と結合している．ビタミン E の α-トコフェロールの形のものはキロミクロンに通常結合しており，肝臓で超低比重リポタンパク質 very low density lipoprotein (VLDL) に移り，組織には α-トコフェロール輸送タンパク質によって運ばれる．ヒトでのこのタンパク質の遺伝子の突然変異による異常があると，細胞のビタミン E 欠乏が起こり，Friedreich〔フリードライヒ〕運動失調症に似た状態になる．

　哺乳類は種によって代謝の形式が多少異なるので，ある種ではビタミンとなる物質が他の種ではそうはならないこともある．ヒトに関する主なビタミンの供給

源とそれらの作用を表26・4に示す．ビタミンはほとんどすべて中間代謝またはいろいろな器官系の特異的代謝において重要なはたらきをしている．それぞれのビタミン欠乏によって起こる病気も，表26・4に示してある．

しかし脂溶性ビタミンの過剰摂取は間違いなく有害であるということを知っておく必要がある．**ビタミンA過剰（症）**hypervitaminosis A の特徴は食欲不振，頭

表26・4　ヒトの栄養上必須または必須と思われるビタミン[a]

ビタミン	作用	欠乏症状	供給源	化学構造
A（A_1, A_2）	視物質（10章参照）の成分：上皮細胞の維持，胎児の発育および生涯にわたる細胞の発達に必要	夜盲（症），皮膚の乾燥	黄色野菜と果物	ビタミン A_1 アルコール（レチノール）
B複合体				
チアミン（ビタミン B_1）	脱炭酸の補助因子	脚気，神経炎	肝臓，無精白穀類	
リボフラビン（ビタミン B_2）	フラビンタンパク質の成分	舌炎，口唇炎	肝臓，ミルク	
ナイアシン	NAD^+, $NADP^+$ の成分	ペラグラ	イースト菌，赤身の肉，肝臓	体内でトリプトファンから合成される
ピリドキシン（ビタミン B_6）	ある特定のデカルボキシラーゼ，トランスアミナーゼの補欠分子族を形成する．生体内でピリドキサルリン酸とピリドキサミンリン酸に変えられる	痙攣，刺激過敏症	イースト菌，小麦，トウモロコシ，肝臓	
パントテン酸	CoAの成分	皮膚炎，腸炎，円形脱毛症，副腎機能不全	卵，肝臓，イースト菌	
ビオチン	CO_2 "固定"を触媒（脂肪酸合成などの時）	皮膚炎，腸炎	卵の黄身，肝臓，トマト	

（続く）

表26・4 ヒトの栄養上必須または必須と思われるビタミン[a]（続き）

ビタミン	作用	欠乏症状	供給源	化学構造
葉酸とその関連化合物	"1炭素"転移の時の補酵素，メチル化反応に関与	スプルー，貧血，葉酸欠乏女性から生まれた子供の神経管欠損	葉状の緑色野菜	葉酸
シアノコバラミン（ビタミンB_{12}）	アミノ酸代謝の補酵素，赤血球産生を刺激	悪性貧血	肝臓，肉，卵，ミルク	コバルト原子の周りに4個のピロール環が結合した複合体
C	金属イオンの還元型維持，フリーラジカルの除去	壊血病	柑橘類，葉状の緑色野菜	アスコルビン酸（ヒトを含む霊長類・モルモットを除く哺乳類では体内で合成される）
D群	小腸におけるカルシウムとリン酸の吸収増大（21章参照）	くる病	魚肝	ステロール類（21章参照）
E群	抗酸化物質，シトクロム電子伝達系の補助因子？	運動失調その他の症状，および脊髄小脳失調の症候	ミルク，卵，肉，葉状の緑色野菜	α-トコフェロール（β-，γ-トコフェロールも活性あり）
K群	血液凝固に関係する各種タンパク質のグルタミン酸残基のγ-カルボキシル化を触媒	出血性素因	葉状の緑色野菜	ビタミンK_3；多数の類似物も同様の生物的活性をもつ

[a] コリンは体内で少量合成されるが，最近，必須栄養素のリストに追加された．
CoA：補酵素A，NAD^+：ニコチンアミドアデニンジヌクレオチド（酸化型），$NADP^+$：ニコチンアミドアデニンジヌクレオチドリン酸（酸化型）．

痛，肝脾腫大，過敏症，りん（鱗）片状皮膚炎，斑点状の頭髪の脱落，骨肥と骨化過剰症である．急性のビタミンA中毒症を最初に記載したのは，北極探検隊である．すなわち，北極熊の肝臓を食べた探険隊員が頭痛，下痢，めまいなどの症状を呈した．これは，北極熊の肝臓は特に大量のビタミンAを含んでいるためである．**ビタミンD過剰（症）** hypervitaminosis D の時は体重の減少，多くの軟組織のカルシウム沈着および急性腎障害を引き起こす．**ビタミンK過剰（症）hypervitaminosis K** の特徴は消化器系の異常，貧血である．水溶性ビタミンは大量に摂取しても速やかに体外に出てしまうから，あまり問題を起こすことはないだろうと考えられてきた．しかし現在では非常に大量のピリドキシン（ビタミンB_6）により末梢神経障害が起こりうることが判明している．

食物摂取の調節

栄養摂取は末梢および中枢神経系からのシグナルによる複雑なコントロールを受けている．事態を複雑にしているのは，高次機能もまた，摂取を開始せよ，または摂取をやめよという末梢性および中枢性の指示に対する反応に影響を与えていることである．それゆえに，食べ物の嗜好，情動，環境，生活習慣，サーカディアンリズムはすべて，食べ物を求めるか否かについてや，どの食べ物を摂食するかを決定する重要な因子となっている．

食物摂取と同時に放出され，消化や吸収の際に重要な機能を果たしている多くのホルモンや因子は（25章参照），摂食行動の調節にも関与している（図26・9）．たとえば，コレシストキニン（CCK）は腸では I 細胞で産生され脳では神経終末から放出されるが，このホルモンは食物摂取も抑制するので**満腹因子 satiety factor** あるいは**食欲抑制因子 anorectic factor** と定義されている．製薬会社は，CCK や類似の因子に大変に注目しており，これらの誘導体は，現在西洋諸国に異常に多い肥満患者に対して緊急に対処するためのダイエット補助剤としての有効性が期待されている（クリニカルボックス 26・4）．

レプチン leptin とグレリン ghrelin は末梢で相反的に作用し，摂食に影響を与える重要な調節因子である．両者は視床下部の受容体を刺激し，摂食量変化に関わるシグナルカスケードを開始させる．レプチンは脂肪組織で産生され，そこでの脂肪貯蔵の状態を示す．脂肪細胞のサイズが増大すると，大量のレプチンが放出され摂食量が減少する．摂食量減少の一部には，視床下部における他の食欲抑制因子，たとえばプロオピオメラノコルチン proopiomelanocortin（POMC），コカイン-アンフェタミン調節転写産物 cocaine-and amphetamine-regulated transcript（CART），ニューロテンシン，副腎皮質刺激ホルモン放出ホルモン corticotropin-releasing hormone（CRH）の発現量増大が関与している．レプチンはまた，代謝速度も増大させる．動物実験では，レプチンの作用に耐性になりうることが示されているが，この状態では脂肪の貯蔵が十分あるいは過剰であっても摂食量が減少せず，結果として肥満になる．

一方，グレリンは摂食を刺激する速効性の**食欲増進因子 orectic factor** の主たるものである．グレリンは栄養状態の変化に応じて，主に胃で，他には膵臓や副

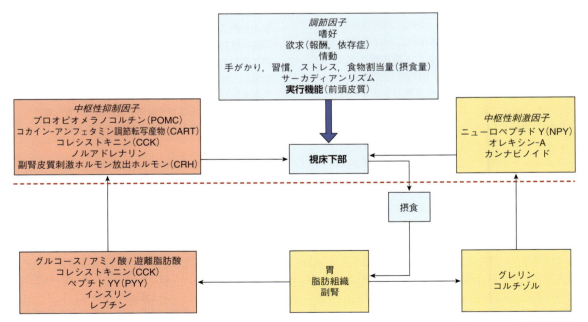

図26・9 摂食の調節機構の概略図． 末梢性の刺激因子や抑制因子は食物摂取やその期待により放出され，血液脳関門（図中の赤の破線）を横断し，視床下部における中枢性因子の放出や合成を促進する．中枢性因子は，摂食量の増大や減少をもたらす．摂食は，図の最上段中央に示した高次中枢からのシグナルによっても調節されている．図には示していないが，末梢の食欲増進因子は中枢性の抑制因子の産生を抑える．この逆の場合（抑制因子が増進因子産生を抑える）もある（Dr. Samuel Klein, Washington University より許可を得て転載）．

クリニカルボックス 26・4

肥　満

　肥満 obesity は米国では最もありふれた費用のかかる栄養学上の問題である．体脂肪の簡便で信頼性の高い指標は**体格指数 body mass index（BMI）**である．BMI は体重（kg）を身長（m）の 2 乗で割ったものである．この数値が 25 以上だと異常と考える．BMI が 25～30 では体重過多，30 以上が肥満と定義される．米国においては，人口の 34％が体重過多であり，34％が肥満である．肥満の発症頻度は，他の国々でも増加している．事実，飢餓は世界の多くの地域で深刻な問題であるが，同じように体重過多の人々も世界レベルで飢餓の人々と同じ程度存在することを，ワールドウォッチ研究所 Worldwatch Institute は報告している．肥満は合併症が問題となる．つまり，動脈硬化症の発症を加速させ，また胆嚢疾患や他の病気の発症頻度の増加と深く関わっている．特に 2 型糖尿病との関連性が顕著である．体重が増加すればインスリン抵抗性は増大し，糖尿病を発症する．少なくともいくつかのケースで，体重が減少すると耐糖能が改善する．加えて，各種の癌での死亡率も肥満者で増加する．一般の人々の肥満の発症原因は複数存在しうる．別々に育った双子を対象とした研究で，肥満発症における遺伝因子の関与が明らかにされている．人類の進化を通じて，飢餓は頻繁に生じており，脂肪としてエネルギー貯蔵量を増加できる機構は生き残りに有利であった．しかし，現在では，多くの国々で食物は豊富であり，脂肪の蓄積や保持する能力は，生存に不利になっている．上述したように，肥満の基本的な原因は，エネルギーを消費する以上に，食物からエネルギーを獲得することである．もし，ボランティアが一定の高カロリー食を摂取した場合，あるグループは急激な体重増加を示すが，体重増加の遅いグループは，活動していなくてもエネルギー消費が大きいと考えられる[**非運動性熱産生 nonexercise activity thermogenesis（NEAT）**]．体重は成人期を通して一定速度であるが，徐々に増加していく．肉体活動低下は，間違いなく，体重増加の要因の 1 つである．しかし，レプチン感受性低下も重要な役割を演じているものと考えられる．

治療上のハイライト

　肥満は，医学的にも公衆衛生上も，厄介な問題である．なぜなら肥満に対する効果的な処置は，患者が生活習慣を改善できるかどうかに大きく依存しているからである．長期にわたる減量は，食物摂取量を減らしエネルギー消費を増やすこと，あるいはこれらを上手に組み合わせることで初めて達成できる．運動だけではめったに成功しないのは，多くの場合，患者がさらにカロリー摂取をしてしまうからである．極度の肥満や重篤な合併症が進行している患者に対しては，胃容量を縮小する手術やバイパス手術が施される．これらの外科的処置により，摂取可能な食物量は減少する．しかし腸からのグレリンのような末梢性食欲増進因子の産生が減少しているために，体重減少の効果が現れる前に，劇的な代謝効果も生じる．製薬会社は，食物摂取量が調節可能で中枢作用のある薬物を開発するために，食欲増進因子や食欲抑制因子の研究を精力的に推し進めている（図 26・9）．

腎で産生される．血中のグレリン量は摂食前に上昇し，食事後に減少する．長時間にわたり効果を示すレプチンとは異なり，グレリンは摂食開始において重要な役割を果たしていると考えられている．しかし，グレリンの効果の大部分はレプチンの場合と同様に，視床下部での作用を介して生じている．グレリンは，中枢性の食欲増進因子（ニューロペプチド Y やカンナビノイド）の合成や放出を促進し，食欲抑制因子を刺激するレプチンの作用（前述）を抑える．グレリンの作用の消失は，肥満患者に対する胃バイパス術の有効性を一部説明することができる．グレリンの分泌はレプチンによっても抑制され，このことは両ホルモンの相互作用を強く示している．しかし肥満の場合に，レプチンのグレリン分泌抑制作用が消失していることを示唆する研究結果もある．

章のまとめ

- バランスのとれた食事は健康のために重要である．食事から得られる栄養素の中には，生命維持に必須のものがある．生体の恒常性の維持には，摂取された食物の熱量値が，消費されたエネルギーに等しい必要がある．
- 標準的な食事は，炭水化物，タンパク質，脂肪（主にトリグリセリド）を含む．それらはまず消化作用を受け，その産物が特異的なトランスポータを介して体に取り込まれる．
- 炭水化物の消化・吸収過程ではモノマーのみが上皮で輸送されるが，タンパク質に関しては，アミノ酸のみならず小ペプチドも輸送される．
- タンパク質の消化・吸収機構は膵液中のタンパク質分解酵素に強く依存する．これらの酵素は小腸内に達した時に初めて活性化される．それを行っているのがそこにしか存在しないエンテロキナーゼである．
- 脂質は疎水性であり，消化・吸収には特別な機構が必要である．脂質分解産物は胆汁酸のミセルに取り込まれ腸吸収上皮表面への拡散が促進される．胆汁酸のこの作用によりトリグリセリドの吸収が高められるが，コレステロールや脂溶性ビタミンの吸収にとってもこれは不可欠である．
- 食物摂取は，末梢および中枢神経の複雑なシグナルネットワークにより調節されている．胃から放出されるグレリンは，重要な末梢の食欲増進因子であり，視床下部中心部を刺激して食物摂取を開始させる．レプチンは，脂肪細胞から放出され，そこでの脂肪貯蔵の状態を示す．レプチン耐性になっていなければ，視床下部での食欲抑制因子の放出が刺激され，摂食行動は終結する．
- エネルギー摂取量が消費量を上回ると，増加の一途をたどっている現代病の肥満につながる．

多肢選択式問題

正しい答えを1つ選びなさい．

1. 新生児が激しい下痢のため小児科を受診した．下痢は，食事を摂ると悪化し，食事をやめて静脈から栄養を補給した場合には改善した．この子供の症状は以下の消化管のトランスポータのうちのどれの変異によると考えられるか．
    A．Na^+, K^+-ATPase
    B．NHE3
    C．SGLT-1
    D．H^+, K^+-ATPase
    E．NKCC1

2. これまで健康であった幼児に，急性下痢と脱水の症状が現れた．おそらく腸管感染症によるものと思われる．幼児には，グルコースと電解質を含むスポーツドリンクが与えられた．この飲料水が単なる水よりも吸収が速いのは，次のうちのどの膜タンパク質が関与するためか．
    A．スクラーゼ-イソマルターゼ
    B．SGLT-1
    C．CFTR
    D．Cl^-/HCO_3^- 交換輸送体
    E．ラクターゼ-フロリジン加水分解酵素

3. 前述の問題2で述べた病態で，幼児の母親はグルコースと電解質を含むスポーツドリンクを持ち合わせていなかったので，煮沸水に食塩と砂糖を溶かして幼児に与えた．この溶液が効果を発揮するためには，次のうちのどの酵素活性が必要か．
    A．唾液アミラーゼ
    B．膵アミラーゼ
    C．グルコアミラーゼ
    D．ラクターゼ-フロリジン加水分解酵素
    E．スクラーゼ-イソマルターゼ

4. エンテロキナーゼが先天的に欠損している子供で低下すると考えられるものは，次のうちのどれか．
    A．膵炎発症頻度
    B．グルコース吸収
    C．胆汁酸の再吸収
    D．胃内のpH
    E．タンパク質の消化・吸収

5. Hartnup病（中性アミノ酸トランスポータの欠損）の患者がアミノ酸の欠乏症にならないのは，次のうちのどの活性によるのか．
    A．PepT1
    B．刷子縁膜ペプチダーゼ

C．Na^+, K^+-ATPase
D．嚢胞性線維症膜コンダクタンス制御因子（CFTR）
E．トリプシン

6. 高コレステロール血症の患者に，腸管内腔で胆汁酸に結合する樹脂であるコレスチラミンが投与されている．この患者では，次のうちどの全体的な吸収レベルに異常があると思われるか．
    A．長鎖トリグリセリド
    B．中鎖トリグリセリド
    C．デンプン
    D．ビタミン D
    E．ビタミン B_6

7. 細菌により産生される短鎖脂肪酸を最もよく吸収する部位はどこか．
    A．胃
    B．十二指腸
    C．空腸
    D．回腸
    E．大腸

8. 閉経前の健康な女性が，今後の生活で骨を健全に保つために食事からどのようにカルシウムを摂取するのが適当かについて，かかりつけ医からアドバイスを受けようとしている．食品に含まれる以下の成分のうち，カルシウムの取込みを促進するものはどれか．
    A．タンパク質
    B．シュウ酸
    C．鉄
    D．ビタミン D
    E．ナトリウム

9. 胆嚢手術が予定されている閉塞性黄疸の患者においてプロトロンビン時間が上昇していることが判明した．この検査所見は，次のビタミンのうちどの吸収不良が原因である可能性が高いか．
    A．A
    B．C
    C．B_{12}
    D．K
    E．E

10. 40 歳の男性が，病的肥満の治療のために肥満外科手術（減量手術）を受けている．次の物質のうち，回復後に脳内で低下すると予想されるのはどれか．
    A．ブドウ糖
    B．グレリン
    C．レプチン
    D．プロオピオメラノコルチン
    E．ニューロテンシン

CHAPTER 27

消化管運動

学習目標
本章習得のポイント

- 消化管の主要な運動様式とそれらの消化や排泄における役割が列挙できるとともに，蠕動運動と分節運動の区別ができる
- 消化管の収縮に関連した電気生理学的基礎，および統合的な運動様式を支える基本的電気活動を説明できる
- 空腹時の消化管運動がどのように変化するか説明できる
- 食物がどのように嚥下され，胃に移送されるか理解する
- 胃排出を制御する因子を明確にするとともに，嘔吐という異常な反応を説明できる
- 結腸の運動様式が，糞便からの水分吸収や排便にどのように寄与するか説明できる

■ はじめに

前章で概説した消化器系における消化・吸収機能は，食物を軟らかくすること，それを消化管全長（表27・1）にわたって運搬すること，そして胆嚢からの胆汁および唾液腺や膵臓から分泌される消化酵素と混ぜることなど多様な機序によって成り立つ．これらの機序の一部は，消化管平滑筋自体の特性に依存している．またその他の機序は，消化管内在神経系が関与する反射，中枢神経系が関与する反射，化学伝達物質のパラクリン作用，そして消化管ホルモンの作用が機能することによる．

消化管運動の一般的様式

蠕動

蠕動運動は，消化管壁が内容物により伸展された時に誘発される反射応答であり，食道から直腸に至るまでのすべての消化管部位において発生する．伸展刺激が与えられた部位の後方（口側）では輪走筋の収縮が起こり，前方（肛門側）では弛緩が起こる（図27・1）．この収縮は波のように口側から肛門側に向かって進み，消化管内容物を2〜25 cm/秒の速度で推送する．消化管へ入力する外来性の自律神経は，蠕動運動に強弱をつけることができるものの，その発生そのものには関与しない．消化管を特定の部位で分節として切除した後に，もともとの方向のままで再縫合すると内容物は問題なく運搬されるが，切除した分節の口側と肛門側を逆にして再縫合すると内容物の運搬がされなくなる．このような方向性のある蠕動運動は，腸壁内神経系が統合的な調節をしていることを示す最適例といえる．局所的な伸展はセロトニンを遊離させ，これが感覚神経を活性化させることによって，筋層間神経叢を活性化するようである．この神経叢で口側に向かって走行するコリン作動性神経は，サブスタンスPやアセチルコリンを放出する神経を活性化して内容物の口側の平滑筋を収縮させる．同時に，肛門側に向かうコリン作動性神経が一酸化窒素（NO）や血管作動性腸管ポリペプチド（VIP）を分泌する神経を活性化して，刺激部より肛門側の平滑筋を弛緩させる．

表27・1 生きているヒトへの挿管によって測定した消化管各部位の平均の長さ

部位	長さ(cm)
咽頭, 食道, 胃	65
十二指腸	25
空腸, 回腸	260
結腸	110

Hirsh JE, Ahrens EH Jr, Blankenhorn DH: Measurement of human intestinal length *in vivo* and some causes of variation. Gastroenterology 1956; 31: 274 のデータより.

分節運動と混和

腸壁内神経系は，消化管内腔に食物が存在すると，蠕動と類似しているもののむしろ移送を遅らせることを目的とした運動を誘発し，消化吸収のための時間を生み出している(図27・1)．このような運動様式は分節運動といわれ，消化管内容物(糜粥 chyme といわれる)と消化液を十分混和するのに役立つ．まず消化管分節の両端が収縮し，次いで分節の中央で収縮が起こることによって，糜粥を前後両方向に移動させることになる．それゆえに蠕動運動とは異なり，分節運動では常に糜粥が逆行性に移動する部位がある．この混和のための運動は，消化管内腔の栄養分がすべて吸収

されるまで繰り返される．これは，おそらく腸壁内神経系が主体となって運動をプログラム化していることを反映するものであり，中枢神経系からの入力に依存していないと考えられる．ただし，中枢神経系は腸壁内神経系の作用に強弱をつけることはできる．

基本的電気活動と運動調節

食道と胃の近位部を除くすべての部位において，消化管平滑筋の膜電位はおよそ-65から-45 mV の間で自発的な律動性変動を示す．この**基本電位リズム basic electrical rhythm**(BER)は，Cajal〔カハール〕の**間質細胞**によってもたらされる．Cajal の間質細胞は，平滑筋と似た性質の間葉系ペースメーカー細胞であり，長く多方向に分岐した突起を消化管平滑筋に伸ばしている．胃と小腸においては，これらの細胞は輪走筋層の外側で筋間神経叢に隣接する位置に存在し，結腸においては輪走筋層と粘膜下層との境に存在する．胃と小腸では，ペースメーカー頻度は口側から肛門側に向かって勾配を形成しており，通常は心臓と同じように最大頻度のペースメーカーが全体を支配する．

基本電位リズムだけでは筋収縮を起こすことはまれであるが，基本電位リズム波の最大脱分極に重なる**スパイク電位 spike potential** が筋緊張を高める(図27・2)．それぞれのスパイク電位の脱分極は Ca^{2+} の流入によって起こり，再分極は K^+ の流出によって起こる．多くのポリペプチドや神経伝達物質が基本電位リズムに影響を与える．たとえば，アセチルコリンはスパイク電位の数を増加させ，平滑筋の緊張を増大させるが，アドレナリンはスパイク電位の数を減少させ筋緊張を低下させる．基本電位リズムの頻度は，胃でおよそ4回/分である．十二指腸では12回/分であり，遠位回腸では8回/分に減少する．結腸では，盲腸部で2回/分である頻度が，S状部で6回/分に上昇する．基本電位リズムの機能は蠕動運動や他の運動，たとえば分節運動のリズムの設定などを調整することであり，筋収縮が基本電位リズム波の脱分極部分でのみ起こることがこれに役立つ．迷走神経切断や胃壁切離により，胃の蠕動が不規則，無秩序となることは基本電位リズムの重要性を示す一例である．

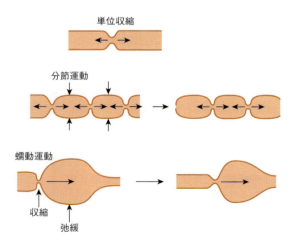

図27・1 消化管蠕動と推送のパターン．単位収縮は内容物を矢印に示すように口側，肛門側両方向に動かす．時間経過を左図から右図の順で示したが，分節運動では消化管の短い伸縮によって内容物が混和される．左図の垂直矢印は，次の収縮が起こる部位を示す．蠕動運動は収縮と弛緩の両方が関わる運動で，内容物を肛門方向に運ぶ．

空腹期(食間期)伝播性収縮(MMC)

消化と消化の間の空腹期には，周期的に起こる運動が胃から遠位回腸へ向かうように，消化管平滑筋の電気的，機械的活動は調節される．**空腹期(食間期)伝播**

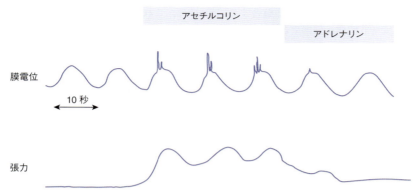

図 27・2 消化管平滑筋の基本電位リズム（BER）． 上：アセチルコリンの刺激効果がある状態とアドレナリンの抑制効果がある状態でのスパイク電位発生の様子を示す膜電位．下：膜電位変化と対応して起こる筋張力の変化．

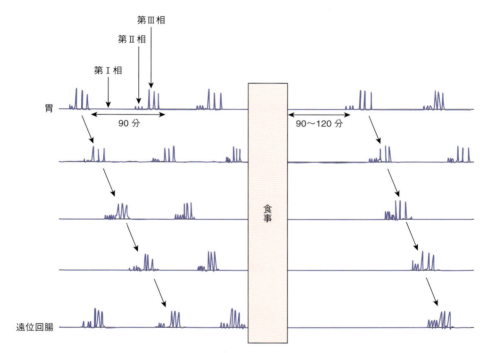

図 27・3 空腹期伝播性収縮（MMC）． MMC は，静止期（第Ⅰ相），波及することのない小さく不規則な収縮がある時期（第Ⅱ相），消化管全長にわたって波及する規則的な収縮が約 5 分間にわたって続く時期（第Ⅲ相）の 3 つの相で構成される．空腹期には，この 3 相からなる MMC が 90〜100 分間隔で繰り返される．MMC は摂食によって完全に消失し，再開するまでに 90〜120 分かかることが特徴である．

性収縮[*1] migrating motor complex（MMC）は，静止期（第Ⅰ相）に始まり，不規則な電気的，機械的活動を示す時期（第Ⅱ相）へと移行し，規則的活動が群発する時期（第Ⅲ相）で終わり（図 27・3），これが周期的に繰り返される．MMC は，モチリンにより誘起される．このホルモンの血中濃度は食間期において約 100 分間

[*1] 訳注：22 版までは生理学用語集より「進行性胃腸運動群」としていたが，MMC は「空腹期収縮」と同義として使われ，収縮が上部の消化管からより下部の消化管へ伝播していくことに基づき，23 版より用語を改めた．

隔で増加し，MMC の収縮が発生する相と整合する．収縮は 5 cm/分の速度で肛門側に伝播するが，その発生も約 100 分間隔である．胃液分泌や胆汁排泄，膵液分泌は，各 MMC の間で増加する．MMC は，次の食物の受入れに備えて胃や小腸の内容物を一掃することを目的としているようである．

一方，食物が摂取された時にはモチリンの分泌が抑制され(食物摂取によってモチリン分泌が抑制されるメカニズムはまだ解明されていない)，消化と吸収が完了するまで MMC は完全に消失する．

部位特異的運動様式

口腔，食道

口腔では食物が唾液と混合され，食道に押し出される．食道の蠕動波は食物を胃に送り込む．

咀　　嚼

噛むこと(**咀嚼 mastication**)は，大きな食物を破砕し，唾液腺からの分泌物と混合することである．この湿潤化と小片化に，嚥下とその後の消化の助けとなる．大きな食塊は消化することが可能であっても，食道筋に痛みを伴う強い収縮を起こすことになる．粉状の細かいものは，唾液がないと分散して塊とならないので，これもまた嚥下を困難にする．至適な咀嚼回数は食物によって異なるが，通常は 20〜25 回である．

全歯欠損の患者は，一般的に軟らかい食物しか摂取できず，乾燥した食物を食べるのには，相当の困難を伴う．

嚥　　下

飲み込むこと(嚥下)は，三叉神経，舌咽神経，迷走神経の求心性入力によって起こる反射反応である(図 27・4)．これらの入力は，孤束核や疑核で統合される．遠心線維は三叉神経，顔面神経，舌下神経を経由して咽頭筋や舌へ達する．嚥下は，口腔内容物を舌上に集めて，それを咽頭に押し出すという随意運動によって始まる．咽頭に運ばれた食塊は咽頭筋の不随意収縮波を誘発し，食塊が食道に押し込まれる．呼吸抑制と声門閉鎖が反射反応の一部として起こる．蠕動運動を構成する収縮輪が食塊後方の食道筋で発生し，内容物はおよそ 4 cm/秒の速さで押し出される．ヒトが直立姿勢の時，液体や半流動性の食物は重力によって蠕動運動の波に先行して食道下部に落ちていくのが一般的である．しかしながら，食道に食物が残っていると，二次蠕動によって一掃される．したがって，逆立ちした状態であっても，食物の嚥下は可能である．

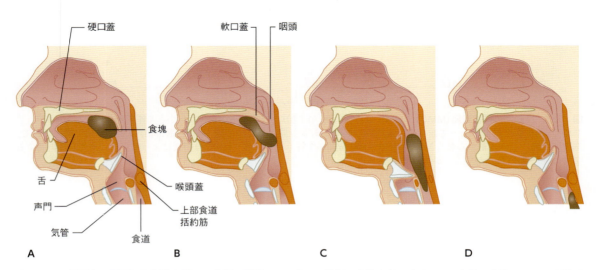

図 27・4　嚥下時の咽頭から食道上部への食塊の移動． A：舌は口後部に食塊を押し出す．B：食物が鼻腔に入るのを防ぐため，軟口蓋が上がる．C：食物が気管に入るのを防ぐため，喉頭蓋が声門を覆い，上部食道括約筋が弛緩する．D：食物が食道へと下降する．

下部食道括約筋

　食道の他の部位とは異なり，胃食道接合部の筋肉[**下部食道括約筋** lower esophageal sphincter（LES）]は持続的な収縮を維持しており，嚥下時に弛緩する．食間期の下部食道括約筋の持続的収縮は，胃内容物の食道への逆流を防いでいる．下部食道括約筋は3つの構成要素で成り立っている（図27・5）．食道平滑筋は胃との接合部に特に顕著に存在しており，固有括約筋として機能する．骨格筋の横隔膜脚部線維がこの部分で食道を囲み，外来性括約筋としてはたらく．食道に対してピンチコックのようなはたらきをするのである．加えて，胃壁の斜走筋線維はフラップ弁を形成して，食道胃接合部を塞ぐのに役立つとともに，胃内圧の上昇時にも食道への逆流を防止している．

　下部食道括約筋の持続性の緊張は，神経の支配下にある．迷走神経終末から放出されるアセチルコリンは固有括約筋を収縮させ，他の迷走神経線維の支配下にある介在神経から放出される一酸化窒素（NO）や血管作動性腸管ポリペプチド（VIP）はこれを弛緩させる．横隔神経に支配される横隔膜脚の収縮は，呼吸や胸部，腹部の筋収縮と同調する．このように食道の固有括約筋と外来性括約筋は協同して機能し，食物の整然とした胃への流入を可能にするとともに，胃内容物の食道への逆流を防いでいる（クリニカルボックス27・1）．

呑気症と消化管ガス

　食べたり，飲んだりする過程で，いくらかの空気を飲み込むことは避けられない（**呑気症** aerophagia）．飲み込まれた空気の一部は，吐き戻されたり（おくび），吸収されたりするが，大部分は大腸まで運ばれる．大腸では多少の酸素が吸収されるが，炭水化物や他の物質を基質として腸内細菌が生成する水素，硫化水素，二酸化炭素，メタンが加わる．そのような腸内ガスは，**放屁** flatus として放出される．臭いは硫化物によるところが大きい．一般的に，ヒトの消化管に存在するガスの量は200 mL程度であり，1日に500〜1500 mL発生する．ヒトによっては，腸内ガスが腹痛や，**腹鳴** borborygmi（グル音），腹部不快の原因となる．

胃

　食物は胃に貯蔵され，酸，粘液，ペプシンと混合され，一定の速度で十二指腸に押し出されるよう調節されている．

胃の運動と排出

　胃に食物が到達すると胃底部と胃体上部が弛緩し，胃内圧を増加させることなく受け入れる（**受入れ弛緩**

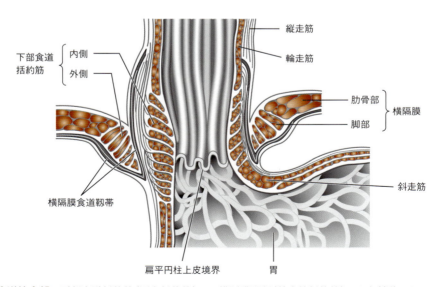

図27・5　胃食道接合部．下部食道括約筋（固有括約筋）は，横隔膜脚部（外来性括約筋）により補強されており，両者は横隔膜食道靱帯で固定されている（Mittal RK, Balaban DH: The esophagogastric junction. N Engl J Med 1997; Mar 27; 336(13): 924-932 より許可を得て複製）．

クリニカルボックス 27・1

食道運動障害

アカラシア achalasia（弛緩不全）は，食物が蓄積することによって食道が大きく拡張した状態である．これは下部食道括約筋の静止筋緊張が増大し，嚥下時の弛緩が不完全となることに起因する．下部食道括約筋部で筋層間神経叢に問題があり，NO や VIP の放出が不完全になっている．これと反対の状態の下部食道括約筋機能不全では，酸性の胃内容物の食道への逆流を起こす [**胃食道逆流症** gastroesophageal reflux disease（訳注：逆流性食道炎とも呼ばれる）]．この疾患の発症頻度は高く，患者が消化異常で内科を受診する原因として最も多い．胃内容物の逆流は，胸やけや食道炎の原因となり，潰瘍や瘢痕化による食道狭窄を起こしうる．重症例では固有括約筋あるいは外来性括約筋，またはその両方が脆弱である．しかし軽症の場合は，はっきり解明されているわけではないが，両括約筋に対する神経作用が途切れる時期があることが原因であると考えられる．

治療上のハイライト

アカラシアは括約筋の空気圧による拡張か，食道筋の切開（筋切除）によって治療できる．ボツリヌス毒を下部食道括約筋に注射してアセチルコリンの放出を抑制することも効果的で，数カ月間症状を緩和する効果が続く．胃食道逆流性疾患は，ヒスタミン H_2 受容体遮断薬またはプロトンポンプ阻害薬を用いた胃酸分泌抑制により治療できる（25 章参照）．外科的治療には下部食道を胃底部で補強する方法があり，この手術では下部食道括約筋は胃で形成された短いトンネルの中に存在することになる（**胃底ひだ形成術** fundoplication）．ただし，この手術後に多くの患者で症状再発が認められる．

---

receptive relaxation）．次に，胃体下部で蠕動が始まり，攪拌されすりつぶされた食物は小さく半流動状態となり，幽門を通り十二指腸に移送される．

受入れ弛緩の一部は，迷走神経性の調節を受け，咽頭や食道の動きによって惹起される．胃壁が伸展されることをきっかけとする内在的な反射も弛緩をもたらす．胃の基本電位リズムにより調節される蠕動波が速やかに発生し，幽門に向かって伝播する．蠕動波に対応して起こる遠位部の収縮は **幽門前庭収縮** antral systole と呼ばれることもあり，10 秒ほど続く．蠕動波は 3〜4 回/分の頻度で起こる．

胃排出機能の調節において，幽門前庭部，幽門，上部十二指腸は 1 つの構成単位として機能している．幽門前庭部の収縮に続いて，幽門領域や十二指腸の収縮が起こる．胃内容物が幽門に向かって押し進められるが，その前方で幽門前庭部が部分的な収縮をすることによって，大きな固形物を十二指腸へ流入させることなく，さらなる混和と粉砕のために押し戻される．流動性が高くなった胃内容物は，一度に少量ずつ小腸に注ぎ込まれる．幽門部の収縮は十二指腸の収縮より少し持続時間が長いので，通常は十二指腸から胃への逆流は起こらない．コレシストキニン（CCK）やセクレチンが幽門括約筋を収縮させる作用を発揮することも，逆流の防止に寄与すると考えられている．

胃の運動と排出の調節

胃が内容物を十二指腸に排出する速度は，摂取された食物の種類に依存する．炭水化物の多い食物は，数時間で胃から排出される．タンパク質の多い食物はもう少し時間をかけて排出され，脂肪の多い食物は排出までに最も長い時間がかかる（図 27・6）．胃排出速度は十二指腸に入る物質の浸透圧にも依存する．十二指腸内容物の浸透圧が高いと "十二指腸の浸透圧受容体" によって感知され，おそらくは神経性の機序によって胃排出速度を低下させる．

十二指腸内の脂肪，炭水化物および酸は，神経やホルモンによる調節機能を介して胃酸やペプシンの分泌，および胃の運動を抑制する．この調節に関与するのは，ペプチド YY であろうと考えられている．CCK も胃排出の抑制因子であると想定されている（クリニカルボックス 27・2）．

嘔　　吐

嘔吐の防御反応は，消化管運動の中枢性調節の一例である．嘔吐の始まりは，唾液分泌と吐き気を催すことである．逆蠕動によって上部小腸から胃へ内容物が押し戻される．吐物の気管への進入を防ぐために，声

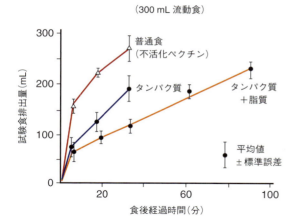

図27・6 ヒトの胃排出速度に対するタンパク質と脂質の効果．いずれも 300 mL の流動食として摂取した場合の変化である(Brooks FP: Integrative lecture. Response of the GI tract to a meal. *Undergraduate Teaching Project*. American Gastroenterological Association; 1974 より許可を得て複製)．

クリニカルボックス 27・2

胃バイパス術の帰結

病的肥満患者は，様々な方法で胃を縮小させる手術を受け，食物が胃を迂回して胃の貯蔵庫としての機能を失わせるとともに，グレリンのような摂食を促す胃からのシグナルを抑制するようにしている．その結果，そのような患者は頻回に少量の食物を摂取することを余儀なくされる．大量の食物が摂取された場合には，小腸で急速にグルコースが吸収され，それに続いて著しい高血糖とインスリン分泌の急上昇が起こる．その結果として，胃切除患者では摂食後2時間頃に低血糖症状を起こすことがある．このような患者では，食後に脱力感，めまい，発汗が認められるが，低血糖が原因の一端を担う．これは，胃切除や胃空腸吻合を施された患者に起こる"**ダンピング症候群 dumping syndrome**"の典型的な症状でもある．これらの症状が発生するその他の原因として，高浸透圧(高張)食が小腸へ急速に流入することがあげられる．この場合，多量の水分が消化管へ移動し，循環血液量の減少ならびに低血圧を招くことになる．

治療上のハイライト

ダンピング症候群そのものに対する治療はなく，大量の食物を一度に摂取することを避けること，特に高濃度の糖を含むものを避けること以外にない．胃バイパス術を受けた患者においてダンピング症候群の症状が現れることは，摂食量を減少させ肥満を解消するための手術が全般的に成功したことを示すことになる．

門が閉鎖する．呼吸は呼気の途中で保持される．腹壁筋群が収縮するが，胸郭が定位置に保持されるので腹圧が上昇する．下部食道括約筋と食道が弛緩し，胃の内容物が駆出される．延髄網様体にある"嘔吐中枢"(図27・7)は，散在するいくつかの神経の集まりによって構成されており，それぞれが嘔吐を引き起こすための様々な行動成分を制御する．

上部消化管粘膜への刺激は嘔吐を誘発する．粘膜からの神経インパルスは，交感神経や迷走神経の内臓求心路を通って延髄に伝えられる．この他にも嘔吐の誘因として中枢性のものがあげられる．たとえば，前庭神経核からの求心性線維は乗り物酔いの吐き気や嘔吐をもたらす．情動的な刺激が催吐反応につながることから，間脳や大脳辺縁系からも別の求心性線維が嘔吐中枢に入力していると考えられる．

延髄に存在する化学受容器細胞も，循環血中の特定の化学物質によって刺激されると嘔吐を誘発する．これらの細胞が位置する部位は**化学受容器引き金帯 chemoreceptor trigger zone**(図27・7)といわれ，門近傍の第四脳室側壁にV字状構造物として観察される**最後野 area postrema**に存在する．この部位は脳室周囲器官(33章参照)の1つであり，血液脳関門が存在していない．最後野の損傷は，消化管粘膜への刺激や乗り物酔いによる嘔吐反応にはほとんど影響を与えないが，アポモルヒネ apomorphine や他の催吐薬による嘔吐を消失させる．最後野の損傷は，尿毒症や放射能宿酔など内因性に循環性催吐物質を産生させる状況での嘔吐も抑制する．

小腸の腸クロム親和性細胞から分泌されるセロトニン(5-HT)は，5-HT$_3$受容体を介して嘔吐を誘発する神経インパルスを発生させると考えられる．さらに，最後野や孤束核のある領域にはドーパミンD$_2$受容体と5-HT$_3$受容体が存在する．オンダンセトロン ondansetron のような 5-HT$_3$ 受容体阻害剤，およびクロルプロマジン chlorpromazine やハロペリドール haloperidol のような D$_2$ 受容体阻害剤は有効な制吐薬となる．コルチコステロイド，カンナビノイド，ベ

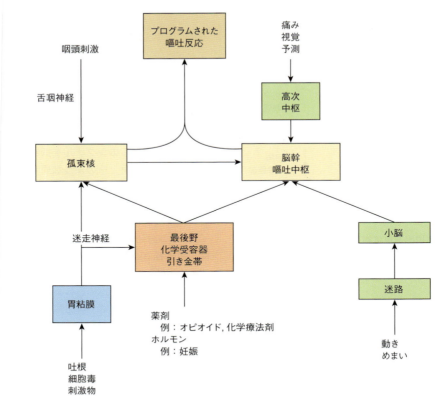

図 27・7 様々な刺激に対する反応として嘔吐を誘発する神経伝達路.

ンゾジアゼピン benzodiazepine は，単独投与あるいは 5-HT₃ 受容体阻害剤や D₂ 受容体阻害剤との併用で，化学療法に起因する嘔吐の治療に有効である．コルチコステロイドとカンナビノイドの制吐作用の機序はわかっていないが，ベンゾジアゼピンの制吐作用は化学療法に対する不安軽減によると考えられる．

小　　腸

小腸では，内容物が粘膜細胞からの分泌物や膵液，胆汁と混和される．また，小腸内の糜粥は，栄養素が吸収されるに十分な時間保持される．

運 動 性

空腹時には空腹期伝播性収縮（MMC）が規則正しい間隔で発生し消化管に沿って進むこと，これが摂食後には基本電位リズム（BER）によって調節される蠕動運動や他の収縮に置き換わることはすでに述べた．小腸において，BER は近位空腸で平均 12 回/分であるが，遠位回腸では 8 回/分に減少する．平滑筋の収縮には 3 つの様式があり，蠕動波，分節収縮，緊張性収縮である．**蠕動 peristalsis** についてはすでに述べているが，これは消化管内容物を大腸に進める様式の運動である．**分節収縮 segmentation contraction**（図 27・1）についてもすでに述べているが，これは糜粥を前後に動かし粘膜表面との接触を増やす様式の運動である．これらの収縮は，限局的な部位での Ca²⁺ 流入の増加から始まり，その部位から Ca²⁺ 濃度の上昇が順次広がっていくようにして誘発される．**緊張性収縮 tonic contraction** は，比較的長い時間の収縮で，小腸の一分節を他の分節から分ける様式の運動である．分節収縮と緊張性収縮は，内容物の通過時間を遅くすることになる運動様式であり，実際に通過時間は空腹時よりも食後の方が長い．これにより糜粥は腸細胞と長時間の接触をすることになり，吸収がされやすくなる（クリニカルボックス 27・3）．

クリニカルボックス 27・3

イレウス

消化管に外傷が与えられた時，平滑筋に対する直接的な阻害が起こり，消化管運動が低下する結果を招く．その原因の一部は，オピオイド受容体の活性化である．また，腹膜が刺激された場合，内臓神経中のノルアドレナリン神経線維の発火が増加して，反射性の抑制が起こる．これら2つの抑制は，腹部手術後の**麻痺性イレウス paralytic ileus**（**無力性腸閉塞症 adynamic ileus**）の原因となる．小腸におけるびまん性の蠕動運動低下のため，内容物は結腸に押し出されず，貯留したガスや液体による不規則な腸壁の伸展が起こる．小腸の蠕動は6〜8時間で回復し，それに続いて胃蠕動も回復するが，結腸運動は回復までに2〜3日を要する．

治療上のハイライト

麻痺性イレウスの症状は，イレウス管を鼻から小腸へ挿入し，蠕動運動が回復するまでの数日間にわたって貯留しているガスや液体を吸引除去することで緩和できる．イレウスの発生は，非侵襲性の手術（たとえば，腹腔鏡手術）の普及によって減少してきている．消化管運動の亢進が期待できるので，早い段階からの歩行が術後の管理として推奨される．また，術後にオピオイド受容体の阻害薬を使用する試みも進められている．

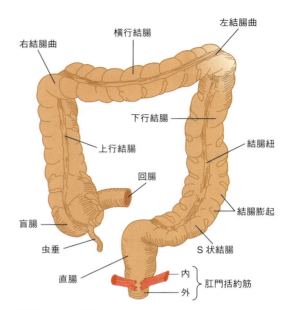

図 27・8 ヒト大腸．

結　腸

結腸は，消化吸収することのできない食物残渣の貯蔵部位として機能する（図27・8）．この部位の運動は，水や Na^+，他の無機質を吸収できるようにゆっくりしている．回腸から結腸に流入する糜粥は，等張性で1日1000〜2000 mLであるが，水分の約90％が吸収されるので約200 mLの半固形状便になる．

結腸の運動

回腸は，回盲弁といわれる構造物を介して結腸へと続いている．回盲弁は，結腸内容物の逆流，特に多数の腸内常在細菌が比較的無菌状態に近い回腸へ逆流するのを防いでいる．回盲弁を含む回腸終末部はわずかながら盲腸に陥入しているので，結腸圧が上昇すると回盲弁は圧迫されて閉じ，逆に回腸圧が上昇すると開く．回盲弁は普段は閉じているが，蠕動波が到達するたびに一時的に開き，回腸内の糜粥を盲腸へ噴出させる．胃から食物が送り出される時に，盲腸は弛緩し，回腸から回盲弁を通過する糜粥量が増加する（**胃回腸反射 gastroileal reflex**）．これは，おそらく迷走-迷走神経反射で起こる反応である．

結腸の運動は，小腸で認められる運動と同じように，分節収縮や蠕動波で構成される．分節収縮は結腸の内容物を混合するとともに，内容物の粘膜への接触を増やすことにより吸収を促進する．弱い逆蠕動が時々発生するものの，蠕動波が内容物を直腸に送り出す作用を発揮する．結腸のみでみられる第三の収縮様式が，**大蠕動 mass action contraction**である．この大蠕動は，1日に10回程度発生し，広範囲に及ぶ部位で同時に起こる平滑筋収縮である．この収縮により，内容物の結腸内の移動が促される（クリニカルボックス27・4）．また，大蠕動によって内容物が直腸に送られ，これが直腸を伸展させることが排便反射のきっかけとなる（後述）．

結腸の運動は，結腸で発生する基本電位リズム（BER）によって調整されている．小腸とは異なり，結腸におけるBERの頻度は肛門側の方が高くなり，回

クリニカルボックス 27・4

Hirschsprung 病

　Hirschsprung（ヒルシュスプルング）病，あるいは**無神経節性巨大結腸症 aganglionic megacolon** として知られる異常な大腸運動を呈する小児の遺伝的疾患がある．この疾患は，腹部膨満，食欲不振，倦怠感といった症状が特徴である．一般に，この疾患は乳児期に診断が確定し，5000 人に 1 人の割合で発生する．発生過程において神経堤細胞が頭側から尾側へ正常な移動をしない結果として，遠位結腸の筋層間神経叢と粘膜下神経叢の神経節細胞が先天的に欠損することが原因となる．エンドセリン B 受容体を介するエンドセリンの作用（7 章参照）が，ある種の神経堤細胞の正常な移動に必要であり，エンドセリン B 受容体欠損マウスでは巨大結腸となる．加えて，ヒトの無神経節性巨大結腸症の原因の 1 つとして，エンドセリン B 受容体遺伝子の変異が認められている．患者の結腸では蠕動運動が欠如しており，神経節のない部位を便が通過するのが困難である．それゆえ，この疾患の小児は 3 週間に 1 回という程度の低い頻度でしか排便できない．

治療上のハイライト

　Hirschsprung 病の症状は，神経節のない部位を切除し，切除部の上位の結腸を直腸と吻合することにより解消する．しかしながら，病変部が結腸の広い範囲に及んでいる場合は改善させることが不可能である．そのような場合には，結腸切除術を施す必要がある．

クリニカルボックス 27・5

便　　秘

　便秘は，消化管運動が病的に減少している状態である．以前はもっぱら運動性の変化に起因すると考えられていたが，近年，クロライド分泌促進薬が慢性的な便秘の治療に有効であると示されたことから，結腸における分泌と吸収のバランス変化もまた便秘の発症に寄与すると考えられるようになった．頑固な便秘の患者においては，器質性疾患の存在を除外するために注意深く検査すべきである．しかしながら，1 日 1〜3 回の排便が習慣である人がいる一方で，正常な人でも 2〜3 日に 1 回排便するだけということも珍しくない．さらに，便秘の症状はわずかな食欲不振，あるいはそれほどひどくない腹部不快感や腹部膨満のみである．これらの症状は"有毒物質"の吸収によるものではない．その理由として，直腸を空にすると症状は迅速に消失すること，有毒物質を発生させることのない物質で直腸を伸展させると症状が再現されることがあげられる．西欧では，他の疾患に比べ便秘に関して誤った情報が多く，適切に理解されていない．上記以外の一般的に受け入れられている便秘の症状には，不安などがあるようである．

治療上のハイライト

　便秘のほとんどは，繊維を多く含んだ食事あるいは結腸に水分を保持する緩下薬の使用により糞便量を増加させ，排便反射を促進することによって改善する．上述のように，ルビプロストン lubiprostone は，最近，便秘の治療薬として加えられた．この薬剤はクロライドの分泌，すなわち水の結腸への分泌を高め，結腸の内容物の流動性を増大させる．

盲弁のあたりの 2 回/分から S 状結腸の部位では 6 回/分に増加する．

小腸および結腸の通過時間

　試験的な摂食をさせた場合，ほとんどの被検者で盲腸に最初の食物が到達するまでにおよそ 4 時間要し，未消化成分のすべてが結腸に入るまでには 8〜9 時間かかる．最初に結腸に到達した食物残渣は，平均して結腸の初めの 1/3 を 6 時間で，次の 1/3 を 9 時間で通過し，その後 12 時間で結腸の終末部（S 状結腸）に到達する．S 状結腸から肛門までの輸送速度は大変遅い（クリニカルボックス 27・5）．小さな着色ビーズを食物とともに摂取させると，平均で 70% は 72 時間で便中に回収されるが，すべてが回収されるには 1 週間以上かかる．輸送時間，圧変動，胃腸管の pH 変

化も，錠剤型のセンサー付き小型ラジオ送信機を通過させて消化管内をモニタリングすることによって測定できる．

排　便

糞便による直腸の伸展は，直腸平滑筋層の反射性収縮をもたらすとともに，便意を生じさせる．ヒトでは内肛門括約筋（不随意）は交感神経によって興奮性の支配を受け，副交感神経によって抑制性の支配を受ける．この括約筋は直腸が伸展されると弛緩する．横紋筋である外肛門括約筋に分布する神経は，陰部神経である．この括約筋では持続的に収縮状態が維持されており，それほど強くない直腸伸展がある場合には収縮力が増大する（図 27・9）．強い便意は，直腸圧が約 18 mmHg に上昇して初めて生じる．この圧力が 55 mmHg に達した時，外肛門括約筋と内肛門括約筋が一緒に弛緩し，直腸の内容物が反射的に排出される．これが，脊髄に損傷を受けた場合でも反射性に排便が起こる理由である[*2]．

外肛門括約筋を弛緩させる閾値圧まで到達する前でも，いきみによって意識的に排便を起こすことができる．通常は，肛門と直腸の間の角度はおよそ 90〜

*2 訳注：直腸壁内神経系による反射が起こる．

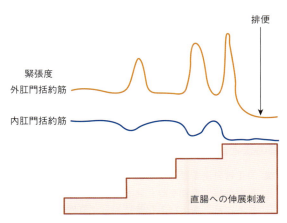

図 27・9　直腸伸展に対する肛門括約筋の運動反応． 伸展刺激は直腸壁を引き伸ばすことによる受動的な張力を生み出し，直腸壁の平滑筋が収縮すると能動的な張力が加わる．内肛門括約筋は弛緩し，外肛門括約筋は収縮する．徐々に伸展刺激を高めていくと，閾値を超えるまでは両括約筋の収縮，弛緩は伸展刺激に順応して元に戻るが，閾値を超えると排便に至る．

100 度であること（図 27・10）と，恥骨直腸筋が収縮していることによって排便が抑制されている．いきみとともに，腹筋群は収縮し，骨盤底は 1〜3 cm 下がり，恥骨直腸筋は弛緩する．肛門直腸角がまっすぐになるとともに，外肛門括約筋が弛緩することで排便が起き

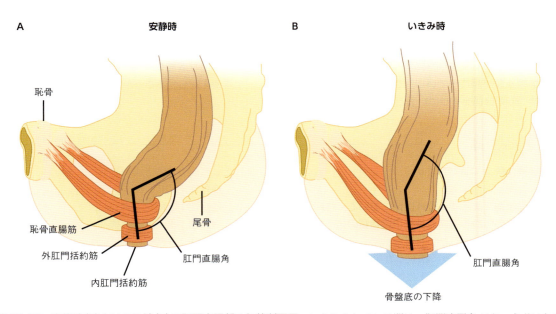

図 27・10　安静時（A）といきみ時（B）の肛門直腸部の矢状断面図． いきみをしている間は，肛門直腸角がまっすぐになるとともに骨盤底が下降する（Lembo A, Camilleri M: Chronic constipation. N Engl J Med 2003; Oct 2; 349(14): 1360-1368 より許可を得て改変）．

る．それゆえ，排便は脊髄反射でありながら，外肛門括約筋の収縮を保って意識的に抑制したり，外肛門括約筋の弛緩と腹筋の収縮によって意識的に促進したりできる．

食物による胃の伸展は直腸の収縮を開始させ，しばしば便意を誘発する．この反応は**胃結腸反射** gastrocolic reflex と呼ばれる．この反射は，おそらく結腸に対するガストリンの作用により増幅されている．この反射があることによって，幼少期には食後に排便が起こることが多い．成人では，いつ排便するかを決めるのに，社会習慣や文化といった因子が大きく影響する．

章のまとめ

- 消化管分泌を調節する因子は消化管運動の調節にも寄与し，食物を軟化させること，分泌物と混和すること，および消化管に沿って肛門側へ押し進めることに関与する．
- 2つの主要な運動様式は，蠕動運動と分節運動である．蠕動運動は内容物を移送するための運動であり，分節運動は内容物を停滞させて混ぜるための運動である．蠕動運動は，食塊の口側での収縮と肛門側での弛緩が見事に協調されて起こる運動である．
- 大部分の消化管平滑筋の膜電位は律動的な変動を示し，その変動は口側から肛門側へ向かって流れるように進んでいる．そのリズムは消化管の部位によって異なり，Cajal（カハール）の間質細胞といわれるペースメーカー細胞によって作られる．この基本電位リズムの脱分極波の上に刺激が加わることによって，スパイク電位が発生し，筋収縮がもたらされる．
- 消化管は食事と食事の間にはほとんど活動していないが，およそ90分に1回の割合で，消化管ホルモンであるモチリンによって誘発される大きな蠕動運動が起こっている．この空腹期伝播性収縮は"清掃"機能を有していると考えられる．

- 嚥下は中枢性に引き起こされ，食道の蠕動運動と協調して食塊を重力に抵抗してでも胃に送る．下部食道括約筋の弛緩は，食塊の到着の直前に起こるよう調節されていて，胃内容物の逆流を防いでいる．このような機能があるにもかかわらず，胃食道逆流症は最も頻繁にみられる消化管疾患の1つである．
- 胃は，受入れ弛緩反射により食物を迎え入れる．これは，胃内圧を上昇させることなく胃の容積を増やすことを可能にしている．その後，胃は食物を混和，破砕し，下部の消化管への送り出しを調節している．
- 小腸における運動反応は，食物を膵液や胆汁と混和するとともに，それを小腸全体に推送する．これによって，消化された内容物が上皮表面と接触し，吸収されることになる．
- 消化管内容物は，水分の吸収を促すために結腸全体においてゆっくり移動する．直腸の伸展は内肛門括約筋の収縮反射をもたらすとともに，便意を催す．排便の訓練ができていれば，外肛門括約筋の意識的な収縮によって都合のよいタイミングまで排便を遅らせることができる．

多肢選択式問題

正しい答えを1つ選びなさい．

1. 蠕動運動を調節する神経回路において，神経インパルスの伝わる方向と神経伝達物質の組み合わせで正しいのはどれか．
（訳注：原文に従って和訳した場合，極めて難解な問題となる．図27・1の蠕動運動に示されるように，食塊の口側部の輪走筋が収縮し，肛門側で弛緩するパターンを制御する神経回路に関する問題である．選択肢にある「逆行性」は口側へ情報を伝える神経，「順行性」は肛門側へ情報を伝える神経として回答するとよい）
   A．逆行性；VIP
   B．逆行性；一酸化窒素
   C．順行性；グルタミン酸
   D．順行性；一酸化窒素
   E．順行性；アセチルコリン

2. 基本電位リズムが腸の筋緊張増加に変換される際の反応は，次のうちのどれか．
   A．Cajalの間質細胞の活性化
   B．アドレナリン作動性物質の放出

C．アセチルコリンの放出
D．VIPの放出
E．一酸化窒素合成酵素の阻害

3．空腹期伝播性収縮は何によって誘発されるか．
A．モチリン
B．一酸化窒素
C．コレシストキニン
D．ソマトスタチン
E．セクレチン

4．ある患者が難治性の嚥下障害のため消化器専門医に紹介された．内視鏡検査では食塊が下食道括約筋に届いても完全に開かないことが明らかとなり，アカラシアの診断が下された．この患者の内視鏡検査での観察や括約部位からの生検材料において，減少していることが予想されるのは，次のうちどれか．
A．食道の蠕動運動
B．神経型一酸化窒素合成酵素の発現
C．アセチルコリン受容体
D．サブスタンスPの分泌
E．横隔膜脚の収縮

5．胃が食物で充満している時であっても，下部食道括約筋を押し破るほど胃内圧が上昇することはめったにないが，それに寄与する反応は次のうちどれか．
A．蠕動運動
B．胃回腸反射
C．分節運動
D．嘔吐中枢刺激
E．受入れ弛緩

6．質問5に記載されている摂食に対する生理的な胃内圧反応は，実験的処置によって部分的に抑制される可能性がある．以下のうち当てはまらないものはどれか．
A．抗コリン薬
B．一酸化窒素合成酵素阻害薬
C．コレシストキニン拮抗薬

D．ヒスタミン拮抗薬
E．VIP拮抗薬

7．胃と空腸の吻合を施された患者が，糖分の多い飲料水を多量に摂取した1，2時間後に，吐き気，痙攣，めまい，発汗，頻脈を主治医に訴えることがある．このような症状の原因の一部になるのはどれか．
A．血圧上昇
B．グルカゴンの分泌増加
C．コレシストキニンの分泌増加
D．低血糖
E．高血糖

8．質問7の患者の場合，最も可能性の高い診断はどれか．
A．便秘型過敏性腸症候群(IBS-C)
B．Hirschsprung病
C．アカラシア
D．消化性潰瘍
E．ダンピング症候群

9．幼児期には，排便はしばしば食後に起こる．この場合，結腸の収縮原因はどれか．
A．ヒスタミン
B．血中コレシストキニン濃度の増加
C．胃結腸反射
D．血中ソマトスタチン濃度の増加
E．腸胃反射

10．3人目の子供を鉗子分娩した女性が，上の子供を抱きかかえる時に軽度の便失禁を起こすとのことで担当医のところに戻ってきた．尿失禁はないという．彼女の症状の原因として最も可能性が高いのは，どの部位の傷害か．
A．肛門感覚神経
B．内肛門括約筋
C．外肛門括約筋
D．陰部神経
E．恥骨直腸筋

肝臓の輸送機能と代謝機能

CHAPTER 28

学習目標
本章習得のポイント

- 肝臓の機能面から見た構造と肝細胞，胆管細胞，内皮細胞，Kupffer 細胞の位置関係を理解する
- 肝臓での血液循環の特徴と肝臓が有効に機能するために肝循環が果たす役割を示せる
- 肝臓の主要機能である代謝，解毒，疎水性物質の排泄について説明できる
- 肝臓で合成される血漿タンパク質を列挙できる
- 生体のアンモニア代謝に肝臓が果たす役割と，これらが破綻した際に脳の障害を含めどのような症状が起こるかを要約することができる
- 胆汁組成，胆汁産生，コレステロールとビリルビンの排泄における胆汁の役割を説明できる
- 胆嚢を正常に機能させるしくみと，胆石症の発症機序を説明できる

■ はじめに

　肝臓は体内で最大の腺臓器である．肝臓は，体内に蓄積すれば有害となる物質を体から除去したり，薬剤の代謝産物を排泄したりするなど，多岐にわたる生化学的，代謝学的機能を司っており，生命維持に不可欠である．肝臓はさらに腸管から吸収したほとんどの栄養素の最初の受け皿であり，ほとんどの血漿タンパク質の供給源であり，老廃物排出液であるとともに脂質の吸収を最適化している胆汁を合成する．このように肝臓と胆管系には広汎な重要機能を支えるためのいろいろな構造と機能が備わっている．

肝臓

機能面から見た構造

　肝臓の重要な機能の 1 つに，腸管からの血液とその他の部分の血液の間のフィルターとしてはたらいていることがあげられる．腸管などの内臓器官の血流は，門脈を経て肝臓に達する．この血液は，肝細胞索の間隙にある類洞 sinusoid へと濾過された後，肝静脈 hepatic vein へと排出され，さらに下大静脈 inferior vena cava へと流入する．また，肝動脈血も類洞へ流入する．肝細胞索を通過する際に，血液は化学的に大きく変化する．胆汁は肝細胞索の反対側で作られる（図 28・1）．

　肝小葉 hepatic lobule では肝細胞索は通常，単細胞層からなり，血漿が直接細胞と接する（図 28・2）．門脈の細静脈管から中心静脈まで，肝小葉を血液が通過する平均時間は約 8.4 秒である．肝臓が機能するために必要な肝臓の微小循環と大循環の詳細は後に述べる通りである．無数のマクロファージ（**Kupffer〔クッパー〕細胞**）が類洞の内皮に根付き，類洞腔へと顔を出している．この貪食細胞の役割については，3 章で解説した．

　それぞれの肝細胞は，数個の**毛細胆管 bile canaliculus** に接している（図 28・2）．毛細胆管は，小葉内胆管 intralobular bile duct へつながり，小葉間胆管

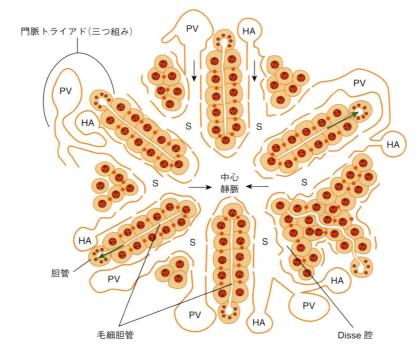

図 28・1　**肝臓の基本構造**．肝細胞は中心静脈を囲んで放射状に配列して索を作っている．肝臓への血流は門脈(PV)と肝動脈(HA)の分枝から供給され，肝細胞を囲む類洞(S)へと流れ込む．血流の方向は黒の矢印で示されている．類洞を縁取る内皮細胞は有窓構造であり，類洞から Disse 腔(内皮細胞と肝細胞基底膜に囲まれた間隙)への物質の移送は容易である．隣り合う肝細胞の頂端側の細胞膜によって毛細胆管が形成され，毛細胆管は胆管細胞が並んでできた胆管に向かって胆汁を運び出す(緑の矢印で示す)．胆管，門脈，肝動脈は「門脈トライアド portal triad」を形成する(Paulsen DF: *Histology and Cell Biology: Examination and Broad Review*, 5th edition. New York, NY: McGraw-Hill; 2010 より許可を得て転載).

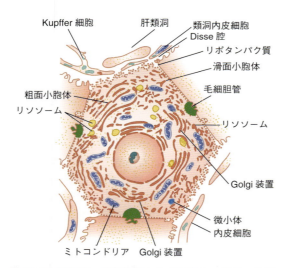

図 28・2　**肝細胞**．毛細胆管および類洞との関係に注目．肝細胞と接する内皮細胞間に大きな間隙(有窓部)があることにも注目(Sylvia Colard Keene より許可を得て転載).

interlobular bile duct となり，左右の肝管 hepatic duct に流入する．左右の肝管は肝外で合流し，総肝管 common hepatic duct を形成する．胆嚢管は胆嚢の排液路である．肝管は胆嚢管と合流し，総胆管 common bile duct となる(図 28・1)．総胆管は十二指腸乳頭 duodenal papilla で十二指腸に開口する．総胆管腔は **Oddi〔オディ〕括約筋**で囲まれており，通常は十二指腸に開口する直前で主膵管と癒合する．Oddi 括約筋は通常は閉鎖しているが，胃内容物が十二指腸に入るとコレシストキニン cholecystokinin (CCK)が分泌され，この腸管ホルモンが括約筋を弛緩させ，胆嚢を収縮させる．

肝外胆管と胆嚢の壁は，線維性の組織と平滑筋を含んでおり，散在する粘液腺と**胆管細胞 cholangiocyte** と呼ばれる円柱上皮細胞の層が内腔を縁取っている．胆嚢壁は極めてひだに富んでいる．これにより表面積が増え，胆嚢の内側は蜂の巣状の様相を呈する．胆嚢管もひだになっており，いわゆるらせん弁を構成する．これらの形態は，胆嚢から胆汁が流出する際に乱流を

起こすことにより，胆汁が析出して胆石を形成する危険性を減じている．

肝臓の循環系

肝臓の類洞壁には内皮細胞間に大きな間隙があり，類洞の透過性は高い．肝動脈と門脈の肝内の枝が類洞で融合し，肝葉の中心静脈へと流れ出る様子を，図28・1に示す．肝臓の機能単位は腺房である．それぞれの腺房は，門脈，肝動脈，胆管の終末分枝で構成される管茎部にある．血流は，この機能単位の中心部から周辺にある肝静脈の末梢枝へと流れる（図28・3）．第一ゾーンとも呼ばれる腺房の中心部はよく酸素化され，中間部（第二ゾーン）は中等度に酸素化されるものの，周辺部（第三ゾーン）は酸素化が最も不良で，低酸素傷害を受けやすいのはこのような理由による．腺房はそれぞれの血管の幹に実ったぶどうの実に例えられ，ヒトの肝臓には約100000の腺房が存在する．

ヒトの門脈圧は通常は約10 mmHg，肝静脈圧は約5 mmHgである．類洞に流れ込む肝動脈枝の平均圧は約90 mmHgであるが，類洞内の圧は門脈圧よりも低いため，肝細動脈では大きな圧の降下が起こる．この圧の降下は，肝動脈血と門脈血が流量相反して変化するように調節されている．このように流量が相反する理由の1つとして，細動脈の近傍のアデノシンが除去される速さによって維持されていることがあげられるだろう．この仮説によれば，アデノシンは代謝によって一定の速度で産生される．門脈血流が減少するとアデノシンの洗い流しは遅くなり，これによってアデノシンは局所に蓄積し終末肝細動脈を拡張させる．食間の時間帯では，大部分の類洞は虚脱している．一方，食後には腸管から肝臓への門脈血流が増加すると，これらの"準備中の"類洞が利用される．このようなしくみにより類洞すべてが稼働するまでは，門脈圧が門脈血流に比例して増加することはない．このことは，正常状態では透過性の高い肝臓からの体液喪失を防ぐうえで重要であろう．実際，（肝硬変での肝臓の硬化などの）病的状況で肝臓の圧が増加すると，腹腔内に大量の液体が**腹水 ascites** として貯留することになる．

肝内の門脈枝の血管壁には平滑筋が含まれており，第3～第11胸髄の前根を出てから内臓神経を介して肝臓に至る，アドレナリン作動性の血管収縮神経による神経支配を受けている．一方，肝動脈の血管収縮は肝臓交感神経叢から支配を受けている．もし全身の静脈圧が上昇すると，門脈枝は受動的に拡張して肝臓内の血液量は増加する．心不全では肝静脈系は著しくうっ血する．逆に，もし全身の血圧低下に応答して全身のノルアドレナリンが放出されると，肝内門脈枝は収縮し，門脈圧は亢進するため，肝臓を通過する血液は，その灌流速度を速め，肝臓内の大部分を迂回して流れる．肝臓の血流の大部分は体循環に入る．肝動脈の収縮は肝臓への血流を減らし，腹腔動脈の収縮は門脈血流を減少させる．重症のショック状態では肝臓への血流は減少し，肝臓の点状壊死が起こることもある．

肝臓の機能

肝臓は，表28・1にまとめたように多くの複雑な機能を担っている．ここでは，このうちいくつかについて簡潔に触れる．

代謝と解毒

本章で肝臓の代謝における機能のすべてに触れるのは無理である．そこでここでは消化管の生理に直結する事項に焦点を当てることとする．まず，肝臓はグリコーゲン合成，ガラクトース galactose とフルクトース fructose のグルコース glucose への変換，糖新生や1章で述べた様々な反応などの炭水化物の代謝に重要な役割を果たしている．これらの反応の基質は，炭水化物が消化・吸収され腸管から肝臓へ門脈血に乗って輸送された産物に由来している．肝臓はさらに過剰なグルコースを血中から除去したり，必要に応じ

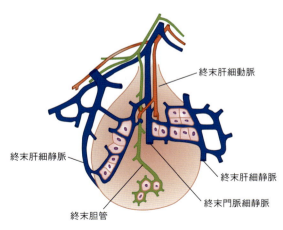

図 28・3　腺房が肝臓の機能単位であるという概念図． それぞれの腺房で，門脈血管と肝動脈の血液が腺房の中心に流入し，肝静脈へと流出する (Rappaport AM: The microcirculatory hepatic unit. Microvasc Res 1973 Sep; 6 (2): 212-228 より許可を得て転載).

表 28·1　肝臓の主要な機能

胆汁の産生と分泌
栄養素とビタミン代謝
グルコースや他の糖類
アミノ酸
脂質
脂肪酸
コレステロール
リポタンパク質
脂溶性ビタミン
水溶性ビタミン
種々の物質の不活性化
毒素
ステロイド
その他のホルモン
血漿タンパク質の合成
急性期タンパク質
アルブミン
凝固因子
ステロイド結合タンパク質とホルモン結合タンパク質
免疫
Kupffer 細胞

て血中に戻したりすることにより食後の血糖値を安定化するうえで重要な役割を果たしており，肝臓による**グルコース緩衝作用 glucose buffer function** と呼ばれている．したがって肝不全状態では低血糖症がよく見られる．さらに肝臓は脂質の代謝にも関わっており，肝内外で必要なエネルギーを得るために盛んに脂肪酸酸化を行っている．アミノ酸や炭水化物由来の二炭糖も肝臓で脂肪に変換され貯蔵される．肝臓では体内で必要なリポタンパク質の大部分を合成しており，コレステロールを合成したり，余剰のコレステロールを胆汁酸へと変換したりすることによりコレステロールの恒常性も維持している．

肝臓は，腸管や体内で発生した物質を解毒し血液を浄化する．この機能の一部は物理的な作用である．すなわち，細菌やその他の微粒子は，戦略的に配備された Kupffer 細胞により捕捉され破壊される．その他の反応は生化学的なもので，第一段階は肝細胞に発現する様々なシトクロム P450 酵素によって触媒される．これらの酵素は，外来生物や毒物を不活性で脂溶性の低い代謝産物に変換している．解毒反応は，第一相(酸化，ヒドロキシル化やシトクロム P450 によるその他の反応)と第二相(エステル化)に分類できる．最終的に代謝産物は胆汁中に分泌され，腸管から体外に除去される．解毒作用として，薬剤の排出だけでなく実質的にすべてのステロイドの代謝を司っている．したがって，肝疾患ではそのようなホルモンの過剰作用を示すことがある．

血漿タンパク質の合成

肝臓で合成される主要なタンパク質を表 28·1 に示す．アルブミンは量的に最も重要で血漿の膠質浸透圧の主体をなす．そのうちの多くは**急性期タンパク質 acute-phase protein** であり，ストレス刺激に曝露されると血漿中に分泌される(3 章参照)．その他は血中のステロイドなどのホルモンを運搬するタンパク質であったり，血液凝固因子であったりする．失血の後，肝臓はこれらの血漿タンパク質を数日から数週間のうちに再生する．血漿中の主要なタンパク質のうち，肝臓で合成されていないものは免疫グロブリンだけである．

アンモニアの代謝と排泄

肝臓は生体のアンモニア処理に重要な役割を果たしている(クリニカルボックス 28·1)．アンモニアは中枢神経系(CNS)に有害であり，血液脳関門を自由に通過するので，アンモニアのレベルは厳格に制御しなければならない．肝臓は，尿素回路(Krebs-Henseleit〔クレブス・ヘンゼライト〕回路とも呼ばれる)を完遂できる唯一の器官である(図 1·20)．この回路により，血中のアンモニアは尿素に変換され，尿中へと排泄される(図 28·4)．

血中のアンモニアは，主として大腸と肝臓から生じ，量的には少ないが赤血球の破壊や筋肉の代謝からも発生する．アンモニアが肝臓を通過する際に血中のアンモニアの大部分は肝細胞内へ除去される．肝臓においてアンモニアは，ミトコンドリア内でカルバモイルリン酸に変換され，さらにオルニチンと反応し，シトルリンが産生される．これに続く細胞質内での反応によりアルギニンが産生され，脱水反応により尿素とオルニチンとなる．後者はミトコンドリアに戻り，次のサイクルが始まる．尿素は小分子であるため，類洞の血液に拡散し，その後，腎臓で濾過されて尿として体外に排泄される．

胆　　汁

胆汁は，胆汁酸，胆汁色素およびその他の物質が，

クリニカルボックス 28・1

肝性脳症

肝臓におけるアンモニア代謝の臨床的重要性は，肝不全状態では循環血中のアンモニアレベルの上昇により肝性脳症が生じることから明らかとなる．肝性脳症の初期には，患者はただ混乱したようにみえるが，もし治療しなければこの状態から昏睡や不可逆的な認知機能の障害へと発展する．肝性脳症は肝細胞の機能障害からもたらされるのみならず，硬化した肝臓を迂回して門脈血が短絡するために，硬化せずに残された肝臓部分で血液からのアンモニアの除去が少ししか行われなくなることからも生じる．通常であれば肝臓で解毒されるアンモニア以外の物質も精神状態の変化に寄与するようである．

治療上のハイライト

重篤な肝疾患における認知障害は，大腸から肝臓へと流入するアンモニアの負荷量を減らす(たとえば，腸管腔内で短鎖脂肪酸に変換されて腔内のイオン化アンモニアを吸着するラクツロースなどの非吸収性の炭水化物を摂取させる)ことにより軽減させることができる．しかしながら，重篤な肝疾患に対して真に有効な治療法は肝移植のみである．一方，移植用の臓器が非常に少ないことから，血液を浄化する人工肝臓補助装置には多大な期待が寄せられている．

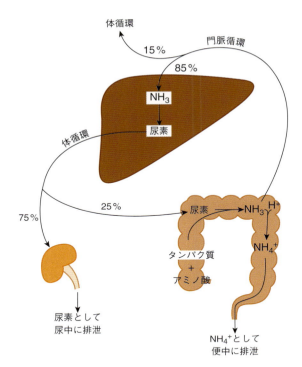

図 28・4　健常者の全身のアンモニア恒常性．生体で産生されたアンモニアの大部分は尿素の形で腎臓から排泄される．

表 28・2　ヒト肝内胆汁の組織

水分	97.0%
胆汁酸	0.7%
胆汁色素	0.2%
コレステロール	0.06%
無機塩	0.7%
脂肪酸	0.15%
ホスファチジルコリン	0.2%
脂肪	0.1%
アルカリホスファターゼ	…

膵液に類似したアルカリ性の電解質溶液中に溶解したものであり(表 28・2)，1 日に約 500 mL が分泌される．胆汁成分の中には腸管で再吸収され，再び肝臓から排泄(**腸肝循環 enterohepatic circulation**)されるものがある．脂肪の消化と吸収における役割(26 章)に加えて，胆汁(そして最終的には便)は脂溶性の老廃物の主要な排泄経路となっている．

胆汁色素 bile pigment のグルクロニドであるビリルビンやビリベルジンは，胆汁の黄金色のもとである．ヘモグロビンの破壊で生じるこれらの産物の生成については 31 章で詳細に述べるが，これらの排泄については次項に記す．

ビリルビン代謝と排泄

体内のビリルビンのほとんどは組織でのヘモグロビンの破壊によって産生されたものである(31 章，図 28・5 を参照)．ビリルビンは循環血中ではアルブミンと結合している．その多くは強固に結合しているが，一部は肝臓で解離し，遊離したビリルビンは有機アニ

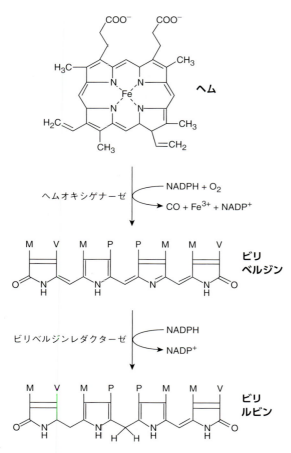

図28・5 ヘムからビリルビンへの変換はヘムオキシゲナーゼとビリベルジンレダクターゼにより触媒される2段階反応である．M：メチル基，P：プロピオン酸基，V：ビニル基．

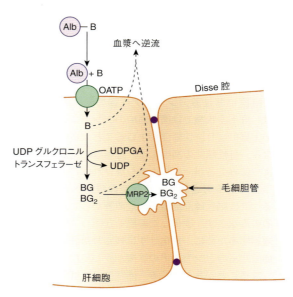

図28・6 肝細胞におけるビリルビンの処理．アルブミン（Alb）に結合したビリルビン（B）は，肝細胞の基底側膜に接したDisse腔へ入り，ビリルビンが肝細胞へ特異的に輸送される．肝細胞で，ビリルビンはグルクロン酸（G）との抱合体となる．抱合体は多剤耐性タンパク質2（MRP-2）のはたらきにより，胆汁中へと分泌される．非抱合型ビリルビンと抱合型ビリルビンの一部は，血漿中にも逆流する．OATP：有機アニオン（陰イオン）輸送ポリペプチド．隣り合う2つの細胞をつなぐ紫色の丸はタイトジャンクション（密着結合）tight junctionを表す．BG：ビリルビンモノグルクロニド，BG2：ビリルビンジグルクロニド．

オン輸送ポリペプチドorganic anion transporting polypeptide（OATP）ファミリーによって肝細胞内へと取り込まれ，細胞質中のタンパク質と結合する（図28・6）．次に，ビリルビンは**グルクロニルトランスフェラーゼ** glucuronyl transferase（UDPグルクロノシルトランスフェラーゼ UDP glucuronosyltransferase）により触媒され，グルクロン酸と抱合される．この酵素は，主として滑面小胞体に局在している．各ビリルビン分子は，2つのウリジン二リン酸グルクロン酸 uridine diphosphoglucuronic acid（UDPGA）と結合してビリルビンジグルクロニドになる．この分子は，遊離ビリルビンに比べて水溶性で，おそらくは多剤耐性タンパク質2 multidrug resistance protein 2（MRP-2）という能動輸送トランスポータにより濃度勾配に逆らって輸送される．少量のビリルビングルクロニドは血中に流出し，遊離ビリルビンよりも緩くアルブミンと結合し，尿中へと排出される．したがって血漿中の総ビリルビンは，通常遊離ビリルビンと少量の抱合型ビリルビンを含んでいる．ほとんどのビリルビングルクロニドは，胆管を通って腸管へと運ばれる．

腸管粘膜では，抱合型ビリルビンはほとんど透過できないが，非抱合型ビリルビンや腸内細菌の作用によって産生されたビリルビンの非着色誘導体であるウロビリノーゲン類は透過性がある．その結果，胆汁色素やウロビリノーゲン類は門脈循環へと再吸収される．再吸収された物質の一部はさらに肝臓から分泌（腸肝循環）されるが，ウロビリノーゲンの一部は体循環に入り尿から排泄される．

黄　　疸

遊離あるいは抱合型ビリルビンが血中に蓄積すると，皮膚，眼球強膜，粘膜は黄染する．この黄染は**黄疸** jaundice（icterus）として知られ，通常，血漿総ビ

リルビン値が 2 mg/dL (34 μmol/L) を超えれば視診で認識できる．高ビリルビン血症は，(1) ビリルビンの過剰な産生 (溶血性貧血など，31 章参照)，(2) ビリルビンの肝細胞への取込みの低下，(3) 細胞内でのタンパク質結合あるいは抱合の障害，(4) 抱合型ビリルビンの毛細胆管への分泌の障害，あるいは (5) 肝臓内外の胆管の閉塞によって生じる．もし (1)〜(3) のいずれかの過程の問題であれば，遊離ビリルビンが増加する．(4) または (5) のような，もし抱合型ビリルビンの分泌障害あるいは胆管の閉塞によるものであれば，ビリルビングルクロニドが血中に逆流し，主として血漿中の抱合型ビリルビンが上昇する．

グルクロニルトランスフェラーゼにより抱合されるその他の物質

滑面小胞体のグルクロニルトランスフェラーゼは，ビリルビンのみならず様々な物質のグルクロニドの形成を触媒する．前述の通り，ステロイド (19 章参照) や種々の薬剤はこの例である．これらのビリルビン以外の化合物は，ある一定量以上あればビリルビンとこの酵素を競合する．また，バルビツール酸，抗ヒスタミン薬，抗痙攣薬などの中には，肝臓でのグルクロニルトランスフェラーゼ活性の増加を伴った肝細胞の滑面小胞体の著しい増殖をもたらすものがある．フェノバルビタールは，先天性のグルクロニルトランスフェラーゼの部分欠損症 (2 型 UDP グルクロノシルトランスフェラーゼ欠損症) に有効な治療薬として使用されてきた．

胆汁中に排泄されるその他の物質

コレステロールとアルカリホスファターゼは胆汁中に排泄される．肝内外の胆管閉塞による黄疸が生じた患者では，通常，血中のこれら 2 つの値が上昇する．肝細胞の非閉塞性病変による黄疸の場合には，はるかに軽度の上昇にとどまることが多い．副腎皮質ホルモンなど，ステロイドホルモンや多くの薬剤は胆汁中に排泄され，その後再吸収される (腸肝循環)．

胆 道 系

胆 汁 の 産 生

肝細胞が産生するすべての主要構成成分は毛細胆管側膜の特定のトランスポータを介して胆汁中に移行す

る．しかしながら，最初に毛細胆管胆汁を形成する主たる駆動力は，胆汁酸の能動的分泌であると考えられている．胆汁酸は浸透圧活性を有するため，毛細胆管胆汁は一時的に高張性になる．しかし，隣接する肝細胞をつないでいるタイトジャンクションは比較的透過性が高く，血漿から胆汁へその他の物質が拡散により受動的に流れ込む．このような物質として，水，グルコース，カルシウム，グルタチオン，アミノ酸，尿素があげられる．

胆汁に含まれるホスファチジルコリンは胆汁酸およびコレステロールとともに混合ミセルを形成する．胆汁酸：ホスファチジルコリン：コレステロールの比率は，毛細胆管胆汁では約 10：3：1 である．この比率が崩れるとコレステロールが析出し，胆石症を引き起こす (図 28・7)．

胆汁は次々と太い細胆管，そして胆管へと移行し，構成成分が変化する．細胆管は特殊な円柱上皮細胞である胆管細胞が縁取っている．胆管細胞のタイトジャンクションは肝細胞より透過性が低いが水は自由に通すため，胆汁は等張性を保っている．細胆管はグルコースやアミノ酸などの血漿成分を回収し，能動輸送により血中に戻している．グルタチオンは胆管細胞の管腔側膜に発現するγグルタミルトランスペプチダーゼ gamma glutamyl-transpeptidase (GGT) という酵素

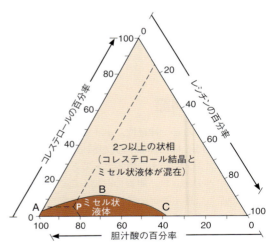

図 28・7 胆汁中のレシチン (ホスファチジルコリン)，胆汁酸塩 (胆汁酸)，コレステロールの比率とコレステロールの溶解性．ABC の線の下方 (たとえば P 点) で表す構成成分の胆汁中では，コレステロールはすべてミセル状の溶液である．ABC の線よりも上方の点では，胆汁中にコレステロールの結晶も混在する (Small DM: Gallstones. N Engl J Med 1968; Sep 12; 279(11): 588-593 より許可を得て複製)．

表 28・3　ヒト肝内胆汁と胆嚢胆汁の比較

	肝内胆汁	胆嚢胆汁
固形成分（%）	2〜4	10〜12
胆汁酸（mmol/L）	10〜20	50〜200
pH	7.8〜8.6	7.0〜7.4

により加水分解されアミノ酸まで分解される．胆汁のグルコースとアミノ酸の除去は，胆汁を特に胆嚢内に貯蔵する際に，細菌が増殖するのを防ぐ上で重要と考えられる（後述）．細胆管は食後に分泌されるセクレチンに応答して保護粘液や IgA のみならず重炭酸塩（HCO_3^-）も分泌する．

胆嚢の機能

健常者では，Oddi 括約筋が閉じている時（すなわち食間時）には胆汁は胆嚢内へ流入する．胆嚢内では，水分が吸収され胆汁は濃縮する．どれくらい濃縮されるかは固形成分の濃度の増加（表 28・3）からわかる．肝内胆汁は水分が 97% であるが，胆嚢胆汁の平均含水率は 89% である．しかし胆汁酸がミセル溶液であるので，ミセルはただ大きくなるだけである．浸透圧は束一的性質 colligative property であるため，胆汁は等張のままである．しかし，（胆汁が濃縮されるにつれ，全体の Na^+ 濃縮は上昇し，Cl^- と HCO_3^- は低下するものの）Na^+ が H^+ と交換されるため胆汁のアルカリ性は低下する*1．

胆汁分泌の調節

食物を口にすると，神経性，ホルモン性の両者の影響を受けて Oddi 括約筋の抵抗が減る（図 28・8）．また脂肪酸やアミノ酸が十二指腸に入るとコレシストキニン（CCK）が分泌され，胆嚢の収縮が起こる．

胆汁の産生は迷走神経の活性化によっても，セクレチンの分泌によっても増加するが，セクレチンは胆汁の水と HCO_3^- を増加させる．胆汁の分泌を増加させる物質を**利胆物質 choleretics** とも呼ぶ．胆汁酸自身が生理的に最も重要な利胆物質である．

---

*1 訳注：コレステロールは胆嚢内で濃縮される．このことは胆嚢胆石の成因を考える上で重要である．

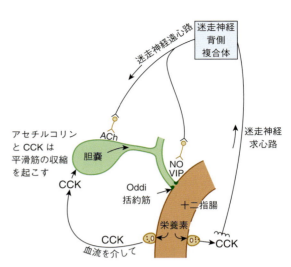

図 28・8　胆嚢収縮と胆汁分泌の神経性および液性の制御．栄養素によるコレシストキニン（CCK）の血流への分泌は胆嚢収縮を起こす．CCK はさらに，迷走神経求心路を刺激し迷走-迷走反射を惹起する．迷走-迷走反射は，アセチルコリン（ACh）による胆嚢収縮を補完するとともに，NO と血管作動性腸管ポリペプチド（VIP）による Oddi 括約筋の弛緩を介し，胆汁の流出を助ける．

胆嚢切除の影響

胆嚢からの間欠的な胆汁分泌は消化の助けになるが必須なものではない．胆嚢切除患者では胆汁はゆっくり一定速度で十二指腸へ流入するが，健康で栄養状態もよい．ただし，実際には胆管径はやや拡張し，食後には食間より多めの胆汁が十二指腸に流入することになる．

胆嚢の可視化

超音波による右季肋部の検査（**超音波検査 ultrasonography**）やコンピュータ断層撮影（CT）は，胆嚢の可視化や胆石の検出に最も広く用いられる検査法となっている．胆嚢疾患を診断する第三の方法が**核胆道シンチグラフィー nuclear cholescintigraphy** である．テクネチウム-99m（^{99m}Tc）でラベルされたイミノ二酢酸誘導体を経静脈的に投与すると胆汁中に分泌され，胆嚢と胆管がきれいにγ線カメラ画像で映し出される．次いで CCK を静脈注射して胆嚢の CCK に対する反応を観察することもできる．内視鏡的逆行性胆管膵管造影 endoscopic retrograde cholangio-pancreatography（ERCP）と呼ばれる方法により内視鏡のチャネルを使い，Oddi 括約筋を経て，造影剤を

クリニカルボックス 28・2

胆　石

　胆石症 cholelithiasis とは胆石が存在する病態であり，頻度の高い疾患である．胆石症の発症率は年齢とともに増加し，米国では 50～65 歳の女性の 20%，男性の 5% は胆石保有者である．胆石にはビリルビンカルシウム石とコレステロール石の 2 種類がある．欧米では，胆石の 85% はコレステロール石である．コレステロール石の形成には 3 つの因子が関わっているとされる．第一に胆汁のうっ滞である．すなわち，結石は胆管中を流れている胆汁中よりむしろ胆囊内で滞った胆汁中で形成される．第二に胆汁がコレステロールで過飽和になることである．コレステロールは胆汁中では極めて難溶性であり，胆汁酸とレシチンが一定の濃度である時のみ，ミセルの形で溶解できる．図 28・7 の ABC の線より上方の濃度構成であると胆汁は過飽和の状態であり，ミセルの状態に加えて小さなコレステロール結晶を含んでいる．しかしながら，胆石のない健常者でも多くは胆汁が過飽和となっている．第三の因子は，過飽和の胆汁からの胆石形成を促す核の形成因子がいくつ重なったかである．体外では胆石症の患者の胆汁は 2～3 日で胆石が生じるが，健常者の胆汁は胆石ができるまで 2 週間以上かかる．核形成の本態はまだ不明であるが，胆囊粘液中の糖タンパク質の関与が考えられている．さらに，胆石ができるのは核形成促進成分が過剰に産生されるからなのか，それとも健常者で胆石ができないように防いでいる核形成抑制成分の産生が減弱しているからなのかも明らかでない．

　胆石が肝臓からの胆汁流出を障害すると，**閉塞性黄疸 obstructive jaundice** を来す．もし，肝臓からの胆汁流出が完全に阻害されると，通常なら胆汁に排泄されるコレステロールなどの物質が血流に蓄積する．胆汁酸の腸肝循環の障害も肝臓での胆汁酸合成を加速する．これらの胆汁酸の中には腎臓から排泄されるものもあり，コレステロールの少なくとも一部がこの機序により間接的に排泄される．しかしながら，停滞した胆汁成分は肝毒性を示すだろう．

治療上のハイライト

　胆石の治療はその特性と症状の重さによって決まる．胆石の多くは無症状であり，胆石の大きさが小さく，胆囊内にとどまっている場合はなおさら無症状である．閉塞を起こすような大きな胆石は外科的，あるいは ERCP により摘出する必要がある場合もある．経口胆石溶解剤は，コレステロールからなる小さな胆石を溶解することもできるが，その効果は緩徐であり，治療中断によりしばしば胆石が再発する．反復する有症状の胆石発作を示す患者を確実に治療するには，胆囊切除が必要であり，現在では通常，胆囊切除は腹腔鏡下に行われる．

注入し胆道系を可視化することもできる．さらに内視鏡から小さな器具を挿入して胆汁，膵液あるいは両方の流れをせき止めている胆石塊を除去することも可能である（クリニカルボックス 28・2）．

章のまとめ

- 肝臓は多様な代謝反応を担っており，蓄積すると有害となる体内の代謝産物に加え，多くの外因性物質を解毒し排泄している．
- 肝臓は大量の血液を濾過し，タンパク質と結合している疎水性物質をも除去できるような構造を有している．この機能は有窓の内皮細胞によっている．肝臓はまた，腸管からの静脈血のほぼすべてを体全体に供給する前に受け取る．
- 肝臓は血糖を安定化させ，血漿中の大部分のタンパク質を合成し，脂質代謝を司り，コレステロールホメオスタシスを保っている．
- ビリルビンはヘム代謝の最終産物であり，肝細胞によりグルクロン酸抱合され，胆汁中へと排泄される．ビリルビンとその代謝産物は胆汁や便の色の素となる．
- 肝臓は血液からアンモニアを除去し，腎臓から排泄するために尿素へと変換する．肝不全の状態ではアンモニアをはじめとする毒素が蓄積し，肝性

脳症を引き起こす.
■ 胆汁には肝細胞から毛細胆管側膜を経て，能動的に分泌された物質および胆汁酸，ホスファチジルコリン，コレステロールが含まれている．胆汁の構成成分は胆管を通過するにつれて，そして胆嚢で貯蔵される間に修飾される．摂食の際に胆汁を有効に利用できるように胆嚢の収縮が制御されている．

多肢選択式問題

正しい答えを1つ選びなさい．

1. 次のうち腸内細菌に起因する敗血症に対して防御にはたらく細胞はどれか．
    A．肝星細胞
    B．胆管細胞
    C．Kupffer 細胞
    D．肝細胞
    E．胆嚢上皮細胞

2. 60歳の男性が，食事制限にもかかわらず腰回りが次第に太くなってきたことを主訴に，主治医を受診した．患者には黄疸もあり，悪心と全身倦怠感を訴えている．腹部に穿刺針を挿入したところ，数リットルの黄褐色の液体が流出した．以下のうち，その増加が液体の貯留に関与しないものはどれか．
    A．門脈圧
    B．肝臓内コラーゲン
    C．血漿アルブミン
    D．肝星細胞の活動性
    E．血漿の漏出性

3. P450群（CYP）は肝細胞に豊富に発現している．次の中でP450が重要なはたらきをしていないものはどれか．
    A．胆汁酸産生
    B．発癌
    C．ステロイドホルモン産生
    D．薬剤の解毒
    E．グリコーゲン合成

4. ある外科医が新しい肝臓移植法を研究している．動物実験で肝臓全摘出術を行った．ドナーの肝臓を移植する前に血中のレベルが上昇していると考えられるのは以下のどれか．
    A．グルコース
    B．フィブリノーゲン
    C．25-ヒドロキシコレカルシフェロール
    D．抱合型ビリルビン
    E．エストロゲン類

5. 肝臓の種々の細胞の機能を解析している研究者が，ある特定タイプの細胞の機能を一過性に停止できるマウスを作製した．このマウスは肝性脳症と矛盾しない行動異常を示した．以下に示すどの細胞の機能を停止させたと考えられるか．
    A．肝星細胞
    B．胆管細胞
    C．Kupffer 細胞
    D．肝細胞
    E．胆嚢上皮細胞

6. 重症の潰瘍性大腸炎の患者が，全結腸切除と人工肛門造設術を受けた．術後回復期が過ぎた時は，術前の状態と比較し，以下のどれが減少していると考えられるか．
    A．脂質吸収能
    B．血液凝固能
    C．血中抱合型胆汁酸濃度
    D．尿中尿素
    E．尿中ウロビリノーゲン

7. 以下のうち，肝内胆汁と比較し胆嚢胆汁で低値を示すものはどれか．
    A．胆汁酸濃度
    B．Cl^- 濃度
    C．H^+ 濃度
    D．グルコース
    E．Ca^{2+} 濃度

8. 経腟分娩された新生児に軽度の黄疸が認められた．しかしながら尿中ビリルビンは陰性であった．この患児の所見は，以下に示した項目のうち，いずれの発現あるいは形成が，発生学的に遅延したことによるものと考えられるか．
    A．腸管の細菌叢のコロニー形成
    B．MDR2

C．UDP-グルクロン酸転移酵素(UDP glucuronyl transferase)
D．ヘム酸素添加酵素(Heme oxygenase)
E．ビリベルジン還元酵素(Biliverdin reductase)

9．40歳の女性が，繰り返し起こるひどい腹痛を主訴にかかりつけ医を受診した．腹痛は油っこい食事を取った後に，特に強く起こる．画像診断により胆嚢が著明に腫大しており，胆嚢胆石症と診断された．胆石が以下のどの部位に嵌頓した際に，膵炎の危険性が高まるか．
　A．左肝管
　B．右肝管
　C．胆嚢管
　D．総胆管
　E．Oddi括約筋

10．45歳の女性が，3日前より，食事を摂取した後に突然上腹部の疝痛が起こるようになり，救急外来に搬送された．検査の結果，胆石がOddi括約筋部を閉塞していることが明らかになった．以下に示す物質のうち，どの血中濃度が減少していると考えられるか．
　A．非抱合型胆汁酸
　B．抱合型胆汁酸
　C．コレステロール
　D．ホスファチジルコリン
　E．アミラーゼ

第Ⅴ編　心血管の生理学

　細胞は間質液として知られる体液の中に浸っており，心血管系はその間質液の組成を狭い範囲で保つことができるように進化してきた．ホメオスタシス（恒常性）は，間質液とは別の体液――血漿を全身に循環させることで維持されている．その際，栄養，酸素，ホルモン，そして必要な代謝産物を供給する特別な臓器，あるいは排泄物を取り除く特別な臓器を通過することで，血漿の条件は整えられる．その後，血漿は必要な物質を他の臓器，組織に移送する．細胞と血漿の間の効率的な物質の交換は毛細血管のネットワークによって達成される．毛細血管の壁は物質の透過に対する抵抗が低く，血管と産物が利用される場所との間の距離も短い．心血管系のポンプ機能は心臓から生じる．心臓は，四腔をもち，肺への循環と身体のその他の部位への循環という直列に配置された2つの循環回路に血液を送る臓器である．

　原理上は，これは単純なシステムに聞こえる．しかし，実際は，各臓器の絶え間なく変わる要求に対応し，必要な物質を必要な時に受け取れるようにするため，極めて精巧な分単位の制御が必要である．たとえば身体を動かし始めた時，収縮している筋肉では筋力を維持するために酸素やグルコースの追加需要が速やかに高まる．グルコースを貯蔵するしくみをもたない脳では，たとえ臥床位から起立状態への移行などによって流体静力学的な負荷が余分にかかったとしても，意識を保つために血流は維持されていなくてはならない．このようなことに対応するために，心血管系は血漿が体内を循環する速度を全身的に調節できるとともに血漿流の行き先を最も必要な場所に変更できなくてはならない．さらに身体は"開いた"システムであり，水分などの体内構成物は定常的に外界に消失していく．循環，そしてそれを司る臓器はそういったホメオスタシスを脅かすものにいち早く対応して，浸透圧，pH，酸素飽和度などを一定の範囲に維持することで生存に必須の生体システムを保障しなくてはならない．

　本編では，身体の要求に応じて適切に物質を移送する心血管系の構成要素について考える．初めに，心臓の四腔を順番に規則正しく収縮させ，一方向の循環を生み出す電気的活動について考える．そしてその後に，間質液との間で溶解した物質の交換を行う血液とその構成要素の特性に関して議論する．血液を循環させるための管，つまり血管の特性に関しては，その制御機構とともに述べる．最後に，独特の役割をもつ特殊部位の循環について議論する．

　明らかに，機能的な心血管系は生命に必須であり，もし心臓の拍動が停止すると不可逆的な障害が多くの臓器で起こる．比較的軽度の心血管系異常であっても，かなりの身体的な負荷となる．実際，総じて心血管疾患は世界的に死亡原因の筆頭であり，また重篤な身体障害の原因となっている．米国においては，心臓病と脳卒中は第1位と第3位の死亡原因となっている疾患であり，成人米国人の1/3が何らかの心血管異常をもつと見積もられている．心血管疾患は入院理由の第1位でもあり，すべての疾患カテゴリーの中で最も経済的な負担が大きい疾患とされている．最後に，いくつかの心血管疾患の治療あるいは予防は素晴らしい進歩を遂げているが，肥満率の増加や，1つ以上の心血管疾患リスクファクターをもつ人口比率の増加に公衆衛生当局者は強い懸念を抱いている．そういった事実から，医療従事者を目指す者は心血管の生理学を深く理解しておくべきである．

CHAPTER 29

心臓の自動性と電気的活動

学習目標
本章習得のポイント

- 心臓伝導系の構造と機能を説明し，各部位の活動電位を比較する
- 心電図が記録される方法，心電図の波形，心電図と心臓の電気軸との関係を説明できる
- 主な不整脈の名称をあげ，それが発生する過程を説明できる
- 心筋梗塞の初期と後期に現れる心電図の主な所見と，初期変化をもたらすイオン事象を説明できる
- 体液のイオン組成の変化によって起こる心電図の変化と心機能の変化を説明できる

■ はじめに

　正常な心臓は，初めに心房が収縮し（**心房収縮 atrial systole**），次に心室が収縮する（**心室収縮 ventricular systole**）という順番で規則正しく拍動する．拡張期 diastole には左右の心房と心室がすべて弛緩し拡張する（30章参照）．心拍動を引き起こす心臓の電気的活動は**心臓伝導系 cardiac conduction system** に起こり，この系によって心筋 myocardium のすべての部位に伝播する．この伝導系を構成しているのは，**洞房結節 sinoatrial node（SA node）**，**結節間心房内伝導路 internodal atrial pathway**，**房室結節 atrioventricular node（AV node）**，**His〔ヒス〕束**とその分枝，**Purkinje〔プルキンエ〕線維系**である．これらの伝導系の様々な部位や，異常条件の下では固有心筋の一部も，自動的に興奮する性質をもっている．しかし，正常状態では，洞房結節が最も早く自動的に興奮（脱分極）し，そこで生じた興奮は他の伝導系の自動性の興奮が発生する前に伝わっていく．そのため洞房結節が正常時の**心臓のペースメーカー（歩調とり）cardiac pacemaker** となり，その自動性興奮の頻度によって心拍頻度が決まる．洞房結節に発生した興奮インパルスはまず心房内伝導路を経て房室結節に伝わる．次に，His 束→その左脚および右脚→Purkinje 線維系→固有心室筋という順番で伝わる．心臓の細胞はその種類によって特徴的な電気的興奮様式をみせる．それら電気的興奮の総体が心電図（ECG，EKG）として記録される．

心臓興奮の発生源と伝播

形態的考察

　ヒトの心臓では，洞房結節は右心房の上大静脈が流入する辺縁部分にある．房室結節は心房中隔の右後部に存在する（図29・1）．Purkinje 型の線維を含む心房筋の束が3つあり，洞房結節と房室結節を結んでいる．その3つの束とは前結節間伝導路 anterior internodal tract，中結節間伝導路 middle internodal tract（Wenckebach〔ウェンケバッハ〕伝導路），後結節間伝導路 posterior internodal tract（Thorel 伝導路）である．右心房と左心房をつなぐ前結節間伝導路の分枝は Bachman 束とも呼ばれる．洞房結節から房室結節への伝導は Purkinje 型でない心房筋を通しても行われるが，上記の3つの束を通して行われる方が速い．

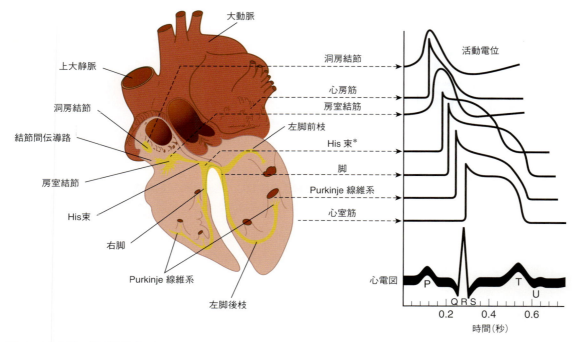

図 29・1　心臓の興奮伝導系．左：興奮伝導系に着目したヒト心臓の解剖学的描写．**右**：洞房結節，房室結節その他伝導系，心房および心室筋の典型的な活動電位を，細胞外の電位記録，すなわち心電図と対比して示した．活動電位と心電図は同じ時間軸上に示したが，比較のために活動電位のゼロ電位の高さを変えてある（＊訳注：共通房室束 common atrioventricular bundle とも呼ばれる）（Donahue JG, Choo PW, Manson JE, et al. The incidence of herpes zoster. Arch Intern Med 1995; 150: 1605-1609; Choo PW, Galil K, Donahue JG, et al. Risk factors for postherpetic neuralgia. Arch Intern Med 1995; 155: 1605-1609 のデータより）．

房室結節は His 束と連続しており，His 束は心室中隔の上端で左脚 left bundle を分枝した後，右脚 right bundle となる．左脚は前枝 anterior fascicle と後枝 posterior fascicle に分かれる．左右の脚とその分枝は心室中隔の両側の心内膜下を走り，Purkinje 線維系に続く．Purkinje 線維系は広く枝分かれして心室全体の固有心筋に広がっている．

典型的な心筋組織（たとえば心室筋細胞）の組織学的構造は 5 章で述べた．伝導システムは，ほとんどの部位で横紋が少なく，境界が不鮮明に変化した心筋細胞で構成されている．心臓の細胞は領域によって異なった組織学的特徴をもっている．伝導に特化した細胞である Purkinje 線維は，収縮に特化した筋細胞と明らかに異なり，大きくてミトコンドリアが少なく，横紋もはっきりしない．洞房結節の細胞は Purkinje 線維と比較すると少し小さく，まばらに横紋がみられ，そして高い内部抵抗のために伝導性は低い（房室結節の細胞にもややその傾向がみられる）．心房筋は心室筋から結合組織の輪（線維輪 fibrous ring）によって遮断されており，正常な状態では両者の間を連絡するのは His 束のみである．

洞房結節は胎生時に心臓原基の右側から，房室結節は左側から形成される．このことが生体では右の迷走神経が主に洞房結節を，左の迷走神経が主に房室結節を支配していることの理由である．同様に，右側の交感神経は主として洞房結節に，左側の交感神経は主として房室結節に分布している．いずれの交感神経も星状神経節に由来している．ノルアドレナリン作動性神経は心外膜側に，一方，迷走神経は心内膜側に存在する．しかし，交感神経と迷走神経の相互抑制作用のための連絡は心筋の両側にある．このことから，アセチルコリンはシナプス前に作用して交感神経からのノルアドレナリン遊離を減らし，逆にアドレナリン作動性神経終末から遊離されるニューロペプチド Y はアセチルコリンの遊離を抑制すると考えられる．

心筋の性質

一般心筋および結節性組織の電気活動とその根底をなす膜のイオン流束については，5 章に述べてある．

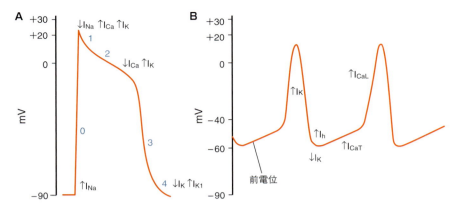

図 29・2　心室筋細胞とペースメーカー細胞における活動電位の比較(模式図)．A:心室筋細胞活動電位の各相(第0〜4相，詳細は本文参照)と膜電位変化に寄与する主な電流変化，I_{K1}：内向き整流性K^+チャネル電流．**B**：ペースメーカー細胞の膜電位．各部位に対応する主な電流をそれぞれの成分の横か下に示す．L：持続性，T：一過性．ここに記述されていないその他のチャネルも前電位の形成に関与している．ペースメーカー細胞の静止電位が心房や心室筋よりやや低いことに注目(訳者改変)．

ここでは後に説明するペースメーカー細胞との比較のため，簡略に説明する．心筋線維はおおよそ−90 mVの静止膜電位をもつ(図 29・2A)．各心筋線維は膜によって隔てられているが，この膜はギャップ結合があるので，あたかも合胞体 syncytium のように脱分極は周りに効率よく伝わる．心筋細胞の活動電位の特徴は速やかな脱分極(第0相)，初期の速い再分極(第1相)，それに続くプラトー(第2相)，ゆっくりとした再分極(第3相)が起こり，静止膜電位(第4相)まで膜電位は戻る．最初の脱分極は，開口の速い電位作動性Na^+チャネルを通過するNa^+の流入(Na^+電流，I_{Na})によって引き起こされる．電位作動性Na^+チャネルの不活性化が速い再分極相に関わる．これに続いて，ゆっくりと電位作動性Ca^{2+}チャネルが開きCa^{2+}流入(Ca^{2+}電流，I_{Ca})が起こり，これがプラトー相を形成する．再分極は膜に分布する多種のK^+チャネルからの正味のK^+流出による．細胞外から電気的現象を記録すると，全心筋線維の活動を統合した心電図(ECG)となる(後述)．心筋各部の活動電位と心電図の関係を図 29・1(右図)に示す．心電図は電気的な記録の総体であり，全体の形は心臓の異なった部位の細胞からの電気活動を反映していることに留意してほしい．

ペースメーカー電位

自動的に興奮する細胞の膜電位は一度インパルスを出した後，徐々に脱分極し発火レベルに至る．このようにして，この**前電位 prepotential** または**ペースメーカー(歩調とり)電位 pacemaker potential**(図 29・2B)は次のインパルスを引き起こす．各インパルスのピークにはI_Kが流れ始め，再分極を起こす．その後，I_Kが小さくなり，Na^+とK^+の両方を通すイオンチャネルが今度は活性化される．このイオンチャネルは過分極 hyperpolarization によって活性化されるので，hチャネルと呼ばれ，その電流はh電流(I_h)と呼ばれる．あるいは，このイオンチャネルの特異(funny)な活性化のためfチャネルとも呼ばれ，その際の電流はfunny電流と呼ばれる．I_h電流が増加するのに伴って膜は脱分極し始め，前電位の最初の部分を生じる．前電位が電位作動性の活性化域値に達するとCa^{2+}チャネルが開く．心臓には2種類のCa^{2+}チャネルがあり，それらは**Tチャネル T channel**(一過性 transient)，**Lチャネル L channel**(持続性 long-lasting)である．Tチャネルを流れるCa^{2+}電流I_{CaT}[*1]は前電位を形成し，Lチャネルを開くことによって生じるI_{CaL}[*1]はインパルスを発生させる．前電位の形成にはその他のイオンチャネルも関与しており，筋小胞体からの局所的なCa^{2+}放出(**Ca^{2+}スパーク Ca^{2+} spark**)の発生を示唆する報告もされている．

洞房結節や房室結節での活動電位は主にCa^{2+}インパルスによって引き起こされ，Na^+流入によるところは非常に少ない．そのため伝導系のその他の部分や心

[*1] 訳注：原文ではI_{Ca}としているがT型Ca^{2+}チャネルの電流をI_{CaT}，L型Ca^{2+}チャネルの電流をI_{CaL}とした方がわかりやすい．図 29・2 参照．

房，心室筋線維のようにプラトーに達する前の鋭く速やかな脱分極はみられない．さらに，正常な状態では，前電位は洞房結節や房室結節にのみ顕著である．しかし，他の部分にも"潜在的ペースメーカー latent pacemaker"が存在し，洞房結節や房室結節が抑圧されるかまたはそこからの伝導がブロックされた時にペースメーカーとしてはたらく．心房筋[*2]，心室筋は前電位を示さない．それらが自動的に興奮するのは損傷を受けた場合あるいは異常状態においてのみである．

洞房結節細胞を支配するコリン作動性の迷走神経線維が刺激されると，膜は過分極し，前電位の勾配は減少する（図29·3）．これは神経終末から遊離したアセチルコリンが洞房結節細胞膜の K^+ コンダクタンスを増加させるためである．この効果はムスカリン性 M_2 受容体を介して起こる．M_2 受容体はGタンパク質の $\beta\gamma$ サブユニットを介してGタンパク質活性化 K^+ チャネル（GIRK チャネル）を開く．こうして起こるムスカリン性 K^+ 電流（I_{KACh}）は I_h の脱分極作用を遅らせる．さらに M_2 受容体の活性化は細胞内の環状アデノシン3',5'—リン酸（cAMP）を減少させ，Ca^{2+} チャネルが開くのを遅らせる．その結果，自動性興奮の頻度は低下する．強い迷走神経刺激は，しばらく自動性興奮を消失させてしまうこともある．

逆に交感神経刺激は I_h の脱分極作用を速め，膜の自発的脱分極速度を促進し，自動興奮頻度を増加させる（図29·3）．交感神経終末から遊離されたノルアドレナリンが β_1 受容体に結合し，細胞内 cAMP が増加した結果，Lチャネルを開いて I_{CaL} を増大し，インパルスの脱分極相の速度を速める．

*2 訳注：心房筋の細胞特性は多様である．特に，右心房には前電位 prepotential をもつ自動能を示す細胞が多数ある．

洞房結節やその他の結節の自動興奮頻度は温度や各種の薬物の影響を受ける．温度が上がると頻度は増加する．発熱時の心拍数増加がこれである．ジギタリスは迷走神経刺激作用に似て，結節組織の活動を抑制する．殊に房室結節に対する作用が著しい（クリニカルボックス29·1，クリニカルボックス5·6 参照）．

クリニカルボックス 29·1

ジギタリスの使用

ジギタリス digitalis，もしくは臨床使用されるその製剤（ジゴキシンやジギトキシン）は200年以上前の医学書に記載が見つかる．ジギタリスは，最初，植物のキツネノテブクロ（学名：Digitalis purpurea）から抽出された．適切な投与によって心収縮の増強が見込めるが，これは薬物の Na^+, K^+-ATPase の阻害作用により，Ca^{2+} 遊離量が増加することによる（訳注：このジギタリスの心収縮力増強作用には Na^+/Ca^{2+} 交換輸送体（アンチポータ）が重要な役割を果たしているという研究成果が得られている．Na^+, K^+-ATPase の阻害により細胞内 Na^+ 濃度が上昇し，結果として Na^+/Ca^{2+} 交換輸送体による Na^+ の濃度勾配依存的な Ca^{2+} の細胞外への排出が減少し，細胞内 Ca^{2+} 濃度の上昇が起こることがこの作用に関わっていると考えられている）．また，ジギタリスは房室結節の伝導速度を遅め，そのため心室への房室伝播を変化させる．

治療上のハイライト

ジギタリスは収縮性心不全の治療に用いられている．心臓の収縮力を増加させ，それにより心拍出量と左室排出を改善し心室充満圧を減らす．ジギタリスは心房細動や心房粗動の治療にも用いられている．この場合，ジギタリスは房室結節を伝わる興奮の数を減らし，効果的な心拍数（レート）コントロールをもたらす．

両方の例において，過去20年間に代替療法の開発が行われた．副作用の危険性が高く，投与量を厳密に調節する必要のあるジギタリスの使用は減ってきている．しかし作用機序と毒性の詳細な理解が得られるようになり，ジギタリスおよび臨床利用されるその誘導体は現在の医学においても重要な薬物であり続けている．

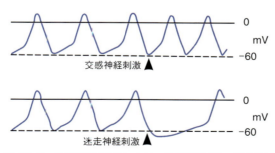

図29·3　交感神経（アドレナリン作動性神経）と迷走神経（コリン作動性神経）の洞房結節細胞の膜電位に対する効果．前電位の傾斜が迷走神経刺激の後に減少していること，交感神経刺激の後に自発的な興奮が亢進していることに注目．

29. 心臓の自動性と電気的活動

表29・1　心筋興奮伝導速度

心筋部位	興奮伝導速度(m/秒)
洞房結節	0.05
心房筋	1
房室結節	0.05
His 束	1
Purkinje 線維系	4
心室筋	1

心臓内の興奮伝播

洞房結節に始まった脱分極は左右の心房内を放射状に広がり，右房の興奮は房室結節に集中する．心房全体に興奮が広がるのに約0.1秒かかる．房室結節中の興奮伝導速度は極めて遅いので(表29・1)，興奮がここを経て心室に到達するのに0.1秒の遅れを生じる(**房室結節遅延 AV nodal delay**)．房室結節細胞の活動電位の脱分極相(第0相)においてI_{Na}が減弱した場合，伝導は著しく損なわれる．また，房室結節遅延は心臓交感神経刺激によって短縮し，心臓迷走神経刺激によって延長する．心室の脱分極は心室中隔の上部から始まり興奮伝導性の高い Purkinje 線維中を速やかに伝わるので心室全体に0.08～0.1秒で伝わる．ヒトでは心室筋の脱分極は心室中隔の左側に始まり，まず中隔の中心部を越えて右側にも伝わる．次いで中隔内を心尖に達し，方向を転じて心室壁の各部ではそれぞれ心内膜側から心外膜側へ向かって脱分極が進む(図29・4)．興奮波が最後に到達する部位は左室の後面の心基部と肺動脈円錐および心室中隔の最上端である．

心　電　図

体液は電気の伝導体であるから(つまり，身体は**容積導体 volume conductor** であるから)心臓の全線維の活動電位の代数的総和として電位変動を体外から記録することができる．このような電位変動記録を**心電図 electrocardiogram〔ECG**，あるいは **electrokardiogram (EKG)**〕と呼び，心臓収縮1周期ごとにそれが記録される．

心電図は**関(係)電極 active electrode**(または**探査電極 exploring electrode**)とゼロ電位にあたる**基準電極**(または**不関電極 indifferent electrode**)とを組み合わせるか(**単極誘導**または**単極導出 unipolar recording**)，2つの関係電極を組み合わせるか(**双極誘導**または**双極導出 bipolar recording**)して記録する．容積導体内では起電力(電流源)を中心とする正三角形の頂点の単極電位の和は常にゼロである．左右の腕と左下肢にそれぞれ装着した電極は心臓を中心とする正三角形(**Einthoven〔アイントーベン〕の三角形**，後述)の頂点に相当すると近似的にみなすことができる．これらの2つずつを組み合わせた3つの誘導は心電図の**標準肢誘導**である．もしこれらの3電極を一点につなぐと[*3]，基準電極，つまり近似的にいつもゼロ電位の点が得られる．容積導体内では，脱分極(興奮)が関係電極に向かって近づいてくる時は正の振れを生じ，逆に脱分極が電極点よりも遠ざかっていく場合には負の振れを生じる．

ヒトの心電図の各種の電位変動波とセグメントの名称を図29・5に示す．単極誘導において関係電極の電位が基準電極に対して正電位となった時に上向きの振れ，負電位ならば下向きの振れとして記録するのが慣習となっている．図29・1で示したが，P波は主に心房の興奮によって生じる．QRS群は心室の脱分極によって生じ，T波は心室の再分極によって生じる．U波は常にあるとは限らないもので，長い活動電位長をもった心室筋細胞の活動による可能性がある．しかし，この部分の由来はまだよくわかっていない．心電図の各種の振れの時間間隔とその時相に起こっている心筋の活動をまとめて表29・2に示す．

双極誘導

これは単極誘導より古くから用いられてきた．**標準肢誘導**は，右腕，左腕，左脚のいずれか2つの電位の差を記録するものである．心臓に発生する電流は，胴体の体液中のみを流れて四肢へは流れないから，四肢のいずれかに置いた電極の電位はその四肢の胴体への付着点に置いた電極の電位に等しい．第Ⅰ誘導 lead Ⅰは右腕と左腕間の誘導，第Ⅱ誘導 lead Ⅱは右腕と左脚間の誘導，第Ⅲ誘導 lead Ⅲは左腕と左脚間の誘導である．これらではいずれも前に記した電極が後に記した電極より負電位になった時に振れが上方に向かうように記録する．

[*3] 訳注：等しい抵抗を介して．

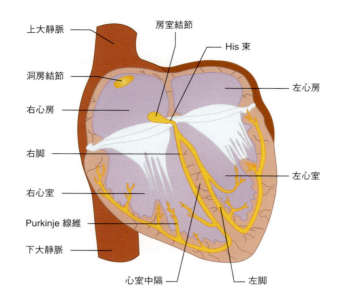

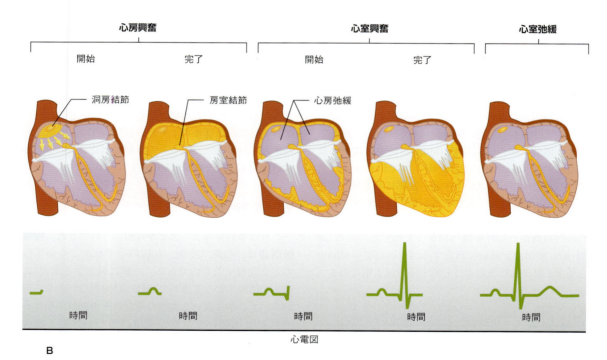

図 29・4 心臓の正常興奮伝播．A：心臓の興奮伝導系．**B**：心臓興奮が伝わる順番．**上**：電気活動の解剖学的部位．**下**：対応する心電図．黄色部位は脱分極している部位を示す(Goldman MJ: *Principles of Clinical Electrocardiography*, 12th ed. 原典：Appleton & Lange. Copyright © 1986 by McGraw-Hill より許可を得て複製)．

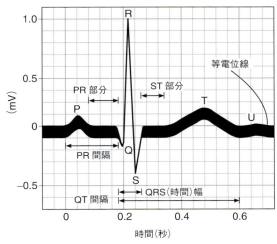

図 29・5 心電図の振れ． 心電図(ECG)を構成する各棘波および各間隔の標準的な呼び名を図中に示している．波の振れ方向に寄与する電気的な活動は本文と表 29・2 で説明している．

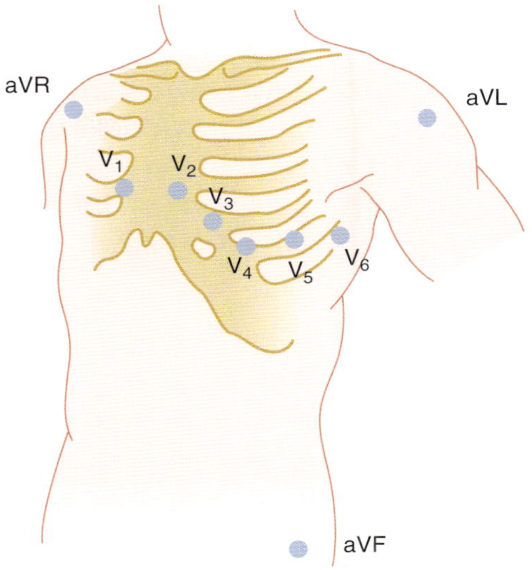

図 29・6 心電図単極誘導． 標準単極誘導の位置を図中に示す．増高四肢誘導(aVR, aVL, aVF)に関しては右腕，左腕，左脚にそれぞれ置く．6 つの単極胸部誘導(V_1〜V_6)に関してはそれらの正確な位置を示している．

単極胸部誘導

臨床心電図では双極誘導の他に，**探査電極と基準電極**の間の電位差を記録する 9 つの単極誘導が臨床心電図として用いられる．すなわち，6 つの単極胸部誘導 V_1〜V_6(図 29・6)と 3 つの単極肢誘導 VR(右腕)，VL(左腕)，VF(左脚)である．両腕と左脚の 3 つの電極を 1 つの中央電極に連結させ，これを基準電極として用いる．この V 誘導は電気活動がキャンセルされるため，効果的にゼロ電位を測定できる．aVR，aVL，aVF と a を付して標記される**増高単極肢誘導 augmented limb lead** が一般に使用される．増高単極肢誘導は V 誘導をゼロとして用いず，むしろ 1 つの増幅した誘導点と他の誘導点の間の電位を記録する．

その電位が通常の VR，VL，VF とまったく同じ形を保ちながら 50% だけ大きくなっている(1.5 倍)．

単極誘導はカテーテルの先端を食道や心臓に挿入し，その先端に付けた電極から記録することもできる．感度は高まるが，明らかに侵襲性も高まるため，心臓電気生理学的検査の最初の手段とはならない．

正常心電図

健常人の各誘導の心電図のトレースを図 29・4B，図 29・7 に示す．心臓各部で脱分極が進行する空間的な広がりの順序(図 29・4)と，電極に対する心臓の位

表 29・2 心電図の時間値

指標	各波の持続時間(秒)		生理的意義
	平均	変動範囲	
PR 間隔[a]	0.18[b]	0.12〜0.20	房室伝導
QRS 時間	0.08	〜0.10	心室脱分極
QT 間隔	0.40[c]	〜0.43	心室の活動電位
ST 間隔(QT と QRS の差)	0.32	…	心室の活動部位プラトー部分(相)

a) PR 間隔は P 波の初めから QRS 群の初めまでの時間．
b) 心拍頻度が高まると短縮する．たとえば心拍数 70 拍/分で平均 0.18 秒が心拍数 130 拍/分で 0.14 秒となる．
c) 心拍数によってはさらに小さな値(0.35 秒)となる．

置関係(図29・7)は心電図の各誘導の記録波形の生理学的意義を考えるうえで重要である．心房は胸腔内で後部に位置している．心室は心臓の心基部および前面を形成している．したがって，aVR の関係電極の位置は左右の心室をその内腔から"眺める"位置にある．そして心房の脱分極，心室の脱分極と再分極は常にこの電極から遠ざかる方向に動くから，P 波，QRS 群，T 波はすべて負(下向き)の振れ negative (downward) deflection となる．aVL と aVF 誘導の関係電極は，心室を外から眺める位置になるのでこれらの誘導の振れは正あるいは二相性となる．V_1 と V_2 には Q 波はなく，QRS 群は小さく上向きに振れて始まる．その理由は心室の脱分極は初め中隔の中央部を左室側から右心側に横切り，V_1, V_2 の誘導点に向かうからである．

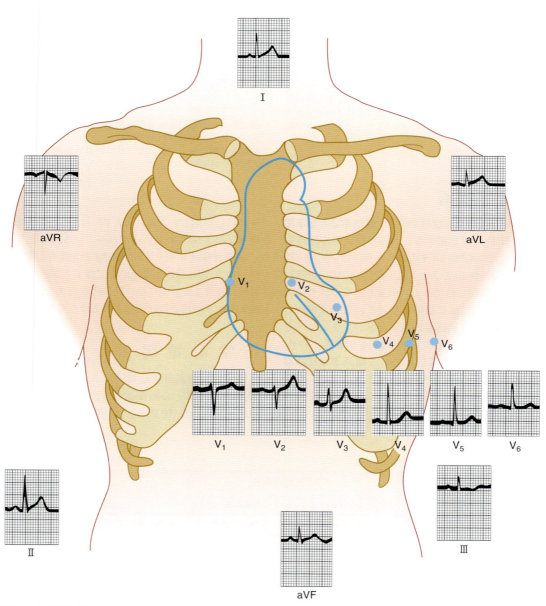

図 29・7　正常心電図． トレース図は，図中に示した位置の電極から記録される正常心電図を表している．詳細は本文を参照(Goldman MJ: *Principles of Clinical Electrocardiography*, 12th ed. 原典：Appleton & Lange. Copyright © 1986 by McGraw-Hill より許可を得て複製).

次いで興奮は中隔を心尖部に，さらにその主力は左室の方へ向かうことから，大きなS波を描く．興奮が全心室に行きわたると心電図は等電位線 isoelectric line に戻る．左室誘導(V_4〜V_6)で，初め小さい下方の振れ(Q波)は脱分極が心室中隔を左→右へ進むことによって生じ，次に中隔および心室壁の脱分極による大型のR波が描かれ，その後，V_4とV_5では心室壁の後期脱分極が房室境界に戻っていくことによって中等大のS波が現れる．正常の心臓でもその位置は個体により様々に変わり，その位置はいろいろな誘導での心電図の波形に影響を与えることに留意してほしい．

双極誘導と心起電力ベクトル

標準肢誘導は，2点の電位差を記録するものであるから，各誘導での様々な瞬間の値はその誘導の軸方向から見た心臓の**起電力**(**心起電力ベクトル cardiac vector** または **cardiac axis**)の大きさと方向を反映している．ある瞬間の前額面二次元平面における心起電力ベクトルは，標準肢誘導のいずれか2つの電位から計算できる(図29・8)．もっともこれは右腕，左腕，左脚が容積導体内で心起電力の位置を重心とする正三角形の頂点に相当するものとするEinthovenの三角形の考えに従うと仮定しての話である．この仮定は厳密には正しくないが，この上に立って計算したベクトルは十分有効な近似となっている．**平均QRSベクトル mean QRS vector**("心臓の電気軸 electrical axis of the heart")はよく使用されている．この平均QRSベクトルは各肢誘導のQRSの振れの時間平均値を図29・8のようにプロットして求められる．これは**平均ベクトル mean vector**であり，**各瞬間のベクトル instantaneous vector**とは違っている．平均のQRSの振れは正確には各誘導電位をQRS時間中積分して平均し測定しなければならない．しかし，近似的にはQRS群の最大の正負の振れの代数和で代用させることができる．健常人の心臓の電気軸の方向(QRS平均ベクトルの方向)は図29・8の角度表示でいうと−30〜+110°の間にある．このように計算された電気軸の方向が−30°以下であるか，または+110°以上である時には，それぞれの心臓電気軸の**左軸偏位 left axis deviation** または**右軸偏位 right axis deviation** があるという．右軸偏位は右室肥大，左軸偏位は左室肥大を示唆する．しかし心室の肥大を心電図により診断するには，信頼性の高い基準が他に存在する．

His束電位図

心臓ブロックを示す患者では房室結節，His束およ

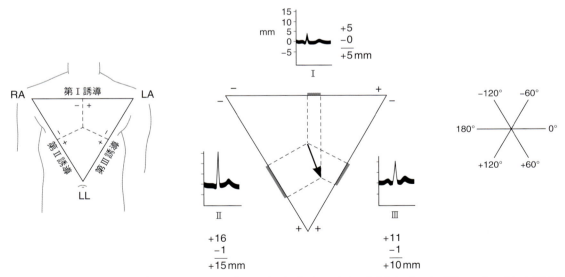

図29・8　心起電力ベクトル．左：Einthovenの三角形．正三角形3辺の中点より各辺に立てた垂線は1点に交わる(重心)．この点は心起電力の存在位置にあたる．RA：右腕，LA：左腕，LL：左脚．**中**：平均QRSベクトルの求め方．各誘導につきQRS群のRと最大の下方の振れの代数和を求め，それに相当した長さをその誘導を代表する辺上にとる．これらの点からの各辺の垂線は1点に交わるが，心起電力の中心からこの点に向かって引いたベクトルは心起電力に比例した大きさと，それに一致した方向をもつ．**右**：心起電力ベクトルの方向を表示する角度軸．

び Purkinje 線維系の電気現象がしばしば検査される．これらの記録を得るには先端に1つの電極を備えたカテーテルを静脈から右心内に入れ，適切に操って先端を三尖弁の近くにもっていく．同時に3つまたはそれ以上の標準心電図誘導を記録する．このカテーテル電極によって得られる電気活動の記録（図29・9）を **His 束電位図 His bundle electrogram（HBE）**と称する．正常心臓では右心房の下部が活動するとAの振れが出る．次いで，His 束中の伝導によりHの振れが，続いて心室の脱分極によりVの振れが生じる．HBEと同時に心電図標準誘導を記録すると次の3種類の時間間隔を正確に測ることができる．（1）PA 間隔：心房の振れの始まりから HBE の初めの振れ（A 波）まで．これは洞房結節から房室結節（右心房下部）までの興奮伝導時間を示す．（2）AH 間隔：A の振れからHの振れの初めまで．これは房室結節部の伝導に要する時間を示す．（3）HV 間隔：H の最初から心電図の QRS の振れの始まりまで．これは His 束およびその脚の伝導に要する時間を示す．成人でのこれらの時間間隔はほぼ PA＝27 ミリ秒，AH＝92 ミリ秒，HV＝43 ミリ秒である．これらの数値は房室結節内の伝導が相対的に遅いことを示している．

心電図の連続監視

心電図が患者管理に用いられるようになって久しい．過去には，心電図は多くの場合，病院の冠状動脈疾患集中治療室 coronary care unit（CCU）において連続的に記録されていた．生命に危険な不整脈が発生すると警報音を発する装置も用意されている．小型のテープレコーダー［**Holter**〔ホルター〕**モニター装置（Holter 心電図）Holter monitor**］を使って患者が自由に歩き回れる状態で，日常の外出活動時でも心電図を記録できる．その記録は，後に高速で再現 play back

して分析される．このような長時間の記録は不整脈の判定評価および心筋梗塞より回復途上にある患者の治療方針樹立に有用であることがわかってきた．現在では，個々の患者に接続できる近代的なシステムがあり，それを用いることによって拍動リズムを数日間にわたって取得し記録することが可能であり，長期間の電気活動をよりよく評価できる．

臨床への応用：心臓不整脈

正常の心拍頻度

正常な心臓では興奮は自発的に洞房結節で起こる[**正常洞調律 normal sinus rhythm（NSR）**]．その頻度は安静時に約 70 拍/分（BPM: beats per minute）であるが，睡眠中は下がり（**徐脈 bradycardia**），情動，身体運動，発熱，各種の感覚刺激によって上がる（**頻脈 tachycardia**）．正常な頻度で呼吸している健康な若年者は，心拍リズムは呼吸に関連して周期的に変化する．すなわち，吸息相に頻脈となり，呼息相に徐脈となる．これは深呼吸するとさらにはっきりとする[*4]．この**洞性不整脈 sinus arrhythmia**（図29・10）は正常な生理現象であり，主に心臓を支配する迷走神経の活動変化に

*4 訳注：呼吸性不整脈 respiratory arrhythmia．

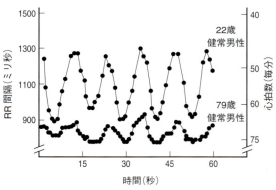

図 29・10　若年男性と老年男性の洞性不整脈．被験者は毎分5回の呼吸をしている．毎回の吸息とともに RR 間隔（R 波と R 波の間隔）は減少する（心拍数は増加する）．老人では若い人に比べてこの不整脈の程度が著しく低下していることに注目．これらの記録はβアドレナリン作用ブロックの下で得られたものであるが，このブロック効果のない場合でも結果はほぼ同様だろう（Pfeifer MA, Weinberg, CR, Cook D, Best JD, Reenan A, Halter JB: Differential changes of autonomic nervous system function with age in man. Am J Med 1983; 75: 249 より許可を得て複製）．

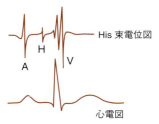

図 29・9　正常の His 束電位図（HBE）．心電図を同時に示す．侵襲的な電極を用いて記録された HBE に標準的な心電図記録を重ねている．HBE の脱分極のタイミングは本文中で説明している．

クリニカルボックス 29・2

洞不全症候群

洞不全症候群 sick sinus syndrome（徐脈頻脈症候群 bradycardia-tachycardia syndrome, 洞結節機能不全 sinus node dysfunction）は心調律異常の特徴をもつ疾患をまとめて呼ぶ呼称である．**洞徐脈 sinus bradycardia**（洞結節の通常のペースメーカー細胞の興奮が緩徐となった徐脈）や**頻脈 tachycardia**, **徐脈頻脈 bradycardia-tachycardia**（徐脈と頻脈が交代で起こる）などが含まれる．洞不全症候群は比較的珍しく，そして通常50歳以上の患者にみられる．原因ははっきりせず，心臓の伝導系に傷痕がみられることがしばしばある．若い患者，特に小児にみられる場合の洞不全症候群の原因は心臓，特に上腔の外科手術に伴うものであることが一般的である．症状が一時的に現れるため, Holter 心電図が洞不全症候群の診断に有効である. Holter 心電図のモニタリング中に，心房頻拍のエピソードとともに，極めて緩徐な心拍や休止が観察される可能性がある．

治療上のハイライト

治療は病気の重症度と型に依存する．頻脈はよく薬物療法によって治療される．洞不全症候群の患者に明らかな徐脈もしくは第3度の心臓ブロックが認められる時，ペースメーカー植込み術が適用となる．この装置は機能性と信頼性が増してきており，洞結節機能不全, 房室ブロック, そして二束ブロックや三束ブロックの患者に有効である．また，頸動脈洞刺激によって心拍が3秒以上休止する重篤な神経性失神の患者にも有効である．

よる．吸息相では，肺の伸展受容器から発するインパルスが迷走神経を通って延髄の心臓抑制領野を抑制する．これによって心拍出量を下げていた迷走神経のインパルスが減じ，心拍数が増加するのである．洞房結節を侵す病変が生じるとめまいや失神を伴う著しい徐脈を来す（クリニカルボックス 29・2）．

ペースメーカー異常

房室結節および伝導系の各所は，異常状態においては，心臓のペースメーカーになることがある．さらに病的な心房および心室筋束では膜電位が浅くなり，反復興奮を発生することがある．

上に述べたように，洞房結節の興奮頻度は他の刺激伝導系の各部よりも速い（頻度が大）．そのため正常の場合は，洞房結節が心拍の頻度をコントロールしている．心房から心室への伝導が完全にブロックされると，**完全（第3度の）心臓ブロック complete（third-degree）heart block** が生じる．この時，心室が心房とは無関係の極めて緩徐なリズムで収縮する（**心室固有調律 idioventricular rhythm**）（図29・11）．このようなブロックは，房室結節の病変（**房室結節ブロック AV nodal block**）あるいは房室結節部以下の伝導系の病変（**結節下ブロック infranodal block**）によって起こる．房室結節ブロックの患者では残って活動する結節組織がペースメーカーとなり，心室固有調律の頻度は45拍/分程度になる．His 束の病変による結節下ブロックの患者では心室のペースメーカーは伝導系のさらに末梢部に存在し，心室興奮頻度はいっそう低くなり，平均35拍/分，時には15拍/分にまでも下がる．このような患者では，心室の収縮停止期 asystole が1分またはそれ以上続くこともある．その結果，脳虚血 cerebral ischemia のため，めまいと失神が起こる（**Stokes-Adams〔ストークス・アダムス〕症候群**）．このような完全ブロックは，心室中隔の心筋梗塞や，先天性心室中隔欠損の手術の際に His 束を傷つけた場合などに起こる．

房室間の伝導が遅くなるが，完全に遮断されない時は**不完全ブロック incomplete heart block** となる．毎回の心房興奮は心室へ伝わるが，房室間の伝導に異常に長い時間がかかり，心電図 PR 間隔が延長している場合には**第1度のブロック first-degree heart block** である．次に心房興奮が時に心室に伝わり，または伝わらない場合を**第2度のブロック second-degree heart block** という．たとえば，心房興奮の2回に1回，または3回に1回だけ心室に伝わる（2：1ブロック，3：

PR＝0.16 秒
正常

PR＝0.38 秒
第1度の房室ブロック

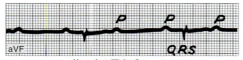
第2度の房室ブロック
（2：1のブロック）

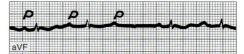
第2度の房室ブロック
（Wenckebach 現象）

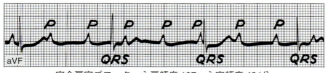
完全房室ブロック，心房頻度 107，心室頻度 43/分

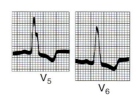
左脚ブロックの典型例，V 導出

図 29・11 心臓ブロック． 個々のトレース図は心臓ブロックのいくつかの型を示している．それがふさわしい時には，単極誘導記録を示している．詳細は本文を参照．

1 ブロック）というのもある．不完全ブロックのあるものでは PR 間隔が 1 回ごとに次第に延長していき，ついに 1 回房室伝導が欠ける(**Wenckebach 現象 Wenckebach phenomenon**)．この際 1 回心室収縮が欠けた直後の心興奮での房室伝導時間は正常かまたはわずかに延長しているだけである（図 29・11）．

時には His 束の左右の脚の一方のみが伝導不能になることがある[**右脚ブロック right bundle branch block (RBBB)** または **左脚ブロック left bundle branch block (LBBB)**]．この時は，興奮はまずブロックのない脚を通って正常通りにその側の心室に伝わり，その側から脚ブロックのある側へ心室筋を経て伝播する．したがって，心室収縮の頻度は正常であるが，心室内を興奮が広がる順序と速度が異常であるから心電図の QRS 群が幅の広い異常な形となる（図 29・11）．ブロックはまた左脚の前枝あるいは後枝に生じることがある．これを**ヘミブロック hemiblock** または **分枝ブロック fascicular block** と呼ぶ．左脚前枝ヘミブロックでは心電図に異常な左軸偏位の所見が，左脚後枝ヘミブロックでは異常な右軸偏位の所見が出る．分枝ブロックと脚ブロックが併存することもまれでない（**二束ブロック bifascicular block** または **三束ブロック trifascicular block**）．His 束電位図を用いると伝導系に障害のある場合にブロックの部位を詳細に分析することができる．

異所性興奮源

正常状態では心筋細胞は自発的興奮を起こさない．また，His 束と Purkinje 線維系が自発興奮の原因となる可能性は低い．なぜならばこれらの部分よりも洞房結節の方が自発興奮頻度が高いからである．しかし，病的状態では His-Purkinje 線維系や心筋細胞が自発的に興奮することがある．このような状態を，**心筋の自動能亢進 increased automaticity** という．ひとたびこのような興奮源（**異所性興奮源 ectopic focus**）からインパルスが出ると，それは次の，正常に来るべき興奮より早期に現れることになり，一過性に心臓拍動のリズムが乱される[心房性 atrial，房室結節性 nodal，心室性 ventricular **期外収縮 extrasystole**（または **早期収縮 premature beat**)]．異所性興奮源が正常のペースメーカーである洞房結節より速い頻度で発射を繰り返

す場合には，非常に速い規則的な頻拍となる（**心房性** atrial，**心室性** ventricular，**結節性** nodal **発作性頻拍 paroxysmal tachycardia** または**心房粗動 atrial flutter**）．

リエントリー（興奮の再入）

発作性不整脈のより一般的な原因は，興奮伝導の欠陥である．伝導欠陥の結果，興奮波は一定の閉じた回路を繰り返して伝わっていくことになる（**興奮の旋回 circus movement**）．たとえば，伝導系のある部分の一側に一過性のブロックが生じた場合，インパルスは反対側を伝わる．一過性ブロックが消え去ると，インパルスは先にブロックした側を起始部に向かって逆行性に伝わりそこから再び下行する．こうして興奮の旋回が起こる．臨床での心筋での一例を図29・12に示す．リエントリー（興奮の再入）reentry が房室結節内で起こるとリエントリー性興奮は心房を脱分極する．その結果生じる心房の拍動はエコー（反響 echo）と呼ばれる．さらに結節内のリエントリー性興奮は，心室にも下り，発作性結節性頻拍を来す．旋回興奮は心房または心室筋束内でも生じる．心房と心室との間に Kent〔ケント〕束 bundle of Kent と呼ばれる異常な副伝導路がある人たちでは，旋回興奮は房室結節を正常方向に通過するとともに，異常な副伝導路から逆方向に通過し，心房と心室間でぐるぐると興奮が旋回することになる．

心房性不整脈

心房内の自動興奮源に発した興奮は，房室結節の早期に刺激し，その興奮は心室にも伝わる．このような心房性期外収縮の心電図の P 波の形は異常であるが，QRST の波形は正常である（図29・13）．心房の期外興

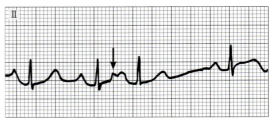

心房性期外収縮

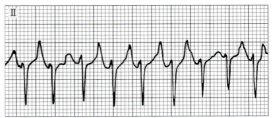

心房頻拍

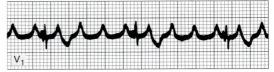

心房粗動

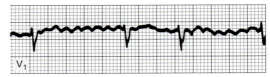

心房細動

図 29・13　心房性不整脈．一番上の図から順番に，P 波が前の心拍の T 波と重なった心房の期外収縮（矢印），心房頻拍，4：1房室ブロックを伴う心房粗動，心室拍動がまったく不規則となった心房細動．電気活動を捉えるために用いた誘導はそれぞれのトレース図に示している（Goldschlager N, Goldman MJ: *Principles of Clinical Electrocardiography*, 13th ed. 原典：Appleton & Lange. Copyright © 1989 by McGraw-Hill より許可を得て複製）．

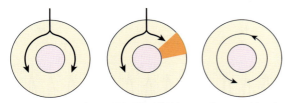

図 29・12　輪状の心筋組織の脱分極．正常では一端より入ったインパルス（興奮）は左右に伝わり（**左**），両方を進むインパルスの直後の組織は不応期にある．もし一過性の伝導ブロック（オレンジの部分）がいずれかの側に生じる時にはインパルスはブロックのない側を回り（**中央**），一過性ブロックが消え去るとそこを通過し，輪を描いていつまでも伝導し続ける（興奮の輪回）（**右**）．

奮は，洞房結節にも進入し，これを脱分極させうる．その後，洞房結節はいったん再分極し，再び脱分極し，閾値に達して初めて次の正常な自動興奮を起こす．その結果として期外収縮と次の正常な興奮の間に小休止 pause が生じる．この小休止は期外収縮に先行する正常の自動興奮の間隔と一般的には同じであり，心拍リズムはリセットされる（後述）．

心房の異所性興奮源が規則的に興奮するか，またはその興奮のリエントリーがあると220拍/分くらいまでの心房性頻拍が起こる．時には（殊にジギタリス投与の場合）ある程度の房室ブロックがこれに伴う（**房**

室ブロックを伴う発作性心房頻拍 paroxysmal atrial tachycardia with block).

心房粗動の場合は,心房興奮頻度が200〜350拍/分に達する(図29・13).このタイプの不整脈では多くの場合,右心房内での大きな逆時計回りの旋回が起こっている.これが心房興奮による特徴的なノコギリ波状の粗動波を形成する.心房粗動にはほとんど例外なく2:1またはそれ以上の不完全房室ブロックを伴う.これは,成人では房室結節は230拍/分以上の頻度の興奮を伝えることができないからである.

心房細動 atrial fibrillation では,心房興奮頻度は極めて高く(300〜500拍/分)リズムはまったく不整で,無秩序である.房室結節も不整間隔で興奮し,したがって心室興奮も完全に不規則(通例80〜160拍/分)となる(図29・13).この状態は発作性に起こることも慢性的に持続する場合もある.また,症例によっては遺伝的素因がみられることもある.心房細動の原因は今でも論争中であるが,多くの場合は両心房に起こる複数の同時に旋回するリエントリー性の興奮波によると思われている.しかし,発作性心房細動のいくつかのものは1つあるいは複数の異所性興奮源からの発射によるようである.これらの興奮源の多くのものが肺静脈の中の心臓から4cmくらいの距離の部分にあるようである.心房筋束が肺静脈内へ侵入して,これらの発射の起源となっている.

心房性不整脈の結果

時折起こる心房性期外収縮は健常人にでもみられるもので,特に病的意味をもつものではない.発作性心房性頻拍,心房粗動では心室収縮頻度も高く,心室拡張期も短縮して,その間に十分な量の血液が心室を満たす余裕がないため心拍出量が低下し,心不全の症状を呈するに至る.心室収縮頻度が高い時には心房細動でも心不全が起こってくる.心臓迷走神経が興奮すると,その神経終末から遊離されるアセチルコリンは,心房内および房室結節における興奮伝導を抑圧する.眼球を圧迫したり(**眼球心臓反射 oculocardiac reflex**)頸動脈洞をさすると,反射的に心臓迷走神経が興奮するため,しばしば発作性頻拍症を,時には心房粗動すらも正常調律に戻す.また,迷走神経刺激は房室伝導ブロックを強めてすぐに心室収縮頻度を遅くする.ジギタリスも房室伝導を抑制するので,心房細動における高い心室収縮頻度を下げるために使用される.

心室性不整脈

心室内の異所性興奮源に発した期外収縮では,心電図 QRS 群は通例幅の広い奇異な波形を呈する(図29・14).これは異所性興奮源に発した心室興奮が心室内を低速度で伝播するからである[*5].心室の期外収縮は通例 His 束を興奮させ得ないから心房に逆行しない.一方,このすぐ後に洞房結節からの正常の興奮が心房を興奮させる.この P 波は通常は期外収縮性 QRS 群に隠れて認めにくいことがある.さらに,その興奮が心室に達しても,心室は期外収縮の脱分極後の不応期にある.

しかしさらにその次の洞房結節からの正常興奮は正常に心室に伝えられる.こうして心室性期外収縮の直後には**代償性休止期 compensatory pause** がみられることになる.この休止期は心房性期外収縮後の休止期よりも長い.さらに心室性期外収縮は洞房結節の正規の脱分極を妨げないが,心房性期外収縮では期外興奮が洞房結節に侵入して,これに干渉し,その時点をもとにしてその後は自然の自動興奮を反復させる("リセット").

心房性および心室性期外収縮が,先行心室収縮の後あまりに早期に起こると,心室に十分血液が満ちる余裕がないのと心筋はまだ相対的不応期にあるから,期

[*5]訳注:正常の興奮伝播の経路とも異なるので変行伝導 aberrant conduction という.

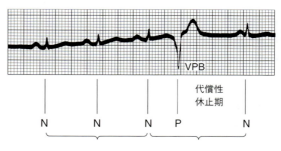

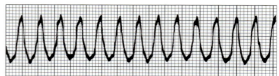

図29・14 上:心室性期外収縮(VPB).記録の下の線は代償性休止期(PN)を示し,その休止期と休止期のすぐ前の正常の収縮との間隔(NP)との和は正常周期の2倍に等しいことを表す.下:心室頻拍.

外収縮による脈拍が弱くて手で触れ得ないことがある*6. また，心室収縮力が弱く収縮圧も低いので肺動脈弁および大動脈弁を押し開くことができないこともある．このような時，第二の心音を聞くことができない．

発作性心室頻拍 paroxysmal ventricular tachycardia（図 29・14）は極めて頻繁な，しかし，規則正しい心室興奮（脱分極）の連続である．その理由はおおむね心室内の興奮旋回である．**多形性心室頻拍（トルサード・ド・ポアンツ Torsades de pointes）**は時間とともに QRS 波の形状が変化する心室頻拍の一型である（図 29・15）．心室より上の部位に発生した頻拍（上室頻拍，たとえば発作性結節頻拍）と発作性心室頻拍とは HBE により鑑別できる．上室頻拍では HBE に His 束の振れ（H）が存在するが心室頻拍では存在しないからである．心室性期外収縮は珍しいことではなく，虚血性心疾患のない限り通例良性のものである．それに比べて発作性心室頻拍はもっと重大な徴候である．心拍出量が減少し心不全になるおそれがあることと，時には心室細動

---

*6 訳注：脈拍欠損 pulse deficit.

を起こすからである．

心室細動 ventricular fibrillation（図 29・15）では，心室筋は多数の異所性興奮源または旋回興奮による頻繁な興奮のために，完全に不整で無効な収縮を繰り返す．細動を起こしている心臓は，ミミズがのたうっているように見える．心室細動は，心周期の一定の時相における電気ショック，または期外収縮によって起こる．この時相を**受攻期** vulnerable period という．この時相は心電図の T 波の中央部にあたる．すなわち，心室筋の一部は脱分極により，あるものは不完全に再分極しているし，さらに，他の部位は完全に再分極しているという時相である．このような状態は，リエントリーと興奮旋回が起こるのに極めて好都合な時相である．心室細動の場合，心室は血液を有効に拍出できず循環は停止する．ゆえに，救急処置を施さないまま数分以上もこの状態が続けば死を招く．心筋梗塞患者の最も高頻度の直接の死因は心室細動の発生である．

QT 延長症候群

心臓の再分極期が受攻期であることを示す1つの

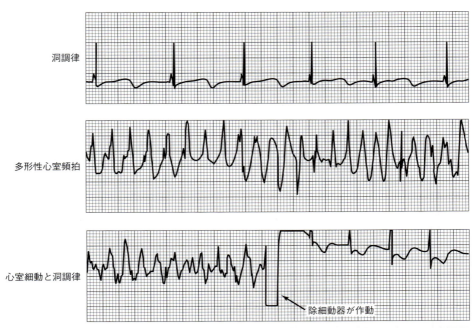

図 29・15 体内埋込み型電気的除細動器を装着した遺伝的 QT 延長症候群の 12 歳の少年から得られた心電図．彼は学校で質問に答えていた最中に卒倒した．**上**：QT 間隔は大きいが正常洞調律である．**中央**：多形性心室頻拍（トルサード・ド・ポアンツ）．**下**：心室細動になるも電気的除細動器が作動し（心室細動発生後 7.5 秒後に発射するように設定されている），正常洞調律に戻っている．少年は2分後に意識を取り戻し，神経学的後遺症はまったく残さなかった（Moss AJ, Daubert JP: Images in clinical medicine. Internal ventricular fibrillation. N Engl J Med 2000;342:398 より許可を得て複製）．

指標は，心電図のQT間隔が延長している患者で，再分極が不規則となり，心室性不整脈や突然死がより高頻度で起こるという事実であろう．この病態をQT延長症候群 long QT syndrome と呼ぶが，これは様々な薬物や電解質異常，心筋虚血で誘起される．また，遺伝性のQT延長症候群もあり，8種[*7]の異なった遺伝子の変異がその原因として報告されている．そのうち6つは，種々のK$^+$チャネルの構造変化を引き起こすことで，それらの機能が減弱するものである．残りの2つのうち，1つはK$^+$チャネルを細胞骨格につなぎ止める機能をもつアンキリン ankyrin のアイソフォームの量が減少することでチャネル機能が障害されるものである．もう1つは，心筋のNa$^+$チャネル機能を増強するものである[*8]．QT延長症候群に関しては，クリニカルボックス5・5 で説明している．

促進房室伝導

発作性心房頻拍症を起こす傾向がある人に，**促進房室伝導** accelerated AV conduction〔**Wolff-Parkinson-White**〔ウォルフ・パーキンソン・ホワイト〕（**WPW**）**症候群**，**早期興奮症候群** preexcitation syndrome〕と呼ばれる興味ある心電図所見がみられることがある．正常状態では，房室間の興奮伝導路は房室結節のみであるが，WPW症候群ではその他に房室間を連絡する変則的な筋性，あるいは，結節性連絡組織(**Kent束** bundle of Kent)が存在する．興奮はそこを，伝導が遅い房室結節よりも速く一方の心室へ伝わり，その心室を異常に早く興奮させる．その活動の電気的現象は正常のQRS波と融合する．ゆえに心電図PR間隔は異常に短く，QRS群は幅広く，その立ち上がりは(δ波と呼ばれ)なだらかである(図29・16)．しかし，Pの始まりからQRSの終わりまでの時間("PJ間隔")は正常である．この症候群の患者に起こる心房性の発作性頻拍は心房性早期収縮に続いて起こることが多い．この早期収縮は房室結節を正常に心室に向かって伝播していく．しかし，興奮がこの変則伝導束の心室端に入ってきた時には，心室興奮はその変則伝導束を逆方向に

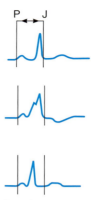

図29・16　促進房室伝導．上：正常洞性収縮．**中央**：短いPR間隔；広い，なだらかに立ち上がるQRS群；正常のPJ間隔(Wolff-Parkinson-White症候群)．**下**：短いPR間隔，正常のQRS群(Lown-Ganong-Levine症候群)(Goldschlager N, Goldman MJ: *Principles of Clinical Electrocardiography*, 13th ed. 原典：Appleton & Lange. Copyright © 1989 by McGraw-Hill より許可を得て複製)．(訳注：STの接合部をJ点 junction point と呼ぶ．このJ点に存在する陽性波はJ波と呼ばれ，健常人ではあまり認められないが，心室筋の早期再分極異常を意味するものと考えられている．)

進み心房に伝わる．こうして興奮旋回が成立するのである．ややまれだが，心房性早期収縮が生じた時点で房室結節は不応期にあり，しかし興奮はKent束を通って心室に到達するとそこから房室結節を経て心房に進み，興奮の旋回を起こすことがある．

家族性のWPW症候群も存在する．家族性WPW症候群の2系統には，AMP活性化プロテインキナーゼをコードする遺伝子の変異がみられた．このキナーゼは胎生期において心血管系での異常な伝導路を抑制するのに関与しているとみられている．

発作性上室頻拍(通例，結節性頻拍)が，PR間隔は短いがQRS群は正常な心電図の患者にみられることがある(**Lown-Ganong-Levine**〔ラウン・ギャノング・レヴァイン〕**症候群**)．この場合，脱分極はおそらく心房から房室結節を迂回してある種の変則伝導束を通って房室結節よりも末梢の心室内伝導系に入る．

不整脈の治療

不整脈の治療に用いられる薬物の多くは興奮伝導系と心筋の興奮伝導を遅らせる作用をもっている．薬物作用により，異所性興奮が抑制され，正常伝導路と異所性興奮の再入した伝導路の伝導速度の差を減少させ，リエントリーを防ぐ．Na$^+$チャネルを標的とする薬物には，I_{Na}を減弱させ興奮した細胞の不応期を延

[*7] 訳注：現在ではK$^+$チャネル，Na$^+$チャネル，アンキリン遺伝子の他に，Ca^{2+}チャネルなどの遺伝子変異によってもおこり，計15種(QT1～QT13，JLN1，JLN2)あることが知られている．

[*8] 訳注：ここは原書通りに訳したが，このアンキリンが細胞骨格につなぎ止めているのは，Na$^+$,K$^+$-ATPase や，Na$^+$/Ca^{2+}アンチポータや，IP$_3$受容体などの膜タンパク質であると現在では考えられている．

長させるもの(たとえばキニジン quinidine，ジソピラミド disopyramide)，I_{Na} を阻害するが不応期はあまり延長させないもの(たとえばフレカイニド flecainide，プロパフェノン propafenone)，あるいは不応期を短くさせるもの(たとえばリドカイン lidocaine，メキシレチン mexiletine)がある．一方，K^+ チャネルを標的とする薬物は不応期を延長させる(たとえばアミオダロン amiodarone，ソタロール sotalol，ドフェチリド dofetilide)．また，L型電位作動性 Ca^{2+} チャネルを標的とする薬物は洞房結節のペースメーカーと房室結節の伝導を遅らせる(たとえばニフェジピン nifedipine，ベラパミル verapamil，ジルチアゼム diltiazem)．最後に，アドレナリンβ受容体を阻害する薬物は受容体刺激によって起こる I_{CaL} の活性化を抑制する(たとえばプロプラノロール propranolol，メトプロロール metoprolol)．興味深いことに，ある患者では，抗不整脈薬は抗不整脈作用よりもむしろ**催不整脈的 proarrhythmic** にはたらき，種々の不整脈の原因となることがわかってきた．そのために，抗不整脈薬を用いる際には，注意深いモニタリングと代替治療法が極めて重要である．

代替治療法の1つはリエントリー経路に対する高周波カテーテルアブレーションである．先端に電極を装着したカテーテルを心室内に挿入し，異所性の興奮点や，リエントリーもしくは上室頻拍に応答する副伝導路の正確な部位をマッピングするのに用いられる．さらに，カテーテルの先端を副伝導路や興奮点付近に置いて高周波電流を流すことにより経路を遮断することができる．習熟すればこの治療法は非常に有効であり合併症もほとんどない．WPW症候群や心房粗動を含む上室頻拍を引き起こす状態の治療には特に有効である．発作性心房細動を引き起こす肺静脈内の興奮点を焼灼することも成果を収めている．

その他の心臓および全身的疾患の心電図所見

心筋梗塞

心筋層の一部への血流の提供が断たれると心筋層に突然著しい変化が起こり，速やかに心筋細胞の不可逆的変化，ひいては心筋細胞死をもたらす．これが**心筋梗塞 myocardial infarction** である．この梗塞の発生とその部位を診断するのに，心電図所見が極めて有効である．その根底となる電気現象と心電図変化は複雑であるが，ここでは簡略に説明する．

表 29・3 急性心筋梗塞に伴う細胞膜脱分極の3つの主な異常

梗塞部位筋細胞の変化	電流	梗塞部位の単極誘導心電図の変化
再分極の加速	梗塞部位から流出	ST部の上昇
静止電位の減少	梗塞部位に流入	TQ部の下降 (ST部の上昇にみえる)
脱分極の遅延	梗塞部位から流出	ST部の上昇

急性心筋梗塞に伴う心電図変化の三大特徴を表29・3に示す．(1)梗塞心筋で K^+ チャネルの開口が促進されるために膜活動電位の再分極が異常に速やかに起こる．この変化は極めて早期に起こり実験動物では冠状動脈閉塞後，数秒で生じる．(2)さらに数分経つと，細胞内 K^+ の喪失により静止電位の低下が起こる．(3)そして30分くらい後に，脱分極が周囲の心筋よりもゆっくりと起こるようになる．

このような梗塞部位の心筋細胞電位の3つの変化は，梗塞部位から単極誘導心電図にST部の上昇を来すような電流を流すことになる(図29・17)．梗塞部心筋は再分極が促進されるため，興奮の後半相において膜電位は周囲の非傷害部よりも深い．このため健常部位では梗塞部位よりも電位は浅くなる．その結果，細胞外で電流が損傷部より正常部に流れることになり，梗塞部位の単極電位がより正になる．すなわち，心電図のST部が上昇する．同様に脱分極が梗塞部位で遅延することも，そこの電位が健常部位に比べ正になるから再分極初期において上と同じようなしくみがはたらくためである(表29・3)．すなわち，STの上昇を来す．梗塞部位の静止電位が低下すれば心室の弛緩期には細胞外で電流は梗塞部位に流れる．そのため梗塞部位は健常部位に比べ負電位となる(TQ部の下降)．しかし，心電図では見かけ上，TQの低下は補正されてST部が上がるように記録される[*9]．このように急性心筋梗塞の心電図の特徴は，その部位の誘導のST上昇である(図29・17)．梗塞部位の裏側に面した点からの誘導は逆にST低下を示す．

数日ないし数週間経つとST上昇は次第に消滅する．死滅し，瘢痕化した組織は興奮性を失い，活動電位を示さなくなる．よって梗塞部位は収縮期には正常心筋に比べ負となり，心電図変化への正電荷の寄与をしな

[*9] 訳注：持続的(直流的)な電位変化は描けないようになっているため．

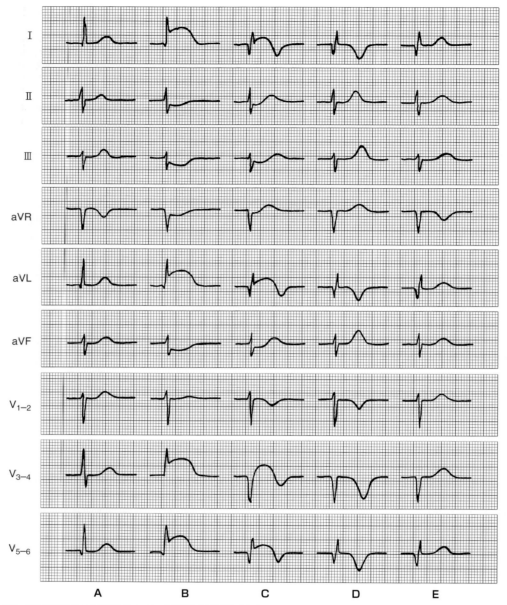

図 29·17　前壁梗塞の心電図変化とその時間的推移（模式図）．A：正常心電図．**B**：梗塞発生後数時間の導出：導出 I，aVL，V_{3-6} で ST 上昇，II，III および aVF で逆に ST 低下．**C**：数時間後から数日後：導出 I，aVL，V_{5-6} における Q 波，導出 V_{3-4} に QS 群（これらの所見は V_{3-4} 導出部の直下に心室壁全層にわたる梗塞の存在を示唆する）．ST 部の変化はなお存在するが軽度である．ST 部上昇の出現した導出で T 波は負になろうとする．**D**：数日から数週間後：Q 波と QS 群は存続，ST 部は等電位線，T 波は大きく，上昇下降脚対称で ST 部の上昇した導出では深く陰性（負）となり，ST 部の低下した導出では陽性（正）である．これらの所見は永久に存続することもある．**E**：数カ月ないし数年後の後期変化，異常に大きい Q 波と QS 群が存続する．T 波は次第に正常となる（Goldschlager N, Goldman MJ: *Principles of Clinical Electrocardiography*, 13th ed. 原典：Appleton & Lange. Copyright © 1989 by McGraw-Hill より許可を得て複製）．

くなってしまう．これによる心電図への影響は複雑で微妙である．しばしばみられる変化は，以前にQ波のなかった誘導にQ波が出てくるとか，もとから存在したQ波が増大することである．時にはQ波の出ない梗塞もある．後者の梗塞は比較的軽い傾向があるが後に再発することが多い．その他，左室前壁の梗塞では左前胸部単極誘導において関係電極を右胸から左方に移すにつれて正常では起こるようなR波の増大がみられない．心室中隔の梗塞では房室伝導系が傷害されて脚ブロック，あるいはその他各種のブロックを来すことがある．

　心筋梗塞はしばしば重度な心室性不整脈が合併する．これは心室細動となり死を招く可能性がある．実験動物では（おそらくヒトでも）心室性不整脈は次の3つの時期に起こる．第一は梗塞の初めの30分の時期で，この時の不整脈はリエントリー（再入）現象によって起こるのが普通である．これに続くしばらくの時期には，不整脈は比較的起こりにくい．しかし，梗塞後12時間頃から再び不整脈が起こり始める（第二の時期）．これは自動性亢進のためである．第三の時期は梗塞後3日〜数週間の間で，この時期の不整脈も通例リエントリーによるものである．この点について，次のことに注意をする必要がある．すなわち，外膜側の心室筋が梗塞で傷害を受けると交感神経線維が遮断され，梗塞部位より先の傷害を受けた交感神経の支配領域の心筋組織においてはカテコールアミンに対する除神経後の過剰な感受性亢進を起こす．これに対し，心筋内膜側の心筋が傷害されると選択的に迷走神経線維が切断され，これに対抗する交感神経作用のみが残る．

血液イオン組成の心電図に及ぼす影響

　細胞外液のNa^+, K^+濃度の変化は心筋束の細胞電位に影響する．心筋細胞電位は元来細胞内外のこれらのイオン濃度比に由来するものだからである．臨床的に見る血漿Na^+濃度の低下の際に心電図各波の電位の減少（低電位 low-voltage）を見ることがある．それよりも，K^+の影響は重要である．血中K^+の増加（高カリウム血症 hyperkalemia）は極めて危険で，心臓への悪影響が原因で死を招くこともある．血漿のK^+濃度が上昇すると，心電図では初めに，背の高いとがったT波が観察される．これは心筋再分極が異常となったことを示す（図29・18）．さらに，K^+濃度が増加すると心房麻痺の所見と幅の広いQRS群が現れる．時には心室性不整脈も出る．細胞外K^+濃度の上昇により心筋の静止膜電位は低下する．最終的には心筋は興奮性を失い，心臓は拡張期の状態で停止する．逆に血漿K^+濃度の低下の際には，PR間隔の延長，U波の出現，時には前胸部誘導で後期T波が逆転する．T波とU波が融合するとQT間隔は見かけ上しばしば延長するが，T波とU波が分かれるとQT間隔は正常であることがわかる．血漿K^+濃度の低下は危険ではあるが，高カリウム血症ほど速やかに死をもたらすことはない．

　細胞外のCa^{2+}濃度の上昇は，心筋の収縮力を高める．大量のCa^{2+}を動物の血中に注入すると心臓は次第に弛緩しにくくなり収縮期のままに停止する（**カルシウム硬直 calcium rigor**）．しかし，臨床的に見る高カルシウム血症 hypercalcemia では，心臓に影響が出ることはまずない．低カルシウム血症はST部の延長，次いでQT間隔の延長を来す．フェノチアジン phenothiazine，三環系抗うつ薬により，また，中枢神経の種々の疾患によっても似た変化が起こる．

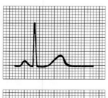

正常(血漿 K$^+$ 濃度：4〜5.5 mEq/L).
PR 間隔＝0.16 秒, QRS 時間＝0.06 秒, QT 間隔＝0.4 秒(心拍数 60/分).

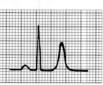

高カリウム血症(血漿 K$^+$ 濃度：7.0 mEq/L).
PR 間隔および QRS 時間はほぼ正常, T 波は高く細く尖る.

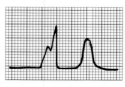

高カリウム血症(血漿 K$^+$ 濃度：8.5 mEq/L).
心房興奮の徴候なし．QRS 時間は幅広く(0.2 秒)立ち上がりがなだらかである．T 波は高く細い.
血漿 K$^+$ 濃度がさらに上昇すると心室頻拍ないしは心室細動となる.

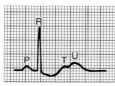

低カリウム血症(血漿 K$^+$ 濃度：3.5 mEq/L).
PR 間隔＝0.2 秒, QRS 時間＝0.06 秒, ST 部下降, T 波の直後に著しい U 波, QT 間隔＝0.4 秒,
もし U 波を T 波の一部と誤認すると QT 間隔は 0.6 秒となる.

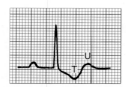

低カリウム血症(血漿 K$^+$ 濃度：2.5 mEq/L).
PR 間隔＝0.32 秒に延長．ST 部下降, T 波の陰性化, 著しい U 波, 真の QT 間隔はほぼ正常.

図 29·18　血漿 K$^+$ 濃度と心電図変化の関係．ただし血漿 Ca^{2+} 濃度は正常と仮定．心電図は左室心外膜面導出(Goldman MJ: *Principles of Clinical Electrocardiography*, 12th ed. 原典：Appleton & Lange. Copyright © 1986 by McGraw-Hill より許可を得て複製).

章のまとめ

- 心臓の収縮はよくコントロールされた電気信号によって制御されている．この電気信号は洞房結節のペースメーカー細胞を起源とし，結節間心房内伝導路，房室結節，His 束そして Purkinje 線維系を通じて心室全体に広がる．
- 主な心筋細胞は速やかな脱分極，初期の速い再分極，それに続くプラトーとゆっくりとした静止膜電位への再分極からなる活動電位を発生する．このような膜電位変化は Na^+ チャネル，Ca^{2+} チャネル，K^+ チャネルの連鎖的な活性化，不活性化，および脱活性化で規定される．
- ペースメーカー細胞は他の典型的な心筋細胞とは少し異なった事象を示す．静止膜電位への再分極後，Na^+ と K^+ の両方を通すことができるイオンチャネル(f チャネル)に依存した，ゆっくりとした脱分極が起こる．この funny 電流が細胞を電位作動性 Ca^{2+} チャネルの活性化閾値まで脱分極させるのに続いて，Ca^{2+} チャネルが急速に細胞を脱分極させる．過分極相は再び K^+ 電流によって形成される．
- 電気信号はギャップ結合を通じて細胞間を広がる．広がる速度は構造的特徴に依存する以外に，ある程度は神経性入力によっても変わる．
- 心電図(ECG，EKG)は心臓の電気活動の代数和である．通常の心電図は，P 波(心房の脱分極)，QRS 群(心室の脱分極)，T 波(心室の過分極)などの明瞭な波形から構成される．様々な不整脈が不規則な心電図として認められる．
- 心筋の収縮がイオンの動きによるため，心臓組織は血中のイオン組成に感受性がある．最も重大なことは K^+ 濃度上昇であり，心房性あるいは心室性不整脈を含む重篤な心機能異常を引き起こす．

多肢選択式問題

正しい答えを 1 つ選びなさい．

1. 心電図(図 29・5)のどの部位が心室筋の再分極に相当するか．
   A．P 波
   B．QRS 群
   C．T 波
   D．U 波
   E．PR 間隔

2. 正常状態で前電位の脱分極勾配が最も急峻なのは次のうちどれか．
   A．洞房結節
   B．心房筋細胞
   C．His 束
   D．Purkinje 線維
   E．心室筋細胞

3. 第 2 度の心ブロックの記述であてはまるのはどれか．
   A．心室の拍動数が心房のそれより低い
   B．心室の心電図群が変形している
   C．心室頻拍の危険性が高い
   D．1 回拍出量が減少する
   E．心拍出量が増加する

4. 心室筋細胞の活動電位の再分極相の形成には次のうちどのチャネルの開口が関わっているか．
   A．Na^+ チャネル
   B．Cl^- チャネル
   C．Ca^{2+} チャネル
   D．K^+ チャネル
   E．HCO_3^- チャネル

5. 完全心ブロックの記述であてはまるのはどれか．
   A．心房から心室に血液を送り込むことができないので，失神を起こすことがある
   B．心室細動を起こすことが普通である
   C．心房の拍動数が心室のそれより低い
   D．心室が収縮できない期間が長くなるので失神することがある

CHAPTER 30
ポンプとしての心臓

学習目標 本章習得のポイント	■ 心臓の収縮と弛緩の経時変化から正常な血流パターンが形成されるしくみを説明できる ■ 圧・容積・流量が心周期に伴って変化する様子を説明できる ■ 動脈圧，心音，心雑音の基盤を説明できる ■ 心拍出量の測定方法を理解する ■ 心不全やショックのような病的状況において心臓のポンプ機能が障害されるしくみを説明できる ■ 運動時のように組織への酸素供給を増加させなければならない状況下において，心拍出量が増加するしくみならびに心臓自体の酸素需要が調節されるしくみを説明できる

■ はじめに

前章に述べたような心臓の電気活動は，心臓がその主要な生理機能（ガス交換の場である肺とその他の全身に血液を送ること）を果たせるようにデザインされている．この生理機能を実現するには，前章で述べたような秩序立った脱分極（興奮）過程が心臓全体に波のように広がって，それが心筋の収縮を引き起こすことが必要である．単一心筋線維では，収縮は脱分極の直後に起こり，再分極終了後50ミリ秒に終わる（図5・15参照）．心房収縮は心電図（ECG）におけるP波に引き続いて始まり，心室収縮はR波の終わり近くに始まってT波のすぐ後に終わる．この章で扱う内容は，これらの収縮状態の変化が心臓内および血管内の圧と流量を順次変化させ，その結果として全身の酸素・栄養要求に見合う血液が供給されるしくみについてである．なお，循環系内において**収縮期圧 systolic pressure**という用語は心臓収縮期に到達する最高値のことであり，平均圧ではない．同様に，**拡張期圧 diastolic pressure**とは心臓拡張期に到達する最低値を意味する．

心臓の機械的活動と心周期

拡張末期の事象

拡張期の終わり頃では，僧帽弁（二尖弁）と三尖弁（ともに房室境界に存在するので房室弁と呼ぶ）は開き，大動脈弁と肺動脈弁は閉じている．血液は拡張期に心房および心室に流入して，これらを満たす．流入速度は心室に血液が充満するにつれて次第にゆるやかになる．心拍数が低い時には特に，房室弁の先端は自然と閉鎖の位置をとる（図30・1）．この時の心室内圧は低い．拡張期には心室への血液の流入が約70％の充満度になるまで受動的に起こる．

心房収縮期

心房収縮によって若干の血液が心室内にさらに流入する．心房筋の収縮によって，上下大静脈と肺静脈の入口が狭められること，ならびに心臓に戻ろうとする血流の慣性とが，心室への血液流入を維持させようと

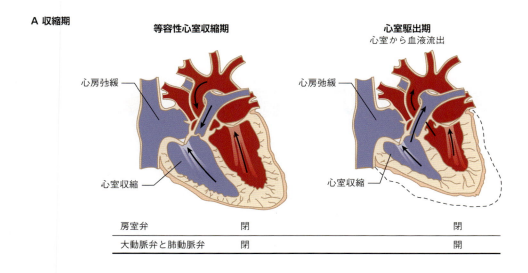

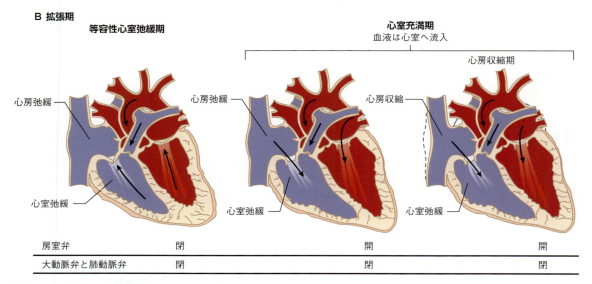

図 30・1　心周期の分類：収縮期(A)と拡張期(B)．左右の心臓で周期は同一である．矢印は，圧力差が血液の流れをもたらす可能性のある方向を示す．しかし，弁が閉じていれば実際には流れは起こらないことに注意．拡張期であるにもかかわらず，B右端に示した時期に心房は収縮していることに注意．

する．それにもかかわらず，若干の血液は静脈へ逆流する．

心室収縮期

心室収縮期の開始時に房室弁は閉鎖する．収縮期の初めには心室筋はほとんど収縮しないが，心室内の血液は圧迫されて心室内圧は急速に上昇する（図30・2）．この期間は**等容性（等尺性）心室収縮 isovolumetric (isovolumic, isometric) ventricular contraction** であり，

左心室圧と右心室圧とがそれぞれ大動脈圧（80 mmHg, 10.6 kPa）と肺動脈圧（10 mmHg）を上回り，大動脈弁および肺動脈弁が開くまで，約0.05秒間続く．等容性収縮の間，房室弁が心房に向かって膨隆し，小さいが鋭い心房内圧上昇が引き起こされる（図30・3）．

大動脈弁と肺動脈弁が開くと，**心室駆出期 ventricular ejection** が始まる．血液の動脈への流出は，初めは急速であるが次第に低下する．心室内圧が最高に達してから少し低下した頃に心室の収縮期が終わ

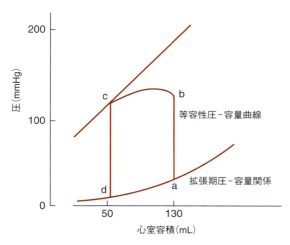

図 30・2　正常な左心室の圧−容量曲線（loop）. 拡張期には心室は（血液で）充満し，圧は d から a へと増加する．等容性収縮の期間には，圧は a から b へと急速に上昇する．b から c は心室駆出期である．c で大動脈弁が閉じ，等容性心室弛緩期に c から d へ戻る（McPhee SJ, Lingappa VR, Ganong WF（editors）: *Pathophysiology of Disease*, 6th ed. New York, NY: McGraw-Hill; 2010 より許可を得て複製）．

る．左心室内圧の最高は約 120 mmHg，右心室内圧の最高は約 25 mmHg である．収縮期の終わりには大動脈内圧は左心室内圧よりも高くなるが，流出血液には運動エネルギーが付加されているから短時間は血液の流出が続く．房室弁が心室筋の収縮によって引き下げられるので，心房内圧は少し低下する．1 回の収縮によって左右の各心室から拍出される血液量は，安静時で 70〜90 mL である．**拡張末期心室内血液量 end-diastolic ventricular volume** は約 130 mL であり，**収縮末期心室内血液量 end-systolic ventricular volume** には差し引き約 50 mL が心室に残る．**駆出率 ejection fraction** とは，拡張末期心室内血液量に対する駆出血液量の百分率であり，約 65％ である．駆出率は心室機能を評価するよい指標である．駆出率の計測には，放射性核種で標識した赤血球を注入することにより拡張末期と収縮末期の心室の中にある血液を画像化する方法（平衡時放射性核種心血管造影）または CT 検査が用いられる．

心室拡張初期

心室筋の収縮が最大に達した時，すでに始まっていた心室内圧の低下はいっそう速やかになる．この相を**拡張初期 protodiastole** と呼ぶ．これは約 0.04 秒で次の相に移行する．拡張初期の終わりは，動脈起始部と心室との圧差が駆出血液の運動エネルギーを上回り大動脈弁と肺動脈弁が閉鎖する時点である．血流は突然せき止められて血管壁と血液の振動が生じる．弁が閉じた後に心室内圧はさらに急速に下降していく．この期間は**等容性心室弛緩 isovolumetric ventricular relaxation** であって，心室内圧が心房内圧以下に下がり房室弁が開き，血液の再流入が始まるまで続く．流入は初めは急速で，次の心房収縮が近づくにつれて遅くなる．心房内圧は心室収縮期の終了後も房室弁が開くまで上昇を続け，弁が開くといったん下降した後に次の心房収縮期までゆっくりと上昇する．

左右心周期の時相関係

左右の心臓の事象は類似しているが，時間的に若干のずれがある．右房の収縮は左房に少し先立ち，右室の収縮は左室より少し遅れて始まる（29 章参照）．それにもかかわらず，肺動脈圧は大動脈圧よりも低いので，右室からの血液駆出は左室からのそれに先立って始まる．これらは呼吸によっても影響され，呼息相では肺動脈弁と大動脈弁はほとんど同時に閉じるが，吸息相では大動脈弁閉鎖が肺動脈弁閉鎖にわずかに先行する．肺動脈弁閉鎖が遅れるのは肺血管系の抵抗が低いことに起因する．数分にわたって平均すると左右心室の拍出量はもちろん等しいが，呼吸相によって一時的な拍出量差が正常人でも発生する．

収縮期と拡張期の長さ

心筋は，心拍数が増加すると収縮期間および再分極期間が短くなるという特性をもっている（5 章参照）．たとえば，収縮期の持続時間は心拍数が 75 拍/分の時は 0.27 秒であったものが心拍数 200 拍/分では 0.16 秒に短縮する（表 30・1）．この短縮は主に心室駆出時間の短縮による．しかし，収縮期の持続時間は，拡張期のそれよりははるかに一定であり，心拍数が増えた時には，拡張期の持続時間はさらに大幅に減少する．たとえば，心拍数 65 拍/分の時は 0.62 秒であったものが心拍数 200 拍/分ではわずか 0.14 秒になる．この事実は生理学的にも臨床的にも意味が深い．心筋は拡張期に休息するのであって，冠状血管により左室の心内膜下筋層を養う血液は拡張期にのみ流れる（33 章参照）．そのうえ，心室の血液充満は大部分拡張期に発生する．心拍数が 180 拍/分に達するまでは静脈血の還流が十分ある限り心室の拡張期における血液充満には支障がなく，毎分の心拍出量も心拍数の増加に

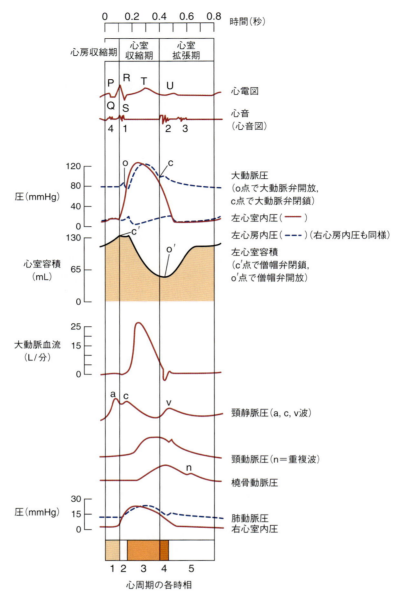

図 30・3 心周期における各種の関連事象. 心拍数 75 拍/分,下の数字は次のような心周期の各相を示す.1:心房収縮期,2:等容性心室収縮期,3:心室駆出期,4:等容性心室拡張期,5:心室充満期.収縮期の終わり頃には大動脈圧は左心室内圧よりも高くなるが,血液の運動量のために短時間は引き続き左心室より大動脈に血液が流れる.右心室内圧と肺動脈圧との関係は,左心室内圧と大動脈圧との関係に類似している.

伴って増加する.しかし心拍数が非常に増加すると,短縮した収縮期の間に心室の充満が十分に行われないので,分時心拍出量が次第に減少するようになる.

　心筋の活動電位は長く続くので,収縮の終わる頃にならないと次の刺激に応じて収縮できない(図 5・15 参照).心筋が反復刺激によって骨格筋のように強縮 tetanus を起こし得ないのはこのためである.心室が

収縮できる最大の頻度は理論的には約 400 回/分であるが,成人の心臓の房室結節では不応期が長いので 230 回/分以上の興奮伝導はできない.230 回/分以上の頻度の心室収縮がみられるのは発作性心室頻拍の場合のみである(29 章参照).

　等容性心室収縮の持続時間を正確に測定することは,臨床上困難であるが,**電気的機械的全収縮期 total**

表 30・1　心拍数と心臓活動各相の持続時間との関係[a]

	心拍数 75/分	心拍数 200/分	骨格筋
心周期	0.80	0.30	…
収縮期	0.27	0.16	…
活動電位	0.25	0.15	0.007
絶対不応期	0.20	0.13	0.004
相対不応期	0.05	0.02	0.003
拡張期(弛緩期)	0.53	0.14	…

a) 単位は秒.
(Barger AC, Richardson GS より許可を得て転載)

electromechanical systole (QS_2), **全駆出期 preejection period** (PEP), **左室駆出時間 left ventricular ejection time** (LVET) の持続時間は, 心電図, 心音図, および頸動脈脈波の同時記録により比較的容易に測定できる. QS_2 は QRS 群の始まりから, 第Ⅱ音の開始時点で定まる大動脈弁閉鎖時点までの期間である. LVET は頸動脈圧の立ち上がりから重複隆起(後述)までの期間である. PEP は QS_2 と LVET との差であり, 駆出に先立つ電気的および機械的事象に要する時間を意味する. PEP/LVET 比は正常で約 0.35 であり, 左心室機能が各種の疾患に対応して悪化すると, QS_2 の変化なしにこの比の値が増加する.

動脈拍動

　心室収縮期に血液が大動脈に拍出されると, 血液が血管内を通って末梢に送られるだけでなく, 内圧の高まりも波となって動脈に沿って末梢に伝播する. 圧波は伝播に伴って動脈壁を拡張させる. この拡張は**脈拍 pulse** として触れることができる. その伝播速度は血液自体の流速とは無関係で, それよりずっと速く, 若年者では大動脈で 4 m/秒, 太い動脈で 8 m/秒, 細い動脈で 16 m/秒である. したがって手首の橈骨動脈で触れる脈拍は, 左室から大動脈への血液駆出のピークに遅れること約 0.1 秒である(図 30・3). 高齢になって動脈が硬化すると, 脈波伝播速度は上昇する.
　手で触れる脈拍の強さは脈圧で左右され, 平均血圧にはほとんど関係がない. ショックでは脈拍は糸のように(thready)弱くなる. (たとえば身体運動, ヒスタミンの投与などで)毎回の拍出量が増加すると脈拍は強くなる. 脈圧が大きいと脈拍も大きくなるが, そ の場合本人は心臓拍動を感じ(心悸亢進 palpitation), ひどい時には心音が自分に聞こえるようになる. 大動脈弁逆流症の際の脈拍は特に強く, 左心室血液駆出も盛んであって心拍ごとに頭部が前傾するようになることもある. この場合の脈拍は **Corrigan**〔コリガン〕**脈**, あるいは**水槌脈 water-hammer pulse** などと呼ばれる.
　重複隆起 dicrotic notch とは脈波の下降脚に生じる小さい振動のことで, 大動脈弁が急激に閉鎖するために起こる(図 30・3). 手首で脈を触れただけでははっきりしないが, 脈波を記録すると観察できる. 肺動脈圧波形にも肺動脈弁閉鎖による重複隆起がみられる.

心房内圧変化と頸静脈波

　心房内圧は心房の収縮時に上昇し, 等容性心室収縮時にも房室弁が心房側に膨隆する影響でさらに少し上昇する. 駆出期に入り心室筋の短縮によって房室弁が引き下げられると心室内圧は急激に減少する. その後, 拡張初期に房室弁が開くまでの間, 静脈からの血液流入によって再び増加する. 心室筋の収縮が終わり房室弁が引き下げられなくなることも, 心房容積の減少を通じてこの時期の心房内圧上昇に寄与している. このような心房内圧の変動は大静脈へも伝播し, 3 つの特徴的な頸静脈圧として記録される(図 30・3). まず **a 波 a wave** は心房収縮に基づく. 前に述べたように心房収縮時には大静脈に血液がわずかではあるが逆流する[*1]. そのうえ, 急に静脈還流がせき止められるので静脈圧が上昇する. これが a 波の成因である. 次に, 心室の等容性収縮期に三尖弁が心房側に膨隆することによって **c 波 c wave** が生じる. 第三の山 **v 波 v wave** は, 心室拡張期において三尖弁が開く前の心房内圧上昇が伝播したものである. これらの圧波形は静脈圧の呼吸性変動と重ね合わされている. 吸息相では胸腔内の陰圧増加に伴って静脈圧は減少し, 呼息相では静脈圧は増加するのである.

心　　音

　聴診器を胸にあてると心拍 1 周期ごとに通常は 2 つの音が聞こえる. 低いやや長い**第Ⅰ音 first sound** とやや高く短い**第Ⅱ音 second sound** である. 第Ⅰ音は心室収縮期の初めに起こる房室弁の急激な閉鎖に伴う振動であり(図 30・3), 第Ⅱ音は心室収縮期の直後に起こる大動脈弁と肺動脈弁の閉鎖に伴う. その他にも,

---
[*1] 訳注：大静脈と心房との間には弁が存在しない.

弱く低い**第Ⅲ音 third sound** が心室拡張期の前1/3辺りに聞こえることもある．健康な若い人に多く聞かれる．その時点は心室の急速な血液充満期に相当するので，おそらく血液の流入によって生じた振動であろう．**第Ⅳ音 fourth sound** は第Ⅰ音の直前に聞こえることもある．心房内圧が高い場合，あるいは心室肥大のように心室壁が硬化した場合に発生する．心房収縮による心室への血液充満に伴う振動であるが，正常成人ではほとんど聞こえない．

第Ⅰ音は持続約0.15秒，振動数25〜45Hzである．心拍数が少ない時は弱い．その理由は収縮期直前には血液が心室に十分に満ちており，房室弁の各弁尖は血中に浮かび閉じる寸前の状態にすでになっているからである．第Ⅱ音は持続約0.12秒，振動数50Hzである．大動脈ないしは肺動脈の拡張期圧が高いと弁膜は心室収縮期の終わりに勢いよく閉鎖するから，第Ⅱ音は強く鋭くなる．吸息相では大動脈弁と肺動脈弁の閉鎖時点の差が大きくなるので往々にして第Ⅱ音が重複 reduplicate する（第Ⅱ音の生理的分裂）．分裂は各種の疾患でもみられる．第Ⅲ音の持続は0.1秒である．

心雑音

雑音 murmur（または **bruit**）とは，心臓または血管で聴取される異常な音をいう．murmur と bruit はどちらを用いてもよいが，心雑音に関しては murmur の方がより頻繁に用いられる．31章で詳細に述べるが，ある臨界速度までは血管内の血流は層流であり，音を立てない．臨界速度以上（障害物の後方など）の時のみ乱流がみられ，音が発生する．動脈や心臓弁口が狭窄すると血流速度が増大する．

心臓以外の血管系における雑音の例としては，血管が豊富な大きな甲状腺腫，動脈硬化のために内腔が狭められ変形した頸動脈，大きい動脈が拡張してできた動脈瘤，動静脈瘻，動脈管[*2]の開存などがある．

心臓で聞こえる雑音の原因は，若干の例外はあるが主として弁膜障害である．弁口が狭くなった場合（**狭窄 stenosis**），そこを通る順方向の血流は加速され乱流となる．弁が完全に閉じなくなった場合，血液は狭い穴を通って逆流し雑音を生じる（**逆流 regurgitation**）．雑音の生じる時相によって収縮期雑音と拡張期雑音とを区別する．ある弁口が狭窄しているか閉鎖不全であるかは，どの弁口においてどの時相に雑音を生じるか

表30・2 心雑音

障害弁膜	弁口病態	雑音の時相
大動脈弁，肺動脈弁	狭窄	収縮期
	逆流	拡張期
僧帽弁，三尖弁	狭窄	拡張期
	逆流	収縮期

を心周期の事象と照らし合わせるとわかる（表30・2）．特定の弁膜の病変によって生じる心雑音は，原則的には聴診器をその弁口の上に置くと最もよく聞こえる．雑音の持続，性質，強さ，伝播方向なども参考にして異常弁膜の部位を特定する．ほとんどの雑音は聴診器を用いて初めて聞きうるのに対し，最も強い雑音は，大動脈弁にできた小孔を通して血液が拡張期に逆流する時のものである．この高調で音楽性を帯びた拡張期雑音は患者から1m程離れたところでも耳に直接聞こえることがある．

先天性心室中隔欠損症では，左室から右室への血流が収縮期雑音を生じる．心房中隔欠損症の場合は弱い雑音が聞こえることがある．

弱い収縮期雑音は，特に幼児において健常な心臓でも聞こえることがある．また，貧血患者では収縮期雑音が聞こえることがある．血液の粘性が低くなり血流速度が高まるためである（31章参照）．

心エコー

非侵襲的検査法である**心エコー図法 echocardiography** によって心室壁の動きや他の心機能を評価することができる．超音波パルスをトランスデューサーから発射し，その同じトランスデューサーによって心臓各部位からの反射波を検出する．反射は音響インピーダンスが変化する部位で起こる．オシロスコープに時間を横軸にしてエコーを表示させることにより，心周期における心室壁，中隔，弁の動きを知ることができる．Doppler〔ドプラ〕技術と心エコー図法とを結び付けて，弁口を通過する血流速度と，血流量を測定することができる．この方法は，弁障害をもつ患者の状態を知り，治療方針を決めるのに臨床上非常に有用である．

[*2] 訳注：胎児期において肺動脈と大動脈とを連絡して肺循環をバイパスするための血管で，通常は出生後に閉鎖される．

心拍出量

心拍出量測定法

動物実験では，心拍出量は上行大動脈に留置した電磁血流計によって測定できる．ヒトに適用できる方法には Doppler 心エコー図法に加え，**Fick〔フィック〕の直接法**と**標識希釈法** indicator dilution method の 2 つの方法がある．

Fick〔フィック〕の原理によると，ある器官（または全身）が単位時間に血液から摂取した物質量は，そこに流入する動脈血中のその物質の濃度とそこから出ていく静脈血中の濃度との差（**動静脈差 A-V difference**）に血流量を乗じた値に等しい．取り込んだ物質は動脈血液によってのみ供給されると考えられる場合にだけ，この原理は成立する．この原理を適用して，次のようにして心拍出量を決定することができる．すなわち，ある期間において全身で消費された O_2 量を測定し，それを肺における O_2 の動静脈差で割ればよい．体循環の動脈血の O_2 含有量（$[Ao_2]$）は事実上どこの動脈の血液でも同様であるから，適当な動脈から採血して O_2 含有量を測定する．静脈血のサンプルとしては心カテーテルによって肺動脈から採血したものを用い，その O_2 含有量（$[Vo_2]$）を測定する．前腕の静脈から長いカテーテルを挿入し，X 線透視を利用してその先端を心臓に導く技術は今や一般的である．カテーテルの先端は，このようにして右心房・右心室を経て肺動脈の細い分枝にまで到達させることができる．代表的な数値を入れて計算してみると下記のようになる．

$$\text{左心拍出量}(L/\text{分}) = \frac{O_2 \text{消費量}(mL/\text{分})}{[Ao_2]-[Vo_2]}$$
$$= \frac{250(mL/\text{分})}{190(mL/L)_{\text{動脈血}O_2}-140(mL/L)_{\text{肺動脈内静脈血}O_2}}$$
$$= \frac{250(mL/\text{分})}{50(mL/L)} = 5(L/\text{分})$$

標識希釈法では，既知量の色素または多くの場合放射性同位体を腕の静脈に注射し，動脈血サンプルについて標識物質の濃度の時間変化を連続して測定する．心拍出量は，注入した標識物質の量を，標識物質が心臓を 1 回通過して動脈に達した時の平均濃度で除したものに等しい（図 30・4）．標識物質は，計測期間中は血管中にとどまり，身体に無害であり，血行動態を変えないような物質でなければならない．実際には，動脈血中の標識物質濃度の対数を時間に対して図示すると，濃度はまず上昇してから下降し，標識物質が 2

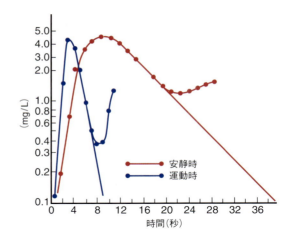

$$F = \frac{E}{\int_0^\alpha C dt}$$

F = 流量
E = 注射した標識物質量
C = 動脈血中の標識物質の各時点での濃度

実際の値で例示すると，**安静状態**で 5 mg の標識物質を注射，39 秒間の動脈血中の濃度平均は 1.6 mg/L であるとすると，

$$\text{39 秒間の流量（1 回目の心臓通過時）} = \frac{5 \text{ mg（注入量）}}{1.6 \text{ mg/L（平均濃度）}}$$

流量 = 3.1 L（39 秒当たり）
流量（心拍出量）/分 = $3.1 \times \frac{60}{39} = 4.7$ L

運動時の例では，5 mg 注射後に 9 秒間の動脈血中濃度は 1.51 mg/L であったから，

$$\text{9 秒間の流量} = \frac{5 \text{ mg}}{1.51 \text{ mg/L}} = 3.3 \text{ L}$$

流量/分 = $3.3 \times \frac{60}{9} = 22.0$ L

図 30・4　標識物質（色素）希釈法による心拍出量の測定． 安静時と運動時の 2 つの例を示す．

度目に循環回路を回ってくると再び上昇する．濃度が最初に下降する部分は半対数プロットすると直線になり，これを横軸との交点まで外挿すると標識物質が初回に循環回路を一周するのにかかった時間がわかる．そこでこの時間当たりの心拍出量が計算できるから，1 分間の拍出量に換算できる（図 30・4）．

最も一般的な標識希釈法の 1 つは**熱希釈法 thermodilution** である．この方法では標識に冷たい生理食塩水を用いる．二重カテーテルの一方から右心房

に冷たい生理食塩水を注入し，もう一方の長い方のカテーテル先端にサーミスタを付けて肺動脈血の温度を測定する．温度変化は肺動脈を流れる血流量，すなわち冷生理食塩水が血流により希釈される程度と反比例する．この方法には2つの重要な利点がある．(1)生理食塩水は完全に無害である．(2)冷却した生理食塩水の温度は組織に消散するので再循環は問題とならず，測定を容易に繰り返すことができる．

各種状況における心拍出量の変化

標準的成人の**1回拍出量 stroke volume** は安静仰臥位で各心室につき約70 mLである．1分間当たりの拍出量を**心拍出量 cardiac output** と呼ぶ．安静仰臥の男性において約5.0 L/分(70 mL×72拍/分)である．安静時の心拍出量と体表面積はほぼ比例する．ゆえに体表 1 m² 当たりの心拍出量(**心指数 cardiac index**)は平均3.2 L/m²/分となる．各種状況下での心拍出量の変化を表30・3にまとめた．

心拍出量を変化させる要因

生理的状況変化によって引き起こされる心拍出量変化は，心拍数，1回拍出量，またはその両方の変化による(図30・5)．心拍数は主として自律神経のはたらきでコントロールされており，交感神経の刺激はこれを増加させ，副交感神経刺激は減少させる(29章参照)．1回拍出量も一部は神経性制御を受けており，筋線維の収縮は収縮前の筋長とは無関係に交感神経刺激によって増強され，副交感刺激によって減弱する．

表30・3 各種要因による心拍出量の変化

心拍出量の変化	要因[a]
著変なし	睡眠 室温の軽度の変化
増加	情動不安および興奮(50〜100%) 摂食(30%) 運動(〜700%) 室温の著しい上昇 妊娠 アドレナリン
減少	臥位より座位または立位への姿勢変化(20〜30%) 高頻度不整脈 心疾患

a) 数字は変化の概略値%．

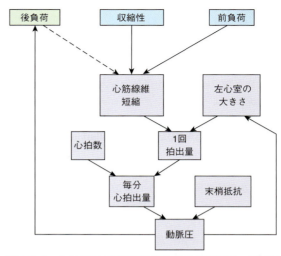

図 30・5　心拍出量と動脈圧を調節する各種因子の相互関係．実線矢印は増強，破線矢印は減少を示す．

心筋の長さに依存せずに収縮力が増加するということは，(交感神経刺激によって)拡張末期心室容積が同一であってもより多くの血液を拍出するということであり(駆出率の増加)，収縮末期心室容積は減少する．交感神経刺激によって放出されたカテコールアミンが心拍数を増加させる作用を正の**変時作用 chronotropic action** と呼び，心収縮力を高める作用を正の**変力作用 inotropic action** と呼ぶ．

心筋の収縮力は，それにあらかじめ課せられた荷重(**前負荷 preload**)と，収縮し始めて負荷をもち上げた後の荷重(**後負荷 afterload**)とに依存する．その関係を図30・6に示す．この図では，筋線維は台の上に置かれた荷重によりある程度引き伸ばされている(前負荷)．収縮が始まってからしばらくは収縮は等尺性であり，筋肉の収縮要素につながっている直列弾性要素が引き伸ばされる．収縮要素の張力がさらに増加して荷重をまさにもち上げうる大きさに達すると，筋は全体として収縮して荷重をもち上げ(後負荷)，その後は張力は増加しない(等張性)．生体内でいえば前負荷は心筋が収縮前に引き伸ばされていた度合い，後負荷は血液駆出に対する抵抗に相当する．

心筋の長さ−張力関係

心筋の長さ−張力関係 length-tension relationship (図5・17 参照)は骨格筋のそれ(図5・10 参照)に似ている．筋があらかじめ伸ばされていると，収縮した時にそれだけ強い張力を発生する．しかし伸長が過度に

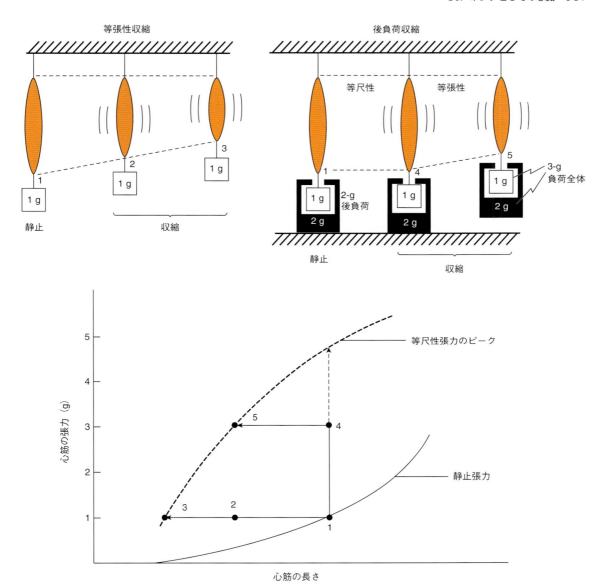

図 30・6　後負荷の下に収縮を行う筋肉モデル．図は，心筋の長さ-張力関係図における等張性収縮と後負荷の下での収縮とを示している．図中の数字を付した点は，上図の各状態を示す番号と対応している(Mohrman DE, Heller LJ: *Cardiovascular Physiology*, 8th ed. New York, NY: McGraw-Hill; 2014 より許可を得て転載)．

なると発生張力はかえって減少する．この現象を Starling は"心筋の収縮エネルギーは心筋線維の初期長 initial length に比例する"と表現した．この提言は **Starling〔スターリング〕の心臓の法則** または **Frank-Starling〔フランク・スターリング〕の法則** の名で知られている．心筋においては筋線維の初期長(前負荷の大きさ)は拡張末期容積に比例する．拡張末期容積と心拍出量との関係は Frank-Starling 曲線と呼ばれる．

心筋の長さの変化によって拍出量を制御することを **heterometric regulation** と呼び，筋の長さとは無関係に(たとえば神経作用による)収縮性の変化により制御することを **homometric regulation** と呼ぶことがある．

拡張末期容積を変化させる要因

収縮機能と拡張機能の変化は，心臓に異なった影響をもたらす(クリニカルボックス30・1)．収縮が減弱すると，その直接作用により 1 回拍出量は減少する．

クリニカルボックス 30・1

心不全

　組織の需要に見合うだけの血液を駆出できない状態が心不全である．急性で突然死につながることもあれば，慢性のこともある．右心不全（肺性心 cor pulmonale）が主であることもあるが，多くは左心不全または両心室の不全である．収縮不全のことも拡張不全のこともある．**収縮不全** systolic failure の場合，心室収縮力の減弱のために1回拍出量が減少する．収縮末期心室容積が増加し，**駆出率 ejection fraction** が正常の 65% から 20% にまで低下する．収縮不全に際して起こる最初の反応は心筋肥大を引き起こす遺伝子の活性化による心室壁の肥厚である．**心臓リモデリング cardiac remodeling**．動脈系への血液供給不足は交感神経活性化とレニン，アルドステロンの分泌増加，そして Na^+ と水の貯留を引き起こす．これらの反応は初期には補償的であるが，長期化すると収縮不全を悪化させ，心室は拡張する．

　拡張不全 diastolic failure では心筋の弾性が減少し拡張期における血液充満が減少する．初期には駆出率は維持されるが，1回拍出量の減少によって収縮不全と同様の心臓リモデリングと Na^+，水の貯留を来す．心拍出量不足とは絶対値ではなく相対的なものであることに留意すべきである．大きな動静脈瘻の存在，甲状腺中毒症，またはチアミン（ビタミン B_1）不足では，心拍出量の絶対値は増加しているがそれでも需要に見合わない（**高拍出性心不全 high-output failure**）．

治療上のハイライト

　心不全の治療は，心収縮力の改善，症状の寛解，心臓への負荷軽減が目標である．現在一般的に最も有効な治療法はアンジオテンシン変換酵素（ACE）阻害薬の投与によるアンジオテンシンⅡ合成抑制である．AT_1 受容体ブロッカーも価値がある．アンジオテンシンⅡの合成阻害でも作用阻害でも血中アルドステロンを減少させ，血圧を下げることによって心臓後負荷を軽減する．アルドステロン受容体阻害薬投与によってアルドステロンの作用をさらに減弱できる．硝酸薬（訳注：ニトログリセリンなど）またはヒドララジン hydralazine の投与によって静脈血管緊張度を減少させると，静脈容量が増加し静脈還流量が減少，すなわち前負荷が軽減される．利尿薬は体液貯留を軽減する．アドレナリン β 受容体阻害薬は死亡率と発病率を減少させることが示されている．ジゴキシンのようなジギタリス類縁物質は細胞内 Ca^{2+} ストアを増加させ正の変力作用を有するので，昔は心不全の治療にも使われていたが，現在は収縮不全に対する第二選択薬および心房細動患者の遅い心室収縮リズムに対する治療薬としてのみ使用されている．

拡張機能も1回拍出量に影響するが，その作用機序は異なる．

　心筋は心外膜と呼ばれる線維性の膜で覆われている．さらにこれは心膜に覆われており，他の胸部臓器と区切られている．心外膜と心膜との間（心嚢 pericardial sac）には通常 5〜30 mL の透明な液体が含まれており，心臓表面を潤滑にし，最小限の摩擦で収縮可能にしている．

　心膜腔内圧の（たとえば感染症や腫瘍による圧迫などで生じる）上昇は，心室の血液充満を制限する．同様に，心筋梗塞や浸潤性その他の疾患による心室の硬さの増大，すなわち心室コンプライアンスの減少が，拡張末期心室容積増大を制限している．心房収縮は心室への血液充満を助ける．その他の要因も心臓への静脈還流量を左右し，その結果，心室の拡張末期容積を変える．全血液量の増大は静脈還流量を増加させる（**クリニカルボックス 30・2**）．静脈の収縮は，静脈内に貯留される血液量を減少させるので，静脈還流量を増加させる．正常の胸腔内陰圧が増えると胸腔内外圧差のために静脈還流量が増加し，逆に胸腔内陰圧の減少は静脈還流量を減少させる．起立は静脈還流量を減少させ[*3]，筋の活動は筋ポンプ作用によって静脈還流量を増加させる．

　図 30・7 に左心室の圧–容積曲線に及ぼす収縮およ

[*3] 訳注：下肢静脈に血液が貯留するため．

クリニカルボックス 30・2

ショック

　循環ショックとは，相対的あるいは絶対的な心拍出量不足による組織灌流量の低下を共通した特徴とする，様々な病態の総称である．循環血液量不足によるもの（**循環血液量減少性ショック** hypovolemic shock），血液量は正常でも血管弛緩によって循環系容量が増加して相対的に不足となったもの（**血液分布異常性ショック** distributive shock，**血管性ショック** vasogenic shock，**低血管抵抗性ショック** low-resistance shock），心筋の異常によるもの（**心原性ショック** cardiogenic shock），肺や心臓の血管閉鎖によって心拍出量が低下したもの（**血流閉鎖性ショック** obstructive shock）を含む．

　循環血液量減少性ショックは cold shock とも呼ばれる．低血圧，危険なほどの頻脈，冷たく蒼く湿った皮膚，強い口渇，速い呼吸，不安または鈍麻で特徴付けられる．ただしすべての症状が例外なくみられるとは限らない．循環血液量減少性ショックはその原因によってさらに細分類される．それらのうち，出血を原因とするものについて詳しく見てみよう．この場合，細胞外液を維持するための複数の代償機構がはたらく．出血による血液量の低下は静脈還流量を低下させ，心拍出量は減少する．心拍数は代償的に増加する．重篤な出血の場合には常に血圧低下がみられる．中等度の出血（5〜15 mL/kg 体重）の場合には，脈圧は減少するが平均血圧は変わらない．出血量が同じでも，血圧の変化には個人差がある．皮膚は冷たく蒼白で，毛細血管内のうっ血と血中酸素不足によって灰色がかって見えることもある．組織灌流不足は嫌気的解糖を増加させ，乳酸が大量合成される．重篤な場合には，血中乳酸濃度は正常値の 1 mmol/L から 9 mmol/L 以上へと増加する．その結果としての**乳酸アシドーシス** lactic acidosis は心筋を抑制し，血管のカテコールアミンへの反応性を減弱させ，昏睡を引き起こすこともある．血液量の減少により静脈還流量が減少すると，動脈圧受容器への刺激が減少するので交感神経出力が増加する．平均血圧の低下がなかったとしても，脈圧の低下は動脈圧受容器への刺激を減弱させ，反射性の頻脈と血管収縮を来す．

　重篤な血液減少に際しては頻脈が徐脈で置き換えられるが，この時点ではまだショックは可逆的である．徐脈はおそらく迷走神経の活動亢進によるものであり，さらなる血液減少を予防するために進化したと考えられる．さらに重篤な出血では，心拍数は再び上昇する．出血の際には，心臓と脳を除くすべての血管が収縮する．反射性静脈血管収縮が広範に起こることは，心臓内血液充満圧の維持に役立つ．腎臓では輸入細動脈も輸出細動脈も収縮するが，輸出細動脈の収縮の方が強い．糸球体濾過量は減少するが，腎血流量が大きく減弱するので濾過率は増加する．Na^+ の貯留は顕著で，窒素を含む代謝産物は血中に保持される（**高窒素血症** azotemia，**尿毒症** uremia）．低血圧が長引くと，腎尿細管が障害される（**急性腎障害** acute kidney injury）．中等度の出血では，循環血漿量は 12〜72 時間で回復する．血管外に貯留されていたアルブミンは急速に血中に入るが，動員される細胞外液のほとんどはタンパク質を含んでいない．貯蔵アルブミンの流入の後，失われたその他の血漿タンパク質は，おそらく肝臓によって 3〜4 日かけて合成される．循環血中にエリスロポエチンが現れ，網状赤血球が 10 日をピークとして増加する．赤血球の量は 4〜8 週かけて回復する．

治療上のハイライト

　ショックの治療は，原因を除去するとともに組織灌流を回復させるような生理的代償機構を助けることを目的とする．ショックの主原因が出血であったならば，早期に急速で十分量の全血輸血をする．火傷やその他の血液が濃縮されるような状況が原因の時は，血漿量の回復が治療目的となる．濃縮血清アルブミンやその他の高張液は，細胞外液を組織内から血管内へ移行させることによって血液量を回復させる．これらは応急処置としては価値があるが，すでに水分減少を来している患者の組織からさらに水分を奪うことになる．

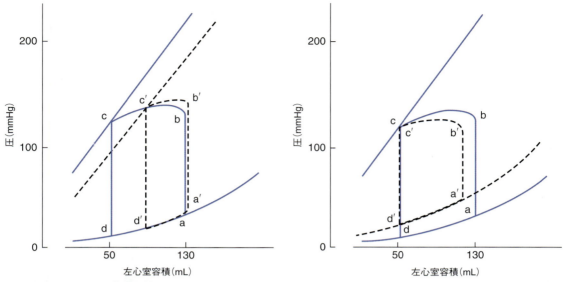

図 30・7　左心室の圧−容積曲線に及ぼす収縮不全および拡張不全の影響. 両方の図中の実線は正常な圧−容積曲線(図30・2と同じ)を示し，点線は病態時における曲線の移動を示す．**左**：収縮不全は，等容積圧−容積曲線を右へ移動させ，心拍出量をb−cからb′−c′へ減少させる．**右**：拡張不全は拡張末期容積を減少させ，拡張期圧−容積曲線を上方と左方に移動させる．心拍出量はb−cからb′−c′へと減少する(McPhee SJ, Lingappa VR, Ganong WF(editors): *Pathophysiology of Disease*, 6th ed. New York, NY: McGraw-Hill; 2010 より許可を得て複製).

び拡張不全の影響についてまとめた．

心筋の収縮性

心筋の収縮性は1回拍出量に大きく影響する．心臓を支配する交感神経を刺激すると，心室筋の長さ−張力関係は全体として上左方向へ移動する(図30・8)．神経終末から放出されるノルアドレナリンの正の変力作用は，血中のノルアドレナリンによって増強される．アドレナリンも類似作用を示す．迷走神経刺激の負の変力作用は心房筋で主としてみられ，心室筋では弱い．

心拍頻度とリズムも心筋の収縮性に影響する(心収縮力−心拍数関係 force-frequency relation, 図30・8)．心室の期外収縮は，それに続く収縮の収縮力を期外収縮前の正常の収縮力以上に増強する．この**期外収縮後増強 postextrasystolic potentiation** は摘出した心筋標本でもみられるので心室の充満度には無関係で，細胞内 Ca^{2+} の増加によるものである．心臓に2つの電気刺激を組み合わせて与え，第一の刺激によって生じた心筋興奮による不応期の終わった直後に第二の刺激を与えると，心筋の収縮力は1回目よりも2回目の時の方が大きい(paired pulse stimulation)．この刺激方法によって，持続的な収縮力の増強を臨床上も得ることができる．この他，心拍頻度上昇によっても心筋の収縮性が増大することが知られているが，その効果は小さい．

カテコールアミンが心筋に変力作用を及ぼすのは，心筋のアドレナリン作動性 β_1 受容体 β_1-adrenergic receptor と促進性Gタンパク質(Gs)を介してアデニル酸シクラーゼを活性化し，細胞内cAMPが上昇するからである．カフェイン caffeine, テオフィリン theophylline のようなキサンチン化合物は，cAMPの分解を抑制して心筋に対して正の変力作用を示す．ジギタリス digitalis および類似薬剤の正の変力作用(図30・8)は，それらが心筋の Na^+, K^+-ATPase の作用を抑制する結果，Na^+/Ca^{2+} 交換系による細胞内からの Ca^{2+} 排出が減少するためである(5章参照)．高炭酸ガス血症，低酸素症，アシドーシス，およびキニジン quinidine, プロカインアミド procainamide, バルビツール酸塩 barbiturate などの薬剤は心筋の収縮性を減弱させる．心不全でも心筋の収縮性は低下する(内因性活力低下 intrinsic depression)．この低下の原因は完全には解明されていないが，アドレナリン作動性 β 受容体およびこれに関連する情報伝達系の機能低下と筋小胞体からの Ca^{2+} 放出の減少が関係しているらしい．敗血症に伴う心不全のような急性心不全では，このような反応は心筋へのエネルギー供給不足に対する適切な順応であり(いわゆる"心筋冬眠")，エネ

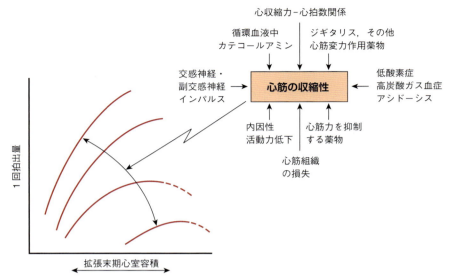

図 30・8 "心筋収縮性"変化の Frank-Starling 曲線に及ぼす影響．曲線は収縮性が減弱すると右下へと移動する．心筋収縮性を変化させる主な因子を右上に総括して示す．破線は最大の収縮性に達した後の心室の機能，つまり Frank-Starling 曲線の下降脚を示す (Braunwald E, Ross J, Sonnenblick EH: Mechanisms of contraction of the normal and failing heart. N Engl J Med 1967; October 12; 277(15): 794-800 より許可を得て複製)．

ギー消費を抑えて細胞死を防いでいると考えられる．

心拍出量の統合的制御

前述のような様々なメカニズムが単独ではなく統合されて心拍出量は維持されている．たとえば身体運動に際して交感神経の発射が増加し，心筋の収縮性の増加と心拍数の上昇が同時に起こる．正常人では心拍数の増加が著しく，1回拍出量はわずかに増加する（表30・4，クリニカルボックス30・3参照）．しかし，心臓移植を受けた患者では心臓神経の支配はないにもかかわらず運動に伴って心拍出量が増加する．これは，Frank-Starling の機構がはたらくからである（図30・9）．循環血液中のカテコールアミンもこれに寄与する．交感神経活動が不変でも静脈還流量が増加すれば，静脈圧は上昇し，拡張期の流入増加，拡張末期心室内圧増加，そして心筋収縮力増加となる．運動中は筋ポンプと呼吸ポンプ（32章参照）の影響で静脈還流量が増加する．加えて，活動中の筋肉への血管が拡張するおかげで末梢血管抵抗，すなわち心臓の後負荷が減少する．つまり，正常心臓でも移植心臓でも心拍出量は速やかにかつ著しく増大することになる．

表 30・4 身体運動による心拍出量の変化．心拍数の増加とともに1回心拍出量はほぼ一定の値に到達し，その後にやや減少（心室拡張期の短縮の結果）するのに注目．

運動強度，仕事 (kg・m/分)	全身 O_2 消費 (mL/分)	心拍数 (/分)	心拍出量 (L/分)	1回心拍出量 (mL)	動静脈 O_2 濃度差 (mL/dL)
安静時	267	64	6.4	100	4.3
288	910	104	13.1	126	7.0
540	1430	122	15.2	125	9.4
900	2143	161	17.8	110	12.3
1260	3007	173	20.9	120	14.5

Asmussen E, Nielsen M: The cardiac output in rest and work determined by the acetylene and the dye injection methods. Acta Physiol Scand 1952; 27(2-3): 217-230 より許可を得て複製．

クリニカルボックス 30・3

身体運動中の循環変化

安静状態の骨格筋を流れる血流量は少ない（2〜4 mL/100 g/分）．最大発生張力の1割以上筋肉が収縮すると，筋組織内の血管を圧迫することになる．70％以上収縮すると，血流は完全に遮断される．しかしながらリズミカルな収縮の間の弛緩期には，単位時間当たりの血流量は安静時の30倍にまで増加する．運動中の筋肉の高い血流量を維持する局所メカニズムには，組織 O_2 分圧の低下，CO_2 分圧の上昇，K^+ やその他の血管拡張性代謝産物の蓄積があげられる．運動中の筋肉では温度が上昇し，これも血管をさらに拡張させる．細動脈と毛細血管前括約筋の拡張は開いた毛細血管数を10〜100倍増加させる．血液と活動中の筋肉細胞との距離（すなわち酸素や代謝産物が拡散によって運搬されなければならない距離）は毛細血管が拡張することによって非常に短縮される．血管拡張は血管床の総断面積を増加させるので，血流速度は減少する．

活動中の筋肉にさらに血液を供給するような全身性の循環反応は，その運動が外界への仕事量として主として等尺性か等張性かという点に依存している．等尺性運動の開始時には，おそらく心理的影響が延髄に及び，心拍数が上昇する．心拍数上昇は主として迷走神経の活動抑制によるが，心臓交感神経の活動亢進も若干寄与している．等尺性運動開始から数秒以内に，収縮期血圧と拡張期血圧はともに急激に増加する．1回拍出量の変化は小さく，収縮を続けている筋肉への血流量は血管圧迫によって減少する．等張性運動に対する循環反応は心拍数の急激な上昇という点では等尺性運動と同じだが，1回拍出量が大幅に増加するという点が異なる．しかも，運動中の筋肉を灌流する血管の拡張によって総末梢抵抗が低下する．その結果，収縮期血圧の上昇はわずかであり，拡張期血圧は通常不変または減少する．

等尺性運動と等張性運動に対する循環反応の違いの一部は，等尺性運動の場合には筋肉が運動中ずっと収縮を続けているために総末梢抵抗を増加させる，という事実から説明できる．等張性運動中の心拍出量は35 L/分にも達し，酸素消費量の増加に見合うものである．運動中の最高心拍数は年齢に伴って低下する．子供では200拍/分以上になるが，大人では195拍/分を超えることはまれであり，高齢者ではさらに少ない．安静時および特定の強度の運動中において，運動選手は一般人と比べて1回拍出量が多く心拍数が少ない．運動選手の心臓は一般人よりも大きい傾向にある．トレーニングは運動中の最大酸素消費量（$\dot{V}_{O_2max}$）を増加させる．$\dot{V}_{O_2max}$ は活動的な成人男性で約38 mL/kg/分，活動的な成人女性で約29 mL/kg/分である．運動をしない人ではさらに少ない．$\dot{V}_{O_2max}$ は最大心拍出量と組織の最大酸素利用との積であり，トレーニングによって両方とも増やすことができる．

主原因ではないものの，運動中の静脈還流量の増加も心拍出量増加に寄与している．静脈還流量の増加には様々な原因がある．筋ポンプと呼吸ポンプの活動，内臓から骨格筋への血液移動，細動脈の拡張による静脈への圧伝播の増加，ノルアドレナリンによる静脈血管の収縮による静脈内血液貯留の減少，である．激しい運動時には，内臓領域や他の貯留部位からの血液の動員が動脈系内の血液量を30％ほど増加させる．運動後には，血圧が一時的に安静時値以下に下降することがある．これは貯留した代謝産物が筋血管を弛緩させ続けるためだと思われる．しかし，血圧はすぐに運動前値に復す．心拍数の回復には多少時間がかかる．

心拍出量に関して運動選手と運動訓練の乏しい人とを比べると，運動選手では安静時の心拍数が低く，収縮末期心室容積が大きく，1回拍出量が多い．ゆえに，運動選手は一般人のようには心拍数を増やさなくても1回拍出量を増やすことができる潜在的予備能力をもっている．

心臓の酸素消費量

心筋の基礎酸素消費はおおよそ2 mL/100 g/分である．この値は静止骨格筋の酸素消費よりも著しく多い．安静時の拍動している心臓の酸素消費は約9 mL/100 g/分であり，運動時や様々な状況で増加する．心臓の静脈の酸素濃度は低く，冠(状)循環血液からさらに酸素を抽出することはできない．ゆえに心筋

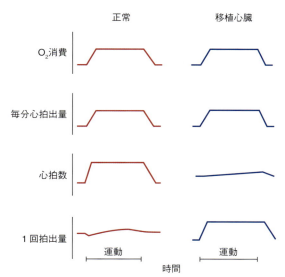

図 30・9 仰臥位において中等度の運動を行わせる場合の心臓の応答. 正常と移植心臓すなわち除神経心臓との比較. 神経入力のない移植心臓では, 運動時の心拍出量の増加は心拍数の増加ではなく1回拍出量の増加に依存している (Kent KM, Cooper T: The denervated heart. N Engl J Med 1974; Nov7; 291(19): 1017-1021 より許可を得て複製).

の酸素消費を増すには冠循環量を増加させなくてはならない. 冠循環の制御は 33 章で述べる.

心臓の酸素消費は主として心筋張力, 心筋の収縮状態と心拍数によって決まる. 拍動ごとの心室の仕事量は酸素消費と関係している. この仕事量は1回拍出量と平均の肺動脈圧(右室の場合)または大動脈圧(左室の場合)との積で表される. 大動脈圧は肺動脈圧の約7倍大きいから, 左室の拍動ごとの仕事量は右室のそれの約7倍である. 理論的には, 動脈圧の変化なしに1回拍出量が25％増加すれば, 酸素消費量の増加の程度は, 1回拍出量の変化なしに動脈圧が25％増加した時と等しくなるはずである. しかし, 理由は完全にはわかっていないが, 圧の仕事は容積の仕事よりも余分に酸素が消費される. いい換えれば, 後負荷の増加の際は前負荷の増加よりも心筋酸素消費量の増加が大きい. これが心筋への酸素供給が不足することによる狭心症 angina pectoris が大動脈弁逆流症よりも大動脈弁狭窄の患者により頻繁に起こる説明である. 大動脈弁狭窄では, 狭窄した弁口に血液を通過させるために心室内圧が増加する必要がある. 一方, 大動脈弁逆流症では, 血液の逆流は大動脈抵抗の変化をほとんど起こさずに1回拍出量を増加させる.

心筋が伸長された時の1回拍出量増大に伴う酸素消費量の増加には Laplace の法則がはたらいている. 31 章で詳しく述べるが, Laplace の法則は, 中空の臓器の壁に発生する張力は臓器の半径に比例することを述べている. また, 拡張期には半径が増加する. 交感神経刺激により単位時間当たりの酸素消費は増加する. その理由は心拍数の増加と毎回の収縮速度および収縮力の増加である. しかし, この効果は収縮末期容積の減少とそれに伴う心臓半径の減少によってある程度相殺される.

章のまとめ

- 心室拡張期および心房収縮期に, 血液はまず心房に流れ込み次に心室に流入する. 心室が収縮し, その内圧が肺動脈および大動脈の内圧を上回った時に血液が流出する.
- 房室弁(僧帽弁, 三尖弁), 肺動脈弁, 大動脈弁の開閉の絶妙なタイミングにより, 血液が最小限の逆流で, 心臓内を正しい方向に, 流れることができる.
- 心周期ごとに血液が心室から出ていく割合を駆出率と呼び, 心臓機能評価の鋭敏な指標である.
- 血液が大動脈に流入すると脈波を形成する. 脈波は血液自体よりも高速に伝播される.
- 心音は弁が急激に閉じることによって発生する正常な振動である. 異常流によって心雑音が発生するが, そのほとんどの原因は弁の異常である.
- 心拍出量の変化は, 心拍数, 1回拍出量, またはその両方の変化による. これらは, 心筋細胞への神経やホルモンの作用で調節されている.
- 心拍出量は一定時間内における全身の酸素消費量を, 動脈血と肺動脈血との間の酸素濃度差で除することで測定できる(Fick の原理). 生物学的に不活性な標識物質または冷たい生理食塩水の熱の希釈法によっても測定できる.
- 心不全では, 収縮期における収縮性の減弱または拡張期における充満の減少によって, 駆出率が低下する. その結果, 身体の需要に見合うだけの血液供給ができなくなる. 初期には運動時にのみ出現するが, ついには安静時にすら十分な血液供給ができなくなる.
- 運動中には心拍出量が驚くほど増加する.

多肢選択式問題

正しい答えを1つ選びなさい.

1. 慢性先天性心不全の病歴のある75歳の女性が, 心機能不全の程度を測定するために心臓カテーテル術を受ける. 収縮機能検査において, 左心室圧がピークになるのは心周期のうちのどの時期か.
   A. 急速充満期
   B. 等容収縮期
   C. 心室駆出期
   D. 心房収縮期
   E. 等容拡張期

2. 左心室の仕事量は, 実質的に右心室のそれよりも大きい. その理由は次のどれか.
   A. 左心室の収縮が緩やかであるから
   B. 左心室の壁が厚いから
   C. 左心室の1回拍出量が大きいから
   D. 左心室の前負荷が大きいから
   E. 左心室の後負荷が大きいから

3. 大動脈圧曲線の重複隆起を引き起こすのは次のどれか.
   A. 僧帽弁の閉鎖
   B. 三尖弁の閉鎖
   C. 大動脈弁の閉鎖
   D. 肺動脈弁の閉鎖
   E. 左心室への血液の急速な充満

4. 心音の第Ⅱ音を引き起こすのは次のどれか.
   A. 大動脈弁と肺動脈弁の閉鎖
   B. 収縮期間の心室壁の振動
   C. 血液心室充満
   D. 僧帽弁と三尖弁の閉鎖
   E. 大動脈への血液の逆流

5. 心音の第Ⅳ音を引き起こすのは次のどれか.
   A. 大動脈弁と肺動脈弁の閉鎖
   B. 収縮期間の心室壁の振動
   C. 血液心室充満
   D. 僧帽弁および三尖弁の閉鎖
   E. 大動脈への血液の逆流

6. 運動中, ある人は毎分1.8Lの酸素を消費する. 彼の動脈血酸素濃度は, 190 mL/Lであり, 混合静脈血のそれは, 134 mL/Lである. 心拍出量はおおよそどれくらいか.
   A. 3.2 L/分
   B. 16 L/分
   C. 32 L/分
   D. 54 L/分
   E. 160 mL/分

7. 心臓のStarlingの法則についての記述であてはまるのはどれか.
   A. 心不全の患者にはあてはまらない
   B. 運動中の心臓にはあてはまらない
   C. 運動による心拍数増加を説明する
   D. 静脈環流量が増加した時, 心拍出量が増加することを説明する
   E. 心臓に分布する交感神経が刺激される時の心拍出量の増加を説明する

8. 65歳の女性が労作性胸痛の訴えで内科を受診し狭心症と診断された. 検査で大動脈の異常が見つかった. 大動脈弁逆流よりも大動脈狭窄が疑われる. その理由は次のうちどれか.
   A. 前負荷の増加は後負荷の増加よりも心臓の酸素消費を増加させる
   B. 心臓の酸素消費は拍動ごとの心室の仕事量とは無関係である
   C. 圧仕事の増加は容積仕事の増加よりも心筋の酸素消費を増加させる
   D. 心臓の静脈の酸素分圧は低い
   E. 大動脈狭窄は大動脈弁にかかる圧力を低下させる

体液の循環成分としての血液，血液とリンパの循環力学

CHAPTER 31

学習目標
本章習得のポイント

- 血液の成分，その由来，赤血球の脆弱性の制御，および赤血球内のヘモグロビンの酸素運搬における役割，および，ヘモグロビン関連病態の基礎を説明できる
- 血漿とリンパ液の成分とその由来を説明できる
- 血液型の分子基盤と輸血反応の原因を説明できる
- 血管が傷害を受けた時に血液損失を阻止する止血機序と血管内血栓形成の悪影響および血栓関連疾患の基礎を概説できる
- 循環系を形成する血管とリンパ管の種類を区別し，それらを構成する主要な細胞種の機能と調節を説明できる
- 物理法則によって体内での血流とリンパ流を説明できる
- 様々な部位において血流と血圧を測定する方法の原理を説明できる
- 持続的な全身動脈圧の上昇(高血圧)の病因と悪影響を説明できる

■ はじめに

循環系 circulatory system は，O_2 および消化管で吸収された物質を組織に運び，組織からは CO_2 を肺へ，その他の代謝産物を腎臓へ運び，体温を調節するために体熱を運び，さらに細胞機能を調節するホルモンやその他の物質を供給する．これらの物質の輸送担体である血液は，血管で構成される閉鎖管系の中を，心臓のポンプ作用によって動く．左心室から送り出された血液は動脈，細動脈を経て毛細血管に至り，そこで血液は周囲の間質液(組織液)と物質交換を行い平衡に達する．血液は毛細血管から細静脈を経て静脈に集まり，右心房に戻る．組織液の一部は別の閉鎖管系であるリンパ管系に入る．リンパは胸管および右リンパ本幹を経て静脈系に流入する．これらの循環は様々な調節系で制御され，一般に可能な限りすべての器官の，とりわけ心臓と脳の，毛細血管の血流を適切に維持するようにはたらいている．

血液が循環系を流れる主要な動力源は心臓のポンプ作用によって付与されたエネルギーであるが，全身循環の場合にはさらに，動脈壁の弾性エネルギー，運動中の筋肉による静脈への圧迫，吸気時の胸腔内陰圧も血液の移動に寄与している．血流抵抗は，一部血液の粘性にもよるが，大部分は主として細動脈の血管内径による．各組織における血流量は，局所の化学物質および全身的な神経およびホルモンの作用によってその組織内の血管を拡張させたり収縮させたりすることによって調節されている．肺にはすべての血液が流れるが，体循環は並列に並んだ多くの別々の回路から成り立っている(図 31·1)．体循環系は，全血流量は一定に保ちつつ，各組織における血流のあり方には多様性をもたせている．

本章では血液とリンパ，およびそれらに含まれる細胞の多彩な機能を扱う．また，循環系の全体に通じる一般原理ならびに体循環系の血圧と血流についても述べる．循環のホメオスタシスを担う調節系に関しては32章で扱い，肺循環と腎循環に特有の性質は34章と37章で扱う．免疫担当細胞の担体としての血液の役割は3章で扱った．

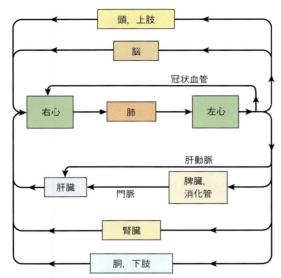

図 31・1　成人循環路模式図.

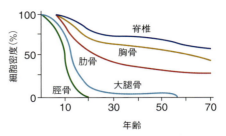

図 31・2　様々な骨における赤色骨髄の年齢による変化.
100% は出生直後の骨髄の細胞密度を意味する(Whitby LEH, Britton CJC: *Disorders of the Blood*, 10th ed. Churchill Livingstone; 1969 より許可を得て複製).

体液の循環成分としての血液

　血液は血漿と呼ばれるタンパク質に富む液体と，そこに浮かぶ細胞成分，すなわち白血球，赤血球，血小板からなる．全血液量の正常値は体重の約 8% である（体重 70 kg の人で 5600 mL）．このうちの約 55% が血漿である．

骨　　髄

　成人では，赤血球，多種の白血球，血小板は骨髄で作られる．胎児では，赤血球は肝臓，脾臓でも作られる．成人でも骨髄組織が破壊されたり結合組織に置き換わった状態では，このような **骨髄外造血** extra-medullary hematopoiesis が起こることがある．幼少期ではすべての骨の骨髄腔で盛んに造血が営まれているが，20 歳ぐらいになると，上腕骨，大腿骨を除く長骨の骨髄では造血が行われなくなる（図 31・2）．

　骨髄は全身の中でも最も大きい器官の 1 つであり，その大きさと重量は肝臓に近い．しかも最も細胞分裂が盛んな器官の 1 つである．循環血中では赤血球は白血球の 500 倍も多いにもかかわらず，正常では，骨髄に存在する細胞の 75% が白血球を産生する骨髄細胞系に属し，25% のみが成熟過程にある赤血球である．この差異は，白血球の寿命が赤血球よりも短いことを反映している．

　造血幹細胞 hematopoietic stem cell（HSC）はすべての型の血液細胞を産生する能力のある骨髄細胞である．これらの細胞はある 1 種類の，分化の方向の定まった幹細胞（**前駆細胞 progenitor cell**）に分化する．前駆細胞は，種々の異なる型の分化した血液細胞を形成する．巨核球（血小板），リンパ球，赤血球，好酸球，好塩基球に分化する前駆細胞にはそれぞれ別個のプールがあるが，好中球と単球は共通の前駆細胞から形成される．骨髄幹細胞は，破骨細胞（21 章参照），Kupffer〔クッパー〕細胞（28 章参照），肥満細胞，樹状細胞や Langerhans〔ランゲルハンス〕細胞の起源細胞でもある．造血幹細胞の数は少ないが，それでも骨髄が完全に破壊された患者に注入されると，骨髄の造血細胞を完全に置換する能力をもっている．

　造血幹細胞の起源は，分化方向が定まっておらず全身のどんな細胞にも分化可能な **全能性幹細胞 totipotent stem cell** である．成人では全能性幹細胞はわずかしか存在しないが，胎盤胞期の胎児からは容易に得られる[*1]．全能性幹細胞を用いれば障害組織を修復できる可能性があるので，幹細胞研究に多大な関心が集まっているのも驚くにはあたらない．しかし，この研究には倫理面の問題が含まれており，議論が続くことは疑いの余地がない[*2]．

白　血　球

　正常では，ヒトの血液は 1 μL 中に 4000〜11 000 個の白血球を含んでいる（表 31・1）．このうち **顆粒球**

[*1] 訳注：この全能性幹細胞を ES 細胞 embryonic stem cell という．
[*2] 訳注：人工多能性幹細胞（iPS 細胞）induced pluripotent stem cell は分化済みの細胞を全能性幹細胞の性質をもつように人工的に変化させたものであり，胎盤胞を破壊するという倫理問題を回避できるとして注目が集まっている．

表 31・1　ヒトの血球数の正常値

血球の種類	血球数/μL(平均)	正常範囲	全白血球に占める割合(%)
全白血球	9000	4000〜11 000	…
顆粒球			
好中球	5400	3000〜6000	50〜70
好酸球	275	150〜300	1〜4
好塩基球	35	0〜100	0.4
リンパ球	2750	1500〜4000	20〜40
単球	540	300〜600	2〜8
赤血球			
女性	4.8×10^6	…	…
男性	5.4×10^6	…	…
血小板	300 000	200 000〜500 000	

granulocyte〔または**多形核白血球** polymorphonuclear leukocyte（**PMN**）〕が最も多い．幼弱な顆粒球は馬蹄形の核をもつが，細胞が成熟すると分葉状になる（図31・3）．顆粒球の多くは中性色素に染まる顆粒をもつ**好中球** neutrophil であるが，少数は酸性色素に染まる**好酸球** eosinophil，および塩基性色素に染まる**好塩基球** basophil である．さらに，大きい円形の核をもち細胞質の少ない**リンパ球** lymphocyte と，細胞質が多くて顆粒が少なく腎臓のような形をした核をもつ**単球** monocyte も末梢血中に見出される（図31・3）．これらの白血球は協同して腫瘍，ウイルス，細菌および寄生虫感染に対する強力な防衛の役割を果たす（3章参照）．

血　小　板

　血小板は小型の顆粒状の小体であり，血管の損傷部位で凝集する．血小板には核がなく，直径は 2〜4 μm である（図31・3）．循環血中には約 300 000/μL 存在し，正常な半減期は約4日である．血小板は骨髄に存在する大型の細胞である**巨核球** megakaryocyte の細胞質からちぎれて形成され，血流に入ったものである．骨髄から排出された血小板の 60〜75% は循環血中にあるが，残りは主に脾臓にある．脾臓摘出後には血中の血小板数が増加する（**血小板増加** thrombocytosis）．

赤　血　球

　赤血球 red blood cell（erythrocyte）はヘモグロビンを含有し，血管内を循環している．赤血球は両凹円板状で（図31・4），骨髄で形成される．哺乳類では血流に入る前に核を失う．ヒトでは，循環血中の赤血球の寿命は平均120日である．健康な大人の血液1μL中の赤血球数は男性で540万，女性で480万である．赤血球数は，血液中に占める赤血球の体積を表す**ヘマトクリット** hematocrit 値から簡単に求めることができる．ヒトの赤血球は直径約 7.5 μm，厚さ約 2 μm で，約 29 pg のヘモグロビンを含んでいる（表31・2）．したがって成人男性の循環血中には赤血球が約 3×10^{13} 個，ヘモグロビンが約 900 g あることになる（図31・5）．

　エリスロポエチンによる赤血球新生のフィードバック制御については38章で考察する．赤血球幹細胞の発育過程における IL-1，IL-3，IL-6（インターロイキン）と GM-CSF（顆粒球マクロファージコロニー刺激因子）の役割は図31・3 に示した．

脾臓の役割

　脾臓は寿命の尽きた赤血球や他の異常赤血球を除去する重要な血液濾過器である．脾臓は多くの血小板を含み，免疫系においても大切な役割を演じている．正常赤血球のような柔軟性がなくなり，その結果脾洞に並んでいる内皮細胞の間隙をくぐり抜けられないような異常な赤血球は除去される（クリニカルボックス31・1）．

ヘモグロビン

　ヘモグロビン hemoglobin（Hb）は，脊椎動物の赤血球内にあって酸素を運搬する機能をもつ赤色の色素タンパク質である．この分子は4つのサブユニットか

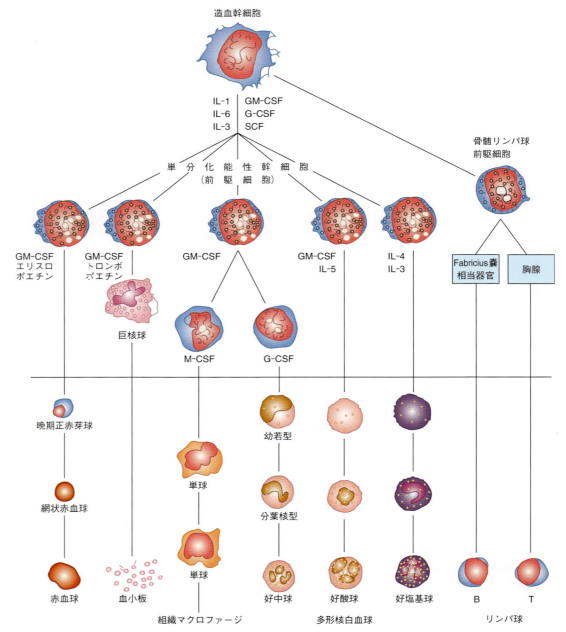

図 31・3　骨髄の細胞から各種の血液有形成分への発育過程．横線から下の細胞が，正常末梢血液に見出される．エリスロポエチンと構成血球の分化を刺激する種々のコロニー刺激因子(CSF)の作用部位を示してある．G：顆粒球，M：マクロファージ，SCF：造血幹細胞因子．

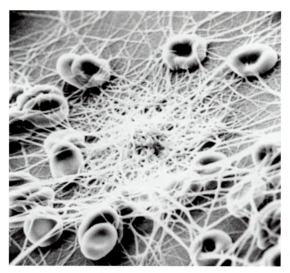

図 31・4 ヒトの赤血球とフィブリンの細い線維. 血液を塩化ポリビニルの表面に置き, 固定し, 走査電子顕微鏡で撮影(×2590)したものに基づく(Rodman NF より許可を得て転載).

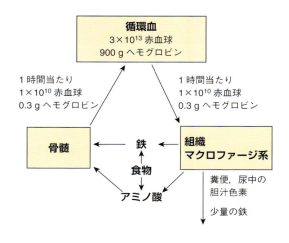

図 31・5 赤血球の生成と破壊.

表 31・2 ヒトの赤血球の諸性質[a]

		単位	男性	女性
ヘマトクリット(Hct)		%	47	42
赤血球数(RBC)		$10^6/\mu L$	5.4	4.8
血液ヘモグロビン濃度(Hb)		g/dL	16	14
赤血球平均体積(MCV)	$\dfrac{Hct \times 10}{RBC^*}$	fL	87	87
赤血球内平均ヘモグロビン含量(MCH)	$\dfrac{Hb \times 10}{RBC^*}$	pg	29	29
赤血球内平均ヘモグロビン濃度(MCHC)	$\dfrac{Hb \times 100}{Hct}$	g/dL	34	34
赤血球平均直径(MCD)	塗沫標本で 500 個計測の平均	μm	7.5	7.5

a) MCV が 95 fL 以上を大球性 macrocytic, 80 fL 以下を小球性 microcytic という. MCHC が 25 g/dL 以下を低色素性 hypochromic という.
＊単位は $10^6/\mu L$.

ら構成される球状タンパク質である(図 31・6). 各サブユニットはポリペプチドに結合した 1 個の**ヘム** heme を含む. ヘムは鉄原子を含むポルフィリン誘導体である(図 31・7). ポリペプチドはヘモグロビン分子の**グロビン** globin 部分と呼ばれている. ヘモグロビン分子は 2 種の異なるポリペプチドの 2 対から構成される. 正常成人のヘモグロビンである**ヘモグロビン A** では, この 2 種のポリペプチドはそれぞれ α 鎖, β 鎖と呼ばれ, ヘモグロビン A は $\alpha_2\beta_2$ と表示される. 正常成人の血液のすべてのヘモグロビンがヘモグロビン A というわけではなく, 約 2.5% はヘモグロビン A2 であり, β 鎖が δ 鎖に置き換わっている($\alpha_2\delta_2$).

クリニカルボックス 31・1

赤血球の脆弱性

血漿よりも高浸透圧の溶液に曝されると，他の細胞と同様に赤血球は縮み，低張液に入れると膨張し，普段の円盤状から球状に変形し，ヘモグロビンを失う（**溶血 hemolysis**）．溶血した赤血球由来のヘモグロビンは血漿に溶け，これを赤く染める．0.9%の塩化ナトリウム溶液は血漿と等張である．**浸透圧抵抗性 osmotic fragility** が正常であれば食塩濃度0.5%で溶血し始め，0.40〜0.42%で赤血球の50%が溶血し，0.35%ですべて溶血する．**遺伝性球状赤血球症 hereditary spherocytosis**（先天性溶血性黄疸 congenital hemolytic icterus）では，正常血漿中でも赤血球は球状であり，低張食塩水中では正常赤血球よりも容易に溶血する．異常な球状赤血球は脾臓で捕まえられて分解されるので，遺伝性球状赤血球症は**遺伝性溶血性貧血 hereditary hemolytic anemia** の最も一般的な原因の1つである．赤血球の細胞膜骨格を構成するタンパク質の突然変異が球状を呈する原因である．細胞膜骨格タンパク質は赤血球膜の形状維持と変形性に関係しており，**スペクトリン spectrin**，**膜貫通タンパク質バンド3**，スペクトリンと細胞膜との架橋を担うタンパク質である**アンキリン ankyrin**，などが含まれる．赤血球は薬剤（特にペニシリンやサルファ剤）や感染症でも破壊される．グルコース6-リン酸デヒドロゲナーゼ glucose 6-phosphate dehydrogenase（G6PD）はヘキソース-リン酸経路によってグルコースが酸化される反応の第一段階を触媒する酵素であるが（1章参照），これの欠損によって赤血球の破壊されやすさは増大する．この経路はジヒドロニコチンアミドアデニンジヌクレオチドリン酸 dihydronicotinamide adenine dinucleotide phosphate（NADPH）を産生するが，これが赤血球の正常な非破壊性を維持しているからである．重篤なG6PD欠乏は顆粒球による細菌破壊を低下させ，重篤な感染症を引き起こす．

治療上のハイライト

重篤な遺伝性球状赤血球症は脾臓摘出で治療することができるが，この治療では敗血症のような他の危険もある．より軽症の場合には葉酸サプリメントの摂取または輸血で治療する．その他の溶血性貧血の治療は，その原因によって異なる．あるタイプは自己免疫疾患であり，コルチコステロイドが奏功する．

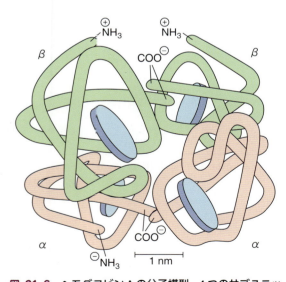

図 31・6 ヘモグロビンAの分子模型．4つのサブユニットを示す．2個のαおよび2個のβポリペプチドがあり，それぞれヘム部分（青色円板で示す）を含んでいる（Harper HA, et al: *Physiologische Chemie*. Springer; 1975 より許可を得て複製）．

ヘモグロビンAと密接に関係するヘモグロビンAの誘導体も少量存在し，糖化ヘモグロビンと呼ばれる．その1つであるヘモグロビンA1c（HbA1c）は各β鎖のN末端のバリンにグルコースが結合したもので，治療が正しく行われていない糖尿病患者の血中に増加するという点で特に重要である（24章参照）．病気の進行や治療の有効性を判断するマーカーとして臨床上用いられている．

ヘモグロビンの反応

酸素はヘモグロビン中のヘムのFe^{2+}に結合して**オキシヘモグロビン oxyhemoglobin** となる．ヘモグロビンのO_2に対する親和性はpH，温度，赤血球内の2,3-ビスホスホグリセリン酸（2,3-BPG）の濃度に影響される．2,3-BPGとH^+は4つのポリペプチド鎖の位置関係（4次構造）を変化させることによりヘモグロビンのO_2に対する親和性を低下させ，デオキシヘモグ

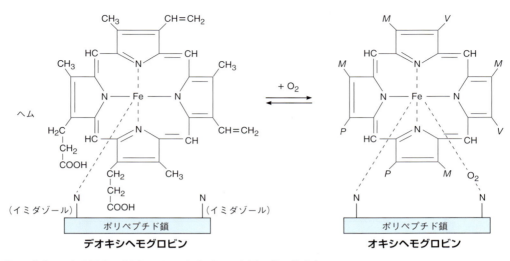

図 31・7　ヘムと O_2 との反応． 右図の M，V および P は左図の基に相当する．

ロビン deoxyhemoglobin と O_2 との結合に拮抗する．ヘモグロビンの酸素化と脱酸素化，ならびに O_2 運搬におけるこれらの反応の生理的意義の詳細は 35 章で述べる．

体内，体外を問わず血液が種々の薬物や酸化性物質に曝されると，正常なヘモグロビン分子中の2価の鉄 (Fe^{2+}) は3価の鉄 (Fe^{3+}) となり，**メトヘモグロビン methemoglobin** に変化する．これは暗褐色のヘモグロビンで，流血中に多量存在すると皮膚はチアノーゼ様に暗く色あせる (35 章参照)．ヘモグロビンの一部は正常状態でもメトヘモグロビンに変化するが，赤血球内に存在する酵素の1つである NADH-メトヘモグロビンレダクターゼがそのメトヘモグロビンをヘモグロビンに還元する．この酵素の先天性欠損は遺伝性メトヘモグロビン血症の原因の1つである．

CO はヘモグロビンと結合して**一酸化炭素ヘモグロビン carbon monoxyhemoglobin (カルボキシヘモグロビン carboxyhemoglobin)** になる．ヘモグロビンと CO との親和性は O_2 との親和性に比べてはるかに強い．それゆえ CO はオキシヘモグロビンの O_2 を追い出し血液の酸素運搬能を低下させる (35 章参照)．

胎児ヘモグロビン

正常ヒト胎児の血液は**胎児ヘモグロビン fetal hemoglobin** または**ヘモグロビン F** と呼ばれるヘモグロビンを含んでいる．ヘモグロビン F の分子構造はヘモグロビン A に類似しているが，β 鎖の代わりに γ 鎖をもっており，ヘモグロビン F は $α_2γ_2$ と表現される．生後まもなく血中ヘモグロビンはヘモグロビン F からヘモグロビン A に替わるが (図 31・8)，切替えができないで一生ヘモグロビン F が存在した状態を続けるヒトもいる．体内でヘモグロビン F は成人ヘモグロビンと比べて 2,3-BPG との結合が弱いために，同一の酸素分圧において成人ヘモグロビンよりも多量の酸素と結合している．このことが母体循環から胎児循環への酸素移動を容易にしている (33 章参照)．妊娠後期には胎児の酸素要求が増大するのでなおさらである．胎生初期 (胚子期) にはその他に ζ および ε 鎖をもち，それぞれ Gower1 ヘモグロビン ($ζ_2ε_2$)，Gower2 ヘモグロビン ($α_2ε_2$) を形成する．ヘモグロビンの1つの型からもう1つの型への発生過程における転換は，主として酸素の入手可能性に依存している．相対的に低酸素状態の場合には，グロビン遺伝子発現への直接効果とエリスロポエチンの産生増加とによってヘモグロビン F の産生が促進される．

ヘモグロビンの合成

正常人の血液中のヘモグロビン濃度は男性で 16 g/dL，女性で 14 g/dL であり，すべて赤血球中にある．体重 70 kg の男性では，血中ヘモグロビンの総量は約 900 g であり，毎時間当たり 0.3 g のヘモグロビンが崩壊し，同量が新しく合成されている (図 31・5)．ヘモグロビン分子中のヘムは，グリシンとスクシニル CoA から合成される (クリニカルボックス 31・2)．

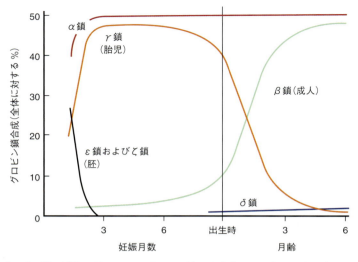

図 31・8　ヒトのヘモグロビン鎖の発生．種々のヘモグロビン鎖の子宮内での正常な合成速度とその生後変化を示す．

ヘモグロビンの分解

　古くなった赤血球が組織マクロファージ系で分解されると，ヘモグロビン分子からグロビン部分が離れて，ヘムは**ビリベルジン biliverdin** に変換される．これに関与する酵素はヘムオキシゲナーゼのサブタイプであり（図 28・5 参照），この過程で CO が産生される．CO は NO と同様に細胞内メッセンジャーと考えられている（2, 3 章参照）．ヒトではビリベルジンは大部分**ビリルビン bilirubin** になり胆汁中に排出される（28 章参照）．ヘモグロビンから離れた鉄は，再びヘモグロビンの合成に利用される．

　皮膚を白色光に曝すと，ビリルビンがルミルビン lumirubin に変わる．ルミルビンはビリルビンよりも半減期が短い．**光線療法 phototherapy**（光曝露）は溶血性黄疸のある幼児の治療法として有効である．ヘモグロビン合成には鉄が必要であるが，もし血液が体外に失われ，その結果鉄の不足が補われないと**鉄欠乏性貧血 iron deficiency anemia** に陥る．

血　　漿

　血液の液体成分，すなわち**血漿 plasma** は極めて特異な液体であり，無数の各種イオン，無機および有機物質分子を含み，全身の組織に運搬され，かつ他の物質の輸送担体となる．血漿の全量は体重の約 5％，体重 70 kg の男性ではおおよそ 3500 mL である．血漿を取り出して放置すると凝固するが，抗凝固薬を加えると液状を保つ．全血を凝固させた後に凝血塊を取り除いた液体を**血清 serum** と呼ぶ．血清の化学組成は，フィブリノーゲンと凝固因子 II，V および VIII（表 31・4）が欠けていることと，血小板の崩壊により遊離した多量のセロトニンを含む以外は，基本的には血漿と同じである．

血漿タンパク質

　血漿タンパク質は**アルブミン albumin**，**グロブリン globulin** と**フィブリノーゲン fibrinogen** の各分画から成り立っている．ほとんどの毛細血管壁は血漿タンパク質に対して不透過であるため，タンパク質は毛細管壁を隔てた約 25 mmHg の**コロイド浸透圧 oncotic pressure**（1 章参照）の原因となり，水を血管内に引きつける．それらの有するカルボキシル基とアミノ基が弱くイオン化するので，血漿タンパク質は（ヘモグロビンも含めて，39 章参照）血液の緩衝能の 15％に関わっている．正常血漿の pH 7.40 においては，血漿タンパク質の大部分は陰性に荷電した状態になっており（1 章参照），抗体や血液凝固に関するもののように特別な機能を担う血漿タンパク質もあれば，ホルモン，薬剤やその他の溶質の担体としてはたらく血漿タンパク質もある．

血漿タンパク質の起源

　循環血中の抗体はリンパ球で作られる．その他のほ

クリニカルボックス 31・2

ヘモグロビン産生の異常

ヒトの遺伝性ヘモグロビン異常には2つのタイプがある．異常なヘモグロビンポリペプチドが産生される**ヘモグロビン異常症 hemoglobinopathy** と，グロビン遺伝子の調節部位の異常によって構造は正常だがヘモグロビンが少量しか産生されないか，またはまったく産生されない**サラセミア thalassemia** 関連の病態である．異常ヘモグロビン産生を来す遺伝子異常は多岐にわたり，ヒトにおいて1000種類以上が報告されている．最も頻繁な例の1つはヘモグロビンSであり，α鎖は正常だがβ鎖の1カ所のバリン残基がグルタミン酸残基に置き換わっており，**鎌状赤血球貧血 sickle cell anemia** を引き起こす（表31・3）．片親から異常ヘモグロビン遺伝子を受け継ぐ（ヘテロ接合）と，その人の循環ヘモグロビンの半数は異常，半数は正常になる．同一の異常遺伝子を両親から受け継ぐとその人の遺伝子はホモ接合になり，すべてのヘモグロビンが異常になる．

2種類の別々の異常遺伝子をそれぞれ父親と母親から受け継ぐ可能性もある．異常ヘモグロビンの遺伝とその地域分布の研究から，異常遺伝子が最初に発生した場所と時期を特定することが可能になった例もある．一般的にいって危険な遺伝子異常は消滅する傾向にあるが，個体の生存にとって何らかの有利性をもつ遺伝子異常は固定され集団内に広がる．多くの異常ヘモグロビンは危険ではないが，一部には異常な O_2 親和性をもったり貧血を引き起こすものもある．たとえばヘモグロビンSは低 O_2 圧下で重合し，赤血球を鎌状に変形させ，溶血させ，血管を詰まらせるような凝集塊を形成する．鎌状赤血球遺伝子はヘテロ接合で存在するならば有利な点をもつので，消滅せずに集団中に広まった異常遺伝子の好例である．この異常はアフリカで発生したが，ある種のマラリアに対する抵抗性を付与する．アフリカのある地域では，人口の40％がヘモグロビンSのヘテロ接合体である．これに関連してアフリカ系米国人でも10％がヘテロ接合体である．

治療上のハイライト

ヘモグロビンFは脱酸素化されたヘモグロビンSの重合を抑制し，ヒドロキシウレア hydroxyurea は小児および成人のヘモグロビンFの産生を増加させる．これは鎌状赤血球症治療の価値ある薬剤になる可能性があることが証明されている．重症の鎌状赤血球症患者では造血幹細胞移植もある程度の効果を示す．

また，抗生物質の予防的投与も効果的である．臨床上重要なサラセミアでは重篤な貧血が起こるので，しばしば輸血が必要になる．しかし頻回の輸血は鉄過剰の危険があるので鉄をキレートする薬剤治療と一緒に行う必要がある．サラセミアの治療に造血幹細胞移植が使えないかどうか研究中である．

表31・3 ヒトのヘモグロビンの正常および異常β鎖の部分的アミノ酸構成[a]

ヘモグロビン	βポリペプチド鎖上のアミノ酸の位置									
	1	2	3	6	7	26	63	67	121	146
A（正常）	Val	His	Leu	Glu	Glu	Glu	His	Val	Glu	His
S（鎌状赤血球）				Val						
C				Lys						
G San Jose					Gly					
E						Lys				
M Saskatoon							Tyr			
M Milwaukee								Glu		
O Arabia									Lys	

[a] α鎖のアミノ酸構成が異常なヘモグロビンもある．電気泳動ではほとんど区別できない．アミノ酸構成にわずかな差のあるものは同じ文字で示し，初めて発見された地名を付けて（たとえばM Saskatoon，M Milwaukee）区別する．

表 31・4　血液凝固因子の名称

因子[a]	名　称[*1]
I	フィブリノーゲン fibrinogen
II	プロトロンビン prothrombin
III	thromboplastin[*2]
IV	カルシウム
V	proaccelerin, labile factor, accelerator globulin
VII	proconvertin, SPCA, stable factor
VIII	抗血友病因子 antihemophilic factor (AHF), antihemophilic factor A, antihemophilic globulin (AHG)
IX	plasma thromboplastic component (PTC), Christmas 因子, antihemophilic factor B
X	Stuart-Prower 因子
XI	plasma thromboplastin antecedent (PTA), antihemophilic factor C
XII	Hageman 因子, glass factor
XIII	フィブリン安定化因子 fibrin-stabilizing factor, Laki-Lorand 因子
HMW-K	高分子量キニノーゲン high-molecular-weight kininogen, Fitzgerald 因子
Pre-Ka	プレカリクレイン prekallikrein, Fletcher 因子
Ka	カリクレイン kallikrein
PL	血小板リン脂質 platelet phospholipid

a) 因子VIはもはや独立の因子と認められないので削除した．
*1 訳注：現在，よく用いられている名称に限って訳語を付し，他は原語のままとした．
*2 訳注：現在は，組織因子 tissue factor (TF) が一般的に用いられる．

とんどの血漿タンパク質は肝臓で作られる．血漿タンパク質とその機能のリストを表31・5に記した．

アルブミンの代謝回転を調べると，正常濃度の維持には合成が重要であることがわかる．正常人では血漿アルブミン濃度は 3.5〜5.0 g/dL であり，全身の交換可能なアルブミン貯蔵量は 4.0〜5.0 g/kg 体重である．この 38〜45% が血管内にあり，残りの多くは皮膚に存在する．交換可能貯蔵量の 6〜10% が毎日分解され，その分だけ肝臓で合成されて（200〜400 mg/kg 体重/日）補充される．アルブミンはおそらく小胞輸送によって毛細血管壁を通過して血管外に出る（2章参照）．アルブミンの合成は精密に調節されており，

飢餓の際には減少し，ネフローゼのような大量のアルブミン喪失のある時には増加する．

低タンパク質血症

飢餓の際にも，全身のタンパク質保有量が著しく低下するまで血漿タンパク質濃度は維持される．しかし，長期の飢餓や腸管障害による栄養素吸収不全の際には血漿タンパク質濃度は減少する（**低タンパク質血症 hypoproteinemia**）．その他にも，肝疾患では肝臓のタンパク質合成能が低下するため，またネフローゼでは血漿アルブミンが大量に尿に失われるために，低タンパク質血症になる．血漿のコロイド浸透圧が低下するために浮腫を来しやすい．まれに先天的に血漿タンパク質のある成分が欠如していることがある．先天性タンパク質欠損症の一例は**無フィブリノーゲン血症 afibrinogenemia** の先天性型であり，血液凝固の障害が特徴である．

リンパ

リンパは組織液から生じリンパ管中を流れる液体である．最後は胸管および右リンパ本幹を経て静脈に流入する．リンパも凝固因子を含み，体外に取り出しておくと凝固する．身体のほとんどすべての場所で毛細血管壁を通過したタンパク質がリンパを経て血液に戻る．それでもなおリンパのタンパク質含量は血漿よりも低く，約 7 g/dL であるが，この値は場所によって差がある（表31・6）．水に溶けにくい物質である脂肪は腸から吸収された後，腸のリンパ管中に入る．食後の胸管リンパが牛乳状に白濁しているのは脂肪含有量が増加したためである（26章参照）．リンパ球も主にリンパ管を経て血液に入る．したがって胸管リンパ中にはリンパ球がかなり多い．

血　液　型

ヒトの赤血球膜は多様な**血球型抗原 blood group antigen**（**凝集原 agglutinogen** とも呼ばれる）を含んでいる．これらの抗原の中で最も重要で最もよく知られているのは A と B 抗原であるが，その他にも多くの抗原が含まれている．

ABO 式

A と B 抗原はメンデルの遺伝の法則に従って優性

表 31·5　肝臓で合成される主なタンパク質：生理機能と性質

名　称	主な機能	結合特性	血清あるいは血漿中の濃度
アルブミン	結合・担体タンパク質[*1]；浸透圧調節因子	ホルモン，アミノ酸，ステロイド，ビタミン，脂肪酸	4500〜5000 mg/dL
オロソムコイド	不確定；炎症に関与するらしい		痕跡；炎症時に上昇
α_1-抗タンパク質分解酵素	トリプシンやプロテアーゼの抑制物質	血清と組織分泌液中のプロテアーゼ	1.3〜1.4 mg/dL
α-フェトタンパク質	浸透圧調節因子；結合・担体タンパク質[a]	ホルモン，アミノ酸	正常では胎児血液中に存在
α_2-マクログロブリン	血清エンドプロテアーゼの抑制物質	プロテアーゼ	150〜420 mg/dL
アンチトロンビンⅢ	内因性凝固系のプロテアーゼ抑制物質	プロテアーゼと1：1で結合	17〜30 mg/dL
セルロプラスミン	銅の輸送	銅原子6個/分子	15〜60 mg/dL
C-反応性タンパク質	不確定；組織炎症に関与	補体 C1q	<1 mg/dL；炎症時上昇
フィブリノーゲン	止血におけるフィブリンの前駆体		200〜450 mg/dL
ハプトグロビン	血中に遊離したヘモグロビンに結合して輸送する	ヘモグロビンと1：1結合	40〜180 mg/dL
ヘモペキシン	ポルフィリン，特にリサイクル中のヘムに結合する	ヘムと1：1結合	50〜100 mg/dL
トランスフェリン	鉄の輸送	鉄2原子/分子	3.0〜6.5 mg/dL
アポリポタンパク質 B	リポタンパク質粒子の集合	脂質の担体タンパク質	
アンジオテンシノーゲン	昇圧ペプチドであるアンジオテンシンⅡの前駆体[*2]		
タンパク質群，血液凝固因子Ⅱ，Ⅶ，Ⅸ，Ⅹ	血液凝固		20 mg/dL
抗トロンビンC，プロテインC	血液凝固抑制		
インスリン様成長因子Ⅰ	成長ホルモンによる同化作用を仲介する	IGF-Ⅰ受容体	
ステロイドホルモン結合グロブリン	血流中におけるステロイドの担体タンパク質	ステロイドホルモン	3.3 mg/dL
サイロキシン結合グロブリン	血流中における甲状腺ホルモンの担体タンパク質	甲状腺ホルモン	1.5 mg/dL
トランスサイレチン（サイロキシン結合プレアルブミン）	血流中における甲状腺ホルモンの担体タンパク質	甲状腺ホルモン	25 mg/dL

a) α-フェトタンパク質の機能は確かでないが，アルブミンと構造が類似しているので，しばしばこれらの機能が推定される．
*1 訳注：担体タンパク質は運搬体タンパク質とも呼ばれ，水に不溶性の物質と結合して，可溶性の複合体を形成し，血液中を循環して結合物質を運搬する役割をもつタンパク質である．
*2 訳注：正確にはアンジオテンシンⅠの前駆体で，レニンによりアンジオテンシンⅠに変換される．アンジオテンシンⅠは続いて，アンジオテンシン変換酵素によりアンジオテンシンⅡに変わる．

表 31・6 ヒトのリンパのタンパク質含有量(概略値)

部　位	タンパク質含有量(g/dL)
脈絡叢	0
毛様体	0
骨格筋	2
皮膚	2
肺	4
消化管	4.1
心臓	4.4
肝臓	6.2

Diana JN のデータより.

る転換酵素をコードする遺伝子をもっている．AB 型のヒトは両方の遺伝子をもっている．O 型のヒトは両方とももっていないので，H 抗原がそのまま存続している．

　赤血球凝集原に対する抗体は**凝集素 agglutinin** と呼ばれる．A 抗原と B 抗原によく似た抗原が腸内細菌にふつうに認められ，おそらく新生児が摂取する食物にも含まれている．したがって幼児は自分自身の細胞には存在しない抗原に対して急速に抗体を産生する．このようにして，A 型のヒトは抗 B 抗体を，B 型のヒトは抗 A 抗体を，O 型のヒトは抗 A・抗 B 抗体を産生し，AB 型のヒトはどちらの抗体も産生しない(表 31・7)．A 型のヒトの血漿を B 型赤血球と混和すると，図 31・10 に示したように抗 B 抗体が B 赤血球の凝集

遺伝され，各人は 4 つの**血液型 blood type** に大別される．A 型のヒトは A 抗原を有し，B 型のヒトは B 抗原を，AB 型のヒトは両方の抗原を有し，O 型のヒトはどちらの抗原ももたない．A と B 抗原は末端の糖が異なる複雑なオリゴ糖である．H 遺伝子はフコーストランスフェラーゼ fucose transferase をコードする．この酵素は，糖鎖の末端にフコースを添加して，どの血液型のヒトにもふつう認められる H 抗原を形成する(図 31・9)．A 型のヒトはこれに加えて，H 抗原の末端に N-アセチルガラクトサミンが配置するのを触媒する転換酵素をコードする遺伝子ももっている．一方，B 型のヒトは末端にガラクトースを配置す

表 31・7 ABO 式血液型

血液型	凝集素 (血漿中)	米国での 頻度* (%)	この血漿によって凝集される赤血球の型
O	抗 A，抗 B	45	A, B, AB
A	抗 B	41	B, AB
B	抗 A	10	A, AB
AB	なし	4	なし

＊訳注：日本人の出現頻度は多少の地域差はあるが，O：A：B：AB のおおよその比は 3：4：2：1 である．

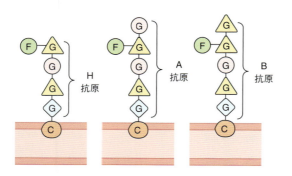

F = フコース　　G(△) = ガラクトース
G(○) = N-アセチルガラクトサミン　　C = セラミド
G = グルコース

図 31・9　赤血球表面の ABO 系抗原.

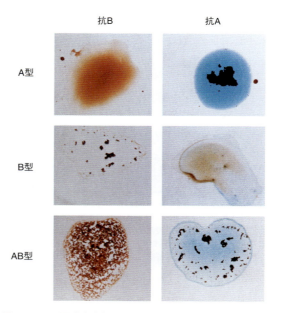

図 31・10　不適合血漿中における赤血球の凝集.

を引き起こす．その他，血漿と赤血球の不適合によって引き起こされる凝集反応を表31・7にまとめた．各人の赤血球と種々の凝集素を含む抗血清とをスライドグラスの上で混合し，凝集が起こるかどうかを観察してABO式**血液型判定 blood typing** を行う．

輸血反応

血液が不適合な血液型をもつ個体に輸血された場合，すなわち輸血を受けた個体が輸血された赤血球を凝集させるような凝集素をもつ場合，危険な**溶血性輸血反応 hemolytic transfusion reaction** が起こる．輸血された血漿が受血者の血球に対する凝集素を含んでいる場合には，たとえその凝集素の濃度がかなり高くても（高凝集価），通常受血者の血液中で希釈されるので凝集することはまれである．しかし，受血者の血漿が供血者の赤血球に対する凝集素を有する場合には，供血者の赤血球が凝集して溶血が起こり，ヘモグロビンが血漿中に遊離する．軽症の場合は血中のビリルビンが少し増加する程度であるが，重症になると高度の黄疸と腎尿細管障害から無尿となり死に至ることもある．

ABO血液型の不適合を表31・7にまとめた．AB型のヒトは他のどの血液型の血液を輸血されても，それらの血球を凝集する凝集素をもたないから不適合による輸血反応を起こさないので，**万能受血者 universal recipient** と呼ばれる．O型のヒトはA抗原とB抗原をもっておらず，ABO式のいずれの血液型のヒトにも輸血反応を起こすことなく供血できるので，**万能供血者 universal donor** と呼ばれる．しかしながら，極めて急を要する場合はともかく，一般には交叉試験をせずに輸血すべきではない．なぜならば，ABO型とは別の血液型の不適合による輸血反応や感作 sensitization の可能性が常にあるからである．交叉試験ではまず供血者の赤血球と受血者の血漿をスライドグラス上で混ぜて凝集が起こらないことを確かめる．

最近一般に使われるようになってきたのは，（緊急ではない）手術の前に患者の血液を採取しておき，この血液を手術中に輸血が必要になった際に戻す，**自己血輸血 autologous transfusion** である．鉄療法を行えば，1000～1500 mLの血液を3週間かけて採血することができる．自己血液を血液銀行に預けることが盛んになってきた第一の理由は他人からの輸血による感染症への心配であるが，輸血反応の危険を防げるという利点もある．

他の赤血球凝集素

ヒトの赤血球にはABO式の抗原の他にも，Rh, MNSs, Lutheran, Kell, Kidd など多くの凝集原の系が存在する．現在ヒトの血液型には5000億以上の表現型があることがわかっている．まだ未知の抗原があることも間違いないので，表現型の数は実際には数兆に達するだろう．

動物の血液型の数もヒトの場合のように多い．このような多様性 polymorphism が進化の過程においてどうしてできたのか，そしてなぜ淘汰されずに残ったのかは興味ある問題である．ある血液型の個体にある種の病気が起こりやすいといわれるが，さほど著しいものではない．それゆえ，この複雑な記号を識別することの意義は不明である．

Rh式血液型

Rh式血液型はABO式とならんで臨床医学上極めて重要である．Rh因子は初めにアカゲザル rhesus monkey の血液で研究されたので，このように命名された．この系は実際には他にも多くの抗原が含まれているが，基本的にはC, DとE抗原で構成されている．ABO抗原とは異なり，この系は赤血球以外の組織では検出されていない．Dが最も抗原性が高く，Rh陽性といえば通例この凝集原Dを有することを意味する．Rh陰性の個体はD凝集原をもたず，D陽性の血球が輸血されると抗D凝集素を産生する．臨床で用いられるRh血液型テスト用血清は抗D血清である．白人の85％はD陽性で，残り15％はD陰性である．アジア人の99％以上はD陽性である．ABO式の抗体とは異なり，輸血または胎児血液が母親の循環に入ることによってD陰性のヒトがD陽性の赤血球に曝されない限り，抗D抗体は産生されない．しかし，D陰性の個体にD陽性者の血液が輸血されると，長年経っても血中に相当の力価で抗D抗体を保有しているので，再びD陽性血を輸血されると輸血反応を起こす可能性がある．

新生児の溶血性疾患

Rh式の血液型不適合による障害はRh陰性の母親がRh陽性の胎児を宿した場合に起こる．胎児の血液が分娩時にわずかながらも母体に進入し，ある母体では分娩後にかなりの抗Rh凝集素が形成される．その凝集素が次の妊娠の際に胎盤を通じて胎児に移行す

る．抗Rh凝集素が胎盤を経てRh陽性の胎児に移行すると，**新生児溶血性疾患** hemolytic disease of the newborn（**胎児赤芽球症** erythroblastosis fetalis）を起こす．胎児での溶血がひどいと，死産となるか，たとえ生まれても貧血，重症黄疸，浮腫（**胎児水腫** hydrops fetalis）を起こす．また非抱合型ビリルビンが脳の基底核に沈着する**核黄疸** kernicterus と呼ばれる特有な神経症候群がみられる．低酸素症を合併する時には特に顕著に発現する．ビリルビンが成人の脳内に侵入することはまれであるが，幼児の血液脳関門が未熟であることが一因であろう．しかし，この状態において非抱合型ビリルビン濃度が非常に高いことの主な理由は，ビリルビン産生が亢進していることとビリルビン抱合系がまだ十分発達していないことにある．

Rh陰性の個体がRh陽性血の輸血によって感作される（抗Rh力価が生じる）率は約50％である．Rh陰性の母親がRh陽性の胎児を宿すことによって感作されるのは一般に出産の際であるから，初めて生まれた子供は正常であることが多い．しかし，Rh陰性の母親が以前に1回以上Rh陽性の胎児を宿した後では，Rh陽性の子供の約17％に溶血性疾患が起こる．幸いにも，出産後にRh免疫グロブリンの形で抗Rh抗体を1回注射することによって母体が最初に感作されるのをふつうは防ぐことができる．このような受動免疫は母体に害はなく，しかも活発な抗体産生を防ぐことが知られている．産科の臨床において，感作されていないRh陰性の婦人がRh陽性の子供を産んだ場合は，一般的にこのような処置を行うことによって溶血性疾患の発生を90％以上防ぐことができている．さらに，羊水穿刺あるいは絨毛膜絨毛採取によって得たサンプルを用いた胎児Rh型判定も今では可能なので，少量のRh免疫血清で治療すれば妊娠中の感作の発生も抑えることができるであろう．

止　　血

止血 hemostasis とは損傷を受けた血管壁に凝血塊を形成する過程であり，血管内での血液の流動性を維持しながら血液の損失を防いでいる．血液の凝固と抗凝固の間のバランスを維持するにあたって，複雑に相互関連する体系的なメカニズムがはたらいている．

血管損傷に対する反応

小さい血管が切れるか，または損傷を受けると一連の諸反応（図 31・11）が開始され，ついには凝血塊が形成される．凝血塊は傷害部位を塞ぎ，以降の血液の損失を防ぐ．血小板がコラーゲンに結合して互いに凝集することが引き金となって一時的な血小板**止血血栓** hemostatic plug を形成する．血管収縮も起こるが，傷害部位の細動脈や細い動脈の収縮はとても強力で，少なくとも一時的には内腔が閉塞することもある．この

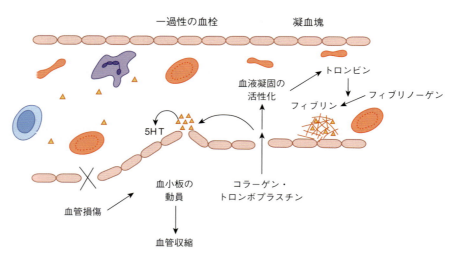

図 31・11　止血に関する諸反応． 血管の傷害はコラーゲンとトロンボプラスチンを露出させ，血小板を傷害部位に集めて一時的な血栓を形成させる．血小板は他の物質とともに5-ヒドロキシトリプタミン（5-HT，セロトニン）を放出し，血管平滑筋を収縮させて血管収縮を引き起こす．コラーゲンとトロンボプラスチンによる凝固系の活性化はトロンビンを活性化し，流血中フィブリノーゲンがフィブリンモノマーに変換される．フィブリンモノマーは重合・架橋されて血小板とともに傷害部位における最終的な血栓を形成する．

血管収縮は，損傷血管壁に付着した血小板から遊離してくるセロトニン(5-HT)その他の血管収縮物質の作用による．これに続いて血栓が最終的には凝血塊に変わっていく．

血液凝固の機序

一過性の止血血栓である血小板のゆるい凝集物は**フィブリン fibrin**の作用によって固められて最終的な凝血塊になる．フィブリン形成は一連の番号で呼ばれる凝固因子(表 31・4)と酵素のカスケード反応で行われる．最も重要な反応は，血漿の可溶性タンパク質であるフィブリノーゲンが不溶性のフィブリンに変化することである(図 31・12)．この反応は各フィブリノーゲン分子から2対のポリペプチド分子が放出されることにあり，残りの部分，すなわち**フィブリンモノマー fibrin monomer**が他のフィブリンモノマーと重合してフィブリンとなる．フィブリンは最初は絡まり合ったゆるい線維網であるが，やがてこれが共有結合によって相互に架橋され，密で硬い凝血塊に変わる(安定化)．この後者の反応は活性化された第XIII因子によって触媒され，Ca^{2+}を必要とする．

フィブリノーゲンからフィブリンへの変換はトロンビンによって触媒される．トロンビンはセリンプロテアーゼの一種であって，流血中の前駆物質であるプロトロンビンに活性化された第X因子が作用してできる．トロンビンにはこの作用の他に，血小板，内皮細胞，白血球の活性化を含め多くの作用があるが，それらはGタンパク質共役型のいわゆるプロテアーゼ活性化受容体[*3]を介したものである．

第X因子は2つの系，内因系と外因系のいずれによっても活性化される(図 31・12)．**内因系 intrinsic system**の最初の反応は不活性型の第XII因子が活性化される(XIIa)ことである．この反応は高分子量キニノーゲンとカリクレインによって触媒され(32章参照)，体外ではガラスなどに，体内では血管内皮の下層にあるコラーゲン線維に血液が触れることによってこの反応が起こる．活性型第XII因子は第XI因子を活性化し，活性型第XI因子は第IX因子を活性化する．活性型第IX因子は活性型第VIII因子と複合体を形成するが，後者は von Willebrand 因子から分離すると活性化される．活性型第IX因子と活性型第VIII因子の複合体は第X因子を活性化する．凝集した血小板のリン脂質 phospholipid (PL)とCa^{2+}は第X因子を完全に活性化するのに必要である．**外因系 extrinsic system**は，組織トロンボプラスチン tissue thromboplastin (TPL)[*4](すなわち第VII因子を活性化するタンパク質・リン脂質複合物)の放出によって作動を始める．組織トロンボプラスチンと第VII因子は第IX因子と第X因子を活性化する．PL，Ca^{2+}，第V因子の存在下に活性型第X因子はプロトロンビンをトロンビンに変える．外因系は**組織因子系凝固抑制因子 tissue factor pathway inhibitor (TFI)**によって抑制される．この因子はTPL，第VIIa因子，第Xa因子と4者複合体を形成する．

凝固阻止機序

体内で血液が凝固しようとする傾向は，それとは逆に血液が血管内で凝固するのを防ぎ，また凝血塊ができたとしてもそれを壊す反応とバランスを取ってい

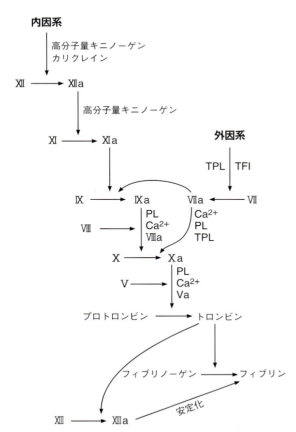

図 31・12 血液凝固のメカニズム． a：凝固因子の活性型，TPL：組織トロンボプラスチン，TFI：組織因子系凝固抑制因子．他の略語は表 31・4 参照．

[*3] 訳注：受容体の一部が切断されることによって活性化される．
[*4] 訳注：現在では組織因子 tissue factor (TF) が一般的である．

る．これらの反応は，トロンボキサンA_2の血小板凝集作用とプロスタサイクリンの抗血小板凝固作用との相互作用を含んでおり，これによって凝血塊が傷ついた血管壁部分に生じるだけで血管内腔には生じないようになっている（32章，クリニカルボックス31・3参照）．

アンチトロンビンⅢ antithrombin Ⅲ は循環血中のプロテアーゼ阻害物質の1つであり，凝固系のセリンプロテアーゼに結合して凝固因子としての酵素活性を阻止する．この結合は**ヘパリン heparin** によって促進される．ヘパリンは生体にもともと存在する凝固阻止物質であり，多糖類硫酸塩の混合物である．抑制を受ける凝固因子は第Ⅸ，第Ⅹ，第Ⅺ，第Ⅻ因子の活性型である．

血管内皮細胞も正常血管内での凝固の進展を防ぐのに積極的な役割を演じている．脳の微小循環系以外のすべての内皮細胞はトロンビン結合タンパク質である**トロンボモジュリン thrombomodulin** を生成し，内皮細胞表面に発現している．循環血中でトロンビンは血液凝固物質前駆体であり第Ⅴ因子と第Ⅷ因子を活性化するが，トロンボモジュリンと結合したトロンボモジュリン-トロンビン複合体はプロテインCを活性化する抗凝固物質となる（図31・13）．活性化されたプロテインC activated protein C（APC）は，その補因子

クリニカルボックス 31・3

止血の異常

血小板異常による凝集異常に加えて，凝固因子の欠損は出血性の病態を来すことがある（表31・8）．血友病Aは第Ⅷ因子欠損によって起こるが比較的頻度の高い病気である．von Willebrand（フォン・ヴィレブランド）因子の欠損は血小板の接着減少と血漿第Ⅷ因子濃度減少を引き起こすので，同様に出血性の病態（von Willebrand（フォン・ヴィレブランド）病）の原因となる．異常は遺伝性のことも後天的なこともある．von Willebrand分子は巨大で分解されやすく，ずり応力が亢進した血管床では血漿中の金属プロテアーゼであるADAM13によって不活性化される．最後に，ビタミンKおよび他の脂溶性ビタミンの吸収が抑制されると（26章参照），ビタミンK依存性の凝固因子が不足して出血傾向を来す場合がある．

血管内での凝血塊形成は，正常な血管外での凝固塊形成と区別して**血栓症 thrombosis** と呼ばれる．血栓症は主要な医学上の問題の1つである．血流が遅いと活性化された凝固因子が流されずに集積してしまう可能性が高くなるので，このような時には血栓症が特に起こりやすい．粥状硬化斑によって内膜が障害された血管や心内膜の障害部位でも起こりやすい．血栓はそれが存在する器官への動脈血供給をしばしば遮断し，**塞栓 embolus** の一部は時として剥がれて他の遠い場所へ血流に乗って運ばれ，その器官をも障害する．下肢静脈血栓から運ばれてきた塊による肺動脈やその分枝の塞栓（**肺塞栓症 pulmonary embolism**）が1つの例である．プロテインCの先天的欠損は無秩序な血管内凝固を引き起こし，多くは幼児期に死亡する．正しく診断され治療がなされれば凝固障害は消失する．その他の血栓症の原因は活性化プロテインCに対する抵抗性であり，頻度は高い．これは第Ⅴ因子遺伝子の点突然変異によって，活性化されたプロテインCによる不活化を受け付けなくなることによる．

敗血症，広範な組織障害，その他の病気では，フィブリンが多くの小・中サイズの血管内に沈着する**播種性血管内凝固症 disseminated intravascular coagulation（DIC）** という重篤な病態を来すことがある．血小板と凝固因子の消費増大は，同時に出血傾向を起こさせる．TFIの活性が弱く，TPLが異常に活性化されてトロンビンの産生が亢進することが，この病態の原因と考えられる（訳注：トロンボモジュリンの投与がDIC治療に非常に有効であることが最近示された）．

治療上のハイライト

血友病は第Ⅷ因子濃縮血漿あるいはもっと最近では組換え遺伝子技術によって作成された第Ⅷ因子製剤を使って治療される．特に歯科治療や外科手術の前にvon Willebrand病の患者には，第Ⅷ因子の産生を促進するデスモプレシン desmopressin を投与することがある．一方血栓症はヘパリン heparin などの抗凝固薬で治療される．

表 31・8　血液凝固因子の欠陥による病気の例

欠損因子	疾患名	原因
I	無フィブリノーゲン血症	胎盤早期剥離を伴う妊娠中におけるフィブリノーゲン欠損，まれに先天性
II	低プロトロンビン血症（肝疾患時の出血傾向）	肝臓のプロトロンビン合成の低下，通例ビタミンK欠乏による二次的なもの
V	パラ血友病	先天性
VII	低コンベルチン血症	先天性
VIII	血友病A（古典的血友病）	第VIII因子をコードするX染色体上の遺伝子の種々の異常による先天性欠陥，したがって病気は伴性遺伝
IX	血友病B（クリスマス病）	先天性
X	Stuart-Prower因子欠損症	先天性
XI	PTA欠損症	先天性
XII	Hageman素質	先天性

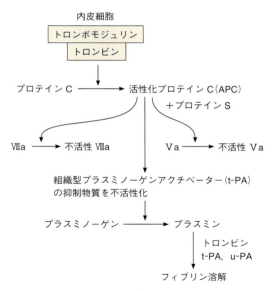

図 31・13　線維素溶解系とプロテインCによる調節．

であるプロテインSとともに第V因子と第VIII因子を不活性化し，組織プラスミノーゲンアクチベーターの抑制物質を不活性化してプラスミンの生成を促進する．
プラスミン plasmin（フィブリノリジン fibrinolysin）

はプラスミノーゲン系（線維素溶解系，略して**線溶系**）plasminogen（fibrinolytic）system の活性成分である（図31・13）．この酵素はフィブリンおよびフィブリノーゲンを分解し，フィブリノーゲン分解産物 fibrinogen degradation product（FDP）を生成する．FDP はトロンビンのはたらきを抑制する．プラスミンは不活性の前駆体であるプラスミノーゲンから，トロンビンと**組織型プラスミノーゲンアクチベーター** tissue-type plasminogen activator（t-PA）によって作られる．アミノ酸残基 560 番目のアルギニンと 561 番目のバリンとの間の結合が t-PA によって加水分解されることによって，プラスミノーゲンは活性型のプラスミンになる．プラスミノーゲンは**ウロキナーゼ型プラスミノーゲンアクチベーター** urokinase-type plasminogen activator（u-PA）によっても活性化される．マウスの t-PA または u-PA 遺伝子をノックアウトするとフィブリンの沈着が部分的に起こり，凝血塊の溶解が遅くなる．両方をノックアウトすると自然発生的なフィブリン沈着が広範囲に起こる．

プラスミノーゲン受容体は多くの種類の細胞の表面に局在し，内皮細胞には豊富に存在している．プラスミノーゲンがその受容体に結合すると，プラスミノーゲンは活性化されて無傷の血管壁に凝血塊形成を起こしにくくする機構がはたらく．

ヒトの t-PA は組換え DNA 技術によって現在生産されており，心筋梗塞や脳卒中の治療に用いられている．細菌由来の酵素であるストレプトキナーゼ streptokinase もフィブリン溶解作用を有し，心筋梗塞（33章参照）の初期治療に利用されている．

抗凝固薬

前述のようにヘパリンは自然に存在する凝固阻止物質でアンチトロンビンIIIの作用を増強する．低分子量ヘパリンが未分画ヘパリンから作られている．未分画ヘパリンよりも低分子量ヘパリンの方が半減期が長く，しかも抗凝固反応も安定して得られるので，臨床での利用が増えているようである．強塩基性タンパク質であるプロタミンはヘパリンと反応して不可逆性複合体を形成するので，ヘパリンの中和物質として用いられる．

血液凝固を妨げる程度まで血漿 Ca^{2+} を低下させることは生体内では生命維持の危険のためにできないが，生体外で血液凝固を防ぐには Ca^{2+} を除けばよい．そのためには Ca^{2+} と不溶性の塩を形成するシュウ酸塩や Ca^{2+} と結合する**キレート化合物 chelating agent**

を加えるとよい．**ジクマロール dicumarol**や**ワルファリン warfarin**のようなクマリン誘導体も有効な抗凝固薬である．これらのクマリン誘導体はビタミンKの作用を阻止する．ビタミンKはグルタミン酸残基を（訳注：より強い陰性荷電をもった）γ-カルボキシグルタミン酸残基に変える反応を触媒する酵素に必須の補酵素である．第II因子（プロトロンビン），第VII因子，第IX因子，第X因子，プロテインCおよびプロテインS（前述）が合成され血流に放出されるまでには多数のグルタミン酸残基がγ-カルボキシグルタミン酸残基に転換される必要がある．したがってこれらはビタミンK依存性である．

循環系の機能形態学

血管を構成する2種の主要な細胞について説明した後，それらの組合せによって各々の事情に合致するように様々な種類の血管が形成される様子を見ていくことにする．

血管内皮

内皮細胞は，血管の外膜や中膜と血液との間の隔壁であるばかりでなく，重要な機能を担っている．内皮細胞は，血流の変化，膜伸展，血液中の多種の物質，炎症のメディエーターなどに反応する．内皮細胞は細胞増殖調節因子や血管収縮・弛緩物質を分泌する（後述ならびに32章参照）．

血管平滑筋

血管壁に存在する平滑筋は，血圧調節や高血圧に重要なので，最もよく研究された内臓平滑筋の1つである．平滑筋細胞膜には多種のK^+，Ca^{2+}，Cl^-チャネルが存在する．5章に記述したように，収縮は主としてミオシン軽鎖による機構によって引き起こされる．それだけでなく，血管平滑筋は，血管の緊張性[*5]を決定する長期的収縮も行う．その一部にはラッチ橋機構（5章参照）が関与しているし，その他の機構も関与しているだろう．収縮と弛緩に関与すると考えられている分子機構の一部を図31·14に示した．

血管平滑筋では，細胞質中の低濃度Ca^{2+}と高濃度Ca^{2+}とが，時には正反対の効果をもたらす興味深い

[*5] 訳注：体内の血管の多くは，安静時にもある程度収縮した状態にある．これを，血管の緊張性という．

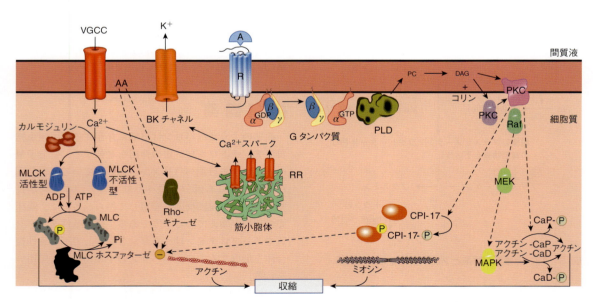

図31·14 血管平滑筋の収縮・弛緩機構（確立されたものと仮説とを含む）．A：アゴニスト，AA：アラキドン酸，BK：Ca^{2+}依存性K^+チャネル，MLC：ミオシン軽鎖，MLCK：ミオシン軽鎖キナーゼ，PLD：ホスホリパーゼD，R：受容体，RR：リアノジン受容体，SR：小胞体，VGCC：電位作動性Ca^{2+}チャネル（訳注：CPI-17：ミオシンホスファターゼ阻害タンパク質-17，CaD：カルデスモン，CaP：アクチンフィラメント端キャップタンパク質，PC：ホスファチジルコリン，DAG：ジアシルグリセロール）．

現象(2章参照)がみられる．これらの細胞では，電位作動性 Ca^{2+} チャネルを介した Ca^{2+} の流入は，収縮につながる細胞質 Ca^{2+} の全般的増加を引き起こす．一方で，Ca^{2+} の流入は同時に，リアノジン受容体(5章参照)を介した小胞体からの Ca^{2+} 放出を開始させ，その結果生じた局所の Ca^{2+} 濃度上昇(Ca^{2+} スパーク)は，細胞膜の **Ca^{2+}依存性 K^+チャネル Ca^{2+}-activated K^+ channel**(訳注：このチャネルは電位依存性も示す．)を活性化させる．このチャネルの単一チャネルでの K^+ 電流はとても大きいので，ビッグ K または **BK チャネル**とも呼ばれる．K^+ 流出の増加は膜電位を過分極させ，電位作動性 Ca^{2+} チャネルを閉じて弛緩を引き起こす．Ca^{2+} スパークの作用部位は BK チャネルの β_1 サブユニットであり，このサブユニットを欠損させたマウスは血管緊張性が増加し高血圧を呈する．

動脈と細動脈

様々な種類の血管の特徴を表31・9 にまとめた．動脈壁はすべて外膜 adventitia と呼ばれる結合組織の外層と，中膜 media と呼ばれる平滑筋の中間と，内膜 intima と呼ばれる内皮細胞と結合組織とからなる内層の，3層で構成されている(図31・15)．大動脈やその他の大きな内径の動脈の壁には比較的多くの弾性組織が主として内・外弾性板に含まれている．それらの動脈壁は心室収縮期に伸展され，拡張期には(訳注：その弾性エネルギーによって)もとの状態に戻す．細動脈の壁は弾性組織よりむしろ平滑筋に富み，その平滑筋はノルアドレナリン作動性神経の収縮性支配を受けている．別に血管平滑筋を支配するコリン作動性神経もあるが，これは血管拡張性である．細動脈は血流に対する抵抗を決める主要部位であり，細動脈の直径のわずかな変化が総末梢抵抗に大きく影響する．

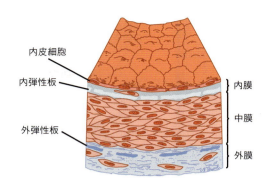

図 31・15　動脈血管の構造．(Ross R, Glomset JA: The pathogenesis of atherosclerosis. N Engl J Med 1976; August 12; 295(7): 369-377 より許可を得て複製).

毛細血管

細動脈は分岐して，より細く，しかも壁になお平滑筋をもつ**メタ細動脈 metarteriole** となる．これがさらに毛細血管 capillary に分かれる(図31・16)．毛細血管の入口は，**前毛細血管括約筋 precapillary sphincter** と呼ばれる微細な平滑筋で取り囲まれている．メタ細動脈に神経支配があるかどうかははっきりしていないが，前毛細血管括約筋にはないと思われる．とはいえこれらは，局所で産生されたり循環血液で運び込まれたりする血管収縮物質に対してはもちろん反応する．毛細血管の直径は動脈端で約 $5\mu m$，静脈端で約

表 31・9　ヒトの血管各部位の特徴

血管	内径	壁の厚さ	各タイプの血管の合計	
			全横断面積(cm²)	含有血液全量[a](全血液量の%)
大動脈	2.5 cm	2 mm	4.5	2
動脈	0.4 cm	1 mm	20	8
細動脈	30 μm	20 μm	400	1
毛細血管	5 μm	1 μm	4500	5
細静脈	20 μm	2 μm	4000	54
静脈	0.5 cm	0.5 mm	40	
大静脈	3 cm	1.5 mm	18	

[a] 体循環系中の値，他に心臓に 12%，肺循環系に 18%．

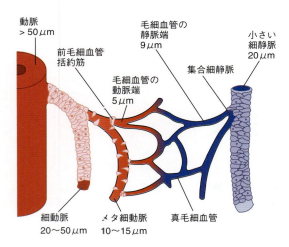

図 31・16 微小循環. 細動脈からメタ細動脈が，メタ細動脈から毛細血管が出る．毛細血管は短い集合細静脈を経て細静脈になる．動脈，細動脈，細静脈には平滑筋が比較的多い．メタ細動脈壁にはところどころにしか平滑筋はないが，毛細血管の分岐する入口には前毛細血管括約筋が備わっている．各種血管の直径も示す(Diana JN より許可を得て転載)．

壁に接しているか否かには依存しない．

毛細血管壁の総面積は成人で 6300 m^2 に達する．毛細血管壁は極めて薄く厚さ約 1 μm の内皮細胞の単層からなる．壁の構造は器官により異なる．骨格筋，心筋，平滑筋など多くの場所では内皮細胞間の間隙(図 31・17)を通じて直径 10 nm までの分子が通過できる．また，血漿およびそこに溶存するタンパク質はエンドサイトーシスによって取り込まれ，内皮細胞を横切って他側に至り，エキソサイトーシスによって放出されうる(**小胞性輸送 vesicular transport**, 2 章参照)．しかし，内皮細胞を横切る輸送のうち，この機構による部分はほんのわずかでしかない．脳の毛細血管は筋の毛細血管に似ているが，内皮細胞同士の接合がずっと緊密なため，通過する物質は小さい分子にほぼ限られる(病気の時にはこの接合が開くこともある)．一方，内分泌腺の大部分，小腸絨毛，腎臓の一部では，内皮細胞質の一部が薄くなって**開窓 fenestration** と呼ばれる間隙を作る．窓の直径は 20〜100 nm で，大分子が通過できるように広がることがある．しかし通常は内皮細胞の糖衣の厚い層によって透過性は大きく制限されているらしい．例外は肝臓であり，洞様毛細血管 sinusoidal capillary には非常に大きな窓が開いており，内皮は非連続で膜のない間隙が存在する(図 28・2 参照)．間隙は 600 nm から 3000 nm に達する場合すらある．ゆえにここでは，肝機能に重要な血漿タンパク質(28 章参照)なども通過できる．身体各部の毛細血管の透過性を，水力学的コンダクタンスとして表 31・10 にまとめた．

9 μm である．括約筋が弛緩してその入口が広がっている時の毛細血管の直径は，赤血球を一列縦隊にしてやっと押し込めることができる程度である．毛細血管を通り抜ける際に赤血球は，かなり変形して進行方向に先端を向けたパラシュート形を呈する．この変形は血管中心部の血流が赤血球の周辺部よりも中心部をより強く押すからだと考えられ，赤血球の周辺部が血管

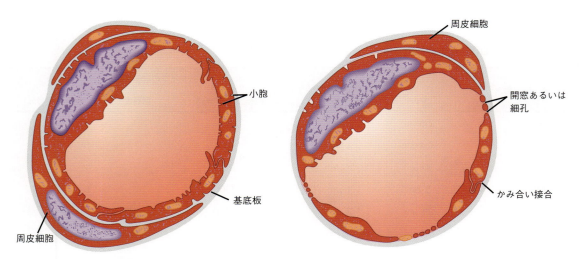

図 31・17 毛細血管の横断. 左：筋の毛細血管，右：有窓型毛細血管(Orbison JL and D Smith(editors): *Peripheral Blood Vessels*. Baltimore: Williams & Wilkins, 1962 より許可を得て複製)．

表 31・10　身体各部における毛細血管の水力学的コンダクタンス

器官	コンダクタンス[a]	内皮の型
脳(脳室周囲器官を除く)	3	連続型
皮膚	100	
骨格筋	250	
肺	340	
心臓	860	
消化管(腸管粘膜)	13000	開窓型
腎糸球体	15000	

a) コンダクタンスの単位：$10^{-13} cm^3/秒/dyn$(Diana JN のデータより).

　毛細血管とそれに続く細静脈は，内皮細胞外側に**周皮細胞 pericyte** をもっている(図31・17)．この細胞は長い突起を出して血管を包んでいる．この細胞は収縮性をもち種々の血管作動性物質を放出している．また基底膜や細胞外基質の成分の合成と放出に関与している．生理的役割の1つは内皮細胞接合部の流れを，特に炎症がある時に制御することである．この細胞は，腎糸球体のメサンギウム細胞 mesangial cell とごく近い関係にある(37章参照)．

リンパ管

　毛細血管から間質に出た血漿やその溶質の一部(すなわちリンパ液)はリンパ管に集められる．リンパ管は肺その他全身の器官からリンパ液を集めて次第に合流し，ついには両側の鎖骨下静脈(内頸静脈との会合部)に流入する．ところどころに弁があり，その経路に必ずリンパ節をもつ．毛細リンパ管の超微細構造は次の点で毛細血管と異なる：内皮細胞の開窓は見つからない．内皮細胞の外に基底板はほとんどなく，内皮細胞同士の接合度は密でなく隙間が広い．

動静脈吻合

　指，掌，耳朶には細動脈と細静脈とを直結し毛細血管を迂回する血管がある．これを**動静脈吻合 arteriovenous(A-V) anastomosis**(または**動静脈短絡路 A-V shunt**)という．この血管の壁は厚く，神経が豊富に分布している．おそらく血管収縮性神経である．

細静脈と静脈

　細静脈の壁は毛細血管よりもわずかに厚い．静脈の壁も薄く，伸展しやすい．壁にはわずかであるが平滑筋があり，静脈を支配するノルアドレナリン作動性神経の活動やエンドセリンなどの循環血液中の血管収縮物質によって，少なからず収縮する．静脈緊張度の変化は循環調節に重要である．

　四肢の静脈の内膜には，ところどころにひだができて，逆流を防ぐ**静脈弁 venous valve** を形成する．極めて細い静脈と幹部静脈(上・下大静脈と肺静脈)，および脳と内臓の静脈には弁がない．

血管新生

　組織が成長する時には，組織への正常な血液供給のために，血管増殖が必要である．そのため血管新生 angiogenesis は胎児から成人へと成長する過程で重要である．成人にあっても，損傷治癒や排卵後の黄体形成，月経後の子宮内膜形成にも重要である．異常状態ではあるが血管新生は腫瘍の成長にも重要で，血液供給がなければ腫瘍は成長しない．

　胎児の発育途上で，血管芽細胞組織に未熟な毛細血管のネットワークが形成される．この過程は**脈管新生 vasculogenesis** と呼ばれることがある．その後，近傍の血管から枝分かれした血管が毛細血管に接続して平滑筋細胞を供給し，成熟をもたらす．成人の血管新生もおそらく同様と思われるが，血管芽細胞からではなく既存の血管からの枝分かれによる血管新生も含まれるだろう．

　多くの因子が血管新生に関与している．鍵となる分子は**血管内皮細胞増殖因子 vascular endothelial growth factor(VEGF)**である．VEGFの主要な役割は脈管新生であり，未熟な毛細血管のネットワークに接続する血管の発芽は，未知の因子によって調節されている．VEGFのアイソフォームおよび複数の受容体のうちのいくつかは，血管新生よりも**リンパ管新生 lymphangiogenesis** に主要な役割を果たしていると考えられる．

　腫瘍の成長には血管新生が必要なので，VEGFおよび関連因子は近年大きな注目を集めている．悪性腫瘍治療の補助薬として VEGF 拮抗薬や他の血管新生阻害薬の臨床利用がすでに始まっており，第一選択薬としての利用可能性も検討されている．

生物物理学的考察

流量，圧，抵抗

例外的に運動量の関係で，ごく一過性に圧差とは逆方向の流れが生じる(図 30・3 参照)場合を除いて，血液は常に圧の高いところから，低いところへ向かって流れるのはいうまでもない．血管中の平均血流，平均血圧，流れに対する抵抗，これら 3 つの量の関係は，電気回路における電流，起電力(電圧)と電気抵抗の間の Ohm〔オーム〕の法則と同類である．

$$電流\ I = \frac{電位差\ E}{電気抵抗\ R}$$

$$血流\ F = \frac{血圧差\ P}{血流抵抗\ R}$$

血管系のある部分の血流を求めるには，**実効灌流圧 effective perfusion pressure** をその部分の **抵抗 resistance** で除せばよい．実効灌流圧とは動脈側の平均管腔内圧と静脈側のそれとの差である．血管抵抗の単位は $dyn・秒/cm^5$ である．この単位は複雑なので循環系内の抵抗はしばしば **R 単位 R unit** で示される．これは mmHg で表した圧差を，mL/秒で表した流れで割って求められる(表 33・1 も参照)．たとえば，大動脈平均圧が 90 mmHg で左心室の拍出量が 90 mL/秒であるとすると，総末梢抵抗 total peripheral resistance は以下となる．

$$R = \frac{P}{F} = \frac{90(mmHg)}{90(mL/秒)} = 1\ R\ 単位$$

血流測定方法

非侵襲的に血流を測定する装置が種々開発されている．最も一般的な装置は **Doppler〔ドプラ〕流量計** である．対角線上に配置された発生装置から血管に向かって超音波を発射し，赤血球および白血球で反射された波を下流の検出器で捉える．Doppler 効果により反射波の周波数は，検出器に向かう血流速度に比例して高くなる．

ヒトの各器官の血流量を間接的に測定するには，30 章に記した Fick の原理による標識物質希釈法が応用できる．1 つの例は脳血流測定のための Kety の N_2O 法である(33 章参照)．もう 1 つの例は腎血流量測定のためのパラアミノ馬尿酸クリアランス法である

(37 章参照)．四肢の血流量測定には**プレチスモグラフィー plethysmography** が盛んに使われている．たとえば，水を満たした筒(**プレチスモグラフ plethysmograph**)[*6]で前腕を密に囲むと，前腕の血液量と組織液量の増減が装置内の水の出入りに反映される．前腕の静脈血の還流を阻止した状態における前腕の体積増加は，動脈血流入の度合いを示す(**静脈阻止プレチスモグラフィー venous occlusion plethysmography**)．

流体物理学の血流への適用

剛体の管の中の理想的な完全流体の流れに関する諸法則や方程式が血管内の血流にもそのまま適用して論じられることがよくある．しかし実際は血管は剛体管ではなく，血液も血球と血漿からなる二相系流体であって完全流体ではない．そのため物理学的な理想法則は厳密にはあてはまらないし，時には実際とかなり食い違った予測を示す．しかしこれらの法則を知ることは，血流について理解を深めるために有効である．

層　　流

直線状の血管内の血液の流れは，細い剛体管の中の流れのように **層流 laminar flow** となるのがふつうである．この場合，血管壁に接する無限に薄い血液の層は動かないが，それに接する次の層は少し動く．さらに次の層はもう少し速く動くというような状態になり，管の中心部で流速は最も速い(図 31・18)．このような

[*6] 訳注：-graphy は方法論の名称，-graph は装置，-gram はその方法により記録された図を示す用語である．

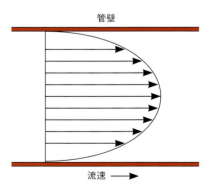

図 31・18　粘性流体が管の中を流れる場合の管壁に平行な各液層の流速を示す模式図．速度ベクトル図は放物線となる(層流の場合)．

層流は，流速が一定値以下である場合にのみ発生する．その限界の速度を**臨界速度 critical velocity** という．これを超えると乱流 turbulent flow となる．乱流を生じる確率は血管の直径と血液の粘性にも依存する．この確率は慣性力と粘性力との比として次のように示される．

$$Re = \frac{\rho D\dot{V}}{\eta}$$

ここで，Re は Reynolds〔レイノルズ〕数，ρ は流体の密度，D は管の直径，$\dot{V}$ は流速，η は流体の粘性率である．Re が大きいほど乱流を生じる確率が高い．D を cm，$\dot{V}$ を cm/秒，η をポアズ poise[*7] で表すと，Re が 2000 以下の時は通常乱流とはならない．Re が 3000 を超えるとほとんどの場合乱流となる．動脈分枝部では層流が乱されることになり，その結果生じた乱流は粥状硬化斑の沈着の可能性を上昇させる．血管が収縮すると収縮部位を通過する血流速度は増加し，収縮部位の下流で乱流が発生し音が発生する（図31・19）．例としては粥状硬化斑によって収縮した動脈上で聴取される雑音や，血圧測定の際に聴取されるKorotkoff 音がある（後述）．正常人でも心室収縮期の最大駆出期には上行大動脈の血流がこの臨界速度を超えることがあるが，通常は動脈が何らかの原因で収縮した時だけである．

ずり応力と遺伝子の活性化

血流は，血管の長軸方向に平行する力を内皮細胞に与える．この**ずり応力 shear stress**（γ）は，粘性（η）とずり速度（dy/dr）の積に比例する．このずり速度とは軸方向の流速が，血管壁から内腔に向かって増える割合[*8]のことである．

$$\gamma = \eta \, (dy/dr)$$

ずり応力の変化や周期的な張力変化などの物理的刺激は，内皮細胞における遺伝子発現を著しく変化させる．活性化される遺伝子には成長因子，インテグリンや関連分子が含まれる（図31・20）．最近の研究によると，**一次線毛 primary cilia** と呼ばれる血管内皮細胞の表面構造がずり応力のセンサーであり，その結果細胞機能を変化させるようなシグナル伝達経路を活性化させると考えられている．イオンチャネル，接着分子，細胞骨格などの他の要因も関与しているかもしれない．

[*7] 訳注：Jean M Poiseuille にちなんだ CGS 系の単位名．ちなみに SI 単位系ではパスカル・秒を用いる．

[*8] 訳注：図31・18 の放物線の血管壁における接線の傾き．

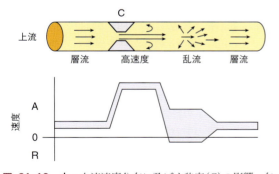

図 31・19 上：血流速度分布に及ぼす狭窄（C）の影響．矢印は血流成分の方向を示す．矢印の長さは血流速度に比例している．下：血管に沿う各点の速度分布を示す．乱流領域には多くの異なった順方向の速度（A）をもった血流と若干の逆方向の速度（R）をもった血流がみられる（Richards KE: Doppler echocardiographic diagnosis and quantification of vascular heart disease. Curr Probl Cardiol 1985 February; 10(2): 1-49 より許可を得て改変）．

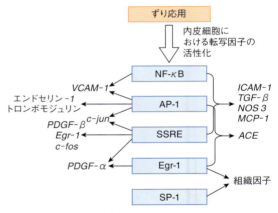

図 31・20 血管内皮細胞においてずり応力によって活性化される転写因子と標的遺伝子．ACE：アンジオテンシン変換酵素，AP-1：アクチベータータンパク質-1，Egr-1：初期増殖応答タンパク質-1，ICAM-1：細胞間接着分子-1，MCP-1：単球遊走ケモカイン-1，NF-κB：nuclear factor-κB，NOS 3：NO シンターゼ 3，PDGF：血小板由来成長因子，SP-1：ずり応力活性化転写因子 1，SSRE：ずり応力反応エレメント，TGF-β：トランスフォーミング成長因子-β，VCAM-1：血管細胞接着分子-1（Braddock M, et al: Fluid shear stress modulation of gene expression in endothelial cells. News Physiol Sci 1998; 13: 241 のデータより）．

平均速度

　管内の流れを考える場合，速度(単位時間当たりの変位，cm/秒など)と流量(単位時間当たりの容積，cm³/秒など)とをはっきり区別しなくてはならない．速度V($\dot{V}$)は流量(Q)と管断面積(A)との比で与えられる．

$$\dot{V} = \frac{Q}{A}$$

　したがって，Q＝A×$\dot{V}$となり，もし流量が一定なら速度はAの減少と反比例して増加する(図31・19)．
　並列に並んだ血管群のある一点における液体運動の平均速度は，その点における断面積の総和に逆比例する．したがって，体循環系血管の各部位における血流の平均速度は大動脈から小さい血管に向かって次第に減少し，毛細血管で最低になる．毛細血管の断面積の総和は大動脈の1000倍になるからである(表31・9)．毛細血管を過ぎると平均速度は再び上昇し，大静脈ではかなりの速度になるが，それでも大動脈の値には達しない．臨床的に循環速度を測るには，胆汁酸塩溶液を腕の静脈に注入してから，それが舌に達して，苦みとして感じられるまでの時間を計測する(図31・21)．**腕-舌循環時間 circulation time** の正常値は平均15秒である．

Poiseuille-Hagenの式

　長く細い管の中の流体の流れについては，流量(F)と液の粘性率 viscosity(η)，管の半径(r)，管の長さ(L)，その両端の圧差(ΔP)との間に次のような関係がある．

$$F = (P_A - P_B) \times \left(\frac{\pi}{8}\right) \times \left(\frac{1}{\eta}\right) \times \left(\frac{r^4}{L}\right)$$

　これを **Poiseuille-Hagen〔ポアズイユ・ハーゲン〕の式**[*9] という．
　したがってこの管の抵抗R(＝P/F)は以下となる．

$$R = \frac{8\eta L}{\pi r^4}$$

　つまり流量は管の半径の4乗に比例(抵抗は4乗に逆比例)するから，血管の半径は流れに対して非常に強い影響をもつことになる．たとえば，半径がわずかに19％だけ増しても流れは2倍になり，半径が2倍になると抵抗は以前の値のわずか6％になってしまう．このため，細動脈の口径のわずかな差によってその器官の血流が著しく変化し，また細動脈の口径のわずかな変化が体循環系の動脈圧に多大な影響を与えるのである．

粘性と抵抗

　血流に対する抵抗は単純に血管の半径によってのみ決まるのではなく，血液の粘性にも依存する．血漿の粘性は水の粘性の約1.8倍であり，全血の粘性は水の3～4倍である．このように，粘性は大部分**ヘマトクリット hematocrit** に依存する．生体における粘性の効果は Poiseuille-Hagen の式から予測される値とは食い違っている．大きな血管ではヘマトクリットが増加すると血液の粘性も増加する．しかし直径100μm以下の血管(細動脈，毛細血管，細静脈)では粘性に対するヘマトクリットの影響はかなり少なくなる．その理由は，細い血管の中の流れの様子が太い血管とは異なるからである．Fahraeus-Lindqvist〔ファレウス・リンドクヴィスト〕効果と呼ばれており，赤血球は血管の中心部を，血漿は周辺部の血管壁付近を流れるように

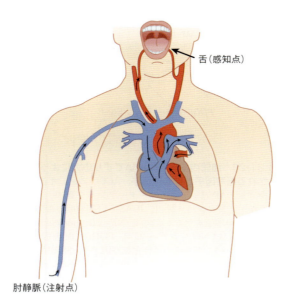

図 31・21　腕-舌循環時間測定時の注射物質の経路．

[*9] 訳注：流量が半径の4乗に比例することを初めて推定したのは Hagen(1839)であるが，この関係を正確に実証したのは Poiseuille(1842)である．Hagen-Poiseuille の式，あるいは単に Poiseuille の式と呼ばれることもある．

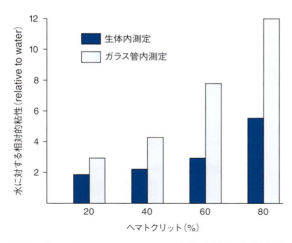

図 31・22 血液ヘマトクリットの変化が血液の相対的粘性に及ぼす影響を生体内とガラス管内で測定した結果. (Whittaker SRF, Winton FR: The apparent viscosity of blood flowing in the isolated hind limb of the dog, and its variation with corpuscular concentration. J Physiol [Lond] 1933; 78: 338 のデータを単純化・改編した).

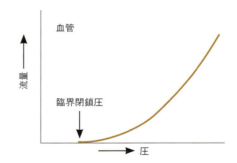

図 31・23 壁の薄い血管における圧-流量関係.

なる.したがってヘマトクリットの変化が粘性に及ぼす正味の効果は,生体内ではガラス管内に比してずっと小さい(図 31・22).ヘマトクリットの変化が著しく大きくならない限り末梢抵抗にさほど影響しないのはこのためである.しかし重症の赤血球過多症ともなれば,心臓に相当の負担となる程度に血管抵抗が増大する.重度の貧血では逆に,血液の粘性低下によって末梢抵抗が減少する.もちろんヘモグロビン低下は血液の酸素運搬能を低下させるが,粘性低下による血流増加はある程度これを代償する.

血漿の組成や細胞成分の変形性も血液の粘性に影響する.臨床的に血液粘性の有意な増加がみられるのは免疫グロブリンのような血漿タンパク質が著しく増加する疾患や,遺伝性球状赤血球症のように赤血球が異常に硬くなる疾患の場合である.

臨界閉鎖圧

剛体管内の均一な液体の流れでは流量と圧勾配(有効灌流圧)とは比例するが,生体内の壁の薄い血管ではそうではない.小さい血管内の血流の灌流圧を下げていくと,それがゼロになる前に流れはゼロになる(図 31・23).血管が周囲からわずかながら一定の組織圧を受けているために,内圧がそれと等しい値以下になれば血管が圧平されてしまうためである.したがってたとえば非活動状態にある組織においては,メタ細動脈も前毛細血管括約筋も収縮しているから,毛細血管の多くは圧平状態にある.血管内に血流を起こすのに要する最低の内圧を **臨界閉鎖圧 critical closing pressure** と呼ぶ.

Laplace の法則

毛細血管のように薄い壁で繊細な血管が内圧によって破れないのは驚くべきことである.それが比較的破壊されにくい主な理由は,直径が小さいことである.この場合,直径が小さいことが防御効果を示すのは **Laplace〔ラプラス〕の法則** が作用するためであり,この法則は生理学の他の場面にもあてはまる重要な物理的原理である.この法則によれば,円筒の壁の張力(T)は,壁の内圧と外圧との差 transmural pressure(P)と半径(r)の積を壁の厚さ(w)で除したものに等しい.

$$T = \frac{Pr}{w}$$

壁内外圧差 transmural pressure は,円筒の内側と外側との圧差であるが,身体の組織圧は低いので一般的に無視することができ,P は円筒の内圧に等しい.壁厚が薄い器官では,w が極めて小さいので省略可能であるが,動脈のような血管では w は意味のある因子となる.したがって壁厚が薄い筒では,P は次式のように,T を筒構造の 2 つの主要曲率半径で除したものに等しい.

$$P = T\left(\frac{1}{r_1} + \frac{1}{r_2}\right)$$

血管のような円筒では曲率半径の 1 つは無限大となるから,

$$P = \frac{T}{r}$$

である.

したがって，血管の径が小さくなればなるほど，内圧と釣り合う壁の張力は低くてよいことになる．たとえば，血管壁の張力は，ヒトの大動脈では170 000 dyn/cm, 大静脈で 21 000 dyn/cm であるが，毛細血管では約 16 dyn/cm にすぎない．

Laplace の法則は，心臓が拡張した時の不利な状況を示している．同じ内圧を発生するのに心室の径が大きい場合は，小さい時に比べてより強い心筋の張力を必要とする．すなわちより大きい仕事を要することになる．

抵抗血管と容量血管

生体では静脈は重要な血液貯留器官である．正常では静脈は部分的に圧平され，その横断面は楕円形になっている．静脈は，ある限界に達するまでは内圧の急激な上昇を伴わずに伸展することができるので，大量の血液を注入することが可能である．このため静脈は**容量血管 capacitance vessel** と呼ばれる．これに対して小動脈，細動脈は**抵抗血管 resistance vessel** と呼ばれる．末梢抵抗の主体をなすのはこれらの血管だからである（後述）．

安静時では全身の循環血液のうち，少なくとも 50％は体循環静脈系に，12％は心臓内に，18％は血圧の低い肺循環系内にある．わずか 2％が大動脈に，8％が動脈に，1％が細動脈に，5％が毛細血管にあるにすぎない（表 31・9）．輸血により血液量を増加させると，その 1％以下が動脈系（**高圧系 high-pressure system**）に入り，残りはすべて体循環静脈系，肺循環系，心臓内（左心室を除く）などの**低圧系 low-pressure system** に分布する．

動脈と細動脈での循環

体循環系各部位の血圧と血流速度を図 31・24 に示した．肺循環でも傾向は同じであるが，血圧の絶対値は低く，肺動脈圧は 25/10 mmHg, またはそれ以下である．

拍動流

大動脈近位部での血流の空間速度は平均して

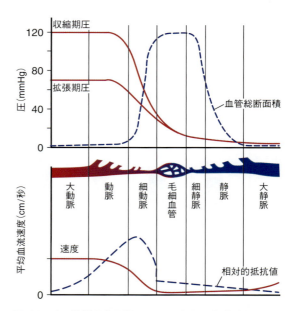

図 31・24 体循環各部位における血圧と血流速度． 血管総断面積は大動脈では 4.5 cm² だが毛細血管では 4500 cm² になる（表 31・9 参照）．相対的抵抗値は細動脈で最も大きい．

40 cm/秒であるが，心臓の収縮・弛緩相に応じてその速度は著しく変化し，心室駆出期には最高 120 cm/秒に達する一方，拡張期の初めに大動脈弁の閉じる直前には負の速度（逆流）にもなる．大動脈遠位部および太い動脈でも血流速度は拡張期よりも収縮期の方がずっと大きい．しかし血管に弾性があるおかげで末梢に向かう血流は持続的である．これは収縮期に伸展された大動脈壁の弾性反動によって拡張期にも末梢に向かう血流が維持されるからである（図 31・25）．拍動的血流は，おそらく遺伝子転写への効果を介して，組織の機能を適正に維持しているものと考えられる．

動 脈 圧

大動脈および大きな動脈（上腕動脈など）における血圧は，若年成人で心拍周期ごとに最高 120 mmHg（**収縮期圧 systolic pressure**），最低 70 mmHg（**拡張期圧 diastolic pressure**）を上下している．これを血圧 120/70 mmHg というように記載する．収縮期圧と拡張期圧との差を**脈圧 pulse pressure** と呼び，50 mmHg が正常である．**平均血圧 mean pressure** は 1 心拍周期を通じての血圧の時間平均をいう．収縮期は拡張期よりも通例短いから，平均血圧は拡張期圧と収縮期圧の単純平均よりも少し低くなる．正しくは血圧曲線の積

では平均血圧は 30〜38 mmHg, 脈圧は 5 mmHg に下がる. 細動脈におけるこの血圧降下度は, その細動脈の収縮弛緩の程度によって著しく異なる.

重力の影響

図 31·24 に示した血圧は, 各血管が心臓と同じ高さにある場合の値である. もし血管の位置が心臓よりも上(下)にあるならば重力の影響でそこでの血圧は低く(高く)なる. 重力によって垂直方向に 0.77 mmHg/cm (=血液の比重÷水銀の比重×10 mm)の血圧差を生じる. たとえば立位では心臓の高さでの平均動脈血圧が 100 mmHg であれば, 心臓よりも 50 cm 上にある頭部の太い動脈の平均血圧は $[100-(0.77\times50)]=62$ mmHg となり, 足の太い動脈(心臓から 105 cm 下方にある)のそれは $[100+(0.77\times105)]=180$ mmHg となる. 静脈内圧に対する重力の影響についても原則的には同じことがいえる(図 31·27).

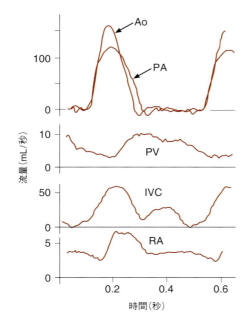

図 31·25　心周期に伴う血流の変化(イヌでの記録). 収縮期のピークは 0.2, 0.6 秒の時点. Ao：大動脈, IVC：下大静脈, PA：肺動脈, PV：肺静脈, RA：腎動脈 (Milnor WR: Pulsatile blood flow. N Engl J Med 1972; July6; 287(1): 27-34 より許可を得て複製).

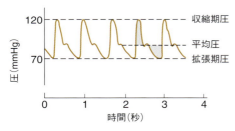

図 31·26　上腕動脈血圧曲線. 正常若年成人の収縮期圧と拡張期圧および平均血圧の関係を示す. 平均血圧以上と以下の陰影部の面積は等しい.

分平均値(図 31·26)をとらねばならないが, 近似的には(拡張期圧)+1/3(脈圧)とみてよい[*10].

太い動脈から中等度の動脈へかけての血管抵抗は低いから血圧はたいして下降しないが, 小さい動脈, 次いで細動脈に入ると血圧は急激に下降する. 小さい動脈と細動脈は末梢抵抗の主体であり, 心臓からの血液拍出はこの抵抗に逆らって行われる. 細動脈の末端部

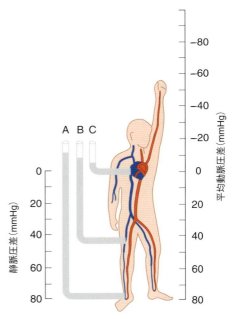

図 31·27　動脈圧および静脈圧に対する重力の影響. 右の目盛は各部位の体循環動脈が左心室の位置の上または下にあるために生じる静水力学的圧の差を示す. 左心室の高さに置いた時の太い動脈の平均血圧は約 100 mmHg である. 左方の目盛は体循環静脈圧の右心房圧に対する同様な圧差を示す. A, B, C は足首の静脈, 大腿静脈および右心房にそれぞれつないだ圧力計が, 立位において呈する内圧を血液柱の高さで示したもの. 臥位においては, A, B, C はほぼ同一の低い値. すなわち, A：10 mmHg, B：7.5 mmHg, C：4.6 mmHg となる.

[*10] 訳注：この近似が適用されるのは上腕動脈で血圧測定を行う場合である.

血圧測定法

カニューレを動脈内に挿入すれば，水銀圧力計または適切に校正されたひずみ圧力計を用いて血圧を直接測定することができる．カニューレ挿入位置の下流で動脈を結紮すれば血液の流動は止まるから，血流の運動エネルギーはすべて圧エネルギーに変わり，血流のもつ全エネルギーが圧力として測定される(**全圧 end pressure**)．あるいは，T字管カニューレ[*11]を血管に挿入してその側管で圧力を測定すると，(カニューレの)抵抗による圧降下が無視できるならば，記録される**側圧 side pressure** は全圧から運動エネルギーを差し引いた値になる．これは，管内の液体の圧エネルギーと運動エネルギーとの和，すなわち全エネルギーは一定，という **Bernoulli〔ベルヌーイ〕の原理** からいえることである．

動脈系のどの部分についても側圧降下の原因となるのは，血流抵抗に打ち勝つためのエネルギー消費と圧エネルギーから運動エネルギーへのエネルギー形態の変換である．抵抗のために消費されたエネルギーは熱となって散逸してしまい回収不能であるが，運動エネルギーへの変換によって生じた側圧降下分は回収されうる．たとえば，いったん細くなった管が再び太くなって血流速度が下がると，運動エネルギーは圧エネルギーに戻される(図31・28)．

Bernoulli の原理は病態生理学的にも極めて重要である．この原理によれば，流速が速ければ速いほど側圧は低くなる．血管がたとえば粥状動脈硬化斑の形成によって狭窄するとその部位では血流速度が上昇し，管壁にはたらく側圧は減少する．これはますます狭窄を助長することになる[*12]．

聴診法による血圧測定

ヒトの動脈血圧は**聴診法 auscultatory method** で通例測定する．空気を吹き込んで膨らますことのできる腕帯(カフまたはマンシェット)を水銀血圧計(**sphygmomanometer**)に接続し，このカフを上腕に巻き付け，肘の位置で上腕動脈上に聴診器を置く．予想される上腕動脈内の収縮期血圧よりもカフ内圧が高くなるようにカフ内に空気を急速に吹き込むと，動脈はカフ圧によって圧平され，何も音は聞こえない．次にカフ内圧をゆっくり下げていくと，カフ内圧が収縮期圧を下回るやいなや途絶されていた動脈内の血液が心拍ごとに圧迫部を越えて流れ始める．そのたびに聴診器にトントンと音が聞こえる．この音が聞こえ始めた瞬間のカフ内圧が収縮期圧である．カフ内圧をさらに下げていくと音はますます強くなるが，ある時点でその音は急に濁り，こもった音質になる．これらの音が**Korotkoff〔コロトコフ〕音**である．さらにカフ圧を下げるとほとんどの場合で音は消失する．血圧の直接測定を同時に行って比較してみると，安静時の成人では音が消失する時のカフ内圧が拡張期圧に最も近い．しかし運動後の成人や小児の場合には，急にこもった音色になる時点のカフ内圧が最も拡張期圧に近い．甲状腺機能亢進症や大動脈弁逆流症のような病態でも同様である．

Korotkoff 音の成因は上腕動脈内の乱流である．カフで狭窄されるとその部位の血流速度が上昇し，**臨界速度 critical velocity** を超えると乱流となる(図31・19)．カフ圧が収縮期圧をわずかに下回る時，血液は収縮期のピーク時点でのみ流れ，間欠的な乱流がトントンという音を発生させる．カフ内圧が拡張期圧を上回っている間は，少なくとも拡張期の一時期だけ血流が途絶するので，音は断続的 staccato になる．カフ内圧が拡張期圧に近くなると，血管は圧迫されたままであっても乱流が連続的に起こることになり，音質はくぐもったようになる．

動脈血圧の変化

血圧は心拍出量と末梢血管抵抗との積であるから，

[*11] 訳注：図31・28 は水平に走行する血管に3本のT字管カニューレを挿入した様子を示す．

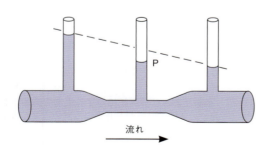

図 31・28 Bernoulli の原理． 流体が管の細い部分を通過する時，速度が増すから流れの運動エネルギーも増加し，一方，圧エネルギーは減少する．その結果，細い部分での圧力の測定値(P)は，狭窄のない場合の予想値より低くなる．破線は狭窄がない場合の管摩擦による圧降下の模様を示す．

[*12] 訳注：逆に動脈瘤の場合は，いったんできるとますます血管の拡張を助長する．

この2因子のいずれかまたは両方の変化に応じて変わる．情動は心拍出量と末梢抵抗とを増加させる．高血圧患者の約20％は，在宅時の血圧よりも高い値を診察室で示す（白衣高血圧）．睡眠時には血圧は最大で20 mmHg下降する．高血圧患者ではこの夜間降圧が減弱しているか消失している．

加齢とともに血圧が上昇することはよく知られているが，その程度には合意が得られていない．というのも，高血圧は罹患率の高い病気であり，その頻度も年齢とともに上昇するからである（クリニカルボックス31・4）．50～60歳で収縮期圧が120 mmHg未満で，臨床上加療が必要な高血圧は発症しなかった人たちでも，生涯にわたって収縮期圧が上昇した（図31・29）．この上昇は，正常人での加齢に伴う血圧上昇の最も確からしい推定値となるだろう．拡張期圧も中年期までは上昇したが，その後は動脈硬化度の増加によって減少した．その結果，加齢に伴う脈圧の増加がみられた．55～65歳までは収縮期圧，拡張期圧ともに女性の方が男性より低値を示し，それ以降は性差がなくなることは興味深い．血圧と心臓発作・脳卒中の発生頻度との間には正の相関があるので（後述），閉経前の女性の血圧が低いことは，平均として女性の方が男性よりも長生きであることの理由の1つであるとも考えられる．

毛細血管循環

どの時点をとっても毛細血管の中には全血液量のわずか5％が入っているにすぎない．しかしこの5％こそは，ある意味で全血液量の中で最も重要な部分である．というのは，血液から間質液へO_2と栄養素が，組織から血中にCO_2や老廃物が移動するのは毛細血管領域に限るからである．この物質およびガス交換は全身の組織の生命維持に不可欠である．

研究方法

毛細血管内圧とそこの血流を正確に測定することは容易ではない．毛細血管圧は，毛細血管を圧平するのに要した外圧を計測するか，マイクロピペットに生理食塩水を満たして毛細血管中へ（細動脈側に向けて）挿入し，この生理食塩水を血流中に押し出すのに必要な圧を計ることによって実験的に推定されてきた．

毛細血管の血圧と血流

毛細血管圧の値にはかなりの幅があるが，ヒトの爪床では細動脈端で32 mmHg，脈圧5 mmHg，細静脈端の圧は15 mmHg，脈圧は0 mmHgである．毛細血管は短いが毛細血管床の総横断面積は大きいので血流速度は遅い（おおよそ0.07 cm/秒）．平均的な毛細血管では，その細動脈端から細静脈端まで血液が通過するのに要する時間は1～2秒である．

間質液と血液との平衡

先に述べたように毛細血管の壁は内皮細胞からなる薄い膜である．各種の物質は内皮細胞間隙を通り，開窓がある場合には窓を通り，あるいは一部の物質は小胞性輸送によって毛細血管壁を通過する．

毛細血管壁を溶質や水が通過する主な機序は，小胞性輸送を除けば拡散 diffusion と濾過 filtration である（1章参照）．血液と組織との間の栄養物と老廃物の交換には拡散が重要な意義をもつ．O_2およびグルコースは血中濃度が組織液内濃度よりも高いので組織液の方向へ移動し，CO_2は逆方向に拡散する．

毛細血管中の任意の点における水の濾過速度は，その部位にはたらく力の釣り合いによって決まる．この

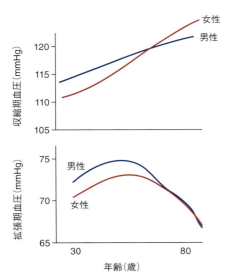

図 31・29　年齢と性別がヒトの血圧成分に及ぼす影響[*]．生涯にわたって2年ごとに調査された大規模調査の結果．50～60歳の時点で高血圧症ではない（収縮期血圧120 mmHg未満）ヒトのデータのみを抜粋（Franklin SS, et al: Hemodynamic patterns of age-related changes in blood pressure: The Framingham Heart Study. Circulation 1997;96:308 および米国国民健康栄養調査のデータより再構成）．（＊訳注：他のグループのデータは省略してある．調査が行われた1940～80年代には高血圧の治療が一般化しておらず，無治療群のデータが得られた．）

クリニカルボックス 31・4

高血圧

高血圧とは体循環系の動脈圧が持続的に上昇した状態をいう．総末梢抵抗の増加によるものが大多数を占め，ヒトの病気の中でも非常に一般的である．様々な原因が高血圧を引き起こし（表31・11），高血圧は様々な障害をもたらす．左心室が打ち勝つべき抵抗（後負荷）が長期にわたって上昇すると，心筋が肥大する．まず心室筋細胞で前初期遺伝子が活性化され，胎児期の発生でも活躍した一連の遺伝子が活性化される．左心室肥大の予後は悪い．増加した抵抗に打ち勝つために心筋のO_2消費はすでに増えている（30章参照）にもかかわらず，肥大のおかげでさらに消費が増える．そのため冠状動脈のわずかな血流減少は，高血圧患者では正常人よりもいっそう重大な結果を引き起こす．正常な心臓では問題にならなかった程度の冠状動脈の狭窄でも，肥大心では心筋梗塞の原因となりうる．

高血圧患者では動脈硬化の発症率が高まり，心臓が肥大していなくても心筋梗塞の発症率も高まる．最後には上昇した末梢抵抗を補償することができなくなり，心不全に陥る．高血圧患者はさらに脳梗塞と脳出血も起こしやすい．その他の合併症は慢性腎臓病である．高血圧が比較的穏やかであったとしても，高血圧の積極的治療によって心不全，卒中，慢性腎臓病の発症を著明に抑えることができる．高血圧患者のほとんどではその原因が不明であり，**本態性高血圧 essential hypertension** と呼ばれる（表31・11）．本態性高血圧は今のところ治療可能だが根治はできない．その他あまり多くはないが，原因が解明されている高血圧症がある．生理機能の障害が病気に結び付く過程を理解するうえで，これらを概説しておくことが助けになるだろう．腎臓への血流供給の障害および胸部大動脈縮窄症は，レニン分泌を増加させ末梢抵抗増大によって腎性高血圧を来す．ノルアドレナリンとアドレナリンを分泌する副腎髄質細胞の腫瘍であるクロム親和性細胞腫は，突発的で持続性の高血圧を引き起こす（19章参照）．エストロゲンはアンジオテンシノーゲンの分泌を促進するので，大量のエストロゲンを含む避妊薬は高血圧を引き起こす（ピル高血圧）（22章参照）．アルドステロンその他のミネラルコルチコイドの分泌亢進は，腎臓におけるNa^+の排出抑制を引き起こすので高血圧になる．原発性の血漿ミネラルコルチコイド増加はレニン分泌を抑制する．理由は不明だが，本態性高血圧患者の10〜15％では血漿ミネラルコルチコイド濃度は正常で血漿レニン活性は低い（低レニン高血圧）．多くの単一遺伝子異常が高血圧を起こすことも知られている．単一遺伝子異常による高血圧はまれではあるが示唆に富んでいる．その一例はグルココルチコイド治癒性アルドステロン症 glucocorticoid-remediable aldosteronism (GRA)である．この病気では，11β-ヒドロキシラーゼの調節配列とACTH感受性アルドステロン合成酵素の調節配列が融合した遺伝子が存在するのでACTHにより過剰なアルドステロンシンターゼが作られている（19章参照）．11β-ヒドロキシラーゼの欠損でも，デオキシコルチコステロンの分泌過多により高血圧になる（19章参照）．グルココルチコイドを投与してACTH分泌をフィードバック抑制すれば，アルドステロンの合成も抑制されて正常血圧に戻る．ミネラルコルチコイド受容体の特異性を消失させる突然変異では（19章参照），コルチゾルや妊娠中のプロゲステロンによってこの受容体が活性化されるようになる．最後に，上皮型Na^+チャネル（ENaC）のβあるいはγサブユニットの分解を遅くさせるようなENaC遺伝子の突然変異はENaC活性を増やし，腎臓によるNa^+の保持を亢進させ，その結果高血圧をもたらす（Liddle〔リドル〕症候群，37章参照）．

治療上のハイライト

有効な降圧薬には以下のものがある．中枢または末梢神経のアドレナリンα受容体遮断薬，アドレナリンβ受容体遮断薬，アンジオテンシン変換酵素阻害薬，血管平滑筋を弛緩させるCa^{2+}チャネル遮断薬である．

表 31・11 高血圧の原因(タイプ)別患者分布の推定値

	患者の割合(%)
本態性高血圧	88
腎性高血圧	
腎血管性	2
腎実質性	3
内分泌性高血圧	
原発性アルドステロン症	5
Cushing 症候群	0.1
クロム親和性細胞腫	0.1
その他の副腎性	0.2
エストロゲン投与(ピル高血圧)	1
その他(Liddle 症候群，大動脈瘤など)	0.6

Braunwald E, et al(editors): *Harrison's Principles of Internal Medicine*, 15th ed. New York, NY: McGraw-Hill; 2001 のデータより．

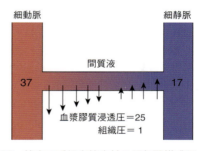

図 31・30 筋肉の毛細血管内外の圧勾配模式図．毛細血管の動脈および静脈端の数字はそれぞれの液体静水学的圧(mmHg)を，矢印は液体移動の方向と相対的強さを示す．この例についていえば動脈端では$(37-1)-25=11\,\mathrm{mmHg}$の実効濾過圧で血管外に向かい，静脈圧では$25-(17-1)=9\,\mathrm{mmHg}$で血管内に向かう．

力は Starling〔スターリング〕力と呼ばれることもある．この1つは **静水圧勾配** hydrostatic pressure gradient(毛細血管内静水圧と間質液静水圧との差)である．間質液圧の値は器官により異なる．肝臓や腎臓では陽圧で，脳では$+6\,\mathrm{mmHg}$に達する．もう1つの力は毛細管壁を隔てての **浸透圧勾配** osmotic pressure gradient(血漿コロイド浸透圧と間質液コロイド浸透圧との差)である．この力は水を毛細管内に引き込む方向にはたらく．すなわち，

$$液体の動き = k[(P_c-P_i)-(\pi_c-\pi_i)]$$

ただし，k：毛細血管濾過係数，P_c：毛細血管静水圧，P_i：間質液静水圧，π_c：毛細血管コロイド浸透圧，π_i：間質液コロイド浸透圧，である．

π_i は通常無視できるほど小さいので，浸透圧勾配$(\pi_c-\pi_i)$は通常 π_c に等しくなる．毛細血管濾過係数は毛細血管壁の透過性と濾過面積に比例する．代表的な筋肉の毛細血管の走行に沿って Starling 力が変化する様子を示したのが図 31・30 である．水分は，毛細血管の動脈端では間質液へ移動し，静脈端では血管内へ移動する．他の部位の毛細血管では，Starling 力のバランスは異なっている．たとえば腎臓の糸球体では毛細管のほぼ全長にわたって水が血管外に出ていく．小腸ではほぼ全長にわたって毛細血管内に移動する．毛細血管から濾過される水分は1日当たり$24\,\mathrm{L}$と推定されている．これは1日当たりの心拍出量の約 0.3%に相当する．濾過液の約 85%は毛細血管に再吸収され，残りはリンパ管を経て循環に戻る．

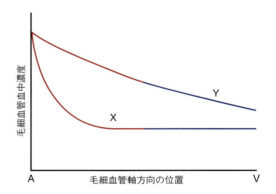

図 31・31 毛細血管壁を通じての流量制限性ならびに拡散制限性物質交換．A, V：毛細血管の細動脈端，細静脈端．物質 X は血液が毛細血管を通り抜けるはるか以前に組織と平衡状態に達する(血液→組織の輸送量と組織→血液の輸送量が等しくなる)．一方，物質 Y は毛細血管を通過し終わっても平衡に達しない．他の条件が一定なら，組織に入る物質 X の量は血流量を高めることによって増加するから，流量制限性である．Y の輸送は拡散制限性である．

分子量の小さな分子の場合には，毛細血管の動脈端ですでに血液-組織間の平衡に達してしまう場合がある．このような状況では，総拡散量は血液量の増加に依存しているので，交換は **流量制限性** flow-limited である(図 31・31)．反対に，静脈端に至ってもなお平衡が成立しない物質の輸送は，**拡散制限性** diffusion-limited であるという．

毛細血管の活動および静止状態

安静時の組織では毛細血管の大半は圧平されている．活動的な組織ではメタ細動脈と前毛細血管括約筋が拡張して毛細血管内圧が臨界閉鎖圧以上に増加し，

すべての毛細血管中に血流がみられる．メタ細動脈と前毛細血管括約筋の平滑筋が弛緩するのは，活動中の組織局所で産生された血管拡張活性をもつ代謝産物の作用である(32章参照)．

傷害性刺激によって軸索反射(33章参照)を介して遊離されたサブスタンスPは血管透過性を高める．ブラジキニン bradykinin およびヒスタミン histamine も血管透過性を高める．機械的に刺激されると毛細血管は圧平されてしまう(蒼白反応 white reaction，33章参照)．これはおそらく前毛細血管括約筋が収縮するためである．

静脈循環

血管内の血流の主要な動力源は，静脈も含めて心臓のポンプ作用であるが，静脈血流は他にも心臓の拍動，吸息期の胸腔内陰圧の増加，骨格筋の収縮による圧迫［筋(肉)ポンプ muscle pump］に助けられている．

静脈圧と静脈血流

細動脈内圧は12〜18 mmHgである．それから静脈を経て右心房に至る経路に沿ってこの圧は次第に下がり，胸腔に入る前に約5.5 mmHgとなり，大静脈が右心房に入るところ(中心静脈圧 central venous pressure)では平均4.6 mmHgとなる．大静脈の内圧は呼吸運動と心房内圧の影響を受けて特有の変動を示す．

動脈圧と同様に末梢静脈圧も重力の影響を受ける．右心房の位置から下方へ1 cmごとに0.77 mmHgずつ増加し，上方へはそれだけ減少する(図31・27)．重力の影響の絶対値は同じでも，静脈系はもともと動脈系よりも低圧なので，相対的な重力の影響は大きい．

血液が細静脈から大きな静脈に向かうに従って，血管の総断面積の減少に応じて平均流速は増加する．大きな幹部静脈では血流速度は大動脈の約1/4，すなわち約10 cm/秒になる．

胸郭運動のポンプ作用

吸息時には胸膜腔内圧は−2.5から−6 mmHgに低下する．この陰圧は幹部静脈に(いくぶんかは心房にも)波及し，中心静脈圧は安静呼息時の約6 mmHgから安静吸息時の2 mmHgまで変化する．この吸息に伴う静脈圧の下降が静脈還流を助ける．吸息時に横隔膜が下降すると腹腔内圧が上昇し，これも血液を心臓側に絞り出す．腹圧上昇が下肢への逆流を起こさないのは，下肢静脈には弁が存在するからである．

心拍動の影響

心房圧の変動は幹部静脈に伝わり静脈波に a, c, v 波を生じる(30章参照)．心室収縮の拍出期には房室弁が下方に牽引されるために心房圧は急激に下降し，心房の容量は増加するから血液が幹部静脈から心房内へ吸引される．このしくみによって静脈還流はかなり促進され，特に心拍数が高い時に著しい．

心臓の近くでは静脈血流は拍動的 pulsatile になる．心拍数が緩徐な時には幹部静脈流曲線に2つの山ができる．1つは心室収縮期に房室弁が引き下げられることによるものであり，他の1つは心室拡張期の初めの急速な心室充満期に相当するものである(図31・25)．

筋ポンプ

上下肢の静脈は概ね骨格筋で取り巻かれているので，骨格筋が収縮すると周囲から圧迫される．近くにある動脈の拍動によっても静脈は周期的に圧迫を受ける．静脈には弁があって血流を一方向のみに制限するため，周囲の圧迫によっても血液は逆流せずに心臓方向のみに押し動かされる．じっと長時間立っていると重力の作用がそのままはたらいて踝の周りの静脈圧は85〜90 mmHgに上昇する(図31・27)．下肢の静脈内に血液がたまると右心房への還流量が減少し，その結果心拍出量が減少するから，それがひどくなると失神する(faint)．立っていても下肢を律動的に動かしていれば血液は筋の力で移動させられるから静脈圧が30 mmHg以下に減少する．静脈瘤 varicose vein をもつ患者では静脈弁が閉鎖不全になっているので，筋ポンプによる心臓への静脈還流効果が減弱する．その結果，静脈うっ血と踝の浮腫を来す．もっとも，静脈弁が閉鎖不全となっても幹部静脈の心臓方向への抵抗は末梢静脈の逆方向への抵抗よりも小さいので骨格筋収縮の静脈流促進効果は存続する．

頭部の静脈圧

立位では心臓よりも上方に位置する部位の静脈圧は重力の作用のために低下する．頸の静脈は内圧がゼロ近傍となる点よりも上で圧平される．しかし硬膜静脈洞 dural sinus は壁が固くて圧平され得ないため，その内圧は立位または起座位では大気圧以下になる．そ

の陰圧度は頸部静脈の圧平部位から上方への高さに比例し，上矢状洞では－10 mmHg になる．脳手術は座位で行われることが時々あるが，この場合に硬膜静脈洞を切開すると空気を吸引し**空気塞栓 air embolism**を来すので，脳外科医はこれに注意を払わなくてはならない．

空気塞栓

空気は液体と違って容易に圧縮されるので，もしも空気が血液中に入ると重篤な結果を引き起こす．血液が心臓のポンプ作用によって血管内で移動させられるのは液体が圧縮されないからである．血管から入って心臓を満たした多量の空気は心室の収縮によっても圧縮されるだけで前に進まず，循環は停止して突然の死に至る．もしその空気が小気泡ならば血液と一緒に心臓から一応は押し出される．しかし細い血管に詰まり細かい泡状となって血流を阻止してしまう．脳の小血管の阻血は重篤な，時には致命的な神経症状を引き起こす．高圧酸素療法（35 章参照）は有効である．その理由は，高圧はガス塞栓の大きさを減少させるからである．動物実験の結果によると，致命的となる気泡の量は空気注入の速度にもよる．徐々に入れる時は 100 mL の空気でも大丈夫だが，急速注入では 5 mL でも致死的であった．

静脈圧の測定法

中心静脈圧 central venous pressure はカテーテルを大静脈に入れて直接測定する．通常では，**末梢静脈圧 peripheral venous pressure** と中心静脈圧との間にはよい相関関係がある．末梢静脈圧を測定するには滅菌食塩水を満たした針を圧力計につなぎ，これで腕の静脈を穿刺する．測定すべき静脈は右心房の高さ（仰臥位で胸の前後径の 1/2）におく．水柱 mm 単位の圧は 13.6（水銀の比重）で除して mmHg に換算する．末梢静脈圧は中心静脈圧に比べて，その静脈の心臓からの距離に比例して高くなる．たとえば，中心静脈圧 4.6 mmHg に対して肘静脈圧は 7.1 mmHg である（いずれも平均圧）．

中心静脈圧は陰圧呼吸やショックの際に低下し，陽圧呼吸，いきみ，全血量増加，心不全で上昇する．進行した心不全または上大静脈の閉塞では肘静脈圧が 20 mmHg またはそれ以上に達することがある．

リンパ循環と間質液量

リンパ循環

毛細血管壁からの水分の外向きの流れは内向きの流れよりも通常多い．その超過分はリンパ管に入りその中を流れて最終的には血液中に戻る．このため間質液圧は増加せずに循環している．全リンパ流量は 24 時間で 2〜4 L 程度である．

リンパ管は 2 種類に分類できる．リンパ管初期部分と集合リンパ管である（図 31・32）．前者には弁がなく，壁には平滑筋を欠いている．前者は消化管と骨格筋にみられる．組織液は前者の壁を構成しているゆるく結合した内皮細胞を通って入り込む．ここのリンパ液は，それぞれの器官の筋収縮と，リンパ管に密接して走行している細動脈と細静脈の収縮によって，マッサージを受けるようにして集合リンパ管に流れ込む．集合リンパ管には弁があり，壁の平滑筋の蠕動様収縮によってリンパを移動させる．集合リンパ管内の流れは骨格筋の運動，吸息期の負の胸腔内圧，さらにリンパ管が終わる部位の静脈の中を流れる高速血流の吸引効果によって増強される．しかし平滑筋の収縮が主要な動力源である．

リンパ管系のその他の機能

肝臓，腸では相当な量のタンパク質が間質液に入ってくる．他の組織でも血液から若干のタンパク質が間

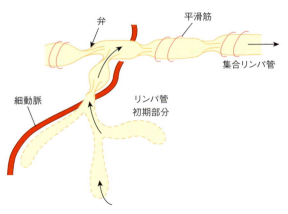

図 31・32 リンパ系の模式図． リンパ管初期部分は平滑筋や弁がなく透過性の高い構造である．集合リンパ管では一方向性の流れができるが，一定の間隔で存在する弁のおかげで数珠のように見える．リンパ管はしばしば血管の近くを走行しており，血管の収縮はリンパの流れを助ける．

質液に出る．おそらくリンパ管の内皮細胞接合部を通って高分子量分子はリンパ管に入り，これらのタンパク質はリンパ管を経て血液に戻る．このようにして戻ってくるタンパク質の量は，1日当たりで循環血漿中の全タンパク質量の 25〜50％にあたる．腸から吸収された脂質がリンパ管を経て運ばれることは 26 章で述べた．

間質液の量

間質液の量は，毛細血管圧，組織圧，コロイド浸透圧，毛細血管の濾過係数，開いた毛細血管の数，リンパの流量と全細胞外液量（ECF）などの各因子に依存する．毛細血管の前後に続く細動脈と細静脈の抵抗比も重要である．前毛細血管部の収縮は毛細血管の濾過圧を下げ，後毛細血管部の収縮は濾過圧を上げる．どの因子が変動しても間質液の量に影響する．間質液量を増加させるような要因を表 31・12 にまとめた．**浮腫 edema** とは間質液の量が異常に増えた状態である．

活発な組織では毛細血管圧は上昇し，時には毛細血管のどの部位でもコロイド浸透圧よりも大となる．そのうえ，血流によって除去される速度よりも産生速度の方が大きくて，浸透圧活性のある代謝産物が一過性に間質液中に蓄積する．これらの結果，血液の間質液に対する浸透圧勾配の効果が減殺されて，毛細血管から組織への水分移動が著しく増加する．この時リンパ流量も増して間質液の蓄積を防ぐのであるが，それでもたとえば活動する骨格筋ではその組織の体積が 25％までも増加する．

間質液は重力の影響を受けて身体下部にたまる傾向にある．立位では下肢の毛細血管には細動脈が介在するために高い動脈圧は直接かからないが，静脈系では重力の作用は細静脈を経て毛細血管に影響してくる．歩いている時には骨格筋の収縮が血液を心臓方向に押し出して静脈系の圧力を低く保っている（前述）．しかし，長時間じっと立っていると組織に液が貯留する結果，浮腫を生じる．長時間の旅行で席に座って足を下げたままでいると踝が腫れてくる．体内に過量の塩類が保持されると水分がそれに伴って貯留する．塩類と水はすべての細胞外液に分配されるから，間質液量も増加し，浮腫発生の原因となる．心不全，ネフローゼ，肝硬変に伴う浮腫には水と塩類の貯留が関係している．しかし，これら各疾患において，毛細血管壁を横切る水移動に関与するメカニズムは必ずしも同じではない．たとえば心不全では，静脈圧の上昇によって毛細血管圧が上昇するのであるが，肝硬変では肝臓のタンパク質合成機能が低下するために血漿コロイド浸透圧が下がっている．ネフローゼでは多量の血漿アルブミンを尿中に喪失するので，血漿コロイド浸透圧が減少して浮腫傾向となる．

浮腫の原因としてこの他にリンパ循環の障害がある．リンパ管の閉塞によって生じる浮腫を**リンパ浮腫 lymphedema** と呼ぶ．その浮腫の液体のタンパク質濃度は高い．もしこの状態が長く続くと慢性炎症が起こり，間質組織の線維化も起こりうる．リンパ浮腫の原因の1つに根治的乳房切除術がある．この手術は乳房の癌切除のために行われるもので，一側の腋窩のリンパ節の切除はリンパ液の排出を減少させる．

表 31・12　間質液の増加と浮腫の原因

毛細血管濾過圧の上昇
細静脈の収縮
静脈圧の上昇（心不全，弁膜障害，静脈閉塞，全 ECF 量の増加，重力の作用など）
毛細血管における実効血漿浸透圧の減少
血漿タンパク質濃度の低下
細胞外液中の浸透圧活性物質濃度の上昇
毛細血管透過性の増加
サブスタンス P
ヒスタミンおよび関連物質
キニン類
リンパ循環の不全

章のまとめ

- 血液は，赤血球，白血球，血小板の懸濁液である．血球は骨髄で産生され，定期的に更新される．赤血球の細胞骨格を構成するタンパク質の突然変異は赤血球を脆弱にして溶血しやすくする．
- 赤血球中に含まれるヘモグロビンは酸素を末梢組織に運ぶ．胎児ヘモグロビンは，母親から胎児への酸素拡散を促進するように特殊化されたものである．ヘモグロビンの変異は赤血球の異常と貧血を引き起こす．
- 血液は血漿と呼ばれるタンパク質に富んだ液体に浮遊している．ほとんどの血漿タンパク質は肝臓で作られる．リンパ液はタンパク質含量の少ない

- 血漿滲出液であり組織からの液体回収に役立っている．
- ABO 式血液型の分子基盤は，赤血球膜表面に存在しそれぞれの血液型に特異的な複雑なオリゴ糖の構造である．A 型，B 型オリゴ糖，および他の血液型分子は，不適切な輸血をされた受血者の血液中で抗体産生を引き起こし，赤血球の凝集による重篤な結果を引き起こす可能性がある．
- 血管が損傷すると，凝固因子間の分子相互作用の複雑なカスケードにより，血管が密閉され，失血が最小限に抑えられる(止血)．特定の凝固因子が失われると，このプロセスが損なわれ，過度の出血やあざができる可能性がある．無傷の血管内で発生する異常な凝固は血栓症と呼ばれ，重要な領域への血液供給を妨げる可能性がある．
- 血液は心臓から動脈，細動脈を通って毛細血管に流れ込み，最後には細静脈，静脈を通って心臓に戻る．それぞれの血管部位は，その機能に見合うような固有の収縮能と調節機序をもっている．酸素と栄養の血液から組織への運搬ならびに代謝老廃物の回収は，毛細血管でのみ行われる．
- 毛細血管壁を通じて水分も循環系から組織に供給されるが一部は再吸収される．残りはリンパ管系に入るが，最後には鎖骨下静脈で血液に合流する．
- 循環各部位の血流は，圧，壁張力，管径に関する物理法則によって支配されている．この物理法則を知れば血流や血圧を測定できる．
- 高血圧は慢性的な平均血圧の上昇であり，一般的な病気である．治療をしないと重篤な健康障害をもたらす．大多数の高血圧の原因は不明である．まれな場合ではあるが，高血圧を引き起こす数種の遺伝子異常が知られている．これらは循環系の調節機序を知るよい情報源である．

多肢選択式問題

正しい答えを 1 つ選びなさい．

1. 2 歳のアフリカ系米国人男児が，急性の発熱，骨の痛み，手足の痛みを伴う腫脹のために小児科医に担ぎ込まれた．検査で膵臓膨大とヘモグロビン S の存在が明らかになった．安静によって初期の急性症状が治まった後，ヒドロキシウレアが処方された．さらに急性症状を引き起こすリスクをこの薬が減らすだろうと期待される理由は次のうちどれか．
    A．ヘモグロビン S の合成を増やす
    B．ヘモグロビンの酸素運搬能を高める
    C．hypoxia-inducible factor 1 alpha(HIF-1α)の発現を増やす
    D．ヘモグロビンの酸素運搬能を減らす
    E．ヘモグロビン F の合成を増やす

2. 交通事故で大量出血した患者が救急治療室に運ばれてきた．検査室は自然災害のために閉鎖されており，患者の救命のための輸血を始める前に血液型の検査ができない．しかし，血液銀行からの血液は供給可能である．危険な溶血性輸血反応を引き起こす可能性が最も少ない血液型はどれか．
    A．A
    B．B
    C．AB
    D．O
    E．A と B の混合

3. 血管の傷害の際の止血に必要ではない物質はどれか．
    A．血小板
    B．5-ヒドロキシトリプタミン
    C．一酸化窒素
    D．コラーゲン
    E．フィブリンモノマー

4. ある薬理学者が VEGF 受容体の生成を促す薬物を発見した．その薬物は次のうちどの治療に有効であるか．
    A．冠動脈疾患
    B．癌
    C．気腫
    D．尿崩症
    E．月経困難症

5. 体内で血管総断面積が最大であるのはどれか．
    A．動脈
    B．細動脈
    C．毛細血管
    D．細静脈
    E．静脈

6. 血流速度についてあてはまるのはどれか.
    A. 毛細血管の方が細動脈よりも速い
    B. 静脈の方が細静脈よりも速い
    C. 静脈の方が動脈よりも速い
    D. 拡張期においては，下行大動脈のそれはゼロになる
    E. 血管の狭窄部位では低下している

7. 抵抗血管の半径が増加した時，次のどれが増加するか.
    A. 収縮期圧
    B. 拡張期圧
    C. 血液の粘性
    D. ヘマトクリット
    E. 毛細血管血流

8. 骨格筋内の毛細血管内圧は，細動脈端で35 mmHgであり細静脈端で14 mmHgである．間質液圧は0 mmHgである．コロイド浸透圧は毛細血管内では25 mmHgであり，間質液では1 mmHgである．細動脈端の毛細血管の壁を横切って液体が移動する際の総合的な圧力はどれか.
    A. 毛細血管から外向きに3 mmHg
    B. 毛細血管から内向きに3 mmHg
    C. 毛細血管から外向きに10 mmHg
    D. 毛細血管から外向きに11 mmHg
    E. 毛細血管から内向きに11 mmHg

9. 長らく糖尿病を患っている40歳の男性が，かかりつけ医を訪れて下肢と足首の腫脹がひどくて靴を履けないと訴えた．尿が泡立ち，検査では血中尿素窒素が減少していた．腫脹の主要原因は以下のいずれの減少によるものと考えられるか.
    A. リンパ流
    B. 毛細血管のバリア作用
    C. 静脈の静水圧
    D. 毛細血管血液のコロイド浸透圧
    E. 組織液のコロイド浸透圧

10. 30歳の女性患者が，頭痛とめまいを訴えて医師を訪問した．血液検査の結果，ヘマトクリット65％であり，赤血球増加症と診断された．他にも増加したものはどれか.
    A. 平均血圧
    B. 抵抗血管の半径
    C. 容量血管の半径
    D. 中心静脈圧
    E. 毛細血管血流

11. 足からのリンパ流についてあてはまる記述はどれか.
    A. 被験者が仰臥位から起き上がって立位になると増加する
    B. 足をマッサージすることによって増加する
    C. 毛細血管透過性が減少すると増加する
    D. 足の静脈弁が閉鎖不全を起こすと減少する
    E. 運動により減少する

12. 60歳の女性が軽作業中の胸の痛みを訴えて初診受診したが，偶然にも本態性高血圧であることが見つかった．冠動脈検査では血流障害はほとんどなかった．この患者の冠動脈血流障害はわずかであるが，軽度の労作性狭心症を発症していると考えられる．正常血圧の人と比較して，次のどれが増加していると考えられるか.
    A. 心筋への酸素供給
    B. 心臓の大きさ
    C. 卒中発作のリスク
    D. 血栓傾向
    E. 血管内皮細胞による一酸化窒素の産生

CHAPTER 32

循環の調節機序

学習目標
本章習得のポイント

- 心臓と血管に対する交感神経と副交感神経の調節機序を対比して説明できる
- 血圧と心拍数を調節する中枢神経経路内のニューロンとその伝達物質を明示でき，この経路内のニューロンの活動を決める要素を列挙できる
- 受容器，求心性経路，遠心性経路の存在部位，効果器の反応，動脈圧受容器反射の機能を明示できる
- 健常人あるいは疾患状態にある人の動脈圧受容器と心肺受容器の心臓血管系の調節における役割を記述できる
- 末梢および中枢性化学受容器の存在部位とそれぞれに由来する反射の性質と機能を対比して説明できる
- 血管内径の調節に自己調節過程がどのように寄与するかを説明できる
- 血管の緊張を調節するパラクリン因子，特に血管内皮で分泌されるそれらの作用機序を説明できる
- 循環血液中に含まれる血管収縮物質と弛緩物質を列挙できる

■ はじめに

活動している組織へ血液を供給したり血液の分配を変えることによって熱の喪失を増減するような複数の循環調節を行う機序が存在する．出血のような危険に直面しても心臓と脳への血流は維持される．大出血に際しては，他の器官を犠牲にしても生命に重要なこれらの器官に主として血液が供給されるように調節が起こる．

循環の調節は，心臓ポンプの拍出量，抵抗血管（主として細動脈）の直径，あるいは容量血管（静脈）内の血液貯留量をそれぞれ変えることによって達成される．心拍出量の調節は 30 章で述べた．活動組織の細動脈の直径は部分的に自己調節によって調節される（表 32・1）．活動している組織では，局所的に作られた血管弛緩物質や血管内皮細胞から分泌された物質によっても血流は増加する．細動脈の直径は循環血液中に含まれる物質やその血管を支配する交感神経によっても調節されている．循環血液の血管作動物質と交感神経は容量血管の直径も決めている．このような全身性循環調節機序が局所性の機序と協力して全身の血管反応を調節するのである．

血管収縮 vasoconstriction または**血管拡張 vasodilation** という語は，通常，抵抗血管（細動脈）のそれを指す．静脈では特に**静脈収縮 venoconstriction** または**静脈拡張 venodilation** の表現が用いられる．

表 32・1　細動脈を収縮または拡張させる要因

収　縮	拡　張
局所因子	
局所温度の低下	CO_2 濃度の増加と O_2 濃度の減少
自己調節	K^+，アデノシン，乳酸の増加
	局所 pH の低下
	局所温度の上昇
内皮細胞分泌物質	
エンドセリン 1	一酸化窒素
血小板セロトニンの局所放出	キニン類
トロンボキサン A_2	プロスタサイクリン
ホルモンあるいは伝達物質	
アドレナリン（骨格筋と肝臓を除く）	骨格筋と肝臓におけるアドレナリン
ノルアドレナリン	カルシトニン遺伝子関連ペプチド（CGRP）
アルギニンバソプレシン	サブスタンス P
アンジオテンシン II	ヒスタミン
内因性ジギタリス様物質	心房性ナトリウム利尿ペプチド
ニューロペプチド Y	血管作動性腸管ポリペプチド
神経因子	
交感神経活動の増加	ノルアドレナリン作動性神経活動の減少
	四肢の骨格筋の血管にある β_2 アドレナリン受容体の活性化

心血管系の神経性調節

血管の神経支配

　ほとんどの血管系は，交感神経系の支配を受けるが副交感神経系の支配を受けないという自律神経系効果器の一例である（13 章参照）．体のすべての血管平滑筋は交感神経節後線維によって神経支配されており，ノルアドレナリンが放出され，α_1 アドレナリン受容体を介して血管収縮を引き起こす．運動している筋の場合，交感神経の活動と副腎髄質からのアドレナリンの放出は骨格筋の血管の β_1 アドレナリン受容体の活性化を介して血管拡張も引き起こしうる．

　細動脈その他の抵抗血管が最も密に神経支配を受けているが，毛細血管と細静脈を除いたすべての血管には平滑筋があり，自律神経，特に交感神経によって支配されている．抵抗血管を支配する神経は組織の血流と動脈圧を調節する．静脈，すなわち容量血管を支配する神経は，静脈中の血液量，すなわち"貯蔵血"の量を変化させる．一般に静脈の神経支配は希薄であるが，腹部内臓の静脈は神経の支配を強く受けている．細動脈の収縮を起こす神経刺激は静脈の収縮をも起こす．その結果もたらされる静脈の容量減少は静脈還流を増し，静脈系から動脈系へ血液を移動させる．

　交感神経が障害を受けると（**交感神経切除 sympathectomy，神経障害 neuropathy**），血管は拡張する．交感神経の活動の変化（増加または減少）は，血管を収縮させる，あるいは拡張させる数多くの要因の 1 つである（表 32・1）．

心臓の神経支配

　心臓は，自律神経系において逆の作用をもたらす 2 つの神経系（交感神経系と副交感神経系）によって支配される効果器の例である（13 章参照）．交感神経節後線維から放出されるノルアドレナリンは心臓の洞房結節（SA node），房室結節（AV node），His〔ヒス〕束-Purkinje〔プルキンエ〕線維，心房筋，心室筋の β_1 受容体に作用する．交感神経の刺激は，心拍数（**変時作用 chronotropic effect**），心臓の刺激伝導系の伝導速度（**変伝導作用 dromotropic effect**），収縮力（**変力作用 inotropic effect**）の増加反応を引き起こす．一方，副交感神経（迷走神経）の節後線維からのアセチルコリンの放出は，洞房結節，房室結節，心房筋のムスカリン受容体を活性化する．迷走神経の刺激は，心拍数，房室結節の伝導速度，心房の収縮力の減少を引き起こす．

　上記は自律神経系の心臓機能調節についてごく簡単に記載したものである．神経終末にはアドレナリン受容体，アセチルコリン受容体があり，神経終末からの伝達物質の放出を変化させている．たとえば，迷走神経からのアセチルコリンの放出は交感神経終末からのノルアドレナリンの放出を抑制する．その結果，迷走神経の心臓に対する効果は増強される．

　ヒトあるいは大型動物では，安静時に交感神経には中程度の緊張性活動があり，迷走神経にはより大きな活動がある（**迷走神経緊張 vagal tone**）．アトロピン atropine のようなムスカリン性アセチルコリン受容体の拮抗薬を投与すると，正常安静時の心拍数が 70 回/分であったのが，交感神経系の緊張活動への対抗がなくなるので 150～180 回/分に増加する．ヒトでは交感，副交感神経系両方の影響をブロックすると心拍数は約 100 回/分である．

心血管系の中枢神経性調節

　心血管系は脳のいくつかの領域，脳幹や前脳や島皮

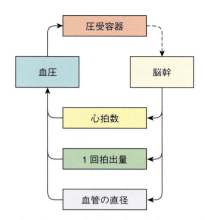

図 32・1　血圧のフィードバック調節. 脳幹の心血管系交感神経への興奮性入力は心拍数を上げ，1回拍出量を増やし，血管内径を小さくする．これらによって生じた血圧上昇は動脈圧受容器反射を引き起こし脳幹の活動を減らす．

質からの影響下にある．脳幹は血管系の感覚受容器（動脈圧受容器や末梢化学受容器）からのフィードバック情報を受けている．単純化したフィードバック・モデルを図32・1に示した．脳幹からの交感神経系の出力の増加は細動脈の収縮を起こすことにより血管の径を小さくし，心臓の1回拍出量と心拍数を増加させることによって血圧を上昇させる．この血圧上昇は動脈圧受容器の活動を増加させ，その信号は脳幹の交感神経系の出力を減少させる．動脈圧受容器反射の詳細は以下にある．

静脈系血管の収縮によって静脈系への血液の貯留が減少する場合，通常，細動脈の血管収縮を伴うが，容量血管の変化は必ずしも抵抗血管の変化を常に伴うわけではない．心血管系への交感神経活動の増加は，通常，心臓への迷走神経活動の減少を伴う．逆に，交感神経活動の減少は血管拡張を生じ，血圧低下と静脈系への血液貯留を促す．この時，通常，心拍数の減少も伴うが，これは心臓を支配する迷走神経が興奮したためである．

血管運動を調節する交感神経への興奮性入力の主たる源の1つは，延髄の腹側の軟膜近傍の**吻側延髄腹外側部 rostral ventrolateral medulla**（RVLM，図32・2）と呼ばれる部位に存在するニューロン群である．RVLMニューロンの軸索は背側そして内側に走行し脊髄の側索を下行し胸腰髄の中間質外側核 intermediolateral cell column（IML）に終止する．これらの軸索はフェニルエタノールアミン-N-メチルトランスフェラーゼ phenylethanolamine-N-methyltransferase（PNMT，7章参照）を含んでいるが，交感神経節前線維を興奮させる伝達物質としてはアドレナリンではなくグルタミン酸である．RVLMの神経血管圧迫[*1]が**本態性高血圧 essential hypertension** に関係している場合がある（クリニカルボックス32・1）．

RVLMニューロンの活動は多くの要因で決定される（表32・2参照）．これらの要因には大脳皮質（特に辺縁系）から視床下部を介したものがある．この経路はストレスや性的興奮，怒りに伴う昇圧や頻脈に関係する．RVLMは他の脳領域からの入力，動脈圧受容器，頸動脈小体や大動脈小体の化学受容器からの入力を受ける．さらにある刺激は直接RVLMニューロンを興奮させ，その発火頻度を高める．

肺の伸展（膨張）は血管拡張と血圧低下をもたらす．この反応は肺からの迷走神経性求心路が引き起こすもので，RVLMと交感神経の活動を抑制することによる．疼痛は脳幹網様体からの情報がRVLMに収束することによって，通常，昇圧反応を生じる．しかし，長期間にわたる激しい痛みは血管拡張を生じ失神を誘発することがある．運動している筋からの求心性線維は，おそらくRVLMへ至る経路を介して同様の昇圧反応を生じる．体性神経系の求心路の刺激によって生じる昇圧反応は**体性交感神経反射 somatosympathetic reflex** と呼ばれる．

疑核（図32・3）に存在する心臓迷走神経の興奮性入力の主たる源は延髄にある．表32・3に心拍数に影響する要因をまとめてある．一般的には，心拍数を増加させる刺激は血圧も上昇させ，心拍数を下げる刺激は血圧も低下させる．しかし例外もあって，心房の伸展受容器の刺激は低血圧と頻脈を，頭蓋内圧の上昇は高血圧と徐脈を生じる．

圧 受 容 器

心臓および血管の壁にある**圧受容器 baroreceptor** は一種の伸展受容器 stretch receptor である．圧受容器として**頸動脈洞 carotid sinus** と**大動脈弓 aortic arch** にあるものは動脈系の循環を監視する．循環の低圧領域にも伸展受容器（**心肺受容器 cardiopulmonary receptor**）がある．これらは上大静脈と下大静脈の右心房接合部付近と肺静脈や肺循環中にある．

頸動脈洞とは総頸動脈が内頸動脈と外頸動脈に分岐する部分の直上の，内頸動脈が少し膨れた部分である（図32・4）．動脈圧受容器はこの膨れた部分の外膜の中に，そして大動脈弓でも同様に，存在する．受容器は血

[*1] 訳注：RVLM近傍の血管がRVLMを圧迫する．

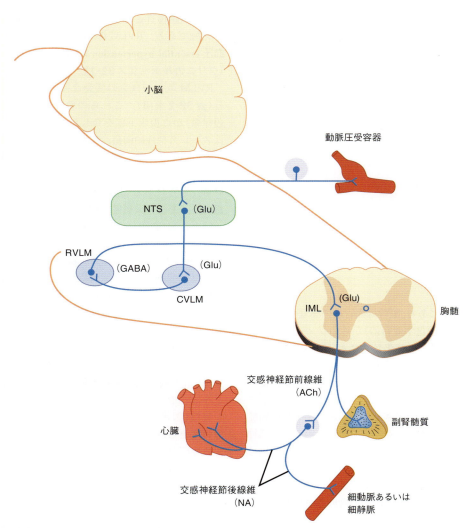

図 32・2　血圧調節の基本的神経経路. 図は脳幹の傍矢状面と胸髄の水平面を示している．吻側延髄腹外側部(RVLM)は心血管系を支配する交感神経の主要な興奮性入力の1つである．これらのニューロンは動脈圧受容器からの尾側延髄腹外側部(CVLM)の抑制性(GABA作動性)ニューロンを経由して抑制性入力を受ける．孤束核(NTS)はグルタミン酸を放出する動脈圧受容器線維が終止する場所である．想定されている伝達物質を括弧内に示した(訳注：心拍を緩徐にする迷走神経の遠心路は示してない)．ACh：アセチルコリン，CVLM：尾側延髄腹外側部，GABA：γ-アミノ酪酸，Glu：グルタミン酸，IML：中間質外側核，NA：ノルアドレナリン，NTS：孤束核，RVLM：吻側延髄腹外側部．

管の外膜内にある[*2]．頸動脈洞からの求心性線維は舌咽神経の一分枝の**頸動脈洞神経 carotid sinus nerve** となる．大動脈弓からの求心性線維は迷走神経の一分枝である**大動脈(減圧)神経 aortic depressor nerve** となる．

動脈圧受容器はそれ自身が存在する組織が伸展されることにより刺激されるため，その頸動脈洞と大動脈弓の圧が上昇すると圧受容器からのインパルスの発火頻度が増加する．その求心性インパルスは舌咽神経ないしは迷走神経を経て延髄へ至る．これらの線維はグルタミン酸を，動脈圧受容器の最初のシナプスとして，**孤束核 nucleus of the tractus solitarius(NTS)**のニューロンを興奮させるため放出する(図32・2)．これらのNTSのニューロンは次に尾側延髄腹外側部 **caudal ventrolateral medulla(CVLM)** のニューロンを興奮させる．これらのCVLMニューロンは抑制性神経伝達物質

＊2訳注：受容器というはっきりした形態ではなく，感覚神経の自由神経終末である．

クリニカルボックス 32・1

本態性高血圧とRVLMの神経血管圧迫

約88％の高血圧症患者の原因は不明で**本態性高血圧** essential hypertension（31章参照）と呼ばれる．ある患者ではRVLMの**神経血管圧迫** neurovascular compression が本態性高血圧の原因である．たとえば，RVLM近傍の神経鞘腫（聴神経腫）あるいは髄膜腫の患者が高血圧を伴うという例がある．磁気共鳴血管造影法 magnetic resonance angiography (MRA) を用いて高血圧患者と健常人で圧迫の有無と交感神経活動増加との関係が比較検討された．これらのいくつかの研究では血管による神経圧迫の存在と高血圧に関係があると報告されているが，正常血圧のヒトでも血管による神経圧迫があるとの報告もある．一方，血管による神経圧迫の有無と交感神経活動との間に強い相関が見出されている．

治療上のハイライト

ペンシルバニア州ピッツバーグの神経外科医であるPeter Jannetta博士は1970年代に三叉神経痛と片側顔面痙攣の処置に微小血管圧迫除去術を適用した．これは椎骨動脈と後小脳動脈が第Ⅴ，第Ⅶ脳神経を脈圧をもって圧迫しているのを外科的に取り除く手技である．多くの例で脈圧に従って動く動脈を神経から遠ざけることによって症状が改善された．何人かの患者は高血圧も患っていたが，術後この高血圧が改善された．その後，少数のヒトの例でRVLMの外科的圧迫除去が高血圧治療に有用であることが示された．RVLM近傍の神経鞘腫あるいは髄膜腫由来の圧迫を外科的に除去すると高血圧が解消したという報告がある．

表 32・2　延髄の血管運動領域の活動を変化させる要因

直接刺激
CO_2
低酸素
興奮性入力
大脳皮質より視床下部を経由して
中脳水道周囲灰白質
脳幹網様体
痛覚経路
体性求心性線維（体性交感神経反射）
頸動脈体と大動脈体の化学受容器
抑制性入力
大脳皮質より視床下部を経由して
尾側延髄腹外側部
尾側延髄縫線核
肺伸展受容器
頸動脈，大動脈および心肺圧受容器

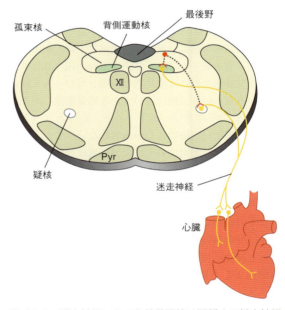

図 32・3　迷走神経による心拍数調節に関係する基本神経経路．孤束核のニューロン（破線）は主に疑核にある心臓副交感神経節前線維へ投射し興奮させる．節前線維の一部は迷走神経背側核にも存在するが，この核には主に消化管へ投射するニューロンが存在する．Pyr：錐体路，Ⅻ：舌下神経核．

であるγ-アミノ酪酸（GABA）をRVLMに放出しそのニューロンの発火頻度を低下させる．孤束核から迷走神経運動ニューロンが存在する迷走神経背側核および疑核に向かって興奮性の投射もある（図32・3）．かくして，動脈圧受容器の発射が増加すると，緊張性活動のある血管収縮神経活動を抑制し，心臓の迷走神経を興奮させる．これらの神経活動の変化は血管拡張，静脈拡張，低血圧，徐脈を起こし，心拍出量の減少を生じる．

動脈圧受容器線維の活動

動脈圧受容器は一定の圧より脈圧に感受性が高い．

表 32・3 心拍数に影響を与える要因

頻脈
- 動脈圧受容器の活動低下
- 心房の伸展受容器の活動増加
- 吸息
- 精神的興奮
- 怒り
- ほとんどの痛覚刺激
- 低酸素
- 運動
- 甲状腺ホルモン
- 発熱

徐脈
- 動脈圧受容器の活動亢進
- 呼息
- 恐れ
- 悲しみ
- 三叉神経系の痛覚を生じる刺激
- 頭蓋内圧の上昇

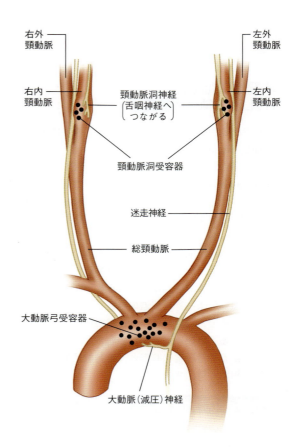

図 32・4　頸動脈洞と大動脈弓の動脈圧受容器の位置．2種類の動脈圧受容器（伸展受容器）の1つは頸動脈洞（総頸動脈が内頸動脈と外頸動脈に分岐する部分のすぐ近くの内頸動脈がわずかに膨れた部分）に存在する．これらの受容器の感覚線維は舌咽神経の分枝である頸動脈洞神経を通る．もう1つは大動脈弓に存在する．こちらの受容器の感覚線維は迷走神経の分枝である大動脈（減圧）神経を通る．

平均血圧が低下することなしに脈圧が減少すると動脈圧受容器線維の活動は減少し，血圧の上昇と頻脈が生じる．正常血圧（平均血圧で約 100 mmHg）の時単一動脈圧受容器線維には収縮期に一致したバースト状の活動がみられ，拡張期にはわずかな活動電位しかない（図 32・5）．平均血圧が低下すると，もっとはっきりして活動電位は収縮期にしかみられない．このような低血圧の時は活動電位の平均発火頻度は著しく低下する．頸動脈神経の活動電位を生じさせる閾値は約 50 mmHg で，約 200 mmHg では心周期を通じて活動がみられ，最大発火頻度に達する．

以下の議論では，循環の動脈系にある圧受容器の役割や，受容器の求心性線維が延髄内の心臓血管運動領域へと神経結合し，さらに，これらの領域からの遠心路が血圧と心拍数の安定化をもたらすフィードバック・メカニズムを構成することについて明らかにしていく．血圧の低下は圧受容器線維の活動を低下させ補償的な血圧と心拍出量の増加をもたらす．逆に血圧の上昇は血管の拡張と心拍出量の低下を，血圧がもとの正常レベルに戻るまで生じさせる．

動脈圧受容器の短期的血圧調節における役割

立位と臥位との体位変換の際に心拍数，血圧が変化するのは，大部分が動脈圧受容器反射のはたらきに基づく．動脈圧受容器反射は短期の血圧調節にきわめて重要である．急な姿勢変化，血液量，心拍出量，運動中の末梢抵抗の急激な変化に対して，動脈圧受容器反射は急速な血圧調節を行う．動脈圧受容器反射が除去されると，急激な血液量，心拍出量，運動，姿勢変化をもたらすような刺激に対して血圧を調節することができなくなる．

慢性的な高血圧症では動脈圧受容器反射機構はリセットされ，正常な血圧値ではなく，高くなった血圧値で維持される．高血圧の実験動物での血液灌流実験では，体から遊離した頸動脈洞の灌流圧を上げると高かった体血圧は下がり，灌流圧を下げると高かった体血圧がさらに上昇する．動脈圧受容器反射による調節機能に由来する長期の血圧変動は **神経性高血圧 neurogenic hypertension** と呼ばれる．

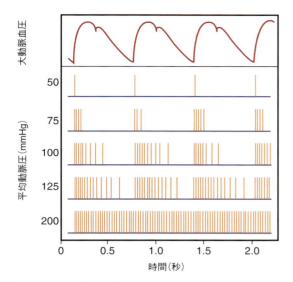

図 32・5 種々の平均血圧時の頸動脈洞の単一動脈圧受容器求心性線維の放電活動を，動脈圧とともに時間軸を横にとって示す．動脈血圧の変化の記録から動脈圧受容器は脈圧変化に感受性が高いのがわかる(Levy MN, Pappano AJ: *Cardiovascular Physiology*, 9th ed. Mosby; 2007 より許可を得て複製)．

心房伸展受容器と心肺受容器

　心房の伸展受容器には2種類ある．1つは主として心房収縮期に発射を起こすもの(A型)，他は主として心房拡張期の末期すなわち心房の最大充満期に発射を起こすもの(B型)である．B型受容器の発射は静脈還流が増大すると増加し，陽圧呼吸時に減少するので心房壁の拡張によって基本的に応答することがわかる．たいていのこれらの受容器の活性化によって起こる循環調節は，血管拡張および血圧下降である．しかし心拍数は，減少というよりはむしろ増加する．

　心室の心内膜にある受容器は心室の拡張に応答する．反応は迷走神経性徐脈と血圧低下で，動脈圧受容器とほぼ同じである．左心室の伸展受容器は安静時に心拍数を低く保つための迷走神経の緊張性活動の維持にはたらく．種々の化学物質が心肺化学受容器を刺激することによって反射を引き起こすが，これらは種々の循環系障害に関係している(クリニカルボックス32・2)．

Valsalva 試験

　動脈圧受容器の機能は短い期間のいきみ(声門を閉

クリニカルボックス 32・2

心肺の化学物質感受性受容器

　心肺領域(肺胞の毛細血管近傍領域，心室，心房，大静脈，肺動脈)の化学物質感受性迷走神経C線維の興奮は，大きな徐脈と低血圧，高頻度の浅い呼吸とその後に短い呼吸停止を引き起こすことが知られている．この反応はBezold-Jarisch〔ベツォルド・ヤーリッシュ〕反射と呼ばれており，カプサイシン capsaicin, セロトニン serotonin, フェニルビグアナイド phenylbiguanide, ベラトリジン veratridine などでも誘発される．Bezold-Jarisch反射はある病態生理学的条件で生じる．たとえば，この反射は心筋虚血–再灌流時(活性酸素の産生増が起こる結果)，あるいは冠動脈造影のためコントラストを上げる薬を用いた時などで生じる．この反射は心筋虚血の頑固な合併症でもある血圧低下に関与する．心肺化学物質感受性受容器の興奮は有毒な化学物質に曝された時の防御機構の1つかもしれない．心肺受容器反射を起こすことは，汚染物質を吸い込むことを防止し，血中に溶け込むことを防ぎ，有害物質の毒性から体内の器官を守り，これらの物質の排出を促進するのに役立つのかもしれない．さらに低血圧を伴う徐脈(血管–迷走神経失神 vasovagal syncope)症状はBezold-Jarisch反射の結果かもしれない．血管–迷走神経失神は急激な起立に伴う下肢への血液の貯留が静脈還流を減じることに由来する(体位性失神 postural syncope, 訳注：起立性低血圧 orthostatic hypotension)．この現象は脱水が伴う時に促進される．結果としての動脈血圧の低下は頸動脈洞の動脈圧受容器に感知され，これらの求心性線維からの情報は心拍数の増加や心筋収縮力の増大という自律神経反応の引き金となる．しかし左心室壁の圧受容器は逆説的に徐脈を引き起こす信号となり，収縮力の低下をもたらし，急激な低血圧の原因となる．患者は意識が朦朧となる感じがしたり，短い意識喪失を経験することもある．

治療上のハイライト

　神経性失神の経験のある患者への臨床的な処置は，脱水を防ぐことと有害事象を引き起こす状況を発生させないことである．失神の症状は食物中の塩分あるいはミネラルコルチコイドの摂取の増加で減るであろう．血管–迷走神経失神に対してはβアドレナリン受容体拮抗薬 β-adrenoceptor antagonist とジソピラミド disopyramide (Na^+ チャネルをブロックする抗不整脈薬)が処方される．通常この症例は徐脈を伴うので，心拍数を安定させるために心臓へのペースメーカーも用いられる．

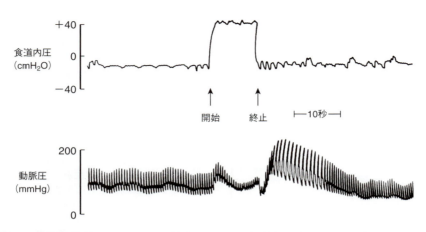

図 32・6 正常なヒトから得られたいきみによる上腕動脈に刺した注射針で記録された圧変化（Valsalva 試験）．動脈血圧に胸腔内圧が加わるためいきみ開始時に血圧は上昇する．その後血圧が低下するが，これは胸腔内圧が高まったことによる静脈圧迫のため静脈還流が減少し心拍出量が減ったためである（McIlroy M より許可を得て転載）．

じ，力んだ呼息運動を行う，Valsalva〔バルサルバ〕試験）を実施した時の血圧と脈圧を観察することでも調べられる．Valsalva 試験は咳，排便あるいは重いものをもち上げる時に通常みられる．いきみの開始に伴い，大動脈の圧に加え胸腔内圧が加わるので血圧は上昇する（図 32・6）．次いで血圧は減少するが，これは胸腔内圧が増加して静脈を押しつぶすことにより静脈還流が減少し，心拍出量が減るためである．血圧と脈圧の減少は動脈圧受容器の活動を抑制し，心拍数の増加と末梢血管抵抗を増加させる．声門が開き胸腔内圧が正常に戻ると，心拍出量は戻るが末梢血管は収縮している．したがって血圧は正常値より上昇し，この上昇は動脈圧受容器を刺激し，徐脈が生じるとともに血圧が正常値に戻る．

交感神経系の機能が不十分な患者でも，心拍数は変わりうる．圧受容器も迷走神経もまだ無傷だからである．しかし自律神経機能が広範に欠如した自律神経機能不全と呼ばれる症候群の患者では Valsalva 試験で心拍数は変化しない．また原発性アルドステロン症 primary hyperaldosteronism では，理由はわからないが，Valsalva 試験において胸腔内圧を正常に戻しても血圧上昇と心拍数の変化は出現しない．この場合，原因となっているアルドステロンを分泌する腫瘍を切除すると反応は正常に戻る．

receptor は組織重量当たりにすると大量の血流量に曝されている．これらの受容器は，主として動脈血の酸素分圧（Pa_{O_2}）の減少に応答するが，動脈血の二酸化炭素分圧（Pa_{CO_2}）の増加と pH の低下にも応答する．化学受容器の主たる効果は呼吸に対して発揮されるが，化学受容器の興奮は血管収縮も引き起こす．心拍数に対する効果は一定でなく，呼吸の変化などの種々の要素に依存する．化学受容器の興奮の直接の効果は迷走神経活動の増加である．しかしながら，低酸素は過呼吸を生じるとともに，副腎髄質からのカテコールアミン分泌の増加をもたらし，これらは頻脈と心拍出量の増加を生じる．出血は低血圧をもたらし，これは化学受容器への血流低下を生じ，その結果，化学受容器は低酸素になり化学受容器を刺激する．化学受容器の興奮は Mayer〔メイヤー〕波というゆっくりした規則的な血圧変動の原因にもなる．Mayer 波は血圧の規則的なゆっくりした変動で，低血圧時に 20～40 秒ごとに 1 回生じる波である．この波の出ている時に低酸素は化学受容器を刺激する．この刺激は血圧を上昇させ，化学受容器への血流を改善し，化学受容器の刺激を減じる．したがって血圧が低下し，新しいサイクルが始まる．この血圧変動を呼吸と同期した血圧変動である Traube-Hering〔トラウベ・ヘーリング〕波と混同してはいけない．

末梢化学受容器反射

頸動脈小体 carotid body と大動脈小体 aortic body にある末梢化学受容器 peripheral arterial chemo-

中枢性化学受容器

頭蓋内圧が増加すると脳への血流供給が制限され，局所的な高二酸化炭素血が延髄腹側表面に沿って存在

する中枢性化学受容器を活性化する[*3]．この活性化は体血圧を上昇させ(**Cushing〔クッシング〕反射**)，その結果，脳への血流が回復する．ある程度の範囲内では血圧上昇は頭蓋内圧に比例する．血圧上昇は動脈圧受容器を介した反射で心拍数を減少させる．これが頭蓋内圧が増加した患者特有の，頻脈ではなく徐脈が生じる理由である．

高二酸化炭素血は RVLM を直接刺激するが(表32・3)，血管平滑筋への直接刺激は血管拡張である．したがって末梢への効果と中枢ニューロンへの効果は互いに相殺する．中程度の過呼吸は血中 CO_2 濃度を大きく減少させ，皮膚と脳の血管収縮を引き起こすが，血圧にはほとんど影響しない．高濃度の CO_2 への曝露は著しい皮膚と脳の血管拡張を生じるが，他の部位で血管収縮が起こるので，通常は血圧がゆっくり上昇する．

局 所 調 節

自 己 調 節

一般に，組織の血管は自らの血流量を調節する能力をもっており，これを**自己調節 autoregulation** と呼ぶ．たいていの血管床 vascular bed は血流灌流圧がある程度変化しても，自然に血管抵抗を変えて血流を比較的一定に保つような内在的な性質を備えている．この性質は特に腎血管によく発達している(37章参照)．しかしこの性質は腹腔循環，骨格筋，脳，肝臓の血管，心冠状血管系などにも知られている．この性質の一部は血管壁の平滑筋の伸展に対する生来の反応によるものであろう(**自己調節の筋原説 myogenic theory of autoregulation**)．すなわち血圧が上がると，血管が広げられ，血管壁を取り巻く平滑筋は収縮する．血管の平滑筋が壁の張力に応じて反応すると仮定すれば，内圧が高ければ高いほど収縮も強いことが説明できる．Laplace〔ラプラス〕の法則(31章参照)により，血管壁の張力は内圧×血管半径に等しいという関係があるから，内圧が上がった時でも血管壁の張力を安定に保つには半径を内圧に応じて縮小せねばならない．活動する組織では血管拡張性の"代謝産物"が蓄積してくるが，この"代謝産物"がまた自己調節に参与する(**自己調節の代謝説 metabolic theory of autoregulation**)．血流量が低下するとこれらの物質が蓄積し血管は拡張する．逆に灌流が増加すると"代謝産物"は運び去られ減少する．

血管拡張性代謝産物

代謝性の変化で血管を拡張する因子としては，たいていの組織において O_2 分圧の減少と pH の低下がある．これらの変化は細動脈と前毛細血管括約筋の弛緩を来す．局所的な O_2 分圧の低下は，多くをターゲットとする転写因子の低酸素誘導因子1α hypoxia-inducible factor-1α (HIF-1α) を介して血管拡張に関わる遺伝子の転写プログラムを開始させる．CO_2 分圧と重量モル浸透圧濃度の上昇も血管を拡張させる．CO_2 の直接的血管拡張作用は殊に皮膚，脳で著しい．低 O_2 および高 CO_2 が全身的に神経を介して作用する時は，これら局所的作用とは逆に血管収縮効果を呈する(これについては先に述べた)．温度の上昇は局所の血管に直接作用してこれを拡張させる．活動している組織では代謝の結果生じる熱量による温度上昇も血管拡張を助けるであろう．局所に蓄積して血管拡張を来す物質として K^+ がある[*4]．血管平滑筋の過分極の二次的効果として血管拡張が生じる．乳酸も血管拡張に貢献する．損傷された組織では傷ついた細胞からヒスタミンが遊離し，毛細血管の透過性を高める．これがおそらく炎症局所の腫脹の原因の1つである．アデノシンは心筋では血管拡張的に作用するが骨格筋でははたらかない．またアデノシンはノルアドレナリンの放出を抑制する．

局所的血管収縮

傷ついた動脈や細動脈は強く収縮する．その原因の少なくとも一部は傷害局所の血管に膠着した血小板からセロトニンが出るためであるらしい．傷ついた静脈でも同様に収縮する．

組織の温度の下降によって血管は収縮する．このような寒冷に対する局所的反応は体温調節に一役買っている(17章参照)．

[*3] 訳注：中枢性化学受容器は O_2 濃度には応答せず CO_2 濃度の変化に応答するとされているが，このような中枢性化学受容器が延髄腹側表面近くにあるのかは定かではない．

[*4] 訳注：細胞外液に K^+ が蓄積すると血管平滑筋は脱分極を引き起こし血管は収縮する．一方，血管平滑筋の細胞内に K^+ が蓄積すると過分極となり電位作動性カルシウムチャネルが閉じることにより平滑筋は弛緩する．原書の K^+ 蓄積の意味が不明である．

血管内皮細胞から分泌される物質

血管内皮細胞

31章で述べたように内皮細胞は非常に多く重要な組織を構成する．この組織は種々の成長因子や血管作動性物質を分泌する．血管作動性物質にはプロスタグランジン，トロンボキサン，一酸化窒素(NO)，エンドセリンがある．

プロスタサイクリンとトロンボキサン A_2

プロスタサイクリン prostacyclin（プロスタグランジン I_2）は内皮細胞内で，トロンボキサン A_2 thromboxane A_2 は血小板内で，シクロオキシゲナーゼによる触媒反応を経て，共通の前駆体アラキドン酸から生成される．トロンボキサン A_2 は血小板凝集を促進し，血管を収縮させる．逆にプロスタサイクリンは，血小板凝集を抑制し，血管を拡張させる．トロンボキサン A_2 とプコスタサイクリンのバランスは，局所の血小板凝集とそれに続く血餅の生成を促進する一方で(31章参照)，血餅の過度の生成を防止し，周辺の血流を維持する．

トロンボキサン A_2 とプロスタサイクリンのバランスは，低用量のアスピリン aspirin の投与によって，プロスタサイクリンの方へシフトさせることができる．アスピリンは，シクロオキシゲナーゼの活性部位のセリン残基をアセチル化することにより，不可逆的に酵素活性を阻害する．これは明らかにトロンボキサン A_2 とプロスタサイクリンの両者の生成量を減少させる．しかし，内皮細胞は約1時間後にはシクロオキシゲナーゼを新しく生成するのに対し，血小板は酵素を作ることができないので，新しい血小板が循環血中に加わった分しか酵素レベルは増加しない．血小板の半減期は約4日なので，これはゆっくりとした反応である．したがって，少量のアスピリンを長期間投与することで，血餅の生成が抑制され，心筋梗塞，不安定型狭心症，一過性虚血や心不全の予防に有効なことが示されている．

一 酸 化 窒 素

各種の異なった刺激が内皮細胞に作用して**内皮細胞由来弛緩因子** endothelium-derived relaxing factor (EDRF)を作る．この因子は現在**一酸化窒素** nitric oxide と同定されている．NOは，NOシンターゼ NO synthase(NOS)によってアルギニンから生合成される（図 32・7）．NOシンターゼには3つのアイソフォーム(NOS1～3)がある．NOS1は神経系，NOS2はマクロファージや他の免疫細胞，NOS3は内皮細胞に存在する．NOS1とNOS3は，血管拡張物質であるアセチルコリンやブラジキニンのような，細胞内 Ca^{2+} 濃度を増加させる物質により活性化する．免疫細胞に存在するNOSは，Ca^{2+} 濃度の影響を受けないが，サイトカインにより活性化される．内皮細胞で産生されたNOは，平滑筋細胞に拡散して細胞内の可溶性グアニル酸シクラーゼを活性化し，環状グアノシン一リン酸(cGMP)を生成し（図 32・7 参照），血管平滑筋を弛緩させる．NOは短時間しか存在せずヘモグロビンによって不活性化される．

アデノシン，心房性ナトリウム利尿ペプチド atrial natriuretic peptide(ANP)，ヒスタミン(H_2 受容体を介して)は内皮と無関係に各種の血管平滑筋を拡張する．しかし内皮を介して作用するアセチルコリン，ヒスタミン(H_1 受容体を介して)，ブラジキニン，血管作動性腸管ポリペプチド vasoactive intestinal polypeptide (VIP)，サブスタンスPなどのポリペプチドや，血管平滑筋に直接作用する多種の血管収縮物質が，もし同時に生じるNOの遊離による制限がないと，いっそう強い血管収縮を招くであろう．細動脈が拡張して，組織への血流が急激に増すと大きな動脈もまた拡張する．血流によって起こされたこのような血管拡張は，NOの局所的な遊離に基づく．血小板凝集の生成物もNOの遊離の原因となり，その結果として起こる血管拡張は，血管壁の傷ついていない血管を広げておくのに役立つに違いない．これが傷害を受けた血管壁とは対照的である．傷害血管壁ではその傷害部位で内皮が壊れ，血小板が凝集し，血管壁収縮が起こるのである(31章参照)．

さらに，NOの生理学的役割についてはNOS3を欠くマウスでは高血圧が生じるという観察から，NOの持続的放出が正常な血圧を維持するのに必要だということが示されている．

NOはまた血管の再構築や血管新生にも関わっており，動脈硬化の病因にも関わっているようである．心臓移植を受けた患者では，移植心臓の血管の動脈硬化が進行することがあり，内皮の損傷が引き金になっていると考えると興味深い．狭心症の治療において重要なニトログリセリン nitroglycerin や硝酸基をもつ血管拡張物質は，NOと同様にグアニル酸シクラーゼを活性化することによって作用する．

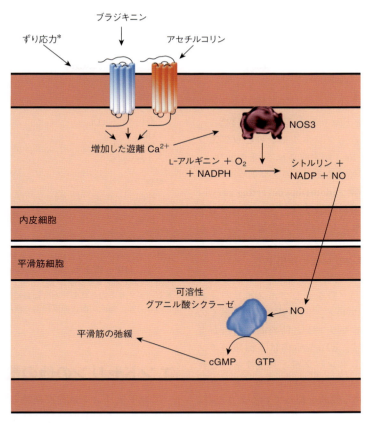

図 32・7　内皮細胞由来の NO は平滑筋の弛緩を引き起こす．内皮型一酸化窒素合成酵素(NOS3)は様々な細胞外シグナルによって生じた細胞内遊離カルシウムイオンの増加によって活性化される．NOS3 は L-アルギニン，NADPH，酸素に作用しシトルリンと NADP と NO を生成する．様々な補助因子(この図には示していない)がこの反応に必要である．NO は隣接する平滑筋に拡散し，可溶性グアニル酸シクラーゼを活性化する．これは cGMP の合成を引き起こし，平滑筋の弛緩を生じる．（＊訳注："ずり応力"については，表 32・4 の訳注を参照）

陰茎の勃起は NO の遊離とそれに続く血管拡張，陰茎海綿体の充血によって起こる(23 章参照)．これは cGMP の分解を阻害するシルデナフィル sildenafil (商品名バイアグラ Viagra)のような薬物の効果を説明する．

NO の他の機能

NO は脳にも存在し，cGMP の生成を介して脳機能に重要な役割をもつ(7 章参照)．NO の炎症や障害を受けた組織における正味の効果は，NO の量と動態に，それゆえ特定の NOS のアイソフォームの関与に依存するが，NO は炎症細胞の抗菌作用や細胞毒性の活性にとっても重要である．消化管では NO は平滑筋の主な弛緩物質である．NO の他の機能は，本書の別の箇所で触れる．

一酸化炭素

ヘムからの一酸化炭素(CO)の産出は図 28・5 に示している．この反応の触媒であるヘムオキシゲナーゼ 2 heme oxygenase 2 (HO-2)は心血管系組織にも存在しており，NO と同様 CO も血管の局所的拡張をもたらすという証拠がある．おもしろいことに，硫化水素 H_2S が血管の緊張を調節する第三のガス伝達物質としてあげられてきている．ただ，NO，CO，H_2S の血管収縮に対する相対的な役割は今後の問題である．

エンドセリン

内皮細胞は，これまでに単離された最も強力な血管収縮物質の 1 つである**エンドセリン 1 endothelin-1** も生成する．エンドセリン 1 (ET-1)，エンドセリン 2 (ET-2)，エンドセリン 3 (ET-3)は，21 個のアミノ

酸から構成される3つの類似のポリペプチド・ファミリーのメンバーである．それぞれは，異なった遺伝子にコードされている．

エンドセリン1

内皮細胞では，エンドセリン1遺伝子の産物から，39個のアミノ酸からなるプロホルモンの**ビッグエンドセリン1** big endothelin-1 が生成される．その活性は，エンドセリン1の約1％である．このプロホルモンは，**エンドセリン変換酵素** endothelin-converting enzyme により，Trp-Val の間が切断され，エンドセリン1を生成する．エンドセリン1は少量のビッグエンドセリン1とともに血液中に分泌されるが，そのほとんどは局所的に，パラクリン様に作用する．

2種類のエンドセリン受容体がクローニングされている．ともにGタンパク質を介してホスホリパーゼC（2章参照）と共役している．ET$_A$受容体は，多くの組織に存在し，エンドセリン1と特異的に結合して血管収縮を引き起こす．ET$_B$受容体は3種類のエンドセリンと結合し，G$_i$タンパク質と共役する．これは血管拡張を起こすらしいが，それよりも，エンドセリンの発生過程における役割を担っているようだ（以下参照）．

分 泌 の 調 節

エンドセリン1は分泌顆粒に貯蔵されない．多くの遺伝子調節物質はエンドセリン1遺伝子の転写に影響して，結果的に分泌量を変化させる．エンドセリン1遺伝子の転写を活性化または抑制する因子は，表32・4に示してある．

心 血 管 作 用

上に記したように，エンドセリン1は主として，血管緊張を局所的・パラクリン的に調節する物質と考えられる．しかし高血圧症患者ではエンドセリン1の増加は認められているわけではない．エンドセリン1の遺伝子がノックアウトされたマウスでは血圧が下がっているというのではなく，むしろ上昇している．循環血液中のエンドセリン1は，心不全や心筋梗塞の後に増加しているので，これらの疾患の病態生理の一端を担っていると考えられる．

表32・4　遺伝子の転写を介するエンドセリン1分泌調節

刺激
アンジオテンシンⅡ
カテコールアミン
成長因子
低酸素
インスリン
酸化されたLDL
HDL
ずり応力*
トロンビン
抑制
NO
ANP
PGE$_2$
プロスタサイクリン

ANP：心房性ナトリウム利尿ペプチド，HDL：高比重リポタンパク質，LDL：低比重リポタンパク質，NO：一酸化窒素，PGE$_2$：プロスタグランジン E$_2$．
＊訳注：ずり応力とは血管内皮細胞に直接作用する shear stress のことで，血流が血管内皮細胞に作用する力のことである．

エンドセリンの他の機能

エンドセリン1は内皮細胞の他に脳や腎臓でも見出される．エンドセリン2は主に腎臓と腸管で生成される．エンドセリン3は，血中に存在し，脳に高濃度で見出されるが，腎臓や腸管にもある．脳のエンドセリンは新生児で多く，アストロサイトやニューロンで生成される．後根神経節，脊髄前角の細胞，大脳皮質，視床下部，小脳のPurkinje細胞に存在する．また，血液脳関門での物質輸送の調節に役割を果たす．エンドセリン受容体はメサンギウム細胞に存在し（37章参照），糸球体濾過における尿細管－糸球体フィードバックに関与していると思われる．

ホルモンや神経分泌物質による全身的調節機序

循環血中の多くの物質は全身の血管系に影響する．血中の血管拡張物質にはキニン，血管作動性腸管ポリペプチド（VIP）と心房性ナトリウム利尿ペプチド（ANP）がある．血中の血管収縮物質にはバソプレシン，ノルアドレナリン，アドレナリン，アンジオテンシンⅡがある．

キニン

キニン kinin と呼ばれる2種類の血管拡張ペプチドが体内に存在する．1つは9個のアミノ酸からなるペプチド（ノナペプチド）である**ブラジキニン** bradykinin ともう1つは10個のアミノ酸からなる（デカペプチド）**カリジン** kallidin で，これはまた**リジルブラジキニン** lysylbradykinin としても知られている（図32・8）．カリジンはアミノペプチダーゼでブラジキニンに変換されうる．両方のペプチドは**キニナーゼI** kininase I というカルボキシル基末端（C末端）からアルギニンを除去する酵素によってブラジキニンI受容体に結合する形になる．さらにジペプチジルカルボキシペプチダーゼである**キニナーゼII** kininase II はカルボキシル基末端からフェニルアラニン-アルギニン（Phe-Arg）を取り除き，さらに断片化してブラジキニンとカリジンを不活性化する．キニナーゼII kininase II はアンジオテンシンIのカルボキシル基末端からヒスチジン-ロイシン（His-Leu）を取り除く**アンジオテンシン変換酵素** angiotensin-converting enzyme（**ACE**）と同じ酵素である．

ブラジキニンとカリジンは2種の前駆タンパク質から生成される．すなわち**高分子キニノーゲン** high-molecular-weight kininogen と**低分子キニノーゲン** low-molecular-weight kininogen（図32・9）である．これらは，第3番染色体にある単一の遺伝子から選択的にスプライシングされて生成される．**カリクレイン** kallikrein と呼ばれるプロテアーゼが前駆体からこれらのペプチドを産生する．2種のカリクレインが存在するが，1つは不活性のまま循環血液中を流れる**血漿カリクレイン** plasma kallikrein で，他は細胞の電解質輸送に関係する細胞の頂部（粘膜側）細胞膜に主に存在する**組織カリクレイン** tissue kallikrein である．組織カリクレインは汗腺，唾液腺，膵臓，前立腺，腸管，腎臓を含む多くの組織に見出され，また，高分子キニノーゲンに作用しブラジキニンを作り，低分子キニノーゲンに作用してカリジンを作る．血漿カリクレインは活性化されると高分子キニノーゲンに作用してブラジキニンを作る．

活性のない血漿カリクレイン（**プレカリクレイン** prekallikrein）は，活性のある形であるカリクレインに内在性の血液凝固連鎖を開始させる因子である活性化された第XII因子によって変換される．カリクレインはまた正のフィードバック・ループ内で第XII因子の活性化も行い，高分子キニノーゲンも第XII因子の活性化作用がある（図31・12参照）．このシステムは正常ではC1エステラーゼ・インヒビター（C1INH）によって常に制御されている．C1INHはセルピンタンパク質ファミリーの1つであり，血液凝固連鎖に関わるいくつかの酵素に非可逆的に結合し阻害する．

キニンの作用はヒスタミンに似ている．キニンは基本的にはパラクリンであるが，循環血液中にも少量は存在する．キニンは内臓平滑筋を収縮させ，NOを介して血管平滑筋を弛緩させて血圧を下げる．キニンは毛細血管透過性も著しく高め浮腫をもたらす．白血球を集める作用もあり，皮下に注射すると疼痛を来す．キニンは強力な血管拡張物質であって，汗腺，唾液腺や膵臓の外分泌部で能動的分泌が起こる際に生じると考えられる．それらの組織が盛んに分泌をする際，血

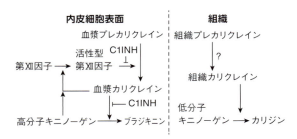

図 32・9 高分子と低分子キニノーゲンからのキニンの生成．ブラジキニンの生成は2カ所でC1-エステラーゼ・インヒビター（C1INH）で中断されうる正のフィードバック・ループになっていることに注意．

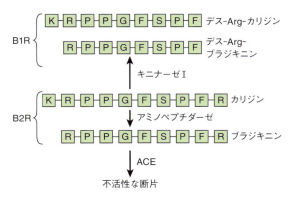

図 32・8 キニン．カリジン（リジルブラジキニン）はアミノペプチダーゼでブラジキニンに変換されうる．カリジンとブラジキニンの両者はブラジキニン2受容体（B2R）に作用する．キニナーゼIによりデス-Arg-カリジンあるいはデス-Arg-ブラジキニンとなりブラジキニン1受容体（B1R）と結合する．さらにアンジオテンシン転換酵素（ACE，キナーゼIIとしても知られている）により分解され生理活性のない短い断片に分解される．

流が増加するのは おそらくキニンのためであろう．ここまで述べてきたブラジキニン産生のしくみの概略からわかるように，C1INH の突然変異は遺伝性血管性浮腫（hereditary angioedema）として知られているブラジキニン誘発性浮腫を引き起こす．

ブラジキニンの受容体には，B1R と B2R の 2 つのサブタイプが同定されている．B1R 受容体は，キニン類の発痛作用に関係し，その拮抗薬は痛みと炎症の臨床試験に入っている．B2 受容体はヒスタミン H_2 受容体と強い類似性があり，多くの組織にみられる．

ナトリウム利尿ホルモン

血管運動調節に関わるナトリウム利尿ペプチドのファミリーには，心臓が作り出す心房性ナトリウム利尿ペプチド atrial natriuretic peptide (ANP)，B 型ナトリウム利尿ペプチド B-type natriuretic peptide (BNP)，C 型ナトリウム利尿ペプチド C-type natriuretic peptide (CNP) である．循環血液量過多に応じて分泌される．ANP と BNP は循環血液中にあるが，CNP は主にパラクリン様に作用する．一般的には，これらのペプチドは種々の血管収縮物質と拮抗し血圧を下げる．ANP と BNP は腎臓での作用を介して体液や電解質のホメオスタシスに相応した血管の緊張度の調節に寄与する．

循環血中の血管収縮物質

バソプレシンは強力な血管収縮性物質であるが，それを健常人に注射すると代償的に心拍出量が減少するので，血圧はほとんど変わらない．バソプレシンの血圧調節における役割は 17 章に述べてある．

ノルアドレナリンは身体のどこの血管にも収縮作用を示すが，アドレナリンは骨格筋および肝臓の血管を逆に拡張させる．19 章でカテコールアミン類の循環に対する作用を詳しく述べたように，血中ノルアドレナリンは血管運動神経から遊離するノルアドレナリンに比べて重要性が比較的低い．

アンジオテンシン II は全身の血管を収縮させる．腎臓から分泌されたレニンが血中のアンジオテンシノーゲンに作用してアンジオテンシン I を作る．アンジオテンシン I は ACE によって，アンジオテンシン II に変換される（38 章参照）．腎動脈血圧が下がるかあるいは細胞外液の体積が減少するとレニン分泌が増すから，血圧の維持に寄与する．アンジオテンシン II は水分摂取を増やし，アルドステロン分泌を高める．ゆえにアンジオテンシン II の生成増加が起こることは，細胞外液量を維持するホメオスタシス維持機能の一部である（19 章参照）．さらに血管壁を含むいろいろな組織にレニン-アンジオテンシン系が存在する．血管壁細胞で生成されるアンジオテンシン II は高血圧症の一部の型において臨床的に重要であろう．心血管系におけるアンジオテンシン II の役割は，高血圧の治療に ACE 阻害薬が用いられることから大いに知れわたっている．

最初に魚の脊髄から単離されたポリペプチドである**ウロテンシン II** urotensin-II はヒトの心臓や血管組織にも存在している．哺乳類では最も強力な血管収縮物質の 1 つであり，ヒトの様々な病態における役割が明らかにされることが期待される．たとえば，ウロテンシン II とその受容体のレベルは高血圧や心臓疾患で上昇していることが示されており，これらの病気あるいは他の病態のマーカーとなる可能性がある．

章のまとめ

- 血管系は収縮を引き起こす交感神経によって支配されている．心臓は心拍数と AV 伝導速度，心室の収縮力を増加させる交感神経と心拍数と AV 伝導速度を減じる副交感神経（迷走神経）によって支配されている．
- RVLM ニューロンは胸腰髄の中間質外側核（IML）に投射し，ここに存在する心臓・血管系を支配する交感神経節前線維にグルタミン酸を伝達物質として放出する．孤束核は心臓迷走神経起始核である疑核の主な興奮性入力源である．RVLM と NTS のニューロンはいくつかの脳領域，動脈圧受容器，末梢化学受容器や他のソースから入力を受けている．
- 頸動脈洞と大動脈弓の動脈圧受容器は第 IX と第 X 脳神経の分枝（頸動脈洞神経と大動脈神経）にそれぞれ支配される．動脈圧受容器は脈圧の変化に最も感受性が高いが，平均血圧の変化にも応答する．動脈圧受容器線維は孤束核に終止し，グルタミン酸を放出する．孤束核のニューロンは CVLM と疑核に投射し，グルタミン酸を放出する．CVLM のニューロンは RVLM に投射し GABA を放出する．この放出は交感神経活動を減じ，迷走神経活動（すなわち動脈圧受容器反射）を増加させる．
- 心房の伸展受容器の活性化によって引き起こされ

る循環系の反射性調節とは血圧の低下と心拍数の低下である．心室の進展受容器の興奮は低血圧と徐脈を引き起こす．心肺系の化学受容器の興奮は心筋虚血と血管-迷走神経失神のような種々の心血管系不全に動作するBezold-Jarish反射を引き起こす．
- 主としてPa$_{O_2}$の低下による頸動脈小体と大動脈小体の末梢化学受容器の興奮は血管収縮を引き起こす．心拍数の変化は呼吸の変化のような種々の要因に依存し，一定ではない．中枢性化学受容器は主として高二酸化炭素血によって興奮する．この興奮は血圧を上昇させ，その結果，動脈圧受容器反射による徐脈をもたらす．
- ほとんどの血管は，ある範囲ではあるが，安定した血流を維持するために，血圧変化に対して血管抵抗を変化させる内在的能力をもつ．このような性質は自己調節として知られており，局所的な血管作動性代謝物質の作用とともに血管平滑筋の内在的な性質である．
- 局所的な要素である酸素濃度，pH，温度，代謝産物は血管平滑筋を収縮あるいは弛緩させる．その多くは血管を拡張させ血流を回復させる．
- 内皮は血管平滑筋を収縮あるいは弛緩させる血管作動性物質の重要な源である．特に3つのガスNO，CO，H$_2$Sは血管弛緩作用のある重要なガス性の伝達物質である．
- エンドセリンとアンジオテンシンIIは，血管収縮を引き起こし，ある種の高血圧の発症に関係している．

多肢選択式問題

正しい答えを1つ選びなさい．

1. 褐色細胞腫（副腎髄質の腫瘍）が循環血中に大量のアドレナリンを突然放出した時，患者の心拍数はどうなると予想されるか．
   A．血圧が上昇して頸動脈および大動脈圧受容器を刺激するため，増加する
   B．アドレナリンが直接心臓の変時作用をもつため，増加する
   C．心臓への副交感神経発射が増加するため，増加する
   D．血圧が上昇して頸動脈および大動脈化学受容器を刺激するため，減少する
   E．心臓への持続的な副交感神経活動が増加するため，減少する

2. 医師のオフィスで測定した45歳の女性の血圧は155/95 mmHgであった．最近10年間での初めての血圧測定で彼女は心配だった．医師は自宅で血圧を測定することを勧めた．医師のオフィスでのストレスに影響されたより高い血圧はどのニューロンの活動の結果と考えられるか．
   A．辺縁皮質とNTS
   B．視床下部とCVLM
   C．NTSとCVLM
   D．視床下部とRVLM
   E．辺縁皮質と疑核

3. 自律神経中枢の経路でどのグループのニューロンがシナプス後ニューロンにグルタミン酸を放出するか．
   A．IMLに投射するCVLMニューロンと疑核に投射するNTSニューロン
   B．IMLに投射するRVLMニューロンとCVLMに投射するNTSニューロン
   C．疑核に投射するNTSニューロンとRVLMに投射するCVLMニューロン
   D．RVLMに投射するNTSニューロンとRVLMに投射するCVLMニューロン
   E．NTSに投射するCVLMニューロンとIMLに投射するRVLMニューロン

4. 動脈圧受容器の場所とそれらの求心性神経とその求心性線維の終止する中枢部分を列挙したものは次のうちどれか．
   A．心房と肺静脈，迷走神経，疑核
   B．頸動脈（小）体と大動脈（小）体，舌咽神経と迷走神経，NTS
   C．頸動脈洞と大動脈弓，頸動脈神経と大動脈神経，NTS
   D．頸動脈洞と心房，舌咽神経と迷走神経，疑核
   E．頸動脈（小）体と心室，後根神経，RVLM

5. 30歳女性．徐脈，低血圧，短い呼吸停止に続く浅い高頻度の呼吸があった．この状況は以下のどの反射が生じたからか．

A．Cushing 反射
B．中枢性化学受容器反射
C．末梢化学受容器反射
D．心房伸展受容器反射
E．Bezold-Jarish 反射

A．HIF-1α
B．局所的な CO_2 分圧の増加
C．前毛細血管括約筋の弛緩
D．局所の K^+ 濃度の増加
E．遺伝子発現の変化

6．53 歳女性．慢性肺疾患で呼吸障害がある．動脈血の Pa_{O_2} と Pa_{CO_2} はそれぞれ 50 mmHg と 60 mmHg であった．末梢の化学受容器は_____に感受性が高く，中枢性化学受容器は_____に感受性が高い．アンダーラインにあてはまるものは次のうちどれか．
A．Pa_{CO_2} の少しの増加と局所の O_2 分圧の少しの減少
B．Pa_{CO_2} の少しの減少と局所の O_2 分圧の少しの増加
C．Pa_{O_2} の少しの減少と局所の CO_2 分圧の少しの増加
D．Pa_{O_2} の少しの増加と局所の CO_2 分圧の少しの減少
E．動脈血 pH の少しの減少と局所 pH の少しの増加

7．部分的な血管閉塞に伴い小腸が低酸素状態になった．影響を受けた小腸の部分の適応的な血流増加は以下のうち 1 つ以外が関係している．その 1 つはどれか．

8．55 歳男性．勃起不全を訴えてかかりつけの医師を訪れた．バイアグラを処方されその後勃起は改善された．この患者の場合，以下の血管作動性物質のどれが増加したか．
A．ヒスタミン
B．エンドセリン 1
C．プロスタサイクリン
D．一酸化窒素
E．心房性ナトリウム利尿ペプチド

9．血管内皮細胞に障害がある時，アセチルコリンの注入に対する反応が血管拡張から収縮に変化する理由はどれか．
A．より多くの Na^+ が産生されたから
B．より多くのブラジキニンが産生されたから
C．障害が障害を受けていない動脈の pH を低下させたから
D．障害が内皮細胞によるエンドセリンの産生を増加させたから
E．障害が内皮細胞による NO 産生を阻害したから

CHAPTER 33

特殊部位の循環

学習目標
本章習得のポイント

- 脳循環の特別な特徴を明らかにできる．脳脊髄液（CSF）がどのようにして形成され再吸収されるか，そして脳脊髄液の外傷から脳を守る役目について記述できる．血液脳関門がどのようにして特定の物質が脳に入り込まないようにしているかを理解する．どのようにして脳血流が測定できるか，どのようにして脳血流が頭蓋内圧によって調節されるか，そしてどのように脳血流が脳への酸素供給を維持するかを説明できる

- 心臓の冠（状）循環の解剖と，心周期が冠（状）血管の血流をどのように調節するかを理解する．収縮する心筋の酸素要求を冠（状）動脈がどのように満たすか，そして冠状動脈の閉塞の結果を描写できる

- 皮膚循環が体からの熱の喪失にどのように関わるか，そしてこの機能がどのようにして調節されるかを記述でき，皮膚の血管反応と，それらを仲介する反射をあげることができる

- 子宮循環と，それが妊娠と分娩の際にどのように変化するかを記述できる．胎児が子宮内にいる時，どのように酸素と栄養が供給されるか，そして出産後に独立した生命体に転じるために必要な循環系の変化を理解する

■ はじめに

心拍出量が全身の種々の器官にどのような割合で分配されるか，健常人の安静時の値を表33・1に示す．これまでに述べた循環の全般的な原則は各器官の血流についても適用されるが，さらに各器官ごとにその器官の生理学にとって重要な循環の特徴がみられる．本章では脳，心臓，皮膚，胎盤および胎児の循環を述べる．さらに下垂体前葉の門脈循環は18章に述べてある．肺循環については34章，腎循環については37章で，内臓の，特に小腸と肝臓については25，28章で述べてある．

脳の循環：脳血管の形態

脳 の 血 管

ヒトの脳への動脈血流は主に2本の内頸動脈と2本の椎骨動脈，合計4本の動脈から供給される．ヒトでは頸動脈からの供給が量的に多く重要である．2本の椎骨動脈は合体して脳底動脈となり，脳底動脈は2本の内頸動脈とともに，視床下部の底部で，Willis〔ウィリス〕の動脈輪 circle of Willis を形成する．ここから6本の血管が出て大脳皮質に血液を供給する．一方の頸動脈に物質を投与すると，その物質が配分されるのはほとんど同側に限られている．通常，交差しないのはおそらく脳の動脈では左右の血圧が等しいからであろう．仮に左右で等しくないとしても，Willisの動脈輪の吻合を通って，大量の血液が流れることはできない．一方の頸動脈を閉鎖すると，特に老人では重篤な脳虚血の症状を呈することが多い．脳血管間に

表 33・1 健常人(安静時)の各器官血流量および関連諸値. 体重 63 kg, 平均血圧 90 mmHg, 全身 O_2 消費量 250 mL/分.

部位	重量 (kg)	血流量 (mL/分)	血流量 組織100 g 当たり (mL/100 g/分)	動静脈血 O_2 含有量差 (mL/L)	酸素消費量 (mL/分)	酸素消費量 組織100 g 当たり (mL/100 g/分)	血管抵抗 (R)[a]	血管抵抗 組織kg 当たり (R/kg)	全身値の% 心拍出量	全身値の% O_2消費量
肝臓	2.6	1500	57.7	34	51	2.0	3.6	9.4	27.8	20.4
腎臓	0.3	1260	420.0	14	18	6.0	4.3	1.3	23.3	7.2
脳	1.4	750	54.0	62	46	3.3	7.2	10.1	13.9	18.4
皮膚	3.6	462	12.8	25	12	0.3	11.7	42.1	8.6	4.8
骨格筋	31.0	840	2.7	60	50	0.2	6.4	198.4	15.6	20.0
心筋	0.3	250	84.0	114	29	9.7	21.4	6.4	4.7	11.6
その他	23.8	336	1.4	129	44	0.2	16.1	383.2	6.2	17.6
全身	63.0	5400	8.6	46	250	0.4	1.0	63.0	100.0	100.0

a)血管抵抗は血圧勾配 1 mmHg 当たり 1 mL/秒の血流がある場合に 1 となるような単位(R 単位)で示す[訳注:これに組織の重量(kg)を乗ずれば 1 kg 当たりの抵抗を得る].
Bard P(editor): *Medical Physiology*, 11th ed. Mosby, 1961 より許可を得て複製.

は,前毛細血管部で吻合があるが,この流路は流量を維持するには不十分であり,1 本の動脈が塞がれると十分な血液を補うことができず,脳動脈が閉塞した時に梗塞が起こることを防ぐことができない.

ヒトでは脳から流出する静脈には深部静脈と硬膜洞 dural sinus があり,これらは主として内頸静脈 internal jugular vein に注ぐ. その他少量は眼静脈 ophthalmic vein,翼突筋静脈叢 pterygoideus venous plexus, 導出静脈 emissary vein から頭皮へ,そして脊柱管の脊髄傍椎骨静脈 paravertebral vein へ流出する.

脳血管は種々の形態的特徴を有する. 脈絡叢では毛細血管内皮相互の間には間隙がある. しかし脈絡膜上皮細胞はタイトジャンクション(p.48 参照)によって相互に連結され,毛細血管壁の内皮細胞を脳脊髄液 cerebrospinal fluid (CSF)から隔離している. 脳実質の毛細血管は,筋での窓のない毛細血管に似ている(31 章参照). しかし脳毛細血管の内皮細胞相互の境にタイトジャンクションがあり,細胞の隙間を通る物質の通過を制限する. その上,内皮細胞の細胞質には小胞は比較的わずかしかみられず,おそらく小胞性輸送は少ないとみられる. しかし,毛細血管には,複数の輸送システムがある. しかも脳毛細血管は,アストロサイト astrocyte の終末足 endfoot によって取り囲まれている(図 33・1). これらの終末足は,密に毛細血管の基底板に付着しているが,毛細血管壁を完全に

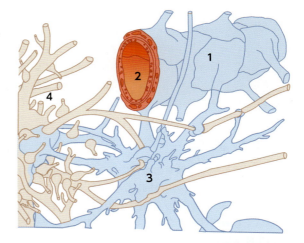

図 33・1 脳の線維性アストロサイト(3)と毛細血管(2)とニューロン(4)の関係. アストロサイトの終末足(1)は毛細血管の周囲を非連続性に覆う. アストロサイトの突起はまたニューロンの一部を包み込む(Krstic RV: *Die Gewebe des Menschen und der Säugetiere*. Springer; 1978 より許可を得て転載).

覆ってはいない. 終末足相互の間には約 20 nm の隙間がある(図 33・2). 毛細血管では,終末足がタイトジャンクションの形成に関係する(31 章参照).

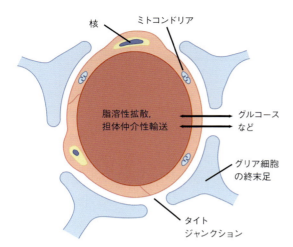

図 33・2 脳の毛細血管における輸送. 血管内皮細胞を受動的に通り抜けるのは脂溶性物質だけである．グルコースなどの水溶性物質は輸送担体（訳注：原書には active transport とあるが必ずしもエネルギーを必要とするわけではない）が必要である．タンパク質やタンパク質結合脂質は除外される．

神 経 支 配

　脳の血管を3種類の神経が支配している．交感神経の節後ニューロンは細胞体が上頚神経節内にあり，その終末はノルアドレナリンを含んでおり，その多くはニューロペプチドYをも含む．おそらく翼口蓋神経節 sphenopalatine ganglion に細胞体をもつコリン作動性ニューロンも脳血管を支配し，血管上のコリン作動性節後ニューロンはアセチルコリンを含む．その多くは血管作動性腸管ポリペプチド（VIP）（7章参照），PHM-27[*1] をも含む．これらの神経は主に太い動脈に終わる．感覚神経はさらに末梢側の動脈に認められる．感覚神経は細胞体を三叉神経節にもち，サブスタンス P，ニューロキニンA neurokinin A とカルシトニン遺伝子関連ペプチド（CGRP）を含む．サブスタンス P，CGRP，VIP と PHM-27 は血管を拡張させるのに対して，ニューロペプチドYは血管収縮物質である．脳血管に触れたり，それを引っ張ったりすると痛みを起こす．

[*1] 訳注：PHM-27：peptide histidine methionine 27．末端がヒスチジンとメチオニンでできた27アミノ酸のペプチド．VIPのエクソンの隣のエクソンにコードされていて同一神経末端に共存する場合がある．VIP様の作用，特にインスリン分泌，プロラクチン分泌を促進する．血管拡張作用は弱い．

脳 脊 髄 液

生 成 と 吸 収

　脳脊髄液（CSF）は脳室とくも膜下腔を満たしている．ヒトではCSFの容積は約150 mLで，CSF生成速度は約550 mL/日である．したがってCSFは1日に約3.7回の割合で入れ替わる．CSFの50〜70％は脈絡叢で生成され，残りは血管周囲と脳室壁で生成されると見積もられている．脳室のCSFは Magendie〔マジャンディ〕孔と Luschka〔ルシュカ〕孔を通ってくも膜下腔へ流れ，**くも膜絨毛 arachnoid villus** を通過して静脈（主として静脈洞）へ吸収される．くも膜絨毛は，くも膜の表面膜と静脈洞の内皮細胞が融合した組織が低圧の静脈洞に突出したものである．脊髄神経根の周りにも，類似の小さな絨毛の静脈への突出がある．これらの突出物は，CSF が直接に静脈血に流れ込む一方向性の**総体流 bulk flow** として知られている過程に寄与している．それに加えて，多分それにより健康に重要な血流への CSF の再吸収経路は，鼻腔の上にある篩板で頸部リンパに流れる経路を介するものである．しかし，くも膜絨毛の（構造的に未知の）一方向性の再吸収は，CSF 圧が上昇した時にはより重要なはたらきをする．CSF 生成の異常時と同様に，脈絡叢と脳の微小血管では，補償的な適応として水チャネルタンパク質であるアクアポリンの発現が生じるとみられる．

　CSF は，脈絡叢で2段階で恒常的に産生されている．第一は，脈絡叢での毛細血管内皮細胞を通して血漿が受動的に濾過されたもの，第二は，脈絡叢の上皮細胞が CSF の組成と量を能動的に調節して，水とイオンを分泌して供給するものである．HCO_3^-，Cl^-，K^+ は上皮細胞の頂部膜でイオンチャネルを通して CSF に輸送される．細胞膜のアクアポリンは浸透圧勾配に従った水の移動を可能にする．CSFの組成（表33・2）は脳の細胞外液（ECF）と本質的に同一である．脳の細胞外液はヒトでは脳の容積の15％を占める．成人では，脳の間質液と CSF との間には自由な交通があるように思われる．しかし脳のある部分から CSF へ拡散するにはかなりの距離がある．したがって，脳の間質液と CSF とが平衡に達するにはいくらかの時間がかかり，脳の様々な部位は一時的に CSF とは異なった局所的な細胞外微小環境をもつと考えられる．

　腰部の髄液圧は，正常では70〜180 mmH$_2$O である．髄液圧はこの範囲を相当超えることがあるが，CSF の生成速度は脳室圧に無関係である．しかし，その吸収は圧に比例する（図33・3）．112 mmH$_2$O は

表 33·2　脳脊髄液（CSF）と血漿の各種物質濃度とそれらの比率

	単位	CSF	血漿	CSF/血漿
Na^+	(mEq/kg・H_2O)	147.0	150.0	0.98
K^+	(mEq/kg・H_2O)	2.9	4.6	0.62
Mg^{2+}	(mEq/kg・H_2O)	2.2	1.6	1.39
Ca^{2+}	(mEq/kg・H_2O)	2.3	4.7	0.49
Cl^-	(mEq/kg・H_2O)	113.0	99.0	1.14
HCO_3^-	(mEq/L)	25.1	24.8	1.01
P_{CO_2}	(mmHg)	50.2	39.5	1.28
pH		7.33	7.40	…
重量モル浸透圧濃度	(mOsm/kg・H_2O)	289.0	289.0	1.00
タンパク質	(mg/dL)	20.0	6000.0	0.003
グルコース	(mg/dL)	64.0	100.0	0.64
無機リン酸塩	(mg/dL)	3.4	4.7	0.73
尿素	(mg/dL)	12.0	15.0	0.80
クレアチニン	(mg/dL)	1.5	1.2	1.25
尿酸	(mg/dL)	1.5	5.0	0.30
コレステロール	(mg/dL)	0.2	175.0	0.001

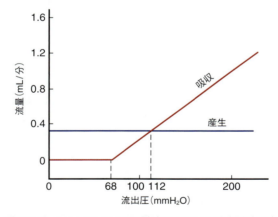

図 33·3　ヒトのいろいろな髄液圧における脳脊髄液の産生と吸収．112 mmH₂O で産生と吸収とが等しく，68 mmH₂O で吸収がゼロになることに注意（訳注：原書ではグラフの横軸の単位が mmCSF となっているが CSF の比重はほぼ 1 であり mmH₂O と等価である）．(Cutler RWP, et al: Formation and absorption of cerebrospinal fluid in man. Brain 1968; 91(4): 707-720 より許可を得て改変).

平均の正常な CSF の圧であり，この圧では濾過と吸収が等しい．CSF の圧が約 68 mmH₂O 以下になると吸収は停止する．脈絡絨毛の再吸収能力が低下すると多量の CSF が貯留する（**外水頭症** external hydrocephalus または **交通性水頭症** communicating hydrocephalus）．Luschka 孔と Magendie 孔が塞がるか，あるいは脳室系のどこかに流通障害があると，その部位の上流（CSF の自然の流れからみて）に CSF が貯留して脳室が拡張する（**内水頭症** internal hydrocephalus または **非交通性水頭症** noncommunicating hydrocephalus）．

脳脊髄液の保護機能

髄膜[*2] と CSF の主要な役目は脳の保護である．硬膜 dura は骨に固着している．正常ではくも膜 arachnoid が 2 枚の膜（硬膜とくも膜）の間の極めて薄い液層によって表面張力で付着しているから，"硬膜下腔"と称すべき空間はない．図 33·4 に示してあるように，脳自体はくも膜の内側の血管，神経根および多くの細かい結合組織性の **くも膜梁** arachnoid

---

*2 訳注：髄膜 meninges：硬膜，くも膜，軟膜の総称．

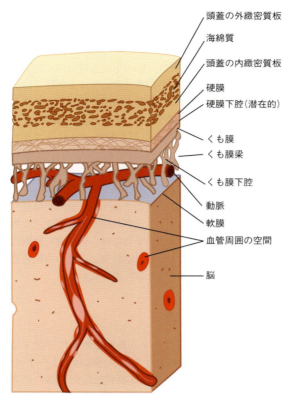

図 33・4 **脳を包む膜**．頭蓋および脳組織との関係を示す（Young B, Heath JW: *Wheater's Functional Histology*, 4th ed. Churchill Livingstone; 2000 より許可を得て複製）．

trabeculae で支持されている．脳の重さは空気中で約 1400 g であるが，脳脊髄"液槽"中では液の浮力のため，その重さはわずかに 50 g にすぎない．脳は比較的弱い組織であるが，頭蓋内にしっかり支持されうるのはこのためである．頭に衝撃を受けると，脳はくも膜とともに硬膜に対して急にずれるが，そのずれはCSF のクッションとくも膜梁の支えで和らげられる．

CSF の減量による痛みは，CSF が脳を支えている重要な役割をよく示している．腰椎穿刺の際 CSF を取ると激しい頭痛が起こる．脳は血管とくも膜梁だけで支えられるようになり，これらを引っ張って髄膜の痛覚線維を強く刺激するからである．この痛みは滅菌等張食塩水の腰髄硬膜内腔注射 intrathecal injection により和らげられる．

頭部外傷

脳脊髄液と髄膜の保護機能がもしなかったならば，脳は日常たびたび経験する軽い外傷にも耐えることはできないであろう．しかしこれら保護装置をもってしても，かなり強い外力がはたらけば脳は損傷を受ける．それは，頭蓋骨が割れ（頭蓋骨折），骨が神経組織にくい込むことによることが多い（陥没頭蓋骨折 depressed skull fracture）．また，脳があまりひどくずれたため大脳皮質から頭蓋骨へつながっている繊細な静脈が裂けることや，頭蓋に加えられた打撃によって脳が動かされて，打撃が加わった部位とちょうど反対側の頭蓋骨内面または小脳天幕に脳が衝突する（**反撃損傷 contrecoup injury**）ことなどによっても，脳は損傷を受ける．

血液脳関門

成人の脳の毛細血管同士と脈絡叢の上皮細胞同士の間に形成されているタイトジャンクションは，タンパク質分子が脳に侵入するのを有効に防止し，小分子の透過を遅くする．その例は尿素の透過である（図 33・5）．このような特別な物質に限って脳に到達できるしくみを**血液脳関門 blood-brain barrier** と呼ぶ．血液脳関門という用語は，脳全体の場合について広くいわれるが，狭義では脈絡上皮での血液と CSF の関門を指すのに用いる．

脳内の毛細血管内皮細胞は，互いにしっかりつながっているため，ここを横切る脳内と血管内の間の受動的物質拡散は非常に限定されており，さらに小胞性輸送もほとんどない．しかし脳の毛細血管には種々のキャリア（担体）仲介性輸送系や能動輸送系がある．

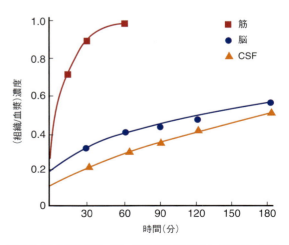

図 33・5 **尿素の筋，脳，脳脊髄液（CSF）への移行**．尿素は一定速度で 0 分より持続的に注入した．

物質の脳への移行

水，CO_2，O_2 は容易に脳を透過する．脂溶性の遊離型ステロイドホルモンも同様であるが，タンパク質結合型の場合は透過しない．一般にすべてのタンパク質およびポリペプチドも透過しない．CO_2 はすばやく受動輸送によって透過するのに対し，H^+ や HCO_3^- は経細胞性の調節性輸送[*3]によってしか透過できないことは，呼吸調節に関して生理学的な意味がある(35章参照)．

グルコースは神経細胞の主要なエネルギー源である．その血液脳関門の受動的な拡散は少なく，GLUT1などのグルコーストランスポータによりCSFへの輸送は著しく促進されている．脳には，GLUT1 55KとGLUT1 45Kという2種類のグルコーストランスポータがある．両者は同じ遺伝子にコードされているが，グリコシル化の程度が異なる．GLUT1 55Kは脳毛細血管に高濃度で存在する(図33・6)．GLUT1が先天的に欠乏している子供では，血漿グルコース濃度が正常であってもCSFのグルコース濃度が低く，痙攣発作や発達の遅れの症状を示す．他に，甲状腺ホルモン，いくつかの有機酸，コリン，核酸の前駆物質，中性・塩基性・酸性アミノ酸のトランスポータもこの血液脳関門に存在する．

種々の薬やペプチドは，脳の毛細血管の内皮細胞内に入るが，血管内皮細胞の頂端膜にある多剤性非特異的トランスポータによりまた血液内に戻される．このトランスポータ(**P糖タンパク質 P-glycoprotein**)は種々のタンパク質や脂質を細胞膜内外に移動させるATP結合カセットタンパク群の1つである(2章参照)．このトランスポータを欠くマウスでは，全身性に投与した化学療法に用いる薬物，鎮痛薬，オピオイドタンパク質が正常群に比してより多く脳内に発見される．もしこのトランスポータの機能を抑制する薬物が開発されれば，これまで十分な量の治療薬を脳内に導入することのできなかった脳腫瘍や，他の中枢神経性の疾患の治療に有用になるに違いない．

脳室周囲器官

血漿タンパク質に結合する色素を動物に注射すると，多くの組織を染めるが，脳の大部分は染まらない．しかし4カ所の脳内あるいは脳幹近傍が同様に色素

*3 訳注：担体による促通拡散や能動輸送．

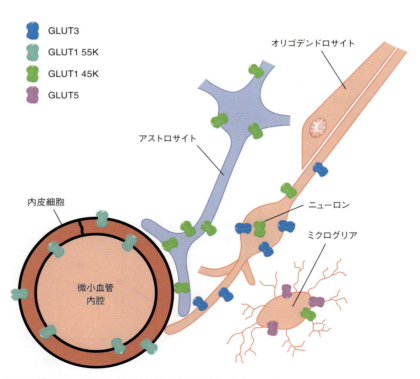

図 33・6 脳における様々なGLUTトランスポータの分布．(Maher F, Vannucci SJ, Simpson IA: Glucose transporter proteins in brain. FASEB J 1994 Oct; 8(13): 1003-1011 より許可を得て転載)．

に染まる．それらは，(1) **下垂体後葉 posterior pituitary**（神経下垂体 neurohypophysis）およびそれに隣接する視床下部の**正中隆起 median eminence** の腹側部，(2) **最後野 area postrema**，(3) **終板器官 organum vasculosum of the lamina terminalis**（**OVLT**，視神経上稜），(4) **脳弓下器官 subfornical organ**（**SFO**）である．

これらの領域を総称して**脳室周囲器官 circumventricular organ** と呼ぶ（図33・7）．これらのすべての部位では，毛細血管は開窓構造をもち，透過性が高いことから"血液脳関門外にある"といわれる．その中のあるものは**神経血液器官 neurohemal organ**，すなわちニューロンが分泌した物質を血中に出す器官としてはたらいている．他の脳室周囲器官はペプチドなど多くの物質に対する受容体をもち，化学受容領域としてはたらいている．循環血液中の物質が血液脳関門を通らずにここに作用して脳の機能を変化させるのである．たとえば，最後野は血漿の化学的変化を感受して嘔吐を起こす化学受容器引金帯である(27章参照)．最後野はまた心血管調節にも関与し，血中のアンジオテンシンIIは最後野に作用して神経性に血圧を上昇させる．アンジオテンシンIIはさらにSFOおよびおそらくはOVLTにはたらいて水分摂取を高める．さらに，OVLTはバソプレシン分泌を調節する浸透圧受容器の存在部位と考えられる(38章参照)．循環血液中のインターロイキン1(IL-1)はこの脳室周囲器官に作用して発熱させることが確認された．

交連下器官 subcommissural organ（図33・7）は松果体と密接に関連しており，組織学的に脳室周囲器官に似ている．しかしそこの毛細血管には開窓構造はなく，物質透過性は脳室周囲器官より高くない．その代わり，脳の発生の時に神経軸索の伸長のガイダンスに関係しているらしい．逆に松果体と下垂体前葉は開窓毛細血管をもち，血液脳関門の外にあるが，両者は内分泌器官であり，脳の一部ではない．

血液脳関門の機能

血液脳関門は中枢神経系におけるニューロンの環境を一定に保つ（クリニカルボックス33・1）．K^+，Ca^{2+}，Mg^{2+}，H^+，他イオンの濃度のわずかの変化によってもニューロンに著しい影響を与える．生体組織のあらゆる部分の細胞外液の組成は，多種多様なホメオスタシスの機序によって維持されているが(1，38章参照)，

クリニカルボックス 33・1

血液脳関門の臨床的意義

医師が神経系の病気を適切に処置する場合，薬物がどの程度まで脳を透過するかを理解しておく必要がある．たとえば，アミンであるドーパミンとセロトニンは，脳へ透過しにくいが，それぞれの酸性前駆体である L-ドーパ L-dopa と 5-ヒドロキシトリプトファン 5-hydroxytryptophan は比較的容易に透過する(7，12章参照)ことは臨床的に重要である．臨床的に重要なもう1つの知見は，脳に感染が起こると，傷害を受けた場合などではそこの血液脳関門が崩れやすいということである．腫瘍は血管を新生するが，新生血管は正常なアストロサイト（グリア細胞の一種）との接触をもたない．そのため，タイトジャンクションが形成されず，有窓型の毛細血管もある．血液脳関門を欠くことが，脳腫瘍の局在部位を知る助けになる．たとえば放射性ヨウ素で標識されたアルブミンのような物質は，血中から正常の脳中へは容易に移行しないが，腫瘍細胞中へは移行するから，その部位が周囲の正常な脳組織と対比して放射能活性を示す島として現れてくる．血液脳関門はまた，急激な著しい血圧上昇あるいは高張溶液の静脈内注射により一過性に破られることがある．

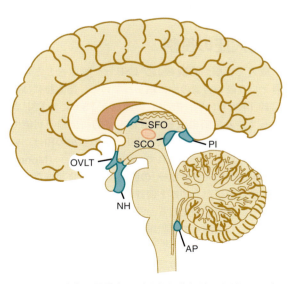

図33・7 脳室周囲器官．下垂体後葉(神経下垂体：NH)，終板器官(OVLT)，脳弓下器官(SFO)，最後野(AP)をヒトの脳矢状面に示す．松果体(PI)，交連下器官(SCO)．

大脳皮質ニューロンはイオン濃度の変化に極めて敏感であることを考えれば，これらのニューロンを保護するためにさらにもう1つの防御機構が出現したとしても驚くにあたらない．血液脳関門のその他の機能として考えられていることは，脳を血液中の外因性および内因性毒素から守ることおよび神経伝達物質が全身循環血中に流出するのを防ぐことである．

血液脳関門の生後発達

実験動物の胎生期や新生期では，成体に比べて，多くの小分子は容易に脳を透過する．これを根拠に血液脳関門は出生時には未発達であるといわれることがある．ヒトでは出生時の血液脳関門はより発達しているものの，驚くことではないが，正常なヒト新生児の血液脳関門の受動的な透過性のデータは十分にそろってはいない．しかし，血漿の遊離ビリルビン濃度の上昇と肝臓のビリルビン抱合系の発達不全を伴う重症の黄疸では，遊離ビリルビンが脳に到達し，この時窒息が併発すると大脳基底核の傷害を起こす(これを**核黄疸 kernicterus** という)．成人での類似の疾患は Crigler-Najjar〔クリグラー・ナジャー〕症候群であり，グルクロニルトランスフェラーゼ[*4]が先天的に欠損している．これらの患者では，血中の遊離ビリルビン濃度が極めて高いために脳症状を示すこともありうる．しかしふつうは，遊離ビリルビン濃度はあまり高くないので，脳の障害もみられない．

脳血流量とその調節

脳血流量測定法(Kety法)

Fick〔フィック〕**の原理**(30章参照)によると，ある器官の血流量は，一定の示標物質Xが循環血液からその器官により単位時間に取り込まれた量(Q_x)を，その器官の動脈血と静脈血中に含まれる示標物質の濃度の差($[A_x]-[V_x]$)で割った値に等しい．したがって，

$$脳血流量(CBF) = \frac{Q_x}{[A_x]-[V_x]}$$

この方法は，臨床的には亜酸化窒素 nitrous oxide (N_2O)を吸入して用いられる(**Kety**〔ケティ〕**法**)．若年者の脳血流量の平均値は 54 mL/100 g/分である．一

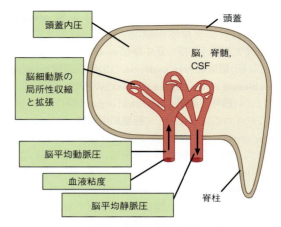

図 33・8 脳血流全体に影響する各種要因の要約．

方，脳重量は成人で平均 1400 g だから，脳全体の血流量は約 756 mL/分となる．Kety 法は，血流量の平均値を与えるもので，領域の違いを示すものではないことに注意してほしい．この方法は，血流の局所的相違については何の情報も与えない．血液が灌流している脳の部分への血液量を測っていることになる．脳のある部分への血流が阻止されても，Kety 法による血流量の測定値には変化が現れない．血液灌流を受けない部分は N_2O を取り込まないからである．

神経活動に伴って局所脳血流が著しく変化するにもかかわらず，脳循環は合計の脳血流が比較的一定になるように調節されている．脳血流を調節している要因は図 33・8 にまとめられている．

頭蓋内圧の役割

成人では脳，脊髄および CSF は，脳血管とともに骨という硬い容器の中に納まっている．頭蓋腔には通常約 1400 g の脳，75 mL の血液と 75 mL の CSF が入っている．脳組織と CSF は本質的に圧縮不可能であるので，頭蓋内の血液，CSF，脳の容積の和は，いつでもほぼ一定に保たれているにちがいない(**Monro-Kellie**〔モンロー・ケリー〕**の原理**)．さらに重要なことは，頭蓋内圧が上がると血管が圧迫されるということである．静脈圧が変わると頭蓋内圧も直ちに同様に変化する．したがって静脈圧が上昇すると脳血流が減少する．それは脳動脈の有効灌流圧が下がるためと，脳血管が圧縮されるためである．このことは，頭部の動脈血圧の変化に対して脳血流を補償する役目を果たす．たとえば頭部から足への方向の強い加速度(正のg)を受けた場合，脳動脈血圧は下がる．しかし脳静脈

[*4] 訳注：間接ビリルビン(遊離ビリルビン)をグルクロン酸抱合し，直接ビリルビンにする酵素．

圧も下がり，頭蓋内圧も下がる．その結果，血管に加えられる圧力も減少し，血流に対する脅威は，このような変化が起こらない場合に比して，はるかに少なくなる．逆に足から頭部への方向の加速度(負のg)を受けると，脳動脈圧と同時に頭蓋内圧が上がり，脳血管は圧迫され断裂が防げられる．いきみ(排便，出産)に対して，脳血管が破れないように保護されるしくみも同様である．

脳血流の自己調節

血流の自己調節 autoregulation は，他の血管床でもみられることではあるが，脳で著しい(図33・9)．自己調節とは，血液の灌流圧が変わっても組織の血流がほぼ一定に保たれる過程であり，32章で述べた．脳では動脈圧が65〜140 mmHg の範囲内では，自己調節が正常の脳血流を維持する．

血管運動神経および知覚神経の役割

前に述べたように大きな脳血管は交感神経と副交感神経の節後線維，さらに知覚神経によって支配されている．これら神経はアストロサイトが分泌するパラクリン様物質の放出を調節することにより間接的にも血管の緊張を変調させる．これらの神経の役割はなお議論の対象となっている．血圧が著しく高い時にはノルアドレナリン作動性神経発射が起こると論じられてきた．これは血圧上昇の結果生じる受動的な脳血流の増加を抑え，さもないと起こるであろう血液脳関門の破綻を防ぐのに役立つ(前述)．このように血管運動神経発射は自己調節に影響する．交感神経の刺激は血圧-血流曲線の定血流部あるいはプラトー部を右にずらす(図33・9)．すなわち血流は変わらないままで血圧が増大する範囲が広がる．一方，血管拡張作用のあるヒドララジン hydralazine やアンジオテンシン変換酵素(ACE)阻害薬カプトプリル captopril はプラトー部分を短くする．最後に，脳の活動変化に血管が反応して，局所の灌流を調節するという神経-血管関係がある(以下参照)．

脳各部の血流量

最近10年で特に進歩した手法は，生きた動物や意識のあるヒトで局所血流をモニターすることである．その中でも短い半減期をもつ放射性物質で物質を標識しその物質を血液中に注入して得られる**陽電子放射断層撮影法 positron emission tomography(PET)**は最も有用な技術の1つである．標識物質が測定部位に到着し，通りすぎる経過は，頭部に取り付けたシンチレーション検出器群を用いて観察される．血流量は脳の代謝と直接結び付いているので，2-デオキシグルコースの局所への取込みも血流量のよい指標である[5](以下ならびに1章参照)．2-デオキシグルコースを^{18}F，^{11}O，^{15}Oのような半減期の短いポジトロン放射性物質で標識すると，脳のどの部位の濃度も観察することができる．

もう1つの有用な技術に磁気共鳴画像(MRI)がある．MRIの原理は，磁界に置かれた異なる組織からの共鳴信号を検出することである．**機能的磁気共鳴画像 functional magnetic resonance imaging(fMRI)**は組織内の血液量を計測する．ニューロンが活動すると，その増加したスパイク発射が局所電場を変化させる．さらに，まだ不明な機構により，局所の血流と酸素が上昇する[6]．O_2を含んだ血液の増加をfMRIは検知する．PETは，活動している脳の様々な部位の血流だけでなく，ドーパミンのような分子の濃度の測定にも用いられている．一方fMRIは放射性物質を用いない．したがって，1人の人に局所血流変化の測定を何回も繰り返し行うことができる．

安静時のヒトの灰白質の血流量は平均 69 mL/100 g/分，白質は28 mL/100 g/分である．脳機能について特筆すべきことは，脳活動の変動とともにその局所の血流が著しく変化することである．安

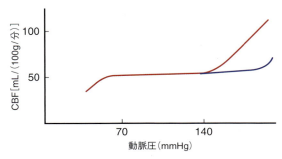

図33・9 安静時の脳血流(CBF)の自己調節．青線は自己調節中に交感神経を刺激したことによる変化を示す．

---

[5] 訳注：2-デオキシグルコース法は，神経細胞の活動がグルコースの取込みと直接結び付いていることを利用している．放射性物質で標識した2-デオキシグルコースはグルコースと同じように細胞内に取り込まれるが代謝されることはないので，細胞内に蓄積する．これを検出することで神経細胞の活動の程度を調べることができる．

[6] 訳注：神経活動の増加の結果であるCO_2の放出が血管拡張をもたらしオキシヘモグロビンの供給が増えるとされている．

クリニカルボックス 33・2

病気に伴う脳血流の変化

PETスキャンとfMRIの発展は，いくつかの疾患では局所的，あるいは全体的な脳血流の変化を伴うことを明らかにしてきた．たとえば，てんかんの発作時には病巣の血流は増加するが，他の部位では減少する．発作と発作の間の非発作時では発作を来す病巣の血流が少ないことが往々ある．失認症状（15章参照）を示す患者では頭頂後頭葉の血流が減少している．Alzheimer〔アルツハイマー〕病では最初期には上頭頂葉の代謝と血流低下が現れ，さらに進むと側頭葉に広がり，やがて前頭葉に及ぶ．中心前回と後回，基底核，視床，脳幹や小脳では比較的まれである．Huntington〔ハンチントン〕病では両側の尾状核への血流が低下し，この変化は発病の初期にみられる．躁うつ病ではうつ状態の時に大脳皮質血流量が低下する．しかし単相性うつ病ではそのようなことはない．統合失調症では前頭葉，側頭葉，基底核の血流が減少するという報告がある．片頭痛の前兆期には脳血流の減少が両側の後頭葉に始まり，前方に波及して側頭葉および頭頂葉に及ぶ．

静覚醒時のヒトでは運動前野と前頭部の血流が最も多い．脳のこの部位は，求心性入力の復号化 decoding および分析，知的活動に関係していると思われている．随意的に右手を握りしめると，左大脳皮質運動野の手の領域とそれに相当した中心後回の感覚野の血流が増加する．特に運動が順を追ってなされるようなものである時には，血流は補足運動野でも増加する．ヒトが会話をすると両側の顔面，舌，口の運動野と感覚野，および定言的な半球（通常左側）の運動前野上部の血流が増加する．会話する内容が型にはまったものである場合には，Broca〔ブローカ〕野およびWernicke〔ウェルニッケ〕野の血流に増加が認められないが，話が創造的である場合，すなわちアイデアを含む時にはこれらの言語野の血流が増加する．読書は広い範囲の血流増加を来す．問題を解いたり，合理的に思考したり，実際には身体を動かさないで運動を行おうと意図する場合には，運動前野および前頭葉の限局した領域の血流が増す．認知作業の予想をする際，作業の間活動が高まると思われる脳の部位の多くは，あたかも脳が意図した作業のモデルを作っているかのように事前に活動が高まっている．右利きの被験者では，言語的課題 verbal task 遂行中に左半球の血流が右側より多くなり，空間的課題 spatial task 遂行中には血流は右半球の方が左半球より多くなる（クリニカルボックス33・2）．精神作業時の脳の局所的な血流量の変化の例を図33・10に示す．

脳の代謝と酸素需要

脳組織の物質摂取と排出

脳血流量がわかっていれば，O_2，CO_2，グルコース

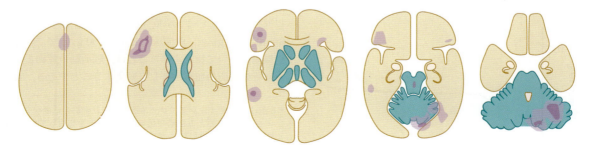

図 33・10　試験者が名詞の単語を与え，それに見合った動詞を被験者が考える時に，ヒトの脳の活動を5つの水平面で記録したもの．この精神的課題は，右側の前頭葉（スライス1～4），前辺縁回（スライス1），後側頭葉（スライス3）と左側の小脳（スライス4, 5）を活動させる．薄い紫色は中程度の活動を，濃い紫色は顕著な活動を表す（Posner MI, Raichle ME: *Images of Mind*. Scientific American Library, 1994 のPETスキャンによる）．

表 33・3　ヒト成人脳の物質の消費と産生

物質	取込み（＋）あるいは産生（−）量，毎分，脳 100 g 当たり	毎分総代謝量
消費物質		
O_2	＋3.5 mL	＋49 mL
グルコース	＋5.5 mg	＋77 mg
グルタミン酸	＋0.4 mg	＋5.6 mg
産生物質		
CO_2	−3.5 mL	−49 mL
グルタミン	−0.6 mg	−8.4 mg

飢餓でない状態では，産生も消費もされない物質：乳酸，ピルビン酸，総ケトン，α−ケトグルタル酸．

その他血流中の物質の脳による消費あるいは産生量は，脳血流量と動・静脈血中の濃度差との積として算出できる（表 33・3）．このようにして計算した時，負の値は脳がその物質を産生していることを示す．

脳の酸素消費

ヒトの脳の O_2 消費量［O_2 に関する脳の代謝率 cerebral metabolic rate for O_2（$CMRO_2$）］は安静時の全身の O_2 消費量の約 20％にあたる（表 33・1）．脳は低酸素症に極めて敏感で，血流を絶つと 10 秒以内の短時間で意識を喪失する．脳幹にある植物性機能に関係する神経組織よりも大脳皮質ははるかに低酸素症に敏感であって，心臓停止その他の突発事故のため一定時間低酸素状態に陥った後，血流が回復した場合には，植物性機能は正常に戻っても，高度の永久的な知能障害を残す．大脳基底核は O_2 消費率が高い．慢性低酸素症は Parkinson〔パーキンソン〕病の症状や知能障害を来す．視床および下丘も低酸素症に極めて敏感である（クリニカルボックス 33・3）．

脳活動のエネルギー源

脳の活動の究極のエネルギー源は主としてグルコースである．正常状態では，細胞膜内外のイオン濃度勾配を維持し，電気的インパルスを伝播するのに要する

クリニカルボックス 33・3

脳 卒 中

脳のある部分への血液供給が断たれると，虚血がその部分の細胞を傷害したり殺したりする．この過程が脳卒中の徴候や症状をもたらす．脳卒中には出血性と血栓性のものがある．出血性脳卒中（脳出血）は脳の動脈や細動脈が破損して起こり，破損部には，必ずではないがしばしば小動脈瘤がある．血栓性脳卒中（脳血栓）は，血栓が形成されるようなアテローム動脈硬化性プラークによって血流が妨げられた時に生じる．血栓はどこか他の場所で形成され（たとえば心房細動の患者の心房），塞栓として運ばれ血流を塞いで起こる．昔は脳卒中の経過と帰結を変容させる手段はほとんどなかった．しかし，ペナンブラ penumbra（脳の傷害が最も激しい部位の周辺領域）では虚血はアストロサイトのグルタミン酸の摂取を減少させ，局所のグルタミン酸の増加はニューロンの興奮毒性傷害 excitotoxic damage や死をもたらすことが明らかになっている（7 章参照）．

治療上のハイライト

血栓溶解薬−組織型プラスミノーゲンアクチベーター（t-PA）（31 章参照）は虚血性脳卒中に大いに役に立つ．興奮毒性障害を防ぐ薬物はヒトの臨床試験でははっきりしない効果を示した．しかし障害の機序が明らかになりつつあり，将来この血液溶解経路を介した標的に絞られたより有益な薬物が生まれつつある．しかしながら，t-PA（とおそらく抗興奮毒性処置）は最大効果をもたらすためには卒中の初期に投与されねばならない．これが卒中の早期診断が非常に重要であることの意味である．さらに，いうまでもなく，卒中が血栓性か出血性かを鑑別するのは重要である．なぜなら後者では血栓溶解は禁忌であるからである．出血性卒中における止血を強化する治療方法の試行が進行中である．

エネルギーの90％の源はグルコースである．グルコースは，脳毛細血管に存在するGLUT1と呼ばれるグルコーストランスポータによって脳に入っていく（前述）．次いで，別のトランスポータがニューロンやグリア細胞に輸送する．

グルコースは血液から大量に取り込まれ，脳組織の呼吸商(RQ)[*7]は正常人では0.95〜0.99である．重要なのは脳細胞の多くではグルコースの利用にインスリンは必要でないことである．一般に安静時のグルコースの利用は血流とO_2消費に比例する．これは直ちに全エネルギー源が常にグルコースであることを意味するものではない．飢餓状態が続くと他の栄養素もかなり利用されるようになる．正常状態で脳組織が摂取したグルコースの30％もがアミノ酸，脂質，タンパク質に変えられ，またグルコース以外のこれらの物質が痙攣中のエネルギー源として利用されるとの証拠が実際に得られている．アミノ酸については脳の動・静脈血中の濃度差は通常微少であるが，摂取されたアミノ酸もエネルギーに利用されると考えられる．

神経機能に関して低血糖がもたらす結果は24章に記載している．

グルタミン酸とアンモニア除去

脳のグルタミン酸摂取量はグルタミン排出量とほぼ平衡している．脳に入ったグルタミン酸は，アンモニアと結合してグルタミンになって，脳から出ていく．脳で起こるこのグルタミン酸からグルタミンへの転化反応（これの逆反応が腎臓で起こり，アンモニアが尿細管に排泄される）は，アンモニアを除くという解毒の意義をもつ．アンモニアは神経細胞に対して非常に有毒であり，アンモニア中毒は少なくとも進行性肝疾患で現れる神経症状の原因の1つであると考えられている（**肝性脳症 hepatic encephalopathy**，28章参照）．

冠 状 循 環

冠状血管の形態

心筋に血液を供給する2本の冠状動脈は大動脈基部の3枚の大動脈弁が作る3つの**大動脈洞 aortic sinus**のうちの2つの洞から始まる（図33・11）．ほとんどの静脈血は冠状洞と前心臓静脈から心臓（右心房）

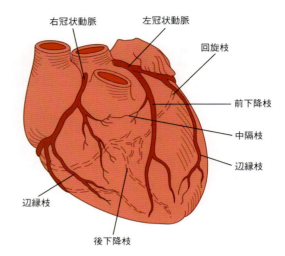

図 33・11 ヒトの冠状動脈とその主な枝．(Ross G: *Essentials of Human Physiology*. Year Book Medical Publishers; 1978 より許可を得て複製)．

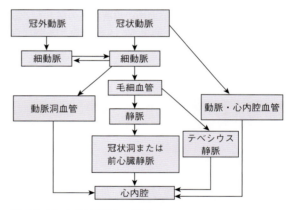

図 33・12 冠状循環路の概観．

に戻る（図33・12）．さらに他にも心内腔に直接流入する血管がある．これらは細動脈から心内腔へとつなぐ洞毛細血管である**動脈洞血管 arteriosinusoidal vessel**，毛細血管から心内腔につながる**Thebesian〔テベシウス〕静脈**，数は少ないが直接心内腔に流入する小動脈である**動脈・心内腔血管 arterioluminal vessel**などである．冠状循環の細動脈と心臓外細動脈との間に吻合が若干あり，特に大静脈開口部周囲によくみられる．

冠状血管の圧変化と流量

心臓は骨格筋のように収縮する時に筋層内の血管を圧縮する．心臓の収縮期には左心室の内圧は大動脈圧

[*7] 訳注：呼吸商 respiratory quotient(RQ)は定常状態で単位時間内に生じたCO_2量と消費されたO_2量の比．

表 33・4　収縮期と拡張期における大動脈圧と左，右心室内圧

	圧力（mmHg）			大動脈圧との差（mmHg）	
	大動脈	左心室	右心室	左心室	右心室
収縮期	120	121	25	−1	95
拡張期	80	0	0	80	80

より少し高い（表 33・4）．ゆえに左心室の心内膜下筋層を灌流する血管には拡張期にのみ血流が生じるが，左心室のより外膜側では力が弱まり，心周期のどの時期においても外膜側では若干血流がみられる．心拍頻度が高い場合には拡張期が相対的に短くなるから，左心室の冠状血流量は頻脈の際は減少する．一方，大動脈－右心室の内圧の差，大動脈－心房の内圧の差は収縮期には拡張期よりも多少大きくなるから，右心室および心房の冠状循環血流量は収縮期に著しく低下することはない．左右の冠状循環血流を図 33・13 に示す．

左心室心内膜下の血流は心室収縮期にはゼロとなるから，ここは虚血に陥りやすく心筋梗塞の好発部位となる．大動脈弁狭窄患者では左心室への血流が低下している．その理由は，左心室と大動脈間の圧差は狭窄に打ち勝って血液を流すためにさらに大きくなければならないからである．したがって左心室の冠状血管は心室収縮期により強く圧縮される．この血管の圧縮のためと，狭窄した弁膜を通して血液を流すのに心筋はより多くの O_2 を必要とするために，大動脈弁狭窄患者は特に心筋虚血を生じやすい．冠状循環血流は大動脈拡張期圧の低い時は減少する．心不全のように，静脈圧が上昇した場合には実効冠状血管灌流圧が減少するから，冠状循環血流が低下する（クリニカルボックス 33・4）．

冠状循環静脈血の N_2O 濃度は全心筋からの流出血液の代表とみなしうると仮定したうえで，Kety 法を適用してカテーテルを冠状洞に挿入し冠状循環血流量が測定されてきた．ヒトで安静時の冠状循環血流量は約 250 mL/分（心拍出量の 5 ％）である．**放射性同位元素 radionuclide** を用いた各種の測定法が心臓の血流の研究および心臓虚血ないし梗塞部の検出と心室機能の評価に用いられるようになった．この放射性同位元素は放射性標識物質（トレーサー）であり，胸部に置いた放射線検出器により検出できる．たとえばタリウム 201（^{201}Tl）のような放射性元素を Na^+, K^+-ATPase の作用により心筋細胞内に輸送し，細胞内の貯蔵 K^+ と平衡させる．静脈注射後，最初の 10〜15 分の間に ^{201}Tl は心筋内に血流量に比例して分布するから，放射能が低いことで虚血部が検出されうる．^{201}Tl の取込みの測定は運動後間もなくと，数時間後の 2 回行うことがよくある．これにより運動で血流の減少する部位が明らかとなるからである．それと反対にテクネチウム 99 m ピロリン酸第一スズ（^{99m}Tc-PYP）のような放射性薬物は，梗塞組織に選択的に取り込まれるので，胸部のシンチグラム走査 scintigram により "活性点 hot spot" として梗塞部位が浮かび上がる．冠状血管造影法と ^{133}Xe 洗い出し法とを併用すると冠状血流のより詳しい分析ができる．すなわち放射性造影物質を冠状動脈中に注入し，その分布状態の概略を見るのに X 線写真を用いる．次に血管造影用カメラを多結晶シンチレーションカメラに取り換えて ^{133}Xe の洗い出しを測定するのである．

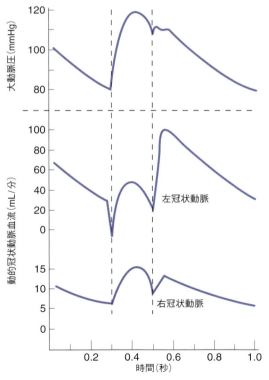

図 33・13　心周期の各相を通じての左右の冠状動脈の血流． 2 本の縦破線の間に収縮が起こる（Berne RM, Levy MN: *Physiology*, 2nd ed. Mosby; 1988 より許可を得て複製）．

冠状循環血流量の変動

安静時に心臓は流入血中 O_2 の 70〜80 ％を消費する（表 33・1）．この心筋 O_2 供給量を著しく増加させ

クリニカルボックス 33・4

冠状動脈疾患

　冠状動脈の血流が減り心筋が低酸素症に陥ると**狭心症 angina pectoris** が発生する（30章参照）．心筋の虚血が高度でかつ長引くと心筋に不可逆性の変化が起こり，いわゆる**心筋梗塞 myocardial infarction** となる．多くの患者は運動時にのみ狭心症の痛みを感じ，安静時の冠血流は正常である．症状が重い患者では血流がより限定され，安静時にも狭心痛が生じる．冠状動脈の部分的な狭窄の場合も血管痙攣により狭窄が進行し心筋梗塞を生じる．だが心筋梗塞のほとんどの原因は**アテローム動脈硬化性プラーク atherosclerotic plaque** の破裂あるいはこのプラークへの出血で，これらがプラークのある部位に冠状動脈閉塞性血餅を作るきっかけになって冠状動脈が閉塞することにある．心筋梗塞に伴う心電図の変化は29章で考察した．心筋細胞が死ぬと循環血液中に酵素が漏れ出す．血清中の酵素量の増加や，梗塞に陥った心筋細胞が作り出すこれらの酵素やその異性体の量の増加を測定することも心筋梗塞の診断に重要である．最も一般的に測定される酵素はクレアチンキナーゼの MB 異性体（CK-MB），トロポニンTとトロポニンIである．先進国では多くのアテローム性動脈硬化症患者がいるため，心筋梗塞は一般的な死因の1つである．さらにアテローム性動脈硬化症と循環血中の**リポタンパク質(a) lipoprotein (a)〔Lp(a)〕** とも正相関を示す．Lp(a) の外側はアポタンパク質(a) apo(a) でコートされている．アポタンパク質(a) はプラスミン生成を抑制し，血栓溶解を妨げる（31章も参照）．アテローム性動脈硬化症において炎症の要因も重要であることが明らかにされつつある．この病気による障害部には炎症細胞が含まれ，循環血液中のC反応性タンパク質の増加とその他の**炎症性マーカー inflammatory marker** の量には相関があり，心筋梗塞の発生と関係がある．

治療上のハイライト

　心筋梗塞の治療目的は，再灌流障害を最少に抑えながらなるべく早く梗塞部位の血流を回復させることである．心機能の不可逆的変化を避けるため，できる限り早い処置を行うべきである．急性期には血栓溶解薬がしばしば投与されるが，これは問題を生じることがある．外科処置が必要となる場合，出血のため死亡率が増加する．冠動脈障害に対する機械的外科的処置は血管を広げるためにバルーン法（バルーンを冠動脈に挿入し膨らませる）やステントの埋込み（特殊なパイプ様の金属を冠動脈の細い部分に挿入），または冠動脈の細くなった部分に血管を移植する冠動脈バイパス移植 coronary artery bypass graft（CABG）がある．

るのは冠状循環血液量の増大によってのみ可能となる．ゆえに心臓の代謝が増大すると冠状循環血流量が増すのは当然である．冠状血管の直径と相関関係にある冠状循環血流量は大動脈圧の他に化学的，神経的要因で変化する．冠状循環は著しい自己調節性も示す．

化 学 的 要 因

　冠状循環血流量と心筋の O_2 消費との間の密接な関係から，代謝産物の1つあるいはそれ以上の何かが冠状血管を拡張することが考えられる．それにあたると思われるのは O_2 不足，局所の CO_2，H^+，K^+，乳酸塩，プロスタグランジン，アデニンヌクレオチド，アデノシンの濃度増である．これらのいくつかが総合されて，あるいは互いに重複的に関与するとみられる．窒息，低酸素症，冠状血管中に青酸塩を注射することなどはいずれも冠状循環血流を200〜300％増加する．これは神経支配のある心臓でも，除神経された denervated 心臓でも同様である．上記3種の刺激の本体は要するにいずれも低酸素症である．冠状血管を一時的に閉塞した後に解放すると，冠状動脈の供給領域の血流が同様に増す**反応性充血 reactive hyperemia**．これは皮膚にみられるもの（後述）と同様である．心臓内ではアデノシンの放出が原因である．

神 経 的 要 因

　冠状循環の細動脈はアドレナリン作動性α受容体を有し，これが血管の収縮を仲介する．一方，アドレナリン作動性β受容体も存在し，これは血管の拡張を仲介する．ノルアドレナリン作動性心臓交感神経の作用またはノルアドレナリン注射は冠状血管の拡張を来す．機構的にはノルアドレナリンは心拍数を増加させ心筋収縮力を高めるから，上記の血管拡張は心筋の活動が高まった結果，心筋内で生じた血管拡張性代謝産物による二次的なものであろう．β遮断薬によってノルアドレナリン作動性神経の変力性および変時性作用を阻止しておくと，無麻酔動物でノルアドレナリン作動性神経の刺激またはノルアドレナリンを注射することによって冠状循環の血流量は減少する．したがってノルアドレナリン作動性神経刺激の直接作用は冠状血管を拡張するというよりはむしろ収縮させるものであることを示している．迷走神経心臓枝の刺激は冠状血管を拡張させる．

　体循環の血圧が下がった場合，反射的に起こるノルアドレナリン作動性神経の発射増加は，正味の効果と

して冠状血管の拡張と冠状循環血流の増大を来す．これは心筋代謝が増加することの二次的効果である．この際，皮膚，腎臓，腹腔血管は逆に収縮する．心臓の血流は，脳の血流と同様に，他の器官の血流が減少する時でもその正常値が保持されるのである．

皮膚の循環

身体から失われる熱量の多寡は主に皮膚の血流量によって調節される．手や足の指，掌，耳朶では細動脈と細静脈の間に吻合があり（動静脈吻合，31 章参照）神経に支配されている．体温調節刺激による皮膚血流の変化は 1〜150 mL/100 g 皮膚/分にまでも及ぶが，皮膚では血液が動静脈吻合を短絡して流れうるから上記の大きな変化は可能であろう．皮下毛細血管と静脈叢は重要な血液貯蔵所の 1 つであり，また皮膚は血行を直接に観察できるという比較的まれな部位の 1 つである．

蒼白反応

皮膚をとがった物体でこすると，皮膚のこすられた部位に蒼白な線が現れる（**蒼白反応 white reaction**）．おそらく機械的刺激により前毛細血管括約筋が収縮して血液が毛細血管および小静脈より流れ去るためであろう．この反応は約 15 秒で起こる．

皮膚の三重反応

とがった物体でさらに強くこすると，蒼白反応が起こらず，10 秒くらいで充血のため赤い線が発現する（**赤色反応 red reaction**）．数分後に局所は腫脹し，紅潮が刺激周囲に斑点状に広がる．赤色反応は毛細血管が直接に刺激され拡張したためであり，**腫脹 wheal** は毛細血管およびそれに続く細静脈の透過性が高まったために液体が血管外に出ることにより生じた局所の浮腫である．刺激周囲に広がる**発赤 flare** は細動脈の拡張による．赤色反応，腫脹および周囲の紅潮，この**三重反応 triple response** は傷害に対する生理反応の 1 つである（3 章参照）．これは交感神経全切除 total sympathectomy の後でも発現する．一方，皮膚を刺激した後の発赤は局所麻酔の下または皮膚の感覚神経を切断し，それが変性した後では出なくなる．傷害された皮膚部位のすぐ上で神経を切断し，または麻酔しても，その直後では皮膚刺激によって発赤が生じる．この事実および他の証拠からみて，三重反応は**軸索反**

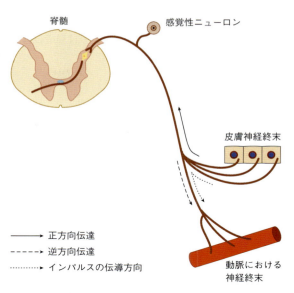

図 33・14　軸索反射．

射 axon reflex であろう．軸索反射とは傷害によって感覚神経内に生じたインパルスが，その求心性神経の他の分枝を通って逆方向的に皮膚血管に伝えられ，その血管を拡張するものをいう（図 33・14）．これは体内でみられる逆方向伝導 antidromic conduction による生理効果の顕著な一例である．この感覚性 C 線維の中枢端で遊離される伝達物質 transmitter はサブスタンス P（7 章参照）である．このサブスタンス P とカルシトニン遺伝子関連ペプチド（CGRP）は，ニューロン内のすべての部位に存在する．この両物質はいずれも細動脈を拡張し，さらにサブスタンス P は液体の血管外漏出をも起こす．さらに現在では，サブスタンス P に対する効果的な非ペプチド性拮抗薬が開発され，液体の漏出を減らすことができる．ゆえにサブスタンス P が皮膚刺激後の腫脹発生に関与していることがわかる．

反応性充血

多くの器官において明らかな血管反応としてみられるものに，**反応性充血 reactive hyperemia** がある．これは皮膚でも明らかに起こり，一定時間血管の血流を止めた後，血流を再開するとその血管が著しく拡張する現象をいう．肢体への血流をしばらく止めると，止めた部位以下の皮膚血管は拡張し，血流を再開するとこの拡張した血管の血流は著しく増大し，そのため皮膚は強く紅潮する．大気の O_2 は皮膚を通して短い距

離を拡散するから，100% O_2 中で循環を止めると反応性充血は起こらない．ゆえに血管拡張は局所の低酸素症が原因となっていると思われる．

全身的な皮膚血管反応

ノルアドレナリン作動性神経の刺激，血中アドレナリンおよびノルアドレナリン量の増加は皮膚血管を収縮する．皮膚には血管拡張神経は確認されていないから，皮膚血管の拡張は収縮神経の緊張の抑制および局所にできる血管拡張性代謝産物によって起こるのである．皮膚の色と温度も毛細血管と細静脈の状態で変わる．細動脈が収縮し，毛細血管が拡張すると冷たくて青または灰色の皮膚となり，細動脈と毛細血管とが拡張すれば皮膚は紅潮し温かくなる．

疼痛刺激は全身にわたってノルアドレナリン作動性神経の発射を引き起こすので，疼痛性外傷は局所の三重反応の他に広い範囲の血管を収縮させる．運動時に体温が上昇すると，他の器官ではノルアドレナリン作動性神経の発射により持続的に血管が収縮していても皮膚血管は拡張する．視床下部の温度上昇に基づく皮膚血管の拡張は他の反射より優勢だからである．もし体温が高いと皮膚の血管が拡張しているからショック症状はいっそうひどくなる．ゆえにショック状態の患者をむやみに加温して体温を必要以上に高めてはならない．逆に寒冷は皮膚血管を収縮させる．しかし著しい低温はかえって表在性血管を拡張させる．寒い日に顔面が紅潮するのはこのためである．

胎盤の血行，胎児の循環

子宮循環

子宮の血流量は子宮筋層と子宮内膜の代謝度に応じて変動し，妊娠していない状態では月経と並行して周期的に変化する．子宮筋層のらせん状血管と基底層血管の月経に伴う変化については 22 章に記した．妊娠中は子宮血流量は子宮の増大に伴って速やかに増加する（図 33・15）．血管拡張性代謝産物が子宮で生成されることは他の組織と同様である．妊娠初期には子宮の動静脈血の O_2 差は少ないので，エストロゲンの作用で血管が拡張し，必要とする O_2 以上に子宮血流を増加させるのであろうといわれている．副腎皮質刺激ホルモン放出ホルモン corticotropin-releasing hormone (CRH) は出産の時期同様に子宮血流の増加にも重要な役目をもっている．子宮血流は妊娠中には平時の

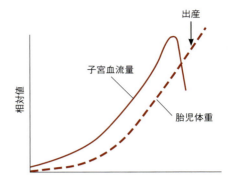

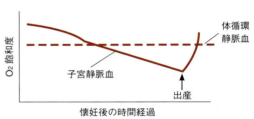

図 33・15 妊娠の各時期における子宮血流（上）と子宮静脈血 O_2 飽和度（下）の変化．(Keele CA, Neil E: *Samson Wright's Applied Physiology*, 12th ed. Oxford University Press; 1971 より許可を得て改変).

20 倍に増加する．しかしヒトの胎児が 1 個の細胞から出発して出産時には胎盤を含めて 4～5 kg にも達し得ることは，子宮血流増加比よりはるかに著しい実質増大度であるから，妊娠末期には子宮組織の O_2 消費の増加のため，子宮の動静脈血 O_2 濃度差は増加し，静脈血の O_2 飽和度は減少する．

胎　　盤

胎盤 placenta はいわば"胎児の肺"（図 33・16，図 33・17）である．その母体側は広い血洞 blood sinus とみてよい．この血の湖に胎児側から臍動・静脈の末枝を容れた絨毛 villus が浸っている（図 33・16）．ここで絨毛の壁を通して肺胞における O_2 と CO_2 の交換方法と同様に（35 章参照）胎児血液中に母体血液から O_2 が摂取され，胎児血液から CO_2 が母体血液に移送される．しかし絨毛を覆う細胞層は厚いし，肺胞上皮より透過性は低いから物質交換の能率は肺胞よりもはるかに低い．胎児・母体間の栄養素と老廃物の交換も胎盤で行われる．

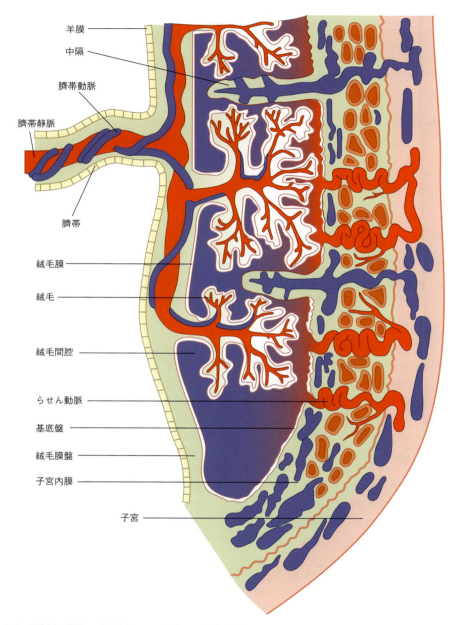

図 33・16 ヒトの胎盤の構造．胎児側からの絨毛が母体血液腔とつながる様子を示す（© Elsevier, Inc., Netterimages.com）．

胎児の血液循環

　胎児内の血液循環路を模式的に示したのが図 33・17 である．ヒトの臍静脈血の O_2 飽和度は約 80％（成人の動脈血は 98％）とされている．**静脈管 ductus venosus**（図 33・18）を通って臍静脈血の一部は直接下大静脈に入り，残りは胎児の肝門脈血と混合する．門脈血と体循環静脈血の O_2 飽和度は 26％にすぎないから，これと臍静脈血とが混合した下大静脈血の O_2 飽和度は約 67％である．下大静脈から右心房に入った血液は直ちに卵円孔 foramen ovale を通って左心房に入る．上大静脈の血液は右心房から右心室に入り拍出されて肺動脈に入る．しかし胎児の肺はまだ広がっておらず，肺動脈血圧は大動脈血圧よりも数 mmHg 高いから肺動脈血は**動脈管 ductus arteriosus** を通って大動脈に入る．このような方法で，右室から

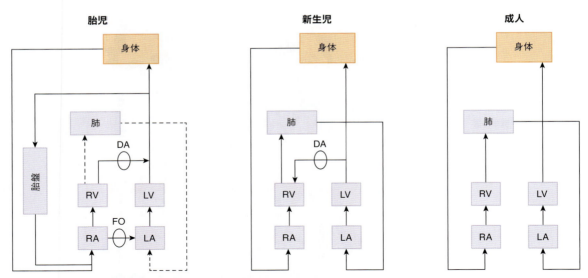

図 33・17 胎児，新生児および成人の全身循環路比較．DA：動脈管，FO：卵円孔，LA：左心房，LV：左心室，RA：右心房，RV：右心室．簡潔にするために，胎児の肝臓への循環は示されていないことに注意（図 33・18 参照）．

の比較的 O_2 飽和度の低い血液は胎児の胴体および下肢に流れ，頭部は左室から，飽和度のより高い血液を受けることになる．大動脈の血液は一部臍動脈を経て胎盤に戻る．下部大動脈血および臍動脈血の O_2 飽和度は約 60％である．

胎児の呼吸

　従来あまり注目されていないことであるが，哺乳類の胎児および新生児の組織は低酸素症に対して極めて抵抗が高い．それでも胎盤における母体血液の O_2 飽和度は十分高くないので，胎児赤血球がもし成体の赤血球以上の O_2 運搬能をもっていないとしたならば，おそらく胎児は低酸素症に陥るであろう（図 33・19）．胎児の赤血球は胎児ヘモグロビン（ヘモグロビン F）をもち，成人は成人ヘモグロビン（ヘモグロビン A）を含有している．この両種ヘモグロビンの O_2 親和性の差はヘモグロビン F では 2,3-ビスホスホグリセリン酸（2,3-BPG）との結合の効率がヘモグロビン A よりも低いのに由来する．2,3-BPG との結合によって O_2 との親和性が低下することについては 31 章で詳述してある．

出産に伴う胎児の循環と呼吸の変化

　胎児では動脈管と卵円孔が開いているので（図 33・18），左右の心臓は直列配列の成体と違って並列に位置していることになる．生まれる時にガス交換を行う場所が胎盤から肺に変わると同時に循環は並列系から直列系に変わらなければならない．この変化のほとんどは生後数分で生じるが完成するには多くの時間がかかる．この変化の主要な要素は肺が最初に気体で満たされた時の肺血管床の抵抗低下である．肺が最初の数回の呼吸によって拡張した後，肺血管床の抵抗値は子宮のそれの 20％より低くなる．

　出産後の呼吸を開始させるための刺激については十分理解されていない．正常な出産では低酸素が重要であるという証拠はなく，急激な光や音，冷たい空気に曝露することや触刺激が最も重要なきっかけのようである．酸素は一酸化窒素（NO）の産生を介して肺血管床に強力な弛緩作用をもたらす．高い酸素分圧と最初の肺の拡張時に肺から分泌されるブラジキニンが臍帯動脈と動脈管の収縮を引き起こす．

　肺を経て左心房に戻った血液は左心房圧を上げるから，心房中隔に卵円孔を作っている弁を圧して卵円孔を塞ぐ．動脈管の収縮と肺血管床の抵抗の低下が，右心室の拍出血液量の大部分を肺へ送り込む．動脈管は生後数時間で収縮し，機能的に閉じられ，これに続く 24～48 時間のうちに血管内膜の肥厚によって解剖学的に閉鎖される．さらに子宮内にいる時は比較的多くの血管弛緩物質（特にプロスタグランジン $F_{2\alpha}$）が動脈管に存在し，出生時にプロスタグランジンの合成がシクロオキシゲナーゼの抑制によって抑制される．多くの未熟児では動脈管は自発的に閉じることができず，

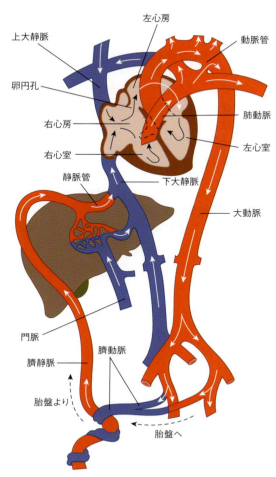

図 33・18 胎児の循環路. 臍静脈より下大静脈を経て心臓にくる酸素化血は主として卵円孔を通って大動脈から頭部に流れ，上大静脈より心臓に戻る酸素含有量の少ない血液は主として肺動脈，動脈管を経て下肢と臍動脈に向かって流れる．

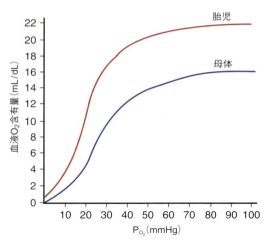

図 33・19 ヒトの母体と胎児血液のヘモグロビン解離曲線.

シクロオキシゲナーゼを抑制する薬物の投与により閉鎖されうる．

　肺呼吸が確立した後に，高酸素分圧の血液と肺由来のブラジキニンが臍帯動脈に到達すると臍帯動脈の収縮が生じる．さらに，冷たい外気や臍帯の操作が刺激になって生後3〜5分で臍帯動脈は完全に閉じてしまう．静脈灌流は子宮の収縮に伴う胎盤の圧の上昇と胎児の呼吸運動による胸腔内圧の負の圧力（最初は−30〜−50 mmHg）により保たれる．この生後直後の胎児・胎盤循環における血液の胎盤からの移動は胎盤輸血 placental transfusion と呼ばれる．5分以内に臍帯の血流は停止し胎盤に残る血液はほとんどなくなる．

　結局，胎児の循環では右心室の拍出量は左心室のそれよりわずかに多い．これを可能にしているのは右心室と左心室の出力が短絡路（動脈管と卵円孔）によって並列ポンプとなっていることである．生後は短絡路が閉じる前に，両方の心室の拍出量は等しくなり直列関係になる必要がある．

章のまとめ

- 脳への血流は4本の動脈で供給され，その血流はWillisの動脈輪で合流する．大脳皮質への血流はここから6本の動脈で供給される．左右どちらか一方の動脈系からの物質の供給は他方の側へほとんど移動することはない．静脈血の排出は，深部静脈と硬膜洞を介して内頸静脈へと行われる．
- 脳脊髄液（CSF）は主に脳の脈絡叢で作られ，脈絡叢の上皮細胞の能動輸送によって運ばれる．CSFは，連続して作られる状況の中で，圧を適正に維持するためにCSFの圧に依存して血流に再吸収される．
- 循環する物質の脳への透過はしっかり調節されている．水とCO_2とO_2は自由に透過できる．グルコースのような他の物質は特定の輸送機構が必要であり，大きな分子の透過はほとんどない．生体異物の脳内への侵入の血液脳関門での防御効果は，P

- 糖タンパク質による排出で行われている.
- 安静時の全身の酸素消費量の20％は脳が消費しており，この脳への血流を阻止するとすぐに意識を失う．グルコースも脳機能を維持するためのエネルギーとして重要である．脳の一部の血流が遮断される局所的な障害が脳卒中を引き起こす．
- 冠状循環は収縮する心筋へ酸素を供給する．代謝産物と神経性入力が酸素の要求に従い冠状血管を拡張する．
- 冠状動脈の閉鎖は心臓に不可逆的な障害をもたらす．左心室の心内膜下部分への血流は拡張期にのみ行われ，この領域が冠状動脈疾患の心筋梗塞における最も影響を受けやすい部分になる．
- 皮膚血流の調節は体温調節に重要であり，動静脈吻合の短絡路を種々のレベルに調節することで行われる．低酸素と軸索反射と交感神経入力のすべてが，皮膚血管の血流を決定するのに重要である．
- 胎児の循環では胎盤と子宮での循環が協調して，成長しつつある胎児への酸素と栄養の供給と老廃物の運搬除去を行っている．胎児の循環の独特な解剖学的特徴と，胎児ヘモグロビンの生化学的特徴が十分な酸素の供給を，特に頭部に行うことを可能としている．
- 出生時，左右の心室は並列関係であったのが急速に直列関係になる．卵円窓と動脈管は閉じ，新生児の肺が酸素交換の場に（胎盤から）取って代わることになる．肺循環の確立に続いて臍の血流は血管収縮性シグナルを得て急速に停止する．

多肢選択式問題

正しい答えを1つ選びなさい．

1. 次にあげる器官のうち，組織100 g当たりの血流量が最も大きいのはどれか．
   A．脳
   B．心筋
   C．皮膚
   D．肝臓
   E．腎臓

2. 新生児の男児が痙攣のために来院した．診察すると，体温と血漿グルコース濃度は正常だが，脳脊髄液のグルコース濃度は12 mg/dL（正常値は65 mg/dL）であった．症状の原因として可能性のあるものにどれか．
   A．ニューロンのGLUT3受容体の持続的な活性化
   B．アストロサイトのSGLT1の欠損
   C．脳毛細血管のGLUT5の欠損
   D．脳毛細血管のGLUT1 55Kの欠損
   E．ミクログリア（小グリア細胞）のGLUT1 45Kの欠損

3. 血清アルブミンに吸着する色素，エバンスブルーを静脈内投与し，1時間後にその動物を安楽死させた．脳の切片を検査したら青く染まっている部分はどこであると期待されるか．
   A．延髄
   B．最後野
   C．運動野
   D．頭頂葉
   E．視床

4. 心臓と大動脈の圧の差が最も小さいのはどれか．
   A．収縮期の左心室
   B．拡張期の左心室
   C．収縮期の右心室
   D．拡張期の右心室
   E．収縮期の左心房

5. 組織型プラスミノーゲンアクチベーター（t-PA）の投与が最も有効と思われるのはどれか．
   A．冠状動脈の狭窄から合併症もなく1年以上経過した時
   B．冠状動脈の狭窄から2カ月以上安静にして回復した時
   C．冠状動脈の狭窄から2週間の間
   D．冠状動脈の狭窄から2日の間
   E．冠状動脈の狭窄から2時間の間

6. 次にあげるもののうち，皮膚の細動脈を拡張させないものはどれか．
   A．体温の上昇
   B．アセチルコリン
   C．ブラジキニン
   D．サブスタンスP
   E．アドレナリン

7. 以下にあげる血管のうち，正常状態で最も P_{O_2} が低いのはどれか．
   A．母体の動脈
   B．母体の子宮静脈
   C．母体の大腿静脈
   D．臍動脈
   E．臍静脈

8. 妊娠32週で体重1 kgで出産された未熟女児．生後48時間後，心雑音と反跳脈（バウンディングパルス，訳注：拡張期血圧が低下し，最大血圧と最低血圧の差が大きくなり，跳ねたように大きく振れるようになった脈のこと）があり摂食が不十分である．インドメタシンの投与でこれらの症状は解決した．最も考えられる診断名は何か．
   A．壊死性腸炎
   B．気管支肺異形成
   C．無呼吸
   D．動脈管開存
   E．呼吸窮迫症候群

第VI編　呼吸生理学

　呼吸，すなわち体に酸素を取り入れて二酸化炭素を排出することが，肺の主要な目的である．安静時正常な人の呼吸数は1分間に12～15回である．1回の呼吸は500 mLぐらいの空気を含んでいるので，1分間に6～8 Lの空気が吸い込まれ，また吐き出される．空気が肺の深いところ，肺胞に到達すると，単純な拡散機能により酸素が肺毛細血管の血液中に取り込まれ，二酸化炭素は肺胞に拡散して吐き出される．基本的計算により，平均して1分間に250 mLの酸素が体内に取り込まれ，200 mLの二酸化炭素が排出される．呼吸器系に取り込まれる酸素に加え，吸気中には肺を守るためにフィルターにかけて除去しなくてはならない種々の微粒子が含まれている．最後に，人間の体は呼吸を正常に保つ調節系をもっているが，微細な調節も含め，ほとんどが分単位で調節されており，それらは随意呼吸とは独立してはたらいている．本編の目標は，呼吸の調節や意義を考えるうえで基盤となる基本的な概念を説明することであり，加えて呼吸生理学における他の重要な機能にも着目する．

　呼吸器系は上気道を通じて外界とつながっている．上気道は導管を経てガス交換が行われる部位(肺胞)に到達する．肺の機能は，肺を膨らましたり縮めたりして，それによってガスを体に取り込んだり排出したりするための変化に富んだ解剖学的構造物によって支えられている．支持構造物には，胸壁，(胸腔を広げたり縮めたりする)呼吸筋，筋肉を調節する脳内神経部位，脳と筋肉を連絡する神経路と神経線維などが含まれている．最後に，肺は体のいろいろな臓器や組織にガスを運搬する肺循環の一部を担っている．本編の最初の章では呼吸器系を形成している特徴的な解剖学的，組織学的，細胞学的構造を明らかにし，いかに肺の複雑な構造が呼吸生理に関わっているかを明らかにする．このことをもとに肺がどこまで膨張または縮小できるかの指標を定義することが可能となり，肺の健康にとって必要な呼吸以外の機能も明確になる．

　さらに，外界からの酸素の取入れと組織への運搬，そして同時に二酸化炭素を組織から取り出し，外界に排出するという呼吸系の最も重要な機能を考察する．ここではガス交換においてpHの調節が重要であること，さらに肺が血中pHの調節に寄与していることも考察する．環境や病態生理的変化により酸素あるいは二酸化炭素の濃度は変化するが呼吸はそれに対して反応をしている．この反応機構を学ぶことは，酸素の摂取と二酸化炭素の排出の総合的調節の理解に役立つ．

　呼吸調節は複雑である．これには，肺を膨張させたり縮小させたりする筋肉の動きを調節する連続的神経発射だけでなく，血液中のガス含有量により肺の縮小程度を決める一連のフィードバックの存在などが含まれている．本編の最後の章はこの呼吸調節においてキーとなる要素を概説することから始まる．よく知られている呼吸異常の例やそれらが呼吸調節とどのように関係しているかなど考察することを通じて，呼吸調節に関する複雑なフィードバックループの理解を目指す．

　肺の構造の複雑さ，そして機能する部分の多さのために，肺の機能に関連する疾患のリストは広い範囲にわたっている．その疾患の中には一般的(および非一般的)呼吸器感染症もあるし，喘息，慢性閉塞性肺疾患chronic obstructive pulmonary disease(COPD)，呼吸窮迫症候群，肺高血圧，肺癌やその他多くの疾患が含まれる．そのような多数の疾患が健康を脅していることは決して誇張ではない．たとえばCOPDを例にとってみると，現在控えめに見積もっても米国だけで1200万人以上の成人がCOPDに苦しんでいる．事実，COPDは世界の死亡原因の第4位になっており(増え続けている)，同じくらいの死亡数を示す非COPD疾患に対しても何らかの寄与をしている．COPDは絶え間ない研究と得られた知見に基づいて治療戦略が立てられ，生活の質の向上に役立っているが，そのもととなる病変を治療するところまでには至っていない．呼吸生理学と肺の機能(そしてその機能異常)の知見を積み重ね，理解を深めていくことは数限りない肺疾患とともにCOPDの新しい治療戦略を立てる機会を生み出すことになる．

CHAPTER 34

肺の構造と機能　序論

学習目標
本章習得のポイント

- 吸入された空気が外界から肺胞へ至るまでの経路をあげ，その各部位の内腔表面を覆う細胞の種類を記載することができる
- 呼吸運動に関わる主要な筋肉を列挙し，それらの役割を述べることができる
- 肺気量について基本的な測定指標を定義し，健常人におけるそれらの概算値を述べることができる
- 肺のコンプライアンスと気道抵抗を定義することができる
- 肺循環系と体循環系とを比較し，それらの間の主な違いを列挙することができる
- 基本的な肺の防御機構および肺の代謝機能について記載することができる
- ガス分圧という用語を定義し，海面レベルの気圧下における大気中の主要な各ガスの分圧を計算することができる

■ はじめに

　呼吸器系は，その最も重要な機能である体の内外へのガス輸送（O_2の取り込みとCO_2の排出）に適した独特の構造を有している．呼吸器系は，体外の環境すなわち吸入した外気に曝露され，そのため感染や様々な傷害のリスクを背負う大容量の組織である肺・気道を有している．また，呼吸器系は，肺血流を扱う肺循環という独特の循環系を有している．すなわち，肺は全心拍出量の血液を受け取る体内で唯一の臓器である．本章では，まず，呼吸器系の基本的な解剖と細胞生理についてそれらの特徴を記し，次いで，その解剖学的な特徴がどのように換気のメカニクスに役立つかを記すとともに，呼吸器系のもつ非呼吸性の機能についても触れる．

肺の解剖

気道の分類

　呼吸器系を通過する気流は，連続した3種類の気道，すなわち，**上気道 upper airway**，**伝導気道 conducting airway**，**肺胞気道 alveolar airway**（**肺実質 lung parenchyma**，**肺胞領域 acinar tissue**）を通ることになる．上気道は，外界から体内へ入る空気の入口である鼻腔と口腔から始まり，咽頭へ続く．咽頭下部は上気道の終点である喉頭へと続く．鼻腔は，吸入気の体内への主要な入口であり，そのため，鼻咽頭部の気道表面を覆う粘膜上皮は，高濃度の吸入アレルギー物質，毒素，微粒子に曝露されることになる．この点に留意すれば，鼻腔，上気道は，嗅覚の他に，(1)比較的大きな微粒子が伝導気道と肺胞気道へ到達しないよう濾過すること，および(2)体内へ入る外気の加温と加湿を行うこと，という気流に関係した2つの重要な役割をもっていることが容易に理解できるであろう．直径が30〜50 μm以上ある粒子は鼻腔を通過し得ないので，肺内へ吸入されることはない．しかし，直径が5〜10 μm程度の微粒子は鼻咽頭部に衝突しながらも一部は伝導気道へ入り込む．ただし，この後者のサイズの微粒子は，ほとんどが，鼻腔および咽頭の粘膜に

捕捉される．気流は，上気道から肺へと弯曲した気道を通っていくので，吸入された微粒子は，その直進する勢いのため，気流とともには進まず，咽頭後部の免疫学的活動性の高いリンパ組織である**扁桃 tonsil** と**アデノイド adenoid** およびその周囲粘膜に衝突し捕捉される．

伝導気道

伝導気道は，気管から始まり，2分岐ごとの分岐を繰り返しつつ肺内で末梢へ至るにつれその内腔の表面積を拡大していく．伝導気道の最初の16分岐までの気道世代は，上記の上気道との間でガスの往復輸送に関わる気道の伝導領域を形成する（図34・1）．この領域の気道分枝は，気管支，細気管支，終末細気管支よりなる．伝導気道は，単に空気を肺へ届ける通路としてだけでなく，その他の役割も有する様々な特異的な細胞によって形成されている（図34・2）．粘膜上皮は，薄い基底膜に接しており，その下部は粘膜固有層となっている．そして，これらをまとめて"気道粘膜"と呼ぶ．平滑筋細胞は上皮下にあり，内径が大きい伝導気道ほど，豊富に存在する軟骨とともに気道を包み込む結合組織の中に点在している．上皮は，偽重層上皮構造をしており，気道の自然免疫において重要な役割を担っている線毛細胞，分泌細胞（例：杯細胞，腺房）や，傷害を受けた際に始原細胞として組織修復のはたらきをする基底細胞など，様々な細胞を含む．伝導気道は，末梢で終末細気管支へと移行する際に，ガス伝導の管としての組織学的様相が変化する．細気管支および終末細気管支では分泌腺がなくなり，軟骨もほとんどなくなるため，平滑筋が相対的に目立つようになる．線毛をもたない立方形をした上皮細胞であるクラブ細胞[*1]は，重要な防御因子を分泌するとともに，気道が傷害を受けた際には始原細胞としてはたらくが，終末細気管支においては上皮表面のかなりの部分を占める．

伝導気道の上皮細胞は，肺の防御機構に役立つ様々な分子を分泌する．分泌型免疫グロブリン immunoglobulin（IgA），サーファクタントタンパク質 surfactant protein（SP-A および SP-D など）を含むコレクチン類，ディフェンシン類，およびその他のペプチド，タンパク質分解酵素，活性酸素種（ROS），およ

[*1] 訳注：この細胞は，オーストリア／ドイツ人解剖学者のMax Clara により発見されたもので，最近まではClara〔クララ〕細胞と呼ばれていた．しかし，Claraはナチスにより処刑された囚人の遺体を使用したため，Clara細胞という名称の使用は忌避され，クラブ細胞 club cell と呼ばれるようになった．

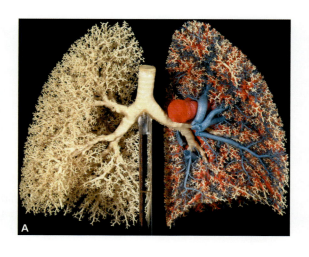

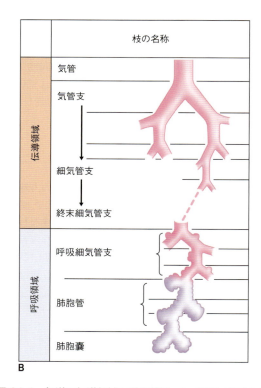

図34・1 気道の伝導領域と呼吸領域．A：樹脂で作成したヒトの気道の鋳型．気管から始まり2分岐を繰り返す気管支樹が示されている．左肺には赤色で肺動脈，青色で肺静脈を示している．**B：**伝導気道と呼吸気道の各分枝レベルにおける気道の模式図とともに示された気道の分枝パターン（Fishman AP et al(eds): *Fishman's Pulmonary Diseases and Disorders*, 4th ed. New York: McGraw-Hill; 2008 より許可を得て複製）．

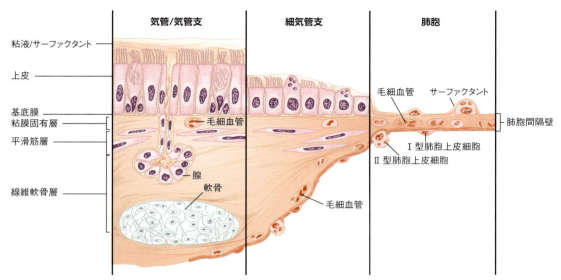

図 34・2 伝導気道から肺胞へ至る過程での細胞の変化．粘膜下腺を含む偽重層状をした中枢側の上皮層から，立方体型の上皮細胞へ，そして扁平な上皮細胞よりなる上皮層へと変遷する過程．上皮下にある間葉系組織と毛細血管の構造も，気道が末梢側へと移るに従って変遷する (Fishman AP et al(eds): *Fishman's Pulmonary Diseases and Disorders*, 4th ed. New York: McGraw-Hill; 2008 より許可を得て転載)．

び活性窒素種のいずれも気道上皮細胞で生成される．これら分泌タンパク質は，気道を感染から防御することに役立ち直接的な抗菌作用を果たしている．また，気道上皮細胞は，古典的な意味での免疫細胞および免疫効果細胞を感染部位へ呼び寄せる作用を有する様々なケモカインやサイトカインを分泌する．上気道をそのまま通過した直径が 2〜5 μm 以下の微粒子は，気道径が小さくなる末梢の気道では，気流の速度が低下することに伴い，ほとんどが気道壁に落下するが，落下した微粒子は，そこで反射性の気管支攣縮と咳嗽を引き起こす．また，それら微粒子は，**粘液線毛エスカレータ輸送機構** mucociliary escalator により肺から除去される．鼻腔の前方 1/3 から呼吸細気管支起始部までの気道上皮細胞は線毛を有する（図 34・2）．線毛は線毛周囲液 periciliary fluid に浸された状態にあり，典型的には 10〜15 Hz の頻度でビート運動をしている．線毛周囲液およびビート運動をしている線毛の上部には，粘液層がある．粘液層の粘液は，伝導気道の特殊細胞や分泌腺から分泌されるタンパク質および多糖類の複雑な混合物である．この粘液と線毛との組合せにより，異物が粘液に捕捉され，線毛運動により気道から排出される．この線毛機構は粒子を 16 mm/分以上の速度で肺から排出することができる．喫煙やその他の環境によって，または遺伝的な異常によって線毛の運動性の障害が起こった場合，粘液はほとんど移動しなくなる．その結果，慢性副鼻腔炎，繰り返し起こる肺炎，気管支拡張症などの疾患が発生する．これらの症状の多くは囊胞性線維症 cystic fibrosis において顕著に認められる（クリニカルボックス 34・1）．

気管支および細気管支の壁は，自律神経系の支配を受けている．気道の神経細胞は，気道への機械的刺激や，吸入粉塵，冷気，有害ガス，タバコの煙など気道にとって好ましくない物質の存在を知覚する．これらの神経細胞は，呼吸筋を収縮させ，くしゃみや反射的な咳を起こさせるよう呼吸中枢に信号を送ることができる．正常な状態では，これら神経受容体は，持続的な刺激を受けた際には，速い順応を示し，その結果，くしゃみや咳を持続しにくくさせている．気道のアドレナリン β_2 受容体は，気管支を拡張させる．また，アドレナリン β_2 受容体は，気道粘液など気道分泌物を増加させるが，一方，アドレナリン α_1 受容体は気道分泌を抑える．

肺胞気道

気管と肺胞嚢との間で気道は 23 回分岐する．最後の 7 分岐分の気道は，移行領域 transitional zone および，ガス交換が起こる呼吸領域 respiratory zone を形成し，呼吸領域は，呼吸細気管支，肺胞管，肺胞よりなる（図 34・1）．これらの多くの階層よりなる気

クリニカルボックス 34・1

嚢胞性線維症

　白色人種において嚢胞性線維症は最も頻度の高い遺伝性疾患であり、米国の人口の3％は、この常染色体劣性遺伝の遺伝子異常を有している。

　嚢胞性線維症の責任遺伝子は、第7番染色体の長腕にあり、分泌能および再吸収能をもつ様々な上皮細胞の管腔側の細胞膜に発現し、開口調節を受けているCl^-チャネルである**嚢胞性線維症膜コンダクタンス制御因子** cystic fibrosis transmembrane conductance regulator（CFTR）をコードしている。これまで報告されている嚢胞性線維症を起こすCFTR遺伝子の変異の種類は多く（1000種類以上が報告されている）、現在、その遺伝子変異は、細胞機能への影響に基づいてⅠ〜Ⅴの5群に分類されている。Ⅰ群の変異では、CFTRタンパク質の合成能が欠如している。Ⅱ群の変異では、CFTRタンパク質のプロセッシング（膜発現）に異常がある。Ⅲ群の変異では、Cl^-チャネルの調節機能が障害されている。Ⅳ群の変異では、Cl^-チャネルのコンダクタンスが低下している。Ⅴ群の変異では、CFTRタンパク質の合成が低下している。障害の重症度は、どの群に属するかということと、個々の遺伝子変異とにより、様々である。嚢胞性線維症で最も高頻度にみられる変異は、このタンパク質の508番位のフェニルアラニン残基の欠損（ΔF508）であり、これはⅡ群の変異であってCFTRタンパク質が細胞膜へ達することができない。

　嚢胞性線維症に伴って発生する障害の1つは、繰り返す肺感染、特に緑膿菌 *Pseudomonas aeruginosa* によるものであり、進行性で肺を致死的なレベルにまで破壊する。気道では、上皮から気道内腔へのCl^-の分泌が障害されている。この疾患では、Na^+の再吸収も低下していると予想され、実際、汗腺においてNa^+の再吸収が低下している。しかし、肺においては、Na^+の再吸収はむしろ亢進しており、気道内のNa^+と水は減少し、分泌物は濃厚で粘稠になる。その結果、気道上皮の線毛周囲層が減少し、粘液線毛エスカレータ輸送機構の機能が低下し、さらに気道局所の環境も変化するために抗菌作用を示す分泌物の効果も減弱する。

治療上のハイライト

　嚢胞性線維症の従来の治療は、症状の緩和を主な目的としていた。去痰薬の投与、および呼吸リハビリテーションは、それぞれ喀痰の粘稠度を低下させ、喀痰のドレナージを促すために行われる。抗菌薬は新規の感染を予防するとともに、いったん起こった感染が慢性化するのを防ぐために投与される。気管支拡張薬および抗炎症薬は、気道を拡張させ、気道の気流を改善するために使用される。膵酵素類および補助栄養剤は、摂取した食物の消化吸収を促進するとともに体重の増加を図るために投与される。この疾患は、"単一遺伝子"の異常によるものなので、遺伝子治療が綿密に検討されているが、現在のところ成功には至っていない。最近、分子レベルでの障害を標的とした薬剤の臨床治験が進んでおり、従来にないよい結果が得られるものと期待されている。最近開発されたゲノム編集の方法であるCRISPR-Cas9[clustered regularly interspaced short palindromic repeats（CRISPR）associated nuclease 9]を用いた治療法は、CFTR遺伝子の変異を修復することにより生体内の遺伝子異常を治療しようとするものであり、嚢胞性線維症の治療法として有望視されている。

道系は気道の総断面積を、気管における2.5 cm^{2}から肺胞における11 800 cm^{2}へと、大きく増加させる。その結果、末梢気道における気流速度は極めて小さくなる。伝導領域から肺胞を終点とする呼吸領域へと移行するにつれ、細胞の配列の変化を伴う（図34・2、図34・3）。ヒトでは両肺に計3億個の肺胞があり、毛細血管と接する肺胞壁の総面積は約70 m^{2}に達する。

　肺胞には2種類の上皮細胞が存在する。**Ⅰ型肺胞上皮細胞** type Ⅰ cell は、扁平で薄い細胞質が大きく広がり、肺胞内面の総面積の約95％を占め、肺胞の表面構造を形成する主たる細胞である。**Ⅱ型肺胞上皮細胞** type Ⅱ cell（顆粒肺細胞 **granular pneumocyte**）は、

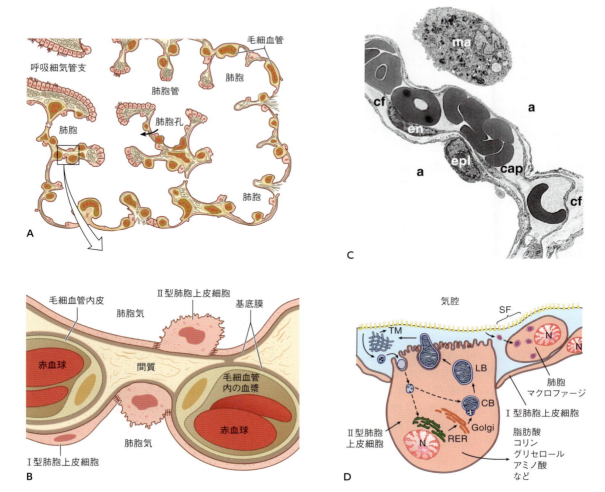

図 34・3　ヒト成人肺の肺胞で見られる細胞．A：呼吸領域の気道の断面で，毛細血管と気道上皮細胞との関係を示す（18個の肺胞の内の4肺胞のみが描かれている）．**B**：模式図Aにおいて四角で囲った部位の拡大図で，肺胞毛細血管，間質，肺胞上皮の間の密接な関係を示す．**C**：模式図Bで表した領域の実際の電子顕微鏡写真典型例．肺胞間隔壁に存在する毛細血管（cap）は血漿と赤血球を含んでいる．肺胞毛細血管内皮細胞と肺胞上皮細胞とが結合組織線維（cf）をはさんで近接して存在している点に注目．en：肺胞毛細血管内皮細胞の核，epl：Ⅰ型肺胞上皮細胞の核，a：肺胞腔，ma：肺胞マクロファージ．**D**：Ⅱ型肺胞上皮細胞とサーファクタントの代謝．ラメラ封入体（LB）は，Ⅱ型肺胞上皮細胞で作られ，エキソサイトーシスにより肺胞腔内を覆う液体層へ分泌される．分泌されたラメラ封入体の内容物は，管状ミエリン tubular myelin（TM）へと変換され，管状ミエリンは，肺胞腔内にリン脂質の薄層 surface film（SF）を形成する．サーファクタントは，エンドサイトーシスにより肺胞マクロファージとⅡ型肺胞上皮細胞に取り込まれる．CB：合体 composite body，Golgi：Golgi〔ゴルジ〕装置，N：核，RER：粗面小胞体．（**A**：Greep RO, Weiss L: *Histology,* 3rd ed. New York: New York, NY: McGraw-Hill; 1973 より許可を得て複製．**B**：Gong H, Drage CW: *The Respiratory System: A Core Curriculum.* Norwalk, CT: Appleton-Century-Crofts: 1982 より許可を得て転載．**C**：Burri PA: Development and growth of the human lung. In: *Handbook of Physiology*, Section 3, *The Respiratory System.* Fishman AP, Fisher AB (editors). American Physiological Society, 1985 より許可を得て複製．**D**：Wright JR: Metabolism and turnover of lung surfactant. Am Rev Respir Dis 1987 Aug; 136(2): 426-444, 1987 より許可を得て複製）．

厚みがあり多数の層状封入体を含む．Ⅱ型肺胞上皮細胞は，肺胞表面の総面積のわずか5%を占めるにすぎないが，その数は肺胞上皮細胞全体の約60%を占める．Ⅱ型肺胞上皮細胞は，肺胞の修復をはじめとする細胞生理学上の重要なはたらきをしている．Ⅱ型肺胞上皮細胞の1つの重要な機能は，**サーファクタント surfactant** の産生である（図 34・3D）．渦巻状のリン脂質を含む細胞膜に結合した細胞内小器官である**ラメラ封入体 lamellar body** と呼ばれる層状構造物は，Ⅱ型肺胞上皮細胞で作られ，エキソサイトーシスにより肺

胞腔内へ分泌される．分泌された脂質は管状で，**管状ミエリン tubular myelin** と呼ばれ，次々とリン脂質の薄層を形成する．このリン脂質は分泌された後，疎水性の脂肪酸側を肺胞腔内へ向けて肺胞内面を覆う．このサーファクタントの層は，表面張力を減らすことにより，肺胞の構造の維持に重要なはたらきをしている（後述）．表面張力は単位面積当たりのサーファクタントの濃度と反比例する．肺胞が吸息に伴って拡張するとともにサーファクタントの分子間の距離は拡大し，表面張力は増大する．一方，呼息時にはサーファクタントの各分子は密集し，表面張力は低下する．サーファクタントを構成する脂質とタンパク質の複合体はエンドサイトーシスによりⅡ型肺胞上皮細胞へ取り込まれ，再利用される．

肺胞は周囲を肺胞毛細血管により覆われた構造になっている．肺胞のほとんどの部位において，ガス相と血液相とは肺胞上皮と毛細血管内膜により隔てられており，その間隙はわずか 0.5 μm である（図34・3）．肺胞にはその他にも，肺胞マクロファージ pulmonary alveolar macrophage (PAM, AM)，リンパ球，形質細胞，神経内分泌細胞，肥満細胞など，それぞれ固有の機能を有する細胞が存在する．肺胞マクロファージは肺の防御機構の重要な構成要素であり，他のマクロファージと同様に骨髄由来の細胞である[*2]．肺胞マクロファージは活発な貪食能を有し，粘液線毛輸送機構を潜り抜けて肺胞まで到達した微粒子を貪食する．また肺胞マクロファージは吸入した抗原物質を免疫系が攻撃することを補助し，顆粒球を肺へ集めるメディエーターおよび骨髄における顆粒球と単球の産生を刺激するメディエーターを分泌する．肺胞マクロファージの機能は，生体にとって有害な場合もある．これは，肺胞マクロファージがタバコ煙やその他の刺激物由来の物質を大量に貪食すると，細胞外液腔へリソソーム由来のメディエーターを放出し，炎症を惹起するからである．

呼吸筋

肺は，肋骨と脊柱で囲まれた胸腔の内部に存在する．さらに，肺は，換気運動に関わる様々な呼吸筋で囲まれている（図34・4）．横隔膜の収縮は安静呼吸時の吸息に伴う胸腔内容積の変化の 75% 分を担う．この筋肉は肝臓の上部にあって，胸郭の底部周囲と結合し，収縮時にはピストンのように下方へ移動する．その移動距離は 1.5 cm から深吸気では 7 cm にまで至る．

横隔膜は3つの部分からなる：肋骨部は胸郭底部周囲の肋骨に付着する筋線維よりなり，脚部は椎骨に沿った靱帯に付着する筋線維よりなり，中央部の腱へは肋骨部および脚部の筋線維が入り込む．中央部の腱は心嚢の下部の構成要素でもある．脚部の筋線維は食道の左右どちらかを通過し，収縮時には食道を圧迫するこ

[*2]訳注：肺胞マクロファージは，最近，骨髄由来ではなく，胎生期の肝臓（胎仔肝）由来であるという学説も支持を広げている．

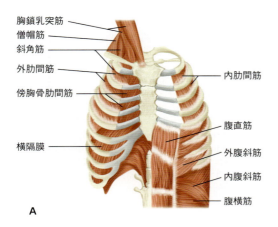 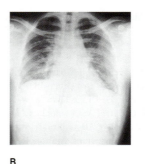 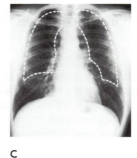

図34・4　筋肉と呼吸に伴う動き．A：胸郭を取り囲む呼吸筋の配置を示す模式図．呼吸運動では，横隔膜と肋間筋が主要なはたらきをしている．**B，C**：最大呼気位(B)および最大吸気位(C)における胸部レントゲン写真．Cに最大呼気位での肺の輪郭を重ねて破線で示す．最大呼気位と最大吸気位とにおける胸腔の容量差に注目のこと(**A**：Fishman AP et al(eds): *Fishman's Pulmonary Diseases and Disorders*, 4th ed. New York: McGraw-Hill; 2008，**B，C**：Comroe JH Jr: *Physiology of Respiration*, 2nd ed. Year Book: 1975 より許可を得て転載)．

とがある．肋骨部および脚部は，横隔神経の別々の神経線維によって支配され，独立して収縮しうる．たとえば，嘔吐，曖気（げっぷ）時には，肋骨部の筋線維の収縮により，腹腔内圧は上昇するが，脚部の筋線維は弛緩したままであり，食物が胃から食道へ移動できる．

　もう1つの重要な**吸息筋** inspiratory muscle は，肋骨から肋骨へ斜め下前方へ走行する**外肋間筋** external intercostal muscle である．外肋間筋が収縮すると，胸郭の後方で蝶番のような作用により下部の肋骨を挙上させる．この動きにより胸骨は外方へ押され，胸郭前後径が増大する．胸郭周囲径も増大するが，その増大度は胸郭前後径の増大度より小さい．安静時には横隔膜および外肋間筋はそれぞれ単独でも適正な換気量を維持することができる．脊髄を第3頸髄よりも上方で横切断すると人工呼吸を行わない限り致死的となる．しかし第5頸髄よりも尾側で横切断しても致死的とはならない．それは横隔膜を支配する横隔神経は頸髄の第3〜5髄節から起始するので，第5頸髄よりも尾側で横切断した場合には横隔神経機能が温存されるためである．逆に両側横隔神経麻痺を有していても肋間筋機能が温存された患者では呼吸はある程度努力性となるが，生命維持には問題のない程度の換気が維持される．頸部にある斜角筋および胸鎖乳突筋は補助吸息筋であり，大きな努力性呼吸を行う際に胸郭を挙上させる動きを補助する．

　呼息筋 expiratory muscle が収縮すると胸腔内容積が減少し，能動的な呼息が起こる．**内肋間筋** internal intercostal muscle は，肋骨から肋骨へ斜め下後方へ走行し，収縮時には胸郭肋骨部を引き下げることにより能動的な呼息を起こす．腹部前壁部の呼息筋の収縮は，胸郭肋骨部を下内方へ引くことにより腹腔内圧を上昇させて横隔膜を上方へ押し出し，呼息を補助する．

　吸入気が伝導気道へ入るためには，喉頭内で，声帯ひだ自体，および左右の声帯ひだで囲まれる領域で構成される**声門** glottis を通過しなければならない．喉頭の外転筋は，吸息相の早期に活動を開始し，左右の声帯を外側へ引いて声門を開く．嚥下時あるいは催吐時には声門内転筋が反射的に収縮し，声門を閉じて食物，液体，吐物を肺へ吸引することを防ぐ．意識障害がある患者や麻酔下の患者では，このような声門の閉鎖が不完全となり，吐物が気管内へ吸引され，**誤嚥性肺炎** aspiration pneumonia が発生することがある．

胸　　膜

　胸膜腔 pleural cavity とそのところどころで肺内に陥入した表面は，胸膜で覆われていて，肺が胸腔内を動く際の潤滑をよくするようにはたらく（図34・5A）．

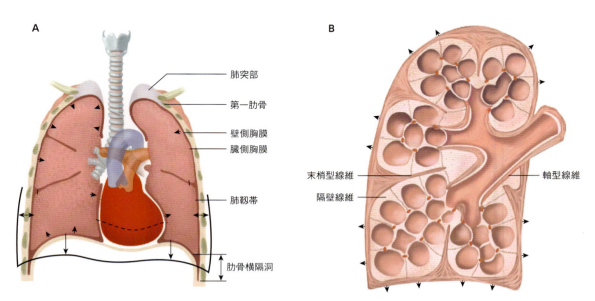

図34・5　胸膜腔と結合線維． A：胸腔内の肺の冠状面（前額面）でのスケッチ．壁側胸膜，臓側胸膜および各肺葉を取り囲むように肺内へ陥入した臓側胸膜とによって胸膜腔が形作られていることに注目．B：肺内の結合線維の通過部位を明示した．気道に沿って走る軸型線維 axial fiber，胸膜直下の末梢型線維 peripheral fiber，および肺胞周囲で肺胞構造を支持する隔壁線維 septal fiber に注目（Fishman AP et al(eds): *Fishman's Pulmonary Diseases and Disorders*, 4th ed. New York: McGraw-Hill; 2008 より許可を得て転載）．

胸膜腔は，**壁側胸膜 parietal pleura** と **臓側胸膜 visceral pleura** とで囲まれている．壁側胸膜は，胸腔の内側の表面を構成する膜であり，その内部に肺がある．臓側胸膜は，肺の表面を構成する膜である．健常人にも約 15〜20 mL 存在する胸腔内の液体，すなわち胸水は，壁側胸膜と臓側胸膜との間で薄い層として存在し，吸息および呼息の際に胸腔の内側表面と肺の表面との間で摩擦が起こることを防いでいる．

　肺自体には，大きな空き容量がある．すなわち，生体内の肺容積のうち，80% は空気である．このように肺が大きな容積をもっていることは，ガス交換のための面積を最大化することに役立っているが，このような大容積の肺の形態と機能を維持するには広域にわたる支持組織が必要である．臓側胸膜の内部の**結合組織 connective tissue** は，肺を支持する 3 つの層を有している．中膜に存在する弾性線維は右肺の 3 つの葉と左肺の 2 つの葉を効率よく包み込んでいる(図 34・5B)．細い線維よりなり肺深部で肺胞の輪郭をシート状に包み込む結合組織は，個々の肺胞の形態を維持することに役立っている．これら肺表面および肺深部に存在する 2 種類の結合組織シートの間には，肺の機能発現に貢献する第三の結合組織が存在する．これは肺間質で個々の細胞間に存在し肺の形態と機能を維持している．

肺の血液とリンパの流れ

　肺循環 pulmonary circulation と**気管支循環 bronchial circulation** の両方が，肺の血流を支えている．肺循環においては，体内のほとんどすべての血液は，肺動脈から肺胞毛細血管床へと流れ，酸素化を受けてから，肺静脈を通って左心房へ戻る(図 34・6)．肺動脈は，肺末梢では呼吸細気管支のレベルまで，厳密に気管支・細気管支の分岐に追従しつつ分岐していく．しかし，肺静脈の走行は，肺動脈のそれとは異なり，気管支の走行とは離れて気管支の間を通って心臓へと戻る．気管支循環は肺循環とは別の，肺循環に比べるとはるかに小規模な循環系である．気管支循環には体循環系の動脈から血液供給を受ける気管支動脈が含まれ，末梢部で毛細血管にまで分岐し，その血液は気管支静脈へ，あるいは肺胞毛細血管と肺静脈の血管吻合へ流入する．気管支静脈の血液は奇静脈へ流入する．気管支循環は，気管から終末細気管支まで血液を供給するとともに，胸膜および肺門リンパ節へも血液を送る．なお，肺では他のどの臓器よりもリンパ管が豊富であることは特筆すべきである．リンパ節は，気管支樹に沿って分布しており，末梢では直径が 5 mm の細さの気管支のレベルまで存在している．リンパ節の大きさは，末梢の気管支レベルでは 1 mm ほどであるが，気管に沿った部位では 10 mm ほどとなる．リンパ節は，

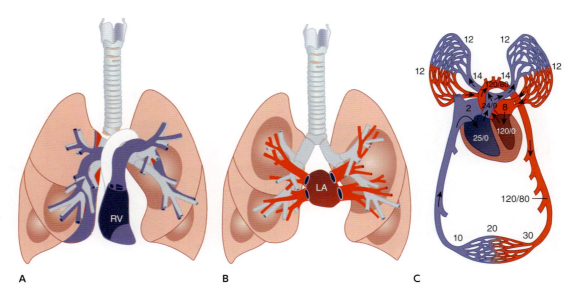

図 34・6　肺循環．A：肺動脈の主要な分枝と気管支樹との関係についての模式図．**B**：肺静脈と気管支樹との関係についての模式図．**C**：循環系の代表的な領域をその部分の血圧値(mm Hg)とともに示す．これらの図のすべてにおいて青色は脱酸素化血を，赤色は酸素化血を表す．個々の肺胞を包む毛細血管を通る際に脱酸素化血から酸素化血へのシフトが(C 図のように急にではないが)起こる．(**A, B**：Fishman AP et al(eds): *Fishman's Pulmonary Diseases and Disorders*, 4th ed. New York: McGraw-Hill; 2008 より許可を得て複製，**C**：Comroe JH Jr: *Physiology of Respiration*, 2nd ed. Year Book; 1974 より許可を得て改変)．

リンパ管につながっており，そこをリンパ液が鎖骨下静脈へと一方向に流れる．

呼吸のメカニクス

吸息と呼息

　肺と胸壁は弾性に富んだ構造体である．正常な状態では，肺の表面と胸壁の内面との間（胸腔内）には，液体の薄層があるのみである．ちょうど2枚の濡れたガラス板同士は容易に滑り合うが，その2枚は容易には引き離されないのと同様に，肺は胸壁内面を容易に滑って動くことができるが，胸壁内面からは容易には引き離されない．肺と胸壁との間の"腔"の内圧（胸腔内圧）は大気圧よりも低い（図34・7）．肺は出生直後に空気が入って膨張する際に伸展される．肺が安静呼息時の呼息の最後に胸壁から離れて収縮しようとする力と胸壁が拡がろうとする力とは，ちょうど釣り合っている．もしも胸壁の一部が開放されて胸腔内が外気と交通した状態になると肺は虚脱する．また，もしも肺がその弾性を失うと，胸郭は拡大し，樽状に変形する．

　吸息は能動的なものである．すなわち，吸息筋の収縮により胸腔の容積が増加する．肺底部における胸腔内圧は，正常では吸息の最初は（大気圧を0 mmHgとした場合）約−2.5 mmHgであり，最大で約−6 mmHgまで陰圧方向へ低下する．肺はより拡張した肺気量位へ膨張する．気道内はわずかに陰圧となり，空気が肺内へ流入する．吸息の最後に肺の弾性収縮力・反跳収縮力は，肺の収縮圧と胸郭の拡張圧とが均衡する肺気量位（安静呼気位）へ向かって，肺を収縮させるように作用する（後述）．その結果，吸息相が終わって吸息筋活動が低下した状態では気道内は自然にわずかに陽圧になり，空気が肺から呼出され始める．安静呼吸時における呼息は，胸腔の容積を減少させる呼息筋の活動を伴わないという意味で受動的なものである．しかし，呼息の最初には，吸息筋のある程度の活動が残っている．この呼息相における吸息筋の収縮は，肺・胸郭が収縮する速度を低下させ，呼息時間をそしてガス交換のために肺胞がある程度以上拡張している時間を確保する作用を担う．強い吸息努力は，胸腔内圧を−30 mmHgまで低下させ，肺を大きく膨張させる．運動などで換気量が増加すると，胸腔容量を減少させる呼息筋の能動的な活動も加わって肺の収縮の程度も大きくなる．

呼吸機能の定量評価

　現在用いられているスパイロメトリー用の機器（スパイロメーター）は，ガスの吸入量と排出量を直接計測することができる．ガスの体積は温度と圧によって変化し，またその中の水蒸気の量も変化するので，スパイロメーターはガス容積を含め呼吸計測の結果を標準条件下での値に変換する機能を有している．正しい計測ができるかどうかは，被検者をはげまして計測器を適切に使うことができるかどうかにかかっている．現代のガス分析の技術は，混合ガスおよびガスを含む体液の各組成の迅速かつ信頼性の高い計測を可能にした．たとえば，酸素および二酸化炭素にそれぞれ感受性のある小型センサーである酸素電極，二酸化炭素電極を気道内，血管内，組織内へ挿入し，P_{O_2}とP_{CO_2}を連続的に記録することが可能になっている．酸素化状態の評価は，センサーを指先や耳介に容易に装着することができる**経皮酸素飽和度計（パルスオキシメータ pulse oximeter）**[*3]によって非侵襲的に行いうる．

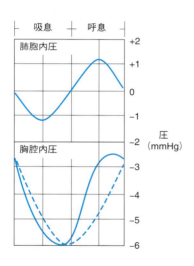

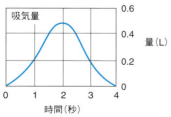

図34・7　吸息中および呼息中における肺胞内圧および胸腔内圧（大気圧をゼロとした場合の圧）．破線は気道抵抗および組織抵抗がないと仮定した場合の胸腔内圧を示す．実際は，実線で示すように，抵抗の存在により，それよりも左方に偏位する．吸息および呼息の際に移動するガス量を比較のために図示した．

肺気量

肺の機能を，吸息および呼息に伴う肺内の空気量の変化から評価することは重要である．肺気量のうち肺容量 lung capacity と呼ばれるものは，最小の肺気量単位である lung volume を 2 つ以上足し合わせたものとして定義されている．健常人でスパイロメトリーによって計測される lung volume と lung capacity を図 34·8 に示す．診断目的のスパイロメトリー検査は，その患者から得られた検査結果を，健常人から得られた基準値と比較したり，その患者の以前のデータと比較することによってその患者の肺機能を評価するために行われる．安静呼吸の際に 1 回ごとの吸息に伴って肺へ入る（または 1 回ごとの呼息に伴って肺から出る）空気の量は，**1 回換気量 tidal volume（TV**[*4]**）** と呼ばれる．1 回換気量は，通常，500〜750 mL 程度である[*5]．安静呼吸時の吸気位から最大吸息努力によりさらに吸入できる分の空気量は **予備吸気量 inspiratory reserve volume（IRV**，典型的な値は 2 L 程度）と呼ばれる．安静呼気位から最大呼息努力を行うことによりさらに呼出しうる分の空気量は **予備呼気量 expiratory reserve volume（ERV**，典型的な値は 1 L 程度）と呼ばれ，この最大呼息努力を行った後にもまだ肺内に残存する空気量は **残気量 residual volume（RV**，

典型的な値は 1.3 L 程度）と呼ばれる．これら 4 つの肺気量の合計は，**総肺気量 total lung capacity（TLC**，典型的な値は 5 L 程度）と呼ばれる．総肺気量は，上記の **肺気量 lung volume** とは別の，肺機能を定義・評価することに役立つ **肺容量 lung capacity** に分割して考えることができる．**肺活量 vital capacity（VC**，典型的な値は 3.5 L 程度）は，最大吸気位から最大限の呼出を行った際の呼息量を指すが，それは，1 回換気量と予備吸気量と予備呼気量の総和（TV ＋ IRV ＋ ERV）である．**最大吸気量 inspiratory capacity（IC**，典型的な値は 2.5 L 程度）は，安静呼気位から最大限に吸い込むことができる空気の量（IRV ＋ TV）である．**機能的残気量 functional residual capacity（FRC**，典型的な値は 2.5 L 程度）は，安静呼吸で呼息直後の時点で肺内に残っている空気量（RV ＋ ERV）を指す．

呼吸をしている際の，すなわち動的状態における肺気量（lung volume と lung capacity）を測定することは，肺機能の異常を評価することに役立つ．**努力肺活量 forced vital capacity（FVC**）は，最大吸気位から最大の努力をしつつ呼息を行った際に呼出される空気量で，呼吸機能の指標として臨床で頻繁に用いられるものであり，呼吸筋の筋力の低下度など呼吸機能障害に関する有用な情報を提供する．肺活量のうち，最大呼息努力を行った際に最初の 1 秒間に呼出される呼気量は，**1 秒量 forced expiratory volume in the first second（FEV**$_1$）と呼ばれる（図 34·9）．1 秒量と努力肺活量の比（FEV$_1$/FVC）は気道疾患の評価において有用な指標で，FEV$_1$/FVC の値を％表示した **1 秒率**[*6] という指標がよく用いられる（クリニカルボックス 34·2）．動的状態で測定される肺気量としては，安静時に 1 分間に吸入される空気の量である **分時換気量 respiratory minute volume（RMV**）[*7] と，最大努力を行った際の **最大分時換気量 maximal voluntary ventilation（MVV**）とがある．分時換気量は健常人では，約 6 L（500 mL/呼吸×12 呼吸/分）である．最大努力によって 1 分間当たりに肺へ出し入れすることのできる空気の量である最大分時換気量は，実際には，15 秒間だけ測定を行い，その結果を 1 分間当たりの値に換算して求めるが，健康な成人男性では，140〜180 L/分である．患者で分時換気量や最大分時換気量の値が異常であれば，肺機能の障害があると考えられる．

---

*3 訳注（前頁）：動脈血のヘモグロビンのうちの酸素と結合しているものの割合（酸素飽和度）を経皮的に測定する方法で青柳卓雄によって発明された．これは現在，医療や介護の現場で広く用いられている．
*4 訳注：V$_T$ とも略す．
*5 訳注：日本人ではもっと少ない．

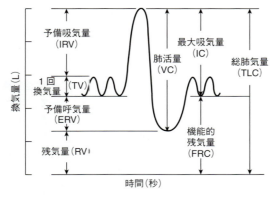

図 34·8 肺気量の測定． スパイロメトリーにより記録される肺気量 lung volume を示す．肺容量 lung capacity は，複数の肺気量 lung volume の和として求められる（Fishman AP et al(eds): *Fishman's Pulmonary Diseases and Disorders*, 4th ed. New York: McGraw-Hill; 2008 より許可を得て複製）．

*6 訳注：FEV$_1$％と表す．
*7 訳注：日本では minute ventilation と呼ぶことが多く，$\dot{V}_E$ と略す場合が多い．

クリニカルボックス 34・2

疾患における気流の変化

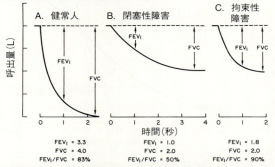

呼吸機能検査の際の呼息に伴い，時間とともに変化する健常肺および疾患肺における肺容量の典型例．A：健常人，B：閉塞性肺疾患患者，C：拘束性肺疾患患者．図の下部に示した1秒量 FEV_1，努力肺活量 FVC，1秒率 FEV_1/FVC の差異に注目のこと（Fishman AP et al(eds): *Fishman's Pulmonary Disease and Disorders*, 4th ed. New York: McGraw-Hill; 2008 より許可を得て複製）．

閉塞性および拘束性換気障害の気流測定

上記の例のように健常人において努力肺活量 FVC は約 4.0 L，1秒量 FEV_1 は約 3.3 L であり，その場合，計算上 FEV_1/FVC は 80% となる．閉塞性あるいは拘束性障害を有する患者では上記の例のように，FVC が2L 台まで低下することがある．しかし FEV_1 の測定値には，閉塞性障害と拘束性障害との間で大きな違いがある．閉塞性障害を呈する患者（訳注：気管支喘息や肺気腫など，気道狭窄や肺過膨張を示す患者）では努力呼出に際し呼息に時間がかかり，スパイログラム上の呼出曲線はゆっくりとした低下パターンを示し，FEV_1 は低値を示し，上記の例のように1L 台にとどまる．しかし拘束性障害の患者＊では努力呼息時の気流は最初は速く，すぐに FVC 分の呼気を呼出し終わる．その結果，FVC が閉塞性障害の患者と同程度だとしても，拘束性障害の患者で

は FEV_1 は閉塞性障害の患者の FEV_1 よりもはるかに大で，たとえば 1.8 L などの比較的大きな値を示す（上図BとCを比較参照）．FEV_1/FVC という簡単な計算は，閉塞性障害（$FEV_1/FVC = 50\%$）と拘束性障害（$FEV_1/FVC = 90\%$）の患者を明確に区別する指標である1秒率を定義付けるものである．閉塞性障害では FVC と FEV_1/FVC はともに低下する．一方，純粋な拘束性障害では FVC は低下するが，FEV_1/FVC は低下しない．ただし，これらの例は1つの障害を有している場合のみを示した理想化されたものであり，いくつかの疾患では複数の障害を有していることがあり，複合的統合的な解釈が必要となることに留意しなければならない．

閉塞性肺疾患──気管支喘息

気管支喘息は，気管支攣縮による発作性あるいは慢性の喘鳴，咳嗽，胸部の絞扼感を主症状とする疾患である．この疾患のすべてが理解されているわけではないが，気道の3種の病態，すなわち，少なくとも部分的には可逆性である**気道閉塞 airway obstruction**，気道炎症，様々な刺激に対する気道過敏性が存在している．アレルギーとの関連は以前より認識されており，血漿 IgE レベルが上昇している場合が多い．炎症反応に伴い好酸球から分泌されるタンパク質が気道上皮を障害し，気道過敏性の成立に関与している可能性がある．ロイコトリエンは好酸球および肥満細胞から分泌され，気管支攣縮を起こす．他の多くのアミン，神経ペプチド，ケモカイン，インターロイキンも気管支平滑筋に作用し，あるいは炎症を惹起し，気管支喘息の病態に関与している．

拘束性肺疾患──特発性肺線維症

特発性肺線維症（IPF）は間質性肺疾患の1つで多くの場合，50歳以上の中高年になってから発症する比較的まれで非可逆的な間質性肺疾患である．IPF に関連した死亡の原因で最も多いものは呼吸不全である．それ以外の死亡原因としては肺高血圧（PH），肺高血圧による右心不全，肺塞栓および肺癌があげられる．現在，米国では，132 000 人が IPF に罹患しており，毎年 30 000〜40 000 人が新たに IPF を発症している．上皮細胞アポトーシスおよび小胞体（ER）ストレスによる肺胞上皮損傷および上皮間葉転換（EMT）は，IPF の発症に関与する細胞メカニズムと考えられている．

＊訳注：間質性肺炎や特発性肺線維症など肺活量の減少を示す患者．

治療上のハイライト

気管支喘息

アドレナリン β_2 受容体刺激は気管支拡張を起こすので，アドレナリン β_2 受容体作動薬はこれまで長い間，軽度ないし中等度の気管支喘息発作の対症療法で，中心的役割を担ってきた．吸入ステロイド薬は軽症あるいは中等症の症例でも，気道の炎症過程を抑制するために使用され，実際その効果は大きいが副作用が問題となる場合がある．アセチルコリンによるムスカリン（M）受容体の活性化を抑制するロイコトリエン合成の阻害薬やロイコトリエンのシステイニルロイコトリエン1型（$CysLT_1$）受容体の阻害薬や，肥満細胞のクロライドチャネルやカルシウムチャネルの阻害も一部の症例では有用であることが示されている．

特発性肺線維症

臨床において IPF の治療は肺の炎症および線維化のプロセスを抑制することを主眼として行われてきた．そして，IPF の治療では，抗炎症，抗線維化，抗酸化の作用を有する薬物（例：ニンテダニブ nintedanib，ピルフェニドン pirfenidone，サリドマイド thalidomide）が，しばしば用いられている．（片肺あるいは両肺の）肺移植は IPF の治療として有用性が証明されている外科的治療法であり，進行したステージにある IPF 患者に適用されることがある．肺移植術を受けた IPF 患者の5年生存率は約50%である．

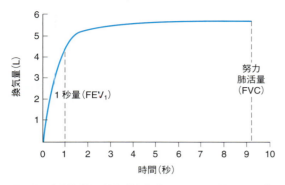

図34・9 健常成人男性が努力呼出を行った際の呼気ガスの量．1秒量（FEV₁）と努力肺活量（FVC）とともに示した．この図から努力呼出を行った際の最初の1秒間に呼出されるガス量である1秒量（FEV₁）と努力肺活量（FVC）との比である1秒率FEV₁/FVCは，4 L/5 L = 80%と算出されることが理解できる（訳注：日本人の1秒量，努力肺活量はもっと少ない）(Crapo RO: Pulmonary-function testing. N Engl J Med 1994; July 7; 331(1): 25-30 より許可を得て複製).

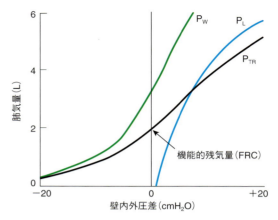

図34・10 肺の圧容量曲線．全呼吸器系（P_{TR}，黒），肺（P_L，青），胸郭（P_W，緑）のそれぞれについて，圧（横軸）と肺気量（縦軸）との関係をプロットしたもので，標準的な機能的残気量，1回換気量を有する場合の例である．壁内外圧差は，肺については肺内圧-胸腔内圧を，胸壁については胸腔内圧-体外の圧（大気圧）を，全呼吸器系については肺内圧-大気圧を示している．これらの曲線から換気に際して呼吸器全体，肺，胸郭のそれぞれの系について，換気運動に伴い，各系の反跳圧に抗抗するのに要する仕事量を求めることができる (Mines AH: *Respiratory Physiology*, 3rd ed. New York: Raven Press; 1993 より許可を得て改変).

肺と胸壁のコンプライアンス

コンプライアンス compliance は，組織に負荷された力が取り除かれた際に組織が元の位置・形状に戻ろうとして発生するものといえる．安静呼吸時の呼息の後（たとえば安静呼気位で），肺はさらに縮まろうとし，一方，胸郭は拡がろうとする．肺の反跳力と胸郭の反跳力の間の相互作用は被検者の口のすぐ外側の部分に弁を備えたマウスピースおよびスパイロメーターを組み合わせて計測することができる．被検者にマウスピースをくわえさせ，被検者がある量の吸息あるいは呼息を行った後に弁を閉鎖して気道内と外気との間の交通を遮断し，被検者に呼吸筋を弛緩させつつ，その時の気道内圧を測定する．被検者に吸息あるいは呼息を行わせた後の気道内圧を測定することを様々な肺気量位で行う．このようにして得られた気道内圧を各肺気量に対してプロットして得られる圧容量曲線は，全呼吸器系の**圧容量曲線 pressure-volume curve** と呼ばれる（図34・10 の全呼吸器系の圧 P_{TR} 参照）．肺が，安静呼気位に相当する肺気量位（機能的残気量位 **FRC** もしくは**弛緩気量位 relaxation volume**）になった際に，この気道内圧は0となる．図34・10からわかるように，この弛緩圧は，胸壁由来のわずかに陰圧の要素（P_W）と肺由来のわずかに陽圧の要素（P_L）との和である．全呼吸器系の圧 P_{TR} は，機能的残気量位以上の高肺気量位において陽圧となり，一方，機能的残気量位以下の低肺気量位において陰圧となる．肺と胸郭の**コンプラ**

イアンスは，全呼吸器系の圧 P_{TR} 曲線の傾き，あるいは，気道内圧の一定の変化量当たりの肺気量の変化量（$\Delta V/\Delta P$）として計測される．コンプライアンスは，通常は弛緩圧曲線が最も急峻になる圧領域で測定され，その正常値は成人で約 0.2 L/cmH₂O である．しかし，コンプライアンスは肺気量に依存するため，常に一定というわけではない．極端な例であるが，たとえば片肺しかもたない被検者では，ある一定の圧変化（ΔP）に対し，おおよそ半分の肺気量変化（ΔV）しか示さない．コンプライアンスはまた，肺胸郭を伸展拡張させつつ測定した場合に比べ，肺胸郭を収縮させつつ測定した場合の方が，わずかに大きな値を示す．したがって，圧-肺気量曲線の全体を検討することにより，より多くの情報を得ることができる．圧-肺気量曲線は，肺の浮腫や肺間質の線維化により，下方および右方へ偏位する（すなわちコンプライアンスは低下する）（図34・11）．肺線維症は進行性，拘束性の肺疾患であり，肺が硬化・瘢痕化するものである．一方，この曲線は肺気腫において，上方および左方へ偏位する（すなわちコンプライアンスは増大する）．

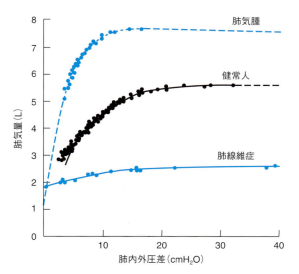

図 34・11 健常人，重症肺気腫患者，重症肺線維症患者における静的圧-容量曲線. (Pride NB, Macklem PT: Lung mechanics in disease. In: *Handbook of Physiology*. Section 3, *The Respiratory System*. Vol Ⅲ, part 2. Fishman AP (editor). American Physiological Society, 1986 より許可を得て改変).

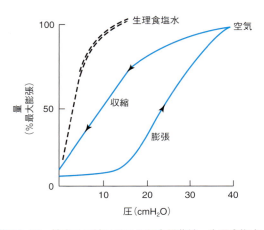

図 34・12 摘出ネコ肺における圧容量曲線. 生理食塩水: 肺胞の表面張力を減らすために生理食塩水の注入, 吸引を行った肺における圧-容量関係で, 組織弾性のみを測定したもの. 空気: 空気の注入, 吸引により肺の膨張, 収縮を起こさせ, 組織の弾性と表面張力の総和を測定したもの (Morgan TE: Pulmonary surfactant. N Engl J Med 1971; May 27; 284(21): 1185-1193 より許可を得て複製).

気道抵抗

気道抵抗は, 肺胞から口腔までの圧変化 (ΔP) を肺胞から口腔までの気流速度 ($\dot{V}$) の変化で除したものと定義される. 気管支樹の構造の複雑さのため, すなわち, 気道抵抗に関与する空気の通り道の複雑さのために, 気管支樹を通過する空気の動態を数学的に推定することは困難である. しかし, 肺胞内圧と胸腔内圧について推定値と実測値とを比較することにより, 気道抵抗の存在を示すことができる (例: 図 34・7 中段のパネル). 気道抵抗は, 肺気量が低下すると増大する. また, 気道の中でも気管支と細気管支は気道抵抗の決定に大きく関わっている. したがって, 気管支内腔を取り囲む気管支平滑筋が収縮すると, 気道抵抗が増大し, それに伴って呼吸が困難になる.

肺胞表面張力を低く維持するためのサーファクタントの役割

肺のコンプライアンスを規定する重要な要素は肺胞表面を覆う薄い液層の表面張力である. 様々な肺気量位におけるこの表面張力の大きさは, 実験動物において, 肺を体外へ摘出した状態で肺内圧を測定しつつ, 生理食塩水あるいは空気により摘出肺を膨張, 収縮させて測定することができる. 生理食塩水により表面張力をほぼ 0 に低下させることができるので, 生理食塩水を用いて得られた圧容量曲線は肺組織の弾性のみを反映する (図 34・12). 一方, 空気を用いて得られた圧-肺気量曲線は肺組織の弾性と表面張力の両方を反映する. この生理食塩水を用いて得られた圧-肺気量曲線と, 空気を用いて得られた圧-肺気量曲線との差は, 低肺気量位では, 高肺気量位におけるよりもはるかに小さくなる. 特に空気を用いた場合, 肺を膨張させた際と肺を収縮させた際では, 圧-肺気量曲線の差は著しくなる. この差は, **ヒステレーシス hysteresis** と呼ばれるが, ヒステレーシスは, 生理食塩水を用いて得られた圧容量曲線ではほとんど認められない (図 34・12). ヒステレーシスの形成には肺胞の環境, 特に肺胞の表面張力を低下させることにより肺胞が虚脱することを防いでいる肺胞分泌物が寄与している.

肺胞が収縮している時でも表面張力が低く保たれるのは, 肺胞内面を覆う液体中に存在している**サーファクタント**のはたらきによる. サーファクタントは, ジパルミトイルホスファチジルコリン dipalmitoyl-phosphatidylcholine (DPPC) およびその他の脂質とタンパク質の混合物である. 呼息時に肺胞が小さくなった際に表面張力が低い状態に維持されないとしたら, 肺胞は Laplace [ラプラス] の法則により虚脱するはずである. 肺胞のような球状の構造では, 膨張しようとする圧 P は張力 T を 2 倍にして半径 r で除した値に等しくなっている ($P = 2T/r$); もしも半径 r が小さくなった際に張力 T が小さくならなければ, 張

力 T は拡張しようとする圧 P に打ち勝ち，その構造は虚脱することになる．また，サーファクタントは肺水腫の発生も防いでいる．もしもサーファクタントが存在しなかったとしたら，血液中から肺胞内へ液体を漏出させる方向に 20 mmHg の圧が発生することになると計算される．

　リン脂質の薄層の形成はサーファクタント中のタンパク質により大きく促進される．そのタンパク質にはサーファクタントに特徴的な surfactant protein(SP)-A, SP-B, SP-C, SP-D の 4 つが含まれている．SP-A は大型の糖タンパク質で，その構造内にコラーゲン様ドメインを含む．この SP-A はサーファクタントを分泌する II 型肺胞上皮細胞によるサーファクタントのフィードバック的取込みの調節などの多くの機能を有する．SP-B と SP-C は小型のタンパク質であり，サーファクタントの単分子層の形成において最も重要なものである．SP-D は，SP-A と同様に糖タンパク質である．SP-D の詳細な機能は不明であるが，サーファクタントの層内において SP-B と SP-C を安定化させるのに重要なはたらきをしている．また，SP-A と SP-D は，コレクチン collectin のファミリータンパク質に属し，伝導気道および肺胞における自然免疫にも関与する．サーファクタントの臨床でのいくつかの関わりについては，クリニカルボックス 34・3 で論じる．

呼吸の仕事量

　呼吸運動は呼吸筋のはたらきによりなされ，胸壁と肺の弾性組織を伸展し（弾性仕事量：その仕事量は呼吸仕事量全体の約 65% に相当），非弾性組織を動かし（粘性抵抗：全体の約 7% に相当），気道系を介して空気を移動させる（気道抵抗：全体の約 28% に相当）ことよりなる．圧と容積の積（g/cm^2×cm^3 = g×cm）は仕事量（力×距離）と同じ次元をもつので，呼吸の仕事量は，すでに述べた圧容量曲線（図 34・10）より計算される．呼吸器系全体の弛緩圧曲線（P_{TR}）は肺単独の弛緩圧曲線（P_L）とは異なることに注意を要する．呼吸器系全体を拡張させるのに要する弾性仕事量は，その一部が胸郭に蓄積された弾性エネルギーから供給されるために，肺のみを拡張させるのに要する弾性仕事量よりも小である．

　安静呼吸時の全仕事量は，0.3～0.8 kg・m/ 分である．呼吸に要する仕事量は運動時には著しく増大するが，健常人において運動時に呼吸に要するエネルギーは全消費エネルギーの 3% 以下に過ぎない．しかし，呼吸に要する仕事量は，肺気腫，気管支喘息，呼吸困難や

クリニカルボックス 34・3

サーファクタント

　サーファクタントは出生時に特に重要なはたらきをする．胎児は子宮内において呼吸様の運動をするが，その肺は出生時まで虚脱している．新生児は出生直後に数回の大きな吸息を行い，それに伴い肺が膨張する．サーファクタントは拡張した肺が再び虚脱しないようにはたらく．サーファクタントの欠乏は，サーファクタント産生系が発達する前に生まれた未熟児に発症する重大な肺疾患である **新生児呼吸窮迫症候群 infant respiratory distress syndrome**（IRDS，別名 **肺硝子膜症 hyaline membrane disease**）の原因となる．この疾患を有する新生児では肺胞の表面張力が高く，多くの肺胞が虚脱状態（**無気肺 atelectasis**）となる．IRDS を惹起する別の原因として，肺への液体貯留があげられる．胎児期には肺胞上皮細胞から Cl$^-$ と水が分泌される．出生後，肺胞上皮細胞は上皮型 Na$^+$ チャネル（ENaC）を介して Na$^+$ を吸収するように変化するため，肺胞中の液体は Na$^+$ とともに吸収される．ENaC の未熟状態が遷延することは，IRDS 患者の呼吸障害の原因となる．

　サーファクタントタンパク質の過剰産生/産生調節異常もまた呼吸窮迫を惹起するが，それは肺胞タンパク症 pulmonary alveolar proteinosis の原因となる．

治療上のハイライト

　新生児呼吸窮迫症候群（IRDS）に対する治療としては，通常，サーファクタント補充療法が行われる．しかし興味深いことに，サーファクタント補充療法は，サーファクタント機能の障害のために呼吸促迫を呈した成人患者を対象とした臨床治験では，満足できる成績を示していない．

起坐呼吸を伴う心不全などの疾患を有する例では，著しく増大する．呼吸筋は，他の骨格筋や心筋と同様の長さ-張力関係を有し，呼吸筋が高度に伸展された場合には，筋収縮に伴って発生する筋力は減弱する．また，呼吸筋も，疲労し，収縮不全状態（ポンプ不全）となり，適切な換気を維持できなくなる場合もある．

換気と血流の肺内の部位による差異

立位のように胸部が垂直な状態（垂直位）では，単位肺容積当たりの換気量（$\dot{V}$）は肺尖部に比し肺底部で大きくなる．それは，吸気開始時の胸膜内圧は肺尖部の方が肺底部より陰圧になっており，肺内圧と胸腔内圧の差は肺底部の方が肺尖部よりも小さな値になっているため，肺底部においては肺の拡張度は小さい状態で止まっているからである．一方，肺尖部においては，吸息の開始時にすでに肺は肺底部に比しより膨張した状態になっている．すなわち，肺尖部においては肺底部に比し吸息の開始時に肺はすでに最大肺気量に近くなっている．肺が最初から拡張していた場合に肺をさらに拡張させる際には肺の硬さのため，単位変化分の圧に対する肺容量の増加度は小となり，その結果，換気量は肺尖部に比し肺底部においてより大となる．同様に血流（$\dot{Q}$）も肺尖部に比し肺底部で大である．肺尖部から肺底部へかけての血流量の相対的な変化度は，換気量の相対的な変化度に比し大であり，そのため換気・血流比（$\dot{V}/\dot{Q}$）は肺底部で低く，肺尖部で高くなる．

肺尖部から肺底部へ向けて換気量と血流量が増大することは，通常，重力によると説明されている．したがって，換気量と血流量の体軸に沿っての変化は，臥位では減少する．肺の重量は，垂直位で肺底部の胸腔内圧を上昇させる，すなわち，肺尖部に比し肺底部での胸腔内圧の陰圧の程度をより小さくさせると考えられる．しかし，ヒトにおいて換気量と血流量が肺内で不均等に分布するという現象は，宇宙における無重力状態でもある程度認められる．したがって，換気量と血流量の肺内における不均等分布は，重力以外の要因によっても引き起こされていると考えられる．

死腔と不均等換気

肺でのガス交換は気道系の終末部でのみなされているので，気道終末部以外の呼吸器系内に存在するガスは，肺胞毛細血管との間のガス交換には関与しない．健常人でこの**解剖学的死腔 anatomic dead space** を mL の単位で表した値は，体重をポンド pound (lb) で表示した際の値とおおよそ一致する[*8]．たとえば体重が 150 ポンド (68 kg) の場合は，安静時に毎呼吸で口や鼻から体内へ入った 500 mL の吸気のうち最初の 350 mL 分だけが肺胞へ至る[*9]．逆に，各呼息において口や鼻から最初に体外に呼出される 150 mL は死腔からの空気であり，その後に呼出される 350 mL は肺胞からのガスである．その結果，1 分間に肺胞へ至る新鮮な空気の量である**肺胞換気量 alveolar ventilation** は，分時換気量よりも小である[*10]．死腔のために，浅くて速い呼吸は，分時換気量が等しくてもゆっくりとした大きな呼吸に比し，はるかに小さな肺胞換気量しかもたらさないということに注意する必要がある（表 34・1）．

解剖学的死腔 anatomic dead space（肺胞以外の全呼吸器系のガス量）と**全死腔 total dead space**（**生理学的死腔 physiological dead space**：血液とのガス交換に関与しないガス量）とを区別することは重要である．健常人においては，これら 2 種類の死腔は同等で，体重から推定することができる．しかし，疾患肺においては，ある肺胞では換気が乏しく気相と血液相との間でガス交換が行われず，別の肺胞では血流が乏しく相対的に換気が無駄に使われるということが起こっている．血流の途絶した肺胞中のガスや肺胞毛細血管血を動脈血化した後に余った肺胞のガスが占める体積は，生理学的死腔の一部となる．解剖学的死腔は単一呼出窒素洗い出し曲線法により測定される（図 34・13）．その測定では，被検者は，吸息の途中で純酸素をできるだけ深く吸い込み，次いで一定速度で呼出を行い，その時の呼気中の窒素濃度を連続的に測定する．その時，最初に呼出されるガスは死腔を満たしていたガスであり，窒素を含まない（第 I 相）．次いで，死腔と肺胞ガスの混合気が呼出され（第 II 相），その後に肺胞ガスのみが呼出される（第 III 相）．死腔は最大吸気位から第 II 相の中間点までのガス量として測定される．

単一呼出窒素洗い出し曲線法の第 III 相は，**クロージ**

[*8] 訳注：1 kg は 2.205 ポンドに相当する．

[*9] 訳注：同時に，その吸息の前に死腔を満たしていた 150 mL のガスも肺胞へ入るが，そのガスはガス交換には役立たない．

[*10] 訳注：1 分間に肺胞へ至る空気量自体は，分時換気量と等しいが，それはガス交換に役立たない再呼吸されている死腔からのガスを含めている．ここで，肺胞換気量はガス交換に有効な換気量のみを指す機能的な概念の換気量である．

表 34・1 換気の頻度と振幅が肺胞換気量に及ぼす影響

呼吸数	30/分	10/分
1 回換気量	200 mL	600 mL
分時換気量	6 L	6 L
肺胞換気量	(200 − 150) × 30 = 1500 mL	(600 − 150) × 10 = 4500 mL

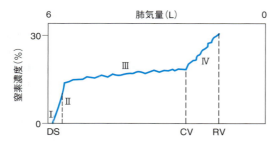

図 34·13　単一呼出窒素洗い出し曲線． 被検者に吸気の途中から純酸素を最大吸気位まで吸わせた後に（訳注：日本では最大呼気位から純酸素の吸入を行わせる場合が多い），一定速度でゆっくりと呼出させる．各肺気量に対する呼気中の窒素濃度曲線を示す．この窒素濃度曲線の4つの相をローマ数字（I～IV）で示す．第 I 相は死腔（DS）であり，第 I 相から第 II 相は死腔と肺胞気の混合した相であり，第 III 相から第 IV 相への移行部がクロージングボリューム（CV）位に相当する．第 IV 相の最後が残気量（RV）位に相当する．

ングボリューム closing volume（**CV**）位で終わり，その後に呼気中の窒素濃度が上昇する第 IV 相が来る．CV 位は，残気量位よりも上の肺気量位であって，肺の下部領域において重力の影響で気道の壁内外圧差 transmural pressure が小さくなって気道が閉塞し始める肺気量位である．肺上部の領域に存在しているガスは，重力の影響を受ける肺下部の領域に存在しているガスに比して窒素をより多く含む．それは，肺上部の肺胞は純酸素の吸入開始時点においてすでにより大きく拡がっているため，そこにもともと存在していた窒素が吸入された純酸素により希釈される程度は，肺下部の肺胞におけるよりも小さいからである．ほとんどの健常人において，第 III 相は右肩上がりの急な傾きを示す第 IV 相の前で，すでに右肩上がりのゆるやかな傾きを示すという点には注目する必要がある．このことは，第 III 相の間にも，相対的に窒素濃度の高い肺上部の肺胞から呼出されてくるガスの比率が徐々に増大するということを示している．

死腔全体の量は，呼気 P_{CO_2}，動脈血 P_{CO_2} および1回換気量から算出することができる．すなわち，［1回換気量（V_T [*11]）と呼気 P_{CO_2}（P_{ECO_2}）の積］は，［動脈血 P_{CO_2}（Pa_{CO_2}）と（1回換気量と死腔（V_D）の差）の積］と［吸入気 P_{CO_2}（P_{ICO_2}）と死腔の積］の和に等しいという **Bohr**〔ボーア〕**の式**として，以下のように表される．

$$P_{ECO_2} \times V_T = Pa_{CO_2} \times (V_T - V_D) + P_{ICO_2} \times V_D$$

ここで，$P_{ICO_2} \times V_D$ の項は極めて小で無視しうるので，

*11 訳注：TV とも略す．

この式を V_D について解くことができ，$V_D = V_T - (P_{ECO_2} \times V_T)/(Pa_{CO_2})$ となる．

たとえば，$P_{ECO_2} = 28$ mmHg，$Pa_{CO_2} = 40$ mmHg，$V_T = 500$ mL とした場合，$V_D = 150$ mL となる．

この式を利用し，Pa_{CO_2} の代わりに呼気の最後の 10 mL 分のガスの P_{CO_2} として測定される肺胞気 P_{CO_2}（P_{ACO_2}）を用いると，解剖学的死腔を算出することができる．P_{ACO_2} は，血流の有無にかかわらず，個々の肺胞 P_{CO_2} について，それらの換気量で重み付け平均をして得られた平均肺胞気 P_{CO_2} と考えるべきものである．これは，血流を有する肺胞 P_{CO_2} によってのみ規定される Pa_{CO_2} と対照的であり，血流の少ない肺胞がある場合には Pa_{CO_2} は P_{ACO_2} よりも高値となる．

肺内ガス交換

分　　圧

液体と異なり，ガスはそれが占めることのできる空間を満たすように拡散し，ある温度と圧におけるあるガス分子が充満する体積は，（理想的には）ガスの成分にかかわらず一定である．**分圧** partial pressure は，呼吸に関わるガスの記述でしばしば用いられる用語である．あるガスの圧は，そのガスが一定の体積を維持するとした場合，その温度とその体積中の分子の数に比例する（表 34·2）．混合ガス中におけるある1種類のガスによる圧（分圧）は，全体の圧とガス全体の中のそのガスの占める比率との積に等しくなる．

乾燥した大気の組成すなわち乾燥した空気中で各ガス分子が占める割合（F）は，酸素（F_{O_2}）20.98%，二酸化炭素（F_{CO_2}）0.04%，窒素（F_{N_2}）78.06%，その他のアルゴンやヘリウム等の不活性ガス 0.92% である．海面レベルにおける大気圧（P_B）は 760 mmHg（1 大気圧）である．したがって，酸素の分圧（P_{O_2}）は乾燥した大気については 0.21×760，すなわち海面レベルで 160 mmHg である．窒素と他の不活性ガスの分圧の計は，0.79×760，すなわち 600 mmHg である；二酸化炭素分圧（P_{CO_2}）は 0.0004×760，すなわち

表 34·2　ガスの特性

$$P = \frac{nRT}{V} \text{（理想気体の状態方程式より）}$$

ガスの圧（P）は，その体積（V）が一定であれば，そのガスの絶対温度（T）および単位体積当たりのモル数（n）に比例する，R：気体定数．

0.3 mmHg である．空気中の水蒸気は，湿度がゼロの場合を除いて，これら各ガスが占める割合を，したがってこれら各ガスの分圧をわずかに低下させる．水分と平衡状態にある空気は水蒸気で飽和しているが，吸入気も肺へ到達するまでに水蒸気で飽和する．体温（37℃）における水蒸気分圧（P_{H_2O}）は 47 mmHg である．したがって，海面レベルにおいて肺へ到達した時点での吸入気の各ガス分圧は，P_{O_2} 150 mmHg；P_{CO_2} 0.3 mmHg；P_{N_2}（他の不活性ガス分圧も含む）563 mmHg である．

ガスは分圧の高いところから分圧の低いところへ向かって濃度勾配と2つの領域を隔てる境界の特性とに応じて拡散する．ある混合ガスが液体と接し，それらガスがその液体とガス分圧平衡状態になる場合は，混合ガス中の各ガスは，各ガスの分圧とその液体への溶解度とによって定まる値に従ってその液体中に溶解する．液体中のガスの分圧は，気相と液相とが接している場合にはガス分圧平衡状態となるとともに，液体中のガス分子の濃度を決定している．

肺胞気の採取

理論上，体重 150 ポンド（68 kg）の健常人の場合，毎呼吸において呼息で最初の 150 mL（すなわち死腔）を除いた呼気のすべては肺胞に存在していたガス（**肺胞気 alveolar air**）であるが，死腔ガスと肺胞気との境界部ではある程度のガスの混合が起こっている（図34・13）．そこで，肺胞気としては，呼気の最後の部分を採取する．最適化された自動弁をもつ最新の機器を用いることにより，安静呼吸時に呼気の最後の 10 mL 分のガスを採取することができる．そのようにして採取された肺胞気の組成と，吸入気および呼気の組成との比較を 図34・14 に示す．

肺胞気酸素分圧 $P_{A_{O_2}}$ は以下に示す**肺胞気式 alveolar gas equation** から算出することもできる：

$$P_{A_{O_2}} = P_{I_{O_2}} - P_{A_{CO_2}} \times \left(F_{I_{O_2}} + \frac{1-F_{I_{O_2}}}{R} \right)$$

ここで，$F_{I_{O_2}}$ は吸入気の乾燥状態での酸素濃度であり，$P_{I_{O_2}}$ は吸入気の酸素分圧であり，R は呼吸商すなわち肺胞での1分間当たりの CO_2 排出量を O_2 取り込み量で除した値である．

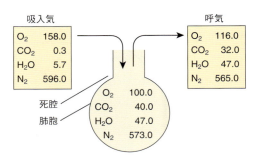

図34・14 呼吸器系の様々な部位におけるガス分圧（mmHg）．吸入気，肺胞気，呼気に含まれる各ガスの分圧について，典型的な値を示した．詳細は，本文を参照．

肺胞気の組成

酸素は肺胞において常に毛細血管内の血液中へ拡散により取り込まれ，二酸化炭素は血液中から肺胞内へ拡散により排出されている．恒常状態下では吸入気は肺胞気と混合され，血液中へ取り込まれる酸素は補われ，肺胞内へ排出されてくる二酸化炭素は希釈されている．このように吸入気と肺胞気とが混合されたガスの一部は呼出される．そして次の吸息までの間に肺胞気の酸素濃度は低下し，二酸化炭素濃度は上昇する．呼気終末すなわち機能的残気量位においても，肺胞内のガス量は約2Lもあるので，毎呼吸に伴い新たに約 350 mL の新鮮な吸入気が入っても，肺胞気の P_{O_2}，P_{CO_2} に与える影響は比較的小さい．実際，安静時のみでなく様々な生理学的条件下においても，1呼吸サイクル内における肺胞気の組成は極めて安定した値を示す．

肺胞毛細血管膜を通過してのガス拡散

ガスは，肺胞上皮，肺胞毛細血管内皮，およびそれらが癒合してできた基底膜によって形成される薄い肺胞毛細血管膜を通過して，肺胞腔内から肺胞毛細血管中の血液へ，また，逆に肺胞毛細血管中の血液から肺胞腔内へ拡散により移動する（図34・3）．肺胞腔内から毛細血管内へ移動するガスについて，それが，安静時に血液がガス交換の場である肺胞の毛細血管を通過する時間である 0.75 秒の間に気相と液相の間で平衡状態に達するかどうかは，それらガスと血液との反応の程度により規定される．たとえば，麻酔ガスである笑気（亜酸化窒素 N_2O）は血液とは反応しないので約 0.1 秒で平衡状態に達する（図34・15）．したがって，肺胞から肺胞毛細血管への笑気の取り込みは，拡散の

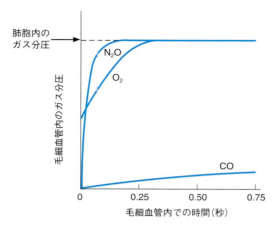

図 34・15　ガスが肺胞毛細血管を 0.75 秒で通過する間に肺胞気から肺胞毛細血管血へ取り込まれる過程. 笑気（N_2O）は血液と反応しないので，その血中の分圧は短時間で肺胞気中の分圧にまで上昇する．逆に，一酸化炭素（CO）は赤血球内へ非常に強く取り込まれるので，その血中の分圧は肺胞気中の分圧に比較しわずかしか上昇しない．酸素（O_2）は笑気と一酸化炭素の中間的な振舞いをする．

程度により規定されるのではなく肺胞毛細血管の血流量によって規定され，**血流依存性 flow-limited** であるといえる．一方，一酸化炭素（CO）は，赤血球中のヘモグロビンに取り込まれるが，その取り込まれる量は，肺胞毛細血管血の一酸化炭素分圧が低値のまま止まり 0.75 秒の間には気相との間で平衡状態に達しないほど大きいものである．この一酸化炭素の取込みは，安静時には血流依存性ではなく，**拡散依存性 diffusion-limited** である．酸素は，笑気と一酸化炭素の中間的な性質をもつ．すなわち，酸素もヘモグロビンに取り込まれるが，その程度は一酸化炭素の場合よりははるかに小さく，肺胞中の酸素は肺胞毛細血管血との間で約 0.3 秒で平衡状態に達する．したがって，酸素の取込みは，**血流依存性**である．

あるガスについての**拡散能 diffusing capacity** は，肺胞毛細血管膜の総面積に比例し，その厚さに反比例する．一酸化炭素の取込みは拡散依存性であるため，一酸化炭素の拡散能（$D_{L_{CO}}$）は，肺拡散能の指標として測定されている．$D_{L_{CO}}$ は，低濃度の一酸化炭素を吸入させた際に血液に取り込まれる一酸化炭素量（$\dot{V}_{CO}$）を，肺胞気の一酸化炭素分圧（$P_{A_{CO}}$）と肺胞毛細血管へ流入してくる血液の一酸化炭素分圧の差分で除した値と比例する．習慣的な喫煙者を除くと，肺胞毛細血管へ流入してくる血液の一酸化炭素分圧は極めて低いためにほぼ無視しうるので，以下の式を得ることができる．

$$D_{L_{CO}} = \frac{\dot{V}_{CO}}{P_{A_{CO}}}$$

安静時の $D_{L_{CO}}$ の正常値は，約 25 mL/分/mmHg である．運動時には，肺胞毛細血管が拡張するとともに血流を受け入れてガス交換に関わるようになる肺胞毛細血管も増えるので，$D_{L_{CO}}$ は約 3 倍にまで増大する．肺胞気 P_{O_2} は，健常人では約 100 mmHg であり，肺胞毛細血管へ流入してくる血液の P_{O_2} は約 40 mmHg である．酸素の拡散能（$D_{L_{O_2}}$）は，安静時における一酸化炭素の拡散能と同様に，約 25 mL/分/mmHg であり，血液の P_{O_2} は肺胞毛細血管から流出する時には肺胞気 P_{O_2} よりわずかに低いが約 97 mmHg にまで上昇する．

静脈血の P_{CO_2} は約 46 mmHg であるが，肺胞気の P_{CO_2} は約 40 mmHg であるため，二酸化炭素はこの圧勾配に従って血液から肺胞へ拡散により移動する．血液の P_{CO_2} は肺胞毛細血管から流出する時には約 40 mmHg になる．二酸化炭素は生体内のあらゆる膜を容易に通過するので，二酸化炭素の肺での拡散能は酸素の拡散能よりもはるかに大きい．したがって，肺胞の線維化を有する患者で酸素の拡散能が著しく低下した場合であっても，二酸化炭素の蓄積が問題になることはほとんどない．

肺循環

肺血管

肺循環の血管床は，体循環の血管床と類似してはいるが，肺動脈とその主要な分枝の壁厚は大動脈の壁厚の約 30% しかない．肺動脈の小血管は，体循環の小動脈と異なり，血管壁内の平滑筋が比較的少ない．肺静脈の壁内にも平滑筋は存在する．肺胞毛細血管網は大規模なものであるが，それらは多くの吻合を形成している．個々の肺胞は肺胞毛細血管が吻合しつつ形成する籠の中に入れられたように存在している．

圧，量，血流

量的には小さな 2 つの例外を除いて，左心室から駆出される血液は右心房へ戻って右心室から拍出されるが，肺循環の特色は，その血流量は肺以外の全臓器の血流量と等しいという点にある．

第一の例外は気管支への血流の一部である．気管支動脈系からの毛細血管は，肺循環系の毛細血管および静脈と吻合を形成する．そして，気管支動脈系の血液

の一部は気管支静脈へ流入するが，一部は右心室をバイパスして肺胞毛細血管および肺静脈へ流入する．第二の例外は冠動脈から左心房，左心室へと流れる血流である．これら2つの例外的な機構により形成される少量の**生理学的短絡 physiologic shunt** により，体循環系の動脈血 P_{O_2} は肺胞気と平衡状態にある血液の P_{O_2} よりも約 2 mmHg 低くなり，ヘモグロビン酸素飽和度としては約 0.5% 低くなる．

　肺循環系の各部位における血圧を図 34・6C に示す．肺循環系の部位間における圧差は約 7 mmHg であり，体循環系の 90 mmHg よりはるかに小さい．肺胞毛細血管の圧は約 10 mmHg であるが，その血液浸透圧は約 25 mmHg であり，肺胞毛細血管の内外の圧差は血管内側方向へ向かって約 15 mmHg あるので，肺胞内には表面の薄い液層以外の液体は漏出してこない．肺胞毛細血管の圧が 25 mmHg 以上となると，肺のうっ血および浮腫が発生する．

　肺の血管内の血液の総量は約 1 L であるが，肺胞毛細血管内の血液はそのうちの 100 mL 以下のみである．肺動脈主幹部の血液の平均流速は大動脈の血液の平均流速と等しい（約 40 cm/秒）．肺循環系の血流速度は末梢へいくに従って急激に低下し，その後，大きな肺静脈に至るとわずかに上昇する．赤血球が肺胞毛細血管を通過するのに要する時間は，安静時では 0.75 秒であるが，運動時では 0.3 秒以下となる．

重力の影響

　重力は肺循環に比較的大きな影響を与える．垂直位では肺の上部は心臓よりも上に位置し，肺の底部は心臓よりも下に位置することになる．その結果，肺上部では肺底部に比較し，血流は少なく，肺胞は拡張していて，換気量も少ない（図 34・16）．肺尖部の肺胞毛細血管の圧は，肺胞内の空気の圧に近い．肺動脈圧は，正常では循環を維持するのにちょうど十分な程度に維持されているが，肺動脈圧が低下し，あるいは，肺胞内の空気圧が上昇すると，一部の肺胞毛細血管は虚脱する．このような状態下で肺胞毛細血管が虚脱した肺胞ではガス交換が行われず，それら肺胞は生理学的死腔の一部となる．

　垂直方向で中央部付近の肺領域では，肺動脈と肺胞毛細血管の圧は肺胞内圧よりも高くなるが，正常な呼息の間には，肺の小静脈の血圧は肺胞内圧より低くなることがあり，その場合，肺の小静脈は肺胞に圧迫されて虚脱する．このような状況下では，肺の血流量は肺動脈-肺静脈間の圧較差よりもむしろ肺動脈-肺胞間

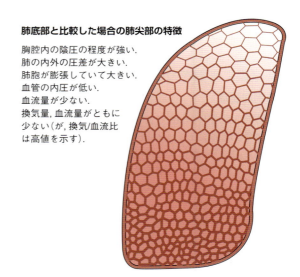

肺底部と比較した場合の肺尖部の特徴

胸腔内の陰圧の程度が強い．
肺の内外の圧差が大きい．
肺胞が膨張していて大きい．
血管の内圧が低い．
血流量が少ない．
換気量，血流量がともに少ない（が，換気/血流比は高値を示す）．

図 34・16　垂直位における肺の換気と血流の縦方向の差異．六角形をした肺内の各小領域は肺胞に相当するもので，その大きさが肺尖部（図の上方）から肺底部（図の下方）へ向かうにつれて徐々に小さくなっていく様子を模式的に示す（肺胞の大きさは現実的なものではないことに注意）．肺尖部の肺胞の特徴も列挙した（Levitzky MG: *Pulmonary Physiology*, 6th ed. New York, NY: McGraw-Hil; 2003 より許可を得て改変）．

の圧較差により規定される．血液は，肺循環系で最も細い部分である肺胞毛細血管を通過した後に，伸縮性・拡張性に富むために細い肺胞毛細血管を通過してきた血流をいくらでも受け入れることのできる肺静脈へと落下するように流入する．この現象は，**waterfall 現象 waterfall effect** と呼ばれる．実際，下方にある肺領域ほど，肺動脈圧が高く，肺胞内圧により肺血管が圧縮されて内腔が狭くなる程度は減るため，肺循環系の血流量は増加する．肺の下部領域においては，肺胞内圧は肺動脈から肺静脈までの肺循環系のどの部分の圧よりも低いため，血流量は肺動脈-肺静脈間の圧較差により規定される．肺循環系に影響を与える疾患の例をクリニカルボックス 34・4 に示す．

換気・血流比

　肺全体について，換気量（$\dot{V}$）と血流量（$\dot{Q}$）の比は，安静時においては約 0.8（換気量 4.2 L/分を血流量 5.5 L/分で除した値）となる．しかし，重力の影響で正常肺においても肺内の部位によりこの**換気・血流比 ventilation/perfusion ratio**（$\dot{V}/\dot{Q}$）には比較的大きな違いが出現する．そして，疾患肺では，換気・血流比が局

クリニカルボックス 34・4

肺循環に影響を及ぼす疾患
肺高血圧症

　肺高血圧症（PH）は，以下の5群に分類される：肺動脈性肺高血圧症（PAH, 新生児の持続性 PH を含む），左心疾患に伴う PH, 肺疾患/低酸素血症に伴う PH, 慢性血栓塞栓性肺高血圧症（CTEPH），詳細不明/多因子の機序による PH．PH は複数の原因による症候群としてどの年齢層においても起こりうるが，特発性肺動脈性肺高血圧症（致死的で進行性の PAH）は若年の女性に好発する．PH や PAH の原因は，全身の血圧が上昇する高血圧症の原因とは異なる．たとえば，急性の低酸素は肺血管収縮を起こし，慢性の低酸素は肺高血圧を起こすが，低酸素は体循環系では血管を拡張させる．PH のその他の特記すべき原因としては，コカインの吸入やデクスフェンフルラミンやその類縁の食欲抑制剤，HIV/HPV によるウイルス感染症，全身性エリテマトーデスや強皮症，および以下のタンパク質をコードする遺伝子の変異があげられる：BMPRII, KCNK3, SERT, ALK1, TRPC6, ENG, CAV1 *．

*訳注：略語について　BMPRII：bone morphogenetic protein receptor II 骨形成タンパク質受容体 II 型，KCNK3：potassium two pore domain channel subfamily K member 3　two pore domain カリウムチャネルサブファミリーメンバー 3, SERT：serotonin transporter セロトニントランスポータ, ALK1：activin receptor kinase-like 1 アクチビン受容体キナーゼ 1, TRPC6：transient receptor potential canonical 6 channel　transient receptor potential (TRP) カノニカル 6 チャネル, EGN：glycoprotein endoglin 糖タンパク質エンドグリン, CAV1：scaffolding protein caveolin 1 足場タンパク質カベオリン 1．

　肺血管の持続的な攣縮，肺血管の求心性リモデリング，肺血管内の局所での血栓形成，および肺血管壁の硬化は，いずれも PH や PAH の患者における肺血管抵抗と肺動脈圧の上昇の原因となる．これら患者において，適切な治療が開始されなければ，右心室の後負荷が増強し，さらには右心不全，そして死を招くこととなる．

治療上のハイライト

　血管拡張・抗増殖剤療法としてのプロスタサイクリン（商品名フローラン Flolan）の持続的静注療法やプロスタサイクリン類似物質（例：ベラプロスト beraprost, イロプロスト iloprost, トレプロスチニル treprostinil）の経口摂取や吸入は重症の PH（例：特発性や遺伝性や他疾患に続発する PAH）患者に有効である．従来から行われてきた治療としては，利尿剤投与，酸素吸入，抗凝固療法，ジゴキシン投与および運動療法があげられる．一酸化窒素（NO）の吸入は小児科領域の多くの患者に有効である．先端的な治療薬としては，電位作動性カルシウムチャネル阻害薬（例：ニフェジピン，ジルチアゼム，ベラパミル，アムロジピン），プロスタノイド（例：エポプロステノール/PGI2, トレプロスチニル, イロプロスト），エンドセリン受容体拮抗薬（例：ボセンタン bosentan, アンブリセンタン ambrisentan），ホスホジエステラーゼ（PDE）阻害薬（例：シルデナフィル sildenafil/商品名バイアグラ，タダラフィル tadalafil/商品名シアリス）およびそれら併用が用いられている．外科的治療としては，心房中隔開口術，全肺移植術，生体肺葉移植術，肺動脈内膜剥離術，肺動脈形成術があげられる．

所ごとに変化し，肺内における換気・血流比の分布が不均等になる場合が多い．ある肺胞において換気量が血流量に比し相対的に減少すると，その肺胞では供給される酸素量が減少するためにその肺胞の P_{O_2} は低下し，そこから排出される二酸化炭素量も減少するためにその肺胞の P_{CO_2} は上昇する．逆に，換気量に比し血流量が減少すると，その肺胞へ運ばれてくる二酸化炭素量が減少するためにその肺胞の P_{CO_2} は低下し，またその肺胞では吸息により供給されてきた酸素を比較的少量の血液が受け取るので，その血液は単位量当たりにおいてより多くの酸素を供給されることになるためその肺胞の P_{O_2} は上昇する．

　すでに記載したように，垂直位では肺局所の換気量および血流量は，肺底部から肺尖部に向かって上方へいくほど直線状に減少する．そして，換気・血流比は肺の上部においては高くなる．肺内における換気と血流の分布が広範囲にわたって不均等になると，それは二酸化炭素蓄積および動脈血 P_{O_2} 低下の原因となりうる．

　肺の最適な換気/灌流比を維持する独自のメカニズ

ムは低酸素性肺血管攣縮(HPV)である．HPVは恒常性維持機構で，成人では，肺動脈内の不飽和の混合静脈血を，肺の換気の悪い(低酸素)領域から他の換気のよい(正常酸素)領域に迂回させる．肺胞が低酸素状態になることによって誘発される血管収縮は，最適な換気・血流比を維持し，混合静脈血の肺での酸素化を最大化するのに役立つ．

肺血流の調節

肺静脈の攣縮は肺胞毛細血管圧を上昇させ，肺動脈の攣縮は右心系に対する負荷を増大させるが，肺静脈および肺動脈の血流は別々に調節されているか一体として調節されているかについては，いまだ解明がなされていない．

肺の血流は能動的ならびに受動的な要因により影響を受ける．肺血管は広く自律神経系により支配されており，頸部交感神経節を刺激することにより肺の血流量は30%まで低下させることができる．肺血管はまた血液中の液性因子にも応答する．様々な受容体が肺血管のトーヌスの制御に関わっている．それら受容体の肺血管平滑筋に対する効果を要約して表34・3に示す．肺血管拡張性の反応の多くは血管内皮に依存したもので，一酸化窒素(NO)の分泌を介するものと考えられている．

心拍出量や重力なども，受動的な要因として，肺の血流に相当の影響を及ぼす．肺局所において，換気量に対する血流量は，局所の酸素分圧の変化に伴って調節される．運動時には心拍出量は増加し，肺動脈圧は上昇する．その場合，より多くの赤血球が肺を通過することになるが，換気量も増加するため，ヘモグロビン酸素飽和度の低下も起こらず，体循環系へ供給される酸素の量も増加する．肺胞毛細血管は拡張し，それまで血流が途絶していた毛細血管への血流も再開する．それらの総合的な結果として，肺血流量の大幅な増加が起こるが，自律神経系から肺血管系への神経出力はほとんど変化しない．

気管支あるいは細気管支が閉塞すると，閉塞部位よりも末梢にあって換気が不足する肺胞は低酸素状態となる．低酸素状態となった領域では酸素の欠乏が血管平滑筋に対して直接影響して血管の攣縮(低酸素性血管攣縮)を起こし，その結果，その領域へ流入する血流量を減少させる．二酸化炭素の蓄積は，その領域の血液pHを低下させる．血液pHの低下は，肺以外の組織では血管を拡張させるが，肺においては血管攣縮を惹起する．逆に，ある肺領域への血流量の減少は，

表34・3 肺動脈および肺静脈の平滑筋の収縮弛緩に関わる受容体

受容体	サブタイプ	反応	血管内皮の関与
自律神経性			
アドレナリン受容体	α_1	収縮	なし
	α_2	弛緩	あり
	β_2	弛緩	あり
ムスカリン性受容体	M_3	弛緩	あり
プリン受容体	P2X	収縮	なし
	P2Y	弛緩	あり
タキキニン受容体	NK_1	弛緩	あり
	NK_2	収縮	なし
VIP 受容体	?	弛緩	?
CGRP 受容体	?	弛緩	なし
体液性			
アデノシン受容体	A_1	収縮	なし
	A_2	弛緩	なし
アンジオテンシンⅡ受容体	AT_1	収縮	なし
ANP 受容体	ANP_A	弛緩	なし
	ANP_B	弛緩	なし
ブラジキニン受容体	B_1?	弛緩	あり
	B_2	弛緩	あり
エンドセリン受容体	ET_A	収縮	なし
	ET_B	弛緩	あり
ヒスタミン受容体	H_1	弛緩	あり
	H_2	弛緩	あり
セロトニン受容体	$5\text{-}HT_1$	収縮	あり
	$5\text{-}HT_{1C}$	弛緩	あり
プロスタサイクリン(PGI_2)	IP	弛緩	なし
トロンボキサン受容体	TP	収縮	なし
バソプレシン受容体	V_1	弛緩	あり

Barnes PJ, Lin SF: Regulation of pulmonary vascular tone. Pharmacol Rev 1995; 47: 88 より許可を得て複製・改変．

その領域の肺胞 P_{CO_2} を低下させ，それによりその領域の気道攣縮が起こり，その結果として，血流の悪い領域では換気も減少し，換気がより効率的に配分されるようになる．体全体が低酸素状態になると，肺の小動脈も攣縮を起こし，肺動脈圧は上昇する．

肺の代謝性および内分泌性機能

肺は，ガス交換機能に加えて，多くの代謝性の機能を有している．すでに記載したように，肺は，肺自体で利用するためにサーファクタントを産生する．肺はまた，肺血管内の凝血を溶解する線溶系も有している．肺は，体循環系へ入ってから作用を示す様々な物質を分泌し(表34・4)，また，体循環系から肺動脈を経て肺へ到達した物質の除去も行う．プロスタグランジン類は肺で循環系から除去されるが，一方，それらは肺

表 34・4　肺で代謝を受ける生物活性物質

肺で合成され利用されるもの
　サーファクタント

肺で合成あるいは貯蔵され血中へ放出されるもの
　プロスタグランジン
　ヒスタミン
　カリクレイン

肺で血液中から部分的に除去されるもの
　プロスタグランジン
　ブラジキニン
　アデニンヌクレオチド
　セロトニン
　ノルアドレナリン
　アセチルコリン

肺で活性化されるもの
　アンジオテンシンⅡ［アンジオテンシン変換酵素（ACE）により アンジオテンシンⅠから生成される］

で合成されて肺組織が伸展された際に血液中に入る．

　肺は，アンジオテンシンの活性化において重要な役割を果たしている．すなわち，10個のアミノ酸よりなり生理学的に不活性なペプチドであるアンジオテンシンⅠは，肺循環系において8個のアミノ酸よりなるアンジオテンシンⅡへ変換され，昇圧および副腎皮質からのアルドステロン分泌促進の活性をもつようになる．この変換は肺以外の組織でも起こるが，肺において特に顕著である．この変換反応を行うアンジオテンシン変換酵素 angiotensin-converting enzyme（ACE）は肺胞毛細血管の内皮細胞の表面に大量に存在している．またアンジオテンシン変換酵素は血管内皮細胞依存性の血管拡張物質であるブラジキニンの不活性化も行う．血液が肺胞毛細血管を通過する時間は1秒弱であるが，肺に到達したアンジオテンシンⅠの70％は肺胞毛細血管を1回通過するだけでアンジオテンシンⅡへ変換される．なお，その他に4種類のペプチダーゼの存在が肺胞毛細血管内皮細胞の表面で同定されているが，それらの生理学的な役割は十分には解明されていない．

　セロトニンとノルアドレナリンは肺で除去されるため，体循環系へ達するこれらの血管作動性物質の量は，肺循環系を通過する前に比し減少する．しかし，他の多くの血管作動性ホルモンは代謝を受けることなく肺循環系を通過する．肺循環系で代謝を受けないホルモンとしては，アドレナリン，ドーパミン，オキシトシン，バソプレシンおよびアンジオテンシンⅡがあげられる．なお，様々なアミン，ポリペプチドが肺の神経内分泌細胞から分泌される．

章のまとめ

- 呼吸器系への空気の流入は上気道から始まり，次いで伝導気道を経て，そして，ガス交換の場であり呼吸細気管支から終着点である肺胞までの部分に相当する呼吸気道（肺胞気道）へと至る．気道の総断面積は，気道の伝導領域では末梢へいくに従って徐々に増大し，伝導領域から呼吸領域への移行部で急激に増大する．
- 伝導気道における粘液線毛エスカレータ輸送機構は，吸入した粒子が呼吸領域へ到達しないようにはたらいている．
- 肺気量についての重要な測定指標として，1回換気量（TV），予備吸気量（IRV），予備呼気量（ERV），努力肺活量（FVC），1秒量（FEV$_1$），分時換気量（RMV），最大分時換気量（MVV）などがあげられる．
- 肺内へ空気を流入させる"駆動圧"は，呼吸筋の収縮力，肺のコンプライアンス（ΔP/ΔV）および気道抵抗（ΔP/ΔV̇）が関与した総合的な結果として決定される．
- サーファクタントは，肺胞の表面張力を低下させ，肺胞を虚脱させないようにはたらいている．
- 気道内に流入する空気のすべてがガス交換に利用されるわけではない．気道内でガス交換が行われない部位は死腔と呼ばれる．伝導気道は解剖学的死腔となる．呼吸領域でのガス交換に障害を来す疾患では，ガス交換機能を失った肺胞領域としての死腔が増加し，それは生理学的死腔と呼ばれる．
- 肺循環系における部位間の圧勾配は，体循環系における圧勾配に比しはるかに小さい．
- 肺における低酸素性血管攣縮は，肺へ流入してくる混合静脈血を換気の悪い（低酸素の）肺領域から換気のよい（酸素化状態のよい）肺領域へシフトさせることにより肺静脈血（全身の動脈血）の酸素化を改善させる独特のメカニズムである．
- 様々な生物学的活性物質が肺で代謝を受ける．これらには，肺で産生されて肺自体で作用を発揮する物質（例：サーファクタント），肺で血液中へ分泌されたり血液中から除去される物質（例：プロスタグランジン），そして，肺を通過する際に活性化される物質（例：アンジオテンシンⅡ）がある．

多肢選択式問題

正しい答えを1つ選びなさい.

1. エベレストの山頂では大気圧は約 250 mmHg であるが,そこの大気の酸素分圧(単位 mmHg)はどのくらいか.
   A. 0.1
   B. 0.5
   C. 5
   D. 50
   E. 100

2. 努力肺活量として正しいのはどれか.
   A. 通常の1呼吸ごとに肺へ出入りする空気の量
   B. 肺へ入るが,ガス交換には関与しない空気の量
   C. 最大呼息努力により呼出することのできる呼気量
   D. 1分間に肺へ吸入呼出できる空気量の最大値

3. 1回換気量として正しいのはどれか.
   A. 通常の1呼吸ごとに肺へ出入りする空気の量
   B. 肺へ入るがガス交換には関与しない空気の量
   C. 最大呼気努力により呼出することのできる呼気量
   D. 1分間に肺へ吸入呼出できる空気量

4. 肺胞毛細血管において肺胞内腔から血液への酸素の移動に関わるのはどれか.
   A. 能動輸送
   B. 濾過
   C. 二次性能動輸送
   D. 促通拡散
   E. 受動拡散

5. 気道抵抗について正しいのはどれか.
   A. 肺を摘出し,生理食塩水を注入して肺を膨張させた際には増大する
   B. 呼吸仕事量には影響を与えない
   C. 両下肢麻痺(対麻痺)の患者では増大する
   D. 気管支平滑筋の収縮に伴って増大する
   E. 呼吸仕事量の80%分がこれに対して用いられる

6. 肺胞内面を覆うサーファクタントについて正しいのはどれか.
   A. 肺胞が虚脱しないよう作用している
   B. I型肺胞上皮細胞で産生されて肺胞内に分泌される
   C. 大量喫煙者の肺では増加している
   D. 糖タンパク質複合体である

CHAPTER

35

ガス輸送とpH

学習目標
本章習得のポイント

- O_2 がどのように肺から組織へ流れを下り，CO_2 がどのように組織から肺へ流れを下っていくかを説明できる
- ヘモグロビンの O_2 親和性に影響する重要な因子とそれぞれの生理学的意義を列挙できる
- 血中 CO_2 量を増加させる反応を列挙し，動脈血と静脈血に対する CO_2 解離曲線を描ける
- アルカローシスとアシドーシスの定義付けができ，それぞれに対する典型的な原因と代償反応を列挙できる
- 低酸素症の定義付けができ，その4つのサブタイプの違いについて説明できる
- 高炭酸ガス血症と低炭酸ガス血症の影響について説明でき，それらを引き起こす病態を例示できる

■ はじめに

肺の各領域における P_{O_2} と P_{CO_2} という分圧で計測される O_2 と CO_2 の濃度は異なっており，それぞれのガスは高い分圧の領域から低い分圧の領域へ流れ下っていく．たとえば，P_{O_2} は吸気時には肺胞で最も高く，肺動脈中の脱酸素化血で最も低いのに対して，P_{CO_2} ではこれらの関係がまったく逆になっている．その結果，O_2 は肺胞から移動して肺血管中の血液を酸素化し，CO_2 は血中から肺胞へ移動して呼出される．血中の O_2 の99％は O_2 担送タンパクであるヘモグロビンと結合し，血中の CO_2 の94.5％は一連の可逆性化学反応で別の化合物に変換される．もし，このようなしくみがなかったら，組織を出入りする O_2 や CO_2 量は不適正なものとなっているであろう．つまり，ヘモグロビンの存在は血液の O_2 輸送能力を70倍に増加させ，CO_2 の化学反応は血液中の CO_2 含量を17倍に増加させているのである．この章では，様々な条件下での O_2 と CO_2 の移動について，詳細な生理を論じる．

酸素輸送

組織への酸素供給

酸素供給は，1分間当たり体全体の血管床へ供給される酸素量と定義され，心拍出量と動脈血中の酸素濃度との積で表される．体内に O_2 を供給する能力は，呼吸器系と循環器系の双方に依存している．また，特定の組織への O_2 供給は，肺へ入ってくる O_2 量，肺ガス交換の適正性，組織への血流量，そして血液の O_2 運搬能に依存する．個々の組織への血流量は，心拍出量と組織中の血管床の収縮度に依存する．血液中の O_2 含量は，溶存 O_2 量，血中ヘモグロビン量，そしてヘモグロビンの O_2 親和性によって決定される．

ヘモグロビンと酸素の反応

ヘモグロビンのO_2に対する反応特性は，ヘモグロビンがO_2担体としてはたらくのに特に適している．ヘモグロビンは4つのサブユニット（四量体）からなるタンパク質であり，それぞれのサブユニットがポリペプチド鎖に付いた**ヘム heme**部分を含んでいる．健常成人ではヘモグロビン分子は2つのα鎖と2つのβ鎖を含んでいる．ヘム（図31・7参照）は第一鉄（Fe^{2+}）1原子を含むポルフィリン環複合体である．ヘモグロビン中の4つの鉄分子は，それぞれO_2 1分子と可逆的に結合できる．O_2と結合しても鉄は2価のままであるので，この反応は（酸化ではなく）**酸素化 oxygenation**である．O_2とヘモグロビンの反応は，通常，$Hb + O_2 \rightleftarrows HbO_2$と書く．しかし，ヘモグロビン分子は4個のデオキシヘモグロビンユニットを含んでいるので，Hb_4と書くこともでき，実際，4分子のO_2と反応してHb_4O_8を形成する．

$$Hb_4 + O_2 \rightleftarrows Hb_4O_2$$
$$Hb_4O_2 + O_2 \rightleftarrows Hb_4O_4$$
$$Hb_4O_4 + O_2 \rightleftarrows Hb_4O_6$$
$$Hb_4O_6 + O_2 \rightleftarrows Hb_4O_8$$

この反応は速く，0.01秒以下しかかからない．逆のHb_4O_8脱酸素化反応も速い．

ヘモグロビンの四次構造は，O_2に対する親和性を決定している．デオキシヘモグロビンでは，グロビンユニットはがっちりと結合し合って**緊密な（T）配置 tense configuration**になっており，O_2に対する親和性は低い．O_2がまず1分子結合すると，グロビンユニット間の結合が緩んで，**緩やかな（R）配置 relaxed configuration**となり，より多くのO_2との結合部位が露出する．その結果，O_2親和性は500倍に増加する．組織においては，これらの反応は逆になり，ヘモグロビンはO_2を放出することとなる．このようなヘモグロビンのある状態（T配置あるいはR配置）から別の状態への遷移は赤血球の一生のうちに約10^8回起こるとされている．

ヘモグロビンO_2解離曲線 oxygen-hemoglobin dissociation curveは，P_{O_2}に対するヘモグロビンのO_2飽和度（百分率，SaO_2と略す）を示している（図35・1）．この曲線はT配置とR配置間の状態遷移による特徴的なS字形をしている．ヘモグロビン分子の最初のヘムとO_2との結合が2番目のヘムとO_2との親和性を高め，2番目のヘムの酸素化が3番目のヘムのO_2親和性を高める，といったことが起こり，4分子目の

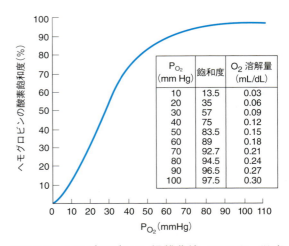

図35・1　ヘモグロビンO_2解離曲線． pH 7.40，温度38℃．挿入された表は，P_{O_2}に対するヘモグロビン飽和度（SaO_2）と溶解したO_2の量を示す（Comroe JH Jr, et al：*The Lung: Clinical Physiology and Pulmonary Function Tests*, 2nd ed. Year Book；1962より許可を得て改変）．

O_2に対するヘモグロビンの親和性は，最初のO_2分子に対する親和性の何倍にもなる．特に低P_{O_2}状態では，少しの変化によってSaO_2が大きく変化することに注目しよう．

血液が100% O_2と平衡状態になる時，正常なヘモグロビンは100%飽和する．完全に飽和した正常なヘモグロビン1 gは，1.39 mLのO_2を含んでいる．しかしながら，血液は少量の不活化したヘモグロビン誘導体を含んでいるので，生体での測定値はそれよりもわずかに低くなる．生体での飽和ヘモグロビンの値としては，通常1.34 mLという値が用いられ，血液中のヘモグロビン濃度の正常値はおおよそ15 g/dL（女性では14 g/dL，男性では16 g/dL）である．したがって，ヘモグロビンがO_2で100%飽和した場合，1 dLの血液はヘモグロビンと結合した20.1 mL（1.34 mL × 15）のO_2を含んでいることになる．一方，血液に溶解したO_2の量はP_{O_2}に比例する（0.003 mL/dL blood/mmHg P_{O_2}）．

生体では肺毛細血管終端での血液中のヘモグロビンは97.5% O_2で飽和している（P_{O_2} = 100 mmHg）．しかし，肺毛細血管をバイパスする静脈血（すなわち生理的シャント）が少量存在するため，それとの混合によって体動脈血のヘモグロビンは97%しか飽和していない．よって，動脈血は1 dL当たり全体として19.8 mLのO_2（溶存O_2として0.29 mL，ヘモグロビンと結合した形では19.5 mLのO_2）を含んでいる．安静時の静脈血では，ヘモグロビンのO_2飽和度は

表 35・1 血液中のガス含量

	15 g のヘモグロビンを含む 1 mL/dL の血液中			
	動脈血 (P_{O_2} 95 mmHg, P_{CO_2} 40 mmHg, 97% 飽和)		静脈血 (P_{O_2} 40 mmHg, P_{CO_2} 46 mmHg, 75% 飽和)	
ガス	溶解	結合	溶解	結合
O_2	0.29	19.5	0.12	15.1
CO_2	2.62	46.4	2.98	49.7
N_2	0.98	0	0.98	0

75%であり,血液中に含まれる O_2 含量は,溶存 O_2 として 0.12 mL,ヘモグロビンと結合した形で 15.1 mL,全体として 15.2 mL である.したがって,安静時には,組織を灌流する 1dL の血液当たり 4.6 mL の O_2 を奪っていることになる(表 35・1).そのうちの 0.17 mL は溶存 O_2 であり,残りはヘモグロビンから放出された O_2 である.このようにして,安静時には毎分 250 mL の O_2 が血液から組織へ運ばれる.

ヘモグロビンの酸素親和性に影響を及ぼす要因

ヘモグロビンの O_2 解離曲線に影響する要因として,pH,温度,2,3-ビスホスホグリセリン酸 2,3-bis-phosphoglycerate(2,3-BPG)の3つが重要である.体温の上昇あるいは pH の低下は解離曲線を右にシフトさせる(図 35・2).解離曲線が右方にシフトすると,ヘモグロビンがある一定量の O_2 と結合するのに,より高い P_{O_2} を必要とする.逆に体温の低下あるいは pH の上昇は解離曲線を左方にシフトさせるので,ヘモグロビンがある一定量の O_2 と結合するのに,より低い P_{O_2} しか必要としない.このような解離曲線のシフトを比較するのに便利な指標として P_{50} がある.P_{50} は,ヘモグロビンの 50% が O_2 で飽和する P_{O_2} と定義される.P_{50} が高ければ高いほど,ヘモグロビンの O_2 親和性は低い.

血液の pH が低下した時にヘモグロビンの O_2 親和性が低下する現象は,Bohr[ボーア]効果と呼ばれ,デオキシヘモグロビンの方がオキシヘモグロビンよりも H^+ と結合しやすいということと深く関連している.血液の pH は血液中の CO_2 含量が増加すると低下し,O_2 解離曲線は右方にシフトして P_{50} は上昇する.組織内で起こるヘモグロビンの不飽和化のほとんどは P_{O_2} の低下によって二次的に起きるが,それに加えて 1~2% のさらなる不飽和化は P_{CO_2} の上昇と,それに伴って起こる解離曲線の右方シフトによる.

2,3-BPG は赤血球に豊富に含まれている.2,3-BPG は Embden-Meyerhof[エムデン・マイヤーホフ]経路による解糖産物である 3-ホスホグリセルアルデヒドから作られる.2,3-BPG は高度に荷電したアニオン(陰イオン)であり,デオキシヘモグロビンの β 鎖に結合する.1 mol のデオキシヘモグロビンは 1 mol の 2,3-BPG と結合する.つまり,以下の反応が起こる.

$$HbO_2 + 2,3\text{-BPG} \rightleftarrows Hb - 2,3\text{-BPG} + O_2$$

この平衡は 2,3-BPG の濃度が上昇すれば反応が右方に進み,より多くの O_2 がヘモグロビンより解離す

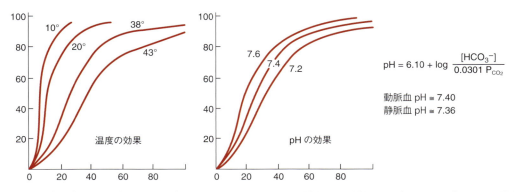

図 35・2 ヘモグロビン O_2 解離曲線に及ぼす温度と pH の影響.温度(左)と pH(右)はいずれもヘモグロビンの酸素親和性を変化させる.図に示されるように,血漿 pH は改変 Henderson–Hasselbalch の式を用いて推定できる(Comroe JH Jr, et al: *The Lung: Clinical Physiology and Pulmonary Function Tests*, 2nd ed. Year Book; 1962 より許可を得改変).(訳注:縦軸と横軸は図 35・1 と同様である)

ることになる．

　アシドーシスは赤血球の解糖を抑制するので，pHが低い時は 2,3-BPG 濃度も低下する．逆に，甲状腺ホルモン，成長ホルモン，アンドロゲンはいずれも 2,3-BPG 濃度と P_{50} を上昇させうる．

　運動は 60 分以内に 2,3-BPG 濃度を上昇させるといわれている．ただし，トレーニングを積んだ運動選手では上昇がみられないこともある．P_{50} も運動時に上昇する．なぜなら，活動している組織において温度上昇が起こり，CO_2 や代謝産物が蓄積して pH が低下するからである．さらに，組織の P_{O_2} が低下するために，より多くの O_2 が単位当たりの血液から組織に奪われる．そして P_{O_2} が低いと O_2 解離曲線は急峻となり，P_{O_2} の単位当たりの低下ごとに多量の O_2 がヘモグロビンから解離する．ヘモグロビンの臨床的な話題についてはクリニカルボックス 35・1 で議論する．

　ヘモグロビンと興味深い対照をなすのが，骨格筋に存在し鉄を含む色素である**ミオグロビン myoglobin** である．ミオグロビンはヘモグロビンと似ているが 1 mol 当たり 4 molではなく 1 mol の O_2 と結合する．ミオグロビンの O_2 解離曲線は，O_2 の協同的な結合が起こらないために，ヘモグロビンの O_2 解離曲線にみられるような S 字曲線ではなく直角双曲線である（図 35・3）．さらに，ミオグロビンの O_2 解離曲線がヘモグロビンの O_2 解離曲線よりも左方にあるということは，O_2 親和性がより高いことを意味し，それはすなわち血液中のヘモグロビンからミオグロビンへの

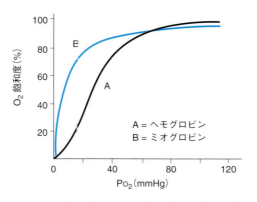

図 35・3　ヘモグロビンとミオグロビンの O_2 解離曲線の比較． ミオグロビンには 1 分子当たり 1 カ所の O_2 結合部位しかないので，ミオグロビンの O_2 解離曲線（B）は，ヘモグロビンの O_2 解離曲線（A）のような S 字曲線にはならない．ミオグロビンの O_2 親和性はヘモグロビンよりも大きい（解離曲線が左右にシフトしている）ので，血液中の P_{O_2} が低い時（たとえば運動時）に筋肉に O_2 を放出することができる．

クリニカルボックス 35・1

生体におけるヘモグロビンと O_2 の結合

チアノーゼ

　還元型ヘモグロビンは暗赤色をしており，**チアノーゼ cyanosis** と呼ばれる組織の青紫色への変色は毛細血管中の血液の還元型ヘモグロビンが 5 g/dL 以上になると出現してくる．チアノーゼが出現するかどうかは，血液中の総ヘモグロビン量，ヘモグロビンの不飽和化の程度，毛細血管の微小循環の状態に依存している．チアノーゼは，爪床，粘膜，耳朶，口唇，指といった皮膚が薄く毛細血管が豊富なところによくみられる．しかし，視診でチアノーゼを認めても，完全に信頼できるものではない．動脈血酸素分圧や酸素飽和度，赤血球数やヘモグロビン値をさらに検査することによって，より信頼できる診断が得られる．

胎児血および保存血における 2,3-BPG の効果

　胎児ヘモグロビン（ヘモグロビン F）の O_2 親和性は成人ヘモグロビン（ヘモグロビン A）よりも高く，母親から胎児への O_2 の移動を容易にしている．ヘモグロビン F では β 鎖が γ ポリペプチド鎖に置換されているが，その γ 鎖が 2,3-BPG と結合しにくいために O_2 親和性が高くなっているのである．成人では異常ヘモグロビンで P_{50} が低いものがあり，その結果，O_2 親和性が高くなり組織が低酸素となって赤血球の造血が刺激され多血症を来す場合がある．このようなヘモグロビンは 2,3-BPG と結合しないのかもしれない．

　赤血球の 2,3-BPG 濃度は貧血や様々な慢性の低酸素症を来す疾患で増加する．2,3-BPG 濃度の増加は末梢毛細血管において O_2 が放出される P_{O_2} 値を上昇させることによって組織への O_2 供給を促す効果がある．保存血では 2,3-BPG 濃度が減少し，組織へ O_2 を放出する能力が低下する．これは明らかに低酸素症の患者に輸血した場合の効果の妨げになるが，血液を通常の ACD（クエン酸-クエン酸塩-ブドウ糖 acid-citrate-dextrose）溶液ではなく，CPD（クエン酸塩-リン酸-ブドウ糖 citrate-phosphate-dextrose）溶液を抗凝固薬として保存すると 2,3-BPG の減少を少なくすることができる．

治療上のハイライト

　チアノーゼは何らかの疾患を示すものではなく，酸素化ヘモグロビンが乏しいということを示している．すなわち，寒冷曝露から薬剤の過量や慢性呼吸器疾患まで，多くの原因で起こりうる．したがって，チアノーゼを起こした原因によって，それに適した治療がある．寒冷曝露によってチアノーゼが起こっているなら，温かい環境にするのが効果的であるし，慢性の低酸素を呈する疾患が原因であれば酸素投与が必要かもしれない．

(好ましい) O_2 の受け渡しが行われやすいということを意味する．ミオグロビンの O_2 解離曲線が急峻であるということは，また，O_2 が低 P_{O_2} 状態(たとえば運動時)でしか放出されないということを示している．ミオグロビン含量は持続運動に特化した筋肉に多い．持続的収縮時には筋肉への血液供給が圧迫されるが，ミオグロビンは血流が減少した時や血液中の P_{O_2} が低下した時にも O_2 を供給し続けることができる．

二酸化炭素輸送

血液中の二酸化炭素分子の運命

CO_2 の血液溶解度は O_2 の20倍である．したがって，O_2 と CO_2 が同じ分圧の場合，O_2 よりかなり多くの CO_2 が血漿中に溶ける．赤血球中に拡散した CO_2 は赤血球内の**炭酸脱水酵素 carbonic anhydrase** によって，急速に水和されて H_2CO_3 となる(図35・4)．H_2CO_3 は解離して H^+ と HCO_3^- になり，H^+ は主としてヘモグロビンによって緩衝され，HCO_3^- は血漿中へ移動する．赤血球中の CO_2 のいくらかはヘモグロビンや他のタンパク質(R)のアミノ基と反応して**カルバミノ化合物 carbamino compound** を作る．

$$CO_2 + R-N\begin{matrix}H\\H\end{matrix} \rightleftarrows R-N\begin{matrix}H\\COOH\end{matrix}$$

デオキシヘモグロビンはオキシヘモグロビンより多くの H^+ と結合し，速やかにカルバミノ化合物を形成

するので，ヘモグロビンの O_2 との結合はヘモグロビンの CO_2 親和性を低下させる．**Haldane〔ホールデン〕効果**とは，脱酸素化されたヘモグロビンにおいては CO_2 と結合して運搬する能力が増加していることをいう．したがって，静脈血は動脈血より多くの CO_2 を含有することができる．この性質によって，組織では血液中への CO_2 の取込みが促進され，肺では血液中からの CO_2 の放出が促進されるのである．体循環毛細血管中の血液に加わる CO_2 の約11%がカルバミノ CO_2 として肺に運ばれる．

クロライドシフト

血液が毛細血管を通過する際の HCO_3^- 含量の増加は，血漿よりも赤血球においてはるかに大きいので，赤血球中で作られる HCO_3^- のうち約70%が血漿中に移行する．この時，HCO_3^- は Cl^- と交換に赤血球を出る(図35・4)．この過程は**アニオン交換輸送体1 anion exchanger 1**(**AE1**，Band 3 とも呼ばれる)という赤血球における主要な膜タンパク質を介して行われる．この**クロライドシフト chloride shift** という現象によって，静脈血中の赤血球の Cl^- 含量は動脈血中に比べて有意に高い．クロライドシフトは急速に起こり，基本的に1秒以内に完結する．

注目すべきは，CO_2 が1分子赤血球に付加されるごとに浸透圧に影響する分子(HCO_3^- か Cl^-)が1分子増加するということである(図35・4)．その結果，赤血球は水を取り込んで容積を増す．これに加え，動脈血中の液性成分の一部は静脈を介してではなくリンパ系を経由して戻っていくということもあって，静脈血のヘマトクリット値は動脈血よりも通常3%大きい．肺では Cl^- が赤血球から逆に出ていくために，赤血球は縮んで容積が小さくなる．

血液中における二酸化炭素の空間分布

表35・2 に血漿と赤血球における CO_2 の運命を要約した．それらの各段階がいかに血液の CO_2 運搬能力を高めているかは，図35・5 に示される CO_2 解離曲線において，血液に溶解する CO_2 量と血液に含まれる CO_2 全量を比較するとよくわかる．

動脈血1 dL 中に含まれるおおよそ49 mL の CO_2 のうち(表35・1)，2.6 mL が溶解しており，2.6 mL がカルバミノ化合物として，43.8 mL が HCO_3^- として存在している．組織中では，血液1 dL 当たり3.7 mL

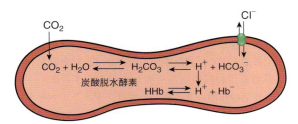

図35・4 赤血球内での CO_2 の運命．赤血球内に入ると CO_2 は炭酸脱水酵素により急速に水和されて H_2CO_3 となる．H_2CO_3 は H^+ とその共役塩基である HCO_3^- と平衡状態にある．H^+ はデオキシヘモグロビンと作用し，HCO_3^- は anion exchanger 1(AE1 あるいは Band 3)によって細胞外へ運搬される．その結果，CO_2 1分子が赤血球内に入ると HCO_3^- か Cl^- が1分子増加することになる．

表 35・2　血液中の CO_2 の運命

血漿中で
1. 溶解
2. 血漿中のタンパク質とカルバミノ化合物の形成
3. 水和，H^+ 緩衝，血漿中溶解 HCO_3^-

赤血球内で
1. 溶解
2. カルバミノ Hb の形成
3. 水和，H^+ 緩衝，70% の HCO_3^- は血漿中へ移動
4. 赤血球内へ Cl^- 移動，赤血球内浸透圧の増加

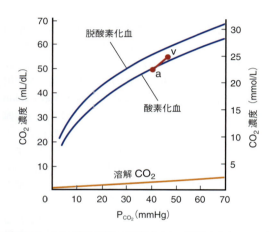

図 35・5　CO_2 解離曲線．動脈点(a)，静脈点(v)は，それぞれ健常人の安静時の動脈血と静脈血中の総 CO_2 含量を示す．注目すべきは，他の手段(表 35・2)で運搬される CO_2 量に対して，溶解して運搬される CO_2 量が少ないことである (Schmidt RF, Thews G (editors): *Human Physiology*. Springer; 1983 より許可を得て改変)．

の CO_2 が付加されるが，そのうちの 0.4 mL はそのままの形で血漿中にとどまり，0.8 mL はカルバミノ化合物を形成し，2.5 mL は HCO_3^- を生成する．血液の pH は 7.40 から 7.36 に低下する．肺ではこの過程が逆になり，3.7 mL の CO_2 が肺胞に放出される．このようにして安静時には毎分 200 mL の CO_2 が，そして運動時にはさらに多量の CO_2 が組織から肺に輸送されて排出される．この CO_2 の量が 24 時間で 12 500 mEq を超える H^+ に相当することは注目に値するであろう．

酸塩基平衡とガス輸送

正常な状態において血液中の酸は，細胞での代謝によって発生する．組織において代謝によって生成した CO_2 は大部分水和されて H_2CO_3 となり，それに伴う H^+ の総負荷量は前述のように大きなものとなる (12 500 mEq/日以上)．しかし，ほとんどの CO_2 は肺から排出され，残りの少量の H^+ は腎臓から排出される．

血液の緩衝作用

血液の酸塩基平衡は大部分，3 つの主要な緩衝物質によって制御されている．すなわち，(1) タンパク質，(2) ヘモグロビン，(3) 炭酸-重炭酸系である．血漿タンパク質はカルボキシル基とアミノ基の両方が解離するため，効果的な緩衝物質となる．

$$RCOOH \rightleftarrows RCOO^- + H^+$$

$$pH = pK'_{RCOOH} + \log \frac{[RCOO^-]}{[RCOOH]}$$

$$RNH_3^+ \rightleftarrows RNH_2 + H^+$$

$$pH = pK'_{RNH_3} + \log \frac{[RNH_2]}{[RNH_3^+]}$$

第二の緩衝系はヘモグロビンのヒスチジン残基のイミダゾール基によってもたらされる．

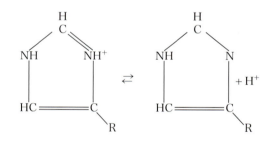

pH 7.0〜7.7 の範囲では，ヘモグロビンの遊離のカルボキシル基やアミノ基は緩衝能力にほとんど寄与しない．しかし，ヘモグロビン分子は 38 個のヒスチジン残基を含んでおり，また，ヘモグロビンは豊富に存在することから，血液中のヘモグロビンは血漿タンパク質の 6 倍の緩衝能力を有している．さらに，ヘモグロビンの作用のユニークな点は，デオキシヘモグロビン(Hb)のイミダゾール基がオキシヘモグロビン(HbO_2)のイミダゾール基よりも解離しにくく，Hb が HbO_2 よりも弱い酸としてはたらくため，よりよい緩衝物質となる点である．Hb と HbO_2 の滴定曲線 (図 35・6) は，それぞれの H^+ 緩衝能力の違いを示す．

血液における第三の，そして最大の緩衝系は**炭酸-重炭酸系 carbonic acid-bicarbonate system** である：

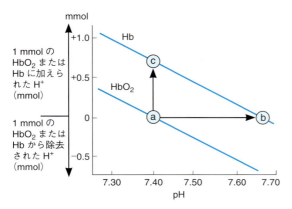

図35・6 デオキシヘモグロビン(Hb)とオキシヘモグロビン(HbO_2)の滴定曲線の比較. aからcへの矢印はHbが同濃度のHbO_2と比較して余分に(すなわちpHを変化させずに)緩衝できるH^+のmmol数を示す. aからbへの矢印はHbO_2が脱酸素化される時に(H^+の添加なしに)起こるであろうpH変化を示す.

ス電極で正確に測ることができ, $[HCO_3^-]$はそれらから計算できる.

炭酸-重炭酸系のpK′はそれでも血液のpHと比べると低いが, 溶存CO_2量は呼吸によってコントロールされるので(すなわち"開放"系であるので), 最も効果的な緩衝系である. さらに, 血漿中のHCO_3^-濃度は腎臓によってコントロールされる. H^+が血液に加えられると, H_2CO_3がさらに作られるのでHCO_3^-は低下する. もしこの余剰に作られたH_2CO_3がCO_2とH_2Oに変換されてCO_2が肺から排出されなければ, H_2CO_3濃度は増加することになる. もしCO_2が除去されてH_2CO_3が減少するということが起こらなければ, 血漿中のHCO_3^-濃度が半分になるまでH^+が加えられると, pHは7.4から6.0まで低下してしまう. しかし, このようなH^+の増加でpHがそこまで変化することはない. なぜなら, (1)余剰に作られたH_2CO_3は除去されるし, (2)H^+の上昇が呼吸を刺激してP_{CO_2}を低下させるので, さらにいくらかのH_2CO_3が除去される. その結果, このようなH^+の増加に対するpHの低下は, 実際には7.2か7.3程度となる.

炭酸-重炭酸系がこのようによい生体緩衝系となっている要因はさらに2つある. まず, $CO_2 + H_2O \rightleftharpoons H_2CO_3$ という反応は, **炭酸脱水酵素 carbonic anhydrase** がなければ両方向ともにゆっくりとしか進まないことである. 血漿中には炭酸脱水酵素がないが, 赤血球中には豊富に存在しており, その局在が反応を制御している. 第二に, 血液中にヘモグロビンが存在していることで, ヘモグロビンがCO_2の水和によって生成したH^+と結合してHCO_3^-の血漿への移動を容易にし, 炭酸-重炭酸系の緩衝作用を高めていることである.

$$H_2CO_3 \rightleftharpoons H^+ + HCO_3^-$$

この系に対するHenderson-Hasselbalchの式は, 次の通りである.

$$pH = pK + \log\frac{[HCO_3^-]}{[H_2CO_3]}$$

理想溶液中のこの系のpKは低く(約3), H_2CO_3の量は少ないので, 正確に測ることは難しい. しかし, 体内ではH_2CO_3はCO_2と平衡状態にある:

$$H_2CO_3 \rightleftharpoons CO_2 + H_2O$$

もしpKをpK′(見かけのイオン化定数, 溶液が理想溶液とみなせない場合に区別するために用いられる)に, そして$[H_2CO_3]$を$[CO_2]$に置き換えると, pK′は6.1であるので,

$$pH = 6.10 + \log\frac{[HCO_3^-]}{[CO_2]}$$

となる. 溶解するCO_2量はCO_2分圧に比例し, CO_2の溶解係数は0.0301 mmol/L/mmHgであるので, この式を臨床で使える形にすると, 以下の通りとなる.

$$pH = 6.10 + \log\frac{[HCO_3^-]}{0.0301\, P_{CO_2}}$$

$[HCO_3^-]$は直接的には測れないが, pHとP_{CO_2}はガラ

アシドーシスとアルカローシス

動脈血の血漿pHの正常値は7.40であり, 静脈血の血漿pHはそれよりわずかに低い. 動脈血のpHが7.40以下の場合はpHが正常より低い(**アシドーシス acidosis**), また, 7.40以上の場合はpHが正常より高い(**アルカローシス alkalosis**)状態であるが, 実際には0.05までのpH変動は悪影響なしに生じうる. 酸塩基平衡の異常は, 呼吸性アシドーシス, 呼吸性アルカローシス, 代謝性アシドーシス, 代謝性アルカローシスの4つのカテゴリーに分けられる. さらに, これらの異常が組み合わさって起こることもある. 酸塩基平衡異常のいくつかの例を表35・3に示す.

表 35・3 様々な典型的酸塩基平衡異常における pH, HCO_3^-, P_{CO_2} 値[a]

状態	動脈血血漿			原因
	pH	HCO_3^- (mEq/L)	P_{CO_2} (mmHg)	
正常	7.40	24.1	40	
代謝性アシドーシス	7.28	18.1	40	NH_4Cl 摂取
	6.96	5.0	23	糖尿病性アシドーシス
代謝性アルカローシス	7.50	30.1	40	$NaHCO_3$ 摂取
	7.56	49.8	58	遷延性嘔吐
呼吸性アシドーシス	7.34	25.0	48	7% CO_2 吸入
	7.34	33.5	64	肺気腫
呼吸性アルカローシス	7.53	22.0	27	随意性過換気
	7.48	18.7	26	4000 m の高地に 3 週間滞在

[a] 糖尿病性のアシドーシスと遷延性嘔吐の例では、初期の代謝性アシドーシスと代謝性アルカローシスに対する呼吸性代償がそれぞれ起こっており、P_{CO_2} は 40 mmHg から偏位している。肺気腫と高所の例では、初期の呼吸性アシドーシスと呼吸性アルカローシスに対する腎性代償がそれぞれ起こっており、血漿 HCO_3^- を正常値から偏位させている。

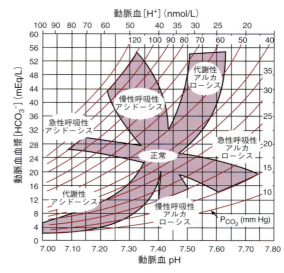

図 35・7 酸塩基ノモグラム。呼吸性および代謝性アシドーシスにおける動脈血中の P_{CO_2}(赤い曲線)、血漿 HCO_3^-、pH([H^+])の変化を示す。急性の呼吸性アシドーシスや呼吸性アルカローシスの時の HCO_3^- や pH の変位は代償されて、慢性の呼吸性アシドーシスや呼吸性アルカローシス状態へ変わっていく(Brenner BM, Rector FC Jr. (editors): Brenner & Rector's The Kidney, 7th ed. St. Louis, MO: Saunders; 2004 より許可を得て複製)。

呼吸性アシドーシス

低換気による P_{CO_2} の短期的な上昇(> 40 mmHg)は**呼吸性アシドーシス** respiratory acidosis を起こす。ここで、貯留した CO_2 は H_2CO_3 と平衡状態にあり、そして H_2CO_3 は HCO_3^- と平衡状態にあることを思い出そう。結果、血漿 HCO_3^- が上昇するので、より低い pH で新たな平衡状態に達することになる。このことは、pH に対する血漿 HCO_3^- 濃度の図で視覚的に示される(図 35・7)。呼吸性アシドーシスにおいて P_{CO_2} の上昇に対する pH 変化は血液の緩衝能力に依存している。図 35・7 に示される初期変化(急性呼吸性アシドーシス)は代償機構がまったくはたらいていない時の変化であり、この場合を**非代償性呼吸性アシドーシス** uncompensated respiratory acidosis という。

呼吸性アルカローシス

適正な CO_2 交換に必要な量を超えて CO_2 の排出が起こり、P_{CO_2} が短期的に低下した場合(すなわち過換気で起こりうるような < 35 mmHg の状態)、**呼吸性アルカローシス** respiratory alkalosis を来す。CO_2 の減少は炭酸-重炭酸系の平衡を、[H^+]を下げて pH を増加させるようにシフトさせる。呼吸性アシドーシスの時と同様、呼吸性アルカローシスに対する初期変化(急性呼吸性アルカローシス、図 35・7)は、何も代償機構がはたらかない時の変化であり、この場合を**非代償性呼吸性アルカローシス** uncompensated respiratory alkalosis という。

代謝性アシドーシスと代謝性アルカローシス

血液の pH 変化は非呼吸性にも起こる。**代謝性アシドーシス** metabolic acidosis(あるいは非呼吸性アシドーシス)は、強酸が血液に加えられた時に生じる。たとえば、もし大量の酸(過量のアスピリン aspirin など)を摂取したとすると、血液中の酸は急速に増加する。生成された H_2CO_3 は CO_2 と H_2O になり、CO_2 は急速に肺から排出される。これが、**非代償性代謝性アシドーシス** uncompensated metabolic acidosis の状態である(図 35・7)。呼吸性アシドーシスと違っ

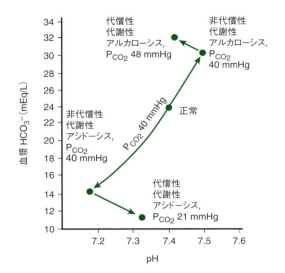

図 35・8　代謝性アシドーシス時の酸塩基変化．安静時の代謝性アシドーシスと代謝性アルカローシス，その呼吸性代償時の血漿 pH, HCO_3^-, P_{CO_2} の変化を示す．代謝性アシドーシスや代謝性アルカローシスでは pH 変化は P_{CO_2} の等圧線上に沿って進む（真ん中の線）．呼吸性代償は P_{CO_2} を変化させることによって pH を正常方向へ戻す（最上部と最下部の矢印）(Davenport HW : *The ABC of Acid-Base Chemistry*, 6th ed. University of Chicago Press; 1974 より許可を得て改変)．

て，代謝性アシドーシスは P_{CO_2} の変化を伴わず，(P_{CO_2} = 40 mmHg の) 等圧線上に沿って代謝性アシドーシスが進むことに注目してほしい（図 35・8）．アルカリが加えられて遊離[H^+]が減少した時，あるいは，さらによくあることとして多量の酸が嘔吐などによって失われる時，**代謝性アルカローシス metabolic alkalosis** が起こる．非代償性の代謝性アルカローシスでは，pH は等圧線に沿って上昇する（図 35・7，図 35・8）．

呼吸性代償および腎性代償

上述したような非代償性のアシドーシスやアルカローシスは，代償機構がはたらくために，めったにみられない．2 つの主な代償機構は**呼吸性代償 respiratory compensation** と，**腎性代償 renal compensation** である．

呼吸器系は換気量を変化させることによって，血中 pH の値に直接影響を与える P_{CO_2} を変化させて，代謝性のアシドーシスやアルカローシスを代償する．呼吸性代償応答は速い．代謝性アシドーシスに応答して，換気は亢進し，P_{CO_2} はたとえば 40 mmHg から

20 mmHg に低下し，pH は正常値に向かって上昇する（図 35・8）．代謝性アルカローシスの場合は，換気量が減少，P_{CO_2} が増加し，その結果 pH は低下する．呼吸性代償は速い応答なので，血中 pH が二段階で調節されるように図 35・8 で示しているのは実際とは異なる便宜上の表現である．実際は，代謝性アシドーシスが始まるとすぐに呼吸性代償が起こり，図に書かれているような大きな pH の変化は起きない．

完全に呼吸性あるいは代謝性アシドーシス/アルカローシスが代償されるためには腎性の代償機構も動員される．腎臓はアシドーシスに対して糸球体濾過された HCO_3^- は保持（再吸収）しながら炭酸以外の不揮発性酸を分泌する．一方，アルカローシスに対しては H^+ 分泌を減らし，糸球体濾過された HCO_3^- の再吸収も減少させる．

腎尿細管細胞は，炭酸脱水酵素をもっており，CO_2 から H^+ と HCO_3^- を作ることができる．アシドーシスに対して，腎尿細管細胞は Na^+ と交換に尿細管腔へ H^+ を分泌する一方，HCO_3^- を尿細管周囲の毛細血管へ能動的に再吸収する．H^+ 1 分子が分泌されるごとに，Na^+ 1 分子と HCO_3^- 1 分子が血液中に加えられる．この呼吸性アシドーシスに対する腎性代償は，急性から慢性呼吸性アシドーシスへの変化として図 35・7 のように示される．逆にアルカローシスに対する応答としては，腎臓は H^+ 分泌を減少させ，HCO_3^- 再吸収を抑制する．この呼吸性アルカローシスに対する腎性代償の結果は，急性から慢性呼吸性アルカローシスへの変化として図 35・7 のように図示される．酸塩基平衡状態の臨床評価はクリニカルボックス 35・2 で述べる．また，酸-塩基の恒常性における腎臓の役割は 38 章でさらに詳しく述べる．

低 酸 素 症

低酸素症 hypoxia は組織レベルでの O_2 の不足である．低酸素症は，組織中に O_2 がほとんどないという状態はめったにないので，**無酸素症 anoxia** よりも正しい用語である．

低酸素症に関してこれまでに多くの分類が用いられてきたが，最もよく用いられてきた 4 型に分類する方法が，定義をしっかり頭に入れた上で使うならば，今でも非常に有用である．その 4 分類とは，(1) **低酸素血症 hypoxemia**（時に **低酸素性低酸素症 hypoxic hypoxia** とも呼ばれる）：動脈血 P_{O_2} が低下している状態，(2) **貧血性低酸素症 anemic hypoxia**：動脈血 P_{O_2} は正常だが，O_2 を運搬するヘモグロビン量が減って

クリニカルボックス 35・2

酸塩基平衡の臨床評価

　酸塩基平衡を評価する際には，動脈血血漿のpHとHCO_3^-含量を知ることが重要である．信頼できるpH値はpHメーターとpHガラス電極で計測できる．そのpH値とCO_2電極によるP_{CO_2}の直接計測でHCO_3^-濃度を算出することができる．静脈血は組織から肺へ運ばれるCO_2を含んでいるので，静脈血のP_{CO_2}は動脈血より〜8 mmHg高く，pHは0.03〜0.04単位低い．したがって，HCO_3^-濃度の計算値は静脈血の方が2 mmol/Lほど高い．しかし，このことさえ頭に置いておけば，ほとんどの臨床例で，静脈血を動脈血に置きかえることが可能である．

　代謝性アシドーシスの鑑別診断に有用なものに**アニオンギャップ** anion gap がある．アニオンギャップというのは，若干，誤った呼称であり，血漿中のNa^+以外のカチオン（陽イオン）濃度とCl^-とHCO_3^-以外のアニオン濃度の差を指す．アニオンギャップはアニオンの形の大部分のタンパク質，HPO_4^{2-}，SO_4^{2-}，そして有機酸からなり，正常値は約12 mEq/Lである．アニオンギャップが増加するのは，K^+，Ca^{2+}，Mg^{2+}が減少した時，血漿タンパク質の濃度（あるいは荷電量）が増加した時，そして乳酸のような有機酸や外来のアニオンが血液中に蓄積した時である．一方，アニオンギャップが減少するのは，カチオンが増加した時や血漿アルブミンが減少した時である．また，ケトアシドーシスや乳酸アシドーシス，さらに有機アニオンが増加するような他のアシドーシスといった代謝性アシドーシスでアニオンギャップが増加する．

クリニカルボックス 35・3

低酸素症の細胞と重要臓器に対する影響

細胞に対する影響

　低酸素症は低酸素誘導因子 hypoxia-inducible factor (HIF) という転写因子を誘導する．HIFはαサブユニットとβサブユニットからなっており，正常に酸素化されている組織ではαサブユニットは速やかにユビキチン化され壊される．しかし，低酸素状態に陥った細胞ではαサブユニットはβサブユニットと二量体を作り，血管新生因子（訳注：血管内皮細胞増殖因子VEGFなど）やエリスロポエチンといったいくつかのタンパク質を産生する遺伝子を活性化する．

脳に対する影響

　低酸素血症や他の一般的な型の低酸素症では，脳が最初に影響を受ける．今，吸入気P_{O_2}が20 mmHg以下に突然に低下したとしよう．そのような状況は，たとえば，高度16 000 m以上の高度で飛んでいる飛行機で客室キャビンの与圧が突然失われた時に起こる．その場合，10〜20秒以内に意識を失い，4〜5分で死亡する．そこまで重篤でない低酸素症では，アルコールによる症状とよく似た，様々な精神異常が起きる．すなわち，判断能力の低下，意識混濁，痛覚鈍麻，興奮，方向感覚の喪失，時間感覚の喪失，頭痛などである．他の症状としては，食欲不振，悪心，嘔吐，頻脈があり，そして低酸素症がひどい場合は高血圧となる．換気量は頸動脈小体化学受容器細胞の低酸素の程度に応じて亢進する．

呼吸刺激

　呼吸困難 dyspnea とは呼吸することが難しい状態，あるいは努力を要する状態と定義され，呼吸困難に陥った人は息切れを自覚する．一方，**多呼吸** hyperpnea とは自覚症状にかかわらず呼吸数，あるいは呼吸の深さが増加していることに対する一般的な用語である．**頻呼吸** tachypnea とは速く浅い呼吸である．一般的に健常人は換気量が倍増するまでは呼吸していることを自覚しないし，換気が3〜4倍になるまで呼吸することに対して不快感を覚えない．あるレベルの換気量が不快であるかどうかには様々な他の要因が関わっているようである．高炭酸ガス血症や低酸素症は呼吸困難感を生じさせるが，呼吸困難感の程度は低酸素症の方が軽度である．もう1つの要因は，空気を肺から出し入れするのに要する努力（呼吸仕事量）である．

いる状態，(3) **虚血性低酸素症** ischemic hypoxia あるいは**停滞性低酸素症** stagnant hypoxia：動脈血P_{O_2}もヘモグロビン濃度も正常だが，組織を流れる血液量が少なすぎて十分なO_2が組織に供給されない状態，(4) **組織傷害性低酸素症** histotoxic hypoxia：組織に供給されるO₂量は適正だが，中毒物質の作用で組織中の細胞が供給されたO_2を使うことができない状態である．細胞や組織への低酸素症の特異的な効果についてはクリニカルボックス35・3で述べる．

低酸素血症

定義上，低酸素血症は動脈血 P_{O_2} が低下している状態である．低酸素血症は，健常人では高所にいる時に起きる問題であり，肺炎やその他様々な呼吸器疾患の合併症である．

気圧減少の影響

高度が上昇するにつれて，大気の組成は変わらないが，大気圧は低下する（図 35·9）．したがって，P_{O_2} も低下する．海抜 3000 m（約 10 000 フィート）では，（換気応答がないと仮定すると）P_{O_2} はおおよそ 60 mmHg となり，これは正常呼吸において換気を亢進させるのに十分な化学受容器への低酸素刺激である．高所にいくと，実際は換気が亢進するために，肺胞 P_{O_2} はもっとゆっくり低下し，肺胞 P_{CO_2} も低下する．その結果，動脈血 P_{CO_2} が低下し，呼吸性アルカローシスとなる．高度耐性を増加させるような代償機構（**高度順化 acclimatization**）が時間とともにはたらくが，順化していない人では 3700 m 程度でいらいら感などの精神症状が出始め，5500 m では低酸素症状は重篤になり，6100 m（20 000 フィート）で通常は意識を失う．

低酸素症状と酸素吸入

高所の影響のいくつかは，100% O_2 を吸入することによって相殺することができる．このような条件においては，大気圧が高度耐性の律速因子となる．

肺胞気の水蒸気圧は 47 mmHg で一定であり，肺胞 P_{CO_2} は通常 40 mmHg であるので，正常な肺胞 P_{O_2} である 100 mmHg が可能な最小の大気圧は 187 mmHg であり，これは高度 10 400 m（34 000 フィート）の気圧に相当する．さらに高度が高くなった場合，肺胞 P_{O_2} 低下による換気亢進が肺胞 P_{CO_2} をいくらか低下させるが，高度 13 700 m では大気圧は 100 mmHg であり，100% O_2 を吸入しても得られる最大の肺胞 P_{O_2} は約 40 mmHg でしかない．高度約 14 000 m では 100% O_2 を吸入していても意識を失う．高度 19 200 m では，大気圧は 47 mmHg であり，この気圧以下では体液は

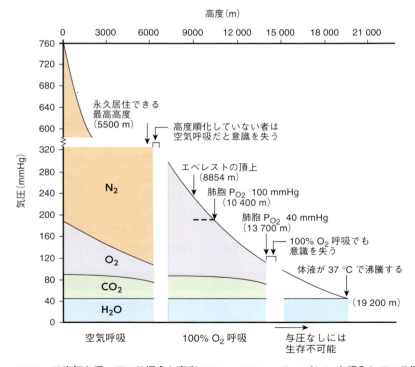

図 35·9 高度 0～6100 m で空気を吸っている場合と高度 6100～13 700 m で 100% O_2 を吸入している場合の肺胞ガス組成．順化していない人が意識を失わずに耐えられる最小の肺胞 P_{O_2} は，35～40 mmHg である．高度が上がるにつれて頸動脈小体と大動脈小体の化学受容器を介する低酸素応答による過換気が起こり，肺胞気 P_{CO_2} は低下する．空気は圧縮されるので，高度上昇に伴う圧の減少は線形ではない．

体温で沸騰する．学問的な指摘にすぎないが，このような低気圧に曝された者は，体液中の泡が血管に詰まって死ぬ前に，低酸素症によって死亡するであろう．

もちろん，人工的な気圧を各個人の周りに作り出すことは可能である．O_2供給とCO_2を除去するシステムを備えた加圧スーツかキャビン内にいれば，どのような高度にも上昇することができ，惑星空間の真空の中でも生存することができる．高所における遅発的効果については，クリニカルボックス 35・4 で述べる．

高度順化

高度順化は様々な代償機構の作用による．過換気によって生じた呼吸性アルカローシスはヘモグロビンのO_2解離曲線を左にシフトさせるが，同時に起こる赤血球 2,3-BPG の増加はヘモグロビンの酸素親和性を低下させる．よって全体としての効果はP_{50}の若干の上昇である．O_2親和性の減少によって組織ではより多くのO_2を利用できるようになる．しかしながら，動脈血P_{O_2}が著しく減少すると，低下したO_2親和性が肺でのヘモグロビンによるO_2の取込みも阻害するため，P_{50}の増加は限られている．

高度上昇に対する初期の換気応答は，アルカローシスが低酸素刺激と反対の方向に作用するので比較的小さい．しかし，脳脊髄液 cerebrospinal fluid (CSF) へのH^+の能動輸送，あるいは脳内で進行する乳酸アシドーシスがおそらく脳脊髄液の pH を低下させて低酸素に対する応答を増強させるため，換気量は次の4日間で着実に増加する(図 35・10)．4日目以降，換気応答はゆっくりと減弱していくが，換気が初期のレベルまで低下するとしても何年も高地に居住した後である．

エリスロポエチン分泌量は高高度に上昇すると速やかに増加し，次の4日間で換気応答が亢進して動脈血P_{O_2}が上昇すると，いくぶん減少する．循環赤血球は，エリスロポエチンに刺激されて2～3日で増加し始め，高所にいる限り増加したままである．代償機構は組織でも起こる．酸化的リン酸化反応の場であるミ

クリニカルボックス 35・4

高所における遅発効果

初めて高所にいくと，多くの人は急性の高山病(山酔い)になる．この症状は高所に到着後 8～24 時間後に現れ，4～8 日間続く．高山病に特徴的な症状は頭痛，いらいら感，不眠，呼吸困難感，悪心，嘔吐である．その原因ははっきりとしていないが，脳浮腫に関連しているようである．高所での低P_{O_2}は体中の動脈を拡張させる．もし，脳の自動調節機構が代償しなければ，毛細血管圧が増加して脳組織へと液が滲出することになる．

高所に関連するさらに重篤な2つの症候は，**高所脳浮腫 high-altitude cerebral edema** と **高所肺浮腫 high-altitude pulmonary edema** である．高所脳浮腫では高山病における毛細血管からの液の滲出がはっきりとした脳浮腫に進展し，運動失調，方向感覚の喪失，そして場合によってはテント切痕ヘルニアによって昏睡から死に至る．高所肺浮腫は高所で起きる著しい肺高血圧に関連した肺の不均一な浮腫である．すべての肺動脈に低酸素に応答して収縮するのに十分な平滑筋があるわけではなく，低酸素に対する収縮応答の不十分な肺動脈によって灌流されている毛細血管では肺動脈圧の上昇が毛細血管圧の増加を引き起こし，ついには毛細血管壁が破綻する(ストレスによる破綻 stress failure)．これが高所肺浮腫の発生機序であると説明されている．

治療上のハイライト

すべての型の高山病は低所に下ることによって，また利尿薬であるアセタゾラミド acetazolamide による治療で改善する．この薬剤は炭酸脱水酵素を阻害し，その結果，呼吸が刺激され，動脈血酸素分圧が上昇し，脳脊髄液の産生が減少する．脳浮腫が顕著な時はグルココルチコイド(ステロイド薬)の大量投与も行われるが，その作用機序は明らかではない．高所肺浮腫では速やかに酸素療法を行うことが重要で，できるならば，高圧酸素室を使用するのがよい．現在ではポータブルの高圧酸素室を備えてある山岳地域もある．Ca^{2+}チャネル遮断薬のニフェジピン nifedipine も肺動脈圧を低下させるので有効な場合がある．

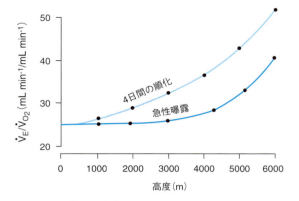

図 35・10 様々な高度における換気応答に対する高度順化の効果．$\dot{V}_E/\dot{V}_{O_2}$ は O_2 換気当量，すなわち，呼気分時換気量 $(\dot{V}_E)$ の O_2 消費量 $(\dot{V}_{O_2})$ に対する比である (Lenfant C, Sullivan K: Adaptation to high altitude. N Engl J Med 1971; June 10; 284(23): 1298-1309 より許可を得て複製)．

トコンドリアの数が増加し，組織への O_2 の移行を促進させるミオグロビンも増加する．組織中のシトクロムオキシダーゼ含量も増加する．

　高度順化がいかに効率よく行われるかは，高度 5500 m (18 000 フィート) 以上のアンデスやヒマラヤにおいても人が永住しているという事実で示されている．これらの村の住民は，樽状胸郭をしていて著しく多血症である．そして，肺胞 P_{O_2} 値が低い以外は，驚くほど正常である．

低酸素血症を来す疾患

　低酸素血症は臨床においてみられる最も一般的な低酸素症である．その疾患原因は次の3つに大別される．第一にガス交換器の異常，第二にうっ血性心不全のように多量の血液が静脈側から動脈側へシャントする病態，第三に呼吸器のポンプ機能，すなわち換気の異常である．肺の障害は肺線維症のような肺胞-毛細血管間のガス交換の障害 alveolar-capillary block や換気血流比の不均等によって起こる．一方，ポンプ機能の障害は，呼吸仕事量が増加するような状態における呼吸筋疲労や，換気を制限するような気胸や気道閉塞などの様々な機械的な欠陥によって起こる．また，ポンプ機能障害は換気を制御している神経機構の異常によっても起こる．たとえば，モルヒネ morphine や他の薬剤によって延髄の呼吸ニューロンが抑制されるような場合である．低酸素血症を来す個別の原因のいくつかについては後述する．

静脈から動脈へのシャント

　心房中隔欠損症のような心血管系の異常では，多量の酸素化されていない静脈血が肺毛細血管をバイパスして体動脈の酸素化された血液を希釈し (右-左シャント)，慢性的な低酸素性低酸素症とチアノーゼ (**チアノーゼ性先天性心疾患 cyanotic congenital heart disease**) を来す．100% O_2 の投与は肺胞 O_2 含量を増加させるが，静脈から動脈へのシャントのために，低酸素症にはほとんど効果がない．これは脱酸素化された静脈血が肺に達して酸素化される機会がないためである．

換気・血流比の不均等

　臨床上，圧倒的によくみる低酸素症の原因は，まだらに起こる局所的な換気・血流比の不均等である．一部の肺胞の換気が妨げられるような病態では，肺の様々な局所の換気・血流比によってどれだけ全身の動脈血 P_{O_2} が低下するかが決まる．もし，換気されていない肺胞に血流があるとすると，その部分は実際上，右-左シャントとなり，左心に酸素化されていない血液を流入させることになる．もっと程度の軽い換気・血流比の不均衡は，さらに一般的にみられる．図 35・11 に示される例では，換気と血流が釣り合っている左の例ではガス交換が均等に行われている．しかし，右の例のように換気が血流と釣り合っていないと O_2 交換が損なわれる．肺胞 (A) と肺胞 (B) の血流量は同じであるが，換気されていない肺胞 (B) の肺胞 P_{O_2} は低く，過換気されている肺胞 (A) の肺胞 P_{O_2} は高いことに注目しよう．肺胞 (B) からやってくる血液中のヘモグロビンの不飽和は，肺胞 (A) からやってくるより高い飽和度のヘモグロビンによっても，完全には代償されない．なぜなら，ヘモグロビンは通常，肺でほとんど O_2 で飽和するので，肺胞 P_{O_2} がさらに高くなっても，O_2 のキャリアであるヘモグロビンには少しの O_2 しか結合しないからである．したがって，動脈血は不飽和 (低酸素) となる．過換気領域における CO_2 の排泄増加が換気されない領域の CO_2 排泄の減少とバランスするため，動脈血の CO_2 含量はこのような状態でも一般的に正常である．

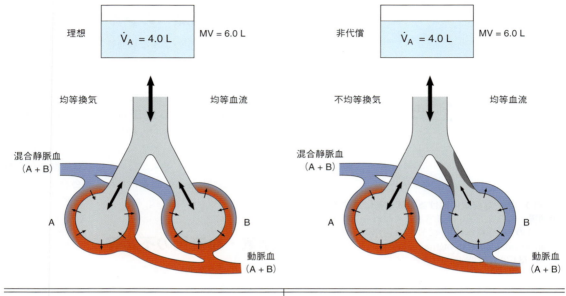

図 35・11 健常肺と病的肺における換気と血流の関係の比較. **左**:"理想的な"換気と血流の関係. **右**:不均等な換気と均等な血流があり, 代償されていない状態. $\dot{V}_A$:肺胞換気量, MV:分時換気量. 詳細は本文参照(Comroe JH Jr, et al: *The Lung: Clinical Physiology and Pulmonary Function Tests*, 2nd ed. Year Book; 1962 より許可を得て複製).

他の低酸素症の病型

貧血性低酸素症

貧血による低酸素症はヘモグロビン欠乏が著明でない限り安静時にに重篤ではない. なぜなら, 赤血球の 2,3-BPG が増加するからである. しかし, 運動時には活動している組織への O_2 供給が限られるために, 貧血患者は相当な苦しさを感じるだろう(図 35・12).

一酸化炭素中毒

微量の一酸化炭素(CO)は体内で作られ, 脳内などで化学伝達物質としてはたらいている. しかし, 多量の CO は毒性をもつ. 体外では, CO は炭素の不完全燃焼で生じる. CO はギリシャ時代やローマ時代には罪人を処刑するのに使われ, 今日でも他のガスに比べて, より多くの死者を出している. 米国では CO を含まない天然ガスが多量の CO を含む石炭ガスなどの他のガスに取って代わったので, CO 中毒はあまりみられなくなった. しかし, ガソリンエンジンの排気ガスは 6% 以上の CO を含んでいる.

CO が毒性をもつのは, CO がヘモグロビンと反応して**一酸化炭素ヘモグロビン carboxyhemoglobin (COHb)** を生成し, COHb は O_2 を取り込まないからである(図 35・12). CO 中毒は, 血液中の O_2 と結合できるヘモグロビン量が減少しているために, しばしば貧血性低酸素症の 1 つとしてあげられるが, 血液中の総ヘモグロビン含量は CO には影響されない. ヘモグロビンの CO に対する親和性は O_2 の 210 倍で, COHb は CO を非常にゆっくりとしか放出しない. さらに困るのは, COHb があると, 残りの HbO_2 の解離曲線が左方に移動し, 放出される O_2 量を減少させることである. このような理由で, 正常の 50% の HbO_2 量しかない貧血患者でも中等度の作業が可能なのに対して, COHb 形成のために HbO_2 が同レベル

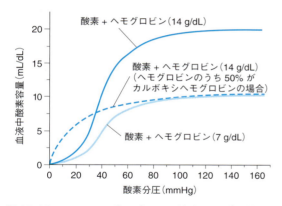

図 35・12 O_2 のヘモグロビンとの結合に及ぼす貧血と CO の影響．正常な酸素化ヘモグロビン（14 g/dL ヘモグロビン）の解離曲線と貧血（7 g/dL ヘモグロビン）および CO 中毒時（ヘモグロビンの 50％ がカルボキシヘモグロビン）の酸素化ヘモグロビン解離曲線との比較．CO 中毒時の解離曲線が貧血時の解離曲線より左方にシフトしていることに注目（Leff AR, Schumacker PT: *Respiratory Physiology: Basics and Applications*. Saunders; 1993 より許可を得て複製）．

まで減少した場合は，極度に作業能力が低下する．

　ヘモグロビンの CO 親和性が高いため，肺胞気 P_{CO} が 0.4 mmHg 以上あれば，次々に COHb が形成される．しかし形成される COHb 量は，CO への曝露時間，吸入気中の CO 濃度，それに肺胞換気量に依存する．

　CO は組織中のシトクロムに対しても毒性を有しているが，シトクロムに対して毒性を示すのに要する CO 量は致死量の 1000 倍であるので，組織毒性は臨床上，CO 中毒に何ら関与しない．

　CO 中毒の症状は低酸素症一般にみられるもの，特に，頭痛と吐き気であるが，動脈血中の P_{O_2} は正常で，頸動脈と大動脈の化学受容器は刺激されないので，ほとんど呼吸刺激はない．COHb の桜赤 cherry-red 色が皮膚，爪床，そして粘膜に透見される．循環ヘモグロビンの 70〜80％ が COHb に変換されると死亡する．致死濃度以下の CO への慢性曝露による症状は，精神変化や時には Parkinson 病様の症状を伴う進行性の脳障害である．

　CO 中毒の治療は，即刻曝露を中止させ，適正な換気を，必要であれば人工呼吸で与えることである．O_2 は COHb の解離を速めるので，O_2 による換気の方が新鮮な空気による換気より好ましい．高圧酸素療法（後述）は，CO 中毒の治療に有用である．

虚血性低酸素症

　虚血性，すなわち血流停滞性の低酸素症は循環遅延によるもので，ショック時における腎臓や心臓のような臓器において問題となる．心不全においては，肝臓が，そしておそらくは脳も虚血性低酸素症によって障害を受ける．肺への血流は，通常，非常に大きく，低血圧が遷延しない限り障害を受けることはない．しかし，遷延性の循環虚脱が起これば，急性呼吸窮迫症候群 acute respiratory distress syndrome (ARDS) が起こりうる．

組織傷害性低酸素症

　組織の酸化的リン酸化過程の阻害による低酸素症で最もよくみられるものはシアン化物（青酸）中毒である．シアン化物はシトクロムオキシダーゼや他の酵素を阻害する．メチレンブルーや亜硝酸塩が青酸中毒の治療に用いられる．これらの薬物は**メトヘモグロビン methemoglobin** を形成し，次にシアン化物と反応して**シアンメトヘモグロビン cyanmethemoglobin** という無毒の化合物を作る．こういった化合物を利用した治療は，当然のことながら，作られるメトヘモグロビンの量が安全性の許容範囲内である場合に限られる．高圧酸素療法も有効な場合がある．

低酸素症に対する酸素療法

　高酸素混合ガスの吸入は，低灌流性，貧血性，そして組織傷害性低酸素症の場合，非常に限られた治療効果しかない．なぜなら，これらの低酸素症の場合，O_2 吸入は動脈血中に溶存した O_2 の量を増加させるにすぎないからである．このことは，低酸素血症においても，酸素化されていない静脈血が肺をシャントしていることが原因であれば，同様である．しかし，他の原因による低酸素血症の場合は，O_2 療法は非常に有効である．100％以下の O_2 を供給する酸素療法は急性投与でも慢性投与でも効果があり，このような酸素療法を 24 時間，2 年間続けると，慢性閉塞性肺疾患の死亡率が有意に低下することが示されている．O_2 毒性とその治療については，クリニカルボックス 35・5 で述べる．

クリニカルボックス 35・5

酸素吸入と酸素毒性

興味深いことに，好気性生物において O_2 は生命の維持に必要である一方，毒としても作用する．実際，100% O_2 は動物に対してだけでなく，バクテリア，カビ，培養動物細胞，そして植物に対しても毒性を発揮する．O_2 毒性はスーパーオキシドアニオン superoxide anion（O_2^-）や過酸化水素（H_2O_2）といった活性酸素種の産生によるものと考えられている．80～100% O_2 が 8 時間以上人体に投与されると，気道は刺激され，胸骨下の胸苦しさや鼻閉，咽頭痛，咳が起こる．

呼吸窮迫症候群の治療に O_2 投与された幼児では肺嚢胞と含気のない部分（瘢痕および無気肺）で特徴付けられる慢性肺疾患（**気管支肺異形成症 bronchopulmonary dysplasia**）になることがあるが，この病態は O_2 毒性の現れかもしれない．他の幼児に対する O_2 投与の合併症としては，**未熟児網膜症 retinopathy of prematurity**（**水晶体後線維増殖症 retrolental fibroplasia**）がある．この疾患では，眼内に不透明な血管組織が形成され，重篤な視力障害を来しうる．網膜の受容体は網膜の中心から末梢へ成熟していくが，成熟には相当な量の O_2 を必要とする．そのために網膜において規則正しい血管新生が起きるのである．網膜が成熟する前に O_2 療法を行うと，光受容体に必要な O_2 が供給され，正常なパターンの血管新生が行われなくなってしまう．抗酸化作用のあるビタミン E や，動物実験では成長ホルモン阻害薬が，未熟児網膜症の予防や軽減に効果があるというエビデンスが示されている．

高圧での O_2 吸入は O_2 毒性の発現を早め，気管や気管支に対する刺激だけでなく，筋攣縮，耳鳴，めまい，痙攣，昏睡などの症状を起こす．これらの症状が発現してくるスピードは吸入された O_2 の圧に比例する．たとえば，4 気圧では 30 分以内に半数の人に症状が現れるが，6 気圧だと数分以内に痙攣が起きる．

一方，2～3 気圧の O_2 への曝露は，動脈血液中に溶解する O_2 量を，動脈血 P_{O_2} 2000 mmHg 以上，組織 P_{O_2} 400 mmHg になるほど増加しうる．曝露時間が 5 時間以内であれば，このレベルの気圧では O_2 毒性は問題とならない．したがって，密閉されたタンクでの**高圧酸素療法 hyperbaric O_2 therapy** が，組織の酸素化が他の方法では改善し得ないような疾患の治療に用いられるのである．その効果は，一酸化炭素中毒，放射線組織障害，ガス壊疽，非常に重篤な失血性貧血，糖尿病性下肢潰瘍や他の治癒の遅い傷，そして血液循環がぎりぎり保たれているような皮膚切片や移植片の救済などにおいて証明されている．高圧酸素療法は，減圧症や空気塞栓に対する第一選択の治療法でもある．

重篤な肺機能不全にある高炭酸ガス血症の患者では，CO_2 レベルが非常に高く，呼吸を刺激するよりもむしろ抑制している場合がある．こういった患者では頸動脈小体や大動脈小体の化学受容器が呼吸中枢を刺激することによってのみ呼吸が維持されている事がある．そのような場合には，O_2 吸入することによって低酸素刺激がなくなったら呼吸が止まる可能性がある．呼吸が止まったら P_{O_2} は下降するが，上昇した P_{CO_2} がさらに呼吸中枢を抑制するので，呼吸は再開しないかもしれない．したがって，このような高炭酸ガス血症を呈する患者に対しては，非常に慎重に O_2 療法を開始しなければならない．

高炭酸ガス血症と低炭酸ガス血症

高炭酸ガス血症

体内への CO_2 の蓄積（**高炭酸ガス血症 hypercapnia**）は，最初は呼吸を刺激する．しかし，大量に CO_2 が蓄積すると，次のような症状が生じてくる．すなわち，錯乱，知覚鈍麻，そしてついには呼吸抑制を伴う昏睡から中枢神経系の抑制による死に至る．こういった症状をもつ患者では，P_{CO_2} は著しく上昇し，重篤な呼吸性アシドーシスが存在する．多量の HCO_3^- が排泄されるが，それ以上の量の HCO_3^- が再吸収され，血漿 HCO_3^- が増加してアシドーシスを部分的に代償する．

CO_2 は O_2 よりもずっと溶解しやすいので，高炭酸ガス血症は肺線維症患者ではめったに問題とならない．しかし，換気・血流比不均等が生じた場合や様々な型のポンプ機能障害によって肺胞低換気となった場合は高炭酸ガス血症が起こる．CO_2 産生量が増加す

ると高炭酸ガス血症は増悪する．たとえば，熱のある患者では体温が1℃上昇するごとにCO_2産生量が13%ずつ上昇する．また，高炭水化物食も呼吸商を増加させるためCO_2産生量を増やす．そうした場合，通常は肺胞換気量が増加して，増えたCO_2が排出されるが，換気が障害されている場合にはCO_2の蓄積が起こる．

低炭酸ガス血症

低炭酸ガス血症 hypocapnia は過換気の結果起こる．随意的に過換気すると，動脈血 P_{CO_2} は 40 mmHg から 15 mmHg までも低下し，一方，肺胞 P_{O_2} は 120～140 mmHg に上昇する．

低炭酸ガス血症のさらに慢性的な影響は，慢性的に過呼吸状態にある神経症患者において認められる．脳血流は脳血管に対する低炭酸ガス血症の直接的な収縮作用により 30% 以上減少する場合がある．脳虚血はもうろう状態，めまい，知覚異常を引き起こす．低炭酸ガス血症はまた心拍出量を増加させる．低炭酸ガス血症には多くの末梢血管に対する直接的な収縮作用があるが，一方で血管運動中枢を抑制するので，血圧は通常変わらないか，わずかに上昇するだけである．

低炭酸ガス血症の他の影響は，付随する呼吸性アルカローシス（血中 pH の 7.5～7.6 程度への上昇）によってもたらされる．血漿 HCO_3^- は低下するが，低 P_{CO_2} によって腎臓での酸の排泄が抑制されるため，HCO_3^- 再吸収は減少する．血漿中の総 Ca 量は不変だが，血漿 Ca^{2+} 濃度は低下し，手先や足先の攣縮や Chvostek〔クボステック〕徴候陽性などのテタニー徴候が現れる．

章のまとめ

- 空気と血液との間の O_2 と CO_2 の分圧差が，肺ガス交換システムにおける血液への O_2 流入量と血液からの CO_2 流出量を基本的に決定している．
- 血液中の O_2 量は溶解量（寄与小）とヘモグロビンへの結合量（寄与大）により決定される．ヘモグロビン分子は 4 つのサブユニットからなり，それぞれのサブユニットは O_2 1 分子と結合できる．ヘモグロビンの O_2 結合は協同的であり，pH，温度，2,3-ビスホスホグリセリン酸（2,3-BPG）濃度にも影響される．
- 血液中の CO_2 は炭酸脱水酵素のはたらきで，急速に H_2CO_3 に変換される．CO_2 はまた血中タンパク質（その中にはヘモグロビンも含まれる）と容易にカルバミノ化合物を形成する．こうして急速に CO_2 が血中から失われていくために，血液中にさらに CO_2 が溶解することができる．
- 血漿の pH は 7.4 である．血漿 pH の減少を**アシドーシス**といい，血漿 pH の増加を**アルカローシス**という．低換気による動脈血 P_{CO_2} の短期的な上昇は，呼吸性アシドーシスを生じる．逆に過換気による短期的な動脈血 P_{CO_2} の低下は，呼吸性アルカローシスを生じる．強酸が血液に加えられると代謝性アシドーシスが生じ，強塩基が血液に加えられる（あるいは強酸が取り除かれる）と代謝性アルカローシスが生じる．
- アシドーシスやアルカローシスに対する呼吸性代償は，換気量変化によって起こり，急速である．換気量変化は血漿の P_{CO_2} を効果的に変化させるからである．一方，腎性代償は尿細管における代償ははるかに遅く H^+ 分泌や HCO_3^- 再吸収が関与する．
- 低酸素症は組織レベルでの O_2 の欠乏である．低酸素症は細胞レベル，組織レベル，臓器レベルで強力な影響を及ぼす．細胞の転写因子に影響してタンパク質発現を変化させるし，速やかに脳機能に影響を及ぼして，（めまい，精神障害，意識混濁，頭痛など）アルコールと類似した症状を引き起こし，換気量にも影響する．長期の低酸素症では細胞死や組織死が起こる．

多肢選択式問題

正しい答えを 1 つ選びなさい．

1. ほとんどの血中で運搬される CO_2 についてあてはまるのはどれか．
    A．血漿中に溶解している
    B．血漿タンパク質とカルバミノ化合物を形成している
    C．ヘモグロビンとカルバミノ化合物を形成している
    D．Cl^- と結合している

E．HCO_3^- になっている

2．血液が O_2 を運搬する能力において最大の効果をもっているのはどれか．
　　A．血液の O_2 を溶解する能力
　　B．血中のヘモグロビン量
　　C．血漿の pH
　　D．赤血球中の CO_2 含量
　　E．血液の温度

3．次の反応系について正しいのはどれか．

$$CO_2 + H_2O \overset{1}{\rightleftarrows} H_2CO_3 \overset{2}{\rightleftarrows} H^+ + HCO_3^-$$

　　A．反応2は炭酸脱水酵素によって触媒される
　　B．反応2によって，過換気中に血中 pH は低下する
　　C．反応1に赤血球内で起こる
　　D．反応1は主に血漿において起こる
　　E．組織中に余剰な H^+ がある時，反応は右方に移動する

4．非代償性呼吸性アシドーシスと非代償性代謝性アシドーシスの比較で正しいのはどれか．
　　A．血漿 pH 変化は非代償性代謝性アシドーシスに比べて非代償性呼吸性アシドーシスの方が常に大きい
　　B．呼吸性アシドーシスに対しては何の代償機構もないが，代謝性アシドーシスに対しては呼吸性代償がはたらく
　　C．非代償性呼吸性アシドーシスでは血漿 HCO_3^- 濃度が変化するが，非代償性代謝性アシドーシスでは血漿 HCO_3^- の濃度は変化しない
　　D．非代償性呼吸性アシドーシスは P_{CO_2} 変化を伴うが，非代償性代謝性アシドーシスでは P_{CO_2} は変化しない

CHAPTER 36

呼吸の調節

学習目標
本章習得のポイント

- 前 Bötzinger 複合体の位置を知り，自発呼吸リズム産生の法則を述べることができる
- 延髄背側，腹側の呼吸神経グループ，呼吸調節中枢，脳幹の持続性吸息中枢の部位と機能を述べることができる
- 迷走神経と頸動脈小体，大動脈小体，延髄腹側表面の化学受容器の呼吸に特異的な機能を分類できる
- 吸気中の CO_2 増加による換気応答を説明することができる
- 吸気中の O_2 濃度の減少による換気応答を説明することができる
- 呼吸に影響する重要な非化学性換気応答を説明できる
- 換気と組織における O_2 交換に対する運動の効果を説明できる
- 周期性呼吸を分類し，様々な疾患に出現する周期性呼吸を説明できる

■ はじめに

自発呼吸は呼吸筋を支配する運動ニューロンの周期性活動により生まれる．その活動はすべて脳からの神経インパルスに依存している．横隔神経の起始部より上位で脊髄が断裂すると，呼吸は停止する．自発性呼吸を生み出す脳からの周期性インパルスは動脈血 P_{O_2}，P_{CO_2} そして H^+ 濃度により調節されている．この呼吸の化学性調節は多くの非化学性因子による影響により補われている．したがって，全体的な呼吸調節システムは，随意性調節を発現する皮質ニューロンと自動性調節を発現する延髄/橋のニューロンのネットワークで構成されている．このシステムは環境条件が（たとえば，正常酸素状態から低酸素状態に）変化し，動脈血中の P_{O_2}，P_{CO_2}，H^+ 濃度（$[H^+]$）が変化する時に換気速度を調節する．本システム内の機械受容器と化学受容器は，力/機械的変位およびガスや代謝物の動脈レベルでの変化を感知し，肺での最適なガス交換を確実にするために換気速度を調節する（図 36・1）．本章ではこれらの現象の生理学的意味を明らかにする

呼吸の神経性調節

調節システム

2つの異なる神経機構が呼吸を制御している．1つは**随意性調節 voluntary control** であり，もう1つは**自動性調節 automatic control** である．随意性調節機構は大脳皮質に存在し，皮質脊髄路を介して脊髄の呼吸運動ニューロンにインパルスを送っている．自動性調節機構は延髄のペースメーカー（歩調とり）細胞群により駆動されている．これら細胞からのインパルスは呼吸筋を支配する頸髄，胸髄の運動ニューロンの活動を高める．頸髄にある運動ニューロンは横隔神経を介して横隔膜の活動を高め，胸髄の運動ニューロンは外肋間筋の活動を高める．また一方，それらのインパルスは内肋間筋や他の呼吸筋にも到達している．

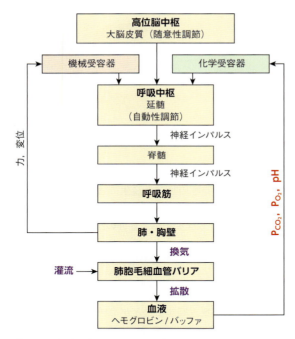

図36・1 呼吸調節システムの全体図. 随意性調節中枢は大脳皮質に,自動性調節中枢は延髄と橋に存在する.これらの中枢の呼吸ニューロンからの神経インパルスあるいは電気信号は横隔膜を含む呼吸筋の活動を調節し,その結果,呼吸(換気)の数と深さを調節する.肺,胸壁,血液内(たとえば,動脈血 P_{CO_2}, P_{O_2}, H^+)の生理的変化を機械受容器や化学受容器(中枢,末梢)が感受し,呼吸調節をさらに進める.(Berne RM, Levy MN(eds): *Physiology*, 2nd ed. Mosby, 1988 より改変).

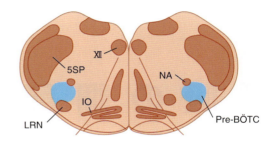

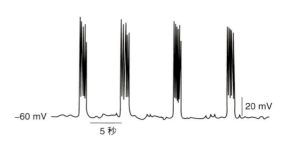

図36・2 前Bötzinger複合体(Pre-BÖTC)のペースメーカー細胞. 上:新生ラットの前Bötzinger複合体の解剖学的位置.下:新生ラット摘出脳幹標本の前Bötzinger複合体のニューロンからの周期性活動.IO:下オリーブ核,LRN:外側網様体,NA:疑核,XII:第XII脳神経,5SP:三叉神経脊髄核(Feldman JC, Gray PA: Sighs and gasps in a dish. Nat Neurosci 2000; 3(6): 531-532 より許可を得て改変).

呼息筋の運動ニューロンは吸息筋の活動が高まっている時には抑制される.また,この逆も成り立つ.この**相反神経支配 reciprocal innervation** には,脊髄反射も関わっているが,主には下行性経路の活動が関与している.下行性経路のインパルスは同名筋を活動させ,拮抗筋を抑制する.この相反神経支配における例外は横隔神経であり,吸息後わずかな間だけ吸息活動が起こる.この吸息直後に起こる吸息活動の機能は肺の弾性に抵抗し,呼吸運動を滑らかにすることである.

延髄内機構

自動性呼吸を作り出す主要な**呼吸パターン産生機構 respiratory control pattern generator** は延髄に存在している.周期性呼吸は**前Bötzinger〔ベッチンガー〕複合体 pre-Bötzinger complex** に存在するペースメーカー細胞のネットワークで作られる.このネットワークは両側性に疑核と外側網様体の間に存在する(図36・2).

ペースメーカー細胞の発火は周期性であり,横隔神経の運動ニューロンに周期性の発火を起こす.この活動は前Bötzinger複合体と運動ニューロンの間を切断すると消失する.前Bötzinger複合体からの出力は舌下神経にも送られ,舌による気道抵抗の調節に寄与している.

前Bötzinger複合体のニューロンは脳スライス標本でも周期性に活動しており,スライス標本が低酸素状態に置かれると,ニューロンの発火はあえぎ呼吸の様相を呈するようになる.スライス標本にカドミウムを加えると,しばしばため息様の放電パターンを示す.これらの活動はニューロンにおけるニューロキニン1(NK1)受容体やオピオイドμ受容体の活動により生じている.また,生体においてはサブスタンスPがニューロンを刺激し,オピオイドは抑制する.このオピオイドによる呼吸抑制は副次的で,痛みの治療でオピオイドを使用する場合の制限要因となっている.しかし最近,前Bötzinger複合体に5-ヒドロキシトリプタミン受容体4(5-HT₄受容体)が存在していることがわかり,動物実験での段階ではあるが,5-HT₄作動薬が痛みの抑制を妨げることなく,オピオイドの呼吸抑制

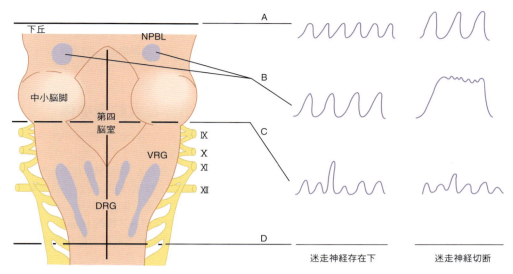

図36・3　脳幹の呼吸性ニューロン. 脳幹の背面図,小脳は除去.脳幹の様々な部位の切断による効果.右側にスパイロメーターによる呼吸の深さと頻度を示す.Dの位置での切断では呼吸は止まる.迷走神経の切断あるなしでの上位脳幹の切断効果を示す(詳細は本文参照).DRG:背側呼吸ニューログループ,NPBL:傍結合腕核(呼吸調節中枢),VRG:腹側呼吸ニューログループ.ローマ数字は脳神経を示す(Mitchell RA, Berger A: State of the art: Review of neural regulation of respiration. Am Rev Respir Dis 1975 Feb; 111(2): 206-224 より許可を得て改変).

を防ぐことが知られるようになった.

前Bötzinger複合体の他に延髄には背側,腹側呼吸ニューロン群が存在している(図36・3).ただ,この部位を切除しても呼吸の周期性活動は消失することはない.ここのニューロンは前Bötzinger複合体のペースメーカー細胞に出力を送り出している.

橋と迷走神経の影響

呼吸に関係する延髄のニューロンの周期性活動は自発性であるが,橋にあるニューロンによる制御を受け,気道と肺の受容器からの迷走神経求心性神経の制御を受けている.橋にある内側傍結合腕核や背外側橋のKölliker-Fuse〔ケリカー・布施〕神経核の**呼吸調節中枢 pneumotaxic center**として知られる部位には,吸息時と呼息時に活動するニューロンが存在している.この部位が障害されると,呼吸はゆっくりになり1回換気量は増大する.また,麻酔下の動物で迷走神経を切断すると呼吸はホールドされ,持続性活動が起こる(**持続性吸息 apneusis**,図36・3のB).呼吸調節中枢の正常での役割はよくわかっていないが,吸息と呼息の切替えに関係しているものと考えられる.

吸息の間に肺をストレッチすると,迷走神経の求心性活動を高めることができる.この活動は吸息を抑制する.したがって,迷走神経を切断すると,抑制が起こらず,吸息の深さが増大する(図36・3).さらに,呼吸調節中枢の障害の後に迷走神経を切断すると,持続性吸息活動が増強される.迷走神経を介したフィードバックは呼吸の運動ニューロンの神経活動の立ち上がりを変えるわけではない(図36・4).

何ら処置していない正常の動物では吸息性ニューロ

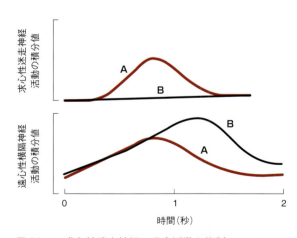

図36・4　求心性迷走神経は吸息活動を抑制する. 2つの呼吸の重ね合わせ:(**A**)肺の伸展受容器からの迷走神経求心性フィードバック活動がある場合,(**B**)求心性活動がない場合.横隔膜を支配する横隔神経の活動の立ち上がりに違いはないが,迷走神経の入力がないと,神経発火が長く続く.

ンの活動が高まると，呼吸の頻度と深さが増大する．この呼吸の深さが増大するのは，迷走神経と呼吸調節中枢の吸息抑制活動がより強い吸息性ニューロンの発火に勝るまで肺が大きくストレッチされるためである．呼吸数の増加は，迷走神経の後発火と，おそらく呼吸調節中枢から延髄への求心性活動が急速に消失するためであろう．

呼吸活動の制御

動脈血中の P_{CO_2} や H^+ 濃度の増大，あるいは P_{O_2} の減少は延髄の呼吸性ニューロンの活動レベルを上げ，それらの逆の変化は，呼吸性ニューロン活動のわずかな抑制をもたらす．血中化学成分の換気への効果は，呼吸の**化学受容器 chemoreceptor** を介している．それは，頸動脈小体と大動脈小体，そして延髄やその他の領域にある血中の化学物質に反応する細胞群からなり，それらは，それぞれインパルスを生み，呼吸中枢を刺激する．この基本的な**呼吸の化学性調節 chemical control of respiration** に，状況に応じて呼吸に影響する非化学性調節が他の求心路によって加えられる（表36・1）．

呼吸の化学性調節

化学性調節は次のように換気を整える．肺胞 P_{CO_2} は正常では一定に保たれ，血中の過剰な H^+ は調節され，P_{O_2} が危険なレベルまで下がると，それを上げるように調節される．分時換気量は代謝率に比例するが代謝と呼吸を結ぶものは CO_2 であり O_2 ではない．頸動脈小体と大動脈小体の受容器は動脈内の P_{CO_2} や H^+ の上昇と P_{O_2} の減少により刺激される．頸動脈小体の神経を切断すると，P_{O_2} に対する反応は消失する．頸動脈小体の切断後の低酸素の影響は呼吸中枢への直接

的抑制効果である．大きく変動する時は別として，pH が 7.3〜7.5 の範囲では動脈血 H^+ に対する反応も消失する．一方，動脈血 P_{CO_2} の変化に対する反応はごくわずかであり 30〜35% 以上減少することはない．

頸動脈小体と大動脈小体

頸動脈の分岐部の両側に頸動脈小体がある．また，大動脈弓の近傍にふつう，2つ以上の大動脈小体が存在している（図36・5）．頸動脈小体と大動脈小体（**グロムス glomus**）は2種類の細胞を含む島をもっている．グロムス細胞はⅠ型とⅡ型であり，洞毛細血管で囲まれている．Ⅰ型**グロムス細胞 glomus cell** はカップ様の求心性神経終末のごく近くに寄り添っている（図36・6）．このグロムス細胞は副腎のクロム親和性細胞に似ていて，カテコールアミンを含む有芯顆粒を多数含有し，低酸素やシアン化物に曝されると放出される．細胞は低酸素で興奮し（おそらく酸素感受性 K^+ チャ

表 36・1　呼吸中枢を刺激する入力

化学性調節
CO_2（脳脊髄液と脳間質液中の H^+ 濃度を介する）
O_2 ⎫ 　　⎬（頸動脈小体と大動脈小体を介する） H^+ ⎭
非化学性調節
気道と肺の受容器からの迷走神経求心路
橋，視床下部，大脳辺縁系からの求心性入力
固有受容器からの求心性入力
圧受容器からの求心性入力：動脈，心房，心室，肺

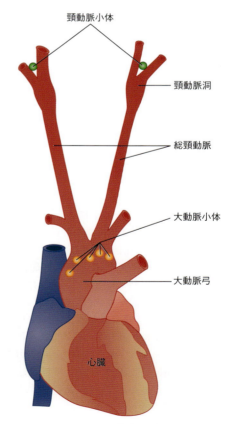

図 36・5　頸動脈小体と大動脈小体の存在部位．頸動脈小体は主たる動脈圧受容器である頸動脈洞の近傍にある．大動脈小体は大動脈弓の近傍にある．

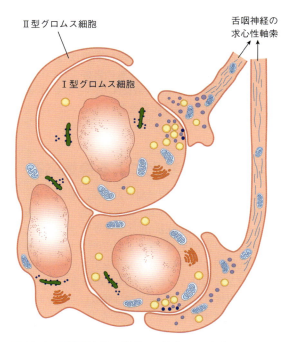

図 36・6 頸動脈小体の構成．I 型グロムス細胞はカテコールアミンを含む．低酸素に曝露されると，小体はカテコールアミンを放出し，舌咽神経の中の頸動脈洞神経のカップ様末端を刺激する．グリア様の II 型グロムス細胞は I 型細胞を取り囲み，おそらく支持機構としてはたらいている．

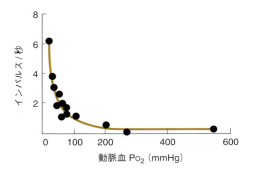

図 36・7 P_{O_2} の求心性神経発火に対する効果．P_{O_2} が変化した時の頸動脈小体からの単一求心性神経の発火頻度をプロットしている．正常安静時の P_{O_2}（約 100 mmHg）より下がると傾きは急峻となり，発火頻度が増大する（Sampson S より許可を得て転載）．

ネルの低酸素性抑制による），主な伝達物質はドーパミンのようであり，D_2 受容体を介して神経末端を刺激する．II 型グロムス細胞はグリアのような細胞で，4〜6 個の I 型グロムス細胞を取り囲んでいる．そのはたらきは未だよく解明されていない．

小体のカプセルの外側に出ると，神経線維はミエリン鞘で覆われる．しかし，それらは直径がわずか 2〜5 μm で伝導速度は 7〜12 m/秒と相対的に遅い．頸動脈小体から延髄への上行性神経は頸動脈洞と舌咽神経を経由し，大動脈小体からは迷走神経を経由する．片側の頸動脈小体を分離し，その求心性神経から活動を記録する研究により，灌流血液の P_{O_2} を下げると（図 36・7），あるいは P_{CO_2} を上げると，それに応じて神経インパルスの増加が記録されている．

I 型グロムス細胞は O_2 感受性 K^+ チャネルをもち，そのコンダクタンスは接する低酸素に対して直線的に減少する．その減少は K^+ の流出を減少させて細胞を脱分極させ，主として L 型の電位作動性 Ca^{2+} チャネルを介して Ca^{2+} の流入を起こす．この Ca^{2+} の流入は活動電位を誘発し，伝達物質を放出する．その結果，求心性神経終末が興奮する．肺動脈の平滑筋は同様の O_2 感受性 K^+ チャネルを有し，低酸素による血管収縮を誘導する．これは ATP 感受性 K^+ チャネルをもつ体性の血管と異なっている．体性の場合には低酸素により，より多くの K^+ の流出が起こり，血管収縮ではなく拡張を引き起こす．

片側 2 mg の頸動脈小体での血流は 1 分間に約 0.04 mL である．あるいは，1 分間に組織 100 g 当たり 2000 mL 流れる．ちなみに，脳では 54 mL，腎臓では 420 mL である．組織当たりの血流量が多いため，O_2 を必要とする細胞は多くの溶解型 O_2 に接することができる．したがって，受容器は貧血や一酸化炭素中毒に影響されない．なぜなら，血中の結合型 O_2 の量が減少しても，受容器に届く溶解型 O_2 は正常と変わらないからである．受容器は動脈血 P_{O_2} が下がると刺激される．あるいは，血管攣縮により単位時間当たりに受容器に届く O_2 量が減少すると，刺激される．強烈な刺激はシアン化物による場合で，組織レベルでの O_2 利用を妨げる．十分量のニコチン nicotine やロベリン lobeline も化学受容器を刺激する．また，K^+ を灌流すると化学受容器の求心性神経の放電量が増加する．運動の時に血漿 K^+ 量が増加するので，この血漿 K^+ 増による放電量の増加は運動誘発性過換気に関わっているといえる．

大動脈小体は，その解剖学的位置のため，頸動脈小体ほど詳細な研究がされていない．その反応は，おそらく頸動脈小体に似ているが，効果は弱いと思われる．両側の頸動脈小体を切除されていて，大動脈小体は維持されている人の反応は，両側の頸動脈小体と大動脈小体が除神経されている動物での反応と本質的に似ている．安静時では換気はほとんど変化しないが，低酸

素に対する反応は失われ，CO_2 に対する反応は 30% 減少する．

気道には神経支配を受けているアミンを含んだ細胞で構成されている神経上皮体が認められる．これらの細胞には低酸素で減少する外向き K^+ 電流があり，これが脱分極を引き起こしているのであろう．しかし，これら低酸素感受性細胞の機能はよくわかっていない．なぜなら，すでに述べたように，頸動脈小体のみを切除しても低酸素に対する反応が失われるからである．

脳幹の化学受容器

頸動脈小体と大動脈小体の除神経後に，動脈血の P_{CO_2} を上昇させると過換気を引き起こす．その化学受容器は延髄に存在しているため，**延髄化学受容器 medullary chemoreceptor** と呼ばれている．これらは背側呼吸ニューロン群，腹側呼吸ニューロン群とは別で，延髄腹側表層に存在している（図 36・8）．近年の検証では化学受容器がさらに孤束核，青斑核および視床下部の近くに存在していることが示されている．

この化学受容器は脳の間質液を含む脳脊髄液（CSF）中の H^+ 濃度をモニターしている．CO_2 は血液脳関門を含めて生体膜をよく透過するが，H^+ や HCO_3^- は透過性が低い．CO_2 は脳および脳脊髄液に入ると，直ちに水和される．その水和反応によって生み出された H_2CO_3 は解離し，局所の H^+ 濃度を上昇させる．脳の間質液内の H^+ 濃度は動脈血の P_{CO_2} と併行して変化する．脳脊髄液中の P_{CO_2} 変化を実験的に作り出した場合，H^+ 濃度が一定に維持されている限り，呼吸にはさほど影響しないが，脳脊髄液の H^+ が上昇すると呼吸は刺激される．その刺激の大きさは H^+ 濃度の上昇に比例する．したがって CO_2 が呼吸に影響するのは主に CO_2 が脳脊髄液と脳の間質液に入り，そこで H^+ 濃度を上昇させ，H^+ 濃度に影響を受ける化学受容器を刺激するためである．

酸塩基平衡の変化による換気応答

たとえば糖尿病の血液循環における，酸性のケトンの蓄積による代謝性アシドーシスには著しい呼吸促進作用がみられる（Kussmaul〔クスマウル〕呼吸）．この過換気により，肺胞気 P_{CO_2} は低下し（"CO_2 の吹き出し"），代償的に血液 H^+ 濃度が減少する．逆に，たとえば，遷延性嘔吐などにより HCl が多量に消失して起こる代謝性アルカローシスでは呼吸は抑制され，動脈血の P_{CO_2} は上昇し，下がっていた H^+ 濃度も正常値に向かって増加する．動脈血の H^+ 濃度による二次的な変化によらない過換気の場合には，肺胞 P_{CO_2} の低下は，動脈血中 H^+ 濃度を正常値以下にまで減少させる（**呼吸性アルカローシス respiratory alkalosis**）．逆に，血中 H^+ 濃度の減少による二次的変化ではない低換気の場合には，**呼吸性アシドーシス respiratory acidosis** を引き起こす．

二酸化炭素に対する換気応答

通常，動脈血の P_{CO_2} は 40 mmHg で維持されている．組織における代謝亢進により，動脈血 P_{CO_2} が上昇すると換気が刺激され，肺からの CO_2 排泄量は増加し，動脈血 P_{CO_2} が正常値になるまで下げ，刺激をやわらげる．このフィードバックメカニズムにより CO_2 の産生と排泄のバランスが保たれている．

CO_2 を含む空気を吸入すると，肺胞と動脈血の P_{CO_2} は上昇する．このより多くの CO_2 を含む血液が延髄に達するやいなや呼吸が促進される．CO_2 の排出が増加し，肺胞 P_{CO_2} は正常値へと低下していく．これが吸気中 P_{CO_2} がかなり増加しても（たとえば 15 mmHg），肺胞の P_{CO_2} はわずかな増加しか（たとえば 3 mmHg）示さない理由である．しかしこれで P_{CO_2} が正常値へと低下するわけではなく，肺胞 P_{CO_2} はわずかに正常値より高いところで平衡に達している．この過換気状態は CO_2 を吸入している限り持続する．分時換気量と肺胞 P_{CO_2} の間はほぼ直線の関係があり，この関係を図 36・9 に示す．

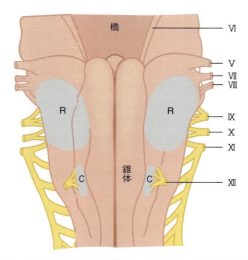

図 36・8　延髄腹側表面における吻側（R）と尾側（C）化学受容領域． 参考のために脳神経（V〜XII），錐体，橋を示した．

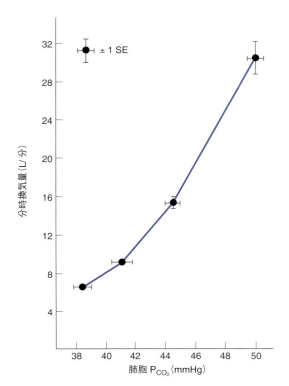

図 36・9 O_2 と約 2,4,6% CO_2 を含むガスを吸入した時の呼吸に異常のない患者の反応. CO_2 の増大に伴って分時換気量が直線的に増加するのは呼吸の深さと頻度が両方とも増加するためである(Mountcastle VB(ed): *Medical Physiology*, 13th ed. Mosby; 1974 より許可を得て複製).

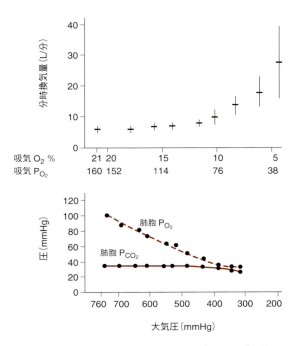

図 36・10 吸気 P_{O_2} の変化が換気と肺胞ガスに及ぼす効果. **上**:異なる量の O_2 を含むガスに曝露された時の最初の 30 分における平均分時換気量. P_{O_2} が 60 mmHg 以下になると換気が急激に増加する. それぞれの値の横線は平均を示し,縦棒線は標準偏差を示す. **下**:異なる大気圧下で呼吸した場合の肺胞 P_{O_2} と P_{CO_2} の値. 上のグラフの吸気中の P_{O_2} は下のグラフの大気圧の P_{O_2} に対応するように 2 つのグラフを並べて表示している(Kellogg RH より許可を得て転載).

当然この直線関係には上限がある. 吸気の P_{CO_2} が肺胞の P_{CO_2} に近づくと CO_2 の除去は難しくなる. 吸気中の CO_2 が 7% 以上になると肺胞と動脈の P_{CO_2} は過換気にもかかわらず急に上昇し始める. その結果,体内は CO_2 過剰状態(**高炭酸ガス血症 hypercapnia**)となり,呼吸中枢を含めて中枢神経系のはたらきは抑制され,頭痛,錯乱,ついには昏睡状態となる(**CO_2 ナルコーシス CO_2 narcosis**).

低酸素に対する換気応答

吸気中の O_2 含有量が減少すると,分時換気量は増加する. この刺激は吸気中の P_{O_2} が 60 mmHg ほどになるまでは弱く,P_{O_2} がさらに低下すると呼吸が顕著に促進される(図 36・10). しかし,動脈血 P_{O_2} が 100 mmHg 以下になれば,頸動脈,大動脈の化学受容器からの神経の活動は増加する. 正常では吸気中の P_{O_2} が 60 mmHg 以下になるまで増大した神経活動による換気亢進が起こらないのには 2 つの理由がある. まず,ヘモグロビン(Hb)は HbO_2 より弱い酸であるので,動脈血 P_{O_2} が減少し,ヘモグロビンが O_2 で飽和されなくなった時,動脈血の H^+ 濃度はわずかに減少することになり,この H^+ 濃度の減少が呼吸を抑制する傾向があることが第一の理由である. 第二には,換気が増加すると肺胞の P_{CO_2} を下げ,これもまた呼吸を抑制するからである. したがって換気に対する低酸素の効果は,そのままでは現れず,酸素低下が高度になり,動脈血の H^+ 濃度や P_{CO_2} の減少による効果を打ち消すようになって初めて出現する.

肺胞 P_{CO_2} を一定に保ちながら肺胞 P_{O_2} を低下させた時の換気の効果を図 36・11 に示す. 肺胞 P_{CO_2} を正常より 2〜3 mmHg 高く固定した時,肺胞 P_{O_2} が 90〜110 mmHg の範囲で換気と肺胞 P_{O_2} の関係が反比例するようになる. しかし,肺胞 P_{CO_2} が正常値より低く固定されると肺胞 P_{O_2} が 60 mmHg 以下に下がるまで低酸素による換気の刺激は起こらない.

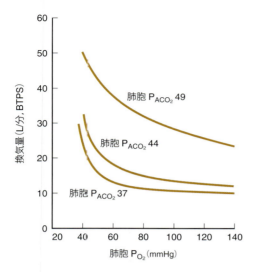

図36・11 肺胞 P_{CO_2} が 49, 44, あるいは 37 mmHg に固定された時の P_{O_2} に対する換気反応. P_{ACO_2} が正常値より増大した時に P_{AO_2} に対する換気反応は劇的に増大する (訳注: BTPS は体温大気圧水蒸気飽和状態 body temperature and pressure saturated. 体温レベルでの水蒸気飽和状態のガス量. 肺内のガス容量を示す) (Loeschke HH と Gertz KH のデータより).

CO₂ 応答曲線に対する低酸素の効果

逆の実験を行ってみる. すなわち肺胞 P_{O_2} を一定に保ち, 吸気 CO₂ を変化させた時の応答をテストすると, 比例関係が認められる (図36・12). 異なる P_{O_2} のレベルで CO₂ の応答をテストするとその応答曲線の傾きが変化する. すなわち肺胞の P_{O_2} が減少すると傾きは増大する. つまり低酸素によって動脈血 P_{CO_2} 増に対する感受性がより高くなるということである. しかし, 図36・12 に示されているように, 換気量が 0 になる肺胞 P_{CO_2} のレベルは肺胞 P_{O_2} レベルが変わっても同じである. 正常人では, この換気閾値は肺胞 P_{CO_2} の正常値よりやや低く, 通常, 弱いけれども呼吸中枢を刺激していることになる (CO₂ 駆動 CO₂ drive).

CO₂ 応答に対する H⁺ の効果

呼吸に対する H⁺ と CO₂ の促進作用は相加的であり, CO₂ と O₂ のように相乗的ではない. 代謝性アシドーシスでは CO₂ 応答曲線が左へ移動している以外は図36・12 と似ている. 言い換えれば, 同じ呼吸の刺激量が, より低い動脈血 P_{CO_2} レベルによってもたらされる. 計算上, 動脈血 H⁺ 濃度が 1 nmol 上昇すると CO₂ 応答曲線が 0.8 mmHg 左へ移動することになる. CO₂ 応答における分時換気量の約 40% は CO₂ により作り出される動脈血 H⁺ の上昇によるものである. 上述したように, 残り 60% は脊髄液や脳の間質液中の H⁺ 濃度に対する CO₂ の効果によって生じていると思われる.

息こらえ

呼吸はしばらくの間なら随意的に止めることができる. しかし随意的息こらえには限度がある. 呼吸を随意的にこれ以上止めていられないポイントを**息こらえ限界点** (breaking point) と呼ぶ. この限界は動脈血 P_{CO_2} の上昇と P_{O_2} の低下による. 頸動脈小体を切除した人ではより長い間, 息を止めていることができる. 最初に 100% の O₂ を吸っておくと息を止める前の肺胞 P_{O_2} は上昇し, 息こらえ限界点は遅延する. 普通の空気を過換気しても同じ結果となる. なぜなら CO₂ を吐き出し, 動脈血 P_{CO_2} が低下したところから息こらえをスタートするからである. 反射や肺の機械的因子もこの息こらえ限界点に影響する. たとえば, 息を可能なだけ止めた被験者に, その後低 O₂ と高 CO₂ の混合ガスを吸ってもらうと 20 秒, さらにそれ以上息を止めておくことができる. また息こらえには心理的要因も関係する. 被験者に"パフォーマンスはとてもいい"と伝えた時は, そのようにいわれない時よりも長く息を止めていられる.

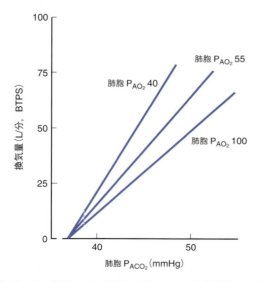

図36・12 肺胞 P_{O_2} を固定した時の CO₂ 応答曲線. 肺胞 P_{AO_2} が減少すると肺胞 P_{ACO_2} に対する感受性が高まる.

呼吸に影響する非化学的因子

気道と肺の受容器による呼吸応答

気道と肺の受容器は有髄と無髄の迷走神経線維の支配を受けている．無髄線維はC線維である．有髄線維に支配されている受容器はふつう"**遅順応性受容器 slowly adapting receptor**"と"**速順応性受容器 rapidly adapting receptor**"に分けられ，持続的な刺激が求心性神経の発火を長く引き起こすか，一時的に引き起こすかの違いである(表36・2)．おそらくもう1つの受容器のグループはC線維の終末部で成り立っている．そしてそれらは存在する部位によって肺と気管支のサブグループに分けられている．

求心性迷走神経の活動による吸息の短縮(図36・4)は **Hering-Breuer〔ヘリング・ブロイエル〕反射** と呼ばれる遅順応性受容器によって起こる．Hering-Breuerの膨張反射では，肺が一定に膨張することにより呼息の持続時間が延長する．Hering-Breuerの縮小反射では肺の収縮により呼息の持続時間が短縮する．速順応性受容器はヒスタミンのような化学物質により刺激されるのでこれまで **イリタント受容器 irritant receptor** と呼ばれてきた．気管内の速順応性受容器を刺激すると，咳，気管支収縮，粘液分泌を引き起こし，肺の速順応性受容器を刺激すると過呼吸を引き起こす．

C線維終末は肺血管の近くにあるため，これらはJ受容器(傍毛細血管 juxtacapillary)と呼ばれてきた．

これらは肺の過膨張によって刺激される．しかしまた，静脈内や心臓内へカプサイシンのような化学物質を投与しても反応する．ここから生み出された反射性反応は無呼吸と引き続いて起こる呼吸促進，徐脈，低血圧(**肺化学反射 pulmonary chemoreflex**)である．似たような反応は心臓内の受容器でも起こる(Bezold-Jarisch〔ベツォルド・ヤーリッシュ〕反射あるいは **冠状循環化学反射 coronary chemoreflex**)．この反射の生理学的意義ははっきりしていないが，おそらく肺のうっ血か塞栓のような病的状態では内因性に放出された物質によって起こるのであろう．

咳とくしゃみ

咳は深い吸息で始まり，次に閉じた声門に対抗する強い呼息が起こる．胸腔内圧は 100 mmHg かそれ以上に上昇する．声門が突然開き，起こる爆発的な呼息は時速 965 km(600 マイル)にも及ぶ．くしゃみも咳と似ているが，声門は常に開いている．これらの反射は刺激物を排出し，気道を常にクリアな状態に保つのに役立つ．神経支配に関しては，特別の事例についてクリニカルボックス36・1で述べる．

固有受容器からの求心路

注意深く行われた実験では，能動的にせよ受動的にせよ，関節の動きは呼吸を刺激する．おそらく筋肉，腱，

表36・2 気道と肺の受容器

迷走神経神経支配	型	存在部位	有効刺激	反　応
有髄線維	遅順応	気道の平滑筋細胞内受容器？	肺膨張	吸息時間の短縮 Hering-Breuer 肺膨張，肺縮小反射 気管支拡張 頻脈 過呼吸
	速順応	気道上皮細胞	肺の過膨張 外因性，内因性物質 (例：ヒスタミン，プロスタグランジン)	咳 気管支収縮 粘液分泌
無髄線維	肺C線維 気管支C線維	血管に接する部位	肺過膨張 外因性，内因性物質 (例：カプサイシン，ブラジキニン，セロトニン)	無呼吸とそれに続く頻呼吸 気管支収縮 徐脈 低血圧 粘液分泌

Berger AJ, Hornbein TF: Control of respiration. In: Textbook of Physiology, 21st ed, Vol2. Patton HD, et al(editors). Saunders; 1989 のデータより．

クリニカルボックス 36・1

肺の神経支配と心肺移植患者

　心肺移植は，現在，重症肺疾患などの治療法として確立されている．移植において，レシピエントの右心房はドナーの心臓に縫合される．ドナーの心臓の神経支配がないため，安静時の心拍数は上昇する．ドナーの気管はレシピエントの気管分岐部のすぐ上に縫合される．そのため，肺からの神経求心路は再建されない．その結果，心肺移植により健康になった患者から生理的な肺の神経作用について知ることができる．気管への刺激により咳は誘発される．なぜなら気管には神経支配があるからである．しかし，より末梢の気道の刺激では咳は誘発されない．心肺移植患者の気管支は正常人と比べ大きく拡張している．加えて，あくびやため息もつく．それはこれらの反応が肺の神経支配によって起こっているのではないことを示唆している．最後に，心肺移植患者にはHering-Breuer 反射が起こらない．しかし，安静時の呼吸パターンは正常である．これはこれらの反射が人間の安静時の呼吸調節に何ら重要でないことを示唆している．

クリニカルボックス 36・2

上位中枢からの入力

　痛みや情動刺激も呼吸に影響する．このことは，大脳辺縁系や視床下部の信号が脳幹の呼吸ニューロンに入力していることを示唆している．加えて，呼吸はふつう意識されていないが，吸息も呼息も随意的に調節することができる．随意性調節神経経路は，新皮質から延髄のニューロンを中継して，呼吸筋を支配している運動ニューロンへと投射している．

　呼吸の随意性と自動性調節は異なり，自動性調節は時に随意性調節が失われなくても崩壊することがある．これを Ondine〔オンディーヌ〕の呪いと呼んでいる．ドイツの神話の中で，Ondine は不貞な人間の恋人をもつ水の妖精である．水界の王はその恋人のすべての自動性機能を取り上げるという呪いをかけ，その恋人を罰した．この状態で彼は覚醒し続けていて，呼吸を意識し続けていないと生きていけなかった．彼は完全に疲労困憊し，結局は眠りに落ち，そして彼の呼吸は止まったのである．この不思議な状態は一般的には延髄灰白髄炎あるいは延髄の圧迫による疾病で起こる．

関節の固有受容器からの求心性インパルスが吸息性ニューロンを刺激しているのであろう．この効果はおそらく運動中の換気増加に寄与していると考えられる．他の求心路に関しては クリニカルボックス 36・2 で示している．

内臓反射における呼吸要素

　嘔吐，嚥下，くしゃみの間の呼吸の抑制と声門の閉鎖は気管内に食べ物や嘔吐物が入ることを防ぐだけでなく，嘔吐の際には，声門を閉じ，胸部を固定し，腹筋の収縮が腹圧を効率的に高めるようにしている．意識的，無意識的緊張の際にも，同じように声門の閉鎖と呼吸の抑制が起こる．

　しゃっくり hiccup は横隔膜と他の吸息筋の痙攣性収縮であり，声門が突然閉じる間に吸息が起こる．声門の閉鎖は特有の感覚と音の原因となる．しゃっくりは子宮内胎児でも起こる．その機能はわかっていない．しゃっくりの発作の多くはふつう，持続時間が短い．そしてしばしば息こらえや動脈血の P_{CO_2} を増加させるような手段によって抑えられる．身体を衰弱させるほどの長時間のしゃっくりにはドーパミン拮抗薬やおそらく中枢性鎮痛薬が効くことがある．

　あくび yawning は他人に"伝染する"呼吸動作であるが，その生理的機序や意義はまだわかっていない．しゃっくりのように子宮内の胎児にも起こるし，哺乳類と同じように魚やカメにも起こる．あくびが O_2 摂取の増加のために必要という考えはまだ認められていない．換気不良の肺胞は萎縮する傾向があり，あくびは深い吸息により肺胞をストレッチさせて無気肺を防ぐのではないかともいわれている．しかし実験によって，あくびの無気肺への効果はまったく示すことができなかった．あくびはまた，心臓への静脈還流を増加させ，それは循環の助けとなっている．あくびはサルの群れの間でコミュニケーションを取るための非言語合図として使われているという考えもある．レベルは違っても同じことが人間にもあてはまるかもしれない．

圧受容器刺激による呼吸への効果

頸動脈洞，大動脈弓，心房，心室内にある圧受容器からの求心性神経は，延髄の血管運動ニューロンや心臓抑制ニューロンだけでなく呼吸ニューロンとも中継する．それらは呼吸を抑制するが，抑制効果はわずかで生理学的にそれほど重要ではない．ショック状態の時の過換気は局所のうっ血によって起こるアシドーシスと低酸素による化学受容器の刺激により起こり，圧受容器を介しているものではない．吸息性ニューロンの活動は血圧，心拍数に影響を及ぼすが，延髄の血管運動野や心臓領域の活動は呼吸への効果が少ない．

睡眠の効果

睡眠時の呼吸は起きている時の呼吸ほど厳密にコントロールされていない．そして正常な大人の睡眠でも短時間の無呼吸が生じている．低酸素に対する換気反応は一定ではない．覚醒時，もしP_{CO_2}が低下しても固有受容器と周囲の状況から様々な刺激が呼吸を維持させる．しかし睡眠時にはそれらの刺激は減少し，P_{CO_2}の低下は無呼吸を引き起こす可能性がある．レム睡眠時には呼吸は不規則でCO_2応答は非常に変化しやすい．

呼吸異常

窒　　息

気道の閉塞による窒息では，急性の高炭酸ガス血症と低酸素症が同時に起こる．呼吸は強く刺激され，荒々しく努力性呼吸をする．血圧と心拍数は急激に増加し，カテコールアミンの分泌は増加し，血液のpHは下がる．ついには努力性呼吸が止まり，血圧は下がり，心拍数も下がる．窒息状態の動物では，この時点で人工呼吸をすれば，まだ蘇生させることができる．しかし低酸素による心筋障害と循環血中のカテコールアミン濃度の増量のため，心室細動が起こる傾向がある．もし人工呼吸を行わなければ心臓は4～5分以内で停止してしまう．

溺　　死

溺死は通常，水に浸されることによって起こる窒息である．溺者の約10％は息ができずにあがいて，水を一口飲み込んでしまうと喉頭痙攣が起き，肺に水が入らない状態で窒息し，死に至る．残りのケースでは声門の筋肉が最終的に弛緩し，肺の中に水がたまる．淡水であればすばやく吸収され，血漿を希釈し，血管内で溶血を引き起こす．海水の場合には著しく浸透圧が高いため，血管から肺へ水分が漏出し，血漿量は減少する．溺者の治療の当初の目標はもちろん蘇生させることである．しかし長期間の治療では肺に入った水の循環への影響を考慮しておかなくてはならない．

周期性呼吸

随意的に過換気を行った時の急性効果では，呼吸を調節する化学的中枢の相互作用が示される．正常人が2～3分の過換気をし，その後随意的な呼吸をやめ，自発的な呼吸にまかせると，しばらく無呼吸が続く．続いて数回の浅い呼吸が起こり，再び無呼吸，数回の浅い呼吸と続く（**周期性呼吸 periodic breathing**）．正常な呼吸に戻るまで，このようなサイクルが繰り返される（図36・13）．無呼吸は明らかにCO_2不足のために起こる．なぜなら5％CO_2を含む混合ガスによる過換気の後では無呼吸は引き起こされないからである．無呼吸の間，肺胞P_{O_2}は低下し，P_{CO_2}は上昇する．CO_2の値が正常値になる前に，頸動脈小体と大動脈小体の化学受容器が低酸素状態により刺激されるため，呼吸が再開する．数回の呼吸で低酸素の刺激は消える．そして呼吸は肺胞P_{O_2}が再び下がるまで停止し

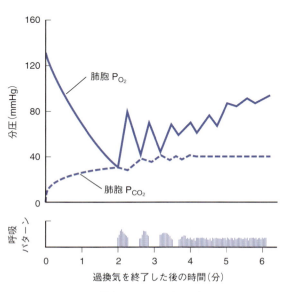

図 36・13 2分間過換気した時の呼吸の変化と肺胞内の空気組成．下段の縦棒は呼吸を示し，棒がないところは無呼吸を示す．

クリニカルボックス 36・3

病気としての周期性呼吸

Cheyne-Stokes 呼吸

周期性呼吸に様々な病態で起こり、しばしば Cheyne-Stokes（チェーン・ストークス）呼吸と呼ばれる。心不全や尿毒症などの患者でよく出現するが、その他脳疾患の患者でも起こり、正常人でも睡眠中に起こることがある。Cheyne-Stokes 呼吸を示す患者の中には、CO_2 に対する感受性が高まっている人がいる。その高い反応性は、正常では呼吸を抑制する神経路の障害により生じる。このような人では CO_2 は過換気を起こし、動脈血 P_{CO_2} を減少させる。無呼吸の間、動脈血 P_{CO_2} は再び正常レベルにまで上昇する。しかしまた、呼吸機構は再び CO_2 に対して過剰に反応する。呼吸は止まり、この周期が繰り返される。

心疾患の患者で周期性呼吸を示す病気のうち、肺から脳への循環が遅延するものがある。そのため、動脈でのガス分圧の上昇が遅れ、延髄の呼吸領野に影響する時間が遅れる。循環が遅い人で過換気が起こると、肺血流の P_{CO_2} が下がる。しかし、この低い血液 P_{CO_2} が脳に到達する時間は正常人より長くかかる。この間、肺毛細血管内の P_{CO_2} は低いままであり、この血液が脳に達すると、低い P_{CO_2} のため呼吸は抑制され、無呼吸になる。言い換えれば、肺から脳へのネガティブフィードバックが異常に長くかかるため、呼吸調節システムが周期性にはたらくことになる。

睡眠時無呼吸

睡眠中に起こる無呼吸の起源は中枢性（呼吸を産生する神経の活動が失われる）か、気道の閉塞（**閉塞性睡眠時無呼吸** obstructive sleep apnea）である。無呼吸はどの年齢でも起こり、睡眠の間に咽頭筋が弛緩してしまうと起こる。あるケースでは吸息の間にオトガイ舌筋が収縮しないために起こる。オトガイ舌筋は舌を前方に引き出し、活動しない、あるいは弱いと舌は沈下し、気道を閉塞する。数回強い努力性呼吸が起こると、患者は目覚め、数回正常な呼吸をするようになる。そしてまた眠りに落ちる。それほど驚くべきことではないが、筋肉が最も弛緩する REM 睡眠の間に無呼吸は起こりやすい。無呼吸症の症候は、大きないびき、朝起きた時の頭痛、疲労、そして日中の眠気である。強い無呼吸症が長く続くと、高血圧やその合併症を引き起こす。無呼吸が頻繁に起こると、眠っている間に短時間ではあるが、しばしば目が覚め、昼間働いている時間に眠くなる。こうなると、無呼吸症候群の患者が自動車事故を起こす確率が一般の人の 7 倍も高いのもうなずける。さらに、睡眠時無呼吸は、高血圧、不整脈、脳卒中や心不全などの多くの心血管系疾患に関与する。

> **治療上のハイライト**
>
> 睡眠時無呼吸の治療は患者自身、あるいは、その原因（もしわかる場合に）によって異なる。治療には弱〜中程度の介入から手術に至るものまで存在する。介入には体位変化や気道の構造を変える歯科介入、アルコールのような筋肉を弛緩させるものを避ける、呼吸の活動を弱める薬を使う、陽圧を気道にかけ続ける（C-PAP、中等度から重度の閉塞性睡眠時無呼吸の症状をケアする標準治療法）、などがある。睡眠時無呼吸は体重過多の人や肥満の人に多いため、体重を減らすこともまた、効果的である。

てしまう。しかし次第に P_{CO_2} は正常に戻り、正常な呼吸が始まる。呼吸パターンの変化は疾病の徴候となりうる（クリニカルボックス 36・3）。

運動の効果

運動は今まで述べてきた多くの調節系がはたらく生理学的例として格好のテーマである。もちろん、運動の間、活動している組織に必要な O_2 を満たし、体からは余分な CO_2 と熱を放出するために心血管系と呼吸器系のメカニズムを統合的にはたらかさなくてはならない。循環は筋肉以外の循環を十分に保ちながら筋血流を増加させるよう変化する。加えて、運動中の筋肉内の血液から組織への O_2 放出は増加し、換気量が増加する。O_2 は余分に供給され、体熱がいくらか放散され、過剰な CO_2 が排出される。この節では、換気の調節と組織の O_2 に焦点をあて、解説していく。調節に関する他の多くの説明は前章ですでに示した。

換気量の変化

　運動中，肺の中の血液に入り込むO_2の量は増加する．なぜなら単位血液量当たりのO_2量は増加し，肺の血流量も増加するからである．肺毛細血管に入っていく血液のP_{O_2}は 40 mmHg から 25 mmHg またはそれ以下に下がる．そのため肺胞と肺胞毛細血管P_{O_2}勾配は増加し，多くのO_2が血液中に入る．毎分血流量は 5.5 L/分から 20〜35 L/分にまで増加する．したがって血中に入ってくるO_2量はトータルで安静時の 250 L/分から 4000 L/分に増加する．単位血液量から排出されるCO_2も増加し，CO_2排出量は 200 L/分から 8000 L/分まで増加する．O_2摂取量は仕事量に比例して増加し，最大O_2摂取量に達するまで増加する．この最大値を超えるとO_2消費は増えなくなり，血中乳酸量が上昇し続ける(図36・14)．この乳酸はエネルギー消費を有酸素性再合成によって賄えなくなった筋肉から出てくる．そして**"酸素負債 oxygen debt"**が発生する．

　運動を開始すると，換気量は急激に増加する．続いてその増加が短い時間止まった後，徐々に増加してくる(図36・15)．中等度の運動では，この増加は呼吸の深さに由来する．運動がさらに激しくなると呼吸数もそれに伴って増加する．運動をやめると換気は突然減少し，その後短い期間安定した後，徐々に減少して運動前の状態に戻る．運動開始時の急激な換気の増加は，精神的刺激と筋肉，腱，関節内の固有受容器からの求

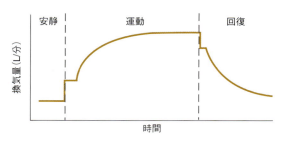

図36・15 運動中の換気量変化の模式図．詳細は本文参照．

心性インパルスによるものと思われる．それに続く穏やかな増加は，中等度の運動中には動脈血の pH，P_{CO_2}そしてP_{O_2}が一定であるとしても，おそらく液性の刺激効果であると思われる．換気量の増加はO_2消費量の増加と比例する．しかしこの呼吸刺激作用のメカニズムはまだ論議の必要なところである．体温の上昇も換気量増大に一役買っているであろう．運動により血漿K^+濃度は増大する．この増大は末梢化学受容器を刺激する．加えて，CO_2反応を調節するニューロンの感受性が増しているかもしれないし，動脈血P_{CO_2}の呼吸性変動も増えているかもしれない．そのため，たとえ動脈血P_{CO_2}が増加しなくても，実際にはCO_2が換気を促進している．動脈血P_{O_2}の減少は認められないけれども，O_2もまた呼吸促進において役割を担っているかもしれない．運動中に，100%のO_2を吸入すると，空気を吸入する場合より換気量が 10〜20%減少する．このように，中程度の運動の間，多くの異なる因子があわさって，換気を増加させているということが最近明らかになった．

　運動がより活発になると，産生される乳酸を緩衝するために，より多くのCO_2が排出され，その結果，換気はさらに増加する．徐々に運動強度を上げていった時の反応を図36・16に示す．酸の産生が増えるとともに換気も増加し，CO_2産生も併行して増加する．したがって，肺胞と動脈血のP_{CO_2}変化はほとんど起こらない(**等炭酸ガス性緩衝 isocapnic buffering**)．過換気により肺胞P_{O_2}が増加する．乳酸が蓄積すると換気の増加はCO_2産生を上回るので肺胞P_{CO_2}は下がり，同様に動脈血P_{CO_2}も下がる．動脈血P_{CO_2}の減少は，増加した乳酸による代謝性アシドーシスに対する呼吸性代償としてはたらく．このアシドーシスにより増加した換気量は頸動脈小体により左右され，頸動脈小体を切除すると換気量は増加しない．

　運動後の呼吸数はO_2負債が返されるまでもとのレベルには戻らない．これは長くて 90 分もかかる．運

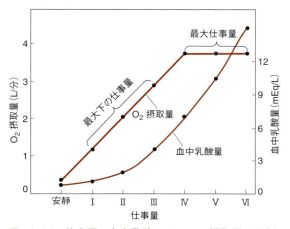

図36・14 仕事量，血中乳酸レベル，O_2摂取量の関係．I〜VIは被験者がトレッドミルを走るスピードと強度を変えた仕事量(Mitchell JH, Blomqvist G: Maximal oxygen uptake. N Engl J Med 1971 May 6; 284(18): 1018-1022 より許可を得て複製)．

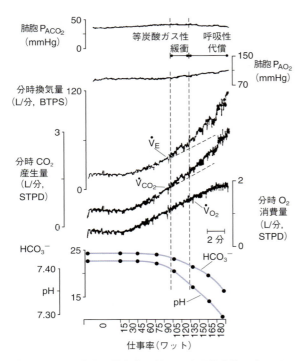

図36・16　運動中の仕事率に対する生理的応答． 成人男性に自転車エルゴメーターにより段階的運動負荷を加えた時の肺胞 P_{CO_2}（P_{ACO_2}），肺胞 P_{O_2}（P_{AO_2}），換気量（$\dot{V}_E$），CO_2 産生量（$\dot{V}_{CO_2}$），O_2 消費量（$\dot{V}_{O_2}$），動脈 HCO_3^-，動脈 pH の変化．BTPS：体温（BT），気圧（760 mmHg），水蒸気飽和状態．STPD：標準温度（0℃），気圧（760 mmHg），乾燥状態．破線は線形回帰の偏差を示す．詳細は本文参照（Wasserman K: Breathing during exercise. N Engl J Med 1978 Apr 6; 298（14）: 780-785 より許可を得て複製）．

運動後の動脈血の P_{CO_2} は正常かそれ以下であり，また P_{O_2} は正常かそれ以上であるので，それらが呼吸刺激をもたらすのではない．むしろ乳酸産生による動脈血 H^+ 濃度の上昇による．O_2 負債量は，激しい運動直後から O_2 摂取量が運動前のレベルに戻るまでの間に，O_2 摂取量が安静時の基礎的 O_2 消費量を超えた分に相当する．O_2 負債を返している間，筋ミオグロビン中の O_2 濃度はわずかに上昇する．ATP とクレアチンリン酸は再合成され，乳酸は取り除かれる．乳酸の 80％はグリコーゲンに変換され，20％は代謝され CO_2 と H_2O になる．

組織での変化

運動中の最大 O_2 摂取量は，運動している筋の中のミトコンドリアに O_2 が運搬される際の最大速度により制限されている．しかしこの制限は通常の肺の O_2 摂取量不足によるものではない．最も激しい運動中でさえも動脈血内のヘモグロビンは O_2 で飽和されている．

運動中，収縮している筋ではより多くの O_2 を消費し，筋組織中の P_{O_2} や運動筋の静脈血 P_{O_2} はほぼゼロ近くまで低下する．血液からさらに多くの O_2 が拡散し，筋肉の血液の P_{O_2} は下がり，ヘモグロビンから多くの O_2 が遊離する．なぜなら収縮している筋肉の毛細血管床は拡張し，それまで閉じていた多くの毛細血管が開くため（毛細血管の動員と伸長），血液から組織細胞までの平均距離は大きく短縮するからである．これは血液から細胞までの O_2 の動きを促進させる．ヘモグロビンの酸素解離曲線の勾配は P_{CO_2} が 60 mmHg 以下で急峻となり，P_{O_2} が 1 mmHg 下がるごとに遊離される O_2 量は増大する（図 35・2 参照）．加えて，活動組織中での CO_2 の蓄積と体温の上昇，そしておそらく赤血球の 2,3-BPG の上昇により O_2 解離曲線は右へシフトし，より多量の O_2 が供給される．正味の効果として血液の単位当たりの O_2 放出量は 3 倍に増加する（図 35・3 参照）．この増加は血流が 30 倍かそれ以上に増加することに付随して起こるので，筋の代謝率が運動中に 100 倍になっても賄うことが可能となる．

運動耐容と疲労

それぞれの人がどのくらい運動できるか，その最大値は何によって決まるか．運動耐容能には明らかに時間と強度の尺度が関わる．たとえば体調のよい若い男性は 700 ワットで 1 分間，300 ワットで 5 分間，200 ワットで 40 分間自転車をこぎ続けることができる．以前は，運動における制限因子は組織に O_2 を届ける率か，O_2 が肺の中で体に取り込まれる率で決まるといわれていた．それらの因子にはそれなりの役割があるが，他の因子もまたはたらくことは明らかである．**疲労 fatigue** 感が疲労困憊の状態になった時，運動を止めてしまう．疲労はある面，筋肉からの神経インパルスが脳を刺激することで起こる．また，乳酸アシドーシスによる血中 pH の低下によっても人は疲労を感じる．それは体温の上昇や呼吸困難が起こる時と同様であり，おそらく，肺の J 受容器の活性化による不快な感覚の場合とも同様である．

章のまとめ

- 呼吸は随意性調節(大脳皮質に存在)と自動性調節(延髄のペースメーカー細胞により駆動)の2つの調節下にある．呼息筋と吸息筋は相反神経支配されている．呼息筋を支配する運動ニューロンが活動していない時には吸息筋を支配している運動ニューロンが活動し，また，逆の場合も成り立つ．
- 両側延髄の前Bötzinger複合体にはペースメーカー細胞が存在し，呼吸のリズムを生み出している．これらのニューロンの安静呼吸でのリズム産生機構は完全には解明されていないが，その自発性活動は呼吸調節中枢にあるニューロンの影響を受けている．
- 呼吸のパターンは呼吸の化学受容器を介して血液中の物質に敏感に反応している．頸動脈小体と大動脈小体，そして，延髄の細胞集団に化学受容器が存在している．これらの化学受容器はP_{O_2}，P_{CO_2}そしてH^+に反応し，呼吸を調節している．
- 気道の受容器は遅順応型と速順応型の有髄迷走神経に支配されている．遅順応性受容器は肺の膨張により活動する．速順応性受容器，あるいはイリタント受容器はヒスタミンなどの化学物質により活性化され，咳や過呼吸を引き起こす．
- 気道の受容器はまた，無髄の迷走神経(C線維)によっても支配されている．このC線維は肺血管の脇に認められる．それらは過膨張(あるいはカプサイシンなど体外性の物質)により刺激される．結果としては肺の化学性反射をもたらす．この反応の生理学的意味はよくわかっていない．

多肢選択式問題

正しい答えを1つ選びなさい．

1. 主要な呼吸調節ニューロンについてあてはまるのはどれか．
    A．安静呼吸時に呼息筋に規則的にバースト状のインパルスを送っている
    B．痛覚受容器の刺激には影響されない
    C．橋に存在している
    D．安静呼吸時に吸息筋に規則的にバースト状のインパルスを送っている
    E．大脳皮質からのインパルスに影響されない

2. 静脈血内の乳酸は換気を亢進する．この効果に反応する受容器はどこに存在するか．
    A．延髄
    B．頸動脈小体
    C．肺実質
    D．大動脈圧受容器
    E．気管と主気管支

3. 自動性呼吸はどのようにすると止まるか．
    A．橋の上部で脳幹を切断する
    B．延髄の最も尾側で脳幹を切断する
    C．両側迷走神経切断
    D．両側迷走神経切断と橋の上端で脳幹を切断する
    E．第一胸髄で切断する

4. 生体で起こる生理現象を順不同で載せている．(1)脳脊髄液のpH減少，(2)動脈血P_{CO_2}の増大，(3)脳脊髄液のP_{CO_2}の増大，(4)延髄の化学受容器の刺激，(5)肺胞P_{CO_2}の増大．
    呼吸に影響する順番はどれか．
    A．1, 2, 3, 4, 5
    B．4, 1, 3, 2, 5
    C．3, 4, 5, 1, 2
    D．5, 2, 3, 1, 4
    E．5, 3, 2, 4, 1

5. 頸動脈小体が低酸素に曝露された時に起こる現象を順不同で載せている．(1)I型グロムス細胞の脱分極，(2)求心性神経末端の興奮，(3)I型グロムス細胞での低酸素感受性K^+チャネルのコンダクタンスの減少，(4)I型グロムス細胞へのCa^{2+}の流入，(5)K^+流出の減少．
    低酸素に曝露された時の順番はどれか．
    A．1, 3, 4, 5, 2
    B．1, 4, 2, 5, 3
    C．3, 4, 5, 1, 2
    D．3, 1, 4, 5, 2
    E．3, 5, 1, 4, 2

6. 頸動脈小体を刺激する薬を投与すると何が起こるか．
    A．動脈血pHの減少

B．動脈血 P_{CO_2} の減少
　　C．動脈中の HCO_3^- 濃度の上昇
　　D．腎臓からの Na^+ 排泄量の上昇
　　E．血漿中の Cl^- の上昇

7．次の血液成分あるいは脳脊髄液成分で呼吸に影響しないものはどれか．
　　A．動脈 HCO_3^- 濃度
　　B．動脈 H^+ 濃度
　　C．動脈 Na^+ 濃度
　　D．脳脊髄液 CO_2 濃度
　　E．脳脊髄液 H^+ 濃度

第Ⅶ編　腎生理学

　腎臓，膀胱，尿管は泌尿器系を構成する．腎臓の機能単位はネフロンと呼ばれ，ヒトの片腎に，おおよそ100万本のネフロンが含まれる．腎臓は，水のホメオスタシス，電解質組成（たとえば，Na^+，Cl^-，K^+，HCO_3^-）と細胞外液量（血圧）の調節，酸-塩基のホメオスタシス（39章）において，本質的な役割を担っている．腎臓は，血液から血漿を濾過し，尿を生成する．これにより，体内の代謝老廃物（尿素，アンモニア，外来性化合物（薬とその代謝物など））を尿中に排泄することができる．腎臓は，カルシウムやリン酸塩の調節性吸収（子供において高い）に加え，糸球体濾液からグルコースとアミノ酸を再吸収する．腎臓は糖新生においても一定の役割を果たし，絶食期間中においては，グルコースを生成し血中に放出することができる（肝臓の糖新生能の約20％）．腎臓は，内分泌器官としてもはたらく：キニン（32章参照），活性型ビタミンD_3（21章参照），エリスロポエチン（37章参照）を合成し，レニンを産生・分泌する（38章参照）．

　特に，腎臓では血漿とほぼ同じ組成の溶液が糸球体毛細血管から尿細管内に濾過される（**糸球体濾過 glomerular filtration**）．この糸球体濾液は尿細管内を流れていくにつれ**尿細管再吸収 tubular reabsorption**（尿細管内液から水分と溶質とが間質に輸送されること）と**尿細管分泌 tubular secretion**（尿細管内への溶質の分泌）によってその組成が変化し，尿が生成され，腎盂に流れ込む．尿は腎盂から膀胱に流れ，**排尿 micturition**により体外に排出される．

　腎臓の病気は多岐にわたる．主なものを列挙すると，急性腎障害 acute kidney injury（AKI），慢性腎臓病 chronic kidney disease（CKD），糖尿病性腎症，腎炎症候群，ネフローゼ症候群，多発性嚢胞腎 polycystic kidney disease（PKD，クリニカルボックス37・2），尿路閉塞，尿路感染，腎癌などがある．たとえば腎臓の機能が低下し，もはや健康を維持できなくなった腎臓病患者は，血液透析や最終的には腎移植を受けることになる．

　世界中で腎臓病患者が増加すると，それに伴ってその治療費が増加する．かくして，腎臓病は世界の医療資源にとって脅威となっている．腎不全の2大要因は，糖尿病と高血圧症である．世界でおおよそ10億人の人が高血圧症で，2025年までには15.6億人に増加すると予測されている．同様に，世界でおおよそ2.4億人以上の人が糖尿病に罹患し，2025年までには3.8億人に増加すると懸念されている．このことは，糖尿病患者の約40％がCKDになり，心血管系の合併症リスクの増加を意味する．これからの10年間に発生する血液透析と腎移植の累積医療費は，世界規模で，1兆USドルを超えると予測されている．

CHAPTER 37

腎機能と排尿

学習目標
本章習得のポイント

- 代表的なネフロンの構造と血管系を述べることができる
- 腎臓の自動調節能を明確に理解し，自動調節能を説明できる
- 糸球体濾過量(GFR)を明確に理解し，その測定法を記述し，GFRに影響する主要因子をリストアップできる
- 個々の尿細管セグメントにおけるNa^+と水輸送を概説できる
- 糖の再吸収とK^+の分泌を説明できる
- 腎臓の濃縮尿/希釈尿生成メカニズムの特徴を述べる
- 主要な利尿薬の違いを明示し，それらが尿量を増加させる作用部位を説明できる
- 排尿反射を説明し，膀胱内圧曲線を描くことができる

機能的構造

ネフロン

個々の糸球体とそれに連なる尿細管が腎臓の基本単位，すなわち**ネフロン** nephron である．腎臓の大きさは動物間で異なるが，主にその中に含まれるネフロンの数によって決まる．ヒトの腎臓1個の中には約100万本のネフロンがある．図37・1 にネフロンの各部分を模式的に示した．

ヒト糸球体は直径約 200 μm*1 で，ネフロン起始部の膨大した盲端(**Bowman**〔ボーマン〕**嚢**)の中に毛細血管が束状に陥入したものである．毛細血管は**輸入細動脈** afferent arteriole から血液を受け，**輸出細動脈** efferent arteriole へと血液を出し(図37・2)，ここで糸球体濾液が生成される．輸入細動脈の直径は，輸出細動脈の直径より太い．血液は，糸球体の2層の細胞で濾過され Bowman 嚢の糸球体濾液となる．糸球体毛細血管の内皮細胞は直径約 70〜90 nm の孔をもっている．糸球体毛細血管内皮細胞は，糸球体基底膜と特殊な細胞"足細胞"で完全に覆われている．**足細胞 podocyte** は多くの偽足をもち，それらの偽足は互いに組み合わさって(図37・2)，**濾過間隙(スリット)filtration slit** を毛細血管壁に沿って作っている．このスリット

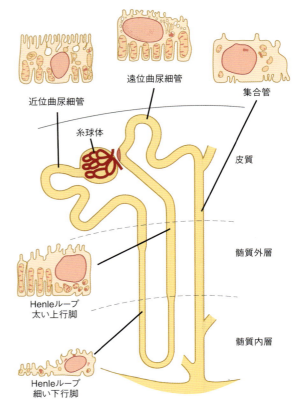

図37・1　ネフロンの模式図．尿細管各部と構成細胞の主要な組織像を示す．

---

*1 訳注：ラット糸球体の直径は約 120 μm.

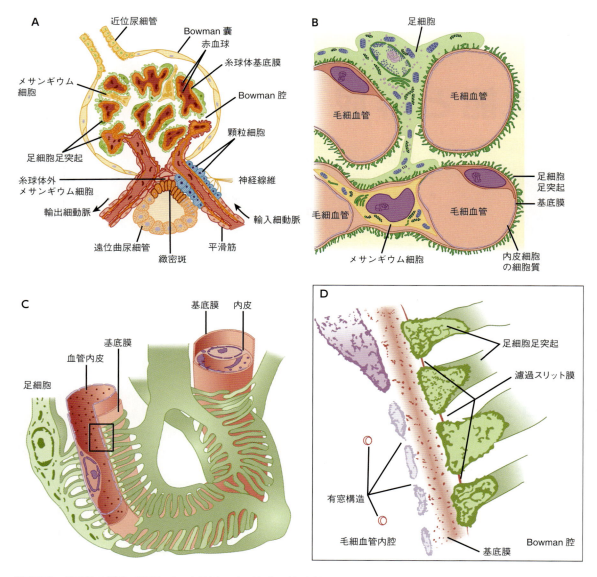

図37・2　糸球体の構造の詳細． A：血管極を通る断面，毛細血管ループを示す．B：メサンギウム細胞および足細胞と糸球体毛細血管との関係．C：足細胞が基底膜上で濾過間隙を形成している様子ならびに基底膜と毛細血管内皮の関係．D：足細胞足突起（Cの長方形部分）の拡大図．足突起表面は多価アニオン（陰イオン）物質で覆われている（A，D 訳者改変）．

の幅は約 25 nm でいずれも薄い膜で閉じられている．糸球体基底膜には隙間も孔もみられない．**メサンギウム細胞 mesangial cell** と呼ばれる星状の細胞が内皮と基底膜の間に突起を伸ばしている[*2]．それは他の臓器の毛細血管壁にみられる**周細胞 pericyte** に似ている．腎臓のメサンギウム細胞は特に毛細血管のループ間に多くみられ，そこでは2つの毛細血管の基底側細胞膜が互いに連続して共通の膜を形成している（図37・2）．メサンギウム細胞は収縮性をもち，糸球体濾過調節の役割を果たしている．またメサンギウム細胞は，細胞外マトリックスを分泌し，免疫複合体を取り込むことも知られており，糸球体疾患の進行にも関与している．

　機能的には，糸球体を構成する膜は直径 4 nm 以下の中性物質粒子を自由に透過させるが，8 nm 以上のものはまったく通さない．しかし分子は大きさのみな

[*2] 訳注：個々の糸球体毛細血管ループがバラバラにならないように束ね，糸球体濾過圧に抗している．

らずその荷電も Bowman 嚢への透過に影響する．ヒトの場合，濾過が行われる糸球体の毛細血管内皮の全面積は約 0.8 m^2 である．

尿細管壁を構成する細胞の一般的特徴を図 37・1 に示す．あらゆる部位に細胞のサブタイプが存在し，これらの形態的な差異は機能の差異に関連する．

近位曲尿細管 proximal convoluted tubule はヒトの腎臓で長さ約 15 mm，直径約 55 μm である．尿細管壁は 1 層の細胞からできており，それぞれの細胞は互いに嵌入し，組み合わさって管腔側のタイトジャンクション tight junction によって結合されている．これら細胞の間隙に細胞外液が入り込んで**側面細胞間隙 lateral intercellular space** と呼ばれる間隙を作っている．これらの細胞の管腔側には多くの微絨毛 microvillus があるため，線条様の**刷子縁 brush border** を作っている．

近位曲尿細管は，まっすぐ下降し（直部），**Henle〔ヘンレ〕ループ loop of Henle** へと続く．ループの下行脚と上行脚の前半はとても細く，透過性が高い細胞で構成されている．これに対し，上行脚の太い部分（図 37・1）は，多数のミトコンドリアを含む厚みのある細胞である．糸球体が腎皮質の外層にあるネフロン（**皮質ネフロン cortical nephron**）では Henle ループは短いが，髄質に近い皮質部分に糸球体があるネフロン（**傍髄質ネフロン juxtamedullary nephron**）では Henle ループは長く，髄質の錐体に深く入り込んでいる．ヒトの場合，全ネフロンの約 15 % だけが長いループをもつ．

Henle ループの太い上行脚は終端部においてそのネフロンが発した糸球体の方へ戻っていくが，その際，その糸球体の輸入細動脈と輸出細動脈の間を近接して通る．終端部の特殊な細胞は，**緻密斑（マクラデンサ）macula densa** と呼ばれ，輸入・輸出細動脈に挟まれる（図 37・2）．**傍糸球体装置 juxtaglomerular apparatus（JGA）**は，緻密斑，隣接する糸球体外メサンギウム細胞（lacis cell），輸入細動脈[*3]の**レニン分泌顆粒細胞 renin-secreting granular cell** で構成される（図 38・8 参照）．

遠位曲尿細管 distal convoluted tubule は緻密斑より下流にあり，長さ約 5 mm で，その上皮細胞は近位尿細管の細胞より背が低い．管腔面にはいくらか微絨毛をもつが，はっきりした刷子縁になっていない．遠位尿細管は合流して長さ約 20 mm の**集合管 collecting duct** を形成する．集合管は皮質や髄質中を通り抜け，髄質錐体の頂点で腎盂に開口している．集合管上皮は**主細胞 principal cell（P 細胞）**と**間在細胞 intercalated cell（I 細胞）**[*4]とからできている．数の多い主細胞は比較的背が高く細胞内小器官が比較的少ない．Na$^+$ 再吸収やバソプレシンによる水の再吸収に関与する．数が少なく遠位尿細管にも見出される間在細胞は，微絨毛，細胞内小器官やミトコンドリアに富む．これらの細胞は酸分泌と HCO$_3^-$ 輸送に関与している．ネフロンの全長は集合管を含めて 45〜65 mm である．

JGA の顆粒細胞のみならず髄質の間質組織中のある種の細胞も腎臓で分泌機能をもつとみられる．これらの細胞は，**腎髄質間質細胞 renal medullary interstitial cell（RMIC）**と呼ばれ，特殊な線維芽細胞様細胞である．この細胞は，脂質小滴を含み，シクロオキシゲナーゼ 2（COX-2）やプロスタグランジン合成酵素（PGES）を発現している．プロスタグランジン E$_2$（PGE$_2$）は，腎臓で生成される主要なプロスタノイドで，水電解質の至適状態を維持するための重要な調節因子（パラクリン）の 1 つである．PGE$_2$ は，RMIC，マクラデンサ，集合管から分泌されている．プロスタサイクリン（PGI$_2$）および他のプロスタグランジンは細動脈および糸球体から分泌される．

血　　管

腎循環の模式図を図 37・3 に示す．**輸入細動脈**は小葉間動脈から分かれた，短くてまっすぐな分枝である．これは各々多くの毛細血管に枝分かれし，糸球体の血管網となる．次いで毛細血管は集合し，**輸出細動脈**となり[*5]再び毛細血管に分かれて**尿細管周囲毛細血管 peritubular capillary** として尿細管を灌流した後，小葉間静脈に注ぐ．したがって糸球体と尿細管との間の動脈部分はいわば一種の門脈系であり，糸球体毛細血管は全身中で細動脈に流入する毛細血管の唯一の例である．しかし輸出細動脈には平滑筋は比較的少ない．

表在ネフロンの尿細管に分布する毛細血管は尿細管周囲毛細血管網を構成するが，傍髄質ネフロンの輸出細動脈は尿細管周囲毛細血管網だけでなく，ヘアピンループのような血管網（**直血管 vasa recta**）に移行する．この血管のループは Henle ループに沿って髄質錐体深部に達している（図 37・3）．下行直血管は無窓[*6]の内

[*3] 訳注：原書には記されていないが，輸出細動脈も JGA に含まれる．

[*4] 訳注：IC 細胞の方が一般的．
[*5] 訳注：糸球体を出た後．
[*6] 訳注：隔膜付き有窓．

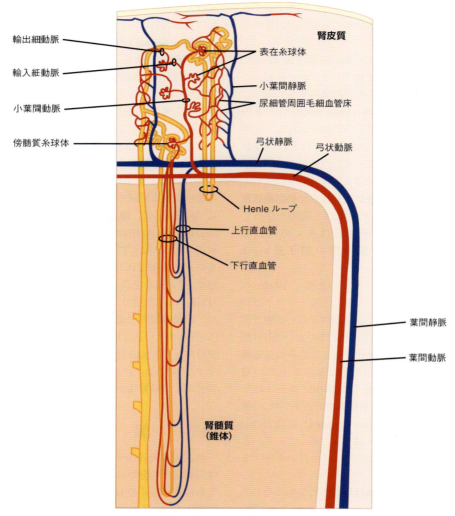

図 37・3　腎循環．葉間動脈は，弓状動脈に分枝し，皮質で小葉間動脈になる．小葉間動脈は，輸入細動脈に分枝し，個々の糸球体に血液を供給する．糸球体から出た輸出細動脈は，再度毛細血管に分枝（尿細管周囲毛細血管床）し，腎尿細管に血液を供給する．小葉間静脈の血液は，順に弓状静脈，葉間静脈となる（Boron WF, Boulpaep EL: *Medical Physiology*. Saunders; 2009 より許可を得て改変）．

皮細胞で尿素トランスポータ（促通拡散）を発現している．上行直血管に有窓の内皮細胞で溶質の透過性が高く，間質に溶質を保持する作用をもつ．

各糸球体からの輸出細動脈は毛細血管に枝分かれして異なったネフロンに分布する．ゆえに各ネフロンの尿細管は必ずしも同じネフロンの輸出細動脈のみより血液供給を受けているとは限らない．ヒトの場合，腎毛細血管壁の全表面積は尿細管壁のそれにほぼ等しく，約 $12\,m^2$ である．腎毛細血管内には常に 30～40 mL の血液が存在する．

リンパ管

腎臓には多くのリンパ管が分布し，それらは胸管を経て胸郭内の静脈に注ぐ．

被　　膜

腎被膜 renal capsule は薄いが非常に丈夫な構造をもつ．腎臓が浮腫状に膨れあがると被膜は腎臓の腫大化を制限するので，組織圧（**腎間質圧 renal interstitial pressure**）が上昇してくる．組織圧の上昇は糸球体濾

過量(GFR)を減少させる．これが急性腎障害(AKI)時の無尿の発生と持続の一因である．

腎血管に対する神経支配

　腎神経は腎血管に沿って腎臓に入る．腎神経は多数の遠心性の節後交感神経線維と，少数の求心性線維とを含んでいる．さらにまた，迷走神経を経てコリン作動性神経も来ているようであるが，その機能ははっきりしない．交感神経の節前線維は主に脊髄の下部胸髄と上部腰髄より来るもので，その節後ニューロンの細胞体は，交感神経幹，上腸間膜神経節内および腎動脈に沿って存在する．交感神経は主に輸入および輸出細動脈，近位および遠位尿細管，傍糸球体装置(38章参照)に分布している．また Henle ループの太い上行脚にもノルアドレナリン作動性の神経支配が密に存在している．

　侵害受容性求心性神経は腎臓疾患での痛みを中継するもので，遠心性交感神経と並走して胸髄あるいは上部腰髄の後根から脊髄に入る．他の腎求心性神経は，おそらく**腎-腎反射 renorenal reflex** に関係すると思われる．この反射により，一側の尿管内圧が上がると，対側の遠心性腎神経活動が低下し，Na^+ と水の排泄を増加させる．

腎　循　環

血　流　量

　安静時の成人の腎血流量は 1.2〜1.3 L/分で，心拍出量の 25％弱である．腎血流量は電磁流量計やその他の流量計で測定できる．また Fick の原理(30章参照)を腎臓に応用して測定することもできる．すなわち，ある特定の物質が一定時間内に腎臓に取り込まれる量を測定し，この値をその物質の動・静脈血中の濃度差で割って腎血流量を算出する．また，腎臓は血漿を濾過するものであるから，一定時間内に尿中に排泄される物質の量を，その物質の動・静脈血漿中濃度差で割ると，**腎血漿流量 renal plasma flow (RPF)** が算出される．もちろんこの時，その物質の赤血球内濃度は腎臓を通る間は不変でなくてはならない．腎動・静脈血漿中の濃度を測定することができ，かつその物質が腎臓で代謝も，貯蔵も，生成もされず，腎血流量を変化させたりすることもないならば，どのような物質でも腎血漿流量の測定に利用することができる．

　腎血漿流量は，通常パラアミノ馬尿酸(PAH)を注射し，その尿中排泄量と血漿濃度を測定することによって求められる．PAH は糸球体で濾過される以外に，尿細管で分泌されるので，これらの物質の**除去率 extraction ratio**(動脈血中濃度から静脈血中濃度を差し引いて動脈血中濃度で割った値)は高い．たとえば注射量が少ない時は血液が 1 回腎臓を通過する時，腎動脈中の PAH の約 90％が除去される．したがって"腎血漿流量"を算出するのには腎静脈血中の濃度を 0 とみなし，尿中の PAH 量を血漿 PAH 濃度で割るのがふつうである．それは末梢静脈の血漿 PAH 濃度は腎動脈の血漿 PAH 濃度とほぼ等しいからである．こうして算出された値は，腎静脈血漿濃度を実測して計算したものでないことを示すために，**有効腎血漿流量 effective renal plasma flow (ERPF)** と呼ぶべきである．ヒトの平均 ERPF は約 625 mL/分である．

$$ERPF = \frac{U_{PAH}\dot{V}}{P_{PAH}} = PAH クリアランス(C_{PAH})$$

例：
尿中の PAH 濃度(U_{PAH})：14 mg/mL
尿量($\dot{V}$)：0.9 mL/分
血漿 PAH 濃度(P_{PAH})：0.02 mg/mL

$$ERPF = \frac{14 \times 0.9}{0.02} = 630 \text{ mL/分}$$

　このようにして得られた ERPF は PAH **クリアランス clearance** であることに注意しなければならない．クリアランスの概念については以下に述べる．

　ERPF は次のようにして実際の腎血漿流量(RPF)に換算される．
　PAH の平均除去率：0.9

$$\frac{ERPF}{除去率} = \frac{630}{0.9} = 実際の RPF = 700 \text{ mL/分}$$

　腎血流量は腎血漿流量を(1 からヘマトクリット値を引いた値)で割れば求められる．
　ヘマトクリット値(Hct)：45％

$$腎血流量 = RPF \times \frac{1}{1-Hct} = 700 \times \frac{1}{0.55}$$
$$= 1273 \text{ mL/分}$$

腎血管血圧

糸球体毛細血管圧はラットで直接測定されるようになったが，間接的測定から予測される値よりはるかに小さいことがわかった．体循環の平均収縮期圧が100 mmHgの時，糸球体毛細血管圧は約45 mmHgである．糸球体での圧下降は1～3 mmHg程度であるが，輸出細動脈でさらに下降し，尿細管周囲毛細血管の圧は約8 mmHgとなる．腎静脈の圧は約4 mmHgである．この血圧勾配はリスザルsquirrel monkeyでも似ており，おそらくヒトでも同様であろう．すなわち糸球体毛細血管圧は体循環動脈血圧の約40%である．

腎血流量の調節

ノルアドレナリン（ノルエピネフリン）は腎動脈を収縮させる．ノルアドレナリンを静脈注射すると，葉間動脈と輸入細動脈が最も強く収縮する．ドーパミンは腎臓で生成され，腎動脈の拡張とナトリウム利尿を起こす．アンジオテンシンIIは輸入細動脈と輸出細動脈の両方を収縮させる．プロスタグランジンは腎皮質の血流量を増加させ髄質の血流量を減少させる．アセチルコリンも腎血管を拡張させる．高タンパク質の食事は，糸球体毛細血管圧の上昇と腎血流量増加を引き起こす．

腎神経の作用

腎神経を刺激すると，傍糸球体細胞からのレニン分泌が増す．これは主としてこの細胞の膜にあるアドレナリンβ_1受容体を介して起こる（38章参照）．その他，腎神経を刺激するとおそらくノルアドレナリンの尿細管細胞への直接作用によりNa^+の再吸収が増加する．近位尿細管，遠位尿細管およびHenleループの太い上行脚は豊富な神経支配を受けている．動物実験で腎神経を徐々に強さを上げて刺激すると，最初にJGAの顆粒細胞の感受性が上昇し（表37・1），次いでレニン放出が高まり，それに続いてNa^+の再吸収が増大し，最後に最も高い閾値で血管収縮が起こり，糸球体濾過量および腎血流量が減少する．Na^+の再吸収に対する効果がアドレナリンαまたはβ受容体のいずれによるかはなお不明であり，両受容体による可能性もなお不明である．腎臓を移植された患者では，移植腎の機能がほとんど正常のようであり，移植された腎臓に神経支配がはたらくようになるまでにはいくらか日数

表37・1 腎神経を段階的に強さを変えて刺激した時の腎臓の反応

腎神経刺激の周波数(Hz)	レニン分泌速度 (RSR)	尿中Na^+排泄 ($U_{Na}\dot{V}$)	糸球体濾過量 (GFR)	腎血流量 (RBF)
0.25	基礎分泌不変 神経以外の刺激による分泌の増加	0*	0	0
0.50	増加($U_{Na}\dot{V}$, GFR, RBFは不変)	0	0	0
1.0	増加($U_{Na}\dot{V}$は低下を伴う，GFR, RBFは不変)	↓	0	0
2.50	増加($U_{Na}\dot{V}$, GFR, RBFの低下を伴う)	↓	↓	↓

DiBona GF: Neural control of renal function: Cardiovascular implications. Hypertension 1989; 13: 539. American Heart Associationの許可を得て複製．
*訳注：0は不変を示す．

を要することなどからみると，腎神経のNa^+ホメオスタシスにおける生理的役割も未確定である．

腎臓に来ている交感神経（ノルアドレナリン作動性）を強く刺激すると，腎血流量は著しく減少する．この効果は主にアドレナリンα_1受容体を介し，一部は後シナプスアドレナリンα_2受容体を介する応答である．安静時の動物やヒトの腎神経には，持続性の神経インパルス発射が存在する．体循環血圧が低下すると，圧受容器からの求心性インパルスが低下するので，一連の血管収縮応答が腎血管にも起こる．このような理由で，運動時に腎血流量が減少する．また，仰臥位から立位になると，程度は小さいが腎血流量は減少する．

腎血流量の自動調節

腎動脈を中等度の血圧（イヌでは90～220 mmHg）で灌流すると血管抵抗は圧力とともに変化し，したがって腎血流量は比較的一定に保たれる（図37・4）．この型の自動調節autoregulationは腎臓以外の臓器でもみられる．自動調節の説明としていろいろな因子が関係する（32章参照）．腎神経が切断された腎臓や，生体から摘出され灌流されている腎臓にも自動調節作用が観察されるが，血管平滑筋を麻痺させる薬物を投与するとこの調節作用は消失する．自動調節作用の一部はおそらく輸入細動脈平滑筋の伸展に対する直接的な収縮反応によるものであろう．一酸化窒素（NO）も

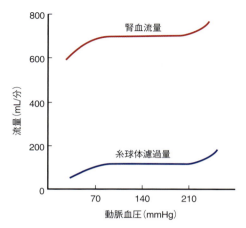

図 37・4　腎臓における自動調節.

自動調節能に貢献しているようである．低い灌流圧では，アンジオテンシン II もまた輸出細動脈を収縮させて，GFR を維持するのに役立っているようである．アンジオテンシン変換酵素を阻害する薬物を投与されている患者に腎血流量の低下が合併すると，時に腎不全に陥ることがあるが，その理由は前述のことによると考えられている．

局所血流と酸素消費

　腎皮質の主要な機能は，大量の血液を糸球体で濾過することなので，腎皮質の血流量が多い割には血液からの酸素摂取量が少ないことも不思議ではない．腎皮質の血流量は約 5 mL/g(腎組織重量)/分であり(脳血流量は 0.5 mL/g/分)，腎血流の動静脈血酸素較差は，わずか 14 mL/L$_{血液}$，である．ちなみに，脳の動静脈血酸素較差は 62 mL/L$_{血液}$ で，心臓は 114 mL/L$_{血液}$ である（表 33・1 参照）．腎皮質の P$_{O_2}$ は，約 50 mmHg である．他方，腎髄質の浸透圧勾配を維持するために，相対的に小さな血流量が要求される．腎血流量は，髄質外層で約 2.5 mL/g/分，髄質内層で約 0.6 mL/g/分である．しかし腎髄質では，特に Henle ループの太い上行脚で Na$^+$ を再吸収するために，代謝による仕事が行われるので，腎髄質では比較的多くの O$_2$ が摂取される．腎髄質の P$_{O_2}$ は約 15 mmHg である．このため，腎血流量が著しく減少すると，髄質は低酸素の影響を受けるようになる．髄質では，局所の NO やプロスタグランジンなど多くの心臓血管ペプチドが，パラクリン(傍分泌)作用を発揮して，低い血流量と代謝間で O$_2$ 需給のバランスを維持している．

糸球体濾過

糸球体濾過量（GFR）の測定

　侵襲を加えずに実験動物やヒトで**糸球体濾過量 glomerular filtration rate（GFR）**を測定するには，糸球体で自由に濾過されるが尿細管では分泌も再吸収もされない特定の物質を投与し，一定時間内のその排泄量と血漿中の濃度を測定すればよい．すなわち単位時間内に尿中に排泄されるこの物質の量は，ちょうどその時間内に濾過された血漿(mL)の中に含まれている．

　GFR 測定に用いる物質は，糸球体で自由に濾過され，尿細管で再吸収も分泌もされないという条件の他に，無毒で体内で代謝されてはいけない．イヌリン inulin はキクイモの塊根中に含まれる果糖の重合体で，分子量約 5200 の多糖類である．これがヒト，その他たいていの動物で上記の諸条件を満たすので，GFR 測定に広く用いられている．

　腎血漿クリアランスは，血漿中の基質が一定時間（通常 1 分）の間に，腎臓から完全に除去される血漿量である．つまり，単位時間中の尿中に出現する基質量は，血漿中に含まれ腎臓で濾過された濾過量である．GFR とクリアランスの測定値は，mL/分で表される．

　したがってこの物質を X とすれば，GFR は尿中の X の濃度（U$_X$）と単位時間内の**尿量 urine flow**（$\dot{V}$）との積を**動脈血漿中の X の濃度 arterial plasma level**（P$_X$）で割った値，すなわち U$_X$・$\dot{V}$/P$_X$ に等しい．この値を物質 X の**クリアランス（C$_X$）**という．

　実際に GFR を測定するには最初一定量のイヌリンを静脈注射し，その後動脈血漿中の濃度が一定値を維持するように静脈注射を続ける．イヌリンが体液内で平均化してから正確に一定時間内の尿を採取し，一方この採取時間の中間点で血漿の試料を採取する．血漿と尿中のイヌリン濃度を測定して前述のようにイヌリンクリアランス（C$_{In}$）を算出する．

$$U_{In} = 35 \text{ mg/mL}$$
$$\dot{V} = 0.9 \text{ mL/分}$$
$$P_{In} = 0.25 \text{ mg/mL}$$
$$C_{In} = \frac{U_{In} \cdot \dot{V}}{P_{In}} = \frac{35 \times 0.9}{0.25} = 126 \text{ mL/分}$$

　クレアチニンクリアランス（C$_{Cr}$）も GFR 測定に用いられるが，クレアチニンの一部は尿細管で分泌されるので，C$_{Cr}$ 値は，イヌリンクリアランス値より少し高くなる．このことは別として，内因性クレアチニンクリアランス値は，イヌリンクリアランス値と大差なく，

表37・2 各種物質の正常クリアランス値

基　質	クリアランス（mL/分）
グルコース	0
ナトリウム	0.9
クロライド	1.3
カリウム	12
リン酸塩	25
尿素	75
イヌリン	125
クレアチニン	140
PAH	560

PAH：パラアミノ馬尿酸．

合理的なGFR測定用基質である（表37・2参照）．血漿クレアチニン濃度（P_{Cr}）は，腎機能評価の指標として最も普及している（正常値：1 mg/dL）．

GFRの正常値

健康で平均的な体格の正常成人のGFRは約125 mL/分である．この値は体表面積の大小とかなりよい相関関係を示す．女性のGFR値は体表面積による違いを補正してもなお男性の値より約10%小さい．ここで注意を促したいのは125 mL/分のGFRは7.5 L/時，180 L/日の濾過量を示し，これに対し正常尿量は1日当たり約1 Lであるという点である．したがって濾過量の99%あるいはそれ以上が通常再吸収されているのである．濾過量が125 mL/分であるとすると腎臓は1日に全身水分量の4倍，細胞外液（ECF）量の15倍，血漿量の60倍にもあたる量を濾過していることになる．

GFRの調節

糸球体毛細血管における濾過量を支配している諸因子は，他のすべての組織の毛細血管における濾過量を支配している諸因子（31章参照）と同じである．すなわち毛細血管床の面積，毛細血管壁の透過性，毛細血管の内外の静水圧勾配と浸透圧勾配である．すなわち各ネフロンのGFRは，以下の式で計算できる．

$$GFR = K_f \left[(P_{GC} - P_T) - (\pi_{GC} - \pi_T) \right]$$

K_fは糸球体限外濾過係数で，糸球体毛細管壁の溶液輸送特性（透過性）と有効濾過面積の積である．P_{GC}は糸球体毛細血管内の平均静水圧，P_Tは尿細管内（Bowman腔内）の平均静水圧，π_{GC}は糸球体毛細血管内血漿の膠質浸透圧，π_Tは尿細管内（Bowman腔内）の糸球体濾過液の膠質浸透圧である．

透　過　性

糸球体毛細血管の透過性は骨格筋の毛細血管より約50倍も大きい．中性物質では粒子の直径が4 nm以下の場合は自由に濾過され，粒子の直径が8 nm以上の中性物質の濾過はほとんどゼロとなる．この中間の大きさの粒子では濾過は粒子直径に逆比例する．しかし，糸球体毛細血管壁のシアロタンパク質は陰荷電をもっているので，陽または陰性に荷電したデキストラン粒子を用いた研究によって，その（毛細血管内皮と基底膜の）陰荷電が血中の陰性荷電物質粒子と反発し，4 nm以下の直径の陰性荷電物質の濾過は，同じ大きさの中性物質粒子の半分以下であることがわかった．このことは，実効直径が約7 nmのアルブミン粒子の糸球体内腔液中の濃度が，通常血漿中の0.2%にすぎないことを説明する（分子の大きさのみから考えるとこの値はもっと高いはずだろう）．血中アルブミンは陰性荷電をもっている．逆に，陽性荷電粒子の濾過率は中性粒子よりも高い．

尿中に排出されるタンパク質量は，健常人では100 mg/日以下である．尿タンパク質の多くは糸球体で濾過されたものではなく，脱落した尿細管細胞由来である．相当量のアルブミンが尿中に排出された場合，**アルブミン尿 albuminuria** という．糸球体腎炎の際は膜の"孔"が大きくなるのでなく，糸球体濾過障壁[*7]の陰性荷電が消失するためにアルブミン尿が起こりうるのである．

毛細血管床の大きさ

K_fはメサンギウム細胞の収縮で変わりうる．この細胞の収縮は主に濾過に利用される面積を減らすことによってK_f値を下げるからである．毛細血管ループが分かれるところで収縮が起こると，血液の流れが他の部に移り，また他の部位では収縮したメサンギウム細胞が歪んで侵入して管内径を変化させる．メサンギウム細胞を収縮または弛緩させる物質は表37・3にあ

[*7] 訳注：毛細血管壁および基底膜．

表 37・3　メサンギウム細胞の収縮または弛緩を起こす物質

収　縮	弛　緩
エンドセリン	ANP
アンジオテンシン II	ドーパミン
バソプレシン	PGE_2
ノルアドレナリン	cAMP
血小板活性化因子 (PAF)	
血小板由来成長因子 (PDGF)	
トロンボキサン A_2 (TXA$_2$)	
PGF_2	
ロイコトリエン C_4, D_4	
ヒスタミン	

ANP：心房性ナトリウム利尿ペプチド，PGE_2：プロスタグランジン E_2，PGF_2：プロスタグランジン F_2，cAMP：環状アデノシン一リン酸．

げてある．アンジオテンシン II はメサンギウム細胞の収縮を調節する重要なものであり，糸球体にはアンジオテンシン II の受容体がある．さらに，メサンギウム細胞がレニンを作る証拠も一部示されている．

静水圧と浸透圧

　糸球体毛細血管の血圧は他のどの毛細血管床の血圧よりも高い．これは輸入細動脈が小葉間動脈の短くてまっすぐな分枝であるためと，さらに糸球体の"下流"の血管である輸出細動脈が相対的に大きな抵抗をもつためである．毛細血管内圧に対して Bowman 嚢内の静水圧は拮抗する．さらにまた，糸球体毛細血管の膠質浸透圧勾配 ($\pi_{GC} - \pi_T$) も同様に逆向きにはたらく．π_T はふつうは無視することができるので，浸透圧勾配は血漿タンパク質の膠質浸透圧に等しい．

　ある系統のラットでの実際の圧を図 37・5 に示した．輸入細動脈端における正味の濾過圧 (P_{UF}) は 15 mmHg であるが，輸出細動脈近くになるとこれがゼロとなる．すなわち，濾過平衡 filtration equilibrium に達する．これは血液が糸球体毛細血管を通過するにつれて，溶液が血漿から濾過されて膠質浸透圧が高まるからである．また，完璧に標準化された糸球体毛細血管中での Δπ を計算した値を図 37・5 に示す．図から明らかなように，糸球体毛細血管の一部分は正常の場合には糸球体限外濾液 ultrafiltrate の生成にはあずかっていない．いい換えると，糸球体毛細血管を通しての物質交換は拡散よりもむしろ血流によって規制される．また，腎血漿流量 (RPF) の増大によって Δπ 曲線の上昇度が減少した場合，糸球体濾過量が増加する．

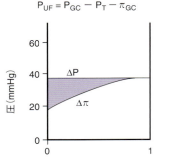

図 37・5　ラット糸球体毛細血管における静水圧 (P_{GC}) と膠質浸透圧 (π_{GC})．P_T：尿細管内圧，P_{UF}：正味の限外濾過圧．π_T は通例無視できるので，Δπ = π_{GC} である．ΔP = $P_{GC} - P_T$ (Mercer PF, Maddox DA, Brenner BM: Current concepts of sodium chloride and water transport by the mammalian nephron. West J Med 1974; Jan; 120(1): 33-45 より許可を得て複製)．

なぜならば，濾過が行われている糸球体毛細血管の距離が増えるからである．

　濾過平衡が達成されているか否かについては動物種間でかなりの差がある．また K_f の測定にも若干不確実性がある．ヒトで濾過平衡が達成されているか否かは明らかでない．

GFR の変化

　上に述べた諸要因および表 37・4 にあげた要因が変化すると GFR がどのように変化するかを予測することができる．自動調節能による腎血管抵抗の変化は濾過圧を安定させる傾向があるが，体循環の平均動脈圧が自動調節能の域 (図 37・4) を越えて低下すると GFR は急激に低下する．輸入細動脈の収縮に比べ輸出細動脈の収縮の方が大であれば GFR は不変に保たれようとするが，尿細管周囲を灌流する血流量は糸球体細動脈のいずれが収縮するにしても減少する．

濾　過　比

　RPF に対する GFR の比を**濾過比 filtration fraction**

表 37·4　GFR に影響を与える諸要因

腎血流量の変化
糸球体毛細血管内の静水圧の変化
体循環の血圧の変化
輸入または輸出細動脈の収縮
Bowman 嚢内の静水圧の変化
尿管の閉塞
伸展性の小さな腎被膜内における浮腫
血漿タンパク質濃度の変化：脱水症，低タンパク質血症，その他（副次的要因）
K_f の変化
糸球体毛細血管の透過性の変化
有効濾過面積の変化

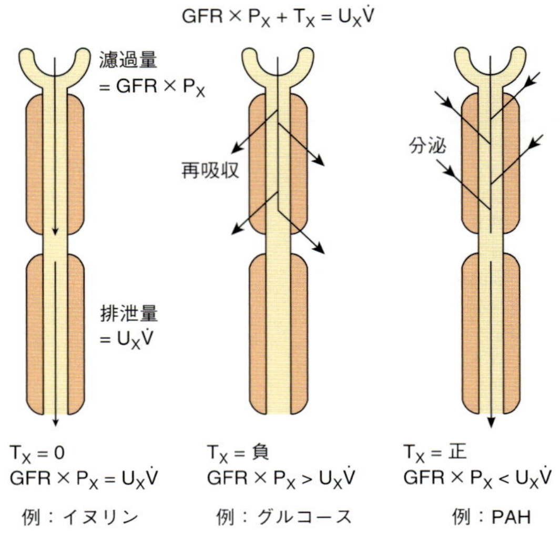

$GFR \times P_X + T_X = U_X\dot{V}$

濾過量 $= GFR \times P_X$

再吸収

分泌

排泄量 $= U_X\dot{V}$

$T_X = 0$
$GFR \times P_X = U_X\dot{V}$
例：イヌリン

$T_X = $ 負
$GFR \times P_X > U_X\dot{V}$
例：グルコース

$T_X = $ 正
$GFR \times P_X < U_X\dot{V}$
例：PAH

図 37·6　尿細管機能．記号の説明については本文参照．

と呼び，ヒトの場合通常 0.16〜0.20 である．GFR の変動は RPF のそれより小さい．体循環の血圧が低下する時，輸出細動脈が収縮するために GFR は RPF より少ししか低下しない．したがって，その時は濾過比が大きくなる．

尿細管の機能

概　　説

物質(X)は何であれそれが糸球体で濾過される量は，GFR とその物質の血漿濃度(P_X)との積($C_{in} \times P_X$)に等しい．尿細管細胞は濾液中にこの物質をさらに加えたり（尿細管分泌 tubular secretion），濾液中からその物質の一部または全部を除去したり（尿細管再吸収 tubular reabsorption），またはその両方を行う．したがって，その物質の単位時間当たりの排泄量($U_X\dot{V}$)は濾過された量と尿細管による**正味の輸送量 net amount transferred** との和に等しい．正味の輸送量を便宜上 T_X と表す（図 37·6）．尿細管で正味の分泌も正味の再吸収も起こらない時は，その物質のクリアランスは GFR に等しくなり，正味の尿細管分泌が起こる時は，その物質のクリアランスは GFR より大きく，正味の尿細管再吸収が起こる時は，その物質のクリアランスは GFR より小さい．

糸球体濾過と尿細管機能に関する多くの知見が，微小穿刺法を用いることによって得られてきた．微小ピペットを生体内の尿細管腔に挿入し，それにより採取した管内液の組成を微量化学定量法で調べることができる．さらに，生体内で 2 本の微小ピペットを 1 つの尿細管腔に挿入して灌流することができるようになった．別の実験法として，単離尿細管を体外で灌流して研究することや，尿細管細胞を培養して研究することも可能になった．

尿細管における再吸収と分泌の機序

小分子のタンパク質とある種のペプチドホルモンは近位尿細管においてエンドサイトーシスにより再吸収される．他の物質は化学的ポテンシャル勾配および電気的ポテンシャル勾配に従った受動的拡散または促通（促進）拡散によるか，またはこれらのポテンシャル勾配に逆らう能動輸送によって尿細管において分泌または再吸収される．それらの輸送は，イオンチャネル，交換輸送体（アンチポータ），共輸送体やポンプによって行われている．

管腔膜のポンプや他の輸送体は，側底膜にあるものと異なっていることに注意されたい．消化管上皮の説明で論じたように，この極性をもった分布が上皮を横切る正味の輸送を可能にしている．

他の能動輸送系の場合と同様，腎臓の能動輸送系も特定の溶質輸送に対して**最大輸送量 transport maximum (Tm)** がある．すなわちある特定の溶質の輸送量はその溶質の量が Tm 以下の時は溶質量に比例して増大するが，Tm 以上の時にはこの輸送機構は**飽和され saturated**，輸送量はもはやほとんど増加し

ない．しかしいくつかの系ではTmが十分大きいので，通常飽和しない．

小腸と同様に，細胞間のタイトジャンクションの性質（水や電解質がいくらか自由に移動できる）で分類すると，近位尿細管上皮は，**リーキー上皮 leaky epithelium** に属することに留意すべきである．この**細胞間経路 paracellular pathway** の通りやすさの程度により，尿細管を介する正味の溶液と物質移動への貢献度は異なる．このことを実験的に証明することは難しいが，最新の知見は近位尿細管の細胞間経路が重要な輸送路の1つであることを示している．一例として，タイトジャンクションに局在するパラセリン-1 タンパク質は，Mg^{2+} の再吸収に関与している．パラセリン-1 の遺伝子の機能喪失性突然変異は，尿中への多量の Mg^{2+} と Ca^{2+} の喪失をもたらす．

ナトリウム再吸収

Na^+ と Cl^- の再吸収は，身体の電解質・水ホメオスタシスに主要な役割を果たす．さらに，Na^+ 輸送は H^+，グルコース，アミノ酸，有機酸，リン酸塩，その他の電解質や物質の尿細管を横切る動きと連結している．ネフロン内の各セグメントに発現する主要なシンポータやアンチポータは，表37·5 にまとめてある．Na^+ は近位尿細管，Henle ループの太い上行脚，遠位曲尿細管および集合管[*8]ではシンポートやアンチポートにより濃度および電位勾配に沿って管腔内から細胞内に入り，上皮細胞から間質へ能動的に汲み出されている．細胞内 Na^+ は側底膜にある Na^+, K^+-ATPase によって間質に汲み出されている．すなわち，Na^+ は Henle ループ細管部を除く尿細管のすべての部分で能動的に汲み出されている．Na^+ ポンプは普遍的に存在するもので，その作動機序は2章で詳しく述べた．このポンプは，2個の K^+ を細胞内に汲み入れるのと交換に3個の Na^+ を細胞内から汲み出す．

ネフロン内で隣り合う尿細管細胞は管腔に近い縁ではタイトジャンクションで結合しているが，それ以外の側面では細胞と細胞との間には間隙がある．Na^+ の多くはこの**側面細胞間隙 lateral intercellular space** に（細胞内より）能動的に輸送される（図 37·7）．

通常，糸球体で濾過された Na^+ の約60%は，近位尿細管（主として Na^+-H^+ アンチポータ）で再吸収される．残りの30%は，Henle ループの太い上行脚の

[*8] 訳注：集合管の Na^+ 流入路は上皮型 Na^+ チャネル（ENaC）．

表 37·5 腎尿細管細胞管腔膜の Na^+，Cl^- 移動に寄与する膜輸送タンパク質[a]

部　位	輸送体（管腔膜）	機　能
近位尿細管	Na^+-グルコースシンポータ	Na^+ 吸収, グルコース吸収
	Na^+-無機リンシンポータ	Na^+ 吸収, 無機リン吸収
	Na^+-アミノ酸シンポータ	Na^+ 吸収, アミノ酸吸収
	Na^+-乳酸シンポータ	Na^+ 吸収, 乳酸塩吸収
	Na^+/H^+ アンチポータ Cl^-/塩基アンチポータ	Na^+ 吸収, H^+ 分泌 Cl^- 吸収
太い上行脚	Na^+-K^+-2Cl^- シンポータ	Na^+ 吸収, Cl^- 吸収, K^+ 吸収
	Na^+/H^+ アンチポータ	Na^+ 吸収, H^+ 分泌
	K^+ チャネル	K^+ 分泌（リサイクル）
遠位曲尿細管	Na^+-Cl^- シンポータ	Na^+ 吸収, Cl^- 吸収
集合管	上皮型 Na^+ チャネル（ENaC）	Na^+ 吸収

a) 吸収は尿細管腔から細胞内への物質移動を，分泌は細胞内から尿細管腔への移動を意味する（Schnermann JB, Sayegh EI: *Kidney Physiology*. Lippincott-Raven, 1998 のデータより）．

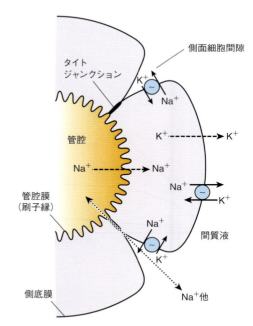

図 37·7 近位尿細管における Na^+ 再吸収の機序．Na^+ は，尿細管管腔膜の共輸送体または交換輸送体によって管腔から移動する（破線）．細胞内に入った Na^+ は側底膜の Na^+, K^+-ATPase により間質液側に能動輸送される（実線）．細胞内 K^+ は側底膜 K^+ チャネルを通って間質液に拡散する（破線）．少量の Na^+ や他の溶質や水はタイトジャンクションと細胞間隙を通って受動輸送される（点線）．（訳者改変）．

Na^+-K^+-$2Cl^-$シンポータで再吸収される．この両方のネフロンセグメントでの，細胞間隙における受動的Na^+輸送も，正味のNa^+再吸収に寄与する．遠位曲尿細管では濾過されたNa^+の7%を，Na^+-Cl^-輸送体で再吸収する．最終的に残った約3%は，集合管のENaCで再吸収される．集合管は，Na^+バランスの恒常性を保つためアルドステロンによる調節を受ける．

グルコースの再吸収

　グルコース，アミノ酸，重炭酸塩はNa^+輸送に随伴して近位尿細管の前半部（訳注：主に曲部）で再吸収される（図37・8）．グルコースは二次性能動輸送によって尿細管内液から除去（再吸収）される典型的な物質である．グルコースの濾過速度は，約100 mg/分（80 mg/$dL_{血漿}$×125 mL/分）である．濾過されたグルコースはほぼ全部再吸収され，24時間の尿量中にせいぜい数mg排出されるのみである．グルコースの再吸収量は，グルコースの濾過量がグルコース最大輸送量（Tm_G）以下のうちは，濾過量すなわち血漿グルコース濃度（P_G）とGFRの積に比例する．Tm_Gを超えると尿中のグルコース濃度は増大する（図37・9）．Tm_Gは男

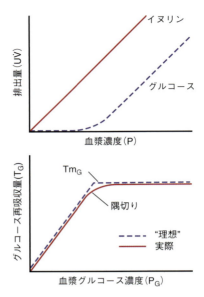

図37・9　腎のグルコース輸送．**上**：グルコースおよびイヌリンについて血漿濃度（P）と排出量（U̇V）との関係．**下**：血漿グルコース濃度（P_G）と再吸収量（T_G）との関係．

性では約375 mg/分，女性では約300 mg/分である．
　グルコースに対する**腎閾値 renal threshold** とは，尿中にグルコースが正常時の微量排泄量以上に排泄され始める血漿濃度のことである．この腎閾値は375 mg/分（Tm_G）を125 mL/分（GFR）で割った値，約300 mg/dLであると予測されるが，しかし，実際にヒトについて調べてみるとグルコースの腎閾値は，動脈血漿では約200 mg/dL，静脈血漿では約180 mg/dLである．図37・9 はなぜ実際の腎閾値が予想される腎閾値より低いかを示している．この図の"理想"曲線はすべての尿細管のTm_Gが全部等しいと仮定し，そのTm_G値以下の範囲では濾過されたグルコースがすべて再吸収されると仮定して得られたものである．実際ヒトについて得られたデータから曲線を書いてみると，"理想"曲線ほど鋭く折れておらず，"理想"曲線からかなり離れている．このずれを**隅切り splay** と呼んでいる．この隅切りの度合いはその輸送系と輸送される物質との親和性に逆比例する．

グルコースの輸送機序

　腎臓でのグルコースの再吸収は小腸のグルコース輸送（吸収）に似ている（26章参照）．グルコースとNa^+は，管腔膜のNa^+依存性グルコーストランスポータ（SGLT）2に結合し，Na^+が電気的および化学的勾配

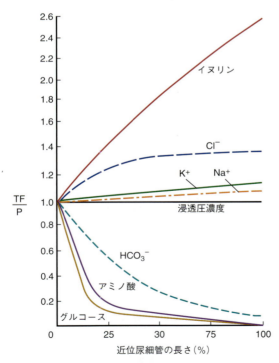

図37・8　近位尿細管中での各種溶質の再吸収．TF/Pは尿細管内液と血漿の濃度比（Rector FC Jr より許可を得て転載）．

に従って輸送されるとともにグルコースが細胞内に運ばれる．Na^+はそのうえでポンプ作用により細胞から間質に排出され，グルコースはグルコーストランスポータ glucose transporter(GLUT)2 によって間質液中に輸送される．少なくともラット[*9]では，SGLT1 や GLUT1 も輸送を行う．

SGLT2 はグルコースのD-異性体と特異的に結合し，その輸送速度はL-グルコースよりはるかに高い．腎臓におけるグルコースの輸送は小腸における輸送と同様に植物性グルコシドの**フロリジン phlorhizin** によって抑制される．フロリジンはこのトランスポータとの結合においてD-グルコースと競合する．

二次性能動輸送の追加例

アミノ酸の再吸収もグルコースの再吸収のように近位曲尿細管の近位部で最も著しい．この部位での吸収は小腸での吸収に似ている(26章参照)．管腔膜の主要な担体は Na^+ 依存性であるが，側底膜の担体は Na^+ 非依存性である．Na^+ は Na^+, K^+-ATPase のポンプ作用で細胞外に汲み出され，アミノ酸は受動拡散または促通拡散によって間質液中に出ていく．

Henle ループの太い上行脚では，Na^+ や K^+ とともに，Cl^- の一部も再吸収される．さらに腎臓では，Cl^- チャネルファミリーのうち，2 種類のチャネルが同定されている．腎臓の **Cl^- チャネル Cl^- channel** の 1 つの遺伝子に変異があると，Ca^{2+} 含有性の腎結石と高 Ca^{2+} 尿が起こるが(**Dent〔デント〕病**[*10])，その症状に腎尿細管の Ca^{2+} と Cl^- の輸送がどのように関係するかについてはまだわからない．

パラアミノ馬尿酸(PAH)の輸送

パラアミノ馬尿酸 p-aminohippuric acid (PAH)輸送の動力学(血中濃度と排出量の関係)は，PAH を尿細管内に分泌する能動輸送機構の様相をよく示している(クリニカルボックス37・1)．PAH 濾過量は血漿 PAH 濃度に対して直線関係にあるが，PAH 分泌量は PAH の最大分泌速度(Tm_{PAH})以下の範囲内でのみ P_{PAH} の増大に比例する(図37・10)．すなわち P_{PAH} が低い間は C_{PAH} の値は大きいが，Tm_{PAH} に達してしまうとそれ以上 P_{PAH} が上昇しても C_{PAH} は低下する．そ

クリニカルボックス 37・1

尿細管で分泌される物質

PAH に加えて馬尿酸誘導体，フェノールレッド phenol red やその他のスルホンフタレイン系の色素，ペニシリン，種々のヨウ化色素などは尿細管で能動的に分泌される．ヒトで正常に体内で産生され尿細管で分泌されている物質としては，各種エーテル硫酸，ステロイド，その他の物質のグルクロン酸化合物，5-ヒドロキシインドール酢酸(セロトニンの主要代謝産物)などがある．

治療上のハイライト

ループ利尿薬(フロセミド furosemide)とサイアザイド系利尿薬は，近位尿細管で尿中に分泌され，各々の作用部位(太い上行脚と遠位曲尿細管)に到達する有機アニオンである．

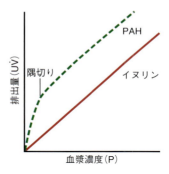

図 37・10 PAH およびイヌリンの血漿濃度(P)と排泄量($U\dot{V}$)との関係．

して，ついには C_{PAH} はイヌリンクリアランス(C_{In})に近づいてくる(図37・11)．これは PAH の全排出量に対する分泌量の割合がますます小さくなってくるからである．逆にグルコースのクリアランスは腎閾値以下の P_G の時はゼロであるが，閾値以上に P_G が上昇してくると C_G は大きくなり C_{In} に近づいてくる．

有効腎血漿流量(ERPF)の測定に C_{PAH} が使えることはすでに述べた．

[*9] 訳注：ラットの腎近位尿細管．
[*10] 訳注：電位作動性Cl^-チャネルClC-5 の遺伝子変異に起因する病態．低分子タンパク尿と腎結石を呈する．

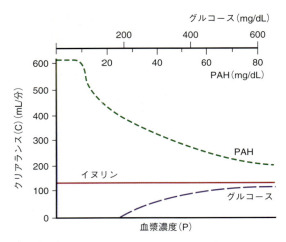

図37・11 イヌリン，グルコース，PAHのクリアランスとそれぞれの物質の血漿濃度との関係（ヒト）.

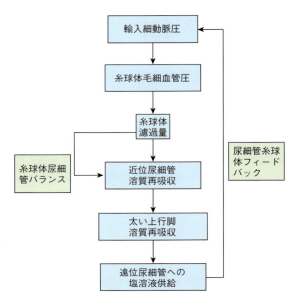

図37・12 糸球体尿細管バランスと尿細管糸球体フィードバック機構．（訳者改変）.

尿細管糸球体フィードバックおよび糸球体尿細管バランス

各ネフロン単位で尿細管からの情報が糸球体近接装置にフィードバックされて糸球体濾過機能に影響を与えている．Henleループ上行脚および遠位尿細管中の流量が増加するとそのネフロンのGFRが低下し，逆に前者が減じるとGFRを増加させる（図37・12）．**尿細管糸球体フィードバック tubuloglomerular feedback** と呼ばれるこの過程は，遠位尿細管への負荷の恒常性を保つのに役立つ．

この応答機構のセンサーは，**緻密斑（マクラデンサ） macula densa** である．Henleループの太い上行脚の終端部で，遠位尿細管に移行する部分の濾液流量は，管内 Na^+ と Cl^- の量に依存する．Na^+，Cl^- は密集斑細胞管腔膜 Na^+-K^+-$2Cl^-$ シンポータを通って細胞内に流入する．Na^+, K^+-ATPase を活性化し，消費された ATP はアデノシンを生成する．おそらく緻密斑細胞の側底膜から放出されたアデノシンは，輸入細動脈の平滑筋細胞の A_1 受容体を介して，収縮させる[*11]．この結果 GFR が低下する．おそらく，輸入細動脈の傍糸球体細胞にも類似の機構があって，レニン分泌を低下させるが（38章参照），よくわかっていない．

逆に GFR の上昇は主として近位尿細管の溶質の再吸収を増加させ，その結果水の再吸収も増加する．そのため一般に溶液の再吸収率は一定に保たれる．この過程を**糸球体尿細管バランス glomerulotubular balance** と呼ぶが，これは特に Na^+（溶液）について顕著である．Na^+（溶液）再吸収の変化は濾過の変化後数秒内で起こるので，これには腎外からの液性因子の関与は考えにくい．他方，調節因子の1つとして，尿細管周囲毛細血管の膠質浸透圧が考えられる．GFR が大きい時，輸出細動脈に達する血漿の膠質浸透圧は比較的大きく上昇し，それから先の毛細血管でもそのような血漿が流れる．これが尿細管からの Na^+[*12]の再吸収を上昇させるが，しかしまだよく解明されていない腎内機構も関与すると思われる．

水の輸送

通常1日当たり180Lの溶液が糸球体で濾過されているのに，平均尿量は1日当たり約1Lくらいである．人体はその尿が含んでいるのと同一量の溶質を24時間当たり500mLの尿中に排出することができ，その時の尿の浸透圧濃度は1400 mOsm/kg・H_2O である．また同じ溶質量が24時間に最大23.3Lの尿中に排泄されることもあり，この時には尿の浸透圧濃

[*11] 訳注：アンジオテンシンⅡ，ATP，トロンボキサン A_2 などの放出による複合的応答．なお原書では，アデノシンは緻密斑細胞の A_1 受容体を刺激するように記されているが，本訳文のように訂正した．

[*12] 訳注：Na^+（NaCl 溶液）．

表 37・6 バソプレシンによる水分代謝の変化（ヒト）．いずれの場合も排泄される浸透圧負荷量は 700 mOsm/日である．

	GFR (mL/分)	濾過された水分に対する再吸収率 (%)	尿量 (L/日)	尿浸透圧濃度 (mOsm/kg・H$_2$O)	溶質排泄量に対する水分の得失 (L/日)
血漿に比し等張な尿	125	98.7	2.4	290	…
バソプレシン（最大抗利尿状態）	125	99.7	0.5	1400	1.9 保持
バソプレシンなし（"完全な"尿崩症）	125	87.1	23.3	30	20.9 喪失

度は 30 mOsm/kg・H$_2$O である（表 37・6）．これらの数字は 2 つの重要なことを示している．第一は尿量が 23 L に達している場合でも濾過された水分の少なくとも 87％は再吸収されているということであり，第二は残りの濾過された水分の再吸収がどう変わっても溶質の全排泄量は変わらないということである．したがって尿が濃縮される時は，溶質量に比較して余分に水分が体内に保持されることになり，尿が薄い時には溶質量に比べて余分の水分が体から失われることになる．この 2 つの事実は生体における物質の出納と，体液の浸透圧濃度の調節という点で非常に重要である．水分の排泄調節の鍵は集合管に作用するバソプレシンである．

アクアポリン

動物細胞膜を横切る水の速やかな拡散は，**アクアポリン aquaporin**（AQP）と名付けられた一群のタンパク質で構成される水チャネルに依存している．今日まで 13 個の AQP が同定された（AQP0〜AQP12）．しかし，4 個の AQP（AQP1〜AQP4）のみが，腎臓で機能している[*13]．腎の水輸送における AQP1，AQP2 の役割は，以下に記す．

近位尿細管

多くの溶質が近位尿細管で再吸収されているにもかかわらず，近位尿細管から微小穿刺法によって採取された管内液の浸透圧は近位尿細管の終端部まで（測定誤差の範囲内で）血漿浸透圧に等しい（図 37・8）．AQP1 は，近位尿細管の管腔膜と側底膜に局在し，溶質の能動輸送の結果生じた近位尿細管内外の浸透圧勾配に従って水は移動する．このため，濾液の等張性は維持される．再吸収されない溶質であるイヌリンの尿細管内液の濃度と血漿の濃度との比（TF/P）は近位尿細管の終わりで 2.5〜3.3 になっているから，糸球体濾液が近位尿細管の終わりの部分に達するまでに濾過された全溶質量の約 60〜70％と濾過された水の 60〜70％が再吸収されたことになる（図 37・13）．

AQP1 ノックアウト（KO）マウスの実験例では，近位尿細管の水透過性は 20％に減少する．AQP1 以外の AQP を発現している AQP1 KO マウスを脱水に曝しても，尿浸透圧はあまり増加しない（700 mOsm/kg・H$_2$O 以下）．AQP1 活性が欠如したヒトの場合，脱水応答は不完全であるが水収支の欠陥はそれほど重篤ではない．

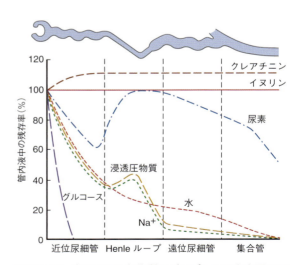

図 37・13 濾過された各物質のバソプレシン存在下ネフロンの各部位における管内液中の残存率（百分率）．ネフロン長軸に沿っての変化を示す．(Sullivan LP, Grantham JJ: *Physiology of the Kidney*, 2nd ed. Lea & Febiger, 1982 より許可を得て改変)．

*13 訳注：AQP6〜AQP8 も水，アニオン，尿素などのチャネルとして腎臓で機能している．

Henle ループ

　前述したように，傍髄質ネフロンの Henle ループは髄質錐体中に深く入っていき，再び戻って来て皮質中の遠位尿細管に続く．そしてすべての集合管は再び髄質錐体中を下行し，錐体の先端で腎盂に開口する．ヒト錐体内の間質は先端にいくにつれ浸透圧濃度が次第に高くなっており，乳頭の先端部浸透圧濃度は 1200 mOsm/kg・H_2O で血漿浸透圧濃度の 4 倍にもなっている．管腔膜，側底膜に **AQP1** が発現している Henle ループの細い下行脚は水を透過させるが，細い上行脚はそれに比べると水に対し不透過である．Na^+，K^+ および Cl^- は太い上行脚の共輸送によって間質部に吸収されている．したがって管内液は Henle ループの下行脚を下がっていくうちに，尿細管から高張な間質の方へ水分を失っていき，だんだん**高張 hypertonic** になってくる．Na^+，Cl^- が尿細管腔から吸収されるので，上行脚中では管内液は次第に希薄となる．濾液が上行脚（いわゆる**希釈セグメント diluting segment**）の終端に到達すると，血漿に比べ**低張 hypotonic** 液になっている．Henle ループを通過する過程で濾過量の約 15% にあたる液量の減少が起こる．したがって糸球体で濾過された水の約 20% が遠位尿細管に到達し，この部でのイヌリンの糸球体濾液濃度と血漿濃度の比（F/P）は約 5 となる．

　太い上行脚の膜輸送体（シンポータ）は，管腔から細胞に $1Na^+$，$1K^+$，$2Cl^-$ の割合で共輸送する．これは二次性能動輸送のもう 1 つの例である．細胞内 Na^+ は側底膜の Na^+，K^+-ATPase によって能動的に間質に輸送され，細胞内 Na^+ は低濃度に保たれる．太い上行脚にある Na^+-K^+-$2Cl^-$ シンポータは 12 回膜貫通型（訳注：NKCC2）であり，N および C 末端はどちらも細胞内にあると考えられる．この分子は，唾液腺，消化管，気道など多くの組織[14]にある輸送体（訳注：NKCC1）と同じファミリーに属する[15]．

　管腔から細胞内に取り込まれた K^+ は管腔膜の ROMK[16] を介して，側底膜で取り込まれた K^+ は他の K^+ チャネルを介して，それぞれ管腔，間質にリサイクルされる．細胞内に取り込まれた Cl^- は，ClC-Kb チャネルを介して間質に拡散する（図 37・14）．

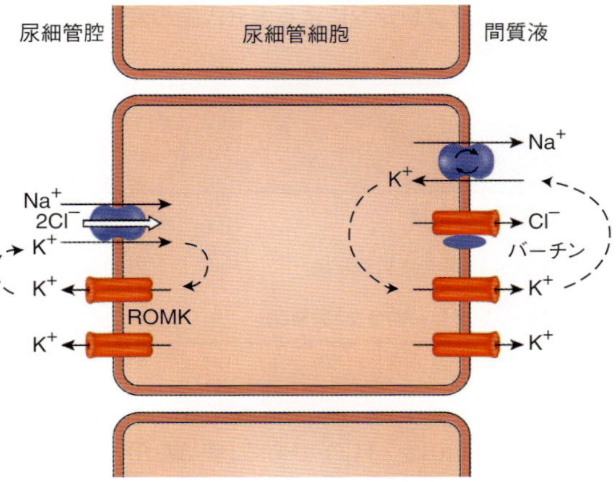

図 37・14　**Henle ループの太い上行脚における NaCl 輸送．**Na^+-K^+-$2Cl^-$ シンポータは，Na^+，K^+，Cl^- を二次性能動輸送で尿細管細胞に輸送する．細胞内 Na^+ は側底膜の Na^+，K^+-ATPase によって間質に輸送される．Cl^- は，側底膜の ClC-Kb Cl^- チャネルによって排出される．バーチン barttin は，ClC-Kb Cl^- チャネルの正常な機能発現に必要な膜タンパク質（訳注：アクセサリーサブユニット）である．K^+ は，ROMK（訳注：Kir1.1．原書では側底膜にも発現しているように図示されているが誤りである）や他の K^+ チャネル（訳注：Kir4.1 他．破線は K^+ リサイクル）を介して細胞や間質に移動する（クリニカルボックス 37・2）（訳者改変）．

遠位尿細管

　遠位尿細管，殊にその始めの部分は Henle ループの太い上行脚の延長とみてよい．その部位は比較的水に対し不透過で，管内腔から溶質が溶媒以上に抜き取られる結果，管内液はさらに希釈される．

集　合　管

　集合管には 2 つの部分がある．1 つは皮質部であり，もう 1 つは髄質部である．ここでの濾液の浸透圧濃度と容積の変化はこの部に作用するバソプレシン量に依存する．この脳下垂体後葉から分泌される抗利尿ホルモンは，集合管の水の透過性を増大させる．集合管に対するバソプレシンの主要な作用は，アクアポリン 2（AQP2）に対してである．他のアクアポリンと違って，AQP2 は主細胞内の小胞に貯えられている[17]．バソプレシンは，これらの小胞を管腔膜に速やかに組み込ませる[18]．この効果は，バソプレシン V_2 受容体，環状アデノシン一リン酸（cAMP），プロテインキナーゼ A，

---

*[14] 訳注：分泌に関わる．
*[15] 訳注：しかしアミノ酸配列のホモロジーは低い．約 60%．
*[16] 訳注：太い上行脚〜集合管細胞管腔膜に発現する "内向き整流性 K^+ チャネル"．K^+ 分泌路として機能する．

*[17] 訳注：この時，集合管管腔膜の水透過性は低い．
*[18] 訳注：管腔膜の水透過性上昇．

クリニカルボックス 37・2

腎膜輸送タンパク質の遺伝子変異

腎臓のNa^+トランスポータ/チャネルの遺伝子変異は，Bartter〔バーター〕症候群，Liddle〔リドル〕症候群，Dent 病など特徴ある症候群を引き起こす．これまでに多数の遺伝子変異が知られている．

Bartter 症候群 Bartter syndrome は，Henle の太い上行脚の輸送不全によって引き起こされるまれな興味深い病態を呈する．尿中への慢性的なNa^+喪失を起こすので，低容量性にレニン，アルドステロン分泌が亢進するが，高血圧にはならない．しかし，低カリウム血症，アルカローシスになる．この病態は，4 種の重要な輸送タンパク質の機能低下性遺伝子変異のいずれかが原因である．それらは，Na^+-K^+-$2Cl^-$シンポータ，ROMK チャネル，ClC-Kb Cl^-チャネル，**バーチン**（ClC-Kb Cl^-チャネルが正常にはたらくために必要な膜タンパク質）である．

内耳の血管条は，正常聴力に必須な中央階の高いK^+濃度を維持するために不可欠の役割を果たしている．血管条は，ClC-Kb と ClC-Ka Cl^-チャネルを発現している．ClC-Kb Cl^-チャネル遺伝子変異の Bartter 症候群患者は，ClC-Ka Cl^-チャネルが代替するので難聴にならない．しかし，このCl^-チャネルはどちらもバーチン依存性なので，バーチン遺伝子変異の Bartter 症候群患者は，難聴にもなる．

別の興味深い例は，ポリシスチン 1（*PKD1*）とポリシスチン 2（*PKD2*）である．*PKD1* は，*PKD2* と関係する非選択的イオンチャネルを活性化するCa^{2+}受容体のようである．イオンチャネル様 PKD1 の本来の機能はよくわかっていないが，**常染色体優性の多発性嚢胞腎 autosomal dominant polycystic kidney disease**（PKD）患者において，両遺伝子産物（*PKD1*，*PKD2*）はともに異常である．腎実質は，完全な腎不全になるまで，進行性に，溶液で満たされた嚢胞に取って代わられる．

によって発揮される．これに関わる細胞骨格は，ミオシン-1 のようなアクチンフィラメント結合タンパク質と微小管様モータータンパク質（ダイニン，ダイナクチン）を構成要素としている．

最大の抗利尿作用を来すに足るバソプレシンが存在すると，集合管に流入する低張の管内液中の水が皮質の組織液中に移動し，管内液は組織液と等張になる．濾過された水の 10% がこのようにして再吸収される．等張の管内液は髄質の集合管に入り，イヌリンの TF/P は約 20 となる．濾液のさらに 4.7% またはそれ以上が髄質の高張な間質に再吸収され，イヌリンの TF/P が 300 以上に達する濃厚な尿を生成する．ヒトでは尿の浸透圧は 1400 mOsm/kg・H_2O，血漿の浸透圧濃度の約 5 倍に達する．結局濾過された水の 99.7% が再吸収される（表 37・6）．ヒト以外の動物では尿濃縮度はもっと高く，イヌの最大尿浸透圧濃度は約 2500 mOsm/kg・H_2O，実験用ラットでは約 3200 mOsm/kg・H_2O に達し，砂漠に住むある種のげっ歯類（スナネズミ）の場合は 5000 mOsm/kg・H_2O にも達する．

バソプレシンが血中に存在しない時，集合管上皮細胞は水を比較的通さなくなる．したがって管内液は低張のままで大量に腎盂に流入する．ヒトの場合，尿浸透圧濃度は 30 mOsm/kg・H_2O にまで低下しうる．ネフロンの遠位部分が水を透過させないといっても絶対的なものでなく，バソプレシンのない場合でも集合管から能動輸送により除去される塩類に伴って濾過された水の 2% がここで再吸収される．しかし濾過量の 13% に達する水分が排泄され，尿量は 15 mL/分，またはそれ以上になることがある．

対向流機序

尿の濃縮機序は髄質錐体に沿って段階的に**増加する浸透圧濃度**勾配が維持されていることによる．この勾配は，Henle ループが**対向流増幅系 countercurrent multiplier** として作用することによって作られ，直血管が**対向流交換系 countercurrent exchanger** としてはたらくことによって維持される．対向流系とは一定の長さにわたって流入管と流出管が近接して平行に走り，両管内の流れがそれぞれ逆向きになっている系のことをいう．そのような構造と流れは腎髄質中の Henle ループと直血管の両方にみられる（図 37・3）．

Henle ループの対向流増幅器としての機序は，太い上行脚部分のNa^+とCl^-の能動輸送による汲出し，下行脚細管部の高い水透過性（AQP-1 を介する），および近位尿細管からの液の流入と遠位尿細管への流出に依存している．その過程は，通常の平衡状態に至るまで仮想的ではあるが段階的に説明される．しかしその各段階はもちろん生体内でそのまま進行しているもの

ではない．平衡状態は浸透圧勾配が洗い流されない限り維持されていることも心に留めておいて頂きたい．その各段階は細い上行脚をもたない表在ネフロンについて図37・15に要約してある．最初に，下行脚，上行脚および髄質間質全体がすべて300 mOsm/kg・H₂Oの状態を考える（図37・15A）．次に上行脚のポンプが200 mOsm/kg・H₂Oの勾配でNa⁺とCl⁻を管内液から間質に汲み出しうると仮定すると，間質の浸透圧は400 mOsm/kg・H₂Oに上昇する．次いで，管内液の水は"細い下行脚"から浸透で移動し，濃くなった内液は間質と浸透圧的に平衡する（図37・15B）．しかし近位尿細管から300 mOsm/kg・H₂Oの液が連続的に流入する結果（図37・15C），Na⁺とCl⁻の能動的汲出しに対抗する浸透圧勾配が減少し，より多くのNa⁺，Cl⁻が間質に輸送される（図37・15D）．この間，遠位曲尿細管["太い上行脚（TAL）"の出口]には低張液が，"TAL"入口には初め等張の，その後，高張になった下行脚の液が流入する（図37・15E）．この過程は繰返し起こり（図37・15F，G），その最後の結果としてループの上端から先端（間質の上部から底部）に向けて浸透圧濃度勾配ができる（図37・15H）．（訳者により，解説を一部追加改変した．）

傍髄質ネフロンはより長いループと細い上行脚をもっているので，浸透圧勾配はより長い距離まで及び，ループ底部の浸透圧はより高くなる．それは細い上行脚が比較的水に対する透過性が低く，Na⁺とCl⁻に対して高い透過性をもつことによる．したがってNa⁺，Cl⁻はそれらの濃度勾配に従って間質に移動し，受動的な対向流増幅が起こる．Henleループが長いほど髄質の先端部（底部）の浸透圧は高くなる．

もし間質液中のNa⁺と尿素が髄質部を循環する血液によって運び去られてしまうならば，髄質錐体中の浸透圧勾配はそれほど長時間維持されないはずである．それらの溶質は直血管が対向流交換器としてはたらくので，錐体間質液内に留まるのである（図37・16）．すなわちこれら溶質は，錐体内を下行する血管

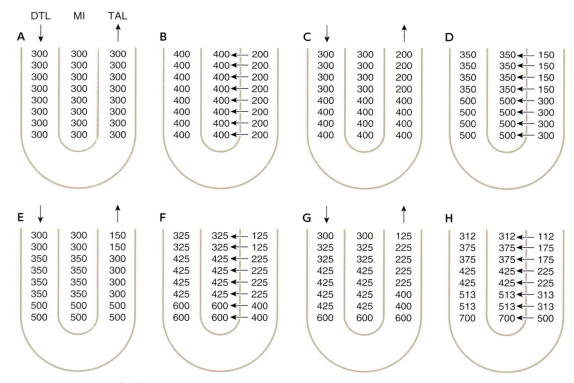

図37・15 Henleループの対向流増幅系による髄質間質（MI）の浸透圧勾配形成模式図．勾配形成過程は次のような仮想的なステップを経て行われるものとして示してある．Aから始まるが，ここでは両脚内腔および間質は300 mOsm/kg・H₂Oである．太い上行脚のポンプはNa⁺，Cl⁻を間質へ汲み出し，間質の浸透圧濃度を400 mOsm/kg・H₂Oとし，それが細い下行脚内液と平衡する．しかし等張の液は持続的に細い下行脚に流入し，低張液が太い上行脚から出ていく．持続的にポンプがはたらくことにより上行脚から出ていく液をさらに低張にする．一方，Henleループの先端では溶質が高張に蓄積される．DTL：細い下行脚，TAL：太い上行脚．

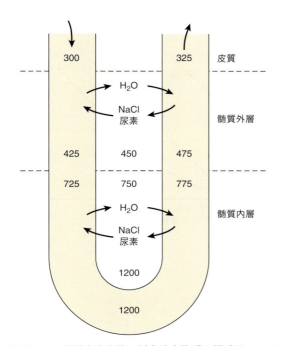

図 37·16 腎臓内直血管の対向流交換系の模式図．NaClと尿素は血管の上行脚から拡散で出ていき，下行脚に入る．一方，水は血管ループの下行脚から出ていき，上行脚の中に入る（Pitts RF: *Physiology of the Kidney and Body Fluid*, 3rd ed. Chicago: Yearbook Medical Publications, 1974 より許可を得て改変）．

へは拡散によって入っていき，皮質の方へ上行する血管からは拡散によって出ていく．逆に水は下行血管から外へ出，有窓の上行血管内へ入っていく．したがって溶質は髄質内で循環し，血中の水分は髄質をバイパスして戻っていく．この結果，髄質の高張性が維持されるのである．腎錐体内の集合管で再吸収される水はまた直血管によっても除かれて体循環系に入る．対向流交換作用は受動的なプロセスによって起こる．この作用は直血管壁を通して水と溶質が受動的に移動することに基づいており，もし Henle ループの対向流増幅系の機能が停止したならば錐体内の浸透圧勾配を維持することはできない．

Henle ループ，集合管（バソプレシンが存在する場合）に非常に大きな浸透圧勾配があることは注目に値する．しかしこの勾配はわずか数 μm の厚さにすぎない 1 層の細胞の両側にあるのではなく，1 cm 以上の長さにわたる尿細管に沿って形成されているのであって，その勾配を可能にしているのは上述の対向流系なのである．動物体内で対向流系がはたらいている他の例として，四肢の動脈と伴行静脈 venae comitantes との間の熱交換がある．これはヒトではそれほどでないが，冷水中に住む哺乳類では顕著である．四肢へ流れ込む動脈血からその近くにあって体幹の方へ戻っていく静脈血へ熱を移すことにより，四肢の先端を冷たくしても身体にそれだけ体熱を残すのである（33 章参照）．

尿素の役割

尿素は髄質錐体における浸透圧勾配形成ならびに集合管での濃縮尿の生成に重要な役割を果たしている．尿素輸送は，尿素トランスポータによって促通拡散様式で運ばれる．UT-A 型アイソフォームが少なくとも，4 種（UT-A1〜UT-A4）腎尿細管に，UT-B 型が赤血球と直血管（下行脚）に発現している．集合管における尿素輸送は，バソプレシンで活性化する UT-A1，UT-A3 を介して行われる．抗利尿状態では，血漿バソプレシン濃度が高いので，髄質間質に蓄積する尿素量が増加し，尿濃縮能が亢進する．加えて，髄質の間質中の尿素量，および尿中の尿素量は糸球体で濾過される尿素量によって変化し，濾過される尿素量は食物中のタンパク質摂取量によって変化する．ゆえに高タンパク質の食餌は腎臓の尿濃縮能を大きくし，低タンパク食は尿濃縮能を低下させる．

浸透圧利尿

再吸収されない溶質が尿細管中に多量にあると，尿量の増加が起こる．これを**浸透圧利尿 osmotic diuresis**という．近位尿細管で再吸収されない溶質は，管内液量が減少したり，その濃度が増大してくるにつれ，相当な浸透圧作用を現すようになってくる．したがってこのような溶質は"尿細管内に水を保持"することとなる．そればかりでなく，Na^+ がそれに逆らって近位尿細管から汲み出される濃度勾配には限界がある．正常では近位尿細管からの水の移動は目立った濃度勾配を起こすことはない．しかし，再吸収されない溶質が尿細管液中に増加したため，水の再吸収が減少する時は，管内液中の Na^+ 濃度は低下する．限界濃度勾配に達すると，近位尿細管からはそれ以上 Na^+ が再吸収されなくなる．Na^+ は尿細管中に残り，水は Na^+ とともに尿細管中にとどまる．これらの結果，Henle ループに大量の等張液が異常に流入することとなる．この液中の Na^+ 濃度はいくらか低下しているが，単位時間に Henle ループに達する Na^+ の総量は増加している．腎髄質の高張性が低下するため，Henle ループで

は水とNa⁺の再吸収が減少する．腎髄質の浸透圧の低下は，主にHenleループの上行脚でNa⁺再吸収のための濃度勾配が限界に達したのでNa⁺, K⁺, Cl⁻の再吸収が低下するためである．遠位尿細管を流れる濾液が増加し，腎錐体に沿って浸透圧濃度勾配が低下しているため，集合管からの水の再吸収は減る．これらの結果，尿量とNa⁺およびそれ以外の電解質の排泄も著しく増加する．

マンニトールや絨縁の多糖類のように，糸球体で濾過されるが尿細管では再吸収されない物質を投与すると，浸透圧利尿が起こる．また生体内の物質でも尿細管再吸収の最大量以上に濾過された時も浸透圧利尿が起こる．**糖尿病 diabetes mellitus** のように，もし血糖値が高くて糸球体で濾過される糖が多いと，負荷量がTm_Gを超えるので，尿細管で吸収されなかった糖が多尿を引き起こす．また多量のNaClあるいは尿素を輸液した時も浸透圧利尿が起こる*19．

浸透圧利尿と水利尿の違いを十分よく理解しておくことが大切である．すなわち水利尿の時はネフロンの近位部分で再吸収される水の量は正常であり，起こりうる最大尿量は約 16 mL/分である．これに対し，浸透圧利尿の時の尿量増大は近位尿細管やHenleループにおける水の再吸収量が減少するからであり，したがって尿量が非常に多量となりうる．また浸透圧利尿の時は排泄される溶質が増加するにつれ，バソプレシンが最大に分泌されていても尿の濃度は血漿の濃度に近い（図37・17）．これは排泄されている尿のうちで等張の近位尿細管内液の占める割合が，どんどん大きくなっていくからである．同じ理由により尿崩症の動物に浸透圧利尿を起こさせると尿の浸透圧は上昇する．

尿濃度とGFRとの関係

Henleループ内を通過する濾液量が減少すると髄質錐体内の浸透圧勾配が大きくなってくる．たとえば脱水などによりGFRが減少すると対向流系に入る管内液量が減少し，ループ内での流速が低下するので尿は濃縮される．GFRが小さい時はバソプレシンがなくても尿は非常に濃縮される．もし尿崩症の動物の一側の腎動脈を狭窄すると，GFRの低下のためにその側の腎臓から排泄される尿が高張になるが，他側の腎臓から出てくる尿は依然低張のままである．

---

*19 訳注：患者のどのような病態で「本文記述」の治療行為をするのか不明である．臨床的にあり得ない．

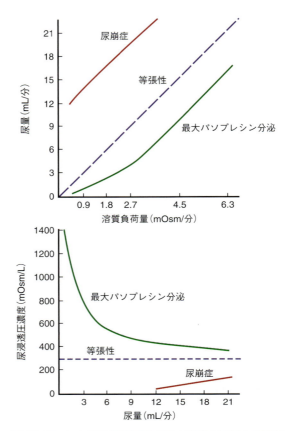

図 37・17 ヒト浸透圧利尿時の尿中濃度と尿量との関係を示す概略図．下図の破線は，血漿浸透圧に等しい値を示す（Brobeck JR(ed): *Best and Taylor's Physiological Basis of Medical Practice*, 9th ed. Philadelphia, PA: Williams & Wilkins; 1979 より許可を得て複製）．

"自由水クリアランス"

濃縮尿や希釈尿の排泄によって起こる水分の保持や喪失の度合を定量的に表現するために，しばしば"自由水クリアランス free water clearance"（C_{H_2O}）を計算で求める．自由水クリアランスとは尿量と浸透圧（溶質）クリアランス（C_{Osm}）との差である．

$$C_{H_2O} = \dot{V} - \frac{U_{Osm} \cdot \dot{V}}{P_{Osm}}$$

$\dot{V}$：単位時間尿量，U_{Osm}：尿浸透圧濃度，P_{Osm}：血漿浸透圧濃度．C_{Osm}は尿中の浸透圧活性溶質を血漿と等張性の尿として排泄すると仮定した場合必要とされる水の量である．したがって尿が血漿より高張の時，C_{H_2O}は負の値になり，尿が低張の時，C_{H_2O}は正の値になる．たとえば表37・6にあるように，最大抗利尿

時には C_{H_2O} は-1.3 mL/分(-1.9 L/日)であり,バソプレシンの存在しない時には C_{H_2O} は 14.5 mL/分(20.9 L/日)になる.

ナトリウム排出の調節

Na^+ は多量に濾過されるが,Na^+ は Henle ループの細い下行脚を除くすべての尿細管部位で能動的に輸送される.ふつうは濾過された Na^+ の約 99% 以上が再吸収される.Na^+ は細胞外液(ECF)中最も多くあるカチオン(陽イオン)であり,また Na^+ 塩は血漿や間質液中の浸透圧活性溶質の 90% 以上を占めているので,体内の Na^+ 量は ECF 量を左右する第一の因子である.したがって陸生動物がこのイオンの排泄に対していろいろな調節機序をもっていることは驚くにあたらない.これらの調節機序により,Na^+ 排出量は,Na^+ 摂取量が広範囲に変動しても調整可能なので,Na^+ バランスが保たれる.Na^+ 摂取量が高い時,あるいは生理食塩水を静脈注射された時,Na^+ 利尿が起きる.逆に,ECF が減少している時(たとえば,嘔吐や下痢で体液を喪失している時),尿中 Na^+ 排泄量は減少する.すなわち Na^+ の尿中排泄量は,低塩食を摂取した時の 1 mEq/日以下から食餌中の Na^+ 量が多い時の 400 mEq/日以上の範囲で変化しうる.

排 出 機 構

尿中 Na^+ 排出量は,GFR(表 37・7)と尿細管での再吸収量の変動に従って変化し,基本的には濾過された Na^+ の 3% が集合管に到達する.GFR に影響する因子については尿細管糸球体フィードバック機構を含めてすでに述べた.Na^+ 再吸収に影響する因子としては,循環血液中のアルドステロンやその他の副腎皮質ホルモンの濃度,血中の心房性ナトリウム利尿ペプチド(ANP)およびおそらく他の Na^+ 利尿ホルモンのレベル,H^+ と K^+ の尿細管からの分泌速度などがある.

副腎皮質ステロイド(コルチコステロイド)の作用

アルドステロンのような副腎皮質ミネラルコルチコイドは,K^+ と H^+ 分泌を伴う Na^+ の再吸収と,Cl^- 吸収を伴う Na^+ の再吸収を増大させる.副腎摘除動物にミネラルコルチコイドを注射すると,10〜30 分の潜伏時間を経た後に Na^+ 再吸収に対する作用がはっきりと現れてくる.それはステロイドが DNA に作用してタンパク質合成を変えるのに時間がかかるためである.ミネラルコルチコイドは,より早期の細胞膜仲介作用[20]をもっているかもしれないが,体内外の Na^+ 収支を論じる場合,そのはたらきは明らかではない.ミネラルコルチコイドは,主に集合管にはたらき,管腔膜の上皮型 Na^+ チャネル(ENaC)数を増加させる.この作用に関与していると信じられている分子機構は,19 章で詳しく述べられており,図 37・18 にまとめられている.

Liddle 症候群では,上皮型 Na^+ チャネル(ENaC)の β サブユニットをコードする遺伝子に変異(まれに γ サブユニットの遺伝子変異)が ENaC チャネルを管腔膜にとどめ活性状態のままとする.集合管での Na^+ 再吸収量が増加するため,Na^+ の貯留,細胞外液量の増加と高血圧が起こる.

その他の液性因子の作用

食塩摂取量が減るとアルドステロンの分泌は高まり(図 19・23 参照),Na^+ 排出を大いに,しかしゆっくりと減少させる.他にも多くの液性因子が Na^+ 再吸収に影響する.プロスタグランジン E_2(PGE_2)はおそらくは Na^+,K^+-ATPase を阻害すること,および細胞内 Ca^{2+} を増加させることによって ENaC による Na^+ 輸送を抑制し,ナトリウム利尿を促す.エンドセリンやインターロイキン 1(IL-1)はおそらくは PGE_2 を増やすことによってナトリウム利尿を促進する.ANP やそれに関連する分子は cGMP を増加させ,これがアミロライド感受性 ENaC による Na^+ 輸送を抑制する.もう 1 つ別のナトリウム利尿ホルモン(内因性に産生されるウアバインと考えられる)による Na^+,K^+-ATPase 抑制も,Na^+ 排泄を増加させる.アンジオテンシン II は近位尿細管に作用して Na^+ と

表 37・7 Na^+ の再吸収量が同時に変化しないと仮定した時,GFR の変化によって生じると考えられる Na^+ 排泄量の変化

GFR (mL/分)	血漿 Na^+ (μEq/mL)	糸球体濾過量 (μEq/分)	再吸収量 (μEq/分)	排泄量 (μEq/分)
125	145	18125	18000	125
127	145	18415	18000	415
124.1	145	18000	18000	0

[20] 訳注:Na^+ チャネルの活性化などの非ゲノム作用.

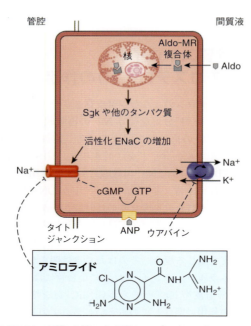

図 37·18　腎集合管の主細胞. Na^+ は管腔膜の ENaC により細胞内に輸送され，側底膜の Na^+, K^+-ATPase（Na^+-K^+ポンプ）により間質に汲み出される［訳注：細胞内 Ca^{2+} や cGMP は Na^+ チャネル（ENaC）を阻害する］．アルドステロン（Aldo）は，ゲノムを活性化し，Sgk や他のタンパク質を生成し，活性化 ENaC の数を増加させる．MR：ミネラルコルチコイド受容体，Sgk (serum and glucocorticoid-regulated kinase)：血清・グルココルチコイド調節キナーゼ［訳注：管腔膜上での ENaC 発現量の短期的増加は，膜からの ENaC 取込み（ユビキチン化）低下による］（訳者改変）．（訳注：膜結合型 ANP 受容体は，細胞内に GTP シクラーゼ機能を有している．ANP が受容体に結合すると細胞内 GTP から cGMP が生成され，管腔膜の上皮型 Na チャネル（ENaC）を阻害し，Na 利尿を引き起こす．）

HCO_3^- の再吸収を増加させる．腎臓には十分量のアンジオテンシン変換酵素が存在し，腎臓内を循環しているアンジオテンシン I の 20％をアンジオテンシン II に変換する．これに加えて，アンジオテンシン I は腎臓内で産生される．

　高濃度の血漿ミネラルコルチコイドに長期間刺激されても，そのこと以外は正常なヒトには浮腫を生じない．なぜなら，腎臓は結果的にステロイドの影響から逸脱（エスケープ）するからである．この**逸脱現象 escape phenomenon**（ANP の分泌増加によるかもしれない）は，19 章で詳述した．この逸脱現象は，ネフローゼ，肝硬変，心不全においては減弱するかまったくみられなくなるようである．このような基礎疾患をもった患者は，高濃度のミネラルコルチコイドに刺激されると，Na^+ を取り込み続けて浮腫になる．

水排泄の調節

水利尿

　バソプレシンの分泌を調節するフィードバック機序と，血漿の実効浸透圧の上昇または低下によってバソプレシン分泌がそれぞれ刺激または抑制される機序については 17 章で述べた．大量の低張液を摂取時に起こる**水利尿 water diuresis** は，飲水後約 15 分で始まり，約 40 分で最大に達する．飲水行動によりバソプレシンの分泌は水の吸収前にいくらか低下するが，大部分の抑制は水の吸収後に起こる血漿浸透圧濃度の低下による．

水中毒

　通常量の浸透圧物質負荷を尿中に排泄している時，水利尿によって起こりうる最大尿量は約 16 mL/分である．もしある時間，この尿量よりも大きな速度で水分を摂取すると，低張となった細胞外液（ECF）から水が細胞内に移動して細胞が膨化する．この状態がひどくなるとまれに**水中毒 water intoxication** の症状を呈する．脳細胞が膨化すると痙攣，昏睡を来し，ひどくなると死を招く．また外部からバソプレシンを投与した後や，外科的侵襲のような非浸透圧的刺激に応じて内因性バソプレシン分泌が増大している時などには，水分摂取を減らさないとやはり水中毒が起こりうる．分娩後，子宮筋収縮のためにオキシトシン投与を行う場合，水分摂取量を注意深く監視していないと，水中毒になる危険性が高い．

カリウム排泄の調節

　濾過された K^+ の大部分は近位尿細管における能動的再吸収によって管内液から再吸収され，次いで遠位尿細管細胞によって管内液中へ分泌される．K^+ 分泌量は遠位尿細管での管内液の流量に比例する．その理由は流れが速いと管内液の K^+ 濃度が K^+ 分泌を抑止する値にまで上がりにくいからである．いろいろ複雑な要因のない時には，K^+ 分泌量はほぼ K^+ 摂取量に等しく，K^+ バランスが保たれている．集合管では一般に Na^+ は再吸収され，K^+ は分泌される．この場合，厳密な 1 対 1 の交換過程ではなく，K^+ 移動の大部分は受動的である．しかしながら，Na^+ が細胞を通って移動することにより尿細管の管内負電位を増加させ，これが K^+ の管腔内への流出を促進するという意味で

の電気的共役関係はある．集合管に達する Na^+ 量が少ないと K^+ 分泌量は低下する．さらに，もし H^+ 分泌が亢進するなら，集合管では H^+ と交換で K^+ が再吸収されるので（H^+, K^+-ATPase の作用で），K^+ 分泌は低下するだろう．

利 尿 薬

利尿薬について詳しく述べることは本書の範囲を越えるが，利尿薬の作用機序を考察することは，尿量と電解質の排泄に影響する諸因子についての知見を総括することになる．各種利尿薬の作用機序を表37・8に要約してある．水，アルコール，浸透圧利尿薬，キサンチン，体液を酸性化する塩などは臨床的応用に限界があり，バソプレシン拮抗物質などは主に研究に用いられている．しかし上記以外の薬物で表中にあげられているものは，実際の臨床でかなり広範に使用されている．

炭酸脱水酵素阻害薬は中等度の利尿作用をもつだけであるが，これらの物質は炭酸の供給量を減らす結果，酸分泌を低下させることによりいっそうの波及効果を示す．すなわち H^+ 分泌の低下による Na^+ 排泄量増加だけでなく，HCO_3^- 再吸収量の低下をもたらす．また H^+ と K^+ は互いに競合し，さらに Na^+ とも競合するので，H^+ 分泌の低下は K^+ の分泌と排泄を増大させる．

フロセミドや他のループ利尿薬は，Henle ループの太い上行脚における Na^+-K^+-$2Cl^-$ シンポータを阻害することにより利尿作用を発揮する．このため著明な Na^+ 利尿，K^+ 利尿になる．サイアザイドは，遠位曲尿細管の Na^+-Cl^- シンポータを阻害する．サイアザイドの利尿効果は，フロセミドより小さいが，どちらも集合管（Na^+, K^+ 交換部位）により多くの Na^+（と溶液）を運ぶので，尿中への K^+ 排泄は増加する．この結果，これら利尿薬の長期使用は，K^+ の補給がなければ，低カリウム症（K 欠乏）や低カリウム血症を引き起こす．これに対して，いわゆる K^+ 保持性利尿薬作用は，集合管でアルドステロンの作用または ENaC を阻害することによる．

腎 機 能 障 害

各種腎疾患に共通した多くの腎機能異常がある．腎臓からのレニンの分泌と腎臓と高血圧症の関係は38章で述べる．各種腎疾患でよくみられる症状は，尿中にタンパク質，白血球，赤血球，**円柱 cast** などが排出されることである．円柱とは，尿細管内に沈殿して

表37・8 各種利尿薬の作用機序

物質名	作用機序
水	バソプレシン分泌の抑制
エタノール	バソプレシン分泌の抑制
バソプレシン V_2 受容体の拮抗物質：トルバプタン tolvaptan など	集合管に対するバソプレシンの作用を抑制
多量の浸透圧活性物質：マンニトール，グルコースなど	浸透圧利尿
キサンチン：カフェイン，テオフィリンなど	尿細管における Na^+ 再吸収の減少と GFR の増大
酸性化塩：$CaCl_2$, NH_4Cl など	酸負荷：H^+ は緩衝されるが，Na^+ と H^+ の交換能を超えた負荷の場合，尿中にアニオンに随伴する Na^+ が排泄される
炭酸脱水酵素阻害薬：アセタゾラミド（ダイアモックス Diamox）など	H^+ 分泌の減少，その結果として Na^+, K^+ 排泄量の増加
メトラゾン（ザロキソリン Zaroxolyn）[*1]，サイアザイド類：クロロサイアザイド（ダイウリール Diuril）[*1] など	遠位曲尿細管における Na^+-Cl^- シンポータの抑制
ループ利尿薬：フロセミド（ラシックス Lasix），エタクリン酸（エデクリン Edecrin）[*1]，およびブメタニド[*2]	腎髄質 Henle ループの太い上行脚での Na^+-K^+-$2Cl^-$ シンポータの抑制
カリウム保持性 Na^+ 利尿薬：スピロノラクトン（アルダクトン Aldactone[*3]），トリアムテレン（ダイレニウム Dyrenium[*4]），アミロライド（Midamor）[*1] など	集合管で Na^+ 吸収，K^+ 分泌を抑制．スピロノラクトンはアルドステロンの作用を阻害することにより，アミロライドは ENaC を阻害することによる

[*1] 訳注：日本では未承認．
[*2] 訳注：日本では 2020 年から販売中止．
[*3] 訳注：日本での商品名はアルダクトン A Aldactone-A．
[*4] 訳注：日本での商品名はトリテレン Triteren．

できたタンパク性物質の小片で膀胱中に流れ出てきたものである．その他の重要な症状としては尿濃縮能，または尿希釈能の喪失，尿毒症，アシドーシス，Na^+ の異常貯留などである（クリニカルボックス37・3）．

濃縮および希釈能の喪失

腎疾患の時，尿の濃縮力が低下し，尿量が増加して**多尿症 polyuria** や**夜間頻尿 nocturia**（排尿のため目を覚ます）の症状を示すことが多い．腎疾患の初期には

クリニカルボックス 37・3

タンパク尿

多くの腎疾患の時と，良性の病態で，糸球体毛細血管（濾過膜）の透過性が増大してくるため，正常時には痕跡程度だった尿中のタンパク質が増加する（**タンパク尿 proteinuria**）．尿中に出てくるタンパク質の大部分が**アルブミン albumin** なので一般にはアルブミン尿と呼ばれている．糸球体膜の荷電とアルブミン尿との関係は先に述べた．場合によって，尿中に出るタンパク質の量が非常に多くなることがある．特にネフローゼ nephrosis の時には尿中へのタンパク質喪失量が肝臓の血漿タンパク質合成速度以上になることがある．この時起こる低タンパク質血症 hypoproteinemia は血漿の膠質浸透圧を低下させ，血漿量を減少させる．時にはこの低タンパク質血症は危険な程度までになり，組織に浮腫を生じさせる．

タンパク尿を起こす良性の病態とは，まだあまりよく理解されていない腎循環動態の変化によるものであって，他には何の異常もないヒトが起立するとタンパク尿を生じる（**起立性アルブミン尿 orthostatic albuminuria**）．このヒトが臥位にある時は尿にタンパク質は検出されない．

尿を希釈する能力はしばしば保たれているが，腎疾患がさらに進行してくると尿の浸透圧濃度はほぼ血漿の値に固定されてくる．これは腎臓が尿を濃縮する能力も希釈する能力も失ってきたことを示している．このような能力が失われる原因の一部は対向流機構の機能不全のためであるが，より重要な原因は機能を発揮できるネフロン数の減少のためである．一方の腎臓を外科的に除去した場合には，機能するネフロン数は半分になってしまうのに，排泄されるべき浸透圧モル量は半分に減少はしない．したがって残存ネフロンは手術前より多くの浸透圧活性物質を濾過し，排泄している．これは実質的には浸透圧利尿である．浸透圧利尿の時，尿浸透圧濃度は血漿の値に近づいていく．ゆえに腎疾患の際に機能を発揮できるネフロンの数が減少すると，これと同じことが起こるわけである．残存ネフロンの濾過量が増えると結局はそれらの機能低下が起こり，ネフロンがさらに失われることになる．濾過量増加によるネフロン障害は，近位尿細管における進行性の線維化によるものと考えられるが，詳細は不明である．しかし，正のフィードバックによる悪循環のためにさらに多くのネフロンが失われ，腎不全の末期には**乏尿 oliguria** や**無尿 anuria** が起こる．

尿毒症

タンパク質の代謝産物が血液中に蓄積してくると，**尿毒症 uremia** として知られる症候を呈するようになる．その症状は嗜眠，食欲不振，吐き気，嘔吐，精神機能低下，錯乱，筋の単収縮，痙攣，昏睡などである．血中の尿素窒素 blood urea nitrogen (BUN)，クレアチニン濃度が増大しており，これらの血中濃度は尿毒症の重症度の指標として用いられている．尿毒症の諸症状の原因は尿素やクレアチニンそのものの蓄積ではなく，他の有毒物質（おそらく有機酸またはフェノール）の蓄積が原因であると考えられている．

尿毒症の症状の原因となっている有毒物質は，尿毒症患者の血液を人工腎臓（**血液透析 hemodialysis**）内の適当な組成の液槽を通して透析すれば，除くことができる．完全に無尿となった腎不全患者や両側の腎摘出患者においても，血液透析により数カ月間にわたり[*21]納得のいく健康状態で生存が可能である．しかし，今日的な治療法の選択は，適合する腎臓提供者からの腎移植[*22] である．

その他の慢性腎臓病の症状としては貧血（エリスロポエチンの生成不全による）と二次性副甲状腺機能亢進症 [1,25-ジヒドロキシコレカルシフェロール（活性型ビタミン D_3）の欠乏による] が知られている（21章参照）．

アシドーシス

消化や代謝によって生じる酸性産物を排泄できないために，慢性腎臓病ではアシドーシスがよく起こる（39章参照）．またまれな症候群である**尿細管性アシドーシス renal tubular acidosis** では，尿を酸性化する能力が特異的に失われるだけで，その他の腎機能は正常である．しかしほとんどの慢性腎臓病の場合，尿は最大限酸性化されているが，尿細管における NH_4^+ 生成が障害されて H^+ の分泌量が少なくなるためにアシドーシスになる．

[*21] 訳注：日本では数十年である．
[*22] 訳注：日本の血液透析患者数は約32万人（2014年末）で，腎移植件数（約1600/年）をはるかに上回る．

ナトリウム代謝の異常

　腎疾患患者の多くはNa^+を過剰に体内に貯留し，浮腫を生じる．腎疾患時のNa^+貯留には少なくとも3種の原因がある．主として糸球体が障害される急性糸球体腎炎 acute glomerulonephritis の時は，濾過されるNa^+量は著しく減少する．ネフローゼ症候群の時はアルドステロン分泌が増大してNa^+貯留作用を強めている．ネフローゼの時は血漿タンパク質濃度が低下しているため，血漿から間質に水分の移動が起こり，血漿量が減少する．血漿量の減少はレニン-アンジオテンシン系を介してアルドステロン分泌を亢進する．腎疾患時のNa^+貯留と浮腫形成の第三の原因は**心不全 heart failure** である．腎疾患が心不全を誘発する理由の1つは，腎疾患に併発する高血圧症のためである．

膀　　胱

尿　充　満

　尿管壁には，はっきりとした筋層は区別されないが，らせん状，縦走および輪状の束からなる平滑筋がある．毎分1〜5回の規則的な尿管の蠕動的収縮によって尿は腎盂から膀胱へ移動し，蠕動波が到着するごとに尿は膀胱内にほとばしる．尿管は膀胱壁を斜めに貫通している．このために尿管は括約筋をもたないが，蠕動波の到着時以外はその開口部は押しつぶされて閉じたままになっており，膀胱から尿管の方への逆流を防いでいる．

排　　尿

　尿管と同じように，膀胱の平滑筋もらせん状，縦走および輪状の束に配列されている．**排尿筋 detrusor muscle** と呼ばれる膀胱平滑筋が主として排尿時に膀胱を空にするのにはたらいている．筋束は尿道の膀胱端にまで伸びている．この筋束は尿道の全周を取り巻いてはいないが，**内尿道括約筋 internal urethral sphincter** と呼ばれることがある．尿道に沿って末梢の方に（訳注：前立腺の対側に）骨格筋性の括約筋である**外尿道括約筋 external urethral sphincter** がある．膀胱の上皮は移行上皮細胞（表層）と立方上皮細胞（深層）とからなる．膀胱の神経支配は，図37・19 に要約してある．

　排尿 micturition の生理学と排尿異常の生理学的基

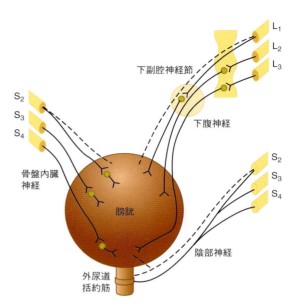

図37・19　膀胱に対する神経支配．破線は感覚神経を示す．副交感神経支配は左側に，交感神経支配は右上に，体性神経支配は右下に示す．

礎にはかなり混乱がみられる．排尿は基本的には脊髄反射の1つで，脳の高次中枢によって促進されたり抑制されたりする．すなわち排便と同じく随意に促進したり抑制したりできる．尿が入ってきてもかなりいっぱいになるまでは膀胱内圧は上昇しない．さらに他の平滑筋と同じく膀胱壁も可塑性をもっているので，膀胱壁が引き伸ばされた最初のうちは張力を発生するが持続しない．膀胱内圧と容積との関係を調べるには，まずカテーテルを挿入して膀胱を空にし，次に水または空気を50 mLずつ加えていった時の内圧を測定すればよい（**膀胱内圧測定 cystometry**）．膀胱内容積に対する内圧の関係を示す曲線を**膀胱内圧容積曲線 cystometrogram** という（図37・20）．この曲線を見ると最初容積が少し増すと内圧も少し上昇するが，その後容積が増しても内圧はほとんど上昇せず，曲線は水平である．そして排尿反射が起こる容積に達すると鋭く急激に内圧が上昇する．これらの曲線の3つの部分をⅠa，Ⅰb，Ⅱと表記することが多い．最初尿意が感じられるのは膀胱内容積が約150 mLくらいの時であり，約400 mLに達すると著しい膀胱の充満感を覚える．この曲線のⅠbの部分はLaplaceの法則を表している．Laplaceの法則によれば，中空の臓器の内圧は壁の張力を臓器の半径で割った値の2倍に等しい．膀胱の場合，尿量が増してくるとともに張力は増大するが，同時に半径も大きくなる．したがって膀胱内に

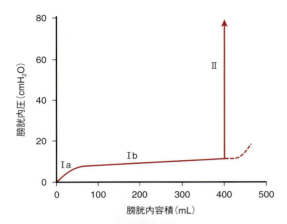

図37・20　健常人の膀胱内圧容積曲線．ローマ数字（Ia, Ib，Ⅱ）は本文中で説明されている曲線の3区分を示している．破線は排尿が起こらなかった場合の要素Ⅱを含む圧-容積曲線である（Tanagho EA, McAninch JW: *Smith's General Urology*, 15th ed. New York, NY: McGraw-Hill; 2000 より許可を得て複製・改変）．

尿がかなりたまるまでは内圧の増加はほんのわずかである．

　排尿中は会陰部の筋と外尿道括約筋は弛緩し，排尿筋は収縮しており，尿は尿道から体外へ排出される．尿道の両端にある平滑筋束は排尿に際して特に機能していない．内尿道括約筋の主要機能は男では射精の際，精液が膀胱に逆流するのを防ぐことであると考えられている．

　随意的に排尿を開始できる機序はまだ解決されていない．随意的排尿の初期に起こる事柄の1つに骨盤底部の諸筋の弛緩がある．これらの筋の弛緩により排尿筋が下方へ引っぱられ，その結果，排尿筋の収縮が起こるのかもしれない．会陰部の諸筋および外尿道括約筋は随意的に収縮させることができ，したがっていったん排尿が始まった後でも尿が尿道を通れないようにして排尿を中断することができる．成人の場合，ある時点まで排尿を遅らせることができるのは，外尿道括約筋を収縮させ続けられるからで，これは学習能力の結果である．排尿後，女性の尿道は重力により尿が出切って空虚になる．男性の尿道中に残った尿は球海綿体筋を数回収縮させて排出する．

反射性調節

　膀胱筋は固有の収縮性をもっている．しかし膀胱の神経支配に異常がなければ膀胱壁中の伸展受容器が反射性収縮を引き起こす．反射性収縮の閾値の方が筋固有の性質による収縮の閾値より低い．骨盤神経中に排尿反射の求心性線維が含まれており，遠心性の副交感神経線維も骨盤神経を経て膀胱に向かう．排尿反射は仙髄中で統合される．成人で反射性収縮を起こす膀胱内容積は約300〜400 mLである．膀胱を支配する交感神経は排尿という機能に何の役割も果たしていない．この交感神経は射精中に精液が膀胱に入らないように膀胱筋[*23]を収縮させている．

　膀胱の伸展受容器に小運動神経系[*24]は分布していない．しかし骨格筋の伸展反射と同様に排尿反射の閾値も脳幹の促通中枢と抑制中枢によって調節されている．促通部位は橋に，抑制部位は中脳にある．橋のすぐ上位で脳幹を横断すると排尿反射の閾値が低下してきて膀胱内容積が小さいうちに反射が起こる．しかし中脳の上部で横断すると排尿反射は正常に起こる．視床下部後部にはもう1つ促通中枢がある．上前頭回に損傷のあるヒトは排尿に対する欲望が弱く，さらにまた，いったん排尿が始まると中断するのが困難になる．しかし動物の刺激実験によると，大脳皮質の他の部分も排尿に影響を及ぼす．脊髄の排尿反射を随意的に促通すると，わずか数mLの容積の時にすでに膀胱は反射性収縮をすることができる．意識的に行った腹筋の収縮も腹内圧を高めることにより尿の排出を助ける．しかしこの腹筋の力を借りずとも膀胱がほとんど空に近い状態でも排尿を始めることができる．

求心路遮断 deafferentation の影響

　実験動物では仙髄後根を切断するとか，ヒトの場合は脊髄癆 tabes dorsalis のような脊髄後根の疾患によって求心性経路が遮断されると，膀胱の反射性収縮はすべて起こらなくなってしまう．膀胱は拡張状態になり，壁は薄くなり低緊張性になる．しかし平滑筋に内在する伸展に対する応答によっていくらか収縮は起こる．

神経支配除去の影響

　馬尾 cauda equina や終糸 filum terminale に腫瘍が生じ，求心性，遠心性の両経路が破壊されると，膀胱は弛緩し，しばらくの間拡張したままの状態になる．しかしやがてこの"中枢の制御を失った膀胱"は活動を

[*23] 訳注：内尿道括約筋．
[*24] 訳注：γ運動ニューロンのこと．伸展性を過敏にする．

始め，多くの収縮波を生じ尿道から尿を滴下させるようになる．さらに時間が経つと膀胱は縮んだ状態になり，壁が肥厚してくる．この小さくて壁の厚い膀胱と，求心性経路のみの破壊によって拡張して緊張の低下した膀胱との差がどのような理由で生じるかは不明である．神経支配除去の場合にみられる活動亢進は，切断されたニューロンが節後ニューロンではなく節前ニューロンであるとはいえ，その様子から見て，除神経性過敏 denervation hypersensitization に相当するものと思われる（クリニカルボックス37・4）．

脊髄横断の影響

脊髄横断 transection による脊髄ショックが続いている間は，膀胱は弛緩して反応性を失った状態になっている．このような膀胱は過剰に充満され，ついには括約筋が押し開かれて尿が滴下してくる（**オーバーフロー尿失禁** overflow incontinence）．脊髄ショックが過ぎてしまうと排尿反射は回復してくるが，脊髄が切断されているので排尿の随意的調節や，排尿反射に対する高次中枢からの促通作用と抑制作用はもちろん消失してしまっている．四肢麻痺の患者でも大腿をつまんだり叩いたりして弱い集合反射（12章参照）を起こ

> ### クリニカルボックス 37・4
>
> #### 排尿異常
>
> 神経系が原因の膀胱の機能不全は3型に大別される．（1）膀胱からの求心性神経の遮断によって起こる型，（2）求心性・遠心性の両経路ともに遮断されるために起こる型，（3）脳から下行してくる促通性と抑制性経路が遮断されるために起こる型，この3つである．これら3型いずれの場合でも膀胱は収縮するが，完全に空になるほどでなく，いつも少量の尿が膀胱内に残される．

し，これによって排尿を開始するように訓練することができる．また患者によっては逆に排尿反射活動が亢進し，膀胱は小さく壁は肥厚する．この型の膀胱を**神経（原）性痙縮性膀胱** spastic neurogenic bladder と呼ぶことがある．この反射は膀胱壁に細菌感染があるとひどくなる．またその原因もこの細菌感染によるのであろう．

章のまとめ

- 腎臓に流入した血漿は糸球体で濾過される．濾液は，ネフロンを下り尿細管を流れる間に，その流量は減少する．水と溶質は取り除かれ（尿細管再吸収），老廃物は分泌される（尿細管分泌）．
- 1本のネフロンは，1本の尿細管とその糸球体で構成される．個々の尿細管は複数のセグメントに分けられる．順に，近位尿細管，Henleループ（下行脚・上行脚），遠位曲尿細管，結合尿細管，集合管（訳注：狭義のネフロンは，集合管を含まない）．
- 心拍出量の25%弱が左右の腎臓を灌流する．腎血漿流量は，パラアミノ馬尿酸（PAH）を注射し，尿中・血漿 PAH 濃度を調べることで測定される．
- 腎血流は，輸入細動脈から糸球体に流れ込み，輸出細動脈（若干細い）から流れ出る．腎血流は，ノルアドレナリン（収縮，血流低下），ドーパミン（弛緩，血流増加），アンジオテンシンⅡ（収縮），プロスタグランジン（腎皮質血管の弛緩，髄質血管の収縮），アセチルコリン（弛緩）によって調節される．
- 糸球体濾過量（GFR）は，自由に濾過され，尿細管で吸収・分泌されない（もちろん無毒で代謝されない）物質を用いて測定される．イヌリンは，この基準を満たし，GFR 測定に利用されている．
- 尿は排泄（排尿）の前，膀胱に貯留する．排尿応答は，随意的にコントロールされた反射経路で成り立つ．

多肢選択式問題

正しい答えを 1 つ選びなさい．

1. バソプレシン存在下で，濾液中の水分が最も吸収される場所はどこか．
   A．近位尿細管
   B．Henle ループ
   C．遠位尿細管
   D．皮質集合管
   E．髄質集合管

2. バソプレシン非存在下で，濾液中の水分が最も吸収される場所はどこか．
   A．近位尿細管
   B．Henle ループ
   C．遠位尿細管
   D．皮質集合管
   E．髄質集合管

3. もし，ある物質のクリアランスがイヌリンクリアランスより小さい場合，どれが起こっているか．
   A．その物質は尿細管で正味の再吸収を受けている
   B．その物質は尿細管で正味の分泌を受けている
   C．その物質は尿細管で分泌も再吸収も受けていない
   D．その物質は尿細管でタンパク質に結合する
   E．その物質は，遠位尿細管でよりも近位尿細管でより多く分泌される

4. グルコースが再吸収される場所はどこか．
   A．近位尿細管
   B．Henle ループ
   C．遠位尿細管
   D．皮質集合管
   E．髄質集合管

5. アルドステロンの最大作用部位はどこか．
   A．糸球体
   B．近位尿細管
   C．Henle ループの細い部分
   D．Henle ループの太い部分
   E．皮質集合管

6. ある物質の血漿濃度が 10 mg/dL，尿中濃度が 100 mg/dL，この間の尿量が 2 mL/分の場合，その物質のクリアランスの大きさはどれか．
   A．2 mL/分
   B．10 mL/分
   C．20 mL/分
   D．200 mL/分
   E．クリアランスは与えられた条件から決定できない．

7. 浸透圧利尿で尿量が増加するとどうなるか．
   A．尿浸透圧は，血漿浸透圧以下に低下する
   B．尿中に再吸収されない物質が増加するので，尿浸透圧は増加する
   C．血漿が尿細管に漏れるので，尿浸透圧は血漿浸透圧に近づく
   D．尿の大部分は等張性の近位尿細管溶液なので，尿浸透圧は血漿浸透圧に近づく
   E．腎尿細管にはたらくバソプレシンの作用は抑制される

細胞外液の組成と量の調節

CHAPTER 38

学習目標
本章習得のポイント

- 細胞外液の浸透張力（有効浸透圧濃度）が，水分摂取とバソプレシン分泌の変化でどのように維持されているかを説明できる
- バソプレシンの効果，その受容体，分泌調節を論議できるようになる
- 細胞外液量が，レニン・アルドステロンの分泌量変化によってどのように維持されているかを説明できる
- アンジオテンシンIIの生成を先導する刺激と反応系を明確に説明できる
- アンジオテンシンIIとそれが作用する受容体の機能を箇条書きできる
- ANP，BNP，CNP の機能を説明でき，かつ，それらの受容体の役割を詳しく述べることができる
- エリスロポエチンの作用部位・機構，およびその分泌におけるフィードバック調節を記述できる

■ はじめに

この章では細胞外液 extracellular fluid (ECF) の有効**浸透圧** tonicity，**量** volume および**特有なイオン組成** specific ionic composition を維持するための，腎臓と肺のはたらきに基づく主要なホメオスタシス機序を総説する．細胞外液の中で間質液（組織液）は細胞の生存環境をなすものであり，この"内なる海"の恒常性に生命の存否がかかっている（1章参照）．

有効浸透圧濃度変動に対する防衛

ECF の有効浸透圧が正常に保たれるのは，主としてバソプレシン分泌と口渇（のどの渇き）のしくみによる．全身の浸透圧濃度（osmolality[*1]）は身体の（総 Na^+ 量＋総 K^+ 量）／総水分量に直接比例する．ゆえにこれら電解質と水分の身体への出入りのバランスが破れると浸透圧濃度の変化が起こる．血漿の有効浸透圧が上昇するとバソプレシンの分泌が増加し，口渇を覚える．そこで水分の排出が減じ，飲水量も増し，高張と

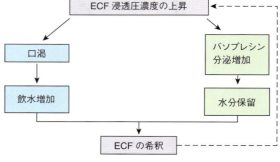

図 38・1　ECF の有効浸透圧濃度を適正に保つための機序．破線の矢印は抑制を意味する（Fitzsimmons J より許可を得て転載）．

[*1] 訳注：osmolality の単位は $mOsm/kg \cdot H_2O$ で，osmolarity の単位が $mOsm/L$ である．生体内では両者に大きな差はないが，後者は温度に依存する（1章参照）．

なった血漿を希釈する(図38・1). 逆に血漿が低張になるとバソプレシン分泌は減じ, "溶質に対して過剰な水分 solute-free water" が排泄される. このように体液の浸透圧は正常値よりごくわずかの変動範囲に保持される. 健常時には血漿の浸透圧濃度は280〜295 mOsm/kg・H_2Oである. バソプレシン分泌はこの値が285 mOsm/kg・H_2Oになると最大に抑制され, それ以上の値になると促進される(図38・2).

バソプレシンの受容体

バソプレシン受容体には少なくともV_{1A}, V_{1B}, V_2の3種類の受容体がある. これらはすべてGタンパク質に共役している. V_{1A}とV_{1B}受容体は, ホスファチジルイノシトールの加水分解によって細胞内Ca^{2+}濃度を増加させる. V_2受容体は, G_Sタンパク質を介して環状アデノシン3',5'—リン酸(cAMP)を増加させる.

バソプレシンの効果

バソプレシンの主要な生理的機能が腎臓による水分保持であるため, バソプレシンはしばしば**抗利尿ホルモン antidiuretic hormone (ADH)**と呼ばれている. バソプレシンは腎集合管の水透過性を増すため, 水分は腎錐体の高張性組織間質に浸透する. そのため尿は濃縮され, 尿量は減少する. つまり, バソプレシンの効果は溶質よりも水分を多く保持することである. その結果, 体液の実効浸透圧は減少する. バソプレシンがないと尿は血漿より低張となり, 尿量は増え, 正味の水分喪失を生じ, その結果, 体液の浸透圧は増大する.

バソプレシンが抗利尿効果を発揮するメカニズムは, **V_2受容体 V_2 receptor**の活性化と集合管主細胞の管腔膜への"水チャネル(AQP2)"組み込みである. 細胞膜を横切る水輸送機序が単純拡散と思われていたが, 現在, これら水チャネルによって促進されていることが明らかにされた. これらのチャネルは, 細胞内のエンドソームに蓄えられており, バソプレシンはこれらのチャネルを管腔膜へ急速に移動させる.

V_{1A}受容体は, バソプレシンの血管収縮作用を仲介する. バソプレシンは, 生体外において血管平滑筋を強力に収縮させる. しかし, 生体内で血圧を上げるには比較的大量のバソプレシンが必要である. その理由は, バソプレシンが脳にも作用し, 心拍出量を減少させるためである. バソプレシンの脳内作用部位は, 脳室周囲器官の1つである**最後野 area postrema**(33章参照)である. 出血はバソプレシン分泌に対する強い刺激である. バソプレシンの昇圧効果を遮断する作用のある合成ペプチドで前処置した動物では, 出血による血圧低下が著しい. したがってバソプレシンは血圧の恒常性維持に役立っているようである.

V_{1A}受容体は, 肝臓と脳でも発見されている. バソプレシンは, 肝臓において糖分解を起こし, 上述したように, 脳と脊髄で神経伝達物質としてはたらく.

V_{1B}受容体(V_3受容体とも呼ばれる)は, 下垂体前葉でのみ見られ, そこで, コルチコトロピン分泌細胞からの副腎皮質刺激ホルモン(ACTH)分泌を増加させる.

代　　　謝

血中を循環するバソプレシンは, 主として肝臓と腎臓とで急速に不活性化される. バソプレシンの**生物学的半減期 biologic half-life**はヒトで約18分である.

バソプレシン分泌の制御：浸透圧による刺激

バソプレシンは下垂体後葉に貯えられ, ホルモンを含有する神経線維のインパルスに応答して血中に分泌

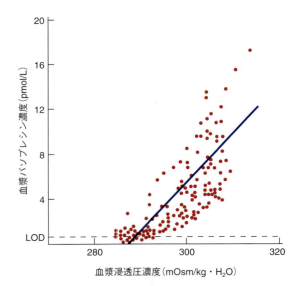

図38・2 健常成人で高張食塩水を注入した際の, 血漿浸透圧濃度と血漿バソプレシン濃度の関係. LOD：検出限界 (Thompson CJ, et al: The osmotic thresholds for thirst and vasopressin release are similar in healthy man. Clin Sci [Lond] 1986 Dec; 71:(6): 651-656 より許可を得て複製).

される．バソプレシン分泌に影響を及ぼす因子の要約を表38・1に示す．血漿の有効浸透圧が285 mOsm/kg・H₂O以上に上昇するとこれらのニューロンのインパルス発射頻度は増大し，バソプレシンの分泌が増加する(図38・2)．血漿バソプレシンは，血漿浸透圧285 mOsm/kg・H₂O付近でほぼ測定の検出限界であるが，おそらく血漿浸透圧濃度がこれより下がると血漿バソプレシンもさらに低下すると考えられる．バソプレシン分泌は，前視床下部に存在する浸透圧受容器によって調節されている．この受容器は血液脳関門外にあり，脳室周囲器官の主に終板器官(OVLT)*2 (33章参照)に存在するらしい．渇きの感覚が起こる浸透圧濃度の閾値(図38・1)は，バソプレシン分泌が増大する閾値(図38・2)と等しいか，わずかに高く，同じ浸透圧受容器が渇きの感覚とバソプレシン分泌の両方に関与しているのかどうかまだわかっていない．

このようにバソプレシン分泌は血漿の浸透圧濃度を絶えず一定に保つようにはたらく，精巧なフィードバック機構によって制御されている．浸透圧濃度がわずか1%変化しただけで，分泌量が有意に変化する．このような機序によって，健常人の血漿浸透圧濃度は285 mOsm/kg・H₂Oに極めて近い値に保たれている．

バソプレシン分泌における細胞外液量効果

細胞外液(ECF)量もバソプレシン分泌に影響を与えている．ECF量が少ない時はバソプレシン分泌が増加し，逆にECF量が多い時は抑えられる(表38・1)．血管系の低圧部および高圧部の伸展受容器からの求心性線維の発射頻度と，バソプレシンの分泌量の間には負の相関がある．低圧受容器は，大静脈，左右の心房と肺血管にある伸展受容器で，高圧受容器は，頸動脈洞と大動脈弓にある伸展受容器である(32章参照)．血圧が低下すると，血漿バソプレシンが指数関数的に増加する様子を図38・3に示す．しかしながら，低圧受容器が血管系の充満度を感受しているので，動脈圧が低下しない程度の血液量減少でも，中心静脈圧の低下により血漿バソプレシンが増加しうる．

このように低圧受容器はバソプレシン分泌に対して血液量の変化を伝達する重要な媒介体である．そこからのインパルスは，迷走神経を経て孤束核(NTS)へ伝えられる．NTSから尾側延髄腹外側部(CVLM)に抑制性の経路が投射し，CVLMから視床下部に直接の興奮性経路がある．アンジオテンシンⅡは脳室周囲器官に作用してバソプレシン分泌を増加させ，血液量減少や低血圧に対する反応を増強する(33章参照)．

出血などによって起こる血液量減少や低血圧は，多量のバソプレシンを分泌させる．また血液量減少の状態では浸透圧に対するバソプレシン分泌反応の曲線が左に移動し(図38・4)，その傾きも増大する．その結果，水分が保持されて血漿浸透圧濃度が低下し，低ナトリウム血症を引き起こす(Na⁺が最も血漿浸透圧を左右する成分だからである)．

*2 訳注：終板器官 organum vasculosum laminae terminalis．

表38・1　バソプレシン分泌に影響する刺激の要約

バソプレシン分泌増加	バソプレシン分泌減少
血漿の有効浸透圧増加	血漿の有効浸透圧減少
細胞外液量減少	細胞外液量増加
疼痛，情動，"ストレス"，身体運動	アルコール
悪心，嘔吐	
立位	
クロフィブラート，カルバマゼピン	
アンジオテンシンⅡ	

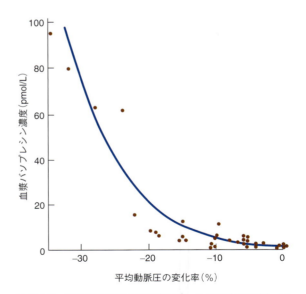

図38・3　平均動脈圧と血漿バソプレシン濃度の関係．健常人で，自律神経遮断薬のトリメタファンを徐々に注入することによって血圧を漸減させた．両者の関係は直線的ではなく指数関数的である(Baylis PH: Osmoregulation and control of vasopressin secretion in healthy humans. Am J Physiol 1987; 253: R671のデータより)．

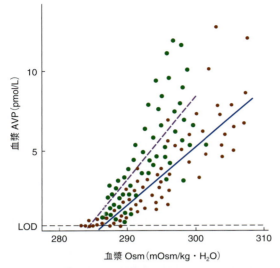

図 38・4 血液量減少と血液量過多が血漿バソプレシン濃度（血漿 AVP）と血漿浸透圧濃度（血漿 Osm）の関係に及ぼす影響．正常男性 10 人に水分摂取制限により血液量減少を引き起こし（緑色の丸，破線），次いで高張食塩水の注入によって血液量過多を引き起こし（赤丸，実線），任意の時間に 7 回血液を採取した．直線回帰分析により，水分摂取制限の場合の関係は血漿 AVP ＝ 0.52（血漿 Osm−283.5）であり，高張食塩水投与の場合の関係は血漿 AVP ＝ 0.38（血漿 Osm−285.6）であった．LOD：検出限界．血液量減少の場合，回帰直線の傾きが大きくなり，x 軸との交点が左に移動することに注意（Thompson CJ より許可を得て転載）．

バソプレシン分泌に影響する その他の刺激

バソプレシンの分泌は，浸透圧の変化や ECF 量の異常の他にも，種々の刺激で増加する．すなわち，痛み，吐き気，外科的侵襲，ある種の情動などである（表 38・1）．バソプレシン分泌が著しく増加すると，吐き気を伴う．また，アルコールはバソプレシン分泌を減少させる．

臨床上の意味

様々な臨床状態において，ECF 量やその他の浸透圧以外の刺激が，浸透圧によるバソプレシンの分泌制御に影響を与える．たとえば，外科手術を受けた患者では痛みと血液量減少のために血漿バソプレシン濃度が上昇し，その結果，血漿浸透圧濃度低下と希釈性低ナトリウム血症を来すことがある（クリニカルボックス 38・1 参照）．

クリニカルボックス 38・1

ADH 不適切分泌症候群

ADH 不適切分泌症候群 syndrome of "inappropriate" hypersecretion of antidiuretic hormone (SIADH) は，血漿 ADH レベルが血漿浸透圧に比べ不適切に高い時に発症する．バソプレシン分泌過多により希釈性**低ナトリウム血症** hyponatremia（血漿 Na^+ ＜ 135 mmol/L）を引き起こすばかりでなく，著しい水分貯留によって ECF 量が増加するためアルドステロン分泌が低下し（20 章参照），尿中への塩類逸脱も起こる．この症候群は脳疾患（"脳性塩類喪失"）や肺疾患（"肺性塩類喪失"）で起こる．肺癌などの肺疾患の患者でみられるバソプレシンの過剰分泌は，おそらく一部には心房や大静脈中の伸展受容器からの迷走神経求心性線維を通る抑制性インパルスが遮断されることが原因であろう．

肺腫瘍の多くやある種の悪性腫瘍自体がバソプレシンを分泌する．SIADH 患者における低ナトリウム血症を増悪させないために，バソプレシンの水貯留作用に拮抗する "**バソプレシンエスケープ** vasopressin escape" という機序が存在する．ラットでの実験，血漿バソプレシン濃度を長時間高く保つと，ついには AQP2 合成のダウンレギュレーションが起こる．このことにより，集合管周囲のバソプレシン濃度が高くても，尿量が突然増加し，尿浸透圧は低下する．これは，個々の腎集合管が，血漿バソプレシンの腎作用（水再吸収の促進）から離脱したことを意味する．

治療上のハイライト

バソプレシン分泌が不適切に高い患者に対し，デメクロサイクリン demeclocycline という抗生物質が治療効果を示すことが知られている．この物質はバソプレシンに対する腎臓の反応を低下させる．

尿崩症 diabetes insipidus はバソプレシンの欠如（**中枢性尿崩症** central diabetes insipidus）あるいは腎臓がバソプレシンに応答しないこと（**腎性尿崩症** nephrogenic diabetes insipidus）により起こる．

バソプレシン不足の原因には視索上核，室傍核，視床下部下垂体路，あるいは下垂体後葉の疾患がある．尿崩症臨床例の 30% は視床下部の原発性あるいは転移性の腫瘍性病変によるもの，30% は外傷性のもの，30% は特発性のもの，そして残りは血管病変，感染あるいは視床下部を侵すサルコイドーシスのような全身性の疾患あるいは，プレプロプレッソフィジン prepro-pressophysin[*3] に対する遺伝子の変異によるものである．尿崩症は，さらに，下垂体後葉を外科的に除去した時にも起こるが，視索上核と室傍核の神経線維の末梢端のみが傷害されたのであれば，尿崩症は一時的であろう．なぜならば神経線維は再生し，血管とのつながりが新たに作られ再びバソプレシン分泌を開始するからである．

尿崩症の症状は大量の希釈尿を排出すること(**多尿症 polyuria**)と，大量の液体を飲むこと(**多飲症 polydipsia**)（もし口渇機序が健全であれば）である．多飲のおかげでこの患者は健康を保っていられるのである．もし，何らかの理由で口渇感が低下し，飲水量が減少すると，この患者は脱水状態になり，これは致命的となりうる．

腎臓がバソプレシンに反応する機能を失った場合にも尿崩症が起こる(**腎性尿崩症**)．この病気には2型ある．第一の型は，V_2 受容体遺伝子が変異し，バソプレシンに反応しなくなっている．V_2 受容体遺伝子はX染色体上にあり，伴性劣性遺伝である．もう1つの型では，常染色体上にあるAQP2遺伝子が変異し，水チャネルとして機能しない．変異水チャネルは，集合管細胞の管腔膜に運ばれず，細胞内に留まる．

合成作動薬と拮抗薬

アミノ酸残基を変えることによって，選択的な作用をもち，自然に存在するバソプレシンよりも活性の高い合成ペプチドが作られている．たとえば 1-デアミノ-8-D-アルギニンバソプレシン 1-deamino-8-D-arginine vasopressin [デスモプレシン desmopressin (DDAVP)] は，強力な抗利尿作用をもち，血圧上昇作用をほとんど示さないので，バソプレシン欠損患者の治療に有用である．

細胞外液量変動に対する防御

ECF量は主としてECF中の浸透圧活性物質の全量によって決まる．ECFの組成は1章で述べた．ECFに含まれる浸透圧活性物質の中で，Na^+ と Cl^- が最も多くを占め，Cl^- の変化はおおよそ Na^+ のそれに追随するので，結局 ECF 中の Na^+ の総量が ECF 量を決定する最も重要な因子となる．それで Na^+ の出入のバランスを調節するしくみが ECF 量の変動を防ぐ主要な機序となっている．しかし，水分排泄量の調節も同様に存在する．すなわち ECF 量の増加はバソプレシン分泌を抑制し，ECF 量の減少はこのホルモンの分泌を促す．バソプレシン分泌の調節には ECF 量変化に基づく刺激の方が浸透圧変化刺激よりも優先的な役割を果たす．アンジオテンシンⅡはアルドステロンとバソプレシン分泌を刺激する．のどの渇きも来し，血管収縮作用もある．後者は血圧維持に役立つ．ゆえに，アンジオテンシンⅡは血液量減少に対する身体の反応において重要な役割を果たす(図38・5)．さらにECF量の増大は心臓の心房性ナトリウム利尿ペプチド(ANP)とB型ナトリウム利尿ペプチド[*4](BNP)の分泌増加を来し，それによって利尿と Na^+ の排泄増加が起こる．

身体から水分が失われる病態(**脱水 dehydration**)ではECF量の減少は少しだけにとどまる．水分はECF(細胞外液)のみならず細胞内液よりも失われるからである[*5]．しかし Na^+ を(下痢により糞便中に，重症アシドーシスや副腎機能不全の際は尿中に，中等度の熱中症では汗の中に)喪失すると，ECF量が著明に減少してついにショックに陥る．そのような場合，直ちにはたらく防衛作用は脈管内液量を保持することであるが，Na^+ バランスの調整も行われる．副腎機能不全では，ECF量の減少は Na^+ が尿中に失われることの他に，細胞内に移動することにもよる．ECF量の調節において中心的役割を担うのは Na^+ であるから，このイオンの排泄を調節するために多くのしくみが進化したことは驚くにあたらない．

腎臓における Na^+ の濾過と再吸収，およびそれらの過程が Na^+ 排泄に及ぼす影響は37章で述べた．ECF量が減少すると血圧は低下し，糸球体毛細血管圧は下がり，したがって糸球体濾過量(GFR)も低下する．そして Na^+ 濾過量を減少させる．この際尿細管の Na^+ 再吸収は増加する．それはアルドステロン分泌が増すためである．アルドステロン分泌の調節の一

[*3] 訳注：ADHのプレプロホルモン．

[*4] 訳注：血漿BNP値は心不全重症度のマーカーとして臨床的に重要である．

[*5] 訳注：細胞内液の水がECFに移動し，ECF量の急激な低下を防ぐため．

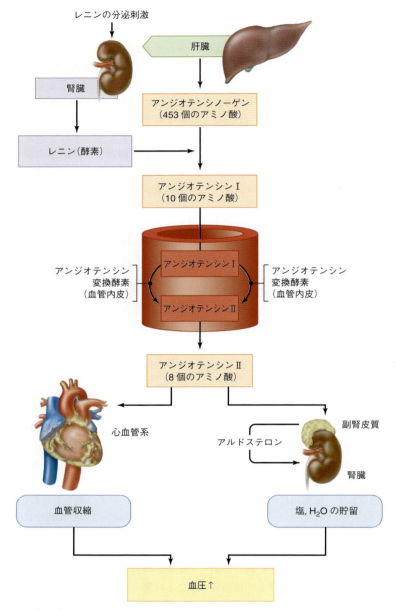

図38・5　レニン–アンジオテンシン系とアンジオテンシンⅡによるアルドステロン分泌亢進のまとめ．血漿レニン濃度は，レニン-アンジオテンシン系の律速段階である．そのため，血漿アンジオテンシンⅡ濃度の決定因子となる．

部は，平均血圧の低下によるフィードバック系によって行われる．他のNa$^+$排泄の変化は極めて急速に起こることからみると，アルドステロン分泌の変化のみによるとは考えがたい．たとえば仰臥位から立位に変わるとアルドステロン分泌は増加するが，Na$^+$排泄量は数分以内に減少する．Na$^+$排泄のこの速やかな変化は副腎摘除動物でも見られ，おそらく血行動態の変化とANP分泌減少によるものと考えられる．

腎臓は3種類のホルモンを産生する．1,25-ジヒドロキシコレカルシフェロール(21章参照)，レニン，エリスロポエチンである．心臓および他の組織から分泌されるナトリウム利尿ペプチドは腎臓からのNa$^+$排出を増加させる．もう1つのナトリウム利尿ホルモン(内因性ウアバイン)は，Na$^+$,K$^+$-ATPaseを阻害する．

レニン-アンジオテンシン系

レ　ニ　ン

腎臓の抽出物を注射すると血圧が上昇する．これは腎臓が血中に分泌する酸性プロテアーゼの一種である**レニン** renin の作用である．この酵素は**アンジオテンシン変換酵素** angiotensin-converting enzyme（**ACE**）と連携して作用し，アンジオテンシンIIを生成する（図38・6）．ヒトレニンは，分子量37326の糖タンパク質である．その分子には2つの分葉またはドメインと呼ばれる立体構造があり，この2つの間の深い溝の中に酵素活性部位が存在する．ヒトプレプロレニンのアミノ酸残基では104位と292位に相当するアスパラギン酸がこの溝をはさんで向かい合っていることが，酵素活性の発現に不可欠である．すなわち，レニンはアスパラギン酸プロテアーゼの1つである．

他のホルモンと同様，レニンも大分子のプレプロホルモンの形で作られる．ヒト**プレプロレニン** preprorenin は406個のアミノ酸残基から構成されている．**プロレニン** prorenin は N 末端から23個のアミノ酸残基を除いた残りの383個のアミノ酸残基から構成されている．プロレニンからさらに N 末端のプロ配列が切断されて，340個のアミノ酸残基からなる活性型**レニン**となる．プロレニンには生物学的活性はほとんどない[*6]．

プロレニンの一部は腎臓でレニンに変えられ，その一部が分泌される．プロレニンは，卵巣などの他の器官からも分泌される．腎摘除後，循環血中プロレニン濃度は通常やや低下するが，時に上昇することもあるが，活性レニン濃度は常に実質上ゼロになる．したがって，循環血中でのプロレニンからレニンへの変換は極めてわずかで，活性型レニンを生成する器官は，全部でないにしても，主に腎臓である．プロレニンは，構成性に（細胞内で産生されると貯蔵されずにすぐに）分泌される．一方，活性型レニンは，傍糸球体装置の中でレニンを産生する"顆粒細胞"（後述）の分泌顆粒として形成される．循環血中の活性型レニンの半減期は80分以下である．レニンの唯一の機能は，**アンジオテンシノーゲン** angiotensinogen（**レニン基質** renin substrate）の N 末端を切り離して**アンジオテンシンI** angiotensin Ⅰというアミノ酸10個のペプチドを生成する機能である（図38・7）．

アンジオテンシノーゲン

循環血中のアンジオテンシノーゲンは血漿の$α_2$グロブリン分画に見出される（図38・6）．アンジオテンシノーゲンは453個のアミノ酸残基と分子量の13%を占める糖からなる糖タンパク質である．32個のアミノ酸のシグナルペプチドが結合した形で肝臓で合成され，シグナルペプチドは粗面小胞体で切り離される．グルココルチコイド，甲状腺ホルモン，エストロゲン，数種のサイトカインとアンジオテンシンIIの作用によって，血中濃度が上昇する．

アンジオテンシン変換酵素とアンジオテンシンⅡ

ACEは，ジペプチジルカルボキシペプチダーゼで生理学的に不活性なアンジオテンシンⅠのC末端から，ヒスチジン-ロイシン残基を切り離してオクタペプチドの**アンジオテンシンⅡ** angiotensin Ⅱを生成する（図38・7）．この酵素はブラジキニンの不活性化の際にも作用する（図38・6）．ACEを抑制すると組織ブラジキニンが増加し，ブラジキニンB_2受容体を介して空咳を起こす．これはACE阻害薬を服用している患者の20%にみられる副作用である（クリニカルボックス38・2参照）．血中のアンジオテンシンⅡを作り出す変換酵素の大部分は血管内皮細胞中に存在する．この変換反応は主に血液が肺の中を流れる間に起こるが，身体の他の様々な部位での変換も知られている．

ACEは細胞外酵素であり，次の2型がある．**体細**

[*6] 訳注：（プロ）レニン受容体は，糖尿病性腎症の悪化に関与する．

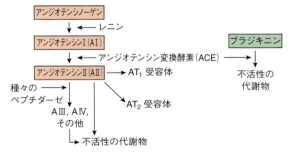

図38・6 循環血液中アンジオテンシン類の生成と代謝．
[訳注：AⅢ：アンジオテンシンⅢ，AⅣ：アンジオテンシンⅣ，AT_1, AT_2受容体：アンジオテンシンⅡ(AⅡ)受容体のサブタイプ．AT_1受容体の活性化は，近位尿細管でのNa^+再吸収を増やし（体液量が増加し），血圧を高くする．AT_2受容体の活性化はAT_1受容体活性を抑制し（Na^+利尿作用により），血圧を低くする．]

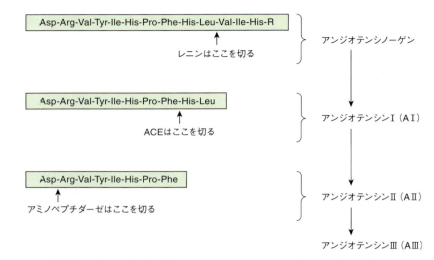

図 38・7 ヒトアンジオテンシノーゲンおよびアンジオテンシン I，II および III の N 末端の構造．R：タンパク質の残りの部分．24 アミノ酸シグナルペプチドが除去された後のアンジオテンシノーゲンは 453 個のアミノ酸残基をもつ．イヌ，ラット，その他の動物のアンジオテンシン II の構造はヒトと同じである．ウシとヒツジのアンジオテンシン II は 5 の位置にイソロイシン (Ile) の代わりにバリン (Val) をもつ．

クリニカルボックス 38・2

レニン-アンジオテンシン系における薬理学的処置

　レニン分泌あるいはその作用を阻害する方法がある．**インドメタシン** indomethacin のようなプロスタグランジンの合成阻害，**プロプラノロール** propranolol のような β 遮断薬は，レニン分泌を抑制する．**ペプスタチン** pepstatin (ペプチド) や**エナルキレン** enalkiren のような新規に開発されたレニン阻害薬は，レニンのアンジオテンシン I 合成作用を阻害する．**カプトプリル** captopril や**エナラプリル** enalapril のようなアンジオテンシン変換酵素阻害薬 (ACE 阻害薬) は，アンジオテンシン I からアンジオテンシン II への変換を阻害する．**サララシン** saralasin やアンジオテンシン II 類似薬は，アンジオテンシン II の AT_1，AT_2 受容体に対する作用を競合的に拮抗する．**ロサルタン** losartan (DuP-753) は，AT_1 受容体を選択的に拮抗する．これに対し，PD-123177 と他の類似薬は AT_2 受容体を選択的に阻害する．

胞型 somatic form は体全体に見出される型で，**生殖細胞型 germinal form** は減数分裂後の精子形成細胞と精子にのみ存在する型である (23 章参照)．ともに単一の細胞膜貫通領域と短い細胞質内端部を有しているが，体細胞型 ACE はそれぞれ 1 個の活性部位を含む相同の細胞外ドメイン 2 個をもつ 170 kDa のタンパク質であるのに対し，生殖細胞型 ACE は細胞外領域と活性部位をそれぞれ 1 個のみ有する 90 kDa のタンパク質である．2 つの型の酵素は共通の単一の遺伝子によって生成されるが，その遺伝子は異なる 2 個のプロモーターを有し，2 個の異なる mRNA が生じる．ACE 遺伝子をノックアウトしたオスマウスでは，血圧が低下するが，メスマウスでは変化がない．また，オスの生殖能力は低下するがメスでは低下しない．

アンジオテンシン II の代謝

　アンジオテンシン II は急速に分解される．ヒトにおける血中濃度の半減期は 1～2 分である．その代謝は種々のペプチダーゼにより起こる．アミノペプチダーゼの 1 つはアンジオテンシン II の N 末端からアスパラギン酸 (Asp) 残基を切り離す (図 38・7)．切り離されて生じるヘプタペプチドには生理的活性があり，**アンジオテンシン III angiotensin III** と呼ばれることがある．アンジオテンシン III の N 末端から 2 つのアミノ酸残基が除かれた 5 つのアミノ酸からなるペプチド

を，アンジオテンシンIVと呼ぶことがあり，この分子にも多少の生理活性の存在が報告されている．ただし，このような過程で生じるその他のペプチドの断片は，例外はあるとしてもほとんどが活性を示さないのが通例である．これらの代謝経路に加えて，アミノペプチダーゼがアンジオテンシンIにはたらいて1位のアスパラギン酸を切断し(des-Asp¹)アンジオテンシンIIとし，この物質が直接ACEによりアンジオテンシンIIIとなることもある．アンジオテンシンの代謝活性は，赤血球やその他の組織においてもみられる．肺を除く組織の血管床には，循環血中のアンジオテンシンIIを捕捉して取り除くしくみがあるらしい．

レニンを定量するには通例，検体のインキュベーションにより生成されるアンジオテンシンIの量をイムノアッセイにより測定する方法を用いる．こうして測定された**血漿レニン活性 plasma renin activity**（**PRA**）は，レニンの低下している場合はもとより，アンジオテンシノーゲンの低下時にも同様に低下する．両者を区別するためにはアンジオテンシノーゲンを外から加え，PRAではなく**血漿レニン濃度 plasma renin concentration**（**PRC**）を測定する必要がある．通常のナトリウム量を摂取して仰臥している健常被験者のPRAにより，1時間当たりアンジオテンシンIが約1 ng/mL生成される．この状態での血漿のアンジオテンシンIIの濃度は約25 pg/mL(約25 pmol/L)である．

アンジオテンシンの作用

アンジオテンシンIはアンジオテンシンIIの前駆物質であって，特段の作用は知られていない．

アンジオテンシンIIは，細動脈を収縮する作用があり，収縮期血圧，拡張期血圧をともに上昇させる．これまで知られている最も強力な昇圧物質の1つで，同じ量当たりの昇圧作用は健常人の場合，ノルアドレナリンの4～8倍である．しかしこの昇圧作用はナトリウム喪失患者や肝硬変その他の疾患の患者では弱い．これらの状態では，血中のアンジオテンシンIIが増加し，これが血管平滑筋のアンジオテンシン受容体をダウンレギュレートする．したがって，アンジオテンシンIIを注射しても反応は弱い．

アンジオテンシンIIは副腎皮質にも直接作用して，アルドステロンの分泌を増加させるので，レニン-アンジオテンシン系はアルドステロン分泌の主要な調節系である．アンジオテンシンはまた，交感神経の節後ニューロンに直接はたらいてノルアドレナリンの放出を促し，メサンギウム細胞を収縮させて糸球体濾過量（GFR）を低下させる(37章参照)．また，腎尿細管に直接作用してNa^+の再吸収の促進を起こす．

アンジオテンシンIIは脳にはたらいて循環反射の反応性を高めることにより，末梢におけるアンジオテンシンIIの昇圧効果を増強する．脳に対する作用には，水分摂取の増加や，バソプレシンとACTHの分泌の促進がある．アンジオテンシンIIは血液脳関門を通らないが，脳室周囲器官と呼ばれる血液脳関門(33章参照)の外に位置する4つの小器官にはたらいて，これらの作用を発揮する．脳室周囲器官の1つである最後野は主に昇圧作用を，他の2つの脳弓下器官 subfornical organ (SFO)と終板器官(OVLT)は水分摂取の増加を引き起こす(飲水反応)．バソプレシンとACTH分泌の増加に関わる脳室周囲器官はまだわかっていない．

アンジオテンシンIII (des-Asp¹アンジオテンシンII)の血圧上昇作用はアンジオテンシンIIの約40%だが，アルドステロン分泌促進作用は100%である．そこでアンジオテンシンIIIがアルドステロン分泌を促進する本来のペプチドで，アンジオテンシンIIは血圧調節ペプチドであると考えられたこともある．しかし今日では，アンジオテンシンIIIはいくらかの生物活性をもつ代謝産物にすぎないとの考えが主流である．おそらくアンジオテンシンIVもこの例に漏れないと考えられるが，一部の研究者はこの分子が脳内で特異な作用を有すると主張している．

組織レニン-アンジオテンシン系

これまで述べてきた循環血中にアンジオテンシンIIを生成する系に加えて様々な組織がそれぞれ固有のレニン-アンジオテンシン系を有し，その局所で作用している．レニン-アンジオテンシン系の構成要素が血管壁，子宮，胎盤および卵膜で発見されている．羊水中のプロレニン濃度は高い．さらに，眼，膵外分泌部，心臓，脂肪，副腎皮質，精巣，卵巣，下垂体前葉・中葉，松果体および脳に組織レニン-アンジオテンシン系，あるいは少なくともレニン-アンジオテンシン系の構成要素のいくつかがある．血漿レニン活性(PRA)が腎臓摘出後には検出限界以下に低下することから，組織レニンが循環血中のレニンプールにほとんど寄与しないことは明らかである．組織レニン-アンジオテンシン系の機能はよくわかっていないが，アンジオテンシンIIが心臓や血管で成長因子として作用することが知られている．ACE阻害薬やAT_1受容体阻害薬は心不全

の治療に使える可能性がある．これはアンジオテンシンIIの成長因子作用を抑制することによると思われる．

アンジオテンシンII受容体

アンジオテンシンII受容体には少なくとも2種類ある．AT_1受容体は，Gタンパク質（G_q）と連結してホスホリパーゼCに情報を送る7回膜貫通型受容体であり，アンジオテンシンIIは細胞質内遊離Ca^{2+}濃度を増加させる．また，多数のチロシンキナーゼの活性化を起こす．血管平滑筋ではAT_1受容体はカベオラ（2章参照）に存在し，アンジオテンシンIIによりカベオラに特異的に分布する3つのタンパク質のアイソフォームの1つであるカベオリン-1の合成が促進される．げっ歯類では異なった遺伝子にコードされた2つの別個ではあるが似通ったAT_1受容体のサブタイプAT_{1A}とAT_{1B}が存在する．AT_{1A}受容体は，血管壁，脳その他多くの器官に見出される．この受容体は，これまでに知られているアンジオテンシンIIの効果のほとんどを仲介する．AT_{1B}受容体は，下垂体前葉と副腎皮質に見出されている．ヒトでは第3番染色体上にAT_1受容体の遺伝子が存在する．ヒトでもAT_1受容体が2種存在する可能性はあるが，AT_{1A}，AT_{1B}といったサブタイプが存在するかどうかは結論が出ていない．

AT_2受容体の遺伝子はヒトではX染色体上にある．AT_1受容体と同様に7つの膜貫通ドメインをもつが，作用機序は異なる．Gタンパク質を介して様々なホスファターゼを活性化し，細胞の増殖を抑制したり，K^+チャネルを開く作用をもつ．また，AT_2受容体の活性化によりNOが合成され，細胞内環状グアノシン3′,5′-一リン酸（cGMP）の量が増加する．ただし，これらの細胞内情報伝達の生理学的作用の全体像にはまだ不明の点も多い．AT_2受容体は胎生期および新生児期には成人より豊富にあるが，成人でも脳その他の器官に残っている．

細動脈のAT_1受容体と副腎皮質のAT_1受容体は，相反的に調節されている．アンジオテンシンIIが過剰に存在すると血管の受容体をダウンレギュレートするが，一方で副腎皮質の受容体をアップレギュレートして副腎皮質のアルドステロン合成能を高める．

傍糸球体装置

腎抽出物中および血中に存在するレニンは**傍糸球体細胞 juxtaglomerular cell（JG細胞）**で生成される．この類上皮様の細胞は，輸入細動脈（糸球体に入る直前の細動脈）の中膜に位置する（図38・8）．その細胞中には膜に包まれたレニン分泌顆粒が存在する[*7]．レニンは輸入・輸出細動脈間の交叉部位に存在する無顆粒性の**糸球体外メサンギウム細胞 extraglomerular mesangial（EGM）cell（細網状細胞 lacis cell）**にも見出されているが，ここに存在する意味は不明である．

ネフロン（尿細管）は，輸入細動脈と輸出細動脈が糸

[*7] 訳注：それゆえ顆粒細胞とも呼ばれる．

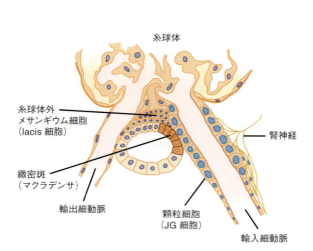
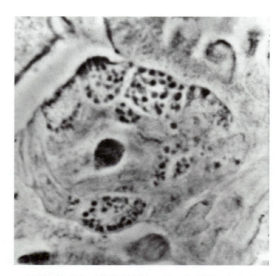

図38・8 左：糸球体の模式図，傍糸球体装置を示す．右：マウスの腎臓の未染色凍結乾燥標本の輸入細動脈の位相差顕微鏡写真．細動脈内腔の赤血球と壁内の顆粒細胞に注目（Peil Cより許可を得て転載）．

球体に出入りする部位で，自らが発した糸球体の細動脈に挟まれる．この部位は(遠位曲尿細管の起始部)には，**緻密斑(マクラデンサ)macula densa** と呼ばれる特殊な尿細管上皮の領域がある(図38・8)．緻密斑とJG細胞は密接した位置にある．EGM細胞とJG細胞および緻密斑は**傍糸球体装置 juxtaglomerular apparatus** を構成する．

レニン分泌の調節

いくつかの異なった因子がレニン分泌を調節する(表38・2)．レニンの分泌速度は常にこれらの因子の活性の総和によって決まる．因子の1つは腎内の圧受容器機構であり，JG細胞レベルで細動脈内圧が上昇するとレニン分泌を減らし，細動脈内圧が低下するとレニン分泌を増やす作用がある．もう1つのレニン分泌調節に関わるセンサーは緻密斑にある．レニン分泌はHenleループから遠位尿細管に入るNa^+とCl^-の量に逆比例して起こる．おそらく，Na^+，Cl^-は，管腔膜のNa-K-2Clシンポータを介してマクラデンサ細胞に流入し，輸入細動脈に隣接するJG細胞(顆粒細胞)からのレニン分泌を低下させるシグナルを増大させる．この系がNOを介する可能性も考えられるが，確証は得られていない．レニン分泌はまた血漿のK^+濃度に逆比例して変化する．しかしこの作用は緻密斑へのNa^+とCl^-の輸送をK^+が変えることによって起こるものと考えられる．

アンジオテンシンIIは，JG細胞に直接はたらきかけフィードバック的にレニン分泌を抑制する．バソプレシンのレニン分泌に対する抑制作用は，生体内でも生体外の実験系でも証明されているが，生体内作用が直接的か間接的か確定していない．

最後に，交感神経の活動増大もレニンの分泌を促す．分泌の増加は血中のカテコールアミンの増加と腎交感神経節後線維から放出されるノルアドレナリン量によ

表38・2　レニン分泌に影響する因子

促進性
腎神経を介する交感神経活動の上昇
循環血中カテコールアミンの上昇
プロスタグランジン

抑制性
緻密斑を通るNa^+とCl^-再吸収の増加
輸入細動脈圧の上昇
アンジオテンシンII
バソプレシン

表38・3　レニン分泌を促進する体の状態と条件

Na^+欠乏
利尿薬
低血圧
出血
立位姿勢
脱水
心不全
肝硬変
腎動脈または大動脈の狭窄
種々の心理的刺激

る．血中のカテコールアミンは主にJG細胞のアドレナリンβ_1受容体に作用し，細胞内cAMPの増加によりレニンが分泌される．

ヒトにおいてレニン分泌変化を起こす主な因子を表38・3に示した．これらのほとんどは中心静脈圧を低下させる因子であり，その結果は交感神経活動を増大させる．また，これらの因子のいくつかは腎細動脈圧を低下させる(クリニカルボックス38・3参照)．腎動脈の収縮と腎動脈よりも近位の大動脈の収縮により，腎細動脈圧を低下させる．心理的な刺激は腎神経活動を増大させる作用がある．

心筋その他に由来するナトリウム利尿ペプチド

構　　造

様々なタイプの**ナトリウム利尿ホルモン natriuretic hormone** の存在が以前から推定されてきた．このうち2種が心臓で分泌される．心房筋細胞に，そしてごくわずかではあるが心室筋細胞にも，分泌顆粒が存在している(図38・9)．顆粒の数が食塩(NaCl)摂取量やECF量の増加の際に増す．心房の抽出物はナトリウム利尿を引き起こす．

心臓から分離された最初のナトリウム利尿ホルモンは**心房性ナトリウム利尿ペプチド atrial natriuretic peptide (ANP)** であって，17個のアミノ酸が2個のシステイン間のジスルフィド結合により環状構造をとる特異なポリペプチドである．循環血中の ANP は28個のアミノ酸残基からなる．このポリペプチドは，アミノ酸24個からなるシグナルペプチドを含む151個のアミノ酸残基を有する大型前駆分子として生成される．ANPは脳などの他の組織からも分離されている．脳には，循環血中のANPよりも分子量の小さい2つ

クリニカルボックス 38・3

臨床的な高血圧における
レニンの役割

　一側の腎動脈の狭窄は，急激なレニン分泌の増加と持続性の高血圧症を引き起こす（**腎性高血圧 renal hypertension** または **Goldblatt***〔**ゴールドブラット**〕**高血圧**）．虚血腎を除去するか腎動脈の結紮をほどいてやると，手遅れでなければ高血圧は治癒する．一般的に，一側の腎動脈の結紮と健常な他側腎で誘発される高血圧（1 クリップ，2 腎 Goldblatt 高血圧モデル）は，血漿レニンの増加と密接に関係する．この状態に対応する臨床的な高血圧は，一側の腎動脈がアテロームによる狭窄または腎循環の異常が引き金となった**腎性高血圧**である．しかし，血漿レニン活性は，1 クリップ，1 腎 Goldblatt 高血圧モデルの場合，ふつう正常域内である．この状況の説明はまだついていない．しかし，多くの高血圧患者は，腎循環が正常で，かつ，血漿レニン活性が正常〜低い場合でも，ACE 阻害薬やロサルタン losartan（訳注：AT$_1$ 受容体拮抗薬）による治療に反応する．

*訳注：アメリカの病理学者．イヌの腎動脈（一側）を器具でクランプし，「腎虚血による持続的高血圧症の動物モデル」の作成に成功し（1934 年），高血圧の実験研究の端緒を拓いた．

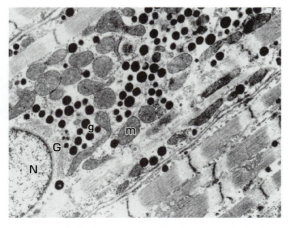

図 38・9 ラット心房筋細胞内のミトコンドリア（m）の間に分散している ANP 顆粒（g）．G：Golgi 装置，N：核．ヒトの心房細胞内にも同様の顆粒が認められる（×17640）(Cantin M より許可を得て転載)．

の機能タンパク質がある．ブタの脳から単離された 2 番目の Na 利尿ポリペプチドは，**B 型ナトリウム利尿ペプチド B-type natriuretic peptide（BNP；脳性ナトリウム利尿ペプチド**として知られている）と命名された．この分子はヒトの脳にも存在するが，心臓，特に心室により多く見出される．血中には 32 個のアミノ酸残基をもつ分子として存在する．ANP と同様 17 個のアミノ酸の環状配列があるが，組成は異なっている．第三のポリペプチドは，**C 型ナトリウム利尿ペプチド C-type natriuretic peptide**（**CNP**）と命名され，22 個のアミノ酸残基からなる．脳，下垂体，腎臓，血管内皮には 53 アミノ酸残基からなる大型の C 型ナトリウム利尿ペプチドの存在も知られている．しかし，CNP は心臓や循環血液中にはほとんど見出されないので，主としてパラクリン性のはたらきをすると考えられている．

作　　用

　血中の ANP と BNP は腎臓に作用して尿中 Na$^+$ 排泄を促進する．CNP を投与した場合にも同様の現象が起こる．この効果は糸球体輸入細動脈の拡張とメサンギウム細胞の弛緩によるものらしい．これらの作用により糸球体濾過量が増加する（37 章参照）．さらに，尿細管では Na$^+$ の再吸収を抑制する（37 章参照）．その他，血管透過性を増して水分の血管から組織への移行を促進し，血圧を低下させる作用もある．細動脈や細静脈では血管平滑筋の緊張を低下させる．静脈に対しては CNP が ANP，BNP より強力な弛緩作用を発揮する．これらのペプチドはいずれもレニン分泌を抑制し，カテコールアミンやアンジオテンシン II の昇圧作用に拮抗する．

　脳では，ANP はニューロンに存在し，ANP 含有神経の経路は，視床下部前内側から，脳幹尾側の心血管調節領域に投射する．一般には，脳における ANP の効果はアンジオテンシン II の効果とは反対で，ANP 含有神経の回路はバソプレシンとアンジオテンシン II の効果を和らげて，ナトリウム利尿を促進する機構に関与しているようである．

ナトリウム利尿ペプチド受容体

　3 種の異なるナトリウム利尿ペプチド受容体 natriuretic peptide receptor（NPR）が分離され，それぞれ特性が明らかにされている．NPR-A と NPR-B 受容体はともに細胞膜を貫通し，グアニル酸シクラー

ゼ活性を有する細胞質内領域をもっている．ANPはNPR-A受容体に，CNPはNPR-B受容体に最大の親和性をもつ．第三の受容体，NPR-Cは3種のナトリウム利尿ペプチドすべてに結合するが，細胞質内領域は著しく短い．NPR-C受容体がGタンパク質を介してホスホリパーゼCを活性化し，アデニル酸シクラーゼを抑制することを示すいくつかの証拠があるが，この受容体がどのような細胞内変化も起こさず，**クリアランス受容体 clearance receptor** としてはたらいているという主張もある．クリアランス受容体は血流中からANPを取り除き，時間をおいてそれらペプチドを放出することで，血中濃度を一定に維持する．

分泌と代謝

中等度量の食塩を摂取しているヒトのANP血漿濃度は約5 fmol/mLである．等張食塩水の点滴注入による細胞外液(ECF)量の増大や，心房壁の伸展によりANP分泌は増加する．BNPの分泌は心室壁の伸展により増加する．首まで水につかることにより，循環に対する重力の効果を打ち消し，中心静脈圧，ひいては心房内圧を上げるとANP分泌が増加する(図38・10)．この処置がレニンとアルドステロンの分泌を低下させることも指摘しておく．反対に，仰臥位から立位に変わると中心静脈圧の低下に伴って，わずかではあるが測定可能な血漿ANPの低下が認められる．したがって，生体内では心房が伸展に直接反応し，ANPの分泌速度は，中心静脈圧の上昇による心房の伸展に比例すると思われる．同様にBNPの分泌も心室壁の伸展に比例する．血漿ANP，BNPレベルは心不全の際に上昇するので，両者の測定がその診断に用いられる機会が増加するだろう[*8]．

循環血中ANPの半減期は短い．ANPは中性エンドペプチダーゼneutral endopeptidase(NEP)によって代謝される．NEPはチオルファンthiorphanによって抑制されるので，チオルファンを投与すると循環血中ANP濃度が上昇する．

Na^+, K^+-ATPase抑制因子

ANPの他にもう1つの血中のナトリウム利尿因子が存在する．この因子は血圧を下げるよりもNa^+, K^+-ATPaseを抑制することによってナトリウム利尿を起

[*8] 訳注：日本の病院では，心不全の診断は血漿BNP，血漿/血清NT-proBNPでの測定が主流である．

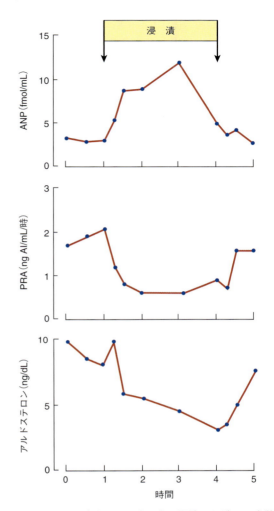

図38・10 ヒトが首まで3時間水に浸漬した時の，血漿ANP濃度，血漿レニン活性(PRA)と血漿アルドステロン濃度変化．ANP：心房性ナトリウム利尿ペプチド(Epstein M, et al: Increases in circulating atrial natriuretic factor during immersion-induced central hypervolaemia in normal humans. J Hypertension Suppl 1986 June; 4(2): S93-S99 より許可を得て複製)．

こす．この因子がジギタリス様ステロイドである**ウアバイン ouabain** で，副腎に由来することは知られているが，生理学的意義は不明である．

特定のイオン組成変動に対する防衛

ECF中に含まれている特定のイオンや，グルコースその他の代謝に重要な非電解質の濃度を，適正に維持するための特別な機序が存在する(1章参照)．Ca^{2+}

濃度が副甲状腺およびカルシトニン分泌細胞にフィードバックして，ECF の Ca^{2+} 濃度およびカルシトニン分泌を調節する（21章参照）．Mg^{2+} 濃度もよく調節されているがその機序はなお十分明らかでない．

Na^+ と K^+ 量の調節機序は ECF の量および有効浸透圧決定機序の一部をなし，それについてはすでに述べた．これらのイオン量は H^+ 濃度によっても変わる．pHはまた ECF のアニオン（陰イオン）組成を決定する重要な因子の1つである．詳細は39章で議論する．

エリスロポエチン

構造と機能

出血や低酸素症に伴いヘモグロビン合成が促進され，骨髄の**赤血球生成（赤血球新生）erythropoiesis** と赤血球の放出が増加する（31章参照）．逆に輸血によって全赤血球容積が正常以上に増した時には，骨髄の造血活動は減退する．このような調節は血中の**エリスロポエチン erythropoietin** の濃度の変化によってなされる．エリスロポエチンは165アミノ酸残基と，生体内の活性に必要な4オリゴ糖鎖からなる糖タンパク質である．この糖タンパク質の血中濃度は貧血時に著しく上昇する（図38・11）．

エリスロポエチンは骨髄のエリスロポエチン感受性単分化能幹細胞の数を増加させる．単分化能幹細胞は赤血球前駆細胞に変換され，続いて成熟型赤血球に変換される（31章参照）．エリスロポエチン受容体は単一の膜貫通領域を有する直鎖タンパク質であり，サイトカイン受容体ファミリーに属している（3章参照）．この受容体はチロシンキナーゼ活性を有し，セリン-スレオニンキナーゼカスケードを活性化して，赤血球のアポトーシスを抑制し，その成長と発達を促進する．

エリスロポエチン不活性化の主要部位は肝臓であり，エリスロポエチンの循環血中半減期は約5時間である．しかし，赤血球の成熟過程は比較的遅いためエリスロポエチンが引き起こす循環赤血球増加効果は2〜3日経って現れる．

供　給　源

成人では，エリスロポエチンの約85％は腎臓由来であり，15％は肝臓由来である．腎臓と肝臓は，エリスロポエチン合成 mRNA を有している．エリスロポエチンは，脾臓と唾液腺からも抽出されるが，これらの組織はエリスロポエチン合成 mRNA をもっていないのでエリスロポエチンを合成しているとは思われない．成人で腎疾患あるいは腎摘除によって腎実質が減少すると，肝臓が代償することはできず貧血が進む．

エリスロポエチンは，腎尿細管周囲血管床の間質細胞と肝静脈近傍の肝細胞で合成される．エリスロポエチンは脳でも生成され，酸素欠乏で起こる興奮毒性による脳組織の損傷を予防する．子宮や卵管ではエストロゲンによりエリスロポエチン生成が誘起され，エストロゲンの血管新生作用を仲介すると考えられる．

エリスロポエチンの遺伝子はクローニングされており，動物細胞で産生された組換えエリスロポエチン（エポエチン・アルファとして）が臨床治療に使われている．組換えエリスロポエチンは，腎不全患者の貧血治療に有用である．透析を受けている重篤な腎不全患者の90％はエリスロポエチン不足が原因で貧血となっている．外科手術の際に自己血輸血に使用するため，自分の血液を血液銀行に委託する目的で赤血球産生を刺激する際にも，組換えエリスロポエチンが使用される（31章参照）．

分泌の調節

通常のエリスロポエチン分泌刺激は低酸素であるが，他にコバルト塩，アンドロゲンも刺激となりうる．腎臓と肝臓でエリスロポエチン分泌を調節している

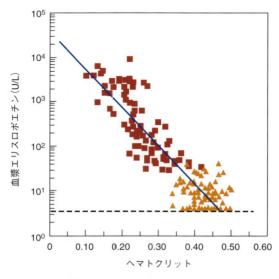

図38・11　正常血液を有する血液提供者（▲）と種々の型の貧血を有する患者（■）における血漿エリスロポエチン濃度．(Erslev AJ: Erythropoietin. N Engl J Med 1991; May 9; 324(19): 1339-1344 より許可を得て複製).

O₂センサーはヘムタンパク質であり，エリスロポエチン遺伝子の転写によってエリスロポエチン mRNA を生成する過程を，デオキシ型ヘムタンパク質が促進しオキシ型が抑制することを示唆する証拠が最近得られている．ホルモン分泌は，高地で進行するアルカローシスによっても促進される．レニン分泌と同様，レニン-アンジオテンシン系はエリスロポエチン系とは明確に区別されているが，エリスロポエチン分泌は β アドレナリン作動性機構を介してカテコールアミンによって促進される．

章のまとめ

- 体液の総浸透圧濃度は，総 Na^+ 量＋総 K^+ 量を総水分量で割った値に直接比例する．体液浸透圧濃度の変化は，上記電解質と水の摂取量または喪失量の間において個体レベルで不均衡が生じると起こる．
- バソプレシンの主要な生理的作用は，腎集合管の水透過性亢進によって，腎臓での水分保持力を高めることである．水は糸球体濾液から吸収され，尿は濃縮され量が減少する．
- バソプレシンは，脳下垂体後葉に蓄えられ，浸透圧受容器・圧受容器の刺激により血中に放出される．血漿浸透圧濃度がわずか1％増加すると，放出量が増加する．このようにして，血漿浸透圧濃度は 285 mOsm/kg・H_2O と非常に近い値に保たれる．
- ECF の総 Na^+ 量は，ECF 量を決定する最も重要な因子である．Na^+ バランスの調節機構は，ECF 量を保持する主要機構である．Na^+ バランスを調節する主要機構は，レニン-アンジオテンシン系（血圧を調節するホルモン系）である．
- 腎臓は酵素レニンを分泌する．レニンは，アンジオテンシン変換酵素と協調し，アンジオテンシンⅡを生成する．アンジオテンシンⅡは，副腎皮質に直接はたらきかけ，アルドステロンの分泌を亢進する．アルドステロンは，腎集合管に作用し，糸球体濾液から Na^+ の貯留を亢進する．

多肢選択式問題

正しい答えを1つ選びなさい．

1. 脱水下で血漿濃度が増加しないホルモンはどれか．
   - A．バソプレシン
   - B．アンジオテンシンⅡ
   - C．アルドステロン
   - D．ノルアドレナリン
   - E．心房性ナトリウム利尿ペプチド

2. 水欠乏型脱水患者に，補われなければならない静脈注射液はどれか．
   - A．蒸留水
   - B．0.9% NaCl 溶液
   - C．5％グルコース溶液
   - D．濃厚アルブミン
   - E．10％グルコース溶液

3. レニンを分泌する細胞はどれか．
   - A．マクラデンサ細胞
   - B．近位尿細管細胞
   - C．遠位尿細管細胞
   - D．傍糸球体装置の顆粒細胞
   - E．尿細管周囲毛細血管壁細胞

4. エリスロポエチンを分泌する細胞はどれか．
   - A．マクラデンサ細胞
   - B．近位尿細管細胞
   - C．遠位尿細管細胞
   - D．傍糸球体装置の顆粒細胞
   - E．尿細管周囲血管床間質細胞

5. 8日間低 Na^+ 食を続けた女性が，カプトプリル（アンジオテンシン変換酵素阻害薬）を静脈注射された場合，この女性はどうなるか．
   - A．心拍出量が低下するので血圧が上昇する
   - B．末梢血管抵抗が低下するので血圧が上昇する
   - C．心拍出量が低下するので血圧が低下する
   - D．末梢血管抵抗が低下するので血圧が低下する
   - E．血漿アンジオテンシンⅠ値が増加するので血漿レニン活性が低下する

6. レニン分泌を増加させないと考えられるのはどれか．
   - A．アンジオテンシン変換酵素阻害薬の服用

B．AT_1 受容体拮抗薬の服用
C．β 遮断薬の服用
D．腹腔動脈と腎動脈の間で動脈を縛る
E．ECF 量を低下させる薬の服用

7．心不全治療において，アンジオテンシン変換酵素阻害薬の効果があまり期待できないのはどれか．
A．血管拡張
B．心肥大の抑制
C．心臓の後負荷の軽減
D．血漿レニン活性の増加
E．血漿アルドステロン値の低下

尿の酸性化と重炭酸イオン排泄

CHAPTER 39

学習目標
本章習得のポイント

- 尿細管内へのH^+分泌の3つの過程を説明し，酸塩基平衡の調節に対するそれらの過程の重要性について論じることができる
- アシドーシスとアルカローシスを定義し，健康な時の血中H^+濃度（mEq/LとpH）の平均値とその範囲を示すことができる
- 血液，間質液，および細胞内液中の主な緩衝物質をあげ，Henderson-Hasselbalchの式を用いて，重炭酸塩緩衝系においては何が特徴的であるかを述べることができる
- 代謝性アシドーシスおよび代謝性アルカローシス時に生じる血液の化学的変化について示すことができる．さらにそれらに対する呼吸性と腎性の代償作用の統合について説明することができる
- 呼吸性アシドーシスと呼吸性アルカローシス時に生じる血液の化学的変化と，腎がそれらをどのように代償しているかを示すことができる

■ はじめに

腎臓は酸塩基平衡の維持に重要な役割を果たしており，そのために体内で産生された不揮発性の酸と等量の酸を尿へ排泄しなければならない．不揮発性酸の産生は食事や代謝，病気などによって変化する．また，腎臓は血漿中の重炭酸塩を濾過した後に再吸収しなければならず，それにより尿への重炭酸塩の喪失を防いでいる．ネフロンは濾液中にH^+を分泌する能力を有しており，この酸分泌過程と重炭酸塩再吸収過程は生理的にリンクしている．

腎臓のH^+分泌

近位および遠位尿細管細胞は，胃腺の細胞（25章参照）のようにH^+を分泌する．H^+分泌は集合管でも起こる．近位尿細管におけるH^+分泌を担う輸送体はNa^+-H^+交換輸送体（アンチポータ，主にNHE3）である（図39·1）．これは二次性能動輸送の一例である；Na^+は細胞内から間質へ側底膜のNa^+, K^+-ATPaseにより輸送されるが，それは細胞内のNa^+濃度を低く維持し，管腔内から細胞内へNa^+-H^+アンチポータを通してNa^+を流入させる駆動力を形成している．Na^+-H^+アンチポータはNa^+と交換にH^+を管腔内へ分泌する．

分泌されたH^+は濾過されたHCO_3^-と結合してH_2CO_3となり，近位尿細管の管腔膜に存在する**炭酸脱水酵素 carbonic anhydrase**はH_2CO_3からH_2OとCO_2を生成するのを触媒する．近位尿細管の内側を覆っている上皮細胞の管腔膜はCO_2とH_2Oに透過性があり，それらは素早く尿細管細胞内へ入る．濾過負荷されたHCO_3^-の80%は近位尿細管で再吸収される．

細胞内にも炭酸脱水酵素が存在し，管腔膜とは逆にCO_2とH_2OからH_2CO_3を生成するのを触媒することができる．H_2CO_3はH^+とHCO_3^-に解離する；H^+は先に述べたように管腔内へ分泌され，残された

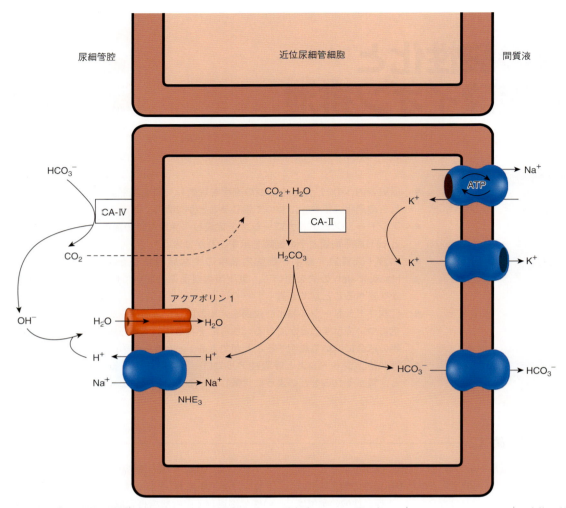

図 39・1　腎臓の近位尿細管細胞による酸分泌と濾過された重炭酸イオンの再吸収．H^+ は NHE_3 によって Na^+ と交換に管腔内に分泌される．Na^+, K^+-ATPase による能動輸送はトランスポータ内の矢印で示してある．破線は拡散を示す（訳注：CA-Ⅱ：炭酸脱水酵素Ⅱ．CA-Ⅳ：炭酸脱水酵素Ⅳ）．

HCO_3^- は間質へ拡散する．したがって，それぞれの H^+ 分泌に対して 1 つの Na^+ と 1 つの HCO_3^- が間質液に流入する．炭酸脱水酵素は H_2CO_3 の生成を触媒するので，炭酸脱水酵素阻害薬は近位尿細管による酸分泌とこの酵素に依存する諸反応を抑制する．

H^+ が別のトランスポータによって近位尿細管から分泌されることを示唆するいくつかの所見が報告されているが，これらのトランスポータを確証する証拠はいまだ論争中である．いずれにせよ，Na^+-H^+ 交換機構に比べてその寄与は小さい．

これとは対照的に，遠位尿細管や集合管における H^+ 分泌は，管腔内の Na^+ にあまり依存しない．この部の尿細管では，ほとんどの H^+ は ATP で駆動されるプロトンポンプによって分泌されている．アルドステロンは遠位での H^+ 分泌を増加させるようこのポンプに作用する．腎尿細管の遠位部では間在細胞が酸を分泌し，胃の壁細胞のように豊富な炭酸脱水酵素と多くの細管小胞構造を有している．H^+ 分泌を営む H^+-ATPase はこれらの細管小胞構造と管腔側の細胞膜にあり，アシドーシスの時，細管小胞構造が管腔側細胞膜に組み込まれることにより，H^+ ポンプ活性が増加する．H^+ の一部は H^+, K^+-ATPase によっても分泌されている．間在細胞は側底膜に**アニオン（陰イオン）交換タンパク質** anion exchanger 1（AE1：以前は Band 3 として知られていた）を有し，このタンパク質は，HCO_3^- を間質へ輸送するための Cl^--HCO_3^- 交換輸送

体(アンチポータ)として機能すると考えられている.

尿中の H^+ のゆくえ

分泌される酸の量は,尿細管内液の組成を変化させる一連の反応に左右される.ヒトの場合,濃度勾配に逆らって分泌できる H^+ の管内最大濃度は,尿のpHにして約4.5である.すなわち尿中の H^+ 濃度は血漿の1000倍にも達する.このpH 4.5を**限界pH limiting pH** という.これは正常時に,集合管において到達しうる値である.もし,管内液中に H^+ を結合する緩衝物質がなかったなら,管内液は急速にこのpHに到達し,H^+ 分泌は止まってしまうだろう.しかし尿細管内での3つの重要な反応が遊離 H^+ を取り除き,より多くの酸分泌を可能にしている(図39・2).これらは H^+ が HCO_3^- と反応して CO_2 と H_2O を生成するもの(前述),HPO_4^{2-} と反応して $H_2PO_4^-$ を生成するもの(滴定酸),および NH_3 と反応して NH_4^+ を生成するものである.

緩衝物質との反応

腎臓における酸の処理や管腔への酸分泌に重要な3つの緩衝物質は,上述のように重炭酸塩,二塩基性リ

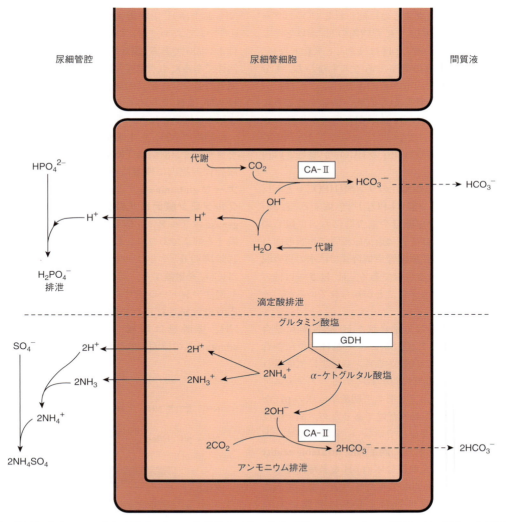

図39・2 滴定酸とアンモニウムの形成. 上:一塩基性リン酸の形成.下:アンモニウムの形成.どの場合にも H^+ が1個分泌されるごとに Na^+ 1個と HCO_3^- 1個が血中に回収されることに注目(訳注:CA-II:炭酸脱水酵素II,GDH:グルタミン酸デヒドロゲナーゼ).

ン酸塩，およびアンモニアである．平均的な食事では，様々な代謝反応の過程において体内で生成される約40％の不揮発性酸(約30 mEq/日)は**滴定酸 titratable acid**(すなわちリン酸塩系)として排泄され，60％の不揮発性酸(約50 mEq/日)はNH_4^+として排泄される．重炭酸系のpK'は6.1であり，二塩基性リン酸系のそれは6.8，アンモニア系のそれは9.0である．血漿HCO_3^-濃度，および糸球体濾液のHCO_3^-濃度の正常値は約24 mEq/Lであるが，リン酸の濃度は1.5 mEq/Lにすぎない．したがって，近位尿細管では，分泌されたH^+のほとんどはHCO_3^-と反応し，先に述べたようにH_2CO_3となり(図39・1)，近位尿細管細胞の刷子縁に存在する炭酸脱水酵素の作用を受けてCO_2とHCO_3^-となって細胞内へ入る．尿細管細胞へ入ったCO_2は，H_2CO_3を生成するのに使われるCO_2のプールに加えられる．このように管腔内のH^+がほとんど除去されるので，管内液のpHはほとんど変化しない．これがHCO_3^-再吸収の機序である．すなわち，1分子のHCO_3^-が尿細管内液から除去されるごとに1分子のHCO_3^-が尿細管細胞から血液へ移動することになる．ただし，このHCO_3^-は尿細管内液から除去されたものと同じ分子ではないことに気づくことが重要である．毎日，約4500 mEqのHCO_3^-が濾過され再吸収されている．

分泌されたH^+は二塩基性のリン酸(HPO_4^{2-})とも反応し，一塩基性のリン酸($H_2PO_4^-$)を生成する(図39・2)．この反応は遠位尿細管や集合管において最も顕著である．なぜならばそれは近位尿細管で再吸収されなかったリン酸が遠位尿細管や集合管では水の再吸収により濃縮されているからである．H^+はさらに他の緩衝アニオンとも結合することが知られているが，その程度は低い．

アンモニア緩衝系は分泌されたH^+をNH_3に結合させることを可能にし(図39・2)，これは近位尿細管(後述するように，この部位でアンモニアは生成される)，および遠位尿細管で行われている．アンモニアのpK'は9.0であり，アンモニア緩衝系は尿のpHが7.4になるまで滴定されるだけであるため，滴定酸度にはごくわずかしか寄与していない．緩衝アニオンと反応するH^+はそれぞれ尿の**滴定酸度 titratable acidity**に寄与する．この滴定酸度は尿のpHを糸球体濾液のpH 7.4に戻すのに必要なアルカリの量によって表される．しかし，それはH_2OとCO_2に転換されたH_2CO_3を考慮していないことから，この滴定酸度が分泌された酸の一部のみを表しているにすぎないことは明らかである．

HCO_3^-再吸収は酸塩基平衡の維持に欠かせない．それは1つのHCO_3^-の喪失は等量のH^+を血液に加えることになるからである．しかし腎臓は体内で新たなHCO_3^-を供給する能力がある．これはNH_4^+や滴定酸としてH^+が体内から除去された時に起こり，細胞内で新たな重炭酸塩を生成し，それを血中に移行させる(すなわち，これらのHCO_3^-は糸球体濾過に由来するものではなく，それに加えて血中へ移行するものである)．

アンモニア排泄

前述のように，尿細管細胞内における化学反応はNH_4^+およびHCO_3^-を生成する．細胞内ではNH_4^+は，NH_3およびH^+と平衡状態にある．この反応のpK'は9.0であるため，pH 7.0ではNH_3とNH_4^+との比率は1：100である(図39・3)．しかしNH_3は脂質に可溶性であるため，濃度勾配に従って細胞膜を横切って間質液および尿細管内液へ拡散する．尿細管内液中ではNH_3はH^+と反応してNH_4^+となり，NH_4^+はそのまま尿中に排泄される．

細胞内でNH_4^+を生成する主な反応は，グルタミンをグルタミン酸塩に変換する反応である．この反応は尿細管細胞内に豊富に存在する酵素である**グルタミナーゼ glutaminase**によって触媒される(図39・3)．**グルタミン酸デヒドロゲナーゼ glutamate dehydrogenase**はグルタミン酸塩をα-ケトグルタル酸塩に変換する酵素であり，これもNH_4^+生成に寄与する．それ以降のα-ケトグルタル酸の代謝は$2H^+$を使い，$2HCO_3^-$を遊離する．

慢性アシドーシスでは，より多くのNH_3が尿細管内液に分泌されるためいかなる尿pH値においてもNH_4^+排泄量は増加する．NH_3分泌のこの**順応 adaptation**の原因にはなお不明の点があるが，その効

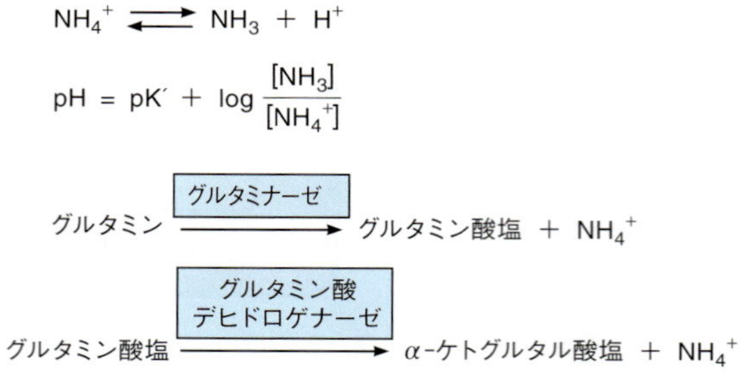

$$NH_4^+ \rightleftharpoons NH_3 + H^+$$

$$pH = pK' + \log\frac{[NH_3]}{[NH_4^+]}$$

グルタミン —(グルタミナーゼ)→ グルタミン酸塩 ＋ NH_4^+

グルタミン酸塩 —(グルタミン酸デヒドロゲナーゼ)→ α-ケトグルタル酸塩 ＋ NH_4^+

図39・3 腎臓におけるアンモニア生成の主な反応．

果は尿細管内液からより多くのH^+を除き，H^+分泌をいっそう起こりやすくすることである．糸球体で濾過されたリン酸塩緩衝系の量は増加しないため，リン酸塩緩衝系による尿への酸分泌には限界がある．尿細管におけるNH_4^+の生成は，腎臓が体内で産生された通常量の不揮発性酸を除去するだけでなく，増加量さえも取り除くことができる唯一の方法である．

髄質内層集合管の細胞では，主にNH_3は管内の尿中に分泌され，NH_4^+に変わるという過程をとる．これを**非イオン性拡散 nonionic diffusion**（2章参照）と呼び，これによりNH_3の拡散のための濃度勾配を維持している．近位尿細管ではNH_4^+の非イオン性拡散はそれほど重要ではない．その理由はNa^+-H^+アンチポータによってH^+と置換してしばしばNH_4^+が分泌されるためである．

サリチル酸塩やその他の弱塩基または弱酸性の薬物もこの非イオン性拡散で分泌される．これらの薬物が尿細管内液へ拡散して出てくる速度は，管内液のpHに依存する．したがってそれぞれの薬物の排泄量は尿のpHによって変化する．

ネフロンにおけるpH変化

糸球体濾液のpHは，近位尿細管を通過中に低下するが，上述したように，分泌されたH^+とHCO_3^-の反応で生じたH_2CO_3からCO_2とH_2Oが生成されるので，尿細管内液のpHはあまり低下しない．これに対し，遠位尿細管ではH^+の分泌能はより少ないが，遠位尿細管内液のpHはH^+分泌によってより大きく影響を受ける．

酸分泌を変化させる因子

腎臓の酸分泌は，細胞内P_{CO_2}，K^+濃度，炭酸脱水酵素の濃度，副腎皮質ホルモン濃度などの変動によって変わる．P_{CO_2}の値が大きい場合（**呼吸性アシドーシス respiratory acidosis**）では，細胞内にH_2CO_3が多くあるほど水酸化イオンを緩衝して（細胞内pHを低下させ），酸分泌を促進する．これに対し，P_{CO_2}が低下すると逆の反応が起こる．カリウム欠乏症の時は酸分泌が促進される．これはK^+が欠乏すると，たとえ血漿のpHが増大していたとしても細胞内アシドーシスが生じるからであると思われる．逆に細胞内K^+過剰は酸分泌を抑制する．炭酸脱水酵素が抑制されると，H_2CO_3生成が低下するので酸分泌は抑制される．アルドステロンやその他尿細管におけるNa^+再吸収を促進させるコルチコステロイドは，H^+とK^+の分泌を増大させる．

HCO_3^-の排泄

尿細管内液から尿細管細胞の中への重炭酸イオン（HCO_3^-）の再吸収のメカニズムにおいて，このイオン自体の輸送は実際には関与していないにもかかわらず，HCO_3^-の再吸収量はかなり広い範囲でHCO_3^-濾過量に比例する．明瞭なTmはないが，何らかの原因で細胞外液（ECF）量が増加するとHCO_3^-の再吸収は減少する（図39・4）．血漿HCO_3^-濃度が低い時は，濾液中のすべてのHCO_3^-は再吸収されてしまうが，血漿HCO_3^-濃度が高くて26〜28 mEq/L（HCO_3^-の腎閾濃度）以上になると，HCO_3^-が尿中に出てきて，尿はアルカリ性になる．逆に約26 mEq/L以下の時は，分泌されたH^+はすべてHCO_3^-の再吸収に使われ，より多くのH^+が他の緩衝アニオンとの結合に利用される．それゆえ，血漿HCO_3^-が低下すればするほど尿はいっそう酸性となり，尿のNH_4^+含量はより多くなる（クリニカルボックス39・1）．

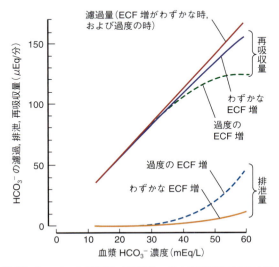

図39・4 HCO_3^-の濾過，再吸収，および排泄に対する細胞外液量の影響（ラット）．HCO_3^-排泄パターンはヒトと同様である．血漿HCO_3^-濃度の正常値は約24 mEq/Lである．ECF：細胞外液（Valtin H：*Renal function*, 2nd ed. Little, Brown; 1983 より許可を得て複製）．

クリニカルボックス 39・1

尿の pH 変化が意味するもの

酸分泌，NH_4^+ 生成および HCO_3^- 排泄の相互関係の比率によって，ヒトの尿の pH は 4.5 から 8.0 まで変化する．体液とは異なる pH の尿を排泄することは，生体内での電解質および酸塩基量の新陳代謝にとって重要な意味合いをもつ．酸は血漿と細胞の中で緩衝され，全体の反応としては，$HA + NaHCO_3 \rightarrow NaA + H_2CO_3$ である．H_2CO_3 は CO_2 と H_2O を生成し，CO_2 は呼息中に拡散し，一方，NaA は糸球体の濾液中に現れる．尿中の Na^+ が H^+ と置き換わる量だけ Na^+ が体内に保存される．さらに，リン酸塩，あるいは NH_4^+ として尿へ排泄された H^+ 1 つに対して，血液は 1 つの HCO_3^- を得ることになり，これによってこの重要な緩衝アニオンの補給を受けることになる．逆に，塩基が体液に加えられる場合，OH^- は緩衝を受け，血漿 HCO_3^- を上昇させることになる．HCO_3^- の血漿濃度が 28 mEq/L を超える時，尿はアルカリ化し，余分な HCO_3^- は尿に排泄される．尿細管による H^+ 分泌の最大速度は動脈血の P_{CO_2} によって直接的に様々な影響を受けるので，HCO_3^- 再吸収もまた P_{CO_2} によって影響される．この関係は，本文中に詳細に記載されている．

治療上のハイライト

スルホンアミド類は炭酸脱水酵素を阻害し，その誘導体は腎臓の炭酸脱水酵素阻害作用を有するため臨床的に利尿薬として使用されてきた（37 章参照）．

表 39・1 体液の H^+ 濃度と pH

		H^+ 濃度		pH
		mEq/L	mol/L	
胃液の HCl		150	0.15	0.8
尿の最高酸度		0.03	3×10^{-5}	4.5
血漿	極度のアシドーシス	0.0001	1×10^{-7}	7.0
	正常	0.00004	4×10^{-8}	7.4
	極度のアルカローシス	0.00002	2×10^{-8}	7.7
膵液		0.00001	1×10^{-8}	8.0

pH 感受性蛍光色素，リンの核磁気共鳴法などを用いることによって測定できるが，その値は ECF の H^+ 濃度とは異なっており，各種の細胞内過程により調節されていると考えられる．しかし，細胞内液の H^+ 濃度は，ECF の H^+ 濃度の変化に敏感なのである．

H^+ 濃度を表すのに pH 表示を用いるのが便利であるのは，H^+ 濃度は他のカチオンよりも極めて低いのが常だからである．たとえば赤血球と平衡した血漿の Na^+ 濃度は約 140 mEq/L であるのに H^+ 濃度は 0.00004 mEq/L（表 39・1）である．これの逆数の対数は 7.4 となる．pH が 1 低下すること（たとえば pH が 7.0 から 6.0 になること）は H^+ の濃度が 10 倍に増加することを示すのはいうまでもない．血液の pH は **真性血漿 true plasma**（赤血球と平衡させた血漿）の pH であることを知っておくことが大切である．なぜなら赤血球はヘモグロビンを含み，このヘモグロビンは量的に血液中の最も重要な緩衝物質（バッファー）の 1 つであるからである（35 章参照）．

H^+ 平 衡

血液 pH の正常値は動脈血で 7.40，静脈血ではこれよりやや低い．定義上，動脈血 pH が 7.40 未満であればいつも**アシドーシス acidosis**，7.40 よりも高ければいつも**アルカローシス alkalosis** であるが，7.40 より ±0.05 pH 以内の変動であれば障害はない．生命の存続可能な ECF の H^+ 濃度は 0.00002 mEq/L 以上（pH 7.70 以下），0.0001 mEq/L 以下（pH 7.00 以上），濃度にして約 5 倍の範囲にある．

アミノ酸は肝臓で糖新生に用いられるが，その時アミノ基およびカルボキシル基から NH_4^+ と HCO_3^- を産物として放出する（図 39・5）．NH_4^+ は尿素に組み入れられ，その際生じる H^+ は細胞内 HCO_3^- で緩衝され

H^+ 濃度変動に対する防御

酸塩基平衡の問題にまつわる曖昧さを除くためには，この問題の核心は"緩衝塩基"や"固定カチオン（陽イオン）"などにあるのではなくて，細胞外液（ECF）の H^+ 濃度を適正に維持することにあるということを指摘する必要がある．ECF の組成を調節する機序は，H^+ に関しては，生理的に特に重要である．なぜならば細胞内の生命現象は H^+ 濃度の変化に極めて敏感なためである．細胞内液の H^+ 濃度は現在，微小電極，

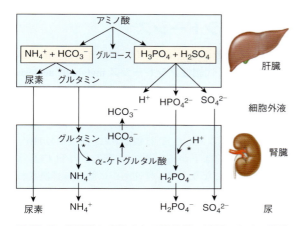

図 39・5　代謝性に産生される酸負荷の処理における肝臓と腎臓の役割. 調節が行われる部位は＊印で示してある (Knepper MA, et al: Ammonium, urea, and systemic pH regulation. Am J Physiol 1987; July; 253(1 pt 2): F199-F202 より許可を得て改変).

緩衝作用

緩衝作用は H^+ の恒常性を維持するのに極めて重要である. 血液での緩衝系についてはタンパク質, ヘモグロビン, 炭酸脱水酵素の役割を強調しつつ, ガス輸送と関連付けて1章と35章で述べた. 炭酸脱水酵素は胃の壁細胞(25章参照)や腎尿細管細胞(37章参照)に高濃度で存在する. 炭酸脱水酵素は分子量が30 000のタンパク質であり, 亜鉛を1分子含み, シアン化物, アジ化物, 硫化物により抑制される. 生体内で緩衝作用を発揮するのは, 当然血液中だけに限定されない. 血液, 間質液, 細胞内液の主要な緩衝系は, 表39・2 に示した. 脳脊髄液および尿では, 重炭酸塩およびリン酸塩が主要な緩衝系である. 代謝性アシドーシスでは, ECF の H_2CO_3-HCO_3^- 緩衝系により, H^+ 負荷のせいぜい 15〜20％ が緩衝され, 残りは細胞内で緩衝作用を受ける. 代謝性アルカローシスでは, OH^- 負荷の約 30〜35％ は細胞内で緩衝されるが, 呼吸性アシドーシスおよびアルカローシスでは, ほとんどすべての緩衝作用は, 細胞内で行われる.

動物細胞では, 細胞内 pH の主要な調節機構は HCO_3^- トランスポータである. 現在までにその性質が明らかにされたトランスポータには, Cl^--HCO_3^- アンチポータ **AE1**, 3種類の Na^+-HCO_3^- シンポータと, 1種類の K^+-HCO_3^- シンポータがある.

まとめ

血液に強酸が加えられると, 主要な緩衝系は, いずれも左向きに反応が進行する. Hb^-（ヘモグロビン), $Prot^-$（タンパク質), HCO_3^- の3つの緩衝塩基の血中濃度は, その結果いずれも減少する. 加えた酸のアニオンは, 濾過され腎尿細管に入るが, その時電気的中性を保つために, これらのアニオンはカチオン, 特に

る(28章参照). したがって NH_4^+ や HCO_3^- は循環血液中にはほとんど出てこない. しかし硫黄(S)含有アミノ酸の代謝は H_2SO_4 を産生し, ホスホセリンのようにリン酸化されたアミノ酸は H_3PO_4（リン酸)を産生する. これらの強酸は循環血中に入り, ECF の緩衝系に対して主な H^+ 負荷となる. アミノ酸代謝からの H^+ 負荷は通常約 50 mEq/日である. 組織の代謝産物である CO_2 は大部分 H_2O と反応して H_2CO_3 となり(35章参照), これから出る全 H^+ 負荷は 12 500 mEq/日以上に達する. この CO_2 の大部分は肺から, 一部は腎臓から排泄される. 酸負荷の増加する原因は通常, 激しい労作(乳酸), 糖尿病のケトーシス(アセト酢酸, β-ヒドロキシ酪酸)の他, NH_4Cl, $CaCl_2$ のような酸性化塩(これらは HCl 摂取と同等の効果を来す)の服用などである. 腎疾患のために腎不全に陥ると, 酸生成が正常でもそれを有効に排泄できないのでアシドーシスの原因となる. 果物はアルカリを補給するのに最適な食品である. 果物には Na^+ や K^+ の弱有機酸塩が含まれ, これらの塩のアニオンは代謝されて CO_2 となって, $NaHCO_3$ と $KHCO_3$ を体内に残すからである. $NaHCO_3$ やその他のアルカリ性の塩を多量服用すればアルカローシスになるが, 通常アルカローシスの原因となるのは, HCl を多く含む胃液の嘔吐の結果, 体内より酸を失うことである. これが等価のアルカリを加えたことに相当することはいうまでもない.

表 39・2　体液中の主な緩衝系

血液	$H_2CO_3 \rightleftarrows H^+ + HCO_3^-$
	$HProt \rightleftarrows H^+ + Prot^-$
	$HHb \rightleftarrows H^+ + Hb^-$
間質液	$H_2CO_3 \rightleftarrows H^+ + HCO_3^-$
細胞内液	$HProt \rightleftarrows H^+ + Prot^-$
	$H_2PO_4^- \rightleftarrows H^+ + HPO_4^{2-}$

Na^+ の動きを伴っている．上記の過程により，腎尿細管は Na^+ と H^+ を交換すると同時に，Na^+ と HCO_3^- を同一当量だけ再吸収し，カチオンを保持しながら酸を排泄し，さらに緩衝系のアニオン（HCO_3^-）が正常に供給できるように補給する．血液に CO_2 を加えた場合も同様な反応が起こるが，H_2CO_3 が生成されるために，血漿の HCO_3^- は減少することなく，むしろ増加することはその例外である．

呼吸性アシドーシスとアルカローシスに対する腎性代償

35章に記述したように，肺換気の低下による動脈血 P_{CO_2} の上昇は**呼吸性アシドーシス respiratory acidosis** を生じる．逆に P_{CO_2} の低下は**呼吸性アルカローシス respiratory alkalosis** を来す．図35・7に示した初期変化は，他の生理的代償機序と無関係に起こる．すなわちこれは**非代償性 uncompensated** の呼吸性アシドーシスまたはアルカローシスである．しかしどちらの場合でも，生体内では実際は腎臓内で生み出された pH 変化を正常に引き戻す．つまりアシドーシスやアルカローシスを**代償する compensate** ことになる．

腎臓の尿細管における HCO_3^- の再吸収は，HCO_3^- の濾過量，すなわち血漿 HCO_3^- 濃度（[HCO_3^-]で表す）と GFR との積のみならず腎尿細管細胞の H^+ 分泌速度にも依存する．なぜなら HCO_3^- は H^+ 分泌と交換に再吸収されるからである．H^+ 分泌速度（したがって HCO_3^- の再吸収速度）は動脈血 P_{CO_2} に比例する．おそらくそれは，H_2CO_3 を生じる CO_2 が尿細管細胞中に多ければ多いほど H^+ が多く分泌されうるからである．そのうえ，P_{CO_2} が高いとほとんどの細胞の内部はいっそう酸性に傾く．したがって，呼吸性アシドーシスでは腎尿細管の H^+ 分泌は増加し，H^+ を体外に排泄する．この時，血漿[HCO_3^-]は上昇しているにもかかわらず，尿細管での HCO_3^- の再吸収も増加し，血漿[HCO_3^-]はさらに上昇する．呼吸性アシドーシスに対するこのような"腎臓の代償"を急性呼吸性アシドーシスから慢性呼吸性アシドーシスへのシフトの形で図35・7に示した．血漿[HCO_3^-]が増加すると Cl^- 排泄は増加し，血漿[Cl^-]は低下する．逆に，呼吸性アルカローシス時の低い P_{CO_2} は腎臓の H^+ 分泌を抑制し，HCO_3^- の再吸収は低下し，HCO_3^- の排泄は増加するので，すでに低下している血漿[HCO_3^-]はいっそう低下する．しかし血漿 pH は低下して正常に近づく．

代謝性アシドーシス

Hb やその他の緩衝作用をもつ酸よりも強い酸が血液に加わると**代謝性アシドーシス metabolic acidosis** が起こる．逆にアルカリを加えるか，あるいは酸を除くと[H^+]が減少して**代謝性アルカローシス metabolic alkalosis** を来す．35章の例に従うと，たとえば H_2SO_4 を加えるとその H^+ は緩衝され，血漿中の Hb^-，$Prot^-$，HCO_3^- は下がる．その結果生じた H_2CO_3 は H_2O と CO_2 になり，CO_2 は速やかに肺から排泄される．これは，**非代償性代謝性アシドーシス uncompensated metabolic acidosis** の状態である．実際は血漿の[H^+]上昇は呼吸を刺激するので，P_{CO_2} は上昇したり一定の値をとることはなく，むしろ減少する．この**呼吸性代償 respiratory compensation** により血漿 pH はさらに上昇する（正常値に近づく）．そのうえ**腎性代償 renal compensation** により余分の H^+ は排泄されて緩衝系が正常に戻るのである．

腎 性 代 償

代謝性アシドーシスにおいて血漿の HCO_3^- と置換された酸のアニオンは，濾過される時に電気的中性の原理から常にカチオン（主に Na^+）を伴う．尿細管細胞は Na^+ と交換に糸球体濾液中に H^+ を分泌する．この時分泌される H^+ 1個当たり，1個の Na^+ と1個の HCO_3^- が血漿に加えられる．もしこのように H^+ と"結合する"物質が尿中に存在しない場合は，尿の pH はその限界値（4.5）に速やかに近づき，H^+ の分泌全量は僅少にとどまるであろう．しかし，分泌された H^+ は HCO_3^- と反応して CO_2 と H_2O となり（HCO_3^- 再吸収），また HPO_4^{2-} と反応して $H_2PO_4^-$ となり，あるいは NH_3 と反応して NH_4^+ を生じる．このようにして多量の H^+ が分泌され，それと等価の多量の HCO_3^- が体内に保留され（HCO_3^- 再吸収の時），体内で枯渇した緩衝物質の補充に，あるいは酸のアニオンとともに濾過された多数のカチオンの再吸収に役立つ．酸負荷が極めて高度の場合のみ，利尿に伴ってカチオンはアニオンとともに体外に失われ，身体のカチオンが減少する．慢性アシドーシスでは，肝臓におけるグルタミンの合成が増す．その合成には通常尿素に変換される NH_4^+ が用いられる（図39・5）．このグルタミンは腎臓でより多くの NH_4^+ 源となる．数日にわたって NH_3 の分泌は増加し（NH_3 分泌の適応），腎臓のアシドーシス代償機能を助ける．さらにグルタミンの腎臓での代謝でα-ケトグルタル酸が生じ，これは次いで脱炭酸さ

れ HCO_3^- が生じる．HCO_3^- は循環血中に入り，酸負荷を緩衝するのに役立つ（図 39・5）．

H_2SO_4 のような強酸が加えられた時の反応を総括すると，

$$2NaHCO_3 + H_2SO_4 \rightarrow Na_2SO_4 + 2H_2CO_3$$

加えられた H^+ 1 mol 当たり $NaHCO_3$ の 1 mol が失われる．腎臓はこの逆反応を営む．すなわち，

$$Na_2SO_4 + 2H_2CO_3 \rightarrow 2NaHCO_3 + 2H^+ + SO_4^{2-}$$

H^+ と SO_4^{2-} は排泄される．もちろん H_2SO_4 はそのまま排泄されるのではなく，尿に出た H^+ は滴定酸および NH_4^+ の形になっている．

代謝性アシドーシスでは呼吸性代償が起こり，その結果 P_{CO_2} が低下すると，腎臓の酸分泌は抑制される傾向がある．その意味では腎臓の代償機能を抑制するわけであるが，同時に HCO_3^- 濾過の負荷を減少させるため，差し引き，腎臓に対する抑制の影響はそう大きいものではない．

代謝性アルカローシス

代謝性アルカローシスでは血漿 $[HCO_3^-]$ と pH が上昇する（図 39・6）．呼吸の代償反応は血漿 $[H^+]$ の低下によって引き起こされる換気の低下である．その結果 P_{CO_2} は上昇する．そして血漿 $[HCO_3^-]$ はさらに増加するが，血漿 pH は正常値に向かって引き戻される．しかし，このような代償作用には限度がある．その理由は，頸動脈と大動脈の化学受容器が動脈血のかなりの P_{O_2} 低下によって反射的に呼吸中枢を刺激するからである．代謝性アルカローシスでは，腎臓で濾過された HCO_3^- の負荷増加分を再吸収するために，H^+ をより多く分泌しなければならない．血漿 $[HCO_3^-]$ が 26〜28 mEq/L 以上になると HCO_3^- が尿に現れる．P_{CO_2} の上昇は酸排泄を増加させ，腎臓の代償作用を抑制することになるがその効果は比較的小さい．

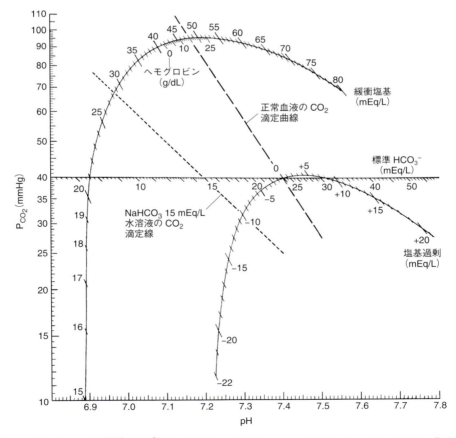

図 39・6 Siggaard-Andersen の並列ノモグラム．（O Siggaard-Andersen and Radiometer, Copenhagen, Denmark より許可を得て転載）．

Siggaard-Andersen の並列ノモグラム

動脈血の酸塩基平衡の特性を図示した Siggaard-Andersen〔シガーズ・アンダーセン〕の並列ノモグラム(図39・6)の使用は，臨床の現場において有用である．このノモグラム(計算図表)は縦軸に P_{CO_2}(対数表示)，横軸に pH をとってある．pH 7.40 の点を通る縦線の左側はアシドーシス，右側はアルカローシスの領域を示す．P_{CO_2} が 40 mmHg にあたる横線より上または下はそれぞれ換気低下および過換気の領域となる．

$NaHCO_3$ の他に何ら緩衝物質を含まない溶液を各種の P_{CO_2} に平衡させると，その pH と P_{CO_2} は図39・6 の左の点線またはそれに平行な直線に沿って変化するであろう．もし緩衝物質が存在すればその傾斜はより大となり，その傾斜は緩衝物質の緩衝能に比例する．今血液のヘモグロビン濃度を 15 g/dL とすると，この血液の **CO_2 滴定線 CO₂ titration line** は図の上方の曲線に刻んだヘモグロビン目盛(上部の曲線の下側の目盛)で 15 g/dL の点と，P_{CO_2} = 40 mmHg, pH = 7.40 の点を結ぶ直線(図39・6 の破線)で示される．血液のヘモグロビン濃度が低い時は緩衝能はかなり低下し，CO_2 滴定線の傾斜は減少する．しかし血液はヘモグロビン以外の緩衝物質をもっているため，ヘモグロビン目盛＝0 の点と正常の P_{CO_2}-pH 値の交点とを結ぶ直線は，単なる $NaHCO_3$ 水溶液(緩衝物質を含まない)よりも傾斜が大である．

臨床的にこれを用いる場合は，動脈血または動脈血化した毛細血管血を空気に触れさせずに採取し，その pH を測定する．この血液を CO_2 組成の異なる 2 種のガスにそれぞれ平衡させて pH を測定する．このようにして得られた 2 組の P_{CO_2} と pH の値に応じる 2 つの点を直線で結べばその血液の CO_2 滴定線が得られる．この線上において採血時の pH に相当する点の P_{CO_2} が採血状態の血液試料の P_{CO_2} である．試料の **標準重炭酸塩濃度 standard bicarbonate content** は，P_{CO_2} = 40 mmHg の横線と試料の CO_2 滴定線が交叉する点の HCO_3^- 濃度値で読みとることができる．標準 HCO_3^- 濃度は試料の実際の HCO_3^- 濃度ではなく，呼吸の代償作用の影響がまったくない状況における HCO_3^- 濃度がどのような値になるかを示すものである．それは血液のアルカリ予備 alkali reserve の 1 つの尺度である．従来アルカリ予備と称せられた概念との差は，従来は全 CO_2 から得た値であるが，こちらはガス平衡後の血液試料の全 CO_2 濃度ではなく pH 値測定から求めた点である．しかし，どちらも代謝性アシドーシスかアルカローシスが存在する場合にその程度を示す指標となるという意味では同様である．

図39・6 の上方の曲線にはヘモグロビン目盛と別な目盛を上側に付けてある．これは**緩衝塩基 buffer base** の濃度を知るためのものである．動脈血試料の CO_2 滴定線がこの曲線と交わる点の目盛は試料の緩衝塩基の濃度[mEq/L]を示す．すなわち H^+ と結合しうる血中の緩衝アニオンの総量(主に Prot⁻，HCO_3^-，Hb⁻)に等しい．その正常値は血液ヘモグロビン濃度が 15 g/dL の場合 48 mEq/L である．

ノモグラムで CO_2 滴定線が下方の曲線と交わる点の目盛は**塩基過剰 base excess** の濃度を示す．これは正常 P_{CO_2}(40 mmHg)において，酸塩基平衡を正常の状態になるようにするために血液 1 L 当たり加えるべき酸または塩基の量を意味する．ゆえにこの値はアルカローシスの場合は正，アシドーシスの場合は負(塩基欠乏 base deficiency)となる．塩基欠乏の場合，[HCO_3^-]の正常値(24 mEq/L)と当該試料のそれとの差を計算し，血液 1 L 当たりその量だけ $NaHCO_3$ を加えれば異常を完全に補正できるのではないことに注意を要する．加えた HCO_3^- の一部は CO_2 と H_2O になり，その CO_2 は肺から失われるからである．実際に補正のために加えるべき量は前に計算したような見かけの[HCO_3^-]の不足量のおおよそ 1.2 倍であり，その正しい値は実験的に多くの血液試料から得られたデータに基づいて作られたノモグラムの下方の曲線から読みとることができる．

酸塩基平衡の異常を取り扱うにあたって，たんに血液のみでなく体液の各区分も考慮する必要がある．血液以外の体液の緩衝物質の濃度は血液のそれと著しく異なっている．経験上，酸(アルカローシスの時)，または塩基(アシドーシスの時)を，体重(kg)の 50% に相当する血中の塩基過剰量(mEq/L)分だけ与えると全身の酸塩基平衡の障害を補正できることがわかっている．しかし，少なくとも重症の障害の例ではこのような大量補正を一気に実施するのは賢明でない．それよりも一応予想量の約半分を与えてみるべきである．そして動脈血の酸塩基平衡に関する諸値を再び実測してみる．その結果に基づいて，最終的に必要な補正量を計算することができ，それを投与する．注意すべきは，少なくとも乳酸アシドーシスの場合 $NaHCO_3$ は心拍出量と血圧を下げるので慎重に投与を行うことである．

章のまとめ

- 近位尿細管と遠位尿細管の細胞はH^+を分泌する．管内液の酸性化は集合管でも起こる．近位尿細管で酸分泌に関与するのは主にNa^+-H^+交換であり，管腔よりNa^+を吸収し，H^+を分泌する．
- ヒトでは，H^+勾配に逆らってH^+を分泌することができる輸送機構があり，尿細管内の尿のpHが4.5になるまで輸送できる．しかし，尿細管内液には，より多くの酸を分泌させるために，H^+を取り除いてしまう3つの重要な反応がある．これらの反応とは，CO_2とH_2Oを生成するHCO_3^-との反応，$H_2PO_4^-$を生成するHPO_4^{2-}との反応，およびNH_4^+を生成するNH_3との反応である．
- 炭酸脱水酵素はH_2CO_3の生成を触媒し，炭酸脱水酵素阻害薬は近位尿細管での酸分泌を抑制する．
- 腎臓の酸分泌量は，細胞内のP_{CO_2}，K^+濃度，炭酸脱水酵素活性と副腎皮質ホルモン濃度の変化によって変動する．

多肢選択式問題

正しい答えを1つ選びなさい．

1. 間質液中の主要な緩衝物質はどれか．
    A．ヘモグロビン
    B．他のタンパク質
    C．炭酸
    D．$H_2PO_4^-$
    E．ヒスチジンをもつ化合物

2. 肺胞換気量を増加させることは血液pHを上昇させる．それはなぜか．
    A．血液から酸を取り除く神経性機序を活性化させるから
    B．ヘモグロビンをより強い酸にするから
    C．血液のP_{O_2}を増加させるから
    D．肺胞でP_{CO_2}を減少させるから
    E．呼吸増加に伴う筋肉運動の増加はより多くのCO_2を生成するから

3. 非代償性代謝性アルカローシスにあてはまるのはどれか．
    A．血漿pH，血漿HCO_3^-濃度，および動脈血のP_{CO_2}はすべて低い
    B．血漿pHが高く，血漿HCO_3^-濃度，および動脈血のP_{CO_2}は低い
    C．血漿pH，および血漿HCO_3^-濃度は低く，動脈血P_{CO_2}は正常である
    D．血漿pH，および血漿HCO_3^-濃度は高く，動脈血P_{CO_2}は正常である
    E．血漿pHは低く，血漿HCO_3^-濃度は高く，また，動脈血P_{CO_2}は正常である

4. 血漿pHが7.10の患者の血漿$[HCO_3^-]/[H_2CO_3]$の比率は，次のどれか．
    A．20
    B．10
    C．2
    D．1
    E．0.1

多肢選択式問題　解答

1章
1. B 2. C 3. B 4. C 5. C 6. D 7. E 8. E

2章
1. A 2. D 3. D 4. B 5. C 6. C 7. B 8. A

3章
1. C 2. B 3. D 4. C 5. B 6. B 7. E 8. D

4章
1. C 2. E 3. E 4. E 5. C 6. B 7. E 8. C
9. D 10. D

5章
1. B 2. D 3. B 4. C 5. C

6章
1. C 2. C 3. A 4. E 5. B 6. D 7. B 8. D
9. E

7章
1. D 2. B 3. D 4. D 5. B 6. E 7. E 8. C
9. E

8章
1. A 2. C 3. D 4. E 5. E 6. C 7. B 8. D
9. A 10. E 11. D

9章
1. D 2. B 3. D 4. D 5. A 6. C 7. E 8. D

10章
1. D 2. B 3. C 4. B 5. E 6. E 7. D 8. B
9. D 10. A 11. A 12. B

11章
1. E 2. D 3. B 4. E 5. A 6. C 7. D 8. D
9. E 10. D 11. B 12. D

12章
1. D 2. E 3. C 4. C 5. A 6. E 7. E 8. B
9. A 10. E 11. C 12. D 13. E

13章
1. A 2. D 3. C 4. E 5. D 6. C 7. B 8. D

14章
1. D 2. D 3. C 4. D 5. B 6. C 7. A 8. E
9. B

15章
1. D 2. B 3. B 4. A 5. E 6. D 7. D 8. B

16章
多肢選択式問題の掲載なし

17章
1. B 2. E 3. B 4. A 5. A 6. B 7. D 8. D

18章
1. E 2. E 3. D 4. C 5. B 6. E 7. C 8. A

19章
1. D 2. B 3. E 4. D 5. C 6. D 7. D 8. A
9. A

20章
1. C 2. B 3. A 4. E 5. C 6. C 7. A 8. D
9. D 10. C

21章
1. C　2. E　3. D　4. D　5. A　6. C　7. E　8. D

22章
1. C　2. D　3. C　4. A

23章
1. E　2. A　3. C　4. B

24章
1. E　2. D　3. D　4. C　5. E　6. D　7. C

25章
1. C　2. D　3. D　4. C　5. D　6. B　7. B　8. C
9. E

26章
1. C　2. B　3. E　4. E　5. A　6. D　7. E　8. D
9. D　10. B

27章
1. D　2. C　3. A　4. B　5. E　6. D　7. D　8. E
9. C　10. C

28章
1. C　2. C　3. E　4. E　5. D　6. E　7. B　8. C
9. E　10. A

29章
1. C　2. A　3. A　4. D　5. D

30章
1. C　2. E　3. C　4. A　5. C　6. C　7. D　8. C

31章
1. E　2. D　3. C　4. A　5. C　6. B　7. E　8. D
9. D　10. A　11. B　12. B

32章
1. B　2. D　3. B　4. C　5. E　6. C　7. D　8. D
9. E

33章
1. E　2. D　3. B　4. A　5. E　6. E　7. D　8. B

34章
1. D　2. C　3. A　4. E　5. D　6. A

35章
1. E　2. B　3. D　4. D

36章
1. D　2. B　3. B　4. D　5. E　6. B　7. C

37章
1. A　2. A　3. A　4. A　5. E　6. C　7. D

38章
1. E　2. C　3. D　4. E　5. D　6. C　7. D

39章
1. C　2. D　3. D　4. B

索　引

〔索引使用上の注意〕
1. 本文中に欧文（アルファベット）のままで示した語および欧文で始まる語の索引は欧文索引としてある．
2. 化学構造を示す数（1-, 2-, 3-, ……）や文字（o-, m-, p-, D-, L-, ……）が先頭に立つ物質名は，それらの数字や文字を除いた語によって配列してある．
3. ギリシャ文字 α, β, γ, …… はそれぞれの後に続く語が日本語の場合はアルファ，ベータ，ガンマの位置に配列し，欧文が続く場合は alpha, beta, gamma の位置に配列してある．（例：α サブユニットは "あ" の項，α subunit は "A" の項）
4. （→）は矢印で示された語を参照してほしいことを示す．
5. 数字で始まる語は発音に従ってそれぞれ配列してある．（例：I 型糖尿病は "いち" 型糖尿病，II 型細胞は "に" 型細胞など）

● あ

アイソフォーム　130
アイントーベンの三角形　611
アウトサイドアウトパッチ　61
アカゲザル　657
アカラシア　149, 584
アカンプロセート　207
アキレス腱　267
アクアポリン　56, 795
悪性高体温症　130
悪性高熱症　130, 372
アクチニン　124
アクチビン　503
アクチビン受容体　503
アクチン　46, 123
あくび　772
アクロシン　485
アクロソーム→実体
アザチオプリン　91, 157, 272
亜酸化窒素　704
アシクロビル　54
アジソン病　420
アシドーシス　517, 751, 830
味物質　213
アストロサイト　115, 169, 698
　　──の増殖　116
アスピリン　36, 237, 371, 690
アセタゾラミド　227, 756
アセチル CoA　11, 172
アセチルコリン　164, 172, 301
アセチルコリンエステラーゼ　174
アセチルコリンエステラーゼ阻害薬　157

アセチルコリン作動性ニューロン　172
アセチル補酵素 A　172
アセトヘキサミド　520
アダプタータンパク質 1　56
圧受容器　683
アップレギュレーション　64
圧容量曲線　732
アディポカイン　530
アディポネクチン　530
アテトーゼ　275, 285
アデニル酸シクラーゼ　72, 304
アデニン　15
アデノイド　722
アデノシン一リン酸　11
アデノシン 3',5'一リン酸　72
5'-アデノシン一リン酸活性化リン酸化酵素　512
アデノシン三リン酸　11, 305
アデノシン二リン酸　11
アテローム動脈硬化性プラーク　710
アテローム性動脈硬化　35
アドレナリン　164, 393
アドレナリン α 受容体　178
アドレナリン α 受容体拮抗薬　308
アドレナリン作動性 $β_1$ 受容体　640
アドレナリン性ニューロン　175
アドレナリン β 受容体　178
アトロピン　229, 305, 306, 521, 682
アナンダミド　184, 208
アニオン　5
アニオンギャップ　754
アニオン交換輸送体 1　749
アブミ骨　248

アブミ骨筋　248
アブミ骨底　248
アフリベルセプト　237
アポトーシス　42, 53
アポモルヒネ　288, 585
アマクリン細胞　231
アマトキシン　306
アマンタジン　169
アミオダロン　237, 623
アミド結合型　112
アミノ基転移　22
アミノグリコシド系抗生物質　158
アミノ酸デカルボキシラーゼ　175
アミノ酸プール　19
アミノピリジン類　158
アミノペプチド分解酵素　181
アミラーゼ　537
アミロイド前駆タンパク質　336
アミロイド斑　336
アミロース　560
アミロペクチン　560
アミロライド　60, 521
アミロライド抑制性 Na^+ チャネル　60
2-アラキドニルグリセロール　184, 208
アラキドン酸　34
アラントイン　14
アリピプラゾール　179
アルカリ予備　834
アルカローシス　751, 830
アルギニンバソプレシン　361
アルコール　320
アルツハイマー病　169, 706
アルドステロン　393, 400, 406

アルドステロンシンターゼ　403
アルビーノ→白皮症
アルファ波　319
α運動ニューロン　266
5α-還元酵素欠乏症　466
α-γ興奮連関　270
α-クロトー　446
α-ケトグルタル酸　168
α-限界デキストリン　561
α-サルコグリカン　124
α-ジストログリカン　124
α-シヌクレイン　287
α波　319
αヘリックス　20
アルブミン　428, 652, 804
アルブミン尿　788
アルプラゾラム　485
アレル→対立遺伝子
アロキサン　514
アロディニア　198, 199
アロマターゼ　476, 490, 495
アロマターゼ阻害薬　351
アンキリン　622, 650
アンキリンリピート　193
アンジオテンシノーゲン　815
アンジオテンシンⅠ　815
アンジオテンシンⅡ　183, 394, 815
アンジオテンシンⅢ　816
アンジオテンシン変換酵素　693, 742, 815
暗順応　236
暗所視　233
アンチトロンビンⅢ　660
アンチポータ　58
アンドロゲン　407, 459, 493
アンドロゲン結合タンパク質　495
アンドロゲン抵抗症　466
アンドロステロン　500
アンドロステンジオン　400
アンフェタミン　178, 179, 320
アンブリセンタン　740

●い

イェンドラシックの手支　271
イオンチャネル　41, 57
イオンチャネル型受容体　164
胃回腸反射　587
怒り　360
息こらえ限界点　770
閾値強度　108
閾値電位　106
いきみ　488
胃結腸反射　590
移行領域　723
遺残溝　376
石原式色覚検査表　239
胃小窩　538
異常感覚　205
胃食道逆流症　584
異所性興奮源　618
異数性　17

異側半盲　241
イソマルターゼ　561
痛み　198
Ⅰa求心性神経　268
1塩基多型　16
位置覚失認　196
1型ヒスタミン受容体拮抗薬　71
Ⅰ型ビタミンD抵抗性くる病　445
Ⅰ細胞　783
一次運動野　276, 278
1色覚者　239
一次極体　472
一次構造　20
一次終末　268
一次性情報伝達物質　65
一次性進行型多発性硬化症　114
一次精母細胞　494, 504
一次線毛　667
一次線毛運動異常　48
一次体性感覚野　202, 278
一次痛　193
一次毛細血管叢　359
一次誘発電位　315
1秒量
異痛→アロディニア
1回換気量　730
1回拍出量　636
一過性　609
一過性受容器電位チャネル　193
一過性受容器電位バニロイド6型チャネル　442
一酸化炭素　184, 691
一酸化炭素ヘモグロビン　651, 758
一酸化窒素　142, 184, 306, 690
一酸化窒素合成酵素　498
逸脱現象　416, 802
一致率　529
胃底ひだ形成術　584
遺伝子　15, 51
遺伝子刷込み現象　461
遺伝子変異　16, 319
遺伝性球状赤血球症　650
遺伝性血管性浮腫　694
遺伝性溶血性貧血　650
遺伝的女性　460
遺伝的男性　460
イノシトール三リン酸　70
イノシトール1,4,5-三リン酸　169, 304
イノシトール三リン酸受容体　116, 141
イブプロフェン　36, 116
イマチニブ　66
意味記憶　331
イミプラミン　322
異名半盲　241
胃抑制ポリペプチド　410, 521, 550
イリタント受容器　771
イレウス　587
イロプロスト　740
陰イオン→アニオンを見よ
陰イオン交換タンパク質　826

インサイドアウトパッチ　60
飲作用　55
インスリン　183, 451, 507
インスリン感受性促進薬　354
インスリン腫　528
インスリン受容体基質　513
インスリン抵抗性　530
インスリン様成長因子　74
インスリン様成長因子Ⅰ　116, 382
インスリン様成長因子Ⅱ　382
インターナリゼーション　64
インターフェロン　81
インターロイキン　90
インテグリン　48, 454
インドメタシン　36, 816
イントロン　15, 509
インヒビン　495, 502
インヒビンB　460
インポーチン　51

●う

ウアバイン　61, 821
ウィリスの動脈輪　697
ウィルスング管　544
ウィルソン病　286
ウェーバーテスト　257
ウェルニッケ野　255, 339, 706
ウェンケバッハ伝導路　607
ウォルフ・チャイコフ効果　435
ウォルフ・パーキンソン・ホワイト症候群　622
ウォルフ管　462
右脚　608
右脚ブロック　618
受入れ弛緩　583
右軸偏位　615
齲蝕　537
内向きの流れ　10
宇宙酔い　261
うつ病　324
うま味　219
生まれつきの発育遅延　387
ウラシル　17
ウリジンジホスホグルコース　27
ウリジン二リン酸グルクロン酸　598
ウルソデオキシコール酸　546
ウロキナーゼ型プラスミノーゲンアクチベーター　661
ウロテンシンⅡ　694
運動緩慢　285
運動機能こびと　276
運動機能ホムンクルス　276
運動亢進型　285
運動失調　275, 291, 293
運動終板　155
運動前野　277, 278
運動単位　134
　──の動員　135
運動分解現象　293
運動抑制型　285

索引 **841**

●え

エイコサノイド　34
エイジング　305
栄養学的必須アミノ酸　18
栄養作用　549
栄養膜細胞層　485
エキソサイトーシス　52, 54, 96, 376, 509
エキソペプチダーゼ　566
エクスタシー　182
エクスポーチン　51
エクソン　15, 509
エコー　619
壊死→ネクローシス
エステル結合型　112
17β-エストラジオール　476, 490
エストリオール　476, 490
エストロゲン　451, 459
エストロゲン依存性　490
エストロゲン受容体　351
エストロゲン反応エレメント　479
エストロゲン補充療法　456
エストロン　476, 490
エチオコラノロン　407, 500
エチドロネート　456
エチニルエストラジオール　484
エディンガー・ウェストファル核　230, 301
エトスクシミド　319
エナラプリル　816
エナルキレン　816
エピソード記憶　331
エピネフリン→アドレナリン
エフェクター　69
エフェクターT細胞　85
エフェドリン　178
エムデン・マイヤーホフ経路　24, 747
エリスロポエチン　822
遠位曲尿細管　783
遠位断端部　116
遠位尿細管　795
遠隔障害　330
鉛管様硬直　285
塩基過剰　834
塩基欠乏　834
遠近調節　230
嚥下困難　149
嚥下障害　114
エンケファリン　164, 205
エンケファリン分解酵素A　181
エンケファリン分解酵素B　181
エンケファリン類　181
遠視　227
炎症　116
炎症性疼痛　199
炎症性マーカー　710
炎症痛　198
炎症反応　95
延髄化学受容器　768
延髄錐体　278
延髄吻側腹内側部　207
延髄網様体脊髄路　278
塩喪失型　404
エンタカポン　288
円柱　803
円柱構造→コラム構造
エンテロキナーゼ　564
エンドサイトーシス　52, 55
エンドセリン　183
エンドセリンI　691
エンドセリン変換酵素　692
エンドペプチダーゼ　564
円板　232
エンハンサー　15
塩味　219
塩類下剤　555

●お

横行小管系　124
黄体　472
黄体期　472
黄体形成ホルモン　364, 375, 460, 504
黄体形成ホルモン放出ホルモン　365
黄体細胞　472
黄体退縮　483
黄疸　598
黄斑　236
黄斑障害　237
黄斑部残存　241
黄斑浮腫　238
横紋　123
オキサロ酢酸　25
オキシダーゼ　44
オキシトシン　183, 361, 376
オキシヘモグロビン　650
オキシントモジュリン　523
奥行き知覚　229
オクルディン　49
オクレリズマブ　114
オージオメーター　257
オステオプロテジェリン　454
オステオポローシス→骨粗鬆症
オステオン　453
オスモル　7
遅い痛み→二次痛
オディ括約筋　594
オートクリンコミュニケーション　64
(音の)大きさ　253
(音の)高さ　253
オーバーシュート　106
オーバーフロー尿失禁　807
オピオイド　198, 199, 205
オピオイド受容体　183
オピオイドペプチド類　181
オプシン　233
オプソニン化　96
オペラント条件付け　331
オメプラゾール　542
"おや, なんだ？"反応　333
オーラ　318
オランザピン　179
オリゴクローナル　114
オリゴデンドロサイト　113
オリゴ糖　561
オリゴ糖分解酵素　561
折りたたみナイフ効果　272
オリーブ蝸牛束　255
オルガネラ→細胞内小器官
オルニチン　18
オレキシン　316, 322
音韻仮説　339
音韻システム　334
温受容器　194
オンダンセトロン　585
オンディーヌの呪い　772
温度　747
温度勾配　369
温度受容器　191
温度侵害受容器　192
音波　253

●か

階　249
外因系　659
外因性経路　32
下位運動ニューロン　278, 279
下位運動ニューロン損傷　134
外顆粒層　230
開口障害　149
開口分泌(放出)→エキソサイトーシス
カイザー・フライシャーリング　286
介在板　136
外耳　248
概日リズム→サーカディアンリズム
外耳道　248
概時分泌　476
外斜視　229
外傷性脳損傷　329, 330
外水頭症　700
開窓　664
外側嗅条　215
外側溝　203
外側膝状体　239, 240
外側膝状体核　239
外側皮質脊髄路　277
回転性めまい　259, 261
解糖　24
外尿道括約筋　805
カイニン酸　168
海馬　330, 332
灰白交通枝　301
回復熱　133
解剖学的死腔　735
解剖学的予備部　568
解剖学的予備力　568, 569
開放隅角緑内障　227
蓋膜　249
外膜　663
海綿骨　453
外網状層　231
外有毛細胞　249
外来神経　547
快楽中枢　207

外リンパ液　248
外肋間筋　727
カウザルギア　199
下オリーブ核　269
化学感受性侵害受容器　192
化学シナプス　145
化学受容器　191, 213, 766
化学受容器引き金帯　585
化学的勾配　7, 57
化学的メッセンジャー　63
牙関緊急　149
下丘　255
蝸牛　248
蝸牛孔　249
蝸牛軸　249
蝸牛神経　250
核黄疸　558, 704
角回　339
核外受容体　350
顎下神経節　301
顎下腺　537
核型　460, 461
核鎖線維　267
拡散　7, 673
核酸　567
拡散依存性　738
拡散制限性　675
拡散能　738
学習　330
核周囲腔　51
各瞬間のベクトル　615
核小体　51
核心温度　368
覚醒　398
覚醒反応　319
核袋線維　267
核胆道シンチグラフィー　600
拡張期　607
拡張期圧　629, 670
拡張初期　631
拡張不全　638
拡張末期心室内血液量　631
獲得免疫　81
核内因子κB　67
核被覆　51
核膜　51
角膜　225
角膜症　237
核膜複合体　51
過形成症候群　404, 419
籠細胞→バスケット細胞
下肢静止不能症候群→レストレスレッグス症候群
過少月経　484
下小脳脚　287
下垂体　375
下垂体アデニル酸シクラーゼ活性化ポリペプチド　519
下垂体後葉　703
下垂体門脈　359
ガストリノーマ　542
ガストリン　183, 548

ガストリン放出ペプチド　539, 551
ガストリン遊離ペプチド　183
カスパーゼ　53
仮性思春期早発症　407, 468
仮性副甲状腺機能低下症→偽性副甲状腺機能低下症
家族性高カルシウム尿性低カルシウム血症　77, 449
家族性高コレステロール血症　35
家族性良性低カルシウム尿性高カルシウム血症　449
可塑性　143, 204
下大静脈　593
下唾液核　301
カタプレキシー　322
カタラーゼ　44, 96
カオチン　5
褐色細胞腫　399
褐色脂肪　32
褐色脂肪組織　368
活性化アミノ酸　21
活性帯　147
活動化熱　133
滑動性眼球運動　243
活動張力　129
活動電位　104, 195
活動度　8
カップリング反応　427
滑面小胞体　51
括約筋　535
仮定アニオン輸送体-1　554
カテゴリー化　338
カテコール-O-メチルトランスフェラーゼ　177
カテコールアミン　393, 526
カテコールアミン類　175
カドヘリン　48
ガバペンチン　199, 319
カハールの間質細胞　580
カフェイン　640
カプサイシン　193, 687
──の経皮的パッチ　199
下部食道括約筋　583
カプトプリル　705, 816
過分極　609
カベオラ　56
カベオラ依存性取込み　55
カベオリン　56
鎌状赤血球貧血　653
痒み　193, 194
可用性　26
可溶性　74
可溶性N-エチルマレイミド感受性因子接着受容体　52
ガラクトース　595
ガラクトース血症　29
ガラニン　183, 306
ガランタミン　336
カリクレイン　693
カリジン　693
顆粒球　95, 646
顆粒球コロニー刺激因子　92

顆粒球マクロファージコロニー刺激因子　92
顆粒細胞　215, 287
顆粒小胞体→粗面小胞体
カルシウム　570
カルシウム結石　274
カルシウム硬直　625
カルシトニン　441, 450, 456
カルシトニン遺伝子関連ペプチド　183, 306, 699, 711
カルシニューリン　68
カルニチン　29
カルパイン　472
カルバコール　227
カルバミノ化合物　749
カルバメート　305
カルビドパ　288, 298
カルビンディン　68
カルビンディン-D　445
カルビンディン D9K　442
カルボキシヘモグロビン→一酸化炭素ヘモグロビン
カルマン症候群　367
カルモジュリン　68, 141
カルモジュリン依存性ミオシン軽鎖キナーゼ　141
加齢黄斑変性　237
加齢性難聴→老人性難聴
カロテン血症　433, 435
癌遺伝子　54, 513
感音性難聴　257
感覚単位　196
　　──のコーディング　195
感覚連合野　203
眼窩腫瘍　238
肝管　594
換気・血流比　739
眼球陥凹　307
眼球乾燥症　234
眼球心臓反射　620
眼球突出　238, 436
眼球優位円柱　242
ガングリオシド　149
還元　12
癌原遺伝子　54
眼瞼下垂　149, 238, 307
還元型ニコチンアミドアデニンジヌクレオチドリン酸オキシダーゼ　96
感作　198, 331, 333, 657
間在細胞　783
幹細胞因子　92
ガンシクロビル　54
間質液　3
緩徐 EPSP　304
環状アデノシン一リン酸→サイクリック AMP
緩衝塩基　834
環状グアノシン一リン酸　74, 142
緩衝作用　5
冠状循環化学反射　771
緩衝能　5
緩衝物質　5

管状ミエリン 726
肝静脈 593
眼静脈 698
肝小葉 593
眼振 260, 293
肝性手掌紅斑 479
肝性脳症 597, 708
間接対光反射 230
間接抑制 153
完全型アンドロゲン抵抗性症候群 467
完全強縮 128
完全(第3度の)心臓ブロック 617
杆体 230
間代相 318
眼底検査 238
関(係)電極 611
眼電図 320
冠動脈バイパス移植 710
眼内圧 226
カンナビノイド 199, 208
眼房水 226
陥没頭蓋骨折 701
γ-アミノ酪酸 164, 685
γ運動ニューロン 268
γ-サルコグリカン 124
γ-ヒドロキシ酪酸 322
γ-アミノ酪酸 170
γループ 281
甘味 219
顔面神経鼓索神経分枝 218
顔面の無汗症 238
癌抑制遺伝子 54
肝レンズ核変性症 286
関連痛 201

● き

偽H域 123
キアリ・フロンメル症候群 490
記憶 330
記憶B細胞 88
期外収縮 618
期外収縮後増強 640
機械受容器 191
機械侵害受容器 192
疑核 301
気管支循環 727
気管支喘息 731
気管支肺異形成症 760
既視体験 335
希釈セグメント 796
基準電極 611, 613
キス・アンド・ラン放出 147
キスペプチン 483
偽性アルドステロン低下症 421
偽性思春期早発 504
偽性副甲状腺機能低下症 448
偽性ミネラルコルチコイド過剰 416
基礎体温 474
基礎代謝率 430
気体定数 7

偽単極性 104
吃音 340
ギッテルマン症候群 109
基底核→大脳基底核
基底幹細胞 213
基底細胞 217
基底小体 48
基底層 472
基底動脈 472
基底板 42
基底膜 42
起電性ポンプ 11, 61
起電力 615
輝度 238
気道抵抗 732
起動電位 104
気道閉塞 731
企図振戦 292, 293
希突起膠細胞→オリゴデンドロサイト
キナーゼ 65
キニジン 623, 640
キニナーゼI 693
キニナーゼII 693
キニン 693
キヌタ骨 248
キネシン 46
機能層 472
機能的MRI 329
機能的残気量 730
機能的磁気共鳴画像(法) 276, 705
機能的低血糖症 528
キノコ中毒 306
希発月経 484
ギブス・ドナンの式 9
気分変調症 182
基本電位リズム 580
脚間核 357
逆向性健忘 332
逆伸張反射 271
逆平行βシート 20
逆方向伝導 711
逆流 634
逆流性食道炎 584
逆行性輸送 113
キャッチアップ→成長の挽回
ギャップ結合 48, 136, 151, 159, 526
キャップ部位 18
キャリア 41, 57
嗅覚 213
嗅覚過敏 216
嗅覚減退 216, 367
嗅覚検知閾値 217
嗅覚消失 216
嗅覚不全 216
嗅球 213
球形嚢 250
嗅結節 215
嗅細胞 213
嗅糸球体 214
吸収 559, 562
吸収不良 569
吸収不良症候群 569

球状アクチン 46
球状核 287
球状層 394
弓状束 339
嗅上皮 213
嗅神経 213
急性期タンパク質 100, 596
急性呼吸窮迫症候群 759
急性殺虫剤中毒 305
急性糸球体腎炎 805
急性腎障害 639, 779
急性膵炎 544
急性痛 198
吸息 729
急速EPSP 304
吸息筋 727
嗅内皮質 215
嗅皮質 215
橋-外側膝状体-後頭葉スパイク 322
共感性光反射 230
狭窄 634
凝集原→血球型抗原
凝集素 656
強縮 128
強縮性収縮 128
橋小脳 290
狭心症 643, 710
胸腺切除 157
強直間代発作 318
強直相 318
共通代謝プール 22
強皮症 308
強膜 225
胸膜 727
胸膜腔 727
橋網様体脊髄路 278
共輸送体→シンポータ
巨核球 647
局所性骨融解性高カルシウム血症 450
棘徐波 318
極性 5
虚血性低酸素症 754
巨人症 380, 381
巨大児 525
許容作用 408
ギラン・バレー症候群 115
起立性アルブミン尿症 804
起立性低血圧 298, 687
キレート化合物 661
キレート剤 286
キロミクロン 33, 569
キロミクロンレムナント 33
近位曲尿細管 783
筋萎縮 279
筋萎縮性側索硬化症 96, 169, 272, 279
近位尿細管 795
禁煙治療 182
近距離反射 230
筋緊張 271
筋緊張亢進 271, 279
筋緊張低下 271, 279, 291

索引

筋緊張低下型脳性麻痺　275
筋原線維　121
近見反射　230
筋細胞膜　121
近視　229
筋ジストロフィー　125
筋小管系　124
筋上皮細胞　364
筋小胞体　124
筋小胞体/小胞体 Ca^{2+}-ATPase　68
筋小胞体 Ca^{2+}-ATPase　127
筋鞘膜　121
筋伸張反射　267
筋節　123
近接分泌性コミュニケーション　64
筋線維　121, 130
筋層間神経叢　310, 551
緊張性収縮　586
近点　230
筋電図　134
筋電図法　134
筋(肉)ポンプ　676
筋の単収縮　126
筋紡錘　267
　　――に負荷がかかった状態　269
　　――の感度　270
緊密な(T)配置　746
筋無力症候群　130

● く

グアニリン　551
グアニン　15
グアニン交換因子　69
グアネチジン　178
グアノシン三リン酸　26
空間的加重　152
空間の課題　706
空気塞栓　677
空腹期伝播性収縮　530
クエチアピン　179
クエン酸　25
クエン酸-クエン酸塩-ブドウ糖　748
クエン酸塩-リン酸-ブドウ糖　748
クエン酸回路　22, 25
楔状束核　201
駆出率　631, 638
クスマウル呼吸　517, 768
クッシング症候群　109
クッシング反射　689
屈折　227
クッパー細胞　593
クプラ　250
クボステック徴候　447, 761
くも膜　700
くも膜絨毛　699
くも膜梁　700
クラインフェルター症候群　466
グラスゴー昏睡尺度　330
クラスリン　55
クラスリン介在性エンドサイトーシス　55

クラスリン非介在性・カベオラ非依存性エンドサイトーシス　55
グラーフ卵胞　471
グリア細胞株由来神経栄養因子　116
クリアランス　785, 787
クリアランス受容体　821
クリグラー・ナジャー症候群　704
グリコゲニン　26
グリコーゲン合成　24
グリコーゲンシンターゼ(合成酵素)　26, 512
グリコーゲン分解　24
グリコシルホスファチジルイノシトールアンカー　41
グリシン　154, 164, 172
クリステ　42
グリセンチン　522
グリセンチン関連ポリペプチド　523
グリチルレチン酸　416
グリピジド　520
グリブリド　520
グルカゴン　507, 522, 551
グルカゴン様ペプチド1　523
グルカゴン様ペプチド2　523
グルクロニド　546
グルクロニルトランスフェラーゼ　598
グルクロン酸転移酵素系　405
グルコアミラーゼ　561
グルコキナーゼ　24, 519
グルココルチコイド　393, 400, 405, 451
グルココルチコイド治癒性アルドステロン症　417, 674
グルコース　595
グルコース/ガラクトース吸収不良症　562
グルコース 6-ホスファターゼ　516
グルコース 6-リン酸　24
グルコース 6-リン酸デヒドロゲナーゼ　650
グルコース依存性インスリン分泌刺激ペプチド　550
グルコース緩衝作用　596
グルコーストランスポータ　510, 793
グルコース発熱　409
グルタミナーゼ　168, 828
グルタミルトランスペプチダーゼ　599
グルタミン　14, 168
グルタミン酸　164, 168, 169, 193, 215, 315
グルタミン酸再取込みトランスポータ　168
グルタミン酸デカルボキシラーゼ　170
グルタミン酸デヒドロゲナーゼ　828
グルタミンシンテターゼ　168
くる病　445
クレアチニン濃度　788
クレアチンキナーゼの MB 異性体　710

クレアチンリン酸　132
グレーヴス病　238, 436
クレチン症　385, 435
クレブス回路→クエン酸回路
クレブス・ヘンゼライト回路　596
グレリン　379, 551, 575
クロザピン　179, 286
クロージングボリューム　735
クロストリジウム菌類　149
クローディン　49
クロナゼパム　272
クローヌス　272
グロビン　649
グロブリン　652
クロマチン　51
クロム親和性細胞腫→褐色細胞腫
グロムス　766
グロムス細胞　766
グロメルルス→糸球体構造
クロライドシフト　749
クロルプロマジン　179, 388, 585
クローン　85
クローン選択　85
クローン病　83

● け

経口グルコース負荷試験　514
軽鎖　88
形質細胞　83, 85, 88
形質膜　40
痙縮　279
痙性　271
痙性麻痺　149, 275
痙性麻痺型脳性麻痺　275
頸動脈小体　688
頸動脈洞　683
頸動脈洞神経　684
経皮酸素飽和度計　729
経皮的神経電気刺激法　205
痙攣性　318
ゲスタゲン　481
血液型　656
血液型判定　657
血液精巣関門　494
血液透析　804
血液尿素窒素　23
血液脳関門　115, 701
血液分布異常性ショック　639
血管外遊出　95
血管拡張　681
血管作動性腸管ポリペプチド　183, 306, 474, 497, 550, 690, 692, 699
血管収縮　681
血管床　689
血管新生　238
血管性ショック　639
血管内皮細胞増殖因子　237, 472, 665
血管-迷走神経失神　687
血球型抗原　654
月経　470
月経過多　484

月経困難症　484
月経周期　470, 490
月経前緊張症候群　484
結合接着分子　49
結合組織　727
結合部　232
血漿　652
血漿カリクレイン　693
血漿交換療法　158
血漿総T_3濃度　428
血漿総T_4濃度　428
血小板活性化因子　98
血小板凝集　98
血小板減少性紫斑病　99
血小板増加　647
血小板無力症性紫斑病　99
血小板由来成長因子　76, 98, 116
血漿量　787
血漿レニン活性　817
血漿レニン濃度　817
欠神発作　318
血清　652
血清・グルココルチコイド調節キナーゼ　414
結節下ブロック　617
結節間心房内伝導路　607
結節性　619
結節性連絡組織　622
結節乳頭神経群　316
血栓症　660
血栓溶解薬-組織型プラスミノーゲンアクチベーター　707
血中の尿素窒素　804
血洞　712
結膜　225
血流依存性　738
血流閉鎖性ショック　639
ケティ法　704
ゲーティング　154
ゲート　57
ケトアシドーシス　109
ケト原性　22
ゲートコントロール説　205
ケトーシス　517
17-ケトステロイド　399, 406, 407
ケトン体　30
ケノデオキシコール酸　546
ゲノム　16
ゲノムインプリンティング　461
ケモカイン　85
ケモカインファミリー　92
減塩　570
限界pH　827
原核生物　41
幻眼症候群　204
嫌気的解糖　132
限局性白皮症　378
原型質性アストロサイト　115
言語障害　340
言語的課題　706
顕在記憶　330
嫌色素性腺腫　470

幻肢痛　204
幻歯痛　204
原始反射　275
原色　239
原始卵胞　470, 472
減数分裂　17
原性痙縮性膀胱　807
腱切離術　275
ケント束　619
原発性アルドステロン症　420, 688
原発性尿崩症→腎性尿崩症
原発性副腎不全　420
原発性無月経　469, 484

こ

高圧系　670
高圧酸素療法　760
高アルドステロン症　420
高エネルギーリン酸化合物　11
好塩基球　95, 97, 647
構音障害　114, 149, 286
恒温性　368
後外側腹側核　201, 314
向下垂体ホルモン　365
後過分極　106
高カリウム血症　107, 625
高カルシウム血症　274, 625
高カルシウム尿症　274
交感神経　299, 359
交感神経系　297, 300
交感神経興奮薬　178
交感神経鎖　300
交感神経作動薬　307
交感神経切除　682
交感神経全切除　711
交感神経椎傍神経節　299
後眼房　226
交換輸送体→アンチポータ
後期エンドソーム　55
好気的解糖　132
抗痙攣薬　272, 319
高血圧　238, 398
高血圧型　404
後結節間伝導路　607
抗原提示細胞　85
高ゴナドトロピン性性機能低下症　503
虹彩　226
後索　196
後索系　196, 201
後索路　201
交差伸展反射　272
交叉性脱感作　166
好酸球　95, 97, 647
好酸性細胞　446
後枝　608
光軸　227
拘縮　128
鉤状回のてんかん発作　216
甲状舌管　424
甲状腺　424

甲状腺機能低下症　435
甲状腺機能低下性低身長症　385
甲状腺峡部　424
甲状腺クリーゼ　434
甲状腺刺激ホルモン　77, 364, 375, 423
甲状腺刺激ホルモン産生細胞　430
甲状腺刺激ホルモン放出ホルモン　365, 423, 430
甲状腺刺激免疫グロブリン　354
甲状腺腫　431
甲状腺中毒性ミオパチー　434
甲状腺ペルオキシダーゼ　427
甲状腺ホルモン　451, 527
甲状腺ホルモン受容体　431
甲状腺ホルモン性産熱　431
甲状腺ホルモン不応症　437
高所脳浮腫　756
高所肺浮腫　756
高浸透圧昏睡　517
抗精神病薬　306, 320
構成性経路　54
抗生物質　216
光線力学療法　237
光線療法　652
酵素　41
構造脂質　32
拘束性肺疾患　731
酵素原顆粒　542
高炭酸ガス血症　760, 769
高窒素血症　639
好中球　95, 647
高張　8, 796
硬直　133
交通性水頭症　700
後天性眼振　260
後天性耐性　206
高度順化　755
口内乾燥症　537
後内側腹側核　314
高ナトリウム血症　361
高拍出性心不全　638
後発火　273
広汎性二次反応　315
高比重リポタンパク質　33
抗ヒスタミン薬　194, 261
後負荷　636
高プロラクチン血症　470
高分子キニノーゲン　693
興奮-収縮連関　127
興奮性シナプス後電位　149, 195, 266
興奮性接合部電位　159
興奮性毒素　169
興奮毒性傷害　707
興奮の再入→リエントリー
興奮の旋回　619
鉤ヘルニア　281, 283
合胞体　121, 609
合胞体栄養細胞層　485
硬膜　700
硬膜外麻酔　204
硬膜洞　698
抗ミュラー(Müller)管ホルモン　495

抗ムスカリン症候群　306
膠様質　181
抗利尿ホルモン　363, 810
交連下器官　703
コエンザイム Q10　293
誤嚥性肺炎　727
コカイン　112, 178
コカイン-アンフェタミン調節転写産物　575
呼吸　729
　——の化学性調節　766
呼吸筋　726
呼吸困難　754
呼吸性アシドーシス　752, 768, 829, 832
呼吸性アルカローシス　752, 768, 832
呼吸性代償　753, 832
呼吸性不整脈　616
呼吸調節中枢　765
呼吸バースト　96
呼吸パターン産生機構　764
呼吸領域　723
国際疼痛学会　198
黒質　281
黒質線条体系　178
黒質線条体投射　283
鼓室階　249
呼息　729
孤束核　218, 523, 684
呼息筋　727
五炭糖　23
骨格筋　121
骨芽細胞　453
骨髄外造血　646
骨粗鬆症　411, 455, 479
　退縮性——　456
　廃用性——　456
骨端　453
骨端板　453
骨端板閉鎖　453
小包　156
骨軟化症　445
骨盤神経　301
骨膜　453
骨迷路　248
固定姿勢保持困難　236
古典経路　95
古典的条件付け　331
コドン　21
ゴナドトロピン　460
ゴナドトロピン放出ホルモン　365, 481
ゴナドトローフ　376
コネキシン　49
　——のヘミチャネル　49
コネクソン　49
コネクチン　124
コハク酸セミアルデヒド　171
コバラミン　539
こびと　202
鼓膜　248
鼓膜張筋　248

鼓膜反射　254
固有受容器　191
固有受容性感覚　267
コラム構造　276
コリガン脈　633
コリパーゼ　567
コリンアセチルトランスフェラーゼ　172
コリンエステラーゼ阻害薬　305, 336
コリン作動性　301
コリン作動性中毒　304
コリントランスポータ　172
コール酸　546
ゴルジ腱器官　271
ゴルジ装置　52
コルチ器　249
コルチコステロイド　114, 205, 216, 227, 298
コルチコステロイド結合グロブリン　405
コルチコステロン　394, 400
コルチコトロピン→副腎皮質刺激ホルモン放出ホルモン
コルチコトロピン放出ホルモン　365
コルチコトロピン様中葉ペプチド　377
コルチコトローフ　376
コルチゾル　393, 400, 406
コルチゾン　406
ゴールドブラット高血圧　819
コルヒチン　45
コレカルシフェロール　444
コレクチン　734
コレシストキニン　183, 521, 542, 549, 594
コレス骨折　456
コレスチラミン　569
コレステロール　33
コレステロールエステラーゼ　567
コレステロールエステル加水分解酵素　401
コレステロールデスモラーゼ　401
コレラ　556
コレラ毒素　73
コロイド　424
コロイド浸透圧　63, 652
コロトコフ音　672
コロニー刺激因子　92
コロニー刺激因子 1 受容体　454
コーン症候群　420
昏睡　517
コンピュータ断層撮影法　329
コンプライアンス　732

● さ

サイクリック AMP　72, 165, 169, 178, 304
サイクリック GMP →環状グアノシン一リン酸
再現　616
最後野　585, 703, 810

最終共通経路　266
サイズの原理　134
再生性発芽形成　159
最大吸気量　730
最大分時換気量　730
最大輸送量　790
彩度　238
細動　134
サイトカイン受容体　65
サイトペンプシス　63
再取込み　166
再発寛解型多発性硬化症　114
催不整脈的　623
再分極　106
細胞外液　3, 809
細胞間経路　791
細胞骨格　45
細胞質ダイニン　47
細胞周期　17
細胞傷害性 T 細胞　85
細胞性免疫　83
細胞接着パッチ　60
細胞接着斑　48
細胞接着分子　41, 48
細胞体　103
細胞内液　4
細胞内シグナル伝達経路　65
細胞内小器官　40
細胞の自殺　53
細胞の他殺→ネクローシス
細網状細胞　818
サイレンサー　15
サイロキシン　18, 424, 425
サイロキシン結合グロブリン　428
サイロキシン結合プレアルブミン　428
サイログロブリン　427
サイロトロピン→甲状腺刺激ホルモン
サイロトローフ　376, 430
サーカディアンリズム　313, 412
サーカディアンリズム障害　324
左脚　608
左脚ブロック　618
作業記憶　332, 334
酢酸グラチラマー　114
錯味症　220
左軸偏位　615
左室駆出時間　633
痤瘡　479
雑音　634
サッケード　243
刷子縁　783
殺虫剤　305
サーファクタント　411, 725, 733, 734
サーファクタントタンパク質　722
サブスタンス P　164, 181, 193, 306, 551
サプロプテリン　177
サラセミア　653
サラシン　816
サリン　305
サルブタモール　142

索引 **847**

3塩基リピート　285
酸化　12
酸化的脱アミノ反応　22
酸化的リン酸化　12, 42
三環系抗うつ薬　178
酸感受性イオンチャネル　194
残気量　730
3色覚者　239
三次構造　21
三次性副腎不全　421
三重反応　711
酸性不安定抱合体　407
酸素化　746
三束ブロック　618
酸素負債　133, 775
散瞳　226
産熱作用　431
酸味　219
三連構造　124

し

ジアシルグリセロール　72, 169, 304
ジアゼパム　172, 275
ジアゾキシド　520
シアンメトヘモグロビン　759
シェーグレン症候群　308
シェファー側枝　333
ジオプトリー　227
耳介　248
視蓋脊髄路　278
視覚失認　196
視覚理論　339
耳下腺　537
耳管　248
弛緩気量位　732
弛緩性麻痺　149, 279
時間の加重　152
弛緩熱　133
色覚異常　239
色覚失認　196
磁気共鳴画像　705
磁気共鳴画像法　114
磁気共鳴血管造影法　685
色相　238
色素上皮　231
ジギタリス　610, 640
糸球体外メサンギウム細胞　818
四丘体間除脳　281
糸球体限外濾液　789
糸球体構造　289
糸球体尿細管バランス　794
糸球体濾過　779
糸球体濾過量　787
子宮内避妊器具　483
子宮内膜周期　472
死腔　735
視空間システム　335
軸索　103
軸索再生　116
軸索-細胞体シナプス　146
軸索-軸索シナプス　146, 153

軸索-樹状突起シナプス　145
軸索小丘　103
軸索初節　103
軸索伝導速度　111
軸索発芽　116
軸索反射　711
軸索輸送　111
　　遅い――　113
　　速い――　113, 147
軸索流　111
軸糸　47
軸糸ダイニン　47
シグナル認識粒子　21
シグナルペプチド　21, 52
ジクマロール　662
シクロオキシゲナーゼ1　34
シクロオキシゲナーゼ2　34
シクロスポリン　91, 157, 529
シクロペンタノペルヒドロフェナントレン核　399
刺激ホルモン　375
止血　658
止血血栓　658
視紅　233
耳硬化症　257
視交叉　239
視交叉上核　323
指向反射　333
自己血輸血　657
死後硬直　133
自己受容体　164
自己スプライシング　18
自己調節　689, 705
　　――の筋原説　689
　　――の代謝説　689
ジコノチド　199
自己分泌性コミュニケーション　64
自己免疫疾患　90
耳砂　251, 261
視細胞　225
視索　239
視索前神経群　316
シサプリド　470
支持細胞　213, 217
支持相　135
思春期　467
視床　314
視床下核　281
視床下核切除術　288
歯状核　287
視床下溝　357
視床下部　357
視床下部-下垂体路　358
視床下部性性腺機能低下症　483
視床下部前核　308
事象関連電位　335
視床後内側腹側核　218
耳小骨　248
視床線条体投射　283
視床痛症候群　205
茸状乳頭　217
視床の後腹側核　204

視床網様核　314
視神経　230
視神経炎　114
耳神経節　301
視神経乳頭　236
ジスキネジア　288
ジスキネジア型脳性麻痺　275
シス側　52
シスチン尿症　567
ジストロフィン　124
ジストロフィン-糖タンパク質複合体　124
シスプラチン　258
ジスルフィラム　207
耳石　250
耳石器　249
自然免疫　81, 97
持続時間　196
持続性　609
持続性吸息　765
持続性受容器→遅順応性受容器
持続性平滑筋　121
持続陽圧呼吸　322
ジソピラミド　623, 687
シータ波　320
θ 波　320
膝蓋腱反射　267
失計算　341
実効灌流圧　666
実効濃度→活動度
失語症　340
膝状体鳥距路　240
室頂核　260, 287
失読症　338, 339
失名辞失語　338, 340
時定数　152
自動調節　786
シトクロム c オキシダーゼ　12
シトシン　15
シナプス　145
シナプス・アン・パサン　157
シナプス可塑性　169
シナプス間隙　146, 163
シナプス後細胞　145
シナプス後肥厚部　147
シナプス後抑制　153
シナプス小頭　104, 145, 266
シナプス小胞　147, 163
シナプス前細胞　145
シナプス前終末　104
シナプス前促通　154
シナプス前抑制　153
シナプス遅延　148
シナプス電位　104
シナプトブレビン　148, 149
シネメット　288, 298
視能矯正　229
視能訓練　229
ジパルミトイルホスファチジルコリン　733
篩板　213
シーハン症候群　390

1,25-ジヒドロキシコレカルシフェロール　441, 445, 570
3,4-ジヒドロキシフェニル酢酸　178
3,4-ジヒドロキシマンデル酸　178
ジヒドロテストステロン　501
ジヒドロニコチンアミドアデニンジヌクレオチドリン酸　650
ジヒドロピリジン受容体　127
ジプラシドン　179
嗜癖　206, 207
脂肪便　568
シメチジン　71
2,5-ジメトキシ-4-メチル-アンフェタミン　182
シャイ・ドレーガー症候群　298
弱視　229
若年発症成人型糖尿病　530
斜視　228, 229
射出　498
射精　498
射精管　493
しゃっくり　772
射乳　364
シャペロン　21
シャルコー・マリー・トゥース病　115
シャンデリア細胞　315
周期性呼吸　773
周期性四肢運動障害　322
充血　552
集合管　783
集合反射　274
重鎖　88
周細胞　782
終糸　806
収縮期圧　629, 670
収縮の加重　128
収縮不全　638
収縮末期心室内血液量　631
重症筋無力症　77, 130, 156, 157, 238
自由水クリアランス　800
収束-投射説　201
十二指腸乳頭　594
周波数　253
終板器官　361, 703, 811
終板電位　155
周皮細胞　665
周辺タンパク質　41
周辺部位　169
終末振戦　292
終末槽　124
終末足　698
終末糖化産物　529
終末ボタン　104, 145
絨毛　712
絨毛性成長ホルモン-プロラクチン　487
絨毛膜絨毛の組織生検　466
重量モル浸透圧濃度　8
縮瞳　226, 307
縮瞳薬　229
受攻期　621

手根管症候群　308
主細胞　414, 446, 538, 783
樹状細胞　85
樹状突起　103
樹状突起棘　145
受精　485
受精能獲得　496
腫脹　711
出血体　472
受動張力　129
腫瘍壊死因子 α　456
腫瘍壊死因子受容体　67
受容器電位　266
受容器特異性　196
受容器の感受性　197
主要組織適合遺伝子複合体　86
主要組織適合抗原　486
受容体　41, 163
受容体型チロシンキナーゼ　65
主要プログルカゴン断片　522
腫瘍マーカー　487
受容野　196
シュレム管　226
シュワーバッハテスト　257
シュワン細胞　104
循環系　645
循環血液量減少性ショック　639
循環血漿　3
順行性輸送　111
潤沢ホルモン　510
順応　108, 197, 828
上位運動ニューロン　278, 279
上位運動ニューロン障害　272
消化　559, 560
消化管ホルモン　547
消化器系　559
消化酵素　559
消化性潰瘍　542
上気道　721
小休止　618
条件刺激　334
条件付き必須アミノ酸　18
条件反射　334
症候群 X　530
症候群性　258
小膠細胞→ミクログリア
上行性覚醒系　316
小コンダクタンス Ca^{2+} 活性化 K^+ チャネル　279
小細胞層　240
硝子体液　226
硝子体眼房　226
上小脳脚　287
ショウジョウバエ　82
常染色体　460
常染色体優性の多発性囊胞腎　797
消退出血　478
小帯線維　225
上唾液核　301
小柱骨　453
焦点　227
焦点距離　227

焦点接着　48
焦点発作→部分発作
小児欠神てんかん　319
小脳　331
小脳核　287
小脳失調症　293
小脳半球部　287
小脳片葉　260
上皮型 Na^+ チャネル　60, 219, 553
上皮小体ホルモン　441
上皮成長因子　74
小胞型グルタミン酸トランスポータ　168
小胞型モノアミントランスポータ　167, 175
小胞関連トランスポータ　172
小胞性 GABA トランスポータ　170
小胞性モノアミントランスポータ　286
小胞性輸送　63, 664
小胞体　51
正味の流れ　7
正味の輸送量　790
静脈拡張　681
静脈管　713
静脈収縮　681
静脈阻止プレチスモグラフィー　666
静脈弁　665
静脈瘤　676
小葉間胆管　593
小葉内胆管　593
初期エンドソーム　55
初期熱　133
除去率　785
食作用　55, 96
食事飲水　361
褥瘡　274
食道運動障害　584
食道無弛緩症　149
植物状態　330
食欲増進因子　575
食欲抑制因子　575
初経　467
除神経性過敏　134, 159, 807
女性仮性半陰陽　465
女性化乳房　489
初節　151
触覚失認　196
触覚能　196
食間期伝播性収縮→空腹期伝播性収縮
ショ糖　560
ジヨードチロシン　427
初乳　567
除脳硬直　281
除脳固縮　281
鋤鼻器　215
除皮質　281
除皮質硬直　281
徐脈　616
徐脈頻脈　617
徐脈頻脈症候群　617
自律神経系　299

索引

シリビニン 306
視力 237
シルヴィウス溝 203
ジルチアゼム 623
シルデナフィル 142, 239, 498, 691, 740
腎閾値 792
心エコー図法 634
侵害刺激 272
侵害受容 198
侵害受容器 191
真核生物 41
腎間質圧 784
心起電力ベクトル 615
心筋 121
　　──の自動能亢進 618
　　──の長さ-張力関係 636
心筋梗塞 623, 710
神経栄養因子 115, 116, 274
神経ガス 305
神経下垂体 703
神経型一酸化窒素合成酵素 184
神経筋接合部 145, 155
神経血液器官 703
神経血管圧迫 685
神経原線維変化 336
神経効果器接合部 145, 156
神経修飾物質 163
神経周膜 116
神経障害 682
神経障害性疼痛 198, 199
神経性高血圧 686
神経性痙縮性膀胱 807
神経性コミュニケーション 63
神経性食欲不振症 469
神経成長因子 74, 113, 194
神経節細胞 231
神経節細胞層 231
神経組織の糖欠乏症状 518
神経伝達物質 63, 163
神経伝導検査 114
神経分泌 361
神経ホルモン 361
神経抑制薬 286
腎血漿クリアランス 787
腎血漿流量 785
心原性ショック 639
人工多能性幹細胞 646
人工内耳 258
心指数 636
シンチウム 121
心室駆出期 629
心室固有調律 617
心室細動 621
心室収縮 607
心室性 618, 619
心収縮力-心拍数関係 640
腎-腎反射 785
腎髄質間質細胞 783
親水性 41
真性血漿 830
腎性高血圧 819

新生児呼吸窮迫症候群 734
新生児持続性高インスリン性低血糖症 520
新生児重症原発性副甲状腺機能亢進症 449
真性思春期早発症 469
新生児溶血性疾患 658
腎性代償 753, 832
腎性尿崩症 77, 812, 813
真性半陰陽 465
心臓伝導系 607
心臓の電気軸 615
心臓のペースメーカー 607
心臓リモデリング 638
シンタキシン 148
シンチグラム走査 709
伸長因子 69
伸張反射 267
伸張反射-逆伸張反射の連続 272
伸張反射亢進 279
心電図 611
浸透 7
浸透圧 7, 809
浸透圧勾配 675
浸透圧受容器 360
浸透圧抵抗性 650
浸透圧濃度 797, 809
浸透圧利尿 799
振動覚 196
振動感受性 196
浸透張力 8
シントロフィン 124
心肺受容器 683
心拍出量 636
新皮質 331
新皮質系 179
振幅 253
深部腱反射 267
心不全 805
深部脳刺激 288, 293
心房細動 620
心房収縮 607
心房性 618, 619
心房性ナトリウム利尿因子 74
心房性ナトリウム利尿ペプチド 74, 690, 692, 694, 819
心房粗動 619
シンポータ 58, 425, 562
シンボル化 338
心理社会性低身長症 387

す

随意性調節 763
膵液 544
錘外筋線維 267
膵外分泌部 542
膵管 544
水牛様脂肪沈着 410
水銀血圧計 672
吸込口 151
髄質 393, 462

髄鞘 104
水晶体 225
水晶体後線維増殖症→未熟児網膜症
錐体 230
錐体細胞 315
錐体神経 359
錐体葉 424
水槌脈→コリガン脈
膵島→ランゲルハンス島
錘内筋線維 267
錘内筋線維群 267
膵内分泌部 542
髄板内核群 314
水平細胞 231
膵ポリペプチド 507, 526
髄膜 700
睡眠時随伴症→パラソムニア
睡眠障害 322
　　一過性の── 324
　　慢性の── 324
睡眠相前進症候群 324
睡眠相遅延症候群 324
睡眠紡錘波 320
水利尿 802
スクラーゼ 561
スクロース 560
スコポラミン 261
スタチン 34
スターリングの心臓の法則 139, 637
スターリング力 675
ステロイド 400
ステロイド因子-1 405
ステロイド結合タンパク質 350
ステロイド産生急性調節タンパク質 348, 404, 498
ステロイドフィードバック 503
ステロイドホルモン 393
ストア作動性 Ca^{2+} チャネル 68
ストークス・アダムス症候群 617
ストデューシン 220
ストレス 409
ストレスによる破綻 756
ストレス誘発性鎮痛 208
ストレプトキナーゼ 661
ストレプトゾトシン 514
ストレプトマイシン 258
スネレン視力表 237
スパイク電位 580
スーパーオキシドアニオン 760
スプライセオソーム 18
スペクトリン 650
隅切り 792
ずり応力 667, 692
スルホニルウレア誘導体 520

● せ

精液 496
正円窓 249
精管 493
精管再開通 497
精管切除術 497

性感染症　483
性クロマチン　461
精原細胞　494
精細管　493
精細管発育不全　466
正視　230
精子　495, 504
正視眼　230
精子形成　493
精子細胞　495, 504
静止時振戦　285
静止長　129
静止熱　133
精子発生　504
静止膜電位　105
星状膠細胞→アストロサイト
正常甲状腺機能　429
星状細胞　289
正常洞調律　616
生殖細胞型　816
生殖細胞型アンジオテンシン変換酵素　495
精神安定薬　272
静水圧　63
静水圧勾配　675
性ステロイド結合グロブリン　499, 504
性腺刺激ホルモン→ゴナドトロピン
性腺刺激ホルモン放出ホルモン　468
性染色体　460
性腺ステロイド結合グロブリン　499
性腺発育不全　466
性腺発生異常　387
精巣下降　503
精巣上体　493
精巣性女性化症候群　467
生体の恒常性　347
生体の内部環境　39
正中核群　314
正中隆起　358, 359, 703
成長因子　74, 382
成長スパート　385
成長促進因子　116
成長の挽回　386
成長ホルモン　364, 375, 451, 527
成長ホルモン非感受性低身長症　387
成長ホルモン放出ホルモン　365, 379, 387
成長ホルモン抑制ホルモン　365
静的　267
静的γ運動ニューロン　268
静的反応　268
青銅糖尿病　572
青年期　467
正のフィードバックループ　106
正の変力作用　139
正倍数性　17
青斑核　207, 208
生物学的半減期　810
性分化異常症　464
星芒状血管腫　479
性ホルモン　459, 493

性ホルモン結合グロブリン　350
声門　727
生理学的死腔　735
生理学的短絡　739
生理的振戦　269
生理的な痛み　198
世界保健機関　207, 258, 305
セカンドメッセンジャー→二次性情報伝達物質
赤核脊髄路　280
赤色反応　711
脊髄横断　807
脊髄硬膜外麻酔　112
脊髄刺激　204
脊髄小脳　290
脊髄ショック　273
脊髄損傷　273, 274
脊髄傍椎骨静脈　698
脊髄網様体路　204
脊髄瘻　806
脊柱後弯症　456
セクレチン　550
セチリジン　71
舌咽神経　218
舌下腺　537
赤血球　647
赤血球新生　822
赤血球生成　822
接合部ひだ　155
節後ニューロン　298
摂食障害　308
節前ニューロン　298
絶対的不応期　110
絶対不応期　136
接着帯　48, 78
接着斑　78
接着斑複合体　46
セミノゲリン　498
セリアック病　569
セルアタッチパッチ　60
セルトリ細胞　493
セルペンチン受容体　70
セレギリン　182, 288
セレクチン　48
セロトニン　164, 179, 220, 687
セロトニントランスポータ　180
セロトニン取込み阻害薬　298
全圧　672
線維芽細胞成長因子　116
線維芽細胞成長因子受容体3　387
線維状アクチン　46
線維素溶解系　661
線維性アストロサイト　115
線維束性収縮　134, 279
線維柱帯　226
線維輪　608
全か無　108
前眼房　226
前嗅核　215
前駆細胞　646
全駆出期　633
前駆体　563

前結節間伝導路　607
全血量　3
宣言的記憶　330, 332
前行性健忘　332
潜在記憶　330
全細胞記録　61
前枝　608
全死腔　735
腺腫下方調節　554
栓状核　287
線条痕　410
線条体　281, 331
染色質溶解反応　159
染色体　15, 50
　──の異常　466
浅速呼吸　370
尖体　495
尖体反応　485
選択的エストロゲン受容体作動薬　480
選択的セロトニン再取込み阻害薬　181, 182
選択的背側脊髄切除術　275
先端巨大症　380, 381
前兆　318
全張力　129
前庭階　249
前庭器官　257
前庭障害　261
前庭小脳　290
前庭神経　250
前庭神経核　257
前庭性眼球運動　244
前庭脊髄路　278
前庭動眼反射　259, 260
前庭迷路　260
前庭抑制薬　261
前電位　609, 610
先天性5α-還元酵素欠乏症　502
先天性眼振　260
先天性筋無力症候群　130
先天性脂肪萎縮症　530
先天性副腎過形成　404
先天性無嗅覚症　216
先天性溶血性黄疸　650
先天性リポイド副腎過形成　404
蠕動　579, 586
全能性幹細胞　646
全般発作　318
前皮質脊髄路→腹側皮質脊髄路
前負荷　636
前腹側室傍核　483
前ベッチンガー複合体　764
腺房　537
前房隅角　226
前方に進む能力　496
線毛　47, 213, 232
前毛細血管括約筋　663
線毛周囲液　723
線溶系　661
前立腺　493
前立腺特異抗原　498

●そ

槽　52
騒音性難聴　258
走化性　95, 496
総肝管　594
早期興奮症候群　622
早期収縮　618
双極細胞　231
双極子モーメント　5
双極性　104
双極性障害　182
双極導出　611
双極誘導　611
造血幹細胞　646
窓構造　376
増高単極肢誘導　613
増殖期　472
増殖性　472
臓側胸膜　727
相対的不応期　110
相対不応期　136
総体流　699
総胆管　594
相動性受容器→速順応性受容器
相動性バースト　363
相同脱感作　166
総肺気量　730
蒼白　308
蒼白反応　675, 711
相反神経支配　153, 269, 764
僧帽細胞　214
相貌失認　340
総末梢抵抗　666
搔痒症　194
層流　666
側圧　672
束一的性質　600
足細胞　781
側坐核　207
側鎖分割酵素　401
速順応性受容器　197, 771
束状層　394
促進拡散　57, 510
促進性ヘテロ三量体Gタンパク質　73
促進房室伝導　622
塞栓　660
速聴処理理論　339
促通拡散　57, 510
測定異常　293
側頭経路　243
側頭骨　248
側頭骨骨折　260
側頭葉　332
続発性アルドステロン症→二次性アルドステロン症
続発性無月経→二次性無月経
側副神経節　300
側方抑制　197, 235
側面細胞間隙　783, 791
組織因子　659
組織因子系凝固抑制因子　659
組織型プラスミノーゲンアクチベーター　661
組織カリクレイン　693
組織コンダクタンス　369
組織傷害性低酸素症　754
組織トロンボプラスチン　659
組織マクロファージ　97
咀嚼　582
疎水性　41
ソタロール　623
速筋-解糖型　130
速筋-酸化型-解糖型　130
外向きの流れ　10
ソマトスタチノーマ　525
ソマトスタチン　183, 365, 507, 525, 551
ソマトトロフ　376
ソマトメジンC→インスリン様成長因子Ⅰ
ソマトメジン類　382
ソマン　305
粗面小胞体　51, 509
素量　156
素量放出　156
ゾリンジャー・エリソン症候群　451, 542
ゾルピデム　324

●た

体位性失神　687
第1Ranvier絞輪　195
第1ランビエ絞輪　195
第Ⅰ級タンパク質　560
第Ⅰ音　633
第一次視覚野　241
第Ⅰ度のブロック　617
第Ⅰ誘導　611
大うつ病　182
体液性悪性高カルシウム血症　450
体液性免疫　83
ダイオキシン類　479
体外受精　486
体格指数　576
大膠細胞→マクログリア
対向流交換　370
対向流交換系　797
対向流増幅系　797
太鼓ばち小体　461
体細胞型　815
大細胞性ニューロン　361
大細胞層　240
第Ⅲ音　634
第Ⅲ誘導　611
胎児水腫　658
胎児赤芽球症→新生児溶血性疾患
胎児ヘモグロビン　651
代謝型受容体　164
代謝性アシドーシス　752, 832
代謝性アルカローシス　753, 832
代謝性ミオパチー　125
帯状回　204
代償性休止期　620
苔状線維　287, 289
退色　235
耐性　207
胎生期体節　201
体性交感神経反射　683
体性神経系　299
胎生副腎皮質　394
大蠕動　587
代替経路　95
大腸菌　74
タイチン　124, 125
耐糖能　514
大動脈弓　683
大動脈(減圧)神経　684
大動脈小体　688
大動脈洞　708
タイトジャンクション　48, 78, 598
体内総水分量　3
ダイナミン　55, 69
第Ⅱ音　633
第Ⅱ級タンパク質　560
第二経路　95
第二鼓膜　249
第2度のブロック　617
第Ⅱ誘導　611
ダイニン　47
大脳基底核　281
大脳基底核疾患　286
大脳脚　278
大脳性色覚異常　239
大脳皮質聴覚野　255
ダイノルフィン　182, 205
胎盤　485, 712
胎盤絨毛の組織生検　466
胎盤輸血　715
大縫線核　207
大発作→強直間代発作
退薬　207
第Ⅳ音　634
大理石骨病　455
対立遺伝子　16
対流　369
多飲症　813
タウタンパク質　336
タウリン　18
ダウン症候群　466
ダウンレギュレーション　64
多極性　104
タクリン　336
タクロリムス　91
多形核白血球　95, 647
多形性心室頻拍　621
多系統萎縮症　298
多呼吸　754
多剤耐性タンパク質2　598
多シナプス性　149
多シナプス反射　267
多精子受精　485
タダラフィル　142, 498, 740
脱顆粒　96
脱感作　64, 166

852 索引

脱共役タンパク質　370
脱水　813
脱髄性疾患　114
脱同期　320
脱ヨウ素酵素　429
楯型の紋章　478
多糖　23
ターナー症候群　466
多尿症　803, 813
多能性幹細胞　258, 377
多能性コロニー刺激因子　92
多発性硬化症　114
タモキシフェン　237, 351, 479, 490
多ユニット平滑筋　140
多様性　657
単一ユニット平滑筋　140
段階的な受容器電位　195, 214
胆管細胞　594
短期記憶　331, 332
単球　95, 647
単極性　104
単極導出　611
単極誘導　611
短鎖脂肪酸　569
探査電極　611, 613
炭酸-重炭酸系　750
炭酸脱水酵素　749, 751, 825
単シナプス性　149
単シナプス反射　267
胆汁酸　546
胆汁色素　546, 597
短縮熱　133
単純細胞　242
単純スパイク　292
単純部分発作　318
胆膵管膨大部　544
男性化　404
男性仮性半陰陽　466
男性更年期　476
男性二次性徴　500
男性の性腺機能低下症　503
男性ホルモン　393, 493, 504
胆石症　601
淡蒼球　281
淡蒼球内節切除術　288
断続性発語　293
担体→キャリア
短腸症候群　569
断綴性発語　293
単糖　23
ダントロレン　275
タンパク尿症　804
ダンピング症候群　585
単輪送体→ユニポータ

● ち

チアゾリジン誘導体　521
チアノーゼ　748
チアノーゼ期　308
チアノーゼ性先天性心疾患　757
地域流行性甲状腺腫　435
小さな脳　551
チェーン・ストークス呼吸　283, 774
チオウリレン　436
チオペンタール　172
チオリダジン　237
チオルファン　821
知覚異常　114
遅筋-酸化型　130
チザニジン　279
遅順応性受容器　197, 771
窒素出納　274
膣塗抹標本　473
チップリンク　252
遅発性ジスキネジア　286
緻密骨　452
緻密斑　783, 794, 819
緻密部　283
チミン　15
恥毛発生　467
チモロール　227
着床　485
着地相→支持相
チャネル病　60
中位核　287
注意欠陥多動性障害　437
注意反応　319
中央実行系　334
中間径フィラメント　46
中間質外側核　683
中間質外側柱　298
中間痛　472
中間皮質ドーパミンニューロン群　207
中間比重リポタンパク質　33
中間腹側核　293
中結節間伝導路　607
中耳　248
柱状細胞　249
中小脳脚　287
中心暗点　114
中心窩　236
中心階　249
中腎管　462
中心後回　202
中心小体　47
中心小体周辺物質　47
中心静脈圧　676, 677
中心性脳ヘルニア　283
中心体　47
中腎傍管　462
中枢神経系　53, 266, 298
中枢性尿崩症　812
中枢遅延　269
中性エンドペプチダーゼ　821
中性脂肪　32
中脳除脳　281
中脳水道中心灰白質　206
中脳皮質系　178
中脳歩行制御野　273
虫部　287
中膜　663
超音波検査　600
聴覚失認　196
超可変部　89
腸肝循環　546, 597
腸管神経系　551
腸管疝痛　200
長期記憶　332
長期増強　169, 329, 333
聴器毒　258
長期抑圧　329, 333
長期抑圧現象　292
腸クロム親和性細胞　548
腸クロム親和性細胞様細胞　548
超女性　466
聴神経　250
腸神経系　297, 547
聴診法　672
調節性経路　55
頂端側 Na^+ 依存性胆汁酸トランスポータ　546
超低比重リポタンパク質　33, 572
腸内毒素症　552
腸内分泌細胞　548
重複隆起　633
頂部膜　426
腸ホルモン　521
超味覚者　220
跳躍伝導　110
直血管　783
直接酸化経路　24
直接対光反射　230
直接抑制　153
チラミン　182
チロシンキナーゼ共役受容体　115
チロシン受容体キナーゼA　194
チロシンヒドロキシラーゼ　175

● つ

椎前神経節　300
痛覚過敏　198, 199
ツチ骨　248
ツチ骨柄　248
強さ　195
強さ-時間曲線　108

● て

1-デアミノ-8-D-アルギニンバソプレシン　813
低圧系　670
低カリウム血症　107, 512
低カルシウム血症性テタニー　447
低カルシウム血テタニー　442
定型性うつ病　182
低血管抵抗性ショック　639
低血糖症　528
低血糖無自覚　519, 528
低ケトン性低血糖　30
定言的な半球　338
抵抗　666
抵抗血管　670
低ゴナドトロピン性性機能低下症

索　引　**853**

367, 468, 504
低酸素血症　753
低酸素症　753
低酸素性低酸素症　753
低酸素誘導因子　754
低酸素誘導因子1α　689
低身長症　387
ディスバイオシス　552
停滞性低酸素症　754
低炭酸ガス血症　761
低タンパク質血症　654, 804
低張　8, 796
低電位　625
低ナトリウム血症　812
低比重リポタンパク質　33
低分子キニノーゲン　693
低分子量Gタンパク質　52, 69
停留精巣　503
低レニン血性アルドステロン低下症　421
デオキシコール酸　546
デオキシコルチコステロン　400
デオキシヘモグロビン　650
2-デオキシリボース　13
テオフィリン　521, 640
適応免疫　81
適刺激　196
滴定酸　828
滴定酸度　828
デシプラミン　322
デシベル尺度　253
テストステロン　493
テストトキシコーシス　77
デスミン　124, 125
デスモソーム　48, 78
デスモプレシン　660, 813
デスロラタジン　71
テタヌス後増強　332
鉄　570
鉄欠乏性貧血　571, 652
手続き記憶　331
テトラカイン　112
テトラヒドロコルチゾル　406
テトラヒドロコルチゾルグルクロニド　406
テトラヒドロビオプテリン欠乏　177
テトラベナジン　286
3,5,3',5'-テトラヨードサイロニン　425
テトロドトキシン　199
デヒドロエピアンドロステロン　400, 468
デフェンシン　96
テベジウス静脈　708
デメクロサイクリン　812
デュシェンヌ型筋ジストロフィー　125
テリパラチド　456
デルタ波　320
δ-サルコグリカン　124
Δ⁹-テトラヒドロカンナビノール　184

δ波　320
転移RNA　18
電位作動性　57
電位作動性イオンチャネル　106
伝音性難聴　257
電解質　5
てんかん　318, 319
電気緊張電位　104, 109
電気シナプス　145
電気的機械的全収縮期　632
電気的勾配　10, 57, 105
電気鍼　208
転写　17
デンスボディ　140
伝達　145
伝達物質　711
伝導　369
伝導気道　721, 722
デント病　793
デンプン　537
点変異　16

と

頭蓋内血腫　330
動眼神経　230
同期化　320
洞形成　470
洞結節機能不全→洞不全症候群
糖原性　22
瞳孔　226
統合失調症　179
瞳孔反射　230
瞳孔不同　238
等尺性　128
等尺性心室収縮→等容性心室収縮
導出静脈　698
登上線維　287, 289
動静脈差　635
動静脈短絡路　665
動静脈吻合　665
洞徐脈　617
糖新生　25
糖新生性　22
等水素イオン濃度の原理　5
動性調節　763
洞性不整脈　616
同側半盲　241
等炭酸ガス性緩衝　775
糖タンパク質　20
等張　8
頭頂経路　243
等張性　128
頭頂葉　202, 278
動的　267
動的γ運動ニューロン　268
動的反応　268
等電位線　615
糖尿病　507, 514, 800
　1型──　514, 529
　若年性──　529
　2型──　514, 529

　メタ下垂体性──　522
　メタ甲状腺性──　522
糖尿病性腎症　529
糖尿病性ニューロパチー　529
糖尿病網膜症　238, 529
島皮質前部　218
頭部神経節　360
頭部仙骨部　301
洞不全症候群　617
洞房結節　607
動脈管　713
動脈血漿中のXの濃度　787
動脈・心内腔血管　708
動脈洞血管　708
冬眠する哺乳類　372
透明帯　485
同名半盲　241
動毛　251
等容性心室弛緩　631
等容性心室収縮　629
洞様毛細血管　376, 664
特異　609
特殊感覚中継核群　314
特徴抽出細胞　242
特発性てんかん　319
特発性肺線維症　731
特有なイオン組成　809
トーヌス　140, 271
ドネペジル　336
ドーパデカルボキシラーゼ　175
ドーパミン　164, 393
ドーパミン効果　399
ドーパミン作動薬　322
ドーパミントランスポータ　178
ドーパミンβ-ヒドロキシラーゼ　175
トピラマート　199, 207, 319
ドフェチリド　623
ドプラ流量計　666
トラウベ・ヘーリング波　688
トラザミド　520
トランスコルチン　405
トランスサイトーシス　63
トランスサイレチン　428
トランス側　52
トランスデューシン　235
トランスフェリン　571
トランスフォーミング成長因子　116, 462
トランスフォーミング成長因子α　64
トランスフォーミング成長因子β　456
トランスフォーミング増殖因子α　64
トランスロケーションGTPase　69
トランスロコン　21
トリエンチン　286
トリカルボン酸回路　25
トリヌクレオチド反復　54
鳥肌　369
トリプトファン　179
トリプトファンヒドロキシラーゼ　179
努力肺活量　730

トリヨードサイロニン　424
3,3′,5′-トリヨードサイロニン　425
3,5,3′-トリヨードサイコニン　425
トルサード・ド・ポアンツ　621
トルソー徴候　447
ドルゾラミド　227
トルブタミド　520
トレプロスチニル　740
トロポニン　68, 123
トロポニン C　123
トロポニン I　123
トロポニン T　123
トロポミオシン　123
トロンボキサン A_2　690
トロンボポエチン　93
トロンボモジュリン　660
呑気症　583
貪食　96

● な

内因系　659
内因子　572
内因性活力低下　640
内因性経路　32
内因性心臓アドレナリン　397
内因性発熱物質　371
内顆粒層　230
内莢膜　471
内頸静脈　698
内在性カンナビノイド類　184
内耳　248
内視鏡的逆行性胆管膵管造影　600
内斜視　229
内水頭症　700
内臓平滑筋　140
内軟骨性骨形成　453
内側視索前核　308
内側視索前野　366
内側膝状体　255
内側側頭葉　330
内側毛帯　201
内側毛帯系　196, 201
内尿道括約筋　805
内皮細胞由来弛緩因子　142, 690
内分泌性　547
内分泌性コミュニケーション　63
内分泌腺　345
内包　278
内膜　663
内網状層　231
内有毛細胞　249
内リンパ液　248, 260
内肋間筋　727
長さ定数　152
ナタリズマブ　114
ナチュラルキラー細胞　84
ナトリウム依存性グルコーストランスポータ　510
ナトリウム利尿ペプチド受容体　820
ナトリウム利尿ホルモン　819
7 ヘリックス受容体　70

ナルコレプシー　322
ナルトレキソン　207
慣れ　331, 332
ナロキソン　208
難聴　258

● に

匂い分子　213
匂い分子結合タンパク質　214
匂い分子受容体　213
2 型ヒスタミン受容体拮抗薬　71
II型ビタミン D 抵抗性くる病　445
苦味　219
にきび→痤瘡
II 求心性神経　268
ニコチン　767
ニコチン性アセチルコリン受容体　157, 174
ニコチン性作用　174
ニザチジン　71
2 色覚者　239
二次極体　472
二次構造　20
二次終末　268
二次性アルドステロン症　420
二次性情報伝達物質　65
二次性進行型多発性硬化症　114
二次性糖尿病　529
二次性能動輸送　62
二次性副甲状腺機能亢進症　449
二次性副腎不全　421
二次精母細胞　494, 504
二次性無月経　484
二次体性感覚野　203
二次痛　193
21 トリソミー　466
二次卵母細胞　472
二束ブロック　618
2 点弁別　197
2 点弁別閾　196
2 点弁別閾検査　196
二糖　23
ニトログリセリン　690
ニフェジピン　308, 623, 756
乳化　567
乳癌　351
乳酸アシドーシス　517, 639
乳汁分泌　490
乳汁漏出　470, 490
乳頭　217
乳糖→ラクトース
乳糖不耐症　562
乳房発育開始　467
乳漏　470
ニューレキシン　148
ニューロキニン A　181, 699
ニューロキニン B　181
ニューロキニン受容体　181
ニューロテンシン　183
ニューロトロフィン　159
ニューロトロフィン 3　115

ニューロトロフィン 4/5　115
ニューロフィジン　362
ニューロペプチド Y　183, 305, 526
ニューロリギン　148
ニューロン　103
ニューロン新生　333
尿細管再吸収　779, 790
尿細管糸球体フィードバック　794
尿細管周囲毛細血管　783
尿細管性アシドーシス　804
尿細管分泌　779, 790
尿酸　14
尿素回路　596
尿道下裂　404
尿毒症　639, 804
尿崩症　812
尿量　787
尿路感染症　274
妊娠　485
妊娠維持物質群　481
妊娠黄体　486

● ぬ

ヌクレオシド　13
ヌクレオソーム　50
ヌクレオチド　13

● ね

音色　253
ネオエンドルフィン　183
ネオスチグミン　157
ネクローシス　53
熱希釈法　635
熱性痙攣を伴う全身性てんかん　319
熱喪失　369
熱損失　369
熱中症　308
ネフローゼ　804
ネフロン　781
ネルソン症候群　366
ネルンストの式　10
粘液水腫　435
粘液水腫性脳症　435
粘液線毛エスカレータ輸送機構　723
粘性率　668
粘膜下神経叢　310, 551

● の

脳弓下器官　360, 703, 817
脳コンピュータインターフェース　274
脳室周囲核　366
脳室周囲器官　703
脳性ナトリウム利尿ペプチド→B型ナトリウム利尿ペプチド
脳性麻痺　273, 275
脳脊髄液　698, 699, 756, 768
脳卒中　169
脳電図　317

能動輸送　58
濃度勾配　7, 10, 105
脳波　317
脳皮質　287
囊胞性線維症　723, 724
囊胞性線維症膜コンダクタンス制御因子　60, 545, 555, 724
脳由来神経栄養因子　115
乗り物酔い　261
ノルアドレナリン　164, 220, 301, 393
ノルアドレナリン作動性　301
ノルアドレナリン性ニューロン　175
ノルアドレナリントランスポータ　167, 177
ノルエチンドロン　484
ノルエピネフリン　393
ノンレム睡眠　313

● は

肺　721
バイアグラ　691
パイエル板　89
バイオフィードバック　334
倍音　253
肺化学反射　771
肺活量　730
肺気量　730
配偶子形成　459, 490, 493
配偶子産生　504
肺高血圧症　740
肺実質　721
肺循環　727
肺小細胞癌　158
肺硝子膜症→新生児呼吸窮迫症候群
倍数性　17
バイスタンダー効果　90
胚性幹細胞　258, 274
背側蝸牛神経核　255
背側経路　243
肺塞栓症　660
肺内ガス交換　736
背内側核　523
排尿　779, 805
排尿異常　807
排尿筋　805
ハイブリッド　376
肺胞換気量　735
肺胞気　737
肺胞気式　737
肺胞気道　721, 723
肺胞タンパク症　734
肺胞マクロファージ　726
肺胞-毛細血管間のガス交換の障害　757
肺胞領域　721
廃用性弱視　229
肺容量　730
排卵　471
排卵前期　472
パーキン　287
パーキンソン病　169, 707

白交通枝　299
薄束核　201
白体　472
拍動的　676
白皮症　378
パクリタキセル　45
歯車様強剛　285
バクロフェン　154, 274, 275, 279
破骨細胞　454
播種性血管内凝固症　660
バー小体　461
破傷風菌　149
破傷風毒素　149
破傷風毒素ワクチン　149
バスケット細胞　154, 289, 315
バセドウ病→グレーヴス病
バソプレシン　164, 183, 363, 376
バソプレシンエスケープ　812
バーター症候群　109
破綻出血　478
パターン認識受容体　83
パチニ小体　192
バーチン　258, 797
発汗運動線維　306
白血病阻害因子　116
発現調節領域　15
発酵　570
発情　474
発情間期　476
発情周期　474
発声障害　149
発生張力　129
パッチクランプ法　60
バッファー→緩衝物質　5
ハートナップ病　567
バニリルマンデル酸　177, 397
バニロイド　193
ハバース管　453
馬尾　806
バビンスキー反射陽性　275
パーフォリン　83, 95
速い痛み→一次痛
速い興奮性シナプス後電位　168
速い抑制性シナプス後電位　171
パラアミノ馬尿酸　793
パラクリン　525
パラクリンコミュニケーション→傍分泌性コミュニケーション
パラソムニア　322
パラソル細胞　240
パラチオン　305
バリズム　285
パリペリドン　179
バルサルバ試験　688
パルスオキシメータ→経皮酸素飽和度計
バルデナフィル　142, 498
バルビツール酸塩　640
バルビツール酸類　172, 320
バルプロ酸　199, 319
パルミトイル化　41
ハロペリドール　179, 470, 585
パワーストローク　126

半規管　249, 260
反響　619
反撃損傷　701
伴行静脈　370, 799
瘢痕形成　116
反射弓　266
反射亢進　275
反射消失　279
反射性交感神経性ジストロフィー　199
反射性排卵　475, 483
反射低下　279
半側空間無視　338
反跳現象　293
ハンチンチン　286
ハンチントン病　285, 706
反転電位　151
万能供血者　657
反応時間　269
万能受血者　657
反応性充血　710, 711
反復拮抗運動不能　293

● ひ

非イオン性拡散　8, 829
非運動性熱産生　576
被殻　281
光受容器　191
光反射　230
光療法　324
引き伸ばしやすさ　473
非筋ミオシン　78
ビグアナイド薬　521
非痙攣性　318
非構成性経路　54
非交通性水頭症　700
皮質　462
皮質延髄路　278
皮質骨　453
皮質小脳　290
皮質脊髄路　277
皮質線条体投射　283
皮質ネフロン　783
皮質脳波　317
微絨毛　217, 783
糜粥　580
尾状核　281
微小管　45
微小管オーガナイジングセンター　47
非症候群性　258
微小終板電位　156
微小動脈瘤　238
ヒス束　607
ヒスタミン　194, 316, 676
ヒスタミン受容体　71
ヒスチジン-ロイシン　693
ヒステレーシス　733
非ステロイド性抗炎症薬　36, 198, 199
ヒストン　15
2,3-ビスホスホグリセリン酸　431, 747

ビスホスホネート　456
皮節　201
非宣言的記憶　330
尾側延髄腹外側部　684
非代償性　832
非代償性呼吸性アシドーシス　752
非代償性呼吸性アルカローシス　752
非代償性代謝性アシドーシス　752, 832
ビタミン　572
ビタミンA　32
ビタミンA過剰(症)　574
ビタミンA欠乏　234
ビタミンD　32, 444
ビタミンD過剰(症)　574
ビタミンD結合タンパク質　445
ビタミンE　32
ビタミンK　32
ビタミンK過剰(症)　574
ピチュイサイト　376
ビッグエンドセリン1　692
引っ込め反射　272
必須アミノ酸　560
必須脂肪酸　34
非定型抗うつ薬　182
非定型うつ病　182
ヒト絨毛性ゴナドトロピン　486
ヒト絨毛性ソマトマンモトロピン　487
ヒト胎盤性ラクトゲン　487
ヒト白血球抗原　86
ヒドララジン　638, 705
ヒドロキシアパタイト　452
ヒドロキシアンフェタミン　307
5-ヒドロキシインドール酢酸　180
ヒドロキシウレア　653
25-ヒドロキシコレカルシフェロール　445
11β-ヒドロキシステロイドデヒドロゲナーゼ2型　415
3β-ヒドロキシステロイドデヒドロゲナーゼ　401
5-ヒドロキシトリプタミン　179
5-ヒドロキシトリプトファン　18, 177, 179, 703
3-ヒドロキシ-3-メチルグルタリル CoA　33
17α-ヒドロキシラーゼ　401
ヒドロクロロチアジド　261
避妊　483
　　男性の——　497
非必須アミノ酸　19
腓腹筋　275
被覆小胞　63
ヒポクレチン　322
被膜　359
肥満　576
肥満細胞　95, 97
びまん性軸索損傷　330
百日咳毒素　73, 116
非優位半球　338
標識希釈法　635

標準重炭酸塩濃度　834
標準肢誘導　611
表象的な半球　338
標的器官　345
病的な痛み　198
非抑制性インスリン様活性物質　510
ピリジノリン　454
ピリドスチグミン　157, 305
ビリベルジン　546, 598, 652
ピリミジン　13
非流暢性失語　338, 340
ビリルビン　546, 598, 652
ピリン　372
ピル　484
鼻涙管　226
ヒルシュスプルング病　588
ピルビン酸カルボキシラーゼ　516
非連合学習　331
疲労　776
ピロカルピン　227
貧血性低酸素症　753
頻呼吸　754
品質管理　53
ビンブラスチン　45
頻脈　616, 617

ふ

ファーストメッセンジャー→一次性情報伝達物質
ファーター　544
ファーチリン　485
ファモチジン　71
ファラデー定数　10
ファレウス・リンドクヴィスト効果　668
不安神経症　182
部位　195
フィゾスチグミン　227, 306
フィチン酸　570
フィックの拡散法則　7
フィックの原理　704
フィックの直接法　635
フィード・フォワード抑制　154, 289
フィードバック制御　351
フィナステリド　502
フィブリノーゲン　652
フィブリノリジン→プラスミン
フィブリン　659
フィブリンモノマー　659
フィンゴリモド　114
フェキソフェナジン　71
フェニトイン　319, 320
フェニルアラニン　177
フェニルアラニン-アルギニン　693
フェニルアラニンヒドロキシラーゼ　175, 177
フェニルエタノールアミン-N-メチルトランスフェラーゼ　175, 396, 683
フェニルケトン尿症　177
フェニルビグアナイド　687
フェニルブタゾン　14

フェニレフリン　307
フェネルジン　182
フェノチアジン　288, 470, 625
フェノバルビタール　172
フェノールレッド　793
フェロポーチン　571
フェロポーチン1　571
フェロモン　215
不応期　110
フォリスタチン　503
フォルスコリン　73
フォン・ヴィレブランド因子　98, 660
フォン・ヴィレブランド病　660
不活性化状態　106
不感蒸泄　369
不完全強縮　129
不完全ブロック　617
不関電極　611
吹出口　151
不均等換気　735
腹外側脊髄視床路　201
副嗅球　215
腹腔神経叢　538
復号化　706
副交感神経　299
副交感神経系　297, 300
副甲状腺　446
副甲状腺機能亢進症　449
副甲状腺ホルモン　441
複雑細胞　242
複雑部分発作　318
複視　149
副腎　393
副腎グルココルチコイド　527
副腎思春期　468
副腎スルホキナーゼ　403
副腎性器症候群　404, 419
副腎皮質刺激ホルモン　364, 375
副腎皮質刺激ホルモン放出因子　324
副腎皮質刺激ホルモン放出ホルモン　364, 365, 410, 575, 712
副腎皮質ホルモン薬　272
腹水　595
複製　17
輻輳運動　244
腹側蝸牛神経核　255
腹側経路　243
腹側被蓋野　207
腹側皮質脊髄路　277
腹鳴　583
フコーストランスフェラーゼ　655
浮腫　678
不正子宮出血　484
不全麻痺　114
太いフィラメント　123
舞踏病　275, 285
ブドウ膜　226
不動毛　251
舞踏様の動き　286
ブートン　104
不妊　486
負の選択　85

負のフィードバック過程　106
負のフィードバック抑制　154
負（下向き）の振れ　614
ブピバカイン　112
ブプレノルフィン　207
ブプロピオン　182
部分発作　318
不分離　466
不眠症　324
浮遊耳石置換法　261
プライミング　331
ブラウン・セカール症候群　205
ブラジキニン　183, 194, 676, 693
プラスミノーゲン系　661
プラスミン　661
プラゾシン　308
プラトー　136
フラビンアデニンジヌクレオチド　12
フラボノリグナン　306
プラミペキソール　288
プラリドキシム　305
フランク・スターリングの法則　637
フリードライヒ運動失調症　293
プリミドン　272
フリーラジカル　96
プリン　13
プリン作動性受容体　194
フルオキセチン　181, 182, 298, 485
プルキンエ細胞　154, 287
プルキンエ線維系　607
フルクトース　595
フルクトース 1,6-ビスホスファターゼ　516
フルフェナジン　179
フレカイニド　623
プレカリクレイン　693
プレスチン　255
プレチスモグラフ　666
プレチスモグラフィー　666
ブレチリウム　178
プレドニゾン　114, 157, 158
プレニル化　41
プレプロ PTH　447
プレプロインスリン　509
プレプロオキシフィジン　362
プレプロガストリン　548
プレプロプレッソフィジン　362, 813
プレプロホルモン　345, 366
プレプロレニン　815
プロ PTH　447
プロインスリン　509
プロエンケファリン　181
プロオピオメラノコルチン　181, 375, 411, 575
プロカイン　112
プロカインアミド　640
プロカスパーゼ　54
ブローカ野　339, 706
プログラムされた細胞死　53
プロゲスチン　481
プロゲステロン　459, 480
プロ酵素　54, 563

プロスタグランジン　34, 497
プロスタグランジン G/H シンターゼ 1　34
プロスタグランジン G/H シンターゼ 2　34
プロスタグランジン H_2　36
プロスタグランジン I_2　690
プロスタグランジン関連薬　227
プロスタサイクリン　690
フロセミド　258, 793
プロダイノルフィン　182
プロップ　242
プロテアーゼ活性化受容体-2　194
プロテアソーム　22, 86
プロテイン C　660
プロテインキナーゼ A　72
プロテインキナーゼ C　72
プロトンポンプ　43, 454
プロパフェノン　623
プロピルチオウラシル　436
プロプラノロール　434, 623, 816
プロベネシド　14
プロペルジン経路　95
プロポフォール　320
ブロモクリプチン　288, 388
プロモーター　15
プロラクチン　364, 375
プロラクチン放出ホルモン　365
プロラクチン抑制ホルモン　365, 387
フロリジン　563, 793
プロレニン　815
分圧　736
分極　42
分時換気量　730
分子擬態　90
分子質量　4
分枝ブロック　618
分節収縮　586
吻側延髄腹外側部　683
分泌型免疫グロブリン　89, 722
分泌期　472
分泌成分　89
分泌速度の上限　412
分泌免疫　89
分娩　488
分裂促進因子活性化タンパク質キナーゼ　66, 479

● へ

平滑筋　121
平均 QRS ベクトル　615
平均血圧　670
平均ベクトル　615
閉経　475
閉経期　459
平衡障害　293
平行線維　287
平衡電位　10
平衡斑　250
平行 β シート　21
米国国立衛生研究所　258

米国疾病予防管理センター　330
米国食品医薬品局　207, 286
米国立衛生研究所　216
閉鎖帯　48
閉鎖卵胞　470
閉塞隅角緑内障　227
閉塞性黄疸　601
閉塞性睡眠時無呼吸　774
閉塞性睡眠時無呼吸症　322
閉塞性肺疾患　731
壁細胞　538
ヘキサメトニウム　304
ヘキソキナーゼ　24
壁側胸膜　727
ヘキソース一リン酸経路　24
壁内外圧差　669, 736
ベサミコール　175
ペースメーカー細胞　121
ペースメーカー電位　609
β アドレナリン受容体拮抗薬　687
β-アミノ酸　13
β アミロイドペプチド　336
β-アレスチン　235
β-アレスチン 2　207
β-インターフェロン　114
β-エンドルフィン　180
β-カロテン　234
β-サルコグリカン　124
β-ジストログリカン　124
β シート　20
ベータ波　319
β 波　319
β リポトロピン　377
ベツォルド・ヤーリッシュ反射　687, 771
ベッカー型筋ジストロフィー　125
ヘテロ三量体 G タンパク質　69
ヘテロ受容体　164
ペナンブラ　707
ペニシラミン　286
ペニシリン G　306
ベバチズマブ　237
ヘパリン　660
ヘファエスチン　571
ペプシン　563
ペプスタチン　816
ペプチド　20
ペプチド YY　526, 551
ペプチド結合　19
ペプチドトランスポータ 1　566
ペプチド分解酵素　181
ヘマトクリット　647, 668
ヘミコリニウム　175
ヘミデスモソーム　48
ヘミブロック　618
ヘム　571, 649, 746
ヘムオキシゲナーゼ 2　691
ヘムトランスポータ　571
ヘモグロビン　647
ヘモグロビン A　649
ヘモグロビン F　651
ヘモグロビン O_2 解離曲線　746

ヘモグロビン異常症　653
ヘモシデリン　571, 572
ヘモシデリン沈着症　572
ベラトリジン　687
ベラパミル　623
ベラプロスト　740
ヘリコバクター・ピロリ　542
ヘリング小体　363
ヘリング・ブロイエル反射　771
ベル　253
ペルオキシソーム　40, 44
ペルオキシソーム増殖活性化受容体
　　44
ペルオキシソーム増殖活性化受容体γ
　　521
ペルオキシン　44
ベルテポルフィン　237
ベルヌーイの原理　672
ヘルパーT細胞　85
ペルヒドロシクロペンタノフェナントレ
　　ン　399
ペルフェナジン　179
変温性　368
変行伝導　620
変時作用　636, 682
片頭痛　199
片側バリズム　285
ベンゾジアゼピン　275, 585
ベンゾジアゼピン類　172, 305
ヘンダーソン・ハッセルバルヒの式
　　6
変伝導作用　682
扁桃　722
扁桃体　215, 331
ペントバルビタール　172, 483
ペンドリン　426
ペンドレッド症候群　258
便秘　588
片葉小節葉　290
変力作用　636, 682
ヘンレループ　783

● ほ

ボーア効果　747
ポアズイユ・ハーゲンの式　668
ボーアの式　736
方位円柱　242
芳香族L-アミノ酸デカルボキシラーゼ
　　179
抱合体　406
膀胱内圧測定　805
膀胱内圧容積曲線　805
傍細胞経路　49
傍糸球体細胞　178, 214, 818
傍糸球体装置　783, 819
房室結節　607
房室結節性　618
房室結節遅延　611
房室結節ブロック　617
房室ブロックを伴う発作性心房頻拍
　　619

放射　369
放射性同位元素　709
報酬中枢　207
放出因子　365
放出体　726
房飾細胞　214
傍神経節　394
傍髄質ネフロン　783
放線冠　278
膨大部　250, 544
膨大部稜　250
乏尿　804
胞胚　485
放屁　583
傍分泌→パラクリン
傍分泌性　547
傍分泌性コミュニケーション　63
傍毛細血管　771
膨隆部　156
傍濾胞細胞　450
飽和度　238
歩行運動パターンジェネレーター
　　273
補酵素A　11
ポジトロン断層法　179
補色　238
ホスファターゼ　65
ホスファチジルイノシトール3キナーゼ
　　511
ホスファチジルイノシトール4,5-ビスリ
　　ン酸　72
ホスファチジルコリン　544
ホスホエノールピルビン酸カルボキシキ
　　ナーゼ　516
ホスホクレアチン　132
ホスホジエステラーゼ　72, 142
ホスホリパーゼA_2　34, 544
ホスホリパーゼC　70
5-ホスホリボシルピロリン酸　14
ボセンタン　740
細いフィラメント　123
補足運動野　277, 278
補体系　95
補聴器　258
歩調とり　607
歩調とり電位→ペースメーカー電位
勃起　497
勃起神経　498
発作後期　318
発作性心室頻拍　621
発作性頻拍　619
発赤　308, 711
ボツリヌス菌　149
ボツリヌス毒素　149, 175, 260, 272,
　　279
ボトックス　149
哺乳　489
ボーマン嚢　781
ホムンクルス　202
ホメオスタシス　39, 297, 347
　――の不均衡　307, 308
ホモ二量体　380

ホモバニリン酸　178
ポリ(A)尾部　18
ポリペプチド　20
ポリモーダル侵害受容器　192
ポリユビキチン化　22
ポリリボソーム　21
ホールセル記録→全細胞記録
ホルターモニター装置　616
ホールデン効果　749
ホルネル症候群　238, 305
ホルモン　345, 347
ホルモン感受性リパーゼ　33
本態性高血圧　674, 683, 685
ポンプ　41
翻訳　18, 21

● ま

マイクロRNA　18
マイスネル小体　192
マイネルトの基底核　335
膜貫通タンパク質バンド3　650
膜攻撃複合体　95
膜電位　104
膜内骨形成　453
膜内在性タンパク質　41
膜迷路　248
マクラ→平衡斑
マクラデンサ→緻密斑
マクログリア　113
マクロファージ　95
マクロファージコロニー刺激因子
　　94, 454
マシャド・ジョセフ病　293
マジャンディ孔　699
マスキング　254
マスト細胞　97
まだら症　378
マッキューン・オールブライト症候群
　　77, 485
末梢化学受容器　688
末梢静脈圧　677
末梢のグルコース利用減少　514
麻痺性イレウス　587
マラチオン　305
マルターゼ　561
マルトース　561
マルトトリオース　561
満月様の顔　410
慢性骨髄性白血病　66
慢性腎臓病　779
慢性痛　198, 199
慢性の痛み　198
マンノース6-リン酸受容体　56
マンノース結合レクチン経路　95
満腹因子　575
マンモトロープ　376

● み

ミエリン鞘　104
ミエロペルオキシダーゼ　96

索 引 859

ミオグロビン　748
ミオシン　47
ミオシンⅡ　123
ミオシン軽鎖キナーゼ　68
ミオシン軽鎖ホスファターゼ　141
ミオシン重鎖　130, 433
ミオトニア　130
味覚　213
味覚閾値　220
味覚異常　220
味覚減退　216, 220
味覚消失　220
味覚不全　220
ミクログリア　113, 200
　　──の活性化　116
ミクロソーム　40
ミクロフィラメント　46
味孔　217
味細胞　217
ミジェット細胞　240
未熟児網膜症　760
水中毒　802
ミセル　546, 567
ミソプロストール　542
密着結合→タイトジャンクション
密封帯　454
ミトコンドリア　42
ミネラルコルチコイド　393, 400
ミフェプリストン　481
耳鳴り　257
脈圧　670
脈管新生　665
脈拍　633
脈拍欠損　621
脈絡膜　225
ミュラー管抑制物質遺伝子　460
味蕾　217
ミリストイル化　41

●む

無顆粒小胞体→滑面小胞体
無汗　307
無気肺　734
無嗅覚(症)　367
無月経　484
無甲状腺状態　434
無酸素症　753
むし歯　537
無条件刺激　334
無神経節性巨大結腸症　588
ムスカリン性アセチルコリン受容体　174
ムスカリン性アセチルコリン受容体拮抗薬　261
ムスカリン性作用　174
ムスカリン性中毒　306
夢中遊行　322
無動症　285
無尿　804
無排卵性周期　473, 484
無フィブリノーゲン血症　654

夢遊病　322
無力性腸閉塞症→麻痺性イレウス

●め

明順応　236
明所視　233
迷走神経　218
迷走神経緊張　682
迷走神経背側運動核　301
明度　238
メイヤー波　688
迷路　248
迷路立ち直り反射　259
メキシレチン　199, 623
メクリジン　261
メサドン　207
メサンギウム細胞　665, 782
メスカリン　182
メタ細動脈　663
メタボリックシンドローム　530
メタンフェタミン　322
メチオニン-エンケファリン　181
メチマゾール　436
メチルフェニデート　322
メチルプレドニゾロン　274
3,4-メチレンジオキシメタンフェタミン　182
メチロシン　178
メッセンジャーRNA　17
3-メトキシ-4-ヒドロキシフェニルグリコール　178
メトキシタール　172
メトプロロール　623
メトヘモグロビン　651, 759
メトホルミン　354, 521
メニエール病　261
目まぐるしく空転する思考　179
メマンチン　169, 336
メラトニン　323, 324
メラニン　378
メラニン細胞刺激ホルモン　378
メラノサイト　378
メラノトロピン　378
メラノトロピン-1　378
メラノフォア　378
メルケル細胞　192
免疫寛容　85
免疫グロブリン　88, 298
免疫グロブリン投与法　158
免疫細胞の浸潤　116
免疫抑制薬　157, 272
綿花様白斑　238
面皰　479

●も

毛細血管　663
毛細血管ループ　359
毛細胆管　593
網状層　394
網状板　249

盲点　236
網膜　225, 230
網膜視床下部線維　323
網膜剥離　238
毛様体　225
毛様体筋　230
毛様体神経栄養因子　116
毛様体神経節　301
網様部　283
モザイク　465
モダフィニル　322, 324
モチリン　551
2-モノアシルグリセロール　32
モノアミンオキシダーゼ　177
モノアミンオキシダーゼ阻害薬　182, 298
モノヨードチロシン　427
モルヒネ　757
門脈トライアド　594
モンロー・ケリーの原理　704

●や

夜間頻尿　803
夜驚症　322
夜尿症　322
夜盲(症)　234
ヤング・ヘルムホルツの3色説　239

●ゆ

優位半球　338
優位卵胞　470
有郭乳頭　217
有機アニオン輸送ポリペプチド　597
有棘星状細胞　315
有機リン剤　305
　　──のコリンエステラーゼ阻害薬作用　304
有効腎血漿流量　785
有糸分裂　17
幽門前庭収縮　584
遊離脂肪酸　32, 380, 397, 516, 568
輸出細動脈　781, 783
輸送タンパク質　56
ユニポータ　58
輸入細動脈　781, 783
ユビキチン　22
ユビキチン化　22
緩やかな(R)配置　746

●よ

陽イオン→カチオン
ヨウ化エコチオフェート　229
溶血　650
溶血性輸血反応　657
様式　195
溶質　7
葉状仮足　46
葉状乳頭　217
腰髄硬膜内腔注射　701

容積導体　611
容積モル浸透圧濃度　8
ヨウ素化チロシン脱ヨウ素酵素　427
ヨウ素欠乏性甲状腺腫　435
陽電子放射断層撮影法　179, 276, 329, 705
溶媒　7
羊膜穿刺　466
容量血管　670
翼口蓋神経節　301, 698
抑制暗点　229
抑制因子　365
抑制性シナプス後電位　150, 266
抑制性接合部電位　159
抑制性ヘテロ三量体Gタンパク質　73
翌朝避妊　478
翼突筋静脈叢　698
予備吸気量　730
予備呼気量　730
四次構造　21
四倍体　17

● ら

ライディッヒ間質細胞　493
ラウン・ギャノング・レヴァイン症候群　622
ラクターゼ　561
ラクトース　560
ラクトトローフ　376
ラサギリン　298
らせん神経節　249
らせん動脈　472
ラッチブリッジ　141
ラトケ嚢　376
ラニチジン　71
ラニビズマブ　237
ラフト　56
ラプラスの法則　669
ラミニン　48
ラメラ封入体　725
ラメルテオン　324
ラロキシフェン　456, 479
ラロン型低身長症　387
卵円孔　712
卵円窓　248
卵管　471
卵形嚢　250
ランゲルハンス島　507
乱視　230
卵巣過剰刺激症候群　386
卵巣無形成　466
ランドルト環　237
ランバート・イートン症候群　156
ランビエ絞輪　104
卵胞期　470, 472
卵胞刺激ホルモン　364, 375, 460
卵胞刺激ホルモン放出ホルモン　365
乱流　667

● り

17,20-リアーゼ　401
リアノジン受容体　127, 141
リウマチ性関節炎　308
リエントリー　619
理学療法　456
リガンド　41
リガンド依存性チャネル　219
リガンド作動性　57
リガンド作動性イオンチャネル　106
リガンド作動性チャネル　164
リーキー上皮　791
梨状皮質　215
リジルブラジキニン　693
リジンバソプレシン　361
リスペリドン　179
リセルギン酸ジエチルアミド　182
理想溶液　7
リソソーム　43
リソソーム病　45
リゾホスファチジルコリン　544
利胆物質　600
リツキシマブ　114
立体感覚失認　338
立体失認　196
立体認知能　196
律動性平滑筋　121
立毛　369
リドカイン　112, 199, 623
リトコール酸　546
利尿薬　802
リバスチグミン　336
リピド化　41
リポキシン　36
リボース　13
リボソーム　40
リボソームRNA　18
リポタンパク質　20, 32
リポタンパク質(a)　710
リポタンパク質リパーゼ　33
硫酸塩付加因子　382
流暢性失語　338, 340
流量制限性　675
両耳側半盲　241
両親媒性　41, 546
良性発作性頭位変換性めまい　261
緑内障　227
緑膿菌　724
リラキシン　382, 460, 481
リルゾール　169, 279
臨界速度　667, 672
臨界閉鎖圧　669
臨界ミセル濃度　546
リン酸タイマー　66
リン酸利尿作用　448
リン脂質　659
リンネテスト　257
リンパ液　3
リンパ管新生　665
リンパ球　95, 647
リンパ浮腫　678

● る

涙液　226
類宦官症　469, 504
類洞　593
ルー・ゲーリック病　279
ルシュカ孔　699
ルビプロストン　588
ルフィニ小体　192
ループス　308
ルミルビン　652

● れ

冷受容器　194
レイノー現象　305
レヴィー小体　287
レーザー治療　237
レジスチン　530
レシチン-コレステロールアシルトランスフェラーゼ　33
レストレスレッグス症候群　322
レセルピン　178
レチナール　233
レチノイン酸X受容体　432
レニン　394, 815
レニン基質　815
レニン分泌顆粒細胞　783
レパトワ　82
レプチン　469, 530, 575
レベチラセタム　272
レボドパ　169, 177, 287, 288, 298
レボノルゲストレル　484
レム睡眠　313
連結比　61
連結ペプチド　509
連合学習　331
レンショウ細胞　154, 272
レンズ核　281, 286

● ろ

ロイコトリエン　36
ロイシン-エンケファリン　181
老視　230
老人環　238
老人性難聴　258
老人性認知症　336
濾過　63, 673
濾過間隙　781
濾過スリット　781
濾過比　789
濾過平衡　789
六炭糖　23
ロサルタン　816
ロシグリタゾン　354
ロドプシン　233
ロバスタチン　34
ロピニロール　288
ロベリン　767
濾胞　424
濾胞星状細胞　377

ロラタジン　71

● わ

ワーキングメモリー→作業記憶
笑い　340

ワーラー変性　159
ワールドウォッチ研究所　576
ワルファリン　662
腕-舌循環時間　668

索引

● A

A 帯　123
a 波　633, 676
A band　123
a wave　633
Abelson tyrosine kinase　66
aberrant conduction　620
ABP　495
absence seizure　318
absolute refractory period　110, 136
absorption　559
acalculia　341
acamprosate　207
accelerated AV conduction　622
accessory olfactory bulb　215
acclimatization　755
AcCoA　172
accommodation　230
ACD　748
ACE　693, 742, 815
acetazolamide　227, 756
acetohexamide　520
acetyl CoA　11, 172
acetylcholine　164, 301
acetylcholinesterase　174
acetylcholinesterase inhibitor　157, 336
achalasia　149, 584
Achilles tendon　267
achycardia　616
acid sensing ion channel　194
acid-citrate-dextrose　748
acid-labile conjugate　407
acidosis　751, 830
acinar tissue　721
acinus　537
acne　479
acquired immunity　81
acquired nystagmus　260
acquired tolerance　206
acromegaly　380, 381
acrosin　485
acrosomal reaction　485
acrosome　495
ACTH　364, 375
ACTH 依存性　410
ACTH 非依存性　410
ACTH-dependent　410
ACTH-independent　410
actin　46, 123
actinin　124
action potential　104, 195
activated amino acid　21
activated protein C　650
activation heat　133
activation of microglia　116
active electrode　611
active tension　129
active transport　58
active zone　148
activin　503

activin receptor　503
activity　8
acute glomerulonephritis　805
acute kidney injury　639, 779
acute pain　198
acute pancreatitis　544
acute pesticide poisoning　305
acute phaseprotein　100
acute respiratory distress syndrome　759
acute-phase protein　596
acyclovir　54
adaptation　108, 197, 828
adaptive immunity　81
adaptor protein 1　56
addiction　206, 207
Addison クリーゼ　420
Addison 病　420
Addisonian crisis　420
adenine　15
adenoid　722
adenosine diphosphate　11
adenosine monophosphate　11
5′-adenosine monophosphate-activated kinase　512
adenosine triphosphate　11, 305
adenylyl cyclase　72, 304
adequate stimulus　196
ADH　363, 810
ADH 不適切分泌症候群　812
ADHD　437
adherens junction　78
adipokine　530
adiponectin　530
adolescence　467
ADP　11
adrenal gland　393
adrenal sulfokinase　403
adrenaline　164, 393
adrenarche　468
adrenergic neuron　175
adrenoceptor　178
adrenocorticotropic hormone　364, 375
adrenogenital syndrome　404, 419
advanced glycosylation end product　529
advanced sleep phase syndrome　324
adventitia　663
adynamic ileus → paralytic ileus
AE1　749, 826, 831
aerobic glycolysis　132
aerophagia　583
afferent arteriole　781
afibrinogenemia　654
aflibercept　237
after-discharge　273
after-hyperpolarization　106
afterload　636
2-AG　184, 208
aganglionic megacolon　588

AGE　529
age-related macular degeneration　237
ageusia　220
agglutinin　656
agglutinogen → blood group antigen
aging　305
agranular endoplasmic reticulum → smooth endoplasmic reticulum
air embolism　677
airway obstruction　731
AKI　779
akinesia　285
albino　378
albumin　428, 652, 804
albuminuria　788
alcohol　320
aldosterone　393
aldosterone synthase　403
alerting response　319
alertness　398
alkali reserve　834
alkalosis　751, 830
allantoin　14
allele　16
allodynia　198, 199
all-or-none　108
alloxan　514
α-adrenergic receptor　178
α-amino-3-hydroxy-5-methylisoxazole-4-propionate　168
α-amino-3-hydroxy-5-methylisoxazole-4-propionic acid receptor　333
α-dystroglycan　124
α-γ coactivation　270
α-helix　20
α-ketoglutarate　168
α-Klotho　446
α-limit dextrin　561
α-sarcoglycan　124
α-synuclein　287
α motor neuron　266
alpha rhythm　319
alprazolam　485
ALS　96, 169, 272, 279
alternative pathway　95
alveolar air　737
alveolar airway　721
alveolar gas equation　737
alveolar ventilation　735
alveolar-capillary block　757
Alzheimer 病　169, 336, 706
AM　726
amacrine cell　231
amantadine　169
amatoxin　306
amblyopia ex anopsia　229
ambrisentan　740
AMD　237

AME 416
amenorrhea 484
amid-linked 112
amiloride 60, 521
amiloride-inhibitable Na$^+$ channel 60
amino acid decarboxylase 175
amino acid pool 19
aminoglycoside antibiotics 158
aminopeptidase 181
aminopyridines 158
amiodarone 237, 623
amniocentesis 466
AMP 11
AMP 活性化リン酸化酵素 512
AMPA 168
AMPA 型受容体 333
AMPA receptor 333
AMP-activated kinase 512
amphetamine 178, 179, 320
amphipathic 41, 546
amplitude 253
ampulla 250, 544
amygdala 215, 331
amylase 537
amyloid plaque 336
amyloid precursor protein 336
amylopectin 560
amylose 560
amyotrophic lateral sclerosis 96, 169, 272, 279
anaerobic glycolysis 132
anandamide 184, 208
anatomic dead space 735
anatomic reserve 568
anatomical reserve 569
androgen 393, 459, 493, 504
androgen resistance 466
androgenbinding protein 495
andropause 476
androstenedione 400
anemic hypoxia 753
aneuploidy 17
angina pectoris 643, 710
angiotensin I 815
angiotensin II 183, 394, 815
angiotensin III 816
angiotensin-converting enzyme 693, 742, 815
angiotensinogen 815
angular gyrus 339
anhidrosis 307
anion 5
anion exchanger 1 → Band 3
anion gap 754
anisocoria 238
ankyrin 622, 650
ankyrin repeat 194
anomic aphasia 338, 340
anorectic factor 575
anorexia 308
anorexia nervosa 469

anosmia 216, 367
anovulatory cycle 484
anoxia 753
ANP 74, 690, 692, 694, 819
anterior chamber 226
anterior chamber angle 226
anterior fascicle 608
anterior hypothalamic nucleus 308
anterior insula 218
anterior internodal tract 607
anterior olfactory nucleus 215
antero grade amnesia 332
anteroventral periventricular nucleus 483
antibiotics 216
anticonvulsant 272, 319
antidiuretic hormone 363, 810
antidromic conduction 711
antigen-presenting cell 85
antihistamine 194, 261
antimuscarinic syndrome 306
antiparellel β-sheet 20
antiporter 58
antipsychotic agent 306
antipsychotics 320
antithrombin III 660
antral systole 584
antrum formation 470
anuria 804
anxiety disorder 182
aortic arch 683
aortic body 688
aortic depressor nerve 684
aortic sinus 708
AP-1 56
APC 85, 660
aphasia 340
apical membrane 426
apical sodiumdependent bile acid transporter 546
apneusis 765
apomorphine 288, 585
apoptosis 42, 53
APP 336
apparent mineralocorticoid excess 416
AQP 795
AQP1 795, 796
aquaporin 56, 795
aqueous humor 226
arachidonic acid 34
2-arachidonyl glycerol 184, 208
arachnoid 700
arachnoid trabeculae 700
arachnoid villus 699
arcuate fasciculus 339
arcus senilis 238
ARDS 759
area postrema 585, 703, 810
areflexia 279
arginine vasopressin 361
aripiprazole 179

aromatase 476, 495
aromatase inhibitor 351
aromatic L-amino acid decarboxylase 179
arousal response 319
ARP 136
arterial plasma level 787
arterioluminal vessel 708
arteriosinusoidal vessel 708
arteriovenous anastomosis 665
ASBT 546
ascending arousal system 316
ascites 595
ASIC 194
aspiration pneumonia 727
aspirin 36, 237, 371, 690
associative learning 331
astereognosis 338
asterixis 286
astigmatism 230
astrocyte 115, 169, 698
astrocytic proliferation 116
ataxia 275, 292, 293
atelectasis 734
atherosclerosis 35
atherosclerotic plaque 710
athetosis 275, 285
athyreotic 434
ATP 11, 305
ATP 感受性 K$^+$ チャネル 519
ATP-sensitive K$^+$ channel 519
atretic follicle 470
atrial 618, 619
atrial fibrillation 620
atrial flutter 619
atrial natriuretic factor 74
atrial natriuretic peptide 74, 690, 694, 819
atrial systole 607
atrioven tricularnode 607
atropine 229, 305, 306, 521, 682
attention deficit hyperactivity disorder 437
atypical antidepressant 182
atypical depression 182
audiometer meter 257
auditory agnosia 196
auditory cortex 255
auditory nerve 250
auditory ossicle 248
auditory tube 248
augmented limb lead 613
aura 318
auricle 248
auscultatory method 672
autocrine communication 64
autoimmune disease 90
autologous transfusion 657
automatic control 763
autoreceptor 164
autoregulation 689, 705, 786
autosomal dominant polycystic

kidney disease 797
autosome → somatic chromosome
A-V anastomosis 665
A-V difference 635
AV nodal block 617
AV nodal delay 611
AV node 607
A-V shunt 665
availability 27
AVP 361
AVPV 483
axoaxonal synapse 146, 153
axodendritic synapse 145
axon 103
axon hillock 103
axon reflex 711
axonal conduction velocity 111
axonal regeneration 116
axonal sprouting 116
axonal transport 111
axonemal dynein 47
axoneme 47
axoplasmic flow 111
axosomatic synapse 146
azathioprine 91, 157, 272
azotemia 639

●B

B 型ナトリウム利尿ペプチド 694, 820
B 細胞疲弊 522
B cell exhaustion 522
Babinski 徴候 279
Babinski 反射陽性 275
baclofen 154, 274, 275, 279
ballism 285
Band 3 749, 826
barbiturate 640
barbiturates 172, 320
baroreceptor 683
Barr 小体 461
Bartter 症候群 109, 797
Bartter syndrome 797
barttin 258
basal body 48
basal body temperature 474
basal cell 217
basal ganglia 281
basal lamina 42
basal metabolic rate 430
basal nuclei → basal ganglia
basal stem cell 213
base deficiency 834
base excess 834
Basedow 病 238, 436
basement membrane 42
basic electrical rhythm 580
basilar artery 472
basket cell 154, 289, 315
basophil 95, 647
BAT 368

BDNF 115
bearing down 488
Becker 型筋ジストロフィー 125
bel 253
benign paroxysmal positional vertigo 261
benzodiazepine 275, 586
benzodiazepines 172, 305
BER 580
beraprost 740
Bernoulli の原理 672
β-adrenergic receptor 178
β_1-adrenergic receptor 640
β-adrenoceptor antagonist 687
β-amino acid 13
β-amyloid peptide 336
β-arrestin 235
β-arrestin 2 207
β-carotene 234
β-dystroglycan 124
β-endorphin 180
β-interferon 114
β-lipotropin 377
β-LPH 377
β-sarcoglycan 124
β-sheet 20
beta rhythm 319
bevacizumab 237
Bezold-Jarisch 反射 687, 771
BH4 欠乏 177
BH4 deficiency 177
bifascicular block 618
big endothelin-1 692
biguanide derivative 521
bile acid 546
bile canaliculus 593
bile pigment 546, 597
bilirubin 546, 652
biliverdin 546, 652
biofeedback 334
biologic half-life 810
bipolar 104
bipolar cell 231
bipolar disease 182
bipolar recording 611
2,3-bisphosphoglycerate 431, 747
bisphosphonate 456
bitemporal hemianopsia 241
bitter 219
BK チャネル 663
blackhead 479
blastocyst 485
bleaching 235
blind spot 236
blob 242
blood group antigen 654
blood sinus 712
blood type 656
blood typing 657
blood urea nitrogen 23, 804
blood-brain barrier 115, 701
bloodtestis barrier 494

BMI 576
BMR 430
BNP 694, 820
body mass index 576
Bohr 効果 747
Bohr の式 736
bony labyrinth 248
borborygmi 583
bosentan 740
Botox 149, 260
botulinum toxin 149, 175, 260, 272, 279
bouton 104
Bowman 嚢 781
2,3-BPG 431, 747
bradycardia 616
bradycardia-tachycardia 617
bradycardia-tachycardia syndrome 617
bradykinesia 285
bradykinin 183, 194, 676, 693
braightness 238
brain-computer interface device 274
brain-derived neurotrophic factor 115
breaking point 770
breakthrough bleeding 478
bretylium 178
Broca 野 339, 706
bromocriptine 288, 388
bronchial circulation 727
bronchopulmonary dysplasia 760
bronze diabetes 572
brown adipose tissue 368
brown fat 32
Brown-Séquard 症候群 205
bruit 634
brush border 783
B-type natriuretic peptide 694, 820
buffalo hump 410
buffer 5
buffer base 834
buffering action → buffering capacity
buffering capacity 5
bulk flow 699
BUN 23, 804
bundle of Kent 619, 622
bupivacaine 112
buprenorphine 207
bupropion 182
bystander effect 90

●C

C_X 787
C 型ナトリウム利尿ペプチド 694, 820
c 波 633, 676
C ペプチド 509
C peptide 509
c wave 633

C1 エステラーゼ・インヒビター　693
C1INH　693
Ca^{2+} 依存性 K^+ チャネル　663
Ca^{2+} 感知受容体　448
Ca^{2+} スパーク　69, 609
Ca^{2+} チャネル遮断薬　308
Ca^{2+} 誘発性 Ca^{2+} 放出　127
Ca^{2+}-activated K^+ channel　663
Ca^{2+}-induced Ca^{2+} release　127
Ca^{2+} sensing receptor　448
Ca^{2+} spark　69, 609
CABG　710
c-Abl　66
cadherin　48
CAE　319
caffeine　640
Cajal の間質細胞　580
calbindin　68
calbindin-D　445
calbindin D9K　442
calcineurin　68
calcitonin　441, 450, 456
calcitonin generelated peptide　183, 306
calcium rigor　625
calcium stone　274
calmodulin　68, 141
calmodulin-dependent myosin light chain kinase　141
calorigenic action　431
calpain　472
CAM　41, 48
cAMP　72, 165, 169, 178, 305
cAMP 応答配列結合タンパク質　72
cAMP-responsive element-binding protein　73
canalith repositioning　261
cannabinoid　199, 208
cap site　18
capacitance vessel　670
capacitation　496
capillary　663
capillary loop　359
capsaicin　193, 687
capsule　359
captopril　705, 816
carbachol　227
carbamat　305
carbamino compound　749
carbidopa　288, 298
carbon monoxide　184
carbon monoxyhemoglobin　651
carbonic acid-bicarbonate system　750
carbonic anhydrase　749, 751, 825
carboxyhemoglobin　651, 758
cardiac axis　615
cardiac conduction system　607
cardiac index　636
cardiac muscle　121
cardiac output　636
cardiac pacemaker　607

cardiac remodeling　638
cardiac vector　615
cardiogenic shock　639
cardiopulmonary receptor　683
carnitine　29
carotenemia　433, 435
carotid body　688
carotid sinus　683
carotid sinus nerve　684
carpel tunnel syndrome　308
carrier　41, 57
CART　575
caspase　53
cast　803
catalase　44, 96
cataplexy　322
catch-up growth　386
catecholamine　393
catecholamines　175
catechol-O-methyltransferase　177
categorical hemisphere　338
categorization　338
cation　5
cation channel, sperm associated　496
CatSper　496
cauda equina　806
caudal ventrolateral medulla　684
caudate nucleus　281
causalgia　199
caveola　56
caveola-dependent uptake　55
caveolin　56
CBG　405
CCK　521, 542, 549, 594
CCK-4　183
CCK-8　183
CDC　330
ceiling on output　412
celiac disease　569
celiac plexus　538
cell adhesion molecule　41, 48
cell cycle　17
cell murder → necrosis
cell signaling pathway　65
cell suicide　53
cell-attached patch　60
cellular immunity　83
cellular myosin　78
Centers for Disease Control and Prevention　330
central delay　269
central diabetes insipidus　812
central executive　334
central herniation　283
central nervous system　53, 266, 298
central scotoma　114
central venous pressure　676, 677
centriole　47
centrosome　47
cerebellar cortex　287
cerebellar hemisphere　287

cerebellar nucleus　287
cerebellum　331
cerebral color blindness　239
cerebral metabolic rate for O_2　707
cerebral palsy　273, 275
cerebral peduncle　278
cerebrocerebellum　290
cerebrospinal fluid　698, 756
cetirizine　71
CFTR　60, 545, 555, 724
cGMP　74, 142
CGP　487
CGRP　183, 306, 699, 711
chandelier cell　315
channelopathy　60
chaperone　21
Charcot-Marie-Tooth 病　115
Charcot-Marie-Tooth disease　115
ChAT　172
chelating agent　286, 661
chemical control of respiration　766
chemical gradient　7, 57
chemical messenger　63
chemical synapse　145
chemically sensitive nociceptor　192
chemokine　85
chemokine family　92
chemoreceptor　191, 213, 766
chemoreceptor trigger zone　585
chemotaxis　95, 496
chenodeoxycholic acid　546
Cheyne-Stokes 呼吸　283, 774
Chiari-Frommel 症候群　490
chief cell　446, 538
childhood absence epilepsy　319
chloride shift　749
chlorpromazine　179, 388, 585
Chlostridium botulinum　149
Chlostridium tetani　149
cholangiocyte　594
chole cystokinin　594
cholecalciferol　444
cholecystokinin　183, 521, 542, 549
cholelithiasis　601
cholera toxin　73
choleretics　600
cholesterol　33
cholesterol desmolase　401
cholesterol ester hydrolase　401
cholesterol esterase　567
cholestyramine　569
cholic acid　546
choline acetyltransferase　172
choline transporter　172
cholinee sterase inhibitor　305
cholinergic　301
cholinergic muscarinic receptor antagonist　261
cholinergic neuron　172
cholinergic poisoning　304

chorda tympani branch of the facial nerve 218
chorea 275, 285
choreiform movement 286
chorionic growth hormone-prolactin 487
chorionic villus sampling 466
choroid 225
chroma 238
chromatin 51
chromatolytic reaction 159
chromophobe adenoma 470
chromosome 15, 50
chronic kidney disease 779
chronic myeloid leukemia 66
chronic pain 198, 199
chronic sleep disorder 324
chronotropic action 636
chronotropic effect 682
CHT 172
Chvostek 徴候 447, 761
chylomicron 33, 569
chylomicron remnant 33
chyme 580
cilia 232
ciliary body 225
ciliary ganglion 301
ciliary muscle 230
ciliary neurotrophic factor 116
cilium 47, 213
cimetidine 71
cingulate gyrus 204
circadian rhythm 313, 412
circhoral secretion 476
circle of Willis 697
circulating blood plasma 3
circulation time 668
circulatory system 645
circumvallate papilla 217
circumventricular organ 703
circus movement 619
cis 側 52
cisapride 470
cisplatin 258
cisterna 52
citrate 25
citratephosphate-dextrose 748
citric acid cycle 22, 25
CKD 779
CK-MB 710
Cl^- チャネル 793
Cl^- channel 793
clasp-knife effect 272
classic pathway 95
classical conditioning 331
clathrin 55
claudin 49
clearance 785
clearance receptor 821
climbing fiber 289
CLIP 377
clonal selection 85

clonazepam 272
clone 85
clonic phase 318
clonus 272
closed angle glaucoma 227
closing volume 736
Clostridia 149
clozapine 179, 286
CML 66
cmos 472
$CMRO_2$ 707
CNP 694, 820
CNS 53, 266, 298
CNTF 116
CO 184, 691
CO_2 滴定線 834
CO_2 ナルコーシス 769
CO_2 narcosis 769
CO_2 titration line 834
CoA 11
coated vesicle 63
cobalamin 539
cocaine- and amphetamine-regulated transcript 575
cocaine 112, 178
cochlea 248
cochlear implant 258
cochlear nerve 250
codon 21
coenzyme A 11
coenzyme Q10 293
cogwheel rigidity 285
COHb 758
colchicine 45
cold receptor 194
colipase 567
collateral ganglion 300
collectin 734
collecting 783
Colles 骨折 456
colligative property 600
colloid 424
colony-stimulating factor 92
color agnosia 196
color blindness 239
colostrum 567
columnar organization 276
comedo 479
common bile duct 594
common hepatic duct 594
common metabolic pool 22
communicating hydrocephalus 700
compact bone 453
compensatory pause 620
complement system 95
complementary color 238
complete androgen resistance syndrome 467
complete heart block 617
complete tetanus 129
complex cell 242
complex partial seizure 318

compliance 732
computed tomography scanning 329
COMT 177
concentration gradient 7, 10, 105
concordance rate 529
conditionally essential amino acid 18
conditioned reflex 334
conditioned stimulus 334
conducting airway 721
conduction 369
conductive hearing loss 257
cone 230
congenital adrenal hyperplasia 404
congenital 5α-reductase deficiency 502
congenital anosmia 216
congenital hemolytic icterus 650
congenital lipodystrophy 530
congenital lipoid adrenal hyperplasia 404
congenital myasthenia 130
congenital myasthenic syndrome 130
congenital nystagmus 260
conjugate 406
conjunctiva 225
Conn 症候群 420
connectin 124
connecting peptide 509
connecting stalk 232
connective tissue 727
connexin 49
connexin hemichannel 49
connexon 49
consensual light reflex 230
constitutional delayed growth 387
constitutive pathway 54
continuous positive airflow pressure 322
contracture 128
contrecoup injury 701
convection 369
convergence movement 244
convergence-projection theory 201
convulsive 318
CoQ10 293
core temperature 368
cornea 225
corona radiata 278
coronary artery bypass graft 710
coronary chemoreflex 771
corpus albicans 472
corpus hemorrhagicum 472
corpus luteum 472
——of pregnancy 486
Corrigan 脈 633
cortex 462
Corti 支柱 249
cortical bone 453
cortical nephron 783

corticobulbar tract　278
corticospinal tract　277
corticosteroid　114, 205, 216, 227, 272, 298
corticosteroid-binding globulin　405
corticosterone　394, 400
corticostriate pathway　283
corticotroph　376
corticotropin → adrenocorticotropic hormone
corticotropin releasing hormone　410
corticotropin-like intermediatelobe peptide　377
corticotropin-releasing hormone　324, 365, 575, 712
cortisol　393
Corti 器　249
cotransporter　562
cotton wool spots　238
countercurrent exchange　370
countercurrent exchanger　797
countercurrent multiplier　797
coupling ratio　61
coupling reaction　427
COX1　34
COX2　34
CP　275
CPAP　322
CPD　748
craniosacral division　301
creatine phosphate　132
CREB　73
cretinism　385, 435
CRH　365, 410, 575, 712
CRH 結合タンパク質　367
CRH-binding protein　367
cribriform plate　213
Crigler-Najjar 症候群　704
CRISPR-Cas9　724
crista ampullaris　250
cristae　42
critical closing pressure　669
critical micelle concentration　546
critical velocity　667, 672
Crohn 病　83
crossed extensor response　272
cryptorchidism　503
crystalline lens　225
CSF　92, 698, 756, 768
CSF1R　454
CT scanning　329
C-type natriuretic peptide　694, 820
cuneate nucleus　201
cupula　250
Cushing 症候群　109, 410, 419
Cushing 反射　689
Cushing 病　410
Cushing disease　410
Cushing syndrome　410
CV　736
CVLM　684

cyanmethemoglobin　759
cyanosis　748
cyanotic congenital heart disease　757
cyanotic period　308
cyclic adenosine monophosphate （cyclic AMP）　72, 165, 169, 178, 304
cyclic guanosine monophosphate　74, 142
cyclooxygenase 1　34
cyclooxygenase 2　34
cyclopentanoperhydrophenanthrene nucleus　399
cyclosporine　91, 157, 529
CYP11A1　401
CYP11B1　402
CYP11B2　403
CYP17　401, 404
CYP19　495
CYP21A2　402
cystic fibrosis　723
cystic fibrosis transmembrane conductance regulator　60, 545, 555, 724
cystinuria　567
cystometrogram　805
cystometry　805
cytochrome c oxidase　12
cytokine receptor　65
cytopempsis　63
cytoplasmic dynein　47
cytosine　15
cytoskeleton　45
cytotoxic T cell　85
cytotrophoblast　485

● D

D_2 受容体　179
D_2 dopamine receptor　179
D_3 受容体　207
D_3 receptor　207
DAG　72, 169, 304
dantrolene　275
dark adaptation　236
DBP　445
DBS　288, 293
DDAVP　813
1-deamino-8-D-arginine vasopressin　813
decerebrate rigidity　281
decibel scale　253
declarative memory　330, 332
decoding　706
decomposition of movement　293
decorticate rigidity　281
decortication　281
decreased peripheral utilization　514
decubitus ulcer　274
deep brain stimulation　288

deep tendon reflex　267
defensin　96
degranulation　96
dehydration　813
dehydroepiandrosterone　400, 468
deiodinase　429
déjà vu phenomenon　335
delayed sleep phase syndrome　324
Δ^9-tetrahydrocannabinol　184
delta rhythm　320
δ-sarcoglycan　124
demeclocycline　812
demyelinating disease　114
dendrite　103
dendritic cell　85
dendritic spine　145
denervated　710
denervation hypersensitivity　134, 159
denervation hypersensitization　807
denervation supersensitivity　159
dense body　140
Dent 病　793
dental caries　537
dentate nucleus　287
deoxycholic acid　546
deoxycorticosterone　400
deoxyhemoglobin　651
2-deoxyribose　13
depressed skull fracture　701
depression　324
depth perception　229
dermatome　201
desensitization　64, 166
desipramine　322
desloratadine　71
desmin　124
desmopressin　660, 813
desmosome　48, 78
desynchronization　320
detrusor muscle　805
developed tension　129
DHEA　400, 468
DHPR　127
DHT　501
diabetes　514
diabetes insipidus　514, 812
diabetes mellitus　507, 514, 800
　type 1 ─　514, 529
　type 2 ─　514, 529
diabetic nephropathy　529
diabetic neuropathy　529
diabetic retinopathy　238, 529
diacylglycerol　72, 169, 304
diapedesis　95
diaschisis　330
diastole　607
diastolic failure　638
diastolic pressure　629, 670
diazepam　172, 275
diazoxide　520
DIC　660

dichromat 239
dicrotic notch 633
dicumarol 662
diestrus 476
diffuse axonal injury 330
diffuse secondary response 315
diffusing capacity 738
diffusion 7, 673
diffusionlimited 675, 738
digestion 559
digestive enzyme 559
digitalis 610, 640
dihydronicotinamide adenine dinucleotide phosphate 650
dihydropyridine receptor 127
dihydrotestosterone 501
1,25-dihydroxycholecalciferol 441, 445, 570
3,4-dihydroxymandelic acid 178
3,4-dihydroxyphenylacetic acid 178
diiodotyrosine 427
diltiazem 623
diluting segment 796
2,5-dimethoxy-4-methyl-amphetamine 182
diopter 227
dioxins 479
dipalmitoylphosphatidylcholine 733
diplopia 149
dipole moment 5
direct inhibition 153
direct light reflex 230
direct oxidative pathway 24
disaccharide 23
disequilibrium 293
disk 232
disopyramide 623, 687
disorders of sex development 464
disseminated intravascular coagulation 660
distal convoluted tubule 783
distal stump 116
distributive shock 639
disulfiram 207
disuse osteoporosis 456
DIT 427
diurnal rhythm 412
divalent metal transporter 1 571
DMH 523
DMT1 571
DNA 50
DNA polymerase 17
DNA ポリメラーゼ 17
dofetilide 623
DOM 182
DOMA 178
dominant follicle 470
dominant hemisphere 338
donepezil 336
Donnan 効果 9

Donnan effect 9
DOPA decarboxylase 175
DOPAC 178
dopamine 164, 393
dopamine agonist 322
dopamine β-hydroxylase 175
dopamine transporter 178
Doppler 流量計 666
dorsal cochlear nucleus 255
dorsal column 196, 201
dorsal column system 196, 201
dorsal motor vagal nucleus 301
dorsal pathway 243
dorsomedial hypothalamic nucleus 523
dorzolamide 227
Down 症候群 466
Down syndrome 466
down-regulated in adenoma 554
down-regulation 64
DPPC 733
DRA 554
dromotropic effect 682
droopy lid 238
Drosophila 82
drumstick 461
DSD 464
DTR 267
Duchenne 型筋ジストロフィー 125
ductus arteriosus 713
ductus venosus 713
dumping syndrome 585
duodenal papilla 594
dura 700
dural sinus 698
duration 196
dynamic 267
dynamic response 268
dynamin 55, 69
dynein 47
dynorphin 182, 205
dysarthria 114, 149, 286
dysbiosis 552
dysdiadoch okinesia 293
dysgeusia 220
dyskinesia 288
dyskinetic cerebral palsy 275
dyslexia 338, 339
dysmenorrhea 484
dysmetria 293
dysosmia 216
dysphagia 114, 149
dysphonia 149
dyspnea 754
dysthmia 182
dystrophin 124
dystrophin-glyco protein complex 124

● E

ear dust → otoconia

early endosome 55
ECF 3, 809
ECG 611
echo 619
echocardiography 634
echothiophate iodide 229
ECL cell 548
Ecstasy 182
ectopic focus 618
edema 678
Edinger-Westphal 核 230, 301
Edinger-Westphal nucleus 301
EDRF 142, 690
EEG 317
effective concentration 8
effective perfusion pressure 666
effective renal plasma flow 785
effector 69
effector T cell 85
efferent arteriole 781
efflux 10
EGF 74
EGM cell 818
eicosanoid 34
Einthoven の三角形 611
ejaculation 498
ejaculatory duct 493
ejection fraction 631, 638
EJP 159
EKG 611
electrical axis of the heart 615
electrical gradient 10, 57, 105
electrical synapse 145
electroacupuncture 208
electrocardiogram 611
electrocorticogram 317
electroencephalogram 317
electrogenic pump 11, 61
electrokardiogram 611
electrolyte 5
electromyogram 134
electromyography 134
electrooculogram 320
electrotonic potential 104, 109
elongation factor 69
Embden-Meyerhof 経路 24, 747
emboliform nucleus 287
embolus 660
embryonic segment 201
embryonic stem cell 258, 274, 646
EMG 135
emissary vein 698
emission 498
emmetropia 230
emulsify 567
ENaC 60, 219, 553
enalapril 816
enalkiren 816
enchondral bone formation 453
end pressure 672
end-diastolic ventricular volume 631

endemic goiter　435
endfoot　698
endocannabinoids　184
endocrine　547
endocrine communication　63
endocrine gland　345
endocrine pancreas　542
endocytosis　52, 55
　　clathrin-mediated——　55
　　nonclathrin /noncaveola——　55
endogenous pathway　32
endogenous pyrogen　371
endolymph　248, 260
endopeptidase　564
endoplasmic reticulum　51
endoscopic retrograde cholangiopancreatography　600
endothelin　183
endothelin-1　691
endothelin-converting enzyme　692
endothelium-derived relaxing factor　142, 690
endplate potential　155
end-systolic ventricular volume　631
enhancer　15
enkephalin(s)　164, 181, 205
enkephalinase A　181
enkephalinase B　181
enophthalmos　307
entacapone　288
enteric nervous system　297, 547, 551
enterochromaffin cell　548
enterochromaffin-like cell　548
enteroendocrine cell　548
enterohepatic circulation　546, 597
enterokinase　564
entorhinal cortex　215
enzyme　41
EOG　320
eosinophil　95, 647
EP　371
ephedrine　178
epidermal growth factor　74
epididymis　493
epidural anesthesia　204
epidural, spinal anesthesia　112
epilepsy　318
epinephrine → adrenaline
epiphyseal closure　453
epiphyseal plate　453
epiphysis　453
episodic memory　331
epithelial sodium channel　60, 219, 553
EPSP　149, 168, 195, 266
equilibrium potential　10
ER　351
ER 陽性　351

ERCP　600
ERE　479
erection　497
ERP　335
ERPF　785
ERV　730
erythroblastosis fetalis → hemolytic disease of the newborn
erythrocyte → red blood cell
erythropoiesis　822
erythropoietin　822
ES 細胞→胚性幹細胞
escape phenomenon　416, 802
Escherichia coli　74
escutcheon　478
esotropia　229
essential amino acid　560
essential fatty acid　34
essential hypertension　674, 683, 685
ester-linked　112
17β-estradiol　476
estriol　476
estrogen　451, 459
estrogen receptor　351
estrogen replacement therapy　456
estrogen responsive element　479
estrogen-dependent　490
estrone　476
estrous cycle　474
estrus　474
ethinyl estradiol　484
ethosuximide　319
etidronate　456
etiocholanolone　407
eukaryote　41
eunuchoidism　469, 504
euploid　17
eustachian tube → auditory tube
euthyroid　429
event-related potential　335
excitation-contraction coupling　127
excitatory junction potential　159
excitatory postsynaptic potential　149, 195, 266
excito toxic damage　707
exocrine pancreas　542
exocytosis　52, 54, 96, 376, 509
exogenous pathway　32
exon　15, 509
exopeptidase　566
exophthalmos　238, 436
exotropia　229
expiratory muscle　727
expiratory reserve volume　730
explicit memory　330
exploring electrode　611
exportin　51
external auditory meatus　248
external hydrocephalus　700
external intercostal muscle　727
external urethral sphincter　805

extracellular fluid　3, 809
extraction ratio　785
extrafusal fiber　267
extraglomerular mesangial cell　818
extramedullary hematopoiesis　646
extranuclear receptor　350
extrasystole　618
extrinsic innervation　547
extrinsic system　659
extruded body　726

F

F actin　46
facial anhidrosis　238
facilitated diffusion　57, 510
FAD　12
Fahraeus-Lindqvist 効果　668
familial benign hypocalciuric hypercalcemia　449
familial hypercalciuric hypocalcemia　77, 449
familial hypercholesterolemia　35
famotidine　71
Faraday 定数　10
fare　711
fascicular block　618
fasciculation　134, 279
fast axonal transport　113
fast axoplasmic transport　147
fast EPSP　304
fast excitatory postsynaptic potential　168, 304
fast inhibitory postsynaptic potential　171
fast pain → first pain
fast-glycolytic　130
fastigial nucleus　260, 287
fast-oxidative-glycolytic　130
fatigue　776
FDA　286
Fe^{3+} レダクターゼ　571
Fe^{3+} reductase　571
feature detector　242
feedback regulation　351
feed-forward inhibition　154, 289
female pseudohermaphroditism　465
fenestration　376, 664
fermentation　570
ferroportin　571
ferroportin 1　571
fertilin　485
fertilization　485
fetal adrenal cortex　394
fetal hemoglobin　651
FEV_1　730
fexofenadine　71
FFA　32, 380, 397, 516
FG　130
FGF　116
FGFR3　387

fibrillation 134
fibrin 659
fibrin monomer 659
fibrinogen 652
fibrinolysin → plasmin
fibroblast growth factor 116
fibroblast growth factor receptor 3 387
fibrous astrocyte 115
fibrous ring 608
Fick の拡散法則 7
Fick の原理 704
Fick の直接法 635
filamentous actin 46
filtration 63, 673
filtration equilibrium 789
filtration fraction 790
filtration slit 781
filum terminale 806
final common pathway 266
finasteride 502
fingolimod 114
first messenger 65
first pain 193
first polar body 472
first sound 633
first-degree heart block 617
FK-506 91
flaccid paralysis 149, 279
flatus 583
flavin adenine dinucleotide 12
flavonolignan 306
flecainide 623
flocculonodular lobe 260, 290
flow-limited 675, 738
fluent aphasia 338, 340
fluoxetine 181, 182, 208, 485
fluphenazine 179
fMRI 276, 329, 705
focal adhesion 48, 78
focal adhesion complex 46
focal length 227
focal point → focus
focal seizure → partial seizure
focus 227
FOG 130
foliate papilla 217
follicle 424
follicle-stimulating hormone 364, 375, 460
follicle-stimulating hormone-releasing hormone 366
follicular phase 470, 472
folliculostellate cell 377
follistatin 503
Food and Drug Administration 207, 286
footplate 248
foramen ovale 712
forced expiratory volume in the first second 730
forced vital capacity 730

force-frequency relation 640
forskolin 73
fourth sound 634
fovea 236
FPN1 571
Frank-Starling の法則 637
FRC 730, 732
free fatty acid 32, 380, 397, 516, 568
free radical 96
free water clearance 800
frequency 253
Friedreich 運動失調症 293
fructose 595
fructose 1,6-bisphosphatase 516
FSH 364, 375, 460
fucose transferase 655
functional hypoglycemia 528
functional magnetic resonance imaging 276, 329, 705
functional residual capacity 730
fundoplication 584
fundoscopic exam 238
fungiform papilla 217
funny 609
furosemide 258, 793
FVC 730

● G
G タンパク質 65, 69
G タンパク質共役型受容体 70, 164, 214, 301
G タンパク質シグナリング制御因子 70
G6PD 650
G actin 46
G protein 65, 69
G protein-coupled recepter 70, 214, 301
GABA 164, 215, 314, 316, 685
GABA トランスアミナーゼ 168
GABA transaminase 168
gabapentin 199, 319
GABA-T 168, 171
GABRB3 319
gACE 495
GAD 170
galactorrhea 470, 490
galactose 595
galactosemia 29
galanin 183, 306
galantamine 336
gametogenesis 459, 490, 493, 504
γ-aminobutyric acid 164
gamma glutamyltranspeptidase 599
γ-hydroxybutyrate 322
gamma loop 281
γ motor neuron 268
γ-sarcoglycan 124
ganciclovir 54
ganglion cell 231

ganglion cell layer 231
ganglioside 149
GAP 69
gap junction 48, 136, 151, 159, 526
gas constant 7
gastducin 220
gastorin-releasing peptide 183
gastric inhibitory polypeptide 410, 521, 550
gastric pit 538
gastrin 183, 548
gastrinoma 542
gastrin-releasing peptide 539
gastrocnemius 275
gastrocolic reflex 590
gastroesophageal reflux disease 584
gastroileal reflex 587
gastrointestinal hormone 547
gastrointestinal system 559
gate 57
gate control theory 205
gating 154
GBG 499
GCNF 116
G-CSF 92
GEF 69
gene 15, 51
gene imprinting 461
gene mutation 16
generalized epilepsy with febrile seizure 319
generalized seizure 318
generator potential 104
genetic female 460
genetic male 460
geniculocalcarine tract 240
genome 16
germinal angiotensinconverting enzyme 495
germinal form 816
gestagen 481
GFR 787
GGT 599
GH 364, 375
GHB 322
ghrelin 379, 551, 575
GHRH 379, 387
Gi 73
Gibbs-Donnan の式 9
gigantism 380, 381
GIH 365
GIP 410, 521, 550
Gitelman 症候群 109
Glasgow coma scale 330
glatiramer acetate 114
glaucoma 227
glial cell line-derived neurotrophic factor 116
glicentin 522
glicentin-related polypeptide 523
globin 649

globose nucleus 287
globular actin 46
globulin 652
globus pallidus 281
glomerular filtration 779
glomerular filtration rate 787
glomerulotubular balance 794
glomerulus 289
glomus 766
glomus cell 766
glossopharyngeal nerve 218
glottis 727
GLP-1(7-36) 523
glucagon 507, 551
glucagon-like peptide 1 523
glucagon-like peptide 2 523
glucoamylase 561
glucocorticoid 393, 451
glucocorticoid-remediable aldosteronism 417, 674
glucogenic 22
glucokinase 24, 519
gluconeogenesis 25
gluconeogenic 22
glucose 595
glucose / galactose malabsorption 562
glucose 6-ohisphate 24
glucose 6-phosphatase 516
glucose 6-phosphate dehydrogenase 650
glucose buffer function 596
glucose fever 409
glucose tolerance 514
glucose transporter 510, 793
glucose-dependent insulinotropic peptide 550
glucuronide 546
glucuronyl transferase 598
glucuronyl transferase system 405
GLUT 510, 793
GLUT1 欠損症 525
GLUT1 deficiency 525
glutamate 164, 168, 169, 193, 215, 315
glutamate decarboxylase 170
glutamate dehydrogenase 828
glutamate reuptake transporter 168
glutaminase 168, 828
glutamine 14, 168
glutamine synthetase 168
glyburide 520
glycine 154, 164
glycogen synthase 26, 512
glycogenesis 24
glycogenin 26
glycogenolysis 24
glycolysis 24
glycoprotein 20
glycosylphosphatidylinositol anchor 41

glycyrrhetinic acid 416
glypizide 520
GM-CSF 92
GnRH 365, 468, 481
goiter 431
Goldblatt 高血圧 819
Golgi 腱器官 271
Golgi 細胞 289
Golgi 装置 52
gonadal dysgenesis 387, 466
gonadal steroid binding globulin 499, 504
gonadotroph 376
gonadotropin 460
gonadotropin-releasing hormone 365, 468, 481
goose pimple 369
GPCR 70, 164, 214, 301
GPI 41
G-protein-coupled receptor 164
GRA 417, 674
Graaf 卵胞 471
gracilus nucleus 201
grade I protein 560
grade II protein 560
graded receptor potential 195, 214
grand mal seizure 318
granular endoplasmic reticulum → smooth endoplasmic reticulum
granule cell 215, 287
granulocyte 95, 647
granulocyte CSF 94
granulocyte-macrophage CSF 92
Graves 甲状腺機能亢進症 436
Graves 病 238, 436
Graves hyperthyroidism 436
gray rami communicans 301
GRH 365
growth factor 74, 382
growth hormone 364, 375, 451
growth hormone insensitivity 387
growth hormone-inhibiting hormone 365
growth hormone-releasing hormone 365, 379
growth spurt 385
growth-promoting factor 116
GRP 539, 551
GRPP 523
Gs 73
GTP 26
GTPase 活性化タンパク質 69
GTPase activating protein 69
guanethidine 178
guanine 15
guanine exchange factor 69
guanosine triphosphate 26
guanylin 594
Guillan-Barré 症候群 113
Guillan-Barré syndrome 115
gustation 213

gynecomastia 489

H

H 帯 123
H_1 受容体拮抗薬 71
H_1-receptor antagonist 71
H_2 受容体拮抗薬 71
H_2-receptor antagonist 71
H^+ 依存性 ATPase 454
H^+-ATPase 43
H band 123
habituation 331, 332
Haldane 効果 749
Haldol 470
haloperidol 179, 470, 585
Hartnup 病 567
Havers 管 453
Havers 系 453
Haversian system 453
Hb 647
HbA1c 515
HBE 616
hCG 486
HCP1 571
hCS 487
HDL 33
head ganglion 360
hearing aid 258
heart failure 805
heat stroke 308
heavy chain 88
Helicobacter pylori 542
helicotrema 249
helper T cell 85
hematocrit 647, 668
hematopoietic stem cell 646
heme 571, 649, 746
heme carrier protein 1 571
heme oxygenase 2 691
hemiballism 285
hemiblock 618
hemicholinium 175
hemidesmosome 48
hemodialysis 804
hemoglobin 647
hemoglobinopathy 653
hemolysis 650
hemolytic disease of the newborn 658
hemolytic transfusion reaction 657
hemosiderin 572
hemosiderosis 572
hemostasis 658
hemostatic plug 658
Henderson-Hasselbalch の式 6, 750
Henle ループ 783, 795
heparin 660
hepatic duct 594
hepatic encephalopathy 708
hepatic lobule 593
hepatic vein 593

872　索引

hepatolenticular degeneration　286
hephaestin　571
hereditary angioedema　694
hereditary hemolytic anemia　650
hereditary spherocytosis　650
Hering-Breuer 反射　771
Herring 小体　363
heterologous desensitization　166
heterometric regulation　637
heteronymous hemianopsia　241
heteroreceptor　164
heterotrimeric G protein　69
hexamethonium　304
hexokinase　24
hexose　23
hexose monophosphate shunt　24
5-HIAA　180
hibernating mammal　372
hiccup　772
HIF　754
HIF-1α　689
high-altitude cerebral edema　756
high-altitude pulmonary edema　756
high-density lipoprotein　33
high-energy phosphate compound　11
highmolecular-weight kininogen　693
high-output failure　638
high-pressure system　670
hippocampus　330, 332
Hirschsprung 病　588
His bundle electrogram　616
His 束　607
His 束電位図　616
His-Leu　693
histamine　194, 316, 676
histamine receptor　71
histamine-1 receptor antagonist　71
histamine-2 receptor antagonist　71
histone　15
histotoxic hypoxia　754
HLA　86
HLA 複合体　322
HMG-CoA
HMG-CoA reductase　33
HMG-CoA レダクターゼ　33
HO-2　691
Holter 心電図　616
Holter モニター装置　616
Holter monitor　616
homeostasis　39, 297, 347
homeostatic imbalance　307
homeothermic　368
homodimer　380
homologous desensitization　166
homometric regulation　637
homonymous hemianopsia　241
homovanillic acid　178
homunculus　202
horizontal cell　231

hormone　345, 347
hormone of abundance　510
hormone-sensitive lipase　33
Horner 症候群　238, 305, 307
Horner syndrome　305
horripilation　369
hotflush　476
Hp　571
hPL　487
HSC　646
5-HT → serotonin
5-HT 再取込み阻害薬　220
5-HT reuptake inhibitor　220
hue　238
human chorionic gonadotropin　486
human chorionic somatomammotropin　487
human leukocyte antigen　86
human leukocyte antigen 複合体　322
human placental lactogen　487
humoral hypercalcemia of malignancy　450
humoral immunity　83
huntingtin　286
Huntington 病　285, 286, 706
HVA　178
hyaline membrane disease → infant respiratory distress syndrome
hybrid　376
hydralazine　638, 705
hydrochlorothiazide　261
hydrophilic　41
hydrophobic　41
hydrops fetalis　658
hydrostatic pressure　63
hydrostatic pressure gradient　675
5-hydroxy tryptophan　177
hydroxyamphetamine　307
hydroxyapatite　452
25-hydroxycholecalciferol　445
5-hydroxyindoleacetic acid　180
17α-hydroxylase　401
3β-hydroxysteroid dehydrogenase　401
11β-hydroxysteroid dehydrogenase type 2　415
5-hydroxytryptamine → serotonin
5-hydroxytryptophan　18, 179, 703
hydroxyurea　653
hyperactive stretch reflex　279
hyperaldosteronism　420
hyperalgesia　198, 199
hyperbaric O_2 therapy　760
hypercalcemia　274, 625
hypercalciuria　274
hypercapnia　760, 769
hyperemia　552
hypergonadotropic hypogonadism　503
hyperkalemia　107, 625

hyperkinetic　285
hypernatremia　361
hyperopia　227
hyperosmia　216
hyperosmolar coma　517
hyperpnea　754
hyperpolarization　609
hyperprolactinemia　470
hyperreflexia　275
hypertension　238, 398
hypertensive form　404
hypertonia　279
hypertonic　8, 271, 796
hypervariable region　89
hypervitaminosis A　574
hypervitaminosis D　574
hypervitaminosis K　574
hypesthesia　216
hypocalcemic tetany　442
hypocapnia　761
hypocretin → orexin
hypogeusia　216, 220
hypoglycemia　528
hypoglycemia unawareness　519, 528
hypogonadotropic hypogonadism　367, 468, 504
hypokalemia　107, 512
hypoketonemic hypoglycemia　30
hypokinetic　285
hypomenorrhea　484
hyponatremia　812
hypophysiotropic hormone　365
hypophysis　375
hypoproteinemia　654, 804
hyporeflexia　279
hyporeninemic hypoaldosteronism　421
hyposmia　216, 367
hypospadias　404
hypothalamic hypogonadism　483
hypothalamic sulcus　357
hypothalamo-hypophysial tract　358
hypothalamus　357
hypothyroidism　435
hypotonia　279, 291
hypotonic　8, 271, 796
hypotonic cerebral palsy　275
hypovolemic shock　639
hypoxemia　753
hypoxia　753
hypoxia-inducible factor　689, 754
hypoxic hypoxia → hypoxemia
hysteresis　733

I 帯　123
I band　123
IASP　198
ibuprofen　36, 116

索 引 **873**

IC 730
ICA 397
icterus → jaundice
ideal solution 7
idiopathic epilepsy 319
idioventricular rhythm 617
IDL 33
IFN 81
IgA 89, 722
IGF-I 74, 116, 382, 510
IGF-II 382, 510
IgG スーパーファミリー 48
IJP 159
iloprost 740
imatinib 66
imipramine 322
IML 683
IML column 298
immune tolerance 85
immunoglobulin 88, 298, 722
immunosuppressant 272
immunosuppressive drug 157
implantation 485
implicit memory 330
importin 51
in vitro fertilization 486
inactivated state 106
incomplete heart block 617
incomplete tetanus 129
increased automaticity 618
incus 248
indicator dilution method 635
indifferent electrode 611
indirect inhibition 153
indirect light reflex 230
indomethacin 36, 816
induced pluripotent stem cell 646
infant respiratory distress syndrome 734
inferior cerebellar peduncle 287
inferior colliculus 255
inferior olive 269
inferior salivatory nucleus 301
inferior vena cava 593
infertility 486
inflammation 116
inflammatory marker 710
inflammatory pain 198, 199
inflammatory response 95
influx 10
infranodal block 617
inhibin 495, 502
inhibin B 460
inhibiting factor 365
inhibitory heterotrimeric G protein 73
inhibitory junction potential 159
inhibitory postsynaptic potential 150, 266
initial heat 133
initial segment 104, 151
innate immunity 81, 97

inner hair cell 249
inner nuclear layer 230
inner plexiform layer 231
inositol 1,4,5-trisphosphate 70, 169, 304
inositol trisphosphate receptor 116, 141
inotropic action 636
inotropic effect 682
insensible water loss 369
inside-out patch 60
insomnia 324
inspiratory capacity 730
inspiratory muscle 727
inspiratory reserve volume 730
instantaneous vector 615
insulin 183, 451, 507
insulin-like growth factor I 74, 116, 382
insulin-like growth factor II 382
insulin receptor substrate-1 513
insulin resistance 530
insulin sensitizer 354
insulinoma 528
integral protein 41
integrin 48, 454
intensity 195, 238
intention tremor 292, 293
intercalated cell 783
intercalated disk 136
interferon 81
interleukin 90
interlobular bile duct 594
intermediate-density lipoprotein 33
intermediate filament 46
intermediolateral cell column 683
intermediolateral column 298
internal capsule 278
internal environment 39
internal hydrocephalus 700
internal intercostal muscle 727
internal jugular vein 698
internal urethral sphincter 805
internalization 64
International Association for the Study of Pain 198
internodal atrial pathway 607
interpeduncular nucleus 357
interpositus nucleus 287
interstitial cell of Leydig 493
interstitial fluid 3
intestinal colic 200
intima 663
intracellular fluid 4
intracranial hematoma 330
intrafusal fiber 267
intrafusal muscle fibers 267
intralaminar nuclei 314
intralobular bile duct 593
intramembranous bone formation 453

intraocular pressure 226
intrathecal injection 701
intrauterine device 483
intravenous immunoglobulin 158
intrinsic cardiac adrenergic 397
intrinsic depression 640
intrinsic factor 572
intrinsic system 659
intron 15, 509
invasion of immune cell 116
inverse stretch reflex 271
involutional osteoporosis 456
iodine deficiency goiter 435
iodotyrosine deiodinase 427
ion channel 41, 57
　　ligand-gated —— 106
　　voltage-gated —— 106
ionotropic receptor 164
IOP 226
IP_3 70, 169, 304
IP_3 受容体 116
IP_3 receptor 116
IP_3R 141
iPS 細胞 646
IPSP 151, 171, 266
IRDS 734
iris 226
iron deficiency anemia 571, 652
irritant receptor 771
IRS-1 513
IRV 730
ischemic hypoxia 754
Ishihara charts 239
islets of Langerhans 507
isocapnic buffering 775
isoelectric line 615
isoform 130
isohydric principle 5
isomaltase 561
isometric 128
isotonic 8, 128
isovolumetric ventricular relaxation 631
isovolumetric(isovolumic, isometric) ventricular contraction 629
itch 193
IUD 483

J

J 受容器 771
JAK 76
JAK-STAT 経路 389
JAM 49
Janus kinase / signal transducer and activator of transcription pathway 389
Janus チロシンキナーゼ 76
jaundice 598
Jendrassik の手技 271
JG 細胞 → juxtaglomerular cell
JGA 783

junction adhesion molecule　49
junctional fold　155
juvenile diabetes　529
juxtacapillary　771
juxtacrine communication　64
juxtaglomerular apparatus　783, 819
juxtaglomerular cell　178, 818
juxtamedullary nephron　783

●K

K層　241
K複合　320
K complex　320
kainate　168
kallidin　693
kallikrein　693
Kallmann 症候群　367
karyotype　460, 461
Kayser-Fleischer リング　286
Kent 束　619, 622
keratopathy　237
kernicterus　658, 704
ketoacidosis　109
ketogenic　22
ketone body　30
17-ketosteroid　399
Kety 法　704
kinase　65
kinesin　46
kinin　693
kininase I　693
kininase II　693
kinocilium　251
kiss-and-run discharge　147
kisspeptin　483
Klinefelter 症候群　466
Klinefelter syndrome　466
knee jerk　267
knee jerk reflex　267
koniocellular layer　241
Korotkoff 音　672
Krebs 回路→ citric acid cycle
Krebs-Henseleit 回路　596
Kupffer 細胞　593
Kussmaul 呼吸　517, 768
kyphosis　456

●L

L異性体　18
Lチャネル　609
L-ドーパ　18, 703
L channel　609
L isomer　18
labyrinth　248
labyrinth righting reflex　259
lacis cell　783, 818
lacrimal gland　226
lactase　561
lactic acidosis　517, 639
lactose　560

lactose intolerance　562
lactotroph　376
Lambert-Eaton myasthenic syndrome　158
Lambert-Eaton 筋無力症候群　158
Lambert-Eaton 症候群　156
lamellar body　726
lamellipodia　46
laminar flow　666
laminin　48
Landolt 環　237
Langerhans 島　507
Laron 型低身長症　387
laser surgery　237
latch bridge　141
late endosome　55
lateral corticospinal tract　277
lateral fissure　203
lateral geniculate body　239
lateral geniculate nucleus　239, 240
lateral inhibition　197, 235
lateral intercellular space　783, 791
lateral olfactory stria　215
laughter　340
LBBB　618
LCAT　33
LDL　33
L-dopa　18
lead I　611
lead II　611
lead III　611
lead pipe rigidity　285
leaky epithelium　791
learning　330
lecithin-cholesterol acyltransferase　33
left axis deviation　615
left bundle　608
left bundle branch block　618
left ventricular ejection time　633
LEMS　158
length constant　152
length-tension relationship　636
lenticular nucleus　281, 286
leptin　530, 575
LES　583
leu-enkephalin　181
leukemia inhibitory factor　116
leukotriene　36
levetiracetam　272
levodopa　169, 177, 287, 288, 298
levonorgestrel　484
Lewy 小体　287
Leydig 間質細胞　493
Leydig 細胞　493
LGB　239
LGN　239, 240
LH　364, 375, 460
LHRH　365
lidocaine　112, 199, 623
LIF　116
ligand　41

ligand-gated　57
ligand-gated channel　164, 219
light adaptation　236
light chain　88
light reflex　230
light therapy　324
lightness　238
limiting pH　827
lipidated　41
lipoprotein　20, 32
lipoprotein(a)　710
lipoprotein lipase　33
lipoxin　36
lithocholic acid　546
little brain　551
liver palm　479
loading the spindle　269
lobeline　767
local osteolytic hypercalcemia　450
location　195
lockjaw　149
locomotor pattern generator　273
locus coeruleus　207, 208
long QT syndrome　138, 258, 622
long-lasting　609
long-term depression　292, 329, 333
long-term memory　332
long-term potentiation　169, 329, 333
loop of Henle　783
loratadine　71
losartan　816
Lou Gehrig 病　279
loudness　253
lovastatin　33
low-density lipoprotein　33
lower esophageal sphincter　583
lower motor neuron　278, 279
lower motor neuron lesion　134
low-molecular-weight kininogen　693
Lown-Ganong-Levine 症候群　622
low-pressure system　670
low-resistance shock　639
low-salt　570
low-voltage　625
Lp(a)　710
LQTS　138
LSD　182
LTD　292, 329, 333
LTP　329, 333
lubiprostone　588
lumirubin　652
lung capacity　730
lung parenchyma　721
lung volume　730
lupus　308
Luschka 孔　699
luteal cell　472
luteal phase　472
luteinizing hormone　364, 375, 460, 504
luteinizing hormone-releasing

hormone 365
luteolysis 483
LVET 633
17,20-lyase 401
lymph fluid 3
lymphangiogenesis 665
lymphedema 678
lymphocyte 95, 647
lysergic acid diethylamide 182
lysine vasopressin 361
lyso-PC 544
lysosomal disease 45
lysosome 43
lysylbradykinin 693

● M

M 細胞 240
M 線 123
M1 276
MAC 95
Machado-Joseph 病 293
macroglia 113
macrophage 95
macrophage CSF 94
macrosomia 525
macula 250
macula densa 783, 794, 819
macula lutea 236
macular edema 238
macular sparing 241
maculopathy 237
Magendie 孔 699
magnetic resonance angiography 685
magnetic resonance imaging 114
magnocellular ニューロン 361
magnocellular layer 240
magno 細胞 240
major depressive disorder 182
major histocompatibility complex 86, 486
major proglucagon fragment 522
malabsorption 569
malabsorption syndrome 569
malathion 305
male hypogonadism 503
male pseudohermaphroditism 466
male secondary sex characteristics 500
malignant hyperthermia 130, 372
malleus 248
maltase 561
maltose 561
maltotriose 561
mammotroph 376
mannose-6-phosphate receptor 56
mannose-binding lectin pathway 95
manubrium 248
MAO 177
MAOI 182

MAP 479
MAP キナーゼ 66
MAP kinase 66
masking 254
mass action contraction 587
mass reflex 274
mast cell 95
mastication 582
maturity onset diabetes of the young 530
maximal voluntary ventilation 730
Mayer 波 688
McCune-Albright 症候群 77, 485
M-CSF 94, 454
MDMA 182
mean pressure 670
mean QRS vector 615
mean vector 615
mechanical nociceptor 192
mechanoreceptor 191
meclizine 261
media 663
medial geniculate body 255
medial lemniscal pathway 201
medial lemniscal system → dorsal column system
medial lemniscus 201
medial lemniscus system 196
medial preoptic area 366
medial preoptic nucleus 308
medial temporal lobe 330
median eminence 358, 359, 703
medulla 393, 462
medullary chemoreceptor 768
medullary pyramid 278
medullary reticulospinal tract 278
megakaryocyte 647
meiosis 17
Meissner 小体 192
melanin 378
melanocyte 378
melanocyte-stimulating hormone 378
melanophore 378
melanotropin 378
melanotropin-1 378
melatonin 323, 324
memantine 169, 336
membrane attack complex 95
membrane potential 104
membranous labyrinth 248
memory 330
memory B cell 88
menarche 467
Ménière 病 261
meninges 700
menopause 459, 475
menorrhagia 484
menstrual cycle 470
menstruation 470
Merkel 細胞 192
mesangial cell 665, 782

mescaline 182
mesencephalic locomotor region 273
mesocortical dopaminergic neurons 207
mesocortical system 178, 179
mesonephric duct → wolffian duct
messenger RNA 18
metabolic acidosis 752, 832
metabolic alkalosis 753, 832
metabolic myopathy 125
metabolic syndrome 530
metabolic theory of autoregulation 689
metabotropic receptor 164
metahypophysial diabetes 522
metarteriole 663
metathyroid diabetes 522
met-enkephalin 181
metformin 354, 521
methadone 207
methamphetamine 322
methemoglobin 651, 759
methimazole 436
methoxital 172
3-methoxy-4-hydroxyphenylglycol 178
3,4-methylenedioxymethamphetamine 182
methylphenidate 322
methylprednisolone 274
metoprolol 623
metrorrhagia 484
metyrosine 178
mexiletine 199, 623
Meynert の基底核 335
MHC 86, 130, 433, 486
MHPG 178
micelle 546, 567
microaneurysm 238
microfilament 46
microglia 113, 200
microRNA 18
microsome 40
microtubule 45
microtubule-organizing center 47
microvillus, microvilli 217, 783
micturition 779, 805
midcollicular decerebration 281
middle cerebellar peduncle 287
middle internodal tract 607
Midget 細胞 240
midline nuclei 314
mifepristone 481
migraine 199
migrating motor complex 581
milk ejection 364
mineralocorticoid 393
miniature endplate potential 156
minute ventilation 730
miosis 226, 307
miotics 229

miRNA 18
MIS 462, 495
MIS 遺伝子 460
misoprostol 542
MIT 427
mitochondria 42
mitogen activated protein kinase 66, 479
mitosis 17
mitral cell 214
mittelschmerz 472
M-line 123
MMC 581
modafinil 322, 324
modality 195
modiolus 249
MODY 530
molecular mass 4
molecular mimicry 90
2-monoacylglycerol 32
monoamine oxidase 177
monoamine oxidase inhibitor 182, 298
monochromat 239
monocyte 95, 647
monoiodotyrosine 427
monosaccharide 23
monosynaptic 149
monosynaptic reflex 267
Monro-Kellie の原理 704
moon face 410
morning-after 避妊 478
morphine 757
mosaic 465
mossy fiber 287, 289
motilin 551
motion sickness 261
motor endplate 155
motor homunculus 276
motor unit 134
MPGF 522
MPR 56
MRA 685
MRI 114, 705
mRNA 18
MRP-2 598
MS 114
MSA 298
MSH 378
MTOC 47
mucociliary escalator 723
Müller 管 462
Müller 管抑制物質 462, 495
Müller 管抑制物質遺伝子 460
müllerian duct 462
müllerian inhibiting substance 462, 495
multi-CSF 92
multidrug resistance protein 2 598
multiple sclerosis 114
multiple system atrophy 298
multipolar 104

multiunit smooth muscle 140
murmur 634
muscarinic action 174
muscarinic cholinergic receptor 174
muscarinic poisoning 306
muscle pump 676
muscle spindle 267
muscle twitch 126
muscular atrophy 279
muscular dystrophy 125
MVV 730
myasthenia 130
myasthenia gravis 77, 130, 156, 157, 238
mycetism 306
mydriasis 226
myelin sheath 104
myeloperoxidase 96
myenteric plexus 310, 551
myocardial infarction 623, 710
myoepithelial cell 364
myofibril 121
myogenic theory of autoregulation 689
myoglobin 748
myopia 229
myosin 47
myosin heavy chain 130, 433
myosin light chain phosphatase 141
myosin light-chain kinase 68
myosin-II 123
myotatic reflex 267
myotonia 130
myristoylated 41
myxedema 435
myxedema madness 435

N

N_2O 704
NA 220
NA 再取込み阻害薬 220
NA reuptake inhibitor 220
Na^+ 依存性グルコーストランスポータ 562
Na^+/H^+ 交換輸送体 553
Na^+/H^+ exchanger 553
Na^+/I^- シンポータ 425
Na^+/I^- symporter 425
Na^+,K^+ 依存性 ATP 加水分解酵素 105
Na^+,K^+ ポンプ 58
Na^+,K^+ pump 58
Na^+,K^+-ATPase 10, 11, 58, 105
NADPH 650
NADPH オキシダーゼ 96
NADPH oxidase 96
naloxone 208
naltrexone 207
NaPi-IIa 444

NaPi-IIb 444
NaPi-IIc 444
narcolepsy 322
nasolacrimal duct 226
NAT 167, 177
natalizumab 114
National Institutes of Health 216, 258
natriuretic hormone 819
natriuretic peptide receptor 820
natural killer cell 84
Nav1.8 199
near point 230
near reflex 230
NEAT 576
necrosis 53
negative feedback inhibition 154
negative feedback process 106
negative selection 85
negative (downward) deflection 614
Nelson 症候群 366
neocortex 331
neoendorphin 183
neonatal severe primary hyperparathyroidism 449
neostigmine 157
neovascularization 238
NEP 821
nephrogenic diabetes insipidus 77, 812
nephron 781
nephrosis 804
Nernst の式 10
nerve conduction test 114
nerve gas 305
nerve growth factor 74, 113, 194
nervi erigentes 498
net amount transferred 790
net flux 7
neural communication 63
neural hormone 361
neurexin 148
neuroeffector junction 145, 156
neurofibrillary tangle 336
neurogenesis 333
neurogenic hypertension 686
neuroglycopenic symptom 518
neurohemal organ 703
neurohypophysis 703
neurokinin A 181, 699
neurokinin B 181
neurokinin receptor 181
neuroleptic drug 286
neuroligin 148
neuromodulator 163
neuromuscular junction 145, 155
neuron 103
neuronal nitric oxide synthase 184
neuropathic pain 198, 199
neuropathy 682
neuropeptide Y 183, 305, 526

neurophysin 362
neurosecretion 361
neurotensin 183
neurotransmitter 63, 163
neurotrophin 115, 159, 274
neurovascular compression 685
neutral endopeptidase 821
neutral fat 32
neutrophil 95, 647
NF-κB 67, 99
NGF 74, 113, 194
NHE 553
nicotinamide adeninedinucleotide phosphate oxidase 96
nicotine 767
nicotinic action 174
nicotinic cholinergic receptor 157, 174
nifedipine 308, 623, 756
night blindness 234
night terror 322
nigrostriatal projection 283
nigrostriatal system 178
NIHL 258
NIS 425
nitric oxide 142, 184, 306, 690
nitric oxide synthase 498
nitrogen balance 274
nitroglycerin 690
nitrous oxide 704
nizatidine 71
NK 細胞 84
NK cell 84
NMDA 168
NMDA 型受容体 200, 333
NMDA 受容体拮抗薬 199
NMDA receptor 200, 333
NMDA receptor antagonist 199
N-methyl-D-aspartate 168
N-methyl-D-aspartate 受容体拮抗薬 199
N-methyl-D-aspartate recepter 333
NO 142, 184, 306
NO シンターゼ 690
NO synthase 690
nociception 198
nociceptive stimulus 272
nociceptor 191
nocturia 803
nocturnal enuresis 322
nodal 618, 619
node of Ranvier 104
noise-induced hearing loss 258
nonassociative learning 331
noncommunicating hydrocephalus 700
non-constitutive pathway 54
nonconvulsive 318
nondeclarative memory 330
nondisjunction 466
nondominant hemisphere 338
nonessential amino acid 19

nonexercise activity thermogenesis 576
nonfluent aphasia 338, 340
nonionic diffusion 8, 829
non-REM 睡眠 313
nonsteroidal anti-inflammatory drug 198, 199
nonsuppressible insulin-like activity 510
nonsyndromic 258
noradrenaline 164, 301, 393
noradrenaline transporter 167, 177
noradrenergic 301
noradrenergic neuron 175
norepinephrine → noradrenaline
norethindrone 484
normal sinus rhythm 616
NOS 498, 690
noxious stimulus 272
NPR 820
NPY 305, 526
NSAID 36, 198
NSILA 510
NSR 616
NT-3 115
NT-4/5 115
NTS 218, 523, 684
nuclear bag fiber 267
nuclear chain fiber 267
nuclear cholescintigraphy 600
nuclear envelope 51
nuclear factor-κB 67, 99
nuclear membrane 51
nuclear pore complex 51
nucleolus 51
nucleoside 13
nucleosome 50
nucleotide 13
nucleus accumbens 207
nucleus ambiguus 301
nucleus of the tractus solitarius 218, 523, 684
nucleus raphe magnus 207
nutritionally essential amino acid 18
nyctalopia → night blindness
nystagmus 260, 293

O_2 に関する脳の代謝率 707
OATP 598
obesity 576
obstructive jaundice 601
obstructive shock 639
obstructive sleep apnea 322, 774
occludin 49
ocrelizumab 114
ocular dominance column 242
oculocardiac reflex 620
oculomotor nerve 230
Oddi 括約筋 594

odor detection threshold 217
odorant 213
odorant receptor 213
odorantbinding protein 214
off 中心 / on 周辺型細胞 235
off-center / on-surround cell 235
olanzapine 179
olfaction 213
olfactory bulb 213
olfactory cortex 215
olfactory epithelium 213
olfactory glomerulus 214
olfactory nerve 213
olfactory sensory neuron 213
olfactory tubercle 215
oligoclonal 114
oligodendrocyte 113
oligomenorrhea 484
oligosaccharidase 561
oligosaccharide 561
oliguria 804
olivocochlear bundle 255
omeprazole 542
on 中心 / off 周辺型細胞 235
on-center / off-surround cell 235
oncogene 54, 513
oncotic pressure 63, 652
ondansetron 585
Ondine の呪い 772
open angle glaucoma 227
operant conditioning 331
OPG 454
ophthalmic vein 698
opioid 198, 205
opioid peptides 181
opioid receptor 183
opsin 233
opsonization 96
optic chiasm 239
optic disk 236
optic nerve 230
optic neuritis 114
optic tract 239
optical axis 227
optometric vision therapy 229
oral glucose tolerance test 514
orbital tumor 238
orectic factor 575
orexin 316, 322
organelle 40
organic anion transporting polypeptide 598
organophosphate 305
organophosphate cholinesterase inhibitor 304
organum vasculosum laminae terminalis 811
organum vasculosum of the lamina terminalis 361, 703
orientation column 242
orienting reflex 333
ornithine 18

orthograde transport 111
orthostatic albuminuria 804
orthostatic hypotension 298, 687
OSA 322
Osm 7
osmolality 8, 809
osmolarity 8
osmole 7
osmoreceptor 360
osmosis 7
osmotic diuresis 799
osmotic fragility 650
osmotic pressure 7
osmotic pressure gradient 675
osteoblast 454
osteoclast 454
osteomalacia 445
osteon 453
osteopetrosis 455
osteoporosis 411, 455, 479
 disuse―― 456
 involutional―― 456
osteoprotegerin 454
otic ganglion 301
otoconia 251, 261
otolith 250
otolith organ 249
otopetrin1 219
otosclerosis 257
ototoxin 258
ouabain 61, 821
outer hair cell 249
outer nuclear layer 230
outer plexiform layer 231
outside-out patch 61
oval window 248
ovarian agenesis 466
ovarian hyperstimulation syndrome 386
overflow incontinence 807
overshoot 106
overtone 253
oviduct → uterine tube
OVLT 361, 703
ovulation 471
oxaloacetate 25
oxidase 44
oxidation 12
oxidative deamination 22
oxidative phosphorylation 12, 42
oxygen debt 133, 775
oxygenation 746
oxygen-hemoglobin dissociation curve 746
oxyhemoglobin 650
oxyntomodulin 523
oxyphil cell 446
oxytocin 183, 361, 376

P

P 細胞 240, 783

P 糖タンパク質 702
P cell 414
P2X 194
P2Y 194
P450c11 402
P450c11AS 403
P450c17 401
P450c21 402
P450scc 401
p75 受容体 115
p75 receptor 115
PACAP 519
pacemaker cell 121
pacemaker potential 609
Pacini 小体 192, 196
packet 156
paclitaxel 45
PAF 98
PAG 206
PAH 793
pain 198
paired pulse stimulation 640
paliperidone 179
pallesthesia 196
pallidotomy 288
pallor 308
palmitoylated 41
PAM 726
p-aminohippuric acid 793
pancreatic duct 544
pancreatic juice 544
pancreatic polypeptide 507
panting 370
papilla 217
PAR-2 194
paracellular pathway 49, 791
paracrine 525, 547
paracrine communication 63
parafollicular cell 450
paraganglion 394
parageusia 220
parallel fiber 287
paralytic ileus 587
paramesonephric duct → müllerian duct
paraparesis 114
Parasol 細胞 240
parasomnia 322
parasympathetic nervous system 297
parathion 305
parathyroid gland 446
parathyroid hormone 441
parathyroid hormone-related protein 449
paravertebral vein 698
parellel β-sheet 21
paresthesia 114, 205
parietal cell 538
parietal lobe 202, 278
parietal pathway 243
parietal pleura 727

parkin 287
Parkinson 症候群 288
Parkinson 病 169, 285, 288, 707
Parkinsonism 288
parotid gland 537
paroxysmal atrial tachycardia with block 620
paroxysmal tachycardia 619
paroxysmal ventricular tachycardia 621
pars compacta 283
pars reticulata 283
partial pressure 736
partial seizure 318
parts per million 217
parturition 488
parvo 細胞 240
parvocellular layer 240
passive tension 129
PAT-1 554
patch clamp technique 60
pathologic pain 198
pattern recognition receptor 83
pause 618
PC 544
P_{Cr} 788
PDE 142
PDGF 76, 98, 116
pelvic nerve 301
Pendred 症候群 258
pendrin 426
penicillamine 286
penicillin G 306
penisat-12 syndrome 502
pentobarbital 172, 483
pentose 23
penumbra 169, 707
PEP 633
pepsin 563
pepstatin 816
PepT1 566
peptidase 181
peptide 20
peptide bond 19
peptide histidine methionine 27, 699
peptide transporter 1 566
peptide YY 526
perforin 83, 95
perhydro-cyclopentanophenanthrene 399
periaqueductal gray 206
pericentriolar material 47
periciliary fluid 723
pericyte 665, 782
periglomerular cell 214
perilymph 248
perineurium 116
perinuclear cisern 51
periodic breathing 773
periodic limb movement disorder 322

periosteum 453
peripheral arterial chemoreceptor 688
peripheral protein 41
peripheral venous pressure 677
peristalsis 586
peritubular capillary 783
periventricular nucleus 366
perma nent vegetative state 330
permissive action 408
peroxin 44
peroxisome 40, 44
peroxisome proliferator-activated receptor γ 44, 521
perphenazine 179
persistent hyperinsulinemic hypoglycemia of infancy 520
pertussis toxin 73, 116
PET 179, 276, 329, 705
petrosal nerve 359
Peyer 板 89
PGH2 36
P-glycoprotein 702
PGO spike 322
pH 5, 747
phagocytosis 55, 96
phantom eye syndrome 204
phantom limb pain 204
phantom tooth pain 204
phasic bursting 363
phasic receptor → rapidly adapting receptor
phasic smooth muscle 121
Phe-Arg 693
phenelzine 182
phenobarbital 172
phenol red 793
phenothiazine 288, 470, 625
phenylalanine 177
phenylalanine hydroxylase 175, 177
phenylbiguanide 687
phenylbutazone 14
phenylephrine 307
phenylethanolamine-N-methyltransferase 175, 396, 683
phenylketonuria 177
phenytoin 319, 320
pheochromocytoma 399
pheromone 215
phlorhizin 563, 793
PHM-27 699
phonologic hypothesis 339
phosphatase 65
phosphate timer 66
phosphatidylcholine 544
phosphatidylinositol 3-kinase 511, 513
phosphatidylinositol 4,5-bisphoshate 72
phosphaturic action 448
phosphodiesterase 72, 142

phosphoenolpyruvate carboxykinase 516
phosphoinositide 3-kinase pathway 116
phospholipase A_2 34, 544
phospholipase C 70
phospholipid 659
5-phosphoribosyl pyrophosphate 14
photodynamic therapy 237
photopic vision 233
photoreceptor 191, 225
phototherapy 652
phsophocreatine 132
physical therapy 456
physiologic pain 198
physiologic shunt 739
physiologic tremor 269
physiological dead space → total dead space
physostigmine 227, 306
phytic acid 570
PI3 キナーゼ 511, 513
PI3 キナーゼ経路 116
piebaldism 378
pigment epithelium 231
PIH 365, 387
pill 484
pillar cell 249
pilocarpine 227
pinocytosis 55
PIP2 72
piriform cortex 215
pitch 253
pituicyte 376
pituitary adenylate cyclase-activating polypeptide 519
pituitary gland 375
PKA 72
PKU 177
Pl3K 513
placenta 485, 712
placental transfusion 715
plasma 652
plasma cell 83, 85, 88
plasma kallikrein 693
plasma membrane 40
plasma renin activity 817
plasma renin concentration 817
plasma T_3 level 428
plasma T_4 level 428
plasmapheresis 158
plasmin 661
plasticity 143, 204
plateau 136
platelet aggregation 98
platelet-activating factor 98
platelet-derived growth factor 76, 98, 116
play back 616
PLC 70
pleasure center 207

plethysmograph 666
plethysmography 666
pleural cavity 727
PLMD 322
ploidy 17
pluripotent stem cell 258, 377
PMN 95, 647
PMS 484
pneumotaxic center 765
PNMT 175, 396, 683
podocyte 781
poikilothermic 368
point mutation 16
Poiseuille-Hagen の式 668
polar 5
polarize 42
poly(A) tail 18
polydipsia 813
polymodal nociceptor 192
polymorphism 657
polymorphonuclear leukocyte 95, 647
polypeptide 20
polyribosome 21
polysaccharide 23
polyspermy 485
polysynaptic 149
polysynaptic reflex 267
polyubiquitination 22
polyuria 803, 813
POMC 375, 411, 575
pontine reticulospinal tract 278
pontocerebellum 290
ponto-geniculo-occipital spike 322
portal hypophysial vessel 359
portal triad 593
position agnosia 196
positive Babinski sign 275
positive feedback loop 106
positive ionotropic effect 139
positron emission tomography 179, 276, 329, 705
postcentral gyrus 202
posterior chamber 226
posterior fascicle 608
posterior internodal tract 607
posterior pituitary 703
postextrasystolic potentiation 640
postganglionic neuron 298
postictal period 318
postsynaptic density 147
postsynaptic inhibition 153
postsynaptic neuron 145
posttetanic potentiation 332
postural syncope 687
power stroke 126
pp39^{mos} 472
PPAR 44
PPAR γ 521
ppm 217
PRA 817
pralidoxime 305

pramipexole 288
prandial drinking 361
prazosin 308
PRC 817
pre-Bözinger complex 764
precapillary sphincter 663
precocious pseudopuberty 407, 468, 504
precursor 563
prednisone 114, 157, 158
preejection period 633
preexcitation syndrome 622
preganglionic neuron 298
prekallikrein 693
preload 636
premature beat 618
premenstrual syndrome 484
premotor area 277
premotor cortex 277, 278
prenylated 41
preoptic neurons 316
preovulatory phase 472
prepotential 609, 610
preprogastrin 548
preprohormone 345, 366
preproinsulin 509
preprooxyphysin 362
prepropressophysin 362, 813
preproPTH 447
preprorenin 815
presbycusis 258
presbyopia 230
pressure ulcer → decubitus ulcer
pressure-volume curve 732
prestin 255
presynaptic facilitation 154
presynaptic inhibition 153
presynaptic neuron 145
presynaptic terminal 104
prevertebral ganglion 300
PRH 365
primary adrenal insufficiency 420
primary amenorrhea 469, 484
primary cilia 667
primary ciliary dyskinesia 48
primary color 239
primary ending 268
primary evoked potential 315
primary hyperaldosteronism 420, 688
primary motor cortex 276, 278
primary plexus 359
primary somatosensory cortex 202, 278
primary spermatocyte 494, 504
primary structure 20
primary visual cortex 241
primary-progressive multiple sclerosis 114
primidone 272
priming 331
primitive reflex 275

primordial follicle 470, 472
principal cell 414, 783
PRL 364
proarrhythmic 623
probenecid 14
procainamide 640
procaine 112
procaspase 54
procedural memory 331
prodynorphin 182
proenkephalin 181
proenzyme 54, 563
progenitor cell 646
progestational agents 481
progesterone 460
progestin 481
programmed cell death 53
progressive motility 496
proinsulin 509
prokaryote 41
prolactin 364, 375
prolactin-inhibiting hormone 365, 387
prolactin-releasing hormone 365
proliferative 472
proliferative phase 472
promoter 15
proopiomelanocortin 181, 375, 411, 575
propafenone 623
properdin pathway 95
propofol 320
propranolol 434, 623, 816
proprioception 267
proprioceptor 191
proPTH 447
propylthiouracil 436
prorenin 815
prosopagnosia 340
prostacyclin 690
prostaglandin 34, 497
prostaglandin G/H synthase 1 34
prostaglandin G/H synthase 2 34
prostaglandins 227
prostate 493
prostate-specific antigen 498
prot 239
protease-activated receptor-2 194
proteasome 22, 86
protein kinase A 72
protein kinase C 72
proteinuria 804
protodiastole 631
proton pump 43
proto-oncogene 54
protoplasmic astrocyte 115
proximal convoluted tubule 783
5-PRPP 14
PRR 83
pruritus 194
PSA 498
pseudo-H zone 123

pseudohypoaldosteronism 421
pseudohypoparathyroidism 448
Pseudomonas aeruginosa 724
pseudounipolar 104
psychosocial dwarfism 387
pterygoideus venous plexus 698
PTH 441, 446
PTH 関連タンパク質 449
PTHrP 449
ptosis 149, 238, 307
pubarche 467
puberty 467
pulmonary alveolar macrophage 726
pulmonary alveolar proteinosis 734
pulmonary chemoreflex 771
pulmonary circulation 727
pulmonary embolism 661
pulsatile 676
pulse 633
pulse deficit 621
pulse oximeter 729
pulse pressure 670
pump 41
pupil 226
pupillary light reflex 230
purine 13
purinergic receptor 194
Purkinje 細胞 154, 287
Purkinje 線維系 607
putamen 281
putative anion transporter 554
pyramidal lobe 424
pyramidal neuron 315
pyridinoline 454
pyridostigmine 157, 305
pyrimidine 13
pyrin 372
pyruvate carboxylase 516
PYY 526

Q

QS_2 633
QT 延長症候群 138, 258, 622
quality control 53
quantal release 156
quantum 13
quaternary structure 21
quetiapine 179
quinidine 623, 640

R

R 単位 666
R unit 666
racing thoughts 179
radiation 369
radionuclide 709
raft 56
rage 360

索　引　881

raloxifene　456, 479
ramelteon　324
ranibizumab　237
ranitidine　71
RANK　454
RANKL　454
ranscutaneous electrical nerve stimulation　205
Ranvier 絞輪　104
rapid auditory processing theory　339
rapid eye movement 睡眠　313
rapidly adapting receptor　197, 771
rasagiline　298
Rathke 嚢　376
Raynaud disease　308
Raynaud phenomenon　305
Raynaud syndrome　308
Raynaud 現象　305, 308
Raynaud 症候群　308
Raynaud 病　308
RBBB　618
reaction time　269
reactive hyperemia　710, 711
rebound phenomenon　293
receptive field　196
receptive relaxation　584
receptor　41, 163
receptor activator for nuclear factor κB　454
receptor activator for nuclear factor κB ligand　454
receptor potential　266
receptor sensitivity　197
receptor specificity　196
reciprocal innervation　153, 269, 764
recovery heat　133
recruitment of motor unit　135
red blood cell　647
red reaction　711
5α-reductase deficiency　466
reduction　12
reentry　619
referred pain　201
reflex arc　266
reflex ovulation　475, 483
reflex sympathetic dystrophy　199
refraction　227
refractory period　110
regenerative sprouting　159
regulated pathway　55
regulator of G protein signaling　70
regulatory element　15
regurgitation　634
relapsing-remitting multiple sclerosis　114
relative refractory period　110, 136
relaxation heat　133
relaxation volume　732
relaxed configuration　746
relaxin　382, 460, 481
releasing factor　365

REM 睡眠　313
renal compensation　753, 832
renal hypertension　819
renal interstitial pressure　784
renal medullary interstitial cell　783
renal plasma flow　785
renal threshold　792
renal tubular acidosis　804
renin　394, 815
renin substrate → angiotensinogen
renin-secreting granular cell　783
renorenal reflex　785
Renshaw 細胞　154, 272
repertoire　82
replication　17
repolarization　106
representational hemisphere　338
reserpine　178
residual cleft　376
residual volume　730
resistance　666
resistance vessel　670
resistin　530
respiratory acidosis　752, 768, 829, 832
respiratory alkalosis　752, 768, 832
respiratory arrhythmia　616
respiratory burst　96
respiratory compensation　753, 832
respiratory control pattern generator　764
respiratory minute volume　730
respiratory zone　723
resting heat　133
resting length　129
resting membrane potential　105
restless leg syndrome　322
reticular lamina　249
reticularis　394
retin　225
retina　230
retinal　233
retinal detachment　238
retino hypothalamic fiber　323
retinoid X receptor　432
retinopathy of prematurity　760
retrograde amnesia　332
retrograde transport　113
retrolental fibroplasia → retinopathy of prematurity
reuptake　166
reversal potential　151
reward center　207
RGS　70
rhesus monkey　657
rheumatoid arthritis　308
rhodopsin　233
ribose　13
ribosomal RNA　18
ribosome　40
rickets　445
right axis deviation　615

right bundle　608
right bundle branch block　618
rigor　133
rigor mortis　133
riluzole　169, 279
Rinne テスト　257
risperidone　179
rituximab　114
rivastigmine　336
RMIC　783
RMV　730
RNA　17, 51
RNA ポリメラーゼ　18
RNA polymerase　18
rod　230
rod of Corti　249
ropinirole　288
rosiglitazone　354
rostral ventrolateral medulla　683
rostral ventromedial medulla　207
rough endoplasmic reticulum　51, 509
round window　249
RPF　785
rRNA　18
RRP　136
rT_3　425
RU486　481
rubor　308
rubrospinal tract　280
Ruffini 小体　192
RV　730
RVLM　683
RXR　432
ryanodine receptor　127, 141
RyR　127, 141

● S

SA node　607
saccade　243
saccule　250
salbutamol　142
saline cathartic　555
salt　219
saltatory conduction　110
salt-losing form　404
sapropterin　177
saralasin　816
sarcolemma　121
sarcomere　123
sarcoplasmic or endoplasmic reticulum Ca^{2+}-ATPase　68, 128
sarcoplasmic reticulum　124
sarcotubular system　124
sarin　305
satiety factor　575
saturation　238
SBP　350
SC　89
scala media　249
scala tympani　249

scala vestibuli 249
scalae 249
scanning speech 293
scar formation 116
SCF 92
SCFA 569
Schaffer 側枝 333
schizophrenia 179
Schlemm 管 226
Schwabach テスト 257
Schwann 細胞 104, 113, 116
SCI 273, 274
scintigram 709
sclera 225
scleroderma 308
SCN 323
SCN1A 319
SCN1B 319
scopolamine 261
scotopic vision 233
sealing zone 454
second messenger 65
second pain 193
second polar body 472
second sound 633
secondary active transport 62
secondary adrenal insufficiency 421
secondary amenorrhea 484
secondary diabetes 529
secondary ending 268
secondary hyperaldosteronism 420
secondary hyperparathyroidism 449
secondary oocyte 472
secondary somatosensory cortex 203
secondary spermatocyte 494, 504
secondary structure 20
secondary tympanic membrane 249
secondary-progressive multiple sclerosis 114
second-degree heart block 617
secretin 550
secretory component 89
secretory immunity 89
secretory immunoglobulin 89
secretory phase 472
segmentation contraction 586
selectin 48
selective dorsal rhizotomy 275
selective estrogen receptor modulators 480
selective serotonin reuptake inhibitor 181, 182
selegiline 182, 288
selfsplicing 18
semantic memory 331
semen 496
semenogelin 498
semicircular canal 249, 260

seminiferous tubule 493
seminiferous tubule dysgenesis 466
senile dementia 336
sensitization 198, 331, 333, 657
sensorineural deafness 257
sensorineural hearing loss 257
sensory association area 203
sensory coding 195
sensory unit 196
SERCA 128
SERCA ポンプ 68
SERCA pump 68
SERMs 480
serotonin 164, 179, 220, 687
serotonin transporter 180
serotonin uptake 298
serpentine receptor 70
SERT 180
Sertoli 細胞 493
serum 652
serum- and glucocorticoid-regulated kinase 415, 801
seven-helix receptor 70
sex chromatin 461
sex chromosome 460
sex hormone 459, 493
sex hormone-binding globulin 350
sex steroid-binding globulin 499
sex-determining region of Y 460
sexually transmitted disease 483
SF-1 405
SFO 703, 817
sgk 415, 801
SGLT 562
SHBG 350
shear stress 667, 692
Sheehan 症候群 390
short gut syndrome 569
short-chain fatty acid 569
shortening heat 133
short-term memory 331, 332
Shy-Drager 症候群 298
SIADH 812
sick sinus syndrome 617
sickle cell anemia 653
side pressure 672
side-chain cleavage enzyme 401
signal peptide 21, 52
signal recognition particle 21
signal transducers and activators of transcription 67, 76, 380
sildenafil 142, 239, 498, 691, 740
silencer 16
silibinin 306
simple cell 242
simple partial seizure 318
simple spike 292
sinemet 288, 298
single nucleotide polymorphism 16
sink 151

sinoatrial node 607
sinus arrhythmia 616
sinus bradycardia 617
sinus node dysfunction 617
sinusoid 593
sinusoidal capillary 376, 664
size principle 134
Sjögren 症候群 308
SK channel 279
skeletal muscle 121
sleep spindle 320
slow axonal transport 113
slow EPSP 304
slow pain → second pain
slowly adapting receptor 197, 771
slow-oxidative 130
SMA 277
small cell lung cancer 158
small G protein 52, 69
small GTPase 69
small ubiquitin-related modifier 22
small-conductance calcium-activated potassium channel 279
small-field bistratified ganglion cell 241
smoking cessation therapy 182
smooth endoplasmic reticulum 51
smooth muscle 121
smooth pursuit movement 244
SNAP-25 148
SNARE 52, 148
Snellen 視力表 237
SNP 16
SO 130
SOCC 68
sodium-dependent glucose cotransporter 510, 562
Soluble 74
soluble N-ethylmaleimide-sensitive factor attachment protein receptor 52
solute 7
solute-free water 810
solvent 7
soma 103
soman 305
somatic chromosome 460
somatic form 816
somatomedin C → insulin-like growth factor I
somatomedins 382
somatostatin 183, 365, 507, 551
somatostatinoma 525
somatosympathetic reflex 683
somatotroph 376
somnambulism 322
sotalol 623
sound wave 253
sour 219
source 151
SP 734
space motion sickness 261

spastic　　271
spastic cerebral palsy　　275
spastic neurogenic bladder　　807
spastic paralysis　　149
spasticity　　275, 279
spatial summation　　152
spatial task　　706
specific ionic composition　　809
specific sensory relay nuclei　　314
spectrin　　650
sperm　　495, 504
spermatid　　495, 504
spermatogenesis　　493
spermatogonia　　494
spermatozoon　　495, 504
spermiogenesis　　504
sphenopalatine ganglion　　301, 699
sphincter　　535
sphygmomanometer　　672
spider angioma　　479
spike potential　　580
spike-and-wave　　318
spinal cord injury　　273
spinal cord stimulation　　204
spinal shock　　273
spindle sensitivity　　270
spinnbarkeit　　473
spinocerebellum　　290
spinoreticular pathway　　204
spiny stellate cell　　315
spiral artery　　472
spiral ganglion　　249
splay　　792
spliceosome　　18
spongy bone　　453
SRP　　21
SRY　　460
SSRI　　181, 182
stagnant hypoxia　　754
stance phase　　135
standard bicarbonate content　　834
stapedius　　248
stapes　　248
StAR　　348, 480, 498
StAR protein　　404
starch　　537
Starlingの心臓の法則　　139, 637
Starling力　　675
STAT　　67, 76, 380
static　　267
static response　　268
statin　　34
STD　　484
steatorrhea　　568
stellate cell　　289
stem cell factor　　92
stenosis　　634
stereoagnosia　　196
stereocilia　　251
stereognosis　　196
steroid binding protein　　350
steroid factor-1　　405

steroid hormone　　393
steroidogenic acute regulatory protein
　　348, 404, 480, 498
stimulatory heterotrimeric G protein
　　73
Stokes-Adams症候群　　617
store-operated Ca^{2+} channel　　68
strabismus　　228, 229
stratum basale　　472
stratum functionale　　472
strength-duration curve　　108
streptokinase　　661
streptomycin　　258
streptozotocin　　514
stress　　409
stress failure　　756
stress-induced analgesia　　208
stretch reflex　　267
stretch reflex-inverse stretch reflex
　　sequence　　272
stria　　410
striation　　123
striatum　　281
stroke　　169
stroke volume　　636
structural lipid　　32
stuttering　　340
subcommissural organ　　703
subfornical organ　　361, 703, 817
sublingual gland　　537
submandibular ganglion　　301
submandibular gland　　537
submucosal plexus　　310
submucous plexus　　551
substance P　　164, 181, 193, 306, 551
substantia gelatinosa　　181
substantia nigra　　281
subthalamic nucleus　　281
subthalamotomy　　288
succinic semialdehyde　　171
suckling　　489
sucrase　　561
sucrose　　560
sudomotor fiber　　306
sulfation factor　　382
sulfonylurea derivative　　520
summation of contraction　　128
SUMO　　22
super-female　　466
superior cerebellar peduncle　　287
superior salivatory nucleus　　301
superoxide anion　　760
supertaster　　220
supplementary motor area　　277
supplementary motor cortex　　278
support phase　　135
supporting cell　　213, 217
suprachiasmatic nucleus　　323
supression scotoma　　229
surfactant　　411, 725
surfactant protein　　722, 734
sweet　　219

Sylvius溝　　203
symbolization　　338
sympathectomy　　682
sympathetic　　359
sympathetic chain　　300
sympathetic nervous system　　297
sympathetic paravertebral ganglion
　　299
sympathomimetic drug　　307
sympathomimetics　　178
symporter　　58, 425, 562
synapse　　145
synapse en passant　　157
synaptic cleft　　146, 163
synaptic delay　　148
synaptic knob　　104, 145, 267
synaptic plasticity　　169
synaptic potential　　104
synaptic vesicle　　147, 163
synaptobrevin　　148, 149
synchronization　　320
syncytiotrophoblast　　485
syncytium　　121, 609
syndrome of "inappropriate"
　　hypersecretion of antidiuretic
　　hormone　　812
syndrome X　　530
syndromic　　258
syntaxin　　148
syntrophin　　124
systolic failure　　638
systolic pressure　　629, 670

● T

T管系　　124
Tチャネル　　609
T_3　　424, 425
T_4　　424, 425
T channel　　609
T system　　124
tabes dorsalis　　806
tachycardia　　617
tachypnea　　754
tacrine　　336
tacrolimus　　91
tactile acuity　　196
tactile agnosia　　196
tadalafil　　142, 498, 740
tamoxifen　　237, 351, 479
tardive dyskinesia　　286
target organ　　345
tastant　　213
taste bud　　217
taste pore　　217
taste receptor cell　　217
taste threshold　　220
TATAボックス　　15
tau protein　　336
taurine　　18
TBG　　428
TBI　　329, 330

TBPA 428
TBW 3
TCA cycle → citric acid cycle
tectorial membrane 249
tectospinal tract 278
temporal bone 248
temporal bone fracture 260
temporal lobe 332
temporal pathway 243
temporal summation 152
tenotomy 275
TENS 205
tense configuration 746
tensor tympani 248
teriparatide 456
terminal button 104, 145
terminal cistern 126
terminal tremor 292
tertiary adrenal insufficiency 421
tertiary structure 21
testicular descent 503
testicular feminization syndrome 467
testosterone 493
testotoxicosis 77
tetanic contraction 128
tetanus 128
tetanus toxin 149
tetanus toxoid vaccine 149
tetrabenazine 286
tetracaine 112
tetrahydrobiopterin deficiency 177
tetraploid 17
tetrodotoxin 199
TF 659
TFI 659
Tfm 症候群 467
TGF 116
TGF-α 64
TGF-β 456, 462
thalamic pain syndrome 205
thalamic reticular nucleus 314
thalamostriatal pathway 283
thalamus 314
thalassemia 653
THC 184
Thebesian 静脈 708
theca interna 471
thelarche 467
theophylline 521, 640
thermal gradient 369
thermal nociceptor 192
thermodilution 635
thermoreceptor 191
theta rhythm 320
thiazolidinedione 521
thick filamen 123
thin filament 123
thiopental 172
thioridazine 237
thiorphan 821
thioureylene 436

third-degree heart block → complete heart block
third sound 634
Thorel 伝導路 607
threshold intensity 108
threshold potential 106
thrombasthenic purpura 99
thrombocytopenic purpura 99
thrombocytosis 647
thrombomodulin 660
thrombopoietin 98
thrombosis 660
thromboxane A_2 690
thymectomy 157
thymine 15
thyroglobulin 427
thyroglossal duct 424
thyroid 424
thyroid hormone 451
thyroid hormone receptor 431
thyroid hormone thermogenesis 431
thyroid isthmus 424
thyroid peroxidase 427
thyroid storm 434
thyroid-stimulating hormone 77, 364, 375
thyroidstimulating immunoglobulin 354
thyrotoxic myopathy 434
thyrotroph 376, 430
thyrotropin → thyroid-stimulating hormone
thyrotropin-releasing hormone 365, 423, 430
thyrotropin-stimulating hormone 423
thyroxine 18, 424
thyroxine-binding globulin 428
thyroxine-binding prealbumin 428
tidal volume 730
tight junction 48, 78, 598
timbre 253
time constant 152
timolol 227
tinnitus 257
tip link 252
tissue conductance 369
tissue factor 659
tissue factor pathway inhibitor 659
tissue kallikrein 693
tissue macrophage 97
tissue thromboplastin 659
tissue-type plasminogen activator 661
titin 124
titratable acid 828
titratable acidity 828
tizanidine 279
TLC 730
TLR 82
Tm 790

TNF-α 456
tolazamide 520
tolbutamid 520
tolerance 207
toll 82
toll 様受容体 82
toll-like receptor 82
tone 140, 271
tonic contraction 586
tonic phase 318
tonic receptor → slowly adapting receptor
tonic smooth muscle 121
tonic-clonic seizure 318
tonicity 8, 809
tonsil 722
tonus 140, 271
topiramate 199, 207, 319
Torsades de pointes 621
total blood volume 3
total body water 3
total dead space 735
total electromechanical systole 632
total lung capacity 730
total peripheral resistance 666
total sympathectomy 711
total tension 129
totipotent stem cell 646
t-PA 661, 707
TPL 659
TR 431
trabecular bone 453
trabecular meshwork 226
tranquilizer 272
trans 側 52
transamination 22
transcortin 405
transcription 17
transcytosis 63
transducin 235
transection 807
transfer RNA 18
transferrin 571
transforming growth factor 116, 462
transforming growth factor alpha(α) 64
transforming growth factor β 456
transient 609
transient receptor potential channel 193
transient receptor potential vanilloid type 6 channel 442
transient sleep disorder 324
transitional zone 723
translation 18, 21
translocation GTPase 69
translocon 21
transmission 145
transmitter 711
transmural pressure 669, 736

transport maximum 790
transport protein 56
transthyretin 428
transverse tubular system 124
Traube-Hering 波 688
traumatic brain injury 329, 330
tremor at rest 285
treprostinil 740
TRH 365, 423, 430
triad 124
tricarboxylic acid cycle → citric acid cycle
trichromat 239
tricyclic antidepressant 178
trientine 286
trifascicular block 618
triiodothyronine 424
trinucleotide repeat 54, 285
triple response 711
trisomy 21 466
Trk 受容体 115
TrkA 194
tRNA 18
trophic action 549
tropic hormone 375
tropomyosin 123
troponin 68, 123
troponin C 123
troponin I 123
troponin T 123
Trousseau 徴候 447
TRP channel 193
TRPA1 193
TRPM8 194
TRPV1 193, 199
TRPV3 195
TRPV4 195
TRPV6 チャネル 442
true hermaphroditism 465
true plasma 830
true precocious puberty 469
tryptophan 179
tryptophan hydroxylase 179
TSH 77, 364, 375, 423
TSI 354
TTR 428
TTX 199
tuberomamilary neurons 316
tubular myelin 726
tubular reabsorption 779, 790
tubular secretion 779, 790
tubuloglomerular feedback 794
tufted cell 214
tumor marker 487
tumor necrosis factor α 456
tumor necrosis family receptor 67
tumor suppressor gene 54
turbulent flow 667
Turner 症候群 466
Turner syndrome 466
TV 730
two-point discrimination 197

two-point discrimination threshold 196
two-point threshold test 196
tympanic membrane 248
tympanic reflex 254
type I vitamin D-resistant rickets 445
type II vitamin D-resistant rickets 445
typical depression 182
tyramine 182
tyrosine hydroxylase 175
tyrosine kinase receptor 65
tyrosine kinaseassociated receptor 115
tyrosine receptor kinase A 194

● U

ubiquitin 22
ubiquitination 22
UCP1 370
UDP glucuronosyltransferase 598
UDP グルクロノシルトランスフェラーゼ 598
UDPG 27
UDPGA 598
ultrafiltrate 789
ultrasonography 600
umami 219
uncal herniation 281, 283
uncinate seizure 216
uncompensated 832
uncompensated metabolic acidosis 752, 832
uncompensated respiratory acidosis 752
uncompensated respiratory alkalosis 752
unconditioned stimulus 334
uncoupling protein 370
unilateral inattention → unilateral neglect
unilateral neglect 338
unipolar 104
unipolar recording 611
uniporter 58
unitary smooth muscle 140
universal donor 657
universal recipient 657
u-PA 661
upper airway 721
upper motor neuron 278, 279
upper motor neuron lesion 272
up-regulation 64
uracil 17
uremia 639, 804
uric acid 14
uridine diphosphate glucose 27
uridine diphoglucuronic acid 598
urinary tract infection 274

urine flow 787
urokinase-type plasminogen activator 661
urotensin-II 694
ursodeoxycholic acid 546
uterine tube 471
utricle 250
uvea 226

● V

v 波 633, 676
V_T 730
v wave 633
$\dot{V}/\dot{Q}$ 739
$\dot{V}_E$ 730
V_2 受容体 810
V_2 receptor 810
vagal tone 682
vaginal smear 473
vagus nerve 218
valproate 199, 319
valproic acid 199
Valsalva 試験 688
value 238
VAMP → synaptobrevin
vanilloid 193
vanillylmandelic acid 177, 397
vardenafil 142, 498
varicose vein 676
varicosity 156
vas deferens 493
vasa recta 783
vascular bed 689
vascular endothelial growth factor 237, 472, 665
vasculogenesis 665
vasectomy 497
vasectomy reversal 497
vasoactive intestinal polypeptide 183, 306, 474, 498, 550, 690
vasoconstriction 681
vasodilation 681
vasogenic shock 639
vasopressin 164, 183, 376
vasopressin escape 812
vasovagal syncope 687
VAT 172
Vater 544
VC 730
VEGF 237, 472, 665
venae comitantes 370, 799
venoconstriction 681
venodilation 681
venous occlusion plethysmography 666
venous valve 665
ventilation/perfusion ratio 739
ventral cochlear nucleus 255
ventral corticospinal tract 277
ventral intermediate nucleus 293
ventral pathway 243

886　索引

ventral posterior lateral nucleus　201, 314
ventral posterior thalamic nucleus　204
ventral posteromedial nucleus　314
ventral posteromedial nucleus of the thalamus　218
ventral tegmental area　207
ventricular　618, 619
ventricular ejection　629
ventricular fibrillation　621
ventricular systole　607
ventrolateral spinothalamic pathway　201
verapamil　623
veratridine　687
verbal system　334
verbal task　706
vermis　287
verteporfin　237
vertigo　259, 261
very low density lipoprotein　33, 572
vesamicol　175
vesicle-associated transporter　172
vesicular GABA transporter　170
vesicular glutamate transporter　168
vesicular monoamine transporter　167, 175, 286
vesicular transport　63, 664
vestibular apparatus　257
vestibular labyrinth　260
vestibular movement　244
vestibular nerve　250
vestibular nucleus　257
vestibulocerebellum　290
vestibulo-ocular reflex　259, 260
vestibulospinal tract　278
vestibulosuppressant　261
VGAT　170
Viagra　691
vibratory sensibility　196
villus　712
vinblastine　45
VIP　183, 306, 474, 498, 550, 690, 692, 699
VIP 分泌腫瘍　551
VIPoma　551

virilization　404
visceral pleura　727
visceral smooth muscle　140
viscosity　668
visual acuity　237
visual agnosia　196
visual purple　233
visual theory　339
visuospatial system　335
vital capacity　730
vitamin　572
vitamin A　32
vitamin D　32, 444
vitamin D-binding protein　445
vitamin E　32
vitamin K　32
vitreous chamber　226
vitreous humor　226
VLDL　33, 572
VMA　177, 397
VMAT → vesicular monoamine transporter
voltage-gated　57
volume conductor　611
voluntary control　763
vomeronasal organ　215
von Willebrand 因子　98, 660
von Willebrand 病　660
VPL nucleus　201, 314
vulnerable period　621

● W

Waller 変性　159
warfarin　662
warmth receptor　194
water diuresis　802
water intoxication　802
waterfall 現象　739
waterfall effect　739
water-hammer pulse → Corrigan 脈
Weber テスト　257
Wenckebach 現象　618
Wenckebach 伝導路　607
Wenckebach phenomenon　618
Wernicke 野　205, 339, 706
"what it is ?" response　333
wheal　711

white rami communicans　299
white reaction　675, 711
WHO　207, 305
whole-cell recording　61
Willis の動脈輪　697
Wilson 病　286
Wirsung 管　544
withdrawal　207
withdrawal bleeding　478
withdrawal reflex　272
Wolff 管　462
Wolff-Chaikoff 効果　435
wolffian duct　462
Wolff-Parkinson-White 症候群 → WPW 症候群
working memory　332
World Health Organization　207, 258, 305
Worldwatch Institute　576
WPW 症候群　622

● X

xerophthalmia　234
xerostomia　537

● Y

Y 染色体上の性決定領域　460
yawning　772
Young-Helmholtz の 3 色説　239

● Z

Z 帯　123
Z band　123
ziconotide　199
ziprasidone　179
Z-line　123
Zollinger-Ellison 症候群　451, 542
zolpidem　324
zona fasciculata　394
zona glomerulosa　394
zona pellucida　485
zonula adherens　48
zonula occludens　48
zonular fiber　225
zymogen granule　542

ギャノング生理学　原書26版

令和4年2月25日　発　　　行
令和6年3月15日　第2刷発行

監修者　岡　田　泰　伸

監訳者　佐久間　康　夫
　　　　岡　村　康　司

発行者　池　田　和　博

発行所　丸善出版株式会社
〒101-0051　東京都千代田区神田神保町二丁目17番
編集：電話(03)3512-3261／FAX(03)3512-3272
営業：電話(03)3512-3256／FAX(03)3512-3270
https://www.maruzen-publishing.co.jp

© Yasunobu Okada, Yasuo Sakuma, Yasushi Okamura, 2022

印刷・製本／三美印刷株式会社

ISBN 978-4-621-30708-3　C 3047　　　　Printed in Japan

本書の無断複写は著作権法上での例外を除き禁じられています．